R. N. Champlin, Ph. D.

ENCICLOPÉDIA de BÍBLIA, TEOLOGIA & FILOSOFIA

VOLUME 4 | M/O

1ª edição: 1991
14ª reimpressão: abril de 2021

REVISÃO
Equipe Hagnos

CAPA
Maquinaria Studio

DIAGRAMAÇÃO
Imprensa da Fé

EDITOR
Aldo Menezes

COORDENADOR DE PRODUÇÃO
Mauro Terrengui

IMPRESSÃO E ACABAMENTO
Imprensa da Fé

EDITORA HAGNOS LTDA.
Av. Jacinto Júlio, 27
04815-160 — São Paulo, SP
Tel.: (11) 5668-5668

E-mail: hagnos@hagnos.com.br
Home page: www.hagnos.com.br

Dados Internacionais de Catalogação na Publicação (CIP)
Angélica Ilacqua CRB-8/7057

Champli, Russel Norman, 1933-2018.

Enciclopédia de Bíblia, Teologia & Filosofia. Vol. 4: M-O. / Russel Norman Champlin — São Paulo: Hagnos, 1991. 6 vols.

ISBN 978-85-88234-33-8

1. Bíblia – Enciclopédias 2. Teologia – Enciclopédias 3. Filosofia – Enciclopédias I. Título

21-0891 CDD 220.3

Índices para catálogo sistemático:
1. Bíblia – Enciclopédias 220.3

Editora associada à:

1. Formas Antigas

fenício (semítico), 1000 A.C. — grego ocidental, 800 A.C. — latino, 50 D.C.

2. Nos Manuscritos Gregos do Novo Testamento

M M мм

3. Formas Modernas

M *M* m *m* M *M* m M M m m *M m*

4. História

M é a décima terceira letra do alfabeto português (ou décima segunda, se deixarmos de lado o K). Historicamente, deriva-se da letra consoante semítica *mem*, «águas» ou «ondas», conforme seu formato também sugere. O grego adotou essa letra, alterando seu nome para *mu*. Nesse idioma, foi adicionada uma perninha a essa letra, e seu desenho ondeado foi simplificado. Todavia, o som representado continuou o mesmo, o som consonantal «m», até hoje. A letra foi adotada pelo latim, sem qualquer modificação essencial, e dali passou para muitos idiomas modernos.

5. Usos e Símbolos

No latim, **M** era empregado para representar o numeral 1000. Também simboliza metro ou meridiano (no latim, esta última palavra significa «meio-dia»). Assim em inglês, as horas até o meio-dia são AM, e depois do meio-dia PM. *Ms* significa manuscrito, e *mss*. manuscritos. Quanto aos graus acadêmicos, M.A. significa Mestre de Artes, e M.S. significa Mestre em Ciências. *M* é usado como símbolo do *Codex Campianus*, descrito no artigo separado *M*.

Caligrafia de Daniel Steven Champlin

O boi, símbolo do evangelho de Lucas, Livro de Kells

M

M (Fonte Informativa)

B.H. Streeter usou esse símbolo para indicar a fonte de material que *Mateus* dispôs a fim de usar na compilação do seu evangelho, material esse que os demais evangelistas não dispunham. Além de M, ele também usava o símbolo *Q* (uma fonte informativa de ensinamentos, da qual ele compartilhava com Lucas), ao mesmo tempo em que o evangelho de Marcos teria servido de base histórica essencial para Mateus e para Lucas. Quanto a uma completa discussão sobre a questão, ver o artigo separado intitulado *Problema Sinóptico*.

M (Manuscrito)

Dentro da crítica textual, M é o símbolo usado para designar o *Codex Campianus*, um manuscrito que contém os quatro evangelhos, datado do século IX D.C. Esse manuscrito representa, principalmente, o tipo de texto bizantino, embora de mistura com variantes próprias de Cesaréia. Acha-se na Bibliothèque Nationale de Paris. Ver o artigo geral sobre os *Manuscritos do Novo Testamento*.

MAACA

No hebraico, «depressão» ou «opressão». Parece que a raiz dessa palavra, no hebraico, significa «espremer». Esse é o nome dado a uma localidade da Palestina, e também a várias personagens, referidas nas páginas do Antigo Testamento:

Localidade:

Maaca era o nome de uma região e de uma cidade, ao pé do monte Hermom, não distante de Gesur. Era um distrito da Síria, e ficava quase na fronteira do território da meia tribo de Manassés. Ver Deu. 3:14; Jos. 13:8-13; II Sam. 10:6,8; I Crô. 19:7. Esse território estendia-se até o outro lado do Jordão, até Abel-Bete-Maaca. Ao que parece, compreendia-se que a área fazia parte da herança do povo de Israel, sujeita à conquista militar, mas que os israelitas não foram capazes de ocupar a região (ver Jos. 13:13). Tanto os maacatitas quanto seus vizinhos, os gesuritas, continuaram na posse de seus respectivos territórios.

Quando Davi era rei e lutava contra os amonitas, o rei arameu de Maaca proveu mil de seus homens para ajudarem os amonitas, na tentativa de derrotar Davi. Ver II Sam. 10. Maaca, porém, foi finalmente absorvida pelo reino de Damasco, que foi estabelecido nos dias de Salomão (I Reis 11:23-25). O nome maacatita é usado para referir-se a uma população (ver Deu. 3:14; Jos. 12:5). Próximo, ou mesmo dentro dos antigos limites de Maaca, havia uma cidade de nome Abel-Bete-Maaca, cujo nome, como é evidente, provinha desse território. Ver o artigo separado sobre *Abel-Bete-Maaca*.

Pessoas (houve homens e mulheres com esse nome):

1. O quarto filho designado pelo nome, de Naor e Reumá, sua concubina (ver Gên. 22:24). Não há certeza se se tratava de um filho ou de uma filha. Tal pessoa viveu em torno de 2046 A.C.

2. Uma das esposas de Davi tinha esse nome. Ela era mãe de Absalão. Era filha de Talmai, rei de Gesur. Esse território ficava ao norte de Judá (ver II Sam. 3:3), entre o monte Hermom e Basã. Acredita-se que Davi tenha invadido essa área. Os comentadores supõem que Davi apossou-se dessa área. — No entanto, é mais provável que a região por ele invadida ficasse ao sul de Judá, ao passo que a Gesur sobre a qual Talmai governava ficava ao norte, uma parte integrante da Síria (ver II Sam. 15:8). Nesse caso, é possível que Davi simplesmente tenha feito um acordo com o pai dela, com o propósito de fortalecer a defesa de Israel. Isso ocorreu em cerca de 1053 A.C.

3. O pai de Aquis, rei de Gate, na época de Salomão (I Reis 2:39).

4. A mãe do rei Abias, filha de Abisalão, esposa de Reoboão (I Reis 15:2). Isso aconteceu por volta de 926 A.C. No versículo décimo do mesmo capítulo, ela é chamada de mãe de Asa. Os intérpretes supõem que devemos entender ali o termo «mãe» em sentido frouxo, pois ela seria, na verdade, sua *avó*. Unger (*in loc.*) explica como segue: «Abaixo parecem ter sido os fatos: Maaca era neta de Abisalão e filha de Tamar (a única filha de Abisalão; e seu marido era Uriel, de Gibeá (II Crô. 11:20-22; 13:2). Em vista de ter abusado de sua posição de «rainha-mãe», encorajando a idolatria Asa depôs Maaca da *dignidade de rainha-mãe*». (I Reis 15:10-13; II Crô. 15:16).

5. A segunda das concubinas de Calebe, filho de Hezrom. Ela foi mãe de Seber e de Tiraná (I Crô. 2:48). As datas da invasão de Israel são disputadas. A data mais antiga faria com que o período fosse em torno de 1600 A.C.

6. A irmã de Hupim e Sufim e esposa de Maquir. O casal teve dois filhos (I Crô. 7:15,16).

7. A esposa de Jeiel e mãe de Gibeom (I Crô. 8:29; 9:35). Jeiel foi um dos antepassados do rei Saul. Ela viveu em cerca de 1650 A.C.

8. O pai de Hanã, que foi um dos trinta poderosos guerreiros de Davi, parte de sua guarda pessoal (I Crô. 11:43).

9. O pai de Sefatias, capitão militar dos simeonitas, na época de Davi (cerca de 1000 A.C.). Ver I Crô. 27:16.

MAACATITAS

Ver o artigo sobre **Maaca**. Esse era o nome dos habitantes de Maaca (Jos. 12:5; II Sam. 23:34). Indivíduos que faziam parte desse povo são mencionados em II Sam. 23:34; Jer. 40:8; II Reis 25:23; I Crô. 4:19.

MAADAI

No hebraico, «ornamento de Yahweh». A pessoa assim chamada era filho de Bani. Quando Judá retornou do cativeiro babilônico, esse homem, juntamente com muitos outros, foi obrigado a divorciar-se de sua esposa estrangeira, a fim de que o povo de Israel pudesse entrar em uma nova relação de pacto com Yahweh. Isso ocorreu sob a liderança de Esdras. Ver Esd. 10:34. Em I Esdras 9.34, o nome alternativo para esse homem é Môndio. Ele viveu em torno de 456 A.C.

MAADIAS

Esse nome significa «ornamento de Yahweh». Esse era o nome de um dos sacerdotes que voltaram do cativeiro babilônico em companhia de Zorobabel, de acordo com Nee. 12:5. Corria a época de cerca de 536 A.C. Ele tem sido identificado com o Moadias de Nee. 12:17.

••• ••• •••

MAAI

No hebraico, «compassivo». Esse era o nome de um sacerdote, filho de Asafe. Ele foi um dos músicos presentes à dedicação das muralhas restauradas de Jerusalém, nos dias de Neemias. Ver Nee. 12:36. O tempo dele girou em torno de 446 A.C.

MAALÁ

No hebraico, «enfermidade». Esse foi o nome de várias personagens que aparecem nas páginas do Antigo Testamento, a saber:

1. A mais velha das cinco filhas de Zelofeade, neta de Manassés. Ele morreu sem deixar herdeiros do sexo masculino, pelo que suas filhas reivindicaram a sua herança. Isso lhes foi concedido, com a condição de que se casassem com homens da tribo de seu pai, a fim de que a tribo não perdesse seus direitos sobre os territórios envolvidos. Elas cumpriram essa condição, casando-se com primos. Esse ato tornou-se um precedente nas leis da herança, em casos similares. Ver Núm. 26:33; 27:1; 36:11 e Jos. 17:3.

2. Um filho de Hamolequete, irmã de Gileade (I Crô. 7:18). Não há certeza, porém, se Maalá foi homem ou mulher. Sabe-se apenas que era descendente de Manassés (I Crô. 7:18). Deve ter vivido em torno de 1400 A.C.

MAALABE

No hebraico, «curva costeira», nome de uma cidade do território de Aser (Juí. 1:31). Um nome alternativo é *Alabe* (conforme se vê em nossa tradução portuguesa). Seu local tem sido identificado com a Khirbet el-Mahalib.

MAALALEL

No hebraico, «louvor de El (Deus)». Esse é o nome de duas pessoas, nas páginas do Antigo Testamento:

1. Um filho de Cainã, quarto descendente de Adão, dentro da genealogia de Sete. Ver Gên. 5:12,13; 15:17; I Crô. 1:2. Esse nome aparece com a forma de Meujael, em Gên. 4:18.

2. Um filho (ou descendente) de Perez, da tribo de Judá. Ele veio habitar em Jerusalém, após o cativeiro babilônico, em cerca de 536 A.C. Ver Nee. 11:4.

MAALATE

Ver sobre **Música e Instrumentos Musicais.**

••• ••• •••

MAANAIM

No hebraico, «acampamento duplo». Esse nome foi dado quando Jacó, ao retornar de Padã-Arã (ver Gên. 32:2), teve um encontro com anjos. Ao vê-los, Jacó exclamou: «Este é o acampamento de Deus». Literalmente, «dois exércitos», porquanto ficou surpreendido diante do súbito aparecimento daqueles seres celestiais naquela área. Esses *dois exércitos* talvez fossem compostos pelo grupo humano que ele estava encabeçando e pela hoste angelical. Alguns estudiosos têm conjecturado que os anjos eram tão numerosos que pareciam dois exércitos distintos. O propósito desse relato do A. Testamento foi o de ilustrar como Jacó, ao deixar a terra de Labão e voltar para sua terra natal, contava com a proteção divina, porquanto o que ele fazia era importante para a história subseqüente de Israel e para o cumprimento das promessas messiânicas.

Posteriormente, o nome Maanaim foi dado a uma cidade das cercanias. Essa cidade ficava nas fronteiras de Gade, Manassés e Basã (ver Jos. 13:26,30). Finalmente, veio a tornar-se uma das cidades dos levitas (Jos. 21:38; I Crô. 6:8). Foi em Maanaim que Is-Bosete governou durante algum tempo. Is-Bosete era filho de Saul, a quem Abner queria ver sentado no trono de Israel, em lugar de Davi (ver II Sam. 2:8). Porém, Is-Bosete foi assassinado nesse lugar, e isso pôs fim à rivalidade. Joabe, poderoso líder militar de Davi perseguiu-o de volta a Maanaim, e, então, ele foi assassinado ali por Recabe e Baaná (II Sam. 4:5 *ss*). Quando Davi e seu filho, Absalão, competiam pelo poder real, Davi fez de Maanaim seu quartel general temporário, visto que tivera de fugir de Jerusalém (II Sam. 17:24-27; 19:32). Joabe e seus homens, porém, abafaram essa rebelião, tendo sido Absalão morto por Joabe. Ao que se presume, Davi estava em Maanaim quando recebeu a trágica notícia da morte de Absalão, e então clamou, angustiado: «Meu filho Absalão, meu filho, meu filho Absalão! Quem me dera que eu morrera por ti, Absalão, meu filho, meu filho!» (II Sam. 18:33).

Nos dias de Salomão, esse lugar tornou-se o centro das atividades de Ainadabe, um dos doze oficiais de Salomão, que cuidavam das provisões para a casa real (ver I Reis 4:14).

O único informe bíblico que nos indica a localização de Maanaim fica em Gên. 32:22; isto é, ao norte do ribeiro do Jaboque. Por isso mesmo, a localidade não tem sido modernamente identificada, embora haja várias conjecturas, como Mané, a quatro quilômetros ao norte de Ajlun, ou Tell edh-Dhabab esh-Sherquiyeh.

MAANÉ-DÃ

No hebraico, «acampamento de Dã». Nesse lugar, seiscentos homens armados, da tribo de Dã, acamparam antes de conquistar a cidade de Laís (ver Juí. 18:11,13), o que lhe explica o nome. Ficava a oeste de Quiriate-Jearim, entre Zorá e Estaol (ver Juí. 13:25). O local moderno, porém, não tem sido identificado.

MAANI

Esse apelativo não se acha no cânon palestino; mas encontra-se em I Esdras 9.34, a fim de indicar: 1. o cabeça de uma família, da qual alguns membros se tinham casado com mulheres estrangeiras, durante o cativeiro babilônico, e foram forçados a divorciar-se delas, ao retornarem à Palestina. 2. Esse também era o nome de um dos servos do templo, cujos descendentes retornaram do cativeiro babilônico.

MAARAI

No hebraico, «rápido» ou «apressado». Esse foi o nome de um dos trinta poderosos guerreiros de Davi, parte de sua guarda pessoal ou tropa selecionada (II Sam. 23:28; I Crô. 11:30). Ele era da cidade de Netofá, em Judá, e pertencia ao clã dos zeraítas. Depois que Davi se sentou no trono real, e depois da construção do templo de Jerusalém, Maarai tornou-se o capitão da guarda do templo, durante o décimo mês do ano. Ver I Crô. 27:13. Essa posição foi ocupada por ele, sob forma preliminar, antes mesmo da edificação do templo. Ele tinha vinte e quatro mil homens sob as suas ordens. Ele viveu em torno de 975 A.C.

MAARATE

No hebraico, «desolação» ou «lugar despido». Esse era o nome de uma cidade da região montanhosa de Judá, ao norte de Hebrom, perto de Halul (Jos. 15:59). Talvez seja a mesma Marote referida em Miq. 1:12. Alguns eruditos têm sugerido Beit Ummar como sua moderna identificação, a qual fica a pouca distância ao norte de Hebrom, mas, se a sugestão não está correta, então o local antigo permanece não identificado.

MA'ARIB

No hebraico, «quem causa a vinda da noite». Esse nome refere-se à oração vespertina. A palavra em questão é a palavra inicial dessa oração. A tradição talmúdica atribui essa oração ao patriarca Jacó, o que é altamente improvável. Seja como for, essa oração era usada em alguns lugares de Israel, mas não em outros.

MAASÉIAS

No hebraico, «realização de Yahweh». Esse era um nome popular entre os israelitas, pelo que um elevado número de pessoas tem esse nome, nas páginas do Antigo Testamento, a saber:

1. Um levita, músico, que participou do transporte da arca da aliança da casa de Obede-Edom, em cerca de 982 A.C. Ver I Crô. 15:18 quanto ao relato.

2. Um capitão de cem, que ajudou o sumo sacerdote Joiada a tornar Joás rei de Judá (II Crô. 23:1), o que aconteceu por volta de 836 A.C.

3. Um oficial que assistia a Jeiel, o escriba, tendo-o ajudado a convocar um exército para servir ao rei Uzias (II Crô. 26:11). Ele viveu em torno de 783 A.C.

4. Zicri, um efraimita, matou um homem com esse nome, quando Peca, rei de Israel, invadiu Judá. Ver II Crô. 28:7. Isso teve lugar em cerca de 736 A.C. O homem que foi morto era chamado «filho do rei»; mas a cronologia indica que o rei ainda não tinha idade suficiente na época para ter um filho adulto, militar ativo. Por isso, os intérpretes supõem que Maaséias teria sido um filho adotivo, um príncipe real, ou, talvez, um primo, tio ou outro parente do rei.

5. O rei Josias nomeou um homem assim chamado para cooperar com Safã e Joás, a fim de repararem o templo (II Crô. 34:8). Ele foi governador da cidade, e pode ter sido o mesmo Maaséias que era pai de Nerias, avô de Baruque e de Seraías (ver Jer. 32:12; 51:59). Sua época foi cerca de 621 A.C.

6. Um sacerdote, descendente de Josué, que se casara com uma mulher estrangeira, no tempo do cativeiro babilônico, e foi forçado a divorciar-se dela, ao regressar à Palestina, como parte do novo pacto que os israelitas firmaram com Yahweh. Ver Esd. 10:18. Isso ocorreu em cerca de 456 A.C.

7. Um sacerdote, filho de Harim, que se casara com uma mulher estrangeira, durante o cativeiro babilônico, e que teve de divorciar-se dela, ao retornar à Palestina (Esd. 10:18). Ele viveu por volta de 456 A.C.

8. Um sacerdote, filho de Pasur, homem que se casara com uma mulher estrangeira, durante o cativeiro babilônico, e que foi forçado a divorciar-se dela após o retorno à Palestina (Esd. 10:22). Tem sido identificado como um dos trombeteiros que participaram da celebração da reconstrução das muralhas de Jerusalém (ver Nee. 12:41). Viveu em torno de 445 A.C.

9. Um descendente de Paate-Moabe, que se casara com uma mulher estrangeira, durante o tempo do cativeiro babilônico, e que foi obrigado a divorciar-se dela, depois do retorno à Palestina (Esd. 10:30). Ele viveu em torno de 456 A.C.

10. Um homem que ajudou a restaurar as muralhas de Jerusalém, terminado o cativeiro babilônico (Nee. 3:23). Ele viveu por volta de 445 A.C.

11. Um ajudante de Esdras, que ficou a sua direita, enquanto ele lia o livro da lei ao povo, terminado o cativeiro babilônico, quando foram restaurados os votos religiosos do povo judeu. Ver Nee. 8:7. Isso ocorreu em cerca de 445 A.C.

12. Um sacerdote que ajudou os levitas a explicarem a lei ao povo, enquanto ela era lida por Esdras, depois do cativeiro babilônico, quando queriam restaurar o culto hebreu antigo. Ver Nee. 8:7. Isso ocorreu em cerca de 445 A.C.

13. Um líder do povo que participou do pacto firmado com Yahweh, sob a direção de Neemias, depois que os judeus voltaram do cativeiro babilônico. Ver Nee. 10:25. Isso sucedeu em torno de 445 A.C.

14. O filho de Baruque, descendente de José. Terminado o cativeiro babilônico, ele fixou residência em Jerusalém. Ali, participou do novo pacto com Yahweh. Ver Nee. 11:5. Isso ocorreu em cerca de 536 A.C. Em I Crô. 9:5, ele é chamado pelo nome de *Asaías*, de acordo com o que crêem certos eruditos.

15. Um filho de Itiel, um benjamita. Seus descendentes fixaram residência em Jerusalém, após o retorno do povo do cativeiro babilônico. Ver Nee. 11:7. Isso aconteceu em torno de 536 A.C.

16. Um sacerdote cujo filho, Sofonias, foi enviado por Zedequias, rei de Judá, a fim de indagar do profeta Jeremias sobre questões relativas ao bem-estar dos judeus, quando Nabucodonosor estava invadindo a terra. Ver Jer. 21:1; 29:21,25; 37:3. Ele viveu em torno de 589 A.C.

17. Um filho de Salum, que foi porteiro do templo e tinha uma câmara para o seu uso particular, ali. Ver Jer. 35:4. Viveu em torno de 607 A.C.

MAASMÃS

Esse é o nome que aparece em I Esdras 8:43, em lugar de *Semaías*, referido em Esd. 8:16. Esse homem foi líder do remanescente que retornou do cativeiro babilônico.

MAATE

No hebraico, «incensário», «fogareiro». Esse é o nome de duas pessoas que figuram no Antigo Testamento:

1. O filho de Amasai, um sacerdote coatita (I Crô. 6:35). Ele tem sido identificado com o homem chamado Aimote, em I Crô. 6:25. Viveu em cerca de 1375 A.C.

2. Um outro levita coatita que viveu na época do rei Ezequias (II Crô. 29:12; 31:13). Foi encarregado de guardar os dízimos e as ofertas (II Crô. 31:13). Viveu em torno de 726 A.C.

MAATE (DO EGITO)

Dentro da teologia mitológica do Egito, esse era o nome de uma deusa da justiça. Seu símbolo era uma pena de avestruz. Quando uma pessoa falecida comparecia diante de Osíris, o rei dos mortos, a fim de ser julgada, o coração do morto era pesado em uma balança. No outro prato havia uma pena de avestruz (o símbolo de Maate). E assim a justiça era determinada.

MAAVITA

Esse patronímico de significado incerto foi aplicado a um dos guardas pessoais de Davi, Eliel. A palavra aparece no plural, no original hebraico, provavelmente devido a um erro escribal. Talvez tal título tivesse sido dado a ele, conforme se lê em I Crô. 11:46, a fim de distingui-lo do outro «Eliel», que figura no versículo seguinte. Há estudiosos que pensam que há aí uma corrupção escribal da palavra, e que, originalmente, deveria dizer algo como «Eliel de Maanaim». Ver sobre *Maanaim*.

MAAZ

No hebraico, «ira». O homem desse nome era filho de Rão, primogênito de Jerameel, descendente de Judá (I Crô. 2:27). Viveu em cerca de 1650 A.C.

MAAZIAS

No hebraico, «consolação de Yahweh». Há dois homens com esse nome, nas páginas do Antigo Testamento:

1. O cabeça de uma família de sacerdotes que compunha o vigésimo quarto turno de sacerdotes, que serviam no culto sagrado. Ele descendia de Aarão e viveu na época de Davi, em cerca de 1014 A.C. Ver I Crô. 24:18.

2. Um sacerdote que participou do novo pacto de Israel com *Yahweh*, terminado o cativeiro babilônico. Ver Nee. 10:8. Ele viveu em cerca de 410 A.C.

MAAZIOTE

No hebraico, «visões». Esse era o nome de um dos catorze filhos de Hemã, levita coatita. Ele era o cabeça do vigésimo terceiro turno de sacerdotes, e, atuava como músico (I Crô. 25:4,30). Viveu em torno de 960 A.C.

MAÇA

Ver o artigo geral sobre **Armadura, Armas**.

No hebraico, *mephits*, que aparece exclusivamente em Pro. 25:18. A maça era também chamada machado de guerra. Nossos índios tinham o seu «tacape», que correspondia à maça dos antigos. Parece que essa arma de guerra vem sendo usada desde 3.500 A.C. A cabeça da maça podia ser feita de uma pedra, ou de uma bola de metal. Havia uma perfuração na qual se enfiava um cabo. A invenção do capacete de metal podia salvar quem o usasse de ser morto com uma pancada de maça, mas nem mesmo essa invenção fez a maça tornar-se obsoleta. Antes da invenção do capacete, um golpe de maça podia significar morte instantânea, pelo que chegou a simbolizar autoridade e poder. Daí nos vem o conceito de vara de ferro, que aparece desde o Antigo Testamento (ver Sal. 2:9 e Isa. 10:5,15). O cajado do pastor também funcionava como uma maça (I Sam. 17:40,43; Sal. 23:4). Ver também no Novo Testamento os trechos de Mat. 26:47,55; Mar. 14:43 e Luc. 22:52 quanto às maças e o uso que delas se fazia. (YAD)

MAÇÃ (MACIEIRA)

Ver os trechos de Provérbios 25:11; Cantares 2:5; 7:8 e Joel 1:12. As Escrituras chamam a macieira de destacada entre «as árvores do bosque» (Can. 2:3). Ela produz uma sombra agradável, e frutos doces, belos e fragrantes. O vocábulo hebraico parece enfatizar mais esta última qualidade. Visto que a própria macieira é rara na Síria, e seu fruto ali inferior, não sendo espécie vegetal nativa da Palestina, alguns têm pensado que a palavra hebraica aponta antes para a cidra, a laranja ou o abricó. O abricó era fruta abundante na Terra Santa e a sombra produzida por sua árvore era muito apreciada. Os eruditos têm aventado várias frutas possíveis; a maioria das opiniões parece favorecer o abricó como a fruta indicada nas referências bíblicas (e cujo nome científico é *Prunus Armeniaca*). Era fruta nativa da Palestina nos dias do Antigo Testamento, sendo uma fruta doce e dourada, com folhas pálidas. A árvore pode atingir uma altura de 9 m, pelo que produz excelente sombra. As flores são brancas com um tom róseo, e a parte inferior das folhas é prateada.

MACABEUS

Ver o artigo sobre os **Hasmoneanos**.

MACABEUS, LIVROS DOS

Ver o artigo geral sobre os **Livros Apócrifos** (II.12,13).

Esboço:

I. Caracterização Geral
II. I Macabeus
III. II Macabeus
IV. III Macabeus
V. IV Macabeus
VI. Canonicidade da Coleção

N.B. — Damos um esboço do conteúdo de cada livro, na seção relativa a cada um.

I. Caracterização Geral

Ver o artigo separado sobre os **Hasmoneanos (Macabeus)**.

1. *O Nome Macabeus*. Originalmente, «Macabeu» era apenas um apodo, dado a Judas e a certos membros de sua família. O sentido desse apelido é incerto, mas pode derivar-se do termo hebraico, *maqqaba*, «martelo», talvez indicando a natureza dura, teimosa e resoluta daqueles que foram assim apelidados. Mais tarde, a alcunha veio a ser aplicada a outros membros da família, até que *Macabeus* tornou-se um nome paralelo a *Hasmoneanos*. Os sete irmãos, em II Macabeus, são tradicionalmente chamados «Macabeus». Posteriormente, o nome recebeu uma aplicação ainda mais ampla, referindo-se não só à família em foco, mas a todos quantos tomaram parte na luta pela independência de Israel do império selêucida, no século II A.C.

2. *Motivo da Revolta*. Antíoco IV Epifânio estava resolvido a helenizar aos judeus. Para tanto, era mister corromper a antiga fé religiosa deles. Ele era ardoroso defensor da cultura, das maneiras e da religião gregas. Introduziu os jogos atléticos dos gregos, como também o vestuário, as instituições políticas, a religião e a maneira de pensar dos helenos, e aqueles que se recusavam a moldar-se a esse processo de helenização, eram severamente perseguidos e mesmo mortos. Ele forçou os judeus a abandonarem suas leis dietéticas e a participarem da adoração pagã. Finalmente, ele introduziu no próprio templo de Jerusalém a adoração a divindades gregas, chegando ao extremo de sacrificar uma porca sobre o grande altar do mesmo. Muitos judeus fugiram, e muitos outros submeteram-se. Porém, em uma pequena aldeia a pouco mais de trinta quilômetros a sudoeste de Jerusalém, chamada *Modin*, o sacerdote Matatias e seus filhos organizaram uma revolta

armada (167 A.C.). Judas tornou-se o líder principal desse movimento. Obteve sucesso imediato, o que é vividamente relatado no capítulo três em diante de I Macabeus. No começo, ele derrotava forças menores, mas, então, obteve força suficiente para entrar em luta com numerosos exércitos. Após uma vitória sobre *Lísias*, general sírio, conseguiu ocupar Jerusalém e bloquear a guarnição do rei. Apenas três anos após a grande profanação, ele purificou e rededicou solenemente o templo (dezembro de 164 A.C.), restabelecendo assim o antigo culto a Yahweh.

3. *A Luta Continuou*. Em 163 A.C., Lísias derrotou Judas, em Bete-Zacarias, e lançou cerco a Jerusalém. Mas os problemas internos forçaram-no a abandonar seus planos e entrar em acordo com os judeus. Isso levou à retirada das forças sírias e à liberdade dos judeus em matéria religiosa e política. O poder dos Macabeus aumentou grandemente, e finalmente (152 A.C.), Jônatas foi declarado *sumo sacerdote* de Israel por um dos líderes do poder selêucida (que continuou exercendo muito controle sobre a política interna de Israel). Jônatas também tornou-se a grande autoridade civil e militar de Israel, somente para depois ser capturado e executado por Trífon, um rebelde general sírio, em 142 A.C.

4. *Vicissitudes de Poder, Batalhas, Reversões e Vitórias Seguintes*. João Hircano (134—104 A.C.) subiu, então, ao poder depois de seu pai Simeão, que havia sucedido no governo de Israel, após a morte de Jônatas. O governo de Simeão caracterizou-se pela paz e pela prosperidade, mas esse estado de coisas, naturalmente, não poderia perdurar muito tempo. Hircano deu prosseguimento ao conflito com os poderes selêucidas. Seu grande adversário foi Antíoco VIII Evergetes. Hircano continuou a expansão hasmoneana, tendo forçado os idumeus a se converterem ao judaísmo. Fez a mesma coisa aos samaritanos, e destruiu o templo deles, no monte Gerizim. Seu governo foi longo e geralmente bem-sucedido; mas houve perturbações e conflitos entre os fariseus e os saduceus. Ele favorecia estes últimos, mas os fariseus haviam sido aliados de Judas. E, mui curiosamente, Hircano agora favorecia a secularização da sociedade israelita, que os saduceus igualmente promoviam, em contraste direto com os anteriores ideais dos macabeus. Hircano estava em busca de poder, e não era homem muito religioso.

O filho de Hircano, Aristóbulo I, reinou por apenas um ano (104—103 A.C.). Em seguida veio Alexandre Janeu, filho de Aristóbulo, que governou de 103 a 77 A.C. Os macabeus já estavam em claro declínio espiritual. Mas Alexandre Janeu era violento e muito habilidoso na guerra. E foi assim que ele conseguiu subjugar a Palestina inteira, ao ponto de virtualmente ter restaurado os limites do reinado de Davi. Todavia, os judeus devotos odiavam-no. O que ele fazia não era muito idealista. Ele foi apenas um matador sangüinário, um homem poderoso que buscava somente a própria glorificação. Por isso mesmo, muitos judeus chegaram a aborrecê-lo de tal modo que passaram a dar apoio ao monarca selêucida, contra ele. Mas Janeu esmagou a revolta, crucificou a oitocentos líderes dos fariseus, e efetuou uma vingança geral contra seus adversários. Mas, em seu leito de morte, pensando um pouco melhor, ele recomendou à sua esposa, Salomé Alexandra, que estabelecesse a paz com os fariseus.

Salomé Alexandra governou de 76 a 67 A.C. Seu governo foi um período de prosperidade áurea. Depois de sua morte, seus dois filhos, Hircano II (falecido em 30 A.C.) e Aristóbulo II (falecido em 48 A.C.), tiveram uma típica disputa pelo poder. Por algum tempo, a questão ficou resolvida, mas apenas aparentemente. Muitas intrigas faziam o equilíbrio do poder vacilar. Os partidários de ambos os irmãos apelaram para o poder de Roma, e os romanos intervieram mais profundamente do que tinham sido solicitados. Pompeu, o Grande, marchou contra Jerusalém, cercando-a e capturando-a (63 A.C.). Esse foi o começo da sujeição da Palestina inteira aos romanos. Isso pôs fim ao capítulo dos macabeus na história de Israel, embora seus ideais tivessem sobrevivido a eles, entre os judeus, no desejo que tinham de liberdade política e religiosa. Sem dúvida, esse foi um fator decisivo nas duas revoltas sem sucesso, que os judeus tiveram contra os romanos, em 67—70 A.C., e novamente, em 138 D.C.

5. *A Literatura Chamada dos Macabeus*. Os três livros históricos (ou quase históricos) que vieram a fazer parte da coletânea dos livros *apócrifos* (aceitos como Escrituras dentro do cânon alexandrino) tornaram-se conhecidos como I, II e III Macabeus. Um outro livro, IV Macabeus, na realidade, é uma espécie de obra filosófica e exortatória, e pertence à coletânea das obras pseudepígrafas. Os dois primeiros desses livros revestem-se de grande importância, e são mais fidedignos historicamente falando. Foram escritos quase contemporaneamente aos eventos registrados, no século II A.C.

a. I Macabeus foi escrito perto do fim do século II A.C., originalmente em hebraico, embora exista somente em uma tradução grega. O autor exibe grande entusiasmo pelas realizações dos hasmoneanos (Macabeus), no que, algumas vezes, exagera, às expensas da história que relatava. Quanto à fé religiosa, seu autor demonstra clara crença na imortalidade da alma, zelo pela lei mosaica e um forte senso da continuidade do propósito divino na história do povo de Israel.

b. II Macabeus foi escrito mais ou menos na mesma época de I Macabeus, embora em grego, e por um outro autor. Esse livro começa com duas cartas (1.1-9; 1.10—2.18), dirigidas aos judeus que estavam no Egito e referentes à festa religiosa que celebrava a rededicação do templo (*Hanukkah*). Então, há um sumário dos cinco livros escritos por Jasom de Cirene, que cobrem o período histórico de cerca de 175—160 A.C. Em suas idéias e em seu estilo, II Macabeus faz contraste com I Macabeus. Em II Macabeus há história, mas, primariamente, trata-se de um livro de retórica religiosa, com o fim de inspirar seus leitores, e não de torná-los estudiosos da história. Em sua doutrina, frisa o amor de Deus por Israel, apresenta uma teologia de martírio, promete a gloriosa ressurreição dos justos, e inclui a doutrina da intercessão em favor dos mortos, como algo eficaz. Esse livro tem algum valor histórico, como suplemento de I Macabeus.

c. III Macabeus praticamente nada tem a ver com os Macabeus. Foi assim intitulado por estar associado aos outros livros, em uma coletânea preliminar da literatura da época. Trata-se de uma lenda, escrita em grego, por um judeu helenista, contando como os judeus egípcios foram ameaçados de total destruição, mas foram miraculosamente preservados pelo poder de Deus. O inimigo deles era Ptolomeu IV Filopator, que governou de 221 a 203 A.C. Ptolomeu envidou ingentes esforços para destruir os judeus; mas via seus esforços frustrados em cada nova investida. O ponto culminante foi atingido quando ele estava prestes a poder efetuar um grande massacre. Uma visão de anjos, que se lhe opunham, fê-lo mudar de idéia. Daí por diante creu que os judeus eram divinamente protegidos, e isso o levou a desistir de seus intuitos.

Na verdade, essa obra é uma peça de propaganda, com pouca ou nenhuma história autêntica. Propaga a suposta superioridade espiritual dos israelitas, e sua alegada invencibilidade.

d. IV Macabeus foi escrito em grego, endereçado a uma audiência de judeus alexandrinos, provavelmente, durante a primeira metade do século I D.C. Seus heróis eram os Macabeus, o que explica o nome desse livro. Trata-se de uma espécie de tratado filosófico, que utiliza exemplos históricos para reforçar suas afirmativas. Seu título original parece ter sido «A Soberania da Razão». Foi escrito em bom grego, e incorpora o vocabulário e as idéias do estoicismo. O material do livro foi adaptado pelo autor com o propósito de dar razões pelas quais é um bom negócio obedecer à vontade de Deus, segundo essa vontade é exemplificada pela lei de Moisés.

e. V Macabeus. Esse título foi aplicado no sexto livro das *Antiguidades* de Flávio Josefo. Esse mesmo título foi aplicado a um sumário árabe, da época medieval, de uma parte dessa obra do grande general e historiador judeu Flávio Josefo.

II. I Macabeus

Esboço:

1. Nome e Pano de Fundo Histórico
2. Autoria
3. Fontes Informativas
4. Data e Propósitos do Livro
5. Conteúdo e Ensinamentos
6. Relação com o Novo Testamento

1. Nome e Pano de Fundo Histórico

Esse material já foi apresentado na seção I, *Caracterização Geral*.

2. Autoria

Ninguém sabe quem escreveu esse livro. Foi escrito originalmente em hebraico, embora tenha chegado até nós em sua tradução para o grego. Sem dúvida, seu autor foi um judeu palestino, que viveu na época dos eventos descritos. Ele tinha acesso a fontes informativas excelentes, dignas de confiança. Não é possível rotulá-lo de fariseu ou de saduceu. Ele conhecia bem a Palestina, embora mostrasse ignorância quanto a lugares no estrangeiro. Era piedoso e ortodoxo em sua fé. Ele evitou a menção direta ao nome divino, preferindo usar o eufemismo «céu», ou alguma outra substituição. É curioso que ele nunca aluda à vida após-túmulo ou à ressurreição, o que talvez indique que ele era do partido dos saduceus, ou, no mínimo, que simpatizava com seus pontos de vista. Outro tanto fica subentendido pelo fato de que ele nunca mencionou anjos ou espíritos. Esse autor criticou as falhas e o declínio dos hasmoneanos, mas isso não basta para fazer dele um fariseu. Todavia, pode demonstrar que ele não era membro da família dos hasmoneanos, cujos membros tomavam sobre si o dever de glorificar a família.

3. Fontes Informativas

Os historiadores mostram-se favoravelmente impressionados pelo valor histórico de I Macabeus, crendo que seu autor dispôs de boas fontes informativas, e que ele deve ter vivido bem perto dos acontecimentos relatados. Contava com várias cartas valiosas, que pode ter obtido nos arquivos do sumo sacerdote (informações talvez refletidas em I Mac. 14.23 e 16.23 *ss*). Então, no oitavo capítulo, encontramos uma carta enviada por Roma, que alude à aliança firmada entre os judeus e os romanos. Outra carta, do cônsul romano Lúcio, a Ptolomeu Evergetes (I Mac. 15.16 *ss*) parece genuína. Cartas enviadas por governantes sírios aos macabeus encontram-se em I Mac. 10.18 *ss*; 11.30 *ss*; 1.57; e a Simeão, em 13.36 *ss* e 15.2 *ss*. Os críticos reputam genuínas essas cartas, embora duvidem da correspondência entre os espartanos e os judeus (I Mac. 12). Entretanto, o trecho de I Mac. 14.20 *ss* reflete um genuíno documento histórico, que envolve os espartanos.

A *biografia* é um elemento importante nesse livro. Cerca de metade do volume do livro (que envolve o período de sete anos) trata da história de Judas Macabeu. O trecho de I Mac. 9:22 mostra que os atos de Judas foram muito numerosos e que muita coisa do que ele fez não ficou registrado. Portanto, o autor oferece-nos uma espécie de sumário, não havendo qualquer razão para duvidar da exatidão geral da obra. Sabe-se que os judeus eram tradicionalmente sensíveis à história, e os anais dos sumos sacerdotes eram importantes fontes informativas. Não há razão alguma para duvidar-se que o autor do livro também dispunha de excelentes crônicas históricas sobre os Macabeus. O autor mostra-se entusiasmado quanto às realizações dos hasmoneanos, o que o levou a exagerar quanto a certos pontos. Parte do livro consiste em propaganda, e não em história, embora isso não macule o efeito total da obra. O autor procurou imitar o estilo dos livros de Samuel e de Reis. Misturou ali sua fé religiosa—um judaísmo ortodoxo, baseado sobre Moisés—com os relatos históricos, mas não há qualquer expressão sobre a crença na vida após-túmulo, o que também era típico à época mosaica.

4. Data e Propósitos do Livro

a. *Data*. Esse livro foi escrito por volta do fim do século II A.C. Não reflete a divisão entre os fariseus e os saduceus, o que ocorreu mais tarde. A omissão desse detalhe dificilmente teria ocorrido se tal divisão já tivesse então ocorrido. O autor refere-se aos atos de João, nas crônicas do sumo sacerdote (I Mac. 16:24), o que poderia significar que o autor viveu nos finais do reinado de João Hircano (governou de 134 a 104 A.C.). Quase todos os eruditos acreditam que o livro foi escrito em algum tempo dentro desse período.

b. *Propósitos*. A *história* ilustrativa foi o propósito principal do autor do livro. Algo de grandioso acontecera em Israel. O autor queria apresentar o seu relato, embora fazendo-o de forma a ilustrar a providência divina, e como, durante toda a história de Israel, houve heróis que chegaram a tomar as rédeas da nação, quando os israelitas obedeciam a Deus. A providência divina opera em favor dos obedientes. Em todas as épocas da história de Israel, a lealdade a Yahweh é importantíssima, uma lealdade medida pelos padrões dos livros de Moisés. Os heróis do Antigo Testamento foram empregados para ilustrar esse ponto (ver I Mac. 2.26; 4.30; 7.1-20).

5. Conteúdo e Ensinamentos

a. Introdução (1:1-9)
b. Antíoco IV Epifânio, o Arquiinimigo (1.10-64)
c. Começos da Revolta dos Macabeus (cap. 2)
d. Atos de Judas Macabeu (3.1—9.22)
e. Atos de Jônatas Macabeu (9.23—12.53)
f. Atos de Simeão Macabeu (13.1—16.16)
g. O Governo de João Hircano (16.17-24).

Destarte, o livro descreve os atos dos heróicos filhos do sumo sacerdote Matatias. Temos relatado a essência dos atos deles na primeira seção, *Caracterização Geral*. Dentro da exposição histórica é que temos os ensinamentos, cujos pontos essenciais temos dado sob o ponto b. *Propósitos*, do quarto ponto. Eis um sumário:

Ensinamentos:

a. A *história* é importante e provê um meio para Deus exibir seu poder e sua glória. Aqueles que agem dentro do propósito divino são abençoados. Esse é o ensino geral que permeia o livro.

b. A providência divina salva o povo de Deus. Israel não tinha importância para as outras nações, mas é importante para Deus. Ver I Mac. 10.4 *ss;* 11.3 *ss;* 14.10 *ss*.

c. A iniqüidade é castigada por Deus. Antíoco morreu por causa do que fizera contra os judeus (6.1-17).

d. O poder de Deus não depende de números. Deus faz o improvável em favor daqueles que são dotados de uma espiritualidade superior. As orações de Judas Macabeu eram mais poderosas que as forças militares. Ver I Mac. 4.10; 7.1-20,36-38,41 *ss*.

e. Deus usa instrumentos especiais, e alguns deles tornam-se heróis da fé. O autor ilustrou o ponto com os heróis do Antigo Testamento, vendo nos Macabeus os heróis da fé de sua época. Ver I Mac. 2.26; 4.30; 7.1-20; 9.21.

f. A vitória está nas mãos de Deus. Ver I Mac. 5.62. Os Macabeus eram instrumentos usados, brandidos pelo poder real, Deus.

g. A esperança messiânica é refletida em I Mac. 4.42,47; 14.41. Surgiria em cena um profeta semelhante a Moisés, que consolidaria a obra de Deus em Israel, garantindo o elevado destino desse povo. A época dos Macabeus antecipou certos aspectos do reino do Messias, como a paz e a independência financeira. Ver I Mac. 14.12.

h. Torna-se necessária uma estrita obediência à lei mosaica (I Mac. 3.15; 6.21 *ss*; 7.10). Deus é Deus santo, e o povo precisa tratar a sério com ele.

i. Torna-se notória a ausência de qualquer ensinamento sobre os espíritos ou a vida após-túmulo. Os princípios éticos não aparecem alicerçados sobre a esperança, a longo prazo, acerca da imortalidade e da recompensa eternas.

6. Relação com o Novo Testamento

a. A esperança messiânica, com seu ensino do aparecimento aguardado de um profeta *especial*, em antecipação ao Novo Testamento. Ver I Mac. 4.46; 14.41.

b. O uso da profecia de Deuteronômio 18:15,18 é refletido tanto em I Macabeus quanto em João 1:21,25.

c. A reverência judaica pelos nomes divinos, mormente o de *Yahweh*, evidencia-se em I Macabeus. Eufemismos são usados em substituição, como «céu». A expressão usada no evangelho de Mateus, «reino dos céus», em lugar de «reino de Deus», provavelmente, é um paralelo ao respeito pelo nome divino que figura tanto em I Macabeus como no próprio Antigo Testamento.

d. Os atos de Judas Macabeu foram realmente numerosos. A maioria deles não ficou registrada. O autor de I Macabeus dá-nos apenas um sumário, provavelmente tendo usado fontes informativas escritas, com poucas exceções. Sua declaração final, sobre a questão, é similar à afirmação de João sobre como ele fora capaz de dar apenas uma pequena parte do que Jesus dissera e fizera, pois o mundo inteiro não poderia conter tudo quanto se tivesse de escrever a respeito Dele (ver João 21:25).

III. II Macabeus

Esboço:

1. Nome e Pano de Fundo Histórico
2. Autoria
3. Fontes Informativas
4. Data e Propósitos do Livro
5. Conteúdo e Ensinamentos
6. Relação com o Novo Testamento

1. Nome e Pano de Fundo Histórico

Esse material já foi apresentado na seção I, *Caracterização Geral*.

2. Autoria

Sabemos que a parte principal de II Macabeus é um resumo de uma abrangente história, escrita por Jasom de Cirene. Não é provável que o próprio Jasom tenha sintetizado sua obra. Além disso, é muito difícil precisar a identificação desse Jasom. Um sobrinho de Judas Macabeu tinha esse nome (ver I Mac. 8.17). Ainda um outro Jasom foi enviado a Roma, mas nenhum desses dois era Jasom de Cirene. Com base no estilo das cartas introdutórias, parece que o autor era um judeu alexandrino. Visto que diversos dos mártires mencionados eram de Antioquia (ver I Mac. 6.8 e 7.3), alguns eruditos supõem que o livro foi escrito ali. O autor frisa idéias farisaicas, como a predestinação, a intervenção angelical e a ressurreição do corpo físico, pelo que talvez ele mesmo fosse fariseu. Mas também pode ter pertencido a alguma seita separatista, como os *hasidim* (vide), que compartilhavam de certas crenças farisaicas. Ver sobre os *Assideanos*. Essa palavra, que vem do hebraico, significa «santos». Outros pensam que tanto os fariseus quanto os essênios desenvolveram-se a partir dos assideanos. Todavia, a disputa deles com Judas Macabeu não é mencionada (conforme se vê em I Mac. 7.12-16), e isso seria uma estranha omissão, se esse partido tivesse estado envolvido na produção do livro, através de um de seus membros. Algum paralelismo de expressão pode ser observado com o material essênio de Qumran (vide), com alusões à «Guerra dos Filhos da Luz e dos Filhos das Trevas». Também devemos incluir o papel desempenhado pelos anjos no drama dos homens; a relutância em fazer guerra em um ano sabático; a importância da adoração no templo de Jerusalém. Ver II Mac. 8.23; 12.1; 13.13,15,17; 15.7 *ss*. Não há como solucionar o problema, entretanto, embora pareça indiscutível que um fariseu tenha escrito esse livro.

3. Fontes Informativas

a. A condensação da história escrita por Jasom compõe o volume maior desse livro. Ele escreveu cinco livros históricos que não sobreviveram. O livro de II Macabeus tem sido esboçado com base nos cinco supostos livros de Jasom. Os trechos de II Mac. 3.40; 7.42; 10.9; 13.26 e 15.37 seriam as declarações finais dessas seções. Além de condensações, sem dúvida, também houve ampliações de certos segmentos, quando isso pareceu importante para o autor.

b. Alguns têm pensado que uma fonte informativa usada pelo autor teria sido o livro de I Macabeus, mas as evidências em favor disso são débeis.

c. As informações sobre os governantes selêucidas parecem ter-se baseado sobre as crônicas a respeito deles. Alguns detalhes diferem de pormenores dados em I Macabeus, pelo que parece ter havido histórias conflitantes, usadas como fontes informativas, pelos dois autores.

d. *Cartas*. O livro de II Macabeus começa com duas cartas que, alegadamente, foram escritas da Palestina para o Egito. Essas cartas encorajam os judeus egípcios a cumprirem seus deveres cívicos e suas observâncias religiosas. Essas cartas ficam em II Mac. 1.1-9 e 1.10—2.18. As mesmas poderiam ser meros artifícios literários para introduzir o livro, e não material autenticamente histórico. A segunda carta é especialmente suspeita, visto que contém material lendário sobre o altar, bem como um relato da morte de Antíoco que é bem diferente daquilo que se lê em outras fontes.

4. Data e Propósitos do Livro

Data. Esse livro deve datar de depois da época de Jasom. Visto que o livro menciona a *Hanukkah*, a celebração da rededicação do templo, deve ter sido escrito depois de 164 A.C., quando ocorreu aquele acontecimento. A história de Jasom parece ter sido escrita na época do reinado de João Hircano (134—104 A.C.), pelo que II Macabeus deve ter sido escrito algum tempo depois de 130 A.C. Muitos estudiosos crêem que I e II Macabeus foram escritos mais ou menos na mesma época, o primeiro em hebraico, e o segundo em grego. A primeira carta reflete a data de cerca de 124 A.C. O epílogo diz que os judeus controlavam Jerusalém, uma condição que terminou através do domínio romano, a partir de 63 A.C. Portanto, o livro foi escrito entre cerca de 120 e 63 A.C. Alguns acham que devemos pensar no tempo de Agripa I (41—44 D.C.), pensando que suas informações refletem um tempo anterior, embora só tenham sido escritas depois do início da era cristã. Sabemos que II Macabeus estava em circulação por volta de 50 D.C. Uma boa opinião é em algum tempo entre 115 e 104 A.C.

Propósitos. Apesar de II Macabeus ser uma história digna de confiança, não se trata, especificamente, de um documento histórico. Antes, esse livro foi escrito a fim de magnificar o culto judeu, centralizado na adoração no templo de Jerusalém. O autor busca encorajar aos perseguidos judeus do Egito que voltassem às suas raízes, a fim de manterem sua fidelidade a *Yahweh*. Ele assegura-lhes que Deus os protegeria e mostrar-se-ia fiel a eles, se Lhe fossem fiéis. II Macabeus sob hipótese alguma é a continuação de I Macabeus. O primeiro desses livros é um documento histórico fidedigno, mas o segundo é um tratado teológico. O grego usado em II Macabeus é elaborado e, algumas vezes, exagerado, e a história de Jasom, apesar de emprestar ao livro um tom histórico, bem como algumas informações válidas, serve somente de pano de fundo para lições morais e religiosas que seu autor queria ensinar. Os mártires são ali glorificados, e os anjos vêm ajudar aos homens, garantindo-lhes bons resultados nas batalhas, circunstâncias essas que, então, assumem aplicações morais e religiosas.

5. Contéudo e Ensinamentos

Conteúdo:

a. Prefácio. Carta aos judeus do Egito (1.1—2.18)

b. Prólogo. Declaração introdutória (2.19-32)

c. Heliodoro banido do templo de Jerusalém (3.1-40)

d. A profanação do templo e a história dos mártires (4.1—7.42)

e. Morte de Antíoco; rededicação do templo (8.1—10.9)

f. O triunfo de Judas sobre os inimigos de Israel (10.10—13.26)

g. Judas derrota a Nicanor (14.1—15.36).

Fatos a Observar:

a. O livro cobre um período de cerca de quinze anos, pouco antes do reinado de Antíoco IV Epifânio (175 a 160 A.C.). O prefácio fornece-nos o pano de fundo da insistência do autor para que os judeus se conduzissem à maneira tradicional dos hebreus que seguem os preceitos mosaicos. A inspiração é provida através de informações sobre como o templo de Jerusalém foi purificado e rededicado. O prólogo dá crédito a Jasom quanto ao esboço histórico.

b. *Heliodoro*, oficial de Seleuco IV, tenta inutilmente saquear o templo. Cavaleiros angelicais garantem o seu fracasso (cap. 1).

c. Várias corrupções tinham invadido as instituições judaicas, incluindo o próprio sacerdócio. Antíoco IV Epifânio estava helenizando aos judeus a pleno vapor. Jasom, seguindo sinais miraculosos no firmamento, atacou Jerusalém, na esperança de restaurar as instituições judaicas. Antíoco impediu isso mediante um terrível ataque contra Jerusalém, que culminou com a profanação do templo. E Jasom precisou fugir para as montanhas (5.11-27).

d. O templo de Jerusalém foi consagrado a Zeus, e os judeus tiveram de adorar a Dionísio (6.1-9). Instituições judaicas foram descontinuadas, e foram mortos os judeus que tentaram resistir. Houve muitos mártires, incluindo um certo Eleazar, escriba especialmente santificado. Sete irmãos foram torturados até à morte, um por um, sem renunciarem à sua fé.

e. Os atos de Judas Macabeu são exaltados nos caps. 8—15, uma seção que é paralela à de I Macabeus 3—7, embora alguns detalhes difiram radicalmente. Nessa seção é que temos o relato estranho (e sem dúvida falso) da morte de Antíoco IV Epifânio. Ele sofreu excruciantes dores; sua carruagem passou por cima de seu corpo; vermes estavam comendo o seu corpo; arrependeu-se e tornou-se um judeu; e então enviou uma carta amigável aos judeus (II Mac. 9.11-27).

f. Purificação e rededicação do templo (II Mac. 10.1-9). Novas dificuldades com o inimigo; novas vitórias; ajuda da parte de cavaleiros angelicais (II Mac. 10—11).

g. Um breve período de paz. Novos combates em Jope e outras cidades. Lísias é novamente derrotado: caps. 12—13. Outro período de paz de três anos. Novas batalhas. Demétrio I envia Nicanor para ser o governador sírio da Judéia; o que provoca novos choques armados. Nicanor é derrotado, e trinta e cinco mil sírios são mortos. Jeremias (em espírito) dá a Onias, um sacerdote, uma visão para orientá-lo na guerra. O triunfo de Israel; a festa de Purim: caps. 12—13.

h. Epílogo. O autor exprime esperança de haver escrito um bom relato, que prenda o interesse de seus leitores (II Mac. 15.37-39).

Ensinamentos:

a. A ênfase toda-poderosa sobre o templo e suas instituições, como guardião das bênçãos divinas e centro do verdadeiro culto (II Mac. 2.19,22; 5.15; 14.31).

b. Qualquer profanação contra isso importa em crime sério, que só pode resultar em severo castigo divino. Por essa razão, Antíoco terminou miseravelmente (II Mac. 5.11—6.9).

c. Deus cuida daqueles que nele confiam e lhe obedecem. Sua providência é a nossa segurança. A lei da colheita segundo a semeadura garante a vingança divina contra o erro (II Mac. 13.4-8; 15.32-35).

d. A doutrina de um Deus todo-poderoso, segundo concebido pelo teísmo. Deus vê tudo; castiga àqueles que merecem castigo. Ele é o Senhor todo-poderoso (II Mac. 3.22), e é o grande soberano do mundo (II Mac. 12.15,28). Finalmente, Deus é o justo Juiz de todos (II Mac. 12.6,41).

e. A intervenção angelical provera algumas vitórias espetaculares (II Mac. 3.25; 5.1-4; 10.29; 11.6-14).

f. Instrumentos divinos. Deus encontra os homens que ele quer, usando-os para os seus propósitos, como no caso de Judas Macabeu (II Mac. 8.36).

g. Pontos secundários do livro são a preocupação do autor com a oração e o louvor (II Mac. 8.1-5), e também com as viúvas e os órfãos (II Mac. 8.28,30).

h. A intervenção divina mediante o retorno do espírito de Jeremias (II Mac. 15.11-14).

i. Preocupação com os mortos e intercessão dos mortos em favor dos vivos. Essa doutrina faz parte, em alguns segmentos da Igreja cristã, do conceito da *comunhão dos santos*. Essa doutrina, com ou sem textos de prova, supõe que há intercomunicação entre as almas humanas, aquelas que estão fora do corpo (devido à morte física) e aquelas que continuam presas ao corpo. Os vivos poderiam ajudar aos mortos, e os mortos poderiam ajudar aos vivos. O trecho de II Mac. 12.43-46 fala em orações pelos mortos. A maioria dos grupos protestantes e evangélicos repeliu tal idéia, mas os católicos romanos, os católicos gregos e os anglicanos retêm a idéia da ajuda mútua entre cristãos vivos e cristãos mortos. Há evidências, na experiência humana, de que os mortos, em certas ocasiões, realmente oferecem sua ajuda aos vivos, e que eles se põem à disposição dos vivos. Deixamos a questão nas mãos de Deus, quanto às circunstâncias e à freqüência em que isso poderia suceder. Quanto os mortos podem ser ajudados pelas orações dos vivos já é uma questão inteiramente diferente. O relato bíblico da descida de Cristo ao hades mostra-nos, definidamente, que espíritos, até mesmo de perdidos, são beneficiados pelas intervenções divinas, mesmo depois do tempo de suas mortes biológicas. Cristo instituiu um trabalho missionário no hades. Ver o artigo chamado *Descida de Cristo ao Hades*. Porém, isso não é a mesma coisa que as orações dos vivos beneficiarem aos mortos. Não presumo saber dizer se essas orações são benéficas ou não aos mortos, mas a doutrina da comunhão dos santos sugere que assim talvez seja. Quanto a esse particular, tendo para o anglicanismo. Visto que os livros de I e II Macabeus são considerados canônicos para os católicos romanos, os textos envolvidos em II Macabeus, sobre os quais nos referimos, são considerados autoritários.

j. Emulação dos mártires é o tema do trecho de II Mac. 6.10—7.42.

l. É enfatizada a ressurreição dos mortos justos. Esses ressuscitarão para a vida eterna (II Mac. 7.11,36; 14.26), reunindo-se então aos seus entes queridos (II Mac. 7.6,14,19,29). Os ímpios, por outra parte, terão de enfrentar o castigo e o sofrimento.

6. Relação com o Novo Testamento

Algumas das descrições constantes em Heb. 11:35-38 (que descrevem os heróis e mártires da fé) parecem depender da seção dos mártires em II Macabeus (6.10—7.42; particularmente 5.27; 6.11 e 10.6). O trecho de Heb. 11:4—12:2 também é parecido com a passagem de Eclesiástico 44—49. E isso significa que, provavelmente, a epístola aos Hebreus dependeu de dois livros apócrifos, em suas descrições, de seu décimo primeiro capítulo. As similaridades entre a angelologia de II Macabeus e do Novo Testamento são óbvias, mormente acerca da maneira como os anjos atuam no livro de Apocalipse. Isso, porém, reflete a angelologia desenvolvida durante o período intertestamental, e não, necessariamente a angelologia de II Macabeus. O trecho de João 10:22 menciona especificamente a festa da Dedicação, um paralelo com II Macabeus 10.8, embora não haja razão para pensarmos que o autor de Hebreus pediu algo por empréstimo de II Macabeus.

IV. III Macabeus

Esboço:

1. Título
2. Pano de Fundo Histórico
3. Autoria
4. Fontes Informativas
5. Data e Propósitos do Livro
6. Conteúdo e Ensinamentos
7. Relação com o Novo Testamento

1. Título

Quase todos os estudiosos pensam que chamar esse livro de *Macabeus* é um equívoco. Um título melhor seria *Ptolemaica*, segundo o nome de Ptolomeu IV Filopator, perseguidor dos judeus, descrito nesse livro. Contudo, os mais antigos manuscritos do livro, incluindo o Códex Alexandrinos, trazem o título *Macabeus*. Os manuscritos Vaticanus e Sinaiticus não incluem esse livro, pelo que tem sido o mesmo impresso como parte dos *pseudepígrafos*, e não dos apócrifos. Os eventos historiados no livro ocorreram cerca de cinqüenta anos antes de serem reduzidos à forma escrita. Talvez o título *Macabeus* (III) tenha sido atrelado ao livro porque o códex A e o códex V da Septuaginta, fazem-no aparecer depois de I e II Macabeus, e assim ele acabou recebendo o mesmo nome. Isso seria confirmado pelo fato de que aborda (tal como os outros dois livros dos Macabeus) a perseguição movida por um poder estrangeiro contra Israel, embora tal poder seja diferente daquele enfocado em I e II Macabeus. Alguns eruditos pensam que o livro seria uma espécie de introdução histórica aos dois primeiros, mas é difícil dizer em quais razões eles estribaram-se para assim pensar. Talvez seja melhor confessar que o título «Macabeus» acabou sendo aplicado a esse livro por puro acidente histórico.

2. Pano de Fundo Histórico

O livro de III Macabeus é, essencialmente, lendário e didático em seu caráter, e não histórico, mas o seu autor dispunha, ao que parece, de um âmago histórico em mente, quando escreveu seu livro. As coisas que ele diz no primeiro capítulo, acerca de Ptolomeu IV e de sua feroz perseguição contra os judeus do Egito, ao que tudo indica, têm alguma base nos fatos. Todavia, há estudiosos que crêem que esse livro seria uma pseudo-história no tocante ao tempo de Ptolomeu IV e que o mesmo na verdade reflete as perseguições movidas por Calígula, imperador romano, em sua tentativa por levantar sua imagem no templo de Jerusalém, em 40 D.C. Nesse caso, tal como no livro neotestamentário do Apocalipse, temos um livro escrito em código. Tal como Babilônia indicava Roma, nesse caso, Ptolomeu IV indicaria Calígula. Mas Calígula, na realidade, foi muito pior que Ptolomeu IV, porquanto, exigiu que se lhe prestassem honras divinas, tendo erigido efígies suas, que deveriam ser adoradas. No entanto, não há qualquer indício disso em III Macabeus.

Ainda outros especialistas pensam que III Macabeus foi escrito em face de uma crise que os judeus sofreram, quando o Egito tornou-se província romana, em 24 A.C. Esse argumento alicerça-se sobre a *laografia* que Filopator teria imposto aos judeus, o que, na verdade, referir-se-ia ao imposto cobrado durante o período de dominação romana aos judeus. Todavia, não há razão para supormos que Ptolomeu IV não poderia ter feito a mesma coisa. Por isso mesmo, um outro grupo de eruditos acredita que o pano de fundo histórico do livro não passa de uma invenção, para servir de meio literário para transmissão da mensagem do autor, que procurava encorajar os judeus a se apegarem ao seu antigo culto, em face de toda e qualquer crise. Esses últimos eruditos, pois, argumentam que o livro reveste-se de natureza didática, não refletindo a esperada natureza de algum *documento de crise*.

Visto que III Macabeus reflete um conhecimento razoavelmente bom sobre a vida e a época de Ptolomeu IV, muitos pensam que pode haver um certo âmago histórico genuíno envolvido no livro. O problema é que dispomos de bem poucas informações históricas acerca de como os judeus estavam passando no Egito, durante os dias de Ptolomeu IV, pelo que nos falta algum ponto de referência. Seja como for, provavelmente, devemos pensar em uma data em torno de 217 A.C.

3. Autoria

Embora não se possa apontar para nenhum indivíduo específico como autor do livro de III Macabeus, o grego por ele usado e o conhecimento que tinha do judaísmo alexandrino e das questões egípcias em geral, apontam para algum judeu alexandrino como autor da obra. O livro assemelha-se a certos romances gregos; e, na verdade, é uma espécie de romance histórico. Sem dúvida alguma, não é uma tradução. O autor procurou escrever com *erudição*, empilhando epítetos, algumas vezes ao ponto de exagero. O livro encerra repetições e exageros retóricos. Seu vocabulário é rico e variegado. Tem formas clássicas, embora haja palavras do típico grego «koiné». Também evidencia-se alguma influência da poesia grega. A linguagem do autor exibe «um pseudoclassicista ou um pseudo-aticista, que se sentia à vontade com várias fases do idioma grega» (J, em sua introdução a III Macabeus). Não há provas que identifiquem o autor com os fariseus, com os essênios, ou com qualquer outra das seitas judaicas. Ele acreditava na existência dos anjos, mas nunca mencionou a ressurreição ou a crença na vida após-túmulo, noções essas de magna importância para o farisaísmo.

4. Fontes Informativas

a. *Políbio e a história*. Várias narrativas do autor de III Macabeus se parecem com a história de Políbio, do século II A.C., especialmente sua descrição sobre a batalha de Rafa (Políbio, *Hist*. 5.80-86). Até onde é possível determinarmos, ele apresentou fatos genuínos sobre Ptolomeu IV. Mas, algumas discrepâncias gritantes com Políbio maculam o quadro geral e lançam dúvidas sobre o autor de III Macabeus como um historiador. Talvez ele tenha dependido da memória, quanto a algumas de suas informações.

b. *A biografia de Ptolomeu IV*, por Ptolomeu de Megalópolis. Tanto Políbio quanto o autor de III Macabeus podem ter tomado informes por empréstimo. Sabe-se que Políbio vivia em Megalópolis. Apenas alguns poucos fragmentos de sua obra escrita restam hoje em dia, e nada de firme pode ser dito quanto a essa possibilidade.

c. *As tradições de judeus egípcios* podem ter sido uma fonte informativa, sobretudo quanto aos caps. 4—6 de III Macabeus. Josefo também tem material correspondente, em *Contra Apionem II*. Os judeus apoiaram a rainha Cleópatra contra Físcon, e este soltou uma manada de elefantes alcoolizados contra os judeus, os quais mataram também a muitos dos homens do rei. Parece haver aqui alguma confusão, que envolve mais de um homem com o nome de Ptolomeu. Os judeus de Alexandria e os de Jerusalém competiam entre si, e os judeus egípcios observavam algumas festas religiosas que não faziam parte da tradição palestina. Isso se reflete em III Macabeus.

d. *Ester*. Apesar de III Macabeus não citar essa obra, alguns dos *temas* da mesma parecem ter sido pedidos por empréstimo: um conluio contra o rei, anulado por Dositeu (1.2,3); similaridades com Ester 2:21-23; os judeus são acusados de deslealdade (3.19; semelhante a Est. 3:8); os planos urdidos contra os judeus disparam pela culatra (7.10-15; similaridades com o nono capítulo de Ester); festas foram instituídas para celebrar a vitória dos judeus (um tema que aparece em ambos os livros).

e. *II Macabeus*. Esse livro e III Macabeus têm alguns temas em comum, embora não narrem, em paralelo, a mesma história. Assim, os judeus lutam contra a helenização forçada (III Mac. 2.27-30; II Mac. 4.9; 6.1-9). Filopator ataca o templo de Jerusalém, conforme também fez Heliodoro (III Mac. 1.9—2.24; II Mac. 3.7). Houve intervenção angelical em batalhas (III Mac. 6.18-21; II Mac. 3.25). Houve fervorosa oração em favor da preservação do culto no templo de Jerusalém (III Mac. 2.1-20; II Mac. 3.15-23; 14.34-36).

f. *A Carta de Aristéias*. Essa é outra obra pseudepígrafa. Ver o artigo sobre *Aristéias*. Há vários temas similares ou paralelos entre as duas obras. Ver III Mac. 3.21; 5.31; 6.24-28; 7.6-9, em comparação com Aristéias 16, 19, 37. A lealdade dos judeus aos Ptolomeus; a glória do templo de Jerusalém; o fato de que os judeus consideravam-se separados, embora participassem de festas e feriados egípcios. Esses são alguns dos temas similares.

5. Data e Propósitos do Livro

Data. Esse livro pode ser datado entre 217 A.C. e 70 D.C. Determinar uma data mais exata depende, em grande parte, da presumível crise histórica sobre a qual o livro está baseado. Já discutimos sobre isso no segundo ponto. As possibilidades são uma crise genuína, que envolveu Ptolomeu IV (século II A.C.), ou Calígula (40 D.C.), ou, então, a crise surgida quando o Egito tornou-se uma província romana (24 A.C.). Entretanto, alguns negam que esse livro se assemelhe a uma literatura de crise. Nesse caso, nenhuma ajuda quanto à data envolvida pode ser derivada do apelo a qualquer crise histórica. As afinidades lingüísticas parecem indicar uma data antes da era cristã. Além disso, o uso de um nome pessoal, como «Filopater», na correspondência formal (II Mac. 3.12 e 7.1), não foi aplicado a Ptolomeu IV senão em cerca de 100 A.C., e isso estreita o tempo para depois dessa data, e daí até os fins da era pré-cristã.

Propósitos. O propósito do autor foi o de fortalecer um povo que já estava sendo perseguido, mediante relatos sobre os testes e as vitórias de Israel, ou, então, o de ajudar a fortalecer os israelitas potencialmente perseguidos, para quando chegasse algum período de dificuldades previsíveis. O autor proveu exemplos de fé e fortaleza, com o intuito de inspirar. Até mesmo em tempos pacíficos, as histórias providas serviriam de inspiração para que o povo vivesse de modo harmônico com as antigas tradições dos hebreus. Em segundo lugar, o livro adverte que aqueles que chegassem a prejudicar o povo de Israel teriam escolhido um caminho errado, e teriam de pagar por sua má escolha.

Propósito Didático. O autor promoveu várias doutrinas como úteis. Porém, deixou de lado questões como a divina retribuição, após a morte, o julgamento final, a iminente destruição cataclísmica deste sistema mundial, uma nova ordem mundial que se seguiria—ensinamentos esses que são doutrinas cristãs das obras pseudepígrafas e apocalípticas do período intertestamental. Essa omissão, entretanto, é típica da antiga teologia dos hebreus. As lições providas aplicam-se antes ao quê é daqui e de agora. Para a mente cristã, porém, tais omissões são incríveis. Porém, precisamos reconhecer o desenvolvimento da teologia, e do fato de que o judaísmo, em qualquer período de sua história, estava nos primeiros estágios desse desenvolvimento teológico. Todavia, mesmo nesses estágios iniciais havia vários campos do pensamento teológico que estavam sendo ventilados.

6. Conteúdo e Ensinamentos:

Conteúdo:

a. Ptolomeu Filopator ameaça do templo (1.1—2.24).

b. Os judeus alexandrinos são forçados a adorar a Baco (2.25-30).

c. Os que se rebelassem seriam mortos (2.31—4.21).

d. Os judeus escapam ao ataque dos elefantes, mediante intervenção angelical (4.22—6.21).

e. Os judeus celebram sua vitória (6.22—7.2)

Caracterização Geral. O livro é uma narrativa romântica que ilustra a invencibilidade de Israel, enquanto fossem obedientes a Deus. Os que tentassem destruir a Israel ver-se-iam frustrados a cada passo, e, quando fosse necessário, haveria a intervenção divina. O adversário, Ptolomeu, era poderoso. Ele acabara de obter certo número de notáveis vitórias militares, como aquela sobre Antíoco III, quando da batalha de Rafia (217 A.C.). Mas, quando ele ameaçou o templo de Jerusalém, bastou a oração do sumo sacerdote Simão para paralisá-lo. Ele ainda conseguiu obrigar alguns judeus a adorarem a Baco, mas outros foram capazes de oferecer-lhe resistência, contra um ataque de quinhentos elefantes bêbados, visto que os anjos de Deus intervieram. Nisso o rei percebeu o poder de Deus e mudou de atitude quanto ao seu programa de perseguição. Os judeus que haviam oferecido resistência foram reinstalados como cidadãos honrosos. Porém, trezentos deles, que haviam apostatado, foram executados por seus compatriotas judeus. Uma festa foi decretada para celebrar a vitória (6.22—7.23).

Ensinamentos. Já vimos as gritantes omissões de III Macabeus no quinto ponto, **Propósito Didático**. Os ensinamentos específicos são os seguintes:

a. A providência de Deus. Temos de tratar com um Deus *teísta* (4.21; 6.15 e 7.16).

b. Deus anela por ajudar aos pecadores que se arrependam (2.13).

c. Os hebreus são um povo ímpar, com provisões ímpares. Se retiverem essa sua natureza ímpar, mantendo oposição ao paganismo e suas influências, Deus haverá de recompensá-los (1.8—2.24).

d. Até os homens honram àqueles que honram a Deus, embora talvez sejam necessárias medidas drásticas para que reconheçam isso (3.21; 6.25; 7.7).

7. Relação com o Novo Testamento

A **epifania** de Deus é ativa, conforme se vê em 2:9; 5.8,51. Em III Mac. 6.18, os anjos que fizeram intervenção em favor dos judeus foram a Sua epifania. O Novo Testamento apresenta Cristo como a maior e definitiva epifania de Deus, ao mesmo tempo em que os anjos continuam em suas boas ações. Naturalmente, não há nisso qualquer empréstimo direto de idéias. O Novo Testamento reflete a teologia em desenvolvimento, que atingira novos horizontes durante o período intertestamental. Outros temas, dados sob *Ensinamentos*, sexto ponto, também são enfatizados no Novo Testamento, embora sem qualquer empréstimo direto. No Novo Testamento, como é óbvio, há muitos empréstimos de idéias dos livros pseudepígrafos, especialmente de I Enoque, ao ponto que o *esboço profético* essencial que há naquele livro aparece claramente no Novo Testamento.

V. IV Macabeus

Esboço:

1. Título
2. Pano de Fundo Histórico e Fontes Informativas
3. Autoria
4. Data e Propósitos do Livro
5. Conteúdo e Ensinamentos
6. Relação com o Novo Testamento

1. Título

O livro de IV Macabeus, nas coletâneas modernas, é agrupado juntamente com as obras pseudepígrafas, e não com os livros apócrifos. Tem sido preservado em vários dos manuscritos da Septuaginta, como A (Alexandrinus), S (Sinaiticus) e V (codex Venetus), embora não apareça em B (Vaticanus). Seu título tradicional é *IV Macabeus* porquanto apresenta os Macabeus como heróis didáticos. Mas essa obra, na realidade, é um tratado filosófico que, segundo alguns pensam, originalmente tinha o título de *A Soberania da Razão*. Vários dos pais da Igreja deram-lhe esse nome. Foi escrito em bom grego, não exibindo qualquer sinal de haver sido uma tradução. Emprega idéias estóicas e filosóficas a fim de mostrar por que razão a obediência à vontade de Deus—conforme expressa pelo código mosaico—é vantajosa.

2. Pano de Fundo Histórico e Fontes Informativas

IV Macabeus não é um livro histórico, posto que seu autor tivesse usado algumas seções históricas de II Macabeus. Não há que duvidar que IV Macabeus depende de II Macabeus 2.1—6.11. Estava em foco a perseguição da casa reinante selêucida contra os judeus. Alguns detalhes variam, talvez porque o seu autor dispusesse de alguma outra fonte ou fontes, escritas ou orais. O autor abrevia os relatos sobre os mártires, dos capítulos sexto e sétimo de II Macabeus, e que foram preservados em IV Macabeus 5—18. A terrível morte de Antíoco IV Epifânio, descrita tão vividamente no nono capítulo de II Macabeus, recebe um tratamento mais sucinto em IV Macabeus 18.5. De fato, algumas das diferenças são tão grandes que alguns estudiosos modernos têm pensado que o autor de IV Macabeus na realidade utilizou-se da obra de Jasom, mais ou menos o que também foi feito pelo autor de II Macabeus. Outros eruditos salientam que o autor não pretendia ser um historiador, tendo usado material histórico de forma bastante livre. O uso que ele fez do Antigo Testamento também reflete sua liberdade ao relatar a história da sede de Davi (IV Mac. 3.6,16), tomada por empréstimo de II Sam. 23:13-17.

Quanto à sua filosofia, o autor lançou mão, principalmente, de idéias estóicas, embora também tivesse incorporado ilustrações com heróis do Antigo Testamento, como José, Moisés, Jacó e Davi. Mui provavelmente, o livro foi escrito em Alexandria, e, naturalmente, a colônia judaica dali estava em contato com a filosofia grega e com todas as formas de helenização. Nessa cidade é que se criou Filo, que agiu muito mais como filósofo harmonizador, procurando fazer Moisés falar grego, e Platão falar hebraico. Alguns estudiosos têm procurado ver em IV Macabeus uma espécie de pregação da sinagoga, mas isso é quase impossível. O livro é por demais distante das Escrituras do Antigo Testamento para ser isso. O autor, além disso, era um judeu piedoso, embora helenizado.

O verdadeiro pano de fundo histórico foi a circunstância do autor ser um judeu de Alexandria, que aprendeu o grego como sua língua nativa, sentindo-se perfeitamente à vontade com a helenização.

3. Autoria

No livro de IV Macabeus não há qualquer indício acerca do autor, pelo que deve ser considerado uma obra anônima. O livro acha-se em certo número de manuscritos que contêm as obras de Flávio Josefo, e, por causa disso, alguns cristãos antigos, como Eusébio de Cesaréia e Jerônimo, atribuíram a obra a ele. Essa idéia, contudo, cai por terra quando o estilo e o vocabulário das duas obras são cotejadas entre si. O estilo de IV Macabeus é florido e retórico, completamente diferente do estilo de Josefo. Pelo menos uma discrepância gritante, quanto a informações dadas, também separa os escritos dos dois autores. Josefo afirmou corretamente que Antíoco IV Epifânio era irmão de Seleuco IV (ver *Anti.* 12.4), ao passo que o autor de IV Macabeus diz que ele era filho de Seleuco (IV Mac. 4.15). Todavia, ambos os autores se mostraram simpáticos com o farisaísmo. Além desse pendor, esse autor era um judeu filósofo, helenizado. Ele pressupunha que seus leitores seriam capazes de seguir seus raciocínios filosóficos, e esse fator aponta para uma proveniência alexandrina, onde muitos judeus recebiam uma espécie de polimento da cultura grega. Mas há aqueles estudiosos que preferem a idéia de que o autor de IV Macabeus era de Antioquia, com base no argumento de que o grego em que ele escreveu é mais asiático do que egípcio.

4. Data e Propósitos do Livro

Visto que IV Macabeus depende de II Macabeus, sua data tem de ser após a publicação de II Macabeus, ou seja, depois de 120 A.C. As referências que ali há sobre o templo de Jerusalém (4.11 *ss*) mostram que, então, o templo continuava de pé. Em conseqüência, o livro deve ter sido escrito antes de 70 D.C. Um pequeno indício talvez indique uma data que, considerada o mais cedo possível, seria 63 A.C. O autor afirma que Onias, o sumo sacerdote, manteve seu ofício de forma *vitalícia*. Porém, isso sempre aconteceu, até cerca de 63 A.C., quando o poder romano entrou no quadro, e os sumos sacerdotes eram substituídos ao capricho dos dominadores. Portanto, o livro deve ter sido escrito em algum tempo entre 60 A.C. e 70 D.C. Datar o livro com maior exatidão é simplesmente impossível. Entretanto, duas pequenas circunstâncias poderiam dar-nos uma data entre 18 e 55 D.C., mais ou menos. Em II Macabeus 4.4 aprendemos que Apolônio foi governador da Coele-Síria e da Fenícia. Porém, o autor de IV Macabeus adiciona a Cilícia a esse território (4.4). Ora, somente entre 18 e 55 D.C. é que a Cilícia foi governada por uma pessoa com esse nome, juntamente com a Síria e a Fenícia. Isso posto, parece que o autor do livro adicionou uma pequena informação que ele não tinha como saber, a menos que tivesse escrito depois de 18 D.C. Além disso, as severas perseguições efetuadas por Calígula não são ali mencionadas. Essas perseguições ocorreram em 38 e 39 D.C. Assim sendo, podemos supor que o livro de IV Macabeus foi escrito entre 18 e 38 D.C.

Propósitos. O judaísmo estava sendo ameaçado pelo mundo helênico. O judaísmo já era então uma antiga fé, derivada de uma época e de uma cultura diferentes. Essa fé continuava válida na nova era? Essa é a principal pergunta respondida em IV Macabeus. O autor escreveu a fim de demonstrar que o povo judeu é sem igual, e que a fé deles é válida para qualquer época e lugar. Os heróis Macabeus haviam mostrado o exemplo correto, ao oferecer resistência às influências estrangeiras corruptoras. A fidelidade deles tornara-se um exemplo para todos. Parece que algum período ou dia especial do ano fora separado para relembrar os mártires (IV Mac. 1.10 e 3.19). Várias conjecturas têm sido apresentadas, mas sem qualquer base real nos fatos. Mesmo sem saber qual festa era essa ou quando essa celebração tinha lugar, ainda assim contamos com o exemplo dos mártires, os quais mostraram sua determinação, demonstrando assim a validade da fé religiosa do povo judeu.

Apesar desse livro não nos ajudar muito historicamente falando, ainda assim reveste-se de importância histórica, porquanto reflete o «pensamento judeu» da *diáspora* (vide). Até mesmo um autor que havia dominado a erudição e a retórica dos gregos aplicou essa erudição a fim de defender sua fé e sua cultura.

5. Conteúdo e Ensinamentos

Conteúdo:

a. Introdução (1.1-30)
b. O triunfo da razão, exemplificado no Antigo Testamento (1.30—3.17)
c. A opressão dos selêucidas (cap. 4)
d. O martírio de Eleazar (5.1—7.23)
e. O martírio dos sete irmãos (8.1—14.10)
f. O martírio da mãe deles (14.11—18.24).

Caracterização Geral

a. O homem piedoso é dotado de razão e propósitos superiores. Esse homem tem o poder da razão, capaz de controlar as suas paixões. Essa questão é apresentada por meio da filosofia estóica, mas com ilustrações extraídas do Antigo Testamento. Introdução ao livro (1.13-30).

b. A base da vida e da ação deve ser a legislação mosaica, mas isso é defendido e explicado filosoficamente.

c. José e Davi deram-nos exemplos das ações de homens dotados de uma sabedoria superior (1.30—3.17).

d. Os heróis e mártires macabeus ilustraram o tema, e, de fato, o livro de IV Macabeus é uma espécie de elogio a eles. Os pontos *d, e* e *f* do esboço do conteúdo dão as ilustrações específicas a respeito.

Ensinamentos:

Sob os **Propósitos** do quarto ponto, temos apresentado os ensinamentos básicos de IV Macabeus. Além das coisas ali ditas, devemos pensar nos seguintes particulares:

a. A melhor parte do pensamento grego e as idéias de Moisés podem ser proveitosamente harmonizadas entre si. A lei mosaica provê o melhor meio de obter a verdadeira sabedoria (1.16,17), que era de grande interesse para os gregos.

b. Na *espiritualidade* há sabedoria. A razão é autêntica quando é a «razão piedosa» (1.1; 7.16; 13.1). Essa razão controla as paixões. No caso dos mártires, a razão passa por cima de tudo, mas é que eles participam da razão divina.

c. As *paixões* consistem em prazer e dor. Essa explicação o autor tomou por empréstimo da filosofia grega. Além disso vemos ali o reflexo das noções estóicas sobre o desejo, a alegria, o temor e a tristeza (1.20-23). Nossas emoções e paixões têm a tendência de promover o mal, pois cada homem se vê a braços com o seu conflito interior, o que se vê em Gên. 6:5. Apesar da razão não poder erradicar as paixões, pode controlá-las e evitar a escravização às mesmas (3.1-3).

d. *Quatro virtudes cardeais*: inteligência, justiça, coragem e autocontrole. Ver 1.6,18; 3.1. Isso reflete idéias filosóficas, mas o autor ilustra a possessão dessas virtudes com a vidas dos mártires hebreus (9.18). Eles desprezavam o hedonismo, que caracterizava as vidas de seus opressores (5.4-12; 8.1-10). Desse modo, os filósofos judeus eram superiores aos filósofos pagãos.

e. A *imortalidade* é prometida aos piedosos (9.8; 14.5; 17.12), ao passo que o tormento eterno é prometido aos iníquos (9.9,31; 12.12,18; 13.15). Todavia, a ressurreição não faz parte dos conceitos desse livro.

f. *Deus e seus nomes*: Ele é providência (9.24; 13.19); justiça (4.21); poder (5.13).

g. *Expiação vicária*. O sangue dos mártires faz expiação pelos pecados do povo (17.22). Esse sangue purifica a pátria (1.11; 18.4). A expiação é uma substituição pelo povo (6.28,20). Esse ensino tem paralelo no Manual de Disciplina de Qumran: certos homens justos fazem expiação pela iniqüidade de outros, mediante a vida reta e o sofrimento (8.3,4). A terra é expiada por meio do sangue dos mártires (8:6,7). Algo similar encontra-se em IV Mac. 1.11 e 18.4.

h. Nada existe de mais importante do que a força do *exemplo*, do que os heróis do Antigo Testamento e os Macabeus foram exemplos supremos, mediante a maneira como creram e viveram. Talvez esse seja o ensino principal do livro, a razão mesma pela qual o livro foi escrito.

i. *A universalidade da sabedoria*. A verdade divina encontra-se no Antigo Testamento. Secundariamente, acha-se na filosofia grega, e as duas sabedorias não se contradizem, se as compreendermos corretamente e as harmonizarmos uma com a outra.

j. *O sacrifício supremo*. Jesus ensinou a renúncia como a única maneira de se obter o verdadeiro discipulado. IV Macabeus ensina-nos a mesma coisa por meio da história dos mártires.

6. Relação com o Novo Testamento

a. Nem a razão e nem a lei podem controlar perfeitamente a mente humana (IV Mac. 1.5,6; paralelo em Rom. 7).

b. Em contraste, a glorificação dos mártires é diminuída diante da declaração paulina de que tudo que é feito sem o tempero do amor não tem valor (I Cor. 13:3).

c. Também em contraste, as três virtudes cardeais paulinas são a fé, a esperança e o amor, ao passo que as virtudes cardeais do estoicismo são a inteligência, a retidão, a coragem e o autocontrole. Entretanto, contrastar esses dois tipos de virtudes parece não fazer muito sentido. Todas essas qualidades são grandes virtudes, apenas a ênfase é diferente. O trecho de IV Macabeus expõe os ideais estóicos; I Coríntios 13:13 expõe os ideais paulinos.

d. O conceito dos sofrimentos vicários, conforme é ilustrado acima, tem paralelos no Novo Testamento, com a diferença fundamental que, no Novo Testamento, somente Cristo sofreu vicariamente. Ver Rom. 3:25. Ver também Heb. 1:3; 2:11; 10:10 e 13:2.

e. O trecho de Heb. 11:34,35, em seu elogio aos mártires, parece depender diretamente de II Macabeus 5.27; 6.11 e 10.6, mas outro tanto é frisado em IV Macabeus 16.22 e 17.2.

f. O trecho de IV Macabeus 17.11-16 encerra a idéia de outras pessoas a observarem e beneficiarem-se diante da conduta dos mártires, embora em um plano terrestre, ao passo que trecho de Heb. 12:1,2 indica que espíritos de outra dimensão são os que fazem tal observação.

g. Vencer ao mal, à tirania do mundo e a seres espirituais malignos é um dos temas de IV Macabeus (6.10; 7.4,10,11; 9.6,30; 16.14). Algo similar acha-se em João 16:33; I João 2:13,14 e 5:4,5.

h. Os mártires mortos comparecem diante do trono de Deus, em IV Macabeus 17.18, o que encontra paralelo em Apo. 7:15.

No caso da relação que há entre o Novo Testamento e IV Macabeus, não é provável que tenha havido empréstimos diretos. Antes, o Novo Testamento encerra uma espécie de continuação de muitas idéias religiosas que se desenvolveram durante o período intertestamental de helenização, do qual IV Macabeus também participou. Entretanto, há muitos empréstimos feitos das obras pseudepígrafas (sobretudo I Enoque) e apócrifas no Novo Testamento, embora não muitas citações diretas. No artigo sobre os livros apócrifos, damos alguns exemplos. Os evangélicos geralmente não tomam consciência desses fatos porque não estudam esses documentos. Porém, devemos lembrar que eles faziam parte importante da literatura e da cultura do judaísmo helenista, dentro de cujo meio ambiente desenvolveu-se o Novo Testamento, ao qual está endividado, pelo menos em parte.

VI. Canonicidade da Coleção

Neste ponto estamos abordando a literatura inteira dos Macabeus, e não apenas IV Macabeus, que temos acabado de descrever. I e II Macabeus fazem parte dos livros apócrifos, pelo que, para a Igreja Católica Romana são livros autoritários, com base no fato de que o Concílio de Trento (vide), em 1546, declarou-se em favor de sua canonicidade. Os primeiros pais da Igreja fizeram uso freqüente desses livros e, vez por outra, encontramos declarações que mostram que alguns deles eram considerados livros autoritários. Orígenes e Jerônimo, entretanto, excluíam-nos dos livros canônicos, e Jerônimo não os incluiu em sua *Vulgata Latina* (vide).

Agostinho se declarou em favor de I Macabeus, mas seu testemunho não foi coerente. A Igreja Oriental aceitava como canônicos apenas I, II e III Macabeus. Embora IV Macabeus tenha sido preservado em alguns importantes manuscritos da Septuaginta (incluindo A e Aleph), nunca conseguiu obter condição canônica. Atualmente, III e IV Macabeus são impressos na coletânea das obras pseudepígrafas, e não das obras apócrifas.

Em sua maior parte, os protestantes e evangélicos ignoram tudo acerca dos livros apócrifos e pseudepígrafos e, naturalmente, não aceitam essas obras como canônicas. Os anglicanos, como em outras coisas, representam uma espécie de posição intermediária entre os católicos e os protestantes. Apesar de não aceitarem esses livros como canônicos, promovem seu uso como obras instrutivas para os cristãos.

Não devemos esquecer que esses livros figuravam na Septuaginta, pelo que eram livros sagrados para os judeus da diáspora (vide). Alguns estudiosos usam a expressão «cânon alexandrino», que, apesar de sujeita a objeções, reflete parte da verdade, visto que a Septuaginta foi produzida em Alexandria. Por outra parte, temos o chamado «cânon palestino», os estritos trinta e nove livros do Antigo Testamento original, aprovado pelos judeus estritos. Contudo, a descoberta dos manuscritos do mar Morto demonstraram que, às portas mesmas de Jerusalém, estavam em uso os livros apócrifos e pseudepígrafos, porquanto fragmentos de muitos deles foram encontrados entre essa coletânea. Ver o artigo separado a respeito do *Cânon*.

Bibliografia. AM CH E J JE ME(1957)

MAÇÃS DE SODOMA

No hebraico, tal como em nossa versão portuguesa, temos «Porque a sua vinha é da vinha de Sodoma e dos campos de Gomorra». As referências extrabíblicas, porém, falam em «maçãs de Sodoma», o que é curioso, visto que o autor sagrado referia-se à parreira. Portanto, poderíamos pensar em traduções como «uvas de Sodoma» ou mesmo «uvas de fel». Entretanto, certos estudiosos sugerem que o termo pode significar algo *parecido com a videira*, pensando estar em foco a *Citrullus colocythis*. A planta é uma trepadeira de árvores e cercas, produzindo um fruto redondo como uma laranja, respingado de amarelo e verde. A polpa dessa fruta é venenosa e amarga, mas pode ser usada como purgativo. A fruta pode tentar uma pessoa a comê-la, devido à sua bela aparência, mas a sua ingestão é perigosa. A Citrullus é comumente encontrada na região que circunda o mar Morto. Tal fruta tem sido usada por moralistas (vários autores antigos) a fim de referir-se àquilo que é convidativo, mas perigoso e prejudicial. (S Z)

MACAZ

No hebraico, «fim». Esse era o nome de um distrito ou cidade nas vertentes ocidentais de Judá. Era dirigido por Ben-Dequer. Era considerado o segundo dos doze distritos que supriam alimentos para o palácio real, nos tempos de Salomão (I Reis 4:9). Tem sido identificado com o local da moderna Khirbet el-Mukheizin, ao sul de Ecrom.

MACBANAI

No hebraico, «grosso», «gordo». Esse era o nome de um guerreiro da tribo de Gade, que se bandeou para Davi, em Ziclague, quando ele fugia de Saul. Ver I Crô. 12:13. Isso sucedeu por volta de 1061 A.C.

MACBENA

No hebraico, «outeirinho», «montão». Nome de uma cidade do território de Judá, fundada por uma pessoa desse mesmo nome. Ele era filho de Seva (I Crô. 2:49). — A cidade tem sido identificada com a Cabom de Jos. 15:40. Esse nome aparece em uma lista genealógica.

MACEDÔNIA

Esboço:

1. Definição
2. Caracterização Geral
3. Descrições Geográficas
4. Sumário de Informes Históricos
5. Referências Bíblicas Relacionadas

1. Definição

Não se sabe qual a derivação da palavra *Macedônia*. Mas o nome refere-se a uma região do suleste europeu, ao sul da península dos Bálcãs e às margens do mar Egeu. Representava áreas que hoje estão ocupadas pela Grécia, pela Iugoslávia e pela Bulgária. Essa palavra também alude ao reino da *Macedônia*, da antiguidade, onde dominava a família de Alexandre, o Grande, e que veio a tornar-se o poder mundial dominante na época desse monarca. Alguns estudiosos pensam que esse nome vem do fundador mítico da área, *Makedon*, embora não se saiba o significado desse nome. Não se pode determinar com precisão as fronteiras da antiga Macedônia, embora seja sabido que ficava limitada pelas terras altas albanesas, a oeste; pelos montes Shar, ao norte; pelas montanhas Rodope, a leste; e pelo mar Egeu, ao sul. Nenhum Estado moderno ocupa toda essa área. Desde 1913, o antigo território da Macedônia tem estado dividido entre a Grécia, a Iugoslávia (a Sérvia, antes de 1918) e a Bulgária. A porção norte da Grécia também fazia parte da Macedônia; e a parte sul da Iugoslávia e a parte ocidental da Bulgária ocupam o que, antigamente, era a Macedônia.

2. Caracterização Geral

Era um território centralizado nas planícies adjacentes ao golfo de Tessalônica, que acompanhava os grandes vales dos rios que por ali passavam, até às montanhas dos Bálcãs. Nos remotos tempos históricos esse território era dominado por barões cavaleiros sob uma casa real helenizada, monarcas esses que exerceram a hegemonia sobre os negócios gregos desde o século IV A.C. Depois de Alexandre o Grande, dinastias macedônias governaram os territórios por toda a bacia oriental do mar Mediterrâneo, até que foram ultrapassadas pelos romanos. Em 167 A.C., a Macedônia foi dividida em uma série de quatro federações republicanas (ao que talvez faça referência o trecho de Atos 16:12). Posteriormente, porém, essas federações caíram sob o domínio romano. A província desse nome abarcava a porção norte da Grécia moderna, desde o mar Adriático até o rio Hebro. Depois de 4 A.C., o procônsul romano passou a residir em Tessalônica, enquanto que a assembléia se reunia em Beréia. Essa província incluía seis colônias romanas, uma das quais era Filipos. Paulo obteve um extraordinário sucesso em sua pregação naquela região, e sempre parecia relembrar-se, com prazer, das visitas que ali fizera.

«A Macedônia era um mui vasto país da Europa, e anteriormente consistia, conforme nos informa Plínio (ver *História Natural*, 1,4, cap. 10) em cento e cinqüenta povoados ou nações, e era chamada Ematia; derivou o seu nome de Macedônia de Macedo, filho de Júpiter e de Tida, filha de Deucalião. De conformidade com Ptolomeu (Geografia, 1,3, cap. 13), era limitada ao norte pela Dalmácia, pela Mísua superior e pela Trácia; a ocidente pelo mar Jônico; ao sul pelo Épiro; e a oriente por parte da Trácia e pelos golfos do mar Egeu». (John Gill).

Várias referências bíblicas mostram-nos que Paulo se relembrava dos crentes da Macedônia com profundo afeto (ver I Tes. 1:3 e Fil. 4:1) e sempre ansiava por retornar ali (ver Atos 20:1 e II Cor. 1:16). Foi naquele território que Paulo obteve seus mais retumbantes sucessos, e, através de seu ministério, o cristianismo penetrou na Europa, para nunca mais ser expulso dali, em contraste com grande parte do trabalho cristão efetuado na Ásia Menor e em outras regiões.

«Sim! A literatura e a arte da Grécia, e o poder romano subjugador e que governava nobremente, tinham fracassado, não podendo atingir as mortais enfermidades de nossa natureza decaída; e todo o paganismo, na pessoa daquele varão macedônio, clamava pela vinda de sua única cura eficaz, que aqueles missionários da cruz possuíam, e somente aguardavam a oportunidade fornecida por essa chamada, para administrá-la». (Brown)

3. Descrições Geográficas

A Macedônia era e continua sendo uma região de elevadas montanhas, grandes rios e vales férteis. As fronteiras antigas eram a Ilíria, a oeste; a Mésia, ao norte; a Trácia, a leste. Ficava separada da Tessália, ao sul, pelos montes Pindos. Ali há quatro importantes bacias hidrográficas: o Haliacmon, o Áxio, o Estrimon e o Nesto. A Macedônia prolonga-se mar Egeu adentro mediante três braços de terras. A região é produtora de gado, madeira, prata, ouro e outros minerais. Possui uma longa e acidentada costa marítima, com diversos bons portos. Desde o começo foi um cadinho de etnias, não-indo-européias, indo-européias, trácias, ilíricas e macedônicas.

4. Sumário de Informes Históricos

Supõe-se que, no começo, a região da Macedônia era povoada por descendentes de Quitim, um dos filhos de Javã (ver Gên. 10:4). É possível que o termo «quitim», no Antigo Testamento, refira-se a povos da área da Macedônia. A história antiga da região é muito obscura, pois só há informações dignas de confiança a partir do começo do século VII A.C. O reino da Macedônia foi fundado por Perdicas I. Seus sucessores foram Filipe I, Alexandre I, Perdicas II e Arquelau (cerca de 413 A.C.). Sob Filipe II (359—336 A.C.), esse reino começou a ter uma influência mundial. Ele reuniu os gregos contra os persas. Foi bem-sucedido em seus esforços, embora sua vida tivesse sido ceifada por assassinato, através de um nobre macedônico, em 336 A.C. Seu filho e sucessor foi Alexandre, o Grande, na verdade, Alexandre III (embora quase desconhecido por esse título). Uma das grandes descobertas arqueológicas de nosso tempo foi o túmulo de Filipe II. Ver sobre *Filipe II da Macedônia*. Ainda recentemente, correram notícias de que talvez tivesse sido encontrado o túmulo da avó de Alexandre, o Grande, a rainha Evridique. Um mausoléu descoberto por arqueólogos gregos (em setembro de 1987), nos arredores da cidade de Vérgina, região da Macedônia grega, pode ser o seu túmulo. Vérgina pode estar em cima das ruínas da cidade Aegae, capital da antiga Macedônia. O mausoléu assim descoberto tem duas câmaras, e o nome de Evridique foi encontrado, em letras grandes, em duas das principais colunas desse mausoléu. Os arqueólogos têm quase absoluta certeza de que esse é o túmulo daquela rainha, porquanto a antiga Macedônia teve apenas uma rainha em toda a sua história. Há um desenho representando Plutão e sua carruagem de fogo, que decora uma das paredes do mausoléu. Muitas jóias e outros objetos de arte foram encontrados nesse túmulo. No entanto, havia sinais de que o túmulo já havia sido violado em algum tempo do passado, e, sem dúvida, muitos tesouros foram dali furtados.

Alexandre, o Grande. Temos provido um artigo separado sobre esse monarca, oferecendo a história de sua época, com informações sobre suas conquistas militares, das quais resultaram uma helenização em escala mundial. No espaço de meros doze anos, Alexandre conquistou o Egito e o Oriente Próximo, a Pérsia, a Babilônia e partes ocidentais da Índia. Mas morreu de febre (malária) com apenas trinta e três anos de idade. Filipe e Alexandre foram gênios militares, o que explica em grande parte o sucesso que ambos obtiveram. Muitas armas e táticas novas foram introduzidas por eles na arte da guerra. A formação básica de ataque era a infantaria, ou falange, ao centro, melhor equipada do que era usual; a cavalaria ligeira, à esquerda, servia principalmente de defesa; a cavalaria pesada, à direita, comandava o ataque, mediante ondas escalonadas. Filipe e Alexandre empregaram essa tática com muito sucesso.

Depois de Alexandre, o Grande, — houve os Ptolomeus do Egito e os Selêucidas da Síria. O reino da Trácia desapareceu quando Lisímaco, um dos ex-generais de Alexandre, morreu sem filhos. Na Grécia, Antípater governou durante um breve período. Então, subiu ao trono o seu filho, Cassandro, e mais tarde, o filho deste, Alexandre, até 294 A.C. Depois vieram os Antigônidas, descendentes de um dos generais de Alexandre, o Grande. Essa dinastia perdurou até que os romanos ocuparam a região, em meados do século II A.C. Então a Macedônia foi organizada em uma federação repubicana semi-independente, modelada segundo as ligas acaeana e etólica. Foi dividida em quatro distritos. Porém, em 149 A.C., Andrisco procurou restaurar a monarquia. O general romano Quintus Caecilius Metellus foi quem pôs fim à tentativa. Em 146 A.C., a Macedônia foi reduzida a província romana. Ela incluía partes da Ilíria e da Tessália, e a cidade de Tessalônica tornou-se a sede do poder romano naquela região. A via Inácia foi ampliada para cruzar a Macedônia, desde as margens do mar Adriático até à Trácia. Parece provável que Paulo tenha atravessado essa região, através dessa importante estrada romana, de Neápolis a Filipos, e daí a Tessalônica. Ver Atos 16:11,12 e 17:1.

5. Referências Bíblicas Relacionadas

Os livros de I e II Macabeus referem-se à Macedônia. Ver I Macabeus 1:1-9 e 8:2; II Macabeus 8:20. Ali, o termo «macedônios» é aplicado a soldados mercenários, que serviam aos monarcas selêucidas. O décimo primeiro capítulo do livro de Daniel descreve os conflitos entre os reis Ptolomeus e Selêucidas. Casamentos entre as famílias reais acalmaram, temporariamente, a tormenta, mas, finalmente, foram reiniciadas as hostilidades. Alexandre é o poderoso rei da Grécia, em Dan. 5:3. O trecho de Dan. 8:22 predizia a divisão do império de Alexandre em quatro partes.

No Novo Testamento. O termo *Macedônia* ocorre por vinte e duas vezes no Novo Testamento. Ver Atos 16:9,10,12; 18:5; 19:21,22; 20:1,3; Rom. 15:26; I Cor. 16:5; II Cor. 1:16; 2:13; 7:5; 8:1; 11:9; Fil. 4:15; I Tes. 1:7,8; 4:10 e Tito 1:3. E com a forma grega de *Makedón* há mais cinco ocorrências: Atos 16:9; 19:29; 27:2 e II Cor. 9:2,4.

Nessas passagens está em foco a missão européia da Igreja, que começou pela Grécia. Cidades importantes da região eram Filipos, Beréia, Larissa e Tessalônica. Paulo agiu em parceria com Timóteo, Silas, Gaio e Aristarco nessa área. Convertidos macedônicos ao cristianismo ajudaram na coleta paulina para os santos pobres de Jerusalém (ver Rom. 15:26), os quais também ministraram às necessidades pessoais de Paulo (ver II Cor. 8:1-5 e Fil. 4:15).

MACEDONISMO

Um sinônimo é o termo **pneumatomachi**. Esses termos foram usados para aludir aos *homoiousianos* (vide), os quais ensinavam que o Espírito Santo é um ser criado, subordinado ao Pai e ao Filho. O vocábulo *pneumatomachi* vem de dois termos gregos cujo sentido é «lutadores contra o Espírito», porquanto negavam a sua plena divindade, ou promoviam a idéia de uma divindade inferior do Espírito Santo, o que fazia com que parecessem estar em conflito com o Espírito. Essa posição foi condenada por ocasião do Concílio de Éfeso, em 381 D.C. As pessoas que aderiam a essa idéia seriam seguidoras de Macedônio, bispo de Constantinopla, que ensinava daquela maneira.

••• ••• •••

MACH, ERNST

Suas datas foram 1838-1916. Foi um físico e filósofo austríaco. Foi escritor de importantes obras científicas que contêm muita ciência e especulações filosóficas sobre a natureza da filosofia. Alguns consideram-no pai do *Positivismo Lógico* (vide). Seja como for, ele foi um empirista radical, que chegou ao extremo de declarar que o mundo consiste somente em quatro sensações. Acima disso, teríamos apenas especulações sem sentido a respeito das coisas. Aquilo que *sabemos* é sempre relativo, visto que os próprios sentidos são apenas conveniências, e não reflexos necessários de alguma certeza metafísica. A própria mente foi por ele reduzida a sensações. Mach dizia que não temos qualquer poder acima das sensações. Naturalmente, tal abordagem nega a razão, a intuição e as experiências místicas como maneiras distintas do homem obter conhecimento. Não podemos descobrir o mundo real por meio de nossa ciência, mas apenas conseguimos predizer o curso que as alegadas coisas reais tomam. Todas as ciências teriam o mesmo assunto a ser tratado, a saber, as sensações e suas manifestações. As chamadas *leis científicas* seriam apenas descrições sucintas de experiências passadas, cujo desígnio é ajudar-nos a predizer as experiências futuras. A *unidade das ciências* existe, porquanto cada ramo de estudos aborda algum campo das sensações, e todos os campos do saber estão relacionados entre si.

Obras. On the Definition of Mass; The Science of Mechanics; The Analysis of Sensation; Popular Scientific Lectures; The Principles of Physical Optics; Space and Geometry.

Quanto às minhas críticas, ver os artigos: *Positivismo* e *Positivismo Lógico*.

MACHADO

No Antigo Testamento eram usados vários tipos de machados, alistados abaixo de acordo com seus nomes em hebraico:

1. *Garzen* (ver Deu. 19:5; 20:19 e I Reis 6:7). Um instrumento usado para derrubar árvores, cortar lenha e cortar pedras (I Reis 6:7). Também era usado como arma de guerra.

2. *Mahatsawd*. Um instrumento de derrubar árvores, talvez mais leve que o de número 1, pelo que possivelmente fosse usado para entalhar madeira, fabricar ídolos, etc.

3. *Kardome*. Era um machado volumoso e pesado. As esculturas egípcias mostram o trabalho de derrubar árvores com um machado desses. (Ver Juí. 9:48; Sal. 74:5 e I Sam. 13:20,21).

4. *Barzel*. Um machado com lâmina de ferro, ao passo que outros eram feitos de bronze. Isso mostra que os hebreus, ao tempo de Eliseu (ver II Reis 6:5, o único lugar onde essa palavra aparece no Antigo Testamento), já tinham machados de ferro. Os arqueólogos têm encontrado machados de bronze e de ferro. Há exemplares dos mesmos nos museus.

5. *Magzayraw*. Embora algumas versões digam «machados», em II Sam. 12:31 e I Crô. 20:3, devemos entender que a alusão é a «serras», como se vê em nossa versão portuguesa.

6. *Khehreb*. Talvez uma picareta, em Eze. 26:9. Nossa versão portuguesa prefere «ferros».

7. *Kashsheel*. Aparece em Salmos 74:6. Era um machado grande.

8. No Novo Testamento grego encontramos *axine*, —um termo genérico para machado (ver Mat. 3:10 e Luc. 3:9). (ID S)

Uso metafórico: a. O machado simboliza o juízo divino, descarregado por Deus através dos assírios e caldeus sobre aqueles que o mereciam, dando a entender que seriam cortados (ver Isa. 10:15 e Jer. 50:21). b. No Novo Testamento, o castigo que sobreviria àqueles que, dentre os ouvintes de João Batista, não quisessem arrepender-se — seriam cortados da comunidade espiritual que o Messias viria estabelecer (ver Mat. 3:10).

MACHADO DE GUERRA

Ver sobre **Armas, Armadura.**

MACHADOS

Ver o artigo separado sobre **Artes e Ofícios**. Ver também sobre *Ferramentas*. Machados e martelos são mencionados entre os instrumentos que os inimigos de Israel usaram, para destruir as instalações de madeira que havia no templo de Jerusalém (Sal. 74:6).

MACHEN, J. GRESHAM

Suas datas foram 1881—1937. Ele se formou na Universidade de John Hopkins e no Seminário Teológico Princeton. Também fez trabalho de pós-graduação na Alemanha. Então retornou a Princeton, onde se tornou professor de grego do Novo Testamento. Em meus dias de estudante, usei a sua gramática. Ele tornou-se um líder conservador militante, nos dias dos primeiros conflitos entre os fundamentalistas e o movimento liberal crescente. Ver o artigo sobre o *Liberalismo*. Machen encabeçou a luta, em Princeton, mas ele e seus aliados foram derrotados. Então ele se retirou e participou da fundação do Westminster Seminary, na cidade de Filadélfia, nos Estados Unidos da América do Norte.

Conforme é típico entre esses grupos, as controvérsias continuaram, até mesmo entre os fundamentalistas, e isso resultou na formação do Faith Seminary, no que Machen também estava envolvido. Ele opunha-se ao pré-milenismo e ao dispensacionalismo do grupo de Westminster. Além disso, ele advogava a liberdade cristã e opunha-se ao separatismo extremo na vida pessoal do crente individual. Entretanto, deu prosseguimento à sua luta contra o liberalismo, e opôs-se à orientação das missões ao estrangeiro da Igreja Presbiteriana. O resultado disso foi que ele teve participação ativa na fundação da Junta Independente das Missões Presbiterianas ao Estrangeiro, tendo sido o seu primeiro presidente. Controvérsias e divisões continuaram. Sua Igreja ordenou que ele se desligasse da nova missão, mas ele recusou-se a isso. O resultado foi que ele foi suspenso do ministério de sua denominação (a Igreja Presbiteriana dos Estados Unidos da América do Norte). Por essa razão, ele formou uma nova denominação, em 1936, que tomou o título de Igreja Presbiteriana da América. Mas esse nome era muito semelhante ao outro, pelo que, por ordem judicial, teve que alterar o nome. Então foi chamada de Igreja Presbiteriana Ortodoxa. Machen faleceu a 1º de janeiro de 1937, em Bismark, estado de Dacota do Norte, quando em um torneio de discursos em favor da nova denominação.

Como é óbvio, Machen era um homem brilhante e enérgico, que deixou a sua contribuição. Sua vida, entretanto, ilustra a desagradável e contínua fragmentação que parece ser a sina dos fundamentalistas. **Assim, como o erro do liberalismo é o ceticismo, o erro do fundamentalismo é a hostilidade e uma contínua fragmentação.**

MACHIAVELLI, NICCOLÒ

Suas datas foram 1469-1527. Ele foi um filósofo político italiano, que alicerçava suas teorias sobre princípios pragmáticos e oportunistas. Seus escritos descrevem, de maneira bem realista, o que um príncipe precisa fazer para obter o que quer, não se deixando tolher por escrúpulos morais. Com base em tal filosofia, apareceu a palavra *maquiavelismo*, que dá a entender o emprego de métodos inteiramente pragmáticos e oportunistas a fim de alguém apossar-se do poder político e mantê-lo. Entre os métodos por ele sugeridos como eficazes podemos mencionar o aprisionamento, o uso brutal do poder absoluto, a fraude, o engodo e o terror. O expediente era sua grande regra. O uso de espionagem e atividades terroristas, — através de subordinados, também foi defendido por ele. Fazendo isso de maneira indireta, um príncipe poderia escapar de acusações, chegando mesmo a deplorar os crimes por ele cometidos, como se ele nada tivesse a ver com os mesmos. Seu nome, pois, veio a especificar aquilo que muitos políticos gostariam de fazer, se pudessem brandir as rédeas do poder. Assim como os vícios sexuais são a maldição dos atores e das atrizes, assim também a corrupção e a violência são a maldição daqueles que se ativam na política, com raríssimas exceções.

A obra literária principal de Machiavelli tinha o título de *Príncipe*, onde ele defendia os princípios sobre os quais falamos acima. Ele afirmava que as nações se têm corrompido de tal maneira que somente uma monarquia com plenos poderes ditatoriais pode controlar o povo. Nesse livro, Machiavelli observou que a natureza humana está de tal modo presa aos auto-interesses e a desejos insaciáveis que só atende a algum governante poderoso, capaz de subjugar aos mais rebeldes. Um governante só merece o respeito de seu povo quando vale a pena. Em caso contrário, não pode mais haver lealdade. Isso posto, um governante sempre deveria se esforçar por ser temido, e não por ser amado, visto que o terror é uma das armas mais eficazes dos governantes. Um príncipe deve ser suficientemente sábio para usar qualquer modo de propaganda que possa, incluindo a própria Igreja, a fim de fortalecer a sua própria posição. Outrossim, ele deve empregar quaisquer meios para assegurar que obterá aquilo que deseja, e para que as leis do Estado sejam eficazmente obedecidas.

MACHIAVELLI, O CHINÊS

Ver sobre **Shang Yang**.

MACNADBAI

No hebraico, «presente do nobre» ou «semelhante ao homem liberal». Esse foi o nome de um dos filhos de Bani, que, entre outros, terminado o cativeiro babilônico, foi obrigado a divorciar-se de uma mulher estrangeira, com a qual se casara (Esd. 10:40). Viveu por volta de 459 A.C. Em I Esdras 9:34, seu nome aparece com a forma de *Mamnitanemo*.

MAÇONARIA

Durante a Idade Média, um pedreiro, que pertencia a certa guilda ou classe de operários, e que dispunha de seus sinais ou códigos secretos, que era membro de alguma confraria exclusiva, era um maçom. Os membros aceitos na guilda, embora não pertencentes à mesma profissão, mas que se tornassem membros honorários, eram chamados *maçons aceitos*. A maçonaria desenvolveu-se a partir desse tipo de pano de fundo formativo.

Atualmente, a maçonaria é uma instituição fraternal, filosófica, religiosa de âmbito mundial. Sua presente organização data do ano de 1717, mas suas raízes vêm desde a Idade Média. Em 1716 foi estabelecida uma Grande Loja Maçônica na Inglaterra. A maçonaria é uma organização reservada que ensina a moralidade, a fraternidade e conceitos religiosos, através de símbolos, particularmente aqueles derivados da arte dos pedreiros. Trata-se de uma organização voltada para as coisas deste mundo. Seus membros reconhecem-se uns aos outros mediante procedimentos ritualistas e mediante certas apresentações dramáticas. É democrática e supranacional em seu caráter, e isso tem feito com que igrejas e governos a reputem como uma ameaça ao poder constituído e à estabilidade das nações. Muitos tiranos políticos e muitas autoridades eclesiásticas têm feito oposição à maçonaria. Exemplos notáveis de supressão do movimento foram a ação papal, em 1738, e as severas medidas governamentais do nazismo, contra os maçons. Os evangélicos, geralmente, têm-se oposto à maçonaria por causa de suas senhas e de seus laços fraternais, que parecem unir crentes e incrédulos. Além disso, algumas das doutrinas da maçonaria têm sido postas em dúvida, como impróprias para os crentes ortodoxos, que não aceitam qualquer idéia que macule os ensinamentos bíblicos ou que possa obscurecer os ensinamentos do cristianismo apostólico.

Apesar da maçonaria promover uma fraternidade não sectária, certas crenças são requeridas: 1. A crença em Deus como o Grande Arquiteto do Universo; 2. A crença na imortalidade da alma; 3. A disposição por promover a fraternidade entre os seus membros, o que é uma característica obrigatória. Um aspecto negativo é que uma boa parte dos mitos da Idade Média, com base, por exemplo, na alquimia, nas idéias cabalísticas, etc., tem deixado marcas permanentes sobre as crenças e o cerimonial da maçonaria, especialmente no caso das ordens mais elevadas da organização.

O ritual e a organização da maçonaria diferem de país para país. Assim, nos Estados Unidos da América do Norte, que pode servir de exemplo dessa organização, após os primeiros três graus (chamados de Loja Azul), também há duas divisões: os ritos chamados escocês e norte-americano (estes últimos também chamados ritos de Iorque). Os ritos escoceses têm seu ponto culminante no trigésimo segundo grau; e os ritos de Iorque terminam no grau dos Cavaleiros Templários.

Alguns notáveis personagens da história foram maçons, incluindo George Washington, Benjamin Franklin e Albert Pike. (AM E)

MACPELA

1. *A Palavra*

Esse vocábulo sempre aparece com o artigo definido, e significa «a dupla». Seu uso significa «a caverna dupla». Refere-se ao campo que continha uma caverna que foi adquirida por Abraão, a fim de servir de cemitério para a família patriarcal. Seu proprietário anterior era Zoar, o hitita, que residia em Hebrom. O local é modernamente identificado como Haram el-Khalil, em Hebrom, sob o domínio árabe, considerado um lugar supremamente sagrado.

2. *A Compra Feita por Abraão*

O terreno passou para a possessão de Abraão, quando ele precisou de um local a fim de sepultar

Sara (Gên. 23:19). Sem dúvida, era sua intenção, desde o começo, que o lugar se tornasse o cemitério da família. Finalmente, o próprio Abraão foi sepultado ali (Gên. 25:9), o que também sucedeu a Isaque, Rebeca e Lia (ver Gên. 35:29; 47:29-33; 50:12,13).

3. *A Etiqueta da Época*

O processo da compra serve de exemplo da etiqueta que prevalecia na época. Em primeiro lugar, o terreno foi oferecido como um presente, embora isso fosse apenas um gesto que Abraão deveria recusar (o que ele fez). Isso feito, finalmente, o preço foi cobrado de maneira exorbitante, porquanto os hititas na verdade não queriam que Abraão obtivesse o terreno, o que lhe daria o direito de cidadania, entre eles. Por outra parte, visto que Abraão tinha a reputação de ser príncipe de Deus, dificilmente eles poderiam recusar-lhe esse direito (ver Gên. 23:5,6). O preço muito elevado tinha por intuito persuadir «polidamente» a Abraão que desistisse da idéia inteira, mas isso não funcionou. Ele deveria ser o herdeiro da região inteira, por promessa divina (ver Gên. 12:7; 13:15), sendo provável que ele tenha pensado que ali estava o início do cumprimento da promessa. Por essa razão, talvez, ele pagou o elevado preço.

4. *Discrepância no Livro de Atos*

O trecho de Atos 7:15 *ss* (parte do sermão final de Estêvão) confunde a compra feita por Jacó, de Hamor de Siquém, do campo que Abraão adquiriu. Alguns estudiosos pensam que o erro originou-se da citação de um versículo grego que já continha esse equívoco. Outros eruditos muito têm-se esforçado para explicar essa discrepância (que não é a única no capítulo), mas inutilmente. A verdade é que tais detalhes em nada afetam a fé religiosa. Oferecemos completo tratamento sobre essa questão, nas notas expositivas do NTI.

5. *Harã, um Santuário Islâmico*

Esse santuário mede 60 m x 33,55 m. Suas paredes de pedras têm entre 2,44 m e 2,75 m de espessura. Até à altura do alto das colunas, a construção é homogênea e pertence à época de Herodes. Acima disso, pertence à época islâmica. Antes, o local era um templo cristão, mas agora é uma mesquita. Ali estão localizados os cenotáfios de Isaque e Rebeca. Os corpos dos homens foram postos no lado oriental desse santuário. Supõe-se que os cenotáfios assinalam o local onde houve cada um dos sepultamentos, na caverna abaixo. Não se sabe, porém, até que ponto isso é exato. Os visitantes podem ver os cenotáfios, mas ninguém recebe a permissão de examinar as cavernas, abaixo.

6. *Informes Históricos*

a. O relato do vigésimo terceiro capítulo de Gênesis, além das referências bíblicas que já demos.

b. Talvez o trecho de Isa. 51:1,2, que diz: «...olhai para a rocha de que fostes cortados, e para a caverna do poço de que fostes cavados. Olhai para Abraão, vosso pai, e para Sara, que vos deu à luz...», seja uma alusão à caverna de Macpela.

c. O livro de Jubileus (vide) contém várias referências à *casa* de Abraão (ver 29:17-19; 31:5, etc.).

d. A arquitetura das porções mais antigas dessas estruturas garantem que o Harã foi construído por Herodes, o Grande, a fim de tornar memorável o local.

e. No tempo de Justiniano (cerca do começo do século VI D.C.), foi erigido um templo cristão, nesse local.

f. Registros históricos mencionam visitas aos túmulos dos patriarcas, por diversas vezes, após o século VI D.C.

g. Em 670 D.C., Arculfo registrou a presença dos cenotáfios, acima referidos.

h. Em 980 D.C., Muqadasi falou sobre os cenotáfios, e sua informação mostra-nos que, até à sua época, os cenotáfios estavam onde continuaram até 1967.

i. O califa Hahdi (de acordo com Nasi-i-Kosru), em 1047, construiu a presente entrada do local, talvez devido à obstrução do túmulo de José, que ficava no lado oriental.

j. Em 1119, afirmou-se que os ossos dos patriarcas foram encontrados quando se obteve acesso, através do piso do templo cristão, até o vestíbulo abaixo das duas câmaras.

l. Benjamim de Tudela visitou o sepulcro em 1170.

m. Em 1917, um oficial inglês teria visitado os sepulcros, através da abertura oculta desde o tempo das cruzadas.

Os estudiosos concordam que esse é o lugar autêntico do sepultamento dos patriarcas de Israel. Em 1967, os cenotáfios que assinalavam o local dos sepultamentos foram removidos das câmaras interiores para um átrio externo. O local é igualmente reverenciado por judeus, cristãos e islamitas.

MACRÓBIO

Suas datas estão associadas aos reinados de Honório e Arcádio (395—423 D.C.), embora nos sejam mais precisamente desconhecidas. Ele foi um filósofo romano estóico neoplatônico. Escreveu uma obra de gramática, comparando os verbos gregos e latinos, além das obras intituladas *Saturnália; Sobre o Sonho de Scipião* (que foi bastante popular durante a Idade Média). Essa última é um comentário sobre um livro de Cícero, com o mesmo título.

Idéias:

1. As emanações do neoplatonismo, que estão envolvidas na forma do Bem, da Inteligência e da Alma. Cada qual daria origem à outra, na ordem dada. A Alma seria a origem das almas.

2. Porém, as almas individuais também são espíritos caídos, visto que foram incorporadas à esfera física. Contudo, elas retêm a participação nas emanações mais elevadas (o Bem, a Inteligência e a Alma).

3. Em face da morte, as almas tornam a ser absorvidas por essas emanações mais elevadas.

MACROCOSMO

Essa palavra vem de dois termos gregos, **mákros**, «grande» e **kósmos**, «universo». Esse termo deve ser contrastado com *microcosmo*, que vem do grego, *míkros*, «pequeno», e *kósmos*, «universo». Quando esses vocábulos são contrastados, então o *macrocosmo* indica o universo, do qual o *microcosmo* (o homem) é uma miniatura. Ou, então, pode-se conceber o *microcosmo* como associado ou sujeito ao *macrocosmo*, em vez de duplicá-lo como uma miniatura.

Idéias:

1. Brahman é o **macrocosmo;** Atmã (o eu e a alma individuais) é o **microcosmo**. Brahman é o princípio divino, que o homem duplica em miniatura.

2. Empédocles, falando sobre a percepção, asseverou que o igual é reconhecido pelo igual. Assim, para que um homem reconheça a natureza do mundo, é mister que se conheça a si mesmo. Ou, então, para conhecer ao mundo, o homem deve ser como o mundo.

3. Platão, em sua doutrina da *anamnesis* (memória), afirmou que todo conhecimento é inerente na mente humana, e que isso pode vir à tona mediante o diálogo, o raciocínio, a intuição e as experiências místicas. Destarte, a mente do homem é uma espécie de microcosmo do macrocosmo das Idéias, Formas ou Universais.

4. De acordo com Aristóteles, a alma *é* tudo quanto ela *conhece*, de tal maneira que a natureza da parte epistemológica do homem é um microcosmo moldado de acordo com o macrocosmo.

5. No estoicismo, temos duas aplicações dessa idéia. A alma humana individual é um microcosmo da alma do mundo, e a razão humana é um microcosmo da Razão Universal (o Logos), que é o macrocosmo.

6. Erigena (vide) também usou esse simbolismo quando falou sobre a carreira humana, como correspondente ao grande quadro de tudo o mais que existe.

7. Vários físicos modernos têm usado esse símbolo, como Mesiter Eckhart, Paracelso, Bruno e Roberto Fludd (ver os artigos sobre cada um deles). A doutrina deles a respeito é particularizada na afirmação que o macrocosmo encontra um ponto focal em cada microcosmo. Todas as coisas, assim sendo, tornam-se centros da divina manifestação.

8. Para Leibniz, as mônadas são todas microcosmos da *Grande Mônada* (o Macrocosmo). A programação anterior garante isso.

9. *Emerson* (vide) acreditava que a alma corresponde a tudo quanto existe no universo.

10. Lotze escreveu uma obra em três volumes, intitulada *Microcosmos*. Todas as coisas têm alma (são animadas) e, naturalmente, estão relacionadas entre si, como também a Deus.

11. Whitehead (vide) acreditava que cada entidade individual mantém relações para com o macrocosmo, e que isso faz parte da composição e feitura natural das coisas. Visto que todas as coisas estão relacionadas ao mundo inteiro, naturalmente estão inter-relacionadas.

MACRON

Ptolomeu Macron era filho de Dorimenes. Serviu como governador da Coele-Síria e da Fenícia, sob Antíoco IV Epifânio. Ver II Macabeus 8:8. Exercia influência sobre Antíoco, e foi capaz de ajudar a Menelau, — que se tornou culpado de atos errados (II Macabeus 4:45-47). Sabe-se acerca dele por meio de relatos vinculados à Bíblia, por ser ele um dos líderes dos poderes selêucidas que se voltaram contra os judeus liderados por Judas Macabeu. Apesar de terem um poderoso exército, foram derrotados (I Macabeus 3:38-60; 4:1-25). Curiosamente, Macron, finalmente, favoreceu aos judeus; e, a fim de castigá-lo por causa disso, Antíoco V Eupator (filho de Antíoco IV Epifânio) o encarcerou. Desesperado, Macron suicidou-se por envenenamento (II Macabeus 10:10-13).

MADAI

Ver **Medos**.

MADALENA

Talvez signifique «natural de Magadã». Ver sobre *Magadã*. Esse é o nome aposto a uma das cinco *Marias* mencionadas no Novo Testamento. Ver o artigo intitulado *Marias*.

MADEIRA ODORÍFERA

No grego, *thuinos*. Esse vocábulo grego aparece exclusivamente em Apo. 18:12, onde se lê: «...e toda espécie de madeira odorífera...» Esse seria um dos artigos do comércio da mística cidade de Babilônia, no Apocalipse. Muitos estudiosos pensam que se trata da espécie chamada, cientificamente, *Thujaja articulata*. Mas os léxicos gregos dão a idéia de que o termo grego *thuinos* indica uma «madeira doce». Nesse caso, seria a sandáraca, que cientificamente se chama *Tetraclinis articulata?* Tal como a primeira espécie, esta é uma conífera. Sua madeira, de coloração escura, adquire um bom polimento, exalando uma fragrância agradável. Também há a opinião de que essa madeira odorífera seria a cidreira. Os romanos pensavam que essa madeira valia o seu peso em ouro.

MADHVA

Suas datas foram 1197-1276. Ele foi um filósofo vedanta da Índia, tendo-se tornado o principal comentador da filosofia vedanta (vide). Ele era pluralista, isto é, acreditava em várias essências de existência.

Idéias:

1. Ele negava a real existência dos **universais** (vide), afirmando que as declarações universais são a única maneira de se falar sobre coisas comparáveis, sobre diferentes aspectos das coisas. Isso reflete o *nominalismo* (vide).

2. *Sistema de Diferenças*:

a. Deus difere da alma individual

b. Deus difere da matéria

c. Os indivíduos diferem da matéria

d. As substâncias materiais diferem umas das outras.

3. A *permanência* caracteriza a Deus e ao mundo. Todas as coisas são *eternas*. No entanto, todas as coisas dependem de Deus. Deus (Vishnu), apesar de não ser um *criador*, no sentido absoluto do termo, é o centro e a fusão de todas as coisas, o dirigente interno das almas individualizadas e diretor do mundo.

4. Cada alma é ímpar.

5. O problema ético consiste na purificação. Isso envolve o *karma* (vide).

6. As próprias almas são liberadas do *karma* ao tornarem-se puras, embora permaneçam ímpares e distinguíveis das outras.

7. A salvação consiste na bem-aventurada contemplação perpétua do divino.

8. Cada coisa material é distinta de todas as outras coisas materiais, e as declarações universais sobre elas são apenas isso, declarações, e não essências de que compartilham as coisas materiais.

9. O universo move-se através de grandes ciclos, dentro dos quais há geração e uma final destruição. Todos esses ciclos são guiados pela mente divina.

MADHYAMIKA

Esse é o nome de uma das quatro principais escolas do *budismo* (vide). Essa palavra significa sistema do «caminho intermediário». Acredita-se que Nagarjuna tenha sido o seu fundador. Um nome alternativo dessa escola é *Shunyavada* (vide), — enfatiza aspectos do *meio-termo* (vide). Tanto a *Ashvadhosa* quanto *Nagarjuna* estão envolvidos nessa escola de pensamento budista. A Shunyavada influenciou o desenvolvimento da escola *Mahayana*. As duas principais expressões do budismo são a escola

Hinayana (mais antiga) e a escola *Mahayana*, sobre as quais tenho comentado detalhadamente no artigo geral sobre o *Budismo*.

Idéias das Madhyamikas

1. A natureza essencial das coisas é a «vacuidade», ou *sunya*. Há causas que produzem esse vazio. Quando cessam as causas e a existência vazia chega ao fim, então, o *Nirvana* vem tomar o seu lugar. A verdade e a sabedoria ensinam-nos quão inúteis e vazias são as coisas. Isso é apenas outra maneira de dizer que a natureza do mundo físico é ilusória.

2. Os *dharmas*, ou «elementos», não existem na vacuidade; nem ao menos existem. Um homem com olhos enfermos é capaz de ver muitas coisas que não existem, e o homem com mente perturbada vive uma realidade que a nada corresponde, um mundo ilusório.

MADMANA

No hebraico, «monturo». Era esse o nome de uma cidade do território de Judá, em seu extremo sul. Posteriormente, passou a fazer parte do território de Simeão. O trecho de I Crô. 2:49 talvez indique que ela foi fundada ou foi ocupada por Saafe, filho de Maaca, que fora concubina de Calebe. Alguns estudiosos identificam-na com a moderna Miniay (Minieh), ao sul de Gaza. Mas outros dizem que devemos pensar em Khirbet umm Deimneh, que fica a dezenove quilômetros a nordeste de Berseba. Essa cidade é mencionada pela primeira vez em Jos. 15:31.

MADMÉM

No hebraico, «colina do monturo». Uma cidade moabita que os babilônios ameaçaram, quando invadiram Israel (ver Jer. 48:2). O texto hebraico que contém esse nome é incerto, podendo significar «...também tu, ó Madmém, serás reduzida a silêncio...», conforme diz a nossa versão portuguesa, seguindo as versões da Septuaginta, Siríaca e Vulgata. Alguns pensam que ela é equivalente a *Dimom*, uma possível tradução do nome da capital *Dibom*. Seja como for, não se trata da mesma cidade chamada *Madmana* (vide), que ficava em um local diferente. Tem sido identificada com Khirbet Dimneh, que fica a quatro quilômetros a noroeste de Raba.

MADMENA

Não deve ser confundida com **Madmana** (vide). Madmena era uma cidade do território de Moabe. O texto hebraico é incerto. Ver Jer. 47:2. O original hebraico, *gm-dmn tdmm*, poderia referir-se a *Dimom*, ou, então, poderia ser traduzido como «também tu serás totalmente silenciado».

MADOM

No hebraico, «contenda». Essa era uma cidade real dos cananeus, no norte da Palestina (Galiléia), governada por um rei de nome Jobabe (ver Jos. 11:1). Os israelitas invasores capturaram-na (ver Jos. 12:19). Tem sido identificada com a moderna Qarn Hattin, a noroeste de Tiberíades. Evidências de ocupação desde a Idade do Bronze têm sido descobertas pelos arqueólogos. Nas proximidades fica Khirbet Madjan, que lhe preserva o nome, e que alguns estudiosos pensam ser o lugar original. O local, porém, realmente é desconhecido.

●●● ●●● ●●●

MADONA

Essa palavra vem do italiano, **ma**, «minha», e **donna**, «senhora». O latim diz **mea domina**. Esse título é aplicado à Virgem Maria, representada por uma gravura, uma estátua ou outra representação qualquer. Essa representação mostra a mãe com o menino Jesus nos braços. Além disso, essa expressão é usada verbalmente pelos italianos, sem qualquer conexão com quadros ou gravuras, como termo ou tratamento de afeto. Uma designação alternativa, no italiano, é *Signora*. A Madona faz parte significativa da arte religiosa. Como prova disso, cito o fato de que a *Encyclopedia Americana* devota nada menos de quatro páginas e meia ao assunto, com dez ilustrações! Isso nos mostra até que ponto certos cristãos veneram a Mãe Santa, que, em importantes segmentos da cristandade, tornou-se um aspecto central da doutrina e da adoração. Imagens da Virgem Maria têm sido encontradas a partir do século II D.C., tendo aparecido, pela primeira vez, nas catacumbas de Roma. No século III D.C., a Madona começou a ser representada nas catacumbas de Priscila, em Roma. O concílio de Éfeso (431 D.C.) foi o primeiro a declará-la oficialmente *Theótokos*, «mãe de Deus». A partir de então, a veneração a Maria tornou-se quase universal. Ver o artigo separado sobre a *Virgem Maria*.

MÃE

Ver o artigo geral sobre a **Família**. A palavra hebraica correspondente é *'em*; e no grego é *meter*. Naturalmente, tanto no Antigo quanto no Novo Testamentos, «mãe» é uma palavra muito comum. Aparece cerca de duzentas e dez vezes no Antigo Testamento e oitenta e duas vezes no Novo Testamento (começando em Mat. 1:18 e terminando em Apo. 17:5).

Apesar de ser bem sabido que as mulheres, em geral, não ocupavam posição muito proeminente na antiga cultura dos hebreus, pode-se dizer que a *mãe*, entre eles, era mais honrada do que sucedia entre outras culturas da mesma época. Nos casos de casamentos polígamos, a mãe de um filho era sempre a sua verdadeira mãe; e as demais mulheres do complexo não eram chamadas assim por aquele filho. Ver Gên. 43:29. É verdade que uma madrasta podia ser chamada de «mãe» (ver Gên. 37:10). Porém, uma madrasta geralmente era distinguida da verdadeira mãe, ao ser chamada de «mulher» do pai. Entretanto, a palavra «mãe», como também as palavras «pai», «filho», etc., eram usadas em um sentido muito amplo entre os hebreus, podendo indicar qualquer antepassado do sexo feminino (ver Gên. 3:20 e I Reis 15:10).

Usos Metafóricos:

Uma benfeitora era chamada mãe (Juí. 5:7); outro tanto se dava no caso de uma mulher que fosse ajudadora especial de alguém (Jó 17:14). A nação de um indivíduo podia ser chamada de sua mãe (Isa. 50:1; Jer. 50:12; Eze. 19:2; Osé. 2:14; 4:5). As cidades onde pessoas tivessem nascido ou sido criadas eram chamadas «mães» (II Sam. 20:19; Jos. 14:35). Uma estrada de onde se bifurcavam outras era chamada de «mãe» daquelas estradas secundárias (Eze. 21:21). A terra é nossa mãe (Jó 1:21). A cidade de Babilônia era uma mãe má e imoral, a mãe das prostitutas. E isso é usado metaforicamente acerca de Roma, em Apo. 17:5. A afeição de uma mãe por seus filhos ilustra os cuidados especiais de Deus pelos seus filhos espirituais (Isa. 44:1-8; I Cor. 3:1,2; I Tes. 2:7; II Cor. 11:2).

Nos Sonhos e nas Visões

Nos sonhos temos a figura da *Grande Mãe*, a mulher ideal, que corresponde ao Velho Sábio, o homem ideal. O contrário dela é a *Mãe Terrível*, que representa qualidades negativas, possessivas, que prejudica e fere em nome do amor. Essa «mãe» tenta esmagar o indivíduo, a fim de preservar seu controle e ascendência sobre ele. Ela é possessiva, devoradora, destrutiva e egoísta. A Mãe Terrível também é uma deusa iracunda, que dá à luz a filhos, mas que ameaça o bem-estar dos mesmos e procura destruí-los.

MÃE (ANIMAL)

A lei mosaica incluía vários regulamentos referentes ao tratamento que deve ser dado aos pais, inclusive de animais. No caso dos filhotes de animais, estes precisavam ficar com suas mães por sete dias após o nascimento, antes de poderem ser usados nos sacrifícios (Êxo. 22:30; Lev. 22:27). Um cordeiro não podia ser cozido no leite de sua mãe (Êxo. 23:19). Uma mãe passarinho não podia ser capturada juntamente com seus filhotes (Deu. 22:6,7). Essas leis mostram bondade para com os animais, embora isso não se revista de importância capital. Ver o artigo sobre os *Animais, Direitos e Moralidade*.

MÃE DE DEUS

Ver o artigo intitulado **Mães-Deusas**, relacionado ao conceito popular da Virgem Maria como «mãe de Deus». Esse título foi dado a Maria, mãe do homem Jesus Cristo, quando do concílio de Éfeso, em 431 D.C. Todavia, esse título lhe foi dado em defesa da verdadeira divindade de Jesus Cristo, e não a fim de exaltar a pessoa de Maria. O concílio opunha-se às idéias de Nestório, presbítero de Antioquia, e posteriormente patriarca de Constantinopla.

Essa expressão, «mãe de Deus», já circulava entre os cristãos, antes disso, e Nestório opunha-se à mesma. Todavia, foi confirmada por aquele concílio, com base no argumento que visto ter sido Maria mãe de Jesus, e visto que Jesus foi a encarnação do Logos divino, logo, era legítimo dar-lhe aquele título. Entretanto, a ênfase era que Maria é a «mãe de DEUS (Jesus Cristo)». Mas, em seu uso popular, começou-se a entender o título com outra ênfase: «MÃE de Deus». Destarte, um título que surgiu a fim de exaltar a deidade de Cristo, passou a ser usado para exaltar a pessoa de Maria. E, daí por diante, Maria começou a ser virtualmente encarada como se fosse uma deusa. Pois, quem poderia ser «mãe de Deus, a menos que fosse uma «deusa»?

Aí pelo século VI D.C., certas noções heréticas a respeito de Maria, originalmente concebidas pelos mestres gnósticos e por uma seita conhecida como os coliridianos, foram aceitas pela Igreja organizada da época. E isso abriu as portas para a adoração a Maria, que a teologia mais sofisticada prefere chamar de *hiperdulia* (vide), em lugar de *latria* (vide), porquanto esta última é uma forma de adoração que só Deus pode receber. E os santos comuns recebem apenas *dulia*, ou «veneração». Entretanto, essas distinções na adoração à divindade são falsas, pois o Novo Testamento aplica tanto *dulia* quanto *latria* à adoração a Deus, para não falarmos no fato de que a mera «criatura» jamais pode ser adorada pelos fiéis, mas somente o Criador. Ver, por exemplo, Rom. 1:25, onde aprendemos que os homens «...mudaram a verdade de Deus em mentira, adorando e servindo à criatura, em lugar do Criador, o qual é bendito eternamente. Amém».

No Novo Testamento, Maria é chamada «mãe de Jesus» (ver João 2:1; Atos 1:14). Fica ali entendido que o fato dela ter sido agraciada com a missão de ser a mãe do Messias, mostra que era pessoa de extraordinário avanço espiritual. Entretanto, nunca ela é chamada de «mãe de Deus», simplesmente porque Deus não tem mãe. Ele é o eterno, cuja existência não teve princípio. Ademais, a idéia de «mãe de Deus» é muito antifilosófica. Se admitirmos que Deus tem «mãe», então teremos que conceber que ele também tem um «pai», e também avós paternos e maternos, e asism por diante... Absurdo!

Por esses motivos, protestantes e evangélicos com razão objetam aos exageros que têm dado origem à *mariolatria* (vide), transformando-a em uma personagem divina (ainda que a doutrina oficial da Igreja Católica Romana faça muitas contorções para evitar as conclusões lógicas dessa noção). Além disso, os eruditos evangélicos reconhecem a legitimidade desse título, quando confinado aos propósitos do concílio de Éfeso, isto é, mostrar a divindade de Cristo. O artigo sobre a *Mariolatria* conta a história inteira da exagerada exaltação da Virgem Maria.

MÃES-DEUSAS

Em suas idéias sobre a divindade, as religiões têm sentido a necessidade de asseverar o princípio da maternidade, tanto quanto o princípio da paternidade. Usualmente, isso tem sido associado à questão da fertilidade, de tal modo que a maioria das mães-deusas ou deusas-mães são figuras destacadas em muitas religiões. As antigas civilizações da área do mar Mediterrâneo tiveram seus exemplos disso: *Ísis* (vide), no Egito; *Astarte* ou Astorete (vide), na Fenícia; *Cibele* (vide), na Frígia; e *Demeter* (vide), na Grécia. Ver também o artigo intitulado *Tríadas*, quanto ao fato de que as mães-deusas com freqüência eram concebidas como partes integrantes de alguma trindade. Nesses conceitos triteístas, geralmente havia um pai e um filho (deuses), associados a uma mãe (deusa).

Estranho é que alguns eruditos cristãos tenham visto certa *função* maternal no Espírito Santo, embora isso não aponte para qualquer conceito feminino dentro da própria natureza divina. Seja como for, tal conceito é estranho a tudo quanto se lê na Bíblia a respeito. Também é óbvio que a exaltação à Virgem Maria tem tido, como um de seus motivos, a necessidade que algumas pessoas sentem de injetar o conceito de maternidade à sua fé. Esse sentimento, quando desce a um nível popular, é confundido como parte do respeito que se deve à própria divindade. Ver maiores explicações a respeito dessa tendência humano-religiosa nos artigos intitulados *Mariolatria* e *Mariologia*.

As deusas-mães usualmente aparecem como protetoras da produtividade. Essa função acaba sendo espiritualizada, de tal maneira que as almas humanas terminam por ser as entidades que são beneficiadas e recebem vida. Uma deusa-mãe, assim sendo, é concebida como quem assegura uma bem-aventurada imortalidade para os mortos, mostrando-se ativa na promoção desse propósito. Todas as religiões misteriosas contavam com suas mães-deusas, excetuando o *mitraísmo* (vide), que era essencialmente masculino em sua perspectiva. Embora Demeter dos gregos tivesse sua contraparte romana, Ceres, na verdade, a única deusa-mãe que recebeu maior reconhecimento em Roma foi Cibele, deusa frígia. Os romanos sentiram-se muito dependentes de Cibele, quando Aníbal ameaçou a capital do império romano, em cerca de 200 A.C. Uma pedra meteórica sagrada foi importada de Pessino, na Frígia, e foi instalada, com grande solenidade, em um santuário romano, no monte Palatino. Posteriormente foi erigido ali um templo, e esse meteorito passou a ser conhecido como «a mãe dos deuses». Por isso mesmo, há estudiosos que pensam que esse culto pagão foi o protótipo e a inspiração da idéia da Virgem Maria como mãe de Deus (pelo menos a influência romana sobre essa noção é óbvia). Seja como for, a principal função das mães-deusas, segundo o conceito pagão, era a necessidade sentida de representar o princípio feminino da vida no conceito da divindade, porquanto, segundo a vida biológica, não há vida sem alguma mãe. O erro de muitos religiosos é que eles extrapolam essa necessidade biológica para a dimensão espiritual, onde não há tal necessidade. Os antigos indagavam: «Pode haver vida espiritual sem alguma mãe celeste?» Esse atraso mental manifesta-se em milhões de pessoas, até hoje.

MÁ FÉ

Dentro do existencialismo de Sartre (ver o artigo), essa expressão indica uma forma de autoludíbrio e de ludíbrio ao próximo, a saber, a tentativa de racionalizar a existência humana mediante a religião, ou a crença em quaisquer forças atuantes que impõem significado e coerência às coisas. O homem moldaria seu próprio destino através de uma sucessão de escolhas voluntárias, pelas quais ele é totalmente responsável. De acordo com esse ponto de vista da *má fé*, Sartre negava o discernimento e a vontade falível, procurando escapar da carga da responsabilidade ao fazer de si mesmo uma criatura passiva, controlada por forças exteriores e predestinada a certos atos, em vez de ser livre para escolher e colher resultados. (F)

MAGADÃ

Somente o trecho de Mat. 15:39 tem a forma *Magadã*, e mesmo assim nem em todos os manuscritos. Há variantes desse nome. Assim, *Magdala* aparece nos manuscritos EFGHKLSUVX, Gama, Delta e nas traduções mais antigas, baseadas no *Textus Receptus* (vide). *Magdalã* aparece nos manuscritos CM e Fam Pi. *Magadã* aparece em Aleph, 8, D e na maioria das versões latinas, siríacas e em muitas traduções modernas. Sem dúvida, *Magadã* é o texto original, conforme mostram os manuscritos mais antigos e melhores. *Magdala* (um lugar conhecido) foi a substituição feita por escribas, no lugar de *Magadã* (um lugar desconhecido).

Marcos indica que o lugar era aquele para onde Jesus e seus discípulos viajaram, chamado Dalmanuta, talvez o moderno *Ainel Barideh*, «fonte fria», que distava menos de dois quilômetros de Magadã. Magadã, por pequena alteração da palavra hebraica, significa «torre». Essa era a terra de Maria Madalena ou Maria de Magadã. Os arqueólogos têm-na identificado tentativamente com Aejdel, a cinco quilômetros a noroeste de Tiberíades, mencionada por *Plínio*, onde se estocava o peixe que era enviado para muitas regiões do mundo greco-romano. Após a sua ressurreição, Jesus apareceu, em primeiro lugar, a Maria Madalena, assim chamada para ser distinguida das outras cinco Marias mencionadas no Novo Testamento: Maria, esposa de Cléopas; Maria, mãe de Jesus; Maria de Betânia; Maria, mãe de Marcos; e Maria de Romanos. Ver o artigo intitulado *Marias*. O fato de que Jesus viajou através de um lugar desconhecido, provavelmente, indica o interesse que ele tinha em permanecer distante dos lugares onde certamente encontraria oposição por parte dos líderes do povo, a fim de que se acalmasse o ambiente de hostilidade e de controvérsias.

MAGBIS

No hebraico, «forte», «vigoroso». Não se tem certeza se esse nome se refere a uma cidade ou a uma família de exilados que retornaram do cativeiro babilônico para Jerusalém. Ver Esd. 2:30; I Esdras 5:21. O paralelo do livro de Neemias (7:33) não contém o nome. Tem sido identificada com a moderna Khirbet el-Mahibiyet, cerca de cinco quilômetros a sudoeste de Adulão.

MAGDALA

Essa palavra vem do termo hebraico **migdal**, «torre». Esse nome é mencionado exclusivamente em Mat. 15:39, e isso como nome alternativo para *Magadã*. O artigo sobre *Magadã* fornece detalhes completos sobre a confusão entre esses dois lugares. Em alguns manuscritos, no trecho de Mar. 8:10, *Dalmanuta* substitui Magdala ou Magadã, como empréstimo de Mat. 15:39. *Dalmanuta* (vide) era um lugar de localização para nós desconhecida, pelo que alguns escribas substituíram um nome desconhecido por um nome conhecido. Talvez Dalmanuta fosse uma pequena aldeia, próxima de *Magadã*. É possível que a moderna Khirbet Majdel fique no mesmo local. Seja como for, ficava nas margens ocidentais do mar da Galiléia. Podemos, igualmente, supor que *Magadã* (uma forma variante do nome era *Magedã*) e Magdala ficavam próximas uma da outra. Outros estudiosos supõem que Magadã, talvez como um distrito, engolfasse Magdala. Os nomes Dalmanuta, Magadã e Magdala apresentam um problema para o qual não dispomos de informações adequadas para poder solucioná-lo de forma absoluta.

MAGDALENA

Ver sobre **Marias**, item 3.

MAGDIEL

No hebraico, «Deus é famoso». Esse era o nome de um chefe edomita, mencionado em Gên. 36:43 e I Cor. 1:54. Ele descendia de Esaú e viveu em torno de 1619 A.C.

MAGIA, CÍRCULO DA

Esse é um círculo traçado em redor de uma pessoa ou objeto, como que para protegê-la de algum perigo. Esse círculo precisa ser traçado no solo com um único traço, ou composto por pedrinhas, fogo, água ou espinhos. Algumas vezes, porém, são feitos três círculos concêntricos. Aqueles que invocassem espíritos deveriam ficar dentro do círculo ou círculos, o que, presumivelmente, protegê-los-ia dos espíritos. Então, segundo também acreditavam, as pessoas poderiam manipular os espíritos, para que fizessem o que tais pessoas quisessem.

Também acreditava-se que o círculo poderia proteger a alguém que estivesse sob ataque demoníaco. O poder do círculo, também segundo criam, aumentava com a inscrição de nomes divinos ou de figuras simbólicas. Ver o artigo geral intitulado *Mágica e Feitiçaria*.

MÁGIA E FEITIÇARIA

MAGIA E FEITIÇARIA

Ver também o artigo sobre **Adivinhação**.

Esboço:

I. Definições
II. Pressupostos Básicos
III. Como Religião
IV. Informes Históricos
V. Suas Técnicas
VI. Menções na Bíblia

I. Definições

Essa palavra é relacionada ao termo persa **magu**, «sacerdote», «mágico». É daí que vem o termo grego *mágos*. Ver sobre *Mago*. No latim encontramos a expressão *magic ars*, «artes mágicas», cujo paralelo grego é *magikê tékne*. A palavra latina *sors* significa «sorte», sendo essa a palavra que está por detrás de «feitiçaria». A idéia é que certas pessoas têm a capacidade de manipular poderes sobrenaturais, a fim de alterar para melhor ou para pior a sorte de alguém, tanto do próprio indivíduo como de outras pessoas. Com freqüência, «feitiçaria» é usada como sinônimo de «mágica». Aqueles que praticam essas coisas têm o cuidado de distinguir entre a *magia branca* e a *magia negra*. A magia branca envolve o uso de textos sagrados (incluindo os textos bíblicos), encantamentos santos e outros meios que eles consideram moralmente aceitáveis, a fim de obter bons resultados. Mas a magia negra envolve-se em meios demoníacos, a fim de obter resultados ruinosos. Assim, se uma mulher profere um encantamento para ajudar outra mulher a encontrar marido (uma coisa boa), isso seria a magia branca em operação. Mas se uma mulher proferir uma maldição contra outrem, a fim de que morra, ou a fim de prejudicar ou, em algum outro sentido, fazer dano a outra pessoa, isso seria a magia negra em operação.

A mágica pode ser pré-lógica ou mesmo antilógica. «A mágica é uma espécie de lógica selvagem, uma forma elementar de raciocínio, com base em similaridades, contigüidade e contraste» (*Golden Bough*, I.61, Frazer). Alguns intérpretes equiparam a mágica com o demonismo, mas isso é um ponto de vista simplista e parcial. Sem dúvida, há aspectos da magia negra vinculados ao demonismo, entretanto. Ver os artigos sobre *Demônio; Demonologia* e *Possessão Demoníaca*.

II. Pressupostos Básicos

a. Existem realidades, forças e seres invisíveis, que podem influenciar as vidas humanas.

b. Essas forças e seres ouvem e saem em socorro de certas pessoas, que dominaram certas técnicas (ver a quinta seção), cujas vidas foram dedicadas a essas coisas.

c. A lógica humana é falaz. Há muitas coisas que são pré-lógicas, alógicas ou mesmo antilógicas, conforme os homens as julgam, embora elas sejam verdadeiras.

d. A realidade, conforme as descrições da ciência, é extremamente limitada. De fato, a maior parte da realidade está oculta no misterioso e no alógico.

e. Existem certas *causas* que os homens têm descoberto que produzem os *efeitos* almejados, embora elas pareçam ilógicas para muitos.

f. Coisas pertencentes a uma pessoa, objetos que ela tenha usado, roupas ou partes de seu corpo, como sangue, saliva, cabelos, unhas, ou mesmo seu nome, continuam a ter relações simpáticas com ela, podendo ser usados em encantamentos para beneficiar ou ajudar àquela pessoa. Quanto a uma ilustração sobre isso, nas práticas da magia, ver a quinta seção, *Técnicas*, abaixo.

III. Como Religião

Com base na segunda seção, **Pressupostos Básicos**, pode-se ver que, para aqueles que a praticam, a mágica chega a ser uma religião. Aqueles que praticam a magia branca crêem que estão fazendo a vontade de Deus ou dos deuses, prestando um digno serviço à humanidade. Aqueles que praticam as artes mágicas supõem que é bom fazer aquilo que *outros* chamam de poderes malignos. Para tais indivíduos, esses poderes estariam «do lado certo», ao passo que outros poderes, como aqueles da religião estabelecida, seriam malignos. Para eles é fácil ilustrar isso através da história, porquanto ali podemos achar inúmeros exemplos de assassinatos, exílios e injustiças, praticados em nome de Deus. A magia negra acredita que são feridas aquelas pessoas que são más, e que merecem ser feridas aquelas que servem de obstáculos. Naturalmente, existem pessoas más, que não têm qualquer intenção de mudar, e que se ufanam em ser servos de Satanás, que para elas, é o seu deus.

Algumas religiões antigas eram virtuais formas de mágica. Os sistemas religiosos dos *mágicos* parecem ter tido origem cita. Esses sistemas trabalhavam com as supostas forças misteriosas dos quatro elementos fundamentais: o fogo, a água, a terra e o ar. O fogo parece ter-se revestido de um significado especial para eles. Sacrifícios de sangue eram consumidos nas chamas, ou grande parte dos animais sacrificados ficava com os sacerdotes pagãos, enquanto o resto era queimado no fogo. Em torno dos encantamentos desenvolveu-se toda uma classe sacerdotal. Não era, contudo, uma adoração teísta, no sentido de que tivesse deuses pessoais como objetos de adoração. Sem dúvida, o *animismo* (vide) fazia parte desses sistemas. As religiões misteriosas dos gregos incorporavam elementos mágicos, o que também acontecia à doutrina cabalística dos judeus. O *zoroastrismo* (vide) também tinha seu lado mágico. Ver a seção IV, *Informes Históricos*, no tocante a outras informações. Alguns estudiosos insistem que todas as religiões envolvem algum elemento de magia. Pelo menos é fácil demonstrar que quase todas as religiões encerram esse elemento.

IV. Informes Históricos

1. *Muitas Religiões*. «Todas as religiões valem-se de mágica. A magia desempenhava um papel dominante nas religiões da Babilônia, do Egito, de Roma, de hinduísmo brâmane e nas formas tântricas tanto do hinduísmo quanto do budismo» (E). Os intérpretes que não podem ver qualquer coisa de ímpar no antigo judaísmo supõem que muitos de seus ritos eram apenas adaptações de formas mágicas comuns dos povos semitas. Apesar dos hebreus terem criado uma teologia mais refinada, resultante do monoteísmo, deve-se salientar que o sistema sacrificial deles diferia bem pouco do sistema comum dos babilônios e outros povos semitas. Impõe-se, pois, a indagação: Se chamamos de ritos às mágicas babilônicas, por que não chamamos de mágicos os antigos ritos de judaísmo?

2. *Os Medos e os Persas*. Os medos, nos fins do século VI A.C., em sua religião oficial, incorporavam antigos elementos de magia. Os magos tornaram-se figuras poderosas no império, e a política da nação foi influenciada por eles, para nada dizermos sobre a religião propriamente dita. Nergal-Sharezer, o principal dos magos na corte de Nabucodonosor, da Babilônia, é mencionado por nome como um dos principais oficiais da corte (ver Jer. 39:3,13).

Naturalmente, havia ali uma casta sacerdotal dos magos, e a autoridade deles era largamente reconhecida. Alguns deles envolveram-se em conspirações políticas, revoltas e homicídios, tudo o que fazia parte da política, tal como nos dias de hoje, com poucas diferenças. Xerxes, filho de Dario, consultou os magos quando formulou seus planos para invadir a Grécia.

3. O *zoroastrismo* (século VI A.C.) (vide), uma religião persa, esteve pesadamente envolvido com as artes mágicas. O zoroastrismo mágico foi reinstalado como a religião oficial, no tempo dos partas (ver o quarto ponto).

4. *Os Partas*. Os partas revoltaram-se contra os dominadores selêucidas no século III A.C. As leis e a religião deles eram muito influenciadas pelo culto dos magos. Muitos deles converteram-se ao zoroastrismo, e suas formas religiosas eram altamente sincretistas.

5. Quando o islamismo predominou, o zoroastrismo (juntamente com os magos) teve de refugiar-se na Índia. Seus descendentes até hoje podem ser encontrados entre os parses.

6. *Povos Não Civilizados*. Os eruditos aceitam que as formas religiosas de todos os povos chamados não civilizados, antigos e modernos, incorporavam e incorporam mágica. É impossível separar a mágica da religião, ou vice-versa, histórica ou praticamente falando.

V. Suas Técnicas

1. Ritos, encantamentos, presságios, orações, leitura de textos sagrados usados por muitas religiões.

2. *Três Classes Básicas de Técnicas*: 1. técnicas puramente práticas; 2. técnicas cerimoniais; 3. técnicas que combinam o prático com o cerimonial. Na magia prática, o indivíduo simplesmente faz algo que foi declarado como bom pelo feiticeiro ou sábio. Realiza certos atos. Na magia ritualística, há encantamentos e agouros, algumas vezes acompanhados por ritos sacrificiais elaborados. Divindades, demônios, forças cósmicas, forças da natureza, etc., são invocados como auxílios. Acredita-se que certas *palavras* revestem-se de poder, e que certas orações, declarações, etc., necessariamente atraem os poderes superiores. Certos atos podem ser reforçados por rituais e orações, e nisso temos algo que pertence à terceira classificação de técnicas. Poderíamos ainda criar uma quarta classe, subdividindo os ritos (o que alguém faz) das rezas e encantamentos (o que alguém diz).

3. *Alguns Atos Específicos*. Há os atos de *simpatia*. Se alguém tem uma verruga e quer que a mesma desapareça, então deve tomar um pouco de sangue extraído da mesma e pô-lo em um pedaço de pão ou batata e enterrar esse objeto. Presumivelmente, isso acaba com a verruga. Se alguém quiser prejudicar a outrem, faça uma imagem de cera daquela pessoa para então atravessá-la com alfinetes e agulhas, ou, então, jogá-la no fogo. E acredita-se que a pessoa representada sofrerá dano, em face desse ato.

4. *Formas de Adivinhação*. A mágica depende muito das adivinhações. Ver o artigo separado intitulado *Adivinhação*. A mágica emprega muitos desses métodos.

5. *O Olho Bom ou o Olho Mau*. O olhar fixado em alguém, visando o bem ou o mal, por aquele que é praticante das artes mágicas, segundo muitos acreditam, é dotado de poder. O vulgo chama isso de «mau olhado». Na Austrália, muitos crêem que é possível lançar uma maldição contra uma pessoa meramente apontando para ela um graveto, pronunciando-se ou não a maldição.

VI. Menções na Bíblia

O Antigo Testamento retrata os israelitas em um mundo que nadava nas artes mágicas, praticadas por todos os povos gentílicos. No entanto, muitos eruditos não acreditam que possamos classificar o antigo judaísmo como uma fé totalmente isenta de mágicas, pois grande parte de seu ritual consistiria em artes mágicas, tal como sucedia aos demais povos semitas. Naturalmente, os eruditos bíblicos conservadores rejeitam essa posição. Mas isso não pode ser feito com total sucesso, quando o estudioso é honesto e faz comparações.

1. *Na Assíria e na Babilônia*. Os deuses desses povos não somente podiam ser invocados através de fórmulas mágicas, mas eles mesmos usavam encantamentos. Assim, o deus Ea-Enki, do *Épico da Criação*, é ali chamado de «Senhor dos Encantamentos». Seu filho, Marduque, exercia seu poder através de encantamentos mais poderosos que os de qualquer outro deus ou deusa. A arqueologia tem descoberto muito material que demonstra o caráter mágico das antigas religiões dos povos semitas. Um exemplo disso é o manual intitulado *Maglu*. O trecho de Maum 3:4 alude à religião dos assírios como «grande prostituição da bela e encantadora meretriz, da mestra de feitiçarias».

2. *No Egito*. As principais divindades egípcias eram protetoras das artes mágicas. Os sacerdócios davam seu apoio ao sistema de mágicas, e a política não deixava de imiscuir-se com essas feitiçarias. O manual de instruções mágicas, intitulado *Instruções para o Rei Merikare* (cerca de 2200 A.C.), é um bom exemplo das antigas fórmulas mágicas egípcias. A medicina egípcia também fazia parte do sistema. Os mágicos eram conhecidos como homens santos e operadores de prodígios. O relato sobre Moisés e o seu conflito com os mágicos do Faraó é uma referência bíblica a essa questão. Ver Êxo. 7:10 *ss*.

3. *A Realidade dos Poderes Ocultos*. Mui provavelmente, quase tudo nas artes mágicas não passa de expressão de desejos, com algum poder para alterar os eventos, curar ou causar enfermidades. Porém, incorreríamos em erro se as reputássemos somente isso. O Antigo Testamento não nega o fato de que os poderes ocultos são reais. No entanto, o Antigo Testamento proíbe terminantemente o apelo para tais poderes, por parte do povo de Deus. Ver Deu. 18:10-14. O trecho de Lev. 20:27 mostra que os praticantes desses poderes ocultos eram condenados à pena capital. Ver também Isa. 3:18-23; 8:19; Jer. 27:9,10; Eze. 13:18. A despeito disso, sabemos que os israelitas se deixaram envolver em muitas formas de adivinhação. Algumas delas eram oficializadas pelo culto hebreu, embora fossem rejeitadas se praticadas particularmente. Ver o artigo sobre a *Adivinhação*, quanto a ilustrações a respeito disso.

4. O poder da palavra proferida é ilustrado em Gên. 27:18 *ss*; 30:14-18; 37:41. Sabemos que até mesmo membros da família patriarcal usavam os *terafins*, ou ídolos do lar, para efeitos de adivinhação. Ver Gên. 31:20 *ss*. Ver também Juí. 17:1—6; I Sam. 19:13—16. No entanto, na legislação mosaica, os *terafins* foram condenados como espécimens da idolatria dos cananeus.

5. José casou-se com a filha de um sacerdote egípcio. Ao que muita coisa indica, ele praticava a adivinhação por meio de sonhos, e talvez até por uma antiga forma de bola de cristal (talvez usando sua taça de prata com água, como ponto de concentração). Ver Gên. 41:8 *ss*; 44:5.

6. De acordo com alguns eruditos, os objetos de

nome *Urim e Tumim* (vide) envolveriam adivinhação do tipo bola de cristal, quando o sumo sacerdote caía em uma espécie de transe leve, no qual era capaz de produzir oráculos.

7. O lançamento de sortes, com o propósito de descobrir a vontade divina, é mencionado em Lev. 16:8; Núm. 26:55; Jos. 7:14; Juí. 20:9; I Sam. 10:20 e vários outros trechos bíblicos. Talvez o *Urim e o Tumim* (ver acima) fossem uma espécie de sortes lançadas com o mesmo propósito.

8. *Condenações*. Jezabel foi condenada por ser praticante de «feitiçarias» (II Reis 9:22). Manassés, rei de Judá, foi condenado como *agoureiro* (II Reis 21:3-6).

9. *No Livro de Daniel*. Os jovens hebreus cativos negaram-se a tomar parte nas práticas babilônicas, que incluíam a mágica. Não obstante, sabiam interpretar sonhos e visões (ver Dan. 1:17-20; 2:2). Daniel deve ter sido considerado pelos babilônios como um sábio nas artes ocultas, conforme seu apodo, Beltessazar (ver Dan. 4:8) parece indicar.

10. *No Novo Testamento* encontramos o lançamento de sortes para resolver tão importante questão como a escolha de um novo apóstolo de Jesus, que substituísse a Judas Iscariotes (ver Atos 1:26). No entanto, de modo geral, todas essas práticas são ali condenadas. Ver II Tim. 3:1-9; Apo. 9:21; 18:23; 21:8; 22:15; Atos 8:9 *ss*; 16:16 *ss*.

Conclusão

É inútil supormos que o antigo judaísmo era inteiramente isento de mágica. Poderíamos afirmar que, historicamente, o Espírito de Deus não completou subitamente a sua obra de instrução aos israelitas. Os hebreus foram separados de outros povos semitas; e uma operação especial estava *em andamento*, mas não foi terminada. Quando chegamos ao Novo Testamento, encontramos formas religiosas muito mais puras. Os poderes ocultos não são necessariamente maus em si mesmos, embora possam assumir aspectos positivos ou negativos. Uma verdadeira espiritualidade eleva-se acima dos meros poderes ocultos ou psíquicos. A comunhão mística com o Espírito Santo substitui vantajosamente muitas coisas, mas é mister um longo período de tempo para que o crente atinja essa posição superior. Não há que duvidar que existem poderes ocultos negativos e prejudiciais, envolvidos nas artes mágicas. Em face dessa circunstância, pelo menos, as artes mágicas devem ser repelidas pelos crentes, mesmo quando não há nelas aqueles elementos mais deletérios.

Bibliografia. E GAS (em HA) TL

MAGISTER SACRI PALATI

Título latino que significa **Chefe do Palácio Sagrado**. Esse era e continua sendo o título oficial do teólogo pessoal do papa. O primeiro indivíduo a ocupar esse augusto ofício foi Domingos (vide; viveu em 1170—1221). Desde aquele tempo, sempre foi ocupado por alguém da ordem religiosa dos dominicanos. Quem ocupa o ofício também é detentor do título de Prelado Palatino, o mais elevado título entre os assessores papais. O ofício continua existindo, embora agora revestido de muito menor importância do que antigamente.

A filosofia por detrás do ofício é instrutiva. Qualquer pessoa que ocupe uma elevada posição eclesiástica obviamente precisa do apoio e da ajuda de outras pessoas. E um indivíduo especial precisa ser escolhido para ocupar esse lugar de assessor. Dentro da comunidade anglicana, algumas vezes os bispos se fazem acompanhar de um assessor. O conceito é interessante e em minha opinião, benéfico.

MAGISTRADO

A palavra hebraica mais comum, assim traduzida é *shaphet* (ver Esd. 7:25), ao passo que o termo grego usual é *strategós*, «líder de grupo» (ver Atos 16:20,22,35,36,38). Naturalmente, há outras palavras e expressões que devem ser levadas em conta.

1. *No Antigo Testamento*:

a. Em Juí. 18:7, a palavra hebraica significa «governador». Em nossa versão portuguesa, «autoridade».

b. Em Esd. 8:25 estão em foco os «conselheiros» e os «príncipes», onde devemos destacar a segunda dessas palavras.

c. Nos tempos helenistas, o termo grego *strategós* era usado para indicar o «chefe» do templo, um oficial cuja autoridade só era menor que a do próprio sumo sacerdote. Esse uso também se acha em Josefo, *Anti.* xx.131. Aparentemente, o título foi tomado por empréstimo do uso assírio, passando a ser empregado após o cativeiro babilônico. Corresponderia ao termo moderno «supervisor». O supervisor, a fim de garantir a boa ordem no templo, e impedir a entrada de intrusos gentios, dispunha de guardas bem armados.

2. *No Novo Testamento*:

a. Os termos gregos *archê* e *eksousía* são usados para referir-se aos «dirigentes» e «autoridades» da sinagoga, perante quem os cristãos seriam conduzidos a fim de serem julgados e castigados. Ver também Tito 3:1, quanto a um uso generalizado dessas palavras, para indicar qualquer tipo de autoridade a que nos deveríamos submeter.

b. O trecho de Atos 16:20 *ss* tem o vocábulo grego *strategós* a fim de referir-se a um oficial ou comandante civil, um prefeito ou cônsul. Essa palavra é usada por dez vezes no Novo Testamento, onde também é traduzida por *capitão* (ver Luc. 22:4,52; Atos 4:1; 5:24,26; 16:20,22,35,36,38). Os oficiais militares estão em foco, tanto quanto os governantes civis.

c. O termo grego *archón* (literalmente, «primeiro») é traduzido por «magistrado» em Luc. 12:58, dando a entender «primeiro em autoridade», sendo um título geral para indicar qualquer governante, rei ou juiz. Na Septuaginta foi uma palavra empregada para indicar Moisés. Em Apo. 1:5 refere-se ao Messias como o Rei. Em Atos 16:19 é usada para indicar os governantes civis. E, para indicar os chefes das sinagogas, é empregada em Mat. 11:18,23; Mar. 5:22; Luc. 18:41. Os membros do Sinédrio (vide) também eram designados por esse título. No trecho de Atos 16:19 aparecem os termos gregos *strategós* e *archón*, juntos. Provavelmente, o segundo deve ser entendido como uma subcategoria do primeiro. Um magistrado também podia ser um juiz romano.

d. O termo grego *archón* é usado para indicar Satanás, o «príncipe» dos demônios. Ver Mat. 9:34; Luc. 11:15; João 12:31; Efé. 2:2.

MAGNA CHARTA

No latim, «grande carta». Em português, chamamos de Magna Carta. Esse documento é importante quanto a questões civis e eclesiásticas, servindo de marco histórico para as constituições democráticas. Originalmente, compunha-se de sessenta e um artigos, essencialmente concessões extraídas do rei João, da Inglaterra, em 1215, modificando e diminuindo seus poderes em vários sentidos. Membros da nobreza feudal, do clero e da cidadania comum participaram na formulação e sanção desse documento.

A maioria dos artigos tinha por fito fortalecer a posição da nobreza em relação ao rei. O primeiro artigo, porém, era importante para a Igreja oficial. Declara que os oficiais eclesiásticos são independentes do poder real, ao mesmo tempo em que outros artigos provêem uma maior liberdade e poder para figuras do feudalismo. Certos artigos visavam melhorar a estrutura e a expressão do próprio governo. Posteriormente, mediante uma interpretação mais ampla dos artigos, a Magna Carta tornou-se a fonte de maiores liberdades e poderes para o povo em geral. A Magna Carta foi um dos fatores determinantes no desenvolvimento de governos democráticos, começando pela Inglaterra e pelos Estados Unidos da América do Norte.

MAGNA MATER

No latim, «grande mãe». Esse foi o nome de certo culto religioso, no seio do império romano, com freqüência ligado ao *mitraísmo* (vide). O culto era constituído quase inteiramente de mulheres. Seu santuário geralmente era vinculado ao culto de Mitra. As duas divindades ali adoradas eram Mitra e a Grande Mãe, *Mater Deum Magna*. Ver o artigo separado intitulado *Grande Mãe*.

MAGNANIMIDADE

De acordo com a **Ética Nicomaqueana** de Aristóteles, essa é uma importante *virtude*. Ele entendia que a *magnanimidade* consiste em ter uma «grande alma», em ter uma «mente nobre», o contrário das pessoas egoístas, de almas perturbadas. Para que um homem obtenha essa virtude é mister que ele tenha atingido um elevado grau de bondade e desenvolvimento espiritual. É dotado de mente elevada aquele que solucionou o problema de seus vícios, que se elevou acima das preocupações comuns das massas. Tal indivíduo é generoso, não se deixando arrastar por motivos egoístas e caprichosos.

Descartes, em sua obra As Paixões da Alma, fazia a *magnanimidade* equivaler à *generosidade*. Ele explicava essa qualidade como aquilo que permite nos estimarmos em justa medida. Spinoza definia a *generosidade* como aquela qualidade que funciona por meio da razão, e que nos leva a ajudar outras pessoas e a buscarmos a sua amizade (*Ética*, Liv. III). Alguns intérpretes religiosos vinculam a magnanimidade à idéia neotestamentária da *longanimidade* (vide). Essa é a graça cristã que nos permite suportar as injustiças sem ira e sem retaliação. «O amor é paciente» (I Cor. 13:4), isto é, é *magnânimo*. No cristianismo, essa virtude é explicada como a combinação da longanimidade, da generosidade e do desenvolvimento espiritual superior, de mistura com as motivações próprias, com a vida segundo a lei do amor e com as considerações espirituais devidas, com a exclusão de desejos egoístas e caprichosos, que são impulsos que atuam sobre a maioria dos homens, quanto àquilo que fazem.

MAGNIFICAR

Essa é uma importante palavra relacionada à adoração. Ver o artigo *Adoração*, onde o assunto é tratado de maneira geral. Esse é um dos três grandes aspectos da vida cristã. Esses aspectos são: adoração, serviço, desenvolvimento espiritual. Esse é o curso tencionado para a vida humana. Isso posto, a adoração é um dos fatos e propósitos centrais da existência humana.

1. Deus magnifica os seus próprios atos misericordiosos, que são ilimitados e livres (Gên. 19:19; Atos 19:17).

2. Deus magnifica a sua Palavra, que contém a mensagem de suas intenções e de seus atos graciosos (Sal. 138:2).

3. Deus magnifica os homens que agem corretamente (Jos. 3:7; 4:14; I Crô. 29:25; II Crô. 32:23).

4. Os homens magnificam a Deus devido às suas obras e ao seu amor, e declaram a sua grandeza e glória (Jó 36:24; Sal.34:3). A vida humana, quando é devidamente utilizada, é uma magnificação do Pai, por parte de seus filhos. Qual pai não é magnificado quando seus filhos agem corretamente?

5. Os homens carnais magnificam a si mesmos às expensas do próximo (Sal. 35:26; Dan. 8:11; Atos 5:3).

6. Paulo desejava que Cristo fosse magnificado em toda a sua conduta e em todas as suas palavras (Fil. 1:20). O nome do Senhor Jesus Cristo estava sendo magnificado na Igreja primitiva (Atos 19:17).

7. Paulo magnificava seu ofício de apóstolo dos gentios, que lhe fora dado por Deus (Rom. 11:13).

MAGNIFICAT

1. *O Nome*

O poema ou hino à Virgem Maria (ver Luc. 1:46-55) é assim chamado por causa da versão latina da Vulgata, onde esse poema começa pela palavra *Magnificat*. A frase inteira é: «Magnificat anima mea Dominum», isto é, «minha alma magnifica ao Senhor». A passagem é bastante similar (e, sem dúvida, é dependente) do cântico ou oração de Ana, em I Sam. 2:1-10.

2. *Variante Textual*

Pode-se atribuir esse cântico de louvor a Maria ou a Isabel, dependendo dos manuscritos que seguirmos. *Maria* é quem fala em Aleph A B C(2) K L W Delta Theta Xi Pi Psi Fam 1 Fam 13 Fam Pi Byz lect Sy (s,p,h,pal) Cop (bo) Got Eth Geo e vários dos mais antigos pais da Igreja. *Isabel* é quem fala em alguns antigos manuscritos latinos, como It (a,b,l), alguns manuscritos latinos, conhecidos por Orígenes. Além disso, Irineu atribuiu o hino a Isabel. A forma variante, portanto, pertence ao texto ocidental, faltando-lhe o apoio da parte dos mais antigos manuscritos gregos. Ao que parece, Orígenes, conhecia alguns manuscritos gregos que diziam *Isabel*, mas que não mais existem. É possível, pois que escribas bem antigos tivessem mudado o sujeito da ação de Isabel para Maria, a fim de honrá-la. Mas outros estudiosos supõem que a construção do texto grego levou alguns a mudarem de Maria para Isabel, como mais apropriado à gramática envolvida. Seja como for, a evidência externa é muito forte em prol de Maria, a forma que a maioria dos críticos textuais prefere reter.

3. *Significados e Críticas*

O *Magnificat*, com sua dependência ao Antigo Testamento, é um elo apropriado entre o Antigo e o Novo Testamentos, considerando-se que a esperança messiânica, projetada no primeiro, tornou-se uma realidade no segundo. O hino exibe a pequenez humana, em face da intervenção divina. O hino inicia a era do cumprimento das promessas messiânicas, conforme fazem poucos outros textos escriturísticos.

OS REIS MAGOS EM DIREÇÃO À ESTRELA

A SABEDORIA

Atributo de Deus (I Sam. 2:3)
Perfeito (Jó 36:4), poderoso (Jó 36:5)
Universal (Dan. 2:22), Incomparável (Jer. 10:7)

O evangelho a contém, I Cor. 2:7
A sabedoria é exibida nas obras de Deus, Sal. 104:24.

Possessão dos santos, II Tim. 2:19.
Os santos devem magnificar a sabedoria de Deus, Rom. 16:17.

Toda a sabedoria humana é derivada da sabedoria de Deus, Dan. 2:21

••• ••• •••

Alguns eruditos liberais supõem que Lucas foi o real originador desse hino (ao passo que outros, que duvidam que Lucas tenha sido autor desse terceiro evangelho, pensam que ele inventou o hino, empregando versículos do Antigo Testamento, com ampliações). E, então, Lucas atribuiu o hino a Maria. Nesse caso, teria sido apenas um artifício literário para promover sua visão de Jesus como cumprimento de profecias messiânicas do Antigo Testamento. Contra isso, alguns outros supõem que uma verdadeira filha de Israel, ao proferir tal hino de louvor, naturalmente utilizar-se-ia de idéias do Antigo Testamento, e, para tanto, o hino de Ana seria extremamente próprio. Uma posição de meio-termo, assumida por alguns eruditos conservadores, é que esse hino não precisa ser considerado uma reprodução exata do que Maria teria dito. Lucas, pois, tê-lo-ia reproduzido como se dissesse: «Esta é a substância do que Maria disse, e que revesti com a linguagem do Antigo Testamento».

4. *Divisões Naturais*

a. Exaltação e gratidão jubilosas (vss. 47,48).
b. Exaltação à soberania e à graça de Deus (vss. 49-51).
c. Deus ama aos humildes (vss. 52,53).
d. Deus ama Israel de modo especial (vss. 54,55).

5. *Uso Litúrgico*

Na Idade Média, com certas adaptações, esse hino tornou-se conhecido como «Cântico da Bendita Virgem», e teve largo uso na Igreja. Foi codificado para uso oficial na liturgia cristã pelo papa Gregório, o Grande (590—604 D.C.), e foi oficialmente aceito pelo papa Benedito (480—543 D.C.). Geralmente é entoado nas orações vespertinas. Nas igrejas reformadas, esse hino foi parafraseado e transformado em um cântico para ser entoado pelas próprias congregações locais. Muitas obras de arte têm reproduzido o cântico. Foi incorporado no ofício diário da Igreja Católica Romana, e também usado na Oração Vespertina da comunhão anglicana.

MAGO

Ver sobre Magos.

MAGOGUE

Ver os dois artigos separados, **Gogue** e **Gogue e Magogue**.

MAGOR MISSABIBE

No hebraico, magor missabib, «terror por todos os lados». Um nome simbólico que Jeremias deu a Pasur, filho de Imer, em Jer. 20:3. Ver o artigo separado sobre *Pasur*.

••• ••• •••

MAGOS

Magos (do grego «magoi») significa **astrólogos** ou **mágicos**. Algumas vezes a palavra se refere àqueles que se ocupavam das ciências, geralmente acompanhadas de magia e fraude. A tradução *homens sábios* não é bem entendida. A antiga interpretação da história, o seu sentido espiritual que vem dos pais Inácio, Justino, Tertuliano, Orígenes e Hilário é que a «astrologia» e a «magia» se curavam, reconhecendo e confessando que seus dias estavam contados, em face do saber que vem do alto. Essa interpretação parece concordar com o objetivo do autor. Tais pessoas teriam observado algo de diferente no céu, algum fenômeno comum dos planetas, ou algum sinal especial de Deus. Nada mais de definido se sabe sobre eles, como seus nomes, número e posição na vida, e as tradições criadas em torno deles são forçadas.

«Do Oriente» (Mat. 2:1) pode significar Arábia, Pérsia, Caldéia, Pártia ou outros lugares próximos. As ofertas mencionadas poderiam ser de diversos lugares, pelo que não há certeza quanto ao país de origem desses homens.

Quem Foram os Magos?

(Artigo reproduzido, graças à gentileza de Fate Magazine, Dec., 1972).

A cada Natal, há gravuras que retratam três Magos, chegando com presentes para o Cristo infante.

(Por Margueritte Harmon Bro)

A cada Natal, figuras nababescamente vestidas, conhecidas como os *magos*, percorrem os corredores de incontáveis templos, **levando presentes de faz-de-conta** de ouro, de incenso e de mirra. Sempre há três delas, e, por tradição, uma delas é da raça negra. Na vida real, porém, quem foram elas?

Em termos modernos, os magos — cuja fama foi maior entre 500 A.C. e 200 D.C. — eram eruditos que se distinguiam no campo da matemática, da astronomia, da astrologia, da alquimia e da religião. Com freqüência eram conselheiros de cortes reais, e um dos deveres era estudar as estrelas a fim de antecipar o nascimento de qualquer novo governante, que finalmente ameaçasse os poderes correntes. O *recém-nascido* surgiria como comandante de exércitos, como um mestre, como um sábio ou como um legislador? Seria ele dominado pela sabedoria beneficente de Júpiter ou pela tutela guerreira de Saturno? O estabelecimento de tal horóscopo não era tarefa para um dia só.

O registro da Bíblia não diz *quantos* magos vieram ver o bebê em Belém. As igrejas primitivas argumentavam sobre esse ponto. Os cristãos orientais têm uma tradição de doze sábios, cada um dos quais representaria uma das doze tribos. Alguns antigos mosaicos mostram apenas dois magos, ao passo que outros exibem sete ou mesmo onze. O número onze teve apoiadores especiais, porquanto diz que o número «onze» é um número espiritual, podendo também predizer o número dos discípulos fiéis de Cristo. Entretanto, desde o século VI D.C., a igreja ocidental estabeleceu o número de magos como três, que representariam ou as três raças principais ou a Trindade.

No século IV D.C., a imperatriz *Helena*, mãe do imperador romano Constantino o Grande, interessou-se sobre o debate acerca da identidade dos magos. Ela deve ter sido uma das mais atarefadas mulheres da história registrada, a julgar por seus descobrimentos de relíquias e lugares santos. Fez uma viagem à Terra Santa, acompanhada por sacerdotes e eruditos, incluindo um astrólogo e uma vez chegados ali, ela e seu séqüito muito conseguiram fazer! Concordaram sobre o local exato do nascimento do Menino, ordenaram a ereção de uma ornamentada igreja, no local, em substituição à modesta capela localizada no — local exato — onde tinham sido fincadas às três cruzes, — e consagraram um sepulcro que teria sido dado por José de Arimatéia para o sepultamento de Jesus. Além disso, descobriram três esqueletos e decidiram que seriam os três magos, que teriam sido assassinados no caminho de volta para sua terra, depois da visita a Herodes, segundo disseram os seus conselheiros.

MAGOS

A narrativa *bíblica* acerca da visita dos magos é contada em uma dúzia de versículos no segundo capítulo do evangelho de Mateus, com as palavras: «Tendo Jesus nascido em Belém da Judéia, em dias do rei Herodes, eis que vieram uns magos do oriente a Jerusalém. E perguntavam: Onde está o recém-nascido Rei dos judeus? porque vimos a sua estrela no Oriente, e viemos para adorá-lo».

Que estrela brilhante teria dirigido os seus passos, na jornada? Os dois tipos reconhecidos de súbitas explosões de luz no firmamento da noite, **—fora as** estrelas cadentes, — são os cometas e as — novas estrelas. Durante milhares de anos os cometas têm sido tomados como pressagiadores de acontecimentos especiais. As lendas que envolvem essa idéia chegam até nós da antiga China, do Egito, da Babilônia e da Grécia. O assassinato de César e o suicídio de Nero foram prenunciados por cometas.

O nascimento de Jesus poderia ter sido indicado pelo cometa de Halley? A primeira descrição conhecida sobre o cometa de Halley foi registrada em uma enciclopédia chinesa, no ano de 12 A.C., com datas relativas ao reinado do imperador Yuem-Yen. Esse registro declara que o cometa passou pela constelação de Gêmeos, procedeu da região norte, de Castor a Pólux, até à cabeça de Leão e daí à sua **cauda e no seu** qüinquagésimo sexto dia desapareceu, no Dragão Azul (Escorpião). A última vez em que os **norte-americanos viram esse cometa foi em 1909-1911. Sempre aparece, perto do sol, com intervalos de setenta e seis anos, tendo surgido novamente em 1986.**

Mas *dificilmente* essa poderia ter sido a *estrela* que guiou os magos até onde estava Jesus, a menos que este tenha nascido doze anos antes do início do calendário de nossa era moderna.

As novas são estrelas que repentinamente aumentam tremendamente em fulgor. Tão transcendental brilho encheu os céus em 134 A.C., e, novamente em 173 D.C., mas nenhum dos registros antigos menciona qualquer fulgor extraordinário no firmamento no ano zero de nossa era.

Entretanto, temos um indício do que poderia ter sido a estrela de Belém. A 17 de dezembro de 1603, o notável astrônomo Johannes Kepler voltou seu modesto telescópio na direção da *conjunção* de Júpiter e Saturno, na constelação de Peixes. Ele relembrava alguns comentários feitos pelo escritor rabínico Abarnabel, no sentido de que o Messias apareceria quando houvesse uma conjunção de Júpiter e Saturno, na constelação de Peixes. Kepler pôs-se a calcular seus informes, e resolveu que Jesus nasceu no ano 6 A.C.

Embora ele tivesse sido um cientista de — *bom nome*, tendo descoberto as leis astronômicas que trazem o seu nome, algumas vezes ele se mostrava precipitado. Portanto, após o furor **inicial causado** por seu pronunciamento quanto à data do nascimento de Jesus, suas conclusões foram mais ou menos esquecidas até o ano de 1925. Naquele ano o erudito alemão P. Schnabel decifrou alguns registros cuneiformes do império neobabilônico, descobertos em Sipar, na Babilônia.

Visto que os eruditos modernos, em seus planetários, podem retardar ou avançar o relógio cósmico à vontade, contemplando os céus como devem ter parecido em qualquer noite e ano, calcularam eles os informes de Schnabel. Júpiter e Saturno se encontraram por três vezes em Peixes, no ano sete A.C. — no fim de maio, no princípio de outubro, e a 4 de dezembro. No fim de janeiro do ano seis A.C., Júpiter se moveu para fora de Peixes e entrou em Āries. Outrossim, no texto grego, a frase, «...vimos a sua estrela no Oriente...», reveste-se de sentido todo particular, visto que o vocábulo grego «anatole» (no singular), aplica-se a uma estrela que surge cedo pela manhã. Uma tradução mais autêntica para o português, portanto, seria: «vimos sua estrela aos primeiros raios da manhã».

Um outro *erudito* alemão, *Werner Keller*, levantou a questão por que os astrólogos se interessaram em descobrir o Menino na Palestina, quando a mesma estrela peculiar poderia ser vista sobre a Babilônia. Uma resposta possível jaz no fato de que Peixes é um sinal de Israel, e, particularmente, o sinal do Messias. Além disso, derivado dos caldeus, o sinal do ocidente, ou seja, da área do mar Mediterrâneo. Poderia isso significar o começo de uma nova era—talvez o reino do Messias?

Isso nos leva a uma outra interessante *especulação*: Naquela época deveria haver vintenas de judeus que estudavam na escola de astrologia de Sipar, na Babilônia. Desde os tempos de Nabucodonosor, milhares de judeus viviam na Babilônia e um número desproporcionalmente grande se compunha de sábios. Consideravam que Júpiter era uma estrela real, tal como o faziam todos os povos antigos, ao passo que Saturno seria o protetor de Israel. De fato, *Tácito* (século I D.C.) faz de Saturno o sinal do deus dos judeus. A segunda conjunção de Júpiter e Saturno ocorreu a 3 de outubro, um fato que eles sabiam bem de antemão, e esse era o dia da expiação entre os judeus Teria sido esse o dia em que os magos iniciaram sua viagem?

E se eles eram judeus, ou se alguns deles eram judeus, que poderia haver de mais natural do que terem ido livremente até o rei Herodes, perguntando: «Onde está o recém-nascido Rei dos judeus! porque vimos a sua estrela no Oriente, e viemos para adorá-lo».

O tirano Herodes, porém, não se agradou ante o ardor dos visitantes. Reuniu os principais sacerdotes e eruditos e lhes indagou quanta significação havia em um símbolo sobre o Messias, surgido nos céus. Eles disseram a Herodes que cerca de setecentos anos antes, o profeta Miquéias profetizara que de Belém é que sairia o governante de Israel (ver Miquéias 5:2). Por mais ínfima que tivesse sido essa informação, Herodes orientou os magos na direção de Belém. A *terceira* conjunção de Saturno e Júpiter, em Peixes, ocorreu a 4 de dezembro. Enquanto aqueles magos percorriam pelo antiqüíssimo caminho palmilhado por Abraão, a estrela parecia ir por sobre eles, brilhante, transcendental. Quem não se sentiria inclinado a adorar?

Os historiadores têm reunido muitas evidências relevantes mas inconclusivas acerca da data *exata* do nascimento de Jesus. As modificações nos métodos de cálculo do calendário têm aumentado suas dificuldades. Sabemos, com base na narrativa do evangelho de Mateus, que Jesus nasceu durante o reinado de Herodes, o Grande, e sabemos que Herodes morreu em 4 A.C. Mas não há nenhuma razão especial para concluirmos que 25 de dezembro foi a data do nascimento de Jesus. Em Roma, desde há muito havia celebrações em torno do solstício **do inverno e no dia** 25, que era o último dia da saturnália, ou festividades dedicadas a Saturno, havia festas irrestritas. Essa data sempre foi conhecida como *Dies Natalis Invicti*, nascimento do inconquistável. Posto que o povo costumava fazer celebrações nessa data, talvez alguém tenha sugerido que bem poderia ser declarada como o dia do nascimento do Salvador. Mas foi somente no ano de 354 D.C. que *Justiniano* decretou oficialmente que a data de 25 de dezembro celebrava o nascimento de Jesus. Mas alguns estudiosos modernos pensam que uma data, durante a primavera, seria mais provável.

Seja como for, o fato é que depois da rainha *Helena* ter encontrado os esqueletos, declarando-os como pertencentes aos três magos, ordenou ela que fossem exumados e removidos para Constantinopla. Sua permanência naquela cidade, porém, foi breve. Pouco depois eram removidos para Milão. Então, quando Barbarroxa se tornou imperador, já no século XII, os esqueletos foram removidos para Colônia. E foi então que receberam os nomes de Gaspar, Melchior e Baltazar.

Há um registro atribuído a *Bede, o Venerável*, com data de 735 D.C., no qual ele faz alusão a antiga lenda que descreve os três «reis magos»: Melchior seria homem idoso, de cabelos brancos e longas barbas, que ofereceu ouro a Cristo, a fim de simbolizar que todo o valor do mundo lhe pertenceria; Gaspar seria jovem, sem barba e de compleição vermelha, ofereceu incenso, homenagem devida a uma divindade; Baltazar, de pele negra e barba cerrada, ofereceu mirra, prefigurando os sofrimentos e a morte que aguardavam Jesus.

Na Idade Média, os estudiosos das artes ocultas afirmavam que Baltazar era o principal astrólogo de sua época. Até ele, eram enviados mensageiros de cortes tão distantes como a Índia, trazendo rolos de pergaminho, detalhando algum nascimento santo e desejando averiguação por parte daquele sábio. O segundo mago, Melchior, era renomado por seu discernimento clarividente. Os antigos o chamavam de *sol viajante*, porque, por onde fosse, extraía significação dos eventos, tal como extrai a umidade da terra. Sua sabedoria, tal como a chuva, era distribuída por onde se fizesse necessária. Gaspar, o terceiro dos magos, era o espírito brilhante que obtinha a cooperação de oficiais ao longo do caminho, prestando deferências, ao mesmo tempo em que mantinha segredos, de tal modo que os três não eram forçosamente retidos em outras cortes.

Sem importar se esses retratos falados dos magos são autênticos ou não, o fato é que eram aceitos como personagens históricas pela igreja antiga.

A primeira igreja da Natividade, edificada em Belém, por Constantino, em honra de sua mãe, Helena, exibia um enorme mural com *os três magos* por detrás do altar. Mais de dois séculos mais tarde, quando os persas invadiram a Palestina, decididos a destruir todos os lugares de adoração cristã, alguns de seus oficiais, montados a cavalo, abriram os grandes portões de bronze da igreja, somente para darem de frente com esse mural, que retratava homens como eles, vestidos em seus costumes nacionais. Ante isso, desmontaram e se prostraram perante as pinturas, fugindo prontamente em seguida, deixando os portões de bronze firmemente cerrados por detrás deles. Desse modo, aquele templo foi deixado intacto.

Em honra aos magos, a igreja antiga decretou uma celebração especial, intitulada *epifania*, que significa «o manifesto», porque os magos foram os primeiros gentios a se aproximarem de Jesus.

Teriam também os magos lido nas estrelas que após cerca de dois mil anos seriam retratados como personagens importantes no *drama religioso?* E que a criança que um dia honraram seria a *personagem central* na única representação que anualmente ocupa o palco do mundo inteiro?

Epifania

Hoje, o dia da epifania,
Que alegria, que esperança,
Que mensagem nova ela traz?
Coros celestes, em alegre cântico,
Montes, vales ressoam, ecoando,
Os humildes habitantes da terra cantam alegres.
6 de janeiro, o dia certo? só por grande acaso;
Para mim, saber o dia, não aumentaria sua glória.
Sábios orientais, trouxeram-lhe ricos presentes,
E para eles, por sua vez, foi mostrado o Grande Rei.
Alguns julgam-nos «reis», e outros dizem que eram «três»,
Detalhes como esses não me são importantes.
Sua importância, a aura que agora desce sobre meu cérebro,
É o sentido histórico, retratado na escolta no deserto:
Epifania,
Cristo, por muitos séculos cansativos oculto,
Sua glória decifrada por sábios, nas estrelas,
Agora aos gentios humildes é revelado.

(Russell Champlin, ao meditar, a 6 de janeiro de 1973, sobre o sentido da *manifestação*, isto é, da «epifania»)

MAGPIAS

No hebraico, «matador de traças». Nome de um dos chefes do povo, que engrossou a lista daqueles que firmaram o pacto com Neemias, dentre o remanescente do povo que retornara do cativeiro babilônico. Ver Nee. 10:20. Ele viveu em cerca de 410 A.C.

MAHABHARATA

Esse é o nome do grande poema épico do bramanismo, que data do século VI A.C. Contém o Bhagavad-Gita. Conta a história de duas famílias que competiam pelo trono. A narrativa incorpora os ensinamentos concernentes aos quatro propósitos da vida: 1. retidão; 2. riquezas materiais; 3. aprazimento físico; 4. liberdade espiritual. Também são ali descritas as quatro condições da vida: 1. o estudante; 2. o dono de casa; 3. o habitante das florestas; e 4. o asceta. Por igual modo, são designadas as quatro castas: 1. os brâmanes (sacerdotes e mestres); 2. os guerreiros; 3. os negociantes; e 4. os trabalhadores.

Essa obra tem sido atribuída ao extraordinário sábio Vyasa. Mas, na verdade, o texto consiste em elementos tomados por empréstimo de oito séculos. Consiste em cem mil parelhas de versos métricos, sendo quatro vezes mais extenso que aquele outro poema épico da Índia, *Ramayana* (vide). Esses dois poemas são as duas grandes composições épicas da religião hindu. O Mahabharata é cerca de oito vezes maior do que a Ilíada e a Odisséia combinadas. Tem dezoito livros e, então, é suplementado pela *Harivamsa*, dezesseis mil estrofes sobre a linhagem do deus *Hari*. Essa obra é uma complexa combinação de narrativas, mitos, ensinamentos, teologia, ética e filosofia. A teologia é bastante variegada, refletindo idéias cruas e mais sofisticadas, politeísmo, monoteísmo, encarnações de Krishna e, naturalmente, o tema da transmigração das almas e o poder do destino.

MAHAT

Ver sobre **Sankhya**, quinto ponto.

●●● ●●● ●●●

MAHATMA

No hindi, «grande alma». Essa palavra combina duas outras: *maha* e *atman*. Essa palavra tornou-se universalmente conhecida depois de aplicada a Mohandas K. Ghandi (vide). Na *teosofia* (vide) essa palavra tem sido usada para designar uma classe de mestres espirituais, os «irmãos mais velhos». Esses mestres são conhecidos mormente por sua sabedoria e compaixão. Na qualidade de uma classe de seres transcendentais (de acordo com a doutrina teosófica), eles renunciaram a continuar subindo pela escadaria espiritual a fim de poderem ajudar outros, menos avançados do que eles. Helen Blavastsky, fundadora da teosofia, afirmava que eles viviam na Índia e no Tibete, e que tivera contacto com eles, tendo recebido revelações que vieram a ser incorporadas nos ensinos da teosofia.

MAHAVAIROCANA

Ver o artigo geral sobre o **Budismo**. A palavra *Mahavairocana* é sânscrita, e significa «Grande Sol Buddah», que ilumina o mundo inteiro, como se fosse o sol. Essa é a idealização espiritual do conceito de Buddha, um princípio místico do qual participam o Buddha terrestre e outros, a fim de obterem iluminação. O universo inteiro é chamado de *trikaya*, a «lei corpo», ou seja, o lugar onde se manifesta a sua sabedoria e torna-se lei para todos os seres inteligentes.

O que eles chamam de «reino do depósito matriz» é a lei-corpo do princípio. E o que eles chamam de «reino do elemento diamante» é a sua lei-corpo da sabedoria. Esses dois reinos são chamados *círculos* (*mandala*). Na *mandala* do reino do depósito encontrava-se a *mahavairocana*, o «sinal da meditação». A *mandala* do reino do diamente dispõe do sinal do «punho da sabedoria». Ali, ele é o primeiro dos cinco Buddhas da sabedoria. Em ambas as *mandalas*, ele assenta-se no centro, cercado por Buddhas e Bodhisattva, todos eles suas diversas manifestações. Um *bodhisattva* é um sacerdote budista que chegou a ser um candidato a tornar-se Buddah. — Tal sacerdote distinguiu-se na meditação e na sabedoria, considerado como alguém que tem um grande futuro espiritual à sua espera, quando ele se tornará um salvador e instrutor da humanidade.

MAHAVIRA

Essa palavra significa «grande conquistador». Esse é um título dado a *Vardhamana*, que, tradicionalmente, foi o fundador do *jainismo* (vide), uma fé religiosa. Nessa fé, há vinte e quatro *jainas* ou conquistadores, que progrediram até que se tornaram *Tirthankaras*, ou líderes espirituais. Esse nome significa «encontradores dos vaus». Mahavira foi o último desses vultos. Esses líderes são representados em templos, mediante imagens que os fiéis veneram. Contudo, não são considerados divindades. Também não são tidos como ajudadores, exceto no sentido de que seu exemplo inspira a outras pessoas a uma diligente inquirição espiritual, buscando a salvação de todo o coração. Mahavira foi um contemporâneo mais idoso de Gautama, o Buddha. Ele encontrou o meio de inquirição espiritual em si mesmo, e não procurou qualquer ajuda externa. Seu sistema é não-teísta.

MAHAYANA

Esse nome designa uma importante escola do budismo. Ver sobre o *Budismo*, quarta seção.

MAHDI

Essa palavra é árabe e significa «o guiado». O termo refere-se a uma figura profética messiânica dentro do islamismo. Ali espera-se que ele venha inaugurar uma era melhor. Outros líderes (*imam*) tiveram suas missões divinas no passado, ou as estão tendo no presente; mas o Mahdi será um líder final, que inaugurará o governo perfeito de Allah sobre a face da terra. Esse título, na verdade, tem sido assumido por vários líderes de seitas islâmicas, mas sempre sem reconhecimento universal.

MAHER-SHALAL-HASH-BAZ

No hebraico, «os despojos apressam-se». Nossa versão portuguesa interpreta como «Rápido-Despojo-Presa-Segura» (ver Isa. 8:1,3). Isaías ordenou que essas palavras fossem escritas sobre um tablete, como nome simbólico do filho que lhe estava prestes a nascer. Esse nome representa a pronta destruição de Rezim e Peca, pelas forças da Assíria.

MAIÊUTICO

Essa palavra vem do grego **maia**, «parteira». Esse adjetivo tem sido usado para aludir ao diálogo socrático que operava como uma parteira a fim de extrair *idéias* de outras pessoas, dando assim nascimento a novos conceitos. Provavelmente, a idéia estava ligada ao conceito socrático-platônico de que todo conhecimento, na realidade, é uma *recordação*, visto que o homem *saberia* todas as coisas em sua mente, tendo visto as formas (em um estado preexistente) através da alma. Esse diálogo, pois, tem o poder de dar renascimento a idéias, cumprindo assim a missão de parteira. O trauma do nascimento físico obscureceria o conhecimento possuído pela alma, mas tal conhecimento poderia ser recuperado.

MAIMÔNIDES

Também conhecido como **Moses ben Maimon**, seu nome árabe. Suas datas foram 1135-1204. Nasceu em Córdoba, na Espanha, de pais judeus. Trabalhou ali durante o período de hegemonia islâmica, como médico. Foi um liderante teólogo e filósofo. Foi líder da comunidade judaica local. Residiu durante algum tempo na África. Influenciou tanto o pensamento judaico quanto o pensamento escolástico da Idade Média. Tornou-se o cabeça reconhecido da comunidade judaica do Egito, e atuava como médico do sultão e da família real. Foi ali que escreveu as suas obras mais importantes, como segue: um comentário, escrito em árabe, o *Siray*, «Iluminação», uma obra expositiva da *Mishnah* (vide). Em seguida, lançou a *Mishneh Torah*, uma obra escrita em hebraico, como também uma obra prática cujo título era *Dalalat el-Ha 'irin*, «Guia dos Perplexos». Essas obras exerceram imensa influência sobre a vida e o pensamento judaicos. Foi nessas obras, igualmente, que Maimônides introduziu os *Treze Princípios* das crenças judaicas fundamentais. Essas idéias foram incorporadas no *Livro da Oração Diária*, embora não tivessem sido universalmente aceitas. Os judeus não apreciam a codificação de suas crenças, pelo que a tentativa não recebeu acolhida plena, sem importar quão útil ela tenha sido.

Maimônides viu-se em verdadeiras dificuldades com certo segmento da comunidade judaica quando começou a falar como se fosse o Tomás de Aquino dos judeus. Com isso quero dizer que ele tentou reconciliar o judaísmo com a filosofia de Aristóteles, explicando a fé judaica por meio das idéias aristotélicas. Ele chegou a um extremo tal, em suas racionalizações que declarou que somente a filosofia pode levar o homem ao verdadeiro entendimento sobre a natureza de Deus e do mundo. Enquanto os rabinos normais «provavam» a existência de Deus por meio de seus dogmas, Maimônides usava princípios aristotélicos para atingir o mesmo resultado. Os ensinamentos de Maimônides influenciaram os pensadores árabes, judeus e cristãos durante muitas gerações. Gigantes intelectuais como Tomás de Aquino, Alberto Magno, Duns Scoto, Leibniz e Herbert Spencer discutiram suas obras e se utilizaram delas.

Maimônides foi quase igualmente famoso como médico, e teve um grande número de pacientes em sua prática da medicina. Foi precursor da terapia psicológica. Morreu no Cairo, Egito. Até hoje sua sinagoga, no Cairo, é visitada por peregrinos, como também seu túmulo, em Tiberíades, no norte de Israel.

Idéias:

1. A grande diferença entre as idéias de Maimônides e a filosofia aristotélica é que ele aceitava a doutrina da criação pela agência divina, negando assim o conceito aristotélico da eternidade do mundo. Essa doutrina ele aceitava pela fé, declarando que nenhum raciocínio filosófico pode *exigir* de nós que suponhamos que o mundo é eterno. Portanto, para ele, o criacionismo não era ilógico.

2. Sua obra, *Guia dos Perplexos*, expõe uma fé judaica à la Aristóteles. Maimônides procurou mostrar que a fé religiosa e a filosofia não são incompatíveis entre si. De fato, a filosofia seria útil para explicar a fé.

3. Deus é radicalmente diferente do mundo; e podemos chegar a certo conhecimento sobre ele, afirmando o que ele *não é*. Na filosofia, esse método é conhecido pelo nome de *via negationis* (vide). De acordo com esse método, fazemos afirmações como: Deus não é finito (portanto, ele é infinito); Deus não é um Ser composto (pelo que é um puro espírito); Deus não é material (logo, é um espírito eterno); Deus não é mortal (portanto, Deus é imortal).

4. *O Deus teísta*. Deus interveio ao *criar* o mundo. Essa idéia Maimônides aceitava mediante a fé. Se Deus interveio nesse caso, então é lógico supormos que ele fará novamente intervenção, o que significa que Deus mantém contacto com a sua criação, guiando, punindo e recompensando. Ver o artigo sobre o *Teísmo*, em contraste com o *Deísmo*.

5. Deus, para Maimônides, era o Impulsionador Primário de Aristóteles, a Causa de todos os movimentos, evolução e desenvolvimento. Deus incorpora em si mesmo as propriedades das causas eficiente, formal e final, projetando essas qualidades no mundo e suas operações. Por conseguinte, Deus está em tudo, e assim pode obter algum conhecimento sobre ele, mediante o estudo da natureza. A vida contemplativa facilita o avanço do homem nessa atividade.

6. No campo da ética, devemos imitar a Deus Pai.

7. O *intelecto ativo* sobrevive à morte física, sendo esse o seu termo para indicar a porção imortal do homem. Naturalmente, ele tomou a idéia por empréstimo de Aristóteles, embora tivesse ido adiante dele mediante a fé, porquanto Aristóteles não tinha certeza se o tipo de intelecto humano sobrevive à morte, embora, como é óbvio, esteja separado da parte material, em sua essência.

8. O homem que vive na consideração consciente de seu intelecto ativo, e que age em consonância com o mesmo, é o homem que mais se parece com Deus, visto que Deus é o Supremo Intelecto.

9. *Esferas do intelecto*. Maimônides opinava que há uma hierarquia de seres, a partir de Deus, estendendo-se por nove esferas, até chegar, finalmente, ao homem, que é um intelecto ativo em forma humana. Essa idéia é similar à teoria da emanação do neoplatonismo, e que deu margem à doutrina da existência de muitas ordens angelicais. Maimônides, entretanto, não ensinava o panteísmo do neoplatonismo.

10. Maimônides cria na imortalidade da alma com base na doutrina do intelecto, embora não acreditasse na ressurreição.

11. O homem seria dotado de livre-arbítrio especificamente por ser uma forma de vida superior, como um intelecto que participa da consciência do Grande Intelecto.

12. O homem dispõe de meios para conhecer as exigências de Deus, conforme elas são exibidas na lei mosaica. E, seguindo essa lei, o homem pode obter a salvação.

13. A profecia existe e deriva-se da iluminação divina. Porém, somente Moisés foi diretamente inspirado por Deus. Outros profetas recebiam inspiração através da agência ou princípio do intelecto, que flui da mente divina.

MAINE DE BIRAN

Suas datas foram 1766-1824. Ele foi um filósofo francês. Nasceu em Bergerac, e viveu em retiro durante o período da Revolução Francesa. Posteriormente, tornou-se tesoureiro da Câmara de Deputados. Suspendia essas atividades por períodos, a fim de estudar a filosofia. Escreveu certo número de livros ligados à filosofia e à psicologia. Suas obras foram publicadas, principalmente, por Victor Cousin, que, em 1841, reuniu suas obras em uma coleção. Pierre Tisserand publicou uma obra similar, em catorze volumes, em 1920—1949.

Idéias:

1. De Biran começou a ensinar o sensacionalismo de Condillac (um empirismo exagerado), mas terminou ensinando o *espiritualismo* (vide). Ele pensava que o indivíduo só pode explicar suas experiências postulando o «eu», e pensando sobre esse «eu» como um «poder ativo».

2. Ele fazia distinção entre sensação e percepção. A percepção procede do impacto em nós causado pelo mundo externo, que nos impressiona. E a sensação é a reação do «eu» diante desse poder. Contudo, as duas coisas existiriam juntas. Dessa forma, o homem experimentaria tanto poderes externos quanto poderes internos. A isso ele também chamava de realidades físicas e realidades psicológicas.

3. Da primeira dessas realidades (a física) temos causalidade. E da segunda (a psicológica) deriva-se a liberdade da vontade humana.

4. As experiências místicas, bem como o conhecimento daí derivado, provêem-nos evidências para a crença que a vida espiritual superior predomina sobre a existência física e corporal, transcendendo à mesma, sobrevivendo mesmo à morte física e substituindo-a afinal, dentro da experiência humana. Ver o artigo sobre o *Espiritualismo*, que se reveste de certa variedade de significados.

Obras Principais. *Influence of Habit on the Faculty of Thought; Examination of the Philosophical*

Teachings of M. Laromiguiere; New Considerations on the Rapport Between the Physical and the Moral in Maine de Biran (quatro volumes). Ver o primeiro parágrafo deste artigo.

MAINLANDER, PHILIPP

Suas datas foram 1841 - 1886. Ele ensinava uma filosofia niilista que antecipou a moderna discussão da escola «Deus está morto». — Seu pessimismo resultava de sua devoção à filosofia de Schopenhauer (vide).

Idéias:

1. Deus não é uma pessoa e, sim, um princípio de unidade estilhaçado na pluralidade de expressão que encontramos no mundo. O mundo começou com a morte de Deus, visto que, nessa morte, obtemos uma visão correta da pluralidade e abandonamos o mito da unidade, como se esse mito pudesse controlar o caos. O caos, por outro lado, é um fato.

2. A Deus atribuímos alegria, mas isso é negado pela miséria óbvia que é real em todas as coisas.

3. Quando rejeitamos a alegria e a unidade, e ficamos somente com a desintegração e a miséria, então descobrimos a natureza real das coisas. E, então, tomamos consciência de que, na verdade, a não existência é melhor do que a existência.

4. O indivíduo sábio, tendo chegado a esse conhecimento, comete suicídio. No fim de sua existência, na verdade, esse homem obteve a redenção, que consiste no livramento do caos e da miséria. Na realidade, desse modo tal indivíduo junta-se a Deus, que já está morto.

MAIORES OBRAS QUE CRISTO FEZ

João 14:12: *Em verdade, em verdade vos digo: Aquele que crê em mim, esse também fará as obras que eu faço, e as fará maiores do que estas; porque eu vou para o Pai;*

A Mais Notável Afirmação

1. A notável afirmação é introduzida pelo solene «Em verdade, em verdade». (Ver esse «amém» comentado em João 1:5 no NTI). O termo salienta a importância, a autoridade e a certeza daquilo que é afirmado em seguida.

2. Como é que os homens poderão operar obras maiores que aquelas realizadas pelo próprio Cristo?

a. Quanto a seu número. Mais serão suas obras que as dele, embora consideradas individualmente não possam ser maiores.

b. Geograficamente também serão maiores. Os discípulos de Jesus espalhariam suas obras entre todas as nações, ao passo que Jesus estava limitado a um minúsculo país (ver Mat. 28:19,20 e Atos 1:8).

c. Na colheita de uma grande safra espiritual. O número de pessoas convertidas durante o ministério de Jesus foi pequeno. O evangelismo de âmbito mundial traria uma vasta colheita que ultrapassaria enormemente à realização da missão terrena de Jesus.

d. Quase certamente há aqui alusão ao dom e ao ministério do Espírito, o alter ego de Jesus. Jesus, em seu alter ego, faria mais que Jesus encarnado.

e. A obra maior espera pela glorificação, quando os remidos participarão da imagem e da forma de vida do Cristo. (Ver no NTI notas completas em Rom. 8:29, bem como sobre os fatos notáveis, em Col. 3:10). A fruição de todas as obras terrenas terá lugar durante aqueles acontecimentos prodigiosos. A «parousia» estará envolvida nisso, e a glorificação seguir-se-á depois. Ver artigos separados sobre a *Parousia* e a *Glorificação*. Ora, os discípulos de Jesus estão preparando o caminho para essa realização!

Consideremos estas citações e idéias

Salientando o ministério da igreja cristã primitiva, que operava em uma esfera mais ampla que o do ministério do Senhor Jesus, disse Godet (*in loc.*): «Aquilo que foi realizado pelo apóstolo Pedro, no dia de Pentecoste, pelo apóstolo Paulo por todo o mundo, aquilo que é realizado por qualquer pregador ordinário, por qualquer crente isolado, e que traz o Espírito até o coração dos homens, não poderia ter sido feito por Jesus durante sua jornada neste mundo». Essa declaração é verídica até onde se estende. Porém, o sentido desse versículo certamente é muito mais profundo do que esse, segundo foi descrito acima.

A experiência humana, longe de comprovar as reivindicações de Cristo, aqui expostas, parece antes confirmar a observação do poeta Matthew Arnold, em seu poema *Rugby Chapel*:

••• •••

A maioria dos homens chega à beira do abismo
Aqui e ali—comem e bebem,
Conversam, amam e odeiam,
Colhem e dilapidam, são elevados
Ao alto, são lançados no pó.
Esforçando-se cegamente, realizam
Nada; e então morrem —
Perecem — e ninguém indaga
Quem ou o que foram eles,
Mais do que indaga quais ondas
Na solidão do luar,
No meio do oceano, se empolaram
Espumejaram por um momento, 'e desaparece-ram'.

••• •••

Nesse poema encontramos bela expressão da *futilidade* da existência humana, quando esta não tem desígnio e nem alvo. Não fora o princípio espiritual da vida eterna, esse poema faria uma excelente descrição da vida humana em geral. Entretanto, por causa da promessa radiosa em Cristo, a vida humana pode assumir um sentido imenso.

«Porquanto ele reservou para si mesmo apenas um cantinho, no qual pregou e operou milagres, e isso durante um breve período de tempo; ao passo que os apóstolos e os seus seguidores se propagaram pelo mundo inteiro». (*Lutero*).

«...obras maiores do que aquelas que ele realizou, não quanto ao grau, mas quanto à espécie: obras espirituais, sob a dispensação do Espírito Santo, que ainda não tinha vindo sobre eles. Porém, assim atuaram, não como indivíduos separados dele, mas nele e por ele, e dessa maneira (João 5:21), é declarado que ele é quem as realizava». (Alford, *in loc.*).

O motivo de todas essas grandiosas realizações dos discípulos de Cristo é que ele foi para junto do Pai, deixando entendidos os seguintes pontos: 1. o dom do Espírito Santo, que dessa maneira seria concedido aos homens, aquele mesmo Espírito que dava vigor e impulsionava as obras de Cristo. 2. Porque Cristo passou para o nível mais elevado da glória do Pai, entrando em um estado espiritual superior, e dali dota os seus seguidores, em conformidade com a vontade de Deus Pai.

MAISTRE, JOSEPH DE

Suas datas foram 1754—1821. Ele era um dos líderes dos emigrantes católicos franceses, em seus ataques contra a filosofia de Voltaire e de Rousseau. Exaltava o papado como o único princípio absoluto de ordem social. Ele defendia a utilidade social da guerra e da punição capital. Dava preferência às tradições e à intuição, e não à razão, como maneira de se tomar conhecimento das coisas. Argumentava que Deus não pode ser aquilatado pela razão humana. Somente em Deus encontramos autoridade, mas essa autoridade manifesta-se, por sua vontade, na Igreja. Deus é soberano, mas resolveu manifestar-se através do papa e do rei. Isso posto, o altar e o trono deveriam ser unificados. Fica assim justificada qualquer força que contribua para preservar essa união. O homem tem a obrigação de obedecer, ainda que o faça cegamente, e mesmo quando a obediência é contrária à sua natureza. Como estamos vendo, Maistre era um grande advogado do *status quo*, porquanto, acreditava que Deus está por detrás do arranjo das coisas como elas estão, o próprio autor desse arranjo da ordem vigente.

MAITREYA

Gautama Buddah predisse o aparecimento de um futuro Buddah, que ele chamou por esse nome. Logo, os budistas esperam que ele venha a ser uma grande figura messiânica, que propagará a doutrina, restaurará a sociedade de acordo com as normas budistas, e salvará todos os seres. Mas os budistas, em contraste com os cristãos, são pacientes. Está profetizado que *Maitreya* aparecerá na cena terrestre dentro de 5.670.000 anos!

Maitreya significa «benevolência». Ele também recebe o nome de *Ajita*, que significa «invencibilidade». As tradições budistas conferem-lhe um nascimento passado, na Índia. Nos templos budistas, ele é representado como um dos Quatro Guardiães Celestes, sendo uma figura gorda e sorridente, que acolhe a todos os adoradores. Em uma de suas mãos segura um rosário, cada uma das contas representando mil anos passados a realizar feitos misericordiosos, durante existências anteriores. Na outra mão ele segura uma sacola mística, que contém felicidade para todos os seres.

MAJESTADE

Essa palavra portuguesa vem do francês antigo, *majeste*, que se deriva do latim, *majestas*(tatis), termo esse que, por sua vez, está ligado a *majus*, o comparativo neutro de *magnus*, «grande». Portanto, essa palavra aponta para grandeza, grandiosidade, imponência.

1. *Aplicada a Deus*. O termo hebraico correspondente é *gaa*. Deus é grande em seus atos significativos (Isa. 2:10,19,21). Ele também é grande em sua supremacia real (Isa. 24:14; 12:5); e, finalmente, em sua *condição* de magnificência, o que já é expresso pelos termos hebraicos *hod* ou *hadar* (I Crô. 29:11; Sal. 96:6; 104:1; 145:5,12).

2. *Aplicada aos Homens*. O rei, como figura importante e exaltada, reveste-se de majestade, uma majestade derivada de Deus (I Crô. 29:25; Osé. 2:5; Sal. 45:3,4). Mas o homem, por haver sido criado um pouco menor do que os anjos, também se reveste dessa qualidade (Sal. 8:5).

3. *Aplicada às Coisas*. O nome divino é majestático (Sabedoria de Salomão 18:24). Simbolicamente, a mitra do sumo sacerdote de Israel tinha essa qualidade, por ter o nome divino inscrito na mesma, conforme se vê nessa mesma referência.

4. *No Novo Testamento*. O termo grego correspondente é *magalosúne*, que alude à majestade de Deus e até é um de seus nomes. Os milagres de Cristo revestiam-se dessa qualidade (Luc. 9:43), tal como sucedeu à sua transfiguração (II Ped. 1:16,17). Em sua *parousia*, ou segunda vinda, Cristo manifestará a majestade do Pai (ver I Tim. 6:15,16). Cristo exibe a dignidade dos homens que participam de sua glória (Heb. 2:6-9). Ele tornará uma realidade o magnificente reino messiânico (Mat. 22:42-45). Ele é exaltado por participar da natureza e do trono divinos (Fil. 2:9; Heb. 1:3,4).

MAL

Esboço:

1. Definições
2. Fatores a Serem Observados
3. Atitudes Acerca do Mal
4. Várias Descrições
5. O Problema do Mal

1. Definições. O mal moral é um equivalente quase idêntico ao **pecado**. Ver o artigo separado sobre o *Pecado*. Contudo, também devemos pensar no *mal natural*, isto é, as coisas más que acontecem à parte da intervenção da vontade pervertida dos homens, como os desastres naturais, as inundações, os incêndios, os terremotos, as enfermidades e, finalmente, o pior de todos os males, na opinião de muitos, a morte física. Os teólogos biblicamente orientados acreditam que o mal natural é resultante do mal moral. Sem dúvida essa é a mensagem do terceiro capítulo de Gênesis. Porém, é difícil ver como o pecado humano faz a crosta terrestre deslizar, provocando os abalos sísmicos, quando sabemos que há explicações naturais para esses acontecimentos. Os eruditos liberais pensam que a história da queda é apenas sugestiva de algumas verdades relacionadas ao mal, embora não uma explicação adequada do próprio mal, mesmo que consideremos apenas o mal natural. Muitos cientistas crêem na condição caótica natural da existência, pensando que é admirável que o homem consiga passar com tão poucas dificuldades em meio a esse caos. Em contraste com isso, na Bíblia, até mesmo Jó, que estava convencido de sua inocência, e com razão, no fim precisou humilhar-se diante da repreensão divina, que se aplica a todos os homens pecadores (Jó 42:1-6). Por outro lado, as suas tribulações são atribuídas, no começo do livro de Jó, a um teste a que o Senhor resolveu submetê-lo, e não por causa de alguma maldade pessoal em que ele tivesse incorrido. Todavia, se o pecado humano não é a causa direta do mal natural, Deus pode ter sujeitado a natureza a uma certa desordem, como uma medida punitiva. E um dos resultados da redenção, quando estiver completa, será precisamente a reversão dessa maldição contra a natureza. «...a própria criação será redimida do cativeiro da corrupção...» (Rom. 8:21). Não se pode duvidar que o pecado e o castigo, que podem assumir muitas formas, às quais ansiamos por chamar de acontecimentos funestos, estão interligados entre si. Ver Mat. 10:28; 23:33; Luc. 16:23; Rom. 2:6 e Apo. 20.

2. Fatores a Serem Observados. a. O pecado e o castigo estão interligados entre si, conforme vimos no fim do parágrafo anterior. b. Uma vez cancelado o pecado, pode ser removida a ameaça de castigo (Mar. 2:3 *ss*). Esse é um princípio reconhecido também pela religião hindu, no tocante a essa questão. c. O bem praticado também pode cancelar um castigo iminente merecido. O bem praticado pode encobrir uma multidão de pecados (Tia. 5:20). Isso é verdade porque a punição imposta ao pecado é remedial, e não apenas retributiva. Quando o amor já remediou a alma, não há mais necessidade de castigo adicional. d. A expiação e perdão de pecados são oferecidos na missão de Cristo, desse modo, a graça divina (que vede) cancela a punição eterna e, em muitos casos (mas não sempre) obvia a necessidade de punições temporais contra os erros praticados desde então. Ver Mat. 9:22; Mar. 6:56; Luc. 8:48; 17:19. Em muitos casos, para efeito de retribuição e purificação, o pecado é acompanhado por suas conseqüências temporais, mesmo quando o pecado é perdoado. Isso concorda com a lei da colheita segundo a semeadura (Gál. 6:7,8). e. O propósito dos sofrimentos é remedial, mesmo quando esse também é retributivo, como no hades (I Ped. 4:6; ver também Heb. 12:8, nessa conexão). f. A doutrina do juízo divino depende da maldade ou da retidão praticada por cada indivíduo (Apo. 20; Rom. 2:6). g. Deus não pode deixar a maldade passar despercebida. Algo precisa ser feito a respeito (Rom. 1:18). O salário do pecado é a morte (Rom. 6:23). h. A Bíblia declara a realidade do mal, fazendo contraposição à teoria que diz que o mal é apenas o bem mal aplicado, ou a privação do bem. Na verdade, e de acordo com a Bíblia, há uma maldade voluntária, aberta e maligna, que sempre foi uma maldição para a raça humana. O primeiro capítulo da epístola aos Romanos, com suas detalhadas descrições de uma longa lista de vícios humanos, está falando sobre um mal real, e não sobre a mera ausência do bem. Ver o artigo separado sobre os *Vícios*.

3. Atitudes Acerca do Mal. a. Já pudemos ver que a Bíblia apresenta o mal como algo real, franco e maligno. Porém, para o mal há um remédio, provido por Deus. b. *Schopenhauer* (que vede), em seu *pessimismo* (que vede) concordava com a versão bíblica, mas deixava de lado o remédio bíblico. Para ele, a primeira coisa ruim que uma pessoa fazia era nascer e a melhor coisa que ela poderia fazer era deixar de existir. Todavia, a existência tem uma vontade maligna para continuar vivendo, sendo a própria concretização da maldade e do caos. Para Schopenhauer o mal é algo final: sempre existirá e sempre será a força controladora de todas as coisas. c. Em contraste com ele, nos escritos de Orígenes e dos pais alexandrinos da Igreja, o mal, apesar de real, o que significa que precisa ser punido, será castigado de um modo remedial. Orígenes afirmava que fazer do castigo algo apenas retributivo é condescender diante de uma teologia inferior. Outrossim, a ira de Deus é um dos elementos constituintes de seu amor, realizando coisas como nenhum outro ato divino é capaz de fazer. O universalismo, de modo geral, e também Karl Barth, em particular, percebiam esse aspecto da questão sobre o mal e sua punição. O trecho de I Pedro 4:6 é um texto de prova razoável, em apoio a essa suposição. d. Alguns filósofos e teólogos, como *Tomás de Aquino*, têm defendido a idéia de que o mal é a ausência do bem, tal como as trevas são a ausência da luz. Talvez isso possa servir de explicação acerca de certos males, mas, há outros tipos de males que não podem ser descritos nesses termos. Por exemplo, é difícil perceber como um assassino em massa poderia estar envolvido em algo meramente passivo. Em atos assim há algo de terrivelmente maligno. e. O *dualismo*, como no zoroastrismo (que vede) propõe que há dois princípios distintos na existência, o bem e o mal. Esses dois princípios teriam sido temporariamente misturados, o que explicaria todos os nossos problemas humanos. Finalmente, porém, o bem haverá de triunfar, embora isso signifique apenas a *separação* entre as duas forças, e não o fim do mal. De acordo com esse sistema, uma nova invasão do mal no território do bem, é teoricamente possível. Assim, o mal seria eterno, formando um reino que não pode ser derrubado. A religião ensinada na Bíblia, por outra parte, é dualista somente em parte. Pois, Deus, finalmente, haverá de triunfar sobre o mal, extinguindo-o definitivamente.

4. Várias Descrições

O mal tem sido variegadamente descrito, conforme se vê nos dezesseis pontos abaixo:

a. O *verdadeiro dualismo*. Esse foi descrito acima, acerca do zoroastrismo. Segundo esse ponto de vista, o mal é real e permanente.

b. O *budismo* (que vede). O mal teria suas raízes nos desejos, a eliminação dos desejos produz a eliminação do mal.

c. *Sócrates* (que vede) equiparava o mal à ignorância, pensando que o conhecimento nos liberta do mal.

d. *Platão* (que vede) pensava sobre o mundo eterno (ver sobre os *Universais*) como um mundo constituído por seres ou entidades de perfeita justiça. Mas, no mundo dos particulares (nosso mundo físico), os seres físicos são imperfeitos, por serem apenas imitações do mundo real. A alma humana teria resolvido experimentar a matéria, após ter desenvolvido más tendências. Assim foi que teve lugar uma remota queda espiritual. Os pais alexandrinos da Igreja combinavam essa idéia com aquela da queda dos anjos, no Antigo Testamento, para chegarem à *queda* no pecado. Ver sobre a *Origem do Mal* e sobre a *Queda*.

e. *Crisipo* (que vede), o filósofo estóico, ensinava que as atitudes, os pensamentos e os atos contrários à Razão Universal (o Logos) produzem o mal. O mal, pois, consistiria na irracionalidade.

f. *Plotino* (que vede), o neoplatonista, localizava o mal na matéria, como um de seus componentes necessários. Assim, teríamos um dualismo dentro dos contrastes formados por **corpo-mente** — e por **matéria-espírita.**

g. *Agostinho* (que vede) promovia a idéia do *mal* como a *ausência do bem*. Essa é também uma perspectiva limitada quanto ao sentido e à natureza do bem e quanto aos propósitos da vida. Ele assumiu essa posição na tentativa de evitar acusar Deus de ser o autor do mal, visto ser ele encarado como soberano sobre todas as coisas. Ver sobre a *Teodicéia*, a defesa da justiça de Deus, apesar da existência do mal na criação divina.

h. *Avicena* (que vede) seguia Agostinho na suposição de que sempre há uma perspectiva mais lata, de onde o mal será visto como bem. Ele pensava que o mal reside no indivíduo, e não na espécie humana, negando assim o princípio do *pecado original* (que vede).

i. *Chang Tsai* (que vede) atribuía o mal ao desvio do **homem do meio-termo, no exercício de seu livre-arbítrio.**

j. No *panteísmo* (que vede; ver também o artigo sobre *Ramanuja*) é criado um problema, visto que todas as coisas são vistas como Deus. O panteísmo localiza o mal nas emanações mais distantes do fogo central, especificamente, na matéria.

l. *Leibniz* (que vede) distinguia três tipos de mal: o *mal físico* (os desastres naturais, as enfermidades e a morte); o *mal metafísico* (o desarranjo das essências superiores); e o *mal moral* (o mal que resulta das más escolhas dos homens).

m. *Schelling* (que vede) defendia a idéia de que o mal é um dos primeiros princípios do universo, e não algo derivado do bem, de alguma maneira, como uma perversão do mesmo.

n. *Rashdal* (que vede) representa aquele grupo de teólogos e filósofos que pensam que o mal começou porque o próprio Deus é limitado (finito) e não o pôde impedir. Em outras palavras, Deus também tem os seus problemas. É curioso que o mormonismo assume uma posição um tanto similar a essa.

o. *Berdyaev* (que vede) pensava que a liberdade degenerada é a origem do mal. Atualmente, muitas pessoas exigem liberdade, a fim de perverterem a si mesmos e a outras pessoas.

p. *Brightman* (que vede) afirmava que Deus é finito, razão pela qual o mal entrou no quadro, a despeito de sua oposição ao mesmo. A presença do mal provoca e define um bem — a saber, a tarefa remidora.

q. Alguns teólogos limitam a presciência de Deus e assim pensam que o mal entrou de surpresa no quadro, não fazendo parte do plano pré-ordenado de Deus.

5. O Problema do Mal. Ver o artigo separado sobre esse assunto, onde vários hiatos do presente artigo são preenchidos. Esse é um dos mais difíceis problemas dos filósofos e teólogos. Temos provido uma detalhada discussão a esse respeito.

MAL, ORIGEM DO Ver **Origem do Mal.**

MAL, PROBLEMA DO Ver sobre **Problema do Mal.**

MAL CÓSMICO, Participação no

A participação no mal cósmico. O pecado, nas páginas do N.T., é pintado como a participação na maldade cósmica, não se tratando de algo meramente humano. Envolve a lealdade ao reino das trevas e ao seu maligno dominador, Satanás. Trata-se de uma revolta ou rebelião, da parte de seres inteligentes, contra Deus. Portanto. trata-se de uma questão **seriíssima.** (Ver **I João 3:8** e as notas expositivas no NTI ali existentes, sobre esse conceito). O pecado, por conseguinte, é um poder que primeiramente engana e em seguida destrói os homens no tocante ao elevadíssimo destino que lhes cabe por direito, em Cristo. A cruz foi a intervenção divina na questão do pecado, mas também foi sua derrota definitiva, contanto que os homens aceitem sua vitória. Conquista os poderes cósmicos do mal (ver Col. 2:15) e estabelece a reconciliação universal, e não meramente humana (ver essa questão comentada em Col. 1:20 no NTI). Quanto a muitíssimos efeitos, terrenos e celestiais da *cruz*, ver o artigo a respeito. Quanto ao conceito da «lavagem do pecado», ver Sal. 51:2; Isa. 1:16,18; Eze. 36:25; Atos 22:16; Efé. 5:26; Tito 3:5.

Quanto à idéia da «soltura da prisão do pecado», ver Mat. 20:28; I Tim. 2:6; I Ped. 1:18; Heb. 9:12; Gál. 3:13; 4:5; Apo. 5:9 e 14:3,4.

Situação Local. O autor sagrado menciona a vitória dada pela cruz de Cristo a *fim de animar* àqueles crentes que eram perseguidos. No dizer de James Moffatt: «O profeta sente que a única esperança para os que são leais a Deus, neste período de testes, é termos a consciência de que devemos tudo ao amor remidor de Jesus. A fidelidade depende da fé, e a fé é fomentada não quando nos agarramos em nós mesmos, e, sim, em seu próprio objeto. Seguem-se misteriosas explicações da história, mas é a devoção apaixonada a Jesus, e não qualquer habilidade na exploração das profecias, que mostra a origem do heroísmo moral que aparece nas igrejas. Jesus se sacrificou por nós. 'A ele seja a glória'. Dessa confiança e admiração íntimas, que saltam ante a pessoa de Jesus e de sua graça, flui a lealdade dos crentes».

MALANDRAGEM

Indivíduos indisciplinados e sem ocupação fixa, prontos a se juntar a qualquer turbamulta (Atos 17:5).

MALAQUIAS (LIVRO)

No hebraico, «meu mensageiro». Na Septuaginta, *Malachías*. A Septuaginta dá a idéia de que essa palavra não indica um nome próprio, e, sim, um substantivo comum, «meu mensageiro». E muitos eruditos modernos preferem seguir a Septuaginta, embora sem razão. Pois o nome desse profeta foi, realmente, Malaquias, embora seu nome signifique «meu mensageiro».

Esboço:

1. Caracterização Geral
2. Unidade do Livro
3. Autoria
4. Data
5. Lugar de Origem
6. Destino e Razão do Livro
7. Propósito
8. Canonicidade
9. Estado do Texto
10. Teologia do Livro
11. Esboço do Conteúdo

1. Caracterização Geral

Juntamente com as profecias escritas de Ageu e de Zacarias, o livro de Malaquias reveste-se de grande importância por suprir-nos informações preciosas a respeito do período entre o retorno dos exilados judaítas à Terra Santa e o trabalho ali desenvolvido por Esdras e Neemias. Foi um período de reconstrução da nação de Judá, e as fontes informativas seculares a respeito são extremamente escassas, valorizando assim esses três livros proféticos como fontes informativas. Mas, além disso, temos nesses três livros informações de ordem religiosa e moral sobre o período, não nos devendo esquecer que esses três livros encerram um forte conteúdo apocalíptico, o que significa que seus autores não falavam somente para a sua própria geração, e, sim, também para a última geração, que haverá de testemunhar o retorno do Senhor Jesus, como o grande Rei.

Apesar da profecia de Malaquias não ser datada nos versículos iniciais, a exemplo de alguns outros livros dos profetas menores (aos quais ele pertence, posto em décimo segundo lugar, tanto no cânon hebreu quanto no cânon cristão do Antigo Testamento), é perfeitamente possível, com base no exame das evidências internas, localizar as atividades de Malaquias dentro do período do domínio persa sobre a Palestina. Isso transparece na menção que o trecho de Malaquias 1:8 faz ao *governador* civil persa (no hebraico, *pehah*), uma palavra que também se acha em Nee. 5:14 e Ageu 1:1. Como é óbvio, pois, o pano de fundo histórico desse livro de Malaquias é o do período pós-exílico, na Judéia. Contudo, o livro retrata condições religiosas e sociais que apontam para um período subseqüente ao de Ageu e Zacarias. O fato de que há menção a sacrifícios, que estavam sendo oferecidos no templo de Jerusalém, (ver Mal.

1:7-10 e 3:8), subentende não meramente que aquela sagrada estrutura havia sido finalmente completada, mas também que já estava de pé há algum tempo, nos dias em que Malaquias escreveu o seu livro. O cerimonial do templo já estava bem estabelecido, novamente (ver Mal. 1:10; 3:1,10), o que aponta para uma data posterior à de 515 A.C. E que Malaquias levantou a voz, em protesto contra os sacerdotes e o povo em geral, no século que se seguiu ao de Ageu e Zacarias, parece um fato altamente provável, diante da observação de que certo grau de lassidão e descuido havia penetrado na adoração cerimonial dos ex-exilados. Assim, os sacerdotes não estavam cumprindo as prescrições relacionadas à natureza e à qualidade dos animais que eram oferecidos em sacrifício (ver Mal. 1:8); e, pior ainda, estavam oferecendo pão poluído diante do Senhor, mostrando um grau ainda maior de indiferença para com as estipulações cúlticas da lei levítica. De fato, Malaquias repreendeu-os severamente por esses motivos, porquanto toda a atitude deles demonstrava que eles se tinham cansado dos procedimentos rituais vinculados à adoração judaica (ver Mal. 1:13).

Isso nos permite perceber que aquele entusiasmo inicial que deve ter assinalado a inauguração do segundo templo, nos dias de Malaquias já devia ter-se abrandado em muito, e, juntamente com o abatimento do zelo, aparecera também o abatimento moral, com o conseqüente afrouxamento da obediência às prescrições levíticas do culto. Essa negligência geral manifesta-se até mesmo no pagamento dos dízimos exigidos pelo Senhor (Mal. 3:8-10), tão importantes para a manutenção tanto do templo de Jerusalém quanto do seu sacerdócio, naquele período formativo e crucial do período pós-exílico.

Também se deve salientar que a maneira como Malaquias investiu contra a prática bastante generalizada dos casamentos mistos (casamentos entre judeus e estrangeiros, ver Mal. 2:10-16) sugere-nos o conservantismo tradicional da Tora mosaica (vide), e não a infração de uma legislação recente e em vigor, acerca da questão. A expressão usada por Malaquias, «adoradora de deus estranho» (Mal. 2:11), significa mulher que seguia alguma religião estrangeira. Isso significa, em face da generalização do costume desses casamentos mistos, que os ideais hebreus (que olhavam com desfavor e suspeita essas uniões mistas) haviam sido abandonados nos dias do profeta. E, visto que Malaquias não lançou mão de qualquer regulamentação específica sobre a questão, pode-se concluir, com razoável dose de segurança, que os seus oráculos proféticos foram entregues antes de 444 A.C. Pois foi naquele ano que Neemias legislou acerca desse problema particular, já em seu segundo termo no ofício de governador. Portanto, o pano de fundo histórico do livro de Malaquias ajusta-se entre os períodos extremos das atividades de Ageu e Zacarias, por uma parte, e as atividades de Esdras e Neemias, por outra parte. Calcula-se que cerca de setenta e cinco anos se passaram entre esses dois pontos extremos.

2. Unidade do Livro

O livro de Malaquias consiste em seis seções, cada qual correspondente a um oráculo (ver sobre o *Esboço do Conteúdo*). Esses segmentos podem ser facilmente distinguidos. Tais divisões naturais do livro refletem um pano de fundo histórico muito bem delineado, abordando, de maneira uniforme, os problemas inter-relacionados. A série de perguntas e respostas, existente dentro do livro, como é óbvio, foi arranjada de maneira tal que é suavemente transmitida a mensagem do profeta acerca do julgamento divino e das bênçãos prometidas pelo Senhor, quanto ao futuro. Por isso mesmo, o livro exibe todas as marcas de ter tido um único autor.

A única questão série e pendente sobre o problema da unidade e da integridade do livro de Malaquias, de conformidade com alguns estudiosos, gira em torno das suas palavras finais (ver Mal. 4:4-6), que, talvez, façam-parte integrante do sexto oráculo, e não uma espécie de conclusão separada do mesmo.

Alguns eruditos opinam que a referência a Elias constitui uma adição posterior, feita pelo editor da coletânea dos profetas menores, que acreditava que, com o término da profecia (segundo ele pensava), mais do que nunca se tornava necessário observar os preceitos da lei, como uma medida preliminar para o advento do arauto divino. Mas, apesar dessa opinião ter certos pontos a seu favor, entre os quais se destaca a atitude dos sectários de Qumran para com a profecia e a lei, ela não é passível de ser objetivamente demonstrada, pelo que tem sido rejeitada pela maioria dos estudiosos.

3. Autoria

Tradicionalmente, o último dos doze livros dos profetas menores é atribuído a um indivíduo de nome Malaquias, com base em Mal. 1:1. Mas, conforme já dissemos no primeiro ponto, *Caracterização Geral*, consideráveis debates têm surgido entre os estudiosos se *Malaquias* deve ser considerado ou não como um nome próprio ou apenas como um substantivo comum, com o sentido de «meu mensageiro». E o que deu azo a isso é que a Septuaginta toma aquela palavra hebraica não como um nome próprio, mas apenas como um substantivo comum. Porém, se seguirmos o costume de todos os profetas escritores, que nunca escreveram obras anônimas, mas sempre em seus próprios nomes, então também teremos de concluir que «Malaquias» deve ser o nome de um homem que, realmente, viveu em torno de 450 A.C. Ver a quarta seção, *Data*, abaixo.

Mas, que desde a antiguidade tem havido alguma dúvida sobre a autoria desse último dos livros dos profetas menores, torna-se evidente pelo Targum de Jônatas ben Uziel, que adicionou uma glosa explicativa ao nome «Malaquias», como segue: «cujo nome é Esdras, o escriba», em Mal. 1:1. Porém, a despeito do fato de que essa tradição foi aceita por Jerônimo, na verdade ela não é mais válida do que tradições similares, associadas a Neemias e Zorobabel. Assim, apesar de quiçá haver alguma base para pensarmos nesse livro de Malaquias como uma composição anônima, ninguém pode afirmar, com absoluta certeza, de que assim aconteceu, na realidade. Seja como for, até mesmo os modernos eruditos liberais têm achado conveniente referir-se ao autor do último livro do Antigo Testamento pelo nome de «Malaquias». Se eliminarmos as demais considerações, basta esse fato para debilitar muito seriamente qualquer argumento que defenda o anonimato do livro de Malaquias.

4. Data

As evidências internas apontam claramente para o período pós-exílico como o tempo em que Malaquias proclamou os seus oráculos. Não obstante, as condições sociais e religiosas que transparecem no livro indicam que ele profetizou algum tempo depois que fora reconstruído o segundo templo de Jerusalém. E a ausência de qualquer referência ao trabalho efetuado por Esdras e Neemias entre os judeus que tinham voltado da servidão na Babilônia, parece indicar uma data anterior às reformas religiosas, efetuadas em 444 A.C. Por motivo dessas várias considerações, a maioria dos intérpretes postula um tempo de composição em torno de 450 A.C., que se mostra coerente com as evidências internas do próprio livro. Não há razão alguma para supormos que qualquer intervalo de tempo mais dilatado tenha-se passado entre a entrega oral das profecias de Malaquias e o tempo em que elas foram reduzidas à forma escrita. De fato, é impossível datar precisamente a composição do livro, por falta de declarações cronológicas nele, mas, levando-se em conta o fato de que Malaquias condenou abusos que eram correntes na época em que Neemias procurou corrigi-los, capacita-nos a asseverar que o livro de Malaquias deve ter sido escrito durante o tempo da visita de Neemias a Susa. Ver Nee. 13:6.

5. Lugar de Origem

Se aceitarmos uma data em meados do século V A.C. para a composição do livro de Malaquias, então, parecerá patente que os oráculos de Malaquias tiveram lugar na própria cidade de Jerusalém. Com base no íntimo conhecimento que esse profeta mostrou possuir acerca dos abusos que se estavam cometendo, dentro do culto religioso em Jerusalém, parece que ele foi testemunha ocular dos mesmos. O culto, em Judá, estava sofrendo sob as sombrias condições que imperaram na província da Judéia, antes de ter início o trabalho reformador de Esdras e Neemias.

6. Destino e Razão do Livro

Visto que o objetivo primário de Malaquias era obter a reforma das condições sociais e religiosas de sua nação, levando os judaítas a prestarem um serviço religioso a Deus, digno do nome, de acordo com as condições do pacto mosaico com eles estabelecido, por isso mesmo os seus oráculos dirigiam-se à população local, em meio à qual ele residia. Os membros leigos da teocracia haviam sucumbido, em grande escala, à indiferença, ao ceticismo, à falta de zelo, ao mesmo tempo em que indivíduos menos responsáveis haviam caído a um nível tão baixo a ponto de escarnecerem do culto com suas atitudes lassas (ver Mal. 1:14 e 3:7-12). Os casamentos mistos com mulheres pagãs também contribuíam para a criação desse clima de indiferença, paralelamente à indulgência diante de ritos religiosos pagãos. Isso tudo resultou que o adultério, o perjúrio e a opressão aos pobres tornaram-se generalizados (ver Mal. 3:5).

Malaquias castigou, igualmente, aos sacerdotes de Jerusalém, acusando-os de se terem enfadado diante de seus deveres religiosos, além de se mostrarem indiferentes para com seus deveres de mordomia das finanças do templo. Tudo contribuía, por conseguinte, para manter um clima em que os preceitos da lei do Senhor eram passados para trás com grande facilidade, como se tudo fosse a coisa mais natural. E a casa de Deus e o altar de Deus iam caindo cada vez mais em opróbrio. Diante desse triste espetáculo de desmazelo, exemplificado pela classe sacerdotal, era apenas natural que o povo começasse a mostrar uma mão sovina, e os dízimos devido ao Senhor começaram a ser pecaminosamente retidos, aumentando ainda mais o estado de penúria e abandono a que estava relegada toda adoração ao Senhor. Dessa desonestidade quanto aos dízimos, Malaquias queixa-se em termos claríssimos e candentes: «Roubará o homem a Deus? Todavia vós me roubais, e dizeis: Em que te roubamos? Nos dízimos e nas ofertas. Com maldição sois amaldiçoados, porque a mim me roubais, vós, a nação toda. Trazei todos os dízimos à casa do tesouro, para que haja mantimento na minha casa, e provai-me nisto, diz o Senhor dos Exércitos, se eu não vos abrir as janelas do céu, e não derramar sobre vós bençãos sem medida» (Mal. 3:8-10). Destarte, Malaquias reverbera o mesmo tema que se vinha reiterando desde Deuteronômio, de que a bênção divina, sobre o seu povo escolhido do passado, estava condicionada à obediência deles, e, em caso contrário, eles só poderiam esperar castigo. Mas, se viessem a incorrer em lapso, e, então, se arrependessem de suas atitudes e ações, o Senhor renovaria, uma vez mais, as suas bênçãos.

7. Propósito

O profeta Malaquias parece ter-se preocupado tanto quanto os profetas Ageu e Miquéias, acerca da deterioração da espiritualidade dos exilados repatriados. Apesar de Malaquias não estar em posição de despertar o entusiasmo, acerca da construção de algum símbolo visível da presença divina entre o seu povo, como estiveram aqueles outros dois profetas, ainda assim ele foi capaz de apontar, de dedo em riste, para o centro da enfermidade espiritual que havia afetado os habitantes da Judéia. O seu grande propósito consistia em restaurar a comunhão dos judaítas com o Senhor. E isso ele procurava fazer indicando, diante dos seus contemporâneos, as causas do declínio espiritual deles, e mostrando-lhes, ato contínuo, quais os degraus pelos quais eles deveriam subir, até que a vida espiritual da comunidade judaica pudesse ser revigorada.

Tendo plena consciência do fato de que aqueles elementos deletérios que haviam precipitado a catástrofe do exílio babilônico, em 597 A.C., ainda estavam bem presentes na ordem social de sua época, Malaquias esforçava-se deveras por instruir aos seus conterrâneos as lições ensinadas pela história, guiando-os a um estado de espiritualidade mais profunda. Para ele, esse era o remédio precípuo para as perigosas condições morais, religiosas e espirituais em que se encontravam os habitantes da Judéia, nos seus dias. À semelhança de Ageu, que falara antes dele cerca de um século, a preocupação dominante de Malaquias era que os judeus reconhecessem as prioridades espirituais. Se isso fosse conseguido, então as caóticas condições vigentes sofreriam uma reversão. «Por vossa causa (então) repreenderei o devorador, para que não vos consuma o fruto da terra; a vossa vida no campo não será estéril, diz o Senhor dos Exércitos. Todas as nações vos chamarão felizes, porque vós sereis uma terra deleitosa, diz o Senhor dos Exércitos» (Mal. 3:11,12). Sim, se houvesse correção dos abusos, então haveria tanto prosperidade material, quanto felicidade individual, e boa fama entre as nações estrangeiras.

8. Canonicidade

O livro do profeta Malaquias, arrumado em último lugar dentro da coletânea dos chamados «doze profetas menores», nunca teve a sua canonicidade seriamente ameaçada em tempo algum, nem entre os judeus e nem no seio da Igreja cristã. A despeito do livro ser considerado por alguns como uma obra anônima (ver sobre o terceiro ponto, *Autoria*, acima), isso em nada atingiu a sua canonicidade. Todavia, cabe-nos aqui ressaltar que muitos estudiosos, em várias épocas, têm pensado que a obra, originalmente, fazia parte do volume das profecias de Zacarias, mas que, de alguma maneira, essa obra acabou assumindo um caráter de independência, com o nome de «Malaquias». No entanto, certa diferença fundamental, atinente ao pano de fundo histórico dos livros de Zacarias e de Malaquias, exclui inteiramente tal possibilidade. E, embora possa ter havido alguma dúvida quanto ao nome «Malaquias», como um nome próprio, ou como um simples substantivo comum, que teria o sentido de «meu mensageiro» (conforme já tivemos ocasião de comentar), nunca houve qualquer objeção, da parte dos judeus, acerca da própria canonicidade do livro. Ver também o artigo intitulado *Cânon do Antigo Testamento*.

9. Estado do Texto

Considerando-se o livro de Malaquias como um todo, o texto hebraico da obra tem sido transmitido através dos séculos em boas condições de preservação. Tão-somente existem algumas ligeiras corrupções textuais. No entanto, nesses poucos casos, a versão da Septuaginta (vide) serve de prestimoso auxílio na tentativa dos estudiosos da crítica textual restaurarem o texto do livro de Malaquias. Essa versão do Antigo Testamento para o grego inclui alguma palavra extra ocasional que pode ter sido deslocada do texto hebraico original. Esse fenômeno pode ser averiguado em trechos como Mal. 1:6; 2:2,3 e 3:5. Todavia, é preciso ajuntar aqui que a tradição textual da Septuaginta não é assim tão digna de confiança, quando se trata de emendar o texto hebraico do livro de Malaquias, pois alguns poucos manuscritos da Septuaginta omitiram o texto hebraico do livro em Mal. 3:21.

Um detalhe curioso quanto a isso é que o livro de Malaquias, na Septuaginta, tem apenas três capítulos. Aquilo que a nossa versão portuguesa imprime como Malaquias 4:1-6, a Septuaginta não separa do terceiro capítulo do livro, e apresenta como Malaquias 3:19-24. Entretanto, isso em nada altera o conteúdo do livro.

10. Teologia do Livro

A espiritualidade refletida no livro de Malaquias assemelha-se muito àquela que transparece nos livros dos profetas dos séculos VIII e VII A.C., isto é, Joel, Amós, Oséias, Isaías, Miquéias, Naum, Sofonias, Jeremias e Habacuque. Malaquias reconhece a soberania absoluta do Deus de Israel, bem como o que está implicado nas relações do pacto com Deus, tendo em mira o desenvolvimento e o bem-estar da comunidade teocrática que voltou do exílio babilônico. Somente o cometimento pessoal às reivindicações justas de Deus poderia assegurar a bênção e a tranqüilidade para a nação e para cada indivíduo. Se, juntamente com Ezequiel, Malaquias dá considerável importância ao correto proceder no campo da adoração ritual, como meio seguro de preservar uma nação pura e santa, por outra parte, ele nunca tentou substituir um coração obediente por meras cerimônias. O verdadeiro serviço que o homem deve prestar a Deus inclui a retidão moral, a justiça e a misericórdia, e isso paralelamente a corretas formas rituais.

Igualmente importante, na teologia expressa no livro de Malaquias, é a sua insistência sobre o fato de que o primeiro passo na direção de uma apropriada relação espiritual com Deus é o *arrependimento*, embora ele mesmo não tenha usado nenhum dos vocábulos hebraicos que são assim traduzidos no Antigo Testamento, a não ser *shub*, por três vezes (3:7,18). Mas, a idéia de arrependimento, de voltar-se para Deus de todo o coração, transparece continuamente no livro de Malaquias. Ver o artigo sobre *Arrependimento*, no tocante às palavras correspondentes no hebraico.

Devido às muitas objeções que tinham sido levantadas contra a abordagem tradicional ao problema do mal, Malaquias sentiu ser necessário enfatizar o fato de que a iniqüidade jamais haveria de passar sem punição, posto que o castigo divino fosse sendo postergado, devido à entranhável misericórdia de Deus. O Senhor, pois, continha-se, não descarregando imediatamente a sua ira. É o que diz, por exemplo, em Mal. 3:6: «Porque eu, o Senhor, não mudo; por isso vós, ó filhos de Jacó, não sois consumidos».

No tocante aos ensinos escatológicos, Malaquias segue bem de perto os pensamentos de Amós e Sofonias, ao esboçar as condições que haveriam de imperar durante «o dia do Senhor». Para Malaquias, esse dia é *insuportável*: «Mas quem pode suportar o dia da sua vinda? e quem subsistir quando ele aparecer? (Mal. 3:2). Esse dia também é *consumidor*: «...Porque ele (o dia da sua vinda) é como o fogo do ourives e como a potassa dos lavandeiros» (Mal. 3:2b). Esse dia é *purificador*: «Assentar-se-á como derretedor e purificador de prata; purificará os filhos de Levi e os refinará como ouro e como prata». (Mal. 3:3). Esse dia também é *seletivo*: «Eles serão para mim particular tesouro naquele dia que prepararei... Então vereis outra vez a diferença entre o justo e o perverso, entre o que serve a Deus e o que não o serve» (Mal. 3:17,18). Esse dia é dia de *julgamento*: «Pois eis que vem o dia, e arde como fornalha; todos os soberbos, e todos os que cometem perversidade, serão como o restelho; o dia que vem os abrasará, diz o Senhor dos Exércitos, de sorte que não lhes deixará nem raiz nem ramo» (Mal. 4:1). Aquele é um dia de *vitória* para os que temem ao Senhor: «Pisareis os perversos, porque se farão cinzas debaixo das plantas de vossos pés, naquele dia que prepararei, diz o Senhor dos Exércitos» (4:3). Aquele é um dia *memorável* e *espantoso*, dentro da teologia de Malaquias: «Eis que eu vos enviarei o profeta Elias, antes que venha o grande e terrível dia do Senhor» (Mal. 4:5). É muito apropriado que o livro de Malaquias, o último livro profético do Antigo Testamento, tenha voltado a vista tão decidida e insistentemente para o *dia* do Senhor dos Exércitos. Toda a literatura apocalíptica da Bíblia — Antigo e Novo Testamentos — confirma essa propriedade!

O «dia do Senhor», ao contrário do que andavam pregando os falsos profetas, no dizer de Malaquias será um tempo de calamidade, e não de bênçãos. Pois será, então, que pecadores auto-iludidos haverão de ser castigados por haverem violado o pacto com o Senhor e abusado de sua misericórdia e longanimidade!

É grato observarmos que Malaquias introduziu um tema original, sem igual em todo o Antigo Testamento, a saber, um livro de memórias de Deus, onde os atos dos justos ficam eternamente registrados. Isso transparece em Mal. 3:16: «Então os que temiam ao Senhor falavam uns aos outros; o Senhor atentava e ouvia; havia um memorial escrito diante dele para os que temem ao Senhor, e para os que se lembram do seu nome». A impressão que se tem é que a fé tornar-se-á tão rara, a justiça andará tão escassa entre os homens, que Deus considerará os justos dos tempos do fim uma autêntica preciosidade, chegando a mostrar-se atento aos diálogos entre eles e anotando por escrito todos os seus atos de justiça. Com essa idéia devemos comparar o que disse o Senhor Jesus, em certa oportunidade: «Contudo, quando vier o Filho do homem, achará porventura fé na terra?» (Luc. 18:8). E é notável que ele tenha proferido essas palavras, tão esclarecedoras sobre as injustiças que prevalecerão no tempo do fim, após ter contado a não menos esclarecedora parábola do juiz iníquo. Em termos absolutos, durante o «dia do Senhor», haverá a maior colheita de almas de todos os tempos, segundo se pode depreender de Apocalipse 7:4-9. Nessa passagem do último livro da Bíblia fala-se sobre os cento e quarenta e quatro mil israelitas salvos durante a Grande Tribulação e de «grande multidão, que ninguém podia enumerar, de todas as nações, tribos, povos e línguas, diante do trono e diante do Cordeiro, vestidos de vestiduras brancas, com palmas nas mãos...» Mas, em termos relativos, o número dos que temerão a Deus será diminuto. Pois a humanidade inteira estará seguindo ao anticristo, com a única exceção daqueles cujos nomes estão escritos no livro da vida. Ver Apo. 13:8. É evidente que Malaquias não tinha em vista todo esse dantesco quadro escatológico, mas também não se deve duvidar de que o Apocalipse mostra-nos um desdobramento de tudo quanto a Bíblia dissera anteriormente sobre o «dia do Senhor»; e, com toda a certeza, nesse desdobramento temos de incluir a contribuição de Malaquias para as idéias escatológicas. De fato, Malaquias é citado por duas vezes no livro de Apocalipse, segundo se vê na lista seguinte: em Apo. 6:17 (Mal. 3:2); e em Apo. 11:3 *ss* (Mal. 4:5, no tocante a Elias, que muitos pensam que será uma das duas testemunhas do fim). No primeiro desses dois casos temos uma citação bastante direta, alusiva ao caráter consumidor e insuportável do «dia do Senhor». Já o segundo caso é mais problemático. Todavia, é inegável que o livro de Malaquias contém uma preocupação escatológica muito grande, conforme vimos acima.

O desenvolvimento da idéia do «dia do Senhor», tomando-se por base o que Malaquias tinha a dizer a respeito, tornou-se importante na doutrina da vida além-túmulo, tão bem desenvolvida no Novo Testamento, embora de forma alguma desconhecida no Antigo Testamento, mormente nos livros poéticos e proféticos.

Outra ênfase característica de Malaquias é aquela sobre a personagem de um «precursor», que anunciaria a vinda do Senhor, ao tempo do julgamento final. Visto que esse indivíduo é identificado com um Elias redivivo (cf. II Reis 2:11), parece provável que esse precursor é concebido por Malaquias como uma figura profética que haveria de oferecer, a um povo desobediente, uma última oportunidade de arrepender-se, antes da eclosão do julgamento divino. Não podemos olvidar que nosso Senhor, Jesus Cristo, considerou essa profecia de Malaquias como predição que encontrou cumprimento na pessoa e na obra de João Batista (ver Mar. 9:11-13); e também que a Igreja primitiva via o cumprimento dessa predição de Malaquias na relação entre o trabalho desenvolvido por João Batista e aquele do Senhor Jesus (ver Mar. 1:2; Luc. 1:17). No entanto, muitos eruditos têm opinado que a profecia de Malaquias a respeito de Elias não se consumou no ministério de João Batista, mas que só encontrará seu cabal cumprimento na pessoa de uma das testemunhas do Apocalipse (cap. 11). Essa não é uma questão tão sem importância como alguns têm dito, porquanto há muita coisa que depende da correta compreensão dessas predições para o fim. Aqueles que pensam que Elias voltará uma terceira vez (a segunda teria sido no caso de João Batista), ainda que não sob a forma de reencarnação, mas apenas como atuação espiritual, apontam para o fato de que Malaquias diz: «...enviarei o profeta Elias, antes que venha o grande e terrível dia do Senhor» (Mal. 4:5). No entanto, visto que o ministério de João Batista ocorreu entre os dias de Malaquias e a segunda vinda do Senhor Jesus, outros pensam que a obra do precursor de Jesus Cristo esgotou aquela predição de Malaquias. Esses têm como seu argumento definitivo outra declaração do Senhor Jesus, em Mar. 9:13: «Eu, porém, vos digo que Elias já veio, e fizeram com ele tudo o que quiseram, como a seu respeito está escrito». Ao que parece, só os próprios acontecimentos apocalípticos do fim poderão esclarecer essa dúvida!

11. Esboço do Conteúdo

A profecia de Malaquias pode ser analisada em esboço, como segue:

a. Título (1:1)
b. Primeiro Oráculo (1:2-5)
c. Segundo Oráculo, em forma de diálogo (1:6—2:9)
d. Terceiro Oráculo (2:10-16)
e. Quarto Oráculo (2:17—3:5)
f. Quinto Oráculo (3:6-12)
g. Sexto Oráculo (3:13—4:3)
h. Conclusão (4:4-6)

Passaremos a comentar, de modo abreviado, sobre esses seis oráculos e sobre a conclusão do livro de Malaquias:

Primeiro Oráculo — Esse oráculo segue o pensamento do profeta Oséias, reafirmando seus protestos do amor divino pelo povo escolhido do Senhor. Assim, embora as condições econômicas dos exilados judeus repatriados estivessem longe de ser ideais, quando Malaquias escreveu, os seculares adversários de Israel—os edomitas—haviam exultado diante da queda de Jerusalém (ver Sal. 137:7). Mas, a verdade é que Edom sofrera um desastre muito maior que o de Israel. E, em comparação com o juízo divino contra Edom, eram bem evidentes as bênçãos do amor divino por Israel. Essa idéia transparece claramente nas palavras de Malaquias: «...amei a Jacó, porém, aborreci a Esaú...» (Mal. 1:2,3). Visto que Jacó dentro dessa linguagem metafórica, representa os escolhidos, e que Esaú representa os rejeitados, encontramos aí um princípio básico—o princípio da eleição. Ver Rom. 9:10-13. Portanto, que Israel se regozijasse nesse seu grande privilégio de um imorredouro amor divino!

Segundo Oráculo — Encontramos nesse segmento do livro de Malaquias um interessantíssimo diálogo usado para denunciar a hierarquia sacerdotal, devido ao seu fracasso em fornecer o tipo de liderança moral, religiosa e espiritual que a nação restaurada de Judá precisava, a fim de que tivessem sido evitados os males que agora a afligiam. Longe de honrarem a Deus, no desempenho fiel e zeloso de seus deveres sacerdotais, aqueles sacerdotes tinham-se mostrado indiferentes, e até mesmo zombeteiros, no desempenho de seus deveres. Dessa maneira, eles profanavam o altar do Senhor. No diálogo deles com o Senhor, os sacerdotes indagavam: «Em que te havemos profanado» E o Senhor respondeu: «Nisto, que pensais: A mesa do Senhor é desprezível». Chegavam a oferecer animais que não julgariam dignos de ser presenteados ao governador persa. Isso posto, o culto cerimonial, prestado ao Senhor, era desvalorizado, em relação aos holocaustos oferecidos pelos pagãos, cujas regras de propriedade eram muito mais exigentes. Assim, se o sacerdócio levítico anterior ao exílio havia exibido certa integridade espiritual, seus sucessores pós-exílicos corriam o perigo de cair no desagrado do Senhor, imitando seus antepassados, de pouco tempo antes do exílio babilônico. O ideal do sacerdócio é expresso em Mal. 2:6,7: «A verdadeira instrução esteve na sua (de Levi; ver o vs. 4) boca, e a injustiça não se achou nos seus lábios; andou comigo em paz e em retidão, e da iniqüidade apartou a muitos. Porque os lábios do sacerdote devem guardar o conhecimento, e da sua boca devem os homens procurar a instrução, porque ele é mensageiro do Senhor dos Exércitos». Como estamos vendo, um sacerdote deveria ser qual um evangelista. No entanto, a grande fraqueza dos sacerdotes levíticos do Antigo Testamento consistia no fato de que eles não levavam a sério essa função evangelística, mas pensavam que lhes bastava ocuparem-se das suas funções rituais!

Terceiro Oráculo — Um dos motivos mais fortes da não aceitação da adoração cerimonial dos judeus, por parte do Senhor Deus, consistia na infidelidade conjugal deles. Visto que os judeus repatriados não davam grande importância às injunções levíticas e às implicações da vida comunitária, dentro da aliança com Deus, por isso mesmo, nessa frouxidão, não pensavam ser importante manter fidelidade às mulheres legítimas com quem se tinham casado na mocidade. Pelo contrário, «repudiavam» suas esposas judias e procuravam esposas estrangeiras. Isso, naturalmente, importava na degradação da família e do lar, com graves conseqüências para os filhos e para a sociedade como um todo. Aliás, em todos os séculos e em todos os países, sempre que a família é devidamente honrada, a sociedade e a moralidade vão bem. A nossa própria época se assemelha àqueles dias de Malaquias, onde os casais se juntam frouxamente, sem qualquer senso de responsabilidade de um para com o outro, e de ambos para com os possíveis filhos. Estamos na época das «amizades coloridas», em que um homem e uma mulher passam a morar juntos como se tudo não passasse de uma experiência que pode ser repetida com outros companheiros ou companheiras. Esse tipo de leviandade no matrimônio é o ponto visado nesse terceiro oráculo de Malaquias. E isso, incidentalmente, mostra-nos que o «dia do Senhor» não anda longe. Essa concentração dos pensamentos no sexo, sem um conseqüente senso de responsabilidade, é um dos sinais que advertem aos atentos acerca da proximidade da volta do Senhor. Jesus mesmo ensinou isso: «Assim como foi nos dias de Noé, será também nos dias do Filho do homem: Comiam, bebiam, casavam e davam-se em casamento, até o dia em que Noé entrou na arca, e veio o dilúvio e destruiu a todos... Assim será no dia em que o Filho do homem se manifestar» (Luc. 17:26,27,30). Essa história se repete todas as vezes em que Deus está às vésperas de fazer decisiva intervenção nas atividades humanas, a fim de estancar os abusos!

Malaquias, pois, deixou claro que tal tipo de pecado certamente não ficaria sem a devida punição. «O Senhor eliminará das tendas de Jacó o homem que fizer tal, seja quem for...» (Mal. 2:12). De nada adiantava o povo mostrar-se religioso e piegas, cobrindo de lágrimas, de choro e de gemidos «o altar do Senhor» (vs. 13), enquanto estivessem andando em infidelidade conjugal!

Quarto Oráculo — Esse quarto segmento principal do livro de Malaquias fala sobre a intervenção divina a fim de julgar. Por assim dizer, Deus se cansara da queixa popular comum que dizia que, por não fazer ele intervenção, estaria aprovando a iniqüidade dos ímpios. Tornara-se comum os judeus comentarem uns para os outros: «Qualquer um que faz o mal passa por bom aos olhos do Senhor, e desses é que ele se agrada». E também: «Onde está o Deus do juízo?» Isso constituía uma grande maldade, quase um desafio para que Deus se manifestasse. A resposta de Malaquias é que Deus, por ser justo, haveria de sobrevir subitamente à nação de Judá, — com julgamento. E a prova disso é que ali estava ele, Malaquias, o mensageiro do Senhor, a dar aviso. «Eis que eu envio o meu mensageiro, que preparará o caminho diante de mim; de repente virá ao seu templo o Senhor, a quem vós buscais, o Anjo da aliança a quem vós desejais; eis que ele vem, diz o Senhor dos Exércitos».

O propósito dessa intervenção divina, pois, seria o de separar os fiéis dentre os ímpios. E o sacerdócio que atuava no templo seria o primeiro a sentir o rigor do julgamento divino: «...purificará os filhos de Levi, e os refinará como ouro e como prata...» Feito isso, o Senhor voltar-se-ia para as massas populares, com igual rigor, brandindo o látego contra todos os abusadores. «Chegar-me-ei a vós outros para juízo; serei testemunha veloz contra os feiticeiros, contra os adúlteros, contra os que juram falsamente, contra os que defraudam o salário do jornaleiro e oprimem a viúva e o órfão, e torcem o direito do estrangeiro, e não me temem, diz o Senhor dos Exércitos». Tudo isso não parece uma descrição de nossos próprios dias? Portanto, cuidado! A história se repete!

Somente depois de toda essa intervenção purificadora, insiste Malaquias, é que seria agradável ao Senhor «...a oferta de Judá e de Jerusalém... como nos dias antigos, e como nos primeiros anos» (vs. 4).

Quinto Oráculo – Nessa porção de sua mensagem, Malaquias faz cair completamente sobre os ombros de seu povo a responsabilidade por toda a situação caótica que estava imperando na nação. A coerência de Deus proibia que ele mudasse de atitude (adversa) para com eles, sem uma boa razão. Se os judeus haviam mudado em alguma coisa, haviam mudado para pior. «Desde os dias de vossos pais vos desviastes dos meus estatutos, e não os guardastes...» A solução para essa atitude rebelde, pois, é dada logo em seguida: «...tornai-vos para mim, e eu me tornarei para vós outros, diz o Senhor dos Exércitos». No entanto, eles se faziam de mal-entendidos: «Em que havemos de nos tornar?» Nessa teimosia, pois, eles haviam chegado ao extremo de *roubar a Deus*, negando os dízimos devidos à casa do Senhor!

Somente quando essa deficiência econômica fosse corrigida, os judeus poderiam esperar prosperidade material. Se obedecessem quanto a esse aspecto pecuniário, o Senhor faria intervenção favorável às suas plantações, repreendendo aos gafanhotos e outras pragas («repreenderei o devorador»), ao ponto de causarem os judeus inveja aos povos vizinhos (vs. 12)!

Sexto Oráculo — Esse último oráculo de Malaquias aborda, uma vez mais, o grave problema da maldade da vida humana. Esse tema já havia sido ventilado em Mal. 2:7. Os membros devotos da teocracia, perplexos diante do fato de que indivíduos arrogantes e incrédulos, na sua própria nação, pareciam prosperar mais do que seus compatriotas piedosos, aparentemente sem sofrerem qualquer repreensão da parte do Senhor, estavam começando a questionar se valia a pena viver em obediência aos mandamentos de Deus. Essa queixa aparece em Mal. 3:14,15: «Vós dizeis: Inútil é servir a Deus; que nos aproveitou termos cuidado em guardar os seus preceitos, e em andar de luto diante do Senhor dos Exércitos! Ora, pois, nós reputamos por felizes os soberbos; também os que cometem impiedade prosperam, sim, eles tentam ao Senhor, e escapam». Em resposta a tão amargo e injusto queixume, o profeta Malaquias mostra que Deus tomava nota dos piedosos, daqueles que «temiam ao Senhor». Dessa maneira, quando raiasse o dia do julgamento divino, o Senhor haveria de lembrar-se da vida virtuosa dos fiéis e tementes, deixando claro que aqueles que O servem com fidelidade jamais perderão a sua recompensa. Destarte, o julgamento ameaçado contra os ímpios, haveria de destruí-los em suas iniqüidades, ao mesmo tempo em que os crentes piedosos haveriam de desfrutar de felicidade e bênção. Esses dois destinos tão diferentes—o dos ímpios e o dos piedosos—transparecem em Mal. 4:1—3. Queremos destacar aqui o que Malaquias diz a respeito da felicidade e bem-aventurança daqueles que agora obedecem ao Senhor: «Mas para vós outros que temeis o meu nome nascerá o sol da justiça, trazendo salvação nas suas asas; saireis e saltareis como bezerros soltos da estrebaria» (Mal. 4:2). Ah! o júbilo final dos remidos, vendo reivindicada pelo próprio Senhor a causa deles! Então os salvos verificarão, em sua próxima experiência gloriosa, que vale a pena servir ao Senhor do universo, com fidelidade e amor!

Conclusão do Livro — Os versículos finais do livro de Malaquias (4:4-6) têm sido considerados, por alguns eruditos, como uma adição editorial feita ao livro. Eles argumentam assim com base no fato de que esses versículos sumariam a mensagem inteira do livro. Outros apontam que assim devemos pensar, sob a alegação de que, dali por diante, o povo deveria voltar-se para a legislação mosaica como fonte de instrução e direção, agora que, com Malaquias, cessara de vez a voz da profecia. O primeiro desses argumentos ainda tem alguma razão de ser. Mas o segundo é simplesmente insustentável, porquanto, depois de Malaquias, tivemos o ministério de João Batista, o que segundo esclareceu o Senhor Jesus, era «mais do que um profeta» (ver Mat. 11:9). Além disso, porventura já houve profeta maior do que o próprio Senhor Jesus? E é no espírito dessa convicção que devemos entrar no Novo Testamento até hoje, porquanto se lê em Apocalipse: «...o testemunho de Jesus é o espírito da profecia» (19:10)!

Uma Última Observação — Que contraste entre o Antigo e o Novo Testamentos! O antigo pacto termina com uma ameaça velada: «...para que eu não venha e fira a terra com maldição» (Mal. 4:6). Mas o Novo Testamento encerra-se com uma bênção muito ampla: «A graça do Senhor Jesus seja com todos» (Apo. 22:21)! Sim, a lei era o ministério da condenação (ver II Cor. 3:9), mas em Cristo há salvação eterna para todos os que crêem (ver Rom. 1:16)!

MALAQUITA

Esse é um minério de cobre (carbonato de cobre hidratado básico), que pode ser encontrado em várias nuanças de cor e é usado para propósitos ornamentais. Em Est. 1:6, onde nossa versão portuguesa diz «pórfiro», algumas traduções dizem «malaquita». Uma das principais fontes de malaquita são os montes Urais, perto de Nizhni-Taglish. A história mostra-nos que havia importantes depósitos desse minério na Arabá (ver Deu. 8:9).

MALCÃ

No hebraico, «pensante». Consideremos os dois pontos abaixo:

1. Esse era o nome de um benjamita (ver I Crô. 8:9), o quarto dos sete filhos de Saaraim e sua esposa, Hodes. Ele viveu em torno de 1612 A.C.

2. Algumas traduções também estampam essa palavra em Sof. 1:5. Mas a nossa versão portuguesa diz *Milcom*. Esse nome tanto pode ser referência a algum ídolo, quanto também pode significar «rei deles». Também há certa variação na soletração, entre *Malcom* e *Malcã*.

MALCO

Somente o quarto evangelho dá o nome do servo do sumo sacerdote. Uma orelha desse servo fora decepada por Pedro, e foi imediatamente restaurada por Jesus, o qual também repreendeu a Pedro por seu ato de violência. Ver João 18:10, bem como as passagens paralelas em Mat. 26:5; Mar. 14:47 e Luc. 22:50. O fato de que João registrou o nome daquele servo pode significar que sua amizade com o sumo sacerdote Caifás deixava-o em posição de saber de certos pequenos detalhes (como nomes de pessoas), que os outros evangelistas não tinham meios para saber. Não obstante, somente Lucas menciona que Jesus curou a orelha de Malco. Uma comparação entre as várias narrativas revela considerável variação no tocante a tão pequeno incidente. Ofereço uma completa discussão a respeito, no Novo Testamento Interpretado, em João 18:10. A narrativa de Mateus é a mais completa, mas omite o nome do servo do sumo sacerdote. Esse mesmo evangelho revela que foi Pedro que golpeara o servo com a espada, mas não menciona o milagre de cura. O problema da ***presença de uma espada*** entre os discípulos de Cristo também é comentado no Novo Testamento Interpretado, em João 18:10. Isso tem perturbado alguns intérpretes, partidários do *pacifismo* (vide).

MALDIÇÃO

Várias palavras hebraicas e gregas são assim traduzidas. No hebraico: *Alah*, «juramento», «imprecação», «execração» (usada por trinta e cinco vezes, como em Núm. 5:21,23,27; Deu. 29:19-21; Jó 31:30; Zac. 5:3). *Qelalah*, «coisa pouco valorizada», «pinóia» (usada por quarenta e duas vezes, como em Gên. 27:12,13; Deu. 11:26,28,29; Juí. 9:57; Pro. 26:2; 27:14; Jer. 24:8; 25:18; 44:8,12,22; 49:13; Zac. 8:13). *Meerah*, «maldição», «execração» (usada por cinco vezes, como em Pro. 3:33; 28:27; Mal. 2:2; 3:9; Deu. 28:20). No grego: *Katára*, «maldição» (usada por cinco vezes: Gál. 3:10,13; Heb. 6:8; Tia. 3:10; II Ped. 2:14). *Katanáthema*, «coisa execrada» (usada por uma vez somente, em Apo. 22:3), *Epikatáratos*, «maldito» (usada por duas vezes: Gál. 3:10, citando Deu. 27:26; e Gál. 3:13, citando Deu. 21:23). *Anathematízo*, «anatematizar», «amaldiçoar» (usada por quatro vezes: Mar. 14:71; Atos 23:12,14,21). Esta última palavra corresponde ao termo hebraico *cherem*, «maldição» (usada por vinte vezes com esse sentido: Jos. 6:17,18; 7:1,12,13,15; 22:20; I Crô. 2:7). Ver o artigo separado sobre *Anátema*.

1. O sentido básico é maldição, palavras duras proferidas com o intuito de prejudicar, geralmente com a idéia que forças extraterrenas, demoníacas ou divinas, são invocadas para tornar a maldição efetiva. Assim, um homem profere uma maldição, na esperança de injuriar a outro (Jó 31:30; Gên. 12:3). Algumas vezes, uma maldição era usada em conjunção com uma promessa, como uma espécie de afirmação que garantia seu cumprimento (Gên. 24:41). Noé amaldiçoou seu neto, Canaã (Gên. 9:25); Jacó amaldiçoou a fúria de dois de seus filhos (Gên. 49:7). Moisés convocou o povo para amaldiçoar os violadores da lei (Deut. 27:15,16). Certas maldições eram estritamente proibidas, como a maldição contra o pai ou a mãe (Êxo. 21:17), alguém que era surdo (Lev. 19:4), ou os líderes do povo (Êxo. 22:28). Amaldiçoar a Deus era pecado castigado com a morte, o que também ocorria no caso de maldições contra os próprios pais (Lev. 24:10,11).

2. *As Maldições de Deus*. A serpente que seduziu Eva foi amaldiçoada (Gên. 3:14); Caim foi amaldiçoado (Gên. 4:11); os que abençoam a Abraão são benditos por Deus, mas os que o amaldiçoam, são amaldiçoados por Deus (Gên. 12:3). A lei mosaica torna-se uma maldição para aqueles que não a obedecem (Zac. 5:1-4). A mensagem espiritual pode tornar-se uma bênção ou uma maldição para as

pessoas, tudo dependendo de como elas a acolhem (Deu. 30:19).

3. *As Maldições e Cristo*. A palavra de Jesus era poderosa para curar (Mat. 8:8,16), mas também envolvia uma poderosa maldição, como no caso da figueira que se ressecou (Mar. 11:14,20,21). Cristo nos redime da maldição da lei, por haver-se feito maldição em nosso lugar (Gál. 3:13; Rom. 8:1). A cruz envolvia a idéia de maldição contra o indivíduo crucificado, conforme esse trecho da epístola aos Gálatas nos mostra.

4. *Leis Regulamentadoras*. Os hebreus levavam a sério as maldições, como, de resto, sucede a muitos povos primitivos de nossos dias. Uma maldição não era considerada um mero desejo, mas era tida como uma força poderosa. Em sentido positivo, a mesma coisa se dava com as bênçãos proferidas. Essa é a razão pela qual certas maldições eram proibidas, como aquelas contra os pais, os governantes e os surdos, conforme se mencionou acima. Como medida prática, a fim de que a notícia não se propalasse, o escritor de Eclesiastes (10:20) sugere que uma pessoa não amaldiçoe nem o rei e nem os ricos.

5. *Ponto de Vista Cristão*. Nenhum crente sensível e espiritual profere uma maldição contra alguém. Uma maldição pode ser como um tiro pela culatra. Além disso, Jesus ensinou: «...bendizei aos que vos maldizem, orai pelos que vos caluniam» (Luc. 6:28). E Paulo escreveu: «...abençoai aos que vos perseguem, abençoai, e não amaldiçoeis» (Rom. 12:14).

MALEBRANCHE, NICOLAU

Suas datas foram 1638—1715. Foi um filósofo francês. Nasceu em Paris e estudou filosofia no Collège de la Marche. Estudou teologia na Sorbonne. Uniu-se à congregação do Oratório. Tornou-se padre católico romano. Estudava os escritos de Descartes. Devotou sua vida à filosofia. Tornou-se membro honorário da Academia Francesa de Ciências e foi um dos proeminentes ocasionalistas franceses. Ver os artigos intitulados *Problema Corpo-Mente* e *Ocasionalismo*.

1. *Ocasionalismo*. Essa questão faz parte do problema corpo-mente, abordada pela filosofia, ao que já fizemos referência. Incapaz de entender como pode haver intercomunicação entre a mente (essência imaterial) e o corpo (essência material), Malebranche propunha que, de fato, não existe tal comunicação. Para explicar como, aparentemente, há essa comunicação, ele propunha também uma espécie de telefone terreno celestial, mediante o qual o corpo, quando recebe impressões, envia a mensagem a Deus, que, por sua vez, transmite a mensagem à mente. Ou, então, quando a mente recebe alguma impressão, o mesmo sistema operaria levando a mensagem ao corpo. Portanto, Deus seria o agente de comunicação, *em qualquer ocasião* em que a mente ou o corpo precisam da assistência divina, no sentido que acabamos de ventilar.

2. *Deus, a Única Causa*. A idéia envolvida no *ocasionalismo* está alicerçada sobre a noção de que somente Deus é causa. Mas, se Deus é a única causa, então ele também é a causa do mal. Isso tem levantado alguns importantes problemas teológicos, dificultando a teoria de Malebranche. Contudo, ele tentou ocultar o problema ao sugerir que o mal, quando visto em relação a tudo o mais, na verdade não é mal. É um bem disfarçado.

3. *Os males aparentes* surgiram quando o homem caiu na finitude e na particularidade, quando o espírito humano, na verdade, foi feito para o que é infinito e universal. O indivíduo ama a si mesmo, o que arreda para um lado o amor a Deus, visto que o homem ama ao particular, em vez de amar ao universal. Assim, para exemplificar, o homem ama o dinheiro, mas isso é apenas apego a um particular, e não à Riqueza Universal.

4. *A tarefa moral do homem* é aprender a retornar ao universal, ao espiritual, em vez de continuar fascinado pelo que é material e particular. O amor do homem pela felicidade pessoal é uma forma vaga e talvez confusa do amor a Deus, que é a Felicidade Suprema. A tarefa humana, pois, consiste em debilitar essa atração própria do corpo e buscar o espírito; e daí resulta a sua união com o universal. O amor à boa ordem é o grande princípio normativo de todas as coisas. Dessa maneira os homens desenvolvem hábitos e ações virtuosos.

5. *O Conhecimento*. Os homens talvez não reconheçam, mas eles vêem todas as coisas através de Deus. Deus é o mediador de toda forma de conhecimento, já que as idéias particulares participam das idéias infinitas. Tal conhecimento é imperfeito, como é óbvio. Os homens buscam esclarecimento para que possam definir e melhorar suas idéias, mais ou menos o que Descartes afirmou. A clareza, pois, torna-se uma comprovação da verdade.

6. *A Causa Única e a Matéria*. O ocasionalismo de Malebranche envolve mais do que a comunicação entre a mente e o corpo, por meio de Deus. Também envolve a idéia de que Deus é a única causa, pelo que a mente não movimenta o corpo. Essa movimentação depende de Deus. Todas as outras variedades de causas são por ele explicadas como atos de Deus. Isso elimina totalmente as leis naturais. E até mesmo àquilo que chamamos de causas, no tocante às coisas materiais, deveríamos atribuir a Deus, e não à matéria.

7. *A alma difere do corpo e da materialidade*, por ser possuidora de força e de liberdade, além de pertencer a uma essência inteiramente diferente. Essa essência sobrevive à desintegração do corpo material, porquanto participa do Grande Intelecto, com o qual tem afinidade, por ser um intelecto. (AM E EP MM)

MALHADOS

Ver sobre **Listados**.

MALI

No hebraico, «fraco», «enfermiço». Esse nome designa duas pessoas, nas páginas do Antigo Testamento:

1. O filho mais velho de Merari, neto de Levi (Êxo. 6:19; Núm. 3:20; I Crô. 6:19; 23:21; 24:26; Eze. 8:18). Ele teve três filhos chamados Libni (I Crô. 6:29), Eleazar e Quis (I Crô. 23:21; 24:28). Seus descendentes eram chamados malitas (Núm. 3:33; 26:28). Foi-lhes outorgado um serviço específico, juntamente com os musitas (mesma referência), a saber, o de carregarem as armações e outras peças do tabernáculo e de seu equipamento (ver Núm. 4:31-33).

2. Um filho de Musi, filho de Merari. Ele era sobrinho do Mali acima (número 1) (I Crô. 23:33; 24:30). Tinha um filho de nome Semer (I Crô. 6:47). Viveu antes de 1440 A.C.

MALÌCIA

Um dos vícios humanos ou **obras da carne**, usando

uma expressão mais bíblica. Essa palavra é tradução de diversas palavras gregas, a saber:

Kakía, um termo geral para indicar o mal em qualquer de suas manifestações. Ver, por exemplo, I Cor. 5:8. Se essa palavra puder ser distinguida de outro vocábulo grego, *ponería* (um sinônimo usual), então pode indicar o princípio da malícia ou do mal, ao passo que *ponería* seriam suas manifestações externas. Mas, distinções dessa natureza, usualmente, não resistem ao texto dos léxicos. A Septuaginta usa essas palavras como sinônimos perfeitos, ao passo que a Vulgata Latina usa tanto *malitia* quanto *nequitia* para traduzir tanto *kakía* quanto *ponería*. Lugares onde a palavra «malícia» tem sido usada para traduzir aquelas palavras gregas, em algumas traduções, são: I Cor. 5:8; Efé. 4:31; Col. 3:18; Tito 3:3; I Ped. 2:1 e Rom. 1:29. Nesta última referência, *malícia* aparece como um dos vícios dos pagãos rebeldes contra Deus. A forma adjetivada é encontrada em I Ped. 2:16: «...como livres que sois, não usando, todavia, a liberdade como pretexto da malícia, mas vivendo como servos de Deus».

A palavra portuguesa *malícia* vem do latim, *malus*, «mau». Mas seu uso indica a disposição de prejudicar de forma astuta, usualmente com base no ódio, na malquerença. Os homens que não sentem os efeitos da regeneração dispõem de uma natureza basicamente maligna, que os leva a fazerem o que fazem. Essa natureza má e maliciosa é mais profunda do que a genética e o meio ambiente, porquanto reside na própria alma.

MALIQUITAS

Malik ibn Anas (713—795 D.C.) foi um respeitado jurista árabe, considerado grande autoridade no *Alcorão* (vide), e nas tradições (*hadith*) que circundam o mesmo. Sua escola de jurisprudência ortodoxa continua existindo, e exerce influência sobre o Egito e o norte da África. Seus seguidores são chamados *maliquitas*.

MALLEUS MALEFICARUM

Muitos capítulos lamentáveis têm sido escritos sobre a história da religião organizada. O assunto aqui discutido forma um desses capítulos. O título em questão é latino, e significa «malho (contra) o mal». Esse foi o título de um tratado de autoria de Henry Kramer e James Sprenger, contra a feitiçaria, lançado em 1489.

A obra descreve manifestações de feitiçaria e é uma apologia da crença nos demônios e no diabo. O papa Inocente VIII lançou uma bula intitulada *Summis desiderantes*, em 1484, conferindo àqueles homens a autoridade papal no combate à feitiçaria. E aquele tratado tinha por escopo fortalecê-los nessa luta. O resultado, naturalmente, foi muita matança e perseguição, de tal modo que nem mesmo membros da Igreja Católica Romana foram poupados. Textos de prova extraídos do Antigo Testamento podem ser aduzidos nessa espécie de atividade, mas isso olvida completamente a natureza do Novo Testamento.

MALOM

No hebraico, «doentio». Esse era o nome do filho mais velho de Elimeleque, o belemita, e Noemi. Ele casou-se com Rute, a moabita, mas não deixou filhos (ver Rute 1:2,5; 4:9,10). Viveu em torno de 1070 A.C. Foi assim que, subseqüentemente, Rute casou-se com Boaz e tornou-se parte da linhagem ancestral do Senhor Jesus.

MALOTI

No hebraico, «**Yah** (forma abreviada de **Yahweh**) fala» ou «*Yah* é esplêndido». Esse era o nome de um dos catorze filhos de Hemã (I Crô. 25:4). Ele foi o chefe do décimo nono turno de músicos levitas que Davi nomeou para o serviço sagrado, no templo de Jerusalém (I Crô. 25:26). Ele viveu em cerca de 1014 A.C.

MALQUIAS

No hebraico, «meu rei é Yah (o Senhor)». Esse nome apresenta variantes tanto no texto hebraico quanto nas traduções. Nas traduções, nota-se um esforço por uniformizar a forma do nome. Jeremias é livro que apresenta a forma hebraica *Malkiyyahu*. As versões modernas derivam-se da forma com que o nome figura na Septuaginta, *Melcheías*, que também sofre variações em diferentes manuscritos. Várias personagens bíblicas tinham esse nome, sob uma forma ou outra:

1. Presumivelmente, o filho do rei (de Zedequias). Seja como for, ele era o proprietário da cisterna onde os inimigos de Jeremias o lançaram. O rei Zedequias fingiu não ter autoridade para impedir o ato.

2. O pai de Pasur, um nobre que, juntamente com vários outros, foi um dos perseguidores de Jeremias (Jer. 21:1; 38:1). Ele aparece alistado entre os sacerdotes (I Crô. 9:12). O trecho de Nee. 11:12 apresenta-nos uma genealogia mais completa.

3. Um homem alistado entre os sacerdotes, em I Crô. 24:9.

4. Outro sacerdote, que aparece na lista de Nee. 12:42.

5. Outro sacerdote que expressou sua aprovação pelo novo pacto, firmado sob a direção de Neemias, e que haveria de governar a conduta do remanescente judeu que voltara do cativeiro babilônico. Ver Nee. 10:3. Alguns identificam-no com um homem mencionado em associação com Esdras, e que esteve ao seu lado, enquanto ele lia a lei de Moisés aos ouvidos do povo (ver Nee. 8:1-14).

6. Um homem que ocupava a nona posição, após Levi, na genealogia de I Crô. 6:40. Naturalmente, ele era levita.

7. Um homem que foi obrigado a desfazer-se de sua esposa estrangeira, com a qual contraíra matrimônio durante o cativeiro babilônico. Pertencia à família de Parós (Esd. 10:25). Um outro homem, com esse mesmo nome, e envolvido nas mesmas circunstâncias, era filho de Harim. Ver Nee. 3:11.

8. Dois homens que ajudaram a reconstruir as muralhas de Jerusalém, sob a direção de Neemias, também tinham esse nome. Um deles era filho de Recabe, e reparou a Porta do Monturo (Nee. 3:14); o outro, filho de um ourives, reparou a área defronte da Porta da Guarda (Nee. 3:31).

MALQUIEL

No hebraico, «Deus é rei». Nome de um filho de Berias, que, por sua vez, era neto de Aser (ver Gên. 46:17; Núm. 26:45; I Crô. 7:31). Seus descendentes, os *malquielitas*, são mencionados em Núm. 26:45. Ele viveu em torno de 1856 A.C.

MALQUIRÃO

No hebraico, «meu rei é exaltado». Ele era filho de Jeconias (Jeoaquim) e descendente de Davi (I Crô. 3:18). Viveu em cerca de 598 A.C.

MALQUISUA

No hebraico, «meu rei (Deus) salva». Esse era o nome do terceiro filho de Saul (I Sam. 14:49). Sua mãe se chamava Ainoã. Malquisua foi morto pelos filisteus, na batalha do monte Gilboa (ver I Sam. 31:2; I Crô. 10:2). Viveu em torno de 1053 A.C.

MALTA (MELITE)

Atos 28:1: *Estando já salvos, soubemos então que a ilha se chamava Malta.*

No nome grego dessa ilha é *Melita*.

Podemos observar, neste ponto, a continuação da última *seção nós* do livro de Atos, observável no uso da primeira pessoa do plural, no verbo *verificamos*. Essas chamadas *seções nós*, foram aquelas em que Lucas escreveu como alguém que participou pessoalmente dos acontecimentos narrados. É possível que anotações em um seu diário de viagens tivessem sido utilizadas no teor do livro de Atos. Assim, pois, Lucas deveria ter passado, em companhia de Paulo, a experiência do naufrágio e do salvamento, tendo escrito como testemunha ocular dos fatos ocorridos.

Malta. A antiga ilha de Malta, cujo nome significa *refúgio*, no idioma fenício, é uma ilha que fica quase no centro do mar Mediterrâneo, cerca de noventa e sete quilômetros ao sul da ilha de Sicília. Seu território é de cerca de cento e cinqüenta e três quilômetros quadrados.

Alguns estudiosos têm pensado que a ilha de Malta, neste capítulo, devido à sua forma escrita no grego *koiné* (Melite), é realmente a ilha de *Meleda* ou *Mitilene*, ao largo das costas marítimas da Dalmácia, sugestão essa apoiada pela menção do «mar Adriático», em Atos 27:27. Pois o mar Adriático, se esse nome for usado conforme o uso moderno, não ultrapassa de um ponto que não inclui a ilha de Malta antiga. Assim é que praticamente todos os eruditos acreditam que a ilha onde Paulo e seus companheiros de naufrágio desembarcaram é realmente a atual ilha de Malta.

Essa ilha veio a ser ocupada no século X A.C., pelos fenícios. Posteriormente, gregos sicilianos ocuparam esse minúsculo território. A arqueologia tem podido encontrar inscrições bilíngües, pertencentes ao primeiro século da era cristã, na ilha de Malta. No ano de 218 A.C., os romanos tomaram a ilha dos cartagineses, que a vinham controlando desde 402 A.C. (ver *Lívio xxi*.51). Posteriormente a ilha obteve a posição de *civitas*, isto é, os naturais da região eram considerados cidadãos romanos.

A passagem de Atos 28:2,4 chama os habitantes da ilha de *bárbaros*; mas isso significa, meramente, que eles não falavam o grego, ou, pelo menos, que o grego não era a língua nativa deles, embora talvez compreendessem bem o grego, segundo também se verificava na maior parte do mundo antigo, dentro e mesmo fora do império romano, naquela época. Os habitantes de Malta falavam um dialeto fenício, também chamado púnico.

Públio, um dos chefes da ilha, chamado no sétimo versículo deste vigésimo oitavo capítulo de «homem principal», provavelmente, derivava a sua autoridade do *propraetor* da Sicília. O título que é conferido aqui a ele (no grego, *protos*), é confirmado por muitas inscrições. (Ver *Corpus Inscriptionum Graecarum* xiv 601; *Corpus Inscriptionum Latinarum* x. 7495).

Malta era ilha famosa por seu mel de abelhas, seus frutos, seus tecidos de algodão, seus edifícios de pedra e suas raças de cães. Os seus templos, dedicados à deusa Juno, certamente continham consideráveis riquezas, porquanto tornaram-se objetos pilhados por Varro, o pretor da Sicília. (Ver Cícero, *In Ver.*, iv.46).

No ano de 1761, perto de um lugar dessa ilha, chamado Ben Ghisa, foi descoberta uma cova sepulcral onde havia uma pedra quadrada que continha inscrições em caracteres púnicos ou fenícios, que alguns supõem ter sido o local do sepultamento do famoso general cartaginês, Aníbal, ou, pelo menos, das suas cinzas mortuárias. Essa inscrição dizia:

«Câmara interna do santuário do sepulcro de Aníbal, ilustre na consumação da calamidade. Ele foi amado. O povo lamenta, disposto em ordem de batalha, por Aníbal, filho de Bar Meleque».

Dessa maneira, portanto, o tufão empurrou o navio em que Paulo viajava, por nada menos de setecentos e sessenta e seis quilômetros, desde a ilha de Clauda até à ilha de Malta, onde Paulo e seus colegas de naufrágio passaram três meses. (Ver Atos 28:13).

Sumário de Ocupação:

A arqueologia tem demonstrado que essa ilha vem sendo ocupada desde o período neolítico, antes de 2000 A.C. Ali havia uma civilização, na era do Bronze, no século XIV A.C. Os fenícios colonizaram a ilha, tornando-a um centro comercial. Disso resultou grande prosperidade, e os habitantes chegaram a fundar colônias nas costas da África. Em seguida veio o domínio dos cartagineses, que governaram as costas do Mediterrâneo, dos séculos VI a III A.C. A arqueologia tem averiguado as condições dessa época mediante o descobrimento de muitos artefatos, moedas, inscrições, etc. Roma entrou em choque com os cartagineses e daí resultou uma série de conflitos armados, em busca do domínio sobre o mar Mediterrâneo. Roma saiu-se vencedora na refrega, e assim a ilha de Malta passou para as mãos dos romanos, em cerca de 281 A.C. Então, a ilha foi transformada pelos romanos em um *municipium*, dotada de grande controle local, de acordo com as normas romanas usuais. Ao que parece, finalmente, a cidadania romana foi concedida aos habitantes da ilha, embora haja dúvidas quanto ao tempo em que isso sucedeu. A literatura romana, como aquela de autoria de Cícero, contém descrições entusiasmadas sobre a ilha de Malta e suas edificações. Augusto, o imperador, nomeou um procurador para governá-la. Ele é chamado, em Atos 28:7, de «principal» (no grego, *ó prótos*, «o primeiro»).

As tradições afiançam (embora não saibamos dizer com que exatidão) que Públio era o chefe da ilha quando Paulo passou por ali. Ele se converteu ao cristianismo, e isso deu início a uma comunidade cristã na ilha. Catacumbas, datadas dos séculos IV e V D.C., confirmam a cultura e a fé cristãs estabelecidas em Malta. Quando o império romano do Ocidente esboroou-se, em fins do século IV D.C., Malta passou para a influência bizantina. No século IX D.C., tornou-se parte dos domínios árabes islâmicos.

MALTHUS, THOMAS ROBERT

Sabe-se o que esse homem pensava com base no adjetivo usado acerca de suas teorias. A teoria malthusiana fala sobre a preocupação que ele tinha diante do fato de que as populações se multiplicam mais depressa que os meios de sustento, o que, inevitavelmente, conduz ao desastre, mediante o desemprego, a fome, o caos social generalizado, etc. Suas datas foram 1766—1834. Ele foi um clérigo inglês e um economista clássico, autor de ensaios controvertidos, cujos títulos, em inglês, são: *Essay on Population* e *Second Essay*.

De acordo com as suas idéias, é possível que a explosão popuiacional seja entravada pelos seguintes fatores: 1. as várias causas de morte, incluindo a fome e a guerra, além das enfermidades, as quais aumentam durante períodos de conflito armado ou períodos de escassez de alimentos. 2. Malthus dizia que essas causas entravadoras, finalmente, não serão mais suficientes, pelo que terá de haver meios eficazes de controle de natalidade, a fim de impedir o desastre inevitável. Ele advogava as restrições morais como um dos meios de controle de natalidade, mas isso nunca exerceu grande efeito. Ver o artigo separado intitulado *Controle de Natalidade*, onde expresso minha opinião a respeito. Os problemas levantados por Malthus tornaram-se críticos em nossa própria época, motivo pelo qual seu nome é pronunciado com temor.

MALUQUE

No hebraico, «dirigente», «conselheiro». Esse foi o nome de certo número de pessoas, nas páginas do Antigo Testamento:

1. Um levita que pertencia ao ramo de Merari. Ele foi antepassado de Etã, o cantor (I Crô. 6:44). Viveu em cerca de 1014 A.C.

2. Um descendente de Bani, ou que residia em Bani. Foi forçado a divorciar-se de sua esposa estrangeira, com a qual se casara durante o cativeiro babilônico. Tendo retornado a Jerusalém, os judeus firmaram um pacto, restaurando a antiga adoração, o que não permitia casamentos com não israelitas. Ver Esd. 10:32. Ele viveu em torno de 459 A.C.

3. Um descendente ou filho de Harim. Ele também foi obrigado a desfazer-se de sua esposa estrangeira, com a qual se casara durante o cativeiro babilônico. Ver Esd. 10:32. Viveu em torno de 459 A.C.

4. Um sacerdote que acompanhou a Zorobabel com o remanescente que voltou à Palestina depois do cativeiro babilônico (Nee. 12:2). Um homem com esse nome assinou o pacto de renovação nacional e religiosa, sob a direção de Neemias (ver Nee. 10:4). Isso aconteceu por volta de 445 A.C. A mesma pessoa poderia estar em foco nessas duas passagens, embora também possa haver alusão a dois homens diferentes, não havendo como encontrar solução para o problema.

5. Um líder dos israelitas, que assinou o pacto, sob a orientação de Neemias (ver Nee. 10:27).

6. Um membro de uma família de sacerdotes, que assinou o pacto sob a orientação de Neemias (ver Nee. 12:2), talvez idêntico ao número quatro, acima.

MALUQUI

No hebraico, «meu conselheiro». Termo usado para designar uma família de sacerdotes que, juntamente com Zorobabel, voltou do cativeiro babilônico (ver Nee. 12:14). Ele viveu em torno de 445 A.C.

MALVA

Esse arbusto perenemente verde é mencionado exclusivamente em Jó 30:4: «Apanham malvas e folhas de arbustos, e se sustentam de raízes de zimbro». Os intérpretes acham que está em vista a espécie *Atriplex halimus*. Essa espécie vegetal chega até cerca de 2,75 m de altura. Suas folhas são verdes acinzentadas. Suas folhas são bem dispersas, e a árvore produz flores, embora a intervalos longos. Visto que as folhas são comestíveis, servem de alimento para os pobres de certas regiões, que as comem como uma espécie de salada. O termo hebraico correspondente, *maluah*, indica algo «salgado», e isso devido à circunstância que a planta medra em solos com certo teor de sal. Unger informa-nos que, mesmo depois de cozidas, suas folhas são amargas, fornecendo pouca nutrição, embora as populações pobres se vejam reduzidas a consumi-las.

MAMERTINA, PRISÃO

Esse é o nome medieval (extraído do templo de *Mars Ultor*, que existe nas proximidades) da cúpula com dois aposentos que, geralmente, é aceita como «a prisão... no meio da cidade, defronte do fórum», conforme disse Lívio (I.33). Atualmente jaz debaixo da igreja de San Guiseppe dei Falegname, via de Marforio, em Roma. Nessa prisão há uma placa que diz:

Mamertinum
La prigione dei SS Apostoli
Pietro e Paulo
Il Piu Antico Carcere di Roma
XXV secoli di Storia

O leitor brasileiro ou português não deve ter dificuldade alguma em traduzir essa inscrição. A tradição que diz que Pedro e Paulo estiveram encarcerados nesse lugar é bastante sólida.

MAMOM

Mat. 6:24: *Ninguém pode servir a dois senhores; porque ou há de odiar a um e amar o outro, ou há de dedicar-se a um e desprezar o outro. Não podeis servir a Deus e às riquezas.*

Essa palavra vem do aramaico, *mamoná*, que aparentemente significa «riqueza» ou «propriedade». Algumas traduções portuguesas preferem «riquezas». Tal palavra que era freqüentemente usada nos Targuns, aparece no texto hebraico de Eclesiástico 31:8. Embora essa palavra não figure no cânon palestino do Antigo Testamento, aparece em Mat. 6:24, onde é enfaticamente declarado que ninguém pode servir, ao mesmo tempo, a Deus e a Mamom. Lucas, por sua vez, contém a expressão «riquezas de origem iníqua» (ver Luc. 16:9,11,13). Apesar das riquezas poderem ser usadas visando ao bem, havendo cristãos ricos, generosos e bondosos, o ponto de vista neotestamentário é realista, salientando o fato de que, usualmente, as riquezas materiais servem de empecilho à espiritualidade. Lemos: «As vossas riquezas estão corruptas...» (Tia. 5:2). Jesus sabia das poucas possibilidades de salvação, para o caso dos ricos (ver Mat. 9:24).

Diz o trecho de Mat. 6:24: «Ninguém pode servir a dois senhores; porque ou há de aborrecer-se de um, e amar ao outro; ou se devotará a um e desprezará ao outro. Não podeis servir a Deus e às riquezas».

Ver Lucas 16:13. Este versículo é a conclusão ou aplicação das palavras de Jesus sobre os tesouros, a luz e as trevas. O homem que cuida das coisas espirituais procura apenas um tesouro, isto é, o tesouro dos céus. Também busca conservar *visão boa*, visão que não enxergue duas imagens. Esforça-se por receber e usar a *luz* de Deus, que recebe acolhedoramente da parte de Deus, a fim de não permitir que essa luz se torne trevas.

Ninguém pode servir a dois senhores. Jesus demonstra que não somente é difícil a alguém ter visão singela (embora isso alcance o alvo espiritual do ser humano), mas também que é totalmente impossível alguém obter esse alvo se tiver visão dupla. Finalmente, o homem será fiel a um ou outro senhor. Essa fidelidade inclui a expressão de amor ou de ódio, da parte do homem. O Senhor que, finalmente, obtiver a fidelidade do homem, terá, ao mesmo tempo, o amor desse homem.

Servir. No grego significa servir como *escravo*, indicando fidelidade total, sem reservas, porquanto o escravo não tinha vida própria, mas tudo fazia segundo a vontade do *senhor*. É claro, portanto, que tal serviço não pode ser prestado a dois senhores. A natureza física e psicológica do homem não suporta a dureza de servir a dois senhores, se o serviço prestado for próprio de um escravo. O homem que servisse a dois senhores, como escravo, finalmente, começaria a detestar a um deles, em revolta contra o seu serviço—tão árduo. Ao mesmo tempo, começaria a ter simpatia pelo outro, esperando ser libertado da dura vida de servir a dois senhores. Assim também ocorre na vida espiritual. A natureza humana não é capaz de servir, totalmente, com todas as forças, ao mesmo tempo, ao que é espiritual e ao que é carnal. O homem terá de escolher, finalmente, qual senhor prefere. O verdadeiro serviço ao senhor implica em amor a este, porque, segundo as idéias bíblicas, o verdadeiro serviço não pode ser prestado sem o concurso do amor. A falta de amor subentende, por si mesma, a existência de *dois senhores*. (Ver I Cor. 13:1-3).

Riquezas. Em outra tradução aparece como transliteração, *mamom* (por exemplo). Não há certeza sobre a derivação original dessa palavra, mas parece significar *aquele no qual alguém confia*, como objeto de fé e confiança. O uso da palavra é claro. Provavelmente, em sua origem, era termo caldeu (mas também empregado pelo siríaco e pelo púnico), com o sentido de «riquezas». Alguns intérpretes opinam que, originalmente, a palavra proveio da mitologia, como nome de um deus qualquer (o deus das riquezas), e que entrou nesses idiomas como sinônimo de riquezas. Depois perdeu-se a conexão com a mitologia. Assim sendo, *Mamom* equivaleria a *Plutão*, o deus das riquezas, segundo a mitologia grega. A evidência em favor dessa idéia é fraca, e assim sendo, a maior parte dos intérpretes acha que, no original, a palavra significava *riquezas*, para então entrar na mitologia como *idéia personificada*. Jesus usou a palavra personificada a fim de indicar o deus das riquezas carnais em contraste com o Deus dos céus, que possui as verdadeiras riquezas e que quer conferi-las a homens que vivam de conformidade com as suas regras. É impossível a alguém servir (como escravo) a ambos esses deuses.

Existem outros provérbios orientais que trazem o mesmo sentido. *Ninguém pode carregar dois melões em u'a mão só*. Platão e Filo expressaram idéias semelhantes. *Aboth* 2:12 diz: «Que as propriedades de teu companheiro te sejam tão caras como as tuas próprias». Precisamos respeitar os direitos de propriedade de Deus, e, para fazer isso, é mister que percebamos que é impossível servirmos também a Satanás. A *Divina Comédia* descreve uma região especializada do inferno, reservada para aqueles cuja lealdade não é fria nem quente. (Dante, *Inferno*, canto III).

MANÁ

Maná deriva-se de um termo hebraico, **man** (que significa o *que*) pois haviam perguntado: *Que é isto?* Porém, outros estudiosos acreditam que a palavra vem do verbo *manah*, que significa «distribuir». O vocábulo grego *manna* quer dizer um bocado de cereal. Muitas explicações naturalistas têm sido oferecidas para explicar a natureza do «maná». Alguns pensam que se tratava da *tarfa*, uma espécie de tamargueira que exsuda em maio, durante cerca de seis semanas, do tronco e dos ramos dessa planta, formando uma substância que assume a forma de pequenos grãos redondos e brancos. Tais grãos são apanhados dos raminhos e das folhas caídas. Os árabes, após preparem os grãos, usam-nos como espécie de mel, para ser passado no pão. Por outro lado, sabe-se que na península do Sinai certos insetos produzem excreções parecidas com mel, sobre os raminhos das tamargueiras. Tratam-se de gotículas pegajosas, de cor clara, muito doces. Outros insetos produtores de substâncias melíferas também são conhecidos nessa região, como certas espécies de cigarras, por exemplo. Assim sendo, alguns estudiosos têm interpretado que o *maná* era meramente um produto natural, usualmente abundante, que o povo de Israel imaginou ter origem miraculosa. Outros, ainda, acreditam que Deus multiplicou miraculosamente o suprimento de alimento, aumentando grandemente o que se poderia esperar dessas plantas ou insetos. Mas outros intérpretes preferem crer que se tratava de um milagre completo, uma substância qualquer que realmente descia do céu. Essa é a interpretação comum dos judeus, sobre a questão. Philip Schaff, *in loc.*, no Lange's Commentary diz o seguinte: «Foi um fenômeno natural, mas miraculosamente aumentado, de maneira extraordinária, pelo poder de Deus, tendo em vista um propósito especial... segundo a analogia das pragas do Egito, quando houve a multiplicação sobrenatural de insetos e outras pestes». Todavia, ainda outros estudiosos, preferindo defender a interpretação totalmente miraculosa sobre o fato, salientam que o produto natural, a sua natureza e a sua quantidade, não podem ser explicados pelas descrições existentes no décimo sexto capítulo do livro de Êxodo, e que se deve compreender ter havido alguma manifestação celeste.

Seja como for, foi uma ocorrência das mais extraordinárias, que deve ser atribuída inteiramente a Deus. E os judeus, pois, esperavam ver uma operação miraculosa ainda mais extraordinária, da parte do Messias.

MANÁ ESCONDIDO

Ver o artigo separado sobre **Maná**.

Apo. 2:17: *Quem tem ouvidos, ouça o que o Espírito diz às Igrejas. Ao que vencer darei do maná escondido, e lhe darei uma pedra branca, e na pedra um novo nome escrito, o qual ninguém conhece senão aquele que o recebe.*

Quem tem ouvidos, ouça o que o Espírito diz às igrejas. Essa expressão é amplamente comentada em Apo. 2:7 no NTI. Ocorre em todas as sete cartas do Apocalipse. Além de ser uma solene ordem, para que se dê ouvidos ao que se dizia, para que os homens ajam segundo lhes é ordenado, assegura-nos de que é o Espírito de Deus quem transmite a mensagem. Por conseguinte, não há alternativa. Trata-se de um «imperativo», e recuar do mesmo leva o indivíduo a sofrer as conseqüências de seu ato. Podemos dar ouvidos ou não às ordens dos homens, dependendo de quanto controle ou autoridade exercem sobre nós. Mas as ordens de Deus não estão sujeitas à «obediência opcional».

Ao vencedor. (Ver as notas expositivas no NTI em Apo. 2:7, com comentários adicionais em Apo. 2:11).

Trata-se de um elemento comum em todas as cartas do Apocalipse (ver Apo. 2:26 e 3:5,12,21). Dá a entender aquele que tem a capacidade espiritual de *praticar* o que lhe foi ordenado. No grego, era um termo militar. Somos retratados como quem está empenhado em um «conflito espiritual armado». (Ver Efé. 6:11 e *ss* quanto a um desenvolvimento neotestamentário completo sobre essa metáfora).

Dar-lhe-ei do maná escondido. A Bíblia diz que os israelitas se alimentaram de maná, após terem sido libertados do Egito. Para o crente, ser libertado dos vícios gnósticos e participar da vida que há em Cristo, também significa o sustento da alma, pelo ato direto de Deus. Em II *Baruque* 29:8 temos a promessa de que, nos dias do Messias, descerá novamente o maná dos céus, para servir de alimento dos justos. Isso pode ser comparado ao conceito neotestamentário em que Jesus é apresentado como o «pão da vida» (ver o artigo a respeito). Esse «pão» não serve apenas para sustento e alimento, mas também nos faz participar do mesmo tipo de vida que tem aquele que o confere.

Escondido. Os gnósticos ofereciam «vantagens abertas», mediante suas práticas imorais, seus prazeres e a satisfação da parte carnal do homem. Cristo nos oferece aquilo que está oculto para a maioria dos homens, que só pode ser mediado misticamente, em outras palavras, a sua própria natureza, mediante a alimentação espiritual. O fato de que o maná é «escondido» pode ser uma alusão ao vaso de maná que era conservado dentro da arca, no santuário (ver Êxo. 16:32-34, e comparar com Heb. 9:4). Apesar do maná guardado na arca não servir de alimento e, sim, de «memorial» da provisão divina, contudo, o fato de que estava «escondido» segundo se lê aqui, talvez se derive daquela circunstância veterotestamentária. Consideremos ainda os pontos seguintes:

1. Cristo é o pão (ver João 6:48).

2. Cristo nos oferece sustento espiritual, mas também a transubstanciação mística. Em outras palavras, ele compartilha conosco de sua própria natureza.

3. Sua provisão não será evidente, exceto para aqueles que a desejarem profundamente e a buscarem.

4. **«O vermos a Cristo** como ele é, e, através dessa visão beatífica, sermos feitos como ele é, equivale a comer do maná escondido, o qual, por assim dizer, será tirado para fora do santuário, o santo dos santos da presença imediata de Deus, onde ficou retirado por tão longo tempo, a fim de todos dele poderem participar; a glória de Cristo, atualmente velada e oculta, então será revelada a seu povo». (Trench, em Apo. 2:17).

5. Essa é a verdadeira «vida eterna», participação na própria modalidade da vida de Deus, através do Filho (ver João 5:25,26 e 6:57).

6. É a eterna provisão de Deus que satisfaz às necessidades humanas todas, cumprindo o ideal do destino humano, porquanto fomos criados para participar da imagem e da natureza de Deus.

7. Essa provisão eterna é contrastada com a superficial satisfação de «comer coisas oferecidas a ídolos» (ver Apo. 2:14), e com o sensual e diabólico, coisas indignas da atenção humana.

Em Col. 3:3 vê-se que os crentes estão «escondidos». Os escritos rabínicos falavam da «restauração» do vaso de maná, por parte do Messias. Estará «escondido» e «desconhecido», enquanto não for restaurado. Naturalmente, devemos compreender isso de modo espiritual, embora alguns tomem as coisas literalmente. Mas não temos qualquer necessidade daquele vaso ou seu maná, desde que Cristo veio e trouxe a realidade espiritual, da qual aquilo era apenas o símbolo. (Ver Apocalipse de *Baruque* xxix.8 e xxi.2 quanto ao conceito da «restauração» do vaso de maná).

MANAATE (MANAATITAS)

No hebraico, «lugar de descanso». Em nossa versão portuguesa, esse era o nome de um homem e de uma cidade, conforme se vê abaixo:

1. O segundo dos cinco filhos de Sobal, filho de Seir, o horeu (Gên. 36:23; I Crô. 1:40). Ele era idumeu. Seir, o horeu, deu seu nome àquela porção da terra de Edom, a saber, o monte Seir. Viveu por volta de 1760 A.C.

2. Uma cidade também tinha esse nome. Os filhos de Eúde (vide), que antes habitavam em Geba, foram transportados para aquele lugar, em cativeiro (ver I Crô. 8:6).

3. Os *manaatitas* descendiam de Salma, irmão de Sobal e, talvez, em parte, do próprio Sobal. Salma foi o fundador de Belém, e Sobal foi o pai de Quiriate-Jearim (I Crô. 2:52,54). Entretanto, em nossa versão portuguesa, onde outras traduções dizem «metade dos maanatitas», ela diz: «Hazi-Hamenuate».

MANAÉM

Forma grega do nome hebraico **Menahan**, que significa «consolador». O crente desse nome figura em Atos 13:1 como um dos profetas e mestres da igreja de Antioquia. Talvez possamos equipará-lo a um homem desse nome, um ex-essênio, amigo de Herodes, o Grande (ver Josefo, *Anti*. 15:10,5). O homem referido nas páginas do Novo Testamento é descrito como «colaço de Herodes, o tetrarca». Isso quer dizer que ele fora criado como irmão de criação de Herodes, o tetrarca (também chamado Ântipas, e que foi aquele que mandou executar João Batista). Ver Mat. 14:1-14.

Quão grande foi o destino desse homem, na vida, em comparação com seu irmão de criação, Herodes. Aos olhos do mundo, Manaém foi muito menos bem-sucedido que Herodes, porquanto obteve menor fama, mas, na realidade, por ter sido um simples líder da igreja cristã de Antioquia, recebeu de Deus uma honraria incomparável, e assim ocupou uma posição muito superior à de Herodes, aos olhos do Senhor.

A conversão de Manaém mostra-nos que o evangelho já havia penetrado em lugares elevados, contando com alguns poucos convertidos até mesmo nos círculos do governo. O Manaém que era essênio, predisse um grande futuro para Herodes, razão pela qual Herodes chegou a honrá-lo como profeta. É possível que o Manaém do livro de Atos tenha sido criado no palácio real como uma espécie de *agradecimento* ao outro homem desse mesmo nome, de quem pode ter sido filho ou neto, ou parente mais próximo ou remoto. O termo grego que nossa versão portuguesa traduz por «colaço», é apenas a forma genitiva, «de Herodes». E isso tem deixado os intérpretes em dúvida quanto ao relacionamento exato que havia entre eles. Talvez tivesse sido um companheiro de infância, ou um irmão adotivo, ou mesmo um ex-cortesão, ou alguma espécie de oficial na corte de Herodes. Seja como for, havia alguma espécie de relacionamento chegado entre Manaém e Herodes.

●●● ●●● ●●●

MANASSEAS

Essa é a forma apócrifa de Manassés, em I Esdras 9:31.

MANASSÉS

Esboço:

I. O Nome
II. Um dos Dois Filhos de José
III. Uma das Tribos de Israel; Seu Território
IV. Um Rei de Judá

I. O Nome

No hebraico, «que faz esquecer». Esse nome surgiu quando José disse, ante o nascimento do menino: «Deus me fez esquecer de todos os meus trabalhos, e de toda a casa de meu pai» (Gên. 41:51). Ele declarou porque o nascimento de seus filhos, no Egito, compensou pelas perdas que ele vinha sofrendo até aquele ponto de sua vida.

II. Um dos Dois Filhos de José

Manassés era o filho mais velho de José. Sua mãe era a egípcia Asenate. Ela era filha de Potífera, um sacerdote egípcio de Om (Heliópolis). Ver Gên. 41:50,51; 46:20. Isso aconteceu por volta de 1860 A.C. Pouco se sabe a respeito de Manassés. Contudo, temos o registro sobre como Manassés e seu irmão mais novo, Efraim, foram adotados por Jacó, em seu leito de morte, dando-lhes o mesmo direito de igualdade com os demais filhos de Jacó. E foi assim que Efraim e Manassés tornaram-se progenitores de duas das tribos de Israel.

Dos dois irmãos, Manassés era o mais velho, mas Jacó deu a Efraim a bênção de primogenitura (ver Gên. 48). Apesar de sua subordinação, Manassés seria abençoado pelo *anjo* que remira a Jacó de todos os males, e haveria de transformar-se também em um grande povo, uma predição que se cumpriu no fato de que se tornou o cabeça da tribo de Manassés. Ver Gên. 48:20. Manassés teve uma concubina araméia, que foi a mãe de Maquir; e foi de seus descendentes que proveio a tribo de Manassés (ver I Crô. 7:14). É possível que Maquir tivesse sido filho único, e fundador único de sua casa. Após essa informação, o registro bíblico nada mais nos diz no tocante a Manassés. Os Targuns de Jerusalém e os comentários do Pseudo-Jônatas, sobre Gên. 42, originaram (ou perpetraram) a tradição que diz que Manassés foi mordomo da casa de José, agindo como intérprete no diálogo entre José e seus irmãos (ver Gên. 42:23). Esse material tradicional também nos informa que Manassés era dotado de tremenda força física, o que demonstrou quando reteve Simeão (ver Gên. 42:24). Algumas vezes, o material tradicional reveste-se de algum valor, adicionando interessantes dados históricos. Usualmente, porém, não passam de adições românticas, que procuram preencher vácuos em nosso conhecimento.

III. Uma das Tribos de Israel; Seu Território

Ver o artigo separado sobre **Tribo (Tribos de Israel)**. Ver também sobre **Jacó**, onde apresentamos um gráfico que demonstra como os seus descendentes tornaram-se nas doze tribos de Israel. A tribo de Manassés descendia de Manassés, um dos dois filhos de José (ver a seção II, acima), através de sete famílias subseqüentes. Uma dessas famílias derivava-se de Maquir, filho de Manassés, e as outras seis famílias derivavam-se de Gileade, filho de Maquir. Ver Núm. 26:28-34; I Crô. 2:21-23; 7:14-19. Ver também Jos. 17:1,3.

A tribo de Manassés ocupava territórios de ambos os lados do rio Jordão. A porção que ficava a leste do Jordão foi concedida por Moisés; e a porção a oeste foi concedida por Josué (ver Jos. 22:7). Quando o povo de Israel havia atravessado o rio Jordão, foram feitos novos arranjos. Josué permitiu que a meia-tribo de Manassés, juntamente com a de Rúben e de Gade, retornasse ao território conquistado a Seom, rei de Hesbom, e a Oque, rei de Basã (ver Núm. 32:33). A porção oriental, que pertencia à meia-tribo de Manassés, cobria parte de Gileade e a totalidade de Basã (ver Deu. 3:12). A metade ocidental da tribo era possuidora de boas terras, ao norte do território de Efraim e ao sul dos territórios de Zebulom e Issacar (ver Jos. 17:1-12). Esta, por sua vez, foi subdividida em dez partes, cinco ficaram com descendentes masculinos, e cinco com a sexta família descendente de Manassés, a saber, a posteridade de Hefer, todas mulheres, filhas de Zelofeade (ver Jos. 17:3). As cidades manassitas da porção ocidental incluíam Megido, Taanaque, Ibleã e Bete-Seã, sobre as quais damos artigos separados, nesta enciclopédia. Várias dessas cidades, antes disso, tinham sido cidades fortificadas dos cananeus. A vitória obtida pelos manassitas não foi completa, embora eles cobrassem taxas dos ocupantes da terra que não haviam sido dali desalojados.

Embora os manassitas tivessem terras suficientes, eles pediram mais da parte de Josué, pelo que ele recomendou que eles abrissem áreas até então cobertas de florestas (ver Jos. 17:14,18). A cidade de Golã, que pertencia a essa tribo, era uma das cidades de refúgio. Ver sobre essa cidade e o artigo intitulado *Cidades de Refúgio*. Ver também Jos. 20:8; 21:27.

Gideão pertencia a essa tribo, tendo ele escrito uma parte especial da história de Israel, durante a época dos juízes. Ver o artigo separado sobre *Gideão*. Quando Davi fugia de Saul, e refugiou-se temporariamente em Ziclague, alguns membros da tribo de Manassés vieram apoiar a sua causa (ver I Crô. 12:19, 20,31). Naturalmente, essa tribo sofreu o cativeiro assírio, juntamente com o restante das tribos do norte (ver I Crô. 5:18-26).

Embora aos descendentes de Manassés tivesse caído por sorte uma boa extensão de boas terras, em Canaã, finalmente, foram ultrapassados, em número e influência pela tribo de Efraim. Seus líderes mais proeminentes foram Gideão, Gileade de Jefté.

Estatística. 1. Por ocasião do êxodo do Egito, a tribo de Manassés contava com 32.000 membros (ver Núm. 1:35; 2:21); Efraim tinha 40.500 membros (ver Núm. 1:32,33; 2:19). 2. Por ocasião da conquista da terra de Canaã, quarenta anos mais tarde, Manassés tinha 52.700 membros, e Efraim diminuíra para 32.550 membros (ver Núm. 26:34, comparando com Núm. 26:37). Isso fazia de Manassés a sexta maior tribo de Israel. Porém, essa situação foi finalmente revertida, quando Efraim cresceu em números e em importância.

Finalmente, a tribo de Manassés perdeu sua identidade, tendo sido assimilada ao povo do novo ambiente, após a destruição do reino do norte, Israel. Os pecados e a idolatria de Manassés são enfatizados em I Crô. 5:25. Todavia, Sal. 4:7 e 108:8 referem-se à tribo de Manassés como «meu é Manassés»; e o trecho de Eze. 48:4 preserva um lugar para os homens dessa tribo, na visão idealista sobre o futuro. O trecho de Apo. 7:6 também inclui a tribo de Manassés, em sua alistagem.

IV. Um Rei de Judá

1. *Descrição Geral*. O rei Manassés era filho de Ezequias. Sua mãe chamava-se Hefzibá (II Reis

21:1-16). Ele foi o décimo quarto rei de Judá. Começou a reinar em 696 A.C., com doze anos de idade, e reinou durante cinqüenta e cinco anos. Provavelmente, em tão tenra idade, ele foi co-regente, com seu pai, entre 696 e 686 A.C., embora monarca único de 686 a 642 A.C. Seu governo foi assinalado por decadência espiritual e política. Isso foi causado, em parte, pela ameaça representada pela Assíria, pelo ângulo militar, e também pela sedução das formas religiosas assírias. O resultado foi o sincretismo com o culto a Baal (vide). **Astarte** começou a ser adorada nos lugares altos de Israel. O próprio Manassés foi um tirano sangüinário, que se esqueceu do Deus de seus antepassados. Ele introduziu altares ilegais nos átrios do templo e participou daquele horrendo culto pagão que obrigava os filhos de Israel a serem passados pelas chamas, em adoração a falsas divindades. Também encheu a cidade de Jerusalém com sangue inocente derramado, mais do que qualquer outro monarca judaico antes dele (ver II Reis 21:1-16; II Crô. 33:1-10).

2. *A Ira de Deus*. Sempre foi uma interpretação histórica judaica comum que quando a nação de Israel obedece à lei de Deus, ela prospera e torna-se invencível diante de seus inimigos; mas, em caso contrário, então descarrega-se a ira de Deus contra eles, e eles recebem toda espécie de tribulação e destruição. Foi assim que Manassés não conseguiu escapar. No conflito entre o Egito e a Assíria, Manassés tomou o lado errado, dando seu apoio ao Egito, o que Ezequias também havia feito. O exército assírio marchou até o interior do território de Israel, levando a tudo de vencida. Era a grande oportunidade dos assírios na história, e o inevitável alcançou o insensato Manassés. Este foi tomado prisioneiro pelos invasores (cerca de 677 A.C.). Mas isso acabou ajudando-o, porquanto ele percebeu os males que havia praticado, e chegou a tomar conhecimento das calamidades que havia cultivado. Humildemente, pediu perdão a Deus. Aparentemente, seu cativeiro perdurou apenas por um ano. Então foi restaurado ao seu trono, sob a condição de pagar tributo, e, de modo geral, tornou-se um títere da Assíria. O relato inteiro fica em II Crô. 23:11—13.

3. *Certas Medidas Reformadoras*. Manassés aprendera bem a sua lição. Ele procurou reverter os males que havia cometido. Iniciou-se um período de prosperidade em Israel. Ele mandou reconstruir as muralhas de Jerusalém, e adicionou novas fortificações. Ver II Crô. 38:13-17. Removeu os ídolos e as estátuas que mandara pôr no templo do Senhor. Também reparou o altar e baixou ordens a fim de restabelecer a adoração sagrada. Permaneceram de pé os lugares altos, mas dedicados somente a Yahweh.

4. *Morte de Manassés*. Os trechos de II Reis 21:18,26 e II Crô. 33:20 relatam o falecimento de Manassés e seu sepultamento no jardim de Uzias, o que aconteceu em cerca de 641 A.C.

5. *Arqueologia*. Há uma referência direta a Manassés, nas inscrições assírias de Essaradom. Essa inscrição fala sobre como ele foi levado em cativeiro para a Assíria, embora não haja informações sobre sua subseqüente restauração ao trono de Israel. Comparar isso com II Crô. 33:10-13. Isso ocorreu por volta de 678 A.C. Ao todo, nessa inscrição, há uma lista de vinte reis que recebiam ordens desse monarca assírio.

Há uma curiosa confirmação dos registros bíblicos (ver II Crô. 33:11), no tocante a Manassés. Os eruditos supunham que Manassés deveria ter sido levado para Nínive, capital do império assírio, e não para a cidade de *Babilônia*, que só atingiu proeminência mais tarde na história. Porém, os tabletes assírios, em escrita cuneiforme, têm mostrado que embora Babilônia tivesse sido destruída por Senaqueribe, no tempo de Manassés ela já havia sido reconstruída. Esses tabletes mencionam a questão especificamente, nas palavras do próprio Essaradom: «Convoquei todos os meus artesãos e o povo da Babilônia em sua totalidade. Fi-los carregar a cesta e **pus a rodilha sobre a cabeça deles. A Babilônia construí novamente, expandi, ergui, tornei magnificente».**

A estela Senjirli, de Essaradom, mostra Baalu, rei de Tiro, agrilhoado pelos pulsos e em atitude de súplica diante do monarca assírio. Ao lado dele está Tiraca, rei da Etiópia, com um gancho nos lábios, preso por uma corda à mão de Essaradom, como se fosse um animal cativo. Torna-se evidente pelos registros históricos que os reis assírios desse período passavam grande parte de seu tempo na cidade de Babilônia, como uma espécie de segunda capital. Ora, diz aquele trecho de II Crônicas: «Pelo que o Senhor trouxe sobre eles os príncipes do exército do rei da Assíria, os quais prenderam a Manassés com ganchos, amarraram-no com cadeias e o levaram para Babilônia».

Seja como for, a experiência inteira redundou no bem de Manassés. O livro apócrifo *Oração de Manassés* (vide) reflete o arrependimento de Manassés, e seu desejo de instituir reformas. Isso é descrito no seu terceiro ponto. Muitos eruditos, entretanto, salientam que apesar de Manassés ter sido sincero na tentativa, as reformas devem ter sido superficiais, porquanto o filho de Manassés, Amom, reverteu aos caminhos maus de seu pai (ver II Reis 21:20 *ss*), restaurando em Israel a idolatria e o paganismo. No entanto, Josias, neto de Manassés, instituiu reformas eficazes. Quanto a outros vultos bíblicos com o nome de *Manassés*, ver o artigo seguinte.

MANASSÉS (Outros Além do Patriarca e do Rei)

1. Esse é o nome do avô de Jônatas, em Juí. 18:30, conforme o texto é preservado por certo número de traduções, incluindo nossa versão portuguesa. Não obstante, algumas versões dizem ali «Moisés», o que alguns estudiosos pensam refletir o texto original. Presumivelmente, os escribas do *texto massorético* (vide) sentiam que não podiam deixar nesse ponto o reverenciado nome de Moisés, visto que o homem em foco aparece como sacerdote do santuário idólatra de Mica, da tribo de Dã. Assim, para evitar a profanação do nome de Moisés, ainda que esse grande profeta de Deus esteja obviamente em foco, houve substituição de seu nome pelo de Manassés. E essa alteração, ao que se pensa, foi conseguida mediante a inserção da pequena letra hebraica *nun* (n), entre as duas primeiras letras do nome de Moisés. De fato, alguns eruditos têm procurado fazer ambos os nomes derivarem-se da mesma raiz. A maioria dos eruditos rejeita esta idéia. A forma *Moisés* no nome que ali aparece tem o apoio de algumas versões antigas; e, nesse caso, as versões estão corretas, contradizendo o texto massorético. Ver sobre *Massora* e sobre *Texto Massorético*. *John Gill* (in loc.) menciona que alguns textos hebraicos mostram sinais de terem sido mexidos nesse ponto, com a inserção de um *nun* (n).

2. Um filho de Hasum (Esd. 10:33; ver também I Esdras 9:33). Ele esteve entre aqueles que foram forçados a desfazer-se de suas esposas estrangeiras, quando o remanescente de Judá voltara do cativeiro babilônico, e a antiga adoração fora restaurada.

3. Um filho de Paate-Moabe (Esd. 10:30), também assim chamado em I Esdras 9:31. Ele também esteve entre aqueles que se divorciaram de suas esposas

estrangeiras, após os judeus terem retornado do cativeiro babilônico.

4. Um Manassés está em foco em Nee. 13:28, embora seu nome não seja dado nessa passagem bíblica. Josefo (*Anti.* 11:7,2) é quem nos provê o nome. Ele se casou com Nicaso, filha de Sambalate. Manassés era um dos filhos de Joiada, filho de Eliasibe, o sumo sacerdote. Foi deposto do sacerdócio por Neemias. Esse Manassés tinha se casado com uma mulher estrangeira. Seu irmão, o sumo sacerdote, Jadua, disse-lhe que ele precisava fazer a escolha, isto é, ou desfazer-se da esposa estrangeira ou abandonar o sacerdócio. Manassés replicou que amava tanto à sua esposa estrangeira que não podia divorciar-se dela; mas que também não queria deixar o sacerdócio. Manassés foi, então, falar com Sambalate, seu sogro, e mediante manipulações dos dois, em cooperação com o rei, foi levantado um templo no monte Gerizim, e Manassés tornou-se o sumo sacerdote naquele lugar. Josefo conta-nos que daí resultou um cisma, dando vários detalhes que vão além do registro bíblico, em *Anti.* 11.8,1-4.

MANASSÉS, ORAÇÃO DE

Se *Manassés* reflete a forma grega do nome, *Manasseh* reflete a forma hebraica do mesmo. Esse título refere-se a um pequeno livro que faz parte da coletânea das obras apócrifas. Ver o artigo sobre os *Livros Apócrifos*. Interessante é que embora esse livro seja assim classificado, não esteve entre os livros que foram recebidos como canônicos pelo Concílio de Trento, da Igreja Católica Romana, e que antes não faziam parte do cânon católico romano. Outrossim, originalmente não fazia parte da Vulgata ou das mais antigas coletâneas da Septuaginta. Apareceu pela primeira vez na *Didascalia* siríaca (século III D.C.), e foi incorporado nas *Constituições Apostólicas* (vide). Isso pode dar a entender que foi uma obra produzida já dentro da era cristã, mas a maioria dos eruditos é da opinião de que se trata de uma produção literária de antes do alvorecer do cristianismo. Encontra-se no *Codex Alexandrinus* (A), manuscrito que data do século V D.C., e que inclui tanto o Antigo quanto o Novo Testamento em grego. — Nesse manuscrito, a Oração de Manassés aparece como apêndice de algumas odes que acompanhariam os salmos canônicos. Em alguns manuscritos bastante tardios, essa obra aparece associada a II Crônicas.

Esboço:

I. Caracterização Geral
II. Pano de Fundo Histórico
III. Autoria e Data
IV. Propósito e Ensinamentos do Livro
V. Conteúdo

I. Caracterização Geral

Quanto às evidências dos manuscritos e a questão da canonicidade, ver a declaração inicial deste artigo. Essa oração consiste em um único capítulo. Estava alicerçada sobre o relato do arrependimento de Manassés, o décimo quarto monarca de Judá, que fora levado para a Babilônia, em seu cativeiro pelos assírios. Ver sobre *Manassés*, IV. *Rei de Judá*, ponto quinto, quanto a evidências arqueológicas de que, realmente, ele foi levado à cidade de Babilônia, e não a Nínive, conforme certos eruditos vinham pensando erroneamente. Na Bíblia, a história é relatada em II Crô. 33:11-13. Os versículos 18 e 19 da oração de Manassés informam-nos que o texto da oração original fora registrado nas desconhecidas obras literárias *Atos dos Reis de Israel* e *História dos Videntes*.

Sabe-se que os judeus tinham muitos livros históricos e proféticos que nunca fizeram parte do cânon sagrado. Ver sobre *Livros*. Por outro lado, apesar de tais tradições poderem estar dizendo verdades, sabe-se que as mesmas tinham um pendor para tentar preencher os espaços em branco com pseudo-informações. Assim sendo, mesmo que essa oração, em sua forma preliminar, tenha aparecido naqueles livros históricos, isso ainda não indicaria que ela fosse uma oração genuína de Manassés, e, muito menos ainda, que só por isso já deva ser incluída no cânon sagrado. Antes, devemos pensar que essa oração é de natureza pseudepígrafa.

No entanto, os eruditos deixam claro que essa oração é um bom exemplo de oração judaica devocional, do estilo *hasid*, que também aparece em alguns dos últimos salmos. Talvez o original tivesse sido composto em hebraico, embora tal oração só tenha chegado até nós em sua versão grega. E ainda que alguns asseverem que os pais latinos da Igreja citaram essa oração, não encontramos qualquer comprovação disso. As *Constituições Apostólicas* (seção 12) atribuem essa obra a *Clemens Romanus* (Clemente de Roma); e se isso corresponde à verdade dos fatos, então isso já nos fornece evidência patrística em favor da Oração de Manassés. Na realidade, porém, essa obra é tardia demais (século IV D.C.) para ter qualquer coisa a ver com Clemente de Roma. Nessa obra, a oração de Manassés é mencionada como parte integral dos livros de Crônicas. Temos *Targuns* sobre Manassés que falam sobre o seu aprisionamento, sofrimento e livramento miraculoso, após o seu arrependimento, e isso no espírito com que aquele livro foi escrito.

O seu título completo é: «A Oração de Manassés, Rei de Judá, Quando Ele Foi Levado Cativo para a Babilônia», o que, sem dúvida, alicerça-se sobre as palavras de II Crô. 33:12,13.

Visto que o livro Oração de Manassés não se acha em hebraico, nem é citado pelos pais da Igreja, e nem figura em qualquer dos catálogos de livros canônicos dos antigos concílios, nunca foi recebido como obra canônica, por qualquer dos ramos da cristandade. A comunhão anglicana, em seu sexto artigo, alista esse livro entre «outros livros lidos pela Igreja para servir de exemplo de vida e instrução quanto a maneiras». O cânon da Igreja Católica Romana colocou o livro juntamente com III e IV Esdras, mas não o incluiu entre os seus chamados livros deuterocanônicos, correspondentes aos livros apócrifos dos protestantes e evangélicos.

II. Pano de Fundo Histórico

Quanto a um genuíno pano de fundo histórico, devemos afirmar que não há tal fundo histórico. Mas a produção literária está alicerçada sobre o relato genuíno que Manassés, tendo sido levado em cativeiro à Babilônia (como parte de seu cativeiro assírio), arrependeu-se de suas maldades, e experimentou uma restauração moral. Então continuou reinando, posto que em vassalagem à Assíria. E obteve considerável prosperidade material, em meio às suas reformas políticas e religiosas. O fato é que a oração de Manassés incorpora um bom exemplo da piedade judaica e humildade espiritual, em face de circunstâncias difíceis, que podemos atribuir à mão julgadora de Deus.

Manassés, filho do rei Ezequias, rejeitou o bom exemplo deixado por seu genitor, e seu reinado (sozinho), entre 686 e 642 A.C., foi um dos mais pecaminosos e paganizadores da história de Israel. Manassés foi um assassino sem escrúpulos, e não meramente um idólatra (II Reis 21:16). Por isso, o machado da Assíria caiu sobre ele, em cerca de 648 A.C. Isso produziu uma mudança radical no homem que se tornou a inspiração dessa oração. O trecho de II Crô. 33:13,18,19 menciona especificamente a oração penitente de Manassés, afirmando que Deus o ouviu, trazendo-o de volta para Jerusalém. Algum autor desconhecido, assim sendo, com base nesses fatos, arrogou-se à tarefa de dizer qual teria sido a prece feita por Manassés, do que resultou o livro que se chama *Oração de Manassés*. A oração, conforme contida nas *Crônicas dos Reis de Israel* e nas *Crônicas dos Videntes*, talvez contivesse informações históricas genuínas, mas, não há razão para supormos que o autor do livro em pauta tivesse tido acesso a esse material.

III. Autoria e Data

Com base naquilo que já foi dito, é óbvio que estamos tratando do caso de um autor desconhecido, que não teve qualquer conexão histórica com o Manassés bíblico. A própria oração exibe a forma litúrgica que era comum durante os três ou quatro séculos antes da era cristã. O autor parece ter sido um judeu helenista, embora não se possa precisar se ele escreveu originalmente em hebraico ou em grego. Entretanto, o fraseado mostra claramente que ele dependeu da versão da Septuaginta. A data exata da composição é tão dúbia quanto a identidade do autor. Alguns estudiosos pensam que essa oração foi escrita durante o período dos Macabeus, talvez a fim de mostrar que o arrependimento pode fazer reverter o juízo divino. Alguns datam a obra tão cedo quanto o século III A.C., mas, o máximo que pode ser afirmado com confiança é que a obra deve ser posta entre aquelas muitas produções judaicas do período helenista (ou intertestamentário).

IV. Propósito e Ensinamentos do Livro

Os judeus tinham um saudável respeito pelos resultados que um verdadeiro arrependimento pode produzir. Manassés, em seu cativeiro, totalmente à mercê de seus captores assírios, foi capaz de reverter toda a sua circunstância mediante uma oração penitente. Era teologia judaica comum que Israel era castigada como uma nação, pelo Senhor Deus, quando se envolvia em práticas pecaminosas, e que sua história era determinada por sua espiritualidade e moralidade, e não pelas potências estrangeiras. Isso talvez seja uma visão simplista da história, mas aparece com freqüência nos escritos judaicos, começando desde o próprio Antigo Testamento. Assim, se essa *Oração de Manassés* foi escrita durante o período dos Macabeus, quando Israel obtivera uma notável vitória, então o livro teve o claro intuito de advertir o povo de Israel quanto a alguma possível apostasia, a fim de que não viesse a sofrer o que acontecera ao rei Manassés. Deus é «o Deus daqueles que se arrependem», diz o décimo terceiro versículo. Ele é «o Deus da justiça», exigindo a mesma coisa da parte de seu povo. Ali os patriarcas são apresentados sob melhores luzes ainda do que no Antigo Testamento, e o exemplo de santidade que deixaram é exposto como um encorajamento (vs. 8). Essa oração repousa sobre a fé nas abundantes misericórdias de Deus, e sobre a eficácia de um sincero arrependimento. É como se o livro dissesse: Se o terrível e totalmente iníquo rei Manassés pôde obter o que obteve, mediante o arrependimento, então *qualquer* um pode fazer o mesmo! Sim, há poder na oração. *A oração modifica as circunstâncias*. Conhecemos esses fatos, mas algumas vezes somos forçados a tirar a prova disso, em nossa própria experiência.

V. Conteúdo

1. A soberania é algo atribuído a Deus. Apesar de ser ele inabordável, em virtude de sua elevadíssima posição e santidade, ele achou por bem tornar-se acessível ao homem. Agora ele espera pelo arrependimento deles, pois os quer abençoar. Vss. 1-7.

2. Segue-se uma eloqüente e comovente confissão de pecados, na primeira pessoa do singular. Vss. 8-10.

3. Vem então um apelo pedindo misericórdia e perdão. Vss. 11-14.

4. A oração de Manassés termina com uma doxologia, que se encerra com as seguintes palavras: «...e tua é a glória sempre. Amém». (CH GD(1957) ME (1957) Z).

MANDAI

Esse nome não se acha no cânon palestino do Antigo Testamento. Mas aparece em I Esdras 9:34, referindo-se a um daqueles que se divorciaram de suas esposas estrangeiras, com quem se tinham casado durante o cativeiro babilônico. Os judeus, ao retornarem à Palestina, renovaram a antiga fé judaica, e tais divórcios tornaram-se imperiosos.

MANDALA

1. A Palavra

Essa palavra vem do sânscrito e significa «círculo», embora também fosse usada para indicar todos os formatos significativos que ocorrem nos sonhos e nas visões (ver o terceiro ponto, abaixo), dotados de significação espiritual ou psíquica.

2. Nos Escritos de Jung

Jung (vide) usava esse vocábulo para aludir aos *padrões arquétipos* e seus elementos constituintes. Ver o artigo intitulado *Arquétipo*. Esse termo é longamente discutido no artigo sobre *Jung*. A mente humana inconsciente seria povoada pelos arquétipos ou mandalas, que seriam forças ocultas que dão forma à vida, às ações e ao destino dos homens. Um uso específico da palavra *mandala*, nos escritos de Jung, é o símbolo da *unidade* que a alma busca, a fim de encontrar soluções para os inúmeros conflitos da existência.

As *mandalas* particulares teriam quatro porções, pelo que Jung pensava em termos de quaternidade, e não de trindade. Essa quaternidade para ele simbolizava o *inteiro*. Ilustrando, consideremos a mulher. Na mulher haveria quatro elementos que existiriam separados uns dos outros, mas que buscariam unidade no seu «eu» superior. A mulher seria: 1. a caçadora amazona (competidora do homem); 2. a sacerdotisa, ou, negativamente, a bruxa; 3. a princesa sedutora; e 4. a mãe terrível. A integração da mulher dar-se-ia no nível da grande mãe, o princípio espiritual mais elevado para a mulher, tal como, no caso do homem, dá-se com o profeta ou velho sábio. Esses quatro aspectos correspondem às quatro fundações da mente, a saber: 1. a mãe, as sensações; 2. a princesa, as emoções; 3. a amazona, o intelecto; e 4. a sacerdotisa, a intuição. Essa é a *mandala* geral, no tocante à mulher, isto é, aquilo que ela é, dividida dentro de si mesma, mas em busca de unidade.

3. Nos Sonhos e nas Visões

Os arquétipos, que são as forças que fazem uma pessoa ser o que ela é e a levam a fazer o que ela faz, refletem-se na arte, na mitologia, nas religiões, nos sonhos e nas visões dos homens. Esses arquétipos desempenham um papel preponderante na imagem dos sonhos, embora, algumas vezes, de maneira tão sutil que desafiam toda interpretação. Nos sonhos, a *mandala* pode assumir diferentes formas. O *círculo* é aquilo que a pessoa já é ou aspira ser. É como uma pele protetora em torno do indivíduo, como se fosse a casca de uma árvore. Fora desse círculo há formas ocultas e ameaçadoras. Dentro do círculo pode haver um jardim quadrado com um lagoa arredondada. Ou a lagoa pode ter uma ilhota quadrada no meio. Assim, a idéia de unidade está sendo projetada através do círculo (sinal da perfeição) e da quaternidade. Ou, então, a *mandala* pode assumir o formato de um olho que a tudo vê, que unifica.

A *mandala* é o vaso de transformação que vincula e subjuga os poderes desregrados, pertencentes às trevas. Esse aspecto de obscuridade e de incerteza pode ser representado por formas escuras, tanto dentro quanto fora do círculo. Animais podem ser vistos a vaguear pelo jardim, representando forças ocultas e desconhecidas, boas e más, que dão forma à vida de uma pessoa. Em seu sentido mais elevado, a *mandala* serve como se fosse uma janela que abre a mente para a eternidade para o Ser divino. De fato, a *mandala* pode ser simbolizada por uma janela, com seus quatro lados. A *mandala* é a esfera interior do homem, as potencialidades que o fazem ser o que é. Aí há forças em conflito, boas e más, e aí há uma busca por unidade e integração.

O sonho tipo *mandala* é diferente do sonho da roda da fortuna, concebida pelo budismo. Essa roda simboliza a esfera temporal, e não a esfera interior, subjetiva. No quadrado ou no círculo pode aparecer o profeta ou velho sábio; ou, então, no caso de uma mulher, a grande mãe. Essas figuras sempre têm coisas importantes para dizer-nos, e nunca faltam com a verdade. Pode aparecer uma estrela dentro do círculo, a estrela do destino. Por isso mesmo somos exortados a «seguir a estrela», ou seja, a cumprir os nossos destinos. Há uma canção popular que diz: «Há uma nova estrela no horizonte, que quase toma conta do céu».

4. Popularização

Falando-se em termos bem gerais, a *mandala* representa aquelas forças ocultas que dão formas às nossas vidas, para melhor ou para pior, e sobre as quais exercemos tão pouco controle (CHE P)

MANDAMENTO

Ver os seguintes artigos: *Novo Mandamento, Dez Mandamentos* e *Mandamentos da Igreja*.

Idéias Gerais. O vocábulo. Em português, a derivação é do latim, *mandare*, ordenar, mandar. O sentido da palavra é ordenar, do ponto de vista de alguma autoridade assumida. O mandamento requer obediência, e, com freqüência, repousa sobre algum dever.

Em nossa Bíblia portuguesa, a palavra «mandamento» é a mais freqüentemente usada para expressar autoridade, divina ou humana, mas principalmente a primeira. Na Bíblia, várias palavras hebraicas e gregas são usadas, em um total de novecentas ocorrências, o que basta para mostrar-nos o destaque da questão nas Escrituras. A primeira ocorrência aparece em Gên. 2:16, vinculada à proibição concernente à árvore do conhecimento do bem e do mal. Porém, não demorou muito para desobedecer a esse primeiro, e então único, mandamento; e disso resultou a queda no pecado, que arrastou a humanidade inteira. No sentido mais geral, estão em pauta os mandamentos de Deus, as muitas facetas de sua lei. Os Dez Mandamentos (que vide) são os mais importantes aspectos da lei geral, contendo em si mesmos inúmeras aplicações. O Salmo 119 emprega dez vocábulos hebraicos diferentes, que têm a idéia de mandamento. Nos Salmos há cerca de duzentas ocorrências dessas diversas palavras. Poderíamos pensar em termos como lei, palavra, juízo, preceito, testemunho, mandamento, estatuto, ordenança, declarações.

No Novo Testamento encontramos vocábulos gregos como:

1. *Éntalma*, «preconceito». Palavra grega que aparece por três vezes: Mat. 15:9 (citando Isa. 29:13); Mar. 7:7 e Col. 2:22.

2. *Epitagé*, «injunção». Palavra que ocorre por sete vezes: Rom. 16:26; I Cor. 7:6,25; II Cor. 7:6,25; II Cor. 8:8; I Tim. 1:1; Tito 1:3; 2:15.

3. *Entolé*, «mandamento». Palavra que aparece por sessenta e sete vezes: Mat. 5:19; 15:3; 19:17; 22:36,38,40; Mar. 7:8,9; 10:5,19; 12:28,31; Luc. 1:6; 15:29; 18:20; 23:56; João 10:18; 11:57; 12:49,50; 13:34; 14:15,21,31; 15:10,12; Atos 17:15; Rom. 7:8-13; 13:9; I Cor. 7:19; 14:37; Efé. 2:15; 6:2; Col. 4:10; I Tim. 7:14; Tito 1:14; Heb. 7:5,16,18; 9:19; II Ped. 2:21; 3:2; I João 2:3,4,7,8; 3:22,23,24; 4:21; 5:2,3; II João 4-6; Apo. 12:17; 14:12.

O Novo Testamento contém muitas alusões ao decálogo, conforme se vê em Mat. 22:37-40; Mar. 12:29-31; Luc. 10:27; Tia. 2:8-11. Os mandamentos de Deus deveriam estar entesourados em nosso coração (Heb. 10:16), sendo obedecidos mediante o amor ao Senhor (João 13:34,35).

Idéias:

1. O próprio universo existe por mandamento de Deus (Sal. 33:9).

2. A história do mundo é providencialmente controlada por mandato divino (Lev. 25:21).

3. Os mandamentos fazem o homem lembrar-se de sua dependência e de seus deveres ante o Criador. As leis judaicas abordam todos os aspectos da vida humana, o que serve de prova dessa declaração. Jesus aplicou os mandamentos aos motivos das pessoas, e não meramente aos seus atos; e isso aprofunda o sentido espiritual dos mandamentos (Mat. 5:22,34, 39).

4. O pólo oposto dos mandamentos são as promessas. Os mandamentos sempre envolvem o benefício resultante da obediência; esse benefício fica na dependência da obediência aos mandamentos. Isso posto, os mandamentos do Senhor não são penosos. Os mandamentos de Deus vinculam o homem a Deus, e disso só pode resultar uma bênção (Mar. 12:29-31; Gál. 5:13 *ss*).

5. Os mandamentos ligam o homem e Deus dentro da relação do amor, pois o amor é a base da lei divina (Rom. 13:8 *ss*). (B W)

MANDAMENTO NOVO

João 13:34: *Um novo mandamento vos dou: que vos ameis uns aos outros; assim como eu vos amei a vós, que também vós vos ameis uns aos outros.*

Temos aqui o equivalente joanino do *«primeiro e grande mandamento»*, segundo se lê em Mat. 22:36-40, com paralelos nos trechos de Mar. 12:28-34 e Luc. 10:25-28. O primeiro mandamento consiste no amor a Deus, no grau mais elevado e final possível; e o segundo, na ordem de importância, é a extensão horizontal desse amor, isto é, o amor ao próximo. Somos também informados de que todo o restante da lei, de alguma maneira, depende desses mandamentos, em seu sentido e aplicação. O apóstolo Paulo revela-nos a mesma verdade, na passagem de Rom. 13:9,10, onde se lê: «Pois isto, não adulterarás, não matarás, não furtarás, não cobiçarás, e se há qualquer outro mandamento, tudo nesta palavra se resume: Amarás ao teu próximo como a ti mesmo. O amor não pratica o mal contra o próximo; de sorte que o cumprimento da lei é o amor». (Ver também o décimo terceiro capítulo da primeira epístola aos Coríntios, que é uma bela expressão poética desse mesmo princípio. Ver, por igual modo, as notas expositivas referentes a Mat. 22:37-40 no NTI).

A lei do amor sempre existiu, fazendo parte integrante do decálogo. Entretanto, encontramos a estranha situação no A. Testamento, de que essa lei não envolvia os deveres dos judeus para com todos os homens, mas apenas dos judeus para com outros judeus. Jesus, porém, *universalizou* e especializou a lei do amor. Ela é universal porque inclui todos os homens, de todos os lugares, sem importar raça, fé ou situação. A parábola de Jesus acerca do bom samaritano teve o propósito de salientar a aplicação universal que deve acompanhar a lei. Ver Luc. 10:33 *ss*. Deus é o grande modelo de amor universal, porquanto ele amou ao mundo, dispondo-se a salvá-lo (João 3:16). Esse é o motivo pelo qual a propiciação é universal, e não particular (I João 2:2). Esse também é o motivo pelo qual a restauração (que vide) haverá de unificar todas as coisas em torno de Cristo, finalmente (Efé. 1:10), a fim de que tudo e todos sejam enchidos por ele (Efé. 1:23).

Mas Jesus também *especializou* a lei do amor. Ele ensinou aos seus discípulos que eles deveriam amar-se de forma especial, destacando-os como um povo especial, neste mundo que se caracteriza pelo conflito e pelo ódio. A expressão «novo mandamento» aparece em João 13:34,35; I João 2:7,8 e II João 5. Jesus ensinou os seus discípulos a valorizarem os princípios da humildade, da sujeição mútua e do interesse mútuo. Ele ilustrou isso na cerimônia do lava-pés (João 13:4-17). Judas Iscariotes perpetrou um ato traiçoeiro, devido à cobiça (João 13:21-30). Os verdadeiros crentes devem sentir-se horrorizados diante de uma traição dessa natureza. Porém, quanto egoísmo vemos entre nós, inspirando todas as formas de atos espiritualmente destrutivos! A espiritualidade não pode existir, a menos que se estabeleça o solo do amor, onde o Espírito cultiva a fim de produzir os vários aspectos de seu fruto (I João 4:7 *ss*). Assim, o amor é o solo onde medram todas as virtudes cristãs (Gál. 5:22,23). O padrão do novo mandamento é o espírito do próprio Cristo. Ele nos amou. Ele estabeleceu o exemplo.

Jesus *exaltou* a lei do amor, alicerçando-a no seu próprio bom exemplo, e aludindo à mesma como o motivo que une a família divina. Ver João 15:12 *ss*. Portanto, o amor deriva-se da condição *regenerada*, mediante a qual alguém torna-se membro da família divina, porquanto aquele que ama é nascido de Deus (I João 4:7).

Jesus salientou o *poder* da lei do amor, afirmando que a mesma origina-se no próprio amor de Deus (II João 5 e 6), manifestado na pessoa de Cristo (João 15:12).

Sobre a maneira pela qual esse mandamento pode ser declarado «novo» (sendo realmente muito antigo), **há muitas interpretações,** *segundo temos sumariado abaixo*:

1. No sentido *intensivo*. É necessário que o crente ame ao próximo em termos divinos, tal como Cristo amou, a saber, mais do que a si mesmo, segundo também Cristo demonstrou possuir um amor superior. Essa interpretação pode encerrar parte da verdade, mas provavelmente não é tudo quanto está expresso no texto em foco. Não obstante, temos nesta primeira interpretação uma observação verdadeira e útil.

2. O crente deve amar ao próximo, e *com especialidade* outro irmão na fé em Cristo, tal como o Senhor Jesus amou aos seus discípulos. Isso é expressamente declarado neste versículo, pelo que também manifesta uma verdade. Porém, continua a deixar-nos sem qualquer definição específica sobre como Cristo amou aos seus discípulos. Não obstante, no exemplo que nos foi dado por Cristo também lembramos o **seu auto-sacrifício**; e, contemplando nós a cruz, logo vemos o que significa nos amarmos uns aos outros. **A palavra-chave,** nesse caso, seria «altruísmo».

3. A **novidade desse mandamento** do amor consiste no fato de que se torna uma atitude *tipicamente cristã*, neotestamentária, pois supomos que o amor de Deus, através da pessoa de Cristo, se manifesta nos crentes, e isso é uma das funções outorgadas pelo poder do Espírito Santo em nós. «A novidade jaz no poder impulsionador do amor; o amor de Cristo, conforme é experimentado por nós, deve ser essa força impulsionadora. Dessa maneira, embora muito antigo, o próprio mandamento é dotado de uma nova significação, a saber, 'em Cristo'». (Meyer, *in loc.*). Naturalmente, isso deixa subentendida a fonte originária do amor, talvez até mesmo em sentido místico, isto é, ele nos vem mediante a aptidão dada pelo Espírito Santo, e não meramente como uma influência psicológica. Isso subentenderia que o amor nos é dado mediante a «nova vida» que o crente possui em Cristo, pois nessa nova vida há uma transformação ética operada pelo poder de Deus. Dessa maneira os remidos tornam-se aptos a amar, quando antes só odiavam.

4. Certamente aqui também está inclusa a idéia do amor cristão, **a *remoção* das fronteiras** nacionais tão comuns nas páginas do A.T. e na tradição judaica, onde o amor era interpretado como algo que só podia ocorrer entre pessoas da raça judaica, pois os gentios eram reputados dignos de suspeita e abominação por parte dos israelitas. Ora, o cristianismo eliminou essas distinções tão artificiais e injuriosas. Por isso, agora, para o crente, quem estiver perto dele é o seu próximo, sem importar as suas convicções religiosas (verdade essa ilustrada pela história do «bom samaritano», contada pelo próprio Senhor Jesus—ver o décimo capítulo do evangelho de Lucas). Ora, em sentido ainda mais elevado, esse novo amor sem fronteiras deve ser aplicado aos nossos irmãos na fé.

5. Também podemos perceber a novidade desse mandamento em outros particulares: *Jamais* deve envelhecer, mas deve haver tanto uma renovação de um antigo mandamento como também uma renovação de um novo afeto. «Trata-se de um amor sem-par, singelo, que se **auto-renova e está sempre fresco».** (Owen, *in loc.*, no Lange's Commentary). Agostinho acrescentou a idéia de que se trata de um *amor regenerador*, que afeta tanto o ser amado como o ser que ama, regenerando a natureza decaída no pecado.

6. Finalmente, devemos observar que alguns intérpretes crêem que esse *novo mandamento* foi instituído juntamente com a celebração da Ceia do Senhor, pelo que também de certo modo, seria idêntico à mesma, visto que a Ceia do Senhor tipifica a pessoa de Cristo em seu amor que vai até o

sacrifício. Esse seria o *novo tipo de amor* que deveríamos possuir e expressar uns pelos outros. Dessa forma, portanto, a Ceia do Senhor é o *ágape cristão* ou «festa de amor», celebrada em comemoração ao amor demonstrado por Cristo, lembrete sobre como nos devemos amar mutuamente. «A Ceia do Senhor serve de canal pelo qual é transmitida a luz, o impulso e a força desse amor fraternal». Certamente o «novo mandamento» sugere-nos a instituição da Ceia do Senhor e o seu simbolismo. Assim sendo, esse «novo mandamento» provavelmente surgiu dentre o contexto da instituição da Ceia do Senhor; porém, apesar disso, de maneira alguma podemos sugerir que o *novo mandamento* sirva de equivalente joanino da instituição da Ceia do Senhor, a qual João não registrou em seu evangelho, — ainda que mencione a refeição pascal da qual participaram o Senhor Jesus e os seus discípulos.

«A medida de nosso amor uns pelos outros é determinada pelo amor de Cristo por nós». (Robertson, *in loc.*). É lógico supormos, portanto, que o novo amor é novo em seu grau e em sua categoria, e é uma restrição desnecessária, imposta ao texto sagrado, considerar esse novo amor como uma coisa ou como a outra.

João 13:35: *Nisto conhecerão todos que sois meus discípulos, se tiverdes amor uns aos outros.*

Os crentes haveriam de ser reconhecidos como discípulos de Cristo por meio do amor demonstrado uns pelos outros, porquanto, no exercício desse afeto, estariam imitando ao seu Senhor e Mestre, observando um mandato seu e expressando nisso a natureza mesma de sua pessoa. As últimas palavras de Carlyle a Tyndale (um dos primeiros tradutores da Bíblia para o idioma inglês, e que mais tarde foi executado pelas autoridades eclesiásticas), foram: «Dá de ti mesmo principescamente». Em outras palavras: Dá de ti mesmo de forma alta, intensa e exaltada. Nisso é que consiste o amor do *novo mandamento* — de nos darmos uns pelos outros.

Os Elementos do Amor

1. **Capacidade de olvidar-se de si mesmo no serviço** ao próximo. Isso é amar a Cristo, Mat. 25:31 e *ss.*

2. O amor não consiste de mera emoção. É uma qualidade da alma, mediante a qual o indivíduo sente ser natural servir ao próximo, tal como sempre quererá servir a si mesmo. Essa qualidade da alma é produzida pela influência transformadora do Espírito, segundo se vê em Gál. 5:22.

3. Visto que o verdadeiro amor é fruto do Espírito, isso significa que, a fim de obtê-lo, precisamos crescer espiritualmente. Precisamos utilizar os meios do desenvolvimento espiritual como o estudo das questões espirituais, a oração, a meditação, a prática das boas obras, a santificação e o uso dos dons espirituais. O amor medra bem nesse solo.

4. Aquele que mais ama mais se parece com Deus. Aquele que ama mais serve mais. Deus amou ao mundo de tal maneira que deu...

5. O amor é prova de espiritualidade. I João 4:7 e *ss*. De fato, não haverá regeneração, sob hipótese alguma, sem a possessão do verdadeiro amor. Solene fato!

6. O amor de Deus chega à mais elevada estrela, bem como ao mais profundo inferno. Até que ponto o nosso amor nos leva?

«...segundo J.R. Seeley expressou o conceito, 'Cristo adicionou um novo hemisfério ao mundo moral'». (*Ecce Homo*, págs. 201 e 202. Ver o capítulo inteiro sobre a 'Moralidade Positiva'). Paralelamente à moralidade negativa, e acima dela, ele estabeleceu a moralidade positiva. Alguém poderia guardar com perfeição os Dez Mandamentos e, no entanto, estar longe de praticar o verdadeiro cristianismo. Para nós não existem dez mandamentos e, sim, onze. O décimo primeiro consiste em: *Amarás*. Nessa pequena palavra, 'amar', no dizer de Cristo, está sumariado o dever inteiro de um homem. Em tudo isso Cristo manifesta originalidade muito maior do que percebemos. Assim também é que T.R. Glover, na obra *Influence of Christ in the Ancient World*, um excelente estudo acerca do cristianismo e dos seus rivais mais próximos, declara: **'As filosofias epicuréia** e estóica haviam posto grande ênfase na 'imperturbabilidade' e liberdade' de toda emoção, o que, em cada caso, é essencialmente um cânon muito egoísta da vida. Esse autor admite que no caso do estoicismo isso era sempre modificado pela memória do descanso dos cosmos. Todavia, 'Liberdade das emoções?' A palavra grega era e continua sendo, nesse caso *apatia*. 'Não me ponho ao lado', disse o gentil Plutarco, 'daqueles que entoam hinos à selvagem e dura apatia'». (Cambridge, University of Cambridge Press, 1929), págs. 76 e 77). Não era esse o ideal de Cristo. Tal como o seu Mestre, o crente deve expor-se a 'sentir o que **os miseráveis sentem'**.

Para sermos justos para com os antigos, deveríamos acrescentar neste ponto que, tanto na moral de Sócrates, na sua busca pelas definições universais acerca das questões éticas, fundamentadas em sua confiança de que todo o princípio ético é eterno e imutável, contido na mente universal, como também na moral de Platão, em seus «universais» e em suas «realidades últimas», que seriam eternos, perfeitos e imutáveis, que também incluem princípios éticos e que, em seu diálogo sobre as «Leis», são identificados com «Deus», há uma aproximação bem delicada do ideal do amor cristão.

••• ••• •••

Tennyson escreveu:

Se por acaso amo a algum outro
......
Não devo ter cuidado com tudo quanto penso,
Sim, até mesmo daquilo que como e bebo,
......
Se por acaso amo a algum outro?

Nessas linhas transparece a percepção do poeta de que nenhum indivíduo vive isolado dos outros, somente para si mesmo, porquanto nenhuma pessoa é uma ilha.

«Amor é uma disposição de caráter que leva a pessoa a considerar seus semelhantes *com estima*, respeito, justiça e *compaixão*. Amor cristão é, obviamente, esse sentimento inspirado e exemplificado por Cristo, e praticado pelos seus servos, em seu nome. O amor permeia e rege todo o evangelho. Foi por amor que Deus enviou Jesus ao mundo (João 3:16); o amor é o resumo da lei de Deus (Mat. 22:34-40). O amor é a finalidade dos mandamentos (I Tim. 1:5). O amor se constitui num mandamento específico de Jesus para seus discípulos (João 15:12). O amor é uma das evidências da regeneração. O amor é, em resumo, a essência do cristianismo. Por isso mesmo é necessário que cada servo de Jesus faça uma reavaliação de seu procedimento, para que verifique o quanto tem obedecido ao Senhor no tocante à prática do amor em sua vida». (Delcyr de Souza Lima, *Pontos Salientes*, 1970, Casa Publicadora Batista, Rio de Janeiro, RJ).

A mensagem de I João é: *O amor é a prova da espiritualidade.*

Não há nunca amor perfeito
Sem tortura e sem cuidado.
Amar é ter Deus no peito,
Outra vez crucificado.

(Augusto Gil, Porto, Portugal, 1873-1929).

«Agora, pois, permanecem a fé, a esperança e o amor, estes três; porém, o maior destes é o amor». (I Cor. 13:13).

MANDAMENTOS DA IGREJA

Essa é uma expressão geral que se refere a qualquer conjunto de leis que governa a Igreja e que seja considerado básico para que alguém se torne membro dela e coopere com ela. Isso pode ser ilustrado pelo código aprovado pelo terceiro concílio plenário de Baltimore, em 1886, no caso da Igreja Católica Romana, nos Estados Unidos da América.

Cinco princípios cardeais foram então enumerados, a saber: 1. Freqüência regular à missa e confissão freqüente. 2. Participação na Santa Comunhão; 3. Observância de jejuns e abstinências. 4. Sustento dos clérigos. 5. Estrita aderência às leis no tocante ao casamento com parentes consangüíneos.

As igrejas protestantes e evangélicas relutam em decretar tais regras. Todavia, conheço uma igreja batista que automaticamente corta do seu rol qualquer de seus membros que deixe de freqüentar aos cultos por certo número de meses, se o mesmo tem condições de mostrar-se ativo. Infelizmente, muitas pessoas também tornam-se membros dependendo dos mandamentos de cada igreja. A maioria das igrejas, excetuando aquelas que são bem liberais, requerem dos membros em potencial que aceitem certo credo. Então, uma vez batizado, o novo membro assume a responsabilidade de tornar-se membro ativo e de cumprir as expectações morais e espirituais da igreja a que pertence. Se vier a sofrer alguma medida disciplinar, se vier a falhar quanto a isso, depende muito da igreja local.

MANDAMENTOS DE CRISTO

João 14:15: *Se me amardes, guardareis os meus mandamentos.*

Este versículo vincula os nossos pensamentos aos conceitos emitidos nos versículos anteriores, sobre a feitura de obras que os crentes realizassem em nome de Jesus. Aqueles que haveriam de realizar essas obras, e essas formas de obras, seriam maiores do que aquelas que o próprio Senhor Jesus fez neste mundo, jamais seriam realidades não fora a presença do amor que é aqui mencionado e nem fora a força proporcionada pelo Espírito Santo, que aparece nos dois versículos seguintes. A atuação do «Logos» encarnado foi motivado pelo amor, tal como a ação de Deus Pai, ao enviar Cristo ao mundo (ver João 3:16). Aqueles que estão unidos dentro da família de Deus devem participar de um amor mútuo, amor esse que forçosamente inspira ações características da natureza de Cristo. Tholuck (*in loc.*) tem uma excelente observação sobre a natureza desse amor: «Para João, o amor não consiste meramente em felicidade de sentimentos; mas é unidade de vontade com o amado (ver João 14:21; 15:14 e I João 3:18). É o amor que torna os homens susceptíveis à comunhão com o Consolador; o *mundo* não pode recebê-lo». Entretanto, também expressa a verdade aquilo que Lange registrou (*in loc.*), ao dizer: «A amorosa contemplação da personalidade de Cristo é o vínculo de comunhão dos discípulos, aquilo que faz deles uma personalidade coletiva, e nessa comunhão podem tornar-se o órgão da manifestação pessoal do Espírito Santo».

Quanto ao sentido da palavra *mandamentos*, neste ponto, poderíamos destacar as *seguintes observações*:

1. Não se trata de alguma referência direta aos *dez mandamentos*, — quer segundo aparecem nas páginas do A. Testamento, quer segundo aparecem incorporados no N.T.

2. Não se trata de uma referência às *diversas instruções* que Jesus deu a seus discípulos.

3. Mas trata-se de uma alusão ao corpo e ao *espírito inteiro* daquilo que os homens aprendem mediante a sua associação com Jesus e, mais particularmente, por pertencerem à família celestial da qual ele é o irmão mais velho e na qual há o Pai celeste. Os seus mandamentos são as normas que orientam essa família, os princípios éticos da família celeste, o que não se limita aos dez mandamentos, mas nem por isso é contrário aos mesmos.

4. Na referência em foco, neste ponto, há uma alusão especial ao *novo mandamento*, que é a lei do amor, que se mostra saliente entre todos os mandamentos, sumariando a eles todos dentro de poucas palavras e que haveria de ser uma característica toda especial de cada membro dessa família, bem como da família como uma comunidade local, na forma de igreja. O espírito de todas essas verdades pode ser encontrado na declaração apostólica de Paulo: «...logo, já não sou eu quem vive, mas Cristo vive em mim; e esse viver que agora tenho na carne, vivo pela fé no Filho de Deus, que me amou e a si mesmo se entregou por mim» (Gál. 2:20).

Estamos fazendo progresso, em nossa obediência e aplicação da lei do amor, quando começamos a ter cuidado pelos outros segundo cuidamos de nós mesmos; quando nos parece tão importante o que acontece aos outros, como o que acontece conosco; e, acima de tudo, quando em tudo desejamos para os outros não menos do que para nós mesmos. O amor é uma profunda motivação que provoca a partilha e o mais autêntico altruísmo, e isso é abundantemente ilustrado na vida de Cristo, que viveu para os outros e morreu pelos outros. O amor é um produto da influência do Espírito no coração do crente (um dos aspectos do fruto do Espírito — ver Gál. 5:22), e faz parte da transformação ética que o Espírito Santo opera nos remidos, servindo também de evidência do desenvolvimento espiritual dos mesmos.

MANDAMENTOS, OS DEZ

Ver sobre **Dez Mandamentos**.

MANDEANOS

Esse é o nome de uma seita gnóstica, com cerca de 6000 adeptos. Até hoje, alguns de seus descendentes vivem nas cidades e aldeias do baixo Iraque. Essa gente continua usando um dialeto aramaico oriental. Ocupam-se em objetos de arte, principalmente como artífices em prata. Localmente, eles são chamados *subba*, ou seja, «batistas», devido à sua conexão tradicional com João Batista, visto que seriam uma continuação da seita fundada por João Batista. Entretanto, não podem ser fundamentadas as reivindicações que eles derivam diretamente de João Batista. Eles se intitulam «verdadeiros crentes» e também *mandai* (gnósticos), ou, então, povo do *Manda d'Hayye*, «o Senhor que dá conhecimento e vida». A verdadeira origem dessa seita parece ter ocorrido no século V D.C., com base em idéias bíblicas, no cristianismo siríaco, no maniqueísmo (vide) e nas noções gnósticas em geral. Além disso, é patente que eles sofreram alguma influência proveniente da antiga Mesopotâmia. O vocabulário religioso deles procede da versão siríaca Peshitta da Bíblia, usada pelos cristãos nestorianos e jacobitas. Suas Escrituras exibem evidências de terem sido reduzidas em volume, durante a época de predomínio islâmico.

Ritos. Os mandeanos observam ritos diários de purificação, em água corrente, lavagens do corpo, de panelas, de pratos, etc. Reúnem-se aos domingos. Suas cerimônias, usualmente, ocorrem ao ar livre, em átrios ou à beira de riachos ou cursos de água. Eles contam com uma estrita classe sacerdotal, separada dos leigos.

Literatura. Seus textos religiosos mais importantes são os seguintes: *Ginza* (Tesouro); *Draha d'Yahya* (Livro de João); *Qolasta* (Liturgias); *Sfar Malwasha* (livro do Zodíaco) e *Diwan Abathur* (Sobre o Purgatório).

Tradições. Sabe-se que a seita fundada por João Batista persistiu durante séculos depois que o cristianismo desabrochou. Os trechos de Mat. 9:14; Atos 18:25 e 19:1-7 demonstram esse fato, tanto quanto a história eclesiástica primitiva. Os primeiros discípulos de João vieram dos essênios, embora também houvesse alguns judeus helenistas entre eles. As *Homilias Clementinas* (28.3) referem-se a discípulos gnósticos de João Batista, que podem ser identificados com os *hemerobatistas*, que praticavam batismos diários, mencionados também por Eusébio (*Hist. Eccl*. 4:22). Talvez eles tivessem um fundo essênio formativo. Posteriormente, o missionário carmelita João a Jesu, encontrou na Pérsia uma seita chamada cristãos de São João ou nazoreanos. Esse é o grupo que atualmente é conhecido como *mandeanos*. Eles ensinavam e continuam ensinando muitos aeons divinos (uma doutrina gnóstica comum), nos quais manifesta-se o «conhecimento da vida», ou *Manda de chaje*, de onde se deriva o nome dessa seita.

As doutrinas deles assemelham-se às do gnosticismo ofita, com elementos do maniqueísmo, de mistura. Os *aeons* seriam os mediadores da salvação dos homens. Não pode ser provada qualquer conexão histórica entre esse grupo e os hemerobatistas, mencionados por Eusébio, embora haja historiadores que reputam isso provável. Seja como for, a passagem do tempo e a mudança de localização injetaram no grupo várias influências pagãs. Eles rejeitam tanto o judaísmo quanto a pessoa de Cristo, e, em certas fases da história deles, isso tem sido feito nos termos mais enfáticos. (MA E KU PAL)

MANDEVILLE, BERNARD DE

Suas datas foram 1670-1733. Nasceu em Dordrecht, na Holanda. Estudou na escola de Erasmo, em Rotterdam, e na Universidade de Leiden. Tornou-se médico; mudou-se para a Inglaterra, onde se ocupou em escrever e em filosofar. Ele tinha algumas idéias curiosas em relação à ética e à religião. Tornou-se largamente conhecido como homem esperto e inteligente, cuja conversação e espirituosidade eram inspiradoras. Publicou certo número de obras satíricas, visando problemas sociais de sua época.

Idéais:

1. Ele escreveu fábulas (como a Fábula das Abelhas), a fim de ilustrar as suas idéias. Defendia a tese de que aquilo que chamamos de *virtude* é prejudicial para a sociedade, enquanto que vários *vícios* ajudam o seu progresso. Ele definia a *virtude* como aquilo que os homens fazem por necessidade, contrário às suas vontades, mas que termina beneficiando a outras pessoas. E por *vício* ele entendia as ações de auto-interesse dos homens. Todavia, os vícios particulares podem resultar em benefícios públicos.

2. A autopreservação jaz à base de todas as virtudes sociais. As leis resultariam de um engrandecimento egoísta, e dè alianças protetoras entre os fracos.

3. Se o altruísmo autêntico fosse a base das leis e dos atos sociais, então terminaríamos na apatia. Os homens agem melhor quando agem em favor próprio, e não tão bem quando agem (verdadeiramente) em favor do próximo.

4. Mandeville era um homem engraçado, que escreveu a fim de entreter, e não meramente a fim de instruir. Isso posto, é possível que ele não quisesse que tomássemos muito a sério as suas idéias. Contudo, visto ser ele, igualmente, um satirista, isso parece indicar que ele descrevia as coisas da maneira como as dizemos, e que não era muito idealista em suas descrições. Naturalmente, a base de seu pensamento era o *egoísmo*, e não o altruísmo.

Obras. *Free Thoughts on the Religion, Church and Government; The Fable of the Bees;* ou *Private Vices, Public Benefits; Inquiry into the Origin of Man and the Usefulness of Christianity.*

MANDRÁGORAS

Esse é o nome dado ao gênero *Mandrágora* da família das batatas, uma erva perene, representada por três espécies que medram no mundo mediterrâneo. São plantas praticamente destituídas de caule, com grande folhas dentadas e grandes raízes tipo tubérculo. As flores são coloridas desde o púrpura até o violeta pálido, ou mesmo o branco, com corolas em formato de sino. As frutinhas são globulares. A raiz é dupla, e, mediante uma vívida imaginação, tem o formato de um corpo humano, da cintura para baixo. Por esse motivo, várias lendas e superstições têm aparecido em torno dessa planta, incluindo a noção de que ela possui poderes mágicos. Certas partes da planta contêm narcóticos venenosos, similares à beladona, que os antigos usavam como narcóticos e afrodisíacos.

A Bíblia refere-se a esse vegetal em vários trechos, como Gên. 30:14—16 e Can. 7:13. Por causa de suas supostas propriedades afrodisíacas, a planta é também conhecida como *maçã do amor*. Mas os árabes, precisamente pela mesma razão, chamam-na de *maçã do diabo*. A menção às mandrágoras, no capítulo trinta de Gênesis (no diálogo havido entre Lia e Raquel) quase certamente mostra que elas tinham a mandrágora como uma poção afrodisíaca. As frutinhas da planta é que eram utilizadas com essa finalidade. Sua parenta próxima, a *Atropa belladonna*, produz a atropina, uma importante droga medicinal. O trecho de Can. 7:13 fala sobre a fragrância dessa planta, mas, visto que a mandrágora não tem qualquer perfume especial, é possível que esteja em vista alguma outra espécie vegetal, para nós desconhecida.

MANES

Essa é uma forma alternativa de *Mani*, um nome persa. Mani foi o fundador do maniqueísmo. Ver o artigo chamado *Mani e o Maniqueísmo*.

●●● ●●● ●●●

MANGAS

Lemos, em nossa versão portuguesa, em Gênesis 37:3: «Ora, Israel amava mais a José que a todos seus filhos, porque era filho da sua velhice, e fez-lhe uma túnica talar de mangas compridas». E, então, em II Samuel 13:18: «Trazia ela uma túnica talar de mangas compridas, porque assim se vestiam as donzelas, filhas do rei». Entretanto, a expressão hebraica que indica esse tipo de vestes, com as suas mangas, é de difícil interpretação. Nas inscrições cuneiformes há menção a uma certa vestimenta cerimonial, *kutinnu pisanu*, que contava com aplicações trabalhadas em ouro como ornamentação. E a frase hebraica a que aludimos parece cognata dessa expressão cuneiforme, filológica e semanticamente falando. Não há dúvidas de que as vestes usadas por pessoas de alta posição social, nos dias do Antigo Testamento, distinguiam-se por sua grande qualidade, quanto aos tecidos usados e quanto aos ornamentos.

Nossa versão portuguesa mais interpreta do que traduz o hebraico, porquanto este diz muito mais que as vestes referidas tinham sido feitas com «muitas peças» ou com «muitas extremidades». Há uma famosa tradução inglesa que também interpreta, em vez de traduzir, falando em vestes de «variegadas cores», quando o hebraico não faz qualquer alusão ao colorido.

MANI E O MANIQUEÍSMO

Mani foi um sábio persa, que alguns chamam de último dos gnósticos. Ver o artigo separado sobre o *Gnosticismo*. Ele fundou uma religião no século III D.C. que, durante algum tempo, rivalizou seriamente com o cristianismo. Assim, é um erro considerar o *maniqueísmo* como uma heresia ou corrupção crist^. Antes, era uma religião independente. Entre os séculos IV e XII D.C. foi muito ampla a sua distribuição, desde a parte ocidental da França até o leste da costa chinesa, onde Marco Polo (vide) encontrou comunidades maniqueístas, nos fins do século XIII D.C.

Mani nasceu em cerca de 216 D.C., na Babilônia. Criou uma fé religiosa local que enfatizava o batismo e as purificações rituais. Seu pai era um visionário, ativo na seita, ao ponto dos historiadores suporem que o maniqueísmo seria um ramo do gnosticismo. Sua família estava ligada à família real persa dos arsácidas. Ele falava principalmente o aramaico, mas conhecia bastante o persa para compor um de seus sete livros maiores nesse idioma.

Com cerca de doze anos de idade, Mani começou a ter experiências místicas. Ele estava convencido de que fora escolhido pela providência divina para cumprir uma missão especial na terra. De fato, chegou a se convencer de que era o *profeta final*, o Paracleto, que Jesus mesmo prometera que viria. Começou cumprindo sua alegada missão divina viajando para o noroeste da Índia, onde Sapur I, filho do rei sassânida, Ardashir, estava empenhado em manobras militares; e foi ali que ele começou a pregar o novo evangelho. Foi Ardashir quem reconheceu, oficialmente, a nova fé, anunciada por Mani. Isso teve lugar em 243 D.C., um ano que os maniqueístas lembram como o seu Pentecoste. Várias viagens missionárias seguiram-se, encontrando um notável sucesso, mediante os esforços de muitos missionários. O sacerdócio masdeano, entretanto, enfrentou a nova fé com grande resolução. Seguiram-se perseguições, e os seguidores de Mani foram dispersos. Mas isso serviu somente para levar os discípulos de Mani a outros territórios, como o leste da Ásia, o sul e o oeste da África do Norte e a Europa. Mani foi aprisionado e, em cerca de 277 D.C., foi executado. O *masdeísmo* era uma religião iraniana que viera à existência em c. do séc. IV A.C. e que substituíra o zoroastrismo. Era assim chamado por causa de sua principal divindade cósmica, *Mazda*. Ver sobre o *Parsismo* e os *Parses*, o único fragmento significativo que restou atualmente, dessa antiga fé.

Uma curiosidade histórica é que Agostinho, antes de converter-se ao cristianismo, durante nove anos foi um *ouvinte* maniqueu, o que significa que ele não era totalmente devotado à seita, mas estava em processo de investigação séria da mesma.

Idéias Distintivas do Maniqueísmo:

1. Deus é um Deus teísta. Ele se revela aos homens. A revelação existe e Mani era um instrumento especial dessa revelação, sendo o prometido *Paracleto*.

2. Deus ter-se-ia revelado mediante a mensagem espiritual de servos escolhidos como Buda, Zoroastro e Jesus; mas Mani seria o último e maior desses servos de Deus.

3. Os eleitos entre os seguidores (aqueles que tomam sua fé especialmente a sério) seriam ascetas que se abstêm de carne, de qualquer ato de morte, até mesmo de animais e plantas, e que nunca mantêm relações sexuais.

4. *Dualismo*. Haveria *duas raízes* em existência, separadas, em conflito e irreconciliáveis. Uma dessas raízes é a *luz*, que resulta no reino da paz e da bondade. Seu dirigente é o diretor dos espíritos. A outra raiz são as *trevas*, um reino de turbulência e maldade, e seu governador e seus espíritos são seres maliciosos e maus. Esse reino controla a matéria, pelo que tanto é mundano quanto diabólico. Deus é eterno, mas Satanás (o contradeus) foi produzido por elementos tenebrosos. Originalmente, esses dois reinos existiam separados. Mas, finalmente, entraram em choque. Infelizmente, agora achamo-nos envolvidos nesse conflito. Deus produziu o homem primevo, como um aliado para ajudá-Lo nesse conflito. Porém, o homem primevo foi derrotado por Satanás. Nosso mundo atual foi formado por poderes celestiais derivados do caos resultante da mistura da luz com as trevas; e isso explica por que o mundo está em estado de confusão, e por que motivo nos vemos a braços com o *problema do mal* (vide).

5. *Redenção*. No sentido estrito e absoluto, o reino do mal não pode ser derrotado, porquanto há dois princípios eternos e separados. No entanto, os homens deveriam ter a esperança de que haveria a *separação* dessas forças. Essa separação, até onde diz respeito a este mundo, dependeria dos esforços e dos atos humanos. É nesse ponto que entra a fé religiosa. Quando praticamos o mal, aumentamos o poder das trevas. Quando fazemos o bem, aumentamos o poder da luz. Assim, quanto maior for o bem que pusermos em prática, mais estaremos separando o bem do mal. Se os homens se tornassem verdadeiramente espiritualizados, o que era alvo dos esforços de Mani, então essa separação tornar-se-ia uma realidade. Porém, nem se deveria pensar em derrotar o reino do mal, no sentido de que o mesmo chegaria ao fim. Isso importa em um autêntico *dualismo* (vide).

Quase todas as religiões são parcialmente dualistas, admitindo a existência do mal, mas supondo que o bem finalmente destruirá completamente o mal, que será anulado. Todavia, podemos meditar um pouco sobre a doutrina do inferno, conforme muitos cristãos acreditam. Como poderíamos dizer que o mal será derrotado e conquistado, se um inferno eterno existirá, no qual a *maioria* da humanidade ficará sofrendo para todo o sempre as mais horrendas agonias? Nesse caso, o reino das trevas não haverá, realmente, de ganhar a batalha? Contradigo essa doutrina em meu artigo chamado *Restauração*. Nesse artigo, apresento as razões que tenho para assim fazer, incluindo porções do Novo Testamento. Penso que aqueles cristãos caem na armadilha do dualismo, com sua doutrina de eterna punição futura.

6. *Jesus teria sido um grande profeta*, e teria tido uma grande missão. Ele teria vindo para reverter a obra de Satanás. Advertiu especialmente a humanidade contra o sensualismo, a mais poderosa das armas do reino das trevas. Jesus teria obtido algum sucesso, mas sua missão não se completou. Por isso mesmo, outros profetas tiveram de ser enviados. O Paracleto (Mani) foi encarregado da última e maior missão. Ele e os demais têm cooperado em levar a *divina gnosis* aos homens.

7. *A Responsabilidade Humana*. Os homens fazem bem quando vivem como ascetas, porque, a fim de atacarem o mal, eles realmente precisam entrar na guerra. Aqueles que brincam, em vez de guerrearem, são sempre derrotados. A liberação da luz é ajudada por uma vida de ascética pureza. Mas é impedida por qualquer modalidade de idolatria, impureza de vida e desinteresse. A guerra contra o mal envolve o ser humano inteiro: o que ele é, o que ele diz, o que ele pensa, o que ele faz.

8. A fim de ajudar aos homens, aqueles que são verdadeiramente espirituais provêem para eles um método para subirem gradualmente até o rebanho dos eleitos. Nessa escalada há aqueles que são os *ouvintes* ou inquiridores, dos quais não se pode esperar que, da noite para o dia, exerçam um esforço máximo no combate contra o mal. Ainda estão sendo ensinados a exercer esse esforço. É preciso reconhecer a debilidade em que os homens se acham, e não esperar muito deles, no começo.

9. *A Comunidade dos Maniqueus*

a. *Os eleitos*. Esses são os verdadeiros combatentes, que estão lutando a sério contra Satanás. Esses vivem no ascetismo, labutando para conseguir avançar o processo de separação, tornando-se pessoas separadas.

b. *Os ouvintes*. Esses seguem os ensinos maniqueístas, mas não vivem no ascetismo.

c. *Os aderentes*. Esses são os que estão se interessando pela fé, embora ainda sem assumir responsabilidades mais sérias. Estão ainda sondando a situação.

Essa exposição maniqueísta é interessante, pois todas as religiões, sem importar quais seus nomes, falam nessa espécie de situação. Naturalmente, a esmagadora maioria dos religiosos fica dentro da terceira categoria, dos meros aderentes.

Curiosidades. Os *eleitos* entre os maniqueus não podiam matar qualquer coisa, nem mesmo a vida vegetal. Por essa razão, os *ouvintes* tinham de apanhar frutas e fazer colheitas (causando a morte das plantas), a fim de suprirem alimentos para os eleitos. Os *ouvintes*, por sua vez, podiam matar plantas, mas não animais. Quem fosse maniqueu nunca ingeria carne. Os *ouvintes* também podiam casar-se. Mas os *eleitos* nem se casavam e nem possuíam propriedades. Essas coisas só servem para desviar a atenção da vida espiritual.

10. *Por ocasião da morte*, os eleitos ascendem mediante a *coluna da glória*, avançando de uma condição para outra, a caminho da glória final, que é atingida no Reino da Luz. Os ouvintes precisam passar por um longo processo de purificação, se esperam tornar-se eleitos. As almas dos ímpios nunca se deixam atrair pela causa. Bem pelo contrário, elas são derrotadas na batalha. Ficam vagueando pelo mundo (mediante intermináveis reencarnações), até que chegue a grande conflagração mundial. Essa conflagração estender-se-á por mil, quatrocentos e cinqüenta e oito anos. Então, os ímpios encontrarão seu lar no reino das trevas, com o qual insistiram em ter afinidade. Receberão, finalmente, o que vinham cultivando.

11. *Um Caráter Gnóstico*. As fontes informativas árabes sempre afirmaram que Mani foi o sucessor extremista de dois grandes predecessores gnósticos ou semignósticos, a saber, o pontiano *Márcion* e o sírio *Bardesanes*. Mani teve ligações próximas com Bardesanes, de tal modo que o hino de Bardesanes, «Hino à Alma», bem como os Atos de Tomé, com grande facilidade, com pouca modificação, poderiam ser incorporados na literatura sagrada dos maniqueus. O dualismo de Mani fundamenta-se essencialmente sobre o dualismo do *Zoroastrismo* (vide). O próprio Mani escreveu muitos livros e epístolas, mas restam agora somente alguns fragmentos dessas suas composições. (AM B C E EP F)

MANIFESTO (MANIFESTAÇÃO)

Ver o artigo separado sobre a *Epifânia*, que vem de *epiphâneia*, termo grego que significa «manifestação». Essa palavra refere-se ao aparecimento de Jesus Cristo entre os homens, ou seja, à *encarnação* (vide), mediante a qual se manifestou a glória de Deus entre os homens. Uma outra grande manifestação divina foi a inauguração do ministério do Espírito Santo, o alter ego de Cristo, que veio cumprir a missão divina a messiânica. Ver o artigo sobre o *Espírito Santo*.

Além do termo grego *epiphâneia*, também devemos considerar outra, *pheneróo*. Esta última é usada para indicar os propósitos eternos de Deus, que agora se fizeram conhecidos aos homens, como parte da obra salvatícia e iluminadora do Filho do homem. Ver João 1:31; I João 1:2; 3:5,8; 4:9; Rom. 3:21; 16:26; Col. 1:26; Tito 1:3; II Tim. 1:10; I Ped. 1:20 e Efé. 5:13. A *parousia* (vide) será ainda uma outra manifestação divina, que produzirá grande avanço espiritual entre os seres humanos e na ordem cósmica.

MANÍPULA

Essa palavra portuguesa vem do latim, *manipulum*, «mão cheia». Esse é o nome de uma peça decorativa do braço esquerdo das vestes sacerdotais, na Igreja Católica Romana e outras, por ocasião da celebração eucarística.

MANIUS, TITUS

No grego, *Títos Mánios*. Essa transliteração do nome romano encontra-se em I Macabeus 11:34-38. Ele foi um dos dois legados romanos que, em 164 A.C., enviaram uma missiva aos judeus, alistando as concessões que lhes tinham sido feitas por Lísias. Naturalmente, isso só ocorreu porque Lísias fora derrotado em batalha, e assim ele se fez de árbitro entre os judeus e Antíoco IV Epifânio, em Antioquia. Os historiadores não têm sido capazes de identificar esse homem, Titus Manius, através de outros documentos históricos. Nem por isso, porém, temos razão em duvidar da autenticidade da narrativa.

●●● ●●● ●●●

MANJEDOURA

No hebraico, **ebus**, palavra que ocorre por três vezes: Jó 39:9; Pro. 14:4 e Isa. 1:3. Mas nossa versão portuguesa usa a palavra «celeiro», na segunda dessas referências.

No grego do Novo Testamento temos o vocábulo *phátne*, «manjedoura», usado somente em Lucas (2:7,12,16).

No Antigo Testamento, a referência é a uma espécie de caixa ou gamela, onde era servida a forragem oferecida aos animais. Mas, o termo grego refere-se mais a uma manjedoura ou estábulo. Alguns eruditos pensam que assim se deve interpretar a história da natividade. Certas citações extraídas dos escritos dos pais da Igreja sugerem que o lugar do nascimento de Jesus foi uma «caverna», onde animais eram guardados como em um estábulo. Ver as notas expositivas sobre isso no NTI, em Luc. 2:7. Aos viajantes pobres dava-se abrigo para permanecerem junto com os animais. Ou, no caso de José, Maria e Jesus, a falta de acomodações na hospedaria forçou essa situação. Há algo de muito apropriado nisso, pois o Logos, o Filho de Deus, em sua encarnação, humilhou-se ao máximo, a fim de que sua glória também fosse elevada ao máximo.

As manjedouras, nos tempos antigos, também incluíam lugares fechados ao ar livre, ou então até mesmo abrigos permanentes feitos de tijolos de argila ou pedra. A atual Igreja da Natividade, em uma colina baixa em Belém da Judéia, cobre uma antiga manjedoura que havia em uma gruta. Esse tem sido identificado como o local exato do nascimento de Jesus. Porém, em redor de Belém havia muitos lugares possíveis similares. No Oriente Próximo, era comum escavar lugares assim nas rochas, ou então eram usadas cavernas naturais. O fato é que a natureza exata da manjedoura de Jesus é desconhecida, embora a lição de humildade seja perfeitamente clara.

MANJUSRI

No sânscrito, *bodhisattva* (vide), indicando um símbolo da Sabedoria, usualmente representada por uma imagem, à esquerda da Sakyamuni, nos templos budistas. À esquerda da mesma encontra-se a imagem de Smandabhadra, que representa a compaixão. A representação comum de manjusri inclui cinco madeixas dos cabelos de Buda, simbolizando a quíntupla sabedoria dele. Com freqüência, ele é apresentado como o pai dos budas. Ele é o cabeça da *bodhisattvas*, o filho de Buda, o principal discípulo de Buda, etc., tudo dependendo de diferentes pontos de vista e representações. Seu centro mais famoso fica no monte *Wu-T'ai*, «monte de Cinco Terraços», em Shansi, na China. Antes do comunismo tomar conta da China, essa era a Meca dos budistas.

MANOÁ

No hebraico, «descanso». Manoá era nativo da cidade de Zorá, da tribo de Dã. Ele foi o pai de Sansão. Quanto ao relato bíblico, ver Juí. 13:1-23. Manoá reaparece em Juí. 14:2-4, por ocasião do casamento de Sansão, mas é provável que tivesse morrido antes de Sansão. O cadáver de Sansão foi trazido de Gaza pelos seus irmãos, e não por seu pai. Ver Juí. 16:31, onde se lê sobre o «túmulo» de Manoá, onde, sem dúvida, já jazia o seu corpo. Manoá teve o privilégio de entrar em comunicação com os anjos acerca do nascimento e da carreira de Sansão. Sansão deveria ser um nazireu perpétuo (ver Núm. 6), começando pela sua própria mãe. Manoá ofereceu alimentos ao anjo, o que este rejeitou, ordenando antes que se fizesse um holocausto. Somente quando o anjo subiu nas chamas do holocausto foi que Manoá percebeu que tivera um encontro com um ser angelical.

Manoá aparece nas páginas da Bíblia como um homem de oração e fé, que não aprovou a teimosia e o desvio de seu filho, Sansão, procurando persuadi-lo a não se casar fora do povo de Deus, Israel (ver Juí. 14:3).

MANRE

Desconhece-se o significado dessa palavra, no hebraico (na Septuaginta, sua forma é *Mambre*). Nas páginas do Antigo Testamento, refere-se a uma pessoa e a uma localidade.

1. Esse era o nome de um chefe dos amorreus, que, com seus irmãos, Aner e Escol, fez aliança com Abraão (ver Gên. 14:13,24), talvez algum tempo antes de 2250 A.C., embora seja difícil determinar com exatidão datas tão recuadas. Esses homens ajudaram Abraão a derrotar aos reis mesopotâmicos invasores. Lemos que Abraão havia armado suas tendas perto dos terebintos de Manre, intitulado «o amorreu». Assim sendo, esse homem provavelmente deu seu nome ao lugar.

2. No livro de Gênesis lemos sobre os «carvalhais de Manre» (Gên. 13:18; 18:1), ou, simplesmente, «Manre» (Gên. 23:17,18; 35:27), em alusão a um bosque que havia em algum lugar perto de Hebrom. Os trechos comparados de Gên. 23:39 e 35:27 parecem identificar Manre e Hebrom, a mesma também chamada Quiriate-Arba; mas o trecho de Gên. 13:18 afirma que Manre ficava «junto a Hebrom».

Abraão encontrava-se em Manre quando recebeu visitantes angelicais, segundo o relato do décimo oitavo capítulo de Gênesis. Quando Abraão comprou o campo e a caverna de Efrom, o heteu, tornou-se proprietário da parte leste de Manre, que então era chamada Macpela. Ver Gên. 23:17-20; 23:19; 25:9; 49:30; 50:13. Os dois lugares são mencionados juntos.

Se a caverna de Macpela realmente está sob a mesquita de Hebrom, então Ramat el-Khallil, que é o local geralmente aceito como Manre, não fica «junto» (ver Gên. 3:18), ou a leste de Hebrom, conforme a palavra hebraica usada parece indicar. Porém, se alguém se aproximar de Hebrom pelo norte, então a palavra hebraica usada não estaria fora de lugar, relacionando Hebrom com Ramat el-Khallil. Seja como for, várias localidades competem entre si como o lugar. Santuários levantados por judeus, por pagãos e por cristãos somente têm aumentado a confusão sobre o quadro. Khirbet Nimreh e 'Ain Nimreh (as ruínas da Fonte de Nimreh) têm sido sugeridas, mas Ramat el-Khallil parece ser a identificação autêntica.

MANSÃO

Essa é a tradução de algumas versões inglesas para o termo grego *monê*, em João 14:2, onde nossa versão portuguesa diz «moradas». Note-se o plural; porquanto há muitas moradas no mundo celestial. Usualmente, o Novo Testamento refere-se aos «céus», e não a «céu», no singular, o que concorda com o que fica implícito no décimo quarto capítulo de João. A casa do Pai tem muitas moradas, ou seja, muitas esferas diferentes. Comparar isso com os «lugares celestiais», aludidos por Paulo, em Efé. 1:4. Podemos supor que graus de recompensa ou de avanço espiritual estejam envolvidos nessa questão, de tal modo que a alma remida, ao subir de um estágio de glória para outro (ver II Cor. 3:18), sobe das esferas inferiores para as esferas superiores. Há muitos mistérios, mas é lógico supormos que algo daquilo que caracterizará a carreira eterna da alma, está em progresso desde agora, em sua transformação segundo a imagem de Cristo. Por conseguinte, a glorificação será um processo eterno, uma participação sempre crescente na natureza divina (ver II Ped. 1:4), sendo isso a essência daquilo que chamamos de *salvação* (vide). Ver o artigo separado intitulado *Transformação Segundo a Imagem de Cristo*. Visto que há uma infinitude com que seremos cheios, certamente deverá haver um enchimento infinito. A economia de Deus desconhece estagnação.

MANSIDÃO

1. Palavras Usadas na Bíblia

No hebraico, temos três palavras: *'anaw*, «estar inclinado», que aparece por vinte vezes no Antigo Testamento, conforme se vê, por exemplo, em Sal. 22:26; 25:9; 37;11; 76:9; 147:6; Isa. 11:4; 29:19; 62:2; Amós 2:7; Sof. 2:3; Núm. 12:3. Nas traduções aparece com o sentido de «manso», «humilde» e até mesmo «pobre». Nessa última referência, vemos Moisés ser descrito como homem «manso». *Anavah*, «gentileza», «humildade», «mansidão». É palavra que ocorre por quatro vezes tão-somente. Sof. 2:3; Pro. 15:33; 18:12; 22:4. *Anvah*, «mansidão», «suavidade», «brandura», que ocorre por duas vezes: Sal. 45:4; 18:35.

No Novo Testamento, encontramos a palavra *praús*, «manso», e seus cognatos: Mat. 5:5; 11:29; 21:5 (citando Zac. 9:9); I Ped. 3:4. O substantivo *praútes* aparece onze vezes: I Cor. 4:21; II Cor. 10:1; Gál. 5:23; 6:1; Efé. 4:2; Col. 3:12; II Tim. 2:25; Tito 3:2; Tia. 1:21; 3:13 e I Ped. 3:15.

Os mansos são felizes porque herdarão a terra (Mat. 5:5); Jesus convidou a todos a virem a ele, por ser manso e humilde de coração (Mat. 11:29). Em sua entrada triunfal em Jerusalém, Jesus veio humildemente, montado em um jumentinho (Mat. 21:5). As mulheres cristãs, em vez de se decorarem com coisas mundanas, deveriam decorar seus espíritos com mansidão (I Ped. 3:4).

2. Idéias Bíblicas

Além daquelas coisas que já foram mencionadas, deveríamos observar que Paulo faz dessa qualidade um dos frutos ou virtudes que o Espírito Santo cultiva em um homem (Gál. 5:22). Isso significa que tal virtude era considerada uma das grandes qualidades espirituais, algo a ser desejado e buscado pelos crentes. Por outra parte, a *arrogância* é uma das principais características negativas dos homens. Na passagem de Fil. 2:1-11, essa qualidade da humildade é associada à mente de Cristo. Se Cristo tivesse sido arrogante, de disposição contrária à humildade e à mansidão, nunca teria sido bem-sucedido em sua missão encarnada. No entanto, foi através dessa qualidade que o Filho de Deus distinguiu-se. Os mansos da terra são especialmente abençoados com a proteção divina e com ricas recompensas. Moisés era homem manso; Davi orou a oração dos mansos (Sal. 10:17). Conforme disse Davi, os mansos haverão de possuir a terra (Sal. 37:11), dando a entender a Terra Santa, e o Senhor Jesus ampliou isso a fim de envolver a terra inteira (Mat. 5:5). Paulo exortava a outros com mansidão e gentileza, atribuindo essas virtudes a Cristo (II Cor. 10:1). Paulo exortou aos crentes para que cumprissem sua missão e chamamento em humildade e mansidão (Efé. 4:1 *ss*). Metaforicamente falando, entre as peças de nossa indumentária espiritual a mansidão tem lugar garantido, juntamente com a compaixão, com a gentileza, com a humildade e com a paciência (ver Col. 3:12). Tiago instrui-nos no sentido de que a Palavra de Deus deve ser recebida por nós com «mansidão» (Tia. 1:21). Pedro ajuntou que todos os crentes deveriam estar preparados para defender sua fé e esperança com gentileza e mansidão (ver I Ped. 3:15).

3. Nos Escritos de Aristóteles

Para Aristóteles, essa virtude era um *vício de deficiência*. Em seu sistema ético ele relacionou doze virtudes principais, para cada uma das quais corresponderia um vício de deficiência e um vício de excesso. No caso em foco, a *magnanimidade* aparece como a virtude; a humildade, ou *mansidão*, é o vício de deficiência; e a *vaidade* é o vício de excesso.

Lemos sobre um general romano que ficou envergonhado de si mesmo porque, um dia, ao ver um escravo sendo maltratado, sentiu compaixão dele. A arrogância pagã continua predominando no coração humano. Naturalmente, a mansidão não envolve a autodepreciação, conforme é do hábito de certos indivíduos, que pretendem imitar essa qualidade. Usualmente, esse fingimento não passa de um ato teatral, para chamar a atenção dos homens e o seu louvor. A mansidão é resultante da verdadeira humildade, por causa do reconhecimento do valor alheio, com a recusa de nos considerarmos superiores. Deus é a grande fonte dessa graça, e Jesus Cristo é o seu supremo exemplo, o que ele demonstrou em sua encarnação e em sua maneira de tratar os homens. Quanto à lista das virtudes relacionadas por Aristóteles, ver o artigo geral sobre a *Ética*, seção VI, vol. II, págs. 562 e 563.

MANTA (CAPA, VESTIDO)

Essas palavras traduzem certo número de palavras hebraicas e gregas, referindo-se a peças em geral do vestuário.

1. *Semikah*. Palavra hebraica usada em Juí. 4:18. Esse foi o pano com que Jael cobriu Sísera, talvez algum tipo de tapete ou coberta.

2. *Meil*. Robes, capas, mantas estão em foco. Ver I Sam. 15:27; 28:14; Esd. 9:3,5; Jó 1:20; 2:12; Sal. 109:29.

3. *Maataphoth*. Um artigo do vestuário feminino está em pauta, talvez uma espécie de túnica com mangas. A palavra hebraica está no plural, aparecendo exclusivamente em Isa. 3:22.

4. *Addereth*. Algum tipo de capa ou manta está em foco, talvez uma faixa feita de pele ou couro de animal. Ver I Reis 19:13,19; II Reis 2:8,13,14.

Mantas muito ornamentadas eram usadas pelos sacerdotes levíticos. Os reis usavam mantas de tipo especial (Jon. 3:6), como também os profetas (I Reis 19:13; II Reis 2:8,13). Essas mantas eram feitas de peles ou de pêlos de animais.

5. *No Novo Testamento*. A palavra grega *imátion* é usada para indicar «manta», ainda que, em seu sentido mais amplo, possa significar vestes em geral. Porém, em trechos como Mat. 9:20 *ss*; 24:18; Luc. 8:44; 22:36 e João 19:2, sem dúvida está em foco a manta. Temos, então, alusões à veste mais externa. Os mártires são descritos como pessoas a quem foi dada uma veste branca (ver Apo. 6:11), e outro tanto é dito acerca dos remidos. Nesses casos, a palavra é usada em sentido simbólico, para indicar a nova vida, a vida da alma, bem como a retidão de Cristo, que possibilita essa nova vida da alma.

6. *Nos Sonhos e nas Visões*. A manta, a capa ou o capuz significam calor, proteção, amor, ou, então, o veículo da alma, o corpo físico. Ou, então, quando aparece no ato de ser vestida, pode indicar a nova vida da alma. Em II Cor. 5:4, o «revestimento» indica o tempo quando a alma receberá seu corpo espiritual especial, para manifestar-se nos lugares celestiais. Ou pode haver nisso uma representação geral: o indivíduo remido recebe a vida eterna como sua nova vestimenta. Por sua vez, o temor de perder a própria capa ou o paletó pode significar o descobrimento de algo errado que a pessoa fez, ou, então, no sentido religioso, o temor de perder a própria fé.

MANTEIGA

No hebraico, **chemah**, palavra que aparece por nove vezes: Gên. 18:8; Deu. 32:14; Juí. 5:25; II Sam. 17:29; Jó 20:17; 29:6; Pro. 30:33; Isa. 7:15,22. Em Salmos 55:21, encontramos uma outra palavra hebraica, *machamaoth*, «pedaços amanteigados», embora nossa versão portuguesa também diga ali «manteiga».

Segundo muitos estudiosos, o mais provável é que a idéia de *manteiga* só se faça presente em Deu. 32:14 e Pro. 30:33. Em todas as outras referências, parece ser melhor traduzir a palavra por creme ou coalhada (que vide).

O antigo método de fabricação de manteiga, sobretudo aquele de fabricação doméstica, parecia-se muito com o método moderno, mas não industrializado. O leite era posto dentro de um receptáculo de couro, ou de outro material. O receptáculo era suspenso de alguma maneira, sendo agitado, até que dali resultasse a manteiga. O trecho de Provérbios 30:33 mostra-nos que o leite azedado se transformava em coalhada. Entre os antigos escritores gregos não há qualquer menção à manteiga. Entre os romanos, a manteiga era mais usada como medicamento do que como alimento. Certas tribos africanas, até hoje, usam a manteiga a fim de melhor fixar os penteados de suas mulheres.

Usos Figurados: 1. Lavar os pés na manteiga é desfrutar de grande e deleitosa prosperidade (Jó 29:6). No verão, a manteiga se liquefazia como o azeite, e, no inverno, tornava-se sólida ou pastosa; a referência em Jó 29:6 indica o estado liquefeito. 2. A linguagem lisonjeadora assemelha-se à manteiga, ou melhor ainda, a pedacinhos de pão amanteigado (Sal. 55:21).

MÂNTICO

Essa palavra vem do grego, *mantikós*, «profético». É palavra relacionada a *mántis*, «profeta», «vidente». Esse vocábulo indica «relacionado à adivinhação ou predição». Os gregos acreditavam que certas pessoas são dotadas de dons proféticos, podendo predizer eventos e dar bons conselhos a respeito. Algumas vezes, isso envolvia o uso de vários tipos de presságios ou atos de pássaros ou de animais. Em sua forma mais desenvolvida, havia oráculos que contavam com profetas ou profetisas bem conhecidos. Ver o artigo geral sobre a *Religião Grega*.

MANTO

No hebraico, **beged**, «manto». Essa palavra aparece por duzentas e quinze vezes, com o sentido mais simples, igualmente, de «vestes» ou «roupas». Para exemplificar: Gên. 24:53; 27:15,27; 29:20; Lev. 11:32; Núm. 31:20; Deu. 24:17; Juí. 8:26; I Sam. 28:8; II Reis 5:5; 7:8; Est. 4:4.

No grego temos a considerar cinco palavras, a saber:

1. *Énduma*, «veste». Esse vocábulo ocorre por oito vezes: Mat. 3:4; 6:25,28; 7:15; 22:11,12; 28:3; Luc. 12:23.

2. *Esthés*, «robe», vocábulo que figura por 7 vezes: Luc. 23:11; 24:4; Atos 10:30; 12:21; Tia. 2:2,3.

3. *Imatismós*, «veste». Palavra que aparece por cinco vezes: Luc. 7:25; 9:29; João 19:24; Atos 20:9; I Tim. 2:9.

4. *Sképasma*, «coberta». Termo que ocorre somente em I Tim. 6:8.

5. *Imátion*, «veste». Palavra que aparece por cinqüenta e nove vezes: Mat. 5:40; 9:16,20,21; 14:36; 17:2; 21:7,8; 24:18; 26:65; 27:31,35; Mar. 2:21; 5:27,28,30; 6:56; 9:3; 10:50; 11:7,8; 13:16; 15:20; Luc. 5:36; 6:29; 7:25; 8:27,44; 19:35,36, 22:36; 23:34; João 13:4,12; 19:2,5,23,24; Atos 7:58; 9:39; 12:8; 14:14; 16:22; 18:6; 22:20,23; Heb. 1:11,12; Tia. 5:2; I Ped. 3:3; Apo. 3,4,5,18; 4:4; 16:15; 19:13,16.

A gravura existente no obelisco negro de Salmaneser, mostra homens vestidos com vestes que lhes chegavam à altura dos joelhos, com beiras orladas. O manto dos hebreus geralmente tinha forma quadrada, com aberturas para os braços. Havia um fio que passava por cima de um dos ombros, e pouco se usava por baixo do manto. O livro de Rute dá-nos alguma idéia do estilo desse tipo de vestimenta. Vemos ali Boaz, deitado no campo plantado e seu manto sendo usado como coberta. Rute, que reivindicava a proteção dele em sua viuvez, veio e cobriu-se com a ampla beirada dessa vestimenta, aos seus pés, sem que ele a notasse, a princípio. Quando Boaz acordou, viu-a ali e perguntou quem ela era. Ela informou-o de que era sua parenta e serva, e pediu-lhe que a cobrisse com o seu manto. O manto era o símbolo de proteção, e a lei do levirato requeria isso da parte de Boaz, no tocante a Rute.

Moisés prescreveu o uso do manto para os **sacerdotes (ver Êxo. 28:4,31,34), um precedente** seguido por Samuel (I Sam. 28:14). Os sacerdotes e escribas dos dias de Jesus usavam mantos (Mar. 12:38 e Luc. 20:46, onde o original grego diz *stole*, mas onde nossa versão portuguesa traduz por «vestes talares»). Os anjos usavam um manto, no interior do sepulcro vazio de Jesus (ver Mar. 16:5, onde nossa versão portuguesa diz apenas «vestido de branco»), bem como durante a cena da ascensão do Senhor (ver Atos 1:10, com tradução portuguesa similar, posto que no plural). Na visão apocalíptica de João, essa também era a veste dos mártires (ver Apo. 6:11; em português, «vestiduras brancas») e do Senhor Jesus (ver Apo. 1:13; em português, «vestes talares»). Essa palavra grega é usada por oito vezes. Mas uma outra palavra grega, *imátion*, «manto púrpura», aparece por sessenta e duas vezes no Novo Testamento, novamente com variegadas traduções em português, nem sempre dando ao leitor a idéia exata do que se tratava. Sabe-se que *to imátion* era o manto usado por um rei ou general (ver João 19:2; em português, «manto de púrpura», que dá a impressão de que o tecido era feito de púrpura, quando, na verdade, púrpura era a cor do manto, pelo que a tradução deveria ser «manto púrpura»). No grego temos ainda as palavras *chamús*, usada somente em Mateus (27:28 e 27:31; que nossa versão traduz por «manto escarlate» e por «manto», respectivamente), e *esthés*, palavra grega usada somente por Lucas, que nossa versão portuguesa traduz por «manto aparatoso» (ver Luc. 23:11).

Esses mantos, no Antigo ou no Novo Testamento, envolviam um sentido de nobreza ou dignidade. Assim, a «túnica talar de mangas compridas», que

Jacó deu a José (ver Gên. 37:3 *ss*; no hebraico, um termo usado por vinte e nove vezes) e a «melhor roupa» dada ao filho pródigo quando voltou a seu pai (ver Luc. 15:22, no grego *stole*), eram símbolos de dignidade. Por semelhante modo, as vestiduras dos mártires, nas cenas apocalípticas, têm esse simbolismo (ver Apo. 6:11; 7:9,13,14 e onde a palavra grega é *stole*). No entanto, o «manto tinto de sangue» usado pelo Senhor Jesus, como vencedor da besta e do falso profeta, em Apo. 19:13, era o *imátion*. Ver *Vestes*.

O manto era considerado uma possessão preciosa. Podia ser usado como garantia de devolução de um empréstimo, mas tinha de ser devolvido ao pôr-do-sol, porquanto era usado como coberta, à noite. Ver Deu. 24:15,13,17, quanto às leis nisso envolvidas. O trecho de Êxo. 22:26,27 inclui o mesmo preceito, ameaçando de julgamento divino àqueles que lhe forem desobedientes. Uma recente descoberta arqueológica, feita em Telavive, Israel, em um pedaço de cerâmica, tem uma inscrição que expressa a consternação de alguém que perdeu o seu manto, evidentemente em face de uma dívida, porquanto a lei que proibia o confisco não fora obedecida. Notemos, igualmente, o cuidado de Paulo quanto à sua capa, ao solicitar que a mesma lhe fosse trazida, pois, ao que parece, ele a deixara por engano em Trôade (II Tim. 4:13).

Usos Figurados: 1. O manto era usado como parte da cerimônia de casamento entre os povos árabes. Simbolizava a possessão e proteção da mulher por parte do homem, sendo passado em volta dela, como parte do aspecto final da cerimônia. 2. A *eliminação* da cobiça, da malícia, da incredulidade, etc., é retratada pelo manto, nos trechos de I Tes. 2:5; I Ped. 2:16 e João 15:22. 3. O zelo do Senhor, ao punir aos seus inimigos e ao livrar o seu povo, é simbolizado por um manto, em Isaías 59:17. Deus vive *coberto* de justiça, e assim exprime a justiça, da maneira como convém. (ID Z)

MANTRA

Esse termo vem desde os tempos védicos da Índia. Trata-se de um vocábulo sânscrito que significa «conselho», «instrumento do pensamento». Em certos segmentos do hinduísmo é um som ou palavra que, quando proferido ou visualizado supostamente relaciona-se, provoca e interage com poderes do universo, pelo que é poderoso quando usado. Dizia respeito a hinos e orações endereçados aos deuses. Também era aplicado a encantamentos, alegadamente dotados de significação mágica. A mantra mais popular do *hinduísmo* (vide) é a *Gayatri*, a famosa oração diariamente recitada por todos os hindus ortodoxos, extraída do Rig Veda, livro 2, 62.10: «Meditemos sobre o adorável esplendor de Savitar; que ele ilumine as nossas mentes».

Mantras de diferentes espécies são usadas nos ritos religiosos do hinduísmo, variando desde aquelas dos mais nobres sentimentos, até aquelas que não passam de fórmulas mágicas. No uso moderno, fora do hinduísmo, o termo *mantra* refere-se a uma palavra ou símbolo que as pessoas usam como auxílio à meditação, e que serve de ponto de concentração da atenção.

MANU

Literalmente, *homem*, nome do primeiro homem (mítico), de acordo com a fé bramânica. Essa honra ele compartilha com *Yama*, dos Vedas (vide). De conformidade com a história bramânica do dilúvio, Manu foi preservado durante a grande enchente, tal como no caso do Noé bíblico. Dessa maneira, ele se tornou o genitor de toda a humanidade pós-diluviana. Manu e Yama são chamados de filhos de Vivasvant.

As *Leis de Manu* figuram entre os maiores códigos morais hindus, formando a porção mais importante das Dharmasastras. Dentro da coletânea intitulada *Livros Sagrados do Oriente*, esse código forma o vigésimo quinto volume.

MANUSCRITO

Essa palavra portuguesa vem do latim, *manus*, «mão», e *scriptus*, «escrita», a saber, um documento escrito à mão, em contraste com um livro impresso. Antes da invenção da imprensa, todos os livros eram *manuscritos*. Eram feitos de muitos materiais diferentes, como tabletes de argila, placas de metal, tabletes de cera, couro, pedaços de cerâmica, vários tipos de pano, papiro, casca de árvores, etc. Os judeus apreciavam muito rolos de pergaminho como material de escrita. Devido ao fato de que o uso desses rolos era difícil quanto ao manuseio, acabaram sendo usados os códices, com folhas, mais ou menos como os nossos livros. O termo latino *codex* (codicis) refere-se primariamente ao tronco de uma árvore, então, a tabletes de escrever, feitos de casca de árvore, recobertos de cera, a fim de facilitar a escrita, feita por meio de um estilete. E, finalmente, essa mesma palavra acabou tendo o sentido de *livro*. A raiz dessa palavra era *caudex*, o tronco de uma árvore.

O códices entraram em uso, substituindo os rolos, em cerca do século IV D.C. O papiro era usado como material para fazer tanto rolos quanto códices, mas o pergaminho, finalmente, tornou-se o material preferido de escrita, em face de sua durabilidade. O papel, por sua vez, foi inventado na China e introduzido no mundo ocidental através da agência dos árabes. O papel começou a substituir o pergaminho em cerca do século XII D.C.

De todos os documentos do mundo antigo, o Novo Testamento é aquele que conta com o maior número de manuscritos, confirmando-o, embora os manuscrifos realmente antigos, do século III D.C. em diante, não sejam assim tão abundantes. Não obstante, o texto antigo mais bem confirmado do mundo é justamente o do Novo Testamento. Os eruditos dos clássicos lamentam a relativa escassez de manuscritos que confirmam as obras clássicas em grego e latim. Isso não sucede no caso do Novo Testamento, que também conta com a vantagem de ter sido traduzido para muitos idiomas antigos. Ver os artigos separados intitulados *Manuscritos do Antigo Testamento* e *Manuscritos do Novo Testamento*. Até à descoberta dos *Manuscritos do Mar Morto* (vide), o Antigo Testamento não era bem confirmado por manuscritos realmente antigos. De fato, os manuscritos mais antigos do Antigo Testamento que até então se conheciam eram do século IX D.C. Mas, com a descoberta desses papiros, vieram à tona manuscritos do Antigo Testamento de cerca de mil anos antes disso!

MANUSCRITOS ANTIGOS DO ANTIGO E DO NOVO TESTAMENTO

••• ••• •••

Ordem de Apresentação

Manuscritos Antigos do Antigo Testamento
Manuscritos Antigos do Novo Testamento

MANUSCRITOS DO ANTIGO TESTAMENTO

I. Importância dos Manuscritos do Mar Morto
II. Esboço Histórico do Texto Hebraico
III. O Trabalho Feito pelos Massoretas
IV. Importantes Manuscritos Massoréticos e Edições Impressas
V. A Genizah do Cairo, no Egito
VI. O Manuscrito de Aleppo
VII. Tipos de Erros Comuns nos Manuscritos
VIII. Importância das Versões do Antigo Testamento
IX. Crítica Textual do Antigo Testamento
X. Diagrama: Restauração do Texto Original
Bibliografia

I. Importância dos Manuscritos do Mar Morto

Ver o artigo separado chamado *Mar Morto, Manuscritos (Rolos) do*. Esse artigo é bastante detalhado, prestando ao leitor informações sobre alguns dos mais importantes manuscritos do Antigo Testamento. O número de manuscritos que confirmam o *Novo Testamento* é apreciável, e muitos papiros datam de apenas duzentos anos dos originais. O caso do Antigo Testamento, porém, é radicalmente diferente... até que se descobriram os manuscritos do mar Morto. Antes desse achado, o mais antigo manuscrito hebraico era datado do século IX D.C., o que deixava um hiato de cerca de dois mil anos entre essa data e o reinado de Davi sobre Israel. Para nada dizermos sobre o hiato entre o século IX D.C. e a época de Moisés. A despeito disso, muitos críticos textuais continuam a acreditar que o texto massorético é digno de confiança, apesar do tempo que se passou entre os originais e as cópias massoréticas. Sabe-se que os massoretas fizeram o seu trabalho entre 500 e 1000 D.C., pelo que nada havia de realmente antigo quanto aos textos que eles copiaram. Mas, com certo alívio, os eruditos que examinaram os manuscritos do mar Morto verificaram que a confiança deles no texto massorético estava justificada, embora não de maneira absoluta. Apesar de haver algumas significativas variações no texto de alguns dos livros do Antigo Testamento, pode-se asseverar que os manuscritos do mar Morto confirmaram a exatidão dos manuscritos hebraicos que existiam depois disso, apesar de suas datas comparativamente recentes. Por outro lado, os manuscritos do mar Morto também revelaram que, algumas vezes, as versões, particularmente a Septuaginta, estão mais próximas dos mais antigos manuscritos hebraicos do que o texto massorético. Algumas versões do Antigo Testamento remontam ao século II D.C., e assim deparamo-nos com a paradoxal circunstância de que as versões do Antigo Testamento de que dispomos são mais antigas que os manuscritos hebraicos desse mesmo documento. Naturalmente, sabemos que os escribas judeus, devido ao seu notável respeito pelas Sagradas Escrituras, produziam manuscritos com extremo cuidado, muito mais do que no caso dos copistas do Novo Testamento. Entretanto, isso não significa que os manuscritos dos escribas judeus nunca continham erros.

Em face do exposto, temos a surpreendente situação em que, no tocante ao Antigo Testamento, somente nos últimos sessenta anos dispomos de manuscritos verdadeiramente antigos daquele documento sagrado. Mas, naturalmente, também é verdade que o trabalho dos críticos textuais do Antigo Testamento não exibe um número tão grande de variantes como no caso dos manuscritos do Novo Testamento. Isso tanto é verdade que não podem ser distinguidos vários tipos de texto, segundo é possível fazer no caso do Novo Testamento. Portanto, a história do texto hebraico permanece conjectural, sabendo-se apenas que os massoretas ocupam praticamente tudo quanto se tem que estudar ali.

As variações das versões deixavam inseguros a muitos eruditos do Antigo Testamento, e essa insegurança, em certa medida, foi confirmada pela descoberta dos manuscritos do mar Morto. Agora sabe-se, de maneira bem definida, que houve um texto pré-massorético, e que o texto massorético, na realidade, é uma harmonização de manuscritos antes existentes. Isso significa que, a grosso modo, isso foi também o que sucedeu ao texto neotestamentário do grego *koiné* (vide), ou bizantino, que harmonizava tipos de texto mais antigos, estabelecendo assim um texto padronizado. Todavia, a padronização do Antigo Testamento não foi tão radicalmente distinguida dos originais como se deu no caso do Novo Testamento. O texto bizantino do Novo Testamento varia em cerca de quinze por cento de seu material, em comparação com o suposto texto original restaurado. As evidências que cercam os manuscritos do mar Morto mostram que o texto massorético está longe de variar em tal alta proporção em relação aos textos hebraicos mais antigos. Contudo, precisamos relembrar que aqueles manuscritos ainda assim estão muitos séculos distantes dos primeiros livros do Antigo Testamento, não podendo comparar-se com os papiros do Novo Testamento como antigos representantes da transmissão dos textos sagrados. Para exemplificar, os salmos de Davi só dispõem de confirmação hebraica a partir de *oitocentos anos* depois que foram compostos, apesar da descoberta dos manuscritos do mar Morto! Por outro lado, grande porção das epístolas paulinas é confirmada a partir do século III D.C., cerca de *duzentos anos* depois de terem sido escritos os *autógrafos* originais!

Quase todos os manuscritos do Antigo Testamento de que dispomos foram escritos depois do ano 1000 D.C. Alguns poucos pertencem ligeiramente a antes disso, mas *nenhum* deles pertence a antes de 900 D.C. Quase duzentos mil fragmentos de manuscritos escritos em hebraico e aramaico, de muitas espécies, têm sido levados de Genizah, no Cairo, para museus e bibliotecas do Ocidente. E alguns detalhes importantes têm emergido daí. Mas os estudos apenas começaram a ser feitos nesse campo. Além disso temos códices do Antigo Testamento desde há muitos séculos guardados como tesouros nas sinagogas sefaraditas de Aleppo, na Espanha. Esse texto talvez nos proveja um testemunho ainda mais antigo que aquele que foi conhecido pelos massoretas, talvez escritos pelo famoso massoreta judeu, Aaron Ben Asher. Sob a seção VII, abaixo, conto a história desse manuscrito, que, atualmente, está sendo sujeitado a intensos estudos por parte dos especialistas no assunto.

II. Esboço Histórico do Texto Hebraico

1. Dispomos agora de um pequeno fragmento do trecho de Números 6:24-26, que diz: «O Senhor te abençoe e te guarde; o Senhor ilumine o seu rosto sobre si, e tenha compaixão de ti; o Senhor te revele a sua face e te dê a paz!» (segundo traduções modernas). Esse fragmento foi datado como pertencente ao século VI A.C. Essa descoberta ocorreu quando o arqueólogo Gabriel Garkai, da Universidade de Tel-Aviv, em Israel, vasculhava um túmulo de uma família da época do primeiro templo (entre cerca de 950 e 587 A.C.), situado no vale de Hinom, junto às muralhas meridionais da cidade antiga de Jerusalém. A primeira tomada de contacto com esse documento deu-se em 1979, mas sua decifração só foi

feita três anos depois, em virtude da fragilidade dos rolos arqueológicos. A descoberta fez recuar em quatro séculos a história do texto sagrado, pois, até 1982, só se conheciam manuscritos até o século III A.C., encontrados a nordeste do mar Morto, na região de Qumran. O primeiro vocábulo identificado foi o nome *Yahweh*, «Senhor», um dos nomes de Deus no Antigo Testamento. O resto do texto ainda resiste aos esforços de leitura dos estudiosos. Talvez mais estudos consigam dar-nos alguma informação significante quanto à transição pela qual passou o texto do Antigo Testamento.

2. *Período entre a escrita dos livros do Antigo Testamento e o ano 70 D.C.* Até à descoberta dos manuscritos do mar Morto, havia um grande hiato quanto a evidências acerca desse período. Alguma evidência podia ser respigada do Pentateuco samaritano e da versão da Septuaginta. Ver o artigo sobre *Bíblia, Versões da*. Poderíamos frisar aqui, novamente, o extremo cuidado com que os judeus preparavam e preservavam os seus manuscritos, o que nos permite supor que os manuscritos, mesmo quando relativamente recentes, ainda assim são bastante exatos. Os manuscritos do mar Morto vieram confirmar essa confiança, mas também demonstraram a existência de **um texto protomassorético,** bem como o fato de que as versões antigas algumas vezes preservaram melhor os textos do que as cópias dos textos em hebraico que chegaram até nós. O fato de que nas cavernas do mar Morto foi encontrado um escritório especial, usado para a duplicação de manuscritos, mostra-nos que muitas outras cópias devem ter-se perdido. Que tão poucos e tão tardios manuscritos hebraicos chegaram até nós é uma dessas estranhas circunstâncias da história. Sabe-se que os judeus destruíam as cópias velhas e desgastadas de suas Sagradas Escrituras, e isso explica a escassez de cópias antigas. E que erros foram cometidos é algo que fica claro mediante a comparação entre os manuscritos existentes. Porém, provavelmente é um erro falar sobre tipos de texto ou famílias de manuscritos, no caso do Antigo Testamento, porquanto não parece ter havido muita variedade. Ao que tudo indica, *textos locais* não se desenvolveram como no caso do Novo Testamento, onde encontramos os tipos de texto Cesareano, Alexandrino, Bizantino e Ocidental, sendo que o tipo de Cesaréia é o melhor preservado, e o ocidental é o menos bem preservado.

3. *De 70 a 900 D.C.* O templo de Jerusalém foi destruído; e isso fez aumentar em muito a importância das sinagogas. Existiam manuscritos do Antigo Testamento, mas a história da preservação desses manuscritos não é favorável. A situação complicou-se pela perda da capital, Jerusalém. Outras capitais surgiram, como novos centros do judaísmo, mas, de uma maneira incrível, isso não conseguiu garantir a sobrevivência de qualquer grande número de manuscritos do Antigo Testamento. Entretanto, várias grandes figuras trabalharam sobre o idioma hebraico e sobre os textos bíblicos. Assim, *Akiba* (vide), um importante rabino judeu, salientou a importância do uso da *tradição* como uma «cerca em redor da lei», a fim de proteger a integridade desta. Os escribas atiraram-se a tarefas fantásticas, como a contagem das letras, o número de palavras e o número de versículos dos livros do Antigo Testamento; também marcavam a letra do meio de cada palavra e a palavra do meio de cada seção; anotavam formas e fatos peculiares acerca do texto sagrado. Essas anotações dos escribas posteriormente foram incorporadas no trabalho dos massoretas. Desenvolveu-se a mais autêntica bibliolatria, mas, pelo menos, podemos ter certeza de que essa imensa preocupação com o Antigo Testamento muito contribuiu para preservar sua exata transmissão, ainda que, incrivelmente, não tenha feito muito para preservar um grande número de manuscritos.

4. *De 900 a 1400 D.C.*

Os Massoretas. Preservei a seção III, abaixo, a fim de discutir mais especificamente sobre eles. Esses escribas e eruditos começaram a atuar em cerca de 500 D.C., e continuaram ativos por cerca de mil anos, até que foi inventada a imprensa. Eles eram os «mestres das tradições», conforme seu nome significa em hebraico. Eles se consagravam a cuidar e zelar pelas Escrituras Sagradas. Eram mais do que meros copistas. Eles proveram o texto sagrado em hebraico com um sistema de pontos vocálicos. Isso tornou possível a leitura do texto hebraico, quando a maioria dos judeus não falava mais o hebraico. Os antigos manuscritos foram rapidamente revisados, e o sistema deles teve aceitação geral. Eles desempenharam tão bem o seu papel que, após 900 D.C., o adjetivo *massorético* passou a ser aplicado ao próprio texto do Antigo Testamento, e não meramente aos homens que labutavam por produzi-lo, que eram chamados *massoretas*.

Os *naqdanim*, literalmente, os «pontuadores», eram gramáticos que promoviam e melhoravam o trabalho dos massoretas. Eles reproduziam os manuscritos do texto massorético. A despeito de tanto esforço, poucos manuscritos representativos chegaram até nós.

III. O Trabalho Feito pelos Massoretas

O hebraico era escrito somente com as consoantes, sem as vogais, e sem pontuação alguma. Apesar de um texto dessa natureza poder ser lido por aqueles bem acostumados com aquele idioma, certamente era uma situação que deixava perplexos aos demais. Tentemos decifrar isto: *vc tm ld st lvr?* Um pouco de investigação mostrará que significa: *Você tem lido este livro?* Mas, para alguns será preciso bastante tempo. Com a prática, há maior prontidão na leitura, mas foi essa dificuldade que levou os massoretas a inventarem um sistema de pontos vocálicos (representando fonemas vogais), o que também serve de prova de que até os especialistas se cansaram dessa maneira tão difícil de escrever e ler. Adicione-se a isso a dificuldade de que, após o exílio babilônico, o aramaico chegou a substituir o hebraico como idioma popular dos judeus. Assim, um judeu não somente tinha de ler um texto apenas com consoantes, mas também tinha de ler uma língua diferente da sua, mais ou menos como o espanhol dista do português. A descoberta de cartas, entre os manuscritos do mar Morto, mostra-nos que os judeus continuavam usando o hebraico, embora essa não fosse a linguagem principal entre eles.

Massora, Texto Massorético. Ver o artigo separado com esse título. Aqui oferecemos um breve sumário a respeito. Podemos ter a certeza de que esses escribas e tradicionalistas manuseavam com extremo cuidado os manuscritos. Eles se sentiam capazes até de perceber significados misteriosos em *letras* isoladas do texto, quanto mais na mensagem em geral! Se se ocupavam na contagem das letras, assinalando a letra do meio e a palavra do meio das seções, e examinando letras isoladas em busca de sentidos ocultos, também se ocupavam na preservação e exatidão do texto em geral. Embora o significado do nome deles, *massoretas*, não seja indiscutível, usualmente pensava-se que estava relacionado à raiz hebraica *msr*, que significa «transmitir». Isso posto, eles eram aquele grupo de estudiosos ocupado nas tradições que circundavam a transmissão do texto hebraico e sua mensagem. Conforme já dissemos, eles também proveram o texto com um sistema de sinais vocálicos, além de terem feito copiosas anotações. Essas anotações, em sua maior parte, não eram explicativas, mas eram essencialmente textuais em sua natureza. Eles se preocupavam com o número de vezes em que os vocábulos hebraicos apareciam no texto sagrado, e faziam muita questão da correta ortografia. O trabalho deles prolongou-se de cerca de 500 a cerca de 1100 D.C., embora alguns estudiosos digam que eles continuaram ativos até o tempo da invenção da imprensa. Foram os massoretas que inventaram os parágrafos, as divisões de palavras, a vocalização e a acentuação. Eles costumavam tomar notas às margens e no fim dos parágrafos, mas isso desenvolveu-se em notas feitas no fim dos manuscritos, de tal maneira que, finalmente, foi criado um grande acúmulo de anotações.

IV. Importantes Manuscritos Massoréticos e Edições Impressas.

1. *Codex Cairo*, dos Profetas (designado C). Ano de 895 D.C. Esse manuscrito foi pontuado (com sinais vocálicos). Ele foi o penúltimo manuscrito da famosa família de Ben Asher. Pertencia à comunidade caraíta de Jerusalém. Foi tomado pelos cruzados; então foi devolvido aos judeus, e terminou como propriedade da comunidade caraíta, no Cairo.

2. *Leningrado Ms Heb*. 83 (chamado *P*, por causa de Petrogrado). Ano de 916 D.C. Contém os profetas posteriores. Por muito tempo foi considerado o mais antigo manuscrito hebraico do Antigo Testamento.

3. *Aleppo Ms* (designado *A*). Cerca de 940 D.C. Foi encontrado em Jerusalém. Dali foi para o Cairo, e terminou em Aleppo, o que explica o seu nome. Maimônides dizia que era o mais fidedigno manuscrito que ele conhecia. Originalmente continha o Antigo Testamento inteiro, mas atualmente contém apenas três quartas partes do Antigo Testamento, pois a outra parte foi destruída em 1948, quando a sinagoga sefardita de Aleppo foi invadida por uma turba local. Atualmente se encontra na Universidade Hebraica de Jerusalém.

4. *British Museum Or. 4445*. Século X D.C. Contém Gên. 39:20—Deu. 1:33.

5. *Leningrado Ms B 19A* (designado *L*). Ano de 1008 D.C. Aparentemente foi copiado de um manuscrito preparado por Aaron ben Moseh ben Asher. Contém o Antigo Testamento inteiro. Esse foi o manuscrito usado para produzir a *Bíblia Hebraica 3*, uma versão impressa da Bíblia em hebraico.

6. *Catorze manuscritos* encontrados em Leningrado, na União Soviética, por Kahle, quase todos preservados na Segunda Coleção Firkovitch, datados entre 929 e 1121 D.C., todos com o texto de Ben Asher.

7. *Depois de 1100 D.C.*, muitos manuscritos foram preservados, mas em nada contribuíram para adicionar qualquer coisa ao valor da crítica textual, sendo meras reproduções de textos já existentes, pertencentes somente ao tipo de texto massorético.

Edições Impressas:

Antes de 1500 D.C., muitos livros foram publicados em hebraico, incluindo certo número de livros bíblicos.

1. *Daniel Bomberg, de Antuérpia*. Ele publicou sua primeira edição de uma Bíblia rabínica, em 1516—1517. Continha o texto bíblico, com comentários.

2. Uma *segunda Bíblia de Bomberg* foi editada por Jacob ben Chayim, de Túnis, em 1525. Nela foram incluídas muitas anotações dos massoretas. O texto dessa edição tornou-se a Bíblia hebraica padrão para o mundo ocidental, até 1937. Houve também outras publicações, de menor importância.

3. *1776—1780*. Benjamin Kennicott publicou uma *Bíblia Hebraica*, em Oxford, na Inglaterra. Alistava variantes de seiscentos manuscritos hebraicos.

4. A isso, J.B. de Rossi adicionou mais informações sobre variantes textuais, e uma nova Bíblia Hebraica foi publicada. Todavia, as fontes informativas de Kennicott e Rossi eram relativamente recentes.

5. *1869*. S. Baer imprimiu alguns livros em hebraico, com um aparato crítico melhor organizado, No entanto, sua obra nunca se completou, e foi muito criticada.

6. *1908—1926*. Christian D. Ginsburg produziu outra *Bíblia Hebraica* com um elaborado aparato crítico de variantes, mas apenas seguiu os labores de outros, pelo que não produziu coisa alguma de especialmente novo.

7. *1906*. Rudolph Kittle publicou sua *Bíblia Hebraica*. Seguiu-se outra edição, em 1912. Foram incluídas muitas emendas conjecturais. A Septuaginta foi a fonte informativa principal por detrás dessas emendas, mas muitas dessas emendas foram recolhidas dentre os escritos dos comentadores, e não de manuscritos da Septuaginta, e isso reduziu muito o valor da obra. Foi usado, essencialmente, o texto de Ben Chayim.

8. *1937*. Buscou-se usar o manuscrito de Aleppo como base da terceira edição da *Bíblia Hebraica*, mas as autoridades da sinagoga envolvida não permitiram que se fotografasse aquele manuscrito. Por isso, foi usado o texto Leningrado Ms B-19A. Paul Kahle preparou o texto e a massora para ser incluída, e assim foi produzida a *Bíblia Hebraica 3*. Essa Bíblia hebraica tornou-se o texto padrão entre os eruditos ocidentais. Os tradutores da Bíblia tenderam por seguir essa edição, com suas notas de rodapé (retidas na segunda edição) de modo bastante servil. E isso criou uma autoridade não muito recomendável, embora talvez a melhor que podia ser produzida, em face da escassez de manuscritos hebraicos.

9. *1958*. As Sociedades Bíblicas Britânica e Estrangeira publicaram uma *Bíblia Hebraica* preparada por Norman H. Snaith. Estava alicerçada sobre as notas críticas de um manuscrito espanhol, preparado pelo rabino Solomon Norzi, em 1926. Seu texto é muito semelhante àquele que Kahle encontrou em Leningrado.

Em seguida houve o descobrimento dos manuscritos do mar Morto, em 1948, que promete modificar alguns textos das Bíblias hebraicas impressas, embora a porcentagem de alterações não venha a ser muito grande. No caso do Novo Testamento, a descoberta de manuscritos mais antigos, especialmente em papiro, anulou completamente o *Textus Receptus* (vide). Nenhuma descoberta até hoje, entretanto, tem feito muito para diminuir a autoridade do texto massorético. Ver a décima seção, *Crítica Textual*, onde se demonstra isso.

V. A Genizah do Cairo, no Egito

Esses manuscritos foram descobertos a partir de 1890, na *genizah* (depósito) da antiga sinagoga do Cairo. Uma *genizah* é um depósito para guardar manuscritos que foram tirados de circulação em face de seu desgaste. Esses manuscritos eram irregulares quanto à sua vocalização. Alguns tinham sinais vocálicos supralineares. Também incluíam material extraído dos targuns e da literatura rabínica. Alguns desses manuscritos são anteriores ao século IX D.C., mas as diferenças porventura achadas não são suficientes para lançar qualquer dúvida quanto ao texto massorético comum. A questão da *genizah* é interessante. Os hebreus usualmente sepultavam os antigos manuscritos juntamente com os eruditos. Cópias cuidadosas eram feitas, e antigos manuscritos desgastados eram considerados indignos de serem guardados. No entanto, os estudiosos ocidentais lamentam tais costumes. Os antigos manuscritos da Bíblia têm considerável valor, tanto como peças valiosas quanto à erudição que eles contêm. Assim, a Universidade de Cambridge negociou e adquiriu grande parte do material encontrado no Cairo. No total, cerca de duzentos mil fragmentos desse material escrito foram adquiridos. Grande parte desses fragmentos, porém, não tem vínculos com a Bíblia, mas consiste em documentos comerciais ou de questões relacionadas à cultura e à fé religiosa dos judeus. Além de revestir-se de valor quanto ao texto bíblico, esse material lança luz sobre questões da cultura e da religião dos judeus. Centenas de manuscritos bíblicos derivam-se de tal origem, e o seu estudo está sendo efetuado com atento escrutínio.

Paul Kahle apresentou a teoria de que os manuscritos demonstram ter havido dois grupos diferentes de massoretas, um na Babilônia e outro em Israel. Nosso conhecimento sobre a transmissão do texto hebraico vai aumentando, mas uma coisa podemos afiançar, é que coisa alguma tem abalado a exatidão geral do texto massorético. E o mais provável é que isso jamais será abalado.

VI. O Manuscrito de Aleppo

No passado, muitos estudiosos acreditavam que esse manuscrito hebraico era o mais antigo de que se podia dispor, razão do grande interesse que o mesmo despertava. Paul Kahle procurou obter fotografias do mesmo para servir de base de sua *Bíblia Hebraica 3* (ver a seção IV, acima). Mas sua solicitação foi-lhe negada, e o manuscrito não foi posto à disposição dos eruditos, a fim de estudarem-no em qualquer profundidade. Em 1948, a sinagoga sefardita de Aleppo foi atacada por uma multidão, e o manuscrito desapareceu. Ao que tudo indica, oficiais da própria sinagoga tinham ocultado o manuscrito. Por isso, foi «descoberto», e, finalmente, foi levado a Jerusalém, para ser guardado em segurança. Atualmente acha-se na Universidade Hebraica de Jerusalém. Cerca de uma quarta parte do manuscrito foi queimada pelo fogo provocado pela turba invasora. Infelizmente, cerca de nove décimos do Pentateuco estavam irremediavelmente perdidos. Antes de 1948, porém, era uma Bíblia hebraica completa. O erudito inglês, William Wickes, foi o primeiro a fotografar uma porção da mesma (uma página, contendo Gên. 26:17—27:30). O rev. J. Segall também fotografou algumas poucas páginas (Deu. 4:38—6:3). Essa parte pertencia à porção queimada, revestindo-se assim de especial valor. Minhas fontes informativas nada mais informam quanto a outras fotografias, mas é esperança dos estudiosos que esse manuscrito, finalmente, será posto à disposição dos pesquisadores. O que sabemos dizer sobre o mesmo é que seu texto é o texto massorético. Esse manuscrito do Antigo Testamento data do século IX ou do século X D.C.

VII. Tipos de Erros Comuns nos Manuscritos

Os manuscritos bíblicos, do Antigo e do Novo Testamentos, não encerram diferentes tipos de erros (ou modificações escribais), senão aqueles comuns aos livros manuscritos, se excetuarmos os erros que envolvem alterações propositais sobre bases dogmáticas. Quanto a uma ilustração sobre uma alteração dogmática, ver o artigo sobre *Manassés* (*Outros Além do Patriarca e do Rei*), em seu primeiro ponto. O texto envolvido é o de Juí. 18:30, que fala sobre um certo Moisés, que esteve envolvido com um santuário idólatra. Mas os escribas do texto massorético alteraram *Moisés* para *Manassés*, porquanto não suportavam a idéia que o reverenciado nome de Moisés se encontrasse em tal contexto, embora seja perfeitamente claro que um diferente Moisés estava envolvido no caso. E foi assim que muitas traduções, para outros idiomas, retiveram o texto falso, *Manassés*. Outros tipos de erro são comuns a todos os documentos manuscritos, como repetições, omissões (ditografias e haplografias), equívocos que envolvem letras ou vocábulos similares, variações na ortografia, erros devidos à audição (quando um manuscrito era ditado por outra pessoa). Sabe-se que, com freqüência, manuscritos eram produzidos desse modo, o que também acontecia com os clássicos gregos e romanos. Nos livros de Reis e de Crônicas muitos nomes foram grafados de forma errada, devido à similaridade entre certas letras hebraicas, equivalentes às nossas letras *d* e *r*. Mas, a restauração de nomes próprios tem sido feita com sucesso, pelo menos em alguns casos, mediante o confronto com o texto da Septuaginta. Além disso, há omissões devidas ao que se chama de *homoeoteleuton*, isto é, terminações similares de palavras. O olho de um escriba saltava algumas linhas, porque sua vista pousava sobre alguma terminação similar no texto, deixando omisso o que ficava entre uma palavra e a outra. Ernst Wuerthwein demonstrou todos esses tipos de erros em seu livro *Text of the Old Testament*, págs. 71—73, onde demonstra que todos esses tipos de erros aparecem no rolo do profeta Isaías, encontrado em Qumran. Todavia, tais erros não devem ter sua importância exagerada, visto que a porcentagem de equívocos não é muito elevada, e só raramente o sentido de alguma passagem é alterada dessa maneira.

VIII. Importância das Versões do Antigo Testamento

Ver o artigo separado sobre *Bíblia, Versões da*, quanto a detalhes acerca dessa questão. Sumariando, podemos afirmar que, no tocante ao Antigo Testamento, essas traduções são as seguintes:

A *Septuaginta* (ou LXX), sobre a qual apresentamos um artigo separado. Essa tradução foi iniciada em cerca de 230 A.C.

A *Siríaca Peshitta*, de cerca do século V D.C., embora com algumas porções traduzidas antes disso.

A *Vulgata Latina*, feita em cerca de 400 D.C.

Os *Targuns Aramaicos*, pertencentes a diversas datas.

Antes da descoberta dos manuscritos do mar Morto, havia a estranha circunstância de que os manuscritos de algumas versões eram mais antigos que qualquer manuscrito hebraico disponível. Exemplos conspícuos disso eram os textos veterotestamentários chamados manuscritos Alexandrinus, Vaticanus e Sinaiticus. Havia eruditos que tendiam por superestimar a Septuaginta e subestimar o texto massorético. Mas os manuscritos do mar Morto têm mostrado o valor da Septuaginta (algumas vezes, mostra-se melhor e mais antigo do que o texto massorético), embora, em sentido geral, essa descoberta tenha elevado a opinião dos estudiosos em geral (incluindo os eruditos liberais) quanto à qualidade do texto massorético. Contudo, visto que as versões obviamente incluem muitas palavras e passagens que procuram traduzir (e lembremos que se trata da tradução de um idioma semita para várias línguas indo-européias, o que dificulta o trabalho de tradução) o hebraico, mas que não dizem, literalmente, o que diz o hebraico, por isso mesmo fazendo perder o valor dessas passagens, quando se trata agora de averiguar o que dizia o Antigo Testamento. Por outra parte, os textos dos livros de Samuel, em hebraico, estão bastante corrompidos, e, nessa porção do Antigo Testamento, a Septuaginta reveste-se de grande valor para estabelecer os textos originais. Lamentavelmente, porém, muitos manuscritos da Septuaginta e de outras versões também envolvem muitos erros, e, por causa disso, algumas vezes as versões aumentam a confusão, em vez de solucionarem problemas. A Septuaginta alterou muitos nomes próprios, de uma maneira irreconhecível. O manuscrito Vaticanus da Septuaginta é um dos melhores de que dispomos; mas encerra um grande número de variantes textuais (*sui generis*), especialmente no que se refere a nomes próprios.

Algumas vezes, a Septuaginta segue uma tradição radicalmente diferente, e é nesse ponto que ela lança dúvidas sobre os textos massoréticos existentes. Isso, em adição, deixa entendido que havia textos locais do Antigo Testamento, tal como veio a suceder no caso do Novo Testamento, embora não tenhamos evidências suficientes para estabelecer qualquer teoria fidedigna acerca da questão, no caso do Antigo Testamento. Parte dessa atividade poderia dever-se a manuscritos hebraicos defeituosos, que, então, foram usados para deles se tirarem cópias, embora dificilmente possamos atribuir todos os erros a essa única circunstância.

Outras vezes, a Septuaginta aclara alguma confusão resultante da similaridade entre letras hebraicas, como o *daleth* e o *resh*, o que deu origem a variantes. Um desses casos é o de Amós 9:12. Ali diz o texto massorético: «...para que possuam o restante de Edom...» Mas a Septuaginta lê: «...o remanescente da humanidade buscará ao Senhor...» A diferença pode ser explicada pela diferença na vocalização em uma palavra e um *resh* em outra palavra, onde deveria haver um *daleth*. Nossa versão portuguesa tentou emendar e criou um texto novo, pois diz: «...para que possuam o restante de Edom e todas as nações que são chamadas pelo meu nome...», misturando as variantes. O trecho de Atos 15:17 segue a forma que se acha na Septuaginta, o que era importante quanto às decisões tomadas pelo concílio de Jerusalém. Lemos ali (em nossa versão portuguesa): «Para que os demais homens busquem o Senhor, e todos os gentios sobre os quais tem sido invocado o meu nome». Se os cristãos presentes conhecessem um texto diferente (conforme se vê em textos massoréticos posteriores), então o mais provável é que eles teriam objetado o uso que Tiago fez dessa passagem de Amós. O fato de que não o fizeram mostra-nos que, quanto a esse particular, a Septuaginta preservou o texto original, ao passo que o texto massorético o perdeu.

A Septuaginta influenciou tremendamente outras versões, pelo que elas não se revestem de grande valor como testemunhos isolados. A maioria dos eruditos, pelas razões expostas, muito têm dependido da Septuaginta, quando se trata de fazer emendas sobre o texto massorético do Antigo Testamento.

IX. Crítica Textual do Antigo Testamento

Princípios:

1. Bem podemos suspeitar que o texto do Antigo Testamento também era representado por tipos de texto (textos locais), tal como sucedeu aos manuscritos do Novo Testamento. Mas, não há provas suficientes para fazermos disso um instrumento prático. Até onde vão as evidências, houve um texto protomassorético, ainda que não se possa descobrir a existência de tipos de texto entre esses manuscritos. E nem pode um texto protomassorético ser estabelecido, exceto mediante alguns exemplos dispersos. Permanece de pé o fato de que o texto massorético é plenamente digno de confiança. Esse é o único tipo de texto hebraico do Antigo Testamento. Não obstante, o texto massorético pode e deve ser emendado em certos lugares, e isso constitui, essencialmente, o trabalho dos críticos textuais, no tocante aos manuscritos do Antigo Testamento.

2. A descoberta dos manuscritos do mar Morto tem demonstrado que, de modo geral, podemos depender do texto massorético, embora também tenha mostrado que, aqui ou acolá, a Septuaginta preserva melhor o original do que o texto massorético, conforme o mesmo é representado nos manuscritos, copiados a partir do século IX D.C. em diante. Ou, então, os manuscritos do mar Morto simplesmente afastam-se do texto massorético, não contando, igualmente, com qualquer apoio por parte da Septuaginta.

Exemplo. O rolo completo do livro de Isaías, conhecido como *IQIsa*, é um dos mais antigos e melhores dentre os manuscritos pré-massoréticos. Usualmente concorda com o texto massorético, mas, em alguns trechos, afasta-se do mesmo. Para exemplificar, o texto massorético diz, em Isa. 3:24:

«Será que em lugar de perfume haverá podridão,
e por cinta, corda,
em lugar de encrespadura de cabelos, calvície,
e em lugar de veste suntuosa, cilício,
e marca de fogo em lugar de formosura».

Na última linha é que se encontram as variantes. Ali aparecem duas dificuldades: há a reversão da ordem de palavras em relação às quatro linhas anteriores, e confere à palavra hebraica *ki*, que é bastante comum, um sentido que não aparece em todo o resto da Bíblia, ou seja, «marca de fogo». Mas o manuscrito *IQIsa* tem uma palavra adicional no fim da quinta linha, produzindo o seguinte resultado: «...e em lugar de formosura (haverá) vergonha». Essa parece ser a forma original do texto.

3. *Alterações propositais*, por razões dogmáticas, algumas vezes tornam-se evidentes. Em II Samuel, certos nomes não hebraicos, que incorporam o nome de *Baal*, com freqüência tiveram esse nome alterado para *bosheth*, «vergonha». Porém, nos livros de Crônicas, esses nomes foram deixados intocados. Por isso, o nome de um dos filhos de Saul, em II Sam. 2:8, é *Is-Bosete*, ao passo que em I Crô. 8:33, esse mesmo homem é chamado mais corretamente (de acordo com o texto original) de *Esbaal*. A explicação disso é que certos escribas do texto massorético não queriam admitir que israelitas tivessem dado nomes tipicamente pagãos a seus filhos.

4. *Emendas Feitas no Texto Massorético*. Abaixo damos princípios básicos que se aplicam a essa questão:

a. A preferência é conferida ao texto das versões, mormente no caso da Septuaginta, ou quando as versões em geral concordam entre si contra o texto massorético, em alguns casos em que isso parece mais apropriado ao sentido do contexto.

b. A preferência é dada às variantes que substituem corrupções óbvias do texto massorético, conforme se vê nas ilustrações acima.

c. Quando os manuscritos do texto massorético não concordam entre si, então são feitas comparações entre aqueles documentos, com um cotejo adicional com as versões, a fim de se verificar qual forma é apoiada por elas.

d. Algumas vezes, variantes conjecturadas substituem o que se julga terem sido equívocos dos escribas, mesmo nos casos em que as versões em nada ajudam.

e. As conjecturas podem combinar-se com algumas evidências, embora não com a esmagadora maioria delas.

f. Quando as versões contam com um texto que parece depender de textos que os atuais manuscritos massoréticos perderam, então pode haver tentativas de restauração.

g. Usualmente, a variante mais breve é preferível, visto que os escribas tendiam muito mais por expandir do que por condensar os textos.

h. Regras comuns da crítica textual são as seguintes: as ditografias e haplografias devem ser observadas e corrigidas; as modificações dogmáticas devem ser rejeitadas; os comentários explicativos devem ser omitidos; os equívocos escribais óbvios devem ser corrigidos.

Algumas Ilustrações:

a. *Salmos 49:11*. Temos aqui um texto sem sentido, no texto massorético:

«O seu pensamento íntimo é que as suas casas serão perpétuas...» A palavra hebraica aqui traduzida por «pensamento hebraico» parecia ser *qirbam*. Os tradutores lutaram com esse termo, mas com pouco sucesso. Mas, se nos voltarmos para as versões (Septuaginta, Peshitta e os Targuns), então a questão fica facilmente resolvida:

«Seus sepulcros (no hebraico *qibram*) são suas casas perpétuas...» O erro consistiu na transposição da inscrição entre um *b* e um *r*, de tal modo que *qibram*, «sepulcro», tornou-se *qirbam*, «pensamento íntimo».

b. *Isaías 49:24*. O texto massorético diz:

«A presa pode ser tirada ao poderoso, ou podem ser salvos os cativos de um homem *justo?*» Naturalmente, «homem justo», nessa passagem, — parece inteiramente fora de lugar. Mas a Septuaginta, a Siríaca Peshitta e a Vulgata têm a tradução «tirano», o que dá um sentido muito melhor. O rolo de Isaías, encontrado perto do mar Morto, também diz «tirano». O erro originou-se da similaridade entre as palavras hebraicas para *justo* e para *tirano*. Nossa versão portuguesa diz, corretamente, «tirano».

●●● ●●● ●●●

X. Diagrama: Restauração do Texto Original

Manuscritos Pré-Massoréticos (1)

Texto Massorético Padrão (2) — Septuaginta (3)

ANTIGO TESTAMENTO HEBRAICO ORIGINAL

Emendas Conjecturadas (5) — Outras Versões (4)

N.B. — Os números, após as fontes informativas, indicam a ordem de importância dessas fontes. Apesar do texto massorético padrão ser a grande fonte informativa isolada, pelo que deveria receber o grau de primeira importância, tenho oferecido essa classificação aos manuscritos pré-massoréticos (como os manuscritos do mar Morto), quando esses manuscritos são disponíveis no tocante à passagem ou livro do Antigo Testamento onde as variantes se encontram.

Bibliografia. AM AP BJR E JEL KE ND Z

Ver também a Bibliografia do artigo *Mar Morto, Manuscritos* (*Rolos*) *do*, no tocante a uma bibliografia mais completa.

●●● ●●● ●●●

Manuscrito hebraico, 4445, séc. X
Cortesia, British Museum

Rolo de Ezequiel, séc. 6 D.C.
Cortesia, Cambridge University

Tora, códice do séc. 9 D.C.
com comentários massoretos nas
margens — Cortesia, British Museum

MANUSCRITOS DO NOVO TESTAMENTO

MANUSCRITOS ANTIGOS Do Novo Testamento

••• ••• •••

I. INFORMAÇÃO GERAL: *Manuscritos Gregos; Ostraca; Amuletos; Versões; Citações dos Pais da Igreja.*

Nosso propósito neste artigo é vir a entender quais testemunhos antigos existem sobre o texto do Novo Testamento. Discutimos a natureza e importância dos manuscritos gregos (papiros, unciais e minúsculos); o testemunho das traduções antigas (versões), sobretudo o latim e o siríaco; as citações feitas pelos antigos pais do texto do Novo Testamento e de que modo elas se comparam aos manuscritos e ao que agora possuímos na forma de textos gregos impressos; os princípios por meio dos quais são escolhidas as formas corretas quando há variantes.

---

1. *MANUSCRITOS GREGOS*

a. *Os papiros.* Entre os séculos I e VII, os manuscritos antigos eram escritos em papiro, ainda que, por volta do século IV, na maior parte do mundo, o pergaminho tivesse substituído o papiro. Possuímos 76 papiros, que contêm mais de três quartas partes do texto do Novo Testamento, com alguma justaposição.

b. *Os manuscritos unciais*, em pergaminho. Há 252 manuscritos dessa natureza, pertencentes aos séculos IV a IX. Esses manuscritos foram escritos no que equivale mais ou menos às nossas letras «maiúsculas».

c. *Os manuscritos minúsculos*, em pergaminho. Há 2.646 manuscritos dessa natureza, datados a partir do século IX até à invenção da imprensa, no século XV. Os manuscritos minúsculos foram escritos no que equivale mais ou menos às nossas letras «minúsculas», e os mais recentes são virtuais «manuscritos», em contraste com material «impresso».

d. *Os lecionários*, em pergaminho. Esses manuscritos foram preparados a fim de serem lidos nas igrejas, e trazem o texto do Novo Testamento dividido em passagens «selecionadas», com esse propósito. Há alguma adaptação no começo e no fim desses manuscritos, mas de modo geral, trazem o texto corrente normal do Novo Testamento. Existem 1.997 desses manuscritos. Foram produzidos paralelamente aos manuscritos unciais e minúsculos, mencionados acima, e têm as mesmas datas. Devido à escassez de manuscritos, e porque talvez a maioria das pessoas das igrejas antigas não sabia ler, o Novo Testamento era lido nas igrejas, e as «seleções» para leitura, que finalmente foram determinadas para domingos e dias santos específicos, quando formavam uma «coletânea» coerente, tornaram-se conhecidas no que agora chamamos *lecionários*. Essa prática, na realidade, foi emprestada dos judeus, entre os quais se lia, a cada sábado, porções da lei e dos profetas durante o culto.

Pode-se ver, pois, que há mais de 5.000 *Manuscritos Gregos* do Novo Testamento, que datam desde o século II até à invenção da imprensa. É óbvio que o Novo Testamento é o documento mais confirmado dos tempos antigos. Admira-nos quão escassa é a evidência em forma de manuscritos que há em favor dos grandes clássicos não-bíblicos. Alguns deles dependem de alguns poucos manuscritos medievais. A obra antiga não bíblica melhor confirmada é a Ilíada, de Homero, que era a «bíblia» dos gregos. Está preservada em 457 papiros, dois manuscritos e 188 minúsculos, e nenhum deles é comparativamente tão antigo, em confronto com a data da Ilíada original, conforme se dá no caso dos manuscritos do Novo Testamento, em comparação a seu original. Entre as tragédias, os testemunhos em prol de Eurípedes são os mais abundantes, mas há apenas 54 papiros e 276 pergaminhos com suas obras, e a maioria pertence à Idade Média. A volumosa história de Roma, de Valleius Paterculus, sobreviveu até os tempos modernos em um único e incompleto manuscrito, que se perdeu no século XVII. Os *Anais* do famoso historiador romano, Tácito, como sua confirmação mais antiga de seus seis primeiros livros, contam apenas com um só manuscrito, —datado do século IX. As obras de muitos autores famosos da antiguidade foram preservadas para nós somente em manuscritos compostos na Idade Média. Em contraste com isso, o Novo Testamento conta com 5.000 manuscritos gregos, alguns dos quais datam de cerca de um século após a composição dos originais, além de muitas traduções verdadeiramente antigas.

---

2. AS OSTRACAS

São pedaços quebrados de cerâmica, que contêm alguns trechos citados do Novo Testamento. Os mais pobres, algumas vezes, usavam argila como material de escrita. Apesar das ostracas serem importante fonte arqueológica de informação, trata-se de uma fonte informativa curiosa mas sem importância para o texto do Novo Testamento. Há apenas 25 delas que contêm porções breves de seis livros do Novo Testamento. Seus textos são Mat. 27:31,32; Mar. 5:40,41; 9:17,18,22; 16:21; Luc. 12:13-16; 22:40-71; João 1:1-9; 1:14-17; 18:19-25 e 19:15-17.

---

3. OS AMULETOS

Há amuletos ou talismãs de boa sorte que contêm citações de versículos do Novo Testamento. Abrangem o período dos séculos IV a XIII, em pergaminho, papiro, louça de barro e madeira. Sem dúvida eram usados, pelo menos em alguns casos, para afastar os maus espíritos e a má sorte, ou tinham algum outro uso supersticioso. Em muitos deles há a oração do Pai Nosso, mas versículos variegados do Novo Testamento também estão incluídos. Tal como as ostracas, não perfazem um testamento importante em favor do Novo Testamento. Durante a história da igreja, o uso de talismãs tem sido tão abundante que foram necessárias advertências e proibições baixadas pelos decretos eclesiásticos ou por importantes personagens da igreja. Tais reprimendas se acham nos escritos de Eusébio e Agostinho, bem como nos decretos do Sínodo de Laodicéia. A proibição baixada por aquele concílio até mesmo ameaçava de exclusão nessa advertência: «...e aqueles que usam tais coisas, ordenamos que sejam expulsos da igreja».

---

4. AS VERSÕES

Há importantes traduções do original grego do Novo Testamento para dez idiomas antigos, conforme a descrição abaixo:

Latim. A tradição latina começou em cerca de 150 D.C. O «Latim Antigo» (anterior à «Vulgata») conta com cerca de 1000 manuscritos. Após o século IV, a versão latina foi padronizada na Vulgata. Há cerca de 8000 traduções latinas do tipo Vulgata, pelo que a tradição latina conta com cerca de 10.000 manuscritos conhecidos, ou seja, mais ou menos o dobro dos manuscritos em grego. (Ver a seção IV deste artigo, quanto às informações detalhadas).

Siríaco. Quanto ao siríaco antigo há apenas dois manuscritos, mas revestem-se de grande importância. Datam dos séculos IV e V. A tradição siríaca foi padronizada no Peshitto, do qual há mais de 350 manuscritos do século V em diante. (Ver a seção IV deste artigo, quanto a informações detalhadas).

Copta. Esse é o Novo Testamento do Egito. Há duas variações desse texto, dependendo da localização geográfica. O saídico veio do sul do Egito, contando com manuscritos desde o século IV. O boárico veio do norte do Egito, contando com um manuscrito do século IV, mas os demais são de origem bem posterior. Após o século IV, — os manuscritos coptas foram bastante multiplicados, pelo que há inúmeras cópias pertencentes a essa tradição. Formam um grupo valioso, pois são de caráter «alexandrino», concordando com os manuscritos gregos mais antigos e dignos de confiança.

Armênio. Essa tradição começou no século V. Com a exceção do latim, há mais manuscritos dessa tradição do que de qualquer outra. Já foram catalogados 2.000 deles. Entre estes manuscritos há alguns do texto *cesareano*, mas a maioria pertence à classe bizantina. (Ver a seção IV deste artigo, quanto às explicações sobre esses termos).

Geórgico. Os georgianos eram um povo da Geórgia caucásica, um agreste distrito montanhoso entre os mares Negro e Cáspio, que receberam o evangelho durante a primeira parte do século IV. Supomos que a tradição geórgica de manuscritos começou não muito depois, mas não há quaisquer manuscritos anteriores ao ano 897. O seu «tipo de texto» é cesareano.

Etíope. Essa tradição conta com manuscritos datados desde o século XIII. Há cerca de 1.000 desses manuscritos, essencialmente do tipo de texto bizantino.

Gótico. Algum tempo depois dos meados do século IV, Ulfilas, chamado o apóstolo dos godos, traduziu a Bíblia do grego para o gótico, uma antiga língua germânica. Agora há apenas fragmentos, do século V em diante. São essencialmente do tipo de texto bizantino, com alguma mistura de formas ocidentais. O texto bizantino, entretanto, é de uma variedade anterior à daquela que finalmente veio a fazer parte do Textus Receptus.

Eslavônico. O Novo Testamento foi traduzido para o búlgaro antigo, usualmente denominado eslavônico antigo, pouco depois dos meados do século IX. Há poucos manuscritos, que datam desse tempo em diante. Fazem parte do tipo de texto bizantino.

Árabe e Persa. Alguns poucos manuscritos têm sido preservados nesses idiomas, mas são de pouca importância no campo da crítica textual. Quanto à versão árabe, os problemas de seu estudo são complexos e continuam sem solução, pelo que é possível que ela seja mais importante do que se tem suposto até hoje.

---

5. CITAÇÕES DOS PAIS DA IGREJA

São tão extremamente *numerosas* as citações feitas pelos antigos pais da igreja, de trechos do Novo Testamento, em seus escritos, que bastaria essa fonte para quase podermos reconstituí-lo em sua inteireza. Somente nas obras de Orígenes (254 D.C.) temos quase todo o Novo Testamento em forma de citação. Os críticas textuais usam as citações de cerca de 50 diferentes pais antigos, ao compilarem delas o que se conhece do Novo Testamento. A dificuldade dessa fonte é que muitas das citações foram feitas de memória, pelo que são de pouco valor na determinação da natureza exata dos manuscritos que eles usaram. Contudo, deve-se atribuir um valor imenso a essa fonte informativa. (Ver uma descrição mais detalhada na seção IV deste artigo).

FONTES INFORMATIVAS E A RESTAURAÇÃO DO TEXTO DO NOVO TESTAMENTO

Informações completas são oferecidas sobre este assunto em seções VI, VII e VIII onde ajunto também a teoria geral da *crítica de texto* do Novo Testamento. Obviamente, a primeira consideração, em qualquer restauração do texto, é as fontes de informações disponíveis para fazer as devidas comparações. Apresentei nos parágrafos anteriores as cinco fontes de informações. Sendo que existem cinco, o crítico não é limitado somente aos manuscritos gregos. Ele tem ricas fontes de informações nas versões de diversas linguagens e também uma quantidade considerável de citações dos pais da Igreja que usaram e citaram manuscritos realmente antigos. A tradição latina começou no segundo século D.C., e, necessariamente, usava manuscritos extremamente antigos. Portanto, uma leitura da versão latina pode nos ajudar a avaliar os manuscritos gregos. Por exemplo, eu quero saber se o texto do *Codex Vaticanus* é melhor do que os manuscritos que Erasmo usou para compilar o *Textus Receptus*. Se o latim antigo concorda com o *Codex Vaticanus* contra o *Textus Receptus*, então, certamente, o *Vaticanus* é um representante melhor do original do que o outro. E, de fato, de modo geral, a versão latina concorda com o *Vaticanus*, onde há variantes, e não com o *Textus Receptus*. Também é verdade que as citações dos pais demonstram a superioridade do texto do *Vaticanus*, *Aleph*, e outros manuscritos antigos, sobre o *Textus Receptus*. Ver seção VII para uma discussão ampla de questões deste tipo.

●●● ●●● ●●●

MANUSCRITOS DO NOVO TESTAMENTO

A Abundância das Evidências Que Atestam O Novo Testamento

As grandes correntes de evidências que ajudam a estabelecer um texto digno de confiança do Novo Testamento são três:

1. Os manuscritos gregos
2. As citações dos pais
3. As versões em diversas linguagens

O Novo Testamento é, por muito, o documento da antiguidade melhor atestado. As listas de manuscritos que seguem comprovam esta declaração.

Apresento uma lista completa dos papiros; os principais manuscritos unciais com descrições detalhadas; os manuscritos minúsculos com comentários sobre os mais importantes.

* * *

II. Lista dos Papiros

Designação	Data	Localização	Conteúdo	Tipo de Texto
p^{1}	III	Filadélfia, University of Pennsylvania Museum	Mat. 1:1-9,12,14-20,23	Alexandrino
p^{2}	VI	Florence, Museo Archeológico, Inv. n. 7134	João 11:12-15	misturado
p^{3}	VI	Viena, Osterreichische Nationalbibliotheck, Sammlung Papyrus Erzherzog Rainer, n. G 2323	Luc. 7:36-45;10:38-42	Alexandrino
p^{4}	III	Paris, Bibliotheque Nationale. n.Gr 1120, sup. 2°	Luc. 1:58,59,62-2:1,6,7; 3:8-38; 4:2, 29-32,34,35;5:3-8, 30-38; 6:1-16	Alexandrino
p^{5}	III	Londres, British Museum, P. 782 e 2484	João 1:23-31, 33-41;16:14-30; 20:11-17, 19,20,22-25	Ocidental
p^{6}	IV	Estrasburgo, Biblioteque de la Université, 351, 335, 379, 381, 383, 384.	João 10:1,2,4-7,9,10;11:1-8,45-52	Mistura de Alexandrino e Cesareano
p^{7}	V	Perdido. Antes em Kiev, Biblioteca da Academia de Ciências da Ucrânia	Luc. 4:1,2	Indeterminado
p^{8}	IV	Perdido. Antes em Berlim, Staatliche Museen, P. 8683	Atos 4:31-37; 5:2-9; 6:1-6, 8-15	Mistura de Alexandrino e Ocidental
p^{9}	III	Cambridge, Massachusetts, Harvard University, Semitic Museum, n° 3736	I João 4:11,12,14-17	Alexandrino
p^{10}	IV	Cambridge, Massachusetts, Harvard University Semitic Museum, n°2218	Rom. 1:1-7	Alexandrino
p^{11}	VII	Leningrado, Biblioteca Pública do Estado.	I Cor. 1:17-23; 2:9-12,14; 3:1-3; 4:3-5; 5:7,8; 6:5-7,11-18; 7:3-6,10-14	Alexandrino
p^{12}	III	Nova Iorque, Pierpont Morgan Library, n° G 3	Heb. 1:1	Indeterminado
p^{13}	III/IV	Londres, British Museum, P 1532 (verso); Florence, Bib. Medicea Laurenziana	Heb. 2:14-5:5; 10:8-22,29-12:17	Alexandrino
p^{14}	V	Monte Sinai, Mosteiro de Santa Catarina, n° 14	I Cor. 1:25-27; 2:6-8; 3:8-10:20	Alexandrino
p^{15}	III	Cairo, Museu de Antiguidades. n° 47423	I Cor. 7:18-8:4	Alexandrino
p^{16}	III/IV	Cairo, Museu de Antiguidades, n° 47424 n° 47424	Fil. 3:9-17; 4:2-8	Alexandrino

MANUSCRITOS DO NOVO TESTAMENTO

OS MANUSCRITOS ANTIGOS

Designação	Data	Localização	Conteúdo	Tipo de Texto
p^{17}	IV	Cambridge, Inglaterra, University Library, gr.theol. f. 13 (P), Add. 5893	Heb. 9:12-19	Misturado
p^{18}	III/IV	Londres, British Museum, P, 2053 (verso)	Apo. 1:4-7	Alexandrino
p^{19}	IV/V	Oxford, Bodleian Library, Ms. gr. Bibl. d. 6 (P)	Mat. 10:32-11:5	Ocidental
p^{20}	III	Princeton, New Jersey, University Library, Classical Seminary AM 4117 (15)	Tia. 2:19-3:9	Alexandrino
p^{21}	IV/V	Allentown, Pennsylvania, Library of Muhlen-berg College Theol. pap. 3	Mat. 12:24-26,31-33	Ocidental
p^{22}	III	Glasgow, University Libary, Ms. 2-x.1	João 15:25-27; 16:1,2,21-32	Ocidental com Alexandrino
p^{23}	III	Urbana, Illinois, University of Illinois, Classical Arch. & Art Museum, G.P.1229	Tia. 1:10-12,15-18	Alexandrino
p^{24}	IV	Newton Centre, Massachusetts, Library of Andover Newton Theological School	Apoc. 5:5-8; 6:5-8	Alexandrino
p^{25}	IV	Perdido. Antes em Berlim Staatliche Museen, P. 16388	Mat. 18:32-34; 19:1-3, 5-7,9,10	Ocidental
p^{26}	c. 600	Dallas, Texas, Southern Methodist University, Lane Museum	Rom. 1:1-16	Alexandrino
p^{27}	III	Cambridge, Inglaterra, University Library, Add. Ms. 7211	Rom. 8:12-22,24-27,33-39; 9:1-3, 5-9	Alexandrino com alguma mistura Ocidental
p^{28}	III	Berkeley, Calif., Library of Pacific School of Religion, Pap.2	João 6:8-12, 17-22	Alexandrino
p^{29}	III	Oxford, Bodleian Library, Ms. Gr. Bibl. g. 4 (P)	Atos 26:7,8,20	Ocidental (?)
p^{30}	III	Ghent, University Library, U. Lib. P. 61	I Tes. 4:13,16-18; 5:3, 8-10,12-18,26-28; II Tes. 1:2	Misturado
p^{31}	VII	Manchester, Inglaterra, John Rylands Library, P. Ryl. 4	Rom. 12:3-8	Alexandrino
p^{32}	c. 200	Manchester, Inglaterra, John Rylands Library, P. Ryl. 5.	Tito 1:11-15; 2:3-8	Alexandrino com mistura Ocidental
p^{33}	VI	Viena, Osterreichische Nationalbibliothek, n° 190	Atos 15:22-24,27-32	Alexandrino
p^{34}	VII	Viena, Osterreichische Nationalbibliothek, n° 191	I Cor. 16:4-7,10; II Cor. 5:18-21; 10:13,14; 11:2,4,6,7	Alexandrino
p^{35}	IV	Florence, Biblioteca Medicea Laurenziana	Mat. 25:12-15,20-23	Alexandrino & Ocidental
p^{36}	VI	Florence, Biblioteca Medicea Laurenziana	João 3:14-18,31,32	Alexandrino & Ocidental
p^{37}	III/IV	Ann Arbor, Michigan, University of Michigan Library, Invent. n° 1570	Mat. 26:19-52	Cesareano
p^{38}	c. 300	Ann Arbor, Michigan, University of Michigan Library, Invent. n° 1571	Atos 18:27-19:6,12-16	Ocidental
p^{39}	III	Chester, Pennsylvania, Crozer Theological Seminary Library, n° 8864	João 8:14-22	Alexandrino
p^{40}	III	Heidelberg, Universitatsbibliothek, Inv. Pap. graec. 45	Rom. 1:24-27,31-2:3;3:21-4:8; 6:4, 6:4,5, 19;9:17,27	Alexandrino
p^{41}	VIII	Viena, Osterreichische Nationalbibliothek, Pap. K. 7541-8	Atos 17:28-18:2,24,25,27; 19:1-4, 6-8,13-16,18,19; 20:9-13,15,16,22-24,26-28,35-38; 21:1-3; 22:12-14,17	Ocidental
p^{42}	VIII	Viena, Osterreichische Nationalbibliothek, KG 8706	Luc. 1:54,55; 2:29-32	Bizantino Antigo
p^{43}	VI	Londres, British Museum, Pap. 2241	Apo. 2:12,13; 15:8-16:2	Alexandrino
p^{44}	VI	Nova Iorque, Metropolitan Museum of Art, Inv. 14-1-527	Mat. 17:1-3,6,7;18:15-17,19; 25:8-10; João 10:8-14; 9:3-5; 12:16-18	Alexandrino
p^{45}	III	Dublim, Chester Beatty Museum;eViena, Osterreichische, Nationalbibliotheck, P. Gr. Vind. 31974	Mat. 20:24-32; 21:13-19; 25:41-46; 26:1-39; 4:36-40; 5:15-26,38-6:3,16-25,36-50; 7:3-15,25-8:1,10-26,34-9:8,18-31; 11:27-33; 12:1,5-8,13-19,24-28; Luc. 6:31-41,45-7:7; 9:26-41,45-10:1,6-22,26-11:1,6-25, 28-46,50-12:12,18-37,42-13:1,6-24,29-	Alexandrino com mistura de Ocidental

MANUSCRITOS DO NOVO TESTAMENTO

OS MANUSCRITOS ANTIGOS

Designação	Data	Localização	Conteúdo	Tipo de Texto
p^{45} cont.			14:10,17-33; João 10:7-25, 31-11:10, 18-36,43-57; Atos 4:27-36; 5:10-20,30-39-6:7-7:2,10-21,32-41,52-8:1,14,25,34-9:6 16-27,35-10:2,10-23, 31-41; 11:2-14,24; 12:5,13-22; 13:6-16,25-36,46-14:3,15-23; 15:2-7,19-26,38-16:4;15-21,32-40 17:9-17	
p^{46}	c. 200	Dublin, Chester Beatty Museum, e Ann Arbor, Michigan, University of Michigan Library, Inven. n° 6238	Rom. 5:17-6:3,5-14; 8:15-25,27-35, 37-9:32; 10:1-11:22,24-33,36-14:8,9-15:9 (fragm.),11-33; 16:1-23,25-27; Heb. 1 e II Cor., Efé., Gál., Fil., Col. (toda com lacunas); I Tes. 1:1,9,10; 2:1-3; 5:5-9,23,28	Alexandrino
p^{47}	III	Dublin, Chester Beaty Museum	Apo. 9:10 - 17:2 (com pequenas lacunas)	Alexandrino
p^{48}	III	Florence, Museo Medicea Laurenziana	Atos 23:11-17,23-29	Ocidental
p^{49}	III	New Haven, Connecticut, Yale University Library, P. 415	Efé. 4:16-29,31- 5:13	Alexandrino
p^{50}	IV/V	New Haven, Connecticut, Yale University Library, P. 1543	Atos 8:26—32; 10:26-31	Alexandrino
p^{51}	c. 400	Londres, British Museum	Gál. 1:2-10,13,16-20	Alexandrino, parcialmente eclético
p^{52}	II	Manchester, John Rylands Library, P. Ryl. Gr. 457	João 18:31-34,37,38	Alexandrino
p^{53}	III	Ann Arbor, Michigan University of Michigan Library, Invent. n° 6652	Mat. 26:29-40; Atos 9:33-38,40-10:1	Alexandrino com mistura
p^{54}	V	Princeton, New Jersey, Princeton University Library, Garrett Depos. 7742	Tia. 2:16-18,21-25;3:2-4	Alexandrino
p^{55}	VI/VII	Viena, Osterreichische Nationalbibliotheck, P Gr. Vind. 26214	João 1:31-33,35-38	Alexandrino
p^{56}	V	Viena, Osterreichische Nationalbibliothek, P. Gr. Vind. 19918	Atos 1:1,4,5,7,10,11	Alexandrino
p^{57}	IV	Viena, Osterreichische Nationalbibliothek, P. Gr. Vind. 26020	Atos 4:36-5:2,8-10	Alexandrino
p^{58}	VI	Viena, Osterreichische Nationalbibliothek, P. Gr. Vind. 17973, 36133[54], 35831	Atos 7:6-10,13-18	Alexandrino com mistura
p^{59}	VII	Nova Iorque, New York University, Washington Square College of Arts and Sciences, Department of Classics, P. Colt. 3	João 1:26,28,49,51;2:15,16; 11:40-52; 12:25,29,31,35; 17:24-26; 18:1,2,16,17, 22; 21:7,12,13,15,17-20,23	Não-classificado
p^{60}	VII	Nova Iorque, New York University, Washington Square College of Arts and Sciences, Department of Classics, P. Colt 4	João 16:29-19:26 com lacunas	Alexandrino
p^{61}	c. 700	Nova Iorque, New York University, Washington Square College of Arts and Sciences, Department of Classics, P. Colt. 5	Rom. 16:23,25-27; I Cor. 1:1,2,6; 5:1-3,5, 6,9-13; Fil. 3:5,9, 12-16; Col. 1:3-7,9-13; 4:15; I Tes. 1:2,3; Tito 3:1-5,8-11,14,15; File. 4-7	Alexandrino
p^{62}	IV	Oslo, University Library	Mat. 11:25-30;	Alexandrino
p^{63}	c. 500	Berlim, Staatliche Museen	João 3:14-18; 4:9,10	Não-classificado
p^{64}	c. 200	Oxford, Magdalen College	Mat. 26:7,10,14,15,22,23,31-33	Não-classificado
p^{65}	III	Florence, Biblioteca Medicea Laurenziana	I Tes. 1:2-10; 2:1,6-13	Alexandrino
p^{66}	c. 200	Colônia/Genebra, Bibliotheque Bodmer	João 1:1-6:10,35; 14:26 com fragm. de 14:27-21:9;	Alexandrino com mistura
p^{67}	III	Barcelona, Fundación San Lucas Evangelista, P. Barc. I	Mat. 3:9-15; 5:20-22,25-28	Alexandrino
p^{68}	VII	Leningrado, Biblioteca Pública do Estado, Gr. 258	I Cor. 4:12-17,19-21; 5:1-3	Bizantino
p^{69}	III	?	Luc. 22:41, 45-48, 58-61	Misturado
p^{70}	III	?	Mat. 11:26,27; 12:4,5	Não-classificado
p^{71}	IV	?	Mat. 19:10,11,17,18	Alexandrino
p^{72}	III	Colônia/Genebra, Bibliotheque Bodmer	Judas, I e II Pedro	Alexandrino c/mistura
p^{73}	?	Colônia/Genebra, Bibliotheque Bodmer	Mat. 25:43; 26:2,3	Não-classificado

MANUSCRITOS DO NOVO TESTAMENTO

OS MANUSCRITOS ANTIGOS

Designação	Data	Localização	Conteúdo	Tipo de Texto
$\mathfrak{p}^{74}$	III/IV	Colônia/Genebra, Bibliotheque Bodmer	Atos 1:1-11,13-15,18,19, 22-25; 2:2-4,6-3:26; 4:2-6,8-27,29-27:25,27-28:31; Tia 1:1-6,8-19,21-25,27-2-15,19-22,25-3:1,5 6,10-12, 14,17-4:8, 11-14; 5:1-3,7-9, 12-14 19,20; I Ped. 1:1,2,7,8,12,13,19,20,25; 2:7,11,12,18,24; 3:4,5; II Ped. 2:21; 3:4,11,16; I João 1:1,6; 2:1,2,7,13-24,18, 19,25,26; 3:1,2,8,14,19,20;4:1,6,7,12,16, 17;5:3,4,10,17,18; II João 1,6,7, 12,13; III João 6,12; Jud. 3,7,12,18, 24,25	Alexandrino
$\mathfrak{p}^{75}$	III	Colônia/Genebra, Bibliotheque Bodmer	Luc. 3:18-22,33-4:2,34-5:10,37-6:4,11-7:32,35-43,46; 18:18;22:4-24:53; João 1:1 13:10; 14:8-15:8 (com lacunas)	Alexandrino
$\mathfrak{p}^{76}$	VI	Viena, Osterreichische Nationalbibliothek, P. Gr. Vind. 36102	João 4:9-12	Não-classificado

. . . .

Papiros, conforme são distribuídos entre os vários livros do Novo Testamento:

	NÚMEROS DOS PAPIROS:		
Mateus:	1 19 21 25 35 37 44 45 53 62 64 65 67 70 71 73	I Tes:	30 46 61 65
Marcos:	45	II Tes:	30
Lucas:	3 4 7 42 45 69 75	Tito:	32 61
João:	2 5 6 22 28 36 44 45 52 55 59 60 63 66 75 76	Filemom:	61
Atos:	8 29 33 38 41 45 48 50 53 56 58 74	Hebreus:	12 13 17 46
Romans:	10 26 27 31 40 46 61	Tiago:	20 23 54 74
I Cor:	11 14 15 34 46 61 68	I Ped:	72 74
II Cor:	34 46	II Ped:	72 74
Gálatas:	46 51	I João:	9 74
Efésios:	46 49	II João:	74
Filip:	16 46 61	Judas:	72 74
Colos:	46 61	Apoc:	18 24 43 47

III. Lista dos Manuscritos Unciais e dos mais Importantes Manuscritos Minúsculos

1. Evangelhos

Designação		Data	Localização	Conteúdo	Tipo de Texto
ℵ	SINAITICUS	IV	Londres, British Museum	N T. inteiro	Alexandrino
A	ALEXANDRINUS	V	Londres, British Museum	N.T., exceto Mat. 1:1-25:6; João 6:50-8:52; II Cor. 4:13-12:6	Nos evangelhos, bizantino antigo; no resto, Alexandrino
B	VATICANUS	IV	Biblioteca do Vaticano	N.T. até Heb. 9:14	Alexandrino
C	EPHRAEMI	V	Bibliothèque Nationale, Paris	Todo o N.T., com muitas lacunas	Alexandrino
D	BEZAE	V/VI	Cambridge University Library	Evangelhos e Atos, c/lacunas	Ocidental
E	BASILIENSIS	VIII	Basle Library, Basle, Suiça	Evangelhos	Bizantino
F	BOREELINANUS	IX	University Library de Ultrecht	Evangelhos	Bizantino
G	SEIDELIANUS (Wolfii A)	X	British Museum, Londres	Evangelhos	Bizantino
H	SEIDELIANUS II (Wolfii B)	IX/X	Biblioteca Pública de Hamburgo	Evangelhos c/lacunas	Bizantino
K	CYPRIUS	IX	Bibliothèque Nationale, Paris	Evangelhos	Bizantino
L	REGIUS	VIII	Bibliothèque Nationale, Paris	Evangelhos	Alexandrino
M	CAMPIANUS	IX/X	Bibliothèque Nationale, Paris	Evangelhos	Bizantino
N	PURPUREUS	VI	Biblioteca do Vaticano, Biblioteca Pública de Leningrado, Mosteiro de Mt. Atos, Bibliothèque Nationale, Paris, British Museum, Londres	230 folhas dos evangelhos	Bizantino c/mistura de Cesareano
O	SINOPENSIS	VI	Bibliothèque Nationale, Paris	43 folhas de Mateus (caps. 13-24)	Cesareano
P	GUELPHERBYTANUS A	VI	Ducal Library, Wolfenbuttel	Evangelhos c/lacunas	Bizantino
Q	GUELPHERBYTANUS B	V	Ducal Library, Wolfenbuttel	Porções de Lucas e João	Bizantino

MANUSCRITOS DO NOVO TESTAMENTO

OS MANUSCRITOS ANTIGOS

Designação		Data	Localização	Conteúdo	Tipo de Texto
R	NITRIENSIS	VI	British Museum, Londres	Porções de Lucas	Ocidental
S	VATICANUS 354	949	Biblioteca do Vaticano	Evangelhos	Bizantino
T	BORGIANUS	V	Collegium de Propaganda Fide, Roma	Fragmentos de Lucas e João com a versão saídica	Alexandrino
U	NANIANUS	IX/X	Biblioteca de S. Marcos, Veneza	Evangelhos	Bizantino
V	MOSQUENSIS	IX	Moscou	Evangelhos até João 7:29. Depois outra mão , em minúsculas	Bizantino
W	FREERIANUS	IV	Freer Gallery of Art, Washington, D.C.	Evangelhos	Mat. 8:13-24:53, Bizantino; Marc. 1:1-5:30 Ocidental; Marc. 5:31-16:20, Casareano; Luc. 1:1—8:12; João 5:12-21:25 Alexandrino; João 1:1-5:11, misturado
X	MONACENSIS	IX/X	University Library de Munique	Fragmentos dos evangelhos	Bizantino, c/mistura ocasional Alexandrina
Y	BARBERINI	VIII	Biblioteca Baberini, Roma	João 16:3-19:41	Bizantino
Z	DUBLINENSIS	V/VI	Trinity College Library, Dublim	32 Folhas (295 vss) de Mateus	Alexandrino
	TISCHENDORFIANUS	IX/X	Bodleian Library, Oxford	Evangelhos com versão latina	Bizantino (ocidental em latim)
Δ	SANGALLENSIS	IX	Biblioteca de St. Gall, Suiça	Evangelhos com versão latina	Marcos, Alexandrina; o resto, Bizantino
Θ	KORIDETHI	IX	Tiflis, Geórgia, URSS	Evangelhos	Cesareano
Λ	TISHENDORFIANUS III	IX	Bodleian Library, Oxford	Lucas e João	Bizantino
Ξ	ZACYNTHIUS	VII	Library of the British and Foreign Bible Society, Londres	342 vss de Lucas	Alexandrino
Π	PETROPOLITANUS	IX	Biblioteca Pública de Leningrado	Evangelhos	Bizantino
Σ	ROSSANENSIS	VI	Arcebispo de Rossano, extremo sul da Itália	Mateus e Marcos	Bizantino c/mistura Cesareana
Φ	BERATINUS	VI	Berat, Albânia (igreja de S. Jorge)	Mateus e Marcos	Cesareano
Ψ	LAURENSIS	VIII	Mosteiro de Laura, no Mt. Atos	Evangelhos (após Marc. 9), Atos, Epístolas	Bizantino c/alguma mistura Alexandrina
Ω	ATHOS DIONYSIUS	IX/X	Mosteiro de Dionísio, Mt. Atos	Evangelhos	Bizantino

Quanto aos evangelhos, temos outros manuscritos unciais, marcados com a designação «0», como 0124 (fragmentos de Lucas e João), 0131 (Mar. 7-9), a maior parte dos quais é fragmentar. A designação «0» veio a ser usada quando não havia mais letras dos alfabetos grego e latino, para serem usadas como referências a manuscritos.

2. Manuscritos Unciais de Atos e das Espístolas Católicas

A -
B - **Ver *Informações* sobre esses manuscritos**
C -
D - **sob 1. *Evangelhos*.**
Ψ

Designação		Data	Localização	Conteúdo	Tipo de Texto
E (2)	LAUDIANUS	VI	Bodleian Library , Oxford	Atos, com versão latina	Bizantino (grego) Ocidental (latim)
H (a ou 2)	MUTINENSIS	IX	Grande Biblioteca Ducal de Módena	Atos, exceto sete últimos capítulos	Bizantino
K	MOSQUENSIS	IX	Moscou	Epístolas Católicas, Hebreus e Epístolas Paulinas	Ocidental
L (2)	ANGELICUS	IX	Biblioteca Angelicana, Roma	Epístolas Católicas, Atos Epístolas Paulinas	Bizantino
P (2)	PORPHYRIANUS	X	Biblioteca Pública de Leningrado	Atos, Epístolas Católicas, Epístolas Paulinas	Bizantino c/alguma mistura Ocidental
S (ap)	ATHOUS	VIII	Mosteiro de Laura, Mt. Atos	Atos, Epístolas Católicas, Epístolas Paulinas	Bizantino

Tal como no caso dos evangelhos, há outros unciais quanto a esses livros, especialmente fragmentários, identificados com um «0», além de um número, como 0189 (Atos 5), 0206 (I Pedro 5).

MANUSCRITOS DO NOVO TESTAMENTO

OS MANUSCRITOS ANTIGOS

Designação		Data	Localização	Conteúdo	Tipo de Texto
3. Epístolas Paulinas e Hebreus					
A -					
B -	**Ver informação** sobre esses manuscritos sob «1», os **evangelhos**.				
C -					
K -					
L -					
P -	**Ver informação** sobre esses manuscritos sob «2», Atos e **Epístolas Católicas**				
S -					
Ψ					
D (2)	CLAROMONTANUS	VI	Bibliothèque Nationale, Paris	Epístolas Paulinas, Hebreus (com versão latina)	Ocidental
E (3)	SANGERMANENSIS; este manuscritos é cópia de D (2).	IX	Biblioteca Pública de Leningrado	Epístolas Paulinas, Hebreus (com versão latina)	Ocidental
F (2)	AUGIENSIS	IX	Trinity College Library, Cambridge	Epístolas Paulinas, Hebreus (com versão latina)	Ocidental
G (3)	BOERNERIANUS	IX	Dresden	Epístolas Paulinas, Hebreus (com versão latina)	Ocidental
I	WASHINGTONIANUS II	V	Freer Museum, Washington	84 folhas em condição fragmentar das Epístolas Paulinas e de Hebreus	Alexandrino
M	UFFENBACHIANUS	IX	Londres, Hamburgo, Paris	Porções das Epístolas Paulinas	Alexandrino

Fragmentos: 061 (I Tim. 3, 6); 0208 (Col. 1 e 2; i Tes. 2); 0220 (Rom. 4 e 5) e outros.

4. Apocalipse

A - **Ver *Informações* sobre esses manuscritos**
C - **sob 1. *Evangelhos*.**

P - **Ver *Informações* sobre esse manuscrito sob 2. *Atos e Epístolas Catolicas*.**

Designação		Data	Localização	Conteúdo	Tipo de Texto
B (r ou 046)	VATICANUS 2066	VII/VIX	Biblioteca do Vaticano	Apocalipse Completo	Bizontino
E (051)		IX/X	Mt. Atos	Apocalipse	Bizantino
F (052)		X	Mt. Atos	Apocalipse	Bizantino

Fragmentos: 0207 (Apo. 9): 1229 (Apo. 18 e 19) e outros.

Quanto ao Apocalipse, há menor número de manuscritos do que acerca de qualquer outro livro neotestamentário. Existem cerca de 300 manuscritos gregos, dos quais somente dez são unciais, e três deles contêm apenas uma única folha. Contudo, o Apocalipse é melhor e mais remotamente confirmado do que qualquer outro documento antigo não-bíblico.

5. Os Mais Importantes Códices Bíblicos, em Manuscritos Unciais:

A. Codex Alexandrinus

Esse é um manuscrito em grego. Contém a Bíblia inteira. Sua data é o século V D.C. Encontra-se agora no Museu Britânico, mas, por longo tempo foi conservado na Biblioteca do Patriarcado Grego de Alexandria. Foi presenteado por Cirilo Lucaris, patriarca de Alexandria, ao rei Carlos I, em 1627. Seu nome deriva-se de sua associação com a cidade de Alexandria. Atanásio III, no século XIV, trouxe o manuscrito de Constantinopla para Alexandria. Trata-se de um manuscrito muito bem preservado, contudo, tem algumas lacunas nos livros de Gênesis, I Reis (I Samuel), Salmos, Mateus, João e I Coríntios. Além dos livros canônicos, também preserva cópias de I e II Clemente (que vide). Os Salmos de Salomão, antigamente, faziam parte desse texto, mas acabaram perdendo-se. O manuscrito é escrito com grande beleza, notando-se que dois escribas estiveram envolvidos no trabalho de cópia. Quanto ao Antigo Testamento, a versão é a Septuaginta, com variações do tipo de texto. Quanto ao Novo Testamento, nos evangelhos é seguido o texto bizantino, mas, fora dos evangelhos, o texto é essencialmente alexandrino, paralelo a B e a P(46). Trata-se de um dos melhores textos, se não mesmo o melhor que possuímos do Apocalipse, onde também é refletido um tipo de texto bizantino. E mesmo nos evangelhos, com seu texto bizantino, aparece um estágio inicial desse tipo de texto, e não aquela forma posterior que originou o *Textus Receptus*. Nos evangelhos estão retidas variantes alexandrinas em grande número, que são pré-bizantinas, e que os manuscritos posteriores perderam. Minhas teses doutoral e de mestrado incluíram uma comparação entre esse manuscrito e o grupo da família Pi, e fui capaz de demonstrar que o códex Alexandrinus tem um estágio mais antigo do texto bizantino do que o da família Pi. Apesar disso, até mesmo Pi e seus paralelos têm um texto mais antigo do que o *Textus Receptus*, que é uma espécie **de ponto culminante** do processo de mescla que se foi avolumando, qual bola-de-neve, no decorrer dos séculos, e que, finalmente, cessou, quando da invenção da imprensa.

B. Codex Vaticanus

Esse manuscrito cobre a Bíblia inteira. Encontra-se na Biblioteca doVaticano, em Roma, desde 1475. Há algumas lacunas, como seja, os primeiros quarenta e cinco capítulos de Gênesis, uma porção de II Reis (II Samuel), alguns dos Salmos, o final da epístola aos Hebreus e o Apocalipse inteiro. Data do século IV D.C. Quanto ao Antigo Testamento, o tipo de texto é a Septuaginta. Quanto ao Novo Testamento, é alexandrino do princípio ao fim, concordando de perto com as mais antigas citações dos pais da Igreja, incluindo Atanásio. Está intimamente associado às versões do Egito, o que talvez sugira uma origem egípcia. É um manuscrito gêmeo de Aleph, embora superior ao mesmo, em seu conjunto total. Paleógrafos competentes asseguram-nos que um de seus escribas também esteve envolvido na produção do manuscrito Aleph. A grande antiguidade do texto do manuscrito Vaticano é demonstrada pelo fato de que concorda com nossos mais antigos manuscritos em papiro. Antes da descoberta dos papiros, esse manuscrito e o Aleph mantinham-se quase solitários quanto ao tipo de texto, excetuando os reflexos alexandrinos fora dos evangelhos, e as citações dos pais da Igreja. Por essa razão, alguns eruditos falavam erroneamente sobre *a maioria dos textos*, como se a simples contagem dos manuscritos pudesse determinar quais são os melhores textos. Mas está historicamente demonstrado que a única razão pela qual os manuscritos bizantinos são mais numerosos é que esse tipo de texto é mais recente, mesclado e padronizado mediante o processo de cópias repetidas, visto que um tipo de texto mais antigo não era disponível para os copistas. A descoberta dos papiros, a maioria dos quais próximos do manuscrito Vaticano e seu texto tipo alexandrino, demoliu a teoria da autoridade dos chamados maioria dos textos. Acresça-se que os mais antigos manuscritos das versões, como a latina, a siríaca e a cóptica, confirmam a superioridade do texto do manuscrito Vaticanus, em contraste com o Textus Receptus.

Minhas teses doutoral e de mestrado, sobre o grupo de manuscritos da família Pi, acompanham, através da história, o desenvolvimento do tipo de texto bizantino, desde o século V ao século XIII D.C. É evidente que o Textus Receptus apareceu no fim de uma longa história de evolução textual, contendo cerca de quinze por cento de bagagem, que se desvia dos manuscritos verdadeiramente antigos. Segundo certo ponto de vista, a crítica textual tem visado, principalmente, à eliminação dessa bagagem. Se examinarmos os manuscritos unciais em papiro mais antigos, bem como as citações dos mais antigos pais da Igreja, descobriremos a ausência desses quinze por cento de bagagem. Isso seria impossível se o Textus Receptus representasse o original. Nesse caso, teríamos de perguntar: Por qual razão os escribas dos mais antigos manuscritos unciais e dos manuscritos em papiros, bem como os primeiros pais da Igreja, não tiveram acesso a esses quinze por cento? Como essas variantes ter-se-iam perdido em uma área geográfica tão vasta? Além disso, como essas variantes apareceram subitamente, tornando-se parte do Textus Receptus? Pois, quando estudamos o problema, podemos provar, de modo absoluto, que **esses quinze por cento não apareceram de súbito. Em vez de terem surgido da noite para o dia, essas** variantes foram-se *acumulando* através dos séculos, tornando-se uma espécie de bagagem textual, depositada no Textus Receptus. Esses fatos são bem conhecidos, especialmente para os estudiosos, embora desconhecidos para os que se aferram às várias versões em línguas vernáculas, os quais temem perder certo número de textos favoritos, que não faziam parte do original grego.

Seja como for, embora o manuscrito Vaticanus antes fosse considerado um caso isolado, tendo apenas a companhia do manuscrito Aleph, agora é reputado como paralelo a muitos manuscritos, incluindo muitos papiros, as versões mais antigas e as citações dos primeiros pais da Igreja. O Novo Testamento original é melhor representado por esses.

C. Codex Ephraemi Siry Rescriptus

Esse manuscrito está atualmente guardado na Bibliothèque Nationale de Paris, na França. É um manuscrito da Bíblia inteira, pertencente ao século V D.C. Aproximadamente no século XII, suas páginas foram usadas para anotar as obras de Efraem, o sírio. O texto bíblico original foi removido, da melhor maneira que o escriba foi capaz, e então o material de escrita foi reusado, com esse outro propósito. Cerca de 208 páginas foram assim utilizadas. E essas são as páginas que sobreviveram até nós. Métodos modernos de recuperação têm restaurado quase perfeitamente o texto bíblico subjacente, pelo menos do ponto de vista prático. Qualquer manuscrito que tenha sido usado assim (para anotar dois ou mais textos diferentes), é chamado de *palimpsesto*, que, literalmente, significa «apagado de novo», porquanto essa é uma palavra de origem grega. Está em vista a idéia de ter sido removido um texto escrito, para que sobre o mesmo se escreva um outro texto. No entanto, segundo o uso moderno, *palimpsesto* significa «reescrito». Essa circunstância é que tem dado a esse manuscrito o seu nome completo (ver o subtítulo, acima). Suas duzentas e oito páginas restantes contêm porções dos livros de Jó, Provérbios, Eclesiastes, Sabedoria de Salomão, Eclesiástico, Cantares e o Novo Testamento, com a exceção única de II Tessalonicenses e II João. Sua condição não nos permite deduzir o número exato de escribas originais e de corretores que estiveram envolvidos na obra. O códex C é uma espécie de irmão mais jovem e inferior dos manuscritos Vaticanus e Aleph; quanto ao seu tipo de texto, é essencialmente alexandrino, embora com mistura de outros tipos. Essas variantes fazem parte do começo do grande acúmulo de bagagem que, finalmente, veio a ser depositado no Textus Receptus. Porém, no tocante ao livro de Apocalipse, exibe um excelente texto alexandrino, estando bem próximo do manuscrito Alexandrinus. Curiosamente, porém, em Apocalipse 13:18, o número da besta aparece como «seiscentos e dezesseis», em harmonia com as versões armênias, com as citações de Irineu e Ticônio, mas em contraste com o manuscrito A, quanto a essa particularidade.

D. Codex D ou de Bezae

O nome desse manuscrito deriva-se do fato de que antes pertencia a Teodoro Beza, coope ador de João Calvino e seu sucessor em Genebra, na Suíça. Ele obteve o manuscrito durante as guerras religiosas, em Lyons, na França, o qual, finalmente, doou à Universidade de Cambridge, na Inglaterra, onde se encontra hoje em dia. Trata-se de um manuscrito **bilingüe** com o texto grego à esquerda, e o texto latino à direita, em páginas opostas. Contém os quatro evangelhos e o livro de Atos, com uma pequena porção de I João. Há muitas lacunas no livro de Atos. Muitas correções e anotações foram feitas nesse manuscrito, havendo ali emendas e adições litúrgicas. Provavelmente, esse manuscrito foi produzido em alguma região do Ocidente, como a Gália, a Sardenha ou o sul da Itália, talvez a Sicília. Porém, visto que manuscritos **bilíngües** eram usados em Jerusalém e em Alexandria, é possível que tivesse vindo de uma dessas cidades. O manuscrito D é, atualmente, um dos principais representantes do tipo de texto Ocidental, que exibe uma versão um tanto mais longa do livro de Atos. As adições, na vasta maioria dos casos, sem dúvida não passam de adições. Mas, por longo tempo, era comum **alguns** críticos textuais suporem que certo número de variantes textuais eram legítimas, em contraste com o tipo de texto alexandrino. Uma opinião melhor analisada, porém, especialmente em vinculação **com o testemunho** prestado pelos papiros, tem convencido a maior parte dos estudiosos de que o texto Ocidental, mais longo, na realidade representa adições ao original. Esse texto caracteriza-se por um manuseio livre por parte dos escribas, mostrando-se claramente secundário, quanto ao seu valor. As bibliotecas européias dispõem de grande número de manuscritos latinos que representam bem o texto tipo ocidental.

O códex D data dos séculos V ou VI D.C., sendo o mais antigo manuscrito grego de qualquer dimensão, excetuando o manuscrito W, a dar testemunho sobre esse tipo de texto ocidental, embora a tradição latina conte com exemplares mais antigos.

I. Codex Washingtonianus II

Esse manuscrito data do século VII D.C., e atualmente encontra-se na Coleção Freer do Instituto Smithsoniano de Washington, DC., nos Estados Unidos da América. Contém porções das epístolas paulinas, e a epístola aos Hebreus após II Tessalonicenses. Trata-se de um texto tipo alexandrino, mais freqüentemente em harmonia com Aleph do que com B, quando não concordam entre si.

L. *Códex Regius*. Esse manuscrito encontra-se na Biblioteca Nacional de Paris, na França. Embora pertencente ao século VIII D.C., reflete um texto muito antigo, similar ao texto do manuscrito B. Juntamente com este, e com outras testemunhas, no evangelho de Marcos termina no final de 16:9. Mas, em seguida, apresenta dois términos alternativos desse evangelho. Ver os problemas textuais envolvidos em Marcos 16:19, nas notas expositivas no NTI, nesse lugar.

W. Codex Washingtonianus I. Esse manuscrito **também pertence à** Coleção Freer do Instituto Smithsoniano, em Washington DC, nos Estados Unidos da América. Foi produzido nos séculos IV ou V D.C. Contém os quatro evangelhos, segundo a ordem de apresentação ocidental: Mateus, João, Lucas e Marcos. Representa vários tipos textuais: Marcos 1—5, ocidental; o resto de Marcos, cesareano; Mateus e João 1:1—5:12, alexandrino; Lucas 8:13 até o fim, bizantino. Esse manuscrito exibe um final alternativo para o evangelho de Marcos, juntamente com o final longo, regular. O fato de que reflete diversos tipos de texto demonstra que foi copiado de diversos manuscritos.

ℵ. Aleph: Codex Sinaiticus

Esse é um antiqüíssimo manuscrito grego, que originalmente continha a Bíblia inteira. Foi encontrado na península do Sinai, mais exatamente no mosteiro de Santa Catarina, por Constantino Tischendorf, em 1844. Enquanto trabalhava na biblioteca do mosteiro, ele notou uma cesta grande, com grande número de páginas soltas de manuscritos. Ficou perplexo quando seu olho treinado disse-lhe que acabara de encontrar as páginas do mais antigo manuscrito da Bíblia grega sobre as quais já pusera a vista. Ele tirou dali quarenta e três páginas, que lhe foram dadas gratuitamente, a seu pedido. Um bibliotecário casualmente observou que já haviam sido consumidas as páginas que enchiam duas cestas similares, na fornalha do mosteiro, para aquecer os monges. Ao investigar, ele descobriu que cerca de mais oitenta páginas do Antigo Testamento ainda existiam. Porém, o seu entusiasmo provocou a suspeita dos monges, tornando-se difícil para ele conseguir maior cooperação. Por algum tempo, ele teve de contentar-se em rogar dos monges que procurassem fazer fogueiras com algo menos precioso. Quanta destruição é **causada pela ignorância!**

Tischendorf retornou à Europa com suas preciosas quarenta e três páginas. Em 1854, ele retornou ao Sinai, mas os monges não queriam falar sobre as páginas restantes do manuscrito que ele havia descoberto. Em 1859, ele visitou novamente o mosteiro, sob o patrocínio do Czar Alexandre II, patrono da Igreja Grega. Contudo, nenhum dos monges estava interessado em conversar com ele. Porém, um deles, mui inocentemente, falou sobre a cópia da Septuaginta que possuía, e que gostaria de mostrar-lhe. Para total admiração de Tischendorf, esse manuscrito era exatamente o mesmo manuscrito do qual ele tinha as quarenta e três páginas. Continha parte do Antigo Testamento, e o Novo Testamento completo. Tischendorf procurou convencer o monge que o czar da Rússia ficaria muito satisfeito se o manuscrito lhe fosse presenteado. Isso foi finalmente negociado, quando o czar ofereceu um presente seu ao mosteiro, conforme os costumes orientais. Em 1933, esse grande manuscrito foi adquirido pelo Museu Britânico, onde se encontra atualmente. Tal como se dá com todos os manuscritos importantes do Novo Testamento, têm sido preparados fac-símiles fotográficos para os eruditos que desejam comprá-los.

O manuscrito contém porções dos livros de Gênesis, Números, I Crônicas, II Esdras, os livros poéticos, Ester, Tobias, Judite e os livros proféticos, excetuando Oséias, Amós, Miquéias, Ezequiel e Daniel. Também estão incluídos I e IV Macabeus. Quanto ao Novo Testamento, este está completo, havendo também acréscimo das epístolas de Barnabé e uma boa porção do Pastor de Hermas. O texto do Novo Testamento assemelha-se muito ao tipo de texto Vaticanus e Alexandrinus, embora um tanto inferior. Quanto ao evangelho de João, há algumas variantes que concordam com o Códex D (que vide). É um paralelo dos papiros de Chester Beatty (que vide), com citações de Orígenes, no livro de Apocalipse.

Θ Theta: Codex Koridethianus

Esse é um manuscrito de importância moderada do século IX D.C. Pertence ao tipo comum de texto bizantino, excetuando o evangelho de Marcos, onde reflete o tipo de texto cesareano, bem próximo dos manuscritos 1, 117, 131, 209 e 13, 69, 124 e 246, que pertencem ao mesmo tipo.

Π. Pi: Codex Petropolitanus

Esse manuscrito é o membro mais antigo e principal da maior *família* de manuscritos que existe. Uma *família* é um grupo de manuscritos que descendem de um arquétipo comum, o qual pode ser restaurado mediante estudo comparativo cuidadoso. Esse grupo foi submetido a cuidadoso estudo pela Sra. Silva Lake, no que concerne ao evangelho de Marcos, por Jacob Geerlings, no tocante a Lucas e João, e por mim mesmo, Russell Champlin, no que concerne a Mateus. Fomos capazes de restaurar o arquétipo, que data de cerca do século V D.C., embora o próprio manuscrito Pi, que é o mais antigo dessa família, tenha sido copiado no século IX D.C. Um subproduto desse estudo foi que conseguimos acompanhar o desenvolvimento de uma importante linha do texto tipo bizantino, desde o século V até o século XIII D.C. Esse estudo ilustra amplamente o fato de que o texto que finalmente chegou a ser usado pelo Textus Receptus é uma mescla de textos, incorporando bagagem que foi sendo acrescentada aos manuscritos, através dos séculos. É fácil demonstrar que a princípio havia um texto com algumas variantes que caracterizam o tipo bizantino de texto, e que, em seguida, houve a adição de novas variantes, a cada século contribuindo com algumas mais, mediante as variações, harmonizações, correções, anotações, etc., feitas pelos escribas. Assim sendo, quando, finalmente, chegamos ao Textus Receptus, já havia um acúmulo de quinze por cento do material total.

6. A Importância dos Papiros

1. Cerca de três quartas partes do Novo Testamento são cobertas pelos manuscritos em papiro. Apesar de que nesses manuscritos há alguma variação quanto ao tipo de texto (quanto à porcentagem, o primeiro lugar cabe ao tipo alexandrino, o segundo lugar ao tipo ocidental, e o terceiro lugar ao tipo cesareano), como um grupo, eles são pré-bizantinos, o que mostra que esses manuscritos são posteriores. Os papiros fazem-nos retroceder ao século II D.C., no que concerne à antiguidade do texto do Novo Testamento, pelo menos quanto a alguns casos, embora as datas reais dos manuscritos mais antigos pertençam ao século III D.C.

2. Embora existam cerca de cinco mil manuscritos gregos do Novo Testamento (representando seções, e não a totalidade do cânon neotestamentário), é fácil nos afastarmos da massa dos manuscritos, até encontrarmos o texto verdadeiramente antigo. Isso pode ser feito, em primeiro lugar, no caso dos papiros. O leitor poderá verificar pessoalmente, com a ajuda de minhas listas desses manuscritos, exatamente como eles representam os vários tipos de texto, e também como, de forma predominante, os manuscritos realmente antigos põem-se lado a lado com o tipo de texto alexandrino.

3. As citações dos primeiros pais da Igreja também correspondem, predominantemente, aos tipos de texto alexandrino e ocidental. Os escritos desses pais e os manuscritos em papiro ilustram claramente um texto tipo bizantino. Somente já no século IV D.C. encontramos um número razoável de variantes tipo bizantino, o texto que começa a ser visto nos escritos de Luciano. Porém, mesmo assim, só encontramos o texto tipo protobizantino, e não aquele tipo de texto bizantino posterior, que veio a ser refletido pelo *Textus Receptus* de Erasmo de Roterdã (que vide).

4. Provi um artigo separado sobre os *Papiros de Chester Beatty*, onde adiciono informações sobre aquele grupo e sobre os papiros em geral, que não apresento aqui. Esse grupo inclui os papiros P(45), P(46) e P(47), de grande antiguidade e importância.

5. Também em um artigo separado, discuto sobre os *Papiros Bodmer*, que incluem os seguintes: P(66), P(72) e P(75). Esses manuscritos nos oferecem um testemunho mais antigo quanto a certas porções do Novo Testamento.

6. O papiro P(52) é o nosso mais antigo representante, pois data do século II D.C. No entanto, contém apenas um minúsculo fragmento do evangelho de João. Contém porções de João 18:31-33,37,38. Sua mais importante função consiste em demonstrar a data relativamente antiga do evangelho de João, porquanto alguns eruditos liberais haviam argumentado que esse evangelho datava de cerca de 160 D.C., com base na consideração sobre idéias ali contidas. Naturalmente, eles estavam equivocados.

7. Os Mais Importantes Manuscritos Minúsculos

Os manuscritos gregos em letras «minúsculas» ou «cursivas» são bastante numerosos. O desenvolvimento da escrita em letras minúsculas antecede ao século IX D.C., mas foi somente a partir de então que essa forma de letra começou a ser usada nos manuscritos do Novo Testamento. Os primeiros manuscritos minúsculos, naturalmente, conservaram características dos manuscritos unciais que os posteriores eliminaram, chegando a «arredondar as letras», afastando-se a aparência de «impressão» para o aspecto de escrita «à mão». O termo «minúsculo» vem do latim, «minúsculus», palavra que significa «pequeno». O desenvolvimento dessa forma de escrita foi resultado natural da necessidade de escrever mais ligeiro e com maior facilidade. Após alguns séculos, desenvolveu-se a moderna «caligrafia à mão», como resultado direto do estilo dos manuscritos minúsculos.

Já que se sabe que os escribas começaram a usar a escrita em letras minúsculas no século IX, de imediato pode-se datar todos os manuscritos do Novo Testamento que tem esse estilo de escrita como pertencentes ao século IX em diante. É verdade, obviamente, que alguns escribas continuaram a usar as letras «unciais», pelo que alguns manuscritos unciais datam dos fins do século XI; por exemplo, o códex Cyprius (K). Esse manuscrito parece bem mais antigo do que realmente é. Alguns estudiosos têm tentado datá-lo tão cedo quanto o século VII, mas os estudos feitos acerca de Família Pi, da qual ele é membro, têm mostrado que ele não pode ser datado de muito antes do século XI, pois reflete o desenvolvimento textual daquela época. Devemos nos lembrar que cada manuscrito reflete uma «idade do texto», e não apenas uma antiguidade calculada pelo estilo de escrita utilizada. Portanto, é fácil julgar se um manuscrito qualquer é *tardio* ou não, — ou se pertence a uma época posterior, mas copiado de um manuscrito mais antigo. Cada manuscrito traz consigo a imagem do desenvolvimento histórico do texto. Assim sendo, há níveis de idade textual dentro das tradições textuais. Luciano se utilizou de um «antigo» texto bizantino, e foi o primeiro dos pais da igreja a usar esse tipo de texto (século IV D.C.). Porém, dentro da tradição do texto bizantino há certo desenvolvimento, com um número sempre crescente de variantes, adicionadas por escribas medievais. Pela época em que se chega ao *Textus Receptus*, há um texto «bizantino posterior», com muitas formas que Luciano jamais conheceu. Datando de antes do século IV D.C., temos o tipo de texto «Cesareano», que na realidade é um texto mesclado de uma época anterior, pois combina formas alexandrinas e ocidentais, cuja mistura produziu um «tipo de texto» distintivo. Orígenes usou esse tipo de texto em cerca de 250 D.C.

Antes do Cesareano, houve o desenvolvimento do tipo de texto com variantes notáveis, algumas das quais, talvez, historicamente autênticas. Em outras palavras, algumas poucas declarações de Jesus foram adicionadas, as quais quiçá sejam autênticas, embora não figurem nos evangelhos originais. Outro tanto se dá quanto ao livro de Atos. Detalhes históricos e geográficos se encontram na versão *ocidental* de Atos, que não estão contidos nos originais, mas que refletem genuinamente condições da época dos apóstolos. Antes do desenvolvimento do texto «ocidental», houve o texto «Alexandrino», que é quase puro como cópia do original, mas que encerra certa proporção de modificações gramaticais e de estilo, feitas por escribas educados, que queriam melhorar o às vezes «áspero koiné» dos autores do Novo Testamento. Também há certo número de «interpolações» no texto alexandrino, que o texto ocidental omitiu. Portanto, os manuscritos mais antigos (os papiros e os antigos manuscritos unciais) são quase todos da variedade alexandrina. Alguns poucos dos mais antigos pais da igreja citam manuscritos que contêm esse tipo de texto. Alguns poucos papiros e alguns dos manuscritos unciais mais antigos exibem o tipo de texto ocidental. Quanto mais antigo for um manuscrito latino, tanto mais próximo do tipo de texto alexandrino; mas a maioria dos manuscritos latinos trazem um texto ocidental. Então vem o texto Cesareano mesclado, com alguns poucos papiros e alguns poucos escritos de pais da igreja. O tipo de texto bizantino, ainda mais mesclado, não conta com qualquer testemunho, na forma de manuscrito ou de escrito patrístico, senão a partir do século IV D.C., e, finalmente, quando recebe confirmação, assume uma *forma anterior* dessa tradição, à qual falta um grande número de formas que, afinal, como um grupo, vieram a representar esse tipo de texto, o qual foi para sempre solidificado no Textus Receptus. Tudo quanto foi dito aqui foi exposto a fim de mostrar que não é difícil datar um manuscrito de acordo com o tipo de texto do mesmo. Sabemos quando a vasta maioria das variantes penetrou no texto. Não há nisso qualquer mistério, pois o texto tem sido estudado do ponto de vista do seu desenvolvimento histórico.

Os Manuscritos Minúsculos, pois, começando, a partir do século IX, são muito menos importantes como grupo do que os manuscritos unciais. Alguns poucos deles preservam o antigo tipo de texto Alexandrino, além de alguns poucos preservarem o tipo Ocidental ou Cesareano; mas a vasta maioria (conforme se poderia esperar com base em suas datas comparativamente recentes), representa o texto bizantino em seus vários níveis de desenvolvimento histórico.

Há 2.646 códices minúsculos, os mais importantes dos quais passamos agora a descrever:

Família 1: Uma «família» é um grupo de manuscritos cujo arquétipo ou «ancestral» pode ser reconstituído mediante a comparação entre seus «descendentes». Em outras palavras, tais manuscritos estão relacionados e têm um «arquétipo» comum. A família 1 consiste dos manuscritos 1, 118, 131 e 209, pertencentes aos séculos XII a XIV D.C. O texto desse grupo freqüentemente conforma-se ao texto do manuscrito uncial Theta (Códex Karidethi). Todos esses manuscritos representam o grupo Cesareano, que traz esse nome porque se pensa que esse texto *mesclado* teve seu desenvolvimento histórico em Cesaréia, começando pelo século III D.C. O códex 1 foi usado por Erasmo como um dos quatro utilizados na compilação do Textus Receptus, mas ele não se utilizou grandemente do mesmo porque com grande freqüência diferia dos manuscritos bizantinos (como o códex 2) que ele empregava. Erasmo chamou a esse texto de «errático», porquanto não sabia que seu texto é muito superior ao do grupo de manuscritos bizantinos. Tudo isso se deveu à ignorância geral sobre os valores comparativos dos manuscritos do Novo Testamento, nos dias de Erasmo, como também se deveu à falta de manuscritos verdadeiramente antigos que pudessem ser utilizados. Erasmo não contava com nenhum manuscrito *uncial* sequer, nem um único papiro, para fazer compilação de um texto impresso. (Conteúdo: os evangelhos).

Família 13: Esse grupo de mss. relacionados entre si se chama Ferrar, em honra ao professor William Hugh Ferrar, da Universidade de Dublim, na Irlanda, o qual, em 1868, descobriu que os manuscritos 13, 69, 124 e 346 estão intimamente ligados, pelo que devem ter descendido de um único arquétipo. Sabemos hoje em dia que essa família é muito maior do que Ferrar pensava, pois além dos manuscritos mencionados, também há os de núm. 230, 543, 788, 826, 828, 983, 1698 e 1709. Tanto a Família 13 quanto a Família 1, representam o tipo de Texto «Cesareano». Mais adiante, em nossa discussão neste artigo, notaremos os tipos de texto em seus aspectos distintivos. Os manuscritos da Família 13 datam dos séculos XI a XV D.C. A característica mais notável dessa família é que registra a história da mulher apanhada em adultério depois de Luc. 1:38, não em João 7:53—8:11. Talvez esse incidente fosse uma tradição *flutuante* sobre as atividades da vida de Jesus, que achou caminho aos evangelhos em diferentes lugares, mas que não fazia parte dos escritos originais. Entretanto, foi um incidente mui provavelmente genuíno da vida de Jesus, de modo que escribas subseqüentes sentiram que não deveria faltar esse episódio à narrativa do evangelho, o que explica sua adição. Os manuscritos mais antigos omitem a narrativa, e nos manuscritos que a contêm, pode ser encontrada em João 7:53 *ss*, no fim do evangelho de João ou em Luc. 21:38*ss*. (Conteúdo: os evangelhos).

Família Pi. Esse é o grupo mais numeroso de manuscritos *relacionados* entre si, para o que se conseguiu reconstituir um arquétipo comum. A família Pi conta com cerca de 100 membros, o mais importante deles é *Pi*, Códex Petropolitanus, que data do século IX D.C. O arquétipo dessa família, porém, e do qual Pi é uma cópia boa e exata, pertencia ao século IV D.C., e era representante do antigo texto bizantino, com mistura com o tipo cesareano. O códex A (Alexandrinus), também bizantino nos evangelhos, conta com um texto similar, mas sua mistura inclui alta porcentagem de formas alexandrinas. É possível que a família Pi represente o texto de Luciano, pai da igreja (século IV D.C.) mas é mais provável que esse texto seja mais próximo de A do que de Pi. Seja como for, ambos esses códices representam aspectos diferentes do desenvolvimento do texto bizantino, em sua forma mais primitiva. **Aos mss P e A faltam muitas** formas que figuram no Textus Receptus, pois aquele texto representa um desenvolvimento posterior do texto bizantino, tendo incluído anotações e mesclas de muitos escribas medievais. É provável que A e Pi tiveram uma origem comum, embora remota. O diagrama abaixo ilustra isso, bem como a natureza geral desses manuscritos:

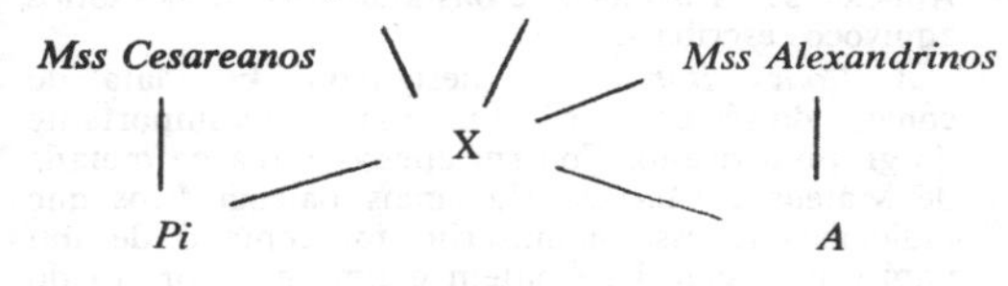

Nesse diagrama, «X» representa a origem comum de Pi e A.

Os manuscritos mais importantes da Família Pi são: Pi, K, Y (unciais); e os minúsculos 112, 1079, 1219, 1500, 1346, 1816, 178, 489, 652, 1313, 389 e 72, alistados segundo a qualidade do texto em comparação ao arquétipo restaurado. (Conteúdo: os evangelhos).

O termo *tipo de texto* subentende a similaridade do texto originalmente devida à reprodução repetida em uma área geográfica comum. «Família» subentende uma relação bem mais íntima; por estudo, o arquétipo de tais manuscritos pode ser reconstituído, assim reduzindo os muitos membros da família a um só manuscrito, que representa o estado do texto antes da transição para tempos posteriores, através de cópias sucessivas.

Apesar de que A e Pi representam ambos uma forma antiga do tipo de texto bizantino, quando diferem um do outro, A tem variantes características dos manuscritos C,L e 33 (tipo de texto alexandrino posterior), ao passo que Pi se caracteriza por variantes comuns às famílias 1 e 13 (texto cesareano).

Outros Manuscritos Minúsculos que Merecem Atenção são os Seguintes:

Ms 28. Pertence ao século XI, e tem variantes notáveis, seguindo principalmente as diferenças cesareanas, sobretudo no evangelho de Marcos. (Conteúdo: os evangelhos).

Ms 33. É chamado «rei» dos manuscritos minúsculos, pois tem bom tipo de texto alexandrino, que é o mais antigo texto que há. Mais adiante neste artigo, damos explicações sobre as naturezas dos tipos de texto e listas de manuscritos referentes a cada grupo. A *ms* 33 pertence ao século IX, mas contém uma «antiguidade textual» bem maior. É provável que o escriba tenha copiado um ms uncial antiqüíssimo, algo raro no caso dos manuscritos minúsculos, mas que ocasionalmente sucedia. (Conteúdo: todo o Novo Testamento).

Ms 61. Não se reveste de importância especial, mas é mencionado por ter sido o primeiro manuscrito grego a ser achado que incluía a passagem de I João 5:7,8 a *declaração trinitária*. Data do século XV ou XVI, e pode ter sido produzido com o fim precípuo de levar Erasmo a imprimir os versículos mencionados. Certamente esses versículos não faziam parte do original grego, mas se originaram como explicações escribais em certas versões latinas. Do latim, as palavras foram finalmente transferidas para o grego, mas entraram na tradição grega bem mais tarde. Quanto às notas completas sobre a questão, o leitor deveria consultar as evidências dadas em I João 5:7. (Conteúdo: todo o Novo Testamento).

Ms 81. Data de 1044 D.C. É um dos melhores manuscritos minúsculos, bom representante do texto alexandrino de Atos, concordando com os melhores manuscritos minúsculos e papiros. (Conteúdo: Atos).

Ms 157. Data do século XII e representa o tipo de texto cesareano. Trata-se de uma cópia feita para o imperador João Comeno (1118-1143). Muito se parece ao ms 33, porém mais ainda às Famílias 1 e 13 e Theta. Um colofão, achado no fim de cada evangelho, afirma que foi copiado e corrigido de «antigos manuscritos, em Jerusalém». Vários outros manuscritos contêm esse mesmo colofão, a saber, o uncial Lambda e os minúsculos 20,164,215,262,300,376, 428,565,686,718 e 1071. (Conteúdo: os evangelhos).

Ms 383. Vem do século XIII e representa o tipo de texto ocidental. Esse tipo de texto tem várias subdivisões, já que se desenvolveu em áreas geográficas da Europa, Norte da África e Roma. (Conteúdo: Atos, Epístolas Paulinas e Epístolas Católicas).

Ms 565. Data do século XIII, mas evidentemente foi copiado de um manuscrito uncial muito mais antigo. Concordando com freqüência com o texto de Theta, é classificado como cesareano, embora também contenha muitas formas alexandrinas. É um dos mais belos entre todos os manuscritos do Novo Testamento, tendo sido escrito em letras douradas sobre **pergaminho púrpuro.** Contém o colofão mencionado na descrição do manuscrito 157. (Conteúdo: os evangelhos).

Ms 579. Pertence ao século XIII, mas preserva texto muito mais antigo, tendo o texto alexandrino em Marcos, Lucas e João, embora seja bizantino em Mateus. Tem dois términos para o evangelho de Marcos. Ver discussão sobre esse problema geral em Marc. 16:9 no NTI onde há completa nota textual. (Conteúdo: os evangelhos).

Ms 614. É do século XIII, mas tem bom texto representativo do tipo de texto ocidental (Conteúdo: Atos, Epístolas Católicas e Epístolas Paulinas).

Ms 700. Do século XI ou XII, difere do Textus Receptus em 2724 particularidades, 270 delas completamente singulares em si mesmas. Seu texto é essencialmente cesareano, aliando-se com freqüência aos mss 565 e Theta, quando há variantes. Na versão lucana da oração do Pai Nosso, em lugar das palavras «Venha o teu reino», lê-se «Venha sobre nós o Espírito Santo e nos purifique», conforme os textos conhecidos por Márcion e Gregório de Nissa. (Conteúdo: os evangelhos).

Ms 892. Embora date do século IX ou X, deve ter sido copiado de antigo manuscrito uncial, pois representa uma boa forma do textó alexandrino. O escriba preservou as divisões em páginas e linhas do manuscrito uncial de onde se fez a cópia. (Conteúdo: os evangelhos).

Ms 1241. Vem do século XII ou XIII e apresenta o texto alexandrino, concordando freqüentemente com C,L, Delta e 33, quando há variantes no texto. (Conteúdo: todo o Novo Testamento, exceto o livro de Apocalipse).

Ms 1424 e Família 1424. Estes manuscritos apresentam o texto cesareano. O ms 1424 é o mais antigo do grupo, datando do século IX. Tem todo o Novo Testamento, na seguinte ordem: Evangelhos, Atos, Epístolas Católicas, Apocalipse, Epístolas Paulinas, com um comentário acerca de todos os livros, excetuando o Apocalipse, comentário esse escrito à margem. Outros manuscritos do mesmo grupo são M, 7,27,71,115 (Mat. e Marc.), 160 (Mat. e Marcos), 179 (Mateus e Marcos), 185 (Lucas e João), 267,349,517,692 (Mateus e Marcos), 827 (Mateus e Marcos), 945, 954, 990 (Mateus e Marcos), 1010, 1082 (Mateus e Marcos), 1188 (Lucas e João), 1194, 1207, 1223, 1293, 1391, 1402 (Mateus e Marcos), 1606, 1675 e 2191 (Mateus e Marcos).

Ms 1739. Pertence ao séc. X. A importância desse manuscrito não está em seu texto, mas em suas notas marginais, que foram compiladas dos escritos de Irineu, Clemente de Alexandria, Orígenes, Eusébio e Basílio. (Conteúdo do próprio manuscrito: Atos e Epístolas). O texto é alexandrino.

Ms 2053. Data do século XIII, contendo o texto de Apocalipse com o comentário de Ecumênio. Alguns eruditos consideram seu texto superior ao de P(47) e Aleph, quanto ao Apocalipse, comparando-o com o códex A, no tocante a esse mesmo livro.

IV. DESCRIÇÃO DAS VERSÕES E ESCRITOS DOS PAÍS DA IGREJA

Abaixo apresentamos informações sobre as versões (traduções) feitas com base no grego, juntamente com a identificação quanto ao tipo de texto.

1. A Versão Latina: Há mais traduções latinas do Novo Testamento do que manuscritos gregos. Crê-se que as primeiras versões latinas vieram à luz em 150 D.C. Alguns estudiosos subdividem as versões latinas em três subcategorias: a. Africana; b. Européia; c. Italiana, que seria uma revisão das outras duas. As citações de Cipriano (258 D.C.) representam a forma africana; as citações de Irineu, a forma européia; e as citações de Agostinho (350 D.C.), a forma italiana. Alguns eruditos disputam essa tríplice divisão, argumentando que o suposto ramo «italiano» é apenas uma forma da Vulgata. Seja como for, os manuscritos que trazem a versão latina em diversas apresentações, antes do advento da Vulgata (a qual foi uma tentativa para harmonizar e consolidar a tradição latina—382 D.C. em diante), são denominados de Latim Antigo.

Em cerca de 382 D.C., o papa confiou a Jerônimo a tarefa de produzir uma versão latina autorizada, com o propósito de eliminar a confusão que surgira naquele idioma com respeito aos manuscritos do Novo Testamento. Jerônimo queixou-se ante o papa de que havia quase tantas versões quanto havia de mss. Ilustrando a veracidade dessa declaração, pode-se frisar que Lucas 24:4-5 tem pelo menos vinte e sete formas variantes nos mss em Latim Antigo que conhecemos, e isso é típico do que sucedeu àqueles manuscritos. Assim é que Jerônimo, utilizando vários antigos manuscritos gregos e latinos, incumbiu-se de pôr em ordem a versão latina. Utilizou-se de manuscritos gregos essencialmente do tipo de texto alexandrino, bem como de manuscritos latinos que tinham uma antiqüíssima forma do texto «ocidental». O resultado de seus labores foi uma boa versão, «ocidental» em seu caráter, porém mais próxima do tipo de texto alexandrino que as cópias posteriores da Vulgata. O seu texto, porém, não era tão bom quanto certos manuscritos em Latim Antigo. Essa tradução (ou compilação) recebeu o título de «Vulgata», que significa «comum» (em latim, «vulgare» significa «tornar comum»). A Vulgata, por conseguinte, tornou-se a Bíblia dos povos latinos.

A. Manuscritos do Latim Antigo, Grupo Africano:

1. *Codex Palatinus*, designado pela letra «e». As versões latinas são comumente identificadas por letras minúsculas, ao passo que as letras «maiúsculas» representam os manuscritos gregos unciais. O codex «e» data do século V, contendo porções dos evangelhos. Apesar do codex Palatinus ser essencialmente africano, foi modificado ao estilo europeu, e é similar ao texto usado por Agostinho.

2. *Codex Fleury*, designado «h», é um palimpsesto do século VI, ou seja, manuscrito escrito por cima de um manuscrito em pergaminho, que fora usado para algum outro fim, mas que depois fora apagado. Isso algumas vezes era feito porque o pergaminho era material escasso e de difícil preparo. O manuscrito contém cerca de 1/4 do livro de Atos, juntamente com porções das Epístolas Católicas e o livro de Apocalipse. A tradução é bastante livre e há muitos equívocos escribais.

3. *Codex Bobbiensis*, designado «k», data do começo do século V, e é o membro mais importante do grupo africano. Contém apenas cerca da metade de Mateus e Marcos. Há sinais paleográficos que indicam que esse manuscrito foi copiado de um papiro do século II. Contém o fim «mais breve» do evangelho de Marcos. Ver aquele problema textual em Mar. 16:9.

B. Manuscritos do Latim Antigo, Grupo Europeu:

1. *Codex Vercellensis*, designado «a», foi escrito por Eusébio, bispo de Vercélli, que foi martirizado em 370 ou 371. Depois de «k» é a mais importante de todas as versões do Latim Antigo. Contém somente os evangelhos.

2. *Codex Veronensis*, designado «b», data do século V, com um texto parecidíssimo ao da «Vulgata» que Jerônimo produzira. Contém os evangelhos quase completos, mas na seguinte ordem: Mateus, João, Lucas e Marcos.

3. *Codex Colbertinus*, designado «c», data do século XII e contém os quatro evangelhos. É essencialmente «europeu» em sua natureza, mas com mistura de formas «africanas».

4. *Codex Bezae*, designado «d», data do século V. É a porção latina do códex D (Bezae), em grego. O latim não parece ser tradução do grego do mesmo manuscrito, mas preserva um texto latino que representa o século III D.C. Concorda ocasionalmente com «k» e «a», quando todas as demais autoridades diferem. Tem os evangelhos e o livro de Atos.

5. *Codex Corbiensis*, designado «ff 2», data do século V ou VI, contendo os quatro evangelhos, com um texto similar a «a» e «b».

6. *Codex Gigas*, designado «gig», data do século XIII, mas contém um texto que representa o século IV, em Atos e Apocalipse. Nesses livros, o texto é

próximo das citações bíblicas de Lúcifer de Cagliari (na Sardenha). Em um texto de menor valor, o manuscrito tem a Bíblia inteira em latim. É chamado «Gigas» por ser um gigante entre os manuscritos, pois cada página mede cerca de 51 cm x 92 cm. Além do texto bíblico, contém as «Etimologias» de Isidoro de Sevilha, uma enciclopédia geral em 20 volumes. Alguns têm-no chamado de «Bíblia do Diabo», devido à lenda de que foi produzida com a ajuda do diabo. Presumivelmente, o escriba que o produziu, recebeu tal tarefa por causa de alguma infração contra a disciplina no mosteiro. Esse escriba, porém, não queria fazer penitência, pelo que em uma única noite, com o auxílio do diabo, a quem conclamara, terminou seu manuscrito. Assim diz a lenda.

C. Os Mais Importantes Manuscritos da Vulgata Latina:

1. *Codex Amiatinus*, 700 D.C., contém toda a Bíblia latina. Muitos críticos reputam-no o melhor manuscrito de todas as versões da Vulgata. É designado «A».

2. *Codex Cavensis*, designado «C», data do século IX e contém a Bíblia toda.

3. *Codex Dublinensis*, também chamado Livro de Armagh, data do século VIII ou IX e contém todo o Novo Testamento, juntamente com a apócrifa Epístola de Paulo aos Laodicenses. Representa o que se chama «irlandesa», que se caracteriza por pequenas adições e assertivas, mas aqui e ali evidentemente sofreu algumas modificações com base em mss gregos cesareanos. Esse manuscrito é designado «D».

4. *Codex Fuldensis*, designado «F», data entre 541 e 546 D.C. Contém todo o Novo Testamento, juntamente com a apócrifa Epístola de Paulo aos Laodicenses. O seu texto é ótimo, similar ao de «A». Os evangelhos, nesse manuscrito, são arranjados em uma única e contínua narrativa, evidentemente imitando o «Diatessaron» de Taciano, uma antiga «harmonia» dos evangelhos (cerca de 170 D.C.).

5. *Codex Mediolanensis*, **designado «M»**, data do começo do século VI e contém os evangelhos. Tem um texto que se equipara em qualidade ao de A e F, pelo que é um dos melhores manuscritos da Vulgata.

6. *Codex Lindisfarne*, designado «Y», data de cerca de 700 e contém os evangelhos. É um texto similar ao de «A», sendo acompanhado por um interlinear **anglo-saxão, a mais antiga** forma dos evangelhos no ancestral da Bíblia inglesa.

7. *Codex Harleianus*, designado «Z», contém os evangelhos e data do século VI ou VII.

8. *Codex Sangallensis*, **designado «N»**, data do século V, quando talvez Jerônimo ainda vivesse; contém os evangelhos, sendo a mais antiga versão da Vulgata daquela seção do Novo Testamento.

9. ***Codex P***, data do século X. Contém os evangelhos, escritos em pergaminho púrpura com letras douradas.

Edições da Vulgata. O concílio de Trento (1546) ordenou a preparação de uma edição autêntica da Bíblia Latina, e essa foi executada por ordem do papa Sixtus V, que autorizou sua publicação em 1590. Uma bula papal ameaçava excomungar aqueles que modificassem seu texto, ou imprimissem o mesmo com listas de variantes. O papa Clemente VIII, em 1592, publicou outra edição autorizada, que diferia da anterior em quatro mil e novecentos casos. A bula ameaçadora, que acabamos de mencionar, não foi tomada muito a sério, e mais tarde se declarou não ter sido devida e canonicamente promulgada. Eruditos beneditinos, desde o ano de 1907, têm feito um trabalho de revisão da Vulgata Latina; o Antigo Testamento já foi publicado, mas prossegue o trabalho no caso do Novo Testamento. Em Oxford, um grupo de eruditos anglicanos produziu uma edição com aparato crítico de variantes. Isso foi iniciado por John Wordsworth e H.J. White, que no começo publicaram somente os evangelhos. O último volume, que contém o Apocalipse, foi completado por H.F.D. Sparks, em 1954.

Manuscritos da Vulgata são extremamente abundantes nas bibliotecas, museus e mosteiros da Europa, e é por essa circunstância que existem cerca de dez mil versões latinas. A versão latina (sobretudo o Latim Antigo) nos dá nosso testemunho mais importante sobre o texto do Novo Testamento, excetuando os manuscritos gregos unciais e em papiro. Certamente o Latim Antigo contém melhor representação dos documentos originais do que os manuscritos minúsculos em grego. Nos manuscritos gregos, o «texto ocidental» está bem representado, especialmente pelo Códex D. A discussão sobre os manuscritos gregos, unciais e minúsculos, demonstrou isso amplamente. O texto «ocidental» se caracteriza por paráfrases, adições, correções, omissões e, algumas vezes, transmissão ou «mudança de ordem» do material. No livro de Atos, o texto ocidental é tão diferente que constitui uma outra edição daquele livro. Ali, muito material foi adicionado que é provavelmente autêntico quanto às informações prestadas, mas não representa isso o texto original de Atos.

2. A Versão Siríaca:

Se o Siríaco Antigo é normalmente identificado com o tipo de texto «ocidental», seu texto não é completo ou coerentemente tal coisa, pois contém mistura de formas puramente alexandrinas e, algumas vezes, um texto todo seu. Apesar de admitirem sua grande similaridade ao texto ocidental, alguns eruditos preferem chamar o Siríaco de «texto Oriental», em distinção ao «texto Ocidental». Porém, os mais recentes manuscritos siríacos têm um tipo comum de texto bizantino, como se esperaria com base no desenvolvimento histórico de seu texto, paralelo ao dos manuscritos do Novo Testamento em geral. As primeiras traduções siríacas provavelmente surgiram em cerca de 250 D.C., um século depois das traduções latinas. O Siríaco, apesar de nos fornecer antiqüíssimo e importante testemunho sobre o texto do Novo Testamento, não é tão importante quanto a versão latina.

Os eruditos têm distinguido na tradição siríaca cinco níveis diferentes ou versões distintas, a saber:

a. *O Siríaco Antigo*
b. *O Peshitto, ou Vulgata Siríaca*
c. *O Filoxeniano*
d. *O Hercleano*
e. *O Palestino*

Os manuscritos importantes desse grupo, alistados, segundo as divisões acima, são os seguintes:

A. O Siríaco Antigo: preserva somente os evangelhos, e é representado apenas por dois manuscritos:

1. *Codex Sinaiticus*, designado Si(s), data do século IV ou V, e é o mais importante da tradição siríaca. Tem afinidades com o tipo de texto ocidental e alexandrino, embora tenha bom número de variantes que são distintamente suas, de tal modo que se diz que representa o texto «Oriental».

2. *Codex Curetoniano*, designado Si(c), data do século V. Exibe texto um tanto mais recente e inferior do que o Sinaiticus, mas ocasionalmente lhe é superior. Seja como for, os dois manuscritos representam, de modo geral, a mesma tradição

textual.

Fora dos evangelhos, o Siríaco antigo não sobreviveu com os manuscritos existentes. Sabemos algo de sua natureza — mediante citações do Novo Testamento por parte dos pais orientais da igreja. Porções do comentário de Efraem, contido em cópias gregas e armênias, provêm informações sobre o caráter «Oriental» desse texto.

B. *O Peshitto.* Essa versão surgiu pelos fins do século IV, provavelmente a fim de suplantar as versões divergentes e em luta do Siríaco Antigo, mais ou menos como a Vulgata Latina suplantara o Latim Antigo. O «cânon» do Peshitto contém apenas 22 livros, já que II Pedro, II e III João, Judas e Apocalipse não eram aceitos como livros autorizados na igreja oriental de alguns lugares, senão já em data posterior. Até que a erudição recente mostrou outra coisa, geralmente se supunha que o «Jerônimo» da Versão Siríaca fosse Rábula, bispo de Edessa (411-431 D.C.), porém, agora se pensa que sua versão foi a «pré-Peshitto», que assinalou a transição do Siríaco Antigo para o Peshitto posterior. O Peshitto é representado por 350 manuscritos existentes, alguns dos quais recuam até o século V ou VI. Os mais antigos manuscritos do Peshitto têm muito das formas ocidental e alexandrina, e até mesmo os posteriores são essencialmente ocidentais fora do evangelho. Os evangelhos, entretanto, na maioria dos manuscritos posteriores ao Peshitto, evidenciam o tipo de texto bizantino.

C. e D. *As Versões Filoxeniana e/ou Harcleana.* Os críticos textuais têm visto ser quase impossível deslindar os problemas textuais que envolvem essas versões. Os dois textos são designados Si(ph) e Si(h). Mediante colofãos dos próprios manuscritos, alguns têm pensado que a versão teve sua origem com Filoxeno, bispo de Mabugue, em 508, e que ela foi reeditada em 616 por Tomás de Harkel (Heraclea), bispo de Mabugue, o qual, supostamente, teria adicionado algumas notas marginais baseadas em alguns poucos antigos manuscritos gregos. Outros afirmam que Tomás de Harkel fez uma revisão completa, produzindo uma versão distinta. Se houve ou não duas versões, foi nesse tempo (durante o século VI) que as Epístolas Católicas menores e o Apocalipse (que até então eram rejeitados), foram adicionados ao «cânon» das igrejas sírias. No livro de Atos, o texto Harcleano é distintamente ocidental, e um dos mais importantes testemunhos desse tipo de texto, mas fora de Atos, o texto bizantino se impôs. Há cerca de 50 manuscritos que representam essa versão, ou versões. O melhor manuscrito desse grupo data de 1170, mas um dos manuscritos existentes data do século VII, e outro é do século VIII, dois são do século X, e o restante é posterior.

E. *O Siríaco Palestino.* Essa tradição é designada Si(pal), data do século V. Somente três manuscritos restantes representam essa versão, além de alguns fragmentos. Os manuscritos têm um dialeto siríaco diferente dos demais manuscritos siríacos conhecidos, dialeto esse que pode ser com exatidão apodado de Aramaico Ocidental ou «Judaico». Parece que Antioquia foi seu ponto de origem, e esse texto evidentemente era usado só na Palestina. O tipo de texto dessa versão é misto, embora alguns o chamam de Cesareano.

3. A Versão Copta. O copta era a forma mais recente da antiga língua egípcia, que até os tempos cristãos era escrita em hieróglifos, mas que afinal adotou as letras maiúsculas gregas como símbolos. No tocante aos manuscritos do Novo Testamento, há duas variações (dialetos) em seu texto, dependendo da localização geográfica: o Saídico, do sul do Egito, que tem manuscritos que datam do século IV; e o Boárico, do norte do Egito, que tem um manuscrito do século IV, e o resto de origem posterior. Após o século IV, esses manuscritos se multiplicaram grandemente, e o resultado é que há muitas cópias atualmente. Crê-se que a origem do Saídico é do século III, mas que o Boárico é um tanto mais tardio. Ambas as versões concordam essencialmente com o tipo de texto alexandrino, embora o Saídico, nos evangelhos e no livro de Atos, tenha mescla ocidental.

4. O Armênio. Essa tradição teve seu começo no século V. Já foram catalogados 2.000 manuscritos. Alguns são do tipo de texto «cesareano», mas outros são «bizantinos», o que se poderia esperar da data tardia em que essa tradição começou. Alguns eruditos apontam para Mesrope (falecido em 439 D.C.), um soldado que se tornou missionário cristão, como originador da versão armênia, presumivelmente traduzida do grego. Outros dizem que quem criou a versão, traduzindo-a do siríaco, **foi o católico Saaque** (Isaue, o Grande, 390-349), segundo diz Moisés de Carion, sobrinho e discípulo de Mesrope. Alguns dizem que Mesrope a criou, com a ajuda de Saaque.

5. A Versão Geórgica. O povo da Geórgia caucásica, um distrito montanhoso agreste, entre os mares Negro e Cáspio, recebeu o evangelho durante a primeira parte do século IV. Supomos que a tradição geórgica de manuscritos não começou muito depois disso, mas não possuímos quaisquer manuscritos de tempo anterior a 897. Seu tipo de texto é cesareano. Nos evangelhos temos o códex Adysh (897) e o códex Opiza (913), e suas designações são Geó (1) e Geó (2).

6. A Versão Etíope. Essa tradição conta com manuscritos do século XIII e mais tarde. Há cerca de mil manuscritos ao todo, representantes dessa versão. Pertencem ao tipo de texto bizantino, o que é natural, levando em conta o início tardio dessa tradução, em uma época em que o texto bizantino era dominante.

7. A Versão Gótica. Algum tempo depois dos meados do século IV, Ulfilas, apelidado Apóstolo dos Godos, traduziu a Bíblia do grego para o gótico, um antigo idioma germânico. Agora temos apenas alguns poucos fragmentos do século V em diante. São do tipo de texto essencialmente bizantino, com mistura de formas ocidentais. O texto bizantino representado nessa versão, porém, é de variedade anterior àquela que veio a ser solidificada no Textus Receptus.

8. A Versão Eslavônica. O Novo Testamento foi traduzido para o Búlgaro Antigo, usualmente chamado Eslavônico Antigo, logo após os meados do século IX. Restam apenas alguns poucos manuscritos que datam do século IX em diante. Essa tradição tem um tipo de texto bizantino.

9. As Versões Árabes e Persas. Alguns poucos manuscritos têm sido preservados nesses idiomas; mas a maioria dos eruditos crê que têm pouca importância para a crítica textual do Novo Testamento. No tocante ao árabe, os problemas estudados são complexos e continuam sem solução, pelo que é possível que essa versão seja mais importante do que se supõe. Todavia, não há qualquer manuscrito árabe anterior ao século VII, e não é provável que qualquer coisa de monta resulte de manuscritos cuja data é tão posterior.

OS PAIS DA IGREJA

As citações dos antigos pais da igreja, dos séculos I a VI, nos têm provido rica fonte de informações sobre o texto do Novo Testamento. Essas citações são *numerosíssimas*, de tal modo que o Novo Testamento inteiro poderia ser reconstituído através delas, mesmo sem a ajuda dos manuscritos gregos e das versões. As citações somente de Orígenes (254 D.C.) **contêm** quase todo o Novo Testamento. O problema das «citações», como é óbvio, é que muitas delas eram feitas de memória, pelo que são inexatas, sobretudo as mais breves, que raramente eram copiadas. Apesar disso, tais citações são de valiosa ajuda, e é fácil determinar o *tipo de texto* de onde os pais as citaram. O desenvolvimento histórico do texto do Novo Testamento pode ser percebido pelas citações dos pais, e não meramente pelos próprios manuscritos. Os mais antigos pais citam os tipos de texto alexandrino e ocidental, alguns poucos são cesareanos, e somente na época de Luciano, no século IV, é que surge um tipo de texto bizantino, e mesmo assim trata-se de uma forma anterior desse texto, e não do texto posterior e mesclado que transparece no Textus Receptus. Na seção VI deste artigo sobre os manuscritos antigos do Novo Testamento, discutem-se os princípios da restauração do texto, e nesse material o leitor achará uma lista dos *tipos de textos* que os pais citaram. Deve-se notar que as citações do Novo Testamento, nos escritos dos pais, são extremamente numerosas e compreensivas antes do século IV, mas nenhum pai, dos séculos I a IV, usou manuscritos que representam o texto bizantino. Isso é assim porque tal texto não existia antes do século IV, pois foi um desenvolvimento histórico do texto, mediante mescla e harmonias escribais, comentários e anotações, e não o texto original do próprio N.T. Também se pode observar, no tocante às versões, que nenhum texto bizantino existia antes do século IV. Contudo, até mesmo os manuscritos bizantinos diferem dos mais antigos, nos papiros, em apenas 15% do texto; e a maior parte dessa diferença consiste de variações na soletração, na ordem de palavras, na substituição de sinônimos, etc., isto é, coisas de importância relativamente pequena. Quando ocorrem variantes importantes, usualmente não é muito difícil determinar a forma original, e apenas bem raramente os críticos textuais supõem que a forma se perdeu completamente.

OS PAIS DA IGREJA E SUAS DATAS

Atos de Paulo e Tecla, II D.C.
Africano, Júlio, III
Ambrósio, 379
Ambrosiastro, IV
Apolinário, IV
Atanásio, 373
Agostinho, 430
Barsalibi, 1171
Beda, 735
Crisóstomo 407
Clemente Alexandrino, 212
Pseudo-Clemente, Homilias, II e IV
Clemente Romano, I
Cipriano, 250
Cirilo, 444
Diálogo de Timóteo e Áquila, V
Didache, 130
Dionísio, III
Doroteu, VI
Efraem (sírio), 378
Epifânio, 402
Eusébio, 340
Eutálio, V
Evangelium Patri, II
Evangelium Hebraeos, II
Fulgêncio, 533
Gregório (Nazianzeno), 389
Gregório (de Nissa), IV
Irineu, II
Isidoro Pelus, V
Jerônimo, 420
Justino, II
Lúcifer, 371
Márcion, II
Nono, IV
Orígenes, 254
Papias, II
Pelágio, IV/V
Policarpo, 155
Porfírio, III
Primásio, VI
Prisciliano, 385
Pseudo-Inácio, V
Pseudo-Vergílio, V
Rufino, 410
Teodoro, IV/V
Tertuliano, II/III
Ticânio, IV
Vergílio, V

V. FONTES DE VARIANTES NOS MANUSCRITOS

Conforme é bem sabido, não temos qualquer documento *original* de qualquer obra dos tempos antigos, e isso inclui os próprios documentos bíblicos. Portanto, qualquer restauração do texto depende de cópias. Também é verdade que, embora haja 5.000 manuscritos gregos e milhares de traduçõés em vários idiomas, não existem dois documentos que sejam exatamente iguais. Até mesmo quando um manuscrito era copiado de outro, surgiam diferenças entre os dois. Sabemos, por exemplo, que o manuscrito designado E, é cópia do manuscrito D2, e que o manuscrito 489 é cópia do 1219, embora, na cópia, diversas variantes textuais tenham aparecido nesses manuscritos. Um escriba cuidadoso, do evangelho de Mateus, que realmente procurasse evitar variantes, produziria talvez 20 variantes por acidente, descuido, transposição de palavras, homoeoteleuton e homoeoarcteton, sinônimos, haplografia, etc. Um escriba descuidado, que copiasse um livro do tamanho do evangelho de Mateus, facilmente produziria várias centenas de variantes. Alguns escribas modificavam propositalmente passagens que se adaptassem às suas doutrinas preconcebidas, e muitos deles «harmonizavam» passagens, especialmente entre os evangelhos e entre Colossenses e Efésios. O ideal dos críticos textuais é restaurar o texto do Novo Testamento até sua forma perfeitamente original. Apesar desse ideal, talvez nunca poder se efetivar antes do descobrimento dos próprios originais ou *autógrafos*, todos aqueles que estão enfronhados nesse mister sabem que esse ideal, a despeito de não ter atingido seu alvo absoluto, tem obtido uma aproximação notável. O Novo Testamento é o melhor confirmado de todos os documentos da história antiga, e a abundância de evidências, na forma de manuscritos gregos, traduções e citações dos primeiros pais da igreja, tem tornado possível a restauração de seu texto a um grau realmente admirável.

Apresentamos abaixo os motivos dos erros e das variantes, nos manuscritos antigos do Novo Testamento:

1. Variantes não Intencionais:

erros *mecânicos*, equívocos da pena
transposição de letras ou palavras
substituição de sons similares ou de letras e palavras similares
confusão de letras e palavras, com outras de forma e sentido diverso

omissão simples, não intencional

omissão por *homoeoteleuton* (saltar de uma palavra para outra, devido a términos semelhantes, ou saltar de uma sentença ou parágrafo para outro, devido a términos semelhantes em ambos, com a omissão das palavras intermediárias).

omissão por *homoearcteton* (saltar de uma palavra para outra devido a começos semelhantes, ou saltar de uma sentença ou parágrafo para outro, por causa de começos semelhantes em ambos, com omissão das palavras intermediárias).

haplografia, ou seja, omissão de uma palavra repetida na mesma sentença, usualmente quando a repetição se dá sem palavras diversas intermediárias. Assim, «verdadeiramente, verdadeiramente», tornou-se apenas «verdadeiramente».

ditografia, repetição errônea de uma palavra ou sentença, ou parte de uma sentença, como quando «verdadeiramente» se tornou «verdadeiramente, verdadeiramente».

interpolação, adição de algo, tálvez primeiramente à margem, talvez como comentário, explicação ou harmonia com outra passagem, mas que, subseqüentemente, tornou-se parte do próprio texto; tal «comentário» é incluso no texto, e os demais escribas não mais o omitiam. Nos manuscritos do Novo Testamento, as interpolações eram freqüentemente feitas por «memória», quando o escriba se lembrava de outra passagem com fraseado similar, o que o impelia a adicionar algo. (Ver Col. 1:14 quanto a uma variante textual dessa natureza). Algumas interpolações não eram intencionais, sendo adicionadas por rotina ou inadvertência. Mas outras, naturalmente, eram propositais.

erros de *acentuação*. Ocasionalmente a má colocação ou ausência de um acento fazia diferença no sentido das palavras. Às vezes os escribas se equivocavam quanto à acentuação, criando tais variantes.

erros devidos à *divisão faltosa* de palavras. Os manuscritos antigos não traziam espaços entre as palavras. Ocasionalmente, divisões diferentes de palavras resultam em uma compreensão diferente dos sentenças.

variantes *ortográficas*. As palavras do grego antigo, devido à falta de padronização em dicionários escritos, e devido à existência de vários dialetos, tinham muitas formas diversas na soletração. Ocasionalmente, uma soletração diferente pode envolver-se em um modo gramatical diferente, ou mesmo em dois vocábulos diversos, de significado totalmente diferente. Além disso, certas vogais ou ditongos que têm o mesmo som, podiam ser confundidos e um ser substituído por outro. Assim, com freqüência, se dava entre «umon» e «emon», estabelecendo diferença entre o pronome da segunda e da primeira pessoa. O ditongo «ai» veio a ser pronunciado do mesmo modo que a vogal «e», com o resultado que o imperativo plural, na segunda pessoa, veio a ser pronunciado (em seu final) como o infinitivo passivo e médio, com modificação natural na significação. Essas formas de «desastres» ortográficos são numerosas no grego posterior.

erros em *manuscritos ditados*. Alguns manuscritos eram ditados de um escriba para outro, e o fato deste último não «ouvir corretamente» provocava muitas variantes no texto.

variantes e erros devido à *restauração* de certos manuscritos mutilados, que eram usados como exemplares na cópia, ou que eram simplesmente restaurados a fim de serem usados.

2. Variantes Intencionais

harmonia proposital de uma passagem com outra, máxima nos livros que têm passagens similares em outros livros. Isso sucedeu com freqüência nos evangelhos, e em Colossenses em confronto com Efésios.

melhoramentos gramaticais ou de estilo. Livros como Marcos e Apocalipse, que, com freqüência tinham um grego deficiente no original, foram aprimorados por escribas eruditos.

variantes *litúrgicas*: para fazer uma passagem melhor adaptada ao uso litúrgico, alguns escribas faziam modificações, omissões e adições.

variantes *suplementares* ou restaurativas. Alguns escribas se arrogavam o direito de adicionar narrativas ou comentários aos originais, a fim de darem melhores informações ou explicações. Ocasionalmente, tais adições contêm material histórico e geograficamente autêntico.

Simplificação de frases difíceis. A tentativa de melhor entendimento levou alguns escribas a modificarem os originais. Onde o grego é difícil de entender, pode-se esperar simplificações e modificações.

adições, a fim de injetar doutrinas em uma passagem, onde elas não figuram no original. I João 5:7, a «declaração trinitária», é um claro exemplo disso: Também havia modificação para evitar alguma «doutrina difícil». Assim, em João 1:18, as palavras «Deus, o único gerado», foram modificadas para «Filho único gerado» ou «Filho unigênito», como simplificação que busca evitar a dificuldade de explicar o que significaria o conceito de um Deus gerado. Os escribas não perceberam que uma pausa solucionaria o problema, a saber: «único gerado, o próprio Deus», de tal modo que «único gerado» ou «unigênito» se refere ao «Filho», ao passo que o vocábulo «Deus» alude à sua natureza essencial.

Dessas e de outras maneiras, milhares de variantes entraram nos antigos manuscritos do Novo Testamento, e o trabalho de muitos críticos textuais tem sido o de restaurá-lo.

VI. PRINCÍPIOS DA RESTAURAÇÃO DO TEXTO

Tem sido mister examinar, comparar e selecionar laboriosamente os manuscritos do Novo Testamento a fim de se saber quais são melhores, não somente quanto à data, mas também quanto à data do texto. Esse estudo tem levado não só a um melhor conhecimento dos manuscritos, individualmente considerados, mas ao entendimento que, a grosso modo, pelo menos, eles se dividem em vários grupos ou tipos de texto, usualmente seguindo áreas geográficas específicas onde foram produzidos. Os críticos textuais não mais apenas computam o número de manuscritos de que favorecem certa variante, pois sabem que foram os manuscritos posteriores e inferiores, e não os melhores e mais antigos, que foram grandemente multiplicados. Portanto, quase sempre, a variante errônea é a que conta com o maior número de manuscritos a seu favor, pois foi durante a Idade Média que se multiplicou o maior número de manuscritos, e então já se desenvolvera um texto *mesclado*, que continha muitas notas, harmonias, comentários e modificações feitas por escribas medievais. A luta por manter o Textus Receptus no trono, por pessoas honestas mas equivocadas, que usualmente lêem deficientemente o grego e pouco ou nada conhecem no campo da crítica textual, é essencialmente a luta por reter a «bagagem» que o texto foi adquirindo através de séculos de transição.

Tais pessoas ignoram o fato de que o texto bizantino (uma sua forma posterior se acha no Textus Receptus) nem ao menos existia senão já no século IV. Nenhum manuscrito grego ou versão traz essa forma antes disso, e nem se acha nos escritos de qualquer dos pais da igreja. Aqueles que consideram o Novo Testamento um documento inspirado não deveriam ansiar por reter as notas feitas por escribas medievais, negligenciando ignorantemente os papiros, os primeiros manuscritos unciais e os escritos dos primeiros pais da igreja, os quais usavam um Novo Testamento mais puro do que qualquer coisa do texto bizantino. Tudo isso é questão de registro histórico.

Ao tratar com a massa de 5.000 **manuscritos gregos, 10.000 versões latinas, vários milhares de** manuscritos em outras versões e intermináveis citações do Novo Testamento, feitas pelos primeiros pais da igreja, foi sendo descoberto, mui gradualmente, que a grosso modo os manuscritos, versões e citações podem ser reduzidos a tipos de textos representativos. O primeiro passo de desvio para fora dos originais foi o texto alexandrino. *Escribas eruditos* aprimoraram a gramática e o estilo dos autores originais e intercalaram algumas interpolações. Contudo, o texto alexandrino é quase puro, talvez com a porcentagem de 2% ou 3% de erro. O primeiro passo radical para longe do texto original ou neutro (neutro, por não ter modificações, por ter permanecido puro segundo era originalmente) foi dado na igreja ocidental. Muitas omissões e adições (algumas vezes de material historicamente autêntico, mas que não fazia parte dos originais) tiveram lugar. Escribas ocidentais algumas vezes faziam paráfrases e transpunham material. Contudo, na contagem numérica real, as modificações do texto ocidental, quando confrontadas aos originais, não são muitas. Algumas vezes o texto ocidental repele «interpolações» alexandrinas, e, nesses casos, está correto em comparação a todos os demais tipos de texto, pois as interpolações quase sempre foram retidas pelos textos cesareano e bizantino. Em seguida (cerca do século III) houve a mescla de manuscritos ocidentais, e alexandrinos, sendo produzido o tipo de texto cesareano. Maior mescla ainda, juntamente com variegadas modificações, produziu o texto bizantino. Todas as «fontes de variantes» ventiladas sob o ponto V deste artigo, operavam antes dos meados do século IV, e o texto bizantino (também chamado sírio ou *koiné*), resultou disso. Mais adiante notaremos ainda mais particularmente os tipos de texto. Notemos agora a teoria da descendência textual, que é aceita pela maioria dos eruditos modernos, pelo menos de modo geral:

Os originais do Novo Testamento foram completados nos fins do primeiro século, ou talvez, no caso de alguns livros, no começo do segundo século. À proporção que iam sendo enviados para as várias principais áreas geográficas do mundo, o palco foi-se armando para os *tipos de texto,* que representam tanto desenvolvimentos históricos do texto, como modificações nos originais que vieram a ser associadas a determinadas áreas geográficas e centros cristãos. Em Alexandria, um centro de erudição, cópias dos originais, contemporâneas dos próprios originais, receberam certas modificações gramaticais e de estilo, além de pequena dose de interpolações escribais, modificando-as na proporção de 2% ou, talvez, até 3% do texto. — Através de vários séculos, os manuscritos que se originaram nessa área, talvez receberam tanto quanto 5% de modificação. Entrementes, em Roma e áreas circundantes, antes de 150 D.C., estava tendo lugar uma modificação mais radical do texto, o que nos deu o tipo de texto *ocidental*, além do *alexandrino*. O texto ocidental foi submetido a adições de algum material autêntico, nos evangelhos e no livro de Atos, que não estava contido nos originais, isto é, algumas poucas declarações e incidentes da vida de Jesus e dos apóstolos, além de informações topográficas. Mas muitas excisões e adições foram feitas meramente com base nas predileções dos escribas. A tradição latina, que começou em cerca de 150 D.C., naturalmente, refletia o texto grego das regiões onde o texto ocidental era produzido. Márcion usou esse tipo de texto, tal como o fez (provavelmente) Taciano e, mais tarde, Irineu, Tertuliano e Cipriano, e com base nisso temos informações pelo menos bastante exatas sobre quando se desenvolveu esse tipo de texto. Pelos meados do segundo século, já estava bem desenvolvido, embora manuscritos posteriores dessem mostras de níveis variegados um pouco mais remotos dos autógrafos do Novo Testamento.

No tocante ao texto Cesareano, alguns supõem que teve origem no Egito, tendo sido levado a Cesaréia por Orígenes, de onde foi trazido a Jerusalém. Vários testemunhos cesareanos têm o chamado colofão de Jerusalém (descrito sob o ms 157, na seção III deste artigo), e isso dá a entender que pelo menos alguns manuscritos cesareanos foram produzidos naquela localidade. Tal como no caso dos demais tipos de texto, há «níveis» no tipo de texto cesareano, que refletem séculos anteriores ou posteriores. Os manuscritos que Orígenes trouxe do Egito, refletidos em P(45), W (Mar. 5:31—16:20), Fam. 1:13 e vários lecionários gregos, pertenciam a uma forma anterior desse texto.

No desenvolvimento subseqüente, **encontramos um texto mais remoto dos autógrafos do Novo Testamen**to, preservado em Theta, 565, 700, em algumas citações de Orígenes e Eusébio, na versão Armênia Antiga, e em alguns manuscritos do Siríaco Antigo. O texto cesareano parece ter-se desenvolvido originalmente por combinação dos textos alexandrino e ocidental e teve seu surgimento nos fins do séc. II, que é o recuo máximo, porém, mais provavelmente, desenvolveu-se essencialmente no século III. Com a passagem do tempo, esse texto assumiu certa quantidade de material incomum tanto ao texto alexandrino quanto ao texto ocidental, pelo que não é mera mescla daqueles dois. Assim sendo, tornou-se menos homogêneo dentre os grupos de texto. Historicamente falando, isso foi apenas outro estágio no desenvolvimento na direção do texto bizantino.

O primeiro pai da igreja a citar o texto bizantino foi Luciano, dos primórdios do século IV. Alguns supunham que o próprio Luciano ou algum associado ou associados, é quem preparou um texto «mesclado», que tentava harmonizar cópias variantes que tinham chegado à atenção deles. Se houve ou não uma revisão proposital do texto, o certo é que, pela época de Luciano, veio à existência um texto mesclado, que agora chamamos de bizantino, antioqueano ou «koiné», e virtualmente não existe erudito que não reconheça esse texto como secundário. O fato de que nenhum ms grego e nenhuma versão contém o texto bizantino senão a partir do século V serve de prova absoluta de seu surgimento tardio; e devemos nos lembrar que nenhum dos pais da igreja o citou, embora as citações feitas pelos pais dos três primeiros séculos sejam numerosíssimas, de muitos lugares do mundo, até o século IV. Se o texto bizantino existisse antes dos fins do século III ou dos primórdios do século IV, seria impossível que tantos pais da igreja, antes desse tempo, e espalhados por todos os centros do cristianismo, tivessem evitado citá-lo. Deve-se notar também que as citações desse texto, feitas por Luciano, e o texto do códex A, nos evangelhos (século V — nosso mais antigo testemunho em seu favor) são de um «remoto texto bizantino», e não daquele que transparece no Textus Receptus, que representa um tempo quando muitas outras formas e modificações já tinham sido incorporadas no texto, acerca do que Luciano *nada sabia*.

••• ••• •••

DIAGRAMA DOS TIPOS DE TEXTO

MANUSCRITOS ORIGINAIS

Alexandrino	*Oriental*	*Ocidental*
(desenvolvimento desde os fins do século I e começo do II)	(desenvolvido desde os fins do século II)	(desenvolvimento desde os fins do século II e começo do III)
Maioria dos papiros, Aleph, B,C,L,33 e Copta	Itália Europa D,a,b Versões latinas África W (Mar.) k, e versões Versões latinas	Cesaréia P(45) Fam. 1,13, Theta Antioquia Si, Ara

Revisão de Luciano (310 D.C.)
(Bizantino anterior, texto mesclado),
Codex A, e o arquétipo da Fam Pi

BIZANTINO PADRONIZADO
EFGH outros unciais
(século VI e mais tarde), muitos
manuscritos minúsculos

Bizantino posterior
muitos manuscritos minúsculos (da Idade Média até à invenção da imprensa).

Textus Receptus

A discussão acima indica algo tanto do desenvolvimento dos tipos de texto como suas importâncias relativas. Os princípios abaixo, relacionados à restauração do texto, no que se aplica aos tipos de texto, decorrem desses fatos:

1. *O Texto Bizantino*, isoladamente, está sempre errado. Em outras palavras, se em favor de alguma forma, temos somente manuscritos bizantinos, é quase impossível que isso represente a forma original.

2. *O Texto Ocidental*, isoladamente, raramente representa o original. A exceção a isso é quando o texto ocidental é mais breve que o alexandrino, sobretudo quando manuscritos cesareanos e bizantinos também são mais breves. Nesse caso, escribas ocidentais evidentemente não copiaram certas «interpolações» do texto alexandrino. Essas formas são denominadas por certos eruditos de «não interpolações ocidentais». Algumas vezes, desse modo, escribas ocidentais retiveram o original, em contraposição a todos os outros tipos de texto.

3. *O Texto Alexandrino*, embora isolado, com freqüência retém a forma original, em contraposição a modificações posteriores que figuram nos demais tipos de texto. Isso é verdade porque, quanto à data real, o texto alexandrino é mais antigo, faltando-lhe aquela «bagagem» posterior que se foi acumulando na transição do texto. Portanto, se tivermos um papiro, que juntamente com Aleph e Vaticanus, favorece alguma forma, contra todos os demais testemunhos, apesar do vasto número de manuscritos que algumas vezes dizem o contrário, esses poucos manuscritos ainda assim preservam a forma do autógrafo. (Ver a variante em João 1:18 quanto à ilustração acerca disso).

4. *O Texto Alexandrino*, quando concorda com o ocidental, *quase sempre* representa o original. As exceções são raríssimas.

5. *O Texto Cesareano*, isoladamente, raramente ou *nunca* representa o original. A forma em Mat. 27:16, «Jesus Barrabás» (quanto ao nome daquele homem), em vez do simples «Barrabás», talvez seja exceção a isso. Nesse caso, somente determinados escribas da parte ocidental do mundo, permitiram que Barrabás se chamasse Jesus, embora fosse esse um nome comum naqueles dias. Portanto, a maioria dos escribas apagou o termo «Jesus». Mas essa forma, que faz o texto cesareano ser corrigido em relação a todos os demais, na realidade é apenas um acidente de transmissão textual, e não um desenvolvimento natural e esperado disso. Em favor da forma aqui aludida temos Theta, Fam. 1 e o Si. Essa forma era conhecida de Orígenes, embora ele a tenha rejeitado,

não por ser algo textualmente impossível, mas porque cria que o nome de Jesus não deve ser usado quanto a malfeitores (em Mat. Comm. ser. 121).

Outros princípios utilizados na determinação do texto original do Novo Testamento, juntamente com notas sobre a evidência acerca dos tipos de texto:

1. É *impossível* chegar-se ao texto original meramente com a contagem do número de manuscritos que concordam com as variantes. Foram os manuscritos mais recentes e inferiores que foram grandemente multiplicados, durante a Idade Média. Isso é ABC no estudo do texto, sujeito a grande comprovação dos fatos, com base na consideração das versões e citações dos pais da igreja, bem à parte dos próprios manuscritos gregos. Procurando determinar a forma original, mediante a escolha da variante que conta com o maior número de manuscritos, quase sempre somos levados à decisão errônea.

2. *A contagem* dos manuscritos mais antigos, por exemplo, os unciais dos primeiros seis séculos, é que mais freqüentemente nos fornecerá a forma original, e não o método acima mencionado, mas isso também é maneira incerta de determinar a forma original. Um ou dois manuscritos unciais, apoiados por um papiro, mais provavelmente **terão a forma original** do que aquela variante apoiada por uma dúzia de manuscritos do século V ou VI. Devemos nos lembrar que os estudos textuais têm podido reconstituir a *história* do texto, sabendo-se quando as variantes penetraram no texto. Portanto, supor, apenas por força do argumento ou de preconceito, que alguns dos manuscritos posteriores foram copiados de manuscritos mais antigos, do que alguns dos manuscritos verdadeiramente antigos, é um exercício de futilidade. Um manuscrito pode ser datado, não meramente segundo o «tempo de produção», mas também de acordo com a «data do texto» representada. As citações dos pais da igreja e o desenvolvimento das versões, possibilitam-nos determinar as «datas do texto» dos manuscritos com bastante exatidão. Há alguns poucos «manuscritos posteriores» que encerram datas do texto remotas, e sabe-se quais são esses manuscritos. Não há adivinhação nesse tipo de pesquisa, pois há material abundante com que trabalhar, e derivado de muitos séculos. Quando um manuscrito posterior tem uma data de texto antigo, geralmente se afasta do texto bizantino, aproximando-se dos textos alexandrino e ocidental, ou, em alguns casos menos radicais, aproximando-se do texto bizantino antigo, afastando-se de um período bizantino posterior.

3. *Além de notarmos o tipo do texto* geral de cada manuscrito que presta a sua evidência a uma forma particular, é mister determinar que nível daquele tipo de texto é representado pelo manuscrito em pauta, remoto ou posterior. Todos os membros de cada tipo diferem entre si. Seguindo o que é sugerido aqui, a data do texto do manuscrito em questão pode ser determinada, e não meramente a data real de sua produção. A data do texto de um manuscrito é mais importante que a mera data de sua produção.

4. *Deve-se dar preferência* às «formas mais breves», já que era natural que os escribas armassem o texto, tornando-o mais longo, em vez de abreviarem o mesmo. Uma exceção a isso ocorre quando os escribas encurtam a fim de simplificar. «Formas mais longas» do que os autógrafos, entretanto, são muito comuns no Novo Testamento, sobretudo devido à atividade harmonizadora, particularmente nos evangelhos e em outros lugares onde um livro é similar a outro, como no caso das epístolas aos Efésios e aos Colossenses.

5. *As formas difíceis,* usualmente, representam o original, já que foram sujeitas à simplificação ou aclaramento, atividade essa que produziu variantes. O trecho de João 1:18 é um bom exemplo disso. A fim de evitar a doutrina aparentemente difícil do «Deus unigênito», escribas modificaram o texto para o familiar «Filho unigênito». Gramática deficiente também foi corrigida, sobretudo quando o erro gramatical torna difícil a compreensão.

6. *Deve-se notar* qual das variantes sob consideração *mais provavelmente* foi a causa da mudança no texto. A variante que parece ser a «causa» da modificação representa o texto original. Heb. 10:34 é um excelente exemplo disso: há três formas desse versículo. Uma delas diz: «Tivestes compaixão de mim em minhas cadeias». Outra declara: «Tivestes compaixão de minhas cadeias». E a terceira afirma: «Tivestes compaixão dos prisioneiros». Na forma traduzida, no tocante a esse caso em particular, é impossível determinar qual dessas três variantes provocou as outras duas. Mas, no grego, a tarefa torna-se fácil. A forma original era «prisioneiros» (confirmada em A D(1) H e nas versões latinas e siríacas em geral). Trata-se do termo grego *desmiois*. Acidentalmente, um «iota» foi retirado do vocábulo, produzindo *desmois* ou «cadeias» (confirmado em P (46) Psi 81 e citado desse modo por Orígenes). Porém, asseverar: «Tivestes compaixão de cadeias» não perfaz um bom sentido. Por isso os escribas adicionaram a palavra «minhas», o que resultou em: «Tivestes compaixão de minhas cadeias», conforme Aleph e a tradição «koiné» em geral dizem.

7. *Se todos esses métodos* expostos falharem, e a forma continuar em dúvida (o que raramente sucede), então será mister julgar pelo estilo e pelos hábitos do autor original. Considerando aquilo que certamente é autêntico no livro, pode-se determinar, em muitos casos, que palavra ou expressão o autor original mais provavelmente teria utilizado. Considerando sua posição doutrinária normal, podemos julgar algumas variantes que têm importância doutrinária. Talvez seja necessário considerar igualmente os hábitos dos escribas dos manuscritos, especialmente na escolha dos sinônimos e na soletração dos vocábulos. Um escriba podia introduzir em um manuscrito muitas variantes desse tipo, levando-o a tornar-se ainda mais afastado do autógrafo do que o manuscrito que era copiado.

Os Tipos de Texto e os Testemunhos que lhes Dizem Respeito:

O que expomos abaixo deve tornar bem evidente quais tipos de texto são mais antigos e valiosos. Deve-se observar que quase todos os papiros ficam sob os tipos de texto alexandrino e ocidental, o que também se dá no caso das citações dos pais da igreja. Deve-se notar que os tipos de texto cesareano e bizantino não contam com a confirmação de testemunhos senão já no século III e mais tarde.

1. Tipo de texto alexandrino e seus testemunhos:

Papiros: papiros de números 1,3,4,6,8 (parte), 10,11,13,14,15,16,18,20,23,24,26,27,28,31,32,33,34, 35 (parte), 36 (parte), 39,40,43,44,45 (parte), 46,47,49,50,51 (parte), 52,54,55,56,57,58,59,60,61, 62,65,67,71,72,74 e 75.

Unciais: Aleph, A (exceto no caso dos evangelhos), B,C,L,T,W,Xi e Psi.

Minúsculos: 33,579,892,1241,3053 e 2344.

Versões: **Copta, parte do Latim** Antigo e do Siríaco Antigo.

Pais: Atanásio, Orígenes, Esíquio, Cirilo de Alexandrina, Cosmas Indicopleustes (parte).

2. Tipo de texto ocidental e seus testemunhos:

Papiros: papiros de números 5, 8 (parte), 19,25,27, 29,35 (parte), 38,41 e 48.

Unciais: D,W (nos evangelhos), D EF e G (nas epístolas).

Versões: Latina, Siríaca (parte) e Etíope.

Pais: O grupo inteiro dos pais latinos ou ocidentais, e os pais sírios até cerca de 450 D.C. Alguns pais gregos, pelo menos em parte: Irineu, Taciano, Clemente de Alexandrina, Eusébio, Orígenes (parte), Márcion, Hipólito, Tertuliano, Cipriano, Ambrósio, Agostinho, Jerônimo e Pelágio.

3. Tipo de texto oriental ou cesareano e seus testemunhos:

Papiros: papiros de números 37 e 45 (parte).

Unciais: Theta, W(em Marcos), H(3), N e O.

Minúsculos: Fam 1, Fam 13, Fam 1424, 565 e 700.

Versões: Geórgica, Armênia e alguma Siríaca.

4. Tipo de texto bizantino e seus testemunhos:

Papiros. P, 42, 68. Que o tipo de texto bizantino tenha dois papiros representantes pode parecer significativo no princípio, para aqueles que preferem o Textus Receptus como bom representante do Novo Testamento original. Mas toda essa aparente significação desaparece quando consideramos duas coisas: primeira, esse texto é representado por dois papiros só, que incorporam somente 18 versículos (Luc. 1:54-55; 2:29-32; I Cor. 4:12-17, 19—21; 5:1-3); segunda, esses mss datam dos séc. VII e VIII, bem dentro do tempo em que o texto bizantino não só já se desenvolvera, mas também fora padronizado em vários mss unciais. Portanto, que esses mss foram escritos no material de nome «papiro» foi apenas um acidente histórico, não indicando antiguidade verdadeira ou excelência de texto.

Unciais. O número maior de manuscritos unciais, após o século V, pertence ao tipo de texto bizantino. Nada há nisso de estranho, pois o texto bizantino antigo já estava desenvolvido na primeira porção do século IV. Provavelmente, a revisão de Luciano (começo do século IV), que produziu uma espécie de padronização e texto mesclado, foi questão de primeira importância ao fazer escribas posteriores copiarem e multiplicarem o tipo de texto bizantino. Portanto, temos E,F,G,H,R,P,S,U,V,W (em Marcos e porções de Lucas), Pi, Psi, Ômega (todos nos evangelhos). O códex A tem forma antiqüíssima do texto bizantino nos evangelhos, e talvez represente a revisão de Luciano. Fora dos evangelhos, esse manuscrito é alexandrino, e nos próprios evangelhos retém muitas formas alexandrinas que o Textus Receptus perdeu. Data do século V, pelo que já seria de se esperar que tivesse esse tipo de texto, pois o texto alexandrino e os demais, mais próximos dos autógrafos originais, já haviam sido mesclados no bizantino antigo. O resto dos manuscritos alistados, exceto W, é do século VI e depois. No livro de Atos, o texto bizantino é representado por H,L,P e S; no Apocalipse, por 046,051 e 052.

Minúsculos. a maior parte de todos os manuscritos minúsculos, que data do século IX e depois, porquanto esse estilo de escrita à mão não era usado antes desse tempo, encerra o tipo de texto bizantino. Isso é natural, considerando-se suas datas tardias, bem como o fato de que bem antes do século IX o texto já fora padronizado e mesclado e que esse texto mesclado subseqüentemente foi multiplicado muitas vezes.

Versões. Esse texto é representado pelo Peshitto e pelo Eslavônico. O Siríaco Antigo, porém, é ocidental, com alguma mistura de cesareano e alexandrino.

Pais. Luciano (310 D.C.) exibiu o texto bizantino em seus primeiros estágios de desenvolvimento; pais da igreja comparativamente tardios, como Crisóstomo (407 D.C.), Gregório de Nissa (395 D.C.) e Gregório Nissense (389 D.C.) usaram o texto bizantino em estágios diversos de seu desenvolvimento.

VII. ILUSTRAÇÕES DE COMO AS FORMAS CORRETAS SÃO ESCOLHIDAS; QUANDO HÁ VARIANTES NO TEXTO

I. *Mat. 14:47:*

Então alguém lhe disse: «Eis que tua mãe e teus irmãos estão lá fora, desejando falar contigo».

Os manuscritos que contêm esse versículo são C,D,Z,Theta, a tradição bizantina em geral e os manuscritos latinos a,b,c,e,f,g,h.

Os manuscritos que omitem o versículo são Aleph, B,L, Gamma, os manuscritos latinos ff e k, e a tradição siríaca em geral.

Em primeiro lugar, deve-se notar que os mais antigos manuscritos omitem esse versículo. Nenhum manuscrito antes do século V o exibe. Notemos que os manuscritos da tradição alexandrina também o omitem. Embora a vasta maioria de manuscritos o exiba, não são eles manuscritos importantes e fidedignos, para nada dizermos de sua origem comparativamente recente. Examinando a evidência, parece que o versículo foi adicionado pela primeira vez na igreja ocidental, onde os escribas manuseavam o texto mui livremente. Dali o versículo também passou para o grupo cesareano, que foi antiga mescla dos textos alexandrino e ocidental. Naturalmente, essa tradição foi transportada para a tradição bizantina, ou seja, para a grande maioria de manuscritos, pois esse texto raramente omite qualquer «bagagem» acumulada no texto. A adição parece ter sido, originalmente, uma glosa escribal supérflua, baseada em informações claramente implícitas no vs. 46, que o antecede. A evidência esmagadora, porém, favorece a omissão.

2. *Mar. 3:32:*

«Eis que tua mãe, teus irmãos e tuas irmãs estão de fora, perguntando por ti».

Retem *tuas irmãs*, A,D, it, got, minus. Omitem: Aleph, B, L, W, Theta.

Em contraste com a ilustração dada acima, aqui a decisão é difícil. As palavras **«e tuas irmãs»** são omitidas na tradição alexandrina em geral e no tipo de texto cesareano em geral. São retidas nas tradições ocidental e bizantina («koiné»). Do ponto de vista dos tipos de texto, a decisão pareceria fácil, pois a omissão é bem mais provável. Mas poder-se-ia argumentar que a forma «mais difícil» é a adição, já que, historicamente falando, é altamente improvável que as irmãs de Jesus acompanhassem sua mãe e seus irmãos em busca dele. Os costumes orientais dificilmente permitiriam tal coisa. Todavia, contra a idéia que isso faria a adição sobre as *irmãs* tornar-se a forma mais difícil, é perfeitamente possível que escribas posteriores, com suas mentes bem afastadas dos costumes orientais, mecanicamente tenham expandido a lista a fim de incluir as irmãs. Não é provável que as palavras tivessem sido omitidas deliberadamente (se fossem autênticas), meramente por não serem sugeridas nos vss. 31 e 34, onde são mencionados os parentes de Jesus. Mas é possível que porque o próprio Jesus mencionou o termo «irmãs», em 10:20, que alguns escribas tenham transportado esse vocábulo para o texto, no vs. 32, embora seja provável que Jesus não tenha feito qualquer alusão direta às suas próprias irmãs, em cap. 10. Parece altamente provável, pois, que a omissão é a forma correta, e certamente a evidência textual positiva e objetiva assim o indica.

3. *Luc. 11:13:*

«Se vós, pois, sendo maus, sabeis como dar boas dádivas a vossos filhos, quanto mais vosso Pai celestial vos dará o Espírito Santo àqueles que lho pedirem?»

Os manuscritos que contêm as palavras *Espírito Santo* são P(45) Aleph, A B C R L, a Vulgata Latina, os pais da igreja Márcion e Tertuliano, bem como a tradição bizantina em geral.

Em lugar de «Espírito Santo», o manuscrito D e as versões latinas em geral dizem *boa dádiva.* O manuscrito cesareano Theta traz o plural, *boas dádivas.*

Em prol dos termos *Espírito Santo,* deve-se notar que a totalidade das tradições textuais, excetuando-se a ocidental, retém essa forma, que também é citada por alguns dos pais ocidentais da igreja, pelo que nem mesmo a tradição ocidental favorece solidamente a modificação. É provável que «boa dádiva» (ou «boas dádivas») tenha tido origem em um mero equívoco da pena de um escriba, em momento de descuido, devido à influência das palavras anteriores, «boas dádivas», já genuinamente contidas no versículo. Esse «equívoco» subseqüentemente foi multiplicado, por ter sido copiado em outros manuscritos do tipo de texto ocidental, além de alguns poucos manuscritos do grupo cesareano.

4. *Heb. 10:34:*

«...tivestes compaixão de mim em minhas cadeias...»

Este versículo, conforme se diz mais acima, figura em Aleph, Clemente e na tradição bizantina em geral.

A forma «*...tivestes compaixão dos prisioneiros*» figura em A,D,H,33 e na maioria das versões latinas e siríacas.

«tivestes compaixão de cadeias...» é a forma de P(46), Psi, 81, e das citações de Orígenes.

Já que há manuscritos alexandrinos em favor de todas as três formas, a decisão não pode ser tomada estritamente segundo as evidências dos tipos de texto. Há espécies de variantes dificílimas, pois devemos abordar outras considerações além das de caráter textual objetivo. A evidência textual *objetiva* parece favorecer a segunda ou a terceira dessas formas. Mas a solução se deriva da observação de qual das três formas provavelmente provocou as outras duas. A forma das variantes, na tradução, apenas nos diria que a terceira não é provável, já que faz pouco sentido; mas quando examinamos os termos gregos envolvidos, a solução torna-se fácil. O original, sem dúvida, era: «*...tivestes compaixão dos prisioneiros*», que traria o vocábulo grego «desmiois» (prisioneiros). Por acidente, em algumas cópias, foi omitida a primeira letra *iota*, produzindo o termo «demois», que significa «cadeias», fazendo o texto dizer: «*...tivestes compaixão de cadeias*». Mas isso não tinha sentido, pelo que outros escribas adicionaram o termo «minhas» (*mou*), fazendo com que o texto dissesse: «*...tivestes compaixão de minhas cadeias*». Essa forma, entretanto, conforme se pode perceber, surgiu como correção de um equívoco, pelo que dificilmente representa o original.

O que fizemos acima, no caso de quatro variantes, é apenas minúsculo exemplo de como as formas corretas são escolhidas quando há variantes no texto. Nas notas críticas do NTI, existem todas as explicações do «Comentário Textual do Novo Testamento Grego» das Sociedades Bíblicas Unidas. Estas notas ventilam um grande número de variantes do Novo Testamento, estabelecendo os princípios mediante os quais as formas corretas devem ser selecionadas. A leitura daquele comentário dará aos interessados uma prática abundante na escolha das formas corretas.

VIII. ESBOÇO HISTÓRICO DA CRÍTICA TEXTUAL DO NOVO TESTAMENTO

Alguns dos primeiros pais da igreja, sobretudo Orígenes e Jerônimo, observaram as muitas variantes que tinham entrado no texto, criando confusão, e se preocuparam com isso, e ocasionalmente tentaram opinar sobre o assunto, distinguindo as formas melhores. Porém, foi somente após a *invenção da imprensa* que se fez qualquer coisa de coerente e significativo no campo da crítica textual do Novo Testamento. Mesmo depois da invenção da imprensa, o Novo Testamento Grego já surgiu tardiamente na cena dos textos impressos. O primeiro grande produto da imprensa de Gutenberg foi uma magnificente edição da Bíblia, mas essa era a Bíblia de Jerônimo, a Vulgata Latina, publicada em Mains, entre 1450 e 1456. Pelo menos cem edições da Bíblia latina se seguiram, dentro dos próximos cinqüenta anos. Em 1488, uma edição da Bíblia hebraica completa foi impressa em Soncino na Lombardia, e antes do ano 1500 já tinham sido publicadas Bíblias em várias línguas vernáculas da Europa ocidental, a saber, em tcheco (boêmio), francês, alemão e italiano. Parte da demora na produção do Novo Testamento grego se deveu à preparação de um caráter tipográfico aceitável para a igreja. De modo geral, foi reproduzida a aparência geral da forma manuscrita grega minúscula, mas os impressores, a princípio, incorreram no erro de tentar duplicar os muitos tipos variegados de letras, combinações de letras, etc., que se achavam nos manuscritos, pelo que tinham uma fonte de cerca de 200 caracteres diferentes, em vez dos 24 necessários. *Finalmente,* toda essa variação foi abandonada, excetuando-se o «sigma» que se escreve no fim ou no meio das palavras, que diferem entre si.

1. *O cardeal Ximenes,* em 1502, começou a compilar um manuscrito grego para ser impresso. Mas o mesmo não veio à luz senão já em 1522.

2. *Erasmo* (1516) foi o primeiro a compilar e imprimir o Novo Testamento Grego. Antes de 1535, esse texto já passara por quatro edições. O terceiro desses tinha o texto que posteriormente recebeu o nome de «Textus Receptus». Esse nome, a princípio, foi apenas um «artifício» de propaganda, um louvor exagerado do impressor de uma edição do tipo de texto que Erasmo usou. O termo não veio à existência senão em 1624, quando os irmãos Bonaventure e Abrahan Elzevir, impressores em Leiden, fizeram a jactância de elogiarem sua própria publicação: «(o leitor tem) o texto que é agora recebido por todos, no qual nada damos de modificado ou corrompido». Contudo, esse texto foi uma forma posterior do texto bizantino, que a erudição moderna tem mostrado não ser evidenciado por qualquer tipo de testemunho, como manuscritos gregos, versões ou citações dos pais, senão a partir do século IV. E mesmo quando surge um testemunho em prol desse texto «mesclado», é de variedade antiqüíssima do mesmc, bem mais próximo ao original do Novo Testamento do que é o *Textus Receptus,* que reflete um estágio do desenvolvimento do texto grego quando já se acumulara volumosa bagagem através dos séculos. O poder que o Textus Receptus obteve se deveu ao fato de que não teve competidores na forma de textos impressos por longo tempo, e, por causa disso, aqueles que usavam o Novo Testamento Grego impresso, como base de suas traduções, naturalmente produziam o Novo Testamento nos idiomas vernáculos que retinham as muitas formas que o Textus Receptus solidificara,

mas que não faziam parte do Novo Testamento original. O povo se acostumara com essas formas, e suspeitavam de quem ousasse pronunciar-se contra elas.

A defesa ao Textus Receptus, na realidade, é uma defesa às várias «traduções» feitas do mesmo, com as quais os povos se tinham familiarizado. Aquilo que nos é familiar, ao que já demos certa lealdade, e que é «aceito» por nós, devido à «familiaridade», estabelece no cérebro certa «cadeia de reações», e tudo quanto ouvimos ou lemos que não se adapta a essa cadeia, nos faz sentir impacientes. Essa «impaciência» é tomada como se fosse uma *reação espiritual* contra algo, quando tudo não passa de uma reação cerebral à familiaridade ou não familiaridade. Devido a essa reação cerebral, que aceita o familiar e repele o não familiar, muitas formas, que constituem cerca de 15% do texto do Novo Testamento, mas que não podem ser achadas em qualquer dos manuscritos gregos antes do século IV, e nem em qualquer outro testemunho, a maior parte do que só penetrou no texto em cerca do século VI, quando o texto bizantino veio a ser padronizado, continuam aferradas ao texto sagrado. Poucos entre aqueles que defendem essas formas ao menos conhecem a sua história, e nem ao menos sabem que os manuscritos que serviram de base para sua compilação eram posteriores e inferiores em qualidade.

Manuscritos usados na compilação do Textus Receptus (TR):

Ms 1, datado do século X D.C. Esse manuscrito pertence ao tipo de texto cesareano.

Ms 2, datado do século XII, o principal manuscrito usado por Erasmo, representa o estágio mais corrompido do tipo de texto bizantino (nos evangelhos).

Ms 2 (Atos e Paulo), data do século XIII e representa o texto bizantino posterior.

Ms 1 (Apocalipse), data do século XII, e vem do texto bizantino posterior.

Além dos manuscritos gregos, Erasmo dependeu da *Vulgata Latina* quanto a algumas formas, especialmente no caso dos versículos finais do Apocalipse, para os quais ele não dispunha de qualquer manuscrito grego. Deve-se notar que ele não contava com qualquer manuscrito em papiro, que agora testifica sobre mais de 3/4 do Novo Testamento, fazendo-nos retroceder ao século II. Também não tinha qualquer manuscrito grego uncial, dos quais agora possuímos cerca de 250, datados dos séculos IV ao IX. Infelizmente, Erasmo não fez melhor utilização nem mesmo dos manuscritos que tinha, porquanto o *ms* 1, do grupo cesareano, é muito superior aos demais, que ele mais usou. Ele evitou esse texto por causa de sua suposta natureza «errática». Mas tudo fez ele na ignorância, não tendo qualquer noção dos princípios da crítica textual, pois naquilo em que o texto do citado manuscrito era «errático», era porque lhe faltavam as anotações, modificações e harmonizações, além de outras espécies de erros feitos pelos escribas medievais, que tinham produzido um texto imensamente «mesclado» e expandido.

A história da crítica textual é, essencialmente a eliminação dos 15% de bagagem que os manuscritos gregos do Novo Testamento tiveram de sobrecarregar durante os séculos da transmissão do texto por meio de cópias à mão. Essa «sobrecarga» veio a ser solidificada no Textus Receptus. Naturalmente, a maior parte desses 15% não se reveste de qualquer importância, pois envolve soletração de palavras, ordem diferente de palavras, sinônimos, etc. A despeito disso, porém, há variantes importantes que envolvem questões doutrinárias, e que justificam tudo quanto se tem feito na área da crítica textual. No entanto, o Textus Receptus e os papiros apresentam a mesma mensagem. O acúmulo inteiro de variantes não conseguiu modificar a mensagem, nem mesmo nas minúcias. No entanto, há certa dose de *rearranjo* de versículos que ensinam qualquer dada doutrina, pois o estudo tem eliminado alguns «textos de prova» e tem adicionado outros. Por exemplo, a divindade de Cristo é ensinada em João 1:18 nos *mss* alexandrinos, mas não nos *mss* bizantinos. Em I Tim. 3:16, os *mss* bizantinos têm este ensino, mas os *mss* alexandrinos não. As diversas outras passagens centrais que ensinam a sua divindade não trazem variantes críticas, pelo que a doutrina transparece com igual clareza no texto alexandrino ou bizantino. Se cremos ou não na divindade de Cristo, isso não depende da crítica textual ou — crítica baixa, e, sim, da «alta crítica», isto é, daquela espécie de investigação ou raciocínio que vai além do que o texto diz, levando em conta muitos outros fatores, certos ou errôneos. Até mesmo os estudiosos mais liberais têm de admitir que o Novo Testamento ensina a divindade de Cristo, mas muitos deles repelem esse ensinamento por outros motivos, históricos ou teológicos. E aqueles que se apegam à idéia da «inspiração verbal» deveriam ser os mais ansiosos por *restaurarem* o texto e eliminarem a bagagem de 15%, ainda que de modo geral, nenhuma questão doutrinária importante esteja envolvida.

3. *Muitas edições*, de vários impressores, compiladas por diversos eruditos, mas que retinham o texto do Textus Receptus, foram impressas após a época de Erasmo. De 1546 em diante, Estéfano imprimiu várias edições do texto grego, que eram essencialmente parecidas ao Textus Receptus.

4. *Beza*, amigo e sucessor de Calvino em Genebra, publicou nada menos de nove edições do Novo Testamento grego, entre 1565 e 1604, e uma décima edição foi publicada postumamente, em 1611. Quatro delas eram edições independentes (as de 1565, 1582, 1588 e 1598), ao passo que as demais eram reimpressões em pequeno número. Embora Beza possuísse o códex D, designado «Bezae», em honra a seu possuidor, sendo esse o principal representante do texto *ocidental* (bem superior ao bizantino, embora contendo suas próprias falhas), seu Novo Testamento Grego não se desviou muito do Textus Receptus. Suas edições tenderam por popularizar e estereotipar o Textus Receptus. Os tradutores do King James Version (Bíblia Inglesa Autorizada), muito se valeram das edições de Beza, de 1588-1589 e 1598.

5. *Os irmãos Elzevir*, Bonaventure e Abrahan, impressores em Leiden, publicaram sete edições do Novo Testamento grego, seguindo bem de perto o Textus Receptus. Suas edições vieram a ser intensamente usadas nos Estados Unidos da América, tal como as de Estéfano foram usadas intensamente na Inglaterra.

6. *De 1516 a 1750, o Textus Receptus* reinou sozinho, devido à ausência da competição, para reconhecer o valor comparativo dos manuscritos.

7. *Em 1707 foi dado um grande passo avante*, porém, quando John Mill preparou um «aparato crítico», utilizando-se dos manuscritos ABCD(2) E E(2) e K, paralelamente a vários manuscritos minúsculos, incluindo a rainha dos minúsculos, o ms33. Isso forneceu aos eruditos os meios para a compilação de um texto melhor; mas o próprio Mill não se aventurou a imprimir um texto diferente, mas

antes, reteve o Textus Receptus. Mill compilou variantes entre 3040 dos quase 8.000 versículos do Novo Testamento, tendo usado 100 manuscritos ao todo; e também discutiu sobre as evidências patrísticas. Antes desse tempo (1575), o Dr. John Fell, deão da Igreja de Cristo, e depois bispo de Oxford, fizera algo similar, e até usou o códex B (Vaticanus), e evidências extraídas das versões gótica e boárica; mas o seu erro consistiu em não separar numa lista as evidências dos manuscritos, tendo meramente indicado por números quantos manuscritos concordavam com cada variante, o que é quase inútil como base para a tomada de decisões em prol ou contra as formas. Por conseguinte, a obra de Mill foi muito mais significativa em termos de *avanço* da crítica textual.

8. *J. Bengel* (1734), um erudito luterano, deu um grande passo à frente quando começou a classificar as formas como: a. excelentes (supostas como originais); b. melhores — que as formas tradicionalmente impressas nos textos gregos (da variedade do Textus Receptus); c. tão boas quanto às formas dos textos impressos conhecidos; e d. inferiores — formas que devem ser rejeitadas. Ele usou o aparato e as confrontações de Mill, e adicionou algo de sua própria lavra. Bengel também iniciou a divisão das formas em categorias de tipos de texto, aludindo a textos *asiáticos* e *africanos*. Abandonou o método de meramente «contar o número» de manuscritos quanto a qualquer variante, pois o mero número em favor de qualquer forma não indica autenticidade.

Embora Bengel fosse homem de grande piedade pessoal, tendo feito avanços significativos em favor da restauração do Novo Testamento grego original, foi perseguido e chamado inimigo das Santas Escrituras.

9. *Jacó Wettstein* (1693-1754), nativo de Basle, melhorou o texto e foi o primeiro que usou letras maiúsculas para os manuscritos gregos unciais, e letras minúsculas para os manuscritos gregos minúsculos. Por haver *mexido* no texto, foi deposto de seu pastorado e exilado. Mais tarde, porém, obteve a **posição de professor de filosofia e hebraico na faculdade arminiana de Amsterdã, e reiniciou seus estudos** textuais. Em adição ao material textual, provou um léxico de citações de autores gregos, latinos e rabínicos, que continua sendo valioso tesouro da coletânea clássica, patrística e rabínica. Pessoalmente, não publicou ele qualquer novo texto do Novo Testamento grego, mas provou muitos novos confrontos e melhorou os antigos, que se tornaram valiosos para os eruditos posteriores. Continuou a usar o Textus Receptus em suas publicações, e lançou as bases para o final afastamento daquele texto.

10. *Johan Salomo Semler* melhorou o conhecimento das ***classificações* dos manuscritos** do Novo Testamento, distinguindo três revisões, a saber: a. alexandrina, derivada de Orígenes, de manuscritos siríacos e das versões boárica e etíope; b. oriental, com os textos antioqueano e constantinopolitano (manuscritos usados pelas igrejas daquelas áreas); e c. ocidental, com as versões e os pais latinos. Embora seus dois primeiros tipos de texto estivessem bastante confusos devido a elementos heterogêneos, pelo menos ele viu que tais classificações podiam ser úteis no estudo textual.

11. *Antes do tempo* que poderia ser chamado de «período da crítica moderna», outros seguiram a Semler. William Bowyer (1699-1777) usou e melhorou a obra de Wettstein, afastando-a mais ainda do texto do Textus Receptus. Compilou quase 2000 páginas de emendas conjecturais, que diziam respeito ao texto e à pontuação do Novo Testamento grego. Bowyer foi um dos *mais eruditos* impressores ingleses e de quem ha qualquer registro.

12. *Eduardo Harwood* (1729-1794), um ministro não conformista, inglês, de Londres, em 1776, publicou uma edição em dois volumes do texto do Novo Testamento, que se afastou do Textus Receptus em mais de 70% das variantes ventiladas. Quanto aos evangelhos e ao livro de Atos, ele usou o códex Bezae, e quanto às epístolas paulinas usou D(2), o Claromontanus, ou seja, utilizou-se de um tipo de texto *ocidental*. Entretanto, consultou outros manuscritos e incluiu anotações sobre particularidades especiais.

13. *Johan Jakob Griesbach* (1745-1812) marca o início da moderna crítica textual. Ele alistou os manuscritos em três grupos: a. Ocidental; b. Alexandrino e c. Bizantino. Foi por esse tempo que o Textus Receptus, nos círculos da erudição em geral, começou a perder terreno. Evidência esmagadora estava sendo montada para comprovar sua inferioridade, para todos quantos quisessem dedicar tempo a essas considerações. Os textos de Griesbach, tal como os de Bengel e Semler, incluíam elementos heterogêneos. Por exemplo, ao grupo alexandrino ele atribuiu os escritos de Orígenes, os manuscritos C,L e K, e as versões boárica, armênia, etíope e siríaca harcleana. Isso está longe de um *tipo de texto* viável, mas combina o que agora se sabe pertencer aos tipos de texto alexandrino, cesareano e bizantino. Contudo, sua identificação de manuscritos «bizantinos» posteriores (onde fez muitas identificações corretas) como inferiores, foi um grande avanço para o texto do Novo Testamento, afastando-o do texto mesclado que estava preservado no Textus Receptus. Além de seu trabalho com os tipos de texto, Griesbach estabeleceu muitas regras valiosas para os críticos textuais. Por exemplo, ele preferiu as formas mais breves, exceto quando estivessem envolvidos homoeoteleuton, homoeoarcteton, ou outros fatores. Além desse «cânon» de formas mais breves, ele tinha catorze outras regras básicas para os críticos textuais.

14. *Karl Lachmann* (1793-1851), preferindo os manuscritos A,B,C e partes dos manuscritos H e P, fez voltar o texto ao século IV. Ele se afastou totalmente do Textus Receptus, e publicou um Novo Testamento baseado em seu aparato. Foi o primeiro erudito a romper claramente com o Textus Receptus, tanto no aparato quanto nas notas, bem como no uso de um texto grego totalmente diferente. Lachmann foi amargamente perseguido pelo que fizera, por homens que deveriam ser melhores conhecedores dos fatos, considerando o estágio a que a crítica textual chegara por esse tempo. Alguns queixavam-se de que ele se firmou sobre alguns poucos códices; e em muitos lugares isso expressa uma verdade. Não obstante, eram manuscritos verdadeiramente antigos e fidedignos, e o descobrimento dos papiros provou que Lachmann tinha razão na maioria de suas decisões.

15. *Na Inglaterra*, nos meados do século XIX, foi Samuel P. Tregelles (1813-1875) quem teve maior sucesso em fazer os eruditos ingleses perceberem a falácia do apoio ao Textus Receptus. Ele continuou e melhorou a obra de Lachmann, retornando o texto do Novo Testamento de volta aos séculos II e III D.C.

16. *Lobegott Friedrich Constantin Von Tischendorf* (1815-1874), é aquele a quem devemos maior agradecimento, devido à sua contribuição ao estudo do texto do Novo Testamento. Escreveu mais de 150 livros e artigos, a maior parte dos quais diretamente ligados à crítica bíblica. Entre 1841 e 1872, preparou oito edições do seu justamente famoso Testamento

Grego, que contém grande massa de evidência, grega, patrística e das versões . É lamentável que ele não tenha tido qualquer acesso aos papiros, pois nesse caso sua obra até hoje se situaria entre as melhores e mais completas. Foi ele quem descobriu, pessoalmente, o Códex Sinaíticus e, por causa disso, sua preferência exagerada por suas formas pode ser descontada. Deu preferência, quase sempre a qualquer forma que tivesse em seu favor tanto a Aleph (Sinaíticus) quanto a B (Vaticanus); e ao fazer assim, naturalmente, ele quase sempre tomou a decisão correta. Sua preferência exagerada por Aleph, e o fato de que lhe faltava a evidência prestada pelos papiros, tornava impossível para ele fazer o texto voltar para o século I de nossa era; mas podemos estar certos de que esse tipo de texto representa um desenvolvimento não posterior ao século II, com pequeníssima porcentagem de erro. Seu texto é essencialmente alexandrino, de tipo bem remoto. Tischendorf fazia seu trabalho como uma tarefa divinamente determinada. Escreveu à sua noiva: «Estou diante de uma incumbência sagrada, a luta para recuperar a forma original do Novo Testamento».

17. *Caspar René Gregory* preparou para o texto de Tischendorf uma valiosa «Prolegamena», e a publicou em três partes (Leipzig, 1884, 1890 e 1894). Esse volume foi publicado mais tarde na Alemanha em três volumes, sob o título «Textkritik des Neuen Testamentes» (Leipzig, 1900-1909). O sistema de designar os manuscritos unciais mediante letras **maiúsculas, e os manuscritos minúsculos por números, as versões latinas por letras minúsculas, e os** papiros pela letra «P», bem como a designação dos manuscritos gregos unciais por «O», e mais um número (sendo que todas as letras gregas e latinas já haviam sido usadas), foi o sistema usado por Gregório, em parte tomado por empréstimo e em parte inventado, e esse é o sistema que até hoje se usa.

18. *Henry Alford* (1810-1871) é melhor lembrado devido a seu comentário sobre o Novo Testamento Grego, mas também merece ser mencionado por sua defesa vigorosa dos princípios textuais que vários dos eruditos mencionados acima tinham formulado. De acordo com suas próprias palavras, ele trabalhava visando «à demolição de uma reverência indigna e pedante em favor do texto recebido, que se interpunha no caminho de toda a oportunidade de descobrir a genuína Palavra de Deus (página 76 de seu *Prolegomena* ao Testamento Grego, com um texto criticamente revisado).

19. Em 1881, *Brooke Foss Westcott* (1825-1901) e *Fenton John Anthony Hort* (1828-1892) publicaram a edição crítica mais digna de nota do Novo Testamento Grego que já aparecera até seus dias. Foi publicada em dois volumes, um com o texto, e o outro com uma introdução e apêndice, no qual se exibiam os princípios críticos sobre os quais se fundamentava o texto deles, juntamente com a discussão de várias passagens problemáticas. Esses homens refinaram os princípios exarados por Griesbach, Lachmann e outros, e distinguiram quatro tipos de texto: a. Neutro, o grupo de manuscritos que atualmente chamamos de «Alexandrino remoto», b. Alexandrino, que hoje em dia chamamos de «Alexandrino posterior», compostos dos *mss* C,L, códex 33, das versões coptas e das citações dos pais da igreja Clemente, Orígenes, Dionísio, Dídimo e Cirilo. Esses manuscritos foram por eles contrastados com o tipo *neutro* (ou o que julgavam ser o puro texto original, com modificações desprezivelmente pequenas), que era representado pelos *mss* Aleph e B. É que não contavam com os papiros, a maioria dos quais também teria sido situada no grupo dos manuscritos «*neutros*», se tivessem tido a oportunidade de examiná-los. c. Ocidental, composto do *ms* D **e das** versões latinas, D(p) e das citações de Márcion, Taciano, Justino, Irineu, Hipólito, Tertuliano e Cipriano. D. Siríaco, ou aquilo que atualmente denominaríamos Bizantino, composto de manuscritos posteriores, nenhum mais antigo que o século V, e a maioria posterior ao século VI, dos quais o Textus Receptus era a forma mais recente. A erudição mais recente tem confirmado, de modo geral, os princípios textuais de Westcott e Hort, embora o «Neutro» seja atualmente reconhecido como texto não verdadeiramente neutro, mas representante de texto antiqüíssimo, que incluía pouquíssimas interpolações e correções gramaticais feitas por escribas eruditos, que tentaram eliminar a natureza desajeitada e a gramática deficiente dos autores originais do Novo Testamento.

Westcott e Hort é que cunharam a expressão *não interpolações ocidentais*, em alusão aos lugares do texto ocidental onde haviam sido omitidas as interpolações «neutras», ou simplesmente não eram conhecidas nas localidades geográficas onde os manuscritos de cunho ocidental eram produzidos. Portanto, ficamos sabendo através disso que eles reconheciam que o seu texto «Neutro» não era 100% puro e, por conseguinte, não era 100% neutro.

20. *Bernhard Weiss* (1827-1918), professor de exegese neotestamentária em Kiel e Berlim, produziu um texto do Novo Testamento grego em três volumes, em Leipzig, 1894-1900. Embora operando sobre princípios diferentes, na escolha das variantes, o texto de Weiss se mostrou notavelmente similar ao de Westcott e Hort. Ele classificou os tipos de erros e, quando os achava, eliminava-os do texto. Esses erros são: a. harmonizações, sobretudo nos evangelhos; b. intercâmbio de palavras; c. omissões e adições; d. alterações da ordem de palavras, e variações ortográficas. Ele observou quais formas seriam mais apropriadas ao estilo e à teologia de cada autor sagrado, e escolheu as variantes que pareciam melhor harmonizar-se com o intuito geral do texto. Portanto, seu método foi essencialmente «subjetivo»; mas, mesmo assim, ele veio a **encarar o codex B** (*Vaticanus*) como o melhor manuscrito isolado, coincidindo assim com a opinião de Westcott e Hort. Foi natural, pois, que Weiss, não menos que vários eruditos antes dele, se tenha afastado tanto do texto do Textus Receptus.

21. *Hermann Freiherr Von Soden* (1852-1913) publicou uma maciça e monumental edição do Novo Testamento intitulado «Die Schriften des Neuen Testamentes in ihrer altesten erreichbaren Textgestalt hergestellt auf Grund ihrer Textgeschichte; 1. Teil, Untersuchungen (Berlim, 1902-1910); I. Teil, Text mit Apparat (Gottingen, 1913). Seus princípios textuais, porém, representaram um retrocesso — ao ponto de alguns terem chamado sua obra de «fracasso magnificente». Porém, ele realizou uma grande obra no texto bizantino, conferindo-nos muitas classificações válidas quanto aos níveis de seu desenvolvimento; e é devido a isso que ele é relembrado, até onde vai a sua contribuição para os estudos textuais. Ele dividiu os manuscritos em três tipos de texto, cada qual representando uma área geográfica onde esses supostos textos se desenvolveram. Assim sendo, teríamos: I, para Jerusalém, K, para *koiné*, o nosso bizantino; e H, para o pai da igreja Hesíquio, que equivalia mais ou menos ao texto «Neutro» de Westcott e Hort, já que aquele pai usou uma variedade bem remota do texto alexandrino. *Von Soden* situou nesses três grupos, tipos de manuscritos

bem diversos, de tal modo que somente a classificação «koiné» pode mostrar-se autêntica. Além disso, ele preferia o grupo «I» como o mais próximo do original, e assim preferiu usualmente formas que hoje em dia chamaríamos de *ocidentais*, ainda que seu grupo «I» sob hipótese alguma fosse um texto ocidental coerente. Situou ele nesse grupo os manuscritos D e Theta, um ocidental e outro cesareano, e tão diversificado era esse suposto texto «I» que lhe foi mister imaginar dezessete subgrupos. Equivocadamente, von Soden normalmente escolhia aquelas variantes que tinham os dois simples votos dos três grupos, embora se deva admitir que ele também tenha lançado mão de alguns outros princípios gerais. Não obstante, o texto que ele produziu era muito inferior ao de Westcott e Hort e de seus antecessores imediatos.

22. *Eberhard Nestle* (1851-1913) preparou uma edição do Novo Testamento Grego para a Wurtembergische Bibelanstalt, Stuttgart, 1898, que atualmente já passou por 26 edições, tornando-se a edição mais usada e famosa de todos os Novos Testamentos Gregos. Seu texto se baseia essencialmente sobre uma comparação dos textos editados por Tischendorf, Wescott e Hort e Berhard Weiss (todos já descritos neste artigo), de tal modo que onde dois dos três concordam, isso é reputado como a forma original. Deve-se dizer, porém, que a 26ª edição não segue essa regra inflexivelmente, porquanto são extraídas novas evidências dos lecionários e de outros manuscritos que antes não eram incluídos.

23. *O Novo Testamento Grego* das Sociedades Bíblicas Unidas: (três edições, a terceira, 1975). O texto grego deste Novo Testamento é igual ao texto de Nestle, mas as notas críticas (sobre variantes textuais) foram preparadas especificamente para tradutores. Um número menor de variantes é tratado, mas as explicações são mais detalhadas. Como companheiro do texto (3ª **edição), as Sociedades** Bíblicas publicaram um *Comentário Textual* que discute as principais 2.000 variantes, oferecendo motivos para as escolhas feitas.

Vários Eruditos Modernos têm preparado estudos que melhoram nosso conhecimento nas diversas áreas da crítica do Novo Testamento; mas são por demais numerosos para serem alistados e descritos individualmente. Deve-se notar, porém, que os princípios gerais estabelecidos por Westcott e Hort, embora tenham sofrido algumas leves modificações, de modo geral, têm se comprovado válidos como meios de restauração do texto do Novo Testamento à sua forma original. Nenhum erudito moderno de renome, no campo da crítica textual, que tem contribuído com publicações para esse terreno, defende o Textus Receptus em qualquer forma, como o texto mais próximo do Novo Testamento original. Até as mais conservadoras escolas que têm cursos de crítica textual, têm abandonado essa defesa inútil a esse texto posterior e mesclado. Devemos um voto de agradecimento, portanto, àqueles que, contra tão grande oposição, tomaram a sério a sua tarefa de devolver ao mundo um texto essencialmente puro do Novo Testamento, e porquanto perceberam a seriedade de seu empreendimento, realizaram-na com zelo e dedicação.

IX. BIBLIOGRAFIA (em ordem cronológica).

Porter, J. Scott, *Principles of Textual Criticism with their Application to Old and New Testaments,* Londres, 1848.

Tregelles, Samuel Prideaux, *Introduction to the Textual Criticism of the New Testament* (Que é o volume IV de «An Introduction to the Critical Study and Knowledge of the Holy Scriptures»), por Thomas Hartwell Horn, 10ª edição, Londres, 1856, com a 13ª edição em 1872.

Scrivener, F.H.A., *A Plain Introduction to the Criticism of the New Testament*, Londres, 1861; 2ª edição, Cambridge, 1874; 3ª edição, Londres (Edward Miller), 1894.

Westcott Brooke Foss e Hort, Fenton John Antony, *The New Testament in the Original Greek*, Cambridge e Londres, 1881; 2ª edição, 1896.

Nestle, Eberhard, *Einfuhrung in das griechische Neue Testament*, Gottingen, 1897; 2ª edição, 1899; 3ª edição, 1909. Tradução inglesa da 2ª edição alemã para William Eadie, *Introduction to the Textual Criticism of the Greek New Testament,* Londres, 1901.

Vincent Marvin R., *A History of the Textual Criticism of the New Testament, Nova Iorque,* 1899.

Gregory, Caspar René, *Canon and Text of the New Testament*, Nova Iorque, 1907. Pelo mesmo autor, «Prolegomena» vol. 3 da obra de Tischendorf, *Novum Testamentum Graece*, Leipzig, 1884-1894.

Von Soden, Hermann Freiherr, *Die Schriften des Neuen Testaments in ihrer altesten erreichbaren **Textgestalt***, **L. Teil**, «Untersuchugen», i. Abteilung, «Die Textzeugen», Berlim, 1902, ii. Abteilung, «Die Textformen», A. «Der Apostolos mit Apokalypse», 1910.

Souter, Alexander, *The Text and Canon of the New Testament*, Londres, 1913, com revisão por C.S.C. Williams, em 1954.

Robertson, A.T., *An Introduction to the Textual Criticism of the New Testament,* Nova Iorque, 1925; 2ª edição, 1928.

Kenyon, Frederic G., *The Text of the Greek Bible, a Students' Handbook*, Londres, 1949. Também «Our Bible and the Ancient Manuscripts», Nova Iorque, Harper and Row, 1962.

Metzger, Bruce M., *The Text of the New Testament*, Nova Iorque, Oxford University Press, 1964.

Geerlings, Jacob, editor, *Studies and Documents*, Salt Lake City, Utah, University of Utah Press, uma série de estudos textuais com várias datas.

••• ••• •••

Códex 1500, Século IX, Cortesia, Mosteiro de Laura, Mt. Atos
Mat. 6:4 ss

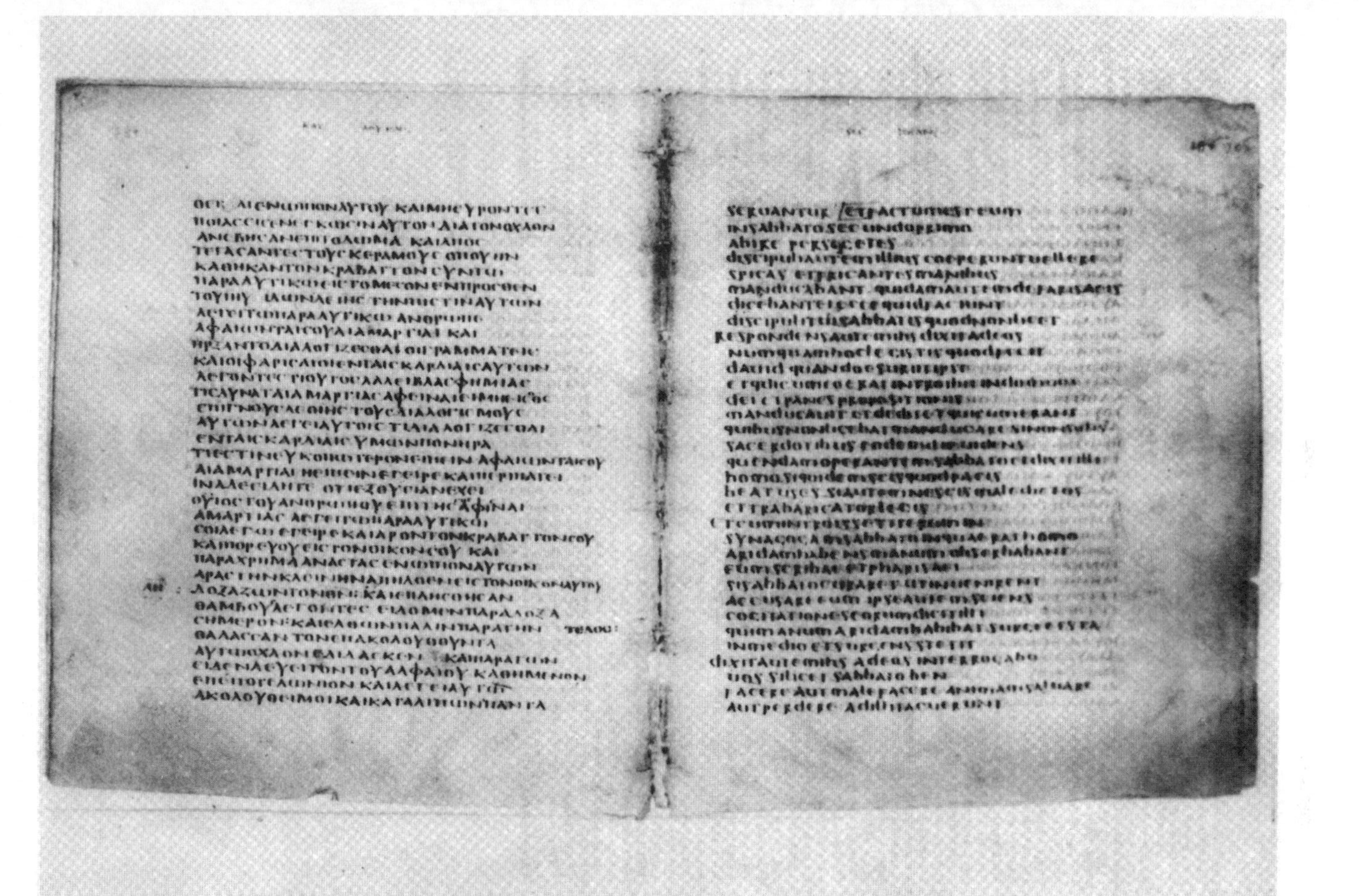

Códex D, Século V, Grego e Latim, — Cortesia Cambridge University
Lucas 5:19 ***ss***

Códex Sinaítico, Século IV, Lucas 22:17 ss.,

— Cortesia, British Museum

P(37) Século III-IV, Mat. 26:19 ss,
— Cortesia, University of Michigan

P(46), Século III, Rom. 16:4-13, — Cortesia, University of Michigan

MANUSCRITOS — PAPIROS

Ver os artigos separados sobre **Papiros de Bodmer,** e **Papiros Chester Beatty.** Ver também **Manuscritos do Novo Testamento, II, que tem uma lista completa.**

MANUSCRITOS (ROLOS) DO MAR MORTO

Ver **Mar Morto, Manuscritos (rolos) do.**

MÃO

No hebraico, temos três palavras e no grego, uma, a saber:

1. *Yad*, «mão». Palavra hebraica que aparece por mais de mil e trezentas vezes, desde Gên. 3:22 até Mal. 3:12.

2. *Ekeph*, «palma da mão», palavra hebraica usada por apenas uma vez, em Jó 33:7.

3. *Kaph* «palma da mão» e «sola do pé». Palavra hebraica empregada por cento e vinte e duas vezes, desde Gên. 20:5 até Ageu 1:11.

4. *Cheir*, «mão». Vocábulo grego que aparece por cento e setenta e oito vezes, desde Mat. 3:12 até Apo. 20:4.

A mão é o órgão terminal do braço de vários animais, répteis e anfíbios. Na maioria dos animais, a mão é usada na locomoção, embora, em português, a chamemos de pata, mas, na espécie humana, a mão é usada para segurar, para tatear, e para fazer todo tipo de trabalho. De fato, a mão é o mais usado de todos os membros do corpo humano. Compõe-se do pulso, da palma, de quatro dedos terminais e do polegar, potencialmente posicionado no lado oposto, mediante um ágil movimento, possibilitando o ato de segurar. Isso destaca o homem de todos os animais, excetuando no caso de certos primatas. O pulso é formado por oito ossos, arranjados em duas fileiras de quatro ossos cada. Esses ossos, que formam o *carpo*, têm o formato de cubos grosseiros e com seus tendões de conexão, são capazes de conferir grande agilidade à mão. A palma é formada por cinco ossos finos, ligados às *falanges*, ou ossos dos dedos. Temos catorze falanges em cada mão, a saber: três em cada dedo terminal e duas no polegar. As juntas entre os ossos do metacarpo e as falanges chamam-se nós dos dedos. A grande gama de movimentos possíveis à mão é controlada por músculos que se originam no ombro, no braço e no antebraço, ligados à mão por meio de tendões.

A mão é um instrumento de tal agilidade e graça que se encontra entre as mais maravilhosas criações de Deus. De fato, alguns teólogos têm-se valido da mão como um argumento em prol da existência de Deus, por causa de seu desígnio que demonstra tão grande inteligência. Ver sobre o *Argumento Teleológico*.

Usos Metafóricos. Quase todas as referências que há na Bíblia à mão são metafóricas. Damos abaixo exemplos disso:

1. A mão é símbolo de todos os tipos de atos e utilizações. Mãos *puras* indicam que uma pessoa faz coisas retas, ao passo que mãos *impuras* indicam que o indivíduo faz coisas erradas. Mãos *sangrentas* pertencem àqueles que matam ou praticam atos de crueldade. Ver Sal. 90:17; Jó. 9:30; I Tim. 2:8; Isa. 1:15.

2. A *lavagem* das mãos é sinal de inocência, de não querer se envolver em algo que é considerado errado (Deu. 21:6,7; Sal. 26:6; Mat. 27:24).

3. A mão representa poder e autoridade, o que explica as expressões bíblicas como *mão direita* (ou *destra*) e *o poder da mão* (ver Êxo. 15:6 e Isa. 10:13).

4. *Segurar* a mão direita representa dar apoio (Sal. 73:23; Isa. 41:13).

5. *Postar-se* à mão direita significa dar proteção, ou receber honra e poder da parte da pessoa ao lado (Sal. 16:8; 109:31; Mat. 20:23; Heb. 1:3).

6. *Apoiar-se* à mão de outrem é sinal de familiaridade ou de superioridade (II Reis 5:18; 7:17).

7. *Dar* a mão a outra pessoa significa submissão (II Crô. 30:8).

8. *Beijar* a mão de outrem é sinal de homenagem, respeito ou submissão (I Reis 19:18; Jó 31:27).

9. *Derramar água* nas mãos de outrem indica serviço prestado (II Reis 3:11).

10. *Tornar inativas* as mãos significa não permitir trabalhar, ou então enregelá-las de frio (Jó 37:7).

11. *Retirar* a mão aponta para remover a ajuda ou o apoio (Sal. 74:11).

12. *Decepar* a mão representa a prática de uma extrema autonegação (Mat. 5:30).

13. *A mão aberta* simboliza generosidade ou liberalidade (Deu. 15:8; Sal. 104:28).

14. A *mão fechada* é sinal de mesquinhez (Deu. 15:7).

15. A mão direita é o sul; a mão esquerda é o norte (Jó 23:9; I Sam. 23:19 e II Sam. 24:5).

16. *Voltar a mão contra* indica aplicar castigo (Amós 1:8; Jer. 6:9; Eze. 38:12; Sal. 81:14).

17. *Levantar as mãos* é sinal de oração intercessória ou de outorga de bênçãos (Jó 11:13; I Tim. 2:8). Esse ato também era efetuado quando se prestava um juramento (Gên. 14:22), ou quando se implorava algo (I Tim. 2:8).

18. *Bater* as mãos uma na outra era sinal de lamentação, ira ou consternação (II Sam. 13:19; Jer. 2:37; Núm. 24:10; Eze. 21:14,17).

19. A mão direita de um sacerdote era tocada com o sangue da vítima, dando a entender expiação e a autoridade do sacrifício oferecido (Êxo. 29:20 e Lev. 8:23,24).

20. *Juntar* as mãos indicava acordo ou o estabelecimento de um pacto (II Reis 10:15; Jó 17:3; Pro. 6:1; 17:18).

21. Pôr a mão *sob a coxa* era um ato que simbolizava a confirmação de um juramento (Gên. 24:2,3; 47:29,31).

22. *Bater palmas* é sinal de alegria, triunfo ou aprovação (II Reis 11:12; Sal. 47:1).

23. *Abrir a mão* indica oferecer ajuda ou emprego (Deu. 15:11).

24. *Pôr as mãos no arado* significa iniciar uma tarefa ou missão (Luc. 9:62).

25. A *imposição de mãos* (vide) era um meio de se conferir alguma bênção, cura ou algum tipo de poder, inclusive poder espiritual (Atos 8:17; I Tim. 4:4). Também transferia o pecado (simbolicamente falando) para o animal a ser sacrificado (Lev. 16:21).

26. *Estender as mãos contra* era fazer oposição a algum inimigo (Eze. 25:13) ou ajudar a algum amigo (Deu. 3:24; 4:24).

27. *Estar à mão* é proteger e prestar auxílio (Jer. 23:23). No tocante ao tempo, significa «breve» (Fil. 4:5).

28. Entregar o espírito às mãos de Deus é morrer na boa esperança da bênção de Deus, na esperança da prosperidade espiritual no mundo vindouro (Luc. 23:46). Encontramos o mesmo sentido em Atos 7:59, embora sem a menção às mãos.

29. A *mão direita* era lugar de favor especial; a mão esquerda, de favor secundário (Mat. 20:23). Porém, a

mão direita também pode indicar favor, e a esquerda, desprazer ou julgamento (Mat. 25:33). O lado esquerdo ou mão esquerda pode indicar algo pervertido, inferior, ímpio. Ou então, na política, os esquerdistas.

30. Nos sonhos, duas mãos em oposição indicam alguma decisão que precisa ser tomada entre duas alternativas, e a mão *esquerda* é a alternativa que deveria ser rejeitada. Nesses sonhos, as mãos podem segurar objetos simbólicos, que representam as alternativas.

31. Uma mão gigantesca, que desce do céu, nas visões ou nos sonhos, refere-se ao poder de Deus, que está atuando.

32. O *toque* das mãos simboliza bênçãos, a comunicação de autoridade ou sentimentos de bondade ou ternura (Gên. 48:13,14; Deu. 34:9).

MÃO RESSEQUIDA

O milagre de Jesus da mão ressequida e a questão do sábado.

Ver Mateus 12:10 e contexto.

É lícito curar nos sábados? (Ver o artigo geral sobre *milagres*).

«Entrou na sinagoga deles». Essas palavras indicam uma viagem (apesar de que em Mar. 3:1-6 e em Luc. 6:6-11 não é indicada qualquer mudança de local). Alguns sugerem que esse acontecimento se deu depois que Jesus voltou de Jerusalém para a Galiléia, após ter celebrado a Páscoa. Mas neste evangelho observa-se que quando aparecem tais palavras a mudança de local também é indicada. Ver Mat. 11:1 e 15:29. Lucas mostra que isso ocorreu em outro sábado (Luc. 6:6). As três narrativas, de Mateus, de Marcos e de Lucas, contêm algumas diferenças: 1. Lucas diz que era a mão direita do homem que estava ressequida. 2. Marcos mostra somente que Jesus olhou ao redor, «indignado e condoído com a dureza dos seus corações». 3. Marcos menciona somente que o pacto formado contra Jesus também incluía os herodianos.

É importante observarmos que a narrativa que o autor acaba de relatar (vss. 1-8) sugere um exemplo, tirado da vida de Jesus, em que ele mostra «misericórdia, e não holocaustos», e, particularmente, que ele realizou isso em dia de sábado.

«Mão ressequida». Literalmente, «seca», em condição impossível de ser usada. A falta de uso da mão, especialmente da mão direita, criaria problemas para o exercício de determinadas profissões. O evangelho aos Hebreus apresenta esse homem como pedreiro, o que é confirmado por Jerônimo, se isso era verdade, parece que a mão do homem estava naquelas condições por causa de um acidente e não por defeito de nascimento, o que mostra quão importante seria para aquele homem o uso de sua mão direita. Apesar disso, a cura poderia esperar para ser feita no dia seguinte, primeiro dia da semana, e assim Jesus poderia ter evitado a censura da parte das autoridades religiosas. Mas aqueles homens já sabiam quão misericordioso era Jesus, e que provavelmente não esperaria nem mais um dia, e assim, sabendo disso, procuraram ocasião para condenar o ato que, sem dúvida, esperavam que ele realizasse.

«É lícito curar no sábado?» Pela narrativa, parece que realmente, tentaram Jesus a fazer o milagre, não para vê-lo operar com seu poder, nem para receber um sinal dos céus, como prova de que ele era o Messias, mas, ao contrário, a fim de aumentar as provas que estavam reunindo contra ele, especialmente para provar que agia contra Moisés, porquanto «trabalhava» no sábado.

«Acusá-lo». Não fala de acusação pesssoal, mas de uma acusação diante do tribunal da sinagoga ou da cidade. Ver sobre os *tribunais* dos judeus, em Mat. 10:17 no NTI. Provavelmente queriam que algum tipo de condenação fosse pronunciada contra Jesus, como açoitamento ou mesmo expulsão da sinagoga. Na literatura judaica fica-se sabendo que curas por meio de remédios, etc., em dia de sábado, só eram permitidas em casos que envolvessem vida ou morte. Aquele homem, que tinha apenas uma das mãos ressequida, não cabia dentro dessa classificação, à vista dos judeus.

Este versículo ilustra novamente quantos extremismos foram criados pela tradição judaica. Lemos, em relação à invasão do território da Palestina, pelos soldados romanos, antes da queda de Jerusalém, em 70 D.C., que os judeus julgavam um crime combater em dia de sábado. Por causa disso, a queda de Jerusalém se abreviou. Ver Dio. Cass. *lib*. 36.

Jesus ilustrou em vss. 11 e *ss* que a lei do amor, até na sua aplicação aos animais, supera o legalismo. *É lícito fazer o bem nos sábados* (vs. 12) foi a sua conclusão. Jesus deu grande valor à pessoa humana e ignorava os exageros dos homens. Ver os artigos separados sobre *Legalismo* e *Sábado*.

MAOL

No hebraico, «dança». Nome daquele que se presume ter sido o pai de Hemã, Chalcol e Darda, famosos por sua sabedoria, antes da época de Salomão (I Reis 4:31). Surge a dificuldade em I Crô. 2:6, onde lemos que eles eram filhos de Zera. Se isso é certo, então *Maol* deve ser entendido como uma alusão ao fato de que eles eram *dançarinos* ou compositores de música, uma arte quase sempre ligada à dança, e não uma referência ao pai deles. Dois desses sábios compuseram um salmo que encerra a coletânea conhecida por esse nome. Hemã compôs o Salmo 88, e Etã compôs o Salmo 89.

MAOM

No hebraico, «residente». Há vários indivíduos ou lugares assim chamados:

1. Um filho de Samai, da linhagem de Calebe. Seus descendentes faziam parte da tribo de Judá. Maom era o pai de Bete-Zur, o que significa que os habitantes do lugar eram seus descendentes, ou que ele foi o fundador daquela cidade. É possível, porém, que seus descendentes tivessem sido os fundadores da cidade. Ver I Crô. 2:45.

2. Há uma cidade com o nome de Maom, na região montanhosa de Judá (Jos. 15:55). Ficava localizada a catorze quilômetros e meio ao sul de Hebrom, e tem sido identificada com a modernaTell Ma'in, que fica no alto de uma colina. Quando Davi fugia de Saul, refugiou-se no deserto de Maom (I Sam. 23:24 *ss*). *Nabal* (vide) residia em Maom. Quando Nabal morreu, Davi desposou sua viúva, Abigail (I Sam. 25:2).

3. *Maonitas*. Os maonitas mostraram-se hostis para com Israel (ver Juí. 10:12). Os eruditos não estão certos se eles tinham ou não qualquer conexão com *Maom*, e, se havia tal conexão, no que consistia Maom. Alguns têm-no identificado com os meunitas de I Crô. 4:41 e II Crô. 20:1 e 26:7, embora não haja

certeza quanto a isso. Os meunitas são mencionados juntamente com os egípcios, os amorreus, os amonitas, os filisteus, os sidônios e os amalequitas. É possível que os meunitas tivessem antes residido em Maom, tendo derivado o seu nome dessa circunstância, mas os eruditos nunca conseguiram chegar a conclusões indubitáveis sobre a questão. A associação dos árabes e dos amonitas com os meunitas (ver II Crô. 20:1), sugere que eles habitavam em *Ma'an*, a suleste de Petra.

MAOMÉ

Suas datas foram 570—632 D.C. Esse homem nasceu em Meca, razão pela qual essa cidade veio a tornar-se o principal santuário do *islamismo*. Maomé foi o autor do sistema religioso que atualmente conta com trezentos milhões de adeptos, espalhados pelo mundo inteiro. Considerando-se o fato de que ele nasceu quando a história já era uma disciplina bem desenvolvida, surpreendemo-nos diante de nossos tão parcos conhecimentos acerca de sua vida. Entretanto, não se pode dizer a mesma coisa quanto aos seus ensinos, que são claros para todos os que queiram estudá-los.

1. *Começo de Carreira*

— Tudo quanto sabemos sobre o estágio inicial de Maomé consiste em referências casuais no livro sagrado de Islã, o *Alcorão*. Mas certo material informativo acumulou-se em torno de sua pessoa, parte claramente lendária—o que sempre acontece, no caso de grandes líderes, religiosos ou não. O Alcorão (14.40) revela-nos que Maomé nasceu em Meca, localizada em um «vale não-cultivado». Ele pertencia à tribo dos *coreixistas* (Quraysh), uma tribo composta por nobres, encarregados do santuário daquela cidade, e que também eram ativos no comércio, controlando rotas de caravanas. Mas a família imediata de Maomé, contudo, era humilde. Seu pai, Abdula, morreu antes do nascimento de Maomé, e sua mãe, Amina, morreu quando o garoto tinha apenas seis anos de idade. O Alcorão alude a esses infortúnios indagando: «Ele não te encontrou órfão, e não te protegeu?» (93.6-8). As tradições ajuntam que Maomé foi acolhido por uma família de beduínos, mas somente enquanto foi criança. Parece que ele acabou sendo entregue aos cuidados de seu avô paterno, Abd-al-Mutalibe. No entanto, esse avô faleceu apenas dois anos mais tarde, pelo que Maomé ficou sob a proteção de um filho daquele homem, e, portanto, seu tio, de nome Talibe. E uma viagem que Maomé supostamente teria feito à Síria, em companhia de um tio, é posta em dúvida, devido a certos detalhes de puro embelezamento lendário. O próprio Alcorão não fornece qualquer informação desse tipo. Supostamente, na Síria, a futura grandeza de Maomé, como líder religioso e profeta, foi reconhecida por um monge cristão, de nome Bahira.

2. *Chamada*

— Com cerca de vinte e cinco anos de idade, Maomé teve a boa sorte de conhecer uma rica, enérgica e agradável viúva, de nome Cadija (que então estava com cerca de quarenta anos), e casou-se com ela. Uma das provas da sabedoria prática de Maomé é que ele contraiu matrimônio com essa mulher, solucionando os seus problemas financeiros. E isso lhe permitiu seguir, sem qualquer distração, a sua carreira religiosa. Cadija ocupava-se no comércio, e, para todos os efeitos, era a patroa de Maomé. Seja como for, o casamento foi excelente; e foi somente após a morte de Cadija que Maomé começou a praticar a poligamia. Ele chegou a ter nada menos de doze esposas. Fátima foi a única filha que Maomé teve com Cadija. Ela se casou com um primo de nome Ali. E os filhos de Fátima é que são tidos como os descendentes do profeta islamita.

Os historiadores narram que a independência financeira de Maomé permitiu-lhe seguir seus próprios gostos e objetivos. Ele era freqüentemente visto como homem que gostava da solidão, vagueando pelos montes e lugares afastados, onde buscava iluminação e uma experiência religiosa mais profunda. E ficou impressionado diante de certo fato significativo. Os judeus e os cristãos, que tinham os seus próprios Livros Sagrados, eram prósperos e de cultura e economia avançadas, ao passo que seu próprio povo, destituído de um Livro Sagrado, era pobre e atrasado.

Primeira Experiência Mística. Maomé encontrava-se em uma caverna, fora de Meca, em um local chamado Hira. Subitamente, uma voz foi claramente ouvida por ele, que dizia: «Lê em nome de teu Senhor, que te criou». Ora, Maomé era analfabeto, pelo que também hesitou. Como poderia ele ler? E o quê? Mas a voz fez-se ouvir novamente: «Lê, pois teu Senhor é o riquíssimo, que ensina ao homem o que ele não sabia» (Alcorão 96.1-5). Essa voz soou como se fossem sinos que reverberavam, e logo foi identificada como a voz do anjo Gabriel. Isso teria acontecido em cerca de 610 D.C., quando Maomé tinha cerca de quarenta anos de idade. Esse foi o começo de muitos anos de experiências místicas. De fato, ele continuou a receber mensagens assim durante cerca de vinte e três anos. E a essência dessas mensagens, postas sob forma escrita, veio a ser o Alcorão. E foi dessa maneira que os árabes obtiveram seu Livro Sagrado, tão importante aos olhos de Maomé. Essa iniciação de Maomé com as experiências místicas é chamada de «a noite do poder» (Alcorão 97.1), e até hoje é celebrada em certas porções do mundo árabe como um dia santo especial.

3. *A Mensagem de Maomé*

As declarações originais tinham a forma de prosa rimada, comum entre aqueles que pronunciavam oráculos, similares às declarações dos sacerdotes pagãos. Os conhecedores afiançam que essa prosa era excelente, e não algo que se poderia esperar da parte de um homem essencialmente ignorante. Naturalmente, isso foi e continua sendo aceito como sinal do envolvimento de uma genuína inspiração divina do Alcorão. O livro que resultou dessas revelações, o Alcorão, é considerado o milagre realizado por Maomé. Ele nunca afirmou ter realizado qualquer outro milagre, embora milagres se tenham tornado uma parte da vida de diversos de seus seguidores e de algumas das principais autoridades religiosas do islamismo. E as primeiras doutrinas ensinadas por Maomé foram: a unidade de Deus; os seus atributos; a vida futura da alma, no bem ou no mal; o julgamento, que envolve recompensas para os bons e castigos para os maus. Quanto a uma declaração completa a respeito, ver os artigos separados intitulados *Alcorão, Islã, Ética Islâmica, Filosofia Islâmica, Ismael* e *Maometanismo*.

4. *Ênfase Sobre o Monoteísmo*

O politeísmo popular era abominável para Maomé, especialmente do tipo que se mescla com a idolatria. Como uma de suas principais crenças religiosas, Maomé ensinava que só existe um Deus, Alá (vide). Alá requer a submissão dos homens, se estes quiserem ser salvos. Maomé, pois, tornou-se o profeta de Alá, embora ele reconhecesse outros profetas, que teriam atuado antes dele, como Adão, Abraão, Moisés e Jesus. Entretanto, ele acreditava ser o último da linhagem dos profetas, a grande razão pela qual os islamitas têm perseguido resolutamente ao *bahaísmo* (vide), com o seu outro profeta, Baha Ullah.

5. *Primeiros Seguidores*

Sua esposa, Cadija, seu sobrinho, Ali, e o liberto que ele adotara como seu filho, Zaide, prontamente aceitaram as suas revelações e a sua autoridade como provenientes de Deus. No primeiro ano de sua missão, ele ganhou apenas mais oito seguidores. Eles se reuniam em sua casa, nos cultos a Alá. Após três anos, Maomé contava apenas com cerca de vinte discípulos. Não obstante, a sua cruzada prosseguia. E Maomé afirmou que, entre os seus propósitos, havia o intuito de derrubar os trezentos e sessenta ídolos que eram comumente adorados por seu povo, estabelecendo, em lugar dos mesmos, unicamente a adoração a Alá. Maomé foi difamado, perseguido, boicotado e separado das massas populares como homem que deveria ser evitado por todos. Apesar disso, ele apelou para os cidadãos de Iatribe (chamada depois de *al-Medina*, «a cidade do profeta»), para que o recebessem; e eles o fizeram. Posteriormente, ele fugiu de Meca para uma caverna, existente em um monte, conhecida como *Hejira* ou *Hijra*. Essa fuga é que assinala o começo do calendário islâmico, ou seja, 16 de julho de 622 D.C.

6. *Sucesso em Medina*

Maomé era um pregador incansável, exortando e ensinando. Sua prédica era eloqüente e persuasiva, e ele foi capaz de converter à sua religião a cidade inteira de Medina, excetuando a sua população judaica.

7. *Regras para os Primeiros Discípulos*

A doutrina do discipulado islâmico contém seis principais conceitos e exigências:

a. Não adoraremos qualquer outro deus, salvo o único Deus.

b. Não furtaremos.

c. Não cometeremos adultério.

d. Não mataremos nossos filhos.

e. Não caluniaremos a ninguém, em qualquer sentido.

f. Não desobedeceremos ao profeta em qualquer coisa correta.

Foi construída uma mesquita para a adoração diária, para os exercícios religiosos e para a educação religiosa.

8. *Guerras Santas*

Maomé havia sido perseguido, e fora obrigado a fugir de Meca. Agora, porém, a maré estava virando em seu favor. Ele começou a atacar caravaneiros vindos de Meca, e, quando houve o confronto, foi capaz de derrotar os exércitos de Meca. Durante esse período, Maomé mostrou que não era nenhum general de gabinete. Antes, ia pessoalmente aos campos de batalha. Foi ferido em Uhude e Abu-Sufyan, mas não deixou de combater enquanto a vitória não estava garantida. Isso sucedeu em 625 D.C. Dois anos mais tarde, ele foi forçado a defender a cidade de Meca, o que conseguiu fazer com sucesso. Ele mandou escavar uma trincheira defensiva em redor da cidade, aparentemente por sugestão de um persa que se aliara a ele. E os árabes, nunca tendo visto defesa semelhante, ficaram confusos e foram derrotados. Os convertidos à sua fé religiosa multiplicaram-se astronomicamente, e suas vitórias militares se sucederam.

Quando a própria cidade de Meca caiu sob seu poder, ele se tornou ditador absoluto. Estava então com cerca de sessenta anos de idade. Sua primeira providência foi abolir, de forma total, qualquer tipo de idolatria. Em seguida, instituiu reformas que fazem parte da vida islâmica até hoje. Naturalmente, ele começou a perseguir e a eliminar (modernamente, segundo afirmam alguns historiadores) aqueles que a ele se opunham, incluindo os judeus que se recusavam a converter-se ao islamismo.

Maomé reduziu todos os centros cristãos a praticamente nada. Enviou embaixadores aos quatro grandes impérios da Abissínia, do Egito, da Grécia e da Pérsia, exigindo lealdade e fé da parte dos mesmos. Quando eles se recusaram, Maomé reuniu os árabes e invadiu esses impérios. Embora o próprio Maomé tenha falecido somente dois anos mais tarde (632 D.C.), seus exércitos marcharam com um zelo fanático, tendo sido capazes de conquistar muitas terras de três continentes: Ásia, África e Europa. Com base nesses fatos, podemos fazer uma melhor idéia quanto às «guerras santas» dos árabes, em nossos dias. Verdadeiramente, as guerras santas fazem parte vital da fé islâmica. Isso deve ser contrastado com a pessoa de Jesus, que nunca liderou qualquer exército, nem levantou espada, e que recomendou que voltássemos a outra face, a quem nos esbofeteasse.

9. *Morte de Maomé*

Maomé morreu a 8 de junho de 632 D.C. Ele sentiu-se subitamente enfermo, e faleceu queixando-se de forte dor de cabeça. Foi sepultado no apartamento de sua esposa favorita, Aísa. Esse local foi posteriormente anexado a uma mesquita contígua, tornando-se um local de peregrinações de todas as futuras gerações de islamitas. Dois anos antes de seu passamento, ele havia despachado uma expedição contra a Síria, que mostrou ser o primeiro ato de um conflito que não cessou enquanto o crescente do islamismo não estava desfraldado sobre grande parte do mundo civilizado da época.

10. *Características de Maomé*

Fisicamente falando, diz-se que Maomé era homem de estatura mediana, com cabeça grande, olhos graúdos, sobrancelhas pesadas, barba espessa, ombros largos. Era homem dotado de mente vigorosa e arguta, indivíduo de coragem e de convicções fortes, que não hesitava em passar das palavras para atos de violência. Como profeta, ele teria tido uma visão sobre uma única fraternidade humana, e nunca deixou de lutar pela concretização desse ideal. Ele conquistava e organizava os seus seguidores, mediante um contagiante e irresistível entusiasmo. Como estadista, ele mostrou ser um político vigoroso, astuto, resoluto e invencível. Obteve a devoção absoluta de homens capazes, como Abu-Bakr, Umar e outros, que, por sua vez, eram fortes personalidades. Mas, no ponto culminante de sua glória, ele continuou vivendo de modo simples e despretencioso, tendo-se tornado o líder religioso ideal para muitos milhões de pessoas. (AM BUH C E EP P)

MAOMETANISMO

Ver os artigos separados sobre *Maomé; Alcorão; Ética Islâmica; Filosofia Islâmica*.

1. *Nomes*

O maometanismo também é conhecido como islã ou islamismo. Essa é a religião dos seguidores de Maomé (570—632 D.C.). Ele declarava ser o último da série de profetas enviados por Deus.

2. *Fontes Informativas*

Maomé afirmava ter recebido visões e revelações

durante um período de vinte e três anos, a fonte principal de sua fé religiosa. Numerosas referências ao Antigo e ao Novo Testamento, entretanto, indicam que ele muito devia a essas fés quanto a várias de suas idéias fundamentais. Durante algum tempo, ele se associou a judeus e a cristãos, admirando enormemente os seus *Livros Sagrados*, que faltavam aos árabes, seu povo. As primitivas religiões árabes e o zoroastrismo foram fontes informativas secundárias. Apesar desses fatores, Maomé fez empréstimos parcos de outras fontes, e o islamismo é menos dependente de fontes externas do que o judaísmo e o cristianismo.

A base da fé islâmica quase sempre é a palavra de Maomé, reduzida à forma escrita por ele mesmo ou por seus seguidores, que então adicionaram as suas próprias idéias. Em seguida houve um processo de canonização eclesiástica, no sentido de proteger e propagar a mensagem. No islã fala-se sobre cento e quatro Escrituras, mas dessas apenas quatro teriam sobrevivido: o Pentateuco, os Salmos, os Evangelhos e o Alcorão. E o Alcorão seria a verdadeira Palavra de Deus, que teria vindo para ficar, dispensando qualquer outra revelação escrita. Os islamitas acreditam que o Alcorão está eternamente preservado no céu, sob a forma de tabletes escritos. Esses tabletes teriam sido revelados a Maomé, por amor aos homens. Há referências a muitos profetas. Os islamitas pensam que há cerca de trezentos mil profetas. Os principais entre eles foram: Adão, Noé, Abraão, Moisés, Jesus e Maomé. Presumivelmente, Maomé foi o último e maior de todos os profetas.

3. *Monoteísmo Absoluto*

4. *Principais Deveres*

Todos os muçulmanos estão no dever de observar cinco obrigações básicas:

a. Profissão de fé, o que se faz diariamente, com a repetição do credo fundamental.

b. Oração cinco vezes a cada vinte e quatro horas, de rosto voltado na direção de Meca.

c. Doação de esmolas, ou o pagamento de uma taxa de dois e meio por cento da renda, aos pobres.

d. Jejum todos os dias, do alvorecer ao cair da tarde, durante o mês de Ramadã.

e. Peregrinação a Meca, ao menos uma vez na vida.

5. *Ética Islâmica*

Ver o artigo separado com esse título.

6. *Filosofia Islâmica*

Ver o artigo separado com esse título.

7. *Escatologia*

Foi quanto a isso que o zoroastrismo exerceu poderosa influência sobre o islamismo. Durante o futuro julgamento, o indivíduo seria testado por ter de atravessar uma ponte sobre o inferno. Para os infiéis, essa ponte vai diminuindo de largura até tornar-se fina e afiada como uma navalha. Dependendo do grau de fidelidade e pureza de cada um, ou o indivíduo precipita-se nas torturas do inferno, ou, então, passa para uma vida caracterizada pelo prazer e pelos banquetes, em companhia de lindas donzelas, as huris. As almas dos incrédulos serão atormentadas no inferno, até o dia da ressurreição dos mortos. Então, a trombeta soará, e os mortos serão fisicamente ressuscitados. Naturalmente, esse último aspecto deriva-se do sistema judeu-cristão. Então haverá um julgamento de acordo com as obras de cada um, com a resultante caminhada sobre a ponte, conforme foi dito linhas acima, ou, então, com a resultante festividade dos justos. Naturalmente, o islamismo mais sofisticado interpreta ambas as situações em um sentido simbólico.

8. *Sucessores de Maomé e as Divisões do Islamismo*

Após a morte de Maomé, o papel de liderança foi ocupado, sucessivamente, por quatro dos mais íntimos companheiros dele. O último deles chamava-se Ali. E foi por essa altura que ocorreu uma divisão dentro do maometanismo, em torno da questão da sucessão. Um dos grupos, os *sunitas* (que atualmente formam a grande maioria dos maometanos), afirma que a sucessão de Maomé terminou com Ali. Mas os xiitas reconhecem os descendentes de Ali como legítimos perpetuadores da fé.

9. *Sufismo*

Os xiitas deram origem ao movimento místico conhecido como *sufismo* (vide). Eles estão esperando um futuro grande líder, o Imã final, chamado *Mahdi*. Ele é quem aparecerá sobre a terra, como representante de Alá, a fim de conduzir as hostes islâmicas à vitória mundial. Ele representará o estágio final do maometanismo, o estágio chamado Imã. Foi dentre os xiitas que surgiu uma seita racionalista, conhecida como os *mutazilitas* (vide), bem como uma verdadeira divisão dentro do islamismo, chamada *bahaísmo* (vide). Esse último grupo conta com um outro profeta, de nome Baha Ullah, que afirmava ter recebido ainda maiores luzes do que o próprio Maomé. No entanto, esse grupo tem sido intensamente perseguido pelos outros maometanos, e muitos membros do grupo têm sido martirizados.

10. *Disputas Teológicas*

Tanto os mutazilitas quanto os cadaritas (uma outra escola do pensamento islâmico) ensinam o livre-arbítrio do homem, em oposição aos cabaritas (outra escola religiosa islâmica), que ensinam um determinismo absoluto. Os mutazilitas formam um movimento separatista. Seus adeptos, os *mutakillim*, são ortodoxos.

11. *Imã*. Esse termo refere-se àqueles que foram verdadeiros sucessores de Maomé. Nessa sucessão, ao que se presume, o *Mahdi* (equivalente ao Messias) haverá de surgir em cena. O Imã oculto, supostamente, desapareceu em 873 D.C., mas haverá de reaparecer como o Mahdi. Ao longo da história islâmica, numerosos candidatos ao papel têm aparecido.

12. *Estatísticas*

Mais de trezentos milhões de pessoas seguem uma forma ou outra do maometanismo. Quanto a informações bibliográficas, ver o artigo chamado *Maomé*, bem como os outros artigos referidos no começo do presente verbete.

MAOQUE

No hebraico, «pobre», ou, então, na opinião de outros, «opressão». Esse era o nome de Aquis, rei de Gate. Davi, quando fugia de Saul, refugiou-se com Aquis (I Sam. 27:2). Talvez Maoque seja o mesmo homem que o trecho de I Reis 2:39 chama de Maaca. Corria, aproximadamente, o ano de 1004 A.C.

MÃOS, IMPOSIÇÃO DE

Ver os três artigos separados: **Dons Espirituais; Curas; Curas Pela Fé.** As modernas pesquisas sobre os fenômenos psíquicos têm mostrado a eficácia da imposição de mãos nas curas. Esse processo pode ser perfeitamente natural, visto que o homem, por ser um espírito, tem poderes naturais, podendo transferir para outrem certa energia curativa. — Outras vezes, entretanto, não há que duvidar que o taumaturgo é usado por algum poder superior, tornando-se o transmissor das energias desse poder superior. E, ainda de outras vezes, isso pode envolver a intervenção direta do Espírito Santo, quando, então, é a *divina* energia que realiza a cura.

Significados da Imposição de Mãos:

1. *Animais Sacrificados em Holocausto*. O adorador ou um sacerdote impunha as mãos sobre o animal prestes a ser sacrificado. Esse era um ato simbólico, aludindo à transferência da culpa do indivíduo para o animal sacrificado. Ou então, poderia indicar que o animal estava sendo dedicado àquele serviço. O bode expiatório, do dia da Expiação, cabia dentro da primeira categoria (Lev. 16:21), mas talvez, em outros casos, estivesse em foco a segunda idéia. Ver Êxo. 29:10; Lev. 1:4; 4:4,24,29,33; 8:14; Núm. 8:10,12.

2. *Casos que Envolviam Blasfemadores*. Aqueles que acusassem a alguém de blasfêmia, impunham as mãos sobre o acusado, antes que fosse levado para ser apedrejado. O ato simbolizava o testemunho sério de acusação contra o acusado, em que a imposição de mãos acrescentava um ar de solenidade. Ver Lev. 24:14. E também representava que a culpa era *posta* sobre o acusado. Tradicionalmente, as palavras então proferidas eram: «O teu sangue seja sobre ti; és culpado disso».

3. *A Bênção*. Os patriarcas abençoavam a seus filhos **impondo-lhes as mãos (Gên. 48:14).** Isso acontecia de modo geral, nas bênçãos dadas pelos pais a seus filhos. Isso constituía um toque de afeição, mas também, segundo alguns estudiosos supõem, havia no ato alguma espécie de transferência de poder psíquico ou espiritual, que fazia a bênção tornar-se eficaz. Jesus abençoou às crianças dessa maneira (Mat. 19:15; Mar. 10:13,16). Se um grupo de pessoas tivesse de ser abençoado, então o ato era realizado com os braços estendidos, conforme sucedia nas bênçãos sacerdotais (ver Lev. 9:22; ver também Luc. 24:50, onde Cristo abençoou aos seus discípulos, em sua ascensão ao céu).

4. *Curas*. Quanto a referências bíblicas às curas por meio da imposição de mãos, ver trechos como Mar. 5:23; 5:41; 16:18; Luc. 13:13; Atos 5:12; 9:12,17; 28:8. A ciência tem mostrado que isso é mais que um ato simbólico. Os homens vêm praticando a imposição de mãos tanto quanto a história nos mostra. E, em alguns hospitais modernos, a técnica é empregada por aqueles que demonstram ser possuidores de poderes curadores, que são capazes de transmitir desse modo. Alguns pensam que o ato é mais eficaz se as mãos pairam por cima dos enfermos, mas não os tocam. Alguns pesquisadores dizem que a fotografia kirliana (vide, no artigo sobre a *Parapsicologia*) revela certa transferência de energia, e alguma perda de peso tem sido registrada no caso dos taumaturgos, que assim perdem alguma forma de energia. Essa energia vital talvez seja a essência mesma da vida. Quanto a outros comentários e referências a outros artigos, ver o parágrafo introdutório a este artigo.

5. *O Dom do Espírito*. O Espírito Santo é dado às pessoas, por meio da imposição de mãos (ver Atos 8:18,19; 19:6), embora não somente por esse método. Esse ato parece ajudar em certas experiências místicas, incluindo as línguas. Um mediador experimentado sempre é de ajuda em tais casos, e podemos supor que há o envolvimento de alguma forma de energia vital. Alguns grupos cristãos praticam a imposição de mãos após o batismo em água, com a confiança de que isso ajuda a outorgar o dom do Espírito. E o trecho de Heb. 6:2 é usado como texto de prova para tanto. Parece que a questão envolve mais que alguma simples oração, para que o Espírito de Deus realize o seu ofício. Algum tipo de ato medianeiro é requerido, embora o que venha a acontecer depois seja o verdadeiro batismo no Espírito, ou a outorga de algum dom espiritual, ou algum acontecimento de menor envergadura. Pouco sabemos acerca dessas questões, pois elas são muito mais complexas do que a Igreja tem pensado. Quanto a uma ilustração, ver o artigo intitulado *Línguas, Falar em*. Acresça-se que tais fenômenos não estão confinados à Igreja cristã.

6. *Como Rito de Ordenação*. Esse ato é quase tão antigo quanto a história nos permite recuar. A casta sacerdotal transmitia seus direitos e poderes quando um sacerdote impunha suas mãos sobre um candidato. A idéia é que o poder é transferido da mesma maneira que Eliseu anelava por ter a capa de Elias (ver II Reis 2:13). Josué foi consagrado para tomar o lugar de Moisés, mediante a imposição de mãos (Núm. 27:18,23; Deu. 34:9). Supõe-se que Josué já possuía os dons espirituais necessários para o cumprimento de sua missão, mas, não há que duvidar que os antigos pensavam que o ato da imposição de mãos ou aumentava os poderes inerentes dos dons naturais e espirituais, ou então chegava mesmo a transmitir esses poderes. Todavia, o ato de ordenação não meramente *confirmava* o que já era possuído, da mesma maneira que o batismo de Jesus não foi apenas um sinal. Foi naquela ocasião que o Espírito desceu e ungiu a Jesus. Os sete diáconos foram ordenados mediante a imposição de mãos (Atos 6:6); e Paulo e Barnabé foram comissionados dessa maneira (Atos 13:3). Os trechos de I Tim. 4:14 e II Tim. 1:6 certamente indicam haver alguma espécie de *transmissão* de dons e poderes espirituais, e não o mero reconhecimento de que esses dons e poderes já existem. Os penitentes eram restaurados à liderança mediante o mesmo ato (I Tim. 5:22). A experiência humana tem demonstrado que a presença de algum mediador é importante, mesmo que não seja absolutamente necessária, em certa variedade de experiências místicas, que aprofundam a espiritualidade do candidato. Isso sugere que alguma forma de energia é transferida do mediador para o candidato. A experiência do falar em línguas tem sido ajudada pela presença de um mediador, com a imposição de suas mãos. E também sabemos que, nas religiões orientais, as experiências místicas são reforçadas dessa maneira.

Pouco entendemos sobre esses poderes, mas é inútil negar a realidade dos mesmos. Por outro lado, podemos ter a certeza de que, na maioria dos casos de ordenação, nas modernas igrejas evangélicas, mesmo quando há o acompanhamento da imposição de mãos, isso se faz meramente como uma confirmação, e não como uma transmissão de poder espiritual. Nada existe de automático nessa questão, e seria uma **auto-ilusão alguém pensar** que cada vez em que tal ato é efetuado, necessariamente há alguma transmissão de poder espiritual. Talvez a natureza indefinível do fenômeno tenha sido um dos fatores que conduziram à idéia de que os ministros do evangelho já estão devidamente credenciados quando recebem um treinamento formal nas Escrituras, e na experiência prática, que mostra que eles já funcionam como tais. É muito fácil fingir a posse de poderes espirituais, o que, com freqüência, degenera em brados e fúria, mas sem qualquer substância real.

MAO TSÉ-TUNG

Ver os dois artigos separados, *Comunismo* e *Teologia da Libertação*.

Suas datas foram 1893—1976. Ele foi um líder chinês revolucionário, presidente da República

Popular da China. Ele modificou o dogma comunista normal da alegada ditadura do proletariado, substituindo-o pelo dogma da ditadura dos aldeões. Em ambos os casos, entretanto, o que se verifica é uma ditadura das elites, com a conseqüente perda de direitos das supostas classes que governam. Apesar disso, a filosofia de Mao Tsé-Tung correspondia ao marxismo ortodoxo. O seu famoso *Livrinho Vermelho* assemelha-se, quanto à forma de apresentação, às declarações aforísticas da filosofia chinesa clássica, e não à prosa e diatribe de outros documentos comunistas. Esse manual quase não contém argumentos filosóficos, embora contenha as idéias que revolucionaram a China. Quando Nixon e Kissinger observaram que Mao havia mudado o mundo, ele negou isso, afirmando que somente modificara a região em torno de Pequim. Naturalmente, isso ficou abaixo da realidade dos fatos, por modéstia. Atualmente, a China está atravessando um processo de liberalização, sendo abertamente declarado ali que as idéias de Karl Marx não se têm mostrado adequadas para solucionar o problema da nação chinesa. A tradição profética, por sua vez, vê apenas cerca de mais cinqüenta anos para a continuação da existência do movimento comunista internacional. As objeções cristãs ao comunismo são muitas, mas abaixo damos as principais dentre elas:

1. É uma filosofia atéia.
2. Nega a existência e o destino da alma.
3. Dá ao dinheiro (economia) o lugar de principal força motivadora da vida humana.
4. Rejeita a revelação e a ética teísta.
5. Escraviza ao povo e persegue à fé religiosa.
6. Reduz o homem à estatura de melhor dos animais, ao passo que a teologia bíblica eleva o homem até à natureza divina (ver II Ped. 1:4).
7. Reduz a teologia cristã a uma sociologia marxista.

Ver detalhes e argumentos nos artigos mencionados no começo deste artigo.

MAQUEDÁ

No hebraico, «lugar de criadores de gado». Esse era o nome de uma das cidades reais dos cananeus (Jos. 12:16). Na região havia a caverna onde cinco reis, aliados contra Israel, esconderam-se, após terem sido derrotados militarmente (ver Jos. 10:10-29). Eles tinham sido derrotados em Gibeom, e fugiram, a princípio, para leste, na direção de Bete-Horom, e, então, para o sul, na direção de Zeca e Maquedá. Josué, entretanto, alcançou-os e matou-os. Ele também capturou a cidade de Maquedá e matou o seu rei (ver Jos. 10:28). Maquedá ficava localizada na Sefelá (ver Jos. 15:41), embora o local moderno ainda não tenha sido identificado. Uma vez que a Terra Prometida foi conquistada, essa região foi outorgada à tribo de Judá. Há duas opiniões quanto à sua localização, a saber, Khirbet el-Kheishum (entre Azeca e Bete-Semes) e Khirbet Beit Mazdum, a onze quilômetros a suleste de Beit Guvrin. Os informes bíblicos acerca da rota tomada por Josué parecem favorecer a primeira dessas duas opiniões (ver Jos. 10:28-39).

MAQUEDE

Essa era uma cidade fortificada em Gileade, onde Judas Macabeu socorreu a judeus que estavam sendo ameaçados por seus vizinhos pagãos (I Macabeus 5:26,36). O local ainda não foi identificado.

••• ••• •••

MAQUELOTE

No hebraico, «assembléias». Israel, em suas vagueações pelo deserto, após o *êxodo* (vide), estacionou em vários lugares, onde permaneceu por algum tempo. Maquelote foi um desses lugares. Ficava entre Harada e Taate (ver Núm. 33:25,26). Foi o vigésimo sexto acampamento dos israelitas. O local não foi identificado até hoje.

MAQUERATITA (MAACATITA)

Héfer, um dos trinta poderosos guerreiros de Davi, que o acompanhou ao exílio, quando aquele servo de Deus fugia de Saul, era assim chamado. O nome sugere que ele era de *Maquera*, mas esse lugar é desconhecido. Por isso mesmo, alguns têm sugerido que essa passagem, em I Crô. 11:36, que contém as palavras, «Héfer, maqueratita», encerra um erro escribal, e que sua verdadeira forma aparece em II Sam. 23:34, onde se lê «...filho de Asbai, filho dum maacatita...», o que significaria que o homem em questão era natural de *Maaca* (vide).

MAQUERO

Essa palavra hebraica, que significa «fortaleza da praia», não figura nas páginas do Novo Testamento. Mas, visto que essa fortaleza está associada à vida de João Batista, de acordo com Josefo, tornou-se um ponto de interesse para os estudiosos da Bíblia. Josefo menciona essa fortaleza como o lugar onde João Batista ficou aprisionado e onde foi decapitado. Logo, ele refere-se a algo paralelo a trechos bíblicos como Mat. 14:3-12; Mar. 6:17-29; Luc. 3:19 *ss*. Ver Josefo, *Anti*. 18.5,4. Quanto ao relato completo, ver o artigo separado sobre *João Batista*. O local é assinalado pela moderna Mukawir, a leste do mar Morto, em uma elevada colina que dá frente para o mar. Alexandre Janeu fortificou o lugar no século I A.C.; e Herodes, o Grande, construiu um impressionante palácio, em uma colina defronte da fortificação (ver Josefo, *Guerras dos Judeus* 7.6,2). Quando Herodes Ântipas se apossou do território da Peréia, a área em questão ficou sob sua jurisdição.

A arqueologia tem investigado a área, tendo descoberto restos da fortaleza, do palácio e de uma estrada que ligava as duas edificações. Além disso, antigos aquedutos e cisternas ainda podem ser vistos na área, até hoje. As evidências demonstram que o palácio foi abandonado terminado o período de Herodes. Da colina, o Herodium e o Alexandrium eram visíveis, às margens do mar Morto. Há fontes termais na área, sendo provável que essas fontes fossem usadas por Herodes, em seus banhos diários, quando sua saúde começou a periclitar.

Josefo (*Guerras* 6.2) informa-nos que a fortaleza foi construída, a princípio, por Alexandre Janeu, como meio de controlar os assaltantes árabes. A fortaleza foi demolida a mando de Babínio, mas, então, foi reconstruída por Herodes. Ficava localizada em uma colina com 1.177 m de altura, acima do nível do mar Mediterrâneo. Por um breve período, o lugar foi ocupado pelos judeus rebelados, quando eles tentaram desvencilhar-se do poder romano; mas acabou sendo entregue ao governador romano Lucilius Bassus, em 71 D.C.

MAQUI

No hebraico, «definhamento», «enlanguescimento». Esse foi o nome do pai de Geuel, o gadita, que foi representante de sua tribo como um dos doze espias da terra de Canaã (Núm. 13:15). Ele foi um dos que trouxeram um relatório desencorajador. Dos doze espias, somente Josué e Calebe apresentaram um relatório baseado na confiança no Senhor. Isso ocorreu em cerca de 1440 A.C.

MÁQUINAS

No hebraico, **chishshebonoth**, «invenções», «obras bem pensadas». Essa palavra ocorre por duas vezes: II Crô. 26:15 e Ecl. 7:29. Mas, nesta última passagem, nossa versão portuguesa diz «astúcias», o que é uma tradução deficiente, pois ali caberia melhor «invenções». Uma palavra usada na Bíblia para indicar várias invenções militares, usadas para facilitar a guerra, ajudando a matar pessoas em maior escala. E, como já dissemos, a palavra também pode ser traduzida como «instrumentos», «aparelhos», etc. A palavra hebraica normalmente envolve a idéia de «engenhosidade». E é um triste comentário sobre a história da humanidade que os homens têm-se utilizado de sua natureza inventiva para se tornarem mais mortíferos em suas guerras.

Máquinas de Guerra Específicas. 1. Em II Crônicas 26:15 a palavra em questão é usada para indicar catapultas, capazes de lançar dardos e outros mísseis. 2. Em Ezequiel 26:9, está em vista o *aríete* (conforme diz ali a nossa versão portuguesa). Os assírios usavam essa arma de guerra, havendo tais máquinas de vários tipos. O tipo mais simples de aríete era um poste grande, usado na horizontal, que certo número de homens transportava correndo, a fim de derrubarem alguma parede. Um outro tipo era montado dentro de um carro móvel, com cerca de 4,5 m de comprimento e 2,10 m de altura. O aríete era suspenso por uma corda, sendo projetado contra a parede que pretendia derrubar. Se uma muralha fosse feita de pedras, esse aparelho, mediante golpes repetidos, podia deslocar as pedras. Uma variante dessa máquina de guerra era uma torreta, de onde eram lançados dardos, por cima das muralhas das cidades inimigas. 3. As torres móveis podiam derrotar as muralhas defendidas por soldados em pouco tempo, porquanto então a proteção das muralhas já não significava muita coisa. Porém, a invasão de muralhas, mediante essas torres, sempre era acompanhada por muitas perdas de vida, visto que isso fazia dos soldados invasores excelentes alvos.

A passagem de II Crônicas 26:15 informa-nos como o rei Uzias preparou máquinas para serem postas em torres e esquinas de muralhas, a fim de dali serem lançadas flechas e grandes pedras. Os eruditos calculam que as antigas catapultas podiam atirar pedras de até quase cinqüenta quilos. E uma pedra com esse peso, lançada com boa velocidade, podia derrubar uma muralha em pouco tempo, espalhando o terror entre os defensores, contra quem as pedras eram atiradas. Os princípios mecânicos em que se baseavam essas máquinas eram, essencialmente, os mesmos princípios da funda, do arco, da mola, da tensão de cordas esticadas.

Também havia máquinas defensivas móveis, dentro das quais os soldados podiam aproximar-se do inimigo, protegidos. Essas máquinas defensivas eram, essencialmente, pequenas fortalezas móveis, sobre rodas. Os relevos assírios mostram máquinas de madeira, com escudos, usadas para serem encostadas nas muralhas, embora também houvesse máquinas móveis. A história mostra-nos que uma das vantagens de Alexandre, o Grande, é que suas tropas contavam com máquinas de guerra aprimoradas. A grande técnica que os homens têm conseguido nas armas de guerra, nos tempos modernos, forma um assunto que nos causa desgosto, que serve de comentário sobre a natureza depravada dos homens. Essa natureza humana jamais melhorou, embora os homens tenham-se tornado mais e mais engenhosos, na prática da maldade. Ver o artigo paralelo sobre *Armas, Armadura*. (S UN YAD Z)

MAQUIR

No hebraico, «vendido». Há duas personagens com esse nome na Bíblia:

1. O filho mais velho de Manassés e neto de José (Gên. 50:23; Jos. 17:1). Ele foi o fundador da tribo dos maquiritas, que subjugou Gileade e recebeu aqueles territórios, quando a Terra Prometida foi dividida após a conquista. Ver Núm. 32:39,40; Jos. 17:1. Houve mesmo tempo em que o nome *Maquir* foi aplicado à tribo inteira de Manassés. Ver Juí. 5:14. O trecho de Jos. 13:29-31 mostra-nos como a tribo de Manassés foi dividida. Metade da família de Maquir mudou-se para a região da Transjordânia, e a outra metade ficou com a meia-tribo de Manassés, a oeste do rio Jordão (vs. 31). Visto que o neto de Maquir, Zelofeade, teve somente filhas, foi feito um arranjo especial acerca da questão da herança. A filha de Maquir tornou-se esposa de Hezrom e mãe de Segube (I Crô. 2:21). Dessa maneira, ficou garantida a continuação da linhagem masculina. Ver também Núm. 27:1; 36:1; Jos. 13:31 e I Crô. 2:23.

2. Um outro homem desse nome era descendente do primeiro. Especificamente, era filho de Amiel, que residia em Lo-Debar. Ele cuidou do filho aleijado de Jônatas, filho de Saul, até que Davi começou a cuidar dele (II Sam. 9:4,5). Em outra ocasião, entreteve a Davi (II Sam. 17:27-29). Sua época foi entre cerca de 984—967 A.C.

MAQUIRITAS

Esse adjetivo pátrio aparece somente em Núm. 26:29, referindo-se aos descendentes de Maquir (vide). Há alguma confusão envolvida nesse nome, em relação a outros. O trecho de I Crô. 7:17 diz, acerca dos descendentes de Maquir, que eles eram filhos de Gileade, o filho de Maquir, filho de Manassés, afirmando que Maquir gerou a Gileade, o que faz de Gileade filho de Maquir. *Gileade*, por sua vez, é usado como nome do clã inteiro, ou grupo de tribos, tal como *Moabe* aponta, coletivamente, para os moabitas. Logo, Maquir foi o ancestral dos gileaditas. Mas, visto que Maaca, esposa de Maquir, era benjamita, por isso mesmo os maquiritas sentiam-se parentes tanto de Manassés, quanto de Judá, quanto de Benjamim. O problema de que Zelofeade não tinha herdeiro do sexo masculino aparece comentado no artigo intitulado *Maquir*. Por causa das circunstâncias que cercavam esse clã, e da confusão que surgiu em redor das heranças de acordo com as linhagens tribais, tiveram de ser baixadas leis para evitar confusões inerentes a matrimônios entre pessoas de tribos diferentes. Ver Núm. 36:1-12.

MAR

No hebraico, «rugido». Portanto, é palavra aplicável ao mar ou a um rio, sempre que as águas se mostrarem turbulentas. Por extensão, os hebreus usavam essa palavra hebraica, *yam*, para indicar também o oeste (vide), por ser a direção onde se achava o mar, para qualquer observador da Palestina. No grego, encontramos a palavra *htálassa*, «mar», por todo o Novo Testamento, mas, em Atos 27:5, em alusão ao mar Mediterrâneo, encontramos a expressão em conjunto com *pélagos*, com o sentido de «mar aberto».

Quatro «mares» formam o pano de fundo dos eventos bíblicos, cada um deles figura nos registros bíblicos com certa variedade de nomes, a saber:

1. *Mar Vermelho*, com freqüência, referido como «o mar» ou como «mar do Egito». Esse foi um obstáculo que os israelitas tiveram de vencer, em sua marcha para fora do Egito. E, uma vez que tinham atravessado em segurança, vendo as suas águas se fecharem sobre as tropas egípcias perseguidoras, eles nunca mais retornaram ali. Após essa travessia, esse mar só é mencionado uma vez, em I Reis 9:26, quando Salomão edificou uma flotilha e uma base marítima no golfo de Ácaba, com propósitos comerciais.

2. *Mar Mediterrâneo*. Esse mar aparece pela primeira vez em Êxodo 23:31, com o nome de «mar dos filisteus», visto que as costas marítimas, então e ainda durante muito tempo, foram mantidas na posse desses rivais do povo de Israel. No trecho de Josué 1:4 *ss*, esse mar é chamado de *Grande Mar* (vide), sendo essa a designação usada em todas as descrições topográficas acerca do estabelecimento do povo de Israel na terra de Canaã. Nos trechos de Joel 2:20 e Zacarias 14:8, esse mar é chamado de «mar ocidental». Nesses dois trechos há um contraste intencional entre esse «mar ocidental» e o «mar oriental», respectivamente, o mar Mediterrâneo e o mar Morto, este último no outro flanco da região montanhosa da Judéia. De fato, por mais diferentes que sejam esses dois corpos de água, para os escritores do Antigo Testamento, a nação de Israel era concebida como que apertada entre esses dois mares.

3. *Mar Morto*. O primeiro nome dado a esse mar é «Mar Salgado» (Núm. 34:12) e, então, «mar do Arabá» (Deu. 3:17). Daí por diante, temos o «mar oriental», em Joel 2:20 e Zacarias 14:8. Paralelamente ao «mar da Galiléia», o nome «mar» é dado, nesse caso, àquilo que, na verdade, é apenas um lago (cf. o mar Cáspio, que é um lago). Diferente do mar da Galiléia, entretanto, o mar Morto não tem escoadouro—seu nível é mantido mediante uma elevadíssima taxa de evaporação em sua superfície. O mesmo fenômeno é responsável por suas águas extremamente salinas, e o mar Morto é contrastado com o Mediterrâneo pelo fato de que não há peixe em suas águas, devido ao alto teor salino. Uma das visões dos profetas Ezequiel e Zacarias era que suas águas, algum dia, tornar-se-ão suficientemente potáveis para sustentar a vida animal. Por isso temos a visão de pescadores espalhando suas redes de pesca em En-Gedi (Eze. 47:10). A hidrologia moderna faz essa visão tornar-se bem próxima da viabilidade, mesmo em nossos dias.

4. *Mar da Galiléia*. Esse aparece nas páginas do Antigo Testamento como «mar de Quinerete» (Núm. 34:11; Jos. 12:3 *etc.*) e, no Novo Testamento, ocasionalmente, como mar de Tiberíades, nome esse derivado da cidade desse nome que Herodes Ântipas erigiu às suas margens; ou mesmo como lago de Genezaré (Luc. 5:1), embora alguns sugiram que este último nome deriva-se de Quinerete. Entretanto, mar da Galiléia é seu nome usual no Novo Testamento.

O mar propriamente dito, em oposição ao lago, desempenha um papel bem pequeno nas narrativas bíblicas. No Antigo Testamento há somente três episódios navais: o primeiro, quando Hirão, rei de Tiro, fez flutuar jangadas de madeira, do norte para o sul, ao longo da costa do Mediterrâneo, a fim de suprir a Salomão o material de construção necessário para o templo de Jerusalém (I Reis 5:9); o segundo, quando Salomão construiu a frota do mar Vermelho (I Reis 9:26,28); e o terceiro, quando Jonas fugia da presença do Senhor (Jonas 1). Os israelitas parecem ter tido pequeno contato com o mar, pelo que, para todos os efeitos práticos, não tinham tradições marítimas. E os fenícios, seus vizinhos mais ao norte, por certo ultrapassavam em muito aos israelitas quanto a essa arte da navegação.

Alguns estudiosos, como G. Adam Smith (HGHL), têm sugerido que essa ausência de interesse pela vida marítima devia-se ao fato de que, ao sul da Fenícia, a costa marítima da Palestina não oferece quaisquer portos naturais, e bem poucos portos bons, relativamente destituídos de importância, pois a costa sem reentrâncias, recoberta de dunas, não provê abrigo. Outros estudiosos, como Baly, salientam que uma explicação mais válida para o desinteresse do povo israelita pelas coisas marítimas deve ter sido o fato de que, quase nunca, eles ocuparam politicamente a faixa costeira mediterrânea. Assim, destituídos de acesso fácil ao mar, eles tinham bem pouca oportunidade de se tornarem marinheiros experientes. Em apoio a essa sugestão, temos a considerar que os dois únicos episódios nacionais que vincularam o povo de Israel ao mar (ver acima), ocorreram durante o reinado de Salomão, quando os filisteus já haviam sido suprimidos, e quando a hegemonia de Israel, sobre os povos circunvizinhos, estava no auge. No seu todo, a Bíblia encara o mar como um elemento *hostil*, perigoso, que separa os povos uns dos outros. Um dos sinais que antecederão a segunda vinda de Cristo Jesus será o fato de que os oceanos ficarão tão agitados e destrutivos que os homens ficarão perplexos «por causa do bramido do mar e das ondas» (Luc. 21:25). E uma das glórias antecipadas dos novos céus e da nova terra, após o milênio, é que o mar, finalmente, será eliminado (Apo. 21:1).

Uso Metafórico. Provavelmente por não haverem sido um povo marítimo, os hebreus encaravam o mar com temor e suspeita, a exemplo de vários outros povos antigos, o que prosseguiu até mesmo durante a Idade Média, até que se iniciaram as grandes navegações, que culminaram no descobrimento das Américas e da Oceania. Em muitos trechos da Bíblia, o mar torna-se um símbolo da agitação, da instabilidade e do pecado das massas da humanidade (ver Isa. 57:20; Jer. 49:23; Tia. 1:6; Jud. 13 e Apo. 13:1).

MAR, ANIMAIS DO

No hebraico, **tannin**. Essa palavra ocorre por catorze vezes no Antigo Testamento: Gên. 1:21; Núm. 21:8; Deu. 32:33; Lam. 4:3; Sal. 74:13; 91:13; 148:7; 51:9; Jer. 51:34; Isa. 14:29; 27:1; 30:6; Jó 7:12; Mal. 1:3.

Trata-se de uma daquelas palavras hebraicas em torno das quais giram muitas dúvidas quanto ao seu sentido exato, o que se comprova pelas traduções que têm sido dadas ao termo, e pelas opiniões discordantes dos estudiosos, a esse respeito. Os tradutores têm pensado em possibilidades como «animal marinho», «dragão», «serpente» ou «baleia». Levando-se em conta todos os vários usos da palavra hebraica, parece melhor ficarmos com o sentido de «baleia», que deve ser o sentido original e primário da palavra, segundo se vê em Gên. 1:21. Ver sobre *Baleia*. Contrariamente a essa opinião, devemos considerar o caso de Lam. 4:3, onde o meio ambiente é um deserto, e não o mar, habitat próprio das baleias. Por esse motivo, alguns eruditos preferem pensar que ali está em foco uma outra palavra hebraica, que significaria «chacal», embora a baleia também dê de mamar a seu filhote, pois é um mamífero, de sangue quente, e não um peixe. Um outro trecho muito difícil de ser interpretado é o de Salmos 148:7: «Louvai ao Senhor da terra, monstros marinhos e abismos todos...», onde o contexto não nos ajuda na identificação do sentido da palavra hebraica. Algumas traduções dizem ali, como em outros trechos, «dragão». Em Malaquias 1:3 encontramos o feminino plural, *tannoth*. Uma das razões dessa confusão é que há uma outra palavra hebraica muito similar, *tannim*, que aparece em Jó 30:29; Sal. 44:19; Isa. 13:22; 34:13; 35:7; 43:20; Jer. 9:11; 10:22; 14:6; 49:33 e 51:37, e que é outro vocábulo problemático em hebraico, embora se saiba que é a forma plural de *tann*, «chacal».

MAR, GRANDE

No hebraico, **yam gadol**. O mar Mediterrâneo é assim designado por grande porção do Antigo Testamento, começando em Números 34:6,7. Como é claro, a designação «mar Mediterrâneo», isto é, um mar entre terras, teria sido totalmente imprópria, conforme pensariam os israelitas antigos, pois, para eles, o mar Mediterrâneo era o limite ocidental do mundo deles, tanto assim que «mar», no hebraico, *yam* chegou a ser a palavra que significava «oeste», para eles. Paralelamente, o mar Mediterrâneo era «grande», em contraste com o mar Vermelho e golfo de Ácaba mais estreitos. — Tem cerca de 640 quilômetros do delta do rio Nilo até à costa sul da Ásia Menor, portanto, no sentido norte-sul, e mais de 3700 quilômetros desde as costas da Palestina até o estreito de Gibraltar, portanto, no sentido leste-oeste.

Entretanto, nem mesmo a parte oriental e mais próxima do mar Mediterrâneo jamais foi bem conhecida pelos israelitas. Suas rotas comerciais foram dominadas, a princípio, pelos minoanos de Creta e, em seguida, pelos fenícios, que dominavam toda a bacia do Mediterrâneo, partindo de suas bases em Tiro e Sidom, tendo estabelecido postos comerciais e colônias ao longo de todo o comprimento desse mar, até o estreito de Gibraltar, sem falarmos que eles chegaram até às ilhas britânicas, ao extremo sul da África, e talvez até tenham cruzado o oceano Atlântico. Alguns estudiosos pensam mesmo que eles estiveram em terras da América do Sul, adentrando até mesmo o nosso rio Amazonas. Desde cerca do século XV A.C., até que foram ultrapassados pelo poder romano, os fenícios dominavam a navegação do mar Mediterrâneo, mormente em sua porção oriental.

Podemos obter algum indício sobre a vida e o tráfico do Grande Mar, na época dos romanos, mediante a leitura do livro Atos dos Apóstolos, especialmente no caso das viagens de Paulo. Roma havia organizado rotas comerciais imperiais para tirar proveito dos recursos das províncias ao redor do Mediterrâneo. Os romanos fizeram do mar Mediterrâneo um «lago romano». Essas e as rotas marítimas entre os portos da Ásia Menor e o extremo Oriente, como aquelas entre as ilhas de Creta, Chipre e Rodes, conferiram a Paulo meios fáceis e relativamente rápidos de viajar, na maioria das viagens que ele fez. E alguns dos costumes dos marinheiros da área do Mediterrâneo podem ser aprendido através das narrativas lucanas dessas viagens.

Embora um mar interior, o mar Mediterrâneo é suficientemente vasto para gerar tempestades ferozes. No inverno, essas tempestades são causadas por baixas pressões atmosféricas na direção oeste-leste, ao longo do comprimento desse mar, trazendo em sua esteira o vento mais frio vindo do pólo norte. Durante o verão, os ventos que sopram do deserto da Arábia podem atingir uma força considerável, ao atravessarem a costa da Palestina. E isso significa que se formam ondas na direção leste-oeste, tornando a navegação inconveniente naquelas paragens.

MAR DA GALILÉIA

Ver **Galiléia, Mar da.**

MAR DE ARABÁ

Ver **Mar Morto.**

MAR DE FUNDIÇÃO (de Bronze); LAVATÓRIO

1. Declarações Gerais

Ver o artigo geral sobre o *Tabernáculo*. O «mar de fundição» era um grande reservatório de água, fundido em bronze. Ficava no templo de Salomão, em seu canto suleste (ver I Reis 7:39). Isso pode significar que ficava situado ao lado do altar, ou em algum lugar entre o altar e a entrada do templo. No tabernáculo, essa função era ocupada pela *bacia de bronze* (ver Êxo. 30:18). Essa bacia metálica ficava entre o tabernáculo e o grande altar dos sacrifícios, o que era conveniente para os sacerdotes, quando tivessem de locomover-se do altar para o tabernáculo (ver Êxo. 30:20). Mas, no templo de Jerusalém, o lavatório principal, como já vimos, era o mar de fundição, embora houvesse dez outros lavatórios menores. Os sacerdotes precisavam lavar as mãos e os pés, sempre que estivessem atarefados em suas ministrações públicas, e, embora o lavatório do tabernáculo fosse diferente do lavatório do templo, a função de ambos era a mesma. E, visto que o número de sacerdotes que cuidava do culto no templo ia aumentando, também foi necessário aumentar o número de lavatórios.

2. O Lavatório do Tabernáculo

O vocábulo hebraico usado para esse item do tabernáculo é *kiyyor*, que indica algo «redondo», como uma «bacia». O lavatório era feito de bronze (ver Êxo. 30:18), posto entre o tabernáculo e o grande altar dos holocaustos, para conveniência dos sacerdotes. O lavatório estava dividido em duas partes: o lavatório propriamente dito, e um pedestal. O Antigo Testamento não nos dá detalhes quanto às suas dimensões e quanto ao seu formato exato. O lavatório continha água usada nas lavagens, e o pedestal, mui provavelmente, tinha forma circular, sendo uma expansão da bacia maior, de onde alguma espécie de canalização fazia escorrer água. Talvez esse receptáculo inferior fosse usado para lavar porções das vítimas sacrificadas.

A água do lavatório precisava ser renovada diariamente, a fim de que não estagnasse. A água usada para a concocção da água repulsiva que as mulheres acusadas de adultério precisavam beber, provavelmente era tirada do lavatório (ver Núm. 5:17). E talvez a água da purificação também fosse extraída do mesmo lugar (ver Núm. 8:7). Essa água da purificação era aspergida sobre os levitas, quando de sua consagração. O próprio lavatório foi consagrado mediante a sua unção com azeite (ver Lev. 8:10,11). O Pentateuco hebraico não oferecia orientações sobre como esse móvel deveria ser transportado por Israel, em suas andanças pelo deserto, mas o Pentateuco samaritano acrescenta esses detalhes, dando instruções sobre como o mesmo deveria ser transportado.

3. O Mar de Fundição

Esse pesado item do templo de Salomão substituiu

a bacia de bronze do tabernáculo. Mas outros lavatórios foram adicionados, em face do aumento do número de sacerdotes que serviam no templo. A palavra hebraica correspondente ao mar de fundição é *yam*, «mar». Era uma gigantesca bacia redonda, com cerca de 2,22 m de altura e o dobro disso em diâmetro, e que ficava cheia de água até à borda. Era feita de bronze fundido e batido, com a espessura de uma mão (cerca de 7,5 cm). Ficava apoiada sobre doze bois de bronze, divididos em quatro grupos de três bois, cada grupo voltado na direção de algum ponto cardeal. Esses doze bois ficavam todos sobre uma mesma plataforma. O original mar de fundição foi feito com metal que Davi havia tomado de Zobá (ver I Crô. 18:8). Finalmente, porém, foi despedaçado e levado aos pedaços para a Babilônia, quando do exílio babilônico (ver II Reis 25:13). Esse item do templo era altamente decorativo, e não somente útil. Para exemplificar, a beirada da bacia era recurvada, a fim de dar a aparência de uma folha de lírio. Alguns estudiosos têm opinado que os doze bois representavam os doze sinais do zodíaco, ou que eram símbolos da fertilidade, ou remanescentes da adoração egípcia ao boi. De fato, havia o boi *Apsu*, cujo templo na Babilônia dispunha de uma bacia de bronze similar. Porém, é impossível dizermos se havia qualquer conexão entre essa bacia e o mar de fundição dos hebreus. Sabe-se, todavia, que *Apsu* estava vinculado às idéias de vida e fertilidade. O mar de fundição dos hebreus simbolizava a purificação que é necessária para a participação no culto a Deus.

4. Lavatórios Menores

Esses lavatórios secundários eram em número de dez (ver I Reis 7:27-29). Eram lindamente ornamentados. Eram usados para transportar água para as lavagens e abluções, e estavam envolvidos na lavagem dos sacrifícios. Ver II Crô. 4:6. Cinco lavatórios eram postos ao lado sul do altar, e cinco ao lado norte. Tinham o formato de caixas quadradas, com cerca de 1,78 m de comprimento e de largura, por cerca de 1,33 m de altura. Eram apainelados. Esses painéis eram ornamentados com figuras de leões, bois e querubins. Cada lavatório contava com quatro rodas de bronze, montadas sobre eixos também de bronze. Ver a descrição em I Reis 7:30. É muito difícil determinar, com base nas descrições bíblicas, qual a aparência deles, de tal modo que os eruditos não chegaram ainda a um acordo quanto a isso. Presume-se que essas caixas abriam-se dos lados, pelo que serviam como tanques de água para lavar os sacrifícios. A água era trazida até esses lavatórios por meio de canos. De fato, eram lavatórios portáteis.

5. Significação

Está em foco, acima de tudo, a purificação, como algo necessário ao culto divino e aos sacrifícios. E isso faz-nos lembrar o poder purificador do sangue de Cristo, bem como a constante necessidade de santificação. Ver os trechos de João 13:2-10 e Efé. 5:25-27.

MAR DE QUINERETE

Ver **Galiléia, Mar da.**

MAR DE TIBERÍADES

Ver **Galiléia, Mar da.**

MAR DE VIDRO

Apo. 4:6: *também havia diante do trono como que um mar de vidro, semelhante ao cristal; e ao redor do trono, um ao meio de cada lado, quatro seres viventes cheios de olhos por diante e por detrás.*

Ver o artigo separado sobre *Vidro*.

Na cosmologia judaica, o firmamento seria uma abóbada elevada, um teto arredondado, uma substância sólida, o que explica seu nome, *firmamento*. Acima desse «firmamento» abobadado, que separaria os céus da terra, haveria um mar. Essa idéia pode ter sugerido a presente descrição, embora não se trate da mesma coisa. Seja como for, os céus de Deus estão associados a um mar, embora celestial e simbólico, e não algum mar literal. Pelo tempo em que o vidente João escreveu seu livro, não é provável que continuasse sobrevivendo tal conceito cosmológico, embora expressões usadas nesse conceito tivessem permanecido, tendo sido empregadas por ele.

O mar é aqui descrito como *de vidro*. Essa referência se deriva da antiga crença de que o cristal era apenas água pura congelada, por um longo processo, tornando-se em algo mais duro que o gelo. Por isso também se cria que o cristal só pode se formar em lugares frios. O vidente João fala de uma cena em que apareceu algo semelhante a um mar; mas não aludia a qualquer coisa literal, pois esse *mar* é simbólico, e não real.

Simbolismo do Mar

1. O mar é de água, e a água é símbolo de «vida». Essa água estaria solidificada ou cristalizada, o que daria a entender que a vida é permanente. Além disso, é clara, isto é, pura, acima de todas as formas terrenas de água, isto é, de vida.

2. O *mar* representa as nações, isto é, homens de todas as nações, «remidos», que subseqüentemente acharam seu lar nos céus. A isso pode ser acrescentada a idéia de todos os «seres celestiais que habitam nos céus». Esses «circundam» o trono de Deus, pois foram elevados àquele lugar. Os homens estão sendo «espiritualizados» a fim de serem capazes de habitar ali, e isso seria simbolizado pelo «cristal» que muitos consideravam ser água profundamente congelada. Mas alguns estudiosos meramente dizem que a igreja glorificada está aqui em pauta. O *mar* terrestre representa as nações mortais (ver Apo. 13:1). Assim, o mar celestial seria as «nações celestiais». Esse mar é calmo e puro, em contraste com as águas agitadas e imundas dos mares terrenos.

3. Fazendo objeção a um sentido tão exageradamente simbólico, poderíamos supor que o mar é meramente uma parte do panorama celestial, sem qualquer significação especial. As crenças antigas, entretanto, afirmavam que as «águas» acima do firmamento eram «masculinas», e que as águas abaixo eram «femininas». A mistura dessas duas modalidades de água teria produzido os deuses. Assim sendo, apesar de que o autor sagrado sem dúvida rejeitaria essa espécie de significação absurda em relação ao *mar*, é perfeitamente possível que simbolizasse algo semelhante para ele: não era apenas uma paisagem.

4. Outras interpretações certamente errôneas fazem com que esse «mar» represente o «batismo», ou então as «Escrituras Sagradas». Ou então seria o «pavimento» literal dos céus, liso e brilhante. Outras interpretações igualmente prosaicas falam desse mar simplesmente como a «atmosfera celestial».

5. Outros eruditos pensam que esse *mar* é apenas um outro símbolo dos «julgamentos» de Deus, juntamente com os relâmpagos, os trovões e as vozes referidos; mas é muito difícil entender como isso pode ser.

6. Ou então o «governo de Deus» pode estar em vista em cujo caso o mar de vidro indicaria que esse governo é puro, calmo e majestático.

7. No *Testamento de Levi 2,* o mar celeste está localizado no segundo céu, tal como em Apo. 2:7, ou então pendurado entre o primeiro e o segundo céus; mas aqui, está no mais elevado céu (presumivelmente o sétimo), pois ali é visto o trono de Deus. No paraíso egípcio, há um «grande lago nos campos da paz», e para ali é que irão as almas dos justos, que se reuniriam aos deuses. Os escritos rabínicos comparam o soalho rebrilhante do templo com o cristal; e visto que os céus seriam uma espécie de templo glorificado, naqueles escritos, esse soalho rebrilhante teria seu paralelo no mar celestial. Nesse sentido, o mar poderia ser apenas parte do cenário do templo celeste, sem qualquer valor simbólico definido.

Pano de fundo do simbolismo. Charles (em Apo. 14:6) traça o pano de fundo do simbolismo aqui empregado. Deriva-se dos escritos judaicos, especificamente o Testamento de Levi. Em 3:3 desse livro vemos um mar celeste, muito maior que o mar terrestre. Em 2:3 desse mesmo livro, vê-se que esse mar, apesar de encontrar-se no primeiro céu, está entre o primeiro e o segundo céus, e esse «pendurar» significa, provavelmente, «na direção do firmamento», que separava as «águas em cima» e as «águas embaixo» conforme se vê em Gên. 1:7. Em *Jubileus* 2:2 (outro escrito judaico do período helenista) somos distintamente informados da mesma coisa, a saber, que o firmamento, concebido como um teto elevado e sólido, que separava a terra dos céus, contém água em ambos os seus lados. Por debaixo do mesmo haveria a atmosfera de nuvens da terra; por cima, haveria o mar celeste. Esse mito é aludido em *Epiphan. Haer*. lxv.4, pelo que era idéia bem conhecida nos tempos antigos, e em mais do que uma cultura. Em I *Enoque* 54:18 lê-se que as águas superiores (o mar celeste) seriam «masculinas», ao passo que as águas terrestres (a atmosfera com suas nuvens) seriam «femininas». Os mitos assírios supunham que quando essas duas águas se reuniram, os «deuses» foram produzidos. A passagem que acabamos de mencionar, em I Enoque, sugere a mesma coisa, pela designação desses mares como feminino e masculino. Os trechos de II Enoque 28:2 e 29:3 parecem reverberar essa idéia: «Das ondas é que criei as rochas... e da rocha cortei fora um grande fogo, e do fogo criei as ordens das dez tropas incorpóreas de anjos». Salmos 104:3 talvez também seja eco dessas antigas crenças **cosmológicas: «pões** nas águas o vigamento da tua morada, tomas as nuvens por teu carro, e voas nas asas do vento», onde se vê que o mar tem algo a ver com a habitação de Deus. É quase certo que o simbolismo do mar celestial se derivou desses antigos documentos e dessas antigas crenças. (Ver, no artigo sobre Apocalipse, seção IV, intitulado *Dependência Literária*, onde se demonstra o fato de que o vidente João empregou vários dos livros de escritores judaicos, pertencentes ao período helenista, que atualmente se intitulam «pseudepígrafes», incluindo os diversos Testamentos dos Patriarcas, além de I e II Enoque).

Significado do simbolismo. E muito mais fácil traçarmos o simbolismo histórico do que atribuir-lhe qualquer significado indiscutível. Não cremos que o vidente João cresse em grande parte do que esse simbolismo sugeria, embora não tivesse hesitado em empregá-los. — Supomos que a segunda interpretação, dada acima, — mostra-nos provavelmente o que ele visava dizer. A primeira dessas interpretações não é contrária a isso, e talvez faça parte do seu sentido.

MAR DO ORIENTE

Nos trechos de Ezequiel 47:18; Joel 2:20 e Zacarias 14:8 esse é o nome dado ao mar Morto (que vide), em contraste com o mar Mediterrâneo, que é chamado de «mar Grande» (Núm. 34:6). Portanto, todas as perspectivas são consideradas a partir de alguém posicionado na Palestina.

MAR MEDITERRÂNEO

Ver *Mar, Grande* e *Grande Mar*, onde estão contidas as informações essenciais a respeito.

MAR MORTO

I. Caracterização

O chamado «mar» Morto na verdade é um lago **salgado. Tem apenas uma sexta parte da extensão do Grande Lago Salgado do estado norte-americano de Utah. Fica no extremo sul do rio Jordão, onde este deságua. Não tem saída, e tem acumulado uma taxa incrivelmente alta de sal, o que tem servido para matar toda espécie de vida. Fica situado entre Israel e a Jordânia, cerca de vinte e quatro quilômetros a leste de Jerusalém. Tem cerca de 74 km de norte a sul e 16 km de leste a oeste, com um total de cerca de 930 km(2). Em contraste com o Grande Lago Salgado, de Utah, nos Estados Unidos da América, que é um lago raso, o mar Morto é profundíssimo, com uma profundidade média de 300 metros. Seu ponto mais profundo tem 410 m. Fica a quase 369 m abaixo do** nível do mar Mediterrâneo, o que faz dele o mais baixo lençol de água do mundo. É alimentado por muitos riachos, além do rio Jordão. O mar Morto não tem saída, e a evaporação é que controla as suas dimensões. A região é geologicamente instável, o que a torna sujeita a abalos sísmicos. Sua origem deve-se a movimentos geológicos que produziram uma falha que se tornou um vale. Ali está localizada uma das maiores falhas geológicas do mundo, chamada de Vale da Grande Falha, que se centraliza em torno do mar Vermelho, entre a Arábia e o Egito. – Um ramo dessa falha passa pelo vale do rio Jordão e finalmente chega até o Líbano e à Síria. Já o Grande Lago Salgado, dos Estados Unidos da América, originalmente era um gigantesco lago de água potável, que cobria a área de vários estados ocidentais daquela nação. Não tendo saída, e por causa de condições climatéricas novas, foi encolhendo até chegar às suas atuais dimensões (cerca de 120 km por 80 km). Nesse processo, tornou-se vinte por cento puro sal, deixando imensos depósitos de sal em suas margens cada vez menores. O mar Morto, em contraste, foi originalmente formado por ocasião de algum cataclismo geológico, talvez quinze mil anos atrás, que aprisionou uma porção do antigo mar Mediterrâneo entre as paredes da falha, deixando um mar interior, salgado desde o começo. Devido ao clima muito seco da região, e por não ter desaguadouro, o mar Morto foi encolhendo, ao mesmo tempo em que formava seus imensos depósitos químicos. Alguns vinculam o cataclismo que teria formado esse lago com aquele que destruiu as cidades de Sodoma e Gomorra. Ver Gênesis 18:16-19:29.

II. Conteúdo Mineral

O mar Morto é um dos lagos mais salgados do planeta, ao ponto de haver partes do mesmo quimicamente saturadas, isto é, a água contém o máximo possível de sólidos dissolvidos, embora sem solidificar-se. Em combinação com o potássio, o magnésio, o cloreto de cálcio e o brometo de cálcio, o sal constitui cerca de cinco por cento de volume da água!

III. Extração de Minérios

O uso do sal extraído do mar Morto remonta ao passado até onde a história retrocede. Outros elementos ali existentes são o magnésio, o cloro, o potássio, o cálcio, o bromo e o enxofre, em quantidades exploráveis comercialmente. O mar Morto contém cerca de vinte e dois bilhões de toneladas de sal comum, seis bilhões de toneladas de cloreto de cálcio, dois bilhões de toneladas de cloreto de potássio, novecentos e oitenta milhões de toneladas de brometo de magnésio, e duzentos milhões de toneladas de gesso. Várias empresas se têm ocupado na exploração desses minerais, e seu potencial é quase ilimitado. Em contraste, a agricultura é irrisória na região em derredor, excetuando algumas áreas das margens ocidentais, onde o suprimento de água potável, embora não muito grande, é um pouco melhor do que no resto.

IV. Aspectos Históricos

O mar Morto tem sido freqüentemente mencionado ao longo da história, sob diferentes designações. Na própria Bíblia ele é chamado de «mar Salgado» (Gên. 14:3; Núm. 34:12), «mar do Arabá» (Deu. 3:17; 4:49) e «mar do Oriente» (Eze. 47:18; Joel 2:20). A partir do século II D.C. é que tem sido chamado de «mar Morto». Vários escritores profanos antigos chamaram-no *mar de Asfalto*. Os árabes, por sua vez, denominam-no mar de Ló ou mar Ofensivo. Os gregos é que lhe deram, pela primeira vez, o nome de mar Morto, por haverem observado que ali não sobrevive qualquer tipo de vida marinha. O Grande Lago Salgado, nos Estados Unidos da América, tem uma minúscula espécie de camarão, e nada mais.

Fontes arqueológicas e históricas confirmam o relato bíblico do décimo nono capítulo de Gênesis, acerca de uma catástrofe ocorrida naquela região, nos dias de Abraão. Não resta o menor vestígio das cidades da planície, que incluíam Sodoma e Gomorra. É possível que toda a região onde estavam essas cidades agora esteja abaixo da superfície da água, no extremo sul do mar Morto. As escavações têm iluminado o que deveria ser a vida em Massada, Engedi e Qumran (ver o artigo sobre *Khirbet Qumran*), onde foram encontrados os manuscritos do mar Morto (que vide). Davi buscou refúgio nas regiões estéreis em redor do mar Morto, quando fugia de Saul (I Sam. 23:29). Foi perto do mar Morto que Quedorlaomer derrotou a coligação de reis palestinos e levou Ló em um breve cativeiro (Gên. 14:12). Moisés pôde ter uma boa visão global da Terra Prometida, das proximidades do mar Morto, no lado moabita do mesmo. As planícies de Moabe e de Jericó foram vistas pelos invasores da Terra Prometida. Herodes buscou recuperar sua saúde abalada nas termas de Calirroe. A comunidade essênia de Qumran fez ali o seu quartel-general, e sua biblioteca continha o que agora chamamos de manuscritos do mar Morto. A fortaleza de Maquero foi o local onde João Batista foi decapitado. Foi em Massada que os zelotes judeus ofereceram sua última e desastrada resistência às tropas romanas. A visão profética de Ezequiel (47:9,10) provê que a região será regada por água fresca, e que haverá muito peixe, onde antes a morte predominava. (AM OR SMI)

MAR MORTO, MANUSCRITOS (ROLOS) do

Esboço:

I. Caracterização Geral
II. A Descoberta
III. Datas
IV. Lista dos Manuscritos
V. Avaliações

I. Caracterização Geral

O título **Manuscritos do Mar Morto** aplica-se a uma coleção de manuscritos antigos de considerável importância para o estudo da Bíblia, especialmente quanto ao Antigo Testamento original. A data exata das primeiras descobertas é incerta, embora saibamos que foi em cerca de 1947. Muitos manuscritos antigos, de natureza bíblica ou não, foram retirados de uma série de cavernas da margem ocidental do mar Morto (o que explica o nome dado a esses manuscritos), bem como da área contígua, da Jordânia. A maior parte desses manuscritos é de natureza bíblica, mas também há textos religiosos e seculares. Os idiomas envolvidos são o hebraico, o aramaico e o grego. Esses manuscritos não refletem um único período ou uma única condição. Antes, representam depósitos feitos em diferentes ocasiões, ao longo de bastante tempo, entre os séculos I e VIII D.C., embora as datas da produção de alguns daqueles manuscritos recuem até antes da época de Cristo. Há alguns rolos bastante grandes, mas a maioria do material chegou até nós sob a forma de meros fragmentos. Essa coleção tem fornecido nossas mais antigas cópias do Antigo Testamento, bem como cópias de várias obras apócrifas e pseudepígrafas, como os livros de Enoque, Jubileus, o Testamento dos Doze Patriarcas, etc. Também há obras sectárias que iluminam o meio ambiente religioso da época, conferindo-nos material de pano de fundo sobre João Batista e o cristianismo primitivo. No meio desse material há antigas cópias da versão da Septuaginta, do Antigo Testamento. Além do valor histórico e religioso desses manuscritos, veio à tona muita evidência a respeito da crítica textual do Antigo Testamento. Considerando tudo, podemos afirmar que essa foi a maior descoberta isolada de manuscritos que abordam o Antigo Testamento, e que tem lançado uma grande luz sobre a história da religião. Essa coleção também inclui alguns textos de natureza secular, como despachos militares e documentos legais. Esse material nos tem ajudado a compreender a segunda revolta dos judeus contra Roma, que se deu em 132 D.C.

II. A Descoberta

As primeiras descobertas, que mostraram ser as mais importantes, vieram de onze cavernas das colinas de Qumran, cerca de dezesseis quilômetros a oeste de Jerusalém. Um criador árabe da tribo Taamiré, aparentemente em 1947, ao procurar por uma cabra que se perdera, entrou em uma das cavernas (atualmente chamada *caverna Um*), e ali descobriu certo número de jarras, com cerca de 60 cm de altura. Dentro das mesmas encontrou rolos envoltos em pano de linho. Algumas dessas jarras foram vendidas, através de um negociante, ao metropolita jacobita sírio, em Jerusalém. Outras jarras foram adquiridas por E.L. Sukenik, professor da Universidade Hebraica. Antes dele tê-las adquirido, outros eruditos haviam rejeitado os manuscritos como forjados, mas o Dr. Sukenik sabia que não era assim. Aqueles que o metropolita comprou foram identificados por eruditos da American School of Oriental Research como antiguidades genuínas, e foram publicados sob os auspícios da mesma. Por causa das condições políticas incertas e devido à proibição da posse ilegal de antiguidades, o metropolita levou seus rolos para a cidade de Nova Iorque, tendo-os colocado à venda. Finalmente foram comprados pelo governo israelense, por duzentos e cinqüenta mil dólares. Então foram guardados, como um tesouro nacional, em um edifício especialmente edificado para os mesmos, o *Santuário do Livro*, em Jerusalém. A American School of Oriental Research, cujo diretor era J.C. Trever, reconheceu o valor dos manuscritos que para ali foram levados, e os fotografou. Algumas fotografias foram enviadas ao arqueólogo bíblico W.F. Albright, o qual ajuntou o seu parecer favorável, afirmando que os manuscritos do mar Morto haviam sido a mais importante descoberta de todos os tempos, envolvendo manuscritos do Antigo Testamento. Pesquisas subseqüentes demonstraram quão certo estava ele, nessa avaliação.

Outras Descobertas: A excitação da descoberta original logo pôs os arqueólogos a trabalhar. Ruínas nas proximidades foram escavadas sob a direção do padre Roland Vaux, da École Biblique de Jerusalém. Foi demonstrado que ali havia uma numerosa colônia. Dentro do complexo, foi encontrado um escritório que pode ter sido o lugar onde os rolos foram originalmente compostos e/ou copiados. Supôs-se que os manuscritos achados nas cavernas tinham sido feitos pela colônia, ou pelo menos, alguns daqueles manuscritos. É possível que as cavernas tenham sido usadas como depósitos, quando as tropas romanas avançavam em direção ao lugar. Essa hipótese é fortalecida pelo fato de que as jarras, testadas de acordo com a localização, apontam para um tempo entre 160 A.C. a 68 D.C. como a época da habitação. De acordo com Josefo, foi em cerca de 68 D.C. que a décima legião romana marchou até à área, a fim de suprimir a primeira rebelião judaica, o que levou à destruição de Jerusalém, em 70 D.C. Esse foi outro grande triunfo arqueológico.

Os arqueólogos, em seguida, passaram a fazer uma exploração sistemática de todas as cavernas e de outros lugares da área em redor. Desde 1951, onze cavernas foram exploradas, e as descobertas mais importantes podem ser sumariadas como segue:

Duas cavernas no wadi Murabba'at, a quase dezoito quilômetros ao sul do local da primeira descoberta, em *Qumran*: diversos manuscritos bíblicos do tipo massorético; um rolo dos profetas menores; cacos de barro inscritos em hebraico e em grego; papiros literários gregos, em fragmentos; moedas do tempo da segunda revolta dos judeus (132-135 D.C.).

Ruínas de um mosteiro, cerca de treze quilômetros a nordeste de Belém, atualmente chamadas Khirbet Mird; manuscritos dos séculos V e IX D.C.; um manuscrito bíblico de origem cristã; e um manuscrito em grego e siríaco palestino. Esse material não está diretamente relacionado aos manuscritos do mar Morto.

Caverna dois (2Q), na área de Qumran, que já havia sido saqueada pelos beduínos Ta'amireh, pelo que apenas alguns fragmentos de manuscritos foram ali encontrados.

Caverna três (3Q). Ali foram encontrados 274 fragmentos de manuscritos escritos em hebraico e aramaico, além de alguns rolos de cobre, muito oxidados e dificílimos de decifrar. Quando foram decifrados, descobriu-se que continham informações sobre tesouros, o que levou alguns a pensar que seriam forjados, para adicionar excitação aos negócios de Qumran. Ou então, seriam escritos fictícios, românticos, antigos, mas inúteis.

Caverna quatro (4Q). Fica a oeste de Khirbet Qumran. Foi descoberta em 1952, onde foram achados muitos manuscritos, com quase todos os livros do Antigo Testamento, juntamente com escritos apócrifos conhecidos e desconhecidos, textos litúrgicos e outros livros. O rolo de Samuel é bastante parecido com o da versão da Septuaginta. As cavernas de números cinco a dez não produziram qualquer coisa de especialmente valiosa. Entretanto, a caverna onze, descoberta em 1956, produziu alguns rolos significativos. O Estado de Israel adquiriu os manuscritos do mar Morto, os quais estão agora abrigados, juntamente com outros antigos documentos, na Universidade Hebraica, em Jerusalém, em um edifício especialmente erigido com esse propósito, chamado «Santuário do Livro».

III. Datas

Embustes literários são comuns, e datas fantásticas são reivindicadas para materiais forjados. Portanto, no começo, muitos eruditos mostraram-se abertamente incrédulos acerca das datas calculadas para esse material. Porém, com o prosseguimento das pesquisas, o mundo gradualmente chegou a perceber que fora feita uma descoberta realmente notável. Até então, os manuscritos em hebraico do A.T., em contraste com os manuscritos gregos do Novo Testamento, eram todos manuscritos de séculos pertencentes à Idade Média, ou seja, muitos séculos distantes dos originais. Por ser fato conhecido que os escribas judeus eram muito cuidadosos na cópia dos manuscritos, devido ao grande respeito que tinham pelo Antigo Testamento, tem-se pensado que os manuscritos em existência, embora recentes, seriam cópias fiéis do original. Subitamente, porém, manuscritos de antes da era de Cristo caíram nas mãos dos eruditos, e agora a teoria poderia ser submetida a teste. De modo geral, tem sido demonstrado que o texto hebraico *massorético* padronizado (ver sobre a *Masorah*) é um texto bom, embora não perfeito, e que, algumas vezes, as versões, particularmente a Septuaginta, preservam o original que, em outros lugares o texto massorético perdeu. Conseqüentemente, a avaliação das versões subiu de conceito, enquanto que o texto hebraico padronizado foi rebaixado, apesar de que as mudanças envolvidas sejam relativamente pequenas.

Critérios para Fixação de Datas. São quatro: 1. paleografia; 2. fixação de datas com o auxílio do carbono 14; 3. identificação dos caracteres mencionados no comentário sobre o livro de Habacuque; 4. fixação de datas por meio de peças de cerâmica. Esses quatro critérios têm fornecido várias datas, desde 150 A.C. até 40 D.C. Os testes por meio do carbono 14, designados para determinar a antiguidade da matéria orgânica, indicaram que as capas de linho foram manufaturadas em cerca de 33 A.C., embora com uma margem de duzentos anos para trás ou para diante. A fixação de datas mediante a menção de nomes próprios, mencionados no comentário sobre *Habacuque*, mostrou ser menos exata, por causa da ambigüidade do uso dos nomes, dificultando fixar qualquer lugar histórico. Presumivelmente, o Mestre da Justiça foi o pai fundador da comunidade de Qumran, por sua vez associada aos essênios (que vide). Alguns eruditos têm envidado esforços para dar a impressão de que a base dessas referências acha-se na história de Jesus, o Messias, dando a entender que grande parte da história de Jesus foi criada a partir desses informes fictícios. Portanto, tais esforços fracassam, sobre bases literárias e históricas. O método de fixação de datas por cacos de cerâmica mostrou que esses pedaços pertenciam ao período helenista do século I A.C., ou então ao período romano, a começar em cerca do século III D.C. Além dos quatro métodos acima explicados, podemos considerar as circunstâncias históricas. Se os manuscritos foram escondidos na caverna, tendo em vista a sua preservação, pela comunidade de Qumran, para protegê-los dos exércitos romanos que avançavam, em

MAR MORTO, MANUSCRITOS (ROLOS)

Ruínas de Qumran, - Cortesia, John F. Walvoord

Shrine of the Scrolls, Jerusalém
(Lugar Santo dos Rolos)

A cor preta representa os filhos da escuridão
A cor branca representa os filhos da luz.
Cortesia, Israel Office of Information

Rolo dos Patriarcas, aramaico do Livro de Lamech, uma paráfrase de Gênesis

Foto de John C. Trever

Rolo de Isaías, o documento bíblico mais antigo antigo de tamanho considerável — Cortesia John C. Trever

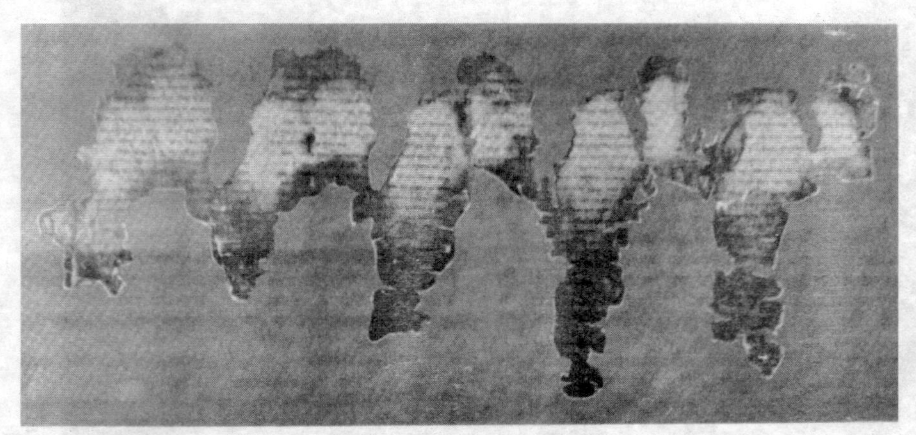

Fragmentos de Isaías de Qumran,
Cortesia, Hebrew University

Fragmentos do rolo de Daniel (1:10-2:6)
Foto por John C. Trever,
Cortesia, Dept. de Antiguidades,
Jordândia

cerca de 68 D.C., então devem ter sido escritos um pouco antes disso. As evidências demonstram que as cavernas continuaram sendo usadas como depósitos muito tempo depois, ou seja, ate o século VIII D.C., embora isso não tenha qualquer ligação com o volume maior dos manuscritos bíblicos ali achados.

IV. Lista dos Manuscritos

1. Duas cópias incompletas do livro de **Isaías**, bem parecidas com o texto massorético, embora com algumas significativas variantes, algumas das quais concordam com as versões, particularmente a Septuaginta.

2. O *Manual de Disciplina*, um tipo de guia para a comunidade ascética que residia em Qumran. Eles se intitulavam de «remanescente fiel», pelo que formavam uma espécie de movimento separatista, distinto da corrente principal do judaísmo. Presumivelmente estavam se preparando, no deserto, para a chegada do reino de Deus, ajudando Deus em sua batalha contra Belial e suas forças. Esse manual fornece regras para a admissão e conduta dos membros da comunidade. Havia regras para a comunidade, penas para os infratores, que iam desde a perda de refeições até à expulsão; havia sermões sobre os bons e os maus instintos humanos; havia instruções sobre o serviço militar e sobre a educação.

3. Um *livro de hinos*, parecido com os salmos bíblicos. A maioria desses salmos começa com as palavras «Agradeço-Te, Senhor», pelo que coletivamente, têm sido chamados de *Hinos de Ação de Graças*. Os temas incluídos nos mesmos são a iluminação espiritual dos eleitos, devoções, comunhão incluindo aquela com os anjos, o conflito contra o mal, e o triunfo final de Deus.

4. O *manual militar*, preparado especialmente para dar orientações próprias para o Armagedom, quando as forças de Deus e de Belial se enfrentarão no choque final. Os manuais militares dos romanos, como é claro, proviam a base das idéias ali contidas.

5. Um *comentário* sobre os primeiros dois capítulos do livro de *Habacuque*. Ali encontramos o material sobre o Mestre da Justiça e seus inimigos, incluindo o Homem da mentira, uma espécie de anticristo.

6. Uma *paráfrase* do livro de *Gênesis*, incluindo material lendário elaborado.

7. Três fragmentos do livro de Daniel, de diferentes rolos, mas seguindo, essencialmente, o texto massorético.

8. Duzentos fragmentos (caverna dois) de porções da *Tora*, dos Salmos, de Jeremias, de Rute e de textos apocalípticos. É nesse ponto que entram também os manuscritos de cobre, mencionados antes, e que não pertenciam à comunidade original de Qumran, porquanto devem ter pertencido a um grupo de zelotes, que ali permaneceu durante a guerra de 66-73 D.C. Esses manuscritos parecem conter um inventário, em código, dos tesouros do templo, divididos em sessenta e uma parcelas em Jerusalém, bem como nos distritos a leste e ao sul da capital. A validade desse material tem sido posta em dúvida.

9. *Trezentos fragmentos* de manuscritos encontrados na caverna quatro, contendo cerca de uma terça parte dos livros canônicos do Antigo Testamento. Interessante é observar que, no cômputo total desses manuscritos, encontrados nas várias cavernas de Qumran, estão representados todos os nossos livros do Antigo Testamento, excetuando o livro de Ester. Também foram descobertos ali o livro de Enoque, o documento de Damasco, o Testamento de Levi, e outras obras similares. Um trecho do livro de Números contém um texto não-massorético, com afinidade com as versões samaritana e da Septuaginta. Uma porção dos livros de Samuel exibe um tipo de texto como o da Septuaginta; mas uma outra porção desses mesmos livros parece conter um texto superior tanto à Septuaginta quanto ao texto massorético.

10. Muitos fragmentos de manuscritos, em más condições, foram encontrados na caverna número cinco, com trechos dos livros de Reis, Lamentações, Deuteronômio e uma obra apocalíptica em aramaico, intitulada *Descrição da Nova Jerusalém*.

11. Várias centenas de fragmentos de papiro e de couro, contendo livros como Gênesis, Levítico, Reis, Daniel e obras apocalípticas extrabíblicas.

12. Manuscritos regularmente bem conservados de Daniel e dos Salmos, encontrados na caverna onze. Ali também foi encontrado um targum em aramaico, do livro de *Jó*, do século I A.C.

13. *A Khirbet Mird*, que fora um mosteiro cristão, cerca de treze quilômetros a nordeste de Belém, continha manuscritos dos sécs. V a IX D.C., além de manuscritos bíblicos, de origem cristã, em grego e siríaco palestino. Esse material não tem ligação alguma com a comunidade de Qumran e com os manuscritos do mar Morto. Mas, visto que foi encontrado na mesma área geral, é mencionado como uma importante descoberta arqueológica. Esse material inclui cartas particulares em árabe, dos séculos VII e VIII D.C., uma carta escrita em siríaco, por um monge cristão, e um fragmento do Andrômaco de Eurípedes. Os textos bíblicos contêm pequenos trechos do Novo Testamento, de Marcos, de João, de Atos e da epístola paulina aos Colossenses, dos séculos V a VIII D.C.

14. *O wadi Murabba'at*, cerca de dezoito quilômetros ao sul de Qumran, produziu certa quantidade de fragmentos de manuscritos, pertencentes principalmente ao tempo quando as cavernas daquela área foram ocupadas pelas forças de Kidhba, líder das forças judaicas em revolta contra Roma, em cerca de 132 D.C. Também foram encontrados fragmentos do Pentateuco e de Isaías, pertencentes ao século II D.C. A porção do livro de Isaías exibe um texto similar ao do texto massorético. Alguns poucos papiros escritos *em hebraico*, por Simão Ben-Koshba, o líder judeu da segunda revolta judaica (132-135 D.C.), foram encontrados. Consistiam em comunicações com suas forças armadas da região. O fato de que foram escritos em hebraico demonstra que esse idioma continuava sendo uma língua viva, pelo menos até o século II D.C. O material ali achado também inclui cartas particulares, escritas em árabe, pertencentes aos séculos VII e VIII D.C., uma carta escrita em siríaco por um monge cristão, um fragmento da obra *Andrômaco*, de Eurípedes, e alguns fragmentos neotestamentários de Marcos, de João, de Atos e de Colossenses, pertencentes aos séculos V a VIII D.C.

V. Avaliações

1. No que concerne ao **texto** do Antigo Testamento, especialmente quanto à exatidão do texto massorético padronizado, que é a base da atual Bíblia hebraica, podemos afirmar o seguinte: a. esse texto, embora confiável de modo geral, não representa uma única tradição. Antes, é a padronização de outras tradições textuais, mais ou menos como o *Textus Receptus* o é para o Novo Testamento. b. No século II D.C. havia pelo menos três recensões textuais, que eram: *primeira*, o texto protomassorético; *segunda*, o texto tipo Septuaginta; *terceira*, uma outra recensão que diferia das duas primeiras. O livro de Samuel circulou, nos tempos antigos, sob uma versão mais longa do que a do texto massorético ou a da Septuaginta, com diferenças significativas.

2. Apesar de se saber atualmente que o texto massorético não era o único, mas apenas o texto mais vigoroso, que se tornou a Bíblia hebraica padronizada, as evidências gerais confirmam que se pode confiar nesse texto, de maneira geral. A confiança que os eruditos têm depositado nos cuidados dos escribas do Antigo Testamento é plenamente justificada, embora não daquela forma *gloriosa* que alguns esperavam.

3. Paralelamente, a Septuaginta e o Pentateuco Samaritano contam com alguns trechos autênticos, bem definidos, que o texto massorético perdeu.

4. Um subproduto dessas descobertas é que nenhum livro do Antigo Testamento, incluindo o livro de Daniel, pode ser atribuído ao período dos Macabeus, visto que todos os livros achados em Qumran, incluindo o de Daniel, eram cópias, o que significa que os originais tinham de ser ainda anteriores a essas cópias. No entanto, quão anteriores, continua sendo questão que pode ser legitimamente levantada no caso do livro de Daniel (que vide, quanto à *data*).

5. *Luz Histórica*. Essênios? Cristianismo? Essas descobertas nos têm fornecido muitas informações sobre um segmento do judaísmo pré-cristão, que poderia envolver os essênios. Talvez a comunidade de Qumran deva ser identificada com uma sociedade de essênios, mencionada por Plínio, o Velho (*História Natural* 5:17), que tinha sede acima de En-Gedi. Ver os artigos separados sobre os *Essênios* e sobre *Khirbet Qumran*. É difícil avaliarmos a questão, visto que a comunidade de Qumran exibe algumas diferenças significativas quando a comparamos com os essênios. Em contraste com os essênios, essa comunidade praticava o matrimônio, contava com holocaustos de animais, não eram pacifistas e evitavam todo o contacto com o mundo exterior. Porém, contra isso pode-se argumentar que o próprio termo *essênios* era uma designação elástica, que poderia ter incluído comunidades como aquela de Qumran. A questão continua sendo debatida, e com resultados incertos.

A Comunidade de Qumran e o Cristianismo. A questão tem sido exagerada. O **Mestre de Justiça** dificilmente pode ter servido de inspiração para *criar* Jesus, o Messias, embora aquele mestre exibisse algumas qualidades messiânicas. O Novo Testamento tem sua própria história confirmatória que em muito ultrapassa teorias de invenção e de lenda, criadas por alguns eruditos liberais. As sugestões que dizem que João Batista e Jesus tiveram contactos com a comunidade de Qumran e foram influenciados pela mesma, não passam de hipóteses. As diferenças doutrinárias negam a hipótese. Expressões comuns que são usadas, que também fazem parte do Novo Testamento, como «filhos da luz e filhos das trevas», o mestre justo e o homem da mentira (o Cristo e o anticristo), a vida eterna, a luz da vida, etc. também eram comuns ao judaísmo da época, e podem ter sido tomadas por empréstimo do judaísmo em geral.

Os manuscritos achados contêm vários apocalipses judaicos, não restando dúvidas de que a escatologia do Novo Testamento reflete esse material. Ver o artigo sobre os *Livros Apocalípticos*. Havia uma crescente tradição profética, começando pelas profecias veterotestamentárias, alicerçadas principalmente no livro de Daniel. A comunidade de Qumram estava envolvida nessa tradição, como também o estiveram os autores do Novo Testamento. Idéias atinentes à angelologia e à demonologia não foram inventadas pela comunidade de Qumran. Eles também estiveram envolvidos no desenvolvimento dessa tradição, da mesma forma que o estiveram o judaísmo helenista e o cristianismo. Os membros daquela comunidade falavam nos últimos dias, no lago do fogo, no árduo trabalho do Messias, etc., idéias essas que emergiram, naturalmente, da tradição profética. O cristianismo também pediu empréstimos desse fundo.

Para acompanharmos como os eruditos podem cair em exageros, consideremos a suposta *ressurreição* do *Mestre da Justiça*. Supõe-se que ele foi martirizado, mas, subitamente, reapareceu sob forma gloriosa e ressurrecta. Porém, tudo quanto está realmente envolvido é que ele foi rudemente interrompido no cumprimento de seu ofício, no dia da expiação, e, pouco depois, conseguiu reaparecer em seu costumeiro resplendor sacerdotal. O alegado *banquete messiânico* (que alguns têm dito ser paralelo à última Ceia), não passou de uma refeição ordinária, da qual participaram o rei e o sumo sacerdote. Portanto, um estudo mais sóbrio não vincula a comunidade de Qumran ao cristianismo, exceto no sentido de que ambos os grupos compartilhavam de vários particulares com o judaísmo em geral, mormente com o judaísmo helenista.

6. *Uso dos Livros Apócrifos e Pseudepígrafos*. A descoberta de muitas obras desse tipo, entre os manuscritos do mar Morto, demonstrou que, bem às portas de Jerusalém, tais obras eram usadas como livros sagrados. Portanto, não era apenas nos lugares afastados da Palestina que esses livros eram respeitados e usados. Sabemos que vários escritores do Novo Testamento os empregaram, com base em citações que fizeram dos mesmos, no Novo Testamento. Ver o artigo sobre *Citações no Novo Testamento*, onde oferecemos provas disso.

Bibliografia. ALLE AM DU HARR(1961) Z

MAR OCIDENTAL

No hebraico, *yam acharon*, uma expressão que aparece por duas vezes em todo o Antigo Testamento, ou seja, Joel 2:20 e Zac. 14:8. Essa é uma das descrições do mar Mediterrâneo. O contraste é com o «mar oriental», que já se refere ao mar Morto, os limites ocidental e oriental da Terra Santa, excluída a Transjordânia. Ver também os artigos chamados *Mar* e *Mar Grande*. Literalmente, *yam acharon* significa «mar traseiro». Assim era porque os israelitas, ao determinarem os quatro pontos cardeais, voltavam-se na direção do nascente do sol. Assim sendo, o ocidente ficava para as costas deles, o norte na direção do braço direito estendido, e o sul na direção do braço esquerdo estendido.

MAR SALGADO

Ver **Mar Morto.**

MAR VERMELHO

Na LXX, **eruthá thálassa**, tradução do hebraico que significa *mar de juncos*. É expressão usada para indicar três coisas: 1. As águas que foram divididas diante dos israelitas, no êxodo do Egito; 2. o golfo de Suez; 3. o golfo de Ãqaba.

1. *As águas do êxodo*. A comparação entre Êxodo 14 e 15:22, observando-se o paralelismo poético em 15:4, deixa claro que o «mar» atravessado pelos hebreus em Êxodo 14 era o «mar de juncos», que corresponde ao egípcio «alagadiços de papiros», particularmente no nordeste do delta do Nilo.

2. *Golfo de Suez*. Após partirem do deserto de Sur-Etã (Êxo. 15:22; Núm. 33:8), ao terceiro dia os hebreus chegaram a Mará, seguiram dali para Elom,

e então acamparam à beira do «mar de juncos» (Núm. 33:10,11), antes de partirem para o deserto de Sin (Êxo. 16:1; Núm. 33:11), a caminho do Sinai, onde chegaram após mais três paradas (Êxo. 17; 19:1,2; cf. Núm. 33:12-15). De acordo com essa maneira de ver as coisas, o «mar de juncos» de Núm. 33:10,11 ficava em algum lugar na costa do Sinai do golfo de Suez, se o monte Sinai-Horebe está localizado ao sul daquela península. Não parece haver base para a identificação do «mar de juncos» com o mar Mediterrâneo, pois isso faria os hebreus entrarem na terra proibida dos filisteus. E identificar o «mar de juncos» com o golfo de Ãqaba, provavelmente, requereria que o monte Sinai estivesse localizado em Midiã, a leste daquele golfo, pois isso faria com que os hebreus atravessassem o ermo de Et-Tih, em vez dos «wadies» do Sinai sul-central.

3. *Golfo de Ãqaba*. Com base em certos trechos da história hebraica subseqüente ao êxodo, torna-se claro que a expressão «mar de juncos» também podia ser aplicada ao atual golfo de Ãqaba, ao longo da costa oriental da atual península do Sinai. O trecho de I Reis 9:26 localiza explicitamente Eziom-Geber — o porto de Salomão — ao lado de Elote, nas praias do «mar de juncos», na terra de Edom, localização que se ajusta ao golfo de Ãqaba, mas não com o istmo de Suez e nem com o lago Balá. Jeremias 49:21 alude ao «mar de juncos» no oráculo de Edom, provavelmente, o golfo de Ãqaba novamente.

Após terem ficado em Cades-Barnéia (Êxo. 13:26), no deserto de Parã (12:16), os hebreus receberam ordens de ir para o deserto, através do «mar de juncos» (14:25; Deu. 1:40). Então houve o incidente com Coré, Datã e Abirã, que foram engolidos vivos pela terra, com suas tendas (Núm. 16), um incidente que pode ter ocorrido entre as planícies lamacentas da Arabá, não muito longe do golfo de Ãqaba. Por igual modo, após o sepultamento de Aarão, no monte Hor, depois de mais uma jornada ao redor de Cades-Barnéia (Êxo. 20:22—21:3), Israel novamente passou pelo caminho do «mar de juncos», «a rodear a terra de Edom» (Núm. 21:4; cf. Deu. 2:1; Juí. 11:16), uma rota que parece tê-los levado para o sul de Cades-Barnéia até o início do golfo de Ãqaba, como se fossem passar pela extremidade sul de Edom, para então deixarem para trás aquela terra, seguindo para o norte, ao longo de sua fronteira oriental, e daí até Moabe (ambos os países negaram passagem a Israel — ver Núm. 20:14-21; Juí. 11:17).

No caso de Êxo. 23:31, talvez tenhamos uma fronteira sudoeste da Terra Prometida, indo desde o começo do golfo de Ãqaba («mar de juncos») até o Mediterrâneo (mar dos filisteus), isto é, mais ou menos ao longo do wadi el-Arish, o que é confirmado em outras fontes. (Ver Egito, Ribeiro do).

MARA

No hebraico, «amargo». *Noemi* (vide), apodou-se com essa alcunha, pensando que o nome lhe cabia bem, por causa de suas muitas aflições. Noemi, por sua vez, significa «meu deleite», no hebraico, o que ela pensava não se ajustar bem a ela. Ver Rute 1:20. Quando ela retornou de Moabe para sua terra nativa, em Israel, ela havia perdido seu marido e seus dois filhos, o que explica sua amargura de espírito.

MARA (Localidade)

No hebraico, «amargo». Esse foi o nome da sexta parada de Israel, durante suas vagueações pela península do Sinai, após o êxodo (ver Êxo. 15:23,24; Núm. 33:8). As águas do lugar eram amargosas, o que explica tal locativo, no entanto, miraculosamente, Moisés tornou-as boas para o consumo humano (por orientação divina), após ter lançado nelas uma certa árvore.

Acredita-se que a fonte seja aquela que atualmente se chama *'Ain Hawarah*, cerca de setenta e seis quilômetros a suleste de Suez e cerca de onze quilômetros das margens do mar Vermelho. Alguns estudiosos identificam-na com Cades. Foi esse o primeiro acampamento de Israel, depois que atravessaram o mar Vermelho. O povo de Israel caminhou por três dias deserto de Sur adentro, após aquela travessia, até chegar a Mara.

MARALÁ

Esse era o nome de uma localidade existente na fronteira ocidental do território de Zebulom (ver Jos. 19:11). Algumas traduções dizem *Mareal*. Maralá significa «terremoto» ou «tremeluzente». Ficava a seis quilômetros e meio de Nazaré, na fronteira sul com Zebulom, aparentemente já dentro do território da tribo de Issacar, a oeste de Saride e a leste de Dabesete. Alguns estudiosos têm-na identificado com o moderno Tell Ghalta, a norte de Megido, no vale de Jezreel.

MARANATA

Essa palavra aparece no Novo Testamento grego em I Cor. 16:22, mas tal vocábulo é apenas a transliteração de um termo aramaico. Tal palavra também aparece no *Didache* 10:6. Os eruditos acreditam que ela é composta por *maran* (*marana*), «nosso Senhor», e *tha* (*atha*), «vem!» Alguns pensam que deveríamos interpretar esse verbo como «veio!» O resultado é um convite: «Vem, nosso Senhor!», ou, então: «O Senhor veio!» O imperativo que há em Apo. 22:20: «Amém. Vem, Senhor Jesus», de formulação gramatical semelhante, sugere que *Maranata* deveria ser entendida como um imperativo, um convite. Porém, o uso dessa mesma palavra, no *Didache*, em associação à eucaristia, parece favorecer o verbo no perfeito: «O Senhor é vindo». Pode-se argumentar, porém, que visto que a eucaristia antecipa a *parousia* (vide), então até mesmo ali o imperativo é preferível.

No tocante à eucaristia, temos as seguintes idéias, que cercam o uso da palavra *Maranata*:

1. O Senhor veio em sua *Encarnação* (vide). Ver I Cor. 11:24,25.

2. O Senhor virá em sua *parousia*, razão pela qual rogamos que aquele dia futuro seja apressado. Ver I Cor. 11:26.

3. Nosso Senhor está presente conosco, desde a sua encarnação, e isso é simbolizado especialmente pela Ceia do Senhor. Portanto, ele deveria ser amado; e aquele que não O ama, que seja maldito. Ver I Cor. 16:22.

Naturalmente, todas essas significações são inerentes à doutrina de Cristo, e em coisa alguma contradizem umas às outras. É possível que o termo *Maranata*, assim usado nas Escrituras, tivesse mais de um significado. E ainda uma outra idéia, favorecida por alguns eruditos é que esse termo, na verdade, importa em uma maldição. Se alguém não ama ao Senhor, que seja maldito, e, a fim de garantir isso, o próprio Senhor virá efetuar tal coisa! A fórmula pode ter sido empregada em relação à eucaristia, mas também independente dela. Mas parece claro que ela exprimia uma espécie de lema dos cristãos primitivos, podendo ser usada em várias conexões.

Por que motivo Paulo usou essa expressão em aramaico (siríaco) é algo que não sabemos dizer. Porém, é bem provável que os cristãos primitivos conhecessem a expressão sob essa forma, como uma espécie de lema ou senha, mais ou menos como, em muitos idiomas, vem sendo usada a palavra *Aleluia!*, sem qualquer tentativa de tradução. Outros casos são *carismata*, para indicar os dons espirituais, e *Logos*, que é uma palavra universalmente conhecida na filosofia e na teologia. *Abba*, «Pai», é outro caso desses. Quanto a outras expressões, encontradas no Novo Testamento, usadas para aludir à iminente vinda de Cristo, ver Fil. 4:5; I Tes. 4:14 e *ss*; Tia. 5:7 e *ss*; Apo. 1:7 e 22:20.

MARAVILHA, MARAVILHOSO

1. No Antigo Testamento

a. *Tamah*, «maravilhar-se», «admirar-se». Esse verbo heb. aparece por sete vezes: Gên. 43:33; Sal. 48:5; Ecl. 5:8; Isa. 13:8; 29:9; Jó 26:11.

b. *Pala*, «maravilhoso», «singular». Essa palavra hebraica ocorre por cerca de cinqüenta vezes, conforme se vê, por exemplo, em I Crô. 16:12,24; Jó 5:9; Sal. 9:1; 78:12; 98:1; 105:5; 139:14; Dan. 11:36; Miq. 7:15. Essa palavra envolve a idéia de algo «separado», «distinto», envolvendo algum evento ou circunstância que cause admiração. Ver Sal. 107:24. Deus operou muitas maravilhas no Egito, quando dali livrou o seu povo. Isaías tornou-se motivo de admiração ao andar descalço e sem suas vestes externas, projetando assim a idéia das calamidades que haveriam de atingir Israel (ver Isa. 20:3). Os escritores do Antigo Testamento destacaram as obras de Deus como maravilhosas, conforme se vê, por exemplo, em Jó 9:10 e Sal. 96:3.

2. No Novo Testamento

1. *Thaumázo*, «admirar-se», «maravilhar-se». Esse verbo grego ocorre por quarenta e três vezes: Mat. 8:10,27; 9:33; 15:31; 21:20; 22:22; 27:14; Mar. 5:20; 6:6; 15:5,44; Luc. 1:21,63; 2:18,33; 4:22; 7:9; 8:25; 9:43; 11:14,38; 20:26; 24:12,41; João 3:7; 4:27; 5:20,28; 7:15,21; Atos 2:7; 3:12; 4:13; 7:31; 13:41 (citando Hab. 1:5); Gál. 1:6; II Tes. 1:10; I João 3:13; Jud. 16; Apo. 13:3; 17:6-8. Conforme é evidente, a referência mais constante é às maravilhosas obras realizadas por Cristo, coisas que deixavam atônitos os espectadores. Esses eram sinais confirmatórios de sua autoridade e missão messiânicas. Os profetas do Antigo Testamento haviam predito essas maravilhas do Messias (ver Sal. 118:32; Isa. 29:14; Miq. 7:15; Zac. 8:6). Ver também o artigo sobre *Jesus*, onde são alistados os seus milagres. Nicodemos admirou-se das obras e dos ensinos admiráveis de Cristo (João 3:7), tal como sucedeu a vários outros (João 5:20,28; 7:15,21). As multidões também se admiravam ante suas obras (Mat. 8:27; 9:16; Mar. 5:20). Jesus, por sua vez, admirou-se da fé de alguns (Mat. 8:10), e da incredulidade de outros (Mar. 6:6).

2. *Thaumásios*, «algo que provoca admiração». Essa palavra ocorre somente em Mat. 21:15.

3. *Thaumastós*, «admirável», «maravilhoso». Adjetivo que aparece seis vezes: Mat. 21:42 (Sal. 118:23); Mar. 12:11; João 9:30; I Ped. 2:9; Apo. 15:1,3.

MARBURGO, COLÓQUIO DE

Essa foi uma reunião que teve lugar em 1529, quando reformadores protestantes que seguiam Lutero e Zwínglio tentaram reconciliar os pontos de vista divergentes desses dois líderes, com o propósito de conseguir alguma espécie de unidade. Eles obtiveram sucesso quanto à maioria das questões ventiladas, mas a questão sobre os sacramentos (ou ordenanças) dividiu-os. Quanto a essa questão, eles permaneceram em aberto desacordo. Ver o artigo separado sobre *Filipe de Hesse*, onde há maiores detalhes sobre esse encontro e toda a questão. Foi ele quem organizou o Colóquio de Marburgo, a interesse da unidade organizacional entre os protestantes.

Todos os esforços dessa natureza tradicionalmente fracassam, visto que os protestantes e evangélicos, em sua liberdade de qualquer autoridade hierárquica, e insistindo quanto a seus modos específicos de interpretação, sem a interferência de corpos legislativos, sempre tenderam mais ou menos para a fragmentação.

MARCA (SINAL)

Várias palavras hebraicas e gregas estão por detrás dessas traduções:

1. *Bin*, palavra hebraica que indica uma marca qualquer na testa, na mão ou em outra parte qualquer do corpo, com o propósito de identificação. Ver Eze. 9:4,6. A Ezequiel foi dito por Deus que atravessasse a cidade de Jerusalém e identificasse os piedosos com algum tipo de marca. Os ímpios, que não fossem assinalados, seriam destruídos. Chegara o tempo de Deus julgar a cidade.

2. *Oth*, palavra hebraica usada para indicar a marca que Deus apôs em Caim, a fim de distingui-lo dos demais homens, devido ao fraticídio que cometera, o que, naturalmente, tornava-o um alvo para ser assassinado. Essa marca visava a impedir que fosse morto, visto que Deus o condenara a uma sentença perpétua que envolvia sofrimentos. Há muitas especulações sobre essa marca, mas nada de certo pode ser afirmado. Ver o artigo sobre *Caim*.

3. *Mattarah* ou *mattara*, uma palavra hebraica que tem o sentido de *alvo*. Jônatas disse a Davi que lhe revelaria a atitude de Saul para com ele, lançando três dardos, como se estivesse atirando-os em algum alvo. Mas tudo tinha o intuito de transmitir uma mensagem a Davi, conforme se vê no texto de I Sam. 20:19 *ss*.

Essa mesma palavra hebraica é usada em Lam. 3:12, onde o profeta Jeremias viu a si mesmo como um alvo para as flechas de seus inimigos perseguidores.

4. *Miphga*, palavra hebraica que significa «marca». Jó indagava por que motivo Deus tê-lo-ia *marcado* para os sofrimentos pelos quais ele estava passando, como que por força de algum decreto divino. Ver Jó 7:20: «Por que te fizeste de mim um alvo...?» diz nossa versão portuguesa.

5. *Qaaqa*, «incisão», «marca», «tatuagem». Ver Lev. 19:28. Os israelitas foram proibidos de receber qualquer tipo permanente de marca no corpo. Isso combatia certas formas de idolatria, em que os deuses pagãos eram honrados por seus seguidores por tatuagens auto-impostas, ou golpes e talhos na pele, que os identificavam como seus discípulos.

No grego devemos considerar quatro palavras:

1. *Semeion*, «sinal», dando a entender algum sinal visível de alguma coisa. Palavra usada por setenta e cinco vezes no Novo Testamento: Mat. 12:38,39; 16:1,3,4; 24:3,24,30; 26:48; Mar. 8:11,12; 13:4,22; 16:17,20; Luc. 2:12,34; 11:16,29,30; 21:7,11,25; 23:8; João 2:11,18,23; 3:2; 4:48,54; 6:2,14,26,30; 7:31; 9:16; 10:41; 11:47; 12:18,37; 20:30; Atos 2:19 (citando Joel 3:3); 2:22,43; 4:16,22,30; 5:12; 6:8; 7:36; 8:6,13; 14:3; 15:12; Rom. 4:11; 15:19; I Cor. 1:22; 14:22; II Cor. 12:12; II Tes. 2:9; 3:17; Heb. 2:4; Apo. 12:1,3; 13:13,14; 15:1; 16:14 e 19:20.

Os judeus exigiram um *sinal* da parte de Jesus, como comprovação de suas reivindicações messiânicas (Luc. 11:29). As línguas, como um dom espiritual, são um sinal para os incrédulos, autenticando a mensagem do evangelho (I Cor. 14:22). Essa também era uma palavra comum para indicar «milagre», com o propósito de ensinar. Ver Mat. 12:38,39; 26:48; Atos 4:12,22; 6:8 e 15:12. Os poderes malignos também têm seus sinais (milagres), segundo se vê em Apo. 13:14, o que mostra que um milagre nem sempre é prova de veracidade.

2. *Skópos*, «alvo». Esse termo grego só aparece por uma vez no Novo Testamento, em Fil. 3:14. Em sua inquirição espiritual, Paulo avançava na direção do *alvo*. Há traduções que dizem ali, «marca».

3. *Stigma*, «cicatriz», ou alguma marca, como na pele de um escravo, para mostrar que ele pertencia a seu senhor. Ver Gál. 6:17, a única passagem neotestamentária onde ocorre esse vocábulo. Paulo trazia no corpo os sinais das perseguições de que fora vítima, identificando-o como servo de Cristo.

4. *Charagma*, «inscrição», algo gravado. Palavra que ocorre por oito vezes no Novo Testamento: Atos 17:29; Apo. 13:16,17; 14:9,11; 16:2; 19:20; 29:4. Essa é a palavra grega para indicar a «marca da besta», segundo se vê nas referências do Apocalipse. Essa marca mostrará quem lhe será submisso, servindo, igualmente, de uma espécie de permissão para negociar. Há muitas idéias sobre a natureza ou identificação da tal marca. Sem dúvida, o autor do Apocalipse tinha em mente alguma espécie de tatuagem (ver sobre as palavras hebraicas, número cinco, acima)—talvez os números «666» ou algum outro símbolo do poder do anticristo.

Os arqueólogos têm descoberto os nomes de garotas escritos por seus namorados em seus valores numéricos. Em tempos modernos, alguns têm aventado a idéia dessa marca ser um sinal invisível, impresso profundamente na pele, que alguma luz especial seja capaz de tornar visível, visto que agora temos a tecnologia para tanto.

Notemos, igualmente, que o trecho de Apo. 7:3 diz que cento e quarenta e quatro mil servos especiais de Deus, durante o período da grande tribulação, terão o *selo* de Deus em suas testas, o que é uma idéia paralela. Todavia, alguns intérpretes opinam que a marca da besta não deve ser entendida literalmente, como se fosse uma marca física. Antes, seria uma identificação espiritual, conhecida por Deus. Assim, Deus saberia quais estão selados para o bem e quais estão selados para o mal e a rebeldia.

MARCA (SINAL) DA BESTA (ANTICRISTO)

Ver **Sinal (Marca) da Besta (Anticristo)**.

MARCELO DE ANCIRA

Sabe-se que ele morreu em cerca de 374 D.C. Foi bispo de Ancira, na Galácia. Defendia a fé exposta no credo niceno (vide), mas foi condenado e deposto por sínodos orientais. No Ocidente, seus pontos de vista vieram a ser reputados modificações das posições ortodoxas, e também foram condenados. Marcelo defendia com denodo a posição nicena da *homoousia* (vide), embora tivesse sido seduzido a usar expressões sabelianas para expor seus pontos de vista. Ver sobre *Sabellius*. Foi suspenso de suas funções pelo sínodo de Constantinopla, em 336 D.C., e sofreu a oposição de Eusébio de Cesaréia. Todavia, foi defendido por ocasião do concílio de Sárdica, no Ocidente. Não obstante, a longo prazo, acabou condenado. Ele ensinava que, inicialmente, Deus era uma *mônada*, que incluía em Si mesmo tanto ao Filho quanto ao Espírito Santo. Por ocasião da criação, ter-se-ia tornado uma *díada*, com a extrapolação do Filho; e, finalmente, tornou-se uma *tríada*, com a insuflação do Espírito Santo (ver João 20:22). Em seguida, Marcelo especulava, mediante a exegese de I Cor. 15:58, que a Deidade uma vez mais tornar-se-á uma mônada, após o término das realizações trinitarianas. Para ele, pois, o trinitarianismo era apenas um episódio divino, mas não uma característica inerente e permanente do Ser divino. Ver o artigo geral sobre a *Trindade*. Ver também sobre *Cristologia*. Os homens têm despendido esforços ingentes na tentativa de explicar o que é inexplicável. Não conseguem deixar os *mistérios* como eles são, embora sejam incapazes de sondá-los, e, muito menos de explicá-los.

MARCHESHVAN

Essa é a palavra hebraica para referir-se ao nome babilônico do oitavo mês do ano, *Arahsamna*. Corresponde ao mês macedônio *Dios* (outubro-novembro). Quanto aos nomes dos meses, nos tempos mais antigos, Israel usava nomes cananeus. Após o cativeiro babilônico, começaram a ser usados nomes babilônicos. Esse nome, *Marcheshvan*, não se acha no Antigo Testamento. Ver o artigo intitulado *Calendário*.

MARCIANO CAPELLA

Não se sabe quais as suas datas exatas, embora seja sabido que ele esteve ativo entre 400 e 439 D.C. Era natural de Cartago. Embora ele não fosse convertido ao cristianismo, sua vida e suas obras escritas exerceram grande influência sobre o pensamento cristão. Em seu livro *De Nuptiis Mercurii et Philologiae*, ele foi o primeiro escritor a distinguir as *sete* artes liberais. Juntamente com essa classificação, ele proveu um compêndio de estudos próprios de sua época. Essa obra foi o primeiro esforço de que se tem notícia para classificar os empreendimentos intelectuais humanos. Autores posteriores comentaram a respeito e tomaram suas idéias por empréstimo. Notker Labeu, já no século XI D.C., traduziu esse livro para o alemão.

MÁRCION DE SINOPE (Marcionismo)

Ver o artigo geral sobre o *Gnosticismo*.

Não se sabe a data de seu nascimento, embora seja sabido que ele faleceu em cerca de 165 D.C. Ao que tudo indica, ele nasceu em Sinope, no Ponto, Ásia Menor, atualmente parte do território da Turquia. Márcion foi um influente mestre cristão que, finalmente, fundou uma escola gnóstica, que rivalizava com o cristianismo. Foi excluído em 144 D.C. Não obstante, somos forçados a vê-lo através dos olhos de seus oponentes, especialmente Tertuliano e Epifânio, que combatiam acerbamente a ele e à sua obra.

Márcion produziu uma obra apologética que poderia lançar muita luz sobre sua pessoa e seus ensinamentos, mas essa obra perdeu-se. Ele é referido como um gnóstico, mas a verdade é que havia uma certa variedade de posições gnósticas. No entanto, sua doutrina era fortemente paulina em caráter, embora, naturalmente, de mistura com suas próprias idéias e especulações. Ele rejeitava totalmente ao Antigo Testamento, como impróprio para os tempos e os usos cristãos.

Márcion fora um rico proprietário de navios que abandonara os negócios a fim de dedicar toda a sua atenção à fé religiosa. Sua comunidade religiosa foi iniciada em cerca de 144 D.C. Muitas congregações marcionitas foram fundadas e propagaram-se por todo o império romano. Márcion viajava muito, a exemplo do apóstolo Paulo, visitando essas igrejas. Sofria a influência de Cerdo, um mestre gnóstico, embora também diferisse dele. Ele sentia que tinha uma importante missão a cumprir, ou seja, pregar e estabelecer um *puro evangelho*, sem os estorvos do pano de fundo judaico. Em certo sentido, ele foi um hiperdispensacionalista, que só aceitava como sua autoridade algumas das epístolas paulinas. Também usava uma forma mutilada do evangelho de Lucas. Seus pronunciamentos sobre o *cânon* das Escrituras eram ouvidos por muitos, levando assim a Igreja como um todo a manifestar-se a respeito, revestida como estava de uma autoridade mais ampla. No Ocidente, seu movimento desapareceu aí pelo século IV D.C. Mas, no Oriente, persistiu até o século VII D.C. Com base em informações prestadas por Tertuliano (*Adv. Márcion* 5:19) e por Justino (*Apol*. 1.26,5), tomamos conhecimento sobre quão poderoso e bem disperso foi esse movimento, na história da antiga Igreja cristã. Apeles foi o mais conhecido dos sucessores de Márcion (Tertuliano, *De Praescriptionibus*, 30). Ele equilibrou o pessimismo radical de Márcion e negava a origem má do mundo, um dos principais ensinamentos do sistema de Márcion.

A partir do século III D.C., o marcionismo começou a declinar, especialmente em face do impacto maior do *maniqueísmo* (vide), que tendia por absorver membros daquela seita mais antiga. O marcionismo foi finalmente proibido pelo imperador Constantino, embora tivesse ainda perdurado por mais alguns séculos no Oriente. Sua existência forçou a corrente principal do cristianismo a formular cuidadosos credos, pronunciando-se sobre o cânon das Escrituras, tanto do Antigo quanto do Novo Testamentos.

Ideias:

1. Márcion rejeitava o Antigo Testamento como se o mesmo tivesse sido produzido pelo *demiurgo*, um deus justo e iracundo, que pôs o seu povo sob o império da lei. Esse *demiurgo* sob hipótese alguma seria o poder divino mais alto, mas seria apenas o Deus do Antigo Testamento; e este mundo, como sua criação, naturalmente tinha seus problemas, porquanto não fora criado pelo poder divino maior. O Deus do Antigo Testamento, segundo Márcion, precisa ser distinguido do Deus mais alto e Desconhecido da revelação neotestamentária.

2. O cristianismo era uma nova revelação, independente em tudo do judaísmo, porquanto seria uma graduação completamente nova, acima daquela antiga e ultrapassada fé. Para ele, o cristianismo não teria o intuito de cumprir o judaísmo e, sim, de substituí-lo totalmente.

3. Cristo não seria uma verdadeira encarnação divina na carne. Ele apenas parecia ter vindo em carne. Ver o artigo sobre o *Docetismo*.

4. O Deus mais alto do Novo Testamento, observando a miséria humana, enviou seu Filho a fim de redimir a raça humana. Mas o *demiurgo*, o Deus do Antigo Testamento, irado, cuidou para que Cristo fosse crucificado. Isso foi feito com base na *ignorância*, e não meramente com base na *ira*.

5. De fato, Cristo cumpriu perfeitamente a lei, pelo que o *demiurgo* agiu de forma incoerente, porquanto era isso que ele estava exigindo o tempo todo. O Cristo ressurrecto apareceu perante o *demiurgo*, acusando-o de ter-se equivocado; e o resultado foi que todas as almas humanas tiveram de ser entregues a ele, a fim de que pudessem ser redimidas. Destarte, Cristo tornou-se o cabeça federal da raça humana, com a qual se identificara perfeitamente, e que comprara por meio de sua morte.

6. Paulo seria o único verdadeiro apóstolo de Cristo; e sobre Paulo repousa toda a autoridade escriturística. Paulo pregou o verdadeiro evangelho, fazendo contraste com a versão judaizante dos outros, pseudo-apóstolos. Então, Márcion autonomeou-se representante de Paulo, para levar avante a sua obra.

7. A Igreja primitiva não se mostrou fiel às diretivas paulinas, razão pela qual se impôs um movimento *restaurador*. Nisso consistia a missão de Márcion.

8. Márcion pregava que a salvação vem mediante a renúncia quanto ao *demiurgo* e seu tipo de mensagem, contida na ira e na lei mosaica. O Deus bom, do Novo Testamento, agiu de modo inteiramente diferente. Ele opera através da graça, por meio de seu Filho.

9. *Ascetismo*. A vida cristã sincera, para Márcion, é melhor cumprida quando o indivíduo segue o ascetismo. Os homens enganam a si mesmos quando se tornam parte do mundo, esperando, ao mesmo tempo, que possam derrotar as obras da carne. É recomendável não somente que o homem evite a sensualidade, mas também que evite o casamento, que inevitavelmente é corruptor.

10. O corpo humano deve perecer, juntamente com toda a matéria; mas o homem é uma alma eterna, e a alma é que é redimida para receber a glória eterna.

11. Em sua *Antítese*, Márcion argumenta que o Antigo Testamento não somente contradiz o Novo Testamento, mas também entra em contradição consigo mesmo.

12. *Cânon*. O cânon marcionita consistia em dez epístolas paulinas e em uma forma modificada do evangelho de Lucas. Nesse evangelho, Cristo simplesmente teria aparecido, e não nascido. De fato, esse foi o mais primitivo cânon cristão do Novo Testamento; a partir daí, a Igreja começou a aceitar outros livros, até completar-se o seu número atual. Ver o artigo geral sobre o *Cânon*.

13. *A Antiigreja*. A antiigreja de Márcion competia com a corrente principal do cristianismo. Ela tinha suas próprias igrejas, credos, missionários e cultura. No entanto, muitos deles morreram como mártires de sua causa; eles eram perseguidos e não retaliavam.

14. *Batismo Pelos Mortos*. Paulo talvez conhecesse antigos cristãos que praticavam tal forma de batismo. Ver I Cor. 15:29 e o artigo intitulado *Batismo pelos Mortos*. Essa prática, até onde se sabe através da história (fora à parte daquela referência paulina), foi observada, pela primeira vez, entre os marcionitas e os montanistas, no século II D.C., além de ser uma importante doutrina dos *mórmons* (vide), nos tempos modernos.

15. No tocante à descida de Cristo ao hades, Márcion anunciava uma estranha distorção, que demonstrava a profundeza de sua doutrina antijudaica. Ele asseverava que Cristo libertara do hades àqueles espíritos que o Antigo Testamento havia declarado serem maus, mas que, na realidade, eram bons, ao passo que os *crentes* do Antigo Testamento (que seriam piores do que os chamados ímpios) foram deixados no hades. Ver o artigo sobre a *Descida de Cristo ao Hades*. (AM B C E)

MÁRCION, EVANGELHO DE

Ver o artigo geral sobre *Márcion*. Seu relato e suas idéias aparecem naquele artigo. Márcion não escreveu nenhum evangelho, e nenhum evangelho foi escrito em sua época. O que se conhece como evangelho de Márcion era apenas uma forma modificada do evangelho de Lucas, adaptada à doutrina marcionita, com o corte do que ele não aceitava e a adição do que ele bem quis. No entanto, o livro de Atos não era aceito por ele, sob a alegação de que *somente* Paulo seria um genuíno apóstolo de Cristo. Devemo-nos lembrar que o impulso para a formação do cânon foi iniciado na Igreja essencialmente, embora não exclusivamente, por Márcion. Em II Pedro 3:16 há uma referência aos escritos de Paulo, os quais são chamados de *Escritura*, e isso indica que houve algum sentimento canônico no tocante ao Novo Testamento, antes do tempo de Márcion. Naturalmente, há estudiosos que atribuem a II Pedro uma data posterior, até mesmo depois do tempo de Márcion. Seja como for, os historiadores vêem o começo da canonização do Novo Testamento com Márcion, pois ele forçou a Igreja a agir, porquanto ele dizia que somente dez epístolas paulinas eram autoritárias, adicionando a isso uma forma truncada do evangelho de Lucas. Ao que parece, ele não adicionou muita coisa, embora se sentisse livre para apagar o que sentia ser impróprio para o seu evangelho particular. Visto que, em seus dias, as pessoas não falavam acerca do evangelho de Lucas como Escritura, ele se sentia livre para agir daquela forma. Mui curiosamente, foi o próprio Márcion quem elevou o evangelho de Lucas à posição de Escritura canônica, dando-lhe uma posição sem-par, junto com dez epístolas paulinas. Mas não foi ele quem, realmente, o elevou a essa augusta posição.

Irineu (I.25,1) informa-nos que Márcion retirou de seu cânon todo material referente ao nascimento do Senhor Jesus, bem como elementos de seus discursos, que porventura entrassem em choque com aquela sua doutrina. Para Márcion, Jesus não viera cumprir e, sim, destruir a lei. E qualquer material judaico que não se ajustasse a essa teoria era removido. Márcion também não apreciava qualquer passagem que identificasse o criador deste mundo com o Pai dos cristãos, visto que cria que o Deus do Antigo Testamento era inferior ao Deus do Novo Testamento, pelo que haveria dois deuses. Ele também eliminava a narrativa sobre o batismo e a tentação de Cristo, pois isso contradizia sua opinião docética sobre Cristo. Estamos informados de que Márcion rasurou cerca de uma quarta parte, ou talvez tanto quanto uma terça parte, do volume total do evangelho de Lucas.

Existem outras teorias que não parecem tão prováveis. Talvez o evangelho de Márcion estivesse alicerçado sobre um Proto-Lucas, e não sobre o evangelho final de Lucas. Alguns chegam ao extremo de afirmar que o evangelho de Márcion em nada dependia do de Lucas; mas que o evangelho de Lucas dependeu do evangelho de Márcion como uma de suas fontes informativas. Se o evangelho de Márcion estava baseado em um Proto-Lucas, então pode-se supor que o próprio Lucas, ou a Igreja primitiva, o expandiu. Porém, é muito mais lógico afirmar que Márcion simplesmente abreviou o evangelho de Lucas, já existente, a fim de usá-lo como sua versão da história de Jesus. O evangelho de Marcos não era muito popular na Igreja primitiva, tendo sido incorporado nos evangelhos de Mateus e de Lucas, e, por essa razão, dificilmente Márcion sentir-se-ia tentado a escolher o segundo dos evangelhos, o de Marcos. Mateus também tem tom mais judaico que o de Lucas, e isso o elimina como escolha de Márcion. O evangelho de João fala muito sobre os Doze, e sua doutrina é menos flexível para os propósitos de Márcion. Isso deixa o evangelho de Lucas como a escolha mais provável desse homem. O fato de que Márcion escolheu o evangelho de Lucas mostra-nos que o terceiro evangelho já tinha prestígio e estava sendo usado pela Igreja, naqueles recuados tempos de Márcion.

MARCO

No hebraico, *tsiyyum*, «sinal», «monumento». Essa palavra aparece por três vezes: II Reis 23:17; Jer. 31:21 e Eze. 39:15. Geralmente tratava-se de algum monte de pedras ou outro objeto conspícuo, que servia de sinal à beira de alguma estrada ou rota comercial; ou, então, que servia de sinal de que ali havia alguém sepultado.

No primeiro caso temos o trecho de Jer. 31:21, onde um montão de pedras assinalava a rota do exílio, por onde o povo de Israel haveria de voltar, no futuro, à sua própria terra.

No segundo caso temos as passagens de Eze. 39:15 e II Reis 23:17. Também podia ser usada uma coluna (conforme se vê em Gên. 35:20 e II Sam. 18:18), ou então uma pilha de pedras, diretamente sobre a sepultura (segundo se vê em Jos. 7:26 e 8:29). Também podia ser empregada uma lápide (no hebraico, *massebah*, embora essa palavra não ocorra nas páginas do Antigo Testamento).

MARCOS

Ver sobre *Marcos, João*.

MARCOS

No hebraico, **gebul** indica um marco de fronteira. Podia ser uma estaca, uma pedra ou uma pilha de pedras, ou, então, alguma forma qualquer de monumento. A lei mosaica não permitia a remoção desses marcos (ver Deu. 19:14; 27:17; Pro. 22:28; ver também Jó 24:2). Sabemos, por meio dos antigos escritos gregos, que já se usavam marcos desde antes da época de Homero, na Grécia (Ilíada 21:405). Os romanos consideravam sagrados os marcos, e a remoção de um marco podia dar em punição capital. Alguns marcos tinham gravações, que especificavam suas funções ou celebravam algum acontecimento (Gên. 31:51,52).

A terra de Canaã foi dividida entre as tribos de Israel, e foram postos marcos que assinalavam esses territórios divididos. Ademais, famílias individuais tinham seus terrenos, que também eram demarcados (Núm. 27:1-11; cap. 26). Visto que a herança da família tinha tão grande importância em Israel, a terra simbolizava provisão, independência e dignidade. E podemos entender por que a remoção de tais marcos era considerada uma ofensa séria.

Linguagem Figurada. Os acontecimentos podem ser marcos, quando são importantes no decorrer de uma vida humana. Um acontecimento especial é um marco para um indivíduo, uma família ou uma nação. Uma decisão também pode ser considerada um *marco*, quando, no direito legal, torna-se um precedente, ou então quando tem conseqüências graves.

MARCOS, EVANGELHO DE

Esboço:

1. Autor
2. Data
3. Lugar e Destino

4. Propósito
5. Linguagem
6. Fontes dos Materiais, e Marcos como uma das Principais Fontes dos Evangelhos Sinópticos
7. Conteúdo
8. Bibliografia

Observações Gerais:

Embora o evangelho de Marcos, certamente, seja o *evangelho original* (dentre os que possuímos no N.T.), figura como o *quadragésimo primeiro* livro em nossa Bíblia, colocado após o evangelho de Mateus, provavelmente porque Agostinho e outros entre os primeiros comentadores consideraram-no uma condensação do evangelho de Mateus. Nenhum erudito moderno de nome apega-se atualmente a essa teoria, e uma universalidade virtual tem sido agora conferida à idéia já bem demonstrada de que o evangelho de Marcos foi escrito antes do de Mateus, do de Lucas e do de João. O evangelho de Marcos é designado pelo nome de *sinóptico* porque, juntamente com o de Mateus e o de Lucas, apresenta uma narrativa similar da vida e do ministério do Senhor Jesus, fazendo contraste nisso com o evangelho de João, cujo conteúdo é bastante diferente, tanto no tocante ao esboço histórico como nos acontecimentos e ensinamentos ali apresentados. Os três evangelhos de Mateus, Marcos e Lucas «vêem juntos» as ocorrências, razão pela qual são chamados pelo termo «sinópticos». «Essa designação não significa que à base deles (em contraste com o quarto evangelho) possamos obter uma sinopse da vida de Jesus e, sim, que estão de tal maneira relacionados uns com os outros que poderiam ser impressos em colunas paralelas, com pouquíssima distorção, o que nos leva à admiração... Em contraste com esses três... avulta o quarto, o de João». (Morton Scott Enslin, *Literature of the Christian Movement*, Harper and Brothers, Nova Iorque, pág. 372, parte III).

O evangelho de Marcos não apresenta a si mesmo como uma *biografia*, conforme esse vocábulo é comumente usado, mas é, antes, uma narrativa ou esboço breve, ainda que altamente dramática, que tem como seu tema central retratar a Jesus como operador de milagres, como o profeta e o Messias, e também como ele veio a ser crucificado, e ainda, como podemos ter a esperança de *vida eterna* na pessoa dele. Cerca de vinte por cento da narrativa inteira está dedicada à «semana da paixão», porquanto é essencialmente nesse ponto, na grandiosa história do triunfo de Jesus sobre a morte, que o cristianismo deriva a sua significação sem-par.

A mais notável fraqueza do evangelho de Marcos consiste — na ausência — dos ensinamentos de Jesus, por tratar-se, essencialmente, de uma descrição das operações miraculosas do Senhor Jesus. Esse fato requer a existência de outros evangelhos, e são os evangelhos de Mateus e de Lucas (juntamente com o de João) que preenchem essa lacuna, ao mesmo tempo que (mas só no caso dos dois outros evangelhos sinópticos) fica preservado o esboço histórico geral exposto pelo evangelho de Marcos.

1. Autor

A tradição eclesiástica mais antiga, no tocante à origem ou autoria do evangelho de Marcos, é aquela que nos é fornecida por *Papias*, bispo de Hierápolis em cerca de 140 D.C. Encontramos citações de suas palavras na obra de Eusébio, primeiro entre os historiadores da Igreja. A seção III.39.15 de sua *História Eclesiástica* diz o seguinte:

«Isto o *presbítero* também costumava dizer: 'Marcos, que realmente se tornou o primeiro intérprete de Pedro, escreveu com exatidão, tanto quanto podia relembrar, sobre as coisas feitas ou ditas pelo Senhor, embora não em ordem'. Pois ele nem ouvira ao Senhor nem fora seu seguidor pessoal, mas em período posterior, conforme eu disse, passara a seguir a Pedro, que costumava adaptar os ensinamentos às necessidades do momento, mas não como se estivesse traçando uma narrativa corrente dos oráculos do Senhor, de tal forma que Marcos não incorreu em equívoco ao escrever certas questões, conforme podia lembrar-se delas. Pois tinha apenas um objetivo em mira, a saber, não deixar de fora coisa alguma das coisas que ouvira e não incluir entre elas qualquer declaração falsa».

Não temos meios de saber que proporção dessa citação foi extraída do «presbítero» que Papias empregava como sua fonte de informação, ou qual proporção consiste de suas próprias palavras. Frederick C. Grant (*«The Earliest Gospel»*, Nova Iorque e Nashville, Abingdon-Cokesbury Press, 1943, pág. 34) expressa a opinião de que somente as linhas introdutórias são, realmente, palavras do «presbítero». Seja como for, isso constitui a declaração mais antiga e autorizada que possuímos acerca da autoria do evangelho de Marcos, além de nos fornecer alguns importantes pormenores sobre como o material foi manuseado e apresentado.

Outras autoridades antigas têm expressado idéias semelhantes, mas o mais provável é que todas elas se alicerçaram nessa tradição. Irineu, bispo de Lião (*Contra as Heresias*, III.1.1) declarou: «Após o falecimento (de Pedro e de Paulo), Marcos, o discípulo e intérprete de Pedro, pessoalmente deixou-nos em forma escrita aquilo que Pedro proclamara». **Não possuímos o livro (5 volumes)**, de Papias, *«Interpretação dos Oráculos do Senhor»*, pelo que nos é impossível obter meios para aquilatar, em primeira mão, quão digna de confiança é essa declaração, mas a verdade é que Eusébio não ficara impressionado com a sua inteligência, e disse que ele possuía uma «mente muito pedestre». Algum dia a arqueologia talvez desenterre das areias do Egito uma cópia dessa obra, e julgamentos mais bem fundamentados poderão ser feitos sobre essa importante questão.

Muitos eruditos modernos não aceitam com entusiasmo, sem maiores investivações, essas declarações de Papias. Kirsopp Lake cria que o próprio Papias estava apenas conjecturando, e muitos eruditos se têm agarrado a essa declaração, como se ela tivesse alguma estranha autoridade. Poder-se-ia dizer melhor que Lake estava *apenas conjecturando* que Papias estava conjecturando. Parece que Papias estava em melhor posição histórica para conjecturar do que Lake.

É verdade que Papias viveu cerca de cem anos depois do evangelho de Marcos ter sido escrito, pelo que não poderia ter tido perfeito conhecimento. Mas apesar de ter escrito relativamente tarde, não é impossível que ele tivesse acesso a alguma tradição genuína que ressaltava Marcos como o autor do evangelho original (canônico). Seja como for, a tradição eclesiástica comum é que Marcos foi seu autor. Outrossim, o «Marcos» referido sempre foi tido como o João Marcos de Atos e das epístolas paulinas. (Ver Atos 15:37; Col. 4:10; II Tim. 4:11 e I Ped. 5:13). Apesar de que o sobrenome latino *Marcus* era comum, e que Papias podia estar pensando em algum outro Marcos, se ele tivesse querido indicar outro, fora da tradição do N.T., quase certamente no-lo teria informado. Suas várias menções do *Marcos* envolvido levam-nos, naturalmente, a pensar no Marcos das

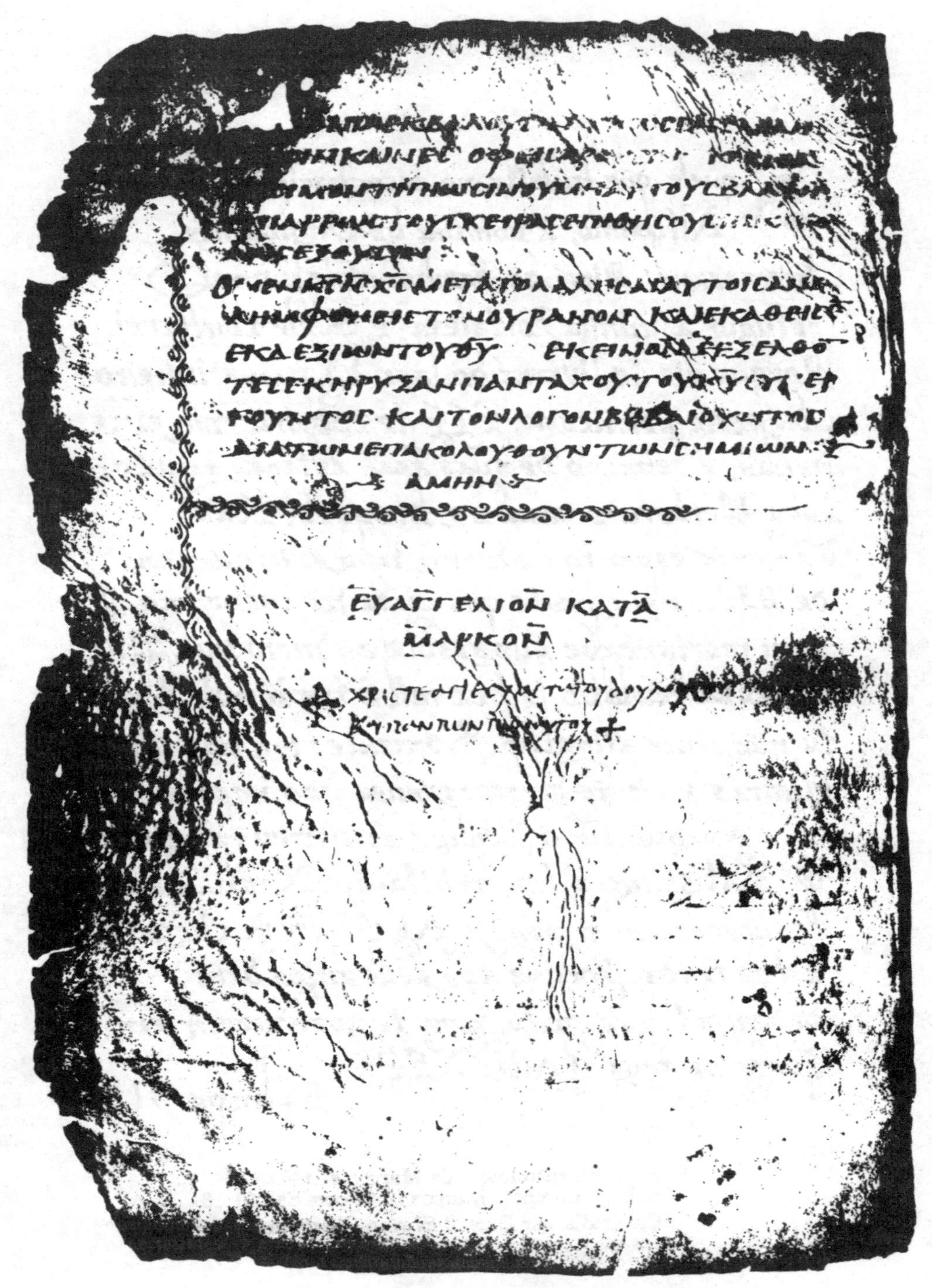

Códex W, Século V, última página do Evangelho de Marcos, Cortesia, Smithsonian Institution, Freer Gallery of Art, Washington, D.C.

Aquele que habita no esconderijo do Altíssimo, à sombra do Onipotente descansará. Direi do Senhor: Ele é meu refúgio, a minha Fortaleza, e Nele confiarei. Porque ele te livrará do laço do passarinheiro e da peste perniciosa. Ele te cobrirá com suas penas, e debaixo de suas asas estarás seguro: a sua Verdade é escudo e broquel. Não Temerás espanto noturno, nem seta que voe de DIA, nem peste que ande na escuridão, nem mortandade que assole ao meio dia. Mil cairão ao teu lado, e dez mil à tua direita, mas tu não serás atingido. Somente com teus olhos olharás e verás a recompensa dos ímpios.

Porque tu, ó Senhor, és o meu refugio! O Altíssimo é tua habitação. Nenhum mal te sucederá, nem praga ALGUMA chegará à tua tenda. Porque aos seus anjos dará ordem a teu respeito, para te guardarem em Todos os teus CAMINHOS.

Salmos 91
1-11

A terminação longa de Marcos se refere ao Sal. 91. Compare Marcos 16:18 com Sal. 91:13. Caligrafia por Darrell Steven Champlin

narrativas neotestamentárias.

1. Já que o evangelho não identifica seu autor, de fato, é obra anônima.

A aceitação ou rejeição da autoria marcana, pois, deve repousar sobre a opinião que alguém faz de quão fidedigna é a tradição eclesiástica, no tocante a esse particular, sobretudo acerca de «Quão bem informado estava Papias?»

2. A data antiga de Marcos (que tem evidência recente) assegura-nos que o evangelho repousa firmemente sobre a autoridade apostólica. Portanto, sem importar se João Marcos o escreveu ou. não, o livro é autoritário e, segundo cremos, é inspirado. Certamente Deus teve sua mão sobre esse *evangelho original* da coleção canônica. (Ver uma discussão sobre a «data», seção 2 deste artigo).

3. Considerando a evidência pró e contra, no tocante à autoria marcana, não hesitamos em aceitar a tradição antiga de que João Marcos foi, de fato, o autor do evangelho que tem seu nome. Realmente, não há evidência sólida *contra* essa crença.

4. Tal como no caso de — todos — os *livros disputados* do N.T., e até de todo o N.T., o real problema que enfrentamos não é «quem escreveu este livro» e «quem escreveu aquele livro», mas antes: *Praticamos os seus preceitos?* De que vale que João Marcos tenha produzido um retrato imortal de Cristo, se este não é o Senhor de nossa vida?

2. Data

Certos cólofons, no fim de alguns manuscritos deste evangelho, querem fazer-nos crer que o livro foi escrito cerca de dez anos, mais ou menos, a partir da ascensão do Senhor Jesus, mas tais anotações se derivam da Idade Média, e não se revestem da menor autoridade. Alguns eruditos mais antigos (seguidos por alguns poucos conservadores, dos tempos modernos), datariam o livro tão cedo como 50 D.C. Aqueles que aceitam a teoria Marcos-Pedro, como originadores do livro, datam-no em cerca de 64 a 67 D.C. Alguns supõem-no escrito após a destruição de Jerusalém (depois do ano 70 D.C.) acreditando que o capítulo décimo terceiro (o pequeno Apocalipse) desse evangelho apresenta um *reflexo histórico* dessa catástrofe, e não que seja um trecho *profético*. Porém, apesar de que provavelmente esse é o caso com os evangelhos de Mateus e Lucas (ambos escritos após o de Marcos, que se utilizaram dele como esboço histórico), o mais certo é que isso não se verifica com o evangelho de Marcos, posto que este capítulo, que encerra predições feitas pelo Senhor Jesus, parecem verdadeiras profecias. Não encontramos razão alguma pela qual Jesus não teria podido prever, com bastante detalhe, a destruição de Jerusalém, e essa passagem encerra uma das mais notáveis profecias a respeito do fato.

Josefo, o historiador judeu, informa-nos de que antes dessa ocorrência, muitos perceberam a sua aproximação, tanto entre os judeus como entre os cristãos, porquanto todos os grandes acontecimentos lançam longas sombras à sua frente e, com freqüência, até mesmo homens comuns podem predizer acontecimentos futuros à base do conteúdo dessas sombras. Eusébio diz-nos que os cristãos, relembrando-se do conselho dado por Jesus, para fugirem antes da chegada dos invasores, assim fizeram, refugiando-se em Pela, onde, como uma comunidade inteira, ficaram a salvo. (Quanto a notas sobre essas questões, ver a «destruição de Jerusalém», em Mat. 24:2 no NTI). É óbvio, portanto, que essa profecia, sendo predição real e autêntica de Jesus, tendo sido registrada no livro de Marcos antes desse acontecimento **(que ocorreu no ano 70 D.C.)**, requer que admitamos que esse evangelho foi escrito antes de 70 D.C., e que as datas 64 a 67 D.C. (que fazem vinculação com a teoria da origem Marco-Petrina) são datas relativamente exatas.

Há evidências recentes, todavia, que indicam uma data ainda mais antiga. Um erudito católico romano, papirologista, *José O'Callaghan*, descobriu, entre o material dos Rolos do Mar Morto, um fragmento de 17 letras, que atravessa criticamente cinco linhas do texto, identificado como Marcos 6:52,53. Seu trabalho acerca disso foi impresso na publicação do Instituto Bíblico Pontifício em Roma, intitulado *Bíblica*. Além desse fragmento, O'Callaghan vinculou um fragmento de cinco letras com Marcos 4:28 e outro de sete letras com Tiago 1:23,24. Outras identificações prováveis incluem Atos 27:38; Mar. 12:17; Rom. 5:11,12; e as identificações possíveis incluem II Ped. 1:15 e Mar. 6:48. Os fragmentos achados foram escritos na forma escrita grega Zierstill, o que, segundo os paleógrafos, foi usada a grosso modo entre 50 A.C. e 50 D.C. Isso significaria que o evangelho de Marcos poderia ter sido escrito antes de 50 D.C., e certamente não foi escrito muito depois dessa data. Isso demonstra, naturalmente, que certamente se baseava em relatos de uma testemunha ocular, embora não tenha sido reduzido à forma escrita por aqueles mesmos que «viram» o que é descrito no livro. Alguns eruditos duvidam da validade dessas identificações. Com ou sem esses fragmentos, e mesmo com um hiato maior de tempo entre os próprios eventos e suas descrições *escritas*, há toda razão para supor-se que os eventos foram bastante importantes para assegurar um registro essencialmente exato.

3. Lugar e Destino

Em contraste com outras questões que envolvem o evangelho de Marcos, parece geralmente aceito pelos estudiosos de que este evangelho foi escrito em *Roma*, provavelmente visando aos gentios daquela cidade. O próprio livro fornece-nos indícios sobre isso, no fato de que Marcos citou as palavras proferidas por Jesus em aramaico, ajuntando-lhes a tradução ou as explicações necessárias, esclarecendo, ainda, diversos costumes correntes entre os judeus. Ora, tais esclarecimentos não seriam de forma alguma necessários, se os leitores em mira fossem judeus, ainda mesmo aqueles que estivessem vivendo em centros culturais gregos ou romanos, tais como Alexandria ou Roma. Em muitos dos manuscritos antigos existem declarações introdutórias que declaram, bem definidamente, que esse evangelho foi escrito em Roma, e apesar dessas declarações repousarem unicamente na tradição, contudo, neste caso, a tradição parece justificada. É provável que o evangelho chamado de Marcos tenha sido escrito em Roma, pouco antes do martírio de Pedro (que teve lugar em 62-64 D.C.). Tendo-se originado em Roma, o evangelho de Marcos provavelmente consiste de uma compilação de tradições orais (juntamente com algumas fontes informativas escritas) que circulavam em Roma, entre a comunidade cristã. Em Mar. 7:3,4, encontramos certa explicação sobre costumes judaicos, no caso das lavagens cerimoniais. Vocábulos e expressões tais como *talitha cumi, ephphatha*, e os termos técnicos «puro» e «impuro», são ventilados pelo autor. (Ver Mar. 5:41; 7:2 e 7:34). Esses casos fornecem-nos exemplos que ilustram o fato de que o evangelho de Marcos não visava, primariamente, leitores judeus, e sim, do mundo gentílico.

4. Propósito

Marcos não prefaciou a sua obra, a exemplo de Lucas, declarando os *seus propósitos* ao compilar e distribuir o seu evangelho; contudo, não enfrentamos grande dificuldade em perceber quais são esses propósitos, os quais transparecem até mesmo ante um exame superficial da obra. O livro não visa servir de propaganda, tendente a converter os **não-cristãos** ao cristianismo, mas foi escrito primariamente para aqueles que já professavam a fé cristã, firmados em uma fé que já estava alicerçada nas mesmas fontes de onde Marcos recolheu o seu material. Marcos, por conseguinte, escreveu para uma *igreja mártir* e em sofrimento, para cristãos que a qualquer instante poderiam ser forçados a entrar na arena de Roma, para servirem de comida para as feras, ou a fim de serem besuntados de piche, serem pendurados em estacas e servirem de archotes, ou a fim de serem de outra maneira qualquer torturados nos jardins do palácio de Nero, que assim procurava entreter os seus convidados pagãos. Isso é o que sucedera ainda recentemente em Roma, e que estava acontecendo, nos dias mesmo em que Marcos escrevia; e essa perseguição fora intensificada quando os cristãos foram acusados de terem provocado o grande incêndio de Roma, acerca do que Tácito nos escreve (*Anais* XV.44).

Pedro e Paulo haviam sido martirizados ainda recentemente, e o martírio do grande mártir, Jesus, ainda estava bem vívido nas mentes dos cristãos. Essa «narrativa da paixão», domina a composição inteira (mais de vinte por cento do material do evangelho foi dedicado à mesma), a ponto de alguns terem feito a observação de que Marcos apenas ampliou a «história da paixão», em seu evangelho. Naturalmente, esse conceito emite um exagero, embora se revista de certa verdade. Por todo o evangelho de Marcos, avulta a pergunta: «Por que Jesus morreu?» E por implicação, encontramos esta outra, que indaga: «Por que os mártires têm de morrer?» Assim sendo, defrontamo-nos uma vez mais com o milenar problema do sofrimento, por que os justos sofrem, na tentativa de dar sentido à violência inexplicável feita contra os homens, por parte dos homens. Ora, Marcos responde à pergunta feita acerca dos sofrimentos de Jesus com os seguintes pontos. 1. Os líderes dos judeus suspeitavam dele e passaram a odiá-lo, e a culpa dos romanos não foi tão grave como a daqueles; 2. Cristo mesmo deu a sua vida, *voluntariamente*, e fê-lo *em favor* de «muitos», o que lança o alicerce da doutrina da expiação; 3. e esse era o destino de Jesus na terra, porquanto estava de acordo com a vontade de Deus Pai, e a vontade de Deus domina suprema neste mundo; ora isso nos serve de encorajamento, porque deixa entendido que o problema do mal será, finalmente, respondido, embora essa resposta, por enquanto, nos pareça um tanto obscura.

Essa porção dos propósitos de Marcos, ao escrever o evangelho que traz seu nome, segundo se percebe, tem natureza essencialmente prática e apologética, sendo questão de fé religiosa, e não tanto questão histórica ou biográfica. Marcos escreveu um livro cuja intenção era fornecer *orientação* e consolo à igreja que estava atravessando grave crise. Provavelmente, o evangelho não foi escrito com a intenção de ser publicado e distribuído largamente, e sem dúvida Marcos não fazia idéia de que o seu evangelho daria começo a uma nova forma literária, passando a ser um dos maiores e mais bem conhecidos livros da história humana. Pelo contrário, foi escrito como uma espécie de *circular*, para ser lido por alguns poucos selecionados e ser passado adiante, isto é, pela comunidade cristã da cidade de Roma. Marcos não escreveu o seu evangelho a fim de promover qualquer ponto doutrinário ou a fim de fazer propaganda; mas simplesmente refletiu a crença que era defendida pelos seus leitores, fazendo-os relembrarem os propósitos da vida e da morte de Jesus, para que pudessem enfrentar galhardamente a grande crise presente. «É em termos do mistério da paixão, e não em quaisquer outros termos, que deve ser feita a autêntica confissão cristã acerca da natureza messiânica de Jesus». (*A.E.J. Rawlinson*, St. Mark, Londres, Methuen and Co., 1925, pág. 56), porquanto Marcos, segundo observou com grande profundeza Johannes Weiss, cria que Jesus era o Messias não a despeito da cruz, mas justamente por causa dela. (*«History of Primitive Christianity»*, Nova Iorque, Wilson-Erickson, 1937, II, cap. XXII).

Além desse propósito central, que consiste de consolo e orientação para a comunidade cristã sofredora, há alguns outros propósitos, que também estão vinculados a esse tema. O Senhor Jesus é apresentado como o grande operador de milagres, o poderoso *Filho de Deus*, cujos feitos poderosos, feitos à face da terra, podem ser reproduzidos por aqueles que tiverem fé suficiente, e que são seguidores do caminho da cruz, caminho esse que precisa continuar sendo seguido (ver Mar. 8:27 — 10:45). Ao mesmo tempo que as perseguições rugem, o caminho da cruz continua envolvendo conduta ética, além de dedicação religiosa séria. Podemos morrer a qualquer momento, mas mesmo assim continuamos tendo regras mediante as quais devemos andar e viver. Cumpre-nos ser discípulos caracterizados pela mais completa dedicação e renúncia, porquanto Jesus carregou a sua cruz, e nós devemos carregar a nossa. É mister que não somente estejamos preparados a morrer como mártires, mas também que estejamos preparados a viver como mártires.

No evangelho de Marcos encontramos uma — dupla — cristologia. Jesus é ao mesmo tempo o Filho de Deus. O termo *Filho de Deus* é uma expressão muito importante para Marcos, e não pode ser derivada de qualquer compreensão judaica acerca do «Messias», conforme se vê em passagens ordinariamente usadas para demonstrar tais coisas, como em Sal. 2:7. O Filho de Deus, de conformidade com o evangelho de Marcos, é participante da divina essência, bem como juiz futuro do mundo inteiro. De maneira alguma pode ser comparado com o governante terreno, simplesmente, que é apresentado na doutrina messiânica do V.T. O Filho de Deus, segundo o evangelho de Marcos, triunfou sobre a morte e promete o mesmo tipo de vida a todos quantos querem segui-lo em sinceridade e verdade. Ele é aquele que tem as propriedades de «aseidade» (do latim *a-se-esse*, aquele que tem vida em si mesmo, que é **auto-existente**, independente, participante da vida divina essencial). E é justamente esse tipo de vida que ele promete a outros. Haveremos de nos transformar em seres que participam da vida divina, por intermédio de Cristo; e então possuiremos vida em nós mesmos, passando a ser verdadeiramente imortais, como Deus é imortal. Ora, tudo isso não pode deixar de nos encorajar, nós que, diariamente, enfrentamos a possibilidade de chegarmos ao final de nossa existência terrena.

Contudo, Jesus também aparece no evangelho de Marcos como Filho do homem, estando perfeitamente identificado com o homem, sendo homem verdadeiro, cujos sofrimentos foram reais. Marcos relembra isso aos seus leitores, a fim de que compreendam que eles não podem passar por nada pior do que aquilo que seu próprio Senhor já passou. Nesses termos também encontramos indicações daquela consciência pessoal e da íntima relação que Jesus mantinha com Deus Pai. Essa é a substância mesma do andar diário espiritual, porquanto toda religião é estéril a menos que tenha algum contacto genuíno com Deus. Jesus, na qualidade de verdadeiro homem, andou em comunhão com o Pai, e isso emprestava — significação — à sua vida, especialmente uma vida repleta de sofrimentos e ultrajes, que de outra maneira não teria sentido. Quanto a outras anotações sobre o significado dos termos «Filhos de Deus» e «Filhos do homem», ver Mar. 1:1 e 2:7 no NTI. Ver o artigo sobre a *Humanidade de Cristo* e a importância dessa doutrina. Ver também o artigo sobre a *Divindade de Cristo*.

5. Linguagem

Entre aqueles que lêem o N.T. **em seu original** grego, é fato bem conhecido que esse evangelho de Marcos apresenta o exemplo do **grego koiné** mais inferior, e que, provavelmente em paralelo ao Apocalipse, representa a pior forma do grego de todo o N.T. A falta de polimento do grego de Marcos é obscurecida pela tradução, posto que poucos tradutores imitariam propositalmente os erros gramaticais ali encontrados, somente para serem mais fiéis ao original. Não obstante, até mesmo as traduções refletem os elementos mais inferiores, como o uso freqüente da palavra copulativa «e». Por exemplo, dos quarenta e cinco versículos do primeiro capítulo, nada menos de trinta e cinco começam por «*e*». Doze dos dezesseis capítulos começam pela palavra «*e*». De um total de oitenta e oito seções e subseções desse evangelho, oitenta começam com «*e*». Marcos utiliza-se de um vocabulário de cerca de mil duzentos e setenta vocábulos, dos quais apenas oitenta lhe são peculiares. Isso demonstra que ele empregou um vocabulário extremamente comum. Todavia, o que falta a Marcos em estilo e graça, é contrabalançado em novidade e vigor. Em algumas seções, Marcos mostra-se o mais emocional e comovente dos escritores evangélicos. O seu idioma se caracteriza pela simplicidade, mas mesmo assim ele consegue obter certa grandiosidade. Embora o grego «koiné» de Marcos possa ser classificado entre os exemplos mais deficientes do N.T., e que sem dúvida ele se sentia mais à vontade manuseando o aramaico do que o grego (o seu evangelho é o que contém o maior número de aramaísmos), contudo, demonstra que dominava bem o grego *koiné* coloquial. A seu crédito também poderíamos dizer que ele deve ser relembrado um tanto como inovador literário e como gênio artístico, porquanto inventou uma nova modalidade de literatura. Jamais alguém escrevera coisa alguma parecida com o seu «evangelho», antes dele, ou, pelo menos, não tem sido preservado até nós qualquer exemplar desse tipo de literatura.

6. Fontes dos Materiais; Marcos como uma das principais fontes dos evangelhos sinópticos.

Na discussão sobre *autor*, nesta introdução ao evangelho de Marcos, bem como na discussão sobre «lugar e destinatários», já tivemos ocasião de mencionar as principais fontes informativas deste evangelho. Nossa tradição mais antiga (e outras tradições dos pais primitivos da igreja, baseadas nela), no que diz respeito à fonte deste evangelho, é aquela em que Papias cita certo *presbítero*, que nos diz que o grosso do material foi recebido por Marcos à base das narrações feitas oralmente por Pedro, o qual, naturalmente, era testemunha ocular. (Quanto a essa citação, ver a seção sob o título «autor», no evangelho de Marcos). O evangelho de Marcos, portanto, se isso expressa a verdade (e quanto às diversas especulações acerca da validade dessa teoria, que nos foi transmitida por Papias, ver a nota existente sobre o título *autor*), seria uma espécie de memórias de Pedro. Assim sendo, teria sua base e autoridade principais na tradição apostólica. Por esse motivo, embora não tivesse sido escrito nem por um apóstolo e nem mesmo por uma testemunha ocular, reveste-se da validade de uma narrativa feita por uma testemunha ocular.

Com base no livro de Atos sabemos que Marcos, por algum tempo, foi companheiro de viagem do apóstolo Paulo, e deve ter sido elemento bem conhecido no círculo apostólico, por isso mesmo deve ter tido amplas oportunidades de conferenciar com Pedro e com outras testemunhas oculares, acerca da vida e dos ensinamentos de Jesus.

Essa mesma citação feita por Papias informa-nos de que não precisamos depender completamente dos acontecimentos que ali são narrados, como se tivessem sido registrados *na ordem real* dos acontecimentos, e essa observação também se aplica às declarações do Senhor. Torna-se óbvio, mediante o exame aproximado dos vários acontecimentos, relatados cronologicamente, em confronto com as declarações de Jesus, que nem sempre existe uma conexão vital, pois na realidade, diversos evangelistas nem sempre atribuem as mesmas declarações às mesmas ocorrências históricas. (Quanto a evidências sobre isso, ver no NTI as notas de introdução aos capítulos décimo e décimo primeiro do evangelho de Lucas). Contudo, isso se reveste, relativamente, de pouca importância. O que importa é que Jesus realmente fez aquilo que está escrito que ele fez, e que disse aquilo que está registrado que ele declarou. A citação feita por Papias assegura-nos de que essa é uma posição bastante sólida.

Também se tem pensado, especialmente da parte de eruditos de décadas anteriores, que *Paulo* exerceu influência sobre o evangelho de Marcos, e que algumas passagens ou idéias ali apresentadas são empréstimos ou adaptações feitas à base desse apóstolo; e esse ponto de vista se tornou especialmente popular durante o século XIX. Mas o conceito de Marcos como um evangelho «paulino» se tem perdido quase inteiramente nos tempos modernos. (Todavia, isso continua sendo dito, e com certa justificação, no tocante ao evangelho de Lucas).

Traços da influência de Paulo são vistos em **passagens** como Mar. 1:15 (...«o tempo está cumprido...») ou como na passagem sobre o «resgate», em Mar. 14:24 («...meu sangue, o sangue da aliança, derramado em favor de muitos...»). Quando examinamos essa evidência, descobrimos que a dependência especial de Marcos a Paulo serve apenas de prova de que tanto Paulo como Marcos dependeram, em suas idéias, da variedade geral do cristianismo gentílico primitivo. Em outras palavras, ambos expressaram idéias correntes na igreja, sem dúvida aquelas que tiveram origem nas próprias declarações de Jesus. Marcos não escreveu com o intuito de propagar quaisquer pontos de vista teológicos em particular, paulinos ou outros, embora tenhamos em seu livro uma união do que é teológico e do que é histórico, conforme Branscomb diz: «Perguntar se esse evangelho é uma obra teológica ou uma obra histórica é estabelecer uma falsa alternativa. Trata-se de ambas as coisas. Mas dogma e doutrina parecem perfeitamente secundários para o evangelista, ao narrar a história cristã, conforme era conhecida e crida nas igrejas do mundo helenista, uma geração após a morte de Jesus». (*Gospel of Mark*, pág. XXII).

É claro, portanto, que além da fonte informativa

petrina, devemos olhar também para a tradição eclesiástica da igreja cristã de Roma. No seio dessa comunidade, Marcos já encontrou preparado para ele um bom tesouro de material, provavelmente tanto em forma oral como escrita, e sem dúvida ele colheu material de determinado número de pessoas que eram testemunhas oculares pelo menos em parte, ou que conheciam pessoalmente as testemunhas oculares. Nesse grande bloco informativo, Marcos deve ter preservado muitas fontes informativas individuais, algumas das quais se alicerçavam, sem dúvida, sobre uma única testemunha ocular, ao passo que outras informações podiam ser dadas por múltiplas testemunhas. Atualmente nos é impossível deslindar essa complexidade, pelo que também devemos referir-nos ao fato meramente como a tradição cristã, oral e escrita, da igreja cristã em Roma. A grande probabilidade é que o evangelho de Marcos seja uma compilação das tradições orais correntes na comunidade cristã na década dos sessenta. Uma parte do conteúdo do livro talvez já houvesse sido escrita antes de Marcos ter feito as suas anotações. B. Harvie Branscomb (*The Gospel of Mark*, Nova Iorque, Harper and Brothers, 1937, pág. XXIII) reconhece certo número dessas fontes escritas: as controvérsias de Mar. 2:1—3:6, e também as do capítulo décimo segundo; o pequeno Apocalipse do capítulo décimo terceiro; a coletânea de parábolas do quarto capítulo; a narrativa da paixão dos capítulos décimo quarto e décimo quinto; a lista dos doze apóstolos, no capítulo terceiro; a narrativa sobre João Batista, no primeiro capítulo; os *textos de prova*, usados por Marcos, tirados do V.T.; a narrativa dos incidentes em volta do mar da Galiléia, nos capítulos sexto até oitavo, que contém certo número de referências topográficas; e, provavelmente, ainda outras». (Frederick C. Grant, *Introduction to the Gospel of Mark*, Interpreter's Bible, N.T., Abingdon-Cokesbury Press, Nashville, pág. 630).

Além dessas fontes informativas, é bem provável que parte do material desse evangelho se tenha originado de lugares fora de Roma, talvez com base em informações dadas por *outros apóstolos*, ou por outros que conheceram a Marcos em suas viagens, e que entraram em contacto com ele, relatando-lhe incidentes ou declarações da vida de Jesus. O que é verdade é que todas as fontes informativas, tanto esta como aquelas que já foram mencionadas, tiveram seu manancial na tradição cristã primitiva, que começou na Palestina, porquanto muitas passagens continuam fragrantes com a brisa fresca da Galiléia. Essas tradições estiveram primeiramente contidas no idioma aramaico, quer escrito quer falado; mas parece certo que o próprio evangelho de Marcos foi originalmente vazado em grego *koiné*, pois, apesar de conter alguns semitismos, não existe nele qualquer comprovação sólida de que tenha sido uma tradução. E a fonte básica e final desse evangelho é o Senhor Jesus, o que ele disse e o que ele fez.

Nos dias que se passam, reconhece-se quase universalmente (em contraste com o que ocorria em séculos anteriores) que o evangelho de Marcos foi o evangelho original (dentre aqueles que ficaram preservados até nós), e que tanto Mateus como Lucas se utilizaram desse evangelho como esboço histórico. As evidências em favor disso são apresentadas, em forma detalhada, no artigo da introdução intitulado *Problema Sinóptico*, que o leitor deve examinar. Essas evidências podem ser sumariadas como segue:

1. Dentre um total de seiscentos e sessenta e um versículos do evangelho de Marcos, *seiscentos* foram copiados no de Mateus, o que representa mais de noventa por cento do total.

2. A narrativa de Mateus *usualmente* acompanha a de Marcos, embora ele omita alguns versículos, por motivo de brevidade, ou altere alguns versículos, a fim de conseguir um estilo literário mais perfeito. Outras modificações, provavelmente, também se devem à tentativa do autor em eliminar alguns elementos mais crus, como a dureza demonstrada por Jesus para com certo leproso (ver Mat. 8:2,3, com Mar. 1:43), ou à tentativa de eliminar a ira demonstrada por Jesus (ver Mat. 12:10-14 e 19:13-15 com Mar. 3:5 e 10:14); e no evangelho de Mateus alguns trechos são alterados ou desenvolvidos a fim de se tornarem mais aplicáveis às condições presentes, que atuavam na comunidade cristã, como se dá com o famoso capítulo décimo sexto desse evangelho. — Não obstante, o fato de que Marcos foi copiado por Mateus é perfeitamente óbvio, a despeito das diferenças existentes.

3. Lucas emprega cerca de *sessenta por cento* dos versículos encontrados no evangelho de Marcos, e a maior parte desse material é passado para o seu evangelho com pouquíssimas modificações.

4. Lucas utiliza-se menos do material de Marcos do que Mateus. Mas, quase sempre que se utiliza de Marcos, preserva o mesmo versículo e a mesma ordem de palavras e, usualmente, as mesmas seqüências históricas (embora existam pontos de diferença quanto a esse particular).

5. Assim é que, dos seiscentos e sessenta e um versículos de Marcos, Mateus e Lucas aproveitam seiscentos e dez entre si, deixando apenas algumas *poucas dúzias* sem serem repetidos. Por outro lado, se Marcos é que lançou mão do evangelho de Mateus, então torna-se impossível entender por que ele deixou de lado nada menos de cinqüenta por cento de seu material; e ainda é mais difícil compreender porque deixou de lado os ensinamentos de Jesus, ali registrados. Isso teria sido uma omissão imperdoável. Todavia, pode-se entender facilmente por que motivo é que Mateus, apesar de ter usado o esboço histórico provido por Marcos, contudo acrescentou os ensinamentos derivados das fontes informativas *Q* e *M*. Isso também se dá no caso do evangelho de Lucas, o qual se utilizou do evangelho de Marcos como esboço histórico, mas que também empregou a fonte informativa *Q*, além da fonte informativa exclusiva, que tem sido denominada *L*. O mais certo é que Mateus e Lucas trabalharam independentemente um do outro, embora houvessem usado parte do mesmo material, principalmente da fonte informativa *Q* e do evangelho de Marcos.

6. Além do fato de que a mesma ordem histórica que se pode observar no evangelho de Marcos também se pode detetar nos outros dois evangelhos sinópticos, temos também o fato de que eles usaram muitas *palavras próprias* de Marcos. Isso equivale a dizer que houve certa *dependência verbal* a Marcos, mas igualmente significativo é o fato de que algumas vezes palavras erradas ou incultas, ou mesmo estruturas gramaticais menos felizes, são corrigidas no evangelho de Lucas, o qual dominava realmente o idioma grego e que não poderia deixar passar sem correção os equívocos cometidos por Marcos.

7. Finalmente, precisamos observar que se Lucas e Mateus tivessem escrito os seus respectivos evangelhos antes do de Marcos (ou mesmo se um deles houvesse escrito antes de Marcos), não teria havido qualquer *necessidade de escrever* o evangelho de Marcos. Por que haveria de ter Marcos apanhado uma cópia do evangelho de Mateus para copiá-lo, fazendo alterações em apenas seis ou sete por cento do total do material deste evangelho? Isso teria sido uma

reprodução inteiramente desnecessária, e nada teria acrescentado ao nosso conhecimento sobre a vida e os atos do Senhor Jesus. Por outro lado, pode-se ver facilmente por que motivo Mateus e Lucas, tendo apanhado uma cópia do evangelho de Marcos, perceberam a necessidade de escrever outra narrativa evangélica. Pois em Marcos faltavam os ensinamentos de Jesus. Por essa razão é que os evangelhos de Mateus, Lucas e João tiveram de preencher essa lacuna. Marcos, por conseguinte, foi o primeiro evangelho a ser escrito, tendo servido de base, ou, pelo menos, de uma das principais fontes informativas, aos evangelhos de Mateus e de Lucas.

Uma breve nota pode comentar aquele material contido no evangelho de Marcos, que não aparece nos demais evangelhos sinópticos. Alguns versículos isolados, especialmente nos casos em que os outros evangelistas condensaram as narrativas, é que compõem larga porcentagem desse material. Além disso, encontramos os seguintes dados: dentre as quarenta e uma parábolas que aparecem nos evangelhos sinópticos, Marcos registrou apenas oito, e uma delas, a da semente em desenvolvimento, é peculiar a Marcos (Mar. 4:26-29). Dentre os cerca de quarenta milagres narrados nos evangelhos sinópticos, o de Marcos contém apenas dois exclusivos a ele, a saber, a cura do **surdo-mudo** (Mar. 7:31) e a cura do cego (Mar. 8:22).

O diagrama abaixo serve para ilustrar as fontes informativas do evangelho de Marcos e, subseqüentemente, as fontes informativas usadas pelos demais evangelhos sinópticos:

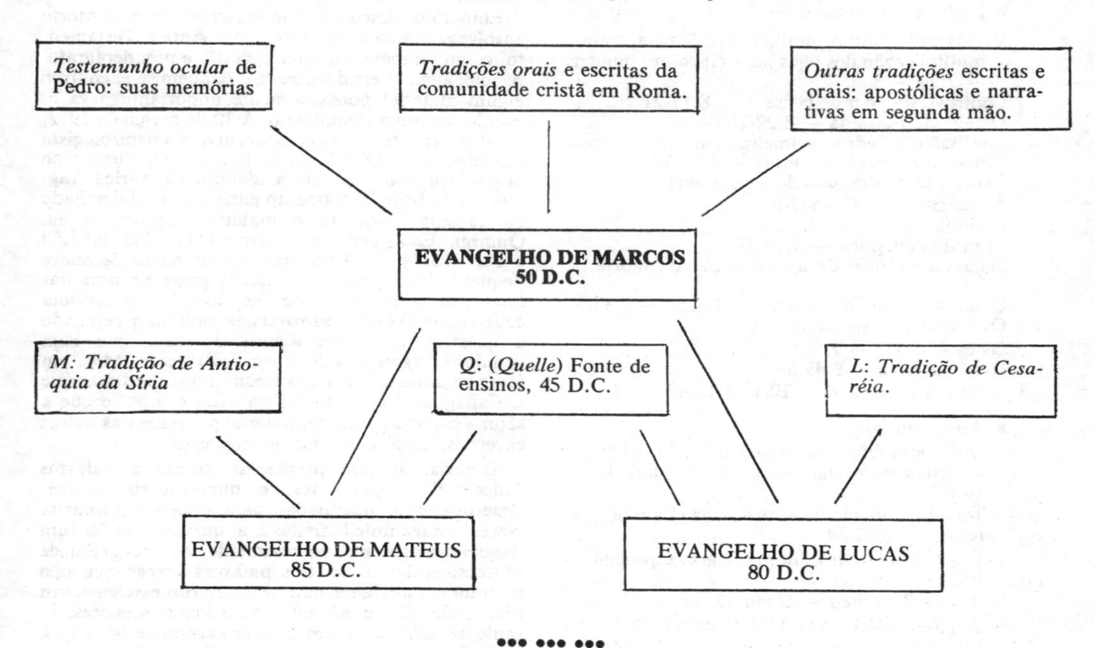

••• ••• •••

7. Conteúdo:

O evangelho de Marcos se divide facilmente em quatro seções, que podem ser sumariadas como segue:

1. Introdução — Marcos começa no meio dos acontecimentos, sem nos fornecer a história do nascimento de Jesus e nem a sua genealogia — 1:1-13.

2. Início do Ministério de Jesus, na Galiléia — Primeiras controvérsias com as autoridades religiosas dos judeus, e primeiras parábolas de Jesus — 1:14-3:6.

Diversas viagens de Jesus. Temos aqui a «grande inserção» de Marcos, que é seguida por Mateus mas quase inteiramente ignorada por Lucas — 7:24 — 8:26. Jesus em relação à lei, e a controvérsia acerca dos sinais; antipatia crescente das autoridades religiosas para com Jesus — 3:7 — 8:26. O caminho em direção à cruz, que inclui certo número de declarações e ensinamentos acerca do discipulado — 8:27 — 10:45.

3. Jesus em Jerusalém — 10:1 — 15:47.

a. Aproximando-se de Jerusalém — 10:1-52

b. Acontecimentos em Jerusalém — 11:1 — 12:44. Mais controvérsias.

c. O «Pequeno Apocalipse» ou coletânea das declarações proféticas de Jesus — 13.

d. A narrativa da paixão — 14:1 — 15:47

4. A História da Ressurreição — 16

Apresentamos abaixo um esboço mais pormenorizado, utilizando-nos das mesmas quatro divisões principais:

1. *Introdução*:

a. João Batista e Jesus — 1:2-11

b. O batismo de Jesus — 1:9-11

c. A tentação de Jesus — 1:12,13

2. *Jesus na Galiléia*

Perto do mar da Galiléia — 1:14 — 5:43

A chamada dos primeiros discípulos — 1:16-20

Em Cafarnaum — 1:21-28

Jesus na casa de Pedro — 1:29-31

Vários milagres na casa de Pedro e partida de Cafarnaum — 1:32-39

Curas — 1:40 — 2:12

Chamada de Levi — 2:13,14
Várias controvérsias com as autoridades — 2:15-28
Mais curas — 3:1-12
Nomeação dos doze apóstolos — 3:13-19
Mais controvérsias — 3:20-35
Parábolas: do semeador, da semente que cresce por si mesma, e explicações — 4:1-34
A tempestade acalmada — 4:35-41
O endemoninhado geraseno — 5:1-20
A filha de Jairo (inclui a história da cura da mulher hemorrágica) — 5:21-43
Em Nazaré — 6:1-6
Missão especial dos doze — 6:7-13
Herodes e João Batista — 6:14-44
Jesus anda sobre o mar — 6:45-52
A tradição dos anciãos — 7:1-23
Vários milagres: A mulher siro-fenícia, curas, multiplicação dos pães para cinco mil homens — 7:24 — 8:10
Controvérsia com os fariseus — 8:11-21
O cego de Betsaida — 8:22-26
Confissão de Pedro e primeiro anúncio da aproximação da morte de Jesus — 8:27-33
Exortação ao discipulado — 8:34-9:1
A transfiguração — 9:2-8
A vinda de Elias — 9:9-13
Cura do epiléptico — 9:14-29
Segundo anúncio da aproximação da morte de Jesus — 9:30-32
Quem será o maior no reino de Deus? — 9:33-37
Os exorcistas estranhos — 9:38-41
Os escândalos — 9:42-48
O sal da terra — 9:49,50

3. *Jesus em Jerusalém* — 10:1 — 15:47

a. *No Caminho:*
Questões sobre casamento e divórcio, a bênção às crianças, o significado do discipulado — 10:1-31
Terceiro anúncio da aproximação da morte de Jesus — 10:32-34
Tiago e João solicitam privilégios especiais — 10:35-45
O cego Bartimeu — 10:46-52

b. *Em Jerusalém* — 11:1 — 12:44
Entrada triunfal — 11:1-11
Betânia e a maldição contra a figueira estéril —11:12-14
A purificação do templo — 11:15-19
Controvérsias: questão sobre a autoridade, o tributo a César, a ressurreição, o espírito da vida, o grande mandamento, o Filho de Davi, advertências contra os escribas — 11:27 — 12:40
A oferta da viúva pobre — 12:41-44

c. *O Pequeno Apocalipse* — coletânea das profecias de Jesus: destruição iminente do templo e de Jerusalém; perseguições contra os missionários cristãos; a «parousia» do Cristo glorificado 13:1-37

d. *A Narrativa da Paixão* — 14:1-15:47
Planos de traição contra Jesus — 14:1,2
A unção em Betânia — 14:3-9
A traição de Judas — 14:10,11
Preparação da páscoa — 14:12-16
A última ceia — 14:22-26
Predição sobre a negação de Pedro — 14:27-31
No jardim do Getsêmani — 14:32-42
O aprisionamento de Jesus — 14:43-50
Fuga do jovem — 14:51,52
Jesus perante o sumo sacerdote — 14:53-65
Negação de Pedro — 14:66-72
Jesus diante de Pilatos — 15:1-5
Jesus é condenado — 15:6-15
Crucificação antecedida por zombarias — 15:16-41
José de Arimatéia — 16:42-47

4. *A História da Ressurreição* — 16:1-8

8. *Bibliografia*: AM E EN I IB LAN MOF NTI TI TRA VIN RO Z

MARCOS (EVANGELHO), *Fragmentos de Qumran*

Embora os descobertos manuscritos do mar Morto envolvessem quase inteiramente o Antigo Testamento, como também material apócrifo e pseudepígrafo, relacionado àquele documento, também se encontrou algum material potencialmente importante para os estudos do Novo Testamento. A 10 de março de 1972, as agências noticiosas anunciaram que o papirologista espanhol, Jose O'Callaghan, um jesuíta, diretor do *Studia Papyrologica*, havia identificado vários fragmentos do Novo Testamento entre o material achado na caverna 7 dentre o material encontrado em Qumran. Essas porções envolvem Mar. 4:48; 6:52,53 e Tia 1:23,24. A sétima caverna produziu dezenove pequenos fragmentos, com escrita grega em uma das faces. Ali havia trechos de Êxo. 28:4-7 e da *Epístola de Jeremias* 43 e 44. Controvérsias continuam cercando a questão, visto que alguns duvidam que haja genuínos fragmentos do Novo Testamento. Mas, em favor da autenticidade dos mesmos pode-se frisar que O'Callaghan é um especialista nesse campo, e que a sétima caverna continha material diferente das outras cavernas, envolvendo documentos cristãos.

Todavia, surgem problemas devido a palavras difíceis de serem lidas, e que tiveram de ser generosamente emendadas para poderem tornar-se claras. Mais difícil ainda é a questão que se um daqueles fragmentos é, realmente, do evangelho de Marcos, então ali há três palavras gregas que não figuram em qualquer outro manuscrito existente, em Mar. 6:52, 53. E há outros problemas menores. O estilo da escrita dar-nos-ia uma data entre 50 A.C. e 50 D.C., sabendo-se que o evangelho de Marcos deve ter sido escrito no final desse período. Seja como for, se essa descoberta é genuína, então aponta para uma data relativamente anterior, pelo menos alguns anos antes de 50 D.C., mas nada de revolucionário há nisso, exceto que mostra que os pontos de vista radicais, de estudiosos liberais, que querem datar o evangelho de Marcos algumas décadas mais tarde, ficariam demonstrados como falsos.

MARCOS, FALHA DE

João Marcos, a exemplo de muitos missionários em primeiro termo, ou a exemplo de muitos jovens ministros, resolveu retroceder, Atos 13:13. Muitas razões têm sido atribuidas a essa atitude, mas é certo, pelo menos, que esse caso não foi como o daqueles que caem em más companhias, os quais são assim pervertidos de seu propósito e zelo originais, porquanto contava com Barnabé e Paulo como seus companheiros. Os motivos aduzidos como explicação de seu recuo, podem ser sumariados *nos seguintes pontos*:

1. Talvez ele simplesmente estivesse com *saudades de casa*, porquanto isso é fenômeno bastante comum

entre aqueles que deixam sua terra para se misturarem com um povo qualquer cujos costumes e mentalidade diferem daquilo que eles têm conhecido durante muitos anos.

2. Talvez ele se tenha ressentido com a pregação do evangelho a gentios puros, em que os apóstolos Barnabé e Paulo não requeriam que primeiramente se tornassem *judeus*, isto é, que cedessem ao que a lei mosaica cerimonial requeria. E posto ser ele um bom judeu de Jerusalém, isso é bem possível. A questão era perfeitamente legítima e justa, porquanto o concílio de Jerusalém (cuja narrativa aparece no décimo quinto capítulo do livro de Atos), que se pronunciou favorável à norma seguida pelo apóstolo Paulo, ainda não tivera lugar. Porém, comoquestão que levou João Marcos a retroceder em sua missão, é muito improvável que esse tenha sido o seu verdadeiro motivo, porque certamente conhecia bastante a Barnabé e a Paulo para saber como eles deveriam operar, porquanto a questão não era uma novidade, e já havia provocado discussões por toda a parte. Outrossim, ele, sem dúvida, sabia que tipo de missão desempenhavam, visto que visava sobretudo à evangelização dos gentios. Não nos esqueçamos que já fazia cerca de dez anos que Paulo vinha pregando o evangelho aos gentios, na área da Síria e da Cilícia.

3. *Os rigores* da viagem talvez tenham sido demasiados para João Marcos e por isso ele resolveu voltar a Jerusalém. Os missionários estavam cruzando muitos trechos montanhosos, e estariam em perigo constante de serem assaltados por bandidos, que costumavam infestar essas regiões. Seja como for, o certo é que a retirada de João Marcos pareceu a Paulo uma séria quebra de confiança.

4. A partir daquele ponto da viagem, Barnabé e Paulo resolveram visitar áreas de natureza mais rural, longe das cidades. Marcos talvez tenha feito objeção a isso, como norma de trabalho, preferindo trabalhar em outros lugares e sob outros métodos.

5. Talvez João Marcos *não* se tenha *dado bem* pessoalmente com Paulo. Podemos quando muito conjecturar sobre as razões dessa falta de harmonia. Talvez as razões tenham parecido perfeitamente justificáveis para Marcos, mas, para Paulo, elas pareceram um absurdo. Ver Atos 15:39.

Muitos retrocedem, quando o caminho se torna árduo. «Grande número de pessoas inicia a sua carreira na direção certa, com todas as melhores intenções do mundo; porém, quando as coisas se lhes tornam difíceis, quando não podem conseguir que as coisas corram à sua maneira, quando o caminho se torna áspero, então retrocedem... Todos conhecemos pessoas cuja atitude como que diz: 'Se você não jogar a meu modo, *não jogarei*'. Esse é o ditado inequívoco da criança mimada. É característica da personalidade infantil de alguém que ainda não aprendeu como adaptar-se às circunstâncias que não lhe correm favoráveis... É quase desnecessário salientarmos o fato de que precisamos de homens e de mulheres que, uma vez que lançam mão ao arado, jamais retrocedem. As grandes batalhas do mundo são ganhas por indivíduos capazes de 'resistir até o fim'. João Marcos, auxiliar de Barnabé e Paulo, por uma razão ou outra, de natureza boa ou má, não foi capaz de resistir até o fim. E é digno de atenção o fato de que a razão de seu fracasso, não importando quão boa possa ter-lhe parecido essa razão, não é suficiente, aos olhos da posteridade, como motivo pelo qual abandonou seus companheiros mais idosos». (Theodore P. Ferris).

«Foi uma falha séria na obra, embora Paulo e Barnabé continuassem aferrados ao trabalho». (Robertson).

A partir desta altura dos acontecimentos, Paulo se tornou o líder principal! Pode-se notar o fraseado de Atos 13:13: «...Paulo e seus companheiros...» Barnabé não estava mais à testa da missão, mas agora era considerado apenas um dos companheiros de Paulo. Isso foi um grande privilégio, considerado isoladamente, que bem poderia ser cobiçado, mas poderia ter causado muitas dificuldades, se Barnabé tivesse sido homem **de — menor envergadura.** «Em nenhuma outra coisa a grandeza de Barnabé se manifestou tanto como no fato de que reconheceu a superioridade de Paulo, aceitando para si mesmo uma posição secundária». (Furneaux).

MARCOS, JOÃO

O primeiro nome de Marcos, João, significa *Yahweh mostrou graça* (ver II Reis 25:23). Marcos (no latim, *Marcus*), evidentemente, fora seu nome latino adotado. Muitas famílias judaicas tinham dois nomes, um de origem hebraica e outro de origem grega ou latina. As famílias judaicas cujos membros tinham sido capturados na guerra como escravos, e que mais tarde haviam sido soltos, com freqüência, tomavam nomes latinos, *libertos*, geralmente, o mesmo nome da família a quem haviam servido. Todavia, *Marcos* é nome próprio, e não sobrenome ou nome de família, pelo que essa regra não se aplica aqui. Não era incomum, seja como for, que os judeus do primeiro século de nossa era tivessem dois nomes, por quaisquer motivos, um dos quais era de origem hebraica e outro de origem grega ou latina. Talvez isso resultasse do fato de viverem em uma cultura greco-latina, onde o grego se tornara o idioma internacional, ao passo que o latim era o idioma oficial, político. (Quanto a outras referências a «Marcos», no N.T. ver Atos 12:25, como também os trechos de Atos 13:5,13; 15:37-39; Col. 4:10; File. 24; II Tim. 4:11 e I Ped. 5:13). É interessante observar que, nas referências paulinas, o nome de Lucas aparece no mesmo contexto. Os dois evangelistas, evidentemente, tiveram ampla oportunidade de compartilhar de suas reminiscências de Cristo, isto é, aquilo que tinham visto da vida de Cristo, como testemunhas oculares.

Nada sabemos sobre o lar original de Marcos, quanto à sua *localização*, mas, na primeira vez em que o encontramos, vemo-lo em Jerusalém, e talvez seja boa opinião que aquela era sua terra natal, ou, pelo menos, o lar central da família em geral. Alguns dos ramos da família parecem ter sido abastados, como era a própria Maria e Barnabé, primo de Marcos, nativo da ilha de *Chipre* (ver Atos 4:36). O pai de João Marcos não é mencionado em porção alguma, e a maioria dos intérpretes pensa, por esse motivo, que Maria era viúva. Isso parece ser consubstanciado pelo fato de que a casa onde uma das congregações da igreja de Jerusalém se reunia é chamada de *casa de Maria*. Se seu esposo ainda vivesse, certamente não seria assim denominada. Não contamos com qualquer alusão certa a João Marcos além daquelas que nos são dadas no livro de Atos, embora alguns pensem que o jovem, que aparece em Mar. 14:51 e que se salvou da prisão por uma fuga ignominiosa, quando o Senhor Jesus estava sendo levado prisioneiro do jardim do Getsêmani, seja o mesmo Marcos. Nesse caso, Marcos estaria nas proximidades, e quase foi apanhado, mas conseguiu fugir, deixando nas mãos de seus captores o lençol em que estava embrulhado, tendo ficado **nu**, isto é, somente com a roupa de baixo. Naturalmente, essa opinião não passa de uma conjectura, pois bem poderia tratar-se de um outro discípulo qualquer. Mas, por outro lado, é possível que através desse incidente, o autor do evangelho deixou sua assinatura ao pé do quadro.

João Marcos, mui evidentemente, permaneceu em Jerusalém até ser levado para Antioquia por Barnabé e Paulo, que regressavam de uma missão de socorro a Jerusalém (ver Atos 12:25). Quando partiram para Chipre, na sua primeira viagem missionária, levaram Marcos em sua companhia (ver Atos 13:5). Porém, ao chegarem a Perge, no tabuleiro da Ásia Menor, Marcos os deixou e regressou a Jerusalém (ver Atos 13:13). É patente que Paulo reputou isso como uma espécie de deserção; e ao sugerir Barnabé que Marcos os acompanhasse novamente, na segunda viagem missionária, ele repeliu veementemente a idéia, o que se tornou motivo de dissensão entre os dois grandes missionários cristãos (ver Atos 15:38). Dessa forma houve separação entre Paulo e Barnabé. Este último levou Marcos em sua companhia para Chipre, ao passo que Paulo começou a fazer-se acompanhar de Silas.

Depois desse incidente, não mais se ouve falar em João Marcos, e da próxima vez em que se lê algo sobre ele, encontramo-lo em companhia de Paulo, estando o apóstolo aprisionado, provavelmente em Roma (ver Col. 4:10). É evidente que o apóstolo tencionava enviar João Marcos em missão a Colossos, tanto havia Marcos readquirido a confiança de Paulo; e qualquer erro que Paulo pensasse ter ele cometido, isso já fora há muito perdoado. A epístola a Filemom mostra-nos, de novo, que Marcos estava na companhia de Paulo, juntamente com Lucas, o que também se verifica no quarto capítulo da epístola aos Colossenses. A passagem de II Tim. 4:11 mostra-nos qual a idéia que Paulo fazia de Marcos: «Toma contigo a *Marcos* e traze-o, pois me é útil para o ministério». Parece, portanto, que Barnabé fora capaz de aquilatar melhor o caráter de Marcos do que Paulo, e que sua confiança em seu primo fora amplamente justificada. Naturalmente, é possível que a maneira severa pela qual Paulo o tratou, tenha sido medida necessária para discipliná-lo, fato esse que o ajudou a tornar-se elemento útil e fiel no ministério de Jesus Cristo.

Deve-se notar, por igual modo, a referência que o apóstolo Pedro faz a João Marcos, em I Ped. 5:13, onde ele é chamado de «...meu filho Marcos». Tanto Pedro como Marcos são apresentados como quem estava em «Babilônia», mui provavelmente, uma referência enigmática a *Roma*. Dessa forma, Marcos teria, finalmente, fixado residência em Roma, e a tradição concorda universalmente que o evangelho de Marcos foi escrito em Roma, essencialmente alicerçado nas *memórias* de Pedro. Essa referência em I Ped. 5:13 parece confirmar tais conjecturas.

Tradições posteriores apresentam Marcos como fundador da igreja cristã de Alexandria (ver Eusébio, *História Eclesiástica* ii.16), mas a essa tradição falta qualquer apoio mais sólido. As tradições também registram que em Alexandria, Marcos se tornou pastor, e que ali, finalmente, foi martirizado. (Ver Nicéforo, *História Eclesiástica* ii.43). Não dispomos de meios para confirmar ou negar essas tradições.

«...onde muitas pessoas estavam congregadas e oravam...» Observe-se que muitas pessoas estavam presentes, evidentemente numa reunião da Igreja. Ainda era noite escura. Mui provavelmente, haviam passado a noite em vigília de oração, especialmente em favor de Simão Pedro. Porquanto Tiago já lhes fora cruelmente arrancado deles e executado. Agonizavam em oração em favor de Pedro, a fim de que este não tivesse a mesma sorte daquele. Talvez se reunissem a horas tardias da noite, a fim de evitarem a perseguição, porquanto é altamente improvável que suas reuniões religiosas fossem aprovadas pela comunidade judaica que estava ao redor deles.

«...sem dúvida alguma, havia outros grupos cristãos, reunidos noutros lugares, porquanto não devemos pensar que... uma única casa poderia conter tantos (supondo-se que a comunidade cristã inteira estivesse orando por Pedro, e não meramente o faziam aqueles que se encontravam reunidos na casa de Maria). Não devemos perder jamais de vista a circunstância do tempo, porque, mesmo sob o fogo da crueldade do inimigo, os piedosos, apesar disso, estavam reunidos. Pois, se em qualquer ocasião, esse exercício é proveitoso, então se torna mais necessário quando da aproximação de conflitos árduos». (Calvino, *in loc.*).

Por conseguinte, vemos que a Igreja primitiva atravessava tempos difíceis, o que comprova que os piedosos não devem esperar passar pela vida sem tristezas e tribulações, ou que a religião livra os homens piedosos das dificuldades que acompanham as vidas de todos os mortais.

Relação Especial com Pedro. Embora não disponhamos de informações sobre os primeiros anos da vida de João Marcos, algumas poucas coisas podem ser inferidas. Nada sabemos sobre o seu pai, e a casa onde ele residia é chamada de casa «de Maria» (sua mãe). Isso, talvez, indique que, então, o pai de Marcos já havia falecido. Pedro foi bem recebido nessa casa e, talvez, isso signifique que havia uma história anterior de amizade. Papias afiança que o evangelho de Marcos repousa sobre as palavras e as narrativas de Simão Pedro, outra indicação de que havia laços especiais entre os dois. Pedro chama Marcos de «meu filho Marcos» (I Ped. 5:13). Isso pode indicar uma relação especial entre eles, ou, então, que Marcos converteu-se a Cristo pela agência de Pedro.

Relação com Paulo. Por breve período, Marcos acompanhou Paulo em suas viagens missionárias. Mas Marcos não se mostrou à altura das expectativas daquele apóstolo. Escrevi um artigo que discute a questão, intitulado *Marcos, Falha de*. Em Colossenses 4:10, Paulo incluiu Marcos entre os poucos judeus que labutavam com ele e lhe proviam conforto. E isso significa que o passado foi esquecido e que feridas foram saradas. O trecho de II Tim. 4:11 menciona a utilidade de Marcos no evangelho, pelo que é óbvio que ele prosseguiu e se tornou um vencedor.

MARCUS AURELIUS ANTONIUS

Suas datas foram 121—180 D.C. Ele foi um filósofo romano, e também imperador de Roma. Era filho adotivo de Antonino Pio. Estudava filosofia desde a juventude, e, posteriormente, providenciou cadeiras para o estudo da filosofia, em Atenas: na Academia, nos Peripatéticos, na Estoá e no Jardim—ou seja, quatro cadeiras ao todo. Esteve ativamente ocupado na política desde os dezoito anos de idade, quando o título de *César* lhe foi confirmado. Aos dezenove anos, tornou-se cônsul. Casou-se com Faustina, filha de Antonino Pio. Com a idade de quarenta anos, no ano de 161 D.C., se tornou imperador, compartilhando desse título com Cômodo, que foi outro filho adotivo de Antonino Pio. Mas, quando Cômodo faleceu, Marco Aurélio tornou-se o único imperador. Ele teve de enfrentar muitos desastres nacionais, o que fez com habilidade. Houve incêndios, inundações, pragas, insurreições e muitos ataques armados por parte dos bárbaros.

Marco Aurélio era homem de grande inteligência e de crescente piedade. Já perto do fim de sua vida, iniciou-se nos mistérios eleusianos. Paradoxalmente, os cristãos foram perseguidos em seus dias, a despeito de seu amor pela filosofia e pela justiça. Talvez isso se devesse a uma piedade mal orientada (indivíduos religiosos são bons perseguidores, e até mesmo assassinos, quando surge a oportunidade para tanto). Marco Aurélio era um devoto aderente da religião romana, e assim pensava que os cristãos tinham-se feito culpados de sacrilégio, por negarem aos deuses romanos e seus ritos. Aos cinqüenta e nove anos de idade, a 17 de março de 180 D.C., Marco Aurélio morreu em um acampamento do exército, em meio à guerra que estava dirigindo contra os bárbaros germânicos. Foi sucedido no trono por seu filho, também de nome Cômodo, como seu irmão de criação.

Justino Mártir dirigiu sua *Primeira Apologia* a Antonino Pio e seus filhos, isto é, a Cômodo e a Marco Aurélio. Mas esse esforço foi inútil.

Marco Aurélio tornou-se melhor relembrado no mundo filosófico devido à sua obra intitulada *Meditações*, onde ele promoveu uma variedade romana do estoicismo. Essa obra tornou-se uma das grandes expressões clássicas da filosofia estóica. Foi uma espécie de diário intelectual que Marco Aurélio escreveu em momentos nos quais pôde desligar-se da vida pública. Tal obra promove o estoicismo como uma maneira de vida caracterizada pela responsabilidade e pela dignidade.

Idéias:

1. O homem deve viver *de acordo com a natureza*, do que resulta obter uma mente tranqüila, um dos alvos principais da existência humana.

2. Se alguém vive de acordo com a natureza, então, está obedecendo à sua razão, contra os impulsos físicos que o assaltam. Além disso, tudo quanto lhe acontece deve estar em harmonia com a Razão Divina (o Logos), sem importar o que pensemos. Isso posto, deveríamos mostrar-nos submissos para com a nossa porção na vida. O estoicismo sempre se caracterizou por um forte elemento de destino, de inevitabilidade, de predestinação. Para os estóicos, o homem não pode controlar essa força. Todavia, pode controlar suas reações diante do que é inevitável. A melhor maneira de alguém obter paz mental é mostrar-se submisso.

3. A razão é a deidade que deveríamos adorar, o Logos supremo, que nunca falha. A razão humana é uma expressão do Logos, os *logoi spermatikoi* em manifestação.

4. O homem é um animal social que tem obrigações a cumprir. Ele também é um cidadão do mundo (universalismo estóico). A justiça é o alicerce de todas as virtudes. Fazer o bem é bom, sem importar os resultados. A justiça e a bondade são seus próprios galardões; e o homem verdadeiramente justo contenta-se com isso.

5. Nos escritos de Marco Aurélio há elementos importantes como a consideração mútua, a amizade, a simpatia, e manifestações de amor. Ver o artigo geral sobre o *Estoicismo*. Ver também os artigos intitulados *Ética* e *Tolerância*. Marco Aurélio ilustrou como a mente religiosa instruída pode tornar-se culpada de crimes como o da perseguição e o do homicídio. Essa realidade tem servido de praga na história da Igreja cristã, porquanto os homens sentem que têm o direito de prejudicar àqueles que não concordam com suas idéias. (AM E EP F MM)

●●● ●●● ●●●

MARDUQUE

Marduque, uma divindade babilônica, chegou a tornar-se o cabeça do panteão dos babilônios, nos tempos de *Hamurabi* (vide). Nessa época, de acordo com a teologia babilônica, todas as virtudes lhe foram atribuídas, incluindo aquelas do deus tempestade e criador, *En-Lil*. Seu principal templo era a E-Sagila, na cidade de Babilônia. As celebrações de Ano Novo, na Babilônia, incluíam atribuições de louvor às virtudes e aos poderes dessa divindade. Os israelitas chamavam-no Merodaque (ver Jer. 50:2). Esse nome podia ser encontrado em combinação com outros nomes próprios, como Evil-Merodaque, Merodaque-Baladã e Mordecai. O nome *Bel*, que figura em Jer. 50:2, também refere-se a ele. Ver, igualmente, Jer. 51:44. A teologia babilônica concebia Marduque como o poder cósmico que determina os destinos dos homens. No começo de cada novo ano, ele ocupar-se-ia nessa atividade. Originalmente, Marduque era uma divindade solar, e sua consorte era chamada Sarpanitu, que significa «a rebrilhante». Ver o artigo intitulado *Deuses Falsos*.

MAREAL

Ver sobre *Maralá*.

MARESSA

No hebraico, ao que parece, «cume» ou «lugar-chefe». Esse é o nome de uma cidade e de duas personagens que figuram nas páginas do Antigo Testamento.

1. Uma cidade cananéia que veio a fazer parte da tribo de Judá era assim chamada (ver Jos. 15:44). Ficava a um quilômetro e meio a suleste de Eleuterópolis (Beit Jibrin), e tem sido identificada com o moderno Tell Sandahannah. Reoboão fortificou essa cidade (II Crô. 11:8). Os etíopes, liderados por Zerá, foram derrotados pelo rei Asa, nesse lugar (II Crô. 14:9-13). Em seguida, ele foi capaz de fazer o inimigo recuar até Gerar, a quarenta e oito quilômetros a sudoeste de Maressa.

Eliezer, de Maressa, predisse o fracasso da expedição naval de Josafá, que alçara velas para Társis, porquanto Acazias fizera alianças indevidas (II Crô. 20:35-37). Quando Judá se achava no exílio babilônico, os idumeus ocuparam essa cidade e a área circundante; e a cidade, então chamada Marisa, tornou-se a capital deles. Foi deixada desolada por Judas Macabeu, quando ele marchava de Hebrom para Asdode (I Macabeus 5:65-68; Josefo, *Anti.* 12:8,6). Josefo também revela-nos que esse foi um dos lugares conquistados por Alexandre Janeu, mas que antes estivera sob a dominação síria (Josefo, *Anti.* 13:15,4). Pompeu restaurou a cidade e a vinculou à província da Síria (Josefo, *Anti.* 14:4,4). Gainius a reconstruiu (Josefo, *Anti.* 14:5,3). Os partas destruiram-na quando guerreavam contra Herodes, o Grande (Josefo, *Anti.* 14:5,3). Desde esse tempo em diante, parece que a cidade não mais conseguiu recuperar-se de suas muitas vicissitudes, e nunca mais teve grande importância. A partir de 40 A.C., ela era apenas ruínas. Eleuterópolis, a menos de três quilômetros de distância, tornou-se a cidade importante da região.

2. Esse era também o nome do pai (ou antepassado) de Hebrom, da linhagem de Judá (I Crô. 2:42). Ele foi o filho primogênito de Calebe. Era conhecido por dois nomes, Mesa e Maressa.

3. Um filho de Lada, da família de Selá, tinha esse nome. Talvez ele tenha sido o fundador de uma cidade com esse nome (I Crô. 4:21). Alguns estudiosos

têm-no identificado com o Maressa de número 2, acima.

MARFIM

Há duas palavras hebraicas e uma palavra grega que precisamos levar em conta neste verbete:

1. *Shen*, «dente», «marfim». Com o sentido de «marfim», essa palavra ocorre por dez vezes: I Reis 10:18; 22:39; II Crô. 9:17; Sal. 45:8; Can. 5:14; 7:4; Eze. 27:6,15; Amós 3:15; 6:4.

2. *Shenhabbiym*, «dentes de elefante», «marfins». Essa palavra só ocorre por duas vezes no Antigo Testamento: I Reis 10:22 e II Crô. 9:21.

3. *Elephántinos*, «feito de marfim». Essa palavra grega foi usada por apenas uma vez em todo o Novo Testamento: Apo. 18:12.

O marfim é um material duro, usualmente de cor creme, que compõe os dentes e as presas de certos animais. O marfim comercial procede quase inteiramente das presas dos elefantes. Algumas delas podem chegar até cerca de 3,30 m. As presas e dentes de outros animais usualmente são pequenas demais para terem qualquer valor comercial. Os dentes da baleia cachalote, da morsa e dos mastodontes também têm valor. Os mastodontes produziam um marfim róseo, bastante popular no fabrico de jóias. Além disso, há um certo marfim vegetal obtido da jarina, que, algumas vezes, substitui o marfim do elefante, especialmente no fabrico de botões.

No passado distante, o marfim era obtido do elefante indiano, de Burma e da África; mas, atualmente, somente elefantes africanos são usados. O marfim duro tem uma camada mais externa escura, vermelho amarronzado, e uma textura atrativa. O marfim suave é muito mais claro, quase da cor do leite, com textura muito lisa. Quase todo o marfim que se produz hodiernamente é empregado na China, no Japão, na Índia, na Tailândia e em outros países asiáticos, no fabrico de figurinhas, jóias e obras de arte.

As referências bíblicas dão-nos a entender que o marfim era um artigo de luxo muito procurado, usado no fabrico de leitos (Amós 6:4), casas (várias decorações, incluindo painéis de paredes, I Reis 22:39), decorações de navios, como passadiços com aplicações de marfim (Eze. 27:6), e vários itens do mobiliário, incluindo tampas de mesas, além de jóias, naturalmente. O marfim era importado pelos negociantes de Tiro, que o compravam de homens de Dedã (Eze. 27:15), transportado em navios de Társis (I Reis 10:22). Salomão importava marfim, juntamente com outros artigos de luxo. As escavações efetuadas em Alalaque, na Síria, têm desenterrado grandes presas de marfim. Peças de arte egípcias e assírias mostram que as presas de elefante faziam parte dos troféus obtidos em batalha. Os arqueólogos também têm encontrado grandes armazéns de marfim em Ras Rhamra e em Megido. Somente em 1932 foram encontradas trezentas e oitenta e três peças esculpidas de marfim, provenientes de cerca de 1350 A.C. O trecho de Apo. 18:12,13 mostra que o marfim era importado pelos romanos, juntamente com muitos outros artigos de luxo.

Fontes informativas extrabíblicas mostram-nos que o marfim era usado no fabrico de figurinhas, de conchas, de frascos, de mesas de jogos, de pentes, de caixas, de artigos de mobiliário, de jóias, e de grande variedade de itens decorativos.

••• ••• •••

MARGARIDA DE NAVARRA

Suas datas foram 1492—1549. Ela era irmã do rei Francisco I, da França. Ela é relembrada em face de duas conspícuas circunstâncias. A primeira é que ela foi protetora das artes e das letras. Em segundo lugar, sua corte tornou-se um dos principais refúgios de advogados das doutrinas reformadas. Em 1533, ela publicou um poema religioso chamado *Le Moroir de l'Ame Pécheresse*, que foi considerado herético pela Sorbonne. Em 1547, foi publicada uma coletânea de seus poemas. Ela deixou uma filha, Jeanne d'Albret, que foi a mãe de Henrique IV, da França.

MARI

Esboço:

1. Localização e Identificação
2. História
3. Escavações Arqueológicas
4. Os Textos de Mari e o Antigo Testamento

1. Localização e Identificação

Mari era uma antiga cidade do médio Eufrates, cerca de onze quilômetros a noroeste de Abu-Kemal, onde o atual Tell Hariri assinala o local. Estava em uma posição estratégica, tendo-se tornado um importante e próspero lugar. Contava com a vantagem de estar em uma interseção de rotas de caravanas. Uma dessas rotas passava pelo deserto sírio e ia até às margens do rio Eufrates, e a outra começava no norte da Mesopotâmia e atravessava os vales dos rios Cabur e Eufrates. Isso posto, o lugar tornou-se um centro de comércio e comunicações. Dispunha de uma população internacional, composta por babilônios, assírios, semitas do reino de Iamcade-Alepo, hurrianos, caneanos, suteanos e benjamitas. A certa altura da história (cerca de 1800—1700 A.C.), era parte importante do reino dos amorreus, pelo que proveu documentos importantes sobre o idioma desse povo.

2. História

a. A cidade foi conquistada por Eanatum, de Lagase (cerca de 2500 A.C.).

b. Foi conquistada por Sargão, o Grande, de Acade (cerca de 2350 A.C.).

c. Foi governada pelos reis de Ur (cerca de 2113—2006 A.C.).

d. Os amorreus arrancaram-na do poder de Ur.

e. Ur caiu em 2006 A.C., e Isbi-Erra, de Isin, e Naplanum, de Larsa, tornaram-se os poderes dominantes em Babilônia.

f. Iacdum-Lim, rei de Cana, conquistou o lugar (cerca de 1830—1800 A.C.).

g. O rei Samsi-Adade I, da Assíria, derrotou-o, e o lugar passou para as mãos desse monarca assírio (cerca de 1814—1782 A.C.).

h. Iacdum-Lim foi assassinado, e seu filho, Zinri-Lim, fugiu para a Síria. Samsi-Adade foi o assassino e o novo governante, que morreu em 1782 A.C.

i. Zinri-Lim retornou e se apossou do trono (cerca de 1790—1761 A.C.). E Mari tornou-se um mini-reino independente, por dezenove anos, mais ou menos entre 1779 e 1761 A.C.

j. Hamurabi, da Babilônia, reduziu Zinri-Lim à posição de rei vassalo.

l. Os cassitas destruíram a cidade, em 1742 A.C.

3. Escavações Arqueológicas

Entre 1933 e 1939 houve seis períodos de escavações em Mari, sob a direção de André Parrot, sob o patrocínio do Museu do Louvre. Entretanto, a Segunda Guerra Mundial interrompeu esses esforços, que só foram retomados em 1951. Então, houve mais quatro escavações, que ocuparam extensos períodos. Mas essas atividades, mais uma vez, foram interrompidas, devido as dificuldades em torno do canal de Suez.

As descobertas foram ricas, realmente, e sumariamos como segue:

a. Foram descobertos o templo de Istar e um zigurate (templo torre).

b. O palácio real foi desenterrado.

c. Juntamente com esse palácio, foi encontrado um complexo de edifícios, incluindo até mesmo uma escola de escribas. Pinturas e ornamentações elaboradas decoravam as estruturas e as paredes.

d. *Grande tesouro literário* foi encontrado, muito interessante para os arqueólogos. Nos arquivos do palácio foram recuperados mais de vinte mil tabletes com inscrições. Muitos desses tabletes com inscrições cuneiformes registram correspondência diplomática por parte do último rei de Mari, Zinri-Lim, com Hamurabi, da Babilônia. Essa correspondência tornou-se conhecida como *Cartas de Mari*. Essas cartas têm ajudado os eruditos a conseguirem datas mais precisas para o reinado de Hamurabi, isto é, cerca de 1728—1626 A.C. Também têm permitido aos especialistas revisarem tudo quanto antes sabiam sobre a história da época, e também a natureza do idioma envolvido. Várias cartas endereçadas ao rei Zinri-Lim contêm declarações proféticas, supostamente feitas pelo deus Adade ou Dagã, através de seus agentes. Tais declarações interessam, por sua vez, aos estudiosos da Bíblia, em face de suas similaridades e diferenças, quando cotejadas com as predições bíblicas. Ver os artigos separados sobre *Hamurabi* e *Hamurabi, Código de*.

4. Os Textos de Mari e o Antigo Testamento

a. *A Tradição Profética*. É curioso que parte do material dos textos de Mari corresponde a predições existentes no Antigo Testamento. Sabemos que o discernimento profético é uma possessão comum da humanidade inteira e de todas as culturas. Naturalmente, sempre há certa mescla de discernimentos corretos com o erro. Ver o artigo intitulado, a *Tradição Profética e a Nossa Época*. Os estudos sobre os sonhos mostram que todas as pessoas têm um conhecimento pessoal (embora freqüentemente oculto delas) de seus futuros, e assim, em um sentido secundário, todas as pessoas são seus próprios profetas. Algum dia, a ciência poderá desenvolver técnicas que aprimorem essa capacidade, que se tornará valiosa para todos nós. Ver o artigo sobre os *Sonhos*.

b. Nomes pessoais amorreus aparecem em abundância nesses textos, semelhantes a nomes pessoais existentes no Antigo Testamento. Ali aparecem nomes como *Yahweh, Yawi-Addu* e *Yawi-El*. *El* era um nome comum para Deus, entre os povos semitas, incluindo os hebreus. Ver os artigos sobre *Yahweh* e *Jeová*. Não nos deveria surpreender o fato de que Israel não inventou seus próprios nomes para Deus, antes, aproveitou o fundo semítico geral de nomes próprios. Isso em nada milita contra a revelação divina. Os livros sagrados não se desenvolveram no vácuo. No entanto, há autores que procuram contornar a questão, afirmando que *yawi* não é um nome próprio, mas antes, fala sobre o que os deuses Addu e El teriam feito ou ainda fariam. Mas, mesmo que isso corresponda à verdade dos fatos, tem sido adequadamente demonstrado que *Yahweh* não era um nome exclusivo para Deus, entre os hebreus, conforme aqueles artigos o demonstram.

c. Os textos de Mari também têm permitido tornarem-se melhor conhecidos os costumes dos povos nômades que habitavam em redor de Mari, a saber, os caneanos, os suteanos e os benjamitas. Talvez os *Dumu.mes Yamina* não tivessem parentesco nenhum com os benjamitas do Antigo Testamento, conforme alguns estudiosos têm chegado a pensar, mas, mesmo assim, muitos costumes bíblicos podem ser ilustrados através desse material, visto estarmos tratando com populações com laços de parentesco entre si, em áreas geográficas relativamente apertadas.

d. As cartas de Mari, como já dissemos, têm ajudado a fixar melhor as datas relativas a Hamurabi (cerca de 1728—1626 A.C.), uma questão que tem servido de complicado problema cronológico para os historiadores bíblicos. (ND OP(1967) UN Z).

MARIA

Ver **Marias do Novo Testamento**.

MARIA, APARIÇÕES E SANTUÁRIOS

Ver **Mariologia (Maria, A Bendita Virgem)**, seção V.

MARIA, CULTO DE

Ver os dois artigos intitulados: *Mariolatria* e *Mariologia*.

MARIA, EVANGELHO DO NASCIMENTO DE

O chamado livro do *Pseudo-Mateus*, com base no *Protevangelium de Tiago* (vide), foi usado na produção do Evangelho do Nascimento de Maria. Essa é uma versão mais breve e melhorada da primeira parte de outra obra, mais longa. Estranhamente, era atribuída a Jerônimo, embora seja sabido que ele se opunha à literatura apócrifa.

Esboço do Conteúdo:

1. Joaquim e Ana, pais de Maria, tinham uma vida sem culpa.

2. Uma visita angelical anuncia o nascimento de Maria.

3. Maria nasceu e foi criada no templo de Jerusalém.

4. Aos catorze anos de idade, as virgens costumavam casar-se; mas Maria repelia o casamento.

5. O sumo sacerdote, por inspiração divina, escolheu José como marido de Maria. Isso é contrário à mensagem do *Protevangelium*, que diz que José era um homem já de idade, que assim seria apenas um guardião de Maria, e não um verdadeiro marido.

6. Maria e José ficam noivos. Maria fica grávida. O anjo anuncia a José que aquilo era obra de Deus. Jesus nasce. Jerônimo afirmou que a referência a um anterior casamento de José, o que fez dos irmãos de Jesus em seus primos, fora removida dos ensinamentos desse documentos, por ser considerada herética. Ver o artigo sobre a *Família de Jesus*, quanto a uma discussão acerca dessas tradições, em contraste com o que diz o Novo Testamento.

Os eruditos atribuem essa obra ao século VI D.C. Alguns afirmam que o seu autor foi Paschasius Radbertus, abade de Corbie, no século IX D.C. Essa estória foi incorporada na obra chamada *A Lenda de Ouro*, escrita por James de Voragine (1298), pelo que também se tornou largamente conhecida.

MARIA, MÃE DE JESUS

Ver **Marias do Novo Testamento.**

MARIA, NASCIMENTO (ou Descendência) DE

Sabe-se da existência passada de um documento com esse nome por haver sido mencionado por Epifânio em sua obra, *Heresias* xxvi.12.1-9. Era um documento de origem gnóstica. Uma curiosidade ali contida era que identificava o Zacarias aludido em Mat. 23:35, mencionado por Jesus, com o pai de João Batista. E também havia a história de que ele fora morto por haver contado a sua visão no templo (ver Luc. 1:9-12), acerca de um homem que lhe apareceu sob a forma de um asno. Isso concordava com a polêmica dos gnósticos contra o Deus dos judeus, demonstrando o quanto essa polêmica se tornara amarga e irracional.

Essa obra gnóstica nada tinha a ver com uma outra, chamada Evangelho do Nascimento de Maria.

MARIAS DO NOVO TESTAMENTO

1. *Maria de Betânia*, irmã de Marta e de Lázaro. Esse apelativo se deriva de uma forma hebraica, «Mariã», nome muito comum entre os judeus, que era o nome da irmã de Moisés. Alguns têm pensado que o apelativo se deriva de um vocábulo egípcio, «Marye», que significa «amada»; porém, é muito mais provável que esse nome signifique «rebelião» (derivado de uma raiz hebraica, «*miryam*», que nos faz relembrar da rebeldia da irmã de Moisés contra a sua autoridade). Muitos derivativos modernos têm sido criados em diversos idiomas, como, por exemplo, Maria, Miriã, Mae, Marieta, May, Molly, Moll, Polly, Marie, Marilyn, Marion e Maureen.

Maria, irmã de Marta, aparece por nome exclusivamente nos trechos de Luc. 10:38—42 e João 11 Todas as narrativas dos evangelhos contêm uma história da unção do Senhor Jesus por uma mulher (ver Mat. 26:6-13; Mar. 14:3-9; Luc. 7:36-50 e João 12:1-8), e a dificuldade consiste justamente em decidirmos se todas essas narrativas se referem a um único incidente ou não, bem como à mesma mulher. As narrativas de Mateus e de Marcos obviamente historiam o mesmo acontecimento, e é muito provável que a mesma coisa se possa dizer quanto à narrativa de João, pois apesar de talvez ter sido escrita totalmente independente daquelas outras, utilizando-se de uma fonte informativa separada, também provavelmente retrata o mesmo incidente. Não obstante, a narrativa que há no sétimo capítulo do evangelho de Lucas difere tremendamente das outras três, particularmente porque situa o acontecimento na Galiléia, quando João Batista estava na prisão, e não em Betânia, já perto do fim do ministério do Senhor Jesus. Portanto, é possível que a narrativa do evangelho de Lucas retrate um acontecimento diferente. Disso se conclui que a identificação de Maria de Betânia com Maria Madalena (ver Luc. 8:2,3), e ambas as mulheres com a prostituta do sétimo capítulo do evangelho de Lucas, é uma identificação extremamente duvidosa, embora se venha fazendo tal identificação desde os tempos mais remotos do cristianismo. O caráter desta Maria de Betânia fica revelado no fato de que ela ungiu ao Senhor Jesus com um ungüento caríssimo, que requeria o trabalho de quase um ano, por parte de um trabalhador comum, — para que pagasse o seu preço, ainda que desse tudo quanto ganhasse para adquirir esse ungüento. Certamente isso mostra elevado grau de respeito e de afeto pela pessoa de Jesus. (Ver as notas que expandem esse tema, no trecho de Mat. 26:6-13 no NTI). No que diz respeito às evidências contrárias à identificação de Maria de Betânia com Maria Madalena e com a mulher pecaminosa do sétimo capítulo do evangelho de Lucas, *Maria Madalena*, ver ponto 3 deste artigo).

2. *Maria, mãe de Jesus*. — Evidentemente a genitora de Jesus era da linhagem de Davi (ver Luc. 3), sendo esposa de José e tendo sido declarada virgem quando da concepção e do nascimento de Jesus (ver Mat. 1:18,23 e Luc. 1:27). Não dispomos de informações abundantes acerca dela, sendo evidente que ela não manteve grande contacto com Jesus durante o tempo de seu ministério público. É provável que muito antes do começo do ministério de Jesus, ela tivesse enviuvado, e também que durante esse período de viuvez, Jesus fosse o carpinteiro (talvez o único) da pequena e obscura aldeia de Nazaré. Não há qualquer menção a José no N.T., após as narrativas breves sobre a infância de Jesus, pelo que também se supõe que José não estivesse mais vivo para ver as atividades do ministério de Cristo.

Parece algo *indiscutível* que Maria teve outros filhos e também filhas, conforme vemos com mais pormenores no trecho de Mat. 12:46,47. Maria estava em companhia de Jesus durante a sua paixão e morte, segundo vemos em João 19:25-27; e, momentos antes de Jesus expirar, foi entregue aos cuidados do apóstolo João. Acerca de Maria, mãe de Jesus, ninguém pode dizer mais do que fez sua prima, Isabel, a saber: «Bendita és tu entre as mulheres, e bendito o fruto do teu ventre» (Luc. 1:42). No tocante à vida de Maria, após a ascensão de Jesus, temos a breve observação de Atos 1:14, que a menciona, juntamente com os discípulos entregue à oração. Porém, o que o N.T. deixou sem contar, os evangelhos apócrifos e muitas lendas pias não tardaram em preencher, de tal modo que, no caso de outros personagens destacados na vida terrena de Jesus, grande acúmulo de material espúrio se desenvolveu em torno dela, embora parte desse material tenha sido acolhido como verdadeiro, especialmente nos círculos da igreja cristã ocidental, incluindo até mesmo a declaração de sua impecabilidade (a chamada doutrina da «imaculada conceição», que não teria sido pecaminosa), e também a sua ressurreição e ascensão, conforme a natureza da experiência de Jesus. Tais declarações *lendárias*, no entanto, não têm sido aceitas pela igreja cristã em geral, excetuando a igreja ocidental e a igreja ortodoxa grega, principalmente porque esses informes apócrifos não gozam de qualquer apoio por parte do próprio Novo Testamento, e por isso mesmo, embora talvez tenham sido escritos com intenções piedosas, são tidos como produtos da imaginação.

Ver os artigos separados sobre *Mariolatria* e *Mariologia* (*Maria, A Bendita Virgem*).

3. *Maria Madalena* (ver Luc. 7:36; 8:2 e Mar. 16:9). Na realidade não há qualquer evidência de qualidade em apoio à identificação dessa Maria com a mulher pecadora do sétimo capítulo do evangelho de Lucas, e nem com Maria de Betânia. Seu segundo nome se deriva de sua aldeia nativa, «Magdala», que também era conhecida pelo nome de *Tariquéia*, uma aldeia de pescadores, no bolsão ocidental do lago da Galiléia. Jesus expulsou dela muitos demônios (ver o oitavo capítulo de Lucas), mas disso não se deve concluir que ela fosse a prostituta do sétimo capítulo do mesmo evangelho, que ungiu a Jesus. É devido a essa identificação, embora não comprovada, que se deriva o designativo «madalenas» às prostitutas,

Hardy

A adoração dos pastores (Lucas 2:16)

MARIA E ISABEL

JOSÉ PEDINDO ABRIGO PARA MARIA

A VOLTA A NAZARÉ

B. Plockhorst.

A MÃE DE CRISTO EM AFLIÇÃO

B. Plockhorst.

SÃO JOÃO E A MÃE DE CRISTO

Paul Delaroche

A VOLTA DE GÓLGOTA

embora certos casos de possessão demoníaca possam conduzir a uma vida degradada. Ver sobre *Magdala*. Os pais mais antigos fazem total silêncio sobre essa identificação. — Contudo, esse silêncio conta com a exceção de Tertuliano (150 D.C. Ver *De Pudic. ii*), que identificou Maria de Betânia com Maria Madalena e com a mulher pecadora que ungiu os pés do Salvador, mas cujo nome não foi dado, no sétimo capítulo do evangelho de Lucas. Entretanto, Irineu (150 D.C.) e Crisóstomo (400 D.C.) distinguiram-nas claramente como pessoas diversas. Por sua vez, Orígenes (250 D.C.) discutiu a possibilidade dessa identificação e a rejeitou, enquanto Jerônimo e Agostinho mostraram-se duvidosos da mesma. Essa identificação aparentemente entrou na igreja cristã e, mais tarde, na tradição cristã, através de Gregório o Grande (papa de 590 a 604 D.C.). Subseqüentemente, a passagem do sétimo capítulo do evangelho de Lucas passou a ser usada quando da festa de santa Maria Madalena, de origem católica; e assim, a chancela da igreja ocidental foi aposta à identificação de Maria Madalena (do oitavo capítulo de Lucas) com a mulher pecadora do sétimo capítulo do mesmo evangelho. De autoridade ainda mais inferior são as tradições apócrifas que fazem de Maria Madalena esposa de **Jesus, — a cujas tradições absurdas — é** acrescentada aquela outra que declara que Jesus na realidade não teria morrido na cruz, **mas tão-somente** teria entrado em estado de coma, do qual aparentemente «ressuscitou». Em seguida, ainda de acordo com essa tradição apócrifa, Jesus e Maria Madalena teriam partido da Palestina, tendo efetuado um frutífero ministério em outros lugares. O absurdo dessa lenda é sua própria refutação.

Não obstante, a presença de Maria Madalena ao pé da cruz mostra que ela tinha laços especiais de amizade, tanto com Maria, mãe de Jesus, como com o próprio Senhor Jesus. Isso é novamente confirmado pelo fato de Jesus ter aparecido para ela, sozinha, pouco depois de sua ressurreição (ver João 20:15,16).

Lendas ocidentais posteriores falam de sua viagem para Marselha, na Gália, em companhia de Lázaro e Marta, onde teria vivido durante trinta anos, em penitência, em uma caverna perto de Arles. Já a forma oriental dessa lenda afirma que ela teria ido para Éfeso, em companhia de Maria, mãe de Jesus, e do apóstolo João, onde teria falecido. A lenda de origem ocidental identifica-a com a irmã de Marta.

4. *Maria, mãe de Tiago e José* (ver Mat. 27:56), provavelmente é a mesma «outra Maria», do trecho de Mat. 27:61. É possível que essa Maria seja a esposa de Clopas (ver João 19:25), que era irmão de José, marido de Maria, mãe de Jesus. Dessa forma, ela seria cunhada de Maria, mãe de Jesus, e tia de Jesus. Essa informação nos chega essencialmente da parte de Hegesipo, pai da igreja (180 D.C.), bem como mediante a comparação com as Escrituras. Era discípula de Jesus, e também esteve presente quando da paixão e morte do Senhor (ver João 19:25. Ver igualmente as seguintes referências: Mat. 27:55; 28:1; Mar. 15:40; 16:1; Luc. 24:10 e João 19:25).

5. *Maria*, mãe de *João Marcos*. A única alusão a esta Maria, em todo o N.T. é em Atos 12:12. Visto que Marcos é descrito como primo de Barnabé (ver Col. 4:10), é evidente que Barnabé era sobrinho de Maria. Com alicerce nesta referência parece que essa Maria costumava usar sua casa para abrigar uma das congregações dos crentes primitivos, posto que, nessa altura da história, no cristianismo ainda não se havia começado a edificar templos. As igrejas, pois, se reuniam nos lares franqueados com esse propósito. O lar desta Maria, evidentemente, acolhia uma das principais congregações de Jerusalém, porquanto foi para ali que Pedro resolveu ir, assim que se viu solto da prisão. Existem estudiosos que pensam que ali ficava o *cenáculo* que fora cena da última ceia. Essa tradição pode ser acompanhada de volta até o século IV de nossa era. Tal casa, portanto, provavelmente, agia como uma espécie de quartel-general da igreja de Jerusalém. Observa-se que nessa casa havia um portão que era cuidado por uma pessoa, tal como na casa do sumo sacerdote (ver João 18:16).

Maria, talvez, fosse *viúva* e, mui provavelmente, possuía bons recursos financeiros, posto que sua casa sem dúvida, era suficientemente espaçosa para abrigar um grande número de discípulos, que ali costumava congregar-se para adorar ao Senhor. Barnabé, seu sobrinho, também parece ter sido homem abastado, conforme se depreende do trecho de Atos 4:36. Maria é uma daquelas genitoras que não possuía fama independente, mas que se tornou conhecida através de seus parentes famosos—Barnabé e João Marcos, este último autor do evangelho de Marcos, o mais antigo dos evangelhos canônicos, que foi empregado como esboço histórico dos demais. (Ver o artigo sobre *Marcos, Evangelho de*). Não obstante, essa Maria, sem dúvida, foi uma influência poderosa sobre seus parentes e sobre outras vidas, porquanto ela mesma era mulher de elevado caráter.

Posição da mulher no evangelho. Pode-se notar, tanto no evangelho de *Lucas* como no livro de *Atos*, uma ênfase especial sobre a importância da mulher, na tradição do evangelho, e esse tema é largamente reconhecido como muito importante na narrativa da dupla obra lucana Lucas-Atos, embora não seja tão proeminente em outras porções do N.T. Ver Atos 2:17, onde o assunto é apresentado como tema profético, pois as mulheres teriam parte ativa nas questões espirituais, quando o Espírito Santo fosse derramado. Quanto a outras referências, nos escritos de Lucas, que encerram a mesma ênfase, ver Atos 1:14; 5:1; 9:36; 12:12,13; 16:13,15; 16:18; 24:24; 25:13.

6. *Maria, uma conhecida* do apóstolo Paulo. Seu nome aparece na lista de vinte e quatro pessoas que foram saudadas pelo apóstolo, no décimo sexto capítulo da epístola aos Romanos. (Seu nome aparece em Rom. 16:6).

MARÍAS, JULIÁN

Ele nasceu em 1914. Minhas fontes informativas não falam sobre a data de sua morte, se é que a mesma já ocorreu. Ele foi um filósofo espanhol, que nasceu em Valladolid. Estudou com Ortega y Gasset, em Madri. Tornou-se professor do Instituto de Humanidades, organizado por Ortega y Gasset em 1948. Permaneceu no catolicismo romano, embora seu mestre tivesse rompido com essa igreja. Sofreu a influência das idéias de Ortega y Gasset, embora, em vários sentidos, tivesse ultrapassado à filosofia do mesmo.

1. Marías afirmou que a *vida*, e não o *ser*, é a categoria básica. A vida inclui tanto a nossa quanto as vidas de outras pessoas. A vida é a realidade final; e outros fatores, como a transcendência e as coisas que as pessoas esperam, residem nessa realidade.

2. A razão vital é a norma dos estudos metafísicos. Essa inquirição inevitavelmente leva o indivíduo a uma direção religiosa. A transcendência sempre faz parte dessa inquirição. O Ser transcendental sempre está acima de nós, em nossa busca. Marías não se mostrou positivo quanto a isso, mas, ao que parece, ele tinha fé na sobrevivência pessoal, ou seja, na

imortalidade da alma.

Obras. Dentre um grande número de livros, podemos mencionar os seguintes: *História da Filosofia; Introdução à Filosofia; Ortega e Três Antípodas; A Idéia da Metafísica; A Estrutura Social; Teoria e Método; A Realidade Histórica e Social do Uso Lingüístico; Antropologia Metafísica*.

MARIDO

Ver o artigo geral sobre Matrimônio. Ao que é dito ali, adicionamos aqui algumas informações:

Deveres dos Maridos, Segundo a Bíblia e os Rabinos:

1. O Antigo Testamento não dá muitas regras específicas para os maridos. Obtemos algo com base em Êxo. 21:10. O marido precisava prover alimentos, vestuário e os direitos conjugais à sua mulher.

2. Os códigos rabínicos ampliam isso um pouco. Desses códigos depreendemos o seguinte:

a. O marido deveria prover para as necessidades básicas de sua mulher, como alimentos, vestuário e habitação.

b. Deveria prover os direitos sexuais, conjugais. Em caso contrário, se a causa não fosse alguma enfermidade, o remédio era o divórcio.

c. Deveria prover para uma esposa enferma, procurando-lhe a cura.

d. Deveria proteger a sua esposa, incluindo o dever de resgatá-la, se ela caísse em cativeiro. Isso se aplicava, especialmente, durante o período da Idade Média, quando as invasões dos beduínos causaram muitos seqüestros.

e. Deveria prover para o sepultamento apropriado da esposa falecida, com as devidas cerimônias, um sepulcro assinalado, etc.

Direitos dos Maridos, Segundo a Bíblia e os Rabinos:

1. O que a esposa ganhasse fazia parte da renda familiar. Ela não podia manter uma vida econômica separada.

2. O marido também tinha o direito de compartilhar do que ela ganhasse por acaso, como uma herança, uma doação, etc.

3. Todas as propriedades trazidas para a família, mediante o casamento, pelo lado da mulher, tornavam-se parte de suas possessões.

4. O marido era o herdeiro único de uma esposa que falecesse.

5. As instruções bíblicas permitiam que um homem tivesse várias esposas e concubinas, embora igual direito não fosse dado à mulher. Essa prática chegou até bem dentro da era cristã, tendo sido eliminada somente por causa da dispersão de Israel entre as nações gentílicas, onde todos tinham de obedecer às legislações locais.

MARINHEIRO

Ver sobre *Barcos* (*Navios*).

No grego, *nátues*, palavra que aparece em Atos 27:27,30 e Apo. 18:17. Em adição, há alusões breves a ofícios similares: ao *timoneiro* (no grego, *euthúno*, em Tia. 3:4; como verbo, «guiar», em João 1:23); ao *piloto* (no grego, *kubernétes*, em Atos 27:22 e Apo. 18:17).

Israel, embora dificilmente voltado para as lides do mar, tinha contato com a navegação, visto que suas costas marítimas percorriam o país quase de norte a sul, por seu lado oeste; e até contava com uma saída para o mar Vermelho, através do golfo de Ácaba, onde, desde tempos antigos, havia um porto marítimo, Eilate (vide). Salomão dispunha de uma frota de navios mercantes (I Reis 9:26). Josefá também tentou dispor de frota semelhante, mas seus esforços em nada deram (I Reis 22:49,50). Alguns dos primeiros discípulos de Jesus eram pescadores e possuíam barcos de pesca, pelo que eram pequenos marinheiros (Mat. 4:21; Luc. 5:3). Nas Escrituras não há descrição mais gráfica da vida marítima que o relato da viagem de Paulo a Roma, quando os marinheiros planejaram abandonar o navio, mas foram dissuadidos disso por Paulo e pelo centurião romano. (Ver Atos 27).

Um dos dons espirituais do Espírito, na lista de I Coríntios 12, aparece com o nome de *kubérnesis*, «pilotagem», que nossa versão portuguesa traduz por «governos». Sem dúvida, a linguagem de Paulo é metafórica. Muitos comentadores pensam que está em foco o dom especial de «pastor», olhado do ponto de vista da orientação por ele imprimida ao rebanho. (Ver I Cor. 12:28). Ver *Dons Espirituais*.

MARINO DE NEÁPOLIS

Ele viveu no século V D.C. Foi discípulo de *Proclus* (vide). Escreveu um livro, *Vida de Proclus*. Era neoplatônico em seus pontos de vista; escreveu diálogos do tipo platônico, bem como obras sobre matemática. Tornou-se o presidente da escola filosófica de Proclus, quando este faleceu.

MARIOLATRIA

Temos aí uma das principais linhas divisórias entre católicos e protestantes (e evangélicos). Para começar, o próprio termo, «mariolatria», não é aceito pelos católicos romanos, que afirmam não *adorarem* a Maria.

1. Definição

O termo *mariolatria* significa «adoração a Maria», devendo ser distinguido do vocábulo *mariologia*, isto é, a teologia acerca de Maria. O termo grego *latreia*, «adoração», encontra-se no âmago da primeira dessas palavras, indicando uma honraria que o homem deve exclusivamente a Deus.

2. Distinções Feitas pelo Catolicismo Romano

O idioma latino tem várias palavras que são empregadas para indicar a idéia de adoração, segundo as explicações dos mestres católicos romanos:

a. *Latria*. Essa palavra aponta para a adoração devida unicamente a Deus. O termo grego correspondente é *latreia*, «adoração», «serviço prestado a».

b. *Hiperdulia*. O tipo de veneração que pode (e deve) ser prestada a Maria, em face de sua alta posição como mãe de Jesus («mãe de Deus»), um vaso especial, usado com o propósito divino de tornar realidade a encarnação do Logos. De acordo com a teologia católica romana, Maria deve ser considerada o mais sagrado e ímpar dos seres humanos mortais, ocupando ela uma categoria toda própria. Ali, ela é considerada dotada de poderes como medianeira dos pecadores, diante de seu Filho, sempre simpática ante os sofrimentos de seus filhos. Isso explica a ansiedade dos católicos romanos, de se aproximarem de Deus por meio de Maria. Jesus seria *augusto*, inabordável; mas Maria mostra-se justa e simpática para conosco, sempre disposta a ajudar ao homem. Em vista dessa sua posição e missão, de acordo com a mesma teologia católica romana, Maria merece a veneração que lhe prestam.

c. *Dulia*. Essa é a veneração que cabe aos santos, que ocupam uma posição inferior à de Maria, dentro da hierarquia dos poderes espirituais.

3. Mantendo as Diferenças

Os estudiosos protestantes e evangélicos quedam-se boquiabertos diante da ginástica da teologia católica romana, a fim de defender a mariolatria. Em certo sentido, protestantes e evangélicos reconhecem níveis diferentes de respeito pelos poderes celestiais. Mas, se reconhecem que aqueles que viveram vidas dignas e santas, tornando-se exemplos para os cristãos das gerações posteriores, são dignos de nosso reconhecimento e emulação, nunca pensam em *venerá-los* ou *adorá-los*. Quando um crente fala em *adorar*, limita esse ato exclusivamente ao Senhor Deus—Pai, Filho e Espírito Santo. Distinguir entre respeitar e adorar é fácil para o cristão bíblico, mas dividir a adoração em três níveis: a Deus, a Maria e aos santos e anjos, é esperar demais da capacidade humana.

Outrossim, os protestantes e evangélicos também objetam à elaborada teologia que circunda Maria com excrescências extrabíblicas. Ora, é essa exaltada, mas distorcida teologia, que arma o palco para a *hiperdulia*, a veneração a Maria. Ver sobre *Mariologia* (*Maria, a Bendita Virgem*).

Os católicos romanos, de sua parte, pensam que aquela tríplice distinção pode ser feita na prática, e não apenas em teoria. Para eles, a *hiperdulia* é uma espécie de *honraria extrema*. No entanto, desde a Igreja antiga (embora não desde a Igreja primitiva, refletida no Novo Testamento), encontramos a veneração a Maria. Assim, nos dois escritos apócrifos, *Protenvangelium Jacobi* (século II D.C.) e *Transitus Mariae* (século IV D.C), essa veneração aparece de forma evidente. Esses antigos documentos obviamente ultrapassam a tudo quanto os livros canônicos do Novo Testamento afirmam e ensinam a respeito de Maria. Isso porém, não constitui problema para os católicos romanos, porquanto eles acreditam em uma revelação progressiva, onde a teologia foi recebendo novos elementos, pois crêem que os papas e os concílios podem fazer adições àquilo que é ensinado na Bíblia. Para eles, o Novo Testamento representa apenas um estágio inicial da teologia cristã, que os séculos se encarregaram de ir modificando, ao ponto das contradições com os ensinos bíblicos pouco ou nada significarem. Isso posto, ninguém sabe onde chegará a teologia católica romana, se o Cristo ainda demorar-se muito quanto à sua *parousia* ou segunda vinda.

4. O Desenvolvimento da Mariolatria

O Novo Testamento não oferece qualquer base ou razão para os homens prestarem *hiperdulia* a Maria. É sintomático o quão pouco as Escrituras dizem acerca de Maria, considerando-se que ela foi a mãe de Jesus. O que é indiscutível é que ela não figura na *teologia* do Novo Testamento. Isso posto, com base exclusiva nas Escrituras Sagradas, meramente reconhecemos Maria como mulher de grande piedade, mas não podemos prestar-lhe qualquer forma de *dulia* ou «adoração» ou «serviço» — seja *hiperdulia*, seja veneração. Na verdade, a veneração a Maria, pela Igreja Católica Romana, equipara-se à adoração prestada por quase todos os povos pagãos a alguma divindade feminina, do que a história antiga tão claramente testifica. Algumas dessas divindades femininas entravam em conflito com suas contrapartes masculinas. Na teologia católica romana *popular*, Maria é considerada praticamente *divina* (se não totalmente). Assim, ela se tornou uma *quarta* figura componente, embora toda a cristandade sempre tenha aceito somente uma triunidade. Além disso, algumas daquelas divindades femininas dos pagãos eram esposas dos grandes deuses. Propagando-se o cristianismo, foi-se ausentando esse aspecto feminino da divindade, e, por isso, foi apenas natural que as pessoas se apegassem a Maria como uma possível candidata a preencher o hiato.

— Alguns teólogos falam sobre o Espírito Santo como se fosse um princípio feminino, como se, na trindade, houvesse os princípios do Pai, da Mãe e do Filho—uma idéia totalmente estranha às Sagradas Escrituras. Seja como for, o culto a Maria foi crescendo até que, por ocasião do concílio de Éfeso, ela foi oficialmente intitulada de *Mãe de Deus*. Todavia, esse título merece explicação. Originalmente, o título era uma declaração indireta da divindade de Jesus: Maria era mãe de Jesus; Jesus era Deus; logo, Maria era mãe de Deus. No entanto, nunca se pensara que Maria havia gerado Deus, como sua mãe o que seria realmente ridículo. Com a passagem do tempo, entretanto, a ênfase foi passando da palavra «Deus» para a palavra «mãe», exaltando assim a pessoa de Maria, e ela passou a fazer parte virtual da esfera da trindade, formando uma *quaternidade*, conforme já dissemos. Essa noção é bastante popular no catolicismo romano de nossos dias, ainda que difira da teologia católica romana mais sofisticada. O fato é que a noção de «mãe de Deus» envolve ensinos que se chocam frontalmente com os ensinamentos bíblicos. Por exemplo, Deus é um Ser eterno, sem princípio e sem fim—como teria ele mãe? Além disso, um ser mortal (como Maria) não poderia ter gerado um ser imortal (como é o caso de Deus). Também poderíamos indagar: Se Deus teve mãe, porventura também não teria pai? E, em seguida, avôs e avós? O fato é que a Bíblia jamais atribui a Maria o título de «mãe de Deus». Essa noção é extrabíblica, inspirada por noções pagãs.

5. Seguiram-se Outros Dogmas Relativos a Maria

O primeiro corolário da doutrina de Maria como «mãe de Deus» foi o dogma da *Imaculada Conceição* (vide), de 1854, que decretou que Maria é uma pessoa distinta da raça adâmica, porquanto teria sido concebida sem a mácula do pecado original, do qual toda a raça humana participa. Em seguida, veio o dogma da *Assunção da Bendita Virgem Maria*, segundo o qual se afirma que Maria ascendeu ao céu, à semelhança do que Jesus fizera. E assim ela conseguiu escapar à morte física. Essa foi a doutrina oficializada pela Igreja Católica Romana, em 1950. A idéia de Maria como mediadora entre Deus e os homens já vem de mais longa data, embora também nunca figure nas Sagradas Escrituras. Estas são taxativas a respeito: «Porquanto há um só Deus e um só Mediador entre Deus e os homens, Cristo Jesus, homem» (I Tim. 2:5). Esse único Mediador é chamado, nas Escrituras, de «nosso Senhor». Mas a cristandade inventou uma «nossa Senhora».

6. Objeções Evangélicas

a. As referências neotestamentárias a Maria não nos dão precedente para qualquer forma de *mariologia* ou de *mariolatria*, e nem encorajam a chamada *hiperdulia*, por mais ousadamente que esta tenha sido distinguida da *latria*. Ver Mat. 1:16 *ss*; 13:55; Luc. 1:27 *ss*; João 2:1 *ss*; 19:25 *ss*; Atos 1:14, quanto às principais referências do Novo Testamento a Maria. O exame dessas passagens obvia o fato de que qualquer dogma católico romano acerca de Maria teve origem extrabíblica. Não há ali qualquer coisa que encoraje a mariolatria.

b. Aquela tríplice distinção católica romana entre tipos de adoração nem é lógica, nem é aplicável na prática, e nem é bíblica.

c. A adoração a Maria desvia a adoração devida unicamente a Deus, na pessoa de Jesus Cristo, sendo inteiramente errada do ponto de vista da Bíblia.

d. Maria, como mediadora entre Deus e os homens, é um dogma contrário ao claríssimo ensino neotestamentário sobre essa importante questão.

e. O desenvolvimento histórico do dogma, juntamente com os seus corolários (a Imaculada Conceição e a Assunção), refletem uma teologia inaceitável para os evangélicos, para os quais toda doutrina precisa ter firmes fundamentos bíblicos, e não apenas alicerçados sobre as tradições e especulações humanas, visto que são sensíveis às Escrituras Sagradas. Toda essa questão da mariolatria é encarada com suspeita e rejeição, como ilegítima, baseada em certa concepção sobre a autoridade e sobre como os homens devem buscar a verdade.

f. A injeção de um elemento feminino na deidade é um empréstimo de noções pagãs.

7. A Questão da Autoridade

Ver o artigo separado sobre *Autoridade*. O ponto de vista católico romano não é nada seletivo, porquanto pensam que as doutrinas que vão surgindo são legítimas, mesmo quando não estão baseadas no Novo Testamento. Isso contrasta violentamente com a posição evangélica, que, embora nem sempre de modo coerente, insiste em que toda doutrina deve estar completamente fundamentada sobre os ensinamentos da Bíblia, e que tudo quanto não tiver tal origem deve ser rejeitado.

8. A Questão da Lei do Amor

Não basta alguém ser doutrinariamente correto. Também é errado ir à guerra contra aqueles que discordam de nossos pontos de vista. É uma vergonha histórica que o cristianismo se tenha dividido em vários campos hostis, cada qual proferindo seus anátemas contra os demais. Debater, tendo em vista o esclarecimento da verdade, é bom, mas o ódio ao próximo é pior do que a doutrina errada. A primeira epístola de João ensina-nos que a prática da lei do amor é a substância própria da espiritualidade. «Nós sabemos que já passamos da morte para a vida, porque amamos os irmãos; aquele que não ama permanece na morte» (I João 3:14). O diabo odeia desde o começo, e tem muitos imitadores no próprio seio da Igreja. Não deveríamos hesitar em expressar desaprovação pelas idéias que julgamos serem injuriosas à fé cristã, mas isso deve ser feito com o propósito de sarar, e não de ferir e queimar.

Oh, Deus, que carne e sangue fossem tão baratos,
Que os homens odiassem e matassem,
Que os homens silvassem e cortassem a outros,
Com línguas de vileza... por causa de...
«teologia».
(Russell Champlin).

Bibliografia: AM AAT B C E WIR.

MARIOLOGIA (Maria, A Bendita Virgem)

Ver sobre *Maria*, segundo ponto, *Maria, Mãe de Jesus*. Esse artigo descreve o que a Bíblia ensina a seu respeito. A *Mariologia*, entretanto, é a *teologia* que se desenvolveu em torno de sua pessoa, juntamente com o curso da história da Igreja cristã.

Esboço:

I. Definições
II. Ensinos do Novo Testamento
III. Desenvolvimento da Teologia Acerca de Maria
IV. Pontos de Vista e Objeções Protestantes
V. Aparições e Santuários

I. Definições

Mariologia. «Esse e o conjunto inteiro de crenças religiosas e dogmas que dizem respeito à Virgem Maria». (WA) «As doutrinas e opiniões atinentes a Maria, e sua relação para com a pessoa e a obra de Cristo». (E) Os católicos romanos acreditam que uma genuína e exaltada teologia veio à existência, através da Igreja Católica Romana, mediante os papas e concílios, que descreve corretamente a elevada posição metafísica de Maria, dentro da hierarquia de entidades e valores espirituais. Mas os grupos protestantes e evangélicos estão certos de que essa teologia é uma excrescência, baseada em noções imaginárias extra e antibíblicas e neotestamentárias. À raiz dessas diferenças encontram-se pontos de vista diferentes sobre a questão basilar da *autoridade*. Com base em sua posição de «as Escrituras somente», os protestantes e os evangélicos rejeitam quaisquer adições àquilo que a Bíblia diz sobre Maria. Mas os católicos romanos, por acreditarem que os dogmas podem ser legitimamente decretados por papas e concílios, não acham difícil acreditar nas tradições que se foram desenvolvendo gradualmente em torno de Maria, sem importar se essas tradições são contrárias às Escrituras. O artigo sobre a *Autoridade* demonstra a natureza dessas diferentes crenças.

II. Ensinos do Novo Testamento

O que esse documento sagrado ensina sobre Maria? Os trechos bíblicos envolvidos são: Mat. 1:16 *ss*, 13:55; Mar. 3:21,31 *ss*; Luc. 1:27 *ss*; João 2:1 *ss*; 19:25 *ss*; Atos 1:14. Os ensinamentos que podemos extrair dessas referências são os seguintes:

1. Maria era virgem, quando concebeu a Jesus, pelo poder do Espírito Santo.

2. Ela era pessoa altamente favorecida por Deus, que cumpriu antigas profecias bíblicas. Quase obrigatoriamente, temos de inferir que ela era uma alma altamente desenvolvida, pois, de outra sorte, não poderia ter recebido tal missão. Comparar com os casos de João Batista, que foi cheio do Espírito Santo antes mesmo de seu nascimento (ver Luc. 1:15), e do apóstolo Paulo, que tinha consciência de ser um instrumento escolhido, *antes* do seu nascimento (Gál. 1:15). É impossível supormos que a vontade de Deus atua arbitrariamente em tais casos, ou mesmo em qualquer caso. Os pais gregos da Igreja pensavam que a alma é preexistente, e, se isso é verdade, então temos aí a explicação de muitas coisas, entre as quais o caso das almas escolhidas para missões especiais. Isso assim sucede porque tais almas são preparadas pela história da alma, chegando a este mundo como gigantes espirituais. Embora o Novo Testamento não faça qualquer afirmação similar acerca de Maria, como nos casos de João Batista e de Paulo, não é preciso nenhum grande salto de fé para supormos que o caso dela foi semelhante ao deles. Ampliando um pouco mais essa especulação, podemos dizer que nossas melhores figuras são tais por causa do desenvolvimento da alma com que já chegam a este mundo. Jesus, o Cristo, sendo o próprio Deus, era preexistente e na história de sua alma humana (seu lado humano), ele obedeceu a Deus e ultrapassou aos próprios anjos. Por isso mesmo obteve um nome mais excelente do que o deles. E isso envolvia tanto a sua história pré-terrena quanto à sua glorificação, após a sua ascensão. Isso é o que percebo no primeiro capítulo da epístola aos Hebreus. Afirmo que seus irmãos (almas humanas) compartilharam de sua história passada, estão compartilhando de sua história presente (através do ministério do Espírito) e compartilharão de sua história futura, na glorificação, mediante o que serão transformados segundo a sua imagem. Esse ensinamento é generalizado na

Igreja cristã oriental, embora soe estranho aos nossos ouvidos ocidentais. Se tal especulação é veraz, então temos aí uma solução para o problema de por que razão certos homens, desde o começo, são realmente diferentes, são grandes, e deixam uma marca impressionante na história humana, tanto secular quanto religiosa. Tais pessoas são grandes porque assim se tornaram, mediante a história da alma.

Para mim é lógico supor, com base nessa doutrina, e suas indicações nos casos de João Batista e de Paulo, que Maria não era uma alma comum.

3. Maria recebia experiências místicas do mais elevado naipe, segundo se vê no relato de Luc. 1:27 *ss*. Novamente, não vejo aí uma alma comum. — Ela era parenta (prima?) de Isabel, mãe do extraordinário profeta, João Batista (ver Luc. 1:36). Os ensinos místicos que fazem parte da experiência humana, revelam-nos que, nas grandes missões, Deus, com freqüência, emprega um núcleo de almas notáveis. No caso presente, vemos Jesus, João Batista, Maria e Isabel—todos envolvidos no mesmo drama; a associação de Maria, com essas outras almas grandiosas, serve de indicação (embora não de prova) de sua própria grandeza.

4. Maria, no decorrer de seus dias, vivia sob circunstâncias humildes e quase certamente, foi mãe de muitos filhos (ver Mat. 13:55 *ss*). Temos aí o primeiro dado que mostra o erro dos dogmas que se desenvolveram em torno dela, que fazem dela uma virgem perpétua. O fato de que, posteriormente, Maria teve outros filhos, em sentido algum diminui a importância do nascimento virginal de Jesus, exceto para aqueles teólogos que exaltam além das medidas a importância da virgindade.

5. O trecho de João 2:4 *ss*, que narra o primeiro milagre de Jesus, é um texto favorito dos grupos protestantes. Ali vemos que, aparentemente, Maria não conseguiu entender a estatura real de Cristo, e foi suavemente repreendida. Pelo menos não temos ali uma Maria acima das outras, cônscia dos grandes propósitos que estavam se realizando. Pelo menos esse texto ensina claramente a subordinação dela a Jesus.

6. Em Mar. 3:21,31 *ss*, vemos uma passagem que tem sido usada por alguns intérpretes para mostrar que quando Jesus estava tão atarefado em sua missão que nem ao menos descansava para comer, seus amigos e mesmo seus familiares chegaram a suspeitar que ele estivesse perdendo o equilíbrio mental. Seja como for, quando sua mãe e seus irmãos o procuraram, ao que parece, ele os ignorou, e continuou em suas atividades. E perguntou: «Quem é minha mãe e meus irmãos?» Aqueles que obedecem à vontade de Deus são a mãe, os irmãos e as irmãs de Jesus, conforme ele esclareceu imediatamente em seguida. Nesse texto, os intérpretes vêem refletidas muito mais as noções protestantes do que as noções católicas. O mínimo que podemos dizer é que os familiares de Jesus não compreenderam bem o que Jesus estava fazendo, e por quê.

7. O trecho de João 19:25 *ss* mostra-nos que Jesus, em sua hora mais adversa, teve compaixão de sua mãe e providenciou em favor dela, entregando-a aos cuidados do apóstolo João. Não vejo coisa alguma de especial nessa circunstância. Vejo ali somente a compaixão de Jesus por outra pessoa, em meio mesmo de seus horripilantes sofrimentos.

8. Atos 1:14 é trecho que mostra que Maria estava entre aqueles que receberam o Espírito Santo no dia de Pentecoste. Mas ela é mencionada apenas incidentalmente, sem qualquer destaque. Não há qualquer glorificação de sua pessoa no texto. Ela era apenas uma figura entre muitas. Isso nos permite notar que Maria tornara-se uma das discípulas de Jesus, tendo crido nas realidades de sua ressurreição e de sua ascensão, e tendo passado a defender a causa da fé cristã. Tiago, irmão do Senhor, seguiu o exemplo de sua mãe. E isso significa que pelo menos alguns dos membros da família de Jesus tornaram-se seus seguidores espirituais.

9. *O Grande Vácuo*. Não há mais qualquer menção a Maria, depois de Atos 1:14 em todo o Novo Testamento. Os protestantes e evangélicos ressaltam esse grande vácuo. De fato, não há qualquer desenvolvimento teológico ou dogmático em torno da pessoa de Maria, nas páginas do Novo Testamento. Paulo nada diz a respeito dela; e nem João, embora a tivesse recebido em sua própria casa. Isso como é evidente, é um silêncio muito significativo, impossível de ser explicado se, para os cristãos primitivos, Maria foi considerada conforme o fazem os católicos romanos.

III. Desenvolvimento da Teologia Acerca de Maria

1. *O Nascimento Virginal*. Os estudiosos liberais pensam que o primeiro adorno teológico importante em torno de Maria, que teria servido de base para todos os dogmas a seu respeito, acha-se no próprio Novo Testamento, a saber, o seu ensino sobre o nascimento virginal de Jesus. Ver o artigo sobre o *Nascimento Virginal de Jesus*, quanto a um estudo completo sobre a questão. Mas é que, para eles, todo elemento miraculoso é mitológico. Os liberais, pois, não pensam que a narrativa a respeito seja, realmente, histórica, mas que aí se acha o começo da *mariolatria* (vide).

2. Desde bem cedo na história do cristianismo, o século II D.C., podem-se encontrar os primórdios do culto a Maria. Então, ela era chamada de segunda *Eva* (tal como Jesus foi chamado de segundo Adão) que, em virtude de sua obediência, teria revertido o desastre causado pela queda da primeira Eva. Esse ensino acha-se nos escritos de Justino Mártir (ver *Tryph*. 100). E isso é reiterado por Irineu (*Contra Haer*. 3.22), e por Tertuliano (*De Carne Chr*. 17).

Também apareceu um piedoso jogo de palavras em torno da questão. O nome de Eva (e tudo quanto o mesmo representa) teria sido alterado pelo anjo Gabriel, em sua saudação a Maria, em vez dele dizer Eva, falou *Ave*. Ver Luc. 1:26 *ss*. E um hino do século IX D.C. preservou esse jogo de palavras.

O aspecto feminino da divindade. O afã de muitos cristãos antigos, por exaltarem a pessoa de Maria, provavelmente foi causado, pelo menos em parte, pelo desejo humano de glorificar o suposto aspecto feminino da divindade. Ver sobre a *Mariolatria*, quarto ponto, onde a questão é ventilada.

3. Entre os séculos II e IV D.C. encontramos adornos dogmáticos sobre Maria em dois escritos apócrifos, o *Protevangelium Jacobi* e o *Transitus Mariae*. Ali Maria aparece como senhora e controladora de praticamente tudo, como uma virgem perpétua e uma grande líder espiritual. Na primeira dessas duas obras, a própria Maria aparece a declarar que nascera miraculosamente, que foi criada no templo de Jerusalém e que era um vulto de grande estatura e poder espirituais.

4. O Terceiro Concílio Ecumênico, de Éfeso (431 D.C.), chamou Maria de *Theótokos*, «mãe de Deus». Na verdade, isso não tencionava ensinar que, de alguma maneira misteriosa, Maria dera à luz a Deus; antes, seu intuito era enfatizar o ensino bíblico da deidade de Jesus Cristo. Ela dera à luz a Jesus Cristo, e Cristo é o verdadeiro Deus. O termo fazia parte de um argumento contra a cristologia duvidosa dos nestorianos. A mensagem tencionada era: «Maria não

deu à luz a um mero homem». Mas não havia qualquer intenção de ensinar que Maria era a origem da natureza divina de Cristo.

5. Porém, embora as intenções daquele concílio tivessem sido boas, aquela expressão deu margem a que alguns começassem a glorificar indevidamente a Maria. Logo foram sendo propagados ensinos concernentes à sua suposta imaculada conceição, à sua impecabilidade, à sua perpétua virgindade e à sua assunção aos céus. Bons e sábios líderes cristãos passaram a encorajar tais idéias, embora não sem resistência. Assim, a questão da *Imaculada Conceição* foi debatida no Ocidente durante muitos séculos e foi geralmente rejeitada no Oriente, mas, acabou prevalecendo na Igreja Católica Romana.

6. Aí pelo século VII D.C., vários dias festivos eram celebrados em honra a Maria, como os da Natividade, da Purificação e da Anunciação.

7. Depois do ano 1000 D.C., surgiram mais acréscimos como o Angelus, o rosário e a oração da Salve Rainha. Ela passou a ser tida como a *primeira* e *maior* de todos os santos, proeminente em pureza e obediência, como alguém que já experimentara a *visão beatífica* (vide). E isso tudo, por sua vez, encorajou a doutrina de Maria como divina medianeira entre Deus e os homens.

8. Hinos devocionais da Idade Média expressavam a adoração a Maria, embora os católicos romanos insistam que se deva dizer «veneração». A devoção católica romana a Maria expressa-se mediante ternura e santa intimidade. Alguns hinos belíssimos, e certos soberbos poemas passaram a celebrá-la. Na ortodoxia oriental moderna, em seus textos litúrgicos, Maria recebe uma devoção em termos exuberantes, que ultrapassa a tudo quanto João Damasceno afirmou, no sentido de que ela merece respeito especial, como um instrumento especial de Deus.

9. Ícones miraculosos (imagens) da *Theótokos* (Mãe de Deus) tornaram-se comuns e populares tanto na Igreja ocidental quanto na Igreja oriental.

10. Houve dois grandes desenvolvimentos teológicos, aprovados pelo papado, tornando-se assim dogmas oficiais da Igreja Católica Romana: o da Imaculada Conceição (oficializado pelo papa Pio IX, em 1854) e o da assunção da bendita Virgem Maria (oficializado pelo papa Pio XII, em 1950). Ver os artigos separados sobre esses dogmas. Todavia, ambos esses dogmas tiveram uma longa história de lento desenvolvimento, através dos séculos.

11. *Ênfase do Século XX*. A devoção à Maria, entre os conservadores católicos romanos, tem tendido a acelerar-se ainda mais no século XX. A singularidade, as perfeições, a eminência e as elevadas qualidades espirituais de Maria têm sido descritas em muitas publicações. A questão chegou a um extremo em que o Concílio Vaticano II precisou reagir contra os abusos. Não houve, então, nenhum documento separado sobre a *Mariologia*, mas a questão foi abordada no capítulo final, sobre a *Constituição Dogmática da Igreja*, tentando manter a mariologia em harmonia com a cristologia e com a eclesiologia. Também foram ventilados vários pontos sobre as idéias da Imaculada Conceição e da assunção e foram aprovados os títulos dados a Maria de Advogada, Auxiliadora, Ajudadora e Medianeira. Todavia, não foi incluído o termo *corredemptrix*, «co-redentora», apesar dos esforços de alguns. Não obstante, ela teria contribuído para a obra redentora de Cristo, de maneira real, posto que subordinada. Isso paralelamente ao ensino católico romano de que ela mesma é uma das remidas, como membro da Igreja de Cristo, embora um membro ímpar e superior a qualquer outro.

12. O papa Paulo VI, a 21 de novembro de 1964, chamou Maria de *Mãe da Igreja*, um poderoso título de exaltação, — em consonância com todo o processo de glorificação católica romana de sua pessoa. Isso concorda com o antigo sentimento de Maria como a segunda Eva. Para tanto, tem sido usado o texto de Apo. 12:5, que fala sobre certa «mulher», como prova dessa idéia. Mas há teólogos católicos romanos que pensam que Israel, e não Maria, é quem está ali especificamente em foco.

13. Maria é vista como a concretização do tipo veterotestamentário da Virgem Filha de Sião, o que a coloca em um elevado pedestal de importância espiritual. Vários autores católicos romanos têm trabalhado em cima desse tema, em diversas publicações.

14. — *Distinções Católicas Romanas sobre a Adoração*. A *hiperdulia* seria a veneração prestada a Maria, a primeira e maior de todos os santos. A *dulia* seria a veneração prestada aos santos. E a *latria* seria a forma mais elevada de adoração, que só deveria ser prestada a Deus. Todavia, a distinção entre *hiperdulia* e *dulia* não foi mencionada no Concílio Vaticano II, e está caindo em desuso, pelo menos entre alguns autores católicos romanos.

15. *Títulos honoríficos* que enfatizam a posição de Maria, dentro da dogmática católica romana: *Beate Maria Virgo* (Bendita Virgem Maria); *Theótokos* equivalentes latinos: *Mater Dei e Genetrix Dei*, «Mãe de Deus» e «Geradora de Deus»; — há outro equivalente, em grego, *Meter Theoũ*).

IV. Pontos de Vista e Objeções Protestantes

Protestantes, anglicanos e evangélicos têm tendido por ignorar Maria, chegando mesmo a diminuir sua autêntica estatura espiritual, em reação exagerada contra os abusos católicos romanos. Naturalmente, tem havido notáveis exceções quanto a isso, especialmente no seio do anglicanismo. Duas dessas exceções foram Laud, arcebispo de Canterbury, e também o bispo T. Ken (1637-1711), que chegou a compor belos versos em honra a Maria. O Movimento de Oxford, da Comunhão Anglicana, também chegou a frisar a posição de Maria, tendo restaurado o santuário de Nossa Senhora de Walsinham, que se tornou um centro de peregrinações anglicanas, a partir de 1921. Algumas poucas publicações protestantes do século XX têm procurado harmonizar as idéias reformadas com a mariolatria. Todavia, podemos asseverar que, na esmagadora maioria dos casos, para os protestantes e evangélicos a *mariologia* é apenas uma maneira de tornar mais respeitável a *mariolatria*.

Objeções. Ver o artigo intitulado *Mariolatria*, sexto ponto. Ver também o oitavo ponto daquele mesmo artigo quanto à minha declaração final sobre o assunto, que também tem aplicação a outras questões controvertidas.

V. Aparições e Santuários

As aparições da Virgem Maria têm sido uma constante no misticismo católico romano. Vários santuários têm sido erigidos em locais onde, segundo acreditam, ela teria aparecido repetidamente, dando mensagens que devem ser comunicadas. Os mais bem conhecidos desses santuários são: La Salette (1846), Lourdes (1858), Fátima (1917) e Beauraing (1932), para nada dizer sobre Aparecida, no Brasil. As atividades em Lourdes, na França, em honra a Maria, têm sido as mais intensas. Apresentamos um artigo separado sobre Lourdes. Em nossa própria década de 1980, têm ocorrido aparições quase diárias da Virgem Maria, na Iugoslávia. Tais aparições teriam o alegado propósito de transmitir informações sobre os tremendos sofrimentos que a humanidade terá de enfrentar nestes últimos dias. As aparições de Fátima (vide), tiveram uma finalidade semelhante, comunicando a predição de uma segunda guerra mundial, e os tempos angustiados que viriam em seguida. Apesar dessas predições terem sido seladas, não tendo sido dadas a conhecer publicamente, os místicos presumem dizer quais seriam, essencialmente, essas predições. Se pudermos confiar na palavra deles, essas predições incluem grandes desastres e guerras, para o nosso tempo, bem como o assassinato do último papa, que se chamaria Pedro II. Após tal evento, o centro da Igreja seria transferido novamente para Jerusalém, dando início assim a um novo ciclo para a humanidade, que ali terá começo, tanto religiosa quanto politicamente. Essas predições foram levadas tão a sério pelo Vaticano que tanto o presidente Kennedy, dos Estados Unidos da América do Norte, quanto Nikita Krushev, premier da União Soviética, tiveram uma audiência com o papa, a fim de tomar conhecimento das mesmas. Quanto a informações sobre o que a tradição profética prediz para a nossa época, ver a artigo chamado, **Profecia: Tradição da, e a Nossa Época**.

A Freqüência das Aparições Recentes

As aparições de Maria têm ficado tão freqüentes que o culto em relação a isso tem-se tornado praticamente um movimento semelhante ao movimento carismático das igrejas evangélicas. Nem a Rússia tem escapado as visitas. Milhares de peregrinos têm visitado Mejugorje, Iugoslávia, por causa das repetidas aparições e mensagens que seis jovens têm recebido. Mas, as aparições mais poderosas e constantes têm acontecido em Zeitoun, Egito. Diversas igrejas cópticas têm recebido as visitas, mas especialmente a Igreja da Santa Maria. Estas visitas começaram em 1968 e foram extremamente freqüentes por dois anos. As aparições continuam. Algumas delas têm sido acompanhadas por curas espetaculares. Outras igrejas na região também têm recebido visitas. O Bispo Gregorius, diretor da comissão oficial que investigou estes fenômenos, expressou sua opinião sobre seus propósitos: «Ela parecia triste ou se ajoelhava, orando. Assim, eu posso ver que estas aparições têm um alvo mais importante do que sua mera presença. Acredito que o alvo principal é o de atrair a atenção dos homens aos acontecimentos sérios que estão acontecendo no mundo. Também, suas repetidas aparições no Egito (depois de sua primeira visita a este país há 2000 anos), significam que ela está preparando os corações do povo para a chegada de Jesus Cristo».

Além das aparições e curas, aves luminosas e outros fenômenos de luzes espetaculares têm acompanhado os acontecimentos. A figura interage com os espectadores e pessoas de todas as religiões, e pessoas sem religião, têm sido testemunhas.

Sabemos que o *misticismo* (vide) é uma maneira válida de comunicação, e que a tradição profética sempre conta com algum representante vivo entre os homens, não se confinando a livros sagrados. Assim, apesar de reconhecermos que fraudes e ilusões costumam acompanhar tais coisas, não deveríamos rejeitá-las como inúteis. Também não deveríamos pensar que, sistematicamente, devem-se a poderes demoníacos, embora, como é óbvio, isso possa acontecer e realmente, acontece, até mesmo dentro dos limites da cristandade. Não obstante, deveríamos manter a mente aberta quanto a essas coisas, e, se tivermos de aprender dali alguma coisa, então que a aprendamos. Se a entidade a que chamamos de Virgem Maria está, realmente, envolvida nessas questões, é uma questão aberta para os críticos, entre os quais a maioria dos estudiosos protestantes e evangélicos. Minha opinião pessoal, contudo, é que não temos conhecimento suficiente para resolver esse aspecto da questão, e nem devemos ter a pretensão de ter tal conhecimento. (AM ATT B C E WIR)

MARITAIN, JACQUES

Suas datas foram 1882—1973. Ele nasceu em Paris, França. Freqüentou a Universidade de Sorbonne e as conferências de Bergson, no Colégio de França. Converteu-se ao catolicismo romano em 1906. Passou a ensinar no Institut Catholique de Paris. Foi embaixador da França diante da Santa Sé. Tornou-se professor de filosofia em Princeton.

O drama que o fez passar do secularismo para uma profunda fé religiosa foi compartilhado por sua esposa, Raissa, que também se tornou sua colaboradora freqüente. Em seus últimos anos de vida, rejeitou o esquema geral da doutrina de Bergson, tendo-se feito um dos maiores defensores modernos do *neotomismo* (vide).

No caso do *Novo Testamento Interpretado*, obtive permissão de sua fundação para incluir ali o artigo de Maritain sobre a imortalidade da alma. Reimprimi esse artigo sob o tema da *Imortalidade*, o terceiro dentre quatro artigos apresentados, chamados *Uma Prova da Imortalidade da Alma*, que aborda a questão dos ângulos filosófico e racional. Não obstante, o leitor descobrirá uma excelente espiritualidade e uma profunda fé religiosa, rebrilhando naquele artigo.

Ideias:

1. Maritain tornou-se conhecido fora da França, especialmente por seus escritos sobre arte e política. Porém, ele também fez importantes contribuições literárias em outros campos. Em sua obra, *Les degrés su savoir*, ele argumentou que o conhecimento pode ser obtido pelo homem de várias fontes, e por vários modos de percepção, como a razão, a revelação e as experiências místicas, e que cada um desses modos tem sua própria utilidade.

2. A ciência e a fé religiosa podem cooperar entre si. Não estão necessariamente em conflito, se cada qual se ocupar somente de seu campo especial. Outrossim, esses campos podem justapor-se harmonicamente.

3. Ele apresentava o tomismo como um sistema vivo e contemporâneo, que continua tendo muita coisa para nos ensinar. Maritain aplicou os pensamentos de Tomás de Aquino aos problemas modernos, embora tivesse ido além disso; e também proveu alguns bons discernimentos, que podem gerar novas idéias.

4. Sua *epistemologia* (vide) divide os modos de conhecimento em duas categorias gerais: a. *a razão lógica*; e b. *a razão intuitiva*. Na primeira, ele agrupou as ciências e o conhecimento obtido através dos sentidos, com a ajuda de instrumentos científicos. Ali também se classificaria a filosofia da natureza, a filosofia da ciência, a matemática e a metafísica. Na segunda, ele incluiu o discernimento poético, as experiências místicas e o conhecimento comum acerca dos valores morais, isto é, a ética.

5. *A Estética*. Nesse campo, encontramos lampejos de discernimento que se originam na própria alma. As emoções do artista comunicariam esses lampejos, e os homens, instintivamente, corresponderiam aos mesmos. O discernimento poético seria uma apagada imortalização da realidade que nos circunda. As belas artes estariam ligadas à origem eterna da beleza, e

esta, em última análise, residiria em Deus.

6. *A Antropologia*. O homem, como um indivíduo físico, está sujeito à sociedade em que vive, devendo cumprir seus deveres e o seu propósito nesta dimensão da existência. Porém, na qualidade de alma imortal, o homem transcende a tudo isso. Ver o artigo chamado *Substancialismo*. Os deveres do homem incluem a necessidade de reconhecer e viver à luz de sua imortalidade. Temos aí o personalismo cristão. O homem não pode ser explicado por qualquer princípio impessoal. E, naturalmente, o Ser de Deus é a principal consideração em nossa própria imortalidade, por ser ele a fonte originária da imortalidade.

A Lei do Amor

«O homem vive e respira onde ele *ama*. O amor, em fé viva, tem bastante força para fazer a alma do homem experimentar a *unidade de Deus* — 'duas naturezas em um único espírito e amor, *dos naturalezas en um espiritu y amor de Dios*'. Não acredito que um filósofo possa discutir sobre a imortalidade da alma sem levar em conta as noções complementares que o pensamento religioso adiciona às respostas verdadeiras e inadequadas que a razão e a filosofia podem fornecer por si mesmas». (Extraída de seu artigo, *Uma Prova da Imortalidade da Alma*).

7. *A Política*. Maritain defendia uma democracia ordeira, contra os excessos do pensamento liberal e contra qualquer forma de totalitarismo que negue a individualidade e os direitos do indivíduo.

8. *A Raiz da Metafísica*. O homem é dotado de intuição metafísica, mediante a qual ele sabe de alguns importantíssimos fatos básicos sobre a vida e a existência. Ele aceitava os *cinco argumentos* de Tomás de Aquino em favor da existência de Deus (ver os *Cinco Argumentos de Tomás de Aquino em Favor da Existência de Deus*), embora tivesse sugerido um sexto argumento. O indivíduo tem a *intuição* de que o *eu* do próprio intelecto não é temporal. Com base nessa percepção, o indivíduo passa para a existência daquele *eu, eternamente*. Essa percepção emerge do próprio ato de meditar sobre o *Ser Infinito*. Ele também acreditava que as experiências místicas mostram-nos a validade dessa intuição. (E EP F MM)

MÁRMORE

Essa palavra portuguesa vem do grego, *marmoros*, que, originalmente, indicava uma «pedra» ou «rocha». Com o tempo, porém, veio a indicar, especificamente, a pedra «mármore» (ver Theophr. *Lap*. 9; Estrabão 9,1,23; Epo. Jer. 71; Josefo, *Guerras* 532). A única referência neotestamentária fica em Apo. 18:12, onde tal tipo de rocha é alistado entre os muitos artigos luxuosos do comércio de Babilônia (Roma).

O mármore é uma pedra calcária cristalina, de grão fino, geralmente de cor branca ou creme, embora também possa ter veias vermelhas, róseas ou verdes. Era usado para se fazer estátuas e outros itens ornamentais, além de ser material para ornamentação de lares e templos, como parte de paredes ou de móveis. O vocábulo grego indica algo que «resplandece». O mármore puro seria inteiramente composto de carbonato de cal (carbonato de cálcio, CaCo(3)), o material original das rochas calcárias. Essa rocha é valiosa em face de sua beleza e por adaptar-se tão bem às construções arquitetônicas. Muitas pedras calcárias, uma vez polidas, também são chamadas «mármores». Manchas e faixas de variadas cores são causadas pela ação de óxidos ou de ferro e outros compostos químicos. Os materiais acessórios que contribuem para dar colorido ao mármore são o quartzo, a mica, o talco, a pirita, a grafita, o feldspato e o ferro. Estritamente falando, essas são impurezas que penetraram na rocha quando ela ainda estava em formação. Tiveram origem na areia, na argila, na dolomita e em matérias orgânicas. Geologicamente falando, as pedras mármores são antiqüíssimas, datando de antes da era Paleozóica, ou mesmo dos tempos Pré-cambrianos. Isso significa que as pedras mármores que as donas de casa usam como tampos em suas mesas e outros móveis podem ter nada menos de três bilhões de anos, mas nunca menos de cinqüenta milhões de anos!

No Antigo Testamento, a palavra hebraica para indicar essa rocha é *shesh* (*shayish*), palavra que significa «branco». Ver I Crô. 29:2; Can. 5:15; Est. 1:6. O termo antigo era usado frouxamente para indicar qualquer pedra de grão fino, usada na arquitetura ou na ornamentação. Ela é uma pedra não muito dura, que pode ser facilmente trabalhada com propósitos ornamentais. A Palestina é uma região onde abundam as pedras calcárias. Com base em I Reis 5:14,18; 7:10 parece que esse material, ali achado, era de cor branca ou creme. Seria a pedra calcária jurássica do Líbano, com que o templo do sol, em Baalbeque, foi construído. No templo de Herodes foi extensamente usado o mármore verdadeiro, branco e cristalino. A referência em Est. 1:6, que os tradutores pensam ser o mármore colorido, poderia indicar o porfírio, o alabastro, ou mesmo o verdadeiro mármore. A pedra mármore é capaz de receber um elevado grau de polimento. Por isso mesmo é que a palavra latina correspondente, *marmor*, significa «pedra brilhante». Esse material foi usado no templo de Salomão (ver I Crô. 29:2). Colunas de mármore simbolizavam «força» (ver Can. 5:15).

O mármore era uma rocha comumente usada para pavimentar, de forma ornamental, ruas e praças. Também era pedra usada no fabrico de jarras e todos os tipos de vasos ornamentais. O alabastro é uma espécie de mármore, embora com grau de dureza bem menor. Grande parte do mármore usado nas esculturas gregas era arrancado do monte Pentélico, na Ática, ou, então, da ilha de Paros. O primeiro tipo é chamado «mármore pentélico», e o segundo, «mármore pariano». O famoso «mármore de Carrara» vem dos Alpes Apuanos, na Itália, uma pedra que os romanos usavam na escultura e na arquitetura.

MAROTE

No hebraico, «amargor». Nome de uma cidade na porção ocidental do território de Judá, perto de Jerusalém, mencionada em Miquéias 1:12. Ela tem sido tentativamente identificada com *Maarath*. Ficava na rota tomada pelo exército assírio invasor, que viera de Laquis.

MARROM

Ver o artigo sobre as **Cores**. No hebraico, **chum**, «escuro». Essa palavra hebraica envolve a idéia de algo queimado de sol, sendo aplicada às ovelhas cuja cor era influenciada pelo sol (Gên. 30:32), ou então à tez humana, escurecida pela enfermidade ou pela tristeza (Jó 30:30. Nossa versão portuguesa diz «enegrecida»). As traduções geralmente confundem as idéias de negro e de marrom. Como um símbolo psicológico, essa cor, juntamente com o verde, é associada às sensações, ou então a excrementos, e com freqüência representa o dinheiro, as riquezas ou as vantagens financeiras. É a cor de *terra* que cria a sua associação à percepção dos sentidos. Assim, falamos em um indivíduo terreno, que significa uma pessoa crua, que vive no nível apenas da percepção dos sentidos. (CHE UN)

MARSENA

No hebraico, «digno». Nome de um dos governadores ou satrapas de Xerxes (ver Est. 1:14). Ele era um dos sete príncipes da Pérsia e da Média, que tinham o direito de acesso direto à presença do rei, sem qualquer mediação ou manipulação especiais. Viveu em cerca de 483 A.C.

MARSILIO DE INGHEN

Suas datas foram cerca de 1330—1396. Foi um filósofo da Idade Média. Nasceu em Inghen, perto de Nimega. Ensinou em Paris, onde serviu como reitor. Ensinou na Universidade de Heidelberg. Foi discípulo de Jean Buridan e sofreu a influência das idéias de Ockham. Escreveu diversos livros, entre os quais *Questions on the Four Books of Sentences; Logical Discourses on Supposition; On Generation; Sumaries of the Physics*. Juntamente com Ockham ele afirmava que certas coisas só podem ser aceitas pela fé, como a ressurreição do corpo, a natureza de Deus, a criação, etc. Essas coisas, e outras a elas semelhantes, não podem ser conhecidas pelo nosso tipo de conhecimento, alicerçado sobre a percepção dos sentidos.

MARSÍLIO DE PÁDUA

Suas datas foram cerca de 1275—1343. Estudou e praticou a medicina em Pádua, na Itália, e foi reitor da Universidade de Paris. Foi cônego da catedral de Pádua e protegido do papa João XIII. Converteu-se ao *gibelinismo*. Os gibelinos favoreciam, primariamente, aos imperadores germânicos. Eles afirmaram que os papas deveriam estar subordinados aos imperadores. Os guelfos, por sua parte, favoreciam a supremacia do papado. Os primeiros eram compostos pelos *nobres feudais*, e os guelfos eram o partido popular.

Marsílio, juntamente com João de Jandum, foi autor do tratado intitulado *Defensor Pacis*. Isso fez com que fossem condenados como hereges. Então fugiram para a corte de Luís IV, ajudando-o a pôr em prática os princípios exarados naquele tratado. Luís de Bavária entrou em um longo conflito com o papa João XXII acerca da questão. Finalmente, Luís foi coroado imperador, em Roma, embora não pelo papa e, sim, por delegados do papa. João XXII foi deposto, e um frade mendicante, Nicolau V, tomou o seu lugar. Marsílio de Pádua, por causa de seus serviços, foi feito arcebispo de Milão.

Idéias:

1. A missão da Igreja é superior à do Estado; mas a missão da Igreja é um empreendimento espiritual, e não político. Isso posto, quanto a questões políticas, o Estado deve brandir maior poder do que a Igreja.

2. O Estado deve promover a boa vida, encorajando cada indivíduo a desenvolver ao máximo a sua *virtude* (ver Aristóteles) particular. O Estado tem o dever de impedir as destruições causadas pelos conflitos entre os homens.

3. A Igreja e o Estado deveriam ter funções separadas; e, se tiverem de invadir o terreno um do outro, em assuntos políticos ou seculares, o Estado deveria exercer o poder maior.

4. O poder do Estado repousa sobre o povo. O povo deveria eleger ou nomear os chefes de governo. O povo de cada comunidade deveria eleger o seu próprio sacerdócio. Além disso, o papa deveria ser eleito por toda a cristandade. Os concílios gerais deveriam guiar a Igreja em suas interpretações, e os membros desses concílios deveriam ser eleitos, e não meramente nomeados.

MARTA

Marta é apelativo derivado do aramaico (não do hebraico), com o sentido de *senhora*. Esse nome é usado no N.T. somente por uma pessoa, a irmã de Maria de Betânia (ver Luc. 10:38-41; João 11:1,5,19-39 e 12:2). Era irmã de Lázaro, e talvez esposa ou viúva de algum parente de Simão, o Leproso. Dentro da narrativa do evangelho de Lucas ela é gentilmente repreendida pelo Senhor Jesus, por causa de sua excessiva preocupação com os detalhes práticos da vida diária, e por isso mesmo se tornou símbolo daqueles que são intensos em serviço material de qualquer espécie, mas que negligenciam os exercícios espirituais do estudo das Escrituras, da oração e da meditação.

É muito instrutivo, entretanto, observarmos que, no décimo primeiro capítulo do evangelho de João, Marta aparece como a principal personagem feminina, porquanto Maria preferiu permanecer em casa, mergulhada em sua própria tristeza, enquanto que Marta veio ao encontro de Jesus; e foi justamente com Marta que teve lugar o imortal diálogo acerca da ressurreição e da vida eterna (ver João 11:20-27).

João 11:20: *Marta, pois, ao saber que Jesus chegava, saiu-lhe ao encontro; Maria, porém, ficou sentada em casa.*

Na narrativa de Luc. 10:38-42, Maria é a irmã *favorecida*, onde é retratada como a irmã que dava maior atenção às palavras e lições de Jesus, em detrimento das coisas temporais e físicas, enquanto que Marta se atarefava em trabalhos servis, e esta última, por causa dessa preocupação, foi repreendida levemente pelo Senhor Jesus. Em João 11:20, entretanto, a situação é revertida um tanto, porquanto foi Marta quem se preocupou em correr ao encontro de Jesus, o que sem dúvida mostra algum afeto por ele, ao passo que Maria, vencida pela tristeza, mergulhada na melancolia, permaneceu na casa; subseqüentemente, foi para Marta, e não para Maria, que Jesus proferiu as palavras imortais sobre a ressurreição e a vida eterna, reversão das implicações do trecho de Luc. 10:38-42, conforme se lê nos vss. 21-27 de João 11. Porém, uma vez mais, foi Maria, já no décimo segundo capítulo, que se dispôs ao enorme sacrifício pecuniário, demonstrando o seu amor e afeto por Jesus, quando o ungiu com o óleo precioso, cujo valor exigia quase um ano inteiro de trabalho, de um homem comum, e por causa disso ela recebeu uma lembrança permanente, onde quer que o evangelho de Cristo seja relatado.

Parece evidente, à base do texto de João 11:20 e do de Luc. 10:38-42, que Marta era a dona da casa, talvez por ser a irmã de mais idade, ou talvez por ser a esposa de Simão, o Leproso, ao passo que Lázaro e Maria viviam com eles. Maria era do tipo humano mais suave e emocional, e ela se sentou em profunda melancolia, capaz de tolerar tão-somente o silêncio, que nos faz lembrar da linha de Manning, quando ele também perdeu um ente querido: «Não fala comigo...só posso suportar a tristeza quando me mantenho inteiramente quieto». (E.S. Prucell, *Life of Cardial Manning*, Nova Iorque: The Macmillan Co. 1896, I.123). Porém, essa profunda melancolia era ocasionalmente interrompida, no caso de Maria, por explosões de choro, segundo lemos nos vss. 31 e 33 deste capítulo.

Porém, quiçá Marta fosse a *mais capaz* das duas irmãs, a de caráter mais vigoroso, e assim, ao ouvir dizer que Jesus se aproximava, exerceu uma esperança e uma fé que pareciam quase impossíveis, e correu para ir encontrá-lo. Marta não se queixou por Jesus não ter chegado antes, —mas tão-somente declarou que sabia que o Senhor poderia ter impedido a morte de Lázaro, caso estivesse presente; e foi com grande coragem que afirmou que: «...sei que, mesmo agora, tudo quanto pedires a Deus, Deus to concederá...», com cuja afirmação deixou implícita a habilidade de Jesus em ressuscitar aos próprios mortos, porquanto essas palavras dificilmente são passíveis de qualquer outra interpretação.

1. Marta é boa representante de nossa geração: cheia de trabalho e atividade, mas com reduzido tempo dedicado à meditação, à oração e ao estudo.

2. Maria representa a alma faminta que dá atenção às suas necessidades da alma. Os gigantes espirituais podem realizar obras gigantescas! Serão genuínas e duradouras aquelas obras consumadas em meio a uma atividade frenética, desacompanhada da adoração?

3. É importante que sejamos algo, antes de tentarmos fazer algo.

4. É possível cultivar uma abóbora notável em poucos meses, mas são necessários cem anos para que se desenvolva um carvalho. No entanto uma tempestade derruba uma aboboreira em poucos minutos, ao passo que o carvalho resiste.

«...Marta era mais *ativa, prática e demonstrativa*; Maria era mais dada à *atitude contemplativa*, mais *pensativa*, mais *quieta*, embora *comovida* profundamente. Marta, assim que ouviu que o Senhor se aproximava, correu para ele. Maria fez outro tanto mais tarde (ver o vs. 29); porém, falou menos e sentiu mais. Temos uma analogia precisa nas diferenças que havia entre Pedro e João». (Phillip Schaff, no *Lange's* Commentary, *in loc.*).

Maria *ficou sentada em casa* (ver as notas, em João 11:19 no NTI acerca dos costumes do luto). Um dos costumes do luto era que, após ter sido levado e sepultado o morto, as pessoas enlutadas viravam as cadeiras e os leitos na direção da parede e se assentavam no chão ou em uma banqueta baixa; e a posição sentada dava a entender a tristeza que ia no íntimo das pessoas.

MARTE

No latim, *Mars*, «resplendente». Nos tempos remotos, *Marte* era uma divindade agrícola. Por essa razão temos o reflexo de seu nome no mês de *março*, que assinala o começo da primavera (no hemisfério norte da terra) e é favorável para a colheita final. Certa porção baixa de terra, em uma curva do rio Tigre, onde ficava o altar de Marte, tinha o seu nome, em latim, *Campus Martius*. Ele era idêntico ao deus grego, *Ares*. É por essa razão que, em Atos 17:22, nas traduções mais antigas, encontramos «colina de Marte», referindo-se ao *Areópago* (vide).

Finalmente, juntamente com Júpiter, Marte tornou-se uma das principais divindades da Itália pagã. Era considerado pai de Rômulo, fundador da cidade de Roma. Sua mãe seria Juno, que chegou a concebê-lo por haver tocado em uma maravilhosa flor da primavera. Gradualmente, ele passou a ser considerado o deus da guerra. O primeiro mês do antigo calendário romano era dedicado a ele, como o deus fertilizador, da primavera. Na remota antiguidade, Marte era invocado mediante a aragem dos campos. Esperava-se que ele abençoasse às famílias, aos animais, aos campos plantados, além de dar bom tempo. Com o tempo, Ceres e Baco vieram a ocupar essas funções, ao passo que Marte ocupava-se em coisas maiores. Na qualidade de deus da guerra, ele recebia o nome especial de *Gradivus*, «andador», devido aos imaginários rápidos e grandes passos com que ele se dirigia às batalhas. Marte era invocado quando irrompia a guerra, e os soldados lhe dirigiam preces. Eram-lhe oferecidos sacrifícios antes, durante e após as batalhas.

O culto a Marte era confiado a um sacerdote especial, chamado *flamen Martialis*, bem como ao colégio dos *Salii*. Augusto fez com que fosse adorado sob uma nova forma, como *Mars Ultor*, ou seja, «vingador de César». Um templo erigido por Augusto, o *Forum Augusti*, foi dedicado a Marte em 2 A.C. Ali foram postas estátuas representando Marte e Vênus, que supostamente eram os antepassados da família Juliana. Posteriormente, Marte veio a ser identificado com a divindade grega, *Ares*.

MARTE, COLINA DE

Ver sobre *Areópago*.

MARTELO

No hebraico temos a considerar cinco palavras, três das quais referem-se, rigidamente, a esse instrumento de trabalho. Essas palavras são:

1. *Maqqabah*, «martelo». Essa palavra ocorre por três vezes: I Reis 6:7; Isa. 44:12 e Jer. 10:4.

2. *Maqqebeth*, «martelo», que ocorre com esse sentido somente por uma vez, em Juí. 4:21.

3. *Pattish*, «martelo», palavra que aparece por três vezes: Isa. 41:7; Jer. 23:29 e 50:23.

4. *Halmuth*, «maço», que aparece por apenas uma vez, em Juí. 5:26.

5. *Kalappoth*, «cacetes», vocábulo que também só figura por uma vez, em Sal. 74:6, mas que nossa versão portuguesa traduz por «martelo».

O martelo era um instrumento usado para afixar pregos, alisar metais e quebrar pedras. Naturalmente, neste último caso, preferimos usar o termo «marreta». Mas é evidente que, nos dias do Antigo Testamento, não se fazia essa distinção. Tão-somente podemos imaginar que os martelos usados para quebrar pedras eram mais pesados que aqueles empregados em outros usos. (Isa. 41:7; Jer. 23:29).

A comparação entre Juí. 4:21 e Juí. 5:26 é esclarecedora. Ambas as passagens referem-se ao mesmo incidente — a morte de Sísera, às mãos de Jael, mulher de Héber. No primeiro desses versículos, é usado o termo hebraico *maqqebeth*, que indica o martelo comum usado pelos rachadores de pedra e pelos trabalhadores em metais. Mas, no segundo desses versículos já é usada uma palavra hebraica, *halmuth*, que indica um pesado malho de madeira, que, entre outras coisas, era usado para enterrar os pinos ou estacas das tendas (ver Juí. 5:26). Portanto, parece que as palavras em foco eram usadas não de forma muito rigorosa, uma podendo substituir a outra.

Quanto a *kalappoth*, «cacetes», pode-se admitir a tradução «martelos», em Sal. 74:6, conforme diz a nossa versão portuguesa, posto que, a rigor, ali se fala em outra coisa, «cacetes».

Se *maqqabah* (de onde proveio, quase certamente, o apelido dos hasmoneanos, «Macabeus»; vide), apontava para um martelo de metal (conforme se vê em I Reis 6:7 e Isa. 44:12), o fato é que, em Jer. 10:4, aparece como um martelo de carpinteiro, o qual, segundo se sabe, na antiguidade era feito de madeira, e não de metal.

Não há qualquer referência neotestamentária a esse instrumento comum. A arqueologia tem descoberto que havia muitos tipos de martelos, marretas e maços, feitos de metal ou de madeira, dependendo do tipo de trabalho a ser feito. Marcas deixadas por marretas e martelos, nas pedras que constituem os edifícios antigos, além de outras evidências, indicam que no mundo antigo havia tipos de martelos que correspondem aos tipos modernos.

MARTINHO I, PAPA

Não se sabe a data de seu nascimento, embora seja sabido que ele nasceu em Todi, na Itália. Morreu na península da Criméia, em Cheronesus Heracleotica, a 16 de setembro de 655 D.C.

Martinho sucedeu no papado a Teodoro I, em 649 D.C. O imperador bizantino, Constâncio II, não aprovou a sua eleição. Martinho convocou um concílio de 105 bispos ocidentais, que condenaram a heresia monotelita (vide). Entrementes, o imperador Constâncio tentou lançar os bispos contra o papa, mas não foi bem sucedido na tentativa. Constâncio agiu mais duramente, mandando prender a Martinho, para ser julgado em Constantinopla (atual Istambul, na Turquia Européia). Martinho recusou-se a estabelecer comunhão com a igreja de Constantinopla, e foi condenado e exilado. Minhas fontes informativas nada dizem sobre o seu martírio; mas, na Igreja ocidental ele é venerado como mártir, com o dia festivo em sua honra a 12 de novembro. A Igreja oriental festeja-o em um outro dia.

MARTINHO II, PAPA

Também conhecido como Marino I. Seu pontificado foi de 882 a 884 D.C. Era natural de Roma. Foi ordenado como diácono e foi enviado a três embaixadas a Constantinopla. Presidiu como legado do Oitavo Concílio Ecumênico (869 D.C.). Foi bispo de Caere. Sucedeu a João VIII na Sé papal. Não se sabe muita coisa sobre os seus atos papais. Apenas alguns poucos são mencionados. Absolveu Formoso, mas condenou *Pótio* (vide). Este último desafiou a supremacia papal. Após a sua condenação seguiu-se um breve cisma, que dividiu temporariamente o Oriente do Ocidente.

Martinho II era amigo pessoal do rei Alfredo, da Inglaterra; e, por causa disso, permitiu que a Inglaterra ficasse isenta de pagamento de taxas à Igreja central, de Roma. Seu nome, *Martinho*, segundo muitos pensam, não era seu nome correto e, sim, Marino.

MARTINHO III, PAPA

Também era conhecido como Marino II. Pontificou de 942 a 946 D.C. Pouca coisa é sabida sobre ele e sua atuação. Ele era um cardeal romano que foi eleito papa graças à influência de Alberico. Instituiu reformas e ajudou no desenvolvimento de mosteiros. Era bem conhecido por seus atos de caridade, tendo promovido a defesa dos pobres. Mas, como governante temporal, exerceu pouca autoridade. Ao que tudo indica, seu verdadeiro título era Marino, e não Martinho.

MARTINHO IV (MARTINHO II)

Nasceu em Touraine, na França, em cerca de 1210, e morreu em Perúgia, na Itália, a 28 de março de 1285. Os historiadores dizem que ele foi o segundo papa a ser chamado de Martinho, visto que os cronistas teriam confundido os nomes Marino e Martinho. Assim, Martinho II e Martinho III seriam, na verdade, Marino I e Marino II, ao passo que este, chamado Martinho IV, na verdade teria sido Martinho II.

Foi educado em Paris. Tornou-se cônego da igreja de São Martinho, em Tours, na França. Tornou-se cardeal; foi legado papal na França. Foi eleito papa a 22 de fevereiro de 1261, como sucessor de Nicolau III. Em seu tempo, Roma estava em hostilidade contra a França. Por essa razão, Martinho IV passava quase todo o seu tempo como pontífice em Viterbo, Orvieto, onde também fora coroado. O Ocidente lutava contra o Oriente, no tempo do imperador bizantino, Miguel VIII Paleólogo. Martinho excomungou-o, provocando o cisma entre esses dois ramos da cristandade. Um outro seu oponente foi Pedro III, rei dos Aragões, a quem o papa também excomungou. Martinho IV era protetor das ordens mendicantes, e abriu o processo da canonização de Luís IX, rei da França.

MARTINHO V

Nasceu em Genazzano, perto de Roma, em 1368. Morreu em Roma, a 20 de fevereiro de 1431. Foi um notório canonista; serviu como cardeal. Esteve presente ao concílio de Pisa, que tencionava solucionar as querelas entre papas rivais. Esse conflito produziu o que se chama de cisma ocidental, havendo papas simultâneos, em Roma, na Itália, e em Avignon, na França. Somente quando Martinho V ascendeu ao trono papal, a 21 de novembro de 1417, é que terminou esse cisma.

Antes disso, Martinho defendera a doutrina de que os concílios têm autoridade superior à dos papas. Mas, ao tornar-se papa, ele mudou de parecer. Envidou esforços para restabelecer o primado da Sé romana. Concluiu pactos com diversas nações européias. Restaurou Roma, até então em estado de decadência. Buscou impor a ordem e a harmonia na Igreja Católica Romana, mediante um certo número de reformas. Infelizmente, envolveu-se pessoalmente no nepotismo, distribuindo cargos e honrarias a seus parentes. Aprovou a devoção da ordem chamada *Santo Nome de Jesus*. Tentou ajudar os judeus a ultrapassarem suas restrições e perseguições. Proibiu a prédica violenta contra eles, e não permitiu que crianças judias, com menos de doze anos de idade, fossem batizadas como cristãs, se seus pais não concordassem com isso.

MARTINHO DE TOURS

Suas datas foram cerca de 316—339 D.C. Ele nasceu em Sabária, atualmente chamada Azombathely, na parte ocidental da Hungria. Na época, essa cidade era a capital da província romana de Panônia. Ele atuou e faleceu em Tours, na França, o que explica o nome pelo qual se tornou conhecido.

Quase tudo quanto sabemos acerca dele (excetuando as lendas que apareceram em torno de seu nome) foi registrado por Sulpício Severo, seu discípulo. Martinho era filho de pais pagãos, e serviu no exército romano contra a sua vontade (dos quinze aos vinte anos de idade). Depois tornou-se discípulo de Hilário, bispo de Poitier.

Martinho opunha-se ao *arianismo* (vide). Começou a trabalhar em Milão, mas foi expulso dali pelos arianos. Mais tarde, voltou à cidade e recebeu um terreno da parte de Hilário, onde reuniu um grupo de ermitões. Também fundou o primeiro mosteiro da Gália. Esse mosteiro continuou operando até 1607. Então, em 1852, foi renovado por Solesmes Benedictines. Martinho foi escolhido para ser bispo de Tours, por aclamação popular, embora ele não quisesse o cargo.

Martinho era conhecido como homem ativo, de espírito simples e nobre, dotado de grande piedade pessoal. Muitos milagres lhe foram atribuídos. Surgiram lendas a seu respeito, e muitas peças de arte apareceram, representando-o. Há uma pintura dele, onde ele divide sua capa com um esmoler; na noite seguinte, foi recompensado por uma visão de Cristo que contou aos anjos o seu ato de caridade. Ele foi uma daquelas pessoas raras que, em meio a contendas religiosas, assumia uma postura moderada. Aconselhou moderação no tratamento dos hereges *priscilianistas* (vide), opondo-se à perseguição contra eles e a execução de alguns de seus membros. Seu nome encontra-se no cânon da missa, de acordo com o Sacrário Gelasano e o Missal Bobbio, que sempre foram muito usados na França. A festa em sua honra é celebrada a 11 de novembro.

MÁRTIR

Esboço:

I. Definições
II. No Antigo Testamento
III. No Novo Testamento e Posteriormente
IV. Contribuições
V. Martirológio
VI. Mártires Modernos

I. Definições

O vocábulo grego *mártus* usualmente significava «testemunha», sendo freqüentemente usado na Septuaginta com esse sentido. Esse mesmo significado aparece nas páginas do Novo Testamento, onde, usualmente, a idéia é a do testemunho prestado pelos primeiros líderes cristãos quanto às realidades da nova fé. Ver Atos 1:6-8,22 (o testemunho dos apóstolos); Heb. 12:1 (o testemunho da grande nuvem de testemunhas que observam as nossas vidas); Apo. 1:5 e 3:15 (Jesus, a Primeira Testemunha de sua própria missão). O termo grego é usado por trinta e quatro vezes no Novo Testamento, todas elas referindo-se a testemunhas ou testemunho. A forma nominal, o testemunho dado, que no Novo Testamento grego é *marturía*, aparece por trinta e sete vezes no Novo Testamento. Quanto a *mártus*: Mat. 18:16 (citando Deu. 19:15); 26:65; Mar. 14:63; Luc. 11:48; 24:48; Atos 1:8,22; 2:32; 3:15; 5:32; 6:13; 7:58; 10:39,41; 13:31; 22:15,20; 26:16; Rom. 1:9; II Cor. 1:23; 13:1; Fil. 1:8; I Tes. 2:5,10; I Tim. 5:19; 6:12; II Tim. 2:2; Heb. 10:28 (citando Deu. 17:6); 12:1; I Ped. 5:1; Apo. 1:5; 2:13; 3:14; 11:3; 17:6. Quanto a *marturía*: Mar. 14:55,56,59; Luc. 22:71; João 1:7,19; 3:11,32, 33; 5:31,32,34,36; 8:13,14,17 (citando Deu. 19:15); 19:35; 21:24; Atos 22:18; I Tim. 3:7; Tito 1:13; I João 5:9,10,11; III João 12; Apo. 1:2,9; 6:9; 11:7; 12:11,17; 19:10; 20:4. Outro substantivo, *martúrion*, aparece por vinte vezes: Mat. 8:4; 10:18; 24:14; Mar. 1:44; 6:11; 13:9; Luc. 5:14; 9:5; 21:13; Atos 4:33; 7:44; I Cor. 1:6; 2:1; II Cor. 1:12; II Tes. 1:10; I Tim. 2:6; II Tim. 1:8; Heb. 3:5; Tia. 5:3; Apo. 15:5. O verbo, *martúromai*, aparece por cinco vezes: Atos 20:26; 26:22; Gál. 5:3; Efé. 4:17; I Tes. 2:12. Outro verbo, *marturéo*, aparece por setenta e cinco vezes: Mat. 23:31; Luc. 4:22; João 1:7,8,15,32,34; 2:25; 3:11,26,28,32; 4:39,44; 5:31-33,36,37,39; 7:7; 8:13, 14,18; 10:25; 12:17; 13:21; 15:26,27; 18:23,37; 19:35; 21:24; Atos 6:3; 10:22,43; 13:22; 14:3; 15:8; 16:2; 22:5,12; 23:11; 26:5; Rom. 3:21; 10:2; I Cor. 15:15; II Cor. 8:3; Gál. 4:15; Col. 5:13; Heb. 7:8,17; 10:15; 11:2,4,5,39; I João 1:2; 4:14; 5:6,7,9,10; III João 3:6,12; Apo. 1:2; 22:16,18;20.

Por extensão, essa palavra adquiriu ainda outros sentidos, a saber:

1. Alguém que é perseguido por causa do testemunho que dá de sua fé—um mártir em potencial.

2. Alguém que foi realmente martirizado (morto) por sua fé.

3. Algumas vezes, a expressão «os mártires», refere-se coletivamente às vítimas da longa série de perseguições romanas, tão destacadas na história primitiva da Igreja. As relíquias e memórias dos mártires recebiam atenção especial na comunidade cristã. Com a passagem do tempo, em certos segmentos da cristandade os mártires passaram a ser venerados. Templos foram erigidos em sua honra, e alguns deles foram até canonizados como santos.

4. Também são chamados mártires àqueles cristãos que muito sofreram pelo nome de Cristo, como notórios confessores de sua fé, sem importar se morreram ou não por sua fé. Esses viveram de maneira dedicada e sofredora, típica dos mártires, embora não tenham compartilhado da morte violenta desses últimos. A diferença entre essas definições e a primeira desta lista, é que aqueles mencionados aqui tornaram-se famosos por suas poderosas vidas de testemunho e sofrimento, destacando-se da massa dos cristãos comuns.

II. No Antigo Testamento

1. *Testemunhas especiais* da mensagem revelada, nos tempos do Antigo Testamento, eram *mártires* no sentido primário, conforme se vê na seção I, acima. O povo de Israel, coletivamente falando, era formado por tais testemunhas (ver Isa. 43:10 *ss*; 44:8). Os profetas foram os mártires por excelência, nesse sentido (ver Isa. 6:9 *ss*; Jer. 1:5).

2. *Os profetas*, que foram perseguidos e executados, foram mártires de sua fé, no sentido que a palavra veio a adquirir com o tempo. Jeremias foi um desses mártires, de acordo com as tradições judaicas. O décimo primeiro capítulo da epístola aos Hebreus alude a outros. Talvez Abel seja o primeiro mártir da tradição judaico-cristã. Os vss. 35-38 falam, de modo geral, sobre os mártires e sobre modos específicos de suas mortes, precedidas por certa variedade de perseguições e sofrimentos. Jesus disse que aqueles que O perseguiam eram filhos daqueles que haviam matado aos profetas, e que a sua própria perseguição e morte tinham por finalidade encher *a medida* dos pais de seus perseguidores (Mat. 23:32).

III. No Novo Testamento e Posteriormente

1. *Testemunhas Especiais*. Houve tal coisa como a autoridade apostólica. Os apóstolos foram as primeiras e mais importantes testemunhas do cristianismo. A eles foi entregue a Grande Comissão (ver Mat. 28:19,20). Por extensão, seus discípulos também se tornaram testemunhas especiais. Eles eram capazes de dizer, juntamente com os apóstolos: «Eu vi». Ver Atos 1:1,21 *ss*. Naturalmente, o próprio Jesus foi a Primeira Testemunha (ver Apo. 1:5 e 3:14). Finalmente, no sentido primário da palavra grega *mártus*, todos os cristãos deveriam seguir o bom exemplo das primeiras testemunhas cristãs. Essa foi uma incubência outorgada a todos os convertidos, conforme é justo inferir das palavras da Grande Comissão. Os *evangelistas* (vide) eram homens

especialmente dotados para o testemunho cristão, pelo que o testemunho deles, necessariamente tinha de ser mais eficaz em seus efeitos. Porém, em certo grau, todos os cristãos podem testificar de sua fé em Cristo.

2. *Perseguições e martírio*, muito naturalmente, seguiram-se ao testemunho cristão. O diácono Estêvão foi o primeiro mártir cristão, segundo o registro neotestamentário. Talvez tivesse havido outros antes dele. Seja como for, o relato aparece no oitavo capítulo do livro de Atos. Além disso, Tiago, irmão de João, seguiu-se nessa linha de mártires (Atos 12:2). A tradição afirma que tanto Pedro quanto Paulo sofreram o martírio. Se pudermos confiar nessas tradições, então cumprir-nos-á dizer que somente o apóstolo João, dentre os doze, foi poupado do martírio, tendo morrido de morte natural, com cerca de cem anos de idade.

3. *Posteriormente*. Por meio de dez grandes ondas de perseguições e matanças, o império romano infligiu sofrimentos à Igreja cristã, durante os três primeiros séculos de sua história. Isso prosseguiu até o tempo da conversão do imperador *Constantino* (vide), ao cristianismo, no começo do século IV D.C., embora as atitudes dele, que ficaram registradas na história, demonstrem claramente que ele era convertido apenas superficialmente.

4. *Capítulos Tristes na História dos Mártires Cristãos*. Já era uma desgraça que um mundo hostil perseguisse à Igreja e fizesse muitos milhares de mártires cristãos. Mas é deveras lastimável quando a própria Igreja cristã, dividida em campos hostis, começa a martirizar aos próprios cristãos. Todos conhecem a história dos mártires protestantes, às mãos dos católicos romanos. Mas apenas alguns poucos têm consciência dos mártires que sofreram às mãos de João Calvino, em Genebra. A história mostra-nos que ele martirizou a mais de sessenta pessoas, além de haver encarcerado e banido a muitas outras. O artigo sobre ele e o artigo intitulado *Tolerância* referem-se a esses fatos tristes. Também é pouco conhecido que a Igreja oriental martirizou alguns poucos cristãos ocidentais, e que a Igreja ocidental fez o mesmo com alguns poucos orientais, além de ter havido considerável perseguição. Até alguns poucos papas tornaram-se vítimas, quando seus poderes declinaram e forças a eles contrárias apossaram-se do mundo. Um exemplo conspícuo disso foi o do papa Martinho I. O *Livro dos Mártires*, de Foxe, nos fornece muitas descrições sangrentas de martírio; e uma boa proporção dos casos envolve cristãos martirizados por cristãos. Além disso, sabemos que houve cristãos que martirizaram a judeus. O papa Martinho V teve o bom senso de tentar pôr ponto final nisso, constrangendo a membros de sua própria Igreja Católica Romana, que estavam atarefados nessa perseguição sionista.

5. *Os Mártires do Comunismo*. O moderno movimento comunista, especialmente na Rússia e na China, tem causado um grande número de mártires cristãos. De fato, é estatisticamente correto afirmar que tem havido mais mártires cristãos no século XX do que em qualquer outro século da história. Os governos comunistas têm matado mais cristãos do que fez o império romano em três séculos de história cristã, sendo que o comunismo começou em 1917. Essas assustadoras estatísticas não têm impedido certos padres católicos de serem marxistas. É espetáculo realmente estranho na história ver certos membros da cristandade voltando-se para seu mais feroz inimigo, a fim de ali buscar uma filosofia de vida!

IV. Contribuições

1. Os mártires mostram que há algo pelo que viver, que transcende a esta vida física, e por causa do que a vida física pode ser razoável e seguramente sacrificada, visto que estamos esperando à vida eterna vindoura. Alguém já disse: «Não é um tolo aquele que sacrifica aquilo que não pode reter, a fim de ganhar aquilo que não pode perder» (James Elliott, moderno mártir cristão, nas florestas da América do Sul).

2. Os mártires vivem certa qualidade de vida, e não morrem violentamente, em defesa de alguma causa. A vida dos mártires caracteriza-se pela dedicação suprema à causa que defende. Não são homens divididos, que vivem em parte para o Espírito e em parte para a carne. Tive um colega e amigo, nos dias de meu curso teológico, que declarou a um crente de mais idade: «Eu gostaria de morrer como mártir». O crente de maior experiência replicou: «Por que você não tenta viver a vida de um mártir?» Meu amigo ficou deveras impressionado diante dessa resposta; e nunca mais jactou-se, por antecipação, da morte de mártir de que gostaria de morrer.

Abusos. Por ocasião do concílio de Nicéia, dificilmente havia alguém presente que não trouxesse alguma marca física, cicatriz ou ferimento que testificava acerca de sua vida de sofrimentos como cristão. Durante o período romano da história do cristianismo, dificilmente houve alguma família cristã que não tivesse perdido algum membro, como mártir. Essa experiência tornou-se tão comum que foram formados clubes de mártires, compostos por indivíduos que propositalmente tentavam encontrar meios de serem mortos como mártires. E a Igreja cristã foi forçada a pronunciar-se contra tal fanatismo.

V. Martirológio

Um *martirológio* é um registro histórico que alista os mártires e/ou os santos, geralmente com uma nota curta sobre cada nome, com as festas e comemorações celebradas na Igreja Católica Romana ou na Igreja Ortodoxa Oriental, a cada dia do ano litúrgico. Esse material é lido como parte do ofício coral da *prima* (vide). A *prima* é o ofício da *primeira hora*, alegadamente introduzido em Jerusalém, em cerca de 400 D.C., para manter os monges despertos pela manhã. César Barônio, um historiador eclesiástico do séc. XVI, atribuía a Clemente de Roma (que foi quase contemporâneo dos apóstolos) o primeiro esforço (uma idéia) para coletar os atos dos mártires. Nos dias de Gregório, o Grande (fins do século VI D.C.), a Igreja Católica Romana já possuía um martirológio geral, cujo autor teria sido Jerônimo, que lançou mão de matéria escrita por outros, incluindo matéria de Eusébio de Cesaréia. A única porção até agora existente é um catálogo dos mártires que sofreram na Palestina, durante os últimos oito anos de perseguição da parte de Diocleciano. Também há um martirológio, atribuído a Bede (do começo do século VIII D.C.), embora os historiadores considerem que grande parte das informações ali dadas seja espúria. Os poucos séculos seguintes viram a produção de muitos martirológios. Em 1586, sob a direção do papa Xisto VI, foi impresso um martirológio em Roma, anotado por Barônio. Seu título latino era *Martyrologium Universale*. A obra de autoria de Ruinart, *Acta Primorum Martyrum Sincera*, apareceu em Paris, em 1689. Uma nova edição dessa obra foi publicada em 1859. A obra *Acta Sanctorum*, dos bolandistas, conta com mais de sessenta volumes! Pelo lado protestante, o *Livro dos Mártires*, de John Foxe, deixou uma forte impressão sobre as igrejas protestantes. Havia muita coisa para anotar por escrito. O martirológio da Igreja Católica Romana alista mais de catorze mil nomes.

Tipos de Mártires:

1. *Aqueles que o são voluntariamente e em atos.* Para exemplificar, o caso de Estêvão, primeiro mártir cristão, que viveu a vida de mártir, e assim teve uma morte de mártir. Ver Atos 6:8—7:60.

2. *Aqueles que o são voluntariamente, mas não em atos.* Para exemplificar, o apóstolo João, que viveu como mártir, mas que não morreu como tal.

3. *Aqueles que o são em atos, mas não voluntariamente.* Para exemplificar, os meninos de Belém, que morreram por determinação de Herodes, quando tentava atingir o menino Jesus. Não viveram como mártires, mas morreram como tais.

VI. Mártires Modernos

Tem havido várias instâncias de mártires modernos, em que um segmento da cristandade persegue outro segmento. Há cerca de trinta anos, houve uma perseguição breve mas intensa contra os protestantes, na Colômbia. Mas, quase sempre a Igreja cristã tem aprendido a limitar suas hostilidades contra si mesma (facções em luta no seio da cristandade) a palavras e pequenos atos de perseguição. Apesar de bispos locais e outras figuras religiosas terem aprovado atos de perseguição, dificilmente podemos dizer que a Igreja, como um todo, aprova tais atos. Isso é algum progresso. Infelizmente, no século XIX, em vários estados do leste e do meio oeste norte-americano, evangélicos (e outros) perseguiram e mataram a alguns poucos mórmons. Suas propriedades foram destruídas ou confiscadas, e eles foram forçados a fugir mais para oeste. Isso foi uma vergonha, no caso dos evangélicos envolvidos, tenhamos certeza disso. Subseqüentemente, os mórmons têm demonstrado um admirável espírito de tolerância, porquanto sabem o que significa sofrer ante a intolerância alheia.

Quase todos os mártires modernos têm sido perseguidos e mortos pelos comunistas, conforme temos mencionado sob o ponto III.5. Quanto a números, esses mártires cristãos em muito excedem àqueles dos primeiros séculos do cristianismo. O comunismo tem feito mais mártires cristãos do que o próprio império romano! Pessoalmente, conheci os parentes de alguns mártires cristãos da China.

Missões Cristãs. A outra fonte moderna de martírios, entre os cristãos, é o moderno movimento missionário. Tanto católicos romanos quanto protestantes têm tido seus mártires, nos países onde têm servido, ante a perseguição movida por forças hostis religiosas, políticas e sociais. A cunhada de meu irmão, Irene Ferrel, foi martirizada no Congo Belga (atualmente chamado Zaire). Meu irmão conheceu a muitos que sofreram a mesma coisa, incluindo padres e freiras católicos romanos. Muitos de seus evangelistas (nativos) foram mortos ao mesmo tempo que eles, quando o Congo obteve a sua independência. Talvez um encerramento apropriado deste artigo fosse o relato de algo que aconteceu por ocasião do culto memorial a Irene Ferrel, nos Estados Unidos da América do Norte.

Na frente do templo, várias velas estavam acesas. Mas, conspicuamente, uma vela, bem no meio das outras, foi deixada apagada. Lá estava ela, *morta*, entre as outras que mostravam vida e luz. Naturalmente, qualquer pessoa que visse a cena, teria pensado: «Aquela vela apagada representa Irene Ferrel. Ela está morta. Sua luz apagou-se». No fim da mensagem, o pastor explicou o símbolo, dizendo: «Irene Ferrel vive. A vela apagada não a representa. Antes, representa *vocês*, se vocês não viverem o tipo de vida que ela viveu».

MARTIROLÓGIO

Ver sobre *Mártir*, seção V.

MARX, KARL (MARXISMO)

Suas datas foram 1818—1883. Nasceu em Trier, na Prússia. Sua família era judaica. Seu pai era advogado. Todos os membros da família foram batizados na Igreja Luterana. Karl Marx estudou história, filosofia e advocacia nas Universidades de Bonn e Berlim, tendo obtido o grau de doutor pela Universidade de Jena. Em Berlim, ele se deixou absorver pelos estudos dos problemas sociais e políticos, e ficou sob a influência da ala esquerdista do movimento Jovem Hegeliano. A dialética de Hegel (com suas tríadas) foi modificada por Marx a fim de obter dali uma filosofia para suas teorias políticas. O corpo doutrinário originalmente proposto por Marx e Engels (vide) dependia pesadamente da filosofia de Hegel, mas, se Hegel aludia a um princípio espiritual através do qual o Espírito Absoluto opera, Marx e Engels modificaram isso para uma teoria materialista, onde as lutas de classes e os fatores econômicos determinariam o alegado curso da história. Hegel dizia que o Espírito Absoluto, por necessidade e essência de sua natureza, manifesta-se através de suas tríadas. Mas Marx preferia pensar que este mundo é guiado por fatores econômicos. Assim, as forças espirituais foram substituídas por um materialismo mecânico. E essa mecânica envolveria uma tríada. Temos ilustrado a questão, de modo completo, no artigo intitulado *Comunismo*, além de outras informações que figuram no artigo sobre *Engels*. Ver também sobre *Teologia da Libertação*. Assim como Marx reduziu um princípio espiritual a tríadas materialistas, assim também a chamada Teologia da Libertação reduz a teologia cristã a uma sociologia materialista, tipo marxista. «Marx alicerçou-se sobre Hegel, embora nunca tivesse aceitado, realmente, a metafísica deste, e assim foi transformando gradualmente as suas idéias, até serem o oposto do que eram. Marx acreditava ser ele o mensageiro de um novo evangelho social, para cuja propagação ele escreveu todos os seus livros e panfletos. Portanto, ele não foi tanto um filósofo quanto foi um reformador político. Esse fato fica velado por sua teoria peculiar, derivada da filosofia da história de Hegel, acerca da necessidade de desenvolvimento histórico. À semelhança de Hegel, Marx afirmava que esse desenvolvimento é governado por um princípio que pode ser conhecido. Mas, enquanto, na filosofia de Hegel, o princípio é espiritual, Marx opinava que esse princípio é material: as condições econômicas regulamentariam e determinariam o curso da história. Essa é a oposição do chamado 'materialismo histórico'. É óbvia a influência de Marx e do marxismo, nos séculos XIX e XX, embora tenha diminuído em muito a crença na exatidão dessa teoria e suas predições». (E)

Os filósofos suspeitam de todos aqueles casos em que as coisas são explicadas com grande ordem, como as inevitáveis e inexoráveis tríadas de Hegel. Tenho ilustrado esse alegado princípio em operação no artigo sobre *Hegel*, com um gráfico. Quando alguém diz que Deus opera um-dois-três, e então, novamente, um-dois-três (mediante *tese, antítese* e *síntese*), e quando presume dizer exatamente como e sobre o que essas tríadas atuam, está presumindo demais, está inventando uma mitologia que força a história, sem importar se a história tem operado e continua operando dessa maneira. E, então, quando esse alguém atribui o mesmo tipo de ação inevitável sobre a matéria morta e sobre os variáveis do sistema econômico, está apenas criando outra mitologia. Ainda recentemente, os líderes chineses afirmavam ao mundo que as teorias de Marx não solucionaram os problemas da China, e agora estão procurando lançar mão da tecnologia ocidental, a fim de recuperarem o tempo perdido. Assim, quando alguém passa dali a aplicar toda aquela teoria do princípio do *determinismo* (vide), dizendo que as coisas *devem* operar daquela maneira, o que esse alguém está fazendo é apenas revelar o que determinou, em sua própria mente, o que *deve* acontecer, e não aquilo que, realmente, acontece.

Quando fazemos o *deve* equivaler ao *é*, isso já envolve uma falácia lógica. Bem diante das sombrias predições de Marx sobre a morte do capitalismo, que, segundo ele supunha, morreria devido ao seu próprio peso, encontramos o soerguimento de milagres econômicos como o do Japão capitalista, embora o Japão seja constituído de algumas pequenas ilhas, praticamente destituídas de recursos naturais, o que não tem impedido que esse país oriental se tornasse um dos principais poderes econômicos do mundo. Entrementes, países socialistas muito maiores e mais populosos, vão ficando para trás, tanto em tecnologia quanto em desenvolvimento econômico. Ademais, são os países capitalistas que gozam de maior escalada de salários e de melhoria de vida. Aqueles que viajam à Alemanha dividida, e comparam a Alemanha Ocidental com a Alemanha Oriental, recebem uma profunda lição objetiva sobre a superioridade do sistema capitalista, diante do sistema comunista. Além disso, até mesmo povos oprimidos, que têm sofrido os abusos do capitalismo, mostram-se intensamente interessados pelas realidades espirituais, porque, na verdade, o homem não pode viver somente de pão, nem mesmo do abundante pão da propaganda comunista.

O *Manifesto Comunista* conclamava os trabalhadores do mundo inteiro a unirem-se. Esse documento contém a filosofia central de Marx, a de que as mudanças sociais são controladas pela luta de classes. Outrossim, ele argumentava que as idéias filosóficas, religiosas e éticas são *reflexos* de condições materiais. Porém, a redução da filosofia, da religião e da ética a fatores econômicos é um erro tão crasso que chega a ser inacreditável. Isso mostra que Marx não compreendeu as lições da história, apesar de ter-se arvorado em seu intérprete.

O livro, *Das Kapital*, prestou o serviço de apontar como e até que ponto os ricos enriquecem explorando o proletariado. Quanto a isso, Marx prestou um esclarecimento. O comunismo não tem obtido seus avanços em face de sua superioridade inerente, e, sim, por causa dos abusos do capitalismo. O capitalismo bem regulado continua a produzir ricos, mas também tem produzido países, como os Estados Unidos da América do Norte, onde há uma classe média numerosa e afluente. Mas o comunismo tem produzido uma classe média uniformemente empobrecida, onde os salários são baixos, e um professor universitário ganha pouco mais do que o zelador que trabalha no prédio. Isso me foi dito pessoalmente, por um professor universitário da Alemanha Oriental, que visitou a faculdade onde ensino.

A Questão da Liberdade. Todos os governos totalitários abafam as liberdades pessoais e limitam os direitos do indivíduo. Todos os governos totalitários, de esquerda ou de direita, são prejudiciais, mesmo quando parecem benévolos. É mais importante o indivíduo ser *livre*, podendo exercer seus direitos e suas liberdades básicas, do que ter um pouco mais de dinheiro. No artigo intitulado *Comunismo*, ilustrei até que ponto esse sistema tem prejudicado à Igreja cristã e a tem dilapidado quanto a seus números. A liberdade religiosa não deveria ser sacrificada diante de qualquer *ismo*. A alma humana é mais importante do que a economia de qualquer dia da semana. Qualquer sistema que se manifeste aberta e ativamente contra a crença em Deus e na alma, com a correspondente redução do homem ao nível meramente animal, em meio às suas lutas de classe, dificilmente é um sistema que mereça a nossa devoção.

Estabelecendo Distinções. Apesar de Marx ter desenvolvido um sistema elaborado, o marxismo posterior absorveu elementos que não faziam parte originária de suas idéias, embora ele tenha recebido crédito como seu originador. Assim, para exemplificar, Marx jamais usou a expressão *materialismo dialético* (vide), embora tivesse expressado idéias que envolvem essa expressão. Quem introduziu essa expressão foi Engels. Marx não se desviou de sua rota a fim de exprimir o materialismo que se apegava às suas teorias políticas; mas outros, como Engels, ansiavam por garantir que aquela filosofia fosse inteiramente dominada por essa noção. Marx mencionou a diminuição gradual da importância do Estado à medida que as coisas, presumivelmente, fossem melhorando, tornando desnecessária a existência de uma força totalitária que forçasse as coisas. Não foi ele, porém, quem desenvolveu esse conceito, que, na prática, tem mostrado não passar de outro dos mitos do comunismo, onde o governo vai-se tornando cada vez mais forte e totalitário. Antes, Marx afirmou que a maneira correta de alguém abordar a filosofia comunista era a de guiar-se pelos conceitos de Hegel.

MARXISMO

Ver o artigo separado sobre o *Comunismo*; ver também *Engels, Marx, Karl* e *Teologia da Libertação*.

O próprio Karl Marx (vide) pensava ter desenvolvido uma ciência, e não uma filosofia. Mas, não há que duvidar que o que veio a desdobrar-se, com o título geral de *marxismo*, foi um sistema filosófico, com vários pontos de vista diferentes, embora todos convergentes quanto a pontos importantes.

1. *O Materialismo Dialético*. Os pensadores comunistas diferem entre si quanto à extensão em que aplicam essa teoria. Todos concordam que a teoria de *tese*, *antítese* e *síntese* é válida como maneira de considerar o desdobramento da história, mas não concordam uns com os outros quanto ao refinamento dessa teoria. Meu artigo sobre Hegel oferece um gráfico que ilustra a grande complexidade desse sistema, no tocante à forma como ele supunha seriam as operações do Espírito Absoluto. Em primeiro lugar, no que se aplica ao marxismo, a teoria tornou-se materialista e com ênfases econômicas, perdendo, de modo total, qualquer aplicação ao alegado Espírito de Deus ou do homem. Quanto a uma afirmação geral sobre como as tríadas supostamente operam na história, ver o artigo sobre o *Comunismo*, em seu quinto ponto, *Marx e Engels*. Presumivelmente, quando a síntese final ocorrer, no seio do comunismo, então terá sido conseguida uma utopia, sem qualquer necessidade de um estado totalitário, que até então teria tido a função de empurrar o sistema, a fim de que funcionasse, mas, tendo realizado essa tarefa, o estado totalitário cessaria.

A ditadura do proletariado (que Mao Tsé-Tung transformou em ditadura dos aldeões) aparece ali como um passo necessário no decurso da história, embora não um fator permanente, depois de ser atingida a utopia. Mas, na prática, a chamada ditadura do proletariado nunca esteve perto de tornar-se uma realidade. O que impera, cada vez mais forte, nos países comunistas, é a ditadura do Estado. Essa ditadura mantém-se graças ao poder militar. Por conseguinte, o comunismo passou a ser a forma mais sucedida do fascismo.

O controle, por parte do Estado, de todas as fontes de produção, cuja finalidade seria obter uma distribuição mas eqüitativa de bens entre o povo, na realidade tem resultado em uma produção deficiente no retardamento da tecnologia, visto que, sem competição e sem a iniciativa pessoal, os homens simplesmente não produzem tão bem como quando aqueles fatores se fazem presentes. Além disso, a variedade de poderes e de abordagens abre espaço para teorias e práticas mais imaginativas. Atualmente, defrontamo-nos com o espetáculo de países socialistas tentando eliminar a centralização governamental, como um fator amortecedor da produção e da livre iniciativa, mas que descobrem que estão presos por um polvo de falsas teorias, e não conseguem desvencilhar-se. Acrescente-se a isso que tem ficado reiteradamente provado que os governos são ineptos e não operam tão bem como as indústrias que operam segundo o antigo sistema de *auto-interesse*. Coisa alguma inspira tanto o coração humano à atividade quanto a possibilidade de *ganhar* algo para *si mesmo* e seus familiares próximos. Os monólogos idealistas sobre a glória da coletividade e do Estado logo se tornam enfadonhos e perdem sua capacidade de persuasão. Em qualquer atividade humana, seja econômica, atlética, política ou acadêmica, a força impulsionadora mais poderosa que existe é a da competição, vinculada à iniciativa pessoal. Pessoas produtivas não se sentem inspiradas ao trabalharem lado a lado com pessoas improdutivas. As pessoas ambiciosas e industriosas não estão interessadas em igualdade com as pessoas preguiçosas. Os intelectuais não demonstram paciência em ajudar indivíduos lerdos e menos inteligentes quando estão criando ou aplicando as suas teorias. E as pessoas de tendências espirituais não se interessam em ouvir sobre como o dinheiro tem controlado a história da humanidade. É que elas têm um ponto de vista muito superior a isso.

2. O próprio Marx salientou quase todos os pontos alistados sob «1», acima, embora não tivesse usado a expressão *materialismo dialético* (embora o que ele dizia fosse a essência disso). Ele também não desenvolveu o conceito do controle da produção por parte do Estado.

3. *Engels* (vide) envolveu vários aspectos do marxismo que Marx não abordara. Foi ele quem introduziu a idéia do *materialismo dialético* (usando, especificamente, esses termos). Mas também não foi Engels quem desenvolveu a noção do controle da produção, por parte do Estado, o que só surgiu mais tarde.

4. *Lenin*, no começo de seu governo, seguiu Marx bem de perto, embora fizesse objeção ao excessivo interesse deste pelas idéias de Hegel. Também minimizou a dialética como uma parte integral do materialismo. Antes, ele frisava o *realismo epistemológico* (vide). Para ele, as coisas seriam exatamente o que os nossos sentidos dizem que elas são. Não haveria realidades não captadas pelos nossos sentidos. Destarte, ele negava a validade da metafísica cristã. Mostrava-se avesso a qualquer modalidade de *idealismo* (vide). Quanto a outras particularidades, conforme aparecem no primeiro ponto, acima, ele concordava essencialmente com Marx.

5. Certos *seguidores ortodoxos*, que desenvolveram ou propagaram o marxismo, sem qualquer revisionismo, foram Kautsky (vide), que editou o *Die Neue Zeit*, a publicação oficial do partido democrático social alemão. Ele publicou várias outras obras literárias, escritas por Marx ou Engels, após o falecimento dos mesmos, e produziu alguns escritos de sua própria pena.

6. *Marxistas não ortodoxos* incluem nomes como Pedro Lavrov (vide) e Ferdinando Lassalle (vide).

7. *Existencialistas* influenciados pelo marxismo são os seguintes: Sartre (vide), que foi uma das mais poderosas vozes filosóficas do marxismo. Merleau-Ponty (vide), que, contudo, não confiava muito na dialética, acreditando que o desenvolvimento pode prosseguir em mais de uma maneira, ao mesmo tempo. Para ele, não havia razão para supor que a história é governada por qualquer princípio *isolado*, único.

8. *Ética do Marxismo*. Ver o artigo separado intitulado *Marxismo, Ética do*.

MARXISMO, ÉTICA DO

Ver sobre *Marx, Karl; Marxismo; Comunismo*.

1. O marxismo define a história como a luta entre duas forças opostas, os *exploradores* (os *burgueses* ou capitalistas) e os *explorados* (o *proletariado* ou trabalhadores). Dessa maneira, o mal e o bem estariam divididos em dois campos antagônicos. O mal (representado pelos capitalistas) precisa ser destruído. E daí resultará uma sociedade destituída de distinção de classes. Enquanto isso não ocorrer, os ricos irão ficando mais e mais ricos, enquanto que os pobres irão empobrecendo cada vez mais, como todas as injustiças daí resultantes.

2. *A Era Áurea*. Quando as propriedades privadas, a burguesia, a nacionalidade e a religião forem abolidas, então será inaugurada uma era áurea no mundo. O Estado passará, então, a controlar as finanças, a educação, a produção e a distribuição de bens, e, juntamente com esse totalitarismo absoluto, prevalecerão no mundo a paz e a harmonia.

3. A ética, para os marxistas, nada mais é do que os interesses de classes em jogo. Certo e errado são definidos de acordo com os auto-interesses das classes. A religião seria um instrumento de opressão, não devendo ser levada a sério como padrão de certo e errado.

4. O verdadeiro bem é definido como princípios que se derivam dos alvos comunistas, e os modos inventados pelos marxistas conduziriam a esses alvos. O contrário disso consistiria no mal.

5. A religião seria o ópio do povo, um instrumento de opressão, devendo ser repudiada. Declarou Marx: «Os comunistas não pregam qualquer moralidade».

6. **O código moral do comunismo**. Consiste nos seguintes pontos:

a. Devoção ao comunismo
b. Trabalho consciencioso
c. Preocupação com a saúde pública
d. Elevado senso de dever público
e. Coletivismo e ajuda camarada
f. Relações humanas entre as pessoas
g. Respeito mútuo
h. Honestidade
i. Veracidade
j. Pureza moral

l. Modéstia
m. Lealdade à família e cuidado com a mesma
n. Atitude intransigente diante das injustiças
o. Amizade e fraternidade
p. Intolerância para com o ódio nacional e racial
q. Atitude intransigente diante dos inimigos do comunismo
r. Paz
s. Liberdade
t. Solidariedade fraterna com a classe trabalhadora, em toda parte.

7. *Redefinição de Termos*. Apesar de alguns pontos acima desse código parecerem bons, consideremos: o ódio e a violência não são proibidos quando são dirigidos contra os não comunistas. A fraternidade aplica-se somente aos comunistas. Para com os não comunistas só há intolerância. A paz só seria imposta mediante a eliminação dos não comunistas. A liberdade consiste na liberdade de servir ao comunismo, mas não de opor-se ao mesmo em qualquer sentido. Não há qualquer liberdade para alguém possuir propriedade privada ou propagar sua religião. Isso importa em uma definição escrava da liberdade. Deveríamos notar que são usados os mesmos termos que são empregados em outros sistemas éticos, embora tais termos sejam redefinidos em harmonia, com a filosofia comunista como supremo e único bem. Assim, o labor consciencioso só é bom se for realizado em favor do comunismo. Um elevado senso de dever público só é certo se o país tiver um governo comunista. Há respeito mútuo, mas somente entre os comunistas. As injustiças são definidas segundo os padrões comunistas, e até mesmo as matanças em massa não são consideradas injustas, se servem à causa do comunismo.

8. *Deus e a religião* não têm qualquer valor ético, e nem aplicação, dentro do sistema comunista. A ética é considerada uma invenção humana, do ponto de vista dos princípios comunistas. Não há tal coisa como um Ser Supremo, que revele a sua vontade mediante Livros Sagrados. Não existiriam as almas humanas. Não há destino no mundo *além*, após a morte. Os valores são definidos em termos de uso igualitário do dinheiro e do que o dinheiro pode comprar. O homem é um animal sofisticado, e a melhor coisa que ele pode esperar é viver bem nesta vida.

9. *Alienação*. De acordo com Marx, no capitalismo o homem é alienado de si mesmo, em face das lutas de classe, criadas pela distribuição desigual das riquezas. Mas, dentro do sistema comunista, há alienação entre o homem e Deus. O que é pior? É apropriado encerrar este artigo meditando um pouco sobre a *alienação*. É a isso que o comunismo conduz os homens. Seu serviço real não consiste em suas teorias e em seus esforços. Seu grande serviço consiste em ter mostrado quão radicais são os abusos do capitalismo, que são reais. Não obstante, o comunismo tem conduzido os homens à vereda da *alienação* espiritual.

MÁS

Um nome hebraico de significação incerta. Esse era o nome de um dos filhos de Arã (ver Gên. 10:23). Em I Crô. 1:17, ele é chamado de Meseque. A Septuaginta diz *Mosoch* em ambos esses versículos, mas os estudiosos pensam que a forma *Más* é a forma original. Alguns eruditos crêem que o homem em questão habitava no Monte Masius, na Mesopotâmia, tendo emprestado o seu nome ao rio Meseca, que tem seus mananciais ali. Uma inscrição assíria exibe esse nome, identificando um lugar de sede e desmaio, em um deserto, onde nem animais eram encontrados, devido à sua desolação. Alguns têm identificado Más com o *Mons Masius* dos escritores clássicos.

MASAI

No hebraico, «atuante». Esse era o nome de um sacerdote, filho de Adiel, que também retornou do cativeiro babilônico (ver I Crô. 9:12).

MASAL

No hebraico, «depressão». Nome de uma cidade do território de Aser, que foi dada aos levitas da família de Gérson (I Crô. 6:74). Eusébio informou que ficava nas circunvizinhanças do monte Carmelo, perto da beira-mar. O trecho de Jos. 19:26 diz *Misal*. O lugar ainda não foi identificado quanto à sua moderna localização.

MASDA

1. Uma divindade iraniana que era adorada em tempos remotos, antes do século VI A.C., durante o período gático. *Masda* significa «sabedoria». Assim, para os antigos iranianos, Deus era a *Sabedoria Suprema*. Esse deus era um poder altamente personalizado da natureza, com fortes elementos morais.

2. Posteriormente, *Masda* veio a ser concebido como um poder cósmico, de natureza espiritual, com quem os seres espirituais humanos e não humanos têm afinidade. Ele era o deus supremo, que mandaria em todas as coisas.

MASDEÍSMO

Nome da religião e da adoração que resultaram do sistema que glorificava ao deus *Masda* (vide). Como uma religião iraniana, distinta, esse sistema evoluiu no século V A.C., embora suas raízes fossem mais antigas. Tomou o lugar do profetismo próprio do *Zoroastrismo* (vide). Era constituída por um conjunto de crenças e práticas que giravam em torno de sua principal divindade, Masda. Os únicos elementos que restam hoje em dia, dessa antiga fé, são preservados nas crenças do *parsismo* e dos *parses* (vide).

MASIAS

Esse nome masculino aparece em I Esdras 5:34, designando os descendentes de uma família de servos de Salomão, que tinham voltado, juntamente com Zorobabel, do exílio babilônico. Esse nome não aparece nas passagens paralelas de Esd. 2:57 e Nee. 7:59.

MASMORRA

No hebraico, **bor ou beth hab-bor**, respectivamente «cova» ou «casa da cova». Essa palavra e expressão ocorrem por um total de sessenta e nove vezes; segundo se vê, por exemplo, em Gên. 40:15; 41:14; Jer. 38:6,7,9-11,13; Lam. 3:53,55; Êxo. 12:29; Jer. 37:16. Esse termo refere-se a um tipo de cova ou aposento subterrâneo, embora também referia-se a algum poço seco, usado como lugar de confinamento ou aprisionamento. José foi posto em um lugar assim, temporariamente (Gê. 40:15), antes de ter sido vendido aos negociantes ismaelitas, que o levaram ao Egito. Jeremias esteve detido em um lugar desses (Jer.

38:6,7,9-11,13; Lam. 3:53). Essa palavra também é usada em sentido figurado, em Isa. 42:7. O Messias, quando aparecesse, tiraria prisioneiros da masmorra, mediante a sua missão salvatícia. Ver o artigo geral sobre *Prisão, Prisioneiro*.

MASQUIL

Uma palavra hebraica de sentido incerto, talvez dando a entender um cântico criado para sublinhar a sabedoria ou a piedade. Essa palavra aparece nos títulos dos Salmos 32, 42, 44, 45, 52, 53, 54, 55, 74, 78, 88, 89 e 142.

MASRECA

No hebraico, «vinhedo». Nome de uma cidade da Iduméia, a cidade natal de Samlá, um rei idumeu (ver Gên. 36:36; I Crô. 1:47). A cidade tem sido identificada com o Jebel el-Mushrak, que fica a trinta e cinco quilômetros a sudoeste de Ma'an.

MASSA

Há duas palavras hebraicas envolvidas neste verbete, a saber:

1. *Abtseq*, «massa», «tufada». Palavra usada por cinco vezes: Êxo. 12:34,39; Jer. 7:18; Osé. 7:4; II Sam. 13:8.

2. *Arisha*, «massa misturada». Palavra usada por quatro vezes: Núm. 15:20,21; Nee. 10:37; Eze. 44:30. Essa palavra também significa «refeição».

A primeira dessas palavras tem origem na idéia de fermentação.

A palavra grega envolvida é *phúrama*, derivada do verbo *phuráo*, «misturar». Essa palavra grega aparece por cinco vezes: Rom. 9:21; 11:16; I Cor. 5:6,7; Gál. 5:9. Essa palavra era usada tanto para indicar a massa de pães e de pastelaria como para a mistura de barro que os oleiros preparavam para o fabrico de vasos de qualquer espécie.

A mistura do pão era feita com farinha de trigo e água, e, ocasionalmente, de trigo e azeite. A mistura era amassada em uma gamela de madeira, usualmente à mão. Mas, se a quantidade a ser misturada fosse grande, então as pessoas socavam a massa com os pés. Ver Êxo. 12:34,39; II Sam. 13:8; Jer. 7:18; Osé. 7:4. As massas eram feitas com certa variedade de cereais, como o trigo e a cevada, mas também com os feijões, as lentilhas, o painço e a espelta (Eze. 4:9). Algumas vezes, usava-se fermento para fazer a massa tufar. Mas o uso de fermento era vedado em conexão com a páscoa e com a festa dos pães asmos. Uma pitada de sal era usada no pão levedado ou no pão asmo. Quando a massa tufava, era posta em um forno, para assar. Ver os artigos gerais sobre *Alimentos* e sobre *Culinária*.

Usos Metafóricos. O trecho de Romanos 11:16, ao referir-se a Números 15:19,20, fala sobre a massa que era separada para uso exclusivo dos sacerdotes, porquanto era consagrada. Sendo esse o caso, a massa inteira passava a ser santa. Isso envolvia uma oferta perante o Senhor, quando o bolo (ou pão) era usado em uma cerimônia ritual, de movimento diante do Senhor, e então era consumido sobre o altar. Dentro da ilustração de Paulo, os patriarcas judeus foram primeiramente consagrados a Deus, pelo que seus filhos espirituais também eram santos. Estamos tratando aqui com a herança espiritual desenvolvida através do processo histórico. Ver notas completas sobre esse conceito no NTI, *in loc*.

Em I Coríntios 5:6,7 temos um outro uso metafórico que envolve a idéia de massa. Ali é dito que um pouco de fermento afeta a massa inteira. Nesse caso, o fermento fala sobre pecado, especialmente o pecado de orgulho, pois Paulo estava mostrando como o pecado pode corromper toda uma igreja local cristã, se não for eliminado. O contexto mostra que está em vista mais do que o pecado de orgulho, visto que vários vícios são mencionados nos vs. 9 e 10. O crente autêntico é aludido como quem oferecia sua vida, quão pão sem fermento, isto é, sem a mácula do pecado.

MASSÁ

No hebraico, «carga», «peso». Esse era o nome de um dos filhos de Ismael, filho de Abraão (ver Gên. 25:14; I Crô. 1:30). É provável que seus descendentes fossem os *masani*, que Ptolomeu disse estarem radicados na parte oriental da *Arábia*, perto das fronteiras com a Babilônia. Inscrições assírias mencionam juntos os povos de Massaá, Tema e Nebaiote, que viveriam perto uns dos outros. Nessas inscrições, Tema, ao que tudo indica, é a moderna *Teima*, que fica a nordeste de el-'Ula, na parte noroeste da Arábia. Tema era irmão de Massá. Isaías, por sua vez, referiu-se a *Dumá*, um nome locativo derivado de um outro irmão deles (ver Isa. 21:11,12). Torna-se claro, pois, que Massá e seus irmãos foram os genitores dos povos que se estabeleceram na parte noroeste da Arábia, que não ficava distante da terra natal de seus antepassados. Alguns estudiosos pensam que Agur e Lemuel, referidos em Prov. 30:1 e 31:1, descendiam de Massá. Eles envolvem uma pequena parte da história dos povos árabes.

MASSÁ E MERIBÁ

A Septuaginta diz, em lugar desses dois nomes, «teste e contenção». Essas duas palavras aparecem conjugadas em Êxo. 17:7; Deu. 33:8 e Sal. 95:8. Massá aparece em Deu. 6:16 e 9:22; e Meribá em Núm. 20:13,24; Sal. 81:7 e 106:32. Meribá de Cades ocorre em Núm. 27:14; Deu. 32:51; Eze. 47:19 e 48:28. Esses nomes aludem a uma localidade perto de Refidim, onde os israelitas fizeram alto, após saírem do Egito, depois que partiram do deserto de Zim. Ali não encontraram água, e murmuraram contra Moisés e estiveram quase a apedrejá-lo. Moisés feriu a rocha e jorrou água. Foi Moisés quem deu esse nome duplo ao lugar, traduzido por «teste e contenção» na Septuaginta, visto que, por assim dizer, submeteram o Senhor à prova, com suas queixas. Ver Êxo. 17:1-7.

***Uma Distinção*. O trecho de Núm. 20:1-13 refere-se a um detalhe da história de Israel, que ocorreu cerca de quarenta anos mais tarde. A *Meribá* daquele relato deve ser distinguida da *Meribá* deste artigo. Aquela ficava no sul da Palestina. Foi assim chamada devido a um incidente similar, embora diferente. Ver o artigo intitulado *Meribá*.**

MASSADA

Estrabão grafou *Moasáda*; a forma grega é *Masada*. No hebraico, essa palavra significa, ao que parece, «fortaleza da montanha». Tal vocábulo não figura no Antigo Testamento, mas tem um destacado papel na história de Israel, durante o declínio da dinastia hasmoneana. Revestiu-se de importância a partir de cerca de 42 A.C.

1. Descrição

Massada era uma fortaleza natural, na parte

oriental do deserto da Judéia, perto das margens ocidentais de Qumran. Trata-se de uma massa rochosa que se eleva abruptamente a cerca de 402 m de altura, acima da área circundante. Os habitantes da região atualmente chamam essa elevação de *es-Sebbe*.

2. Informes Históricos

a. De acordo com Josefo (*Guerras* 7:8,3), foi o sumo sacerdote Jônatas quem fortificou o local. Mas é provável que esteja em pauta Alexandre Janeu, um líder hasmoneano, dirigente da Judéia entre 103 e 76 A.C. As evidências arqueológicas assim afirmam.

b. Massada esteve envolvida nas lutas entre a casa de Antípater, pai de Herodes, e as forças que lhe faziam oposição. Antípater foi o vencedor, em 42 A.C., e o lugar foi fortificado por Herodes. Ver Josefo, *Guerras* 1.7,7-9; *Anti*. 14:6.

c. Herodes manteve ali os seus familiares, enquanto consolidava o seu poder. Posteriormente, quando a agitação amainou, ele fê-los mudarem-se para Samaria. Ver Josefo *Guerras* 1.13,7-9; *Anti*. 14.13,8, 9.

d. Ainda mais tarde, Herodes embelezou Massada e a fortificou mais ainda, equipando-a com torres, um palácio, cisternas e armazéns (ver Josefo, *Guerras* 1.15,1,3,4).

e. Depois da morte de Herodes, quando Arquelau foi exilado, Massada tornou-se o quartel de uma guarnição romana.

f. Quando Israel deu início à luta de independência contra os romanos, a fortaleza foi capturada por um grupo de zelotes (ver Josefo, *Guerras*, 2.17,2). As armas ali foram tomadas, foram distribuídas entre os judeus combatentes (ver Josefo, *Guerras* 2.17,8).

g. No decorrer da guerra contra os romanos, Massada resistiu por mais tempo do que qualquer outro lugar. Mas, dois anos após a queda de Jerusalém, essa fortaleza foi reconquistada pelos romanos, embora somente por meio de um ataque maciço, e com o melhor equipamento de que o exército romano dispunha (ver Josefo, *Guerras* 7.8,5). Esse ataque perdurou por sete meses. Houve suicídio em massa entre os judeus, a fim de que não se tornassem prisioneiros dos romanos. Quando finalmente, os romanos entraram na fortaleza, só encontraram sete sobreviventes, duas mulheres e cinco crianças. Todos os defensores tinham cometido suicídio, após terem incendiado os seus pertences (ver Josefo, *Guerras* 9.1,2).

h. Desde aquela data, o local foi abandonado até os tempos modernos, exceto durante um breve período nos séculos V e VI D.C., quando uma pequena comunidade de monges ocupou o local.

3. Escavações Arqueológicas

Essas escavações começaram intensamente em 1963. Os trabalhos ficaram sob a direção do professor Y. Yadin, sob os auspícios da Universidade Hebréia. Foram, então, descobertos os palácios de Herodes, armazéns, fortificações, inúmeros artefatos, vários edifícios, itens ornamentais, instalações domésticas e equipamentos, móveis, uma sinagoga, banhos rituais, etc. Além disso, até hoje podem ser percebidos indícios do cerco romano no local.

Ostracos e Manuscritos. Várias centenas de ostracos, com inscrições em hebraico e aramaico, além de ostracos com inscrições em grego e latim, e rolos bíblicos, com porções dos livros de Gênesis, Levítico, Deuteronômio, Ezequiel e Salmos, além de algum material apócrifo, como Eclesiástico, um fragmento do livro de Jubileus e uma obra intitulada *Sacrifícios Celestes do Sábado*, do tipo de obra escrita em Qumran, foram encontrados pelos escavadores. Os eruditos têm ficado impressionados diante da similaridade desse material com aqueles escritos encontrados no mar Morto, chamados manuscritos do mar Morto, e chegam a supor que houve alguma intercomunicação entre as duas comunidades judaicas. AH(1965) YAD(1965) YDA(1966) Z

MASSEBAH

Esse é um termo usado pelos arqueólogos, para indicar uma *coluna sagrada*, um monumento de pedra erigido como memorial, ou, em alguns casos, algum objeto de adoração idólatra. Ver Gên. 35:20; Êxo. 23:24; 34:13 e Lev. 26:1.

MASSORA (MASSORAH); Texto Massorético

Ver o artigo geral sobre os *Manuscritos do Antigo Testamento*. Nesse artigo inclui-se a história geral dos massoretas, bem como a padronização do texto do Antigo Testamento hebraico, que eles produziram.

Massora (*Massorah*). Não há certeza quanto ao significado dessa palavra hebraica. Mas parece que reflete o hebraico *msr*, «transmitir». Os massoretas eram os escribas e mestres cujo piedoso intuito era o de preservar inalterado o texto da Bíblia hebraica. Eles criaram o texto com os pontos vocálicos, visto que, originalmente, o hebraico era escrito apenas com as letras consoantes. Eles também anotaram o texto sagrado, nas margens dos rolos e nos fins das seções escritas. Quase todas as suas notas eram de natureza lingüística ou ortográfica. Não havia muita exegese. Eles preocupavam-se com a enumeração das ocorrências das palavras hebraicas e desenvolveram um complexo sistema de ligações entre textos e palavras que fomentou a *bibliolatria* (vide). Até mesmo letras individuais assumiam significações profundas aos olhos deles.

Tempo Envolvido. Os massoretas começaram a trabalhar em cerca de 500 D.C., e continuaram atuando até à invenção da imprensa, cerca de mil anos mais tarde. A totalidade da obra deles veio a ser conhecida como *Massora*, e o texto bíblico por eles produzido, como *texto massorético*; e eles mesmos eram os *massoretas*. O texto produzido pelos massoretas era um texto hebraico padronizado.

O descobrimento dos manuscritos do mar Morto ilustrou várias coisas: 1. a exatidão geral do texto massorético; 2. ocasionalmente, a Septuaginta (vide) preserva uma variante mais antiga (em consonância com os manuscritos ali descobertos, em distinção ao texto massorético, padronizado); 3. algumas emendas, propostas por eruditos modernos, a fim de eliminar certos erros do texto massorético, concordam com os manuscritos do mar Morto; 4. havia um texto hebraico pré-massorético, embora, na maioria dos livros do Antigo Testamento, a porcentagem de diferença não seja grande; 5. a Bíblia hebraica foi preservada com muito maior cuidado, o que explica um menor número de variantes, do que se dá com o Novo Testamento grego.

MASTRO

Ver sobre *Barcos e Navios*.

No hebraico, *toren*, «poste», «mastro». Esse vocábulo é usado no Antigo Testamento somente por três vezes: Isa. 30:17; 32:23 e Eze. 27:5. Na primeira referência há menção a um mastro posto no alto de um monte; nas duas outras referências há alusão ao mastro de um navio. Para esse propósito era usado o cedro do Líbano, além de outras madeiras resistentes. O uso da palavra hebraica, em Isaías 30:17, é de natureza metafórica. Os sobreviventes do povo de Israel, depois do julgamento de Deus contra eles, tornar-se-ão tão conspícuos quanto um mastro fincado no alto de um monte. Isso subentende que haverá poucos sobreviventes, e que o julgamento divino será extremamente severo. De fato, alguns estudiosos têm calculado, com base em vários indícios, que, na perseguição final da Grande Tribulação, de cada dez israelitas, nove perecerão.

MASTURBAÇÃO

Um auto-estímulo sexual tem esse nome, sem importar se chega ou não ao orgasmo. A masturbação é um acontecimento quase universal, que começa a ser praticado quando a criança descobre que certas áreas de seu corpo produzem prazer ao serem manipuladas. É uma prática quase universal entre os adultos, mormente quando lhes falta uma maneira normal e regular de alívio sexual.

Há algum tempo atrás, os médicos condenavam a prática como algo prejudicial e mesmo associado a desvios mentais. Talvez a medicina tenha chegado a tal conclusão devido à circunstância de que alguns pacientes mentais praticam a masturbação quase obsessivamente, sentindo pouca vergonha. Mas, diante de melhores estudos, as autoridades médicas vieram a reconhecer que esse é apenas um sintoma de alguns desequilíbrios mentais, e não causa dos mesmos. Atualmente, médica e cientificamente, a prática não é considerada prejudicial, a menos que provoque ansiedades ou depressões que podem resultar de sonhos acordados e fantasias nunca realizadas, ou no estado de solidão associado a essas fantasias.

Religiosamente falando, a prática tem sido condenada como uma atividade sexual desnatural. Visto que alguns teólogos pensam que o único propósito legítimo das atividades sexuais é a procriação, por isso mesmo condenam a masturbação. Porém, se há erro na masturbação, esse erro não se deve a isso. Por isso mesmo, outros teólogos têm abandonado essa posição, nada achando de errado com esse tipo de atividade, se a mesma não se torna uma obsessão. Todavia, os teólogos conservadores pensam que se trata de um pequeno desvio sexual, enquadrado em passagens como Gál. 5:19, onde se lê sobre «...lascívia...»

MATÃ

No hebraico, «presente». Esse foi o nome de duas personagens que figuram nas páginas do Antigo Testamento:

1. Um sacerdote de Baal atendia por esse nome. Ele foi morto por Joiada, diante do altar de Baal (ver II Reis 11:18 e II Crô. 23:17). Parece que ele acompanhou a rainha Atalia, desde Samaria. Viveu em torno de 836 A.C.

2. O pai de Sefatias, um príncipe, que esteve entre aqueles que perseguiram ao profeta Jeremias e foi um dos agentes de sua detenção e aprisionamento (ver Jer. 38:1). A principal acusação era a de traição, visto que Jeremias referia-se à inutilidade da resistência dos israelitas contra os babilônios que avançavam, a menos que se arrependessem e renovassem os seus votos com Yahweh. Esse Matã viveu em cerca de 588 A.C.

3. No hebraico, «presente de Yahweh», filho de Eleazar e pai de Jacó. Este último foi o pai de José, marido da Virgem Maria. Ver Mat. 1:15. Viveu antes de 40 A.C. Alguns têm-no identificado com o *Matate* de Luc. 3:24,27.

MATANÃ

No hebraico, «presente». Esse era o nome do qüinquagésimo terceiro lugar onde os israelitas acamparam, depois de terem saído do Egito, sob a liderança de Moisés. Ficava na parte norte do ribeiro do Arnom (ver Núm. 21:18,19). Fazia parte do território de Seom, rei dos amorreus. O livro de Números informa-nos que a localidade ficava entre Beer e o riacho de Naaliel. A localização exata atual, porém, é desconhecida, embora tenha sido tentativamente identificada com Khirbet el-Medeiyineh, que fica cerca de dezoito quilômetros a nordeste de Dibom.

MATANIAS

No hebraico, «presente de Yahweh». Um grande número de pessoas, referidas no Antigo Testamento, tem esse nome:

1. Um levita, filho de Hemã, cabeça do nono turno dos músicos, que servia no templo de Jerusalém, na época de Davi (ver I Crô. 25:4,16). Viveu em torno de 1014 A.C.

2. Um levita, descendente de Asafe, assistente de Ezequias, quando este purificou o templo e impôs várias reformas religiosas (ver II Crô. 29:13). Viveu em cerca de 726 A.C.

3. O nome original do rei Zedequias. Quando Nabucodonosor o pôs sobre o trono de Judá, em lugar de seu sobrinho, Joaquim (ver II Reis 24:17), deu-lhe esse novo nome.

4. Um levita, descendente de Asafe e bisavô de Zacarias (Nee. 12:35). Ele participou do grupo dos músicos que atuou quando da dedicação das muralhas de Jerusalém, que foram reconstruídas pelo remanescente judeu que voltou do cativeiro babilônico. Ele aparece como filho de Mica (Nee. 11:17) ou Micaías (Nee. 12:35). Ele viveu em torno de 446 A.C.

5. Um levita, filho de Mica, descendente de Asafe, que morava em Jerusalém (I Crô. 9:16; Nee. 12:17; 12:8,25,35). Alguns eruditos identificam-no com o mesmo Matanias acima (número 4). Os trechos de Nee. 11:17; 12:8,25,35 ajuntam que ele era líder do coro do templo de Jerusalém.

6. Um levita, pai de Zacur (ver Nee. 13:13). Alguns têm-no identificado com o quarto (e quinto) Matanias dessa lista, pelo que os números quatro, cinco e seis talvez se refiram à mesma pessoa.

7,8,9 e 10. Um grupo de quatro homens com esse nome, aqui agrupados devido às idênticas circunstâncias em que são mencionados. Esses homens estiveram entre aqueles que precisaram divorciar-se de suas esposas estrangeiras, após ter retornado do cativeiro babilônico e renovado o pacto com Yahweh. Isso foi feito tendo em vista restabelecer Israel como uma nação separada e impedir sua perda de identidade, parcialmente causada por casamentos mistos. Esses homens eram, respectivamente, filhos (talvez residentes) de Elão (Esc. 10:37), de Zatu Esd. 10:27), de Paate-Moabe (Esd. 10:30) e de Bani (Esd. 10:37). Eles viveram por volta de 459 A.C.

11. O pai de Jeiel, antepassado de Jaaziel, o levita, que predisse a derrota dos moabitas por Josafá (II Crô. 20:14). Alguns têm-no identificado com o primeiro Matanias desta lista.

MATATÃ

No hebraico, «presente de Yahweh». A forma do nome, em hebraico, é *Mattathah*. Há dois homens com esse nome, nas páginas da Bíblia:

1. Um antepassado do Senhor Jesus (ver Luc. 3:31).

2. Um homem que se casou com uma esposa estrangeira, durante a época do cativeiro babilônico, e precisou divorciar-se dela posteriormente, ao voltar a Jerusalém. Ver Esd. 10:33 e também I Esdras 9:33.

MATATE

Dois dos ancestrais masculinos do Senhor Jesus são assim chamados, de acordo com a genealogia de Luc. 3:24,27.

MATATIAS

No hebraico, «presente de Yahweh». Podemos alistar sete indivíduos com esse nome:

1. O filho de Amós e pai de José, que aparecem na genealogia de Jesus, em Luc. 3:25.

2. O filho de Semei, também alistado na genealogia de Jesus, em Luc. 3:26. Alguns eruditos crêem que esse nome foi interpolado aqui, com base no primeiro homem desse nome (vs. 25), estando em pauta apenas um indivíduo, e não dois. Nas passagens paralelas do Antigo Testamento não aparecem esses nomes.

3. Esse era o nome do sacerdote que foi genitor da famosa linha dos Macabeus. Seus cinco filhos conduziram a luta dos judeus contra seus dominadores selêucidas. A história é contada, nesta enciclopédia, no artigo chamado *Hasmoneanos*, outro nome dos Macabeus. Matatias era da casa de Joiaribe (I Crô. 24:7). Ele começou a revolta contra Antíoco IV Epifânio em Modein, a oeste de Jerusalém. Antíoco estava resolvido a helenizar aos judeus. Assim, aboliu os seus sacrifícios levíticos, levantou altares pagãos, incluindo um em honra a Zeus, no próprio templo de Jerusalém, e mandou executar qualquer um que resistisse e tentasse ensinar a lei. Ver I Macabeus 2:1,14,16,19,24,27,39,45,49; 14:49. Matatias teve a coragem de resistir a essas medidas governamentais e matou ao judeu apóstata que se apresentara voluntariamente para cumprir as ordens de Antíoco, juntamente com o oficial grego encarregado. Então, teve início uma guerra de guerrilhas que foi rapidamente adquirindo aderentes. Chegaram mesmo a combater em dia de sábado. Matatias morreu depois de apenas um ano de luta, mas seus filhos levaram avante a luta. Sua morte ocorreu em 168 A.C., e ele morreu com a incrível idade de cento e quarenta e seis anos. Ele é lembrado nas orações especiais de Hanukkah, como um grande patriota judeu e um notável líder religioso.

4. Um capitão das forças armadas dos Macabeus, filho de Absalão. Ele guerreou contra Demétrio, que foi o sucessor de Antíoco. Ajudou Jônatas a obter uma difícil vitória, na planície de Hazor (I Macabeus 11:70).

5. O nome de um dos três enviados de Nicanor (um general de Antíoco IV Epifânio), na tentativa de entrar em acordo com Judas Macabeu, em 161 A.C. Ver II Macabeus 14:17-19.

6. O terceiro e mais novo dos filhos de Simão Macabeu, o que o fez tornar-se conhecido como Matatias II. Foi assassinado, junto com seu pai e seus irmãos, por seu cunhado Ptolomeu, em Jericó, em cerca de 135 A.C. Ver I Macabeus 16:14-16.

7. O último dos notáveis Macabeus se chamava Matatias. Destarte, houve o curioso fato histórico de que o primeiro e o último estágios da guerra pela independência dos judeus, do domínio estrangeiro, estiveram associados a homems com esse nome.

MATENAI

No hebraico, «liberal». Provavelmente trata-se de uma contração de *Matanias* (vide). Houve três homens com esse nome, nas páginas do Antigo Testamento, a saber:

1. Um sacerdote da casa de Joiaribe, que serviu nos dias de Joiaquim, rei de Judá (Nee. 12:19). Ele viveu em cerca de 500 A.C.

2. Um homem que era filho ou cidadão de Hasum (Esd. 10:33). Ele casara-se com uma mulher estrangeira, ao tempo do cativeiro babilônico, e precisou divorciar-se dela quando o remanescente de Judá voltou a Jerusalém. Ele também é mencionado em I Esd. 9:33. Viveu em torno de 456 A.C.

3. Um filho ou cidadão de Bani, que compartilhou das mesmas circunstâncias descritas no segundo ponto, acima. Ver Esd. 10:37. Viveu em torno de 456 A.C.

MATERIA (LATIM); MATÉRIA

Esboço:

I. Caracterização Geral
II. Usos da Palavra Matéria
III. Avaliação

I. Caracterização Geral

Ao que parece, essa palavra deriva-se do termo latino *mater*, «mãe», indicando a fonte ou origem das coisas, aquilo *de que* tudo se origina. Os filósofos latinos usavam essa palavra para traduzir o vocábulo grego *húle*. Quiçá os filósofos que desenvolveram a idéia do *hilozoísmo* (vide) pensavam na matéria como algo vivo, dotada de algum tipo de existência ou elemento psíquico. Nesse caso, essa noção tinha por finalidade apoiar o conceito do pampsiquismo (vide). Em caso contrário, temos ali um materialismo onde os objetos aparecem como formados por partículas em movimento, mas sem qualquer percepção e totalmente mortas, excetuando algum tipo de energia ou movimento mecânico que, na realidade não podemos entender.

Aristóteles fazia a diferença entre *primeira matéria* e *segunda matéria*. A primeira é *potencialidade* universal, que pode transformar-se em algo se vier a desenvolver-se de conformidade com a *forma*. E a segunda é algo que se concretizou, partindo de uma potencialidade, matéria bruta que assumiu alguma forma ou realização. Assim a madeira (primeira matéria) pode tornar-se em uma embarcação (segunda matéria). Ver o artigo sobre *Substância*, onde essas idéias são melhor desdobradas.

A palavra moderna *matéria*, naturalmente, é tradução da antiga palavra latina, *materia*. Os filósofos e cientistas continuam a debater sobre o que tal vocábulo queria dizer para os romanos. A teoria atômica continua a desenvolver-se, pelo que continua parcial. Há quem insista em que o próprio átomo é apenas uma manifestação de energias psíquicas, e que a energia psíquica é uma manifestação da Mente. Nesse caso, a matéria não seria o constituinte formador da natureza, mas apenas um *modus operandi* da mesma. Os teólogos, por sua vez, empurram a idéia da Mente até à sua origem, e falam sobre a *Mente Divina*. Aquele que pensa que a matéria é a base de tudo é um *materialista*. Aquele que pensa que a mente é a base, e que os átomos são os resultados, é um *idealista*.

II. Usos da Palavra Matéria

1. *No Sentido materialista*, o átomo e seus movimentos explicariam tudo. A realidade são os átomos em movimento, não havendo outro elemento mais básico (ou radicalmente diferente) na natureza. A natureza, pois, é um *monismo*, e não um *dualismo*. Quanto a esse sentido da palavra, ver o artigo detalhado chamado *Materialismo*.

2. *Na lógica*, matéria é o conteúdo de uma proposição.

3. *Em Aristóteles*, matéria é potencialidade indeterminada, que inclui sua matéria bruta, mas que também inclui a potencialidade de desenvolver-se, e, talvez, um elemento não material seja o instrumento dessa concretização. Para concretizar-se, a matéria requer forma, e o processo requer a operação de quatro causas diferentes. Ver o artigo sobre *Aristóteles*, quanto a detalhes desses conceitos.

4. *O ponto de vista fenomenal*, como em Protágoras, diz que a matéria é a somatória de suas aparências, para qualquer e para todos os observadores.

5. *Em Platão*, as formas eternas manifestam-se dentro do arcabouço do espaço-tempo, e esse arcabouço, em contraste com as formas eternas, consiste na matéria.

6. *No budismo*, como também em outras religiões orientais, a matéria é ilusória, nem ao menos participa da realidade.

7. *Em Plotino* (ver o neoplatonismo), o Logos divino emana de si mesmo, e as suas emanações mais distantes, que se acham em trevas quase totais, são justamente aquilo que chamamos de matéria. Faz parte do divino, embora muito distanciada dele. Naturalmente, essa é uma noção panteísta.

8. *No dualismo*, a matéria tanto é real quanto é não espiritual, sendo uma realidade inferior àquilo que é não material (pelo menos conforme a maioria dos dualistas nos explicaria).

9. Para alguns filósofos, a matéria é o *princípio da individualização*. Em outras palavras, podemos ter um indivíduo em formação, primeiramente a espécie a que ele pertence, e, então, o membro individual dessa espécie, sem apelo a qualquer outro princípio. Mas Avicebron, Tomás de Aquino e Duns Scotus argumentavam que a potencialidade da matéria bruta não pode explicar a individualização. Para isso, precisamos apelar para alguma espécie de princípio espiritual. Duns Scotus cunhou o termo *haecceitas*, «estismo», a fim de explicar a individualização. Essa função ultrapassa à capacidade da simples matéria.

10. *Guilherme de Ockham* antecipou o conceito moderno (materialista) da matéria, ao referir-se à matéria como um corpo com porções espacialmente distinguíveis.

11. *Paracelso* falava sobre a *matéria última*, com o que entendia o *ilimitado*, uma espécie de fundo de existência de onde emergiriam todas as coisas.

12. *Telesio* falava sobre a matéria em termos daquilo que tem extensão no espaço e que pode ser observado. Isso se aproxima de certas noções modernas (materialistas).

13. *Descartes* aceitava essa idéia, identificando a matéria com *res extensa* (a coisa estendida), embora também concebesse — outra realidade —, não material.

14. *Leibniz*, em contraste, identificava a *coisa individual* como uma unidade de *força*, e não algo meramente estendido. De acordo com a sua definição, a matéria espaço-tempo seria um derivado da realidade e não a sua própria substância.

15. *Kant* aludia à matéria como um *conteúdo sensório* ou qualidade, em distinção às formas de nossa sensibilidade, ou categorias de nossa compreensão.

16. *Boyle* postulava a teoria corpuscular da matéria, que operaria dentro de um sistema mecânico, não precisando de qualquer impulso externo por parte de espíritos, deuses, etc., a fim de existir e funcionar.

17. *João Locke* afirmava que experimentamos qualidades, quando entramos em contato com a chamada matéria; mas, por baixo disso haveria uma *substância*, que, segundo ele dizia, «é algo que desconheço».

18. *Berkeley* fazia da matéria um epifenômeno da mente, e não algo que existe por seus próprios méritos. O mundo, assim sendo, seria um jogo de idéias.

19. *Holbach* asseverava que as principais qualidades das coisas seriam as qualidades da matéria.

20. *John Stuart Mill* referia-se à matéria como o fenômeno da experiência, a possibilidade permanente das sensações.

21. *A teoria do duplo aspecto*. A substância da realidade seria uma espécie de estofo neutro que, se desenvolvido de certa maneira (ou considerado por certo ângulo) é um objeto material, mas se desenvolvido ou considerado de outro ângulo é uma realidade mental. Essa idéia também tem o nome de *monismo neutro*, e chegou a ser defendido por James (que posteriormente tornou-se um pensador dualista) e por Bertrand Russell.

22. *Santayana* acreditava que a matéria é a substância básica da qual todas as outras coisas são derivadas, incluindo essência, espírito e verdade.

III. Avaliação

Conforme é fácil de ver, o termo *matéria* nunca foi definido para satisfação de todos os pensadores. O que se vê são muitas idéias, freqüentemente conflitantes. O materialismo moderno tem-se mostrado inadequado para definir a matéria, não tendo podido apresentar razões convincentes para mostrar que a matéria é a *única* realidade, ou mesmo a *principal* manifestação da realidade.

«A história do pensamento não produziu somente um conceito da matéria, mas antes, uma família numerosa e ainda em crescimento, de conceitos inter-relacionados» (F).

No artigo intitulado *Materialismo*, abordamos mais profundamente esse assunto, considerando algumas de suas implicações.

MATERIALISMO

Esboço:

I. Caracterização Geral
II. Definições Básicas
III. Idéias de Vários Filósofos
IV. Crítica

I. Caracterização Geral

1. *Vários Problemas*. Ver o artigo intitulado *Materia* (*Latim*); *Matéria*. Tal como na definição de *matéria*, assim também se dá com a definição de *materialismo*: em vez de contarmos com alguma definição específica e adequada desse termo, dispomos antes de um grande número de descrições. Porém, por seu resultado líquido, sabemos que está sendo dito algo contrário ao espírito. Certos filósofos

afirmam que a única coisa que existe é a matéria, e que a mesma depende da nossa capacidade de detecção pelos sentidos, ou por instrumentos que aprimoram a nossa percepção. Porém, os místicos recebem imagens visuais que eles interpretam como não-materiais. Ademais, dizem que a matéria é apenas átomos em movimento, dotada de propriedades como extensão no espaço, peso e várias qualidades, mas, quando examinamos as coisas, descobrimos que não é fácil definir qualquer desses termos. Torna-se, então, questão de fé acreditar em algo que *ninguém* pode, realmente, *definir*, mas que, apesar disso, *é a totalidade* da realidade. Além disso, vemo-nos a braços com dificuldades ao tentar fazer distinções relevantes entre existência, ocorrência, ser e realidade. Acresça-se a isso que as religiões orientais aumentaram ainda mais a confusão ao afirmarem que a matéria é ilusória, nada sendo, ao passo que a idéia emerge de uma realidade espiritual que é o *real*. Descartes asseverava que existe aquilo que é uma substância espiritual, sem extensão, pensante, mental, dando-nos margem para crer na mente, na alma, no espírito, nos anjos, no Ser divino, etc. Mas os materialistas negam que possa existir qualquer coisa sem extensão (porquanto essa seria a qualidade básica da realidade e da matéria), mas, quando eles tentam definir essa extensão, não apresentam argumentos convincentes. E mesmo que eles pudessem apresentar-nos um argumento bem alinhavado acerca da existência exclusiva da *matéria*, não haveria razão para aceitarmos tal argumento como uma plena e infalível descrição da realidade. Por sua parte, os místicos têm apresentado alguns argumentos bastante convincentes quanto à existência de uma *outra realidade*, e é mister investigar todas as possibilidades.

2. *Fontes do Conhecimento*. Consideremos isto: Por que motivo as fontes do conhecimento e das informações deveriam ser limitadas aos sentidos físicos? Existem maneiras racionais, analíticas, intuitivas e místicas de obtenção de conhecimentos, e essas maneiras parecem capazes de detectar uma realidade que não está sujeita à percepção dos sentidos. Isso posto, o materialismo parece ser uma teoria que depende de restrições específicas, auto-impostas, o que, por sua vez, alicerça-se sobre uma crença no que seja a realidade. Preconceitos envolvidos nesse processo transparecem pelo modo como certos filósofos, a despeito de fortes evidências em favor da alma, anseiam por encontrar qualquer tipo de explicação, por mais inadequada que seja, a fim de explanar as evidências colhidas pela parapsicologia e pelos cientistas que estão trabalhando com experiências de quase-morte. Ver o artigo *Experiências Perto da Morte*, bem como aquele outro, *Imortalidade*, onde mostramos que a própria ciência de nossos dias está descobrindo evidências que favorecem a existência do espírito e de um dualismo: espírito e matéria.

3. *A Navalha de Ockham*. Apesar de nos sentirmos tentados a aplicar a navalha de Ockham (vide), dizendo que deveríamos dar a resposta mais simples a questão, sem complicar as coisas com o problema dualista do corpo-mente, mesmo assim, não há nenhuma explicação simples para a matéria. A *consciência* é um profundo problema, e os materialistas nunca foram capazes de fornecer uma resposta coerente e convincente sobre a questão da consciência, sem especularem quanto a alguma substância pensante que vá além de átomos em movimento.

Sistemas materialistas, como o do *marxismo* (vide), pretendem fazer crer que a matéria morta não é mecânica apenas, mas que, *de algum modo*, tem inteligência, passando pelo processo da *tese*, *antítese* e *síntese*, sempre melhorando em suas qualidades. Isso, porém, soa muito mais como a *mente*. Se alguém insistir em que a matéria, por sua própria natureza, age desse modo, então, cumprir-nos-á indagar *como* é que a matéria *morta* pode abrigar essas qualidades, tão convenientemente. Essas qualidades se parecem muito mais com as qualidades da mente, mas que os materialistas, erroneamente, aplicam à matéria.

4. *O Problema Corpo-Mente*. Damos um artigo separado sobre esse assunto. Ao examinarmos o que sucede em qualquer suposto intercâmbio entre a mente e o corpo, averiguamos que é mister explicar como o cérebro inicia qualquer processo que termina em uma reação física. Consideremos o suor nas mãos. Se eu vir um leão na floresta, ficarei com medo, e minhas mãos começarão a suar. E será um grande feito explicar cientificamente o que estará acontecendo. O processo aparentemente começa no hipotálamo, de onde desce através do sistema nervoso, de maneira admiravelmente complicada, até chegar às glândulas sudoríparas das mãos. Porém, a pergunta que se impõe é: Como tudo começou? Se a resposta for que a própria percepção dos sentidos causa tal fenômeno, por meio de algum tipo de força mecânica, então, poderemos anular facilmente tal noção, supondo que um homem esteja em sua sala de estar, em sua cadeira de balanço, e que caia no sono e *sonhe* que se encontra com um leão na floresta. Suas mãos também ficarão suadas, embora sem nenhum leão e sem nenhuma percepção física. O que provocou tal fenômeno? Uma *idéia*, e não uma percepção sensorial. E assim, se voltarmos à ilustração original, então poderemos dizer que, mesmo no caso de um leão real, a idéia é o verdadeiro ponto de partida do processo. Não é quando vejo o leão que me assusta e faz o suor brotar dos poros de minhas mãos, mas é a minha *avaliação* do perigo em que estou que faz todo o truque. Avalio uma percepção, e isso envolve o pensamento, e esse pensamento é uma idéia e não uma percepção física. Isso posto, mesmo quando vejo um leão real, o que faz aquele processo começar no meu hipotálamo é o meu *pensamento* acerca do leão.

5. *A Medicina Psicossomática*. Os místicos afirmam que o homem possui um corpo espiritual, que acompanha o corpo físico e é um outro veículo da alma. Esse corpo é sensível diante de tudo quanto pensamos ou fazemos. Meus maus pensamentos e minhas más ações podem fazer aparecer *lesões* nesse corpo. Aqueles que usam a *fotografia kirliana* (vide) asseveram que essas manchas e defeitos podem se percebidos nesse tipo de fotografia. Além disso, os místicos garantem que esses defeitos podem ser e realmente são transferidos para o corpo físico. Assim sendo, das idéias procedem enfermidades. Não que as doenças tenham *somente* essa origem. Não obstante, algumas enfermidades começam com uma idéia imaterial e terminam no corpo físico. Se isso é verdade, então, é óbvio por que motivo o pensamento exerce tão grande influência sobre a saúde do corpo físico, tanto para causar enfermidades quanto para curá-las. Apesar dessas teorias ainda terem de ser confirmadas, há consideráveis evidências em seu favor, inteiramente à parte da mensagem que os místicos nos dão acerca do presumível *modus operandi* dessa questão. Muitos médicos reconhecem—independentemente de quaisquer teorias metafísicas—que os pensamentos podem beneficiar ou prejudicar ao corpo físico do indivíduo.

II. Definições Básicas

Materialismo. Consideremos as citações abaixo:

«A doutrina de que os fatos da experiência podem

ser todos explicados mediante referência à realidade, às atividades e às leis da física ou da substância material» (WA).

«A teoria que diz que o universo, em sua totalidade, incluindo toda vida e mente, pode ser reduzido e explicado em termos de matéria em movimento. Isso pode ser aplicado, igualmente, aos sistemas que, embora considerem que a consciência não pode ser reduzida a termos de energia física, ainda assim consideram-na dependente da matéria quanto à sua existência, e pensam que seus processos só podem ser explicados quando correlacionados aos processos fisiológicos, estando assim sujeitos às leis que governam o movimento e a energia físicos» (MM). A segunda parte dessa definição pode ser ilustrada pelo pensamento de Aristóteles, que concebeu a substância «alma» distinta do corpo, embora capaz de sobreviver à morte do corpo, não dependendo do mesmo quanto à sua existência, portanto.

«O materialismo é aquela doutrina filosófica que diz que as únicas coisas que existem são substâncias materiais. Os fenômenos mentais, a consciência, as sensações e os sentimentos são explicados como modificações da substância material—sem a introdução de substâncias mentais ou espirituais distintivas» (C).

Naturalismo. Esse é apenas um outro nome para a forma mais radical de materialismo. Todas as coisas são constituídas de matéria, e nada existe que não seja apenas átomos em movimento. O que existe é a matéria. O que sucede é apenas matéria em movimento. Portanto, a existência consiste nos átomos em movimento.

Naturalismo Crítico. Esse sistema procura evitar o sobrenaturalismo, afirmando que a verdade pode ser que não podemos reduzir tudo ao princípio material. Assim, temos de considerar a possibilidade da existência de coisas como a mente e alguma substância imaterial. Mas, se tal substância existe, então ela deve ser concebida como algo natural, e não sobrenatural, como parte integral do nosso próprio mundo, e não algo fora do mundo. Essa posição nega o *substancialismo*, uma idéia fundamental do problema corpo-mente. O substancialismo assevera que a alma é uma substância que não pertence à ordem natural das coisas, antes, ela teria vindo de longe, e, finalmente, volta para longe, para o mundo de luz. Segundo esse ponto de vista, o homem é um ser transcendental, embora cativo por algum tempo (principalmente por razões morais), a um corpo físico.

Materialismo Prático. Apesar de talvez existirem Deus, os espíritos, as almas, seres e acontecimentos imateriais, para os que assim pensam a única coisa que *importa* neste mundo são os eventos materiais. Até mesmo certos crentes são materialistas práticos.

III. Idéias de Vários Filósofos

Esta terceira seção provê não somente idéias, mas também uma espécie de revisão histórica do materialismo.

1. Surpreendentemente, a primeira exposição sistemática do materialismo apareceu no pensamento indiano, na escola chamada *Charvaka* (vide). Esse sistema foi desenvolvido no século VII A.C.

2. *Os atomistas gregos* do século V A.C., Leucipo e Demócrito (ver sobre *Demócrito*), desenvolveram um verdadeiro materialismo, dependente dos átomos para explicar todas as coisas e todos os acontecimentos. Encontramos ali os átomos inter-relacionando-se; seus movimentos explicariam tudo. Não se admitia qualquer realidade que fosse além dessas partículas.

3. *Epicuro* (vide) aproveitava-se dessa idéia para explicar o nosso mundo, embora também supusesse a existência de deuses e espíritos, embora estes nada tivessem a ver com nossas vidas, pelo que podiam ser ignorados em segurança. Ele se interessava pela ética, e o atomismo provia para ele uma maneira de libertar os homens do temor às divindades. Ele era um deísta. Ver o artigo sobre o *Deísmo*. Nada temos para buscar e saber, senão o que é material; e aprendemos com base na experiência, obtendo prazeres e evitando o sofrimento—no que consiste a vida humana inteira. Ver sobre o *hedonismo*. Ele viveu entre 341 e 270 A.C.

4. *Lucrécio* (vide) também assumia uma posição deísta. A queda dos átomos, com as suas *guinadas*, explicaria tudo. Ele viveu entre 99 e 55 A.C.

5. *Chang Tsai* (vide) dependia do princípio material a fim de explicar todas as coisas. Ele viveu no século XI D.C.

6. *Thomas Hobbes* (vide), no século XVII D.C., proveu-nos uma das mais completas exposições sobre o materialismo. Ele supunha que nas percepções e operações mentais estamos, na realidade, tratando com fantasmas dos sentidos (epifenomenalismo). Ver o artigo sobre ele, com sua ampla descrição sobre isso.

7. *Meslier* (vide) levou o materialismo ao século XVIII D.C., com suas descrições de um universo mecanicista.

8. *La Mettrie* (vide), também do século XVIII, descreveu um mundo materialista, essencialmente, através de seus conhecimentos de fisiologia, procurando mostrar que todas as funções humanas surgem do princípio material.

9. *Diderot* (vide) emprestou à matéria a propriedade da sensibilidade. Ele também viveu no século XVIII.

10. *Priestly* (vide) também foi um notório materialista do século XVIII.

11. *Holbach* (vide), embora fosse um materialista total, dotou a matéria com as qualidades de simpatia e antipatia, e assim promoveu um materialismo do tipo lucreciano.

12. *O século XIX*. Ver os artigos separados sobre Jacó Maleschott; Ludwig Buchner; Friedrich Lange; Ernst Haeckel. Como é óbvio, também devemos pensar em Frederico Engels e Karl Marx, os quais descrevemos com riqueza de detalhes, em artigos separados. Ver também sobre o *Marxismo*. Eles alicerçaram-se sobre certas idéias de Hegel, posto que modificando seu princípio de espírito absoluto para um princípio de matéria absoluta, e levando essa substância material aos atos inteligentes de tese, antítese e síntese, como seu *modus operandi*. Isso nos leva ao *materialismo dialético*. Tenho explicado a questão nos artigos sobre aqueles homens. Ver também sobre a *Dialética*.

13. *Buchner* (vide) acreditava que a realidade é material, e que ela manifesta-se através de força e matéria, que seriam aspectos de uma mesma coisa.

14. *Duhring* (vide), mui curiosamente, expôs um ponto de vista não dialético do materialismo, usando-o para atacar tanto Engels quanto Marx. Ele acreditava que o trabalhador está interessado, primariamente, no *capital*, pelo que o capitalismo deveria ser encorajado e refinado, e não eliminado. Essa seria a radiosa esperança dos trabalhadores.

15. *Hagerstrom* (vide), já no século XX, desenvolveu o que ele chamava de *materialismo iluminado*, o que significa, essencialmente, a eliminação do interesse metafísico da filosofia.

16. *E.B. Holt* (vide), do século XX, alicerçou o seu behaviorismo sobre a teoria materialista.

17. *Montague* (vide), do século XX, desenvolveu o *materialismo animista*. Com essa teoria, ele propunha-se a resolver o problema corpo-mente. Ele falava em uma alma material, atribuindo à matéria um aspecto psíquico limitado.

18. *Charles Broad* (vide), também do século XX, acreditava que novas propriedades podem surgir, quando as circunstâncias assim o permitem e encorajam, e denominava sua teoria de *materialismo emergente*. Cria que a consciência é gerada por um conjunto apropriado de fatores físicos. E também acreditava que as psiques, uma vez produzidas, persistem indefinidamente após a morte física. E isso significa que ele postulou a existência de uma alma real, mas material, como parte de seus conceitos filosóficos. Assim, o mais elevado produto da evolução seria essa alma imortal.

19. *John Dewey* (vide) e *Santayana* (vide), ambos do século XX, chamavam sua forma de materialismo de *naturalismo*. Ver o artigo com esse nome, quanto a detalhes.

20. O *positivismo lógico* (vide), criação do século XX, nega que possamos formar qualquer teoria metafísica válida. Logo, o materialismo e o idealismo não fazem assertivas significativas se pretenderam dar-nos informações indisputáveis. Não obstante, o espírito desse movimento era materialista, ainda que, em tese, não fosse defendido qualquer conceito materialista formal. Sua ênfase sobre o método científico, com sua exigência de meios testáveis com vistas à verificação de proposições, é característica do materialismo.

21. *J.J.C. Smart* (vide) e D.M. *Armstrong*, ambos do século XX, argumentaram que todos os estados mentais, como a dor, o pensamento, as pós-imagens e os conceitos mentais são meros estados do sistema nervoso central.

IV. Crítica

1. Os materialistas, na maioria das vezes, não estão bem informados sobre os estudos científicos que mais e mais mostram a força da teoria dualista. E aqueles que estão bem informados exibem uma tendência tenaz de encontrar explicações improváveis para os fenômenos que, realmente, parecem ser não materiais. Ver os artigos intitulados *Experiências Perto da Morte; Imortalidade*; e, especialmente, *Abordagem Científica à Crença na Alma e em sua Sobrevivência Ante a Morte Biológica*. Além disso, na seção dedicada à *Imortalidade*, apresento um artigo chamado *O Mundo Não-Físico do Dr. Stromberg*, por James Crenshaw, que contém muitas informações das quais os materialistas não conseguem escapar facilmente. Afirmo aqui que a ciência está deixando para trás o materialismo, adquirindo uma visão melhor iluminada sobre a vastidão e complexidade de nosso misterioso mundo. Ver também sobre a *Parapsicologia*.

2. Muitas pessoas são materialistas em face de seus preconceitos contra a fé religiosa, o que é fácil de averiguar em seus escritos. Elas promovem uma idéia anti-religiosa e não estão meramente buscando uma melhor explicação para o mundo. O *marxismo* é um notável exemplo desse tipo de atividade. Esse ódio à fé religiosa cega tais indivíduos, até mesmo para as coisas que a ciência está descobrindo em nossos dias.

3. Embora os materialistas tenham a certeza de que a *matéria* é a base de toda a realidade, eles não podem dar uma definição adequada a respeito, e nem são capazes de explicar como os eventos mentais podem originar-se na matéria morta. E assim os homens são conclamados a terem *fé* naquilo que agora parece ser misterioso, mas que algum dia será explicado pela ciência materialista. Porém, como alguém poderia ter certeza de que a matéria é a base de tudo, visto que ninguém sabe ainda no que *consiste* a matéria? Para nossa surpresa, poderíamos descobrir que a matéria é apenas o efeito de algo mais básico, e não a causa de todos os fenômenos. Além disso, poderíamos descobrir que a matéria é apenas um aspecto ou modalidade da realidade e não a própria realidade.

4. A negação dos materialistas quanto à validade de vários meios de conhecimento, como a razão pura, a intuição e as experiências místicas, que vão além da mera percepção dos sentidos, deixa-os em uma posição embaraçosa, visto que existem excelentes evidências em comprovação desses modos obviamente não materiais de tomada de conhecimento. O materialismo, pois, simplifica e distorce a epistemologia, a fim de garantir que nenhuma evidência venha a derrubar a sua visão monista, materialista. E quando as evidências se tornam óbvias demais para serem negadas, então são promovidas teorias alternativas, embora improváveis. Penso que, nos artigos acima referidos, damos ampla demonstração dessa assertiva.

5. *Magnificando o Parcial para Explicar o Todo*. É perfeitamente evidente (apesar do idealismo e das religiões orientais) que a matéria existe, explicando em parte o nosso mundo. Porém, o materialismo cai no erro de magnificar uma realidade que é apenas *uma parte* da realidade, a fim de tentar explicar *toda* a existência. Porém, a existência é mais misteriosa do que essa teoria simplificada permite. Outrossim, somos convidados a ter fé de que a teoria parcial do materialismo pode explicar, finalmente, a totalidade das coisas. No entanto, as religiões é que pedem aos homens que tenham fé. O materialismo, pois, magnifica uma verdade parcial na tentativa de explicar a verdade total.

6. O materialismo ignora o conhecimento acumulado das experiências religiosas e místicas. Os materialistas têm pouco interesse pelos eventos místicos, e ainda menor experiência com os mesmos. Eles se mostram totalmente ignorantes a respeito dessas realidades, e preferem permanecer nessa ignorância. Ver o artigo geral sobre o *Misticismo*. Ver também o artigo sobre *Satya Sai Baba*, um místico moderno, que está deixando os cientistas atônitos. Há realidade profunda nessas coisas, mas que o materialismo precisa ignorar, se quiser continuar a existir.

7. *Conhece-te a Ti Mesmo*. Há mais coisas neste mundo que o materialismo jamais sonhou. Há uma certa perversidade da mente humana que leva o homem a querer deixar de existir por ocasião da morte biológica. Pessoalmente, creio que o solo onde o materialismo medra é a rebeldia espiritual. O materialismo reduz o ser humano a um animal que pensa, embora não forneça qualquer explicação adequada sobre como um objeto material pode pensar. E, visto que o homem é um intelecto, que usa seu corpo material como um veículo, o materialismo reduz o homem ao seu veículo físico. Como é óbvio, isso significa que o materialismo nega o próprio homem, visto que não reconhece a sua verdadeira natureza. Isso posto, o materialismo é uma filosofia anti-humanista. Sócrates recomendava: «Conhece-te a ti mesmo!» É desse conhecimento que se deriva a sabedoria. O materialismo, entretanto, recomenda: «Nega a ti mesmo!» Conhecerei a mim mesmo se eu souber que o meu verdadeiro «eu» sobrevive à morte biológica e está sujeito à lei divina, se eu souber que há um destino espiritual envolvido em minha vida, se eu souber que há um desígnio que permeia a tudo, se eu souber que há até mesmo a participação na

natureza divina, que me cumpre conquistar, se eu souber que há uma grande companhia de seres espirituais, que são meus irmãos, que, comigo, compartilham de um grande destino. A própria ciência moderna está mostrando como podemos conhecermo-nos melhor. Todavia, o materialismo continua a dizer: «Não te conheças a ti mesmo!» Um dos grandes absurdos que temos contemplado, nesta nossa época, é que grandes segmentos da Igreja cristã têm preferido confiar nas palavras de Karl Marx, em vez de confiar nas palavras do Cristo eterno, e, assim sendo, estão promovendo uma sociologia marxista, em vez da teologia cristã. Destarte, uma parte da Igreja organizada tem deixado de conhecer a si mesma.

8. *Princípios Éticos*. É claro que tem havido grandes humanitários que também seguiam o materialismo. Pessoalmente, creio que qualquer ser humano, no nível do subconsciente, sabe da realidade de Deus, do espírito e da alma, e, afinal de contas, é o nível subconsciente que nos faz ser aquilo que somos. Isso posto, talvez seja verdade que não existe um — verdadeiro ateu —. Além disso, não existe tal coisa como um homem que não tenha conhecimento sobre o seu próprio verdadeiro «eu», e nele acredite, no nível subconsciente. É dali que emanam os verdadeiros princípios éticos, e todo indivíduo materialista está sujeito a essa fonte de sabedoria, mesmo que o faça com relutância. Contudo, em termos práticos, os materialistas deixam de lado as grandes motivações para a conduta correta, como a esperança no futuro eterno, a responsabilidade diante de Deus, e certas qualidades da alma, como sabedoria, desígnio e propósito. A maioria dos materialistas tem o hedonismo como sua teoria ética. O que é material, o dinheiro e os prazeres são importantíssimos fatores para os materialistas. O marxismo nada oferece ao homem exceto uma vida melhor neste momento, além de uma vaga utopia materialista e mundana para um futuro nebuloso. Porém, a morte vem e põe fim a tudo isso imediatamente. Talvez seja divertido discutir sobre o ateísmo em torno de uma mesa de debates filosóficos. Porém, quando chega a hora de um homem morrer, ele precisa de algo melhor do que isso. Talvez seja divertido alguém sentar-se à mesa com um círculo de pensadores, para discutir como fazer a sociedade prosperar, mas, chegada a hora da morte, a sua alma anela por Deus e pela felicidade eterna.

Bibliografia. AM C E F EP MM WA

MATERIALISMO DIALÉTICO

Essa é a filosofia que presume saber como o processo histórico deve desenrolar-se (determinismo), mediante uma série de tríadas (tese, antítese e síntese), — e por meio da qual, o comunismo (que vide) chega à síntese final da experiência humana, segundo afirma. O materialismo dialético foi desenvolvido por Karl Marx e Friedrich Engels (ver o artigos) e foi adotado pela União Soviética e outros países de regime socialista como uma espécie de filosofia oficial. Marx formulou a teoria combinando a idéia de que o universo é meramente material com o processo dialético de Hegel, que ele usava a fim de explicar os atos do Espírito absoluto. Marx asseverava que são econômicas as várias tríadas onde se faz presente o fator econômico. A luta por causa das riquezas materiais tem dado origem a toda a luta de classes, revoluções e mudanças sociais. E esse processo haverá de prosseguir, até que o mundo chegue ao comunismo, o que, presumivelmente, poria fim aos conflitos. No entanto, em nossos dias vemos o espetáculo de nações comunistas lutando contra outras nações comunistas, da mesma maneira que as monarquias, bem como todos os demais tipos de governo, têm feito no passado. Também estamos sendo surpreendidos pelo fato de que os comunistas ortodoxos estão se liberalizando, aplicando métodos capitalistas para aprimorar os seus sistemas econômicos, porquanto, em última análise, as pessoas trabalham melhor e produzem mais quando há um forte elemento de auto-interesse envolvido na questão.

De acordo com a mitologia comunista, os nobres selvagens viviam em meio a uma utopia comunista. Porém, os homens criaram uma antítese, escravizando a outros seres humanos. Essa antítese teria sido parcialmente resolvida dentro do sistema feudal, que deixava no domínio a grandes chefes, mas eliminava a escravidão crassa. Uma nova antítese foi o capitalismo, que promete uma maior afluência econômica, para um maior número de pessoas, do que o feudalismo imaginava ser possível. Porém, no capitalismo houve muitos abusos por parte dos ricos e poderosos contra as classes humildes, pelo que o socialismo teve de tornar-se ainda uma terceira antítese. Portanto, agora restam o capitalismo (a tese), o socialismo (a antítese) e o comunismo (a síntese final proposta). Porém, o que realmente está sucedendo é muito diferente do que diz essa teoria. Atualmente o capitalismo tornou-se uma nova tese, opondo-se ao comunismo, e forçando-o a tornar-se um comunismo-capitalista, um sistema que funciona melhor e produz muito mais do que o comunismo. Nos anos 1985 a 1986, A China, que antes combativa em prol do comunismo ortodoxo, proclamou que a teoria comunista não é capaz de resolver os vastos problemas chineses. Em conseqüência, a China tem procurado ativamente aplicar a tecnologia ocidental e as idéias capitalistas do Ocidente, na tentativa de fazer funcionar melhor o seu sistema social e político.

Do ponto de vista ético e espiritual, parece ser radicalmente errado que o homem busque exclusivamente pelo pão material. Jesus ensinou-nos que um homem não pode viver somente de pão (Mat. 4:4). O espírito humano (que existe!) anela por Deus e pelas realidades espirituais, o que ultrapassa totalmente as questões econômicas, por mais importantes que sejam essas questões.

MATERNIDADE

Até mesmo nas sociedades antigas, onde a situação da mulher era a de um ser inferiorizado, o conceito de maternidade era exaltado. O termo ***maternidade*** inclui as seguintes idéias:

1. O processo biológico mediante o qual um filho nasce.

2. O suprimento das necessidades físicas da criança que nasceu.

3. Idealmente, as apropriadas instruções morais e espirituais de que uma criança carece. Do ponto de vista cristão, nenhuma mãe merece esse nome se negligenciar o bem-estar espiritual de seus filhos, sem importar quão diligentemente ela estiver cuidando de suas necessidades materiais. Essa tarefa materna deve incluir a instrução no lar e na Igreja. E, acima de tudo, deve escudar-se sobre a força do ***bom exemplo***. Três coisas uma mãe deve a seus filhos: bom exemplo, bom exemplo, bom exemplo. O profeta persa Baha Ullah afirmou que a pior coisa que um pai pode fazer é possuir conhecimento espiritual mas não transmiti-lo a seu filho. Certamente a mesma coisa pode ser dita

no tocante às mães!

4. Algumas mães exercem grande influência sobre outras pessoas, especialmente sobre as crianças, quando se tornam instrutoras espirituais, como diaconisas de alguma igreja local, ou quando, de algum outro modo, têm uma maior esfera de influência sobre seus semelhantes do que as mães comuns. Essas mulheres, pois, tornam-se mães espirituais de outras pessoas, embora, biologicamente falando, essas outras pessoas não sejam seus filhos. É correto incluir essa idéia na questão da maternidade.

5. Reconhece-se universalmente que as mães, mais ainda que os pais, exercem poderosa influência na formação dos processos mentais, dos ideais, dos valores morais e espirituais, das expectações e dos esforços de um filho.

Problemas Especiais:

A mulher moderna, supostamente emancipada, por muitas vezes é forçada a passar menos tempo com seus filhos do que sucedia nas gerações anteriores. Isso as mulheres estão fazendo por livre escolha ou premidas pela necessidade financeira. Os psicólogos, por sua parte, salientam que essas circunstâncias não são necessariamente prejudiciais aos filhos dessas mães, contanto que essa falta de cuidado maternal não chegue às raias do absurdo. Talvez seja bom para a mulher ocupar-se em outras atividades, além de seus deveres domésticos, porque isso evita um apego excessivo, uma imposição desmedida de sua própria vontade, uma superproteção materna que pode debilitar a própria capacidade de decisão de uma criança, tornando-a incapaz de defender-se diante de um mundo hostil. O problema torna-se premente quando a mulher, forçada pelas circunstâncias (ou por sua própria compulsão), exagera quanto a isso, e deixa a tarefa de criar os próprios filhos ao encargo de outras pessoas, ou dentre seus próprios familiares, ou, pior ainda, babás e escolas ou creches.

Oportunidade Ímpar:

As mães têm uma oportunidade inigualável de se envolverem no desenvolvimento de uma criança superior, intelectual e espiritualmente. De fato, para as mães não há causa mais nobre do que essa. Todos os demais motivos que são usados por muitas mães como desculpas para elas se manterem longe de seus lares e de seus filhos, empalidecem diante dessa grande causa.

MATEUS (PESSOA)

Mateus, também conhecido por Levi (ver Mar. 2:14 e Luc. 5:27), foi um dos apóstolos originais do Senhor Jesus. Aceita-se que ele tenha sido o autor do evangelho de Mateus. Quanto a uma discussão sobre a controvérsia que circunda a questão se ele foi ou não o autor desse evangelho (que é anônimo), ver o artigo sobre *Mateus*, primeira seção. Ver também o artigo geral sobre os *Apóstolos*.

Esboço:

I. Caracterização Geral
II. Nome e Família
III. Informes Dados pelo Novo Testamento
IV. Tradições a Respeito

I. Caracterização Geral

Mateus, apóstolo de Jesus, santo da Igreja, autor tradicional do evangelho que leva seu nome, aparece em sétimo lugar nas listas dos discípulos especiais de Cristo, em Marcos e Lucas, e oitavo na lista de Mateus e no livro de Atos. O trecho de Mat. 10:3 designa-o um *publicano*, um «cobrador de impostos». Os historiadores bíblicos acreditam que ele fora funcionário do tetrarca Herodes Ântipas e trabalhara perto de Cafarnaum, provavelmente, no posto fronteiriço da estrada que começava no Egito, passava pela Palestina, e seguia até Damasco, Síria.

Os publicanos eram desprezados pelo público em geral, por causa de seus exageros na cobrança de impostos e avareza. Em Mar. 2:14 e Luc. 5:27, ele é chamado de *Levi*, ao que se ajunta, «filho de Alfeu». Visto que Mateus e Tiago, filho de Alfeu, aparecem juntos na lista de Mateus, alguns eruditos têm suposto que a designação «o publicano» foi erroneamente vinculada a Mateus. E visto que tanto Mateus quanto Levi são nomes semíticos (e visto que uma mesma pessoa ter ambas as designações de origem semítica não era comum, o comum era uma pessoa ter um nome semítico, e outro não semítico), alguns estudiosos têm pensado que estão em foco duas pessoas diferentes, e que o relato bíblico sobre Mateus está com defeito, portanto. Por outro lado, é possível que seu nome pessoal fosse *Mateus Levi*, ou, então, *Mateus, o Levita*, o que explicaria toda a dúvida.

As referências a esse Mateus, como autor do primeiro evangelho, repousam sobre citações duvidosas. Papias, que nos fornece tal informação, poderia estar-se referindo à fonte desse evangelho, e não ao próprio evangelho, visto que ele disse que o mesmo fora escrito em hebraico (aramaico). Porém, no primeiro evangelho não há qualquer indício de que não tivesse tido um original grego. Quanto aos diversos aspectos dessa controvérsia, ver o artigo sobre *Evangelho*, primeira seção. Devemo-nos lembrar que era comum a prática antiga das pessoas escreverem livros em nome de outrem, ou como um tributo a esse alguém, ou no esforço de obter melhor autoridade e circulação para a obra produzida. Teria sido apenas natural, pois, para os cristãos terem vinculado a esse evangelho o nome de Mateus, mesmo que ele não tivesse sido seu autor real. Mas, se ele foi o autor de uma das fontes informativas do mesmo, como *Q*, o material de ensino, ou *M* (material distintivo do primeiro evangelho), então a designação teria sido encorajada por essa circunstância. O fato é que todos os quatro evangelhos são anônimos, e que os nomes dos apóstolos vieram a ser ligados a eles mediante um processo posterior.

Seja como for, o evangelho que tem o seu nome, tornou-se um dos documentos imortais da Igreja cristã. Existe aquela estranha circunstância que tão pouca coisa se sabe acerca dos doze apóstolos originais de Jesus, ao ponto que até mesmo alguns de seus nomes são postos em dúvida, como é o caso de Mateus. Os autores sagrados dos evangelhos não eram historiadores no sentido moderno, e nem estavam interessados por questões que interessam os historiadores modernos. As tradições (ver a seção quarta), por sua vez, tentaram tapar os espaços em branco.

Agora é dificílimo determinar quanto material genuíno foi adicionado mediante essa atividade.

II. Nome e Família

Mateus é uma contração de Matatias, que, no hebraico, significa «presente de Yahweh», e era um nome comum nos tempos do Antigo Testamento. Ele também era conhecido como *Levi*, provavelmente por ter algo com os levitas, em cujo grupo a sua família, ao que parece, pertencia. Também aparece como «filho de Alfeu». Não se sabe dizer se esse Alfeu é o mesmo homem que foi o pai de Tiago, o Menor. A maioria dos estudiosos opina que dois homens estão em vista. O evangelho apócrifo de Pedro afirma que

Levi era filho de Alfeu, mas é provável que isso não represente um testemunho independente.

O nome de Mateus aparece nas listas dos apóstolos de Jesus em quatro passagens: Mat. 10:3; Mar. 3:18; Luc. 6:15 e Atos 1:13.

III. Informes Dados pelo Novo Testamento

Não há muitas informações sobre Mateus, mas podemos frisar as seguintes:

1. Ele aparece em todas as quatro listas de apóstolos, segundo mostramos acima, na segunda seção.

2. Sua residência ficava em Cafarnaum, onde exercera o cargo de cobrador de impostos, ou de «publicano». Ao ser chamado por Jesus, abandonou tudo e passou a segui-Lo (ver Mat. 9:9; Mar. 2:14; Luc. 5:27,28).

3. Pouco mais tarde, ofereceu um banquete a Jesus. Muitos publicanos, colegas de Mateus, fizeram-se presentes ao encontro. Ver Mat. 9:10; Mar. 2:12; Luc. 5:29. Provavelmente era uma despedida de Mateus a seus ex-colegas. Os evangelhos de Mateus e Marcos não deixam claro na casa de quem houve esse banquete; mas o trecho de Luc. 5:29 afirma claramente que o mesmo teve lugar na casa de Levi. É essencialmente, com base nessa pequena informação que a identificação entre Levi e Mateus é defendida.

4. Depois disso, Mateus não é mais mencionado, exceto na relação dos apóstolos, nos evangelhos, e em Atos 1:13. Ele continuava com Jesus. Ao que tudo indica, recebeu poderes apostólicos de milagres e sinais. Esteve no cenáculo, em Jerusalém, após a ascensão de Jesus (Atos 1:13), e, ao que tudo indica, era um dos esteios da Igreja primitiva.

IV. Tradições a Respeito

Ao que se presume, Mateus trabalhou no evangelho em lugares tão diversos quanto a Judéia (Eustácio H.E. 3.24), o Egito, a Etiópia (*Socrates Scholasticus*, H.E. 1:19) e a Pártia. A Igreja ocidental alista-o entre os mártires. Há uma tradição antiga, registrada por Papias, que o identifica como o autor do evangelho que tem o seu nome, mas isso é um ponto controvertido, conforme se dá com todas as informações tradicionais.

Bibliografia. AM E FA. Ver outros itens bibliográficos no artigo intitulado *Mateus* (*Evangelho*).

MATEUS, EVANGELHO DE

Esboço:

Ernesto Renan chamava o evangelho de Mateus de *«o mais importante livro que jamais foi escrito»* (citado em «The New Testament as Literature», Buckner B. Trawick, pág. 37). E.F. Scott disse, «O evangelho de Mateus tem sido aceito, em todos os tempos, como narrativa autoritária da vida de Cristo, o documento fundamental da religião cristã» (The *Literature of the New Testament*, pág. 65). Pelos meados do século II D.C., era o mais usado dos evangelhos, evidenciado pelo fato de que escritores cristãos desse século citam-no mais que qualquer outro evangelho. — Ireneu, *Contra Heresias*, nos livros III e IV, cita mais de Mateus do que dos demais evangelhos combinados. Esse evangelho nunca perdeu sua popularidade, e apesar de alguém dizer que gosta deste ou daquele evangelho, é provável que quanto ao uso real, Mateus seja o mais constantemente empregado. «Grupos tão radicalmente diferentes um do outro como os católicos romanos e os cientistas cristãos, apelam para Mateus como apoio para suas doutrinas particulares — os primeiros por causa da honra feita ao apóstolo Pedro, e os últimos porque esse evangelho apresenta os milagres em uma forma que tende mais por inspirar a confiança». (Indrodução a Mateus, Sherman E. Johnson, *Interpreter's Bible* pág. 231). Mateus parece ter sido o primeiro evangelho universalmente aceito pela igreja como autoritário, e em pé de igualdade com o A.T. Provavelmente sua aceitação começou em Antioquia, um dos primeiros centros principais da igreja antiga. Embora Marcos se baseasse sobre a autoridade da igreja de Roma, Mateus ultrapassou até mesmo àquele, e a despeito do fato de que o livro de Marcos foi escrito considerável tempo antes. E isso porque o evangelho de Mateus é muito mais completo como apresentação tanto das obras quanto das palavras de Cristo.

Por diversas razões, parece que o evangelho de Mateus obteve ascendência sobre os demais no princípio, a saber:

1. O arranjo de seu material, por tópicos, e não necessariamente de modo cronológico, tornou-se um manual apropriado para *instrução*.

2. Considerando todos os fatores, contém a mais completa narrativa, tanto das obras, como dos ensinamentos de Jesus.

3. Reflete o ponto de vista mais *universal*.

4. É o mais *eclesiástico* entre os evangelhos, procurando enfrentar e solucionar *problemas* da igreja, e não meramente narrar a história da vida e dos ensinamentos de Cristo.

I. Autoria e Confirmação Antiga

Quanto à *canonicidade*, o evangelho de Mateus é igual a qualquer outro livro do N.T., já que o *cânon* não foi formado senão a partir do século II D.C. E por essa altura, não menos que qualquer outro livro, já havia obtido larga aceitação no seio da igreja. Portanto, os primeiros pronunciamentos canônicos já o incluem. Ver o artigo separado sobre *Cânon*. Este artigo explica como os livros neotestamentários, nos primeiros cânones, a saber, os quatro evangelhos e dez das epístolas paulinas, diferem na confirmação do período pré-canônico, o que, para Mateus, seria um período de mais de cinqüenta anos. A popularidade do evangelho de Mateus, pelos meados do século II D.C., mostra-nos que era conhecido e usado, provavelmente, logo depois de sua composição, embora não existam citações indiscutíveis do mesmo senão já dentro do período canônico. Sua autoria e autoridade apostólicas, conforme se supõe, contam com as seguintes confirmações antigas:

1. *Papias*, conforme é citado ou referido por Eusébio, História Eclesiástica III. 39. Papias viveu em cerca de 130 D.C. e foi discípulo ou do apóstolo João ou do presbítero João, da Ásia Menor. Eusébio, evidentemente alude ao primeiro. Embora o próprio Eusébio se tenha queixado de como Papias misturava fatos com rumores, outros parecem ter tido mais

ΒΙΒΛΟΣΓΕΝΕΣΕΩΣΙΥ ΧΥ ΥΙΟΥ [illegible]
ΥΙΟΥΑΒΡΑΑΜ ΑΒΡΑΑΜΕΓΕ[illegible]
ΙΣΑΑΚ ΙΣΑΑΚΔΕΕΓΕΝΝΗΣΕ[illegible]
ΚΩΒ ΙΑΚΩΒΔΕΕΓΕΝΝΗΣΕ[illegible]
ΚΑΙΤΟΥΣΑΔΕΛΦΟΥΣΑΥΤΟ[illegible]
ΕΓΕΝΝΗΣΕΝΤΟΝΦΑΡΕΣ ΚΑΙ [illegible]
ΕΚΤΗΣΘΑΜΑΡ ΦΑΡΕΣΔΕΕΓΕΝΝΗ[illegible]
ΤΟΝΕΖΡΩΜ ΕΖΡΩΜΔΕΕΓΕΝΝΗΣΕΝ[illegible]
ΑΡΑΜ ΑΡΑΜΔΕΕΓΕΝΝΗΣΕΝΤ[illegible]
ΔΑΒ ΑΜΙΝΑΔΑΒΔΕΕΓΕΝΝΗΣΕΝ[illegible]
ΝΑΑΣΣΩΝ ΝΑΑΣΣΩΝΔΕΕΓΕΝΝΗΣΕ[illegible]
ΤΟΝΣΑΛΜΩΝ ΣΑΛΜΩΝΔΕΕΓΕΝΝΗ[illegible]
ΤΟΝΒΟΟΖ ΕΚΤΗΣΡΑΧΑΒ ΒΟΟΖΔΕΕΓΕ
ΝΝΗΣΕΝΤΟΝΙΩΒΗΔ ΕΚΤΗΣΡΟΥΘ [illegible]
ΔΕΕΓΕΝΝΗΣΕΝΤΟΝΙΕΣΣΑΙ [illegible]
ΕΓΕΝΝΗΣΕΝΤΟΝΔΑΥΕΙΔ ΤΟΝΒΑΣΙΛΕΑ
ΔΑΥΕΙΔ ΔΕΟΒΑΣΙΛΕΥΣΕΓΕΝΝΗΣΕΝΤΟΝ
ΣΟΛΟΜΩΝΤΑ ΕΚΤΗΣΤΟΥΟΥΡΙΟΥ ΣΟΛΟ
ΜΩΝΔΕΕΓΕΝΝΗΣΕΝΤΟΝΡΟΒΟΑΜ
ΡΟΒΟΑΜΔΕΕΓΕΝΝΗΣΕΝΤΟΝΑΒΙΑ ΑΒΙ
ΑΔΕΕΓΕΝΝΗΣΕΝΤΟΝΑΣΑ ΑΣΑΔΕΕΓΕ
ΝΝΗΣΕΝΤΟΝΙΩΣΑΦΑΤ ΙΩΣΑΦΑΤ[illegible]
ΕΓΕΝΝΗΣΕΝΤΟΝΙΩΡΑΜ ΙΩΡΑΜΔΕΕΓΕΝ
ΝΗΣΕΝΤΟΝΟΖΕΙΑΝ ΟΖΕΙΑΣΔΕΕΓΕΝΝΗ
ΣΕΝΤΟΝΙΩΑΘΑΜ ΙΩΑΘΑΜΔΕΕΓΕΝΝΗ
ΣΕΝΤΟΝΑΧΑΖ ΑΧΑΖΔΕΕΓΕΝΝΗΣΕΝ
ΤΟΝΕΖΕΚΙΑΝ ΕΖΕΚΙΑΣΔΕΕΓΕΝΝΗΣΕΝ
ΤΟΝΜΑΝΑΣΣΗ ΜΑΝΑΣΣΗΣΔΕΕΓΕΝΝΗ
ΣΕΝΤΟΝΑΜΩΝ ΑΜΩΝΔΕΕΓΕΝΝΗΣΕΝ
ΤΟΝΙΩΣΙΑΝ ΙΩΣΙΑΣΔΕΕΓΕΝΝΗΣΕΝΤΟ

Codex W, séc. V, primeira página do Evangelho de Mateus. Cortesia, Smithsonian Institution, Freer Gallery of Art, Washington, D.C.

Εἰπέ μοι τὰ τέσσαρα εὐαγγέλια ποῦ ἐγρά-
φησαν· καὶ τίς ὁ γράψας· καὶ εἰς τίνος αὐτῶν τύ-
πυ ἐγένοντο:
τὸ κατὰ Ματθαῖον ἐγράφη ἐν τῇ ἀνατολῇ ὑ-
πὸ Ματθαίου ἑβραϊκοῖς γράμμασιν καὶ
διαλέκτῳ ἀντίτυπον ἐν ὁμοιώματι ἀνθ(ρώπου)
τῶν χερουβίμ·
τὸ κατὰ Μάρκον ἐγράφη ἐν τῇ Ῥώμῃ ὑπὸ Μάρ-
κου ἐν ὁμοιώματι μόσχου·
τὸ κατὰ Λουκᾶν ἐπιτρέψαντος τοῦ ἁγίου
Πέτρου· ἐγράφη εἰς ὁμοίωμα λέοντος:
τὸ κατὰ Ἰωάννην ἐγράφη ὑπὸ Ἰωάννου
ἐν τῇ Πάτμῳ τῇ ἐν Κύπρου· εἰς ὁμοίωμα ἀε-
τοῦ· ἐπὶ Τραϊανοῦ τοῦ βασιλέως· ἐπα-
νελθόντος δὲ αὐτοῦ ἐν τῇ Ἀσίᾳ ἔγραψε
τὴν δεκάλογον·

[illegible]
[illegible]
[illegible]
[illegible]
[illegible]

Códex 1219, Século X, página de introdução aos Evangelhos, — Cortesia, Mosteiro de Santa Catarina, Mt. Sinai confiança nele, e devemos levar a sério o que ele declara, embora não sem qualquer investigação. Papias, de acordo com algumas interpretações, identificou esse evangelho como de Mateus, apóstolo do Senhor; mas a declaração dele de que foi escrito em *hebraico*, no caso de alguns indica que sua alusão não era ao próprio evangelho, e, sim, às suas fontes informativas ou «oráculos», que talvez possam ser identificados com «Q». (Ver o artigo sobre o *Problema Sinóptico*, quanto a uma completa discussão sobre essa e outras fontes informativas desses evangelhos, isto é, Mateus, Marcos e Lucas).

2. *Irineu*, III.I.1 (130 D.C.), conforme é citado por Eusébio, em *História Eclesiástica* v.8.2. Ele também fala sobre o fato de que esse evangelho foi escrito originalmente em *hebraico*, pelo que as mesmas observações feitas sobre Papias, no tocante à «identificação» do evangelho, se aplicam aqui. Poucos eruditos modernos pensam que Mateus teve um original hebraico, como se o mesmo fosse apenas uma «tradução» para o grego. Por essa razão, a maioria deles pensa que aqueles antigos personagens se referem a alguma outra obra, talvez incorporada no evangelho de Mateus, mas não ao próprio evangelho de Mateus, conforme o conhecemos hoje em dia.

3. *Orígenes*, conforme é citado por Eusébio, em *História Eclesiástica* VI 25, diz que esse evangelho é de autoria do apóstolo Mateus, conferindo-lhe natureza autoritária.

4. *Eusébio*, em *História Eclesiástica* III.24.6 e V. 10,3, aceita o testemunho antigo, conforme se mostra acima, e põe seu selo de aprovação sobre o evangelho de Mateus, como composição do apóstolo desse nome. Naturalmente, por esse tempo, era assim que se manuseava universalmente esse evangelho: mas sua época (340 D.C.) foi muito tardia para permitir-nos considerar seu testemunho como dotado de qualquer valor independente.

Por conseguinte, desde o começo, e universalmente, tem-se julgado que esse evangelho foi escrito por Mateus, o publicano que era chamado Levi, conforme se vê no evangelho de Marcos, tendo aquele vindo a tornar-se um dos apóstolos de Jesus. O testemunho, conforme é descrito acima, após o tempo de Eusébio, passou a ser universalmente aceito. Assim é que Jerônimo, o mais sábio das autoridades eclesiásticas (400 D.C.) ensinou tal coisa, aliando-se a Agostinho (400 D.C.), o mais notável dos primeiros teólogos cristãos.

A maioria dos eruditos modernos, porém, reputa o próprio livro, em sua linguagem, manuseio histórico, etc., como contra o testemunho acima. A maioria supõe que Papias realmente aludiu à outra obra *Oráculos do Senhor*, escrita por Mateus em hebraico (isto é, aramaico, o idioma da Palestina na época, pois o hebraico clássico não era mais usado popularmente). Porém é possível que uma fonte principal deste evangelho tenha sido esses oráculos. Alguns eruditos identificam esses *oráculos* (pelo menos parcialmente) com *Q*, o que representa os ensinamentos de Cristo. Se estas idéias expressam a verdade, então podemos continuar a chamar este evangelho *de Mateus*, porquanto, de modo real, repousa sob a autoridade apostólica *de Mateus:*

Evidências em Prol da Autoria de Mateus:

1. A *tradição antiga*, que acabamos de descrever.

2. Alguns acham que a *referência*, em Mat. 10:3, ao «publicano», é um sinal do autor do livro. Presumivelmente o autor, Mateus, o cobrador de impostos, chamou-se tal por humildade já que sua profissão era mui desprezada naqueles dias, porquanto, inevitavelmente, estava misturada à fraude, à ganância e à violência.

3. A *alusão*, neste evangelho, ao começo do discipulado de Mateus, presumivelmente é outro sinal de sua humildade, conforme foi fraseada. Mat. 9:9 meramente menciona o simples fato de que Mateus, ao ser chamado por Jesus, levantou-se e passou a segui-lo. Mas o trecho de Luc. 5:28 adorna isso, dizendo que ele «deixou tudo», ao assim fazer. Tal argumento, entretanto, é anulado pela observação de que a narrativa de Marcos é como a de Mateus, e que provavelmente foi apenas copiada neste evangelho, conforme se achava em suas fontes (ver Mar. 2:14).

4. Nas listas dos apóstolos, supõe-se que Mateus, propositalmente, punha o *seu nome após* o de Tomé (10:3), ao passo que em outras listas o seu nome figura antes do de Tomé, presumivelmente outro sinal da humildade do autor sagrado (ver Mar. 3:18 e Luc. 6:15).

Segundo se observa, os argumentos expostos, particularmente os *internos*, quase não convencem. O fato é que esse evangelho é anônimo, pois seu autor não é identificado. Sem importar o que creiamos sobre sua autoria, pois, isso deve repousar sobre a tradição ou opinião pessoal, e não sobre o próprio evangelho. Isso significa que a questão de sua autoria dificilmente pode servir de prova de ortodoxia, sem importar se alguém é liberal ou conservador. Corremos o perigo de —confundir a tradição — com a doutrina revelada pelo Espírito Santo.

Argumentos Contrários à Autoria de Mateus:

1. A *tradição antiga*, em prol da autoria de Mateus, sem importar a importância que pareça ter, parece aludir aos «Oráculos do Senhor» (que talvez seja o documento *Q*), e não ao que agora conhecemos como evangelho de Mateus. O próprio Jerônimo, que apóia a tradição antiga, supostamente cita Mateus (seu «evangelho aos Hebreus»), mas na realidade suas citações não são extraídas deste livro. Sem dúvida, pois, surgiu alguma forma de confusão com outros documentos.

2. Os supostos *apoios internos*, em favor da tradição acerca de Mateus, ao serem examinados, tornam-se fraquíssimos.

3. *Era comum*, nos primeiros séculos, que a apostolicidade fosse vinculada a algum escrito pela mera vinculação do nome de algum apóstolo ao mesmo. Temos cerca de cem dessas obras, isto é, escritos que trazem os nomes dos apóstolos, mas que na realidade não foram escritos por eles, seguindo as classificações normais de evangelhos, atos, epístolas e apocalipses. (Ver o artigo sobre *Livros Apócrifos*). É possível, portanto, que esse costume esteja vinculado ao evangelho de Mateus, sem importar que seu verdadeiro autor tenha sido outrem.

4. Concorda-se universalmente que Marcos foi usado como *esboço histórico* deste livro. Cerca de noventa por cento de Marcos foi incorporado em Mateus. Mas Marcos, conforme sabemos, certamente não era testemunha ocular. É difícil imaginar que Mateus, uma testemunha ocular, tenha dependido do esboço histórico de Marcos, que não foi testemunha ocular, sobretudo quando, de acordo com o testemunho de Papias, Marcos não registrou os acontecimentos — necessariamente na ordem — em que eles tiveram lugar. Uma testemunha ocular quase certamente teria composto o seu próprio esboço histórico.

5. *Pouquíssimos eruditos* reputam Mateus como tradução de um original hebraico (aramaico). Quase certamente foi originalmente escrito em grego, pelo

que não pode ser, pelo menos em sua inteireza, o livro referido por Papias, sobre cujo testemunho outros autores cristãos primitivos basearam suas opiniões. Este evangelho sempre cita a LXX (tradução grega do A.T. hebraico), e certamente isso indica que foi originalmente escrito em grego, por um autor para quem essa língua era nativa, ou, pelo menos, que era um verdadeiro bilíngüe, provavelmente desde o nascimento. Isso dificilmente poderia aplicar-se a Mateus, o publicano da Galiléia.

6. O evangelho de Mateus não foi o *único* a ser atribuído a Mateus no século II. A seita dos nazarenos possuía um evangelho que tinha esse nome, conhecido por «Evangelho segundo os Hebreus». Evidentemente, é a essa obra que Jerônimo fez referências (*de Vir. Ilus*. 3; *contra Pelag*. III.2, comentário sobre Isa. 2:2); e diversos outros dos primeiros pais da igreja, como Irineu, Hegesipo, Eusébio, fazem alusões à mesma. Sem dúvida houve algum material paralelo a este evangelho de Mateus pelo que Jerônimo, equivocadamente, julgou originalmente que as duas obras eram uma só. Teve um original *hebraico*, e esse fato, bem como o fato de que os «Oráculos» (talvez genuinamente pertencentes a Mateus) também tinham um original hebraico, pode ter provocado a idéia de que a *linguagem* e a *autoria* do evangelho de Mateus fossem referidas como «hebraica» e «de Mateus», devido à confusão com essas outras obras.

CONCLUSÃO

1. O evangelho de Mateus tem tão forte confirmação antiga e aceitação canônica quanto qualquer outro livro do N.T. Apesar do que se possa pensar sobre sua autoria, *nenhuma* dúvida é lançada sobre sua inspiração e autoridade (apostólica).

2. O evangelho de Mateus tem uma base histórica *apostólica genuína*, já que incorpora o esboço geral de Marcos. O leitor deve consultar, na introdução àquele livro, as seções que tratam de data e autoria, onde são dados argumentos razoáveis em prol da autoridade apostólica daquele escrito.

3. Embora seja *duvidoso* de que um apóstolo e testemunha ocular, como foi Mateus, usaria o esboço histórico de uma não testemunha, como foi Marcos, não é impossível que isso tenha sucedido. Se supormos que Mateus escreveu, principalmente, para nos dar as «declarações» de Jesus, não será irracional supormos que, tendo examinado o esboço de Marcos, ele tenha ficado satisfeito com o mesmo, não hesitando em usá-lo. Esse esboço histórico, podemos ainda conjecturar, foi então construído ao redor dos cinco grandes blocos de ensinos, com poucas alterações nas descrições e ordem dos eventos, para que tal esboço fosse adaptado aos mesmos. A adaptação requereu certas emendas editoriais.

4. Quanto aos *blocos de ensino*, é razoável aceitar a opinião de vários eruditos, de que devem ser identificados (pelo menos parcialmente) com os «Oráculos do Senhor», de Mateus, e que esses oráculos são uma fonte por trás do documento *Q* explicando também grande parte do documento *M*, isto é, material que se acha somente em Mateus, enquanto *Q* é aquela «fonte didática» compartilhada por Mateus e Lucas. É possível, embora não haja evidências absolutas para afirmá-lo, que o evangelho agora chamado «Mateus» obteve esse nome porque os antigos, no período pré-canônico, tiveram consciência do fato de que os ensinamentos de Jesus, reduzidos à forma escrita por Mateus, formavam a parte principal dos ensinamentos do documento agora chamado de o evangelho de *Mateus*.

5. O próprio evangelho não tem *qualquer indicação* de sua autoria, pelo que, de fato, é anônimo. Portanto, sem importar o que dissermos sobre a sua autoria, isso repousa sobre evidências vindas dos pais da igreja e da tradição eclesiástica, ou rejeição da mesma. Já que o próprio evangelho não identifica seu autor, chamá-lo «de Mateus» ou negar tal coisa, dificilmente pode ser prova de ortodoxia ou de fé cristã.

6. O *problema real*. Prezados amigos, o real problema que enfrentamos, no caso do evangelho de Mateus, não é quem foi seu autor humano, mas antes, o que fazemos com as palavras deste livro, cuja fonte, afinal, é divina. Nosso problema não é se o lemos, ou analisamos, e nem mesmo se «cremos» nele, intelectualmente falando. Nosso problema é se *praticamos* ou não os seus preceitos. Quanto do Cristo, ali descrito, tem sido infundido em meu ser? Quanto dessa natureza se tem tornado minha? Quão vital é seu ensino para mim? O evangelho de Mateus apresenta um retrato imortal do Cristo. Quão profundamente esse retrato tem penetrado em minha alma, para transformá-la segundo a imagem de Cristo?

II. Data

Se aceitarmos a idéia de que Mateus foi o autor, então torna-se provável uma data *antes* da destruição de Jerusalém (70 D.C.). O esboço histórico foi tomado por empréstimo de Marcos, pelo que este livro foi escrito após aquele evangelho ter sido composto. Marcos pode ter sido escrito tão cedo quanto 50 D.C., conforme asseveram algumas tradições, pelo que Mateus pode ter sido escrito entre 50 e 70 D.C., se Mateus foi seu autor. Há *possíveis* razões, entretanto, para atribuirmos a esse evangelho uma data entre 80 e 85 D.C.

1. Alguns eruditos, duvidando que o próprio Mateus foi o escritor, acham possível que o autor tenha sido um *editor* que incorporou várias fontes informativas. Usou, sem dúvida, Marcos como esboço histórico, e ensinos de Jesus, escritos por Mateus, e outros materiais. Sendo que ele usou uma combinação de fontes, pode ser que o autor fosse afastado por algum tempo do período apostólico, ou, possivelmente, fosse um discípulo de Mateus ou de um dos outros apóstolos.

2. O trecho de Mat. 18:15-17 *parece* refletir uma situação posterior, quando a igreja já estava organizada e buscava resolver seus problemas. De fato, do décimo sexto capítulo em diante, começamos a ver a influência de problemas eclesiásticos no livro. Isso indicaria uma data consideravelmente posterior à do evangelho de Marcos, onde tais elementos estão totalmente ausentes. Agora a igreja estava independente do judaísmo, algo que não teve lugar senão após a destruição de Jerusalém, no ano 70 D.C.

3. Os trechos de 22:7 e 24:1 e *ss*, *talvez* reflitam o conhecimento de que Jerusalém já fora destruída, o que envolveu uma espécie de reescrita da «profecia» de Jesus sobre este acontecimento. No evangelho de Marcos, a destruição de Jerusalém é uma *predição*, mas no evangelho de Mateus é *história*.

4. A *ausência total* de conhecimento ou de uso das epístolas paulinas, que entraram em maior circulação em cerca de 90 D.C., talvez indique uma data anterior a esse tempo.

5. A elevação de Pedro à alta posição de *liderança* (cap. 16) pode refletir a necessidade que a igreja teve de estabelecer *autoridade*, já que aquela de Jerusalém, o *Sinédrio*, etc., fora destruída. Isso situaria este evangelho após 70 D.C.

6. Algumas passagens, como 24:15 *ss*, podem

refletir a perseguição, durante o *reinado de Domiciano*; e os cristãos aguardavam para breve a chegada do anticristo, que muitos crentes julgavam que seria o Nero redivivo, o qual se *reencarnaria* e voltaria para outro reinado de terror. Isso faria com que Mateus tivesse sido escrito em algum ponto entre 81 e 96 D.C. (época do governo de Domiciano), mais ou menos na mesma época do livro de Apocalipse. (Ver uma discussão sobre a data daquele livro, em sua introdução; e quanto à tradição sobre o *Nero redivivo*, ver Apo. 17:10,11).

7. Este livro parece refletir uma espécie de declínio pós-apostólico na igreja, em passagens como Mat. 24:10-12.

Temos exposto os fatores essenciais, em forma de esboço, que estão ligados à data possível do livro. Esses itens formam uma *especulação* sobre o tema, mas que provavelmente é tão verdadeira quanto qualquer outra que tem sido aventada. A data do livro deve continuar em dúvida, até que algo mais convincente possa ser formulado.

III. Proveniência

Tal como no caso da data, nada de certo se pode afirmar sobre *onde* foi escrito este livro. Já que este evangelho envolve muito material judaico, alguns supõem que foi escrito em algum lugar da Palestina, mas isso não é inferência necessária, com base no conteúdo do próprio livro. A idéia mais comum é que o livro foi composto em Antioquia, um antigo centro cristão. E há alguma evidência acerca disso. Inácio, bispo de Antioquia, usava esse evangelho, acima de todos os outros; e nesse lugar, igualmente, Pedro (tal como no próprio evangelho) desfrutava de proeminência acima dos demais apóstolos. Em Antioquia e Damasco, o estáter equivalia a duas didráсmas (ver Mat. 17:24-27). A Síria era lugar bastante próximo da Palestina, possibilitando todo o *colorido judaico* mesmo que tivesse sido escrito naquele país. Naquela área era comum a adoração às estrelas, o que pode ter encorajado a narrativa sobre os magos vindos do Oriente (cap. 2), a fim de mostrar que qualquer sabedoria que os antigos tivessem das ciências, incluindo a astrologia, tinha de se inclinar ante o berço de Cristo. Naturalmente, o evangelho pode ter sido escrito em qualquer outra cidade síria, como Edessa ou Apamea, conforme alguns eruditos sugerem. Nada de certo pode ser dito acerca da proveniência do livro, mas preferimos pensar em *Antioquia*.

IV. Destino

O testemunho antigo é que o evangelho de Mateus visava sobretudo aos judeus recém-convertidos, como uma espécie de manual de instrução na fé. Assim dão a entender Irineu e outros. Mas outros supõem que seu propósito se assemelha ao do Apocalipse, isto é, consolar e fortalecer aos mártires em potencial, assegurando-lhes o caráter genuíno de Jesus como Messias. *Nesse caso*, deve estar em pauta uma audiência bem mais lata. Se o evangelho foi escrito em algum lugar da Síria, os cristãos daquele país podem ter sido os endereçados originais do livro. Mas há quem observe que esse é o mais universal dos evangelhos, pelo que nenhuma localidade particular foi endereçada. O evangelho de Mateus tem sido chamado de «manual da vida de Cristo e da teologia bíblica» (citado por Morton S. Enslin, *«Literature of the Christian Movement»*, pág. 389) e isso aponta para uma larga audiência. Se tivermos de supor alguma audiência específica, então nada mais convincente pode ser dito do que esse livro visava aos cristãos, judeus e gentios da Ásia Menor e da Síria.

V. Propósitos

1. Suas muitas citações extraídas do A.T., devem ser tanto literárias quanto polêmicas. O autor indica que o cristianismo é uma *graduação acima do judaísmo*, mas não contradição com o mesmo. Isso significa que o autor sagrado aceitava a tese de que a antiga e a nova dispensações se combinavam em Cristo e sua igreja, e que a igreja contém o «melhor do judaísmo», elevado a um nível superior.

2. Jesus é o *novo Moisés*; e seus ensinamentos são a *nova lei*, conforme se torna evidente na seção dos capítulos 5—7. Assim como Moisés exigia o respeito do povo, por ter trazido uma revelação inédita, assim sucedeu no caso de Cristo. Mas a revelação trazida por Cristo é superior à de Moisés, pelo que sua autoridade é maior. Jesus Cristo é o Messias (primeiro capítulo), é o Filho de Davi e é o Salvador. Por conseguinte, ele também é o *Rei* legítimo.

3. O evangelho foi escrito *para consolar* aos crentes perseguidos, talvez da época do imperador Domiciano, conforme vimos na seção que aborda a questão da «data».

4. O evangelho de Mateus foi escrito para *erguer uma nova autoridade*, já que Jerusalém (e, portanto, o judaísmo), fora recentemente destruída. Essa nova autoridade está centralizada em Pedro (décimo sexto capítulo), que o evangelho de João encontra no corpo conjunto dos apóstolos (João 20:19 *ss*).

5. O autor sagrado, feliz acerca do esboço histórico de Marcos, que incorporara em seu próprio livro, percebeu que havia falta de um bom esboço quanto aos ensinamentos de Jesus, e resolveu dar ao mundo cristão uma espécie de *compêndio desses ensinamentos*.

6. O conteúdo do próprio evangelho mostra o intuito de fazer um apelo a judeus e gentios igualmente, assegurando a ambos que Jesus é o Messias e Salvador. A *genealogia* e a referência freqüentemente repetida às leis e costumes judaicos, serviam de *apelo* aos judeus. A referência ao ministério de Jesus fora dos territórios judaicos (4:15,25), com a indicação de que os judeus haviam repelido a ele mesmo e à sua doutrina, o que quer dizer que sua mensagem se voltou *para os gentios* (8:11,12 e 21:43), além da Grande Comissão (28:19,20), enfatizam a universalidade do novo evangelho, apelando aos gentios.

7. O evangelho de Mateus se interessa pelas *questões escatológicas*, refletindo a crença dos cristãos primitivos de que o segundo advento de Cristo (a *«parousia»*) estava próxima, e que grande tribulação rebentaria com o aparecimento do anticristo, o que seria uma realidade para breve (ver Mat. 24).

8. O livro tenciona mostrar com o que se parece o *ideal reino dos céus*, e como Cristo deve ser o rei daquele reino (caps. 1,2,5—7,13 e 25). Essas seções também nos mostram o que se espera dos súditos desse reino celestial.

9. Esse evangelho foi escrito para satisfazer às necessidades da igreja em crescimento, pois aborda «problemas eclesiásticos» e propõe soluções (caps. 16 *ss*). Erramos quando supomos que o evangelho de Mateus, em qualquer sentido, visava aos «judeus», e não à igreja, ainda que grande parte do mesmo reflitia o período de «transição» do antigo para o novo. O discipulado cristão ideal, nos caps. 5—7, por exemplo, ensina não meramente as — regras do reino — pois na idéia do autor sagrado, a igreja representa uma concretização preliminar do próprio reino. Um evangelho que foi escrito quando o cristianismo já

existia há cerca de cinqüenta anos, dificilmente pode ser tido como um documento judaico. «A principal conseqüência da vida e da morte de Jesus frisada no evangelho de Mateus é a vinda à existência da *igreja universal* de Deus, o *novo* Israel, onde encontram abrigo todos os povos. O evangelho começa com a predição de que Jesus é o Emanuel, «Deus conosco» (Mat. 1:23) e termina com a promessa de que esse mesmo Jesus, agora Cristo ressurrecto, estará com seus discípulos, retirados dentre todas as nações, até o fim dos tempos. A nota de universalidade, que soou no começo da narrativa da manifestação de Jesus aos magos, vai reverberando na ordem com que termina o evangelho, de que os crentes fossem pelo mundo inteiro, fazendo discípulos dentre todas as nações... Visto que o caráter messiânico de Jesus se tornara pedra de tropeço para os judeus, o reino lhes seria tirado e dado a uma nação que 'produziria seus frutos' (21:42,43). Os patriarcas do novo Israel, os apóstolos, compartilhariam da vitória final do **Messias, agindo como seus co-assessores no julgamento, segundo Jesus deixa claro nas palavras registradas** em Mat. 19:28, e conforme o evangelista enfatiza ao inserir as palavras 'convosco', na declaração derivada de Marcos, inserida em Mat. 26:29». (*The New Bible Dictionary*, Eerdman's, 1962, pág. 796).

10. Este evangelho, bem como aquele escrito por Marcos, mostra-nos Jesus como poderosíssimo operador de milagres. Proporcionalmente, esse aspecto ocupa mais espaço do que aquele conferido a qualquer outro aspecto da sua vida. Os escritos rabínicos mostram que — o Messias esperado — seria *poderoso* operador de milagres. O evangelho de Mateus exibe Jesus de Nazaré como quem está qualificado para ser esse Messias, por que quem exerceu tanto poder em sua vida, quanto ele? Em quem o Espírito Santo operou tão poderosamente quanto o fez em *Jesus Cristo?*

VI. Linguagem

As palavras de Papias acerca dos *Oráculos do Senhor* de que foram escritos em *hebraico* (aramaico) (apud Eusébio, «História Eclesiástica», III.39), sem dúvida formaram a base da tradição antiga de que este evangelho foi escrito naquela língua. Vários outros, conforme se diz sob «Autoria e Confirmação Antiga», reiteraram essa tradição, a qual se tornou a posição padrão da igreja antiga, e dali, da medieval e da moderna. Jerônimo evidentemente confundiu o Evangelho aos Hebreus com o nosso Evangelho de Mateus; e ele e outros supuseram, erroneamente, que Mateus fosse tradução grega daquele. Epifânio (403 D.C.) declarou especificamente que o Mateus em grego era tradução do Evangelho aos Hebreus; mas atualmente sabemos que havia pouquíssimo material paralelo entre essas obras, e que uma não dependia da outra. Eusébio ensina-nos que Pantaeno, 200 D.C., em uma viagem pela Índia, encontrou o original do Evangelho de Mateus, trazendo-o consigo em sua volta. Esse evangelho, presumível, fora escrito em hebraico, e mui provavelmente temos nisso apenas outra alusão ao Evangelho aos Hebreus, obra inteiramente diferente, e certamente inferior.

Assim sendo, se a princípio os testemunhos em favor da idéia de ter sido originalmente escrito esse evangelho em hebraico (aramaico) são impressionantes, pequena investigação e raciocínio revertem a idéia. As citações de Jerônimo do suposto original, o Mateus em hebraico, incluem materiais que não se acham no evangelho de Mateus, de onde se deduz que houve *confusão* acerca da tradição.

Alguns eruditos pensam que a declaração de Papias, de fato foi feita acerca do Evangelho de Mateus, e não acerca dos *Oráculos*, ou então acerca do material *Q*, que veio a ser incorporado no evangelho citado. Outros supõem, entretanto, que esses *oráculos* nada foram senão «textos de prova» retrabalhados com comentários, que cristãos primitivos haviam combinado com base no A.T. E mesmo que Papias houvesse *afirmado* que o Evangelho de Mateus foi originalmente escrito em hebraico, o exame sobre o próprio documento mostra-nos que certamente ele estava equivocado. Por exemplo, Mateus exibe bem marcante *dependência verbal,* ao Evangelho de Marcos em grego. É quase impossível que isso houvesse sucedido, se Mateus tivesse sido traduzido para o grego. Outrossim, do princípio ao fim, as citações existentes no mesmo são extraídas da LXX, e não do A.T. hebraico. Naturalmente que há expressões e coloridos tipicamente semitas, tal como na maioria do N.T., até mesmo no caso daqueles livros que obviamente foram escritos originalmente em grego sobre o que não se admite disputa. É natural que quando o autor sagrado abordava questões judaicas, sendo que ele mesmo conhecia o aramaico, tanto quanto o grego, tivesse, ocasionalmente, empregado expressões idiomáticas do aramaico, transferindo-as quase literalmente para o grego.

Em contraste com os *antigos*, a maioria dos *eruditos atuais* considera que esse evangelho teve um original grego. Mateus dependeu de um original grego de Marcos, o que também sucedeu com Lucas. Alguns têm tentado confundir o fato supondo um «original duplo», uma cópia em aramaico e outra em grego, como se isso houvesse circulado desde o princípio. Mas isso é forçar a questão. Talvez o mais forte argumento contra um original aramaico seja o mero fato de que nem uma só cópia — de tal documento chegou até nós, ao passo que contamos com nada menos de 1.400 cópias gregas de Mateus. Por razões assim é que Erasmo, Beza, Calvino, Lightfoot, Weststein, Lardner, Hug, Fritzche, Credener, De Wette, Stuart, Da Gosta, Fairbairn, Roberts, Brown e, na realidade, a vasta maioria dos eruditos do século XX, têm afirmado crença no original *grego* do Evangelho de Mateus.

No tocante à qualidade do grego do livro de **Mateus, podemos dizer o seguinte: Representa** o grego *koiné* do período, com algumas expressões idiomáticas mui dispersas do aramaico, além de certa influência do «grego bíblico» da LXX. Gramaticalmente falando, é muito superior ao grego do Evangelho de Marcos, maculado de menos maneirismos que Marcos ou Lucas. Seu grego é mais suave que o de Marcos, mas menos variado e colorido do que o de Lucas. Mateus tem 95 vocábulos característicos (muito repetidos), em contraste com 151 no caso de Lucas, 41 no caso de Marcos. O autor gostava de reparar os barbarismos de Marcos, e algumas vezes deixava de lado as expressões coloquiais do mesmo. (Ver Mat. 9:2 em comparação com Mar. 2:4, *kline,* em lugar do vernáculo, *krabatos*; 12:14 — *tomar conselho*, em vez de *dar conselho*, em Mar. 3:6).

Concernente ao seu estilo, o autor sagrado mostra o hábito dos rabinos judeus contemporâneos, sobre os *arranjos aritméticos*. Assim é que ele tem grupos de três, como na genealogia (1:1-17); três tentações (4:1-11); três ilustrações da retidão (6:1-18); três mandamentos (7:7); três milagres de cura (8:1-15); três milagres de poder (8:23 –9:9); tríplice resposta à pergunta acerca do jejum (9:14-17); um tríplice «não temas» (10:26,28,31); uma tríplice repetição de «não é digno de mim» (10:37,38); três parábolas da semeadura (13:1-32); três assertivas sobre os pequeninos (18:10,14); três parábolas que advertem

(21:28—22.14); três perguntas difíceis feitas por adversários (22:15-40); três orações no Getsêmani (26:39-44); três negações de Pedro (26:69-75). Além disso, há vários grupos de sete coisas; as sete cláusulas da oração do Pai Nosso (6:9-13); sete demônios (12:45); sete parábolas (cap. 13); o perdão dado não «sete vezes», mas setenta (18:22); os sete irmãos (22:25); e os sete «ais» (cap. 23).

VII. Os Manuscritos Antigos

A maioria dos manuscritos que trazia um dos evangelhos, trazia a todos, por que as coletâneas normalmente continham seções do N.T., e não todos os livros. Assim, alguns mss continham *somente* os evangelhos, mas outros tinham Atos-Epístolas Universais, e ainda outros tinham Paulo-Hebreus, ou então o Apocalipse. Os manuscritos que traziam apenas os evangelhos eram mais numerosos que os que continham outras seções. Portanto, temos mais de 1.400 manuscritos gregos dos evangelhos, o que significa que o de Mateus, está entre os documentos antigos mais *bem confirmados*, e em muito. Alguns antigos escritos clássicos gregos e latinos dependem de alguns poucos manuscritos, e usualmente posteriores.

Papiros. No que diz respeito ao Evangelho de Mateus, temos os seguintes: Papiro 1 (Mat. 1:1-9,12,14-20,23); 19 (10:32-11:5); 21 (12:24-26,31-33); 25 (18:32-34; 19:1-3,5-7,9,10); 35 (25:12-15,20-23); 37 (16:19-52); 44 (17:1-3,6,7; 18:15-17,19; 25:8-10); 45 (20:24-32; 21:13-19; 25:41-46; 26:1-39); 53 (26:29-40); 62 (11:25-30); 64 (16:7,10,14,15,22,23, 31-33); 67 (3:9-15; 5:20-22,25-28); 70 (11:26,27; 12:4,5); 71 (19:10; 11,17,18); 73 (25:43; 26:2,3). Esses papiros datam principalmente dos séculos III e IV.

(Quanto a uma descrição completa dos papiros — e também dos manuscritos em geral do N.T. ver o artigo sobre *Manuscritos do Novo Testamento*).

Unciais. No caso do Evangelho de Mateus, temos Aleph e B, do século IV. Mas também ACD 0181 do século V; NPZ Sigma Phi do século VI. E depois desse séc., há mais de duzentos outros manuscritos unciais.

Minúsculos. Após o século IX, foram sendo grandemente multiplicados os manuscritos gregos em letras minúsculas, e o resto dos mais de 1.400 manuscritos, que não foi mencionado acima, pertence a essa forma de escrita, que equivale praticamente às nossas letras minúsculas, o que lhe justifica o nome.

Emprego dos Manuscritos na crítica textual. No artigo sobre os *Manuscritos do Novo Testamento*, o leitor, além de ter informações gerais sobre os antigos manuscritos do N.T., também torna-se conhecedor dos *princípios* pelos quais o texto sagrado vem sendo restaurado. Portanto, não se reitera aqui esse material.

Variantes abordadas na exposição do NTI deste evangelho. Há *grande* número de variantes que são assim ventiladas. Abaixo damos uma lista quase completa: 1:7 8 10 11 16 18 22 25; 2:5 11 18; 3:7 12 15 16 16; 4:10 17 23; 5:4 5 11 13 22 25 32 37 44 47; 6:4 4 5 8 8 12 13 18 15 33; 7:13 14 14 18 21 22 24 29; 8:8 9 10 11 12 13 18 21 25 25 28; 9:4 8 13 14 18 26 34 36; 10:3 4 8 23 47 42; 11:2 9 15 19; 11:17 19 23 23; 12:4 15 25 30 31 35 31-47; 13:9 13 35 40 43 45 55; 14:1 3 3 9 12 12 22 22 24 27 29 30; 15:4 6 6 14 15 26 31 36 38 39; 16:2 3 5 8 12 13 13 21; 17:10 15 20 21 22 26; 18:7 11 14 15 21 26 29 34 35; 19:3 3 4 6 9 9 10 11 16 17 19 22 24 25 29 29; 20:15 16 17 17 17 22 23 26 28 30 31; 21:4 12 29—31 32 39 44; 22:10 12 30 32 25; 23:4 7 9 13 14 19 26 37 38; 24:6 7 31 36; 25:1 13 15 16 17 41 46; 26:14 15 20 27 28 39 60 61 63 63 71; 27:2 4 5 9 10 16 17 23 24 28 29 35 38 40 42 43 46 49; 28:6 7 9 17 20.

VIII. Fontes de Informação

Ver o artigo sobre o *Problema Sinóptico*, e o leitor encontrará ali descrições mais pormenorizadas sobre as fontes informativas dos evangelhos sinópticos, Mateus, Marcos e Lucas.

É possível que várias das narrativas ou declarações do Evangelho de Mateus dependam de um único relato, ou do relato de algumas poucas pessoas, e nesse caso, naturalmente, é nos impossível saber qualquer coisa definida sobre as fontes. Porém, no caso dos *grandes blocos* de material, pode-se dizer algo significativo. Nenhuma reivindicação se faz de que a discussão abaixo, que é mero exemplar do que se acha no artigo sobre o *Problema Sinóptico*, representa, de modo perfeito, as fontes informativas do Evangelho de Mateus. Também admitimos que nem todos os estudiosos concordam quanto a esses princípios. Não obstante, supomos que o que é dito abaixo é «significativo» e *útil*, mesmo que não seja totalmente exato.

Apegamo-nos à teoria de que houve uma fonte *M*, outra *Q*, e que Marcos serviu de base histórica. Isso se aproxima da verdade dos fatos, embora imperfeitamente.

••• ••• •••

Fonte Q
45-50 D.C.
Mateus e Lucas têm algum material em comum, ausente em Marcos, principalmente, «ensinos» de Jesus. Supomos, pois, que houve uma fonte que ambos usaram. Estão envolvidos 250 versículos.

Evangelho de Mateus
50-55 D.C.
Marcos contribui com cerca de 600 versículos para Mateus, naquilo que é essencialmente o seu esboço histórico.

Evangelho de Mateus
cerca de 85 D.C.

Fonte M
Tradição da igreja de Antioquia da Síria, que incorporou quiçá algum material da igreja da Judéia. Essa fonte encerra cerca de 300 vss.

Cada uma dessas propostas fontes informativas principais é explanada com detalhes no artigo sobre o *Problema Sinóptico*. Ali também se oferece uma discussão sobre as fontes informativas do Evangelho de Marcos, as quais são, essencialmente: 1. as narrativas de Pedro, testemunha ocular, formando suas *memórias*; 2. as tradições orais e escritas da igreja de Roma; 3. várias outras tradições orais e escritas, algumas das quais de outros apóstolos e testemunhas oculares, que não estavam diretamente vinculadas à igreja de Roma.

IX. Conteúdo

O evangelho de Mateus é *tópico*, e não *cronológico*. Isso significa que o interesse do autor era expor seu material arranjado por assuntos, e não segundo a ordem cronológica dos acontecimentos. Essa é uma das razões por que se torna difícil a sua harmonia com Marcos e Lucas, porquanto Lucas segue de perto a ordem cronológica de Marcos, com poucas exceções, mas Mateus rearranja muitos eventos. O artigo sobre Lucas poder ser visto como evidência a esse respeito.

O material didático de Mateus está essencialmente arranjado em cinco grandes blocos, e os acontecimentos históricos estão arranjados em torno dessas seções. Esse evangelho reuniu *tipos* específicos de material em blocos. Assim, o que aparece junto em Mateus, até mesmo quando tem paralelos em Lucas, é espalhado neste último por muitos capítulos, pois são ocorrências sob circunstâncias diferentes, historicamente falando. Quanto a evidências a esse respeito, ver o manuseio diferente sobre o material tradicionalmente intitulado *Sermão da Montanha*, comentado nas notas introdutórias ao quinto capítulo de Mateus no NTI. No que concerne a esse sermão, Lucas conta com apenas 30 de seus 107 versículos, conforme é demonstrado no quadro abaixo, que mostra como eles estão ali dispersos:

MATEUS	LUCAS
5:13	14:34
5:18	16:17
5:25,26	12:58
5:32	16:18
6:9-13	11:2-4
6:22,23	11:34-36
6:24	16:13
6:25	12:22,23
6:26,34	12:24-31
7:7-11	11:9-13
7:13	13:24
7:22,23	13:25-27

Isso foi salientado aqui para mostrar que a *cronologia* não é elemento muito importante para o autor sagrado. Ele reuniu declarações feitas em muitas ocasiões diferentes e as agrupou segundo os *tipos*, ignorando em muitos lugares o que pode ter sido seu pano de fundo cronológico e histórico.

1. Os Cinco Grandes Discursos:

a. *Sermão da Montanha*. Conforme é dito acima, não pensamos que tudo isso tenha sido dito em um único sermão. Antes, trata-se de um compêndio de ensinamentos. Figura em Mat. 5—7. Seu propósito é dar a interpretação de Cristo sobre a lei. Aqui temos o novo Sinai (o monte), a nova lei e o novo Moisés (Jesus Cristo). Essa é a lei do novo Israel, a prefiguração do verdadeiro Reino que, finalmente, prevalecerá. Esse grande discurso não é para a nação de Israel, e nem meramente para o «reino vindouro». É para a nossa época: é o código de conduta do novo Israel, a igreja.

b. A obra dos *discípulos especiais* são o tema do segundo grande discurso, que ocupa o trecho de Mat. 9:35—11:1. Aqui Jesus envia os seus missionários com instruções para seu modo de vida e para a conduta em sua missão.

c. *O reino dos céus* (eufemismo para «reino de Deus», conforme dizem os demais evangelhos) é o tema do décimo terceiro capítulo, o terceiro grande discurso. Jesus apresenta certo número de parábolas a fim de ilustrar o conceito cristão do reino, corrigindo muitas noções falsas que tinham sido acrescidas em redor dessa doutrina. As parábolas ilustram aspectos diversos do reino, sua natureza, seu grande valor e a necessidade de buscá-lo, fazendo do «outro mundo» o objeto de nossa fé. (Ver Heb. 11:1 quanto à exposição desse conceito).

d. O quarto grande discurso ocupa Mat. 18:1—19:2. Esse é o *texto infantil*, que aplica os ensinamentos às «crianças espirituais», usando o que é literal como lições objetivas. Esses são os «pequenos» do reino dos céus, os novos convertidos, a igreja cristã que milita em meio ao mundo hostil. Esta seção, naturalmente, inclui a abordagem aos «problemas eclesiásticos», mostrando quais devem ser as nossas atitudes básicas acerca de nossos irmãos na comunidade cristã.

e. O quinto grande discurso diz respeito à *escatologia*, ou ensinamentos sobre os «últimos dias». Fica em Mat. 24:1-26:2. O vigésimo quarto capítulo tem sido apodado de «pequeno apocalipse», porquanto contém a maior parte das predições proféticas de Jesus, as quais, por sua vez, são ilustradas por parábolas eloqüentes que procuram mostrar que sua segunda vinda ou «parousia» haverá de ter lugar em breve, e que nos devemos preparar para a mesma. Nessa seção Jesus revela a sua mente universal, que transcende aos limites do tempo e do espaço, e assim fica ilustrado como ele será o Filho do homem que virá em nuvens de glória, a fim de governar sobre todos.

O evangelho de Mateus é constituído em torno desses cinco grandes discursos. Além dessas seções, naturalmente, há muitos outros ensinamentos e acontecimentos que de modo algum dizem respeito a esses blocos de material. Mateus, pois, é supremamente o evangelho das *logia* ou palavras de Cristo. O autor desse evangelho usou o de Marcos como seu esboço histórico, trabalhando com base no mesmo e incluindo as «palavras» de Cristo, usando material *M* e *Q*.

2. Material Peculiar a Mateus

Há muitos comentários editoriais e leves modificações do material de Marcos, mediante abreviação ou adorno, o que confere a este evangelho alguns de seus versículos distintivos. Além disso, há blocos maiores de ensinamentos ou acontecimentos, que *não figuram* nem em Marcos e nem em Lucas. É com esses blocos que agora nos ocupamos, e não com uma análise de versículo por versículo. E assim faremos a fim de encontrar cada pequena particularidade de Mateus.

a. *Parábolas contidas apenas em Mateus*. Há 41 parábolas nos evangelhos sinópticos e nenhuma no evangelho de João. Dessas 41, 23 estão em Mateus. Dessas últimas, há 10 que não aparecem nos demais evangelhos sinópticos. São as seguintes:

1. Parábola do joio (13:36-46)
2. Parábola do tesouro escondido (13:34)
3. Parábola da pérola de grande preço (13:45,46)
4. Parábola da rede de pesca (13:47-50)
5. Parábola do servo sem misericórdia (18:23-35)
6. Parábola dos trabalhadores na vinha (20:1-16)
7. Parábola dos dois filhos (21:28-32)

8. Parábola das bodas (22:1-14)
9. Parábola das dez virgens (25:1-13)
10. Parábola das ovelhas e dos bodes (25:31-46)

Supomos que a maior parte desse material pertence à fonte informativa *M*.

b. *Ensinamentos peculiares a Mateus*, além das parábolas. A maior parte do Sermão da Montanha (caps. 5—7), os discursos de denúncia contra os líderes religiosos (cap. 23). Várias declarações isoladas e breves comentários também cabem neste grupo, as quais, quando contadas, mostram ser bastante numerosas.

c. *Milagres registrados somente por Mateus*, os quais, presumivelmente, também se derivam da fonte informativa *M*; cura dos dois cegos (9:27); libertação do endemoninhado surdo-mudo (9:32); a moeda na boca do peixe (17:24).

d. *Outros acontecimentos*, não miraculosos, também derivados da fonte informativa *M*:

1. Visita dos magos do Oriente (2:1)
2. Fuga para o Egito (2:13,14)
3. Matança dos inocentes (2:16)
4. A volta para Nazaré (2:19-23)
5. Visita dos fariseus e outros a João Batista (3:7)
6. As trinta moedas de prata (26:15)
7. Devolução das moedas de prata (27:3-10)
8. O sonho da esposa de Pilatos (27:19)
9. Os santos que ressuscitaram (27:52)
10. A guarda postada ante o túmulo (27:64-66)
11. Suborno pago aos soldados (28:12,13)
12. O grande terremoto (28:2)

3. Esboço de Conteúdo:

I. *Os Primórdios* (1:1—4:25)

1. Genealogia de Jesus (1:1-17)
2. Nascimento de Jesus (1:18-25)
3. A visita dos magos (2:1-12)
4. Fuga para o Egito (2:13-15)
5. Matança dos inocentes (2:16-18)
6. Mudança para Nazaré (2:19-23)
7. Ministério de João Batista (3:1-12)
8. Começa o ministério de Jesus (3:13—4:25)
9. Batismo de Jesus (3:13-17)
10. Tentação de Jesus (4:1-11)
11. Começa o ministério galileu: seu ambiente profético (4:12-16)
12. A mensagem de Jesus (4:17)
13. Chamada dos primeiros discípulos especiais (4:18-22)
14. Sumário de atividades (4:23-25)

II. *Primeiro Grande Discurso* (5:1—7:29)

1. Introdução (5:1,2)
2. As bem-aventuranças (5:3-12)
3. Os discípulos e o mundo (5:13-16)
4. A nova lei (5:17-20)
5. Contraste entre a Antiga e a Nova Leis (5:21-48)
   a. Homicídio e ódio (5:21-26)
   b. Adultério e concupiscência (5:27-30)
   c. Divórcio (5:31,32)
   d. Juramentos (5:33-37)
   e. Retaliação (5:38-42)
   f. O ódio e o amor (5:43-47)
   g. Sumário (5:48)
6. Contrastes entre os antigos e os novos padrões de conduta (6:1-18)
   a. Contra a ostentação (6:1)
   b. Esmolas (6:2-4)
   c. Natureza da oração (6:5-15)
   d. Jejum (6:16-18)
   e. Uso correto das propriedades (6:19-24)
   f. Ansiedade e confiança (6:25-34)
   g. Espírito de censura (7:1-5)
   h. Pérolas lançadas aos porcos (7:6)
   i. Confiança na oração (7:7-11)
   j. Uma regra geral de conduta (7:12)
7. Advertências contra o abuso dos ensinamentos de Jesus (7:13-23)
   a. O caminho dos poucos (7:13,14)
   b. Os falsos profetas (7:15-20)
   c. Os falsos discípulos (7:21-23)
   d. Parábola ilustrativa (7:24-27)

●●● ●●●

8. *Sumário geral* (7:28,29)

III. *Ministério de Obras Poderosas de Jesus, O Messias* (8:1—9:34)

1. Cura dos leprosos (8:1-4)
2. Cura do servo do centurião (8:5-13)
3. Cura da sogra de Pedro (8:14-17)
4. Ensinamentos sobre o discipulado (8:18-22)
5. Poder sobre as forças naturais (8:23-27)
6. Poder sobre os demônios (8:28-32)
7. Poder de perdoar (9:1-8)
8. Chamada de Mateus (9:9)
9. Jesus e os pecadores (9:10-13)
10. Por que os discípulos não jejuavam (9:14,15)
11. Incompatíveis entre si o antigo e o novo pactos (9:16,17)
12. Poder de curar enfermidades crônicas e de ressuscitar mortos (9:18-26)
13. Poder sobre a cegueira (9:27-31)
14. Poder sobre a mudez (9:32-34)

IV. *Segundo Grande Discurso*: Obra e conduta dos discípulos especiais (9:35—11:1)

1. Ensinamento e curas (9:35)
2. Quão necessários são os discípulos especiais (9:36-38)
3. Autoridade especial dos doze (10:1)
4. Lista dos doze (10:2-4)
5. Discurso: A missão a Israel (10:5,6)
   a. Como deve ser feita a obra (10:7,8)
   b. Conduta em viagem (10:9-15)
   c. Oposição, e como enfrentá-la (10:16-39)
   d. Galardões para quem ajudar os discípulos especiais (10:40-42)
   e. Sumário (11:1)

V. *Declínio da Popularidade de Jesus e sua Rejeição* (11:2—12:50)

1. João Batista e a nova ordem (11:2-19)
2. Contraste entre os acolhedores e os rejeitadores (11:20-30)
3. Exemplos de oposição e rejeição (12:1-50)
   a. Controvérsia sobre o apanhar espigas no sábado (12:1-8)
   b. Controvérsia sobre curas no sábado (12:9-14)
   c. Por que Israel não entendeu a revelação (12:15-21)
   d. Controvérsia sobre a cura do cego e surdo (12:22-32)
   e. Homens bons e maus (12:33-37)
   f. Solicitação por sinais (12:38-42)
   g. Possessão demoníaca (12:43-45)
   h. A verdadeira família de Jesus (12:46-50)

VI. *Terceiro Grande Discurso*: O Reino dos Céus e seus Mistérios (13:1-58). (Foi dirigido às multidões)

1. Introdução (13:1-3a)
2. Parábola do semeador (13:3-9)
3. Entendimento dado somente aos discípulos (13:10-17)
4. Interpretação da parábola do semeador (13:18-

23)
5. Parábola do joio (13:24-30)
6. A semente de mostarda e o fermento (13:31-33)
7. Segunda explicação do ocultamento do sentido da revelação (13:34,35)
8. Interpretação da parábola do joio (13:36-43)
9. Parábola do tesouro escondido (13:44)
10. Parábola da pérola de grande preço (13:45,46)
11. Parábola da rede de pesca (13:47-50)
12. O escriba instruído no reino (13:51,52)
13. Descrença nas obras maravilhosas de Jesus (13:53-58)

VII. *Controvérsias e Obras* (14:1-17:27) (*fundação da igreja, derivada da controvérsia*)
1. A ameaça de Herodes (14:1-12)
2. Multiplicação dos pães para os cinco mil (14:13-21)
3. Milagre do andar por sobre a água (14:22-27)
4. Pedro ensinado a crer (14:28-33)
5. Várias curas (14:34-36)
6. Controvérsia sobre a purificação ritual (15:1-20) (rejeição do farisaísmo)

VIII. *Rejeição do Separatismo Judaico:* Ministério entre os gentios (15:21-39)
1. Cura da jovem cananéia (15:21-28)
2. Várias curas (15:29-31)
3. Multiplicação dos pães para os quatro mil (15:32-39)
4. Rejeição dos fariseus e saduceus (16:1-12)

IX. *Auto-revelação de Jesus* e Elevação de Pedro à Autoridade (16:13—17:13)
1. Confissão de Pedro (16:13-20)
2. Predição de Jesus sobre seus sofrimentos e glória decorrente (16:21-28)
3. Transfiguração — predição da glória futura (17:1-8)
4. Segunda declaração da relação entre Jesus e João Batista (17:9-13)
5. Jesus ilustra seu poder (17:14-20)
6. Segunda predição dos sofrimentos vindouros (17:22,23)
7. Liberdade cristã e o imposto do templo (17:24-27)

X. *Quarto Grande Discurso*: Problemas Comunitários da Igreja (18:1-19:2). (Dirigido aos discípulos)
1. Importância dos *pequeninos* (18:1-14)
   a. Importância do espírito infantil (18:1-4)
   b. Responsabilidade pelas crianças (18:5-6)
   c. Pecados contra os pequeninos (18:7-9)
   d. Deus cuida dos pequeninos (18:10)
   e. Parábola da ovelha perdida (18:11-14)
   f. Restauração dos pequeninos que pecarem (18:15-35)
      i. disciplina eclesiástica (18:15-17)
      ii. poder espiritual na igreja (18:18-20)
      iii. exercício do poder na igreja (18:21-35)
      iv. o princípio do perdão (18:21,22)
      v. parábola que ilustra o perdão (18:23-35)
      vi. sumário (19:1,2)

XI. *Jesus Sobe Para Jerusalém* (19:12-39)
1. Suas exigências e galardões aos discípulos (19:3-20:28)
   a. sobre o matrimônio e o divórcio (19:3-12)
   b. crianças são abençoadas (19:13-15)
   c. o jovem rico (19:16-26)
   d. galardões aos discípulos (19:27—20:28)
      i. promessa de Cristo (19:27-30)
      ii. igualdade nos galardões: parábola dos vinhateiros (20:1-16)
      iii. interlúdio: terceira predição dos sofrimentos de Jesus (20:17-19)
      iv. grandeza baseada no serviço (20:20-28)
2. Cura dos dois cegos (20:29-34)
3. Acontecimentos em Jerusalém (21:1—23:39)
   a. entrada triunfal (21:1-11)
   b. purificação do templo (21:12-17)
   c. a figueira amaldiçoada (21:18-22)
   d. discussões e controvérsias em Jerusalém (21:23—22:46)
      i. controvérsia sobre a autoridade de Jesus (21:23-27)
      ii. parábola dos dois filhos (21:28-32)
      iii. parábola dos lavradores maus (21:33-44)
      iv. conluio contra Jesus (21:45-46)
      v. parábola do convite repelido (22:1-14)
      vi. controvérsia sobre o imposto (22:15-22)
      vii. controvérsia sobre a ressurreição (22:23-33)
      viii. o maior dos mandamentos (22:34-40)
      ix. controvérsia sobre o Filho de Davi (22:41-46)
      x. denúncia contra os falsos líderes religiosos (23:1-39)
   a. princípios bons, mas conduta má (23:1-3)
   b. sua falta de misericórdia (23:4)
   c. sua ostentação (23:5-12)
   d. primeiro ai: eles fecham o reino (23:13)
   e. segundo ai: caráter de seus convertidos (23:15)
   f. terceiro ai: juramentos (23:16-22)
   g. quarto ai: regras banais (23:23,24)
   h. quinto ai: regras sobre purificação (23:25,26)
   i. sexto ai: sua justiça é exterior (23:27,28)
   j. sétimo ai: sua hipocrisia (23:29-33)
   k. ameaça e lamento (23:34-39)

XII. *Quinto Grande Discurso:* Tempo do Fim ou Pequeno Apocalipse (24:1—26:2)
1. Pergunta dos discípulos (24:1-3)
2. Sinais preliminares do fim (24:4-8)
3. Perseguição e apostasia (24:9-14)
4. Eventos esperados na Judéia (24:15-22)
5. Contra uma falsa *parousia* (24:23-28)
6. Sinais da verdadeira *parousia* (24:29-31)
7. O exemplo da figueira (24:32,33)
8. Tempo exato da *parousia* — imprevisível (24:34-36)
9. Preparando-se para a *parousia* (24:37-25:13)
   a. a maioria será apanhada de surpresa (24:34-41)
   b. os discípulos devem estar preparados (24:42-44)
   c. escravos bons e maus (24:45-51)
   d. parábola das dez virgens: ilustração da preparação (25:1-13)
   e. parábola do senhor em viagem (25:14-30)
   f. julgamento das ovelhas e dos bodes (25:31-46)
   g. sumário e predição de detenção (26:1,2)

XIII. *Morte de Jesus, o Messias* (26:3-27:66)
1. Acontecimentos preliminares (26:3-27:26)
   a. conluio (26:3-5)
   b. unção de Jesus (26:6-13)
   c. Judas planeja trair (26:14-16)
   d. última ceia (26:17-30)
   e. predição da negação de Pedro (26:31-35)
   f. o Getsêmani (26:36-46)
   g. a detenção (26:47-56)
   h. audiência ante Caifás (26:57-68)
   i. negação de Pedro (26:69-75)
   j. audiência ante Pilatos (27:1-26)
      i. perante Pilatos (27:1,2)
      ii. suicídio de Judas (26:3-10)
      iii. audiência e condenação (26:11-26)
2. A crucificação (27:27-56)

a. Jesus maltratado pelos soldados (27:27-31)
b. jornada até à cruz (27:32)
c. Jesus na cruz (27:33-44)
d. morte de Jesus (27:45-56)
3. Sepultamento de Jesus (27:57-66)
a. sepultamento (27:57-61)
b. vigília ante o túmulo (27:62-66)
XIV. *A Ressurreição* (28:1-20)
1. O anjo e as mulheres (28:1-8)
2. Jesus aparece às mulheres (28:9-10)
3. Falso testemunho dos guardas (28:11-15)
4. Aparecimento final aos onze (28:16-20)

(Quanto a este esboço, em seus pontos essenciais, devo reconhecimento a Sherman E. Johnson, *Interpreter's Bible*, introdução ao Evangelho de Mateus).

X. Bibliografia. AM E I IB LAN MOF NTI TIN VIN RO TRA Z

MATEUS, MARTÍRIO DE

Esse é um documento cristão, não-canônico, de data posterior à dos primeiros cristãos, que exibe conhecimento de outra obra apócrifa, *Atos de André e Matias*. A grande diferença entre esses livros é que, no caso em pauta, Mateus substitui a Matias como o companheiro de André, em sua missão de evangelização dos canibais. O Martírio de Mateus existe em documentos gregos e latinos, com consideráveis variações.

Conteúdo:

1. Estando Mateus a orar, recebeu ordem de realizar uma missão especial entre os canibais. Uma criança (que seria Jesus), é quem lhe transmitiu essa mensagem.

2. Mateus é recebido pela rainha do povo canibal, pelo filho dela e pela esposa deste, todos os três possuídos por demônios, que Mateus prontamente expeliu.

3. Previamente, ele e André tinham iniciado uma congregação cristã, que já contava, por essa altura dos acontecimentos, com um bispo e com um clero. Mateus plantara seu cajado no portão de entrada do templo. As figuras eclesiásticas costumavam vir encontrar-se com ele ali.

4. O rei do povo canibal, a princípio, disposto a cooperar, a partir de certo momento resolveu fazer oposição, e chegou a tentar matar Mateus na fogueira.

5. Um grande incêndio foi então provocado, do qual Mateus escapou, mas que ceifou a vida de muitos soldados, tendo dissolvido muitas imagens de ouro e de prata, forçando o rei a pedir ajuda da parte de Mateus. Mateus orou e repreendeu o incêndio, e as chamas prontamente se apagaram, mas Mateus morre.

6. O cadáver de Mateus foi levado para o palácio. E, então, diante dos olhos assustados de todos, o seu espírito é visto a subir para o céu. Ali chegando, Mateus foi coroado pela criança (Jesus), que lhe dera aquela tarefa especial. Entrementes, o esquife que continha seu corpo foi selado com chumbo.

7. Ao amanhecer, o rei resolve celebrar a eucaristia, mas Mateus e a criança lhe aparecem, e ele fica muito atemorizado. Diante da visão, o rei se arrepende. Então, é batizado pelo bispo, e o próprio Mateus aparece a fim de ordená-lo para o sacerdócio cristão.

8. Mateus desaparece, e os habitantes da cidade passam a viver em paz.

Esse texto aparece na edição de Bonnet de *Acta apostolorum apocrypha* II.1, publicado em 1898, págs. 217 *ss*. Ver o artigo geral sobre *Livros Apócrifos do Novo Testamento*.

MATHER

Esse foi o nome de uma família de ministros congregacionais muito influente dos Estados Unidos da América do Norte, nos séculos XVII e XVIII. Eles viveram e trabalharam na área da cidade de Boston. Os principais membros dessa família, que influenciaram o curso da Igreja Congregacional, foram: 1. Richard Mather (1596—1669), que migrou da Inglaterra para Boston, e teve um ministério eficaz em Dorchester. 2. Increase Mather (1639—1723), que foi o pastor da Segunda Igreja ou Igreja do Norte, em Boston. Foi presidente da Falculade Harvard em 1681 e 1682. No julgamento das bruxas, em Salém, ele pediu cautela, temendo que inocentes fossem injustamente punidos. Foi um erudito diligente, que publicou mais de cem livros e panfletos. Mostrou-se ativo na promoção do estudo das ciências, tendo favorecido o uso da vacina contra a varíola, em face de intensa oposição. 3. Cotton Mather (1663—1728), filho do anterior. Trabalhou como pastor auxiliar, e, então, pastor da Segunda Igreja, por muitos anos. Em seus dias, para sua consternação, o Colégio Harvard começou a adotar idéias e normas liberais, e uma de suas reações consistiu em promover ativamente o estabelecimento da Faculdade de Yale, em Connecticut. Essa escola recebeu o nome *Yale* — porque Mather recebeu uma contribuição substancial, para a fundação dessa instituição de ensino, da parte de um homem assim chamado. Infelizmente, quando a dificuldade em torno das feiticeiras surgiu em Salém, ele apoiou a execução das mulheres na fogueira. Todavia, mais tarde (porém, quando já era tarde demais) ele mudou de parecer quanto à questão. Foi eleito para a Real Sociedade de Londres, em 1713. Publicou muitos livros. Os três mais importantes foram: *Magnalia Christi Americana; Bonifacius* ou *Essays to do Good;* e *Christian Philosopher*. A primeira dessas obras era uma história eclesiástica da Nova Inglaterra, sendo a obra mais erudita dessa natureza que houve na época.

Uma curiosidade na vida de Cotton Mather é que ele aprovou e promoveu o uso da vacina contra a varíola, o que muitas pessoas religiosas da época consideravam uma prática ímpia, ou mesmo perigosa. Quando jovem, com freqüência, ele se mostrou arrogante e briguento, mas tinha uma piedade genuína e trabalhou incansavelmente em prol de várias reformas eclesiásticas. Sua tolerância foi aumentando com a passagem do tempo, e ele foi deixando de lado sua anterior ortodoxia puritana estrita.

MATHEWS, SHAILER

Suas datas foram 1863—1941. Ele foi um proeminente líder eclesiástico batista. Foi deão da Escola de Divindades da Universidade de Chicago, presidente do Concílio Federal de Igreja, e membro do Concílio Mundial de Igrejas e presidente da Convenção Batista do Norte, nos Estados Unidos da América do Norte.

Ele é lembrado como uma das primeiras e mais potentes vozes que expunham o chamado *evangelho social*. Ver o artigo sobre esse assunto, na quinta seção do artigo intitulado *Liberalismo*. Ele foi editor da revista *Biblical World*, durante sete anos. Sua interpretação do cristianismo enfatizava a necessidade da Igreja mostrar-se ativa na solução dos problemas sociais e políticos. Quanto à teologia, ele

era liberal. Procurava harmonizar entre si a religião e a ciência, a fim de produzir um ponto de vista mundial exeqüível para o homem moderno. Um de seus esforços especiais foi no campo da educação religiosa. Também mostrou-se ativo no movimento ecumênico, com vistas a promover a unidade cristã. Era homem de vasta erudição, a julgar por seus ensinamentos sobre muitos assuntos, que incluíam retórica, história, economia política, exegese do Novo Testamento, teologia sistemática e teologia histórica e comparada. Também foi o autor de um grande número de livros, entre os quais: *The Social Teachings of Jesus; A History of the New Testament Times in Palestine; The Messianic Hope of the New Testament; The Gospel and Modern Man; The Individual and the Social Gospel; The Validity of American Ideals; Immortality and the Cosmic Process; Theology as Group Belief*. (AM E)

MATIAS (APÓSTOLO)

Esboço:

1. Seu Nome
2. Pano de Fundo
3. Tradições Sobre Matias
4. Sua Escolha como Apóstolo: o Fato e o Significado
5. O Vácuo em Nosso Conhecimento

1. Seu Nome

Matias é uma forma abreviada de *Matatias* (vide), e transliteração de um termo hebraico que significa «presente de Yahweh». Esse nome, em suas várias formas, é bastante comum nas páginas do Antigo Testamento.

2. Pano de Fundo

Eusébio afiança-nos que Matias foi um dos setenta discípulos especiais de Jesus, os quais são mencionados em Luc. 10:1. Isso teria sido uma circunstância natural, que o qualificava para o apostolado. Alguns estudiosos têm-no identificado com Zaqueu (Clemente, *Strom*. 4.6). Outros pensam em Natanael ou Barnabé, todos eles candidatos improváveis. Matias é mencionado por nome, no Novo Testamento, somente no primeiro capítulo do livro de Atos, onde é relatada a sua escolha como apóstolo, em lugar de Judas Iscariotes.

3. Tradições Sobre Matias

Ver o artigo separado intitulado *Matias, Tradições de*.

4. Sua Escolha Como Apóstolo: o Fato e o Significado

Preenchimento do número dos *doze*, com a eleição de *Matias*, Atos 1:15-26.

Esta seção revela-nos como os apóstolos sentiram ser necessário preencher a vaga deixada pelo afastamento de Judas Iscariotes. Essa foi a primeira providência oficial da nova comunidade cristã. É evidente que o assunto era reputado da mais elevada importância, apesar do fato de que, dentre todos os apóstolos, apenas três são novamente mencionados no livro de Atos (a saber: Pedro, Tiago e João), e que o novo apóstolo Matias nunca mais é mencionado, no livro de Atos e nem em todo o resto do N.T.

Não podem haver dúvidas de que o número «doze» era considerado como simbólico, provavelmente como referência às doze tribos de Israel. Em alguns antigos comentários sobre a questão, cada uma das tribos de Israel aparece sob o encargo de algum apóstolo. No que diz respeito ao reino dos céus, o Senhor Jesus disse que os *doze* se assentariam «...em tronos para julgar as doze tribos de Israel» (Luc. 22:30). Esse simbolismo passa para o livro de Apocalipse, segundo vemos em Apo. 21:14, onde os apóstolos têm os seus nomes escritos sobre os doze alicerces da cidade celestial da *Nova Jerusalém*. É óbvio, pois, que os discípulos sentiram a necessidade de preservar esse símbolo nacional, o que só poderia ser feito mediante a nomeação de alguém em substituição a Judas Iscariotes. Porém, quando *posteriormente* Tiago, irmão de João, foi martirizado, *não houve* outra substituição. Isso nos é instrutivo de diversas maneiras, a saber:

1. Não se sentiu ser necessária essa substituição porque a igreja visível não precisava preservar esse grupo de homens, enquanto houvesse os verdadeiros doze apóstolos.

2. Mesmo que um desses apóstolos fosse martirizado e morresse, continuaria vivo diante de Deus, conservando sua posição. Na economia futura do governo de Deus, continuaria cumprindo o seu destino como apóstolo de Cristo. E isso nos mostra que o ofício apostólico é permanente, em alguns sentidos.

Aqueles apóstolos, por conseguinte, têm destinos especiais e serviços futuros. Isso **o que se subentende** tanto em Luc. 22:30 como em Apo. 21:14. Por isso é que o lugar de Tiago, irmão de João, não precisou ser preenchido, porque, não tendo ele negado à fé, continuava sendo um dos doze. No entanto, o lugar de Judas Iscariotes precisou ser preenchido, por ter ele apostatado e deixado vago o seu lugar.

O fato de que os apóstolos elegeram *Matias* para o ofício apostólico mostra que não antecipavam, por enquanto, um ministério apostólico entre os gentios, tal como aquele que Paulo exerceu, por comissão direta do Cristo ressurrecto e assunto aos céus. Se tivessem antecipado tal ministério, talvez não se tivessem preocupado em preencher o número «doze» tão prontamente quanto fizeram, com Matias. Alguns estudiosos têm pensado que tudo isso foi feito precipitadamente, tendo sido uma providência desnecessária e até mesmo errônea, porque a verdadeira escolha divina para o preenchimento do número *doze* foi *Paulo*, o apóstolo dos gentios, isto é, a escolha feita pelo Espírito Santo foi Saulo de Tarso, mas a escolha precipitada dos homens foi Matias. Não obstante, o texto do livro de Atos não nos dá essa noção, e nem ao menos deixa qualquer coisa subentendida nessa direção, mas parece claro que a ênfase posta pelo livro de Atos em Paulo, e a total falta de alusão a Matias, podem conduzir-nos na direção dessa suposição. O vigésimo quarto versículo deste capítulo, entretanto, parece laborar contra tal suposição, de que a escolha de Matias para ocupar o lugar de Judas Iscariotes foi errônea. (Ver as notas expositivas sobre Atos 1:24 no NTI).

5. O Vácuo em Nosso Conhecimento

É quase inacreditável o pouco conhecimento que temos acerca dos doze apóstolos originais de Jesus e acerca da história da Igreja primitiva. À Igreja faltaram bons historiadores, entre Lucas e Eusébio, e até mesmo uma boa parte do material transmitido por Eusébio, quanto ao período mais antigo da Igreja, estava alicerçado sobre tradições duvidosas. Isso posto, há um vácuo, em nosso conhecimento, que cobre mais de duzentos anos. Quanto a esse período, pouca coisa foi historiada, e quase todo o material digno de confiança, de que dispomos, deriva-se de citações dispersas pelos escritos dos primeiros chamados *pais da Igreja* (vide).

Essa situação não teria tido a permissão de suceder dentro da cultura judaica, porquanto ali a história

sempre foi reputada uma importantíssima questão. A despeito das justas críticas que têm sido feitas contra Eusébio como indivíduo, e devido à sua atuação como historiador, permanece de pé o fato de que Eusébio, depois de Lucas, foi o grande pioneiro no campo da história do cristianismo. Ele publicou inúmeros volumes, embora a maioria deles se tenha perdido. Porém, sua *História Eclesiástica* tem sido entesourada através dos séculos. Ver o artigo separado a respeito dele.

MATIAS, TRADIÇÕES DE

Origenes mencionou a existência de um *Evangelho de Matias*, em sua época. Supõe-se que se tratava de outro daqueles fantásticos livros apócrifos, com sua vívida imaginação e inúmeros milagres absurdos. Existe um *Atos de André e Matias*, que serviu de fonte informativa principal do livro *Martírio de Matias* (ver o artigo *Mateus, Martírio de*). Nessa obra, Mateus toma o lugar de Matias.

É provável que Matias tivesse sido um dos setenta discípulos especiais de Jesus, e que foi escolhido, mediante o lançamento de sortes, para tomar o lugar vago deixado por Judas Iscariotes, como um dos doze apóstolos. Era apenas natural que os tradicionalistas tentassem preencher os hiatos de conhecimento com suas invencionices. Assim, no caso de Matias, que é um apóstolo sobre o qual praticamente nada sabemos, surgiram muitas tradições, de natureza bastante vaga e contraditória. A Igreja Católica Romana celebra sua festa a 24 de fevereiro, e a Igreja Ortodoxa Oriental, a 9 de agosto.

Clemente de Alexandria (*Strom*. 2.9; 3.4; 7.17) preservou algumas poucas citações extraídas da obra chamada *Tradições de Matias*. Essas citações mostram afinidade com os livros apócrifos *Evangelho dos Hebreus e Evangelho de Tomé* (este último em copta). Os basilianos afirmavam que dispunham de algum material autêntico, transmitido por Matias, conforme Clemente e Hipólito (*Philos*. 7,8) nos informam. Não há como averiguar a veracidade de tal informação, ou se aquele escasso material que temos é idêntico às coisas que os basilianos asseveravam possuir.

MATINAS

Essa palavra deriva-se dos termos latinos *ad matutinum*, «de manhã cedo». Esse era o nome latino para o ofício rezado ao amanhecer, e que, posteriormente, foi transferido para o ofício noturno. Previamente era chamado *Vigils* (vide) ou *Nocturns* (vide). Os anglicanos chamam-no de Ofício Matinal.

MATITIAS

No hebraico, «presente do Senhor (*Yahweh*)». Esse foi o nome de seis personagens diferentes, nas páginas do Antigo Testamento:

1. Um filho de Jedutum, levita. Jedutum era o diretor do décimo quarto turno de músicos do templo, na época de Davi (I Crô. 25:3,21). Talvez ele fosse o guardador da arca da aliança, que Davi nomeou (I Crô. 15:18,21 e 16:5). Viveu em torno de 1014 A.C.

2. Um filho de Nebo que, juntamente com muitos outros, se casara com alguma mulher estrangeira, no tempo do cativeiro babilônico e foi forçado a divorciar-se dela, depois que o remanescente voltou a Jerusalém e renovou o antigo pacto com Yahweh. Os judeus da época sentiram que tais casamentos mistos eram prejudiciais para essa renovada dedicação ao Senhor. Ver Esd. 10:43. Viveu por volta de 459 A.C.

3. Um filho de Salum, levita, descendente de Coré, que ficou encarregado das ofertas cozidas do templo, após o cativeiro babilônico (ver I Crô. 9:31). Aparentemente, ele deve ser identificado com o homem que se postou à direita de Esdras, quando a lei foi lida diante do povo, quando da renovação da aliança com o Senhor. Ver Nee. 8:4; I Esdras 9:43. Viveu em torno de 440 A.C.

4. Um daqueles que ficaram do lado direito de Esdras, quando a lei foi lida aos ouvidos do povo, terminado o cativeiro babilônico. Alguns estudiosos identificam-no com o Matitias de número três, acima.

5. Um filho de Semei, cujo nome aparece na genealogia do Senhor Jesus, em Luc. 3:26. Seu nome parece ser uma interpolação que envolve o sexto homem desta lista.

6. Um filho de Amós, cujo nome figura na genealogia de Jesus, em Luc. 3:25. Ele deve ter vivido em cerca de 406 A.C.

MATREDE

No hebraico, «impulsionadora». Ela era filha de Me-Zaabe e sogra de Hadar, um rei dos idumeus (ver Gên. 36:39; I Crô. 1:50). A Septuaginta, na referência do livro de Gênesis, faz dela filho de Me-Zaabe (portanto, seria um homem, e não uma mulher), e a versão siríaca Peshitta concorda com isso, talvez por empréstimo da idéia. Essa pessoa viveu em algum tempo antes de 1619 A.C.

MATRI

No hebraico, «chuva de Yahweh» ou, então, «Yahweh está observando». Esse era o nome do fundador de uma família benjamita, da qual descendia Quis, pai de Saul, o primeiro rei de Israel (ver I Sam. 10:21). Matri viveu em torno de 1612 A.C.

MATRIARCAL, SISTEMA

Esse é um sistema social de casamentos em que as mulheres são dominantes e os homens são subordinados dentro de famílias e clãs, em contraste com o sistema oposto, o *patriarcal* (vide). Na maioria das culturas, tem prevalecido o sistema patriarcal, mas nos tempos pré-alfabetizados houve muitos exemplos de matriarcado. Alguns antropólogos supõem que o sistema matriarcal existiu a princípio, quando o pai era uma figura quase sem importância, dentro da estrutura da família, com freqüência desconhecido e nunca presente na criação dos filhos, pois negligenciava suas responsabilidades. Condições assim ocorrem quando há uma considerável promiscuidade e falta de senso de responsabilidade por parte dos varões, deixando ao encargo da mulher a tarefa de organizar a vida doméstica e criar os filhos. Em casos assim, a mãe torna-se a principal figura permanente da família, enquanto que o pai «está fora, em algum lugar». Talvez tais condições tivessem prevalecido antes do casamento ter-se tornado uma instituição estabelecida. Na verdade, elas continuam existindo, sempre que os homens se recusam a reconhecer a sua parte na criação dos filhos, apesar do fato de que o casamento não é mais uma instituição desconhecida.

Não há muitas evidências em apoio a esse tipo de sistema, no tocante a qualquer povo em sua inteireza, embora haja inúmeros exemplos, antigos e modernos, de famílias isoladas que seguem o sistema matriarcal, em face de circunstâncias que assim impõem a condição. Um exemplo histórico é o da tribo dos índios iroqueses. — As mulheres tanto escolhem quando depõem os chefes masculinos. Os iroqueses são uma confederação de cinco tribos indígenas norte-americanas. Em violento contraste com esse sistema temos o sistema dos hebreus, onde as mulheres nem ao menos eram incluídas nos direitos de herança, e cuja subsistência dependia do favor masculino.

MATRIMÔNIO

Esboço:

I. Definições

Em seu sentido natural e histórico, o matrimônio pode ser definido como uma relação pessoal, com o intuito de perdurar por certo tempo especificado, entre um homem e uma mulher, ou entre um homem e mulheres, ou entre uma mulher e homens, com o intuito de procriação. Essa relação é aprovada e santificada pela sociedade, sem importar as normas estabelecidas pelos costumes ou pela lei. No seu sentido legal, o matrimônio é um contrato entre um ou mais homens com uma ou mais mulheres, com o propósito de procriação e do estabelecimento de uma família. Em alguns casos, a questão da procriação é opcional, mas qualquer ligação pessoal, sem a intenção de haver relações sexuais, não é um matrimônio, de acordo com qualquer definição sensata. Figuradamente, a palavra «matrimônio» pode indicar qualquer *união íntima*, ou um intenso apego a algo, que ocupe a atenção e os esforços de alguém, conforme se vê na expressão: «Ele se casou com o seu trabalho». Essa palavra, em qualquer de seus sinônimos, também denota a *cerimônia* que une os nubentes.

No seu sentido bíblico e cristão, um casamento, idealmente falando, é uma extensão da missão e do destino das pessoas envolvidas, ou seja, uma ajuda ao cumprimento dos propósitos especiais dos cônjuges. Nesse sentido, o matrimônio vai além dos meros costumes sociais e da procriação, tornando-se um importante aspecto do desígnio espiritual das pessoas. Os *mórmons* (vide) supõem que os casamentos, selados por seus ritos, em seus templos, tornam-se eternos, sendo um meio para a formação de famílias divinas e patriarcais, em que os homens chegarão a tornar-se deuses, cabeças de algum planeta que lhes caberia povoar. Desse modo, seriam capazes de propagar não apenas raças físicas, mas até mesmo raças espirituais.

II. Informações Históricas

1. *Adão e Eva*. A história desse primeiro casal é apresentada no Antigo Testamento como o começo do casamento. Ver Gên. 2:18-25. A mulher foi feita por Deus para ser a ajudante do homem; a instituição do casamento teve origem divina; a propagação da raça humana é o seu propósito central; um homem, sozinho, está por demais solitário, e precisa de uma mulher. O casal, sim, torna-se instrumento do propósito de Deus. Esse primeiro matrimônio tornou-se o ideal monogâmico (ver Mat. 19:3 *ss*). Naquele texto neotestamentário também é enfatizada a origem divina e a estruturação correta do casamento.

2. *Casamentos Pré-Bíblicos*. Aqueles que aceitam a história de Adão e Eva em sentido parabólico ou simbólico, pensam que esse relato serve para o ensino de ideais, mas não é válido para traçar as origens da instituição humana do casamento. Naturalmente, esse é o ponto de vista da maioria dos antropólogos. Os evolucionistas pensam que a origem do casamento acha-se nas tendências naturais dos animais se cruzarem, com o propósito de procriarem. Mas isso mostra principalmente a poligamia (que o homem continua a perpetrar de fato, mesmo que não legalmente). Os estudos têm demonstrado que associações mais ou menos permanentes são formadas pelo acasalamento entre as aves e certos mamíferos superiores, embora a monogamia não seja a regra. Todavia, o chimpanzé forma uma relação monógama e durável. O surpreendente é que o *lobo* também age assim, apesar de que seu nome tem servido para indicar homens que conquistam muitas mulheres! Aqueles que acreditam em casamentos pré-bíblicos salientam que as genealogias bíblicas dizem que o homem existe há menos de seis mil anos, o que dificilmente pode ser levado a sério. No entanto, não é a Bíblia que diz que o homem só existe há menos de seis mil anos e, sim, as interpretações baseadas nos dados genealógicos incompletos.

3. *Vida Doméstica Pré-Semítica, na Palestina*. Com base na arqueologia, sabemos que os costumes matrimoniais entre os hebreus incorporavam alguns elementos pertencentes a outras culturas, ainda mais antigas. As leis e os costumes dos israelitas, acerca do casamento, foram influenciados pelos costumes dos arameus, amorreus, elamitas, babilônios, hititas e hurrianos. Há evidências sobre casamentos tipo poliandria entre os antepassados do povo hebreu, embora insuficientes para convencer a maioria dos eruditos. O matriarcado, por sua vez, conta com fundo histórico mais sólido. Naturalmente, a monogamia não era o padrão, e vários desvios podem ser observados: a. *Poliandria*. Uma mulher com mais de um marido. b. *Ênfase tribal*. Um homem vivia com sua esposa na aldeia desta, e os filhos nascidos da união tornavam-se membros da tribo da mulher. Os historiadores salientam o relato do casamento de Jacó com Raquel e Lia, como ilustrações bíblicas dessa circunstância. Ver Gên. 29:28. Talvez eles estejam com a razão, mas o fato é que a condição de Jacó com suas esposas não permaneceu assim para sempre. c. *Casamentos tribais temporários*. O que foi dito no ponto anterior, *b.*, é verdade, mas os casamentos assim contratados não perduravam, propositalmente, muito tempo. Em ambos os casos, o *clã* era mais importante do que o casal.

4. *Nos Tempos Bíblicos*. Já vimos o caso de Adão e Eva, no primeiro ponto, mas agora passamos para os *tempos patriarcais*. O Pentateuco e o livro de Rute fornecem-nos as informações de que dispomos sobre a questão, suplementadas pelas descobertas arqueológicas. Algumas dessas informações são as seguintes:

a. A poligamia era a regra, até onde é possível determinar isso.

b. Nos primeiros tempos, podia haver casamento

entre um meio-irmão e sua meia-irmã, conforme foi o caso de Abraão e Sara. Naturalmente, entre os egípcios havia casamentos entre irmãos e irmãs de pai e de mãe, mas entre os hebreus não há qualquer registro quanto a isso. A legislação mosaica, quando surgiu, proibiu o casamento entre parentes chegados.

c. Jacó casou-se com duas irmãs, — Lia e Raquel. A legislação mosaica posterior proibiu isso.

d. O noivado era quase tão indissolúvel quanto o próprio matrimônio, e uma noiva já era chamada de «esposa» (ver Gên. 19:21; Deu. 22:23,24; Mat. 1:18,20). Um noivo também era chamado de «esposo» (ver Joel 1:8; Mat. 1:19). A Bíblia não nos dá informações sobre como e sob quais circunstâncias os noivados eram desmanchados, mas o *código de Hamurabi* (vide) tem estipulações quanto a isso. José, noivo de Maria, pensou em dissolver o noivado, e deveria haver algum meio para tanto (ver Mat. 1:19).

e. *Costumes Acerca do Noivado*. 1. A escolha de uma esposa. Usualmente isso se fazia mediante um arranjo entre as famílias dos noivos (ver Gên. 21:21 e 38:6). Mesmo que um homem escolhesse a noiva, seus pais é que negociavam o casamento (ver Gên.34:4,8; Juí. 14:2). Só raramente (e por motivo de rebeldia) é que um homem agia contrariamente aos desejos de seus pais (ver Gên. 26:34,35). E os desejos da jovem não eram inteiramente ignorados (ver Gên. 24:58). Raramente eram os pais da jovem quem tomavam a iniciativa na questão (ver Rute 3:1,2 e I Sam. 18:21). 2. Presentes eram trocados, e também havia um dote (ver Gên. 34:12; Êxo. 22:17), — e também, havia presentes no caso de uma mulher seduzida (I Sam. 18:25), ou um homem podia trabalhar a fim de obter sua esposa (como no caso de Jacó). O dote usualmente consistia em um presente dado à noiva, embora também pudesse ser ao noivo, por parte do pai da noiva, podendo incluir até mesmo a doação de escravos para servir ao casal ou à mulher (ver Gên. 24:29,61; 29:24). Também havia dotes sob a forma de terras (ver Juí. 1:15; I Reis 9:16; Tobias 8:21). Um noivo podia receber vestes ou jóias (ver Gên. 24:53).

f. *Cerimônias de Casamento*. Havia cerimônias públicas e particulares; isso envolvia vestes especiais (ver Sal. 45:13,14); eram usadas jóias (ver Isa. 61:10); a noiva cobria-se de véus (ver Gên. 24:65); eram usadas flores ou coroas de flores como decoração (ver Isa. 61:10; Efé. 5:27; Apo. 19:8). Faziam-se presentes amigos do noivo e amigas da noiva (ver Sal. 45:14). O noivo tinha um amigo especial, e outros auxiliares (ver Juí. 14:11; Mat. 9:15). O amigo especial era chamado «companheiro» (ver Juí. 14:20 e 15:2), ou talvez «mestre-sala» (ver João 2:8,9). Algumas vezes havia um cortejo honorífico (ver Jer. 7:34; I Macabeus 9:39). Também havia uma festa de casamento, usualmente efetuada na casa do noivo (Mat. 22:1-10; João 2:9). Concorriam muitos amigos e parentes, e o vinho era servido em abundância. O povo hebreu era um povo que se divertia, tomando vinho e dançando, não muito parecido com os evangélicos de hoje, demasiadamente inclinados ao ascetismo. Ver João 2:3,9,10. Rejeitar um convite a um casamento era uma questão séria (ver Mat. 22:7). Vestes festivais eram usadas pelos convidados (ver Mat. 22:1,12). Figuradamente, a união espiritual entre Cristo e sua noiva (a Igreja) é simbolizada pelas bodas ou casamento do Cordeiro (ver Apo. 19:9).

g. *A Noiva Cobre-se*. Trata-se de um costume antiqüíssimo, encontrado em várias culturas. A noiva cobria-se com algum tipo de vestuário. Isso simbolizava pelo menos duas coisas: daquele dia em diante, ela seria protegida por ele. Em segundo lugar, o símbolo sexual é óbvio: ele a cobriria de maneira íntima. Entre os beduínos há esse mesmo costume, e quando a mulher é coberta com suas vestes especiais, o noivo diz: «De agora em diante, somente eu te cobrirei».

h. *A Bênção*. Os pais e os amigos bendiziam ao casal (ver Gên. 24:60; Rute 4:11; Tobias 8:13).

i. *A Aliança*. O matrimônio envolvia um acordo pessoal e um acordo tribal. A fidelidade era necessária, a fim de assegurar o cumprimento apropriado do propósito do casamento e da família. Sabemos, com base em Tobias 7:14, que havia acordos escritos. Ver também Pro. 2:17; Eze. 16:8 e Mal.2:4.

j. *A Câmara Nupcial*. Era preparado um lugar especial para o casal passar os primeiros dias (Tobias 7:16; Sal. 19:5; Joel 2:16).

l. *Consumação do Casamento*. Tradicionalmente, o casamento não se consumava enquanto não houvesse o ato sexual. Entre muitos povos, enquanto o casamento não se consumasse, poderia haver anulação do matrimônio, sem necessidade de divórcio. Os hebreus religiosos ofereciam orações antes de consumar o casamento. Ver Tobias 8:4.

m. *Prova de Virgindade*. Os hebreus eram fanáticos quanto a isso. Um pano manchado de sangue deveria ser exibido como prova da virgindade da noiva (ver Deu. 22:13-21). Esse costume continua existindo em alguns lugares do Oriente Próximo. Naturalmente, o noivo não precisava mostrar qualquer prova de que ele também era virgem.

n. *Festividades*. Os festejos do casamento prosseguiam, talvez tanto quanto uma semana (ver Gên. 29:27). Música, danças e vinho eram importantes elementos desses festejos, juntamente com muita comida. Sansão disse piadas e apresentou enigmas (Juí. 14:12-18).

o. Foram mudadas algumas leis sobre os impedimentos maritais. Ver a terceira seção, *Empecilhos ao Casamento*. Quanto ao *Matrimônio Levirato*, ver o artigo separado, com esse título.

p. *Tendência em Favor da Monogamia*. Os intérpretes vêem no Antigo Testamento uma diminuição gradual da poligamia. Os livros de Samuel e de Reis refletem menos a poligamia, exceto no caso dos reis. O livro de Tobias nunca alude a qualquer outro tipo de casamento, exceto o monogâmico. O livro de Oséias (como também o décimo sexto capítulo de Ezequiel) desenvolveu a figura do casamento monogâmico como ilustração da relação entre Yahweh e Israel.

q. *Tempos Pós-Exílicos*. A monogamia parecia ter prevalecido, embora não houvesse leis que a sancionassem. Os babilônios eram essencialmente monógamos, mas os assírios preferiam a poligamia.

r. Desde o começo, o casamento era considerado o estado normal e certo, para o homem e para a mulher. A virgindade não era exaltada, exceto enquanto a mulher não se casasse. A vida celibatária não tinha prestígio nenhum, talvez sendo até considerada uma aberração.

5. *Período Talmúdico*

a. Nesse período, todos os aspectos da vida mútua e do casamento eram vigorosamente regulamentados pelo Talmude, com seus inúmeros preceitos.

b. Apesar disso, nada havia ali que exaltasse o celibato ou a virgindade, em contraste com o estado marital. De fato, os escritores do Talmude promoviam o ideal do matrimônio. Esse era um ponto vital para o próprio judaísmo.

c. A fim de facilitar o casamento, os matrimônios por simples *consentimento mútuo* tornaram-se comuns, de tal modo que o pesado envolvimento das famílias e dos dotes foi-se tornando cada vez menos importante.

d. No século III D.C., porém, essa lassidão foi temporariamente proibida entre os judeus.

e. Os filhos ilegítimos tinham idênticos direitos aos filhos legítimos, incluindo a questão da herança.

f. O casamento na juventude era recomendado, a fim de evitar os caprichos sexuais.

g. Os estudiosos, casados com seus livros e com seus estudos, podiam adiar um pouco o casamento. Na verdade, é bastante difícil estudar e estar casado, ao mesmo tempo.

h. Havia homens que ajudavam os bons estudantes, concedendo-lhes as suas filhas como esposas e ajudando-os a enfrentar as despesas próprias do casamento e da formação da família. Essa era uma prática brilhante! Aos eruditos era dado um tratamento especial, a fim de que um homem pudesse casar-se com a lei e com sua esposa, ao mesmo tempo.

6. *No Período Neotestamentário*

a. A poligamia teve prosseguimento, embora a monogamia fosse louvada (ver Mat. 19:3 *ss*).

b. A poligamia é vedada aos ministros do evangelho (I Tim. 3:2).

c. O celibato e a virgindade começaram a ser exaltados como superiores ao casamento (I Cor. 7). O mais elevado estado a buscar, com propósitos espirituais, é o da absoluta virgindade, mas, para tanto, é mister que a pessoa tenha sido dotada por Deus. Ninguém pode assumir tal caminho, só porque pensa que é capaz de fazê-lo (I Cor. 7:7).

d. O casamento serve para acalmar as paixões sexuais, porquanto é melhor casar-se do que abrasar-se (I Cor. 7:9).

e. Jesus exaltou o celibato (Mat. 19:11). No entanto, nem Jesus e nem Paulo tornaram o celibato obrigatório, ou como norma indispensável para o ministério cristão. É possível que essa ênfase, tão contrária à corrente principal do judaísmo, se derivasse historicamente dos essênios, que tinham monges e freiras, mosteiros e uma visão bem diferente da dos outros judeus, quanto à questão. Muitos intérpretes partem do pressuposto que a prática envolve grandes potencialidades para abusos, lamentando o fato de que o cristianismo posterior tenha pendido tão resoluta e vigorosamente para tal tipo de ascetismo. Ver o artigo intitulado *Celibato*.

f. O adultério é regularmente condenado, mesmo no Antigo Testamento, mas isso não inclui o concubinato. Ver o artigo sobre a *Mulher Adúltera*, que mostra como Jesus injetou misericórdia e perdão na questão inteira, substituindo a regra judaica do «olho por olho, dente por dente», uma dura filosofia.

g. *Divórcio*. Ver o artigo sobre essa questão, quanto às muitas idéias e interpretações que circundam o divórcio, no Novo Testamento e no cristianismo atual.

h. *Casamentos mistos*. Quanto a esse particular, a filosofia do Antigo Testamento é bastante diferente da filosofia do Novo Testamento. Ver a seção IX quanto a uma completa explicação.

III. Empecilhos ao Casamento

Ver o artigo separado com esse título, que alude especificamente a como a lei canônica da Igreja cristã tem manuseado essa questão. Ver também sobre *Consangüinidade*, que procura explicar os meandros desse complexo assunto. Ver também sobre *Afinidade* e sobre *Impedimentos ao Casamento*. Além das leis canônicas, há leis de cada grupo cristão que envolvem o conceito do *jugo desigual*. Quanto a esse último ponto, ver o sexto capítulo de II Coríntios, bem como o artigo intitulado *Separação do Crente*. Os tempos dos patriarcas foram bastante frouxos no tocante à questão da consangüinidade. Mas a legislação mosaica impôs diversas restrições, conforme se vê em Lev. 18; 20:17-21; Deu. 27:20-23. O trecho de Lev. 18:18 chega mesmo a proibir que um homem se case com uma irmã de sua esposa, enquanto esta continuar viva. Isso teria impedido o casamento de Lia ou de Raquel com Jacó. Outros impedimentos, relacionados aos casamentos mistos, são explanados na seção IX deste artigo, mais abaixo.

IV. Tipos de Matrimônio

1. *Casamentos em Grupo*. Um grupo de irmãos casa-se com um grupo de irmãs, um costume típico dos habitantes das ilhas Polinésias, no Pacífico. Esse tipo de casamento tem sido proposto por teóricos extremados do comunismo, segundo o qual todas as esposas seriam tidas em comum, enquanto a educação dos filhos ocorreria nas escolas do Estado, e não nos lares.

2. *Poliginia*. Um homem casa-se com duas ou mais mulheres. Usualmente isso é chamado de *poligamia*, mas, estritamente falando, esse último termo significa «muitos casamentos», podendo referir-se a uma mulher com dois ou mais maridos. A poliginia funciona melhor quando os homens dispõem de muito dinheiro (como os potentados árabes do petróleo); mas não quando têm apenas o suficiente. Seja como for, as mulheres não apreciam o sistema, por certa variedade de razões. Israel foi uma nação polígama durante toda a sua história, entrando mesmo na época do Novo Testamento. Em tempos normais, o sistema não funciona bem, visto que o número de homens e de mulheres é praticamente igual. A monogamia, entre outras coisas, é uma forma de racionar as mulheres. A prática de poliginia (ou poligamia) tem sido extremamente generalizada entre todos os povos, embora a porcentagem das pessoas assim envolvidas nunca tenha sido muito grande. Nos tempos modernos, essa forma de casamento tem recebido a sanção explícita do islamismo e do mormonismo. Dentro do mormonismo, a prática tem por base a doutrina deles, de acordo com a qual um homem pode ter muitas mulheres seladas a ele, a fim de que, nos mundos eternos, possam povoar o seu próprio mundo, assim imitando a Deus Pai, que teria muitas esposas, com a sua própria região de controle sobre suas muitas famílias. A propagação do cristianismo tem sido um dos principais fatores no decréscimo da poligamia. Mas, em seu lugar, tem surgido uma forma de concubinato não oficial e ilegal (ou *alegal*), em que adultos consentem com o arranjo, conforme os gostos de cada casal.

3. *Poliandria*. Nesse sistema, uma mulher tem dois maridos ou mais. Essa forma de casamento (compreensivelmente) é bastante raro, encontrando-se somente no Tibete e entre algumas tribos de montanheses da Índia. A história revela-nos que tal sistema já teve lugar na Arábia. Alguns estudiosos têm asseverado que, nos tempos primitivos, essa era uma modalidade comum de casamento, mas a maior parte dos eruditos pensa que há ausência de evidências sólidas quanto a isso. Os fatores que favorecem esse tipo de matrimônio são *econômicos* (um homem não é capaz de sustentar nem ao menos uma mulher), ou, então, a escassez de mulheres. Em vez de se matarem uns aos outros, os homens simplesmente compartilham das poucas mulheres existentes. O tipo mais comum de poliandria é o casamento grupal, em que vários irmãos compartilham de uma mesma mulher. Nesse caso, o irmão

mais velho é o cabeça da casa. Essa forma de casamento, no Tibete, é empregada a fim de manter intactas as heranças. Tal forma de matrimônio é utilizada somente pelos pobres. Nenhum homem com um pouco mais de dinheiro está interessado em tal tipo de relacionamento conjugal.

4. *Monogamia*. Um homem casa-se com uma mulher. As condições sociais e econômicas favorecem essa forma de casamento. O número de homens e de mulheres é mais ou menos igual. O homem médio não consegue cuidar de mais de uma mulher. As mulheres, por sua vez, geralmente são contrárias a qualquer forma de competição, criando toda espécie de dificuldade se o território delas for invadido. As crianças criadas com uma única autoridade paterna sobre o lar, com uma única mãe para cuidar dos mesmos filhos, sendo todas elas irmãos e irmãs de pai e mãe, vivem em uma família mais unida. A maioria das religiões favorece essa modalidade de casamento, incluindo o judaísmo posterior e o cristianismo. Também há razões doutrinárias em favor desse arranjo, conforme já pudemos mostrar acima. E também há razões simbólicas que o favorecem. Ver a seção XII, abaixo.

Alguns homens têm-se revoltado contra a monogamia, que consideram biologicamente impraticável e psicologicamente entravadora. Isso dá margem, antes de tudo, ao concubinato não oficial; em seguida, vêm as eternas conquistas de parceiros sexuais, sem que se assuma qualquer responsabilidade. Para tais pessoas, o sexo torna-se uma espécie de esporte ou diversão. Além de tudo isso, há o divórcio fácil, mediante o qual um homem ou uma mulher podem tornar-se polígamos, embora com uma série consecutiva de parceiros, e não com todos ao mesmo tempo. Essa forma de protesto contra a monogamia eleva-se a nada menos de cinqüenta por cento dos casais, em alguns países, e é dessa maneira que muitas mulheres praticam uma forma duvidosa de poliandria. Os que apreciam essas práticas dizem que a monogamia é um belo ideal, embora impraticável em qualquer sociedade humana.

V. Término do Estado Matrimonial

Embora o ideal cristão seja «até que a morte vos separe», na prática, várias formas de divórcio põem fim a uma grande porcentagem de casamentos. A teologia que circunda o divórcio é bastante complexa, e vários segmentos da Igreja cristã defendem dogmas diferentes sobre essa questão. Ver o artigo intitulado *Divórcio*, que fornece amplas ilustrações. Até onde pode retroceder a história dos relacionamentos domésticos, tem sido invencível o direito do marido divorciar-se de sua mulher. Somente o cristianismo produziu algumas restrições a essa circunstância. O judaísmo mostrava-se bastante liberal sobre esse particular. Naturalmente, a mulher não tinha direitos iguais aos do homem, embora pudesse casar-se de novo, tendo-se divorciado do primeiro marido. A lei não permitia o divórcio sob certas circunstâncias, e quando um novo marido acusava a sua noiva de ter mantido sexo ilícito pré-marital com outro, mas tal acusação fosse provada como falsa, ou se o marido forçasse sua mulher a manter relações sexuais com ele antes do casamento, ou se ele se tornasse insano ou alcoólatra, ou, então, se a mulher fosse de menor idade, ou se a mulher estivesse em cativeiro, então o marido precisava redimi-la, em vez de divorciar-se dela. Economicamente, o marido tinha de pagar à sua mulher um dote, como compensação por alguma falsa acusação que ele lhe fizesse, embora nem sempre tivesse a capacidade de cumprir esse dever.

A. *Razões Pelas quais um Homem Judeu Podia Divorciar-se de sua Mulher*

1. Houve épocas em que qualquer razão servia; mas, em tempos de maior sanidade, foram impostas restrições ao divórcio.

2. Adultério por parte da mulher.

3. Violação da decência moral por parte da mulher, mesmo que isso não chegasse ao adultério.

4. Negação do sexo por parte da mulher ao seu marido.

5. A recusa da mulher de mudar-se para outra casa, quando assim o queria o marido.

6. A mulher insultava o pai de seu marido.

7. A mulher tinha certas doenças incuráveis, que tornavam a coabitação perigosa, ou mesmo desagradável.

B. *Razões Pelas quais uma Mulher Podia Divorciar-se*

1. Acusação falsa de sexo pré-marital, uma vez provada tal falsidade.

2. Recusa do marido fazer sexo com sua mulher.

3. Impotência, após dez anos de casamento sem filhos.

4. Voto de abstinência sexual, por parte do marido, e que ele nunca mais descontinuasse. Nesse caso, o marido poderia ficar com suas convicções e votos religiosos, mas teria de procurar outra esposa, quando terminasse seus votos prolongados.

5. Certas enfermidades ou aleijões físicos, como a lepra, ou mesmo se ele tivesse alguma profissão malcheirosa, como a daqueles que recolhiam esterco.

6. Tirania por parte do marido.

7. Espancamentos, abusos e abandono do lar por parte do marido.

8. Adultério. Se um homem que pudesse ter concubinas e mais de uma esposa, mas ainda assim buscasse uma mulher casada como companheira de sexo, a sua esposa podia divorciar-se dele.

9. Crime. Se um homem fugisse do país, por causa de algum crime cometido, sua mulher podia divorciar-se dele.

C. *O Crente Fica Livre do Cônjuge Incrédulo*

Isso poderia suceder, se a decisão de abandono partisse do cônjuge incrédulo, fosse a mulher, fosse o marido. Nesse caso, o cônjuge crente não estava mais na obrigação de continuar no casamento. E também podia casar-se de novo, segundo se vê em I Cor. 7:15.

D. *Morte*

A morte física põe fim ao estado matrimonial (Rom. 7:2). Tem sido debatido, entre os teólogos, se na vida após-túmulo os casais (ou, pelo menos, *alguns casais*) tornam a viver juntos. O texto de Mat. 22:30 tem sido usado como texto de prova de que a morte física realmente põe fim ao matrimônio, mas nem todas as pessoas religiosas aceitam esse conceito. Algumas pessoas crêem que a reencarnação pode renovar todos os casamentos. Seja como for, a morte física põe fim definitivo ao casamento, pelo menos para esta vida.

VI. Casamento Levirato

O trecho de Lev. 18:16 proíbe o casamento de um homem com a viúva de um seu irmão, sem qualquer qualificação. Porém, Deu. 25:7-10 diz que se o marido daquela mulher morreu sem herdeiros, então um seu irmão solteiro devia casar-se com ela, gerando filhos com esse propósito. Apesar de alguns intérpretes entrarem em muitas contorções, na tentativa de reconciliar esses dois textos entre si, é melhor simplesmente admitir que mais de um código de matrimônio foi produzido entre os israelitas, e que continham pontos conflitantes. Quando o judaísmo abandonou a poligamia, o casamento levirato também foi abandonado. Ver o artigo chamado Matrimônio Levirato, onde há completos detalhes sobre a questão.

VII. A Condição da Mulher e o Casamento

Ver o artigo separado intitulado *Mulheres*. A cultura hebraica não servia de bom exemplo acerca da condição das mulheres em sociedade. Na Babilônia, uma mulher podia adquirir propriedades e manter uma casa separada. No Egito, as mulheres desfrutavam de grandes privilégios, podendo até atuar no governo. Mas, em Israel, a mulher era inteiramente voltada para as lides domésticas, sendo mantida essencialmente reclusa, com notáveis exceções, naturalmente. Assim, uma mulher era excluída da herança de seu marido, embora pudesse administrá-la até que seus filhos homens chegassem em idade de cuidar da mesma. Todavia, a condição da mulher, em Israel, era bem melhor do que na Assíria, onde as mulheres eram reduzidas a quase animais de carga. Em Israel, a mulher participava no culto religioso (ver Lev. 12:6,8; I Sam. 1:23,24; Deu. 12:12,18; 14:22,29; I Sam. 1:9-12), embora sem nenhuma autoridade, excetuando no caso de alguma profetisa ocasional. Também não era permitido que as mulheres falassem nas sinagogas, nem ao menos podendo ler as Escrituras, ao passo que um menino, mesmo que fosse um escravo, podia fazer tal pequeno serviço. As proibições paulinas acerca das mulheres falarem ou ensinarem a homens, nas igrejas, ou suas instruções acerca do uso do véu, refletem a condição da mulher no judaísmo. Ver I Cor. 11:10,34 *ss*; I Tim. 2:12. A modernização dessas instruções, nas igrejas evangélicas, permitindo que as mulheres ensinem a homens e não usem o véu é uma corrupção dos ensinos vetero e neotestamentários. Se quisermos dar às mulheres maior liberdade (conforme a maioria das igrejas cristãs já está fazendo), então seremos forçados a admitir que a mulher, na cultura judaica, desfrutava de uma condição baixa, inclusive no culto religioso. Mas, visto que agora temos uma filosofia mais sábia, conforme muitos julgam, a respeito de tudo isso, então podemos ignorar em segurança os costumes antigos, degradantes à mulher. Além disso, poderemos dizer que nosso ideal é aquele refletido em Gál. 3:28: «Destarte não pode haver judeu nem grego; nem escravo nem liberto; nem homem nem mulher; porque todos vós sois um em Cristo Jesus».

Salientar os casos de Miriã, Débora, Jael, Hulda, Atalia, no Antigo Testamento, ou, então, as profetisas do Novo Testamento, é apontar para exceções à regra, e não estabelecer um padrão geral. Toda uma nova filosofia de vida torna-se necessária a fim de emancipar a mulher.

Classes de Mulheres e suas Respectivas Condições:

1. *Donzelas*. Em Israel, esperava-se que todas as donzelas fossem virgens. Isso reflete-se na palavra hebraica *alma*, que pode significar tanto «donzela» quanto «virgem». As jovens eram cuidadosamente guardadas, e não havia tal coisa como o moderno *namoro*, com todas as tentações que isso impõe às jovens. Os casamentos eram contratados, não dependendo da roleta do amor, entre casais de namorados a vaguear pelas ruas e pelos lugares escuros. Quando uma mulher se casava, era obrigada a dar provas de sua virgindade. Essas provas (como o pano manchado de sangue) eram então preservadas, a fim de que a mulher pudesse usar como evidência, caso seu marido viesse a acusá-la, mais tarde, de que não era mais virgem quando se casara. Se o marido de uma mulher lhe fizesse tal acusação, e perdesse, então primeiramente seria espancado, e, então, teria de pagar uma multa (ver Deu. 22:13-19). Mas, se essa acusação ficasse comprovada, então ela seria executada por apedrejamento (ver Deu. 22:20,21).

2. *Mulheres Casadas*. Elas tinham muitas obrigações e poucos direitos. Não podiam divorciar-se de seus maridos, embora pudessem apresentar razões compelidoras para que eles se divorciassem. A mulher casada estava sujeita a normas estritas. Se cometesse adultério, era automaticamente apredrejada até morrer. Mas o seu marido podia ter quantas mulheres quisesse, contanto que não tocasse na esposa de outro homem. Se uma mulher casada fosse apanhada em adultério, tanto ela quanto seu amante eram mortos. Ver Lev. 20:10; Deu. 22:22-27. Além disso, havia a prova da água amargosa (ver Núm. 5:12-31), se seu marido chegasse a suspeitar dela, mas não tivesse qualquer prova de suas suspeitas. Ver o artigo chamado *Água Amarga*. A mulher estava sujeita a um duro trabalho doméstico, e sua vida era severamente regimentada.

3. *Viúvas*. Uma viúva recebia certa renda fixa, não ficando inteiramente destituída, financeiramente falando, mas não participava da herança de seu marido. Também havia a provisão do casamento levirato, mas um homem podia recusar-se a se casár com a viúva de seu irmão, se estivesse disposto a sofrer uma desgraça pública. E uma boa porcentagem de homens preferia sofrer tal desgraça, porque não havia multa, nem prisão e nem qualquer outro dano pessoal. Assim, em poucos minutos ele estava livre de toda aquela obrigação. Ver sobre *Matrimônio Levirato*. O judaísmo posterior cancelou esse costume, quando descontinuou a poligamia. Uma viúva podia contrair novas núpcias. Ela também tinha a opção de ficar com a família de seu marido, ou podia voltar à casa de seu pai (Gên. 38:11; Rute 1:8,9). Se ela fosse filha de um sacerdote, podia compartilhar das provisões que os sacerdotes recebiam dos dízimos do povo (Lev. 22:13). Também havia certo espírito de caridade que era promovido em favor das viúvas, segundo se observa em Êxo. 22:21-23; Deu. 10:18 e Isa. 1:17. O código de Hamurabi e o épico ugarítico de Danel (Daniel) demonstram as privações e a falta de direitos das viúvas por todo o Oriente Próximo, incluindo a Assíria, a Babilônia e Israel.

VIII. A Condição dos Filhos

Parteiras ajudavam as mulheres no parto (ver Gên. 35:17; Êxo. 1:16). Era comum as crianças morrerem por ocasião do nascimento. Era usado o equivalente a uma *cadeira de partos*. As mulheres sentavam-se sobre duas pedras, com um espaço apropriado entre as mesmas. O Talmude menciona uma cadeira especial com esse propósito, o que podemos supor que era mais confortável do que duas pedras. A criança recém-nascida era lavada, esfregada com sal e enrolada em paninhos (Jó 38:8,9; Eze. 16:4). A criança era amamentada pela mãe, ou por outra mulher apropriada, sendo desmamada com cerca de três anos de idade (II Macabeus 7:27). Havia uma festa comemorando esse evento (Gên. 21:8). O bebê recebia seu nome ao nascer, e o pai ou a mãe podiam escolher-lhe o nome (ver Gên. 29:32; 30:24; Êxo. 2:22). Eram comuns nomes próprios que incorporavam um dos nomes divinos: El, Adonai, Yahweh, etc. Também eram usados nomes de animais e de plantas, como, por exemplo, Débora (abelha), Raquel (ovelha), etc. Os pais tinham a responsabilidade de criar seus filhos. O treinamento religioso era muito importante, entre os israelitas, como também a preparação para algum tipo de negócio ou profissão. O lar precisava prover tudo à criança. No primitivo Israel não havia escolas. A circuncisão fazia o menino participar no pacto abraâmico (ver sobre *Pactos*; ver também Gên. 17:10). A mãe ocupava-se quase inteiramente no trabalho da criação dos filhos. O pai, entretanto, provia para os filhos aquelas grandes necessidades, como alimentação e outras coisas dessa natureza. Quando uma criança chegava ao seu quinto ano, o pai começava a desempenhar uma porção mais ativa em sua educação. A Tora e o Talmude eram os textos de estudo das crianças. Uma obediência estrita era exigida, e as infrações, até mesmo das crianças, podiam resultar em sua morte (ver Deu. 21:18 *ss*). Isso era feito mediante execuções públicas, como quando um filho tornava-se rebelde ou criminoso.

O rabino Josué ben Gamala (na época de Jesus) instituiu escolas como um agente de instrução à parte do lar. Mesmo assim, a educação ali continuava sendo essencialmente religiosa. Os judeus não tinham muito interesse pelas artes e pelas ciências. Ver o artigo geral intitulado *Educação*. Apesar da educação das meninas não ser totalmente negligenciada, essa educação orientava-se quase inteiramente na direção das prendas domésticas. Não havia carreiras para mulheres.

IX. Casamentos Mistos, Judaicos e Cristãos

Grande é a diferença de filosofia, no judaísmo e no cristianismo, quanto a essa particularidade. No Antigo Testamento, os casamentos mistos nem eram reputados válidos, a menos que as mulheres estrangeiras se tornassem judias, por conversão. Não somente era permitido o divórcio nesses casos, mas até era exigido. Naturalmente, houve casos de esposas estrangeiras que, ao se fazerem judias quanto à religião, tornaram-se heroínas da fé judaica, como Raabe, Rute e, até mesmo a esposa de Moisés, Zípora. Terminado o exílio babilônico, aquels judeus que se tinham casado com mulheres estrangeiras tiveram de divorciar-se delas, quando o remanescente de Israel voltou a Jerusalém. Ver o décimo capítulo do livro de Esdras.

No Novo Testamento não foi sancionada a filosofia geral do divórcio. Realmente, os casamentos mistos passaram a ser considerados legais. Se tivesse de haver algum divórcio, o cônjuge incrédulo é que teria de tomar a decisão. E se o cônjuge incrédulo se divorciasse, então o cônjuge crente estaria liberto de qualquer obrigação matrimonial, e podia casar-se novamente; mas, dessa vez, «no Senhor». Paulo deixou claro que o casamento deveria ser usado como oportunidade de evangelização. No entanto, se tais esforços falhassem, então o casamento com um cônjuge incrédulo não deveria servir de empecilho para toda a vida, fazendo o cônjuge crente sofrer. Ver I Cor. 7:12 *ss* quanto às normas paulinas gerais sobre a questão. A questão de ser o crente capaz de divorciar-se do seu cônjuge incrédulo e casar-se de novo é chamada, pelos teólogos, de «a exceção paulina». Ver o artigo separado sobre o *Divórcio*.

O Casamento como um Veículo Espiritual. No judaísmo e no cristianismo, o casamento era visto como algo que fortalecia a comunidade religiosa, ajudando o indivíduo a cumprir suas obrigações diante da lei sagrada (os requisitos do evangelho, nos tempos neotestamentários). As famílias deveriam ser nutridas na fé, servindo de meios para perpetração de uma cultura, de uma filosofia e de uma expressão religiosa específicas. É óbvio que qualquer desvio no casamento, mediante a introdução de elementos estrangeiros, era claramente prejudicial ao propósito central do casamento. Deus e a fé em primeiro lugar; qualquer outra consideração, depois disso, envolvia a questão da correta atitude. Israel deveria ser um povo ímpar. A Igreja cristã, por sua vez, deve ser um reino de sacerdotes. Isso não pode ser mantido com maridos e mulheres profanos, que negligenciem a fé religiosa, ou mesmo sejam hostis à mesma. O judaísmo moderno e o cristianismo (do tipo conservador) continuam a promover aqueles antigos conceitos. «Lenta e imperceptivelmente, qual células cancerosas, a doença dos casamentos mistos foi penetrando, consumindo e destruindo a família judaica e a esperança judaica de sobrevivência» (David Kirshenbaum). Ver o artigo separado intitulado *Separação do Crente*, que aborda o *jugo desigual* e suas muitas manifestações adversas, inclusive no âmbito do casamento.

X. A Santidade do Matrimônio

Heb. 13:4: *Honrado seja entre todos o matrimônio e o leito sem mácula; pois aos devassos e adúlteros, Deus os julgará.*

Certamente não existe problema, na sociedade ou na própria igreja, mais difícil e generalizado do que a questão da impureza sexual. Surpreendente porção do N.T. se devota a denunciar os vícios sexuais (ver I Cor. 6:15 e *ss*). Ali, o argumento contra as práticas sexuais ilícitas é que somos o «corpo de Cristo», e nenhum membro desse corpo pode unir-se impunemente a uma pessoa sexualmente impura; a fornicação é um pecado contra o corpo; o corpo do crente é o templo do Espírito Santo, pelo que dificilmente pode ser usado para práticas sexuais degradantes. Não temos corpos para usá-los de maneira errada, porquanto pertencem a Deus, juntamente com nossos espíritos.

Os gnósticos imaginavam que devemos cooperar com o sistema mundano, que está destinado a finalmente ser destruído, com todas as coisas materiais. Criam que a própria matéria é o princípio do mal. Assim, poderíamos abusar do corpo, ou mediante o ascetismo **ou mediante a auto-indulgência**, e, ao assim fazermos, estaríamos cooperando com a destruição do corpo, sem que isso trouxesse qualquer dano ao espírito. Porém, o cristianismo nunca visou o corpo ou a matéria como coisas más por si mesmas, embora o sexto capítulo da epístola aos Romanos nos mostre claramente que Paulo reputava o corpo humano uma presa fácil do pecado, instrumento mui freqüentemente usado para o mal. E a experiência humana também nos ensina tal, o que indica que isso é uma verdade indiscutível. (Ver I Tes. 4:3 no NTI quanto a notas expositivas acerca dos pecados sexuais).

Na sociedade judaica sempre foi tolerada a poligamia. O N.T. não condena tal prática, mas exibe um ideal superior. O Senhor Jesus, em Mat. 19:5, ensinou o princípio de «uma mulher para cada homem», porquanto somente um casal pode formar, realmente, o ideal de «tornar-se ambos uma só carne». As epístolas pastorais proíbem a poligamia no caso dos líderes das igrejas (ver I Tim. 3:2,12, embora esses versículos, quase certamente, também proíbam até mesmo novo casamento de um ministro da Palavra, em caso da morte de sua esposa, o que é uma posição extrema).

O sexo está limitado ao matrimônio. Não há qualquer exceção a isso, em todo o N.T., embora o A.T. reconhecesse o concubinato, o contrato de mulheres para um breve período. Nossa lealdade como crentes, entretanto, deve ser aos princípios mais elevados do N.T., e não aos ensinamentos relativamente inferiores do A.T.

O leito sem mácula. Essas palavras têm sido

exageradas para que signifique que enquanto as práticas sexuais sejam dentro das relações matrimoniais, pode-se incluir aberrações e práticas duvidosas. Mas o autor sagrado sem dúvida não tencionou dizer isso. Mui provavelmente ele subentende que deve haver moderação em tudo, já que o cristianismo em todos os aspectos da vida ensina e exige a *normalidade*, e não extremismos.

Impuros é tradução do vocábulo grego «pornos», termo geral que indica «sexo ilícito», e cuja forma feminina significa «prostituta». O termo é mais geral do que «fornicação», ou seja, as práticas sexuais ilícitas anteriores ao matrimônio. Tal palavra pode indicar qualquer ato sexual condenável.

Adúlteros. No grego é usado o termo «moichos», relações sexuais ilícitas que envolvem pessoas casadas, com pessoas que não são seus cônjuges.

A condenação imposta pelo N.T. (em Gál. 5:19-21), nos mostra que os vícios sexuais estão incluídos entre os pecados que impedem a pessoa de herdar o reino dos céus. O trecho de Efé. 5:6 ensina-nos a mesma coisa. Todo o indivíduo dominado por algum vício sexual não pode ter-se convertido em verdade, e nem pode esperar, com razão, a salvação de sua alma. O presente versículo promete o juízo de Deus contra a pessoa que pratica vícios sexuais, ainda que, entre os homens, tais vícios jamais venham a ser julgados.

Há certas interpretações implícitas, que estão vinculadas ao presente texto, a saber:

1. O matrimônio precisava ser defendido dos assédios dos ascetas, que negavam a legitimidade do casamento, pelo menos no caso dos que buscam a sério as verdades espirituais, embora perfeitamente legítimo para as massas. Não há qualquer evidência que o autor sagrado estivesse defendendo o matrimônio como modo de vida, em contraste com o celibato. Tal problema simplesmente não estava sendo focalizado.

2. A prática do celibato é uma questão pessoal, que só pode ser resolvida entre Deus e o indivíduo, não podendo ser ditada por qualquer autoridade religiosa, sob a alegação de que é mais conveniente que os ministros vivam solteiros. Apesar do autor sagrado não abordar a questão, pois tal idéia só surgiu como dogma muitos séculos mais tarde, não sendo prática observada nos próprios tempos neotestamentários, contudo, o matrimônio é declarado honroso para todos, e isso comprova que, naqueles dias, não havia ministros, como uma classe, que tivessem de viver no celibato.

3. Certamente o texto combate, ainda que indiretamente, a suposição de que o matrimônio é o estado «inferior» (ainda que legítimo), em relação ao estado de solteiro. Os preconceitos em favor do celibato é que têm produzido a supressão das palavras «entre todos». Assim é que os mss 38, 460, 623, 1836 e 1912, além dos escritos dos pais da igreja Dídimo e Cirilo de Jerusalém, Eusébio, Atanásio, Epifânio e Teodoreto, omitem tais palavras.

XI. Vantagens do Matrimônio

I Cor. 7:2: ***mas, por causa da prostituição, tenha cada homem sua própria mulher e cada mulher seu próprio marido.***

No original grego, *impureza* é novamente o vocábulo grego «porneia», a palavra constantemente usada do capítulo quinto desta epístola em diante, a qual expressa «imoralidade» de toda a sorte. (Quanto a notas expositivas sobre essa palavra, ver I Cor. 5:1 no NTI). Tal vocábulo não pode ser limitado em seu sentido à *fornicação*, que significa contactos sexuais ilícitos entre pessoas «solteiras», conforme alguns estudiosos têm tentado restringi-lo.

Cada um tenha a sua própria esposa. Isso porque o próprio sexo não é mau por si mesmo, contanto que o leito matrimonial seja conservado incontaminado (ver Heb. 13:4). Paulo não concordava com os filósofos ascetas, os quais asseveravam que o matrimônio é um mal, a despeito de ser um mal necessário. Outrossim, o casamento tem a função natural de propagar a raça humana, o que é algo necessário, além das funções de satisfazer necessidades físicas, biológicas e psíquicas. O trecho de I Cor. 6:16 mostra-nos que as relações sexuais unem energias vitais, tanto físicas como espirituais (ver as notas expositivas ali existentes no NTI), o que pode ser benéfico, contanto que não seja exagerado, conforme pode ocorrer, até mesmo dentro do matrimônio. A falta de moderação, em qualquer coisa, é um mal, sem importar se estamos considerando a fome pelos alimentos, pela fama, pelo prestígio, pelas posses materiais, etc. Assim, pois, o excesso, até mesmo nas relações matrimoniais dos casados, pode ser um fator destrutivo para o espírito, bem como prejudicial para o corpo. Porém, as relações sexuais, consideradas por si mesmas, são boas, embora não contribuam da maneira mais excelente possível no que se relaciona ao progresso espiritual, segundo o apóstolo Paulo passa a mostrar. Não obstante, a proporção mais rápida de progresso espiritual, que pode derivar-se do celibato, não está ao alcance de todos os seres humanos, pois nem todos podem viver como celibatários. Há muitíssimos que, se tentarem tal experiência, certamente serão vitimados pela imoralidade, não tendo esposa ou esposo que os proteja disso, e isso fá-los-ia se tornarem passíveis da severa reprimenda que há no sexto capítulo desta epístola.

Se porventura houvesse qualquer mal, no casamento, dificilmente Paulo teria usado o estado matrimonial para ilustrar a união que há entre Cristo e a sua igreja, conforme encontramos em II Cor. 11:2; Rom. 7:4 e Efé. 5:28-33.

Vantagens do Matrimônio

1. Serve de base legal e legítima para a satisfação dos desejos sexuais, ficando assim proscrita a imoralidade. (Essa é a lição principal do presente texto).

2. O matrimônio é bom por si mesmo, como meio de unir as energias vitais, de natureza física e espiritual de duas pessoas, o que pode ser benéfico para ambas.

3. Provê companhia. A formação psíquica de homem e mulher é constituída de tal modo que um como o outro são emocionalmente incompletos, por isso mesmo, precisando da ajuda suplementar do outro. O varão é dominante e positivo; a varoa é dependente e negativa. Assim sendo, homem e **mulher se complementam mutuamente. Quando há harmonia no casal, ambas as pessoas são beneficiadas** como seres humanos, passando a desfrutar de melhor saúde física, com menor acúmulo de tensões, com melhor estabilidade mental e com melhor saúde psíquica. Além disso, o *companheirismo* entre homem e mulher pode ser espiritual, podendo um ajudar o outro na direção do Senhor, ainda que tal qualidade, no casamento, seja bastante rara. Alguns estudiosos têm chegado a postular a idéia das «almas gêmeas», o que significa que duas pessoas podem ser não meramente «compatíveis» mas também, de um ponto de vista metafísico, podem ser as porções positiva e negativa de uma só e a mesma personalidade. Essa doutrina *normalmente*, requer a idéia da preexistência da alma. Assim, na união final,

perfeita, encontramos a restauração de uma só personalidade, para glória de Deus. Essa idéia foi advogada por Platão, podendo ser encontrada em seu diálogo, intitulado «Symposium» (em português, intulado *Banquete*).

Todavia, essa doutrina não é ensinamento revelado nas Escrituras. Contudo, isso não lhe é necessariamente fatal, porquanto Deus ainda dispõe de muitas verdades que não possuímos. Algumas dessas verdades podem ser-nos transmitidas através da experiência mística ou da razão, contanto que não entrem em contradição com a verdade revelada.

4. O matrimônio, finalmente, provê base legítima para a propagação da raça humana, porquanto a família é o fundamento da sociedade e da civilização humanas.

5. *Tarefas espirituais*. Certas missões espirituais podem ser realizadas dentro do casamento. Uma esposa pode ser uma *companheira de tarefa*.

XII. O Casamento Cristão

Devemos pensar nos seguintes pontos a respeito:

1. Monogamia (Mat. 19:6; Mar. 10:6-8).

2. Sua origem divina e seu caráter sagrado são ensinados em Mat. 19:5,6 e Efé. 5:31.

3. A condição do divórcio e do adultério (ver Mat. 19:9). Essa é a única condição bíblica, excetuando a provisão paulina acerca dos cônjuges incrédulos. Muitos teólogos pensam que o Novo Testamento é deficiente quanto a esse ponto. Abordamos o problema no artigo sobre o *Divórcio*.

4. O celibato e a virgindade eram condições preferíveis, por Jesus (Mat. 19:12) e por Paulo (I Cor. 7), mas essas preferências não foram institucionalizadas por eles, e nem foram decretadas como obrigatórias para todos os cristãos. O casamento não se tornou algo imposto, como ocorria virtualmente no Antigo Testamento, especialmente no caso daqueles que quisessem exercer qualquer autoridade e função nas questões e instituições religiosas.

5. O casamento deve fazer parte da expressão cristã, e não algo separado da mesma, e certamente não algo capaz de impedir essa expressão. Isso torna-se perfeitamente claro em Efé. 5:19. Encontramos nesse trecho o mistério de Cristo e da Igreja. Eles são um só. Outro tanto sucede ao marido e sua mulher, no casamento, de alguma maneira mística, porquanto eles trocam energias vitais, de alguma maneira. Mas dificilmente isso pode acontecer quando um dos cônjuges não é convertido à fé cristã. Ver o vs. 32.

6. O matrimônio cristão deve ser tido como santo, dirigido pelo amor (vss. 27-29,33). Da parte das esposas requer-se a reverência a seus maridos (vs. 33).

7. O casamento nunca aparece no Novo Testamento meramente como um contrato secular. Antes, é uma união espiritual. Propósitos espirituais supostamente realizam-se por meio do casamento, incluindo os propósitos do serviço cristão, da adoração e do desenvolvimento espiritual. As esposas devem agir como companheiras de seus esposos, ajudando-os a cumprir seu papel cristão. Missões especiais podem estar envolvidas.

8. A Igreja Católica Romana transformou o casamento em um sacramento, utilizando-se do quinto capítulo de Efésios como texto de prova. Espera-se que o Espírito Santo manifeste-se através da união do casamento, para o bem-estar de ambos os cônjuges. Presumivelmente, o casamento confere graça, por ser um dos agentes da Igreja para tanto, com a cooperação do Espírito. Ver o artigo intitulado *Sacramentos*.

9. O casamento produz filhos, e às almas é conferida a oportunidade de se manifestarem no plano terreno, mediante o veículo físico, provido pela procriação. Novamente, pois, isso nos envolve na questão das missões espirituais. Nos círculos domésticos, missões unidas podem estar envolvidas, ou, pelo menos, pode haver união de espíritos, o que provê o necessário para ajuda e encorajamento mútuos.

10. *Instrução e Orientação Espirituais para as Crianças*. O casamento dá filhos aos casais, filhos que se tornam responsabilidade dos pais. Os filhos precisam ser treinados no caminho do Senhor, a fim de que cheguem à altura plena de sua potencialidade espiritual. As crianças devem ser criadas na disciplina e admoestação do Senhor (ver Efé. 6:4). O lar é a melhor escola com finalidades espirituais.

11. A condição da mulher foi aprimorada no Novo Testamento. Ver Gál. 3:28. As mulheres crentes têm o mesmo destino espiritual que os homens crentes (I Cor. 7:4; 11:11,12; Efé. 1:9,10). Apesar de subordinadas no relacionamento do casamento (ver Efé. 5:22,23), as mulheres nem por isso são inferiores quanto à expressão e ao destino espirituais. Elas ocupam uma *função* subordinada no casamento, mas em coisa alguma inferior à função do homem.

XIII. Figuras e Símbolos do Matrimônio

1. O casamento é ilustrativo da relação ímpar entre Yahweh e Israel, como se essa nação fosse sua esposa (ver Isa. 54:5; 62:4; Jer. 3:14; Osé. 2:19,20). Está em foco uma união espiritual especial, com a conseqüente comunhão.

2. No Novo Testamento, a imagem do Noivo é transferida para Cristo, e a da Noiva para a Igreja (ver Mat. 9:15; João 3:29; II Cor. 11:2; Efé. 5:23,24,32; Apo. 19:7; 21:2,9; 22:17.

3. A união espiritual em sentido místico—entre Cristo e sua Igreja—é ilustrada pelo matrimônio (Efé. 5:30-32). Cristo e a Igreja tornam-se um só mediante a participação em uma união espiritual vital. Outra ilustração dessa realidade é a da família, segundo a qual os filhos compartilham da natureza do Pai, ao mesmo tempo em que o Filho é visto como o Irmão mais velho. Os remidos tornam-se participantes da imagem de Cristo (Rom. 8:29; II Cor. 3:18), da plenitude de Deus (Efé. 3:19), e, portanto, da natureza divina (II Ped. 1:4). Isso significa, por sua vez, que a herança pertence aos filhos de Deus (Rom. 8:14 *ss*).

4. O casamento também serve de símbolo da *dedicação especial* de uma pessoa qualquer a uma tarefa, ao seu trabalho, à sua profissão ou a algum interesse especial que tenha.

5. A união espiritual pode ser simbolizada, nos sonhos, mediante o casamento.

6. O potencial de uma prole espiritual (ou seja, alguma forma de relação espiritual) pode ser representado, em forma preliminar, por um sonho ou visão que envolva casamento.

7. Nos sonhos e nas visões, casamentos e funerais podem intercambiar-se entre si, visto que ambas as coisas são ocasiões cerimoniosas.

Bibliografia. AM B BAIL BRA E JE UN WEST Z

MATRIMÔNIO LEVIRATO

Quanto ao texto bíblico envolvido, ver Deu. 25:5-10. O termo «levirato» deriva-se da palavra latina *levir*, «cunhado». O título aqui dado refere-se ao costume que havia entre os hebreus de que quando um israelita casado morria, sem deixar descendente do sexo masculino, seu parente mais próximo era obrigado a casar-se com a viúva, caso esse parente fosse solteiro, a fim de dar continuidade ao nome da família do falecido. O filho primogênito do novo casal tornava-se o herdeiro do primeiro marido de sua mãe. Se o irmão de um homem falecido não quisesse casar-se com a viúva, a esta era permitido submetê-lo aos insultos mais grosseiros, e o homem caía no opróbrio público. Porém, ao que tudo indica, não eram impostas penas mais severas do que isso. Sabe-se, por meio da história, que muitos homens preferiam cair em desgraça pública a casarem-se com certas mulheres, assumindo responsabilidade por filhos indesejáveis. Os registros literários e arqueológicos mostram que esse costume não se limitava ao povo de Israel. Naturalmente, o propósito era preservar a herança em famílias e clãs específicos, o que era muito importante em civilizações agrárias. Um benefício secundário era de natureza social: a viúva teria alguém que cuidasse dela, e esse foi um fator importante no caso de Rute (ver Rute 1:11; 3:1 *ss*). Mas talvez a lei também tivesse em mira o propósito sentimental de preservar o nome do homem que morrera de modo tão lamentável a não deixar herdeiro homem. Além disso, a lei do casamento levirato não se restringia aos irmãos do falecido, mas abarcava outros graus menores de parentesco. Um parente chegado podia substituir um irmão, conforme se vê em Gên. 38 e em Rute 3 e 4.

O Talmude olhava essa questão como um dever solene; mas a história mostra-nos que havia bastante aversão pelo casamento levirato, entre os israelitas. Quando um cunhado recusava-se a cumprir seu dever para com sua cunhada viúva, os sacerdotes podiam liberá-lo de sua responsabilidade, mediante um ato público. A mulher então tirava uma de suas sandálias e lhe cuspia no rosto, ao mesmo tempo em que proferia insultos verbais. A perda da sandália era chamada de ***halizah***, e era a alternativa para a não concretização do casamento levirato. Mas o ***código de santidade*** ignora tanto esse tipo de casamento quanto a ***halizah***. Ver sobre ***Santidade, Código de***. Antes, proíbe o casamento de um homem com a esposa de seu irmão como um ato incestuoso (ver Lev. 18:16; 20:21). Naturalmente, a explicação é que o casamento levirato abria uma exceção à ligação incestuosa, caso o primeiro marido da mulher tivesse morrido sem deixar herdeiro homem. Mas há aqueles intérpretes que pensam que temos aí uma insolúvel discrepância, que reflete diferentes pontos de vista de diferentes autores, que teriam estado envolvidos na produção do Pentateuco. Ver sobre a teoria ***J.E.D.P.(S.)***, que postula uma múltipla autoria para os livros tradicionalmente atribuídos a Moisés.

Os samaritanos, reconhecendo o problema, anularam a lei do «casamento levirato», admitindo-o somente no caso de uma mulher que tivesse perdido o noivo, antes do seu casamento ter-se consumado. E os saduceus parecem ter compartilhado dessa filosofia, a julgar por Mat. 22:24 *ss*; Mar. 12:18 *ss*; Luc. 20:27 *ss*. Essa era, igualmente, a posição da escola farisaica de Shammai, e, posteriormente, dos *caraítas* (vide). Em contraste com isso, a escola de Hillel favorecia o casamento levirato, — pensando que o mesmo era uma exceção à proibição estabelecida em Lev. 18:16. Naturalmente, mesmo para a escola de Hillel, se o falecido irmão tivesse deixado um descendente do sexo masculino, então não tinha aplicação o «casamento levirato». E a viúva teria que permanecer como tal, até que encontrasse um homem que assumisse a responsabilidade por ela e seus filhos.

O caso de Marc. 6:18; onde João Batista denunciou Herodes por ter ficado com a esposa de seu irmão, ao que tudo indica não envolvia o «casamento levirato», por ser muito provável que o irmão de Herodes ainda estivesse vivo. Todavia, há estudiosos que pensam que esse irmão já teria morrido, supondo que João simplesmente se baseara no *código de santidade*, quanto à acusação que fez a Herodes. De fato, entre os rabinos disputava-se se seria preferível o casamento forçado ou a *halizah*. Alguns rabinos objetavam a esse tipo de casamento, porque, segundo eles, promovia a poligamia. O rabino Gershom ben Jehudah, de Mayence (cerca de 1000 D.C.), anulou o casamento levirato devido à sua oposição à poligamia. O judaísmo não pratica o «casamento levirato» visto que não prevalece atualmente uma sociedade polígama. As viúvas, entre os judeus, têm o direito de casar-se novamente, contanto que não seja com algum cunhado.

MATURIDADE

Esboço:
1. Definição
2. Textos Bíblicos
3. Outros Fatores da Maturidade
4. Meios Atuais de sua Obtenção
5. Noções Erradas a Respeito

1. Definição

A maturidade é o estado ou qualidade de quem já se desenvolveu plenamente, aproximando-se da perfeição, que é o alvo na direção de todo e qualquer crescimento, físico, mental, moral ou espiritual. Muitos tipos de maturidade resultam do *crescimento* natural, como se dá nos casos dos animais e das plantas. Outros tipos de maturidade, como o intelectual e o espiritual, requerem um crescimento ou desenvolvimento propositalmente *cultivado*, que não se concretiza sem esforço constante e consciente. A maturidade é contrastada com o estado dos recém-nascidos, ou com o estado dos jovens, estados que caracterizam os não desenvolvidos ou apenas parcialmente desenvolvidos.

2. Textos Bíblicos

a. *Hebreus* 6:1: «Por isso, pondo de parte os princípios elementares da doutrina de Cristo, deixemo-nos levar para o que é *perfeito...*» A palavra que pusemos em itálico, no grego é *teleiótes*, «estado terminado». Essa é uma das passagens mais claras e instrutivas a respeito da maturidade espiritual que há em todo o Novo Testamento. Encara a questão do ponto de vista do desenvolvimento doutrinário, acenando-nos com uma escalada para a perfeição doutrinária, para a posição exaltada de mestres cristãos. E, segundo esse e o versículo seguinte deixam claro, isso vem através de uma subida progressiva, em que o crente vai passando de experiência em experiência com o Senhor. Começando pela *base*, que é o arrependimento, o remido deve subir para a fé em Deus, para o ensino sobre os batismos (notar o plural), para a doutrina da imposição de mãos, para a ressurreição dos mortos e para o juízo eterno, antes de atingir o sétimo degrau, a «perfeição». Esse trecho bíblico tem muita coisa para ensinar-nos.

b. *Tiago* 1:4: «Ora, a perseverança deve ter ação completa, para que sejais *perfeitos* e íntegros, em nada deficientes». No original grego, o termo aqui em itálico é a forma adjetivada daquela primeira, *téleios*, «terminado», «perfeito». Essa palavra é reforçada pela seguinte, *holókleros*, «completo em suas porções», «íntegro». A fé do crente é submetida a teste. Isso lhe provê perseverança e crescimento nas graças espirituais. Mediante isso um crente torna-se perfeito e completo, ou seja, maduro, moral e espiritualmente, nada lhe faltando em qualidades e virtudes. No entanto, se a algum crente ainda faltam a sabedoria e a maturidade de que ele precisa e pelas quais anela, deveria rogar a Deus, que não lhe negará essas qualidades de caráter. Podemos ter a certeza de que o Senhor está pronto a dar essas coisas aos crentes (ver o vs. 6).

c. *Colossenses 1:28:* «...o qual nós anunciamos, advertindo a todo homem e ensinando a todo homem, em toda a sabedoria, a fim de que apresentemos todo homem *perfeito* em Cristo». Novamente o mesmo adjetivo grego, *téleios*, é usado. As exortações e advertências de Paulo, juntamente com as quais transmitia a mensagem cristã, tinham por intuito levar os homens a buscarem a maturidade em Cristo. Isso se dá mediante a aplicação dos princípios do evangelho, com a ajuda das atividades do Espírito Santo. Sem essa atividade, sem a presença do alter ego de Cristo, é inútil alguém falar ou buscar desenvolvimento espiritual.

d. *II Coríntios* 3:18: «E todos nós, com o rosto desvendado, contemplando, como por espelho, a glória do Senhor, somos transformados de glória em glória, na sua própria imagem, como pelo Senhor, o Espírito». O crente torna-se maduro ou perfeito na proporção exata em que vai sendo transformado segundo a imagem de Cristo. E esse é um dos melhores versículos bíblicos sobre a questão da nossa transformação segundo a imagem de Cristo. Contemplamos, por assim dizer, o espelho espiritual para vermos como está nossa fisionomia espiritual. Mas ali vemos Cristo, o arquétipo da perfeição humana. Assim, quando O contemplamos, vamos sendo paulatinamente transformados em sua imagem. Esse processo não terminará na vida presente, mas prosseguirá por toda a eternidade, de tal modo que iremos passando de um estágio de glória para outro, indefinidamente. O agente desse processo é o Espírito do Senhor, pois, de outro modo, qualquer avanço nessa direção seria impossível. Este versículo, pois, ensina-nos o grande alvo da nossa maturidade. É um erro ver apenas algum tipo de *crescimento* nesse processo, na direção de algum alvo vago. Bem pelo contrário, o alvo é claríssimo. Compete-nos compartilhar da imagem de Cristo, participando de sua forma de vida. Isso, por sua vez, equivale a participar da própria natureza divina, o mais elevado conceito que há para os remidos, em toda a Bíblia. Ver também Rom. 8:29 e II Ped. 1:4.

e. *Efésios 3:19:* «...e conhecer o amor de Cristo que excede todo entendimento, para que sejais tomados de toda a *plenitude* de Deus». A palavra aqui em itálico, no grego, é *pléroma*, «o conteúdo inteiro». Notemos que está em foco a «plenitude de Deus», um conceito que ultrapassa toda a nossa capacidade de abstração. Essa *pléroma* envolve a natureza de Deus, com todos os seus atributos. O Cristo, o Logos de Deus, possui essa plenitude (ver Col. 2:9), e, em Cristo, uma vez que ele seja bem formado em nós (ver o ponto «d», acima), também a possuiremos (vs. 10).

f. *Mateus 5:48:* «Portanto, sede vós *perfeitos* como *perfeito* é o vosso Pai celeste». Novamente temos aí, por duas vezes, o adjetivo grego *téleios*, «terminado». Ele é o alvo e o arquétipo de nossa perfeição. Um ponto a ser observado é que o verbo português, «sede», que nossa versão portuguesa põe no imperativo, no grego é o futuro do indicativo. Na verdade, o Senhor Jesus disse: «Portanto, *sereis* vós perfeitos como perfeito é o vosso Pai celeste». É verdade que podemos interpretar esse tempo verbal como um imperativo, mas também não é errado interpretá-lo como um futuro, dando a entender o resultado final de nosso desenvolvimento espiritual, e não uma exortação para que cheguemos a tão elevado nível de perfeição como é a do nosso Pai celeste. A glorificação final está garantida para todos os remidos. «Estou plenamente certo de que aquele que começou boa obra em vós há de completá-la até ao dia de Cristo Jesus» (Fil. 1:6). Além desse fato, também devemos meditar naquele outro, que a glorificação é um processo eterno. Glorificados, seremos filhos de Deus pois recebemos a imagem de Jesus Cristo, que é possuidor da imagem, da natureza e dos atributos de Deus Pai. Secundariamente, a maturidade consiste em nossa transformação e desenvolvimento espiritual nesta vida terrena, onde só podemos alcançar um estágio inicial de nossa perfeição e maturidade metafísicas.

g. *Romanos 12:2:* «E não vos conformeis com este século, mas *transformai-vos* pela renovação da vossa mente, para que experimenteis qual seja a boa, agradável e perfeita vontade de Deus». Nesta vida, cumpre-nos ser transformados mediante a renovação de nossos hábitos mentais, de nossa maneira de pensar. Daí é que resultam todas as virtudes éticas e morais que um crente pode possuir neste lado da existência. A palavra em itálico, na citação, no grego é *metamorphóo*, «mudar de forma», «transfigurar-se». Trata-se da mesma palavra usada para indicar a transfiguração do Senhor Jesus, no monte (ver Mat. 17:2). A passagem de II Cor. 3:18 contém essa mesma palavra grega, onde diz que estamos sendo «transformados de glória em glória», na imagem do Senhor, por atuação do Espírito.

3. Outros Fatores da Maturidade

a. Fica implícita uma total dedicação a esse alvo (Mat. 19:21).

b. Devemos buscar a maturidade (Pro. 4:18; Fil. 3:12).

c. Os ministros da Palavra devem conduzir os crentes à perfeição (Efé. 4:12; Col. 1:28).

d. A busca pela perfeição deve fazer parte das exortações cristãs (II Cor. 7:1; 13:11).

e. A Palavra de Deus é o grande instrumento de nossa perfeição, usado pelo Espírito de Deus (Tia. 1:22-25).

f. O amor é o vínculo da perfeição (Col. 3:14).

g. O crente deveria orar, pedindo a perfeição (Heb. 13:20,21; I Ped. 5:10).

h. Finalmente, a Igreja (o conjunto total dos remidos) haverá de obter a perfeita maturidade (João 17:23; Efé. 4:13).

i. Desde agora, e por toda a eternidade, a perfeição é um estado bem-aventurado (Sal. 37:37; Pro. 2:21).

4. Meios Atuais de sua Obtenção

Os meios da obtenção da maturidade espiritual são os mesmos meios do crescimento espiritual, conforme a alistagem abaixo:

a. O *estudo* dos Livros Sagrados, além de outros, conducentes ao nosso treinamento intelectual quanto às coisas espirituais.

b. O uso da *oração*, em bases regulares.

c. A prática da *meditação*, irmã gêmea da oração. Na oração, fazemos nossas petições ao Pai; na meditação, esperamos pela resposta, e também contemplamos a presença mística do Senhor, através do que obtemos iluminação espiritual.

d. A *santificação*. Apesar de ser verdade que Deus usa instrumentos para atingir os seus propósitos, instrumentos esses aos quais faltam muitas qualidades, também é verdade que, finalmente pouco poderemos avançar no caminho da maturidade espiritual a menos que passemos pelo processo santificador, mediante o qual, positivamente falando, nos consagramos ao Senhor, e, negativamente falando, vamos abandonando nossos próprios pecados e defeitos de caráter—tudo em busca da santidade de Deus.

e. A prática das *boas obras*, no cumprimento da *lei do amor*. A grande comprovação de uma espiritualidade madura é o amor cristão. Esse amor também comprova que fomos regenerados pelo Espírito de Deus (ver I João 4:7 *ss*).

f. *O toque místico*. A meditação pode levar à iluminação espiritual, que é um dos aspectos do toque místico. Esse toque místico consiste na comunhão direta com o Espírito de Cristo. Acresça-se a isso a possessão e o uso dos dons espirituais, no estilo do século I D.C., ou em algum outro estilo, porquanto Deus não se limita a um único *modus operandi*. O que realmente importa é a realidade da possessão e uso dos dons espirituais para nosso próprio benefício e para benefício da nossa irmandade.

5. Noções Erradas a Respeito

No decorrer dos séculos, a doutrina da maturidade cristã ou da perfeição tem sido sujeita a algumas distorções. Parece-nos que as principais são as do perfeccionismo e dos movimentos de restauração.

a. *Perfeccionismo*. Essa foi a posição de João Wesley e de Finney, para exemplificar com vultos importantes da cristandade evangélica. Os perfeccionistas aderem à idéia de que o crente, na regeneração, passa instantaneamente da total pecaminosidade para a total santificação. Ambas as coisas seriam atos divinos; e a santificação não seria um processo que é mister levar avante a vida inteira, mas que o crente teria, perfeita, a partir do momento de sua conversão. Por isso mesmo, *perfeccionismo* e *impecabilidade* são virtuais sinônimos. Todavia, essa noção não somente não aparece na Bíblia, como também as Escrituras ensinam exatamente o contrário. Citemos apenas dois trechos representativos:

«Não há homem justo sobre a terra que faça o bem e que nao peque» (Ecl. 7:20). Ver também I Reis 8:46. Essa é a voz do Antigo Testamento.

«Se dissermos que não temos pecado nenhum, a nós mesmos nos enganamos, e a verdade não está em nós» (I João 1:8). Ver também Tia. 3:2. Essa é a voz do Novo Testamento.

A mensagem dos perfeccionistas, porém, foi sendo suavizada passo a passo, desde «liberdade de todo e qualquer pecado», passando por «liberdade de todo pecado conhecido», por «total consagração», até chegar a «nenhum pecado cometido voluntariamente». Toda a posição, entretanto, está baseada sobre falsos conceitos: acerca das exigências da lei de Deus; acerca do poder humano de decisão contrária aos seus impulsos; acerca da fase espiritual em que se acham os remidos neste mundo. Na glória celeste seremos perfeitos; por enquanto somos muito imperfeitos, conforme o testemunho bíblico sobre os santos mais consagrados ao Senhor testifica claramente.

b. *Movimentos de Restauração*. Nos primórdios do século XIX, surgiu um movimento de restauração da Igreja, encabeçado por alguns líderes notáveis, de indiscutível valor pessoal, como Walter Scott, Thomas e Alexander Campbell e Barton Stone. Eles partiam da idéia de que era preciso voltar ao cristianismo primitivo, mediante o abandono de credos escritos e a exclusiva retenção da Bíblia como norma de fé e prática cristãs. Até aí tudo bem—todos os esforços semelhantes são louváveis e podem ser emulados. No entanto, no processo, o grupo caiu em graves distorções: *exclusivismo* (com o que frustraram a sua própria idéia de unidade espiritual da Igreja) e *regeneração batismal* (que os fez retroceder àquele que, talvez, foi o primeiro grande erro doutrinário da Igreja antiga).

Se os perfeccionistas preocupam-se com a perfeição do crente individual, os movimentos de restauração buscam levar a Igreja à maturidade ou perfeição. Mas, visto que um todo compõe-se de suas partes, como é que a coletividade cristã poderá ser perfeita, se seus membros são todos imperfeitos? Por isso mesmo, quase sempre esses movimentos restauradores têm levado a perigosas aberrações.

Não precisamos ir longe para encontrar provas disso. Na cidade do Rio de Janeiro, Brasil, no começo da década de 1960, surgiu um movimento de restauração encabeçado por um ex-pastor batista, pastor Magno. Inspirado, sem dúvida, por outros movimentos similares da América do Norte, ele criou seu próprio movimento restaurador. Desde o começo, o grupo mostrou-se muito ascético, mormente no tocante às vestes femininas, que precisavam ser «no prumo e no nível», isto é, chegarem exatamente à metade das canelas das mulheres, nem mais e nem menos. Também não se podia tomar nem guaraná, pois, alegadamente, «um prego enferruja, se posto dentro de um copo de guaraná»! O pastor mesmo se declarava «o Elias que havia de vir». Toda a sua meteórica carreira terminou quando se descobriu que a principal profetisa do grupo estava grávida dele, sendo que ele tinha sua esposa, e ela tinha o seu esposo. Querendo justificar-se, ele declarou que Deus havia ordenado a união com a profetisa, pois o menino que então nasceria seria novamente Jesus Cristo em carne! Felizmente, os demais pastores do grupo não aceitaram a monstruosidade. O pastor Magno fugiu para Goiás, e ali enforcou-se! Mas, muitos de seus seguidores continuam por aí, alguns dizendo que «Elias está escondido na caverna!» Pergunto: onde ficaram a perfeição e a restauração?

Este último parágrafo, *Noções Erradas a Respeito*, é de autoria do co-autor e tradutor desta enciclopédia, que assume a responsabilidade pelo que aqui é dito.

MATUSALÉM

No hebraico, «homem do dardo». Ele era descendente de Sete e filho de Enoque. Foi o avô de Noé. As crianças da Escola Dominical conhecem-no como o homem que viveu mais tempo do que qualquer outro. A Bíblia diz, em Gên. 5:27, que ele morreu com a idade de novecentos e sessenta e nove anos! Muitos estudiosos da Bíblia pensam que, naquele período inicial da história da humanidade, a longevidade era uma característica humana, e não uma raridade. Lemos, em Isa. 65:20, que, durante o milênio, uma «criança» (em razão da juventude em que aquela pessoa morrerá, e não por ser uma criança literal) morrerá aos cem anos. Quanto a referências bíblicas a Matusalém, ver Gên. 5:21,25,28,29; I Crô. 1:3. Seu nome não sugere, necessariamente, que ele tivesse sido um homem violento, mas tão-somente que a sociedade da época precisava usar armas para sobreviver, caçando animais para os homens alimentarem-se. No hebraico, a forma do nome é incerta, havendo manuscritos que dão *Mathusala*, enquanto outros dão *Mathusale*. Sabe-se que *Selah* era o nome de uma antiga divindade, pelo que seu nome poderia significar, igualmente, «homem de Deus» ou «homem de deus». Essa divindade também era chamada *Sin*. Para alguns comentadores, isso dá a entender que Matusalém e/ou a sua família estavam envolvidos na idolatria. O Pentateuco Samaritano, entretanto, declara que ele morreu com setecentos e vinte anos. Seja como for, a narrativa bíblica informa-nos que ele morreu no ano em que caiu o dilúvio. Os eruditos liberais duvidam da história inteira de sua longevidade, supondo ou que os cálculos são fantasiosos e românticos (como cumprimento de desejo), ou, então, que foi usado algum outro padrão de contagem, e não anos de trezentos e sessenta e cinco dias!

MAUPERTIUS, PIERRE-LOUIS MOREAU DE

Suas datas foram 1688—1759. Ele foi um filósofo e cientista francês. Nasceu em Saint-Malo, na Bretanha. Foi eleito membro da Academia Francesa de Ciências e da Real Sociedade Britânica. Dirigiu explorações geográficas na Lapônia, extremo norte da Escandinávia, e no Equador, na América do Sul. Suas medições cuidadosas ajudaram a mostrar o achatamento dos pólos do globo terrestre, em relação à linha do equador.

Ele promovia as idéias científicas de Newton. Foi um dos instrumentos da reorganização da Academia de Berlim, da qual foi presidente por certo número de anos. Maupertius também foi notável matemático e professor. Na Alemanha, sua permanência viu-se abreviada por causa de uma disputa com o filósofo Konig, acerca do cálculo infinitesimal.

Idéias:

1. Ele confirmou as teorias newtonianas da gravitação e do achatamento do globo terrestre nos pólos.
2. Sistematizou a mecânica de Newton e fez contribuições pessoais a esse campo.
3. Foi empírico convicto em seus métodos, tendo frisado o importante papel da percepção dos sentidos. Ele opinava que a linguagem torna-se um depósito para dar nomes às coisas reveladas pelos sentidos, o que explicaria as teorias científicas.
4. No terreno da ética, ele era essencialmente um hedonista, tendo manifestado preferências pelo utilitarismo.
5. Na metafísica, ele se declarou favorável ao *pampsiquismo* (vide), supondo que as partículas elementares possuem qualidades como desejo, aversão e memória.

Obras: *The Shape of the Earth; The Physics of Venus; Philosophical Reflections on the Origin of Languages and the Signification of Words; Essay on Cosmology; The System of Nature; Philosophical Examination of the Proof of the Existence of God.*

MAURUS, MAGNENTIUS RABANUS

Suas datas foram 784—856 D.C. Foi abade em Fulda e arcebispo de Mainz. Estudou com Alcuíno (vide). Tornou-se adversário de Gottschalk. Era homem dotado de extensos e profundos conhecimentos, mostrando-se competente em diversos ramos do saber, como a gramática, a astronomia, a filologia e a poesia germânica, etc. Sua erudição qualificou-o a ser chamado de *Praeceptor Germaniae*, «mestre dos alemães», ou «principal vulto alemão».

MAUS ESPÍRITOS

Ver sobre **Demônio (Demonologia)**.

MÁXIMA PRAGMÁTICA

O significado de algo seria determinado não por alguma precisão teórica (da qual não dispomos), mas mediante circunstâncias práticas de um pensamento ou de um ato. As conseqüências é que determinariam aquilo que podemos saber da verdade. O que funciona corresponde à verdade.

O pragmatismo é uma espécie de ceticismo prático, onde a teoria ocupa um mínimo de espaço, dando a importância máxima aos resultados. As idéias, de acordo com o pragmatismo, precisam ter «valor real», servirem para alguma coisa. Um ato, para ser autêntico, precisa ter uma conseqüência prática no tocante ao futuro. Os atos modificam as coisas, e a capacidade que têm os atos para mudar as coisas é que constitui o valor da verdade desses atos.

MÁXIMO, O CONFESSOR

Suas datas foram 580—622 D.C. Ele foi o mais eminente teólogo cristão do século VII D.C., razão pela qual recebeu o título de *Máximo, o Teólogo*. Sua especialidade era a doutrina da *encarnação*, em face do que declarou combate ao *monotelismo* (vide).

Máximo era filho de um nobre bizantino. Nasceu em Constantinopla, capital do Império Romano do Oriente. Foi secretário do imperador Heráclio. Ingressou no mosteiro de Crisópolis. Defendia a ortodoxia contra a heresia monotelista, da vontade única de Cristo. Defendia a supremacia de Roma. Induziu o papa Martinho I a convocar o primeiro concílio Laterano (649 D.C.), que condenou o monotelismo. Mas, caiu em dificuldades políticas, e foi aprisionado e, então, exilado para a Trácia. Foi julgado, condenado, torturado e mutilado. Morreu no exílio. Foi um dos grandes teólogos da Igreja grega, e escreveu sobre o ascetismo, a ética, a liturgia, o misticismo e obras polêmicas. Escreveu importantes comentários sobre as obras do Pseudo-Dionísio, que tiveram larga influência sobre a teologia e o misticismo medievais. Foi declarado santo pela Igreja Ortodoxa Oriental, e sua festa é celebrada a 13 de agosto.

MÁXIMO DE ALEXANDRIA

Não se sabe quais as datas de seu nascimento e de sua morte, embora seja sabido que ele floresceu em cerca de 380 a 390 D.C. Ele foi bispo de Constantinopla. Mui curiosamente, ele foi um cínico na filosofia. Ver sobre *Cínicos*, *Cinismo*. Ele dizia que Hércules era preferível a Cristo, como ideal da vida. Contudo, ele usava a típica diatribe dos cínicos como modo de expressão da fé cristã. As suas depreciações das formalidades sociais, à maneira dos cínicos, tornaram-se bem conhecidas.

MÁXIMO DE ESMIRNA

Ele esteve ativo nos finais do século IV D.C. Alguns consideram-no um filósofo, mas ele parecia mais interessado em influenciar o imperador Juliano do que em promover a filosofia. Praticava a *teurgia* (vide) e era mágico. Depois que Juliano não mais era o imperador, Máximo caiu em desfavor e primeiramente foi encarcerado, e, então, executado, por Valente.

MÁXIMO DE TIRO

Suas datas são incertas, embora ele tivesse vivido no século II D.C. Foi um filósofo platônico, e ensinava doutrinas parecidas com as de *Celso* (vide). Suas doutrinas preferidas eram o dualismo, a hierarquia de seres espirituais intermediários, que alegadamente se postam entre Deus e o homem; a identificação do mal com a matéria; a vida, conforme a conhecemos, como se fosse um sono da alma, e não a verdadeira vida; e a idéia de que o homem desperta, quando morre. Sua filosofia, — embora essencialmente neoplatônica, misturava-se com noções de Aristóteles, do estoicismo e do cinismo. Ele escreveu quarenta e uma *diatribes* em defesa do platonismo, mas restam apenas fragmentos das mesmas.

MAYA

Palavra de origem sânscrita que significava, originalmente, *mágica*; e, secundariamente, *ilusão*. Trata-se de um termo filosófico hindu, usado na Vedanta e outra literatura. Haveria apenas uma *realidade*, a saber, o Brahman-at-man. O mundo físico que fere os nossos sentidos, e que os homens julgaram ser tão grandes, não teria existência real, e certamente não seria perpétuo. Este mundo seria apenas *maya*, e teria origem em nossa ignorância (*avidya*). Mas, quando um indivíduo adquire o verdadeiro conhecimento do Brahman-at-man, então essa ilusão desaparece, e, por assim dizer, ele volta ao seu bom senso. Aquele que atinge esse conhecimento entra na posse da salvação (*moksha*).

Outros Usos da Palavra. No Rig-Veda, esse termo significa «oculto», «misterioso», ou, então, alude a poderes sobrenaturais. Também pode significar algo como «argúcia», dando a entender uma aguda inteligência. *Maya* também era o nome da mãe de Buda.

MAZAROTE Ver **Azazel**.

McTAGGART, JOHN ELLIS

Suas datas foram 1866—1925. Ele nasceu em Londres e educou-se na Faculdade Trinity, em Cambridge. Ensinou ali por muitos anos. Era idealista e hegeliano. Sua filosofia harmonizava-se com um tipo de *dialética a priori*, o que produziu um idealismo pluralista.

Idéias:

1. A realidade final não consiste em um «eu» único, central, pessoal, fora do tempo, mas antes, um completo sistema ou sociedade de «eus» finitos e eternos, que seriam as diferenciações do Absoluto.

2. Seu processo da prova da existência do Absoluto seguia o processo de Descartes. *Alguma coisa* existe, e se alguém duvida dessa afirmativa, a dúvida continua, pelo que, por si mesma, essa dúvida é a prova da existência.

3. Qualquer coisa que existe deve ter qualidades, pois, do contrário, seria impossível distinguir essa coisa do nada.

4. Nem todas as qualidades são coerentes ou iguais a outras qualidades. Em razão disso, cada substância ou entidade é distinguível de outra, mediante determinadas qualidades.

5. Somos levados à crença na substância, mediante o pressuposto de que as qualidades estão presas a alguma espécie de realidade.

6. As qualidades e substâncias são plurais. Se alguém duvidar, existirá ao menos esse alguém e a sua dúvida. Muitas substâncias existem e distinguem-se através de suas qualidades específicas.

7. As muitas substâncias estão unidas em uma mutualidade e dependência universais. Estão ligadas entre si por meio de certa variedade de relações. Essa lei das relações fala sobre como as substâncias afetam e são afetadas umas pelas outras.

8. Não somente todas as coisas fazem parte do universo, com relações íntimas com o todo; mas também cada parte, por si mesmo, constitui um todo, que tem suas próprias partes que contribuem para o seu estado. Chegamos, pois, à conclusão de que a *realidade* consiste em uma comunidade de substâncias espirituais.

9. A realidade é um Absoluto, e coisas como matéria, espaço e tempo não são reais, mas são apenas maneiras convenientes de expressarmos e descrevermos relações.

10. As partes da realidade são vinculadas pelas forças do amor e da compreensão, que são qualidades espirituais expressas através de todos os reinos da existência.

11. *A Imortalidade da Alma*.O Absoluto é o sistema total de pessoas ou «eus», e esses estão juntamente relacionados em uma grande comunidade governada pelo amor. Cada «eu» é um ser autônomo, não criado, imutável e indestrutível. Assim, o «eu» humano, a alma, é necessariamente imortal, pois possui vida necessária e independente. McTaggart, pois, é representante daqueles filósofos que não acreditam em um Deus pessoal, mas que, apesar disso, acreditam na imortalidade da alma. (AM E F P EP)

MEARA

No hebraico, essa palavra significa «caverna». Esse era o nome de uma localidade na fronteira norte da Palestina, mencionada somente em Jos. 13:4. Ficava perto de Sidom. Tem sido identificada com um distrito do Líbano, onde há um certo número de cavernas, talvez Jezzeim ou Mogneirejey, a suleste de Sidom. Todavia, também poderia estar em foco uma única caverna, entre Tiro e Sidom.

MEBUNAI

No hebraico, **construção**. Esse era o nome de um dos trinta heróicos guerreiros de Davi (II Sam. 23:27). Ele é chamado Sibecai em II Sam. 21:18 e I Crô. 11:29; 20:4 e 27:11.

MECA

No árabe, **Makkah**, uma cidade no centro da Arábia, lugar do nascimento de *Maomé* (vide). Devido a essa circunstância, Meca tornou-se um dos lugares santos do islamismo, como seu principal santuário e lugar de peregrinações. A esperança de uma peregrinação anual a Meca inspira os seguidores dessa fé, e, quando oram, os islamitas voltam-se na direção de Meca. Ver os artigos gerais intitulados *Maomé, Maometanismo; Ética Islâmica* e *Alcorão.*

MECÂNICA (MECANISMO)

Ver o artigo intitulado **Explicação Mecânica**.

Definições Científicas:

1. A mecânica é aquele ramo da física que aborda os fenômenos causados pela ação das forças sobre os corpos materiais, incluindo questões como a estática e a cinética. Por extensão, a mecânica é a ciência da maquinaria e suas aplicações práticas.

A chamada *mecânica clássica* atingiu sua maturidade no trabalho e nas teorias de *Newton* (vide), com suas três leis do movimento. Dentro de suas teorias, não pode haver qualquer barreira à exata determinação da posição e impulso de qualquer partícula no universo, excetuando a falta de conhecimento, que poderia ser ultrapassada com maior erudição ainda. De fato, o princípio do *determinismo* mecânico, postulado por Laplace, parecia razoável. Ele argumentava que o homem já dispunha de conhecimentos suficientes para saber das forças que atuam sobre o universo, bem como dos seres que sofrem a atuação dessas forças. Em conseqüência, bastaria um pouco mais de pesquisa, e uma única fórmula poderia vir a expressar potencialmente os movimentos de cada estrela e de cada átomo. E, assim sendo, cada detalhe do futuro e do passado poderia ser aberto para consideração por parte dos homens. Faltando-nos um conhecimento completo, seríamos obrigados a aplicar teorias de probabilidade. Assim, todos os eventos poderiam ser tentativamente preditos por probabilidades, envolvidos nos princípios de causa e efeito. Mas, na realidade, todas as coisas aconteceriam por necessidade, e só não perceberíamos isso claramente em face da pobreza de nosso conhecimento. Presumivelmente, o futuro inteiro do universo, e cada aspecto do mesmo, incluindo o aspecto humano, dependeria necessariamente dos atuais impulsos e posições de suas partículas. Uma adaptação mecânica dessa teoria, postulava a mente divina por detrás dessa mecânica, dando a entender que Deus teria posto tudo em movimento em conformidade com um plano mecanicista, como se vê nas leis naturais.

2. *A Mecânica Quantum*. Ver o artigo separado sobre esse assunto, que expõe as implicações filosóficas sobre essa mecânica. De acordo com essa teoria, não é mais teoricamente possível determinar as posições das partículas, em qualquer dado momento. À proporção que a posição de um elétron se torna mais exata, a determinação de seu impulso se torna menos precisa, e inversamente. Isso posto, temos um princípio de indeterminação. Os elétrons (e fótons) poderiam ser interpretados como ondas ou como partículas, dependendo do ponto de referência. Alguns cientistas têm pensado que a mecânica quantum pode ser interpretada segundo moldes determinísticos, ao passo que outros têm negado essa possibilidade. Ver sobre *Nagel, Ernest*, segundo ponto. Ele acredita que os processos subatômicos não são destituídos de causa. Se fosse desenvolvida uma formulação de mecânica de ondas apropriada, então, poder-se-ia restaurar o determinismo à mecânica. Einstein dizia que Deus não está brincando de dados. Teremos de esperar por algum tempo, a fim de verificar quem vencerá nessa controvérsia. Ver os artigos sobre o *Determinismo* e sobre o *Livre-Arbítrio*.

3. *Mecanismo*. Descartes criou uma espécie de ciência onde os elementos operariam de maneira mecânica. Assim, para exemplificar, a gravidade poderia ser explicada puramente em termos da interação de partículas de certo formato, tamanho e velocidade, sem qualquer necessidade de nos reportarmos a supostas qualidades possuídas pela matéria (conforme era ensinado pela filosofia e pela ciência escolásticas). Descartes também rejeitava a *teleologia* (vide) de Aristóteles, no tocante à matéria. Ele dizia não haver, no mundo físico, qualquer causa final em operação. Muitos cientistas, porém, sentem que esses filósofos estavam equivocados acerca dos *propósitos* que se vêem na natureza. Por exemplo, sabemos que as plantas voltam-se na direção do sol. De fato, as plantas podem fazer rachar pedras, quando crescem na direção do sol. Essas coisas podem ser referidas segundo termos mecânicos. Nesse caso, por exemplo, uma pessoa poderia dizer que a estrutura molecular de uma folha faz com que ela se mova na direção da luz solar. Mas, se alguém perguntar: «Por quê?» então não obterá nenhuma resposta muito clara. Os teístas dirão que Deus, ao estabelecer as leis naturais, fez com que assim fosse. Nesse caso, concebemos propósitos na mente divina, embora mediante uma ação mecânica estabelecida na natureza, seguindo a divina determinação mental. O pampsiquismo manifesta-se exatamente ao contrário disso, atribuindo à própria matéria tanto elementos psíquicos quanto o fator das sensações. Nesse caso, teríamos de admitir que a matéria é inteligente. Alguns místicos, por sua vez, falam em termos de um universo vivo. Esses não crêem que exista alguma coisa como matéria morta. De alguma maneira, que ultrapassa nossa capacidade de explicar, o universo seria uma *presença viva*. Os místicos cristãos, entretanto, aceitam muito cautelosamente tais declarações de outros místicos, pois isso lhes cheira a panteísmo.

A verdade é que existem muitos mistérios, e ainda não sabemos grande coisa sobre todas essas questões. Normalmente, a verdade nos surpreende. Mas penso que as noções mecânicas e de mecanismo não conseguem mostrar a verdadeira natureza das coisas, embora, sem dúvida, indiquem verdades parciais. Alguns materialistas, como *Holbach* (vide), têm chegado ao absurdo de asseverar que o homem e todo o universo são meras máquinas, *sem* qualquer necessidade de se pensar em algum maquinista. É preciso muita credulidade para alguém acreditar em uma teoria como essa. A credulidade acredita em coisas que não correspondem à realidade. (EP F P)

MECÂNICA DE ONDAS

Ver o artigo intitulado *Mecânica*.

MECÂNICA QUANTUM

Ver o artigo sobre *Mecânica* (*Mecanismo*). O artigo inteiro é de interesse em relação ao assunto tratado aqui. Ver, especialmente, — ponto 2. *Mecânica Quantum*.

Uma teoria atômica segundo a qual supõe-se que a energia deve ser irradiada formando unidades separadas, chamadas *quanta*. Seriam ondas de energia, pelo que a teoria atômica envolve mais que a idéia de um sistema planetário em miniatura. Foi Plank (que vide) quem primeiro sugeriu a teoria quantum, em 1901. Niels Bohr aplicou a teoria à estrutura do átomo, e, mais tarde, seu modelo do sistema solar foi ultrapassado pelas equações formais de Heisenberg e Schrodinger. Essas equações conferem-nos as predições exigidas sobre a freqüência e a amplitude das radiações emitidas pelos átomos. Mas uma das conseqüências, o *princípio da incerteza* (que vide) descoberta por Heisenberg, em 1927, é que os fatores variáveis usualmente interpretados como especificadores da posição e do impulso das partículas subatômicas, não podem assumir valores definitivos simultaneamente. Isso impõe severos limites ao grau em que podemos interpretar essas partículas ou ondas como objetos ordinários espaço-temporais. Em alguns casos, os eléctros e os fótons precisam ser interpretados como ondas, mas, em outros casos, como partículas.

APLICAÇÕES Teológicas e Filosóficas

1. De acordo com a teoria quantum, é possível falarmos na criação como meramente constituída de matéria. É possível que a energia seja mais primária do que a matéria, e que o próprio átomo seja uma concentração de energias psíquicas. A energia poderia ser a conseqüência da idéia, e a idéia poderia ser

conseqüência de uma Mente. Poderíamos mesmo falar em termos da Mente Divina, e nesse caso, todos os objetos, materiais ou imateriais, derivam-se de Deus. Talvez não exista muita diferença entre o que é material e o que é imaterial, excetuando a forma de sua expressão. Isso significaria que todas as coisas têm uma única natureza, embora essa única natureza encontre mais de um modo de expressão. Esse raciocínio está por detrás da teoria de dois aspectos do problema corpo-mente (que vide).

2. Têm sido inventadas máquinas nas quais um diodo emana energia através da desintegração de alguma substância radioativa. Tem sido demonstrado que a mente humana exerce certo efeito sobre essa radiação. Isso demonstra a psicossinésia. Por sua vez, isso demonstraria a possibilidade da telepatia, que supõe que há uma energia real envolvida, que opera como agente. Ver o artigo geral sobre a *parapsicologia*, onde há importantes implicações para a filosofia e para a teologia.

3. A teoria concernente à matéria precisa ser constantemente revisada. Isso significa que não sabemos o que é a matéria, quanto menos as coisas imateriais. Isso demonstra o estado inferior de nosso conhecimento, alertando-nos para o fato de que os grandes mistérios da vida não podem ser explicados pelas proposições simples da filosofia e da teologia.

4. *Determinismo e livre-arbítrio*. A incerteza das moções e posições das partículas (ondas) subatômicas, dá margem a *incerteza* como a regra que governa o próprio universo. *Indeterminismo* tem sido uma conclusão filosófica da teoria da *mecânica quantum*. Alguns cientistas, todavia, acreditam que *determinismo* pode ser uma parte desta teoria tão bem como da mecânica clássica. O artigo *Mecânica* (*Mecanismo*) entra neste problema.

MECANISMOS DE DEFESA

Ver sobre **Defesa, Mecanismos de.**

MECONÃ

No hebraico «base», «alicerce», «tribuna». Essa cidade foi reocupada pelos homens da tribo de Judá, após o cativeiro babilônico. Ela é mencionada juntamente com Ziclague. Provavelmente ficava ao sul dessa última cidade, talvez entre ela e Ain-Rimom. Desconhece-se atualmente a sua localização exata. É mencionada somente em Nee. 11:28.

MEDÃ

No hebraico, «contenção». A Septuaginta grifa a forma *Madiám*. Esse era o nome de um dos filhos de Abraão e Quetura (Gên. 25:2; I Crô. 1:32). As tradições dizem que ele e seu irmão, Mediã, foram os ancestrais da nação chamada *Midiã*, localizada a leste do mar Morto, porém, essa idéia pode ter-se originado somente com base na similaridade desses nomes próprios. Talvez essa palavra, Medã, esteja historicamente associada a Madã, um importante deus dos antigos povos árabes. Uma tribo envolvida com esse deus era chamada 'Abd-Al-Madan, «adoradores de Madã». Parece que o Iêmen foi o principal centro dessa fé religiosa. Todavia, os descendentes de Quetura parecem ter-se multiplicado em lugares distantes do sul da Arábia, onde fica o atual Iêmen.

MEDABE

No hebraico, «amoroso». Em Núm. 11:24-29, Medabe aparece junto com Eldade como dois dos setenta anciãos nomeados para assessorar a Moisés no governo do povo de Israel. Os outros apresentaram-se diante do tabernáculo, a fim de ocuparem suas funções. Mas esses dois, por razões desconhecidas, permaneceram no meio do acampamento, e foram impulsionados, pelo Espírito de Deus, a profetizarem. Josué estranhou a situação, e pediu para que Moisés os fizesse parar. Mas Moisés retrucou: «Oxalá todo o povo do Senhor fosse profeta, que o Senhor lhes desse o seu Espírito!» (Núm. 11:29). O Targum de Jônatas afirma que Medabe e Eldade eram irmãos de Moisés e Aarão, pelo seu lado materno, embora não haja como averiguar tal assertiva. O incidente, contudo, instrui-nos no sentido de que era comum a crença, nos tempos veterotestamentários de que homens podiam emitir oráculos inspirados, sempre que o Espírito os impulsionasse com esse propósito. O *Misticismo* (vide) sempre foi a principal fonte da inspiração e do conhecimento religiosos.

MEDALHAS DE DEVOÇÃO

Sempre foram populares, como expressões de devoção religiosa, medalhas fabricadas de vários metais, de madeira, de plástico, etc., penduradas ao pescoço, estampando várias imagens religiosas. Essas medalhas podem ser simbólicas ou podem comemorar eventos importantes, atos de bravura, pesquisas científicas, produções literárias, ou, então, de algum outro modo, podem simbolizar alguma honraria prestada àqueles que as usam. As medalhas religiosas podem estampar a imagem de Cristo, de Maria, de algum santo, etc. Os arqueólogos têm encontrado medalhas nas catacumbas de Roma, o que significa que essa prática é bem antiga no cristianismo, embora o Novo Testamento (e, de fato, a Bíblia inteira) jamais mencione tais itens. A Igreja antiga, ao que parece, tolerava seu uso a fim de contrabalançar e substituir os *amuletos* pagãos, usados para atrair boa sorte ou para afastar influências malignas, ou, então, com propósitos mágicos. Na Igreja Católica Romana tornou-se costumeiro abençoar certas medalhas. Apesar da teologia católica romana rejeitar a idéia, considerando-a destituída de qualquer valor, como aquele que os pagãos atribuíam aos seus *amuletos*, no nível popular as pessoas usam medalhas, acreditando que elas trazem proteção ou algum outro tipo de benefício.

As medalhas mais famosas do catolicismo romano são as de São Benedito, e a chamada Medalha Milagrosa. Esta última teria sido revelada pessoalmente pela Virgem Maria, em honra à sua Imaculada Conceição, em uma visão concedida à venerável Catarina Labouré, em 1830. Conforme diz a lenda, na ocasião também foi dado o desenho da medalha. Seu nome, «miraculosa», foi atrelado a ela, não por possuir supostos efeitos miraculosos, e, sim, em face da maneira incomum de sua revelação.

As mais antigas medalhas de que se tem notícia são aquelas dos antigos gregos, com que premiavam aos vencedores das competições atléticas. É dessa época que se deriva o costume de dar medalhas de ouro, de prata ou de bronze, correspondentes aos méritos dos atletas. Medalhas feitas desses metais (e também de cobre) foram cunhadas como memoriais dos imperadores romanos, a começar por Augusto, que foi o primeiro imperador de Roma. Outros países copiaram esse costume. Houve uma série papal de medalhas, a começar com Paulo II, que pontificou em 1464—1471. Durante a renascença o fabrico de medalhas tornou-se uma arte que requeria considerável habilidade.

MEDEBA

No hebraico, **águas tranqüilas**. Esse era o nome de uma cidade a leste do rio Jordão, no território da tribo de Rúben (ver Jos. 13:9-16). Foi ali que Joabe derrotou os amonitas e seus aliados (I Crô. 19:7). Até onde a história é capaz de determinar, originalmente pertencia aos moabitas (Núm. 21:30). Quando Israel, a nação do norte, entrou no cativeiro babilônico, os amonitas reconquistaram o lugar (Isa. 15:2). A chamada inscrição de Mesa informa-nos que pertencia a Onri e a Acabe, mas que Mesa, rei de Moabe, capturou-a e reconstruiu-a. O trecho de I Macabeus 9:36-42 ajunta que João, filho de Matatias, foi assassinado por um homem natural de Medeba. Seus irmãos, porém, vingaram-se de sua morte. Após a morte de Antíoco, a cidade foi tomada por João Hircano. Então, segundo nos diz Josefo (*Anti.* 13:5,4,9), Alexandre Janeu veio e ocupou a área, embora Hircano II tivesse prometido devolvê-la a Aretas, rei da Arábia.

Medeba prosperou durante o período bizantino. A arqueologia tem recuperado ali belas obras de arte, incluindo mosaicos de pavimento. Um mapa em mosaico, representando a Terra Santa, também foi encontrado, que os arqueólogos dizem pertencer ao século VI D.C. Mas uma grande porção desse mapa ficou estragada, durante a construção de um templo cristão no local. O mosaico foi incorporado no pavimento desse templo. Atualmente, o local é chamado Madabe, e fica a pouco menos de dez quilômetros ao sul de Hesbom. Por essa razão, esse mapa em mosaico tornou-se conhecido como *Mapa de Mosaico de Madabe*. Há consideráveis ruínas na região, representando a era cristã. Um grande templo e muitas cisternas aparecem entre as ruínas. Estradas e ruas ainda podem ser percebidas. O nome dessa cidade aparece na trigésima linha da *Pedra Moabita* (vide).

MÉDIA (MEDOS)

Esboço

I. O Nome
II. Geografia e Raça
III. Pré-História da Média
IV. Informes Históricos
V. Referências Bíblicas

I. O Nome

O vocábulo hebraico correspondente é *Madai*; os assírios diziam *Amada*; no persa antigo era *Mada*; os gregos escreviam *Medai*. Quanto a seu uso hebraico, ver Gên. 10:2 e I Crô. 1:5. O país chamado *Média* aparece em Est. 1:3,14,18; 10:2; Isa. 21:2; Dan. 8:20. Dario aparece em Dan. 5:31, como «o medo».

Em Gên. 10:2, *Madai*, filho de Jafete, aparece como quem nasceu depois do dilúvio. Presume-se que ele se tornou o antepassado dos medos. *Midiã* parece significar «briga», «contenção», e, talvez, esse seja o significado da raiz do nome *Madai*, embora os eruditos não se tenham manifestado a respeito.

II. Geografia e Raça

Os medos e persas foram povos irmãos que compartilharam raízes raciais, lingüísticas, culturais e políticas, e por um longo trecho de suas histórias, foram intimamente associados, embora, as vezes, relutantemente.

Dos partos passamos mais para o ocidente, alcançando os *medos*. Essa palavra se deriva de *Madai*, um dos filhos de Jafete (ver Gên. 10:2). Essa área, de acordo com Ptolomeu, limitava-se ao norte com o mar Cáspio ou mar Hircânio, a oeste com a Armênia Maior e a Assíria, a leste com a Hircânia e a Pártia, e ao sul com a Pártia. Portanto, essa região incluía partes do moderno Irã ocidental, bem como um bom pedaço do moderno Iraque. Eram um povo ariano, mencionado por *Heródoto* (vii.62) e por *Estrabão* (xv. 2.8), o que também se vê por traços de seu idioma, que ainda sobrevive. Sargão II (716 A.C.) transportou israelitas para a Média (ver II Reis 17:6 e 18:11), — depois de haver invadido as terras governadas por Daiaukku, a quem exilou por algum tempo em Hamate. Em cerca de 610 A.C., os medos controlavam todas as terras ao norte da Assíria, tendo entrado em choque com a Lídia, até que a paz foi estabelecida, em 585 A.C. Em 550 A.C., Ciro, de Ansã, derrotou Astíages, e pôs a Média sob o seu controle, desde então, a cultura persa se combinou com a civilização daquele território. Algumas vezes o nome (Média) foi usado para denotar a Pérsia, mas, na maior parte das ocorrências, aparecia ligada à mesma—na forma *Média-Pérsia*—a fim de indicar a nova confederação (ver Dan. 7:20 e Est. 1:19). Os medos participaram da captura da cidade de Babilônia (ver Dan. 6:28), e o novo governante da Babilônia foi Dario, um medo (ver Dan. 11:1), porquanto era filho de Sasuero, de origem meda. A história dos judeus na Média é relatada no livro de Est. 1:3,14,18,19.

III. Pré-História da Média

A antiga Média era limitada a noroeste pela Armênia; a oeste, pela Assíria e pela Babilônia; ao sul por Susiana (Elão) e pelos persis; e a leste pela Pártia. Seu território era quase inteiramente montanhoso, ao redor de um planalto, onde fica situada a moderna cidade de Teerã, capital do Irã. A história arqueológica dessa área tem mostrado que sua ocupação pelo homem vem desde tempos pré-históricos. Há evidências de que ali já se praticava a agricultura, desde tão cedo quanto 10.000 A.C. No terceiro e no segundo milênios A.C., os habitantes da área eram, quase todos, não-semitas e não-indo-europeus, mas, pouco depois do começo da idade do Ferro (século XII A.C.), os medos, um povo indo-europeu, começaram a ocupar o território. Desde então, a região adquiriu o nome deles. Os persas eram parentes próximos. As duas raças pertenciam ao ramo indo-ariano dos indo-europeus, e seus idiomas assemelhavam-se, como o português se parece com o galego. Suas culturas eram bem parecidas com a dos indianos vedas, que invadiram o sudoeste asiático e a Índia, vindos do norte, das estepes do sul do que é hoje a União Soviética, cerca do século XVII A.C. Os medos e os persas compartilhavam da cultura Andronovo, do sudoeste da Sibéria, nos finais da idade do Bronze, conforme descobertas feitas por arqueólogos russos o têm demonstrado. Quando eles invadiram a parte noroeste do Irã, isso pôs fim à cultura luristana, que se notabilizou por notáveis obras em bronze.

IV. Informes Históricos

1. Pré-história. Ver a seção III, acima.

2. Os nomes *medos* e *Média* aparecem, pela primeira vez, em fontes escritas, em cerca do século IX A.C. Na época, eles foram mencionados em inscrições reais dos assírios, entre os povos que tinham sido conquistados pelo império assírio.

3. Desde então, até o começo do século VII A.C., os medos foram vassalos não-voluntários dos assírios. Uma importante descoberta arqueológica foi um gigantesco tablete de argila, encontrado nas ruínas da capital assíria, *Calá* (Ninrode), contendo um acordo entre os assírios e os medos. Esse é o mais longo tratado escrito que se conhece do mundo antigo. Data

de 672 A.C. Na época, ainda não havia qualquer império medo. Heródoto datou em 700—674 A.C. o governo do primeiro rei dos medos. Mas, o mais provável é que ele fosse apenas um chefe local, e não um verdadeiro cabeça de império. Seu nome era *Deioces*, um nome que os príncipes da Média já vinham adotando desde o século VIII A.C.

4. Pode-se datar o *império medo* a partir de seu segundo monarca, chamado Fraortes, que viveu em cerca de 647—625 A.C. Sua subida ao trono coincidiu com o fim da guerra civil entre o rei assírio Assurbanipal e seu irmão, o que serviu para debilitar substancialmente o poder assírio.

5. *Ciaxares*, o rei que se seguiu a Fraortes, conquistou a Assíria mediante uma série de campanhas militares. Seu reino parece ter-se estendido desde as fronteiras da Lídia (perto da moderna cidade de Ancara, na Turquia) até o centro do atual Irã. Os reis de Persis, antepassados dos reis posteriores da Pérsia, também tornaram-se vassalos da Média.

6. *Astiages* (585—550 A.C.) reinou após Ciaxares e foi o último rei independente da Média. Foi derrotado por seu próprio genro, Ciro, da Pérsia, intitulado Ciro, o Grande. Em uma batalha decisiva, as tropas medas bandearam-se para Ciro. Astiages foi um rei impopular, que não inspirava lealdade por parte de seus súditos.

7. *Os Medos e os Persas*. Tendo obtido os seus objetivos militares, Ciro estabeleceu uma dupla monarquia, segundo a qual medos e persas (povos irmãos por raça e por história) tinham direitos iguais, pelo menos em teoria.

8. *Rebelião*. Os medos tentaram reobter sua independência durante as guerras civis e rebeliões que se seguiram, em 522 A.C., envolvendo Cambises, filho de Ciro; mas essas tentativas fracassaram.

9. *Caráter Assírio da Cultura Meda*. A arqueologia tem demonstrado o acentuado caráter assírio da cultura dos medos, durante os trezentos anos que se escoaram entre a primeira vez em que apareceram na história e a conquista deles por parte dos persas. Muitos monumentos, inscrições e artefatos confirmam isso. Os artífices medos imitavam os artefatos assírios.

10. *A religião dos medos* finalmente veio a ser o *Zoroastrismo*. Ver o artigo com esse título. Os imperadores persas passaram a seguir o zoroastrismo, entre os quais devemos incluir Dario I. De acordo com as tradições zoroástricas posteriores, o fundador da religião parse foi um nativo da Média, que viveu no século VI A.C. Porém, os eruditos modernos dizem que Zoroastro viveu bem mais para o Oriente.

11. *O império dos medos e persas* foi absorvido pelo império grego, quando Alexandre, o Grande, conquistou a região. Depois dele, o império persa e medo, pelo menos parcialmente, passou a fazer parte do império romano, que era uma potência mais ocidental do que oriental. Os medos, governados pelos selêucidas (sucessores de Alexandre, o Grande), e, posteriormente, pelos partas, são referidos em I Macabeus 5:46 e 14:1-3. Ver também Josefo, *Anti*. 20:2. A Média foi organizada como as satrapias décima primeira e décima oitava. Os medos são mencionados juntamente com os partas e elamitas, em Atos 2:9.

12. Após os *sassânidas* (a última dinastia nacional da antiga Pérsia; 226—651 D.C.), *Média* passou a ser apenas um termo geográfico, sem nenhum sentido político ou militar.

13. *Os Medos e a Bíblia*. Ver a quinta seção, abaixo.

V. Referências Bíblicas

1. *Madai*, um dos filhos de Jaré, foi o presumível antepassado dos medos (ver Gên. 10:2).

2. O país chamado *Média* aparece em Est. 1:3,14,18; 10:2; Isa. 21:2 e Dan. 8:20.

3. Dario é mencionado em Dan. 5:31, onde é chamado de «o medo».

4. *Tiglate-Pileser III* (745—727 A.C.) invadiu a Média e adicionou largo segmento da mesma à Assíria. Sargão II capturou Samaria (721 A.C.), o que produziu o cativeiro assírio de Israel, a nação do norte. Os israelitas foram deportados para cidades da Média (ver II Reis 17:6; 18:11). Os próprios medos foram subjugados pelos assírios, e tiveram de pagar-lhes tributos.

5. Os medos libertaram-se do jugo assírio e retaliaram contra a Assíria. No entanto, foram derrotados por Ciro, e tornaram-se parte do império dos medos e persas, conforme temos mostrado na seção IV, acima. Tudo isso teve seus efeitos sobre a narrativa bíblica. O nome duplo, «medos e persas», encontra-se em Dan. 5:28 e Est. 1:19. A expressão, «leis dos medos e persas», a fim de designar a natureza inalterável da legislação deles, que nem mesmo os monarcas podiam modificar, tornou-se uma expressão popular na época. Esse duplo império continuou até às conquistas militares de Alexandre, o Grande (330 A.C.). Depois de Alexandre, a área caiu sob o domínio dos selêucidas (Síria), e é, então, que surge a história dos Macabeus. Ver I Macabeus 6:56. E, então, a Média tornou-se parte integrante do império persa.

6. A última referência bíblica aos medos fica em Atos 2:9, onde judeus provenientes dentre os medos, como também de muitos outros povos, foram testemunhas dos fenômenos do dia de Pentecoste. Provavelmente, representantes daqueles povos também haviam subido a Jerusalém, para fazerem-se presentes à festa de Pentecostes, por serem prosélitos judeus. (AM CGG OLM)

MEDIAÇÃO (MEDIADOR)

Esboço:

I. Terminologia e Definições

Mediação é a tentativa de uma terceira pessoa, neutra, ajudar a duas outras pessoas interessadas, com o intuito de facilitar algum tipo de acordo entre essas duas, que traga benefícios a ambas. *Mediar*, pois, é solucionar uma disputa ou reconciliar, mediante a eliminação de divergências e conflitos. Com freqüência, a mediação toma a forma de uma intervenção, com o propósito de dar solução a alguma disputa e criar condições produtivas. Em seu uso teológico, a idéia de mediação, sem importar se esse ofício envolve Cristo ou não, consiste em possibilitar que os benefícios divinos sejam estendidos aos homens, de acordo com as condições divinas. Porém, esses termos têm sido aplicados de tal modo que os homens tiram vantagens dos mesmos. Isso é assim por causa do grande hiato que se abre entre o Ser divino e os seres humanos, em termos de natureza metafísica, de conhecimento, de atitudes, de condições e de estados de santidade, que são radicalmente diferentes entre Deus e os homens.

Paulo faz-nos lembrar que nada possuímos que não tenhamos recebido da mão de Deus (ver I Cor. 4:7). O terceiro capítulo de Romanos deixa claro que o homem, por si mesmo, não dispõe de meios para aproximar-se de Deus. O Mediador, Jesus Cristo, pois, provê o meio dessa *aproximação*. Em Cristo temos acesso a Deus. Esse acesso é feito mediante a fé (Rom. 5:2); através da agência do Espírito Santo (Efé. 2:18); devido ao ofício de nosso Sumo Sacerdote celeste (Heb. 10:18 *ss*). É através de Cristo, o Deus-homem (ver I Tim. 2:5) que temos esse acesso a Deus. Ele é Mediador de um melhor pacto que o antigo (Heb. 8:6 e 12:24). Anjos serviram de mediadores da lei mosaica (ver Gál. 3:19), mas Cristo é o Mediador da nova lei do Espírito, com todas as suas implicações.

As palavras «mediador» e «mediação» não figuram com freqüência nas Escrituras, embora o *conceito* seja ali dominante. No Antigo Testamento, esses termos não aparecem uma vez sequer, mas Moisés, como é óbvio, foi o mediador da lei, entre Yahweh e o povo de Israel. Acima dei referências neotestamentárias a respeito da idéia de mediação, excetuando os trechos de Gál. 3:20 e Heb. 9:15, que reiteram idéias já contidas nas outras referências. O trecho de Jó 9:32-34 fala sobre a necessidade de um mediador entre Jó e seus adversários. A palavra hebraica ali usada, *yakach*, significa «juiz» (nossa versão portuguesa diz «árbitro», que é um sinônimo). O que Jó queria dizer é que ele precisava de alguém que ouvisse os argumentos de ambos os lados, decidindo quem estava dizendo a verdade, alguém que pudesse justificar ou convencer de erro. Porém, ele não dava a entender a necessidade de algum mediador divino.

Nas páginas do Novo Testamento, a palavra grega *mesítes*, «mediador», «árbitro», indica alguém interessado em reunir duas pessoas antes em desacordo, visando ao benefício de ambas. Na Septuaginta, essa mesma palavra grega é usada em Jó 9:33. A mediação, de acordo com a Bíblia, inclui conceitos que ultrapassam o alcance da própria palavra, incorporando idéias como reconciliação, expiação, intercessão por meio de orações e o estabelecimento de acordos. A ênfase recai sobre o poder e a eficácia daquele que é o mediador, e, no Novo Testamento, avulta a idéia do Novo Pacto, firmado no sangue de Cristo. Mediação, ali, significa eliminar diferenças, o que também é a noção proeminente no fato de que Cristo é o *canal único* das bênçãos divinas.

II. Doutrina Bíblica da Mediação

1. *Os Anjos*. Embora os anjos nada tenham a ver com a questão da salvação, os seres angelicais são as primeiras pessoas que agem como elos entre Deus e os homens. A história de Jacó é um notável exemplo disso. Em tempos de crise, os anjos o dirigiam. O pacto abraâmico foi confirmado a Jacó, mediante uma visão de anjos. Ver Gên. 28:12 *ss*. Ademais, a bênção divina foi dada a Jacó de maneira especial, através do anjo com quem ele lutou, em Peniel (ver Gên. 32:24 *ss*). Foi nessa ocasião que Jacó se tornou Israel, «Príncipe com Deus», circunstância essa que fala por si mesma. Os protestantes e os evangélicos, em seu desejo de preservar a mediação ímpar de Cristo (no tocante à salvação), têm subestimado a missão medianeira dos anjos, o que envolve muito mais do que mera proteção. Talvez nossos homens mais espirituais sejam aqueles que mais são orientados por seus guias angelicais.

Os anjos foram usados como mediadores da lei, conforme se vê em Gál. 3:19,24. Quando Jesus foi tentado, desfrutou do apoio dos anjos, assegurando que não falharia nessa hora de provação (Mat. 4:11). Os anjos executam a vontade do Senhor (Sal. 103:20), e chegam mesmo a orientar o que sucede nas nações (Dan. 10:12,13,21; 12:1). Muitos intérpretes acreditam que os anjos das sete igrejas do livro de Apocalipse eram apenas aqueles *anjos* celestiais que estavam encarregados das igrejas, e não ministros humanos. O trecho de I Cor. 11:10 diz-nos que os anjos preocupam-se com a boa ordem e a adoração nas igrejas. Essas são questões que influenciam a nossa espiritualidade. «Assim como aos maus espíritos é permitido que operem ativamente, quando o cristianismo começa a apelar para os homens, assim também os anjos bons são freqüentemente reconhecidos como executores dos propósitos divinos» (Strong, pág. 453 de sua *Theology*). E o mesmo autor prossegue a fim de se referir ao poder que as forças angelicais podem exercer sobre as mentes humanas, o que, naturalmente, visa ao bem espiritual dos homens e ao seu desenvolvimento espiritual, da mesma maneira que os espíritos malignos também influenciam as mentes humanas, para detrimento dos seres humanos.

2. *Moisés*. Embora nunca apareça a palavra *mediador*, no Antigo Testamento hebraico, no tocante à atuação de Moisés, o trecho de Gál. 3:19 ensina-nos que ele foi um «mediador». A teologia judaica comum concebia essa mediação como algo que envolvia a própria salvação, através do princípio das boas obras. Porém, a teologia hebréia do período patriarcal não tinha um conceito sobre a vida após-túmulo, não incluindo as idéias do céu para os bons e do inferno para os maus. Esses foram desenvolvimentos posteriores. Não há qualquer promessa de vida eterna para os bons, no Pentateuco, e nem há a ameaça de castigo, após esta vida terrena, no tocante aos maus. A lei prometia *vida* (ver Lev. 18:5), mas somente no que envolve uma vida terrena próspera e bem vivida, no caso dos obedientes, e ameaçava os desobedientes com uma vida maldita. A teologia hebraica posterior fez isso ser entendido como a vida para além da morte biológica. Seja como for, ao longo dos séculos, nessa teologia, Moisés tornou-se um mediador da vida eterna. Paulo, naturalmente, entrou em choque com esse conceito, e via na mediação de Moisés um ministério de condenação, e não um ministério de vida eterna. A lei foi dada a fim de condenar os homens, forçando-os assim a se voltarem para Jesus Cristo, como o Salvador, que dá vida. Ver Gál. 3:13 *ss*; ver especialmente o vs. 21. Paulo abandonou totalmente a idéia de que a *lei* possa servir de *meio* que leva à vida eterna. Moisés, contudo, é considerado na Bíblia como o porta-voz de Deus, até que viesse o Cristo. Ver Êxo. 19:3-8; 32:30-32; Núm. 12:6-8.

3. *A Lei*. Dentro do Antigo Testamento, a própria lei é o mediador. Em outras palavras, o sistema da lei tinha por intuito conduzir os homens a Cristo, servindo de aio ou mestre-escola com esse propósito. Ver Gál. 3:25. A lei mostrou o quanto precisamos da graça divina e da justificação pela fé, e quão nula esperança temos em nós mesmos. Os trechos de Rom. 3:21 *ss* e 4:1 *ss* ilustram abundantemente esse princípio. O *acesso* a Deus nos é proporcionado pela graça divina (Rom. 5:2); mas, antes disso, era necessário que os homens percebessem que não têm capacidade, em si mesmos, de ir diretamente a Deus, por seus próprios méritos, e foi justamente a lei que os ensinou assim. Sem forças, estamos impotentes, espiritualmente falando (Rom. 5:6). Mediante as obras da lei, ninguém será jamais justificado (ver Rom. 3:20).

4. *O Sacerdócio*. O judaísmo desenvolveu um elaborado sistema de sacerdócio, cujas funções envolviam claramente a mediação. O sistema de sacrifícios foi entregue às mãos delès, sistema esse que supostamente trazia reconciliação dos homens com Deus. O vigésimo oitavo capítulo do livro de Êxodo fala sobre a instituição do sacerdócio. O vigésimo quinto capítulo do mesmo livro alude aos planos para o tabernáculo, que seria o lugar dessa mediação. Substituindo todo esse elaborado arranjo, o Novo Testamento põe uma só pessoa, *Cristo*. Ver Heb. 9:11 *ss*; 23 *ss*; 10:1 *ss*. A epístola aos Hebreus é uma elaborada descrição de como Cristo tomou o lugar do ritual, do sacerdócio e de todas as instituições do Antigo Testamento.

5. *Os Profetas*. A teologia teísta ensina-nos que quando Deus deseja dar alguma mensagem, visto estar ele interessado pelos homens, prepara um profeta para esse serviço. A mensagem é dita, em seguida, é registrada pelo próprio profeta ou por um de seus discípulos, e, então, é preservada em Livros Sagrados. Desenvolve-se uma igreja a fim de proteger e propagar a mensagem contida nesses livros. Esse aspecto de mediação aparece claramente nos livros proféticos do Antigo Testamento. Por muitas e muitas vezes encontramos ali a declaração: «Assim diz o Senhor». A Concordância de Strong contém mais de uma página de três colunas, registrando tal declaração, que deve aparecer cerca de quatrocentas vezes no Antigo Testamento. Para exemplificar: II Sam. 7:5; 12:7; I Reis 20:13; 21:19; II Reis 1:4; 2:21; 3:10,17; I Crô. 17:4; Isa. 7:7; 10:24; 37:6; 44:2; Jer. 2:5; 4:3; 9:17,22; 22:1,3,6; Eze. 2:4; 5:5; 21:24; Amós 1:3,6,11,13; 2:1; 3:11; Miq. 2:3; 3:5; Naum. 1:12; Sof. 1:3,4,14,16,17; 8:2-4,6,7.

6. *Os Reis*. No Antigo Testamento, os reis de Israel e de Judá não foram meras figuras políticas. Antes, foram ungidos por profetas (I Sam. 1:10); esperava-se deles que liderassem a nação à santidade. Um rei era o escudo do povo (ver Sal. 84:9; 89:18). O rei, em certo sentido, tinha precedência sobre os profetas, como líder do povo, o que incluía a questão das realidades espirituais. Foi o rei Davi quem desejou edificar o templo, como grande lugar de mediação; e a Salomão, seu filho, outro rei, foi dado cumprir esse propósito. Contudo, em Cristo, que é o grande Rei, esse ofício teocrático chegou à plena fruição. Em Cristo, temos a promessa da fruição do reino de Deus. «Na realeza de Cristo, portanto, a mediação é clara. Deus toca em seu povo através do rei; o povo contava que o rei se apresentaria diante de Deus, em lugar deles; o rei oferecia-se como um servo de Deus, e o povo aceitava-o como seu servo. Não importa em que direção estejamos contemplando: de Deus para o homem, ou do homem para Deus. Cristo, o nosso Rei, é o nosso Mediador» (Z). Ele é o Mediador do reino de Deus, em nosso benefício (ver Col. 1:13).

7. *O Lógos*. Esse conceito é bastante antigo, tendo começado antes mesmo da época do Novo Testamento. João incorporou-o na teologia cristã, conferindo-lhe um novo sentido, uma nova dimensão. Temos provido um artigo detalhado acerca do *Lógos*. O *Lógos* é o mediador cosmológico e universal de Deus, diante de todos os seres inteligentes, e não somente diante dos homens. No Novo Testamento, o seu ofício medianeiro é apresentado através da *encarnação* (vide). Filo, antes da época neotestamentária, já havia personalizado esse conceito, tendo-se referido, ocasionalmente, ao Lógos, como o Anjo do Senhor. Porém, a *encarnação* foi a contribuição joanina a esse conceito No princípio, o Lógos já existia, e era o próprio Deus; mas, era distinto de Deus Pai. Então, encarnou-se no homem. Ver João 1:1,2,14. Em seguida, o Lógos é associado ao Filho, que é o Mediador da filiação a Deus (ver João 1:12; Rom. 8:15 *ss*; 8:29; II Cor. 3:18). É dessa maneira que os remidos chegam a participar de toda a plenitude de Deus (ver Efé. 3:19) e da própria natureza divina (ver II Ped. 1:4). O ato final de mediação de Jesus Cristo será a condução de muitos filhos à glória, para que se tornem parte da família divina, compartilhando da natureza do Filho (ver Heb. 2:10; Rom. 8:29). Quando dizemos que Cristo é o Mediador da salvação, dizemos que ele está mediando aos homens a sua própria natureza, porquanto esse é o grande alvo desse ofício. Como é óbvio, nesse sentido, somente Cristo é o Mediador, ainda que, em outros sentidos, existam outros mediadores secundários.

8. *Os ministros do evangelho*, a começar pelos apóstolos, mas incluindo profetas, evangelistas, pastores e mestres, são mediadores, mais ou menos no mesmo sentido em que o foram Moisés e os sacerdotes levíticos, no Antigo Testamento. Os apóstolos e profetas formam o fundamento da Igreja (ver Efé. 2:20). O contexto dessa passagem mostra-nos o que está em jogo em nossa reconciliação com Deus, de tal modo que nos tornamos concidadãos da casa de Deus. A revelação cristã foi mediada através da obra de homens que se dedicaram a esse mister. O próprio Novo Testamento foi dado através da agência dos apóstolos e seus discípulos imediatos, tendo assim ultrapassado as revelações veterotestamentárias, conferindo-nos aquilo que Deus nos quis ensinar por meio de Cristo. Isso exigiu a atuação de mediadores humanos impulsionados pelo Espírito Santo com essa finalidade.

9. *O Espírito Santo*. Ele é o alter ego de Cristo, que veio tomar o lugar de Cristo no meio de seu povo e dar prosseguimento à sua obra, conforme se aprende em João 16:7. Ver o artigo sobre o *Paracleto*, quanto ao desenvolvimento dessa idéia. O trecho de Rom. 8:26,27 mostra-nos que o Espírito ativa-se como Mediador de nossas orações, com o propósito de ajudar-nos em nossas orações e de cumprir a vontade de Deus em nossas vidas.

10. *O próprio Cristo* incorpora em si mesmo os princípios da mediação. Ver a seção III, abaixo, intitulada *Cristo, o Único Mediador*.

III. Cristo, o Único Mediador

Já vimos que há muitos mediadores secundários. Porém, quando falamos acerca da salvação, e como ela é mediada aos homens, então, forçosamente, vemo-nos reduzidos — a um *único* mediador, Jesus Cristo.

I Tim. 2:5: *Porque há um só Deus e um só Mediador entre Deus e os homens, Cristo Jesus, homem.*

A Polêmica de Paulo

1. Os gnósticos contavam com uma doutrina «deísta» a respeito de Deus. Imaginavam que a matéria é má por si mesma, e, assim sendo, Deus nunca poderia aproximar-se dela, pois, em tal caso, ficaria contaminado. Portanto, segundo pensavam, para que Deus pudesse exercer controle sobre esta crassa dimensão terrena, eles falavam sobre muitas «emanações» (os *aeons*, ou seres angelicais), que exerceriam influência sobre esferas a eles distantes, incluindo nosso planeta. Um desses supostos «aeons» (que alguns antigos, como Márcion identificavam com o Deus Yahweh do A.T.) teria sido o criador desta terra. Para os gnósticos, entretanto, esse não era o Grande Deus, mas apenas alguma emanação distante do verdadeiro Deus. Para todos os efeitos

práticos, pois, Deus não teria o mínimo contacto direto com a terra. Isso é a substância mesma do «deísmo». (Ver outras idéias sobre Deus explicadas nas notas sobre Atos 17:27 no NTI).

2. Para os gnósticos, os diversos «aeons» eram «pequenos deuses» em suas respectivas esferas de influência; eram mediadores do verdadeiro Deus, e serviam para abrir o caminho até ele. Em outras palavras, alguns poucos homens poderiam retornar a Deus, através da ajuda dos «aeons».

3. A decidida declaração monoteísta de Paulo, que aqui se lê, tinha por escopo contradizer tais noções, além de asseverar a existência do Deus «teísta», ou seja, o Deus que está interessado pelo homem que criara, que mantém o contacto com ele, e que tanto castiga quanto recompensa, conforme o caso. Existe apenas um único Deus; existe apenas um único Mediador (e não um imenso número deles, os supostos «aeons»). Deus entra em contacto direto com os homens (posição do teísmo), através do Senhor Jesus Cristo (o teísmo cristão). Não há a menor necessidade de muitos «pequenos deuses», para que os seres humanos recebam benefícios espirituais.

4. A polêmica paulina, que expunha Cristo como o *único* mediador, contradizia a noção gnóstica da necessidade de muitos mediadores na criação—um dos quais seria o mediador de uma determinada criação, e outros de diferentes criações. Esse mesmo princípio paulino continua rebatendo certas noções ainda bem vivas na cristandade moderna, as quais supõem que não somente anjos, mas até mesmo seres humanos, são mediadores dos benefícios divinos estendidos aos homens, chegando eles ao extremo de perdoarem pecados. O gnosticismo sobrevive na cristandade moderna, e sob várias formas! Acautelemo-nos — são idéias perigosas!

Em contraposição a essa esdrúxula doutrina gnostica, temos aqui a declaração inequívoca que só existe, realmente, *um Deus*, e não uma grande e quase interminável sucessão de «aeons» angelicais, que compartilhariam da divindade, os quais por essa mesma razão, seriam quais «pequenos deuses». Assim sendo, não há nenhuma necessidade de uma sucessão interminável de «emanações intermediárias» para que Deus possa aproximar-se do homem, ou para que o homem possa achegar-se a Deus, ficando assim relacionado o infinito com o finito. Basta um só «Mediador», o qual é o Deus homem. Jesus Cristo, o qual participa da natureza divina e da natureza humana, estando assim apto para desempenhar a sua missão remidora e restauradora do homem à presença de Deus, ainda que o homem esteja realmente muito, muito afastado de Deus (com o que podemos concordar com os gnósticos, que também falavam sobre tal afastamento). Não obstante, Cristo, o único Mediador, tem o poder de restaurar o homem, por si mesmo, já que não precisa de qualquer ajuda a fim de realizar a sua missão. Por conseguinte, são negadas aqui quatro inverdades, a saber: 1. O conceito deísta de Deus, postulado pelos gnósticos; 2. a idéia gnóstica de uma sucessão interminável de intermediários entre Deus e os homens; 3. o conceito gnóstico das emanações e da mediação; 4. o ponto de vista tão inferior que tinham os gnósticos acerca de Cristo, o que lhe roubava sua posição divina e sua missão remidora.

Naturalmente, este versículo tem sido corretamente usado contra outros sistemas, orientados para o *politeísmo*, como é o caso do mormonismo. Também se combate, através dele, idéias como as de muitos mediadores, como anjos, santos, sacerdotes humanos, etc., que são doutrinas que caracterizam o catolicismo romano. Por outro lado, este versículo não nega a realidade do «ministério dos anjos». Porém, aqui aprendemos que, dentro do plano da redenção, Jesus Cristo ocupa lugar ímpar, como único e exclusivo representante do Pai. É justamente isso que o presente versículo procura nos ensinar. (Quanto ao «monoteísmo», ver I Tim. 1:17, onde essa verdade é asseverada; ver também no NTI as notas expositivas, em Atos 17:27, onde tal conceito é comentado, juntamente com muitos outros, no tocante à «natureza de Deus»). O conceito bíblico da Trindade, apesar de não ser na Bíblia usada essa palavra, é uma conceituação teológica que procura preservar a distinção entre as pessoas de Deus Pai, de Deus Filho e de Deus Espírito Santo, ainda que todos tenham uma só *essência*. (Ver o artigo sobre a doutrina da *Trindade*).

As «epístolas pastorais» muito dizem acerca dos atributos divinos, bem como acerca das relações entre Deus Pai e Deus Filho; mas sempre o faz com propósitos polêmicos, a fim de negar algum aspecto da doutrina gnóstica. A expressão freqüentemente usada nessas epístolas, «Deus Salvador», faz parte desse esforço. (Ver no NTI as notas expositivas a esse respeito, em I Tim. 1:1 e 1:3). Isso nos mostra que Deus não está distanciado de nós. Bem pelo contrário, ele se faz presente entre os homens por meio de Cristo, com o intuito de redimi-los. Outrossim, ele está interessado em que ninguém pereça (ver I Tim. 2:4), mas antes, seu interesse profundo é que todos venham a receber a plena redenção. — E isso derruba por terra o deísmo inerente ao gnosticismo. Deus é um Deus «teísta», e não «deísta». (Acerca de outras passagens, nestas «epístolas pastorais», onde se afirma algo mais sobre a natureza e os atributos de Deus, ver I Tim. 3:15; 4:10; 6:13,15,16; II Tim. 2:12 e Tito 1:2).

Mediador. No grego temos a palavra «mesites», que significa «árbitro», «mediador» (ver Gál. 3:19,20). Na epístola aos Hebreus, esse termo é usado em vários trechos para referir-se a Cristo (ver Heb. 8:6; 9:15 e 12:24). Cristo, na qualidade de mediador, torna realidade os propósitos salvadores de Deus para os homens. Sua missão terrena inteira foi efetuada dentro do âmbito dessa mediação. Mas, além disso, nos céus, Cristo continua ocupando a posição de mediador, intercedendo incessantemente por seus remidos. (Isso é comentado em Rom. 8:34 no NTI). O Espírito de Deus também intercede por nós, em nome de Cristo (ver Rom. 8:27), e isso envolve nosso progresso espiritual e nossas necessidades diárias. Já a passagem de Heb. 9:15 nos ensina que Cristo é o mediador do «novo pacto» ou «novo testamento», como algo incluso em seu labor expiatório, porquanto isso é que dá aos homens o direito à herança eterna, através das provisões de seu testamento, porquanto Cristo «morreu por nós». (Ver Rom. 8:17 e as notas expositivas ali existentes no NTI sobre a idéia de «herança»). **Todo o bem-estar** espiritual nos é proporcionado através de seu ofício intermediário. Como um último aspecto, o verdadeiro acesso a Deus Pai nos é dado através de Cristo, permitindo-nos que nos tornemos habitação de Deus (ou templo de Deus) no Espírito (ver Efé. 2:22). Acerca disso, levemos em conta os pontos abaixo:

1. *Houve a mediação preencarnada de Cristo* (ver João 1:3,10; Col. 1:6 e Heb. 1:2). Isso teve lugar na criação, pois Cristo foi o criador, que fez o trabalho de Deus Pai. E nos próprios decretos divinos Cristo já agira como mediador da salvação dos homens, desde a eternidade passada (ver Efé. 1:3,4). A eleição é «em Cristo» (ver Rom. 8:29), e todas as bênçãos celestiais fluem da parte de Cristo, sendo mediadas por ele (ver

Efé. 1:3).

2. *Houve a mediação na salvação e na redenção*, quando do ministério terreno de Cristo (ver Heb. 9:15; João 3:17; Atos 15:11; 20:28; Rom. 3:24,25; 5:10,11; 7:4; II Cor. 5:18; Efé. 1:7; Col. 1:20 e I João 4:9). A vida, a morte, a cruz e o sangue de Cristo são os elementos dessa mediação. Além disso, Cristo é o Filho de Deus, enviado por Deus Pai, para redimir os filhos. O trecho de João 3:17 tem esse tema, o qual se repete por mais de quarenta vezes no quarto evangelho. O Pai enviou o Filho, para que este realizasse sua missão remidora. Essa declaração envolve muitas implicações teológicas acerca da natureza do Filho, o que é comentado no NTI naquela referência. Acrescente-se a isso que a mediação de Cristo produz a paz com Deus, a reconciliação entre o homem e Deus, que eram partes antes alienadas entre si (ver Rom. 5:1 e Efé. 2:12-17). A propiciação pelo sangue de Cristo visa a ira justa e o julgamento reto de Deus, e Jesus, na qualidade de sacrifício expiatório, torna Deus favorável aos homens (ver I João 2:2).

3. *Há uma mediação contínua de Cristo*: ele continua vivo e continua sendo o nosso mediador. (Ver João 14:6; Rom. 5:2 e 8:34). Por meio dele entramos na posse de todas as bênçãos espirituais (ver Efé. 1:3; Rom. 1:5; II Cor. 1:15,30, e Fil. 1:11).

Uma aplicação moderna: se Cristo é o único e suficiente mediador, de onde surge a necessidade de supostos mediadores angelicais e humanos? As doutrinas da mariolatria, das orações endereçadas aos «santos», da confissão auricular, etc., são outros tantos descendentes da idéia gnóstica de muitos mediadores. Mas há descendentes doutrinários mais sutis, como é o caso da posição atribuída a Jesus Cristo, por parte dos russelitas, auto-intitulados *Testemunhas de Jeová*. Segundo eles, Yahweh seria o único verdadeiro Deus. Jesus Cristo seria um «deus» secundário, apenas. (Isso equivaleria a um dos «aeons» dos antigos gnósticos. Tanto isso é verdade que Cristo é tido, entre os russelitas, como uma manifestação de um arcanjo dos mais elevados, mas nunca como o próprio Deus que se manifestou em carne). Em vista disso, aceitemos os avisos contidos, por exemplo, em I João 4:2,3: «...todo espírito que confessa que Jesus Cristo veio em carne é de Deus, e todo espírito que não confessa Jesus, não procede de Deus, pelo contrário, este é o espírito do anticristo, a respeito do qual tendes ouvido que vem, e que presentemente já está no mundo».

4. *Há uma mediação futura*: a obra de Cristo é aplicável a todas as fases de nossa redenção. A sua glorificação será por nós compartilhada, e isso envolverá um processo eterno, e não um acontecimento isolado. (Ver as notas em II Cor. 3:18 no NTI acerca desse conceito). Jamais chegará o tempo em que essa mediação de Cristo tornar-se-á desnecessária e obsoleta. E posto que a glorificação é o aspecto celestial da salvação, então a própria salvação precisa ser considerada como um processo eterno, mediante o qual iremos passando de um estágio de glória para outro, indefinidamente. Pois assim como o Cristo foi o criador de tudo (ele é o Alfa), também é o alvo da criação inteira (ele é o Ômega). E isso jamais deixará de ser verdade.

5. *O Alvo da Mediação de Cristo*. Conforme já vimos, a salvação é mediada aos homens por meio de Cristo, o Filho de Deus. Salvação pode ser definida como *filiação*, sendo esse o próprio alvo de sua mediação. Os homens chegam a compartilhar da natureza e da imagem de Cristo (ver Rom. 8:29); através do poder do Espírito Santo (ver II Cor. 3:18); e assim tornam-se filhos da família divina, participantes da glória de Deus (ver Heb. 2:10); participantes da plenitude de Deus, da natureza divina e de seus atributos (ver Efé. 3:19; II Ped. 1:4).

IV. A Oração e a Mediação

1. *Do Espírito Santo*. Ele é o supremo Mediador de nossas orações, visto ter a capacidade de proferir aquelas coisas que para nós são impossíveis de entender ou de exprimir. Acresça-se a isso que sua mediação é perfeita, nada tendo de mundano, de maus motivos ou de debilidades humanas. Ver Rom. 8:27. A sua mediação nas nossas orações faz parte de seu ofício como o alter ego de Cristo, o divino Paracleto. Ver os artigos gerais intitulados *Oração; Espírito* e *Paracleto*.

2. *Do Filho*. Ele é um mediador das orações feitas pelos filhos de Deus. O próprio Senhor Jesus instituiu esse ofício, e informou seus discípulos a respeito. Ver João 14:13,14. Se pedirmos alguma coisa em seu nome, *Ele* a fará, segundo enfatiza o vs. 14 dessa passagem. Se permanecermos dentro de sua vontade, poderemos pedir o que quisermos, e isso nos será feito (ver João 15:7). Destarte, a comunhão com o Filho torna-se o alicerce da oração bem-sucedida. O trecho de I João 2:1 diz que o Filho é o nosso Advogado junto ao Pai. A palavra grega ali usada é *parákletos*, alguém que se põe ao lado, a fim de ajudar. Está em foco, acima de tudo, a questão de nossos pecados e a confissão dos mesmos, a fim de recebermos perdão, embora o ofício de Cristo seja geral e não possa ser limitado a isso somente. Fica assim assinalado o ofício de Cristo como *representante* da humanidade na corte celestial, onde o caso do crente é defendido com base em sua identificação com Cristo, e porque aquilo que ele é agora não é o que será mais tarde, uma vez que a operação transformadora do Espírito insufle nele a verdadeira santificação. Naturalmente, está em pauta a expiação (ver I João 1:7,9), mas podemos ter a certeza de que está em foco o ofício inteiro de Cristo como nosso Salvador e Ajudador. De fato, algumas traduções traduzem *parákletos* como «ajudador». Essa questão envolve a oração, visto ser esse o nosso meio de comunicação e a maneira pela qual pedimos socorro.

3. *A Mediação dos Anjos na Oração*. Há alguma base bíblica para essa crença, embora seja um assunto não muito enfatizado no Novo Testamento. Entretanto, esse aspecto recebeu bastante atenção nos escritos rabínicos.

Apo. 5:8: *Logo que tomou o livro, os quatro seres viventes e os vinte e quatro anciãos prostraram-se diante do Cordeiro, tendo cada um deles uma harpa e taças de ouro cheias de incenso, que são as orações dos santos*.

Os grupos protestantes, em sua ansiedade de fazerem de Cristo o único Mediador (ver I Tim. 2:5), têm relutado em admitir tal possibilidade de mediação angelical, mas nada disso contradiz a posição de Cristo como nosso Mediador, já que os anjos são seus servos. Tudo quanto fazem fazem-no por delegação sua, e pode ser corretamente atribuído a Cristo. Parece que temos subestimado o ministério dos anjos, mas neste versículo, é claro que os anjos tornam-se meios da apresentação do incenso a Deus, e incenso simboliza a oração.

1. A suposição de que a «mediação dos anjos» na oração, que se reflete neste versículo, dá apoio à idéia de que se deve «orar aos anjos» (e, portanto, aos santos), é *exagerar* o sentido tencionado, e não uma interpretação do texto sagrado. Pois é melhor conceber que os anjos mediam as orações dos crentes, sem que estes dirijam suas orações àqueles.

2. O ofício de mediador das orações a Deus, segundo Orígenes (ver «De Prin.» i.8.1), é atribuído a Miguel. Mas no *Apocalipse de Paulo* 7—10, isso é atribuído aos «anjos guardiães». Em III Baruque 11, Miguel desce até o quinto céu a fim de recolher as orações de toda a humanidade, para então conduzi-las ao trono, a porção mais elevada dos céus. O Apocalipse de Paulo 7—10 retrata as portas dos céus a se abrirem em tempos determinados, a fim de receberem essas orações. No Testamento de Levi iii.5,6, Miguel também é retratado a fazer propiciação ao Senhor pelos pecados dos homens. Nesse mesmo documento, os «arcanjos», no quinto céu, recebem as orações da parte de anjos inferiores, levando-as à presença de Deus.O vidente João parece confirmar essa espécie de sistema, pois os vinte e quatro anciãos poderiam ser vistos aqui como arcanjos, a realizar a mesma função atribuída aos poderosos arcanjos dos escritos judaicos do período helenista. Assim é que no Testamento de Levi iii.5-7, os arcanjos aparecem, investidos de *funções sacerdotais*, tal como havia «ministros» no templo de Jerusalém, aos quais se dava o nome de «sacerdotes» e que também intercediam em favor dos homens. Portanto, os vinte e quatro anciãos são vistos aqui como sacerdotes do templo celestial, embora essa não fosse, necessariamente, a única função deles. Os sacerdotes terrenos faziam, às vezes, de mediadores, mas ninguém orava diretamente a eles. Assim, pois, nem os sacerdotes celestiais deveriam ser o alvo das nossas orações, mesmo que atuem como mediadores das orações dos santos.

3. Não deveria servir de motivo de desinteresse e desgosto o fato de que **os anjos atuam** como mediadores. Nem se deveria pensar ser isso estranho. Não obstante, todos os mediadores receberam seu ofício simplesmente por causa do ofício medianeiro de Cristo, que em alguns aspectos pode ser e é delegado a outros seres. Nenhum desses seres poderia ser mediador à parte de Cristo.

4. O presente versículo tem sido usado em apoio à idéia de que a igreja que já se acha nos céus ora pela igreja que ainda está na terra; e é possível que isso seja uma verdade, embora não apoiada por este versículo, porquanto os vinte e quatro anciãos não são seres humanos. Entretanto, o fato de que representam seres humanos e entoam o hino da redenção (ver os versículos nove e dez deste capítulo) pode favorecer indiretamente essa oração celestial, embora também humana.

5. Não é somente a igreja que se interessa pela revelação atinente aos últimos dias, acerca de como Deus será vitorioso em meio à agonia, propiciando-lhe a oportunidade de abençoar ricamente. O versículo à nossa frente mostra-nos que essa é igualmente a preocupação dos mais elevados poderes dos céus. A criação inteira geme, anelando pela revelação dos filhos de Deus (ver Rom. 8:19).

6. As taças que contêm as orações dos santos são de «ouro». Portanto, essas orações se revestem de grande valor e poder. Certamente cumprirão o seu propósito. (Ver o artigo sobre a *oração*).

7. O mundo celestial se interessa pelo estado do homem, pela redenção humana. Isso expressa a posição do *teísmo*, em contraste com a posição do «deísmo». O primeiro ensina que Deus está profundamente interessado pelos homens, fazendo intervenção na história humana, recompensando ou castigando aos homens. O deísmo, em contraste com isso, pinta Deus como um poder supremo, mas divorciado inteiramente da sua criação, tendo deixado que as leis naturais governem a criação; por conseguinte, não faria Deus qualquer intervenção na história humana, e nem castigaria ou galardoaria. (Ver no NTI em Atos 17:27, em suas notas expositivas, acerca dos diversos pontos de vista teológicos e filosóficos de Deus, e da natureza de sua maneira de tratar com os homens).

4. *A Mediação dos Santos no Céu*. Os crentes que já se acham no céu, podem mediar por nós, e realmente o fazem, incluindo a apresentação de nossas orações diante de Deus? Muitos teólogos cristãos têm pensado assim, com base na doutrina da *comunhão dos santos* (vide). Para os católicos romanos, naturalmente, isso inclui a mediação dos santos, que se achariam em boa posição para desempenhar esse papel. Tal doutrina, entretanto, jamais transparece nas páginas do Novo Testamento. Alguns têm usado Apo. 5:8 como texto de prova; mas os vinte e quatro anciãos, mui provavelmente, são seres angelicais, e não seres humanos, o que significa que tal passagem não oferece apoio algum para tal idéia. Contudo, se aqueles vinte e quatro anciãos representam seres humanos que entoam o cântico da redenção, então, as almas humanas glorificadas têm bem mais poder do que temos pensado, o que seria ilustrado pelas condições em que se acham. Nada disso, naturalmente, tem qualquer coisa a ver com a questão da salvação, a despeito do que podemos ter ali um claro ensino neotestamentário.

5. *A Mediação da Virgem Maria e dos Santos*. Ver a seção V, abaixo.

V. A Mediação da Virgem Maria e dos Santos

A doutrina da *comunhão dos santos* (vide) favorece a idéia que diz que certos cristãos especiais, que obtiveram uma elevada posição na escadaria do desenvolvimento espiritual, podem servir de mediadores para seus irmãos menores, importando-se realmente com isso. Se isso exprime uma verdade, então podemos afirmar que isso faz parte do ofício de Cristo, dado por delegação dele, mas que nada tem a ver com a questão da salvação. Mesmo admitindo-se isso, — devemos ajuntar que nada existe, na Bíblia, que ensine tal mediação humana.

Da Virgem Maria. Maria é invocada pela Igreja Católica Romana sob o título de Mediadora (Concílio Vaticano II, Constituição Dogmática da Igreja, art. 62). Quanto a essa questão, queremos fazer a seguinte citação:

«Não é incompatível com a mediação exclusiva de Cristo considerar Maria como uma figura que representa a comunidade dos fiéis, conferindo-lhe consentimento receptivo na fé, não somente para o próprio benefício dela, mas também para benefício da comunidade dos remidos. Assim, em um verdadeiro sentido, ela tornou-se mediadora para outros seres humanos, mesmo que ela, na realidade, não esteja postada *entre* Deus e os homens. Fundamentalmente, tais decisões *salvatícias*, feitas pelos seres humanos, têm uma espécie de significação medianeira para a comunidade à qual estão unidos, mesmo que não seja possível determinar o efeito dessa mediação. E, em comparação com a mediação de Cristo, a mediação dela é *derivada* e *análoga*. Porém, sua realidade é produzida pela operação da graça redentora de Cristo, que, naturalmente, não é recebida apenas passivamente pelo homem, pois capacita-o a compartilhar ativamente da ação redentora de Cristo» (R).

Maria, naturalmente, é considerada pelo catolicismo romano como intensamente interessada pela aviltada situação humana, visto que os membros da Igreja são metaforicamente considerados como filhos dela. As pessoas apelam para ela como uma mãe que exerce influência junto ao augusto Filho de Deus, que é tão augusto que convém aos homens aproximarem-se dele por meio de sua mãe. É evidente, porém, que doutrinas dessa ordem não se estribam sobre o Novo Testamento, mas antes, surgiram dogmaticamente, nos pronunciamentos dos concílios, que a Igreja Católica Romana e a Igreja Ortodoxa Oriental aceitam como autoritários. Por sua vez, os protestantes e evangélicos rejeitam essas adições como produtos da imaginação humana, como especulações daqueles que não se limitam aos ensinamentos bíblicos. Uma palavra de cautela é útil, neste ponto. Deveríamos ter grande respeito pela doutrina da comunhão dos santos, a qual envolve muita lógica, além de contar com o respaldo de alguns trechos bíblicos. Com base nisso, podemos até supor que somos representados e ajudados pelas almas glorificadas dos homens. Todavia, apesar disso não poder transformar-se em dogma, pode fazer parte de nossa esperança cristã. Há uma grande comunidade de santos que nos observam e nos animàm em nossa corrida espiritual (ver Heb. 11). Talvez a ajuda que eles nos prestam seja maior do que temos compreendido. Ver também os artigos intitulados *Mariologia* e *Mariolatria*.

VI. O Teísmo e a Mediação

Os gnósticos acreditavam em um Deus absolutamente transcendental. Não criam que Deus pudesse ou quisesse envolver-se com a matéria. Assim sendo, a fim de Lhe darem o controle sobre os mundos materiais (embora muitos deles não acreditassem ter sido criados pelo Deus supremo, mas pensavam que tinham sido criados pelo demiurgo, uma divindade secundária), eles conceberam uma longa sucessão de *aeons* ou mediadores angelicais. Eles pensavam que a luz de Deus, à proporção que se afastava dele, ia se tornando mais e mais débil, até chegar ao caos e à agitação, porquanto, na matéria bruta, a luz de Deus praticamente já não resplandece. Com esse tipo de sistema, em lugar de um único Mediador, o Filho de Deus, o gnosticismo dispunha de incontáveis mediadores, cada qual um pouco mais distante de Deus, mais e mais perdido nas trevas. O resultado prático desse sistema é que eles concebiam um Deus deísta, e não teísta. Em outras palavras, Deus não estaria diretamente interessado pela criação (o que, nesse caso, nem ao menos era dele, diretamente). O teísmo, por sua parte, pensa que Deus foi quem criou tudo, estando sempre pronto a intervir, a recompensar os bons e a punir os maus. O coração humano acredita na pluralidade, pelo que os sistemas religiosos sempre gostam de conceber um grande número de mediadores entre os homens e a divindade. O cristianismo, em sua doutrina dos anjos, retém essa pluralidade; e nos sistemas cristãos em que os santos são importantes, mais ainda é adicionado a essa pluralidade. Se o Filho de Deus é por demais augusto para nos aproximarmos dele diretamente, então, de acordo com alguns, sua mãe poderia ajudar, como mediadora. Seja como for, no cristianismo bíblico, a despeito de quantos mediadores alguns afirmem que existem, por quaisquer razões, a verdade é que temos ali o *teísmo* (vide), e não o *deísmo* (vide). Isso posto, nenhuma doutrina de mediação deveria obscurecer essa realidade. (B C E F ND R UN Z)

MEDIADOR

Ver **Mediação (Mediador)**

MEDIADORA

Um longo processo de glorificação de Maria, a Bendita Virgem, levou à doutrina formalizada de seu alegado ofício de *Mediadora de Todas as Graças*, conforme ensina a Igreja Católica Romana.

Foi o papa Pio XII (1876—1958) quem reuniu a fórmula bem conhecida quando, em um pronunciamento oficial, dogmatizou essa doutrina. Uma menção a esse título, com aprovação papal, apareceu no capítulo mariano da Constituição da Igreja, no Concílio Vaticano II, artigo 62. Quanto a maiores detalhes, ver o artigo intitulado *Mediação* (*Mediador*), quinta seção.

O ofício da mediação é evidência em favor do **teísmo** (vide), isto é, Deus tem interesse no seu mundo, recompensa e castiga segundo suas leis. Os mediadores fazem possível a aplicação dos princípios e idéias do teísmo.

MEDIÇÃO, CORDEL DE

A referência é a algum tipo de corda, de um determinado comprimento, usada para medir coisas. Ver Amós 7:17 e Sal. 78:55. Esses cordéis também eram usados para traçar linhas retas, onde seriam feitas construções. Ver Jó 38:5; Isa. 44:13. Sem dúvida, ambos os tipos de cordéis tinham os mais variados comprimentos. Ver o artigo geral sobre *Pesos e Medidas*.

MEDICINA (MÉDICOS)

Ver o artigo geral sobre as **Enfermidades**, em sua terceira seção, *Tratamento das Enfermidades na Antiguidade*, e em sua seção quarta, *A Teologia da Doença*, que se revestem de interesse especial para aqueles que queiram saber da importância da medicina nos tempos bíblicos. Esse artigo também alista todas as enfermidades mencionadas na Bíblia, com breves descrições. A esse material, nesse ponto, damos informações específicas sobre os *médicos*, os curadores profissionais (não-espirituais).

1. *Definição*. Um médico é alguém que aprendeu as técnicas da cura física. Em contraste com os curadores espirituais, o médico usa medicamentos, intervenções cirúrgicas, etc., ou seja, meios naturais, a fim de obter curas. Isso não significa, porém, que ele jamais apele para meios espirituais (se for do tipo de indivíduo que se inclina para isso, ou tenha tais habilidades). Todavia, ele não é conhecido como um curador espiritual.

2. *No Egito*. Os mais antigos registros que temos sobre os médicos profissionais nos vêm do Egito. Inhotep, um egípcio, foi o primeiro médico profissional a ser mencionado por nome. Ele viveu em cerca de 3000 A.C., e foi um terapeuta altamente respeitado. Finalmente, ele chegou a ser adorado como se fosse uma divindade, o que indica algo de sua elevada reputação.

A Medicina e a Religião. Todas as culturas antigas misturavam o natural com o sobrenatural, no tocante às curas, e a cultura egípcia não formava exceção. Os sacerdotes e os mágicos egípcios tinham a responsabilidade de curar os doentes, o que fazia parte da sua função. A conexão entre as enfermidades e os maus espíritos faz parte de uma antiga e honrada doutrina, não havendo razão para supor-se que isso não acontece. Apesar de supormos que usualmente as enfermidades têm uma causa orgânica, ou mesmo psicossomática, e não alguma causa espiritual, existem fortes evidências, nos estudos psíquicos modernos que provam que, efetivamente, algumas vezes os espíritos malignos causam enfermidades nas pessoas, de natureza tanto física quanto mental. Ver o artigo intitulado *Possessão Demoníaca*, quanto a algumas ilustrações modernas.

Os arqueólogos têm encontrado um bom número de crânios humanos com perfurações. Isso indica um tipo de cirurgia chamado *trepanação*, realizado com a finalidade específica de permitir que os maus espíritos escapassem. Cria-se que eles são capazes de causar todos os tipos de perturbações, incluindo desde as enfermidades físicas até os distúrbios mentais. Também sabe-se que era comum o uso de exorcismos. Além disso, no tocante a meios naturais de cura, era tradicional, em muitas culturas antigas, o emprego de ervas medicinais, conforme também se verifica até hoje. Outras práticas médicas incluíam a fragmentação de ossos fraturados, a cauterização e sutura de ferimentos, e cirurgias de muitos tipos, algumas das quais realizadas com notável habilidade.

O conceito de sacerdote-curador era bastante eficaz quando posto em prática. Atualmente, pessoas que devem saber o que estão afirmando, dizem que cerca de noventa por cento das enfermidades físicas são causadas ou intensificadas por atitudes mentais erradas. E isso significa que o controle sobre a mente pode operar maravilhas sobre o corpo físico. Acrescente-se a isso que não há razão para duvidar que alguns desses terapeutas sejam dotados de poderes espirituais de cura (um fator constante em todas as culturas), que ajudam nas técnicas físicas médicas.

Especialidades. A arqueologia e as referências literárias indicam que os egípcios eram capazes de fazer da medicina uma arte autêntica. Eles tinham especialistas no uso de medicamentos internos, da cirurgia, da obstetrícia e do embalsamamento (este último item é aludido em Gên. 50:2). As primeiras obstetras de que se tem notícia, na Bíblia, foram as parteiras hebréias, Sifrá e Puá (ver Êxo. 1:15); e podemos ter a certeza de que elas aprenderam a sua técnica com os egípcios.

3. *A Medicina Grega*

a. *Esculápio* (cerca de 1200 A.C.). Tornou-se famoso por suas curas de cunho natural e sobrenatural. Somos informados de que, antes de tudo, ele explicava ao paciente tudo sobre a enfermidade que ele tinha. Então, ele mantinha o enfermo em um templo, fazia-o dormir mediante drogas ou a hipnose, e no dia seguinte, o paciente deixava o templo, inteiramente curado. Podemos imaginar que, se isso acontecia muito freqüentemente, então, que estava envolvida alguma forma de cura espiritual, ou, então, que Esculápio dispunha de medicamentos poderosíssimos sobre os quais nada conhecemos hoje em dia.

b. *Hipócrates* (cerca de 460 A.C.). Ele se tornou mais conhecido por causa de seu famoso juramento. Registrei o mesmo no artigo *Hipócrates, Juramento de*, que também fornece algumas informações sobre a sua pessoa. Ele é considerado o fundador verdadeiro da medicina científica. Rejeitava a terapia demoníaca das enfermidades, usava a medicina natural e a cirurgia, e tinha muita confiança na capacidade do corpo físico recuperar-se das enfermidades.

c. *Aristóteles* (cerca de 350 A.C.). Foi o maior biólogo de sua época, e ensinava medicina (entre outras coisas), em sua academia de Atenas. Foi autor prolífico, e deixou muito material escrito sobre vários campos do saber. Ver o artigo acerca dele.

4. *A Escola de Medicina de Alexandria*. Por volta de 300 A.C., — muitas informações sobre a medicina tinham-se acumulado, com base nas culturas egípcia, babilônica, indiana, grega e romana. É possível que Lucas, autor do terceiro evangelho e do livro de Atos, tenha sido treinado em Alexandria. Lucas era altamente considerado pelos judeus com quem estava em contacto, ainda que, na antiga cultura dos hebreus, nem havia medicina e nem havia respeito pelos médicos. Talvez os considerassem uns charlatães.

5. *Na Cultura Hebréia*. No artigo *Enfermidades*, terceira seção, oferecemos alguma idéia sobre essa questão, no tocante à cultura dos hebreus. Entre os antigos israelitas não havia qualquer profissão (natural) de médicos, o que surgiu entre eles relativamente tarde. Eles não eram respeitados e nem inspiravam confiança, entre os hebreus. Se alguma cura fosse realizada, tudo era devido a ervas medicinais, ou por meios espirituais. No entanto, posteriormente, a profissão médica tornou-se conhecida em Israel. O Talmude menciona médicos que atuavam no templo de Jerusalém, para benefício dos sacerdotes; mas isso ou é uma informação inexata ou reflete um período posterior da história dos judeus. A própria Bíblia não nos dá qualquer informação dessa natureza, quanto ao período bíblico da história de Israel. Ver o artigo separado intitulado *Medicina, Ética da*.

MEDICINA, ÉTICA DA

Quase tudo quanto tenho a dizer sobre esse assunto, está contido em artigos separados, sobre assuntos dentro dos quais a ética médica é um aspecto importante. Ver os seguintes artigos: *Aborto; Controle de Natalidade; Eutanásia* e *Hipócrates, Juramento de*. Alguns outros problemas também são mencionados, com algum comentário, na segunda seção do presente artigo.

Esboço:

I. Definição

II. Problemas Especiais da Ética Médica

III. Códigos e Juramentos Médicos

I. Definição

«A ética médica consiste nas regras ou princípios que governam a conduta profissional dos médicos praticantes» (*Dorland's Medical Dictionary*). Vários códigos e juramentos médicos têm-se desenvolvido durante a história da medicina, o que menciono na terceira seção, abaixo.

A ética médica controla a vida pessoal do médico, o seu relacionamento com os seus colegas de profissão, o seu relacionamento para com os seus pacientes e as suas associações para com o público em geral. Além disso, essa ética salienta a moralidade dos procedimentos, das técnicas das terapias e do aconselhamento médico.

II. Problemas Especiais da Ética Médica

Além daqueles problemas mencionados na introdução, comentados em artigos separados, devemos considerar os seguintes problemas:

1. *A Instrução Ética*. Poucas escolas de medicina, até bem recentemente, haviam incluído em seus currículos, a disciplina da ética da medicina. Todavia, têm sido feitas preleções especiais sobre o assunto. O primeiro problema consiste no vácuo ético criado por esse distorcido manuseio do assunto da própria medicina. As faculdades de medicina que não têm qualquer filiação religiosa, abordam a medicina de um ângulo totalmente secular. Nos Estados Unidos da América do Norte, a opinião pública e a pressão das denominações religiosas têm forçado as escolas de medicina a tomar a questão com maior seriedade. Na atualidade, cerca de quarenta por cento das escolas de medicina debatem, em algum sentido, as questões éticas da medicina, mas isso ainda é uma porcentagem insatisfatória, considerando-se a urgência do

problema.

2. *O Conflito Entre a Medicina e a Religião*. Um outro problema envolvido na ética da medicina é o conflito que a ciência, tradicionalmente, sempre teve com a religião. Por essa razão, há a tendência desses dois campos permanecerem separados um do outro, ou mesmo, hostis. Isso é amplamente ilustrado pela atitude dos antigos hebreus, conforme a descrição no artigo chamado *Enfermidades*, terceira seção. A insistência das religiões, de que as doenças são provocadas por demônios, com exclusão de outras causas, tem dificultado em muito a cooperação da medicina. Assim, o papa Inocente III proibiu os monges católicos romanos de praticarem a medicina (1212 D.C.). A dissecação de cadáveres humanos, por parte dos médicos, foi declarada sacrílega por Inocente IV (1248 D.C.). Muitos cristãos opuseram-se ao uso do éter na cirurgia ou nas intervenções obstétricas, como ajuda ao trabalho de parto. É que, por assim dizer, eles entendiam que as palavras de Gên. 3:16: «...em meio de dores darás à luz filhos...» significavam: «Deixai a mulher sofrer!» Contra essa noção, foi usado como argumento a história da criação de Eva, quando Adão foi posto a dormir, enquanto a operação da extração de uma de suas costelas foi efetuada (ver Gên. 2:21). Esse argumento, em favor da anestesia, finalmente prevaleceu. Mas certos cristãos modernos, que enfatizam a cura espiritual, com exclusão da cura natural, por meios médicos, têm mantido aceso o conflito.

3. *Transplante de Órgãos*. Algumas pessoas têm sentido que esse é um processo *desnatural*, que deveria ser repelido pelos cristãos. Outros têm imaginado que o espírito é impedido em sua ascensão espiritual, por ficar preso a alguma porção de seu corpo anterior, que continua viva. Talvez isso até aconteça, nos casos de almas pouco desenvolvidas, porém, dispomos tão-somente da palavra de certos místicos, quanto a essa opinião. Esses preferem órgãos artificiais. Além disso, existem casos documentados do uso de órgãos sem a permissão de parentes, ou antes que a morte clínica tenha sido estabelecida com absoluta certeza. Nessa última eventualidade, ficam envolvidos tanto a *eutanásia* (vide) quanto o transplante de órgãos, algo que a maioria das pessoas não aceita.

4. *Experiências com Células Humanas*. Até que ponto os homens têm o direito de modificar aquilo que foi provido pela natureza? Em 1953, foi feita a descoberta do formato hélico-duplo do ácido deoxiribonucléico (DNA). O DNA é uma molécula mestra, que contém o cerne larvar da vida. Essa descoberta possibilitou os bioquímicos entenderem, explorarem e alterarem os processos biológicos. A chamada *cirurgia genética* tornou-se, então, uma realidade, e toda uma nova ciência veio à luz, com um incalculável potencial para o bem e para o mal. A microcirurgia (possível aos raios laser ou à radiação) pode remover defeitos genéticos específicos, inserir um novo código molecular, e assim mexer com a herança genética de um indivíduo. Até que ponto, têm indagado alguns, isso infringe o divino direito de criação? E que males poderão advir daí, mediante a manipulação por parte de mentes inescrupulosas?

5. *Experiências com Embriões Humanos*. Da manipulação genética às experiências com embriões humanos não é preciso um salto muito grande. Os bebês de proveta já são uma realidade, e os teólogos estão discutindo se há propriedade ética em toda essa questão. Também há o caso das *mães por aluguel*, em que mulheres recebem o óvulo fertilizado de outra mulher, que não é capaz de ter os seus próprios filhos. Talvez torne-se realidade, algum dia, o processo chamado *clone*. Reprodução sexual mediante um processo de repetição genética e que algum dia poderá criar indivíduos virtualmente idênticos, em grande número, enchendo o mundo de gênios e de monstros (presumivelmente).

6. *Manipulação Mental*. Incríveis resultados têm sido obtidos através do emprego de certas drogas que atuam sobre a mente. É possível a mudança de personalidade. Estímulos elétricos do cérebro podem agora acionar incrivelmente a capacidade da memória, pacificar a mente ou excitar desejos eróticos. Estão sendo feitas pesquisas sobre questões como a memória, a lembrança de sonhos, a manipulação de sonhos, as disposições, a personalidade, os estados patológicos e os transplantes de cérebro. As pesquisas têm ultrapassado em muito as nossas teorias éticas, e decisões incrivelmente espantosas poderiam ser deixadas nas mãos de indivíduos dotados de pouca ou nenhuma sensibilidade ética.

7. *Definição da Morte e da Vida*. A medicina tem definido a morte clínica. Talvez agora ela adquira a capacidade de definir a vida, modificando-a ao seu bel-prazer. O que assusta em tudo isso é o poder da ciência. Prometendo aos homens a utopia, a ciência tem criado a possibilidade da total extinção da raça humana por meio de artefatos atômicos. Novamente prometendo a utopia, novos descobrimentos científicos oferecem uma série de temíveis ameaças à humanidade. A ciência humana sempre andou a passos mais largos do que a habilidade e os conhecimentos éticos dos homens.

III. Códigos e Juramentos Médicos

1. *Charaka Samhita*. Nessa obra escrita temos um juramento daquele notável médico indiano do mesmo nome, que viveu em cerca de 1500 A.C.

2. *Juramento de Hipócrates*, de cerca de 400 A.C. Ver o artigo separado intitulado *Hipócrates, Juramento de*.

3. *Juramento de Asafe* (século VI A.C.), que corresponde a segmentos da medicina judaica. *Maimônides* (vide) acrescentou sua própria contribuição a essa questão, no século XII D.C.

4. *Código de Ética dos Médicos Ingleses*, escrito por Sir Thomas Percival, em 1803.

5. *Código de Ética da Associação Médica Americana*, de 1846.

6. Certa variedade de códigos mais recentemente elaborados, é como segue: *Código de Nuremberg* (1946—1949); *Declaração de Genebra* (1948); *Código Internacional de Ética Médica* (1949); *Normas Éticas e Religiosas para os Hospitais Católicos* (1955); *Declaração de Helsinki* (1926).

Princípios Gerais Aceitos pelos Códigos:

1. *Primum, non nocere*: «Antes de tudo, não sejas nocivo».
2. A santidade da vida humana.
3. A necessidade de aliviar o sofrimento humano.
4. A santidade do relacionamento entre o médico e seu paciente.
5. O direito do paciente saber da verdade de sua condição.
6. O direito do paciente ser informado sobre qualquer ato ou procedimento médico.
7. O direito do enfermo morrer com dignidade.

Bibliografia. EDM H HEA LAB

MÉDICO Ver sobre **Medicina (Médico)**.

MEDIDAS Ver sobre **Pesos e Medidas.**

MEDINA

No árabe, «cidade», em contraste com uma área desértica ou erma. Esse é o nome da cidade para onde Maomé fugiu, quando deixou Meca. Foi ali que foi aceita, pela primeira vez, a sua nova fé religiosa. Maomé acabou sendo sepultado em Medina (632 D.C.), e, naturalmente, o lugar reveste-se de grande importância para o islamismo. Os três primeiros sucessores de Maomé fizeram de Medina a sua capital, bem como a sede da primeira universidade islamita.

Visitar Medina, para os islamitas, é considerado um dever religioso, que só perde em importância para uma peregrinação a *Meca* (vide). O túmulo de Maomé está guardado dentro de uma grade de ferro em filigrana. É na parte sul desse túmulo que os peregrinos têm suas devoções e oferecem suas orações. Também encontram-se ali os túmulos de Fátima (filha de Maomé), de Abu-Bakr *primeiro califa*, pai de Aisha (esposa de Maomé)e de Omar I (o segundo califa). Os túmulos de Maomé e desses outros originalmente ficavam ao lado de uma mesquita que foi reconstruída pelo califa Walid I (governou entre 705 e 715 D.C.), a fim de abrigá-los dentro da mesquita. Essa mesquita foi destruída por um incêndio, em 1256, mas um novo edifício foi levantado para tomar seu lugar, após ainda um segundo incêndio que ali ocorreu, em 1481.

Essa cidade tinha o nome de *Yathrib,* até o ano de 622 D.C. Meca era, nesse tempo, chamada de *Hegira*. Quando Maomé fez de Yathrib a sua capital, ele lhe deu outro nome, *Madinah*, «a cidade», que deu Medina, em português. Em 661 D.C., os califas transferiram a capital da fé islâmica para Damasco. Em 1517, Medina caiu sob o poder dos turcos, condição essa que prosseguiu até 1916, quando foi formado o reino árabe independente de Heja. Finalmente, Medina foi incorporada à Arábia Saudita, em 1932. A atual população de Medina é de cerca de cinqüenta mil habitantes.

MEDITAÇÃO

Esboço:

1. Definição e Natureza da Meditação
2. Um dos Meios de Desenvolvimento Espiritual
3. Considerações Bíblicas a Respeito

1. Definição e Natureza da Meditação

Tal como se dá no caso de todas as palavras profundas, nenhuma definição é inteiramente adequada para esse vocábulo. Para alguns, meditar é ocupar-se em um pensamento contemplativo contínuo, é cogitar, é refletir demoradamente. Para outras pessoas, entretanto, meditar não é a mesma coisa que pensar. Todavia, pode ser iniciada pelo pensamento, especialmente quando se concentra a mente sobre algum assunto, palavra, pensamento, mandala, etc. Porém, a concentração é apenas uma medida disciplinadora, fazendo a mente entrar em certa espécie de vácuo. Presumivelmente, ao achar-se nesse estado, a pessoa fica espiritualmente condicionada para receber, intuitiva ou misticamente, algum tipo de discernimento espiritual, comunicação, entendimento ou sentimento místico, que transmite uma mensagem. — Talvez a meditação provoque um estado de transe, ou abra a mente para a comunicação direta com as mentes de seres sobrenaturais, ou do Espírito de Deus. Se esse é o caso, então a meditação consiste em uma técnica que abre a mente para os canais espirituais, a fim de que o indivíduo transcenda às barreiras impostas pelo cérebro, a fim de receber alguma comunhão espiritual direta, e, por conseguinte, alguma comunicação.

Dentro da tradição cristã, a meditação, algumas vezes, tem sido denominada *oração inferior*, com cujo nome se dá a entender alguma espécie de oração mental, em contraste (conforme alguns supõem) com as orações ajudadas pelo Espírito Santo. Trata-se, na verdade, de alguma reflexão devocional em torno de uma passagem bíblica ou idéia das Escrituras, com o intuito da pessoa receber alguma forma de iluminação ou discernimento a respeito, que pode até ultrapassar daquilo que ali é dito. Os intérpretes erram, quando questionam a questão, como se essa prática não fosse legítima, por não ser ajudada pelo Espírito, porquanto não é isso que está em vista. Bem pelo contrário, o que se presume é que o Espírito de Deus ajuda ao homem nessa contemplação, a fim de conferir-lhe iluminação espiritual. Acresça-se a isso que a reflexão não é, na verdade, alguma forma de oração, embora possa estar associada à oração. Talvez a melhor obra cristã sobre a meditação seja a obra de Loyola, *Exercícios Espirituais*. Ordens religiosas especialmente contemplativas são os cartuxos e as carmelitas. Eles devotam-se muito à oração e à meditação. Também não podemos esquecer que muitas pessoas, dentro da Igreja Ortodoxa Oriental, dão grande valor à meditação, buscando iluminação espiritual por esse intermédio.

A meditação, nas religiões orientais, reveste-se de capital importância, às vezes ao ponto da oração ser inteiramente negligenciada. Porém, a maioria delas lança mão tanto da oração quanto da meditação, buscando iluminação e desenvolvimento espirituais. Nessas fés orientais, são ensinadas técnicas que, algumas vezes, incluem exercícios de respiração, que supostamente fomentariam os poderes espirituais do próprio indivíduo, capacitando-o a separar seu espírito do seu corpo físico. Quando tal liberação é obtida, conforme crêem, então é que o espírito está pronto para alçar vôo até Deus, buscando iluminação mediante o contato direto com a *Presença* divina.

Não há que duvidar que as técnicas de meditação podem produzir um estado de transe. Ademais, os místicos asseveram que, no estado de meditação, a mente humana fica aberta à Mente, aquele tipo de mente que está acima do homem, a Mente universal, às mentes individuais de seres espirituais, tanto de espíritos humanos desencarnados quanto outros tipos de espíritos, incluindo os anjos. Acima de todas as demais, há a Mente divina, posta à disposição dos místicos de mais elevada ordem. A meditação, pois, seria um meio para a produção de estados alterados da consciência, em que o corpo e seu cérebro racional são anulados ou postos em estado de dormência. Nesse estado, o espírito estaria livre para procurar o que lhe é análogo: livre para buscar o espírito.

«**Meditação. No uso religioso**, meditação é o uso **reverente, intenso e continuado da contemplação** de Deus ou de algum tema ou ideal religioso. Trata-se de um exercício espiritual cansativo, que requer boa postura mental, tranqüilidade no íntimo, abstração dos sentidos e persistente concentração da atenção. Seu alvo é o de fortalecer e elevar a vida moral, por meio da comunhão com Deus. Trata-se de uma importante forma de devoção, nas religiões mais altas, sendo especialmente enfatizada e praticada pelos grandes místicos» (E). Ver sobre o *Misticismo*.

Abusos. Alguns líderes evangélicos desencorajam ou mesmo condenam a prática da meditação. Para mim, esse desencorajamento é um sinal do estado debilitado em que se encontra atualmente a Igreja cristã. É fato bem sabido que a meditação, por causa de sua capacidade de alterar os estados de consciência, pode levar um indivíduo a cair presa de poderes malignos. Quando infantes espirituais, cheios de pecado e ignorância, começam a meditar, podem correr tal risco. Porém, a meditação tem uma longa e honrada história na Igreja cristã, e sempre foi um exercício vital para os místicos cristãos, cuja espiritualidade esteja além de qualquer dúvida razoável. Proibir ou mesmo desencorajar a meditação assemelha-se a jogar fora o bebê juntamente com a água em que ele foi banhado. Tudo está sujeito a abusos, mas a possibilidade de abusos nunca deveria governar a nossa inquirição espiritual. Se a história da Igreja moderna tem-nos ensinado alguma coisa, essa lição é que não basta o crente ler a Bíblia e orar, como se isso solucionasse todos os seus problemas espirituais, provendo-lhe todo o necessário para o crescimento espiritual. Precisamos desesperadamente do toque místico em nossas vidas, que nos faça crescer, fortalecendo-nos no espírito, mediante as operações do Espírito de Deus.

2. Um dos Meios de Desenvolvimento Espiritual

Em Gál. 5:22 *ss*, Paulo apresenta-nos a metáfora do *cultivo* dos frutos espirituais, por parte do Espírito de Deus. Cada virtude cristã é uma espécie de fruto espiritual. O trecho de II Cor. 3:18 mostra-nos que seremos conduzidos de um estágio de glória para o próximo, em constante ascensão, mediante operações do Espírito. Quando olhamos para o espelho espiritual, não vemos a nossa própria imagem, e, sim, a imagem do Filho de Deus, o arquétipo da alma humana. Enquanto O contemplamos, vamos sendo transformados em sua imagem. O trecho de Efé. 3:19 diz-nos que haveremos de compartilhar de toda a *plenitude* de Deus. Essa idéia é expressa no grego pela palavra *pleroma*, que aponta para a natureza e os atributos de Deus. E, sem o uso de qualquer metáfora, o trecho de II Ped. 1:4 esclarece que somos participantes da natureza divina. Mas, assim como há uma infinitude com que seremos enchidos, assim também haverá um enchimento infinito. Isso quer dizer que a glorificação será um processo eterno, e não uma ocorrência de uma vez por todas, por ocasião da *parousia* (vide). Torna-se óbvio, por conseguinte, que precisamos de vários meios de desenvolvimento espiritual, visto que a salvação, olhada por certo ângulo, é uma evolução espiritual. Teremos de dispor de *meios* adequados, que garantam a continuidade dessa evolução espiritual.

Meios que Garantem o Crescimento Espiritual. 1. O estudo dos Livros Sagrados e outros livros que nos ajudam em nosso crescimento e percepção espirituais. 2. Persistência no uso da oração. 3. Persistência no uso da meditação. 4. Viver diariamente segundo a lei do amor, na prática das boas obras, ocupando-se em atos altruístas. O amor é o solo onde medram todas as outras virtudes espirituais. 5. A santificação. A alma carregada de vícios, sempre derrotada diante das astúcias de Satanás, dificilmente pode crescer grande coisa. 6. O toque místico. A meditação pode produzir a iluminação. Além disso, existem dons espirituais que precisamos possuir e utilizar para nosso próprio benefício e para o benefício do próximo. Quanto a maiores detalhes sobre essa questão, ver o artigo intitulado *Maturidade*.

Entre os meios de crescimento espiritual, alistados acima, encontramos a meditação (terceiro ponto). E apesar disso talvez nunca ser mencionado nos púlpitos, pode-se provar o caso de forma histórica e prática, devido ao grande valor dessa prática.

3. Considerações Bíblicas a Respeito

Nas traduções, o verbo «meditar» geralmente aparece em Gên. 24:63; Jos. 1:8; Sal. 1:2; 63:6; 77:12; 119:15,23,48,78,148; 143:5; Isa. 33:18; Luc. 21:14 e I Tim. 4:15. O substantivo «meditação» aparece em Sal. 5:1; 19:14; 49:3; 104:34; 119:97,99. O termo hebraico, *hagah* significa «ponderar», «imaginar», «meditar», embora também possa ter sentidos como «murmurar», «lamentar», «resmungar». O vocábulo hebraico *siyach* (a palavra usada em Sal. 119, em suas várias referências) significa «contemplação», «oração», «meditação», e até mesmo «queixume». O termo grego que aparece em I Tim. 4:15, *meletáo*, significa «cuidar de», «imaginar», «meditar». A Timóteo foi recomendado que meditasse sobre a questão de seus dons espirituais e responsabilidades. Portanto, temos aí a menção não à meditação como um dos meios do desenvolvimento espiritual, e, sim, a idéia de que ele deveria levar a sério aquelas coisas que fariam dele um melhor ministro do evangelho.

Apesar do Novo Testamento não apresentar qualquer ensino sistematizado sobre a meditação, é óbvio que aquele exercício espiritual que consiste em profunda e contínua reflexão sobre as idéias e realidades espirituais é uma prática piedosa que os crentes precisam cultivar. Teresa de Capeda, uma freira católica romana, de origem espanhola, segundo se apregoa, conseguiu muita coisa através da prática da meditação. Ela mesma informa que quando deu início a essa prática, era quase impossível para ela impedir que sua mente ficasse vagueando através de muitas coisas banais e inúteis. Foi somente após catorze anos de prática que ela conseguiu meditar sem a ajuda de algum livro, como ponto de concentração.

Declarou o salmista: «As palavras dos meus lábios e o meditar do meu coração sejam agradáveis na tua presença, Senhor, rocha minha e redentor meu!» (Sal. 19:14). Aos israelitas foi ordenado que meditassem sobre o livro da lei (ver Jos. 1:8; Sal. 119:97,99). Conheço um caso em que o ponto da meditação era a mensagem do primeiro capítulo da epístola aos Efésios. Foi obtida uma notável iluminação do entendimento; mas podemos estar certos de que essas coisas não ocorrem automaticamente, sem esforço consciente. Torna-se claro, não obstante, que precisamos de *iluminação* (vide).

Teólogos e filósofos afirmam que a mente humana tem **afinidade** com a Mente Divina. O homem foi criado à imagem de Deus. É lógico, pois, supormos que a meditação, que nos abre a mente para o Ser divino, pode ser um canal pelo qual recebemos muito conhecimento e percepção espiritual. Porém, a mente que está sempre ocupada com assuntos mundanos, jamais descobrirá esse tesouro.

«A meditação é um *dever* que precisamos praticar, se desejamos o nosso próprio bem-estar espiritual. A meditação deveria ser *deliberada, intensa* e *contínua* (ver Sal. 1:2; 119:97). Os *assuntos* em torno dos quais a mente do crente mais deveria ocupar-se são os seguintes: as obras da criação (Sal. 19); as perfeições de Deus (Deu. 32:4); o ofício e as operações do Espírito Santo (João 15 e 16); a dispensação da providência divina (Sal. 97:1,2); os preceitos e promessas existentes na Palavra de Deus (Sal. 119); o valor dos poderes da alma e sua imortalidade (Mar. 8:36) e, finalmente, a depravação de nossa própria natureza, e a graça de Deus, em nossa salvação, etc.» (UN)

Os Olhos do Coração. Paulo orava em favor dos crentes a fim de que o Pai da glória abrisse os olhos de seus corações, a fim de que eles fossem iluminados espiritualmente. Dessa maneira, chegamos a compreender a esperança para a qual fomos chamados, bem como as riquezas da gloriosa herança que temos em Jesus Cristo (Efé. 1:18).

A Mente de Cristo. Cristo é a cabeça, e nós somos o corpo. A sua mente é a nossa mente. Porém, compete-nos ir crescendo e compartilhando mais e mais de sua mentalidade. Ver I Cor. 2:16.

MEDOS Ver **Média (Medos)**.

MEDULA

A medula é uma substância de tecido mole, vascular, que preenche as células e as cavidades da maioria dos ossos dos mamíferos. A medula é composta de gordura, água, corpúsculos vermelhos e brancos, além de traços de albumina, fibrina e sais. Mas algumas medulas, usualmente dos ossos longos do corpo, consistem principalmente em um óleo amarelado. A medula óssea vermelha, tão importante para a manufatura do sangue, é altamente nutritiva.

O termo hebraico correspondente é *moah* (ver Jó 21:24); e o vocábulo grego é *múelos* (ver Heb. 4:12). Essa palavra é usada em sentido figurado na Bíblia. Em Isa. 25:6 lemos sobre «pratos gordurosos com tutanos» (esta última palavra é tradução do termo hebraico *machah*), o que aponta para o pleno aprazimento das bênçãos que caracterizarão o perfeito reino de Deus. Em Heb. 4:12, as «medulas» representam os mais secretos pensamentos de uma pessoa, onde a Palavra de Deus pode penetrar, distinguindo uns dos outros. Temos ali uma expressão desajeitada, visto que as juntas não estão unidas à medula, pelo que também não podem ser divididas uma da outra. Provavelmente houve alguma lassidão na expressão do autor sagrado. As juntas do corpo podem ser divididas. A medula também pode ser separada dos ossos. Os ossos podem ser abertos e a medula exposta. Por igual modo, a Palavra de Deus desvenda todas as coisas. A medula, por sua própria natureza, fica bem oculta no interior dos ossos. Assim também, os homens guardam muitos segredos em seus corações. Mas a Palavra de Deus faz tudo vir à superfície. Isso significa que a hipocrisia, o fingimento, são inúteis. A desobediência franca e a desobediência oculta também serão reveladas. Temos uma obrigação espiritual diante de Deus que não pode escapar à sua observação. O juízo divino é absoluto e perscrutador. O ponto desse versículo é que é impossível alguém enganar a Deus. A sua Palavra revela-nos aquilo que somos. A «geração do deserto» não pode entrar no descanso de Deus por causa de sua incredulidade e desobediência. Também não podemos enganar ao Senhor, se tivermos o mesmo caráter daquela geração passada. E se, finalmente, chegarmos a entrar no descanso divino, isso será porque Deus julgou-nos dignos dessa bênção. Mas, se desobedecermos e formos incrédulos, a sua Palavra voltar-se-á contra nós e nos desmascarará.

MEETABEL

No hebraico, «acossada por Deus». Esse é o nome de duas pessoas nas páginas da Bíblia, um homem e uma mulher:

1. O pai de Delaías e antepassado (avô?) do profeta Semaías. Esse falso profeta foi contratado para fazer oposição a Neemias (Nee. 6:10). Se Delaías foi avô de Semaías, pode-se calcular que ele viveu em cerca de 500 A.C.

2. A filha de Matrede e esposa de Hadade, rei de Edom (Gên. 36:39; I Crô. 1:50). Ela deve ter vivido em cerca de 1600 A.C.

MEFAATE

No hebraico, «iluminadora», nome de uma cidade levítica, mencionada em Jos. 21:37; I Crô. 6:79, localizada no território da tribo de Rúben (Jos. 13:18). O trecho de Núm. 21:26 parece indicar que, originalmente, o local pertencia aos amorreus (Núm. 21:26). Posteriormente, ficou na posse dos moabitas (ver Jer. 48:21). Tem sido tentativamente identificada com a moderna *Jawa*, cerca de nove e meio quilômetros ao sul de Aman.

MEFIBOSETE

No hebraico, «ele espalha», «ele extermina», ou «vergonha» (referindo-se, provavelmente, aos ídolos, uma vergonha pagã típica). Duas pessoas são conhecidas por esse nome, nas páginas da Bíblia, a saber:

1. *Um Filho de Saul*. Sua mãe era Rispa, concubina de Saul, que era filha de Aías. Davi entregou esse homem e seu irmão, além de quatro outros homens, aos gibeonitas, que os sacrificaram a *Yahweh*, a fim de fazer parar um período de fome, pelo qual a região estava sofrendo (II Sam. 21:8 *ss*). Saul havia tentado exterminar aos gibeonitas (II Sam. 21:2), os quais tinham enganado a Josué, para que este entrasse em um acordo de proteção a eles, quando Israel invadira a Palestina (ver Jos. 9). O ato de Davi teve por finalidade remover a culpa de Saul, com a resultante maldição divina.

2. *Um Filho de Jônatas*. Ele foi neto de Saul.

a. *Pano de Fundo da História*. Jônatas e Saul haviam sido mortos em batalha, no monte Gilboa, quando Mefibosete ainda era uma criança de apenas 5 anos de idade e cuidava dele uma ama. Quando a ama recebeu notícias da morte do pai e do avô do menino, ela fugiu, atemorizada, mas, na pressa, deixou cair a criança, aleijando-a de ambos os pés, o que se tornou uma aflição para o resto da vida. Ver II Sam. 1:4; 4:4 e I Crô. 10.

b. *Refúgio em Gileade*. Mefibosete refugiou-se junto a Maquir, em Lo-Debar, cidade de Gileade (ver II Sam. 9:4). Por meio de Ziba, um próspero ex-mordomo da casa de Saul, Davi ficou sabendo que um filho de seu querido amigo, Jônatas, estava vivo, tendo escapado de ser morto pelos filisteus (ver II Sam. 9:3 *ss*).

c. *Provisões Feitas por Davi*. Mefibosete e seu filho, Mica, foram convocados a Jerusalém por ordem de Davi. Josefo (ver *Anti*. 7:5,5) preenche o hiato de informação dizendo-nos que Mefibosete fora criado por Maquir, o gadita, e que se casara e estava vivendo ali quando Davi, finalmente, derrotou seus inimigos e obteve uma autoridade estável. Ora, Davi jurara a Jônatas, seu estimado amigo, no sentido de que jamais cortaria da sua casa a sua bondade (ver I Sam. 20:15). Jônatas havia dado apoio a Davi, quando este fugia de Saul, e fez o quanto pôde a fim de garantir a segurança de Davi das más e assassinas intenções de Saul. Davi, pois, mostrou-se gentil e liberal para com Mefibosete, mas este estava temeroso. Davi devolveu a Mefibosete todas as propriedades que tinham pertencido a seu avô, e ordenou que Ziba cultivasse as terras em favor de Mefibosete. Além disso, Mefibosete e seu filho foram convidados a compartilhar da mesa do rei e seus filhos continuamente, o que significa que o sustento básico estava garantido (ver II Sam. 9:3). Considerando-se todas as coisas, Mefibosete deve ter entrado em um período de grande prosperidade material, devido à bondosa provisão feita por Davi.

d. *A Rebelião de Absalão e o Conflito Resultante*.

Ziba e Mefibosete apresentaram sob ângulos diferentes o que havia acontecido. Davi foi forçado a fugir do conluio arquitetado por Absalão, na tentativa de apossar-se do trono de seu pai. Ziba entregou a Davi e seus homens, provisões de boca, no monte das Oliveiras (ver II Sam. 16:1). E informou a Davi que Mefibosete havia permanecido em Jerusalém, aparentemente com a esperança de poder tornar-se o próximo monarca de Israel. Em face disso, Davi decretou que tudo quanto havia pertencido a Mefibosete, agora pertencia a seu servo, Ziba, naturalmente presumindo que, quando as coisas voltassem à normalidade, — essa transferência de propriedade seria efetuada.

Quando a rebelião de Absalão terminou em derrota, Davi forçou a acareação entre Mefibosete e Ziba, e Mefibosete negou categoricamente a acusação, dizendo que Ziba o havia caluniado. Sua sinceridade pareceu convincente a Davi, e, ademais, Mefibosete estava em trapos, o que não indicava que ele tivesse estado celebrando a fuga de Davi. Ver II Sam. 18:24-30. Davi cortou então o nó górdio, dividindo as terras entre Mefibosete e Ziba (ver II Sam. 19:29). Um dos dois, portanto, recebeu um favor desmerecido, embora não saibamos dizer qual deles. Todavia, é possível que toda a questão envolvesse apenas um grande equívoco. Posteriormente, porém, Davi poupou a vida de Mefibosete (ver II Sam. 21:7). Os gibeonitas vingaram-se da casa de Saul, mas Davi não permitiu que Mefibosete fosse atingido. No caso do leitor não saber o que significa o *nó górdio*, deve consultar o artigo intitulado *Nó*, no seu último parágrafo, chamado *Cortando o Nó Górdio*.

•••

MEGARA, ESCOLA FILOSÓFICA DE

Essa escola floresceu, aproximadamente, entre 400 e 300 A.C. Ela ficava em Megara, o que explica o seu nome. Foi parcialmente formada devido à influência de Sócrates (tal como sucedeu a todas as primeiras escolas filosóficas), e em parte devido às atividades dos eleáticos. Essa asserção é comprovada pelo fato de que os argumentos de *Zeno de Elea* (vide), que desaprovava as idéias e pronunciamentos baseados no bom senso, eram ali empregados. Nessa atividade, foram descobertos vários paradoxos semânticos, e também houve alguma contribuição para a lógica.

Membros Notáveis. *Euclides* (vide), um dos associados a Sócrates, e fundador da escola; Iquitias, seu discípulo; Eubulides de Mileto, que foi o segundo diretor da escola. Foi este último quem desenvolveu o paradoxo do mentiroso. Filo de Megara era um discípulo seu. E também podemos mencionar Estilpo e Diodoro Cronos, que foram mestres de Zeno, o estóico. Brison, filho de Estilpo, foi mestre de Pirro, o cético.

Megara ficava perto de Atenas. Podemos considerar essa escola de filosofia uma extensão das atividades que giravam em torno daquela cidade. Euclides desenvolveu a lógica envolvido no método socrático. De Parmênides, Euclides tomou por empréstimo o conceito de um único Ser absoluto; e de Zeno, a idéia da natureza ilusória do movimento, da multiplicidade e das mudanças. Os megáricos eram bastante sofistas em seus ensinos, tendendo a apelar para disputas acerbas. À semelhança de outras escolas semi-socráticas, provavelmente eles não tinham qualquer organização ou corporação, e desapareceram aí pelos fins do século IV A.C.

MEGIDO

Esboço:

I. Caracterização Geral
II. Esboço da História
III. A Arqueologia e Megido

I. Caracterização Geral

O nome dessa cidade significa «lugar de tropas». Megido era uma das cidades reais dos cananeus (ver Jos. 12:21). Após a conquista da Terra Prometida, a cidade foi alocada à tribo de Issacar (Jos. 17:11), mas acabou sendo ocupada pelo tribo de Manassés (Juí. 1:27). No entanto, no começo resistiu à colonização israelita, só tendo sido plenamente ocupada já no tempo de Salomão. Era uma cidade fortificada, desde os tempos mais remotos. Ficava em uma colina diante da planície de Esdrelom, na parte norte da Palestina, cerca de vinte e quatro quilômetros a sudoeste do monte Carmelo. Sua importância militar e estratégica vinha de épocas distantes, pois estava localizada em uma das mais antigas estradas que o homem conheceu. Essa estrada ia do Egito à Mesopotâmia. Em cerca de 1468 A.C., Tutmés III, do Egito, capturou e saqueou a cidade. No Cântico de Débora, faz-se menção a Megido (ver Juí. 5:19), como cena de uma grande batalha que teve lugar durante ou pouco após a invasão de Israel, o que alguns eruditos datam em cerca de 1125 A.C. No século X A.C., Salomão fortificou a cidade (ver I Reis 9:15), onde manteve carros de guerra e tropas montadas. A Universidade de Chicago, em vários empreendimentos arqueológicos, foi capaz de aprender muito acerca da região, tendo descoberto os estábulos e as fortificações feitas por Salomão. Foi ali que morreu o rei Acazias, em cerca de 840 A.C. (II Reis 9:27). Nos tempos de Tiglate-Pileser III (que governou em cerca de 745 a 727 A.C.), Megido tornou-se a capital de uma das províncias do império assírio. Durante o período romano, aquartelou-se ali uma legião, chamada em latim *Legio*. Alguns intérpretes pensam que *Armagedom* (Apo. 16:16) é nome que se refere à colina de Megido, esperando que esse local venha a tornar-se o palco de uma futura batalha decisiva, entre as forças do bem e as forças do mal. Ver sobre *Armagedom*.

O nome moderno do local é Tell el Mutesellim. Essa região tem sido extensamente escavada, e constitui uma das importantes áreas de explorações arqueológicas da Palestina. Ver a terceira seção, abaixo, onde se apresenta um sumário sobre essa questão.

II. Esboço da História

1. As evidências arqueológicas mostram que a área já vinha sendo ocupada desde tão cedo quanto 4000 A.C.

2. Os arqueólogos têm confirmado sua ocupação no início da era do Bronze (terceiro milênio A.C.). Há provas de grandes áreas urbanas ali. Mas houve uma invasão que interrompeu essa ocupação, embora mais tarde ela fosse reiniciada.

3. Uma estela de Tute-Hotepe (do nível XIII) mostra que a área tinha fortes laços com o Egito. Paralelamente, os textos de execração do Egito não lançam quaisquer maldições contra a região, e isso, provavelmente, devido às boas relações que eram mantidas entre o Egito e Megido, na época.

4. A área foi ocupada por tropas egípcias durante o tempo dos reis estrangeiros, os hicsos.

5. Megido tornou-se o cabeça de uma confederação que ofereceu resistência ao Egito, quando este tentou ocupar a terra de Canaã. Mas o Faraó Tutmés III pôs fim a toda resistência. Batalhas decisivas ocorreram

em Megido. Após meses de combates, as forças egípcias obtiveram a vitória. A área tornou-se, então, produtora de cereais, especialmente o trigo.

6. Chefes cananeus tornaram-se vassalos do Egito. O papiro Leningrado, nº 1116a, informa-nos que emissários de Megido foram recebidos na corte do Faraó, na XVIII Dinastia. Megido, evidentemente, tornou-se uma fortaleza, para manutenção do predomínio egípcio no vale de Jezreel.

7. Houve várias revoltas. Amenhotepe II esteve envolvido, abafando pelo menos duas dessas revoltas.

8. Megido era governada por Biridia, durante o período de El Amarna. Ele governou a cidade no fim do governo de Amenhotepe III, e no começo do governo de Aquenaton. Continuou havendo oposição ao Egito, durante todo esse tempo. O príncipe de Siquém, Lab 'ayu, revoltou-se contra os dominadores egípcios. Biridia não se dava com os administradores egípcios, e ficou sob suspeita. Lab 'ayu, com a ajuda dos *'apiru*, continuou a dar trabalho aos egípcios. Biridia apelou para que os egípcios enviassem tropas para restaurarem a ordem. O Faraó ordenou que Lab' ayu fosse aprisionado. Isso foi feito pelos reis cananeus, mas, tendo-os subornado, Lab 'ayu escapou, mas somente para ser recapturado e executado. Porém, os seus filhos continuaram em sua revolta. Não se sabe muito mais sobre a era do Bronze, quanto a essa região.

9. *A era do Ferro* leva-nos à história da invasão dos hebreus na região. Megido foi um dos lugares conquistados por Josué (Jos. 12:21), e foi entregue, a princípio, à tribo de Issacar (ver Jos. 17:11), mas depois ficou com a tribo de Manassés (ver Juí. 1:27). A pacificação não se completou senão já somente nos dias de Davi, quando a cidade foi inteiramente conquistada. Escavações recentes sugerem que Megido e Taanaque continuaram a existir lado a lado, durante o período de transição da ocupação cananéia para a ocupação israelita, anulando aquilo que antes os estudiosos imaginavam, isto é, que tinha havido povoações alternativas, ora dos israelitas, ora dos cananeus, com ocupações e expulsões sucessivas. Megido também foi o local da notável vitória de *Baraque* (vide) sobre Sísera, general sírio. Ver Juí. 4:15.

10. Salomão, ao dominar totalmente a área, fortificou as cidades de Megido, Hazor e Gezer (ver I Reis 9:15). Ele controlava as rotas comerciais, bem como as fortificações militares. Megido foi incluída no seu quinto distrito administrativo, sob as ordens de Baana, filho de Ailude, delegado de Salomão (ver I Reis 4:12).

11. Nos dias do rei Reoboão (cerca de 924 A.C.), a cidade caiu sob o poder de Sisaque, rei do Egito, o que é comprovado extrabiblicamente, em uma inscrição (Exibição de Faraó, nº 27). Uma estela comemorando a vitória, encontrada em Megido, conta a mesma coisa.

12. Quando Jeú revoltou-se, o rei Acazias resistiu, mas foi ferido e fugiu para Megido (ver II Reis 9:27).

13. Em 733—732 A.C., Tiglate-Pileser III, rei da Assíria, conquistou a cidade, tornando-a capital administrativa da área. Isso incluía o vale de Jezreel e a Galiléia.

14. Quando o império assírio caiu, Megido, por um breve período, esteve novamente sob o poder de Judá. Foi assim que o rei Josias entrou em batalha contra o Faraó Neco, no vale de Megido, do que resultou a morte daquele rei de Judá (ver II Reis 23:29; II Crô. 35:22).

15. Durante o tempo da hegemonia persa, a cidade de Megido foi abandonada. A última referência bíblica a essa cidade diz respeito à lamentação que os judeus fizeram, ante a morte de Josias.

16. *Profecia*. O nome de Megido aparece novamente, com proeminência, na profecia bíblica sobre *Armagedom* (vide), que reflete no hebraico *har megiddon*, «colina de Megido». Ver Apo. 16:14-16.

III. A Arqueologia e Megido

As escavações que foram feitas em Megido acham-se entre as mais extensas, em toda a área da Palestina. Vinte níveis de ocupação têm sido identificados, começando no quarto milênio A.C. Os níveis XX e XIX procedem da era calcolítica. O último nível, I, representa uma cidade não-fortificada, e sem grande número de edificações. — Pertence ao período persa (séculos VI a IV A.C.), exibindo um estado bastante inglório. A antes poderosa Megido, pois, acaba desaparecendo das páginas da história antiga.

Sumário de Descobertas Significativas:

1. Níveis XX-XIX. Estabelecimentos calcolíticos; foi descoberto um santuário com o seu altar.

2. Níveis XVIII-XVI. Início da era do Bronze (terceiro milênio A.C.), uma cidade de boas dimensões existia ali na época. Uma muralha maciça, com quatro metros de espessura, circundava a cidade. Posteriormente, essa muralha foi fortalecida, tornando-se o dobro em espessura.

3. Níveis XV-X. O período de influência egípcia, primeira metade do segundo milênio A.C. Muitas edificações, templos, altares, santuários, excelentes portões em estilo mesopotâmico e inúmeros artefatos foram desenterrados. Há evidências de que muitas batalhas se deram ali, com destruições e reconstruções.

4. Níveis VIII-VII. Prosseguiu a dominação egípcia, mas a influência e o predomínio cananeus tornam-se mais patentes. Uma das mais antigas batalhas documentadas, aquela que se feriu entre as tropas de Tutmés II e a coligação de chefes cananeus, faz parte da história desse período. Os reis cananeus acabam tornando-se vassalos egípcios. O tempo foi cerca de 1468 A.C.

Desse período há descobertas que incluem um templo, um palácio, um portão e muitos artefatos, incluindo duzentos objetos esculpidos em marfim, encontrados em um tesouro subterrâneo, no nível VII. Essa foi uma das mais antigas descobertas dessa forma de arte, pertencente à era do Ferro. Quase todos esses itens, mui provavelmente, eram de origem fenícia. O sistema de suprimento de água também foi descoberto, com túneis e galerias. Um fragmento do épico babilônico de Gilgamés foi encontrado, ilustrando as intercomunicações de culturas da época.

5. Nível VI. Uma destruição fez com que Megido fosse abandonada. Posteriormente, porém, foi reocupada.

6. Nível V. Esse é o nível da invasão israelita; mas as evidências mostram que houve um povo que ocupou esse lugar, nesse tempo, antes de Israel, e o nível V não pode ser identificado somente com a invasão de Israel. Muitos artefatos, relacionados a cultos religiosos antigos, chegaram até nós, pertencentes a esse período. Entre os objetos há altares de incenso, com chifres nas quatro esquinas superiores, pedestais de argila para incenso, braseiros—sem dúvida objetos feitos pelos cananeus.

7. Nível IV. Foi desenterrada uma significativa fortaleza, pertencente a esse período. Também pertencem a esse tempo um portão da cidade, com seis câmaras, e parte das muralhas. A ocupação e

controle de Israel, dos dias de Salomão, aparecem nesse nível. Seus grandes estábulos foram desenterrados. Colunas de pedras, com perfurações nas quinas, serviam para amarrar ali os cavalos. Manjedouras de pedra eram usadas, então, e o chão era pavimentado com pedras brutas, para impedir que os cavalos escorregassem. Provavelmente, parte das construções desenterradas, pertencentes a esse nível, foi feita por Acabe. A cidade do nível IV finalmente foi destruída, do que testifica muito entulho.

8. Nível III. Ao que parece, Megido foi abandonada durante esse tempo. Porém, terminado o período, houve novamente construções ali. Sobre as ruínas das habitações dos períodos anteriores, foram levantadas novas edificações, podendo-se notar que houve cuidadoso planejamento para a reconstrução. Foram construídos dois grandes edifícios públicos nos locais exatos onde os reis cananeus tinham erigido antes os seus palácios. Também se faz presente um novo estilo arquitetônico. Apesar de significativos, os edifícios do nível III não se equiparam, em qualidade, aos edifícios ainda mais recentes. Esse nível pertence, essencialmente, ao período de dominação israelita, e provavelmente chegou ao fim em 733 A.C., quando Tiglate-Pileser III fez o poder do império assírio chegar até àquele território. A cidade de Megido, tornou-se, então, a capital de uma província assíria.

9. Nível II. O poder da Assíria declinou na região por um breve período, e Judá apossou-se novamente da cidade de Megido. Porém, o rei Josias, de Judá, foi derrotado e morto ali, em 609 A.C., o que marcou o final da história de Israel, na região, até uma data bem posterior.

10. Nível I. Esse período cabe dentro do tempo da hegemonia persa (séculos VI e IV A.C.). A cidade da época era bastante modesta, sem fortificações.

Um grande acúmulo de informações, que ilustram a narrativa bíblica, nos vem de Megido, e as escavações arqueológicas ali feitas estão entre as mais recompensadoras aos exploradores, no tocante à Palestina. (AH(1972) AM ID LOU MAY ND UN Z)

MEGILOTE

Transliteração da palavra hebraica, no plural, que significa «rolos». No hebraico é *megillot*. Esse era o nome dado aos cinco livros de Cantares de Salomão, Rute, Lamentações, Eclesiastes e Ester, — que, na Bíblia hebraica aparecem na seção intitulada *hagiógrafos* (vide). Esses livros são lidos liturgicamente, nas sinagogas, por sua ordem, durante a Páscoa, no dia de Pentecoste, no nono dia do mês de Ab, na festa dos Tabernáculos e na festa de Purim.

MEIO TRIBO DE MANASSÉS

Eles faziam parte da tribo de Manassés, aquele segmento que preferiu estabelecer-se em Gileade e Basã, a leste do rio Jordão. Juntamente com os homens das tribos de Rúben e Gade, foi requerido deles que ajudassem os seus irmãos israelitas na conquista da Palestina (Jos. 1:12-18). Um tipo de rivalidade, que algumas vezes manifestava-se sob a forma de inimizade, acabou surgindo entre as divisões oriental e ocidental de Israel (a linha divisória entre elas era o rio Jordão). Os que viviam na porção oriental passaram a ser conhecidos como as tribos da Transjordânia.

A meia-tribo de Manassés incluía partes de clãs dos maquiritas (descendentes de Maquir, primogênito de Manassés) (Jos. 17:1), que eram os mesmos gileaditas de Núm. 26:29 e Juí. 11:1. Outros gileaditas estabeleceram-se na porção ocidental do rio Jordão, sendo chamados «filhos de Manassés» (Núm. 26:28-34; Jos. 17:1,2). Entre eles também incorporaram-se alguns dos descendentes de Hezrom, de Judá e uma mulher descendente de Maquir (I Crô. 2:21-23) e os descendentes de Maaca (I Crô. 7:14-19).

Tiglate-Pileser III, da Assíria, pôs fim à história das tribos que viviam naquela região, levando uma grande parcela delas para outras regiões, bem mais ao oriente, naquilo que se chama de cativeiro assírio (vide). Ver II Reis 15:29 e I Crô. 5:26.

MEÍDA

No hebraico, «junção», «união». Ele foi o fundador de uma família de netinins, ou seja, servos do templo. Alguns dos descendentes dessa família retornaram com Zorobabel, do exílio babilônico, a fim de fixar residência em Jerusalém (ver Esd. 2:52; Nee. 7:54; I Esdras 5:32), em cerca de 536 A.C.

MEIO (MEIO TERMO ÁUREO)

Essa expressão filosófica, que aparentemente foi cunhada por Aristóteles, aponta para a moderação em qualquer curso de ação. Aristóteles pensava que a conduta ideal consiste na moderação, entre dois pontos extremos. Ele ensinava que o homem precisa evitar tanto o extremo da deficiência como o seu oposto, o extremo do excesso. Para exemplificar, seria bom que o indivíduo evitasse tanto o ascetismo quanto a devassidão. Nos escritos de Horácio (65-8 A.C.) encontramos o princípio do meio-termo áureo, sob o nome de *aurea mediocritas*. Um dos quatro livros do cânon de Confúcio chama-se *Doutrina do Meio-Termo*. Ver o artigo separado sobre *Confúcio, Confucionismo*. Ver igualmente sobre *Doutrina do Meio-Termo*. Quanto a uma completa declaração de Aristóteles sobre essa questão, onde ele expõe o seu princípio de virtude, evitando-se os extremos da deficiência e do excesso, ver o artigo sobre a Ética (VI.8).

Vários teólogos e filósofos têm frisado a necessidade de se manter o meio termo equilibrado entre idéias e atos extremos. O *meio-termo áureo* tornou-se importante princípio ético, sendo apenas outra maneira de expressar o princípio da *moderação*. — Abaixo alistamos expressões desse princípio.

1. *Aristóteles*. Ele imaginava que existiam doze virtudes cardeais, cada uma contrariada por algum vício de deficiência e por algum vício de excesso. Apresentamos uma completa exposição desse conceito e das virtudes envolvidas no artigo intitulado Ética (Ética de Aristóteles, seção VI), sob o título *As Doze Virtudes de Aristóteles*, vol. II, pág. 563.

2. Dentro da filosofia chinesa, temos aquilo que se chama de *Chung Yung*, ou seja, «o meio áureo». Esse é o *meio-termo* que governa todos os sentimentos e atos. A cada sentimento é dado o seu devido lugar, sendo exercido em seu grau apropriado, sem excessos ou deficiências. Tudo é governado mediante a harmonia com todos os demais sentimentos. Damos uma explicação ampla sobre a questão no artigo chamado *Doutrina do Meio-Termo*.

3. *O Estoicismo e o Apóstolo Paulo*. O estoicismo romano rejeitava a apatia grega, substituindo-a pela moderação. Apesar de não termos ali a expressão exata, *meio-termo*, a filosofia envolvida é a mesma. Társis, cidade onde Paulo nasceu, era um centro do estoicismo romano, e os estudiosos percebem clara-

mente o estoicismo ético que dá colorido aos escritos paulinos. O trecho de Filipenses 4:5: «Seja a vossa moderação conhecida de todos os homens. Perto está o Senhor», é um exemplo dessa influência. A *moderação* tornou-se uma das grandes palavras chaves da cultura grega, e daí passou para a ética cristã, que não se desenvolveu no vácuo, e, sim, dentro da cultura greco-romana.

MEIO-DIA

No hebraico, temos a expressão **sohar hom**, «dupla luz», e também *mahasith hayyom*, «metade do dia», em I Reis 18:29 e Nee. 8:3, respectivamente. A expressão grega equivalente é *heméra mésos*, «meio do dia» (ver Atos 26:13).

MEIO-TERMO ÁUREO

Ver **Meio (Meio-Termo Áureo)**.

MEIOS DE DESENVOLVIMENTO ESPIRITUAL

Ver sobre *Maturidade*, o artigo inteiro, mas especialmente seu quarto ponto. Ver também os artigos *Meditação; Antiintelectualismo; Oração; Misticismo* e *Amor*. O grande alvo do uso dos meios de desenvolvimento espiritual é a transformação dos remidos à imagem de Cristo, o Filho de Deus. Ver o artigo intitulado *Transformação Segundo a Imagem de Cristo*.

MEIOS DE GRAÇA

Os meios de graça fazem parte da antiga polêmica entre a idéia do livre-arbítrio humano e a idéia da predestinação (determinismo). Os calvinistas estritos dizem que a soberania divina, na redenção humana, não opera através de qualquer intermediação humana, de qualquer sorte, ainda que tal intermediação seja de natureza espiritual (como a leitura das Escrituras, a oração, a meditação e a busca espiritual). Eles vêem o homem como absolutamente passivo, enquanto o Espírito Santo não lhes renovar o coração. Nesse caso, os chamados meios de graça existiriam, mas apenas como aspectos e resultados daquilo que o Espírito Santo faz. Em outras palavras, o homem não tem qualquer capacidade de aproximar-se de Deus, por seus próprios meios, e quando se aproxima de Deus, fá-lo porque o Espírito Santo assim lho permite. Mas, nesse caso, os meios tornam-se fins ou resultados da atuação do Espírito Santo, e não meios para que o homem chegue ao Espírito de Deus.

Os oponentes dessa posição extrema asseveram que o homem, por causa daquilo que ele é, como *imagem de Deus*, pode e realmente aproxima-se de Deus por sua própria iniciativa, podendo usar meios para buscá-Lo. Embora a imagem de Deus tenha sido deformada, nem por isso foi removida. Remover a imagem de Deus no homem seria anulá-lo totalmente, pois qualquer homem estampa a imagem de Deus, a qual deve permanecer, apesar da queda no pecado, sob pena de nem mais tratar-se de um homem. Quanto mais aprendemos sobre o homem, mais chegamos a perceber que ele é um ser *criativo*, na verdade apenas um pouco inferior aos anjos; por certo ele sente a necessidade de buscar a Deus e, de fato, busca-o. Outrossim, mediante o princípio da graça divina geral, é conferida ao homem a capacidade não somente de buscar a Deus, mas também de encontrá-lo. Isso faria parte daquilo que Deus deu ao homem, e foi precisamente isso que a missão de Cristo veio promover. Eis a razão pela qual se pode dizer, com toda a verdade. «Quem quiser, venha», porquanto isso condiz com a *verdade* dos fatos. Ver vários outros artigos que abordam esses problemas, como: *Predestinação; Determinismo; Livre-Arbítrio; Eleição*.

MEIOS DO DESENVOLVIMENTO ESPIRITUAL

Ver *Desenvolvimento Espiritual, Meios do*.

MEIOS-FINS-CONTINUUM

Esse título representa um profundo discernimento de *John Dewey* (vide), sem importar o que pensemos sobre seu sistema de filosofia pragmática. Segundo ele, postulamos para nós mesmos certos fins, a serem obtidos através de certos meios. As idéias são instrumentais na obtenção desses fins, bem como na promoção do processo para tanto. E descobrimos que quando chegamos aos *fins* colimados, então eles transformam-se em *meios*, que passamos a usar para repetir o processo. E assim, a vida inteira seria um grande *instrumento*, com seus meios e fins, e em que os fins se transformam em meios, etc. E o instrumento usado para a realização desse processo são as idéias. Não há tal coisa como estagnação; não existe tal coisa como ponto final. Todos os fins transformam-se *em meios*, usados em *outras buscas* e realizações. As idéias são instrumentos da ação, não podendo haver tais coisas como estagnação ou ponto terminal nas idéias.

Orígenes pensava que não existe tal coisa como ponto final, tendo postulado que estamos em um grande ciclo, e não na única existência que jamais existiu. Podem ter havido e poderá continuar havendo muitas quedas e restaurações subseqüentes. Naturalmente, isso é uma especulação teológica, mas faz mais sentido do que uma teologia linear, segundo a qual tudo quanto já existiu é aquilo que conhecemos, e que o único programa de Deus é aquele no qual estamos presentemente envolvidos. Seja como for, quanto à teoria religiosa prática, convém pensarmos que não pode haver estagnação nas operações divinas. Isso posto, a glorificação será um *processo eterno*, durante o qual aquilo que é finito ira absorvendo, cada vez mais, aquilo que é infinito. — Em relação aos chamados não-eleitos, devemos supor que não há tempo em que possamos dizer que é o fim da oportunidade para eles, embora também não saibamos dizer para onde isso levará a grande maioria das almas humanas, com o reparo que podemos dizer que Deus tem planejado uma restauração final, conforme lemos em Efé. 1:9,10. Ver o artigo geral intitulado *Restauração*.

MEIR

No hebraico, «preço». Ele era filho de Quelube, da tribo de Judá. Foi o pai ou fundador de Estom (I Crô. 4:11). Viveu em cerca de 1600 A.C.

Esse também foi o nome de um famoso rabino do século II D.C., que preparou uma edição sistemática das leis tradicionais judaicas, onde expôs doutrinas que pavimentaram o caminho para a edição final da *Mishnah* (vide).

ME-JARCOM

No hebraico, «águas amarelentas», ou águas

pálidas», ou «águas esverdeadas». Esse era o nome de uma cidade do território de Dã, que ficava perto de Jope (Jos. 19:46). Provavelmente, essa cidade derivava seu nome de algum riacho ou alagadiço que havia nas proximidades. O rio Nahr el-Auja deságua no mar Mediterrâneo a poucos quilômetros ao norte de Jope, e, nesse percurso, há uma área pantanosa de cor amarelada, o que poderia ter dado origem ao nome daquela localidade. Entretanto, outros pensam que o nome deriva-se da cor das águas do próprio rio, visto que transporta em suspensão muita matéria orgânica, o que lhe confere uma cor amarelada ou esverdeada.

MEL

Três palavras hebraicas são traduzidas por «mel», nas páginas do Antigo Testamento, a saber:

1. *Yaar*, «colméia», que se refere ao mel de abelhas, exclusivamente. Ocorre somente por uma vez, em Can. 5:1.

2. *Nopheth*, «mel». Indica o mel que escorre da colméia, ocorrendo por cinco vezes: Sal. 19:10; Pro. 5:3; 24:13; 27:7 e Can. 4:11.

3. *Debash*, «mel». Essa palavra ocorre por cinqüenta e duas vezes, conforme se vê, por exemplo, em Gên. 43:11; Êxo. 3:8,17; Lev. 2:11; Núm. 13:27; 16:13,14; Deu. 6:3; 8:8; 31:20; 32:13; Jos. 5:6; Juí. 14:8,9,18; I Sam. 14:25,26,29,43; II Sam. 17:29; I Reis 14:3; II Reis 18:32; II Crô. 31:5; Jó 20:17; Sal. 19:10; Pro. 24:13; Can. 4:11; 5:1; Isa. 7:15,22; Jer. 11:5; Eze. 3:3; 16:13,19; 20:5,15; 27:17.

No grego temos uma palavra e uma expressão, ligadas a este verbete, a saber:

1. *Méli*, «mel». Palavra que figura por quatro vezes no Novo Testamento: Mat. 3:4; Mar. 1:6; Apo. 10:9,10.

2. *Melíssion keríon*, «colméia de mel». Expressão grega que ocorre somente uma vez, em Luc. 24:42.

A palavra hebraica *debash*, além de ser a mais freqüentemente usada, além de poder significar o mel de abelhas (ver, por exemplo, Juí. 14:8), também designa, ainda mais comumente o mel produzido por certas plantas ou o xarope de tâmaras. Trata-se da palavra hebraica geral que indica todas as espécies de xaropes derivados de espécies vegetais.

Canaã era a terra que foi descrita como terra que manava leite e mel (Êxo. 3:8). Isso fala, metaforicamente, sobre abundância e produtividade, como também sobre quão agradável era aquela região. O mel silvestre, juntamente com gafanhotos, fazia parte da dieta, — talvez apenas ocasionalmente de figuras ascéticas, como João Batista (ver Mat. 3:4). O trecho de Lev. 2:11 mostra-nos que ninguém podia oferecer mel sobre o altar, e o mesmo é dito acerca do fermento. É possível que a proibição excluísse coisas extremamente doces ou extremamente azedas. Tanto o fermento quanto o mel podiam ser usados nas oferendas (ver II Crô. 31:5), mas não sobre o altar onde se acendesse o fogo. Os pagãos faziam oferendas misturadas com mel, sendo possível que essa proibição tivesse algo a ver com esse costume. Os pagãos também faziam libações adoçadas com mel, pensando que os deuses deleitar-se-iam com o mel. Homero chamou o mel de «doce alimento dos deuses» (*Hino a Mercúrio*, prope finem). Heródoto nos diz que os egípcios usavam mel em seus sacrifícios (*Euterpe*, sive 1.2 c.40). Alguns supunham que o mel simbolizava os prazeres pecaminosos e, por essa razão, seu uso nos sacrifícios dos israelitas foram proibido O mel fermenta-se facilmente, o que pode ter sido a verdadeira razão da proibição de seu uso nos sacrifícios.

O mel era um dos alimentos favoritos em Israel (Pro. 24:13; Eclesiástico 9:3). O mel silvestre era bastante comum (Deu. 32:13; Sal. 81:16). Havia mel no deserto da Judéia (Mat. 3:4; Miq. 1:6). O mel era empregado no fabrico de bolos (Êxo. 16:31), e ao que se pensa, era usado em medicamentos (Pro. 16:24). Era tão apreciado que era dado como presente, tal como agora damos caixas de chocolate (II Sam. 17:29 e I Reis 14:3). Fazia parte dos dízimos e das primícias (II Crô. 31:5). Isso sugere que desde tempos bem antigos domesticava-se a abelha.

Usos Figurados. 1. Um discurso suave é assemelhado ao mel (Can. 4:11). 2. A Palavra de Deus é espiritualmente deliciosa, pelo que é comparada com o mel (Sal. 19:10; 119:103). 3. O mel consumido com moderação representa a moderação nos prazeres (Pro. 25:16,27). 4. Os lábios das prostitutas destilam mel como se fossem uma colméia, e suas bocas são mais macias do que o azeite. Elas falam de maneira suave, lisonjeadora e atrativa. Isso fala das habilidades de sedução das mulheres de costumes frouxos (Pro. 5:3). 5. Uma terra que flua leite e mel é produtiva, fértil e atraente (Êxo. 3:8).

MELANCHTHON, FILIPE

1. Informações Gerais

Suas datas foram 1497—1560. Nasceu em Bretten, na Alemanha. Após o falecimento de seu pai, foi-lhe dada uma boa educação, sob a direção de seu tio, *Johann Reuchlin* (vide), um notório humanista alemão e profundo conhecedor do hebraico e da *Cabala* (vide).

Entre as produções literárias de Melanchthon temos a primeira gramática hebraica e o primeiro dicionário hebreu-alemão escrito por um cristão. Melanchthon estudou na escola latina de Pforzheim, e, posteriormente, em Tubingen, tendo-se distinguido no estudo dos clássicos. Seu nome germânico, Schwarzerd, foi helenizado para Melanchthon, em reconhecimento de suas realizações. Recebeu o grau de Bacharel em Artes pela Universidade de Heidelberg e de Mestre de Artes pela Universidade de Tubingen. Em 1518, ele publicou a obra *Institutiones Grammaticae Graecae*, «Rudimentos da Gramática Grega», que foi usada como manual, durante muitos anos, nas escolas elementares, secundárias e superiores. Melanchthon era um erudito bem reconhecido. Uma figura não menos importante do que *Erasmo de Roterdã* (vide) elogiou-o pela sua erudição no grego, no latim e no hebraico. Por meio da influência de Reuchlin, mas também devido ao seu árduo labor, Melanchthon recebeu o convite para ensinar grego na Universidade de Wittenberg. Foi ali que ele e Martinho Lutero se conheceram, o que alterou radicalmente a sua vida. Apenas quatro dias após sua chegada ali, ele apresentou o seu discurso inaugural, intitulado *De corrigendis adolescentiae studiis*, «Sobre a Correção dos Estudos da Juventude», que foi entusiasticamente aprovado por Lutero. Não demorou para que se estabelecesse profunda amizade e colaboração entre eles.

2. A Influência de Lutero

Melanchthon, agora em contacto com Lutero e com a emergente Reforma protestante, aprofundou seus conhecimentos teológicos. Passou a interessar-se mais pelas Santas Escrituras, e assim fundiu sua erudição humanista com a fé evangélica. Também tornou-se conhecido como homem de profunda piedade pessoal. Seus conhecimentos cobriam larga gama, incluindo os clássicos, a filosofia de Platão e de Aristóteles, a filosofia medieval, e agora, cada vez mais, a Bíblia.

3. Debates

Lutero e Melanchthon tornaram-se sócios nos debates contra tão formidáveis oponentes como João Eck, em cujos encontros a habilidade de Melanchthon ficou demonstrada por muitas vezes. Ele apoiava os argumentos de Lutero, e chegou a asseverar o primado das Escrituras sobre as decisões papais.

4. A Primeira Declaração Dogmática do Protestantismo

A obra de Melanchthon, *Loci Communes rerum theologicarum*, «Lugares Comuns da Teologia», surgiu essencialmente de suas preleções sobre a epístola de Paulo aos Romanos. Esse livro teve imenso sucesso, tornando-se muito popular. Em 1560, mais de sessenta edições desse livro foram lançadas. Isso o deixou na posição de principal teólogo da Reforma.

5. Rompimento com Reuchlin

Reuchlin, tio de Melanchthon, permaneceu um humanista católico romano convicto. Isso provocou um inevitável rompimento de relações amistosas entre o tio e o sobrinho.

6. Vida Pessoal de Melanchthon

Melanchton nunca fora ordenado padre. Ele era um intelectual que trabalhava em instituições de ensino e escrevia livros, além de envolver-se em controvérsias e debates, como produto dessas atividades. Casou-se com Catarina Knapp, filha do burgomestre de Wittenberg, o que significa que, socialmente, não tinha do que se queixar. O casal teve quatro filhos: Ana, Filipe, George e Madalena. Madalena veio a casar-se com Gaspar Peucer, que se tornou um dos líderes do movimento da Reforma, e que ficou aprisionado por doze anos, especificamente por promover os pontos de vista de Melanchthon.

7. Contribuição à Educação

Melanchthon chegou a ser chamado de *Preceptor da Alemanha*, em vista de seu trabalho de fundar escolas preparatórias e de definir um sistema para a organização e a prática das universidades. Esteve muito ocupado em reformas, e escreveu uma espécie de texto, chamado *Instruções para os Visitantes*, com essa finalidade. Suas idéias educacionais foram postas em vigor mediante legislação. Nada menos de cinqüenta e seis cidades chamaram-no para ajudá-las, e muitos planos de educação emergiram com base em seus escritos, de tal maneira que, c. de 1555, mais de cento e trinta e cinco obras dessa natureza já haviam sido publicadas. Sua filosofia da educação era que a *piedade erudita* deveria ser encorajada. Segundo ele pensava, o homem é responsável pelo cultivo de todas as suas potencialidades, pondo-as ao serviço de sua fé religiosa e de sua espiritualidade. Ele foi um bom exemplo daqueles que se opõem ao antiintelectualismo (vide).

8. O Nome Protestante

Melanchthon esteve presente à Dieta de Spires, em 1529, quando os evangélicos alemães «protestaram» contra as restrições à sua liberdade de consciência e contra as tentativas de solapar os seus direitos como um grupo minoritário. Melanchthon era o tipo de pessoa que procurava a conciliação, trabalhando com esse alvo em mira; mas a época em que viveu não se inclinava para essa linha de conduta. E foi assim que ele acabou sendo um dos líderes do protestantismo.

9. A Confissão de Augusburg

Esse documento foi composto e compilado por Melanchthon, tendo-se tornado a base das confissões luteranas que se seguiram, jamais tendo perdido a sua importância dentro do luteranismo. Ver o artigo separado sobre *Augusburg, Confissão de.*

10. A Controvérsia Adiaforista

No grego, a palavra **adiáphora** significa não-essenciais», «questões indiferentes». Após a morte de Lutero (1546) e a derrota militar dos protestantes em Muhberg (1547), foram feitas tentativas para restaurar o catolicismo romano na Alemanha. Melanchthon, dotado de natureza conciliatória, recusava-se a ceder quanto a pontos que ele opinava serem questões essenciais; mas, quanto a pontos *não-essenciais*, ele estava disposto a ceder terreno. A dificuldade era que os teólogos não conseguiam concordar sobre o que era essencial e o que era não-essencial, ou seja, o que reter e o que rejeitar e sobre o que transigir. O resultado foi que muitos protestantes acusaram Melanchthon de ser traidor. Porém, a grande verdade é que, historicamente falando, os três grandes fundadores das igrejas protestantes e reformadas foram Lutero, Calvino e Melanchthon.

11. Algumas Ênfases Distintas

a. Sobre a **eucaristia** (vide). Melanchton falava sobre a Presença de Cristo nos elementos, seguindo mais a linha católica romana tradicional, e rejeitando a consubstanciação de Lutero (vide).

b. Ele rejeitava o determinismo de Lutero, e defendia o livre-arbítrio humano como algo necessário para os propósitos remidores.

c. Sua *adiáphora* (1547), uma posição a que ele chegou no Interim de Augsburg, parecia por demais liberal para alguns. Todavia, o próprio Melanchthon tornou-se menos permissivo em seus últimos anos de vida. Seja como for, a Paz de Augsburg, de 1555, fez essa questão tornar-se obsoleta.

d. *Sinergismo*. Melanchthon dizia que o ato da regeneração envolve a cooperação de três agências: o Espírito de Deus, a pregação da Palavra de Deus e a vontade humana. Sua doutrina da vontade humana era considerada, pelo menos por alguns, como um semipelagianismo, o que provocou muita controvérsia.

e. *Na filosofia*, ele afirmava que a lógica, a física e a psicologia são os principais ramos da inquirição humana. No campo da filosofia, ele seguia Aristóteles bem de perto, o que também se dava com muitos filósofos medievais.

f. *Moderação*. Melanchthon pendia para posições moderadas, mesclando a teologia protestante com as idéias de Aristóteles, e injetando em tudo o humanismo de sua própria época, tão bem representado por seu tio, Reuchlin.

g. *Um Pesquisador da Verdade*. Melanchthon amava mais à verdade do que a aprovação dos homens. Ele não hesitava em alterar suas opiniões quando pensava haver obtido maiores luzes sobre qualquer assunto. Ele valorizava tanto os novos discernimentos que chegava a assustar a algumas pessoas. Quando ele adotou o *sinergismo*, para consternação dos deterministas estritos, citou Crisóstomo, que declarou: «Deus atrai aquele que quiser». Naturalmente, isso sumaria o mistério da interação entre a soberania divina e a reação humana, sem dizer-nos *como* a coisa funciona. Deus usa o livre-arbítrio humano sem destruí-lo, embora não saibamos dizer *como*.

h. *Não se Defendia*. Estando mais interessado pela verdade do que em ser reconhecido pelos homens ou em vindicações pessoais, Melanchthon nem se preocupava em defender-se quando atacado, uma qualidade incomum.

i. *Escatologia*. Melanchthon acreditava que sua época já eram os últimos dias. Talvez isso o influenciasse em seus enérgicos esforços em tantas direções e atividades.

12. Principais Escritos: *On Rhetoric; Commonplaces of Theology; The Augusburg Confession; Moral Philosophy; Commentary on the Soul.*

Melanchton faleceu em Wittenberg, a 19 de abril de 1560.

Bibliografia. AM BRET E C HART P

MELANCOLIA

Na psiquiatria, a **melancolia** é uma desordem mental que se caracteriza por grande depressão e uma atitude de cisma. É uma atitude típica das psicoses depressivas. Essa palavra vem de *mélas*, «negro», e *cholé*, «bile». No vocabulário comum, o termo indica apenas uma profunda tristeza, um estado de depressão. Essa condição de melancolia é uma importante consideração para o *existencialismo* (vide), porquanto os filósofos que promovem essa escola de pensamento acreditam que a vida tende por ser pessimista, que a vontade do homem é anterior à essência dos atos e os determina, e que o mundo é um lugar onde imperam o caos, as mudanças e a hostilidade entre os seres.

Uma pessoa pode entristecer-se diante de certos acontecimentos, sem cair no extremo da melancolia. Porém, há pessoas que ficam tristes diante da própria existência. Ver o artigo intitulado *Pessimismo*. Paul Tillich dizia a respeito de Nietzsch que nele «o sentimento de inutilidade tornou-se desesperador e autodestrutivo», o que ele contrastava com o tema de seu (Tillich) próprio livro: *The Courage to Be*. O enfado faz parte da melancolia, como também a ansiedade. Mas a melancolia é um estado em que a pessoa sente que tudo se reveste de cores tristonhas.

Teologia da Melancolia. Não somente os filósofos existencialistas têm dado à melancolia um lugar especial em seu sistema. É minha opinião que grande parte das igrejas evangélicas tem caído na mesma armadilha, embora por meios diferentes. Se o evangelho veio a este mundo para livrar os homens de sua triste condição, as descrições que nos são oferecidas nas igrejas, quanto àquilo que realmente sucede, dão a impressão de que a presença do evangelho no mundo não importou em grande diferença. Isso é verdade, a menos que, conforme ensina o calvinismo radical, Deus não se importe muito com as massas humanas. Nesse caso, a melancolia, efetivamente, é uma das principais características deste mundo caótico, e Deus não tem a intenção de fazer muita coisa a respeito.

Por outro lado, se Deus realmente ama às massas, conforme somos ensinados no trecho de João 3:16, e se ele realmente proveu para todos na missão de Cristo, conforme se aprende em I João 2:2, então algo está radicalmente errado, se a oportunidade de salvação envolve somente um nascimento físico e uma única morte física. É claro que, para a vasta maioria da humanidade, pouco acontece, sob tais circunstâncias, para aliviar a miséria humana. A Igreja Ocidental (a Igreja Católica Romana e suas filhas *errantes*, Igrejas Protestantes e Evangélicas) tradicionalmente tem assumido um ponto de vista melancólico quanto ao potencial de salvação do evangelho. De fato, esse segmento da Igreja diz-nos claramente que não podemos esperar muito, em última análise, do ministério do evangelho no mundo.

Por sua vez, a Igreja Oriental tem promovido a idéia de que a vida após-túmulo é um estado em que almas humanas podem ser preparadas para a vida eterna, e não um lugar de estagnação, onde os destinos humanos são inexoravelmente fixados. Naturalmente, a condição continua sendo arrependimento e fé na mensagem do evangelho de Cristo. A história da descida de Cristo ao hades informa-nos de que a morte biológica do indivíduo não assinala o fim da oportunidade de salvação. Esse conceito ultrapassa em muito ao limitado ensino de Heb. 9:27, contemplando, de um ponto de vista mais amplo, o escopo e o poder do evangelho. Ver o artigo sobre *Descida de Cristo ao Hades*, quanto a completas explicações a respeito. O primeiro capítulo da epístola aos Efésios vai mais além, mostrando que o *mistério da vontade de Deus* (vide) é a total restauração de todas as coisas, nas eras da eternidade futura. Pessoalmente, creio que haverá remidos e restaurados, sem qualquer prejuízo do caráter exclusivo dos remidos. Esses haverão de participar da natureza e dos atributos divinos (Efé. 3:19; II Ped. 1:4). Todavia, a obra do Restaurador, Jesus Cristo, é muito grande, e não pode ser desprezada. Assim, o próprio juízo divino, que poderia parecer tão pessimista, tornar-se-á um *meio* de restauração, e não algo contrário à mesma. O julgamento divino será um dos dedos da mão amorosa de Deus. Deus pode fazer melhor certas coisas, mediante o juízo, do que através de qualquer outro meio. Ver o artigo sobre a *Restauração*, quanto a completas descrições.

É deveras lamentável que os teólogos tenham deixado os homens *na tempestade*, pouco diferindo do existencialismo quanto à sua filosofia básica sobre o destino final dos homens. Lembremo-nos, porém, que há uma teologia que *ultrapassa ao temporal*, havendo trechos neotestamentários que dão apoio a um ponto de vista mais otimista. Se essa visão otimista da missão de Cristo não corresponde à realidade, então, verdadeiramente, conforme Schopenhauer afirmava, a própria vida é um mal. Os teólogos ocidentais são pessimistas em seus pontos de vista, e não serve de consolo ouvir que alguns poucos, que fazem parte de um grupo seleto, escaparão à tempestade eterna e viverão no êxtase para todo o sempre. Isso não é o bastante. Essa é uma visão parcial da missão de Cristo, que a trunca. Seria muito triste se tivéssemos de crer que o Filho de Deus, com todo o poder que ele tinha e tem, que agia em harmonia com a sabedoria do plano de Deus, e através do impulso e da energia do Espírito, veio, afinal, a *falhar*. Outrossim, ele teria desistido de salvar as almas, diante da morte biológica de seus corpos físicos, *garantindo* total fracasso no caso da esmagadora maioria dos seres humanos. Isso faria com que o pessimismo mais absoluto fosse o poder vencedor, nessa grande batalha. Esse tipo de missão remidora do Filho de Deus há muito tempo foi rejeitado por mim. O Filho de Deus e a sua missão não podem falhar; antes, haverá de obter sucesso, em mais de um sentido.

MELÃO (MELANCIA)

Ver Números 11:5. No deserto, os israelitas lembraram-se dos apetitosos melões que havia no Egito, e desejaram comê-los, entre outras coisas. Não sabemos dizer se a fruta em questão (no hebraico, *abattichim*, uma palavra que está no plural) era mesmo o melão ou a melancia. Sabe-se que ambas medravam bem no Egito, deliciosas. E os israelitas, no deserto, sentiam falta daquelas frutas suculentas. Visto que a palavra hebraica em foco está no plural, é possível que mais de uma espécie vegetal estivesse em pauta. O nome científico do melão é *Cucumis melo*; e da melancia é *Citrullus vulgaris*. Um melão pode pesar até 3,5 kg; e uma melancia, 14 kg. Essas frutas multiplicavam-se extraordinariamente, pelo que eram baratas e fáceis de serem encontradas em lugares bem irrigados. Eram especialmente apreciadas nas regiões de clima quente e seco, como na Palestina e no Egito.

Os israelitas, vagueando pelo tórrido deserto do Sinai, anelaram poder contar com frutas dessa natureza.

MELATIAS

No hebraico, «Yahweh libertou». Esse era o nome de um gibeonita que ajudou a reparar parte da muralha norte de Jerusalém, quando um remanescente retornou do cativeiro babilônico, em cerca de 446. Ver Nee. 3:7.

MELEÁ

Seu nome aparece na genealogia lucana de Jesus (Luc. 3:31). Ele foi filho de Mená e pai de Eliaquim. Alguns supõem que Lucas registrou a linhagem materna de Jesus; e que Mateus registrou sua linha paterna. Porém, essa idéia tem perdido muito de seu apoio, entre os eruditos modernos. Ver o artigo intitulado *Genealogia de Jesus, o Cristo*.

MELEQUE

No hebraico, **rei**. Esse era o nome do segundo filho de Mica, filho de Meribe-Baal (I Crô. 8:35; 9:41). Ele pertencia à tribo de Benjamim. Viveu em algum tempo depois de 1037 A.C.

MELIORISMO

Esse vocábulo vem do latim, **melior**, «melhor». Trata-se do comparativo irregular de *bonum*, «bom». Na teologia e na filosofia, o *meliorismo* é a doutrina que diz que o mundo está sendo melhorado mediante o esforço humano, e devido ao avanço da evolução nos processos naturais. George Eliot cunhou o termo, que foi popularizado por Sully, em sua obra chamada *Pessimismo*, publicada em 1877. O termo acabou vinculado a teorias de progresso e de humanismo idealista. Alguns teólogos incorporaram a idéia nos sistemas que favorecem o conceito de um Deus finito, embora não como uma associação necessária.

De certa maneira, essa doutrina afirma que o homem não é capaz de atingir a perfeição, mas que poderá ser contínua e permanentemente melhorado. Isso se aplicaria tanto ao indivíduo quanto à humanidade. O *pragmatismo* (vide) também tem usado o termo, supondo que essa melhoria ocorre mediante aquilo que é prático e útil, e que os homens aprenderiam a distinguir e a aplicar. Tal idéia também tem certa aplicação, embora o cristianismo bíblico tenha seu conceito do aperfeiçoamento do homem que consiste em virem os remidos a participar da natureza e dos atributos divinos (ver Efé. 3:19; II Ped. 1:4). De acordo com o Novo Testamento, o aprimoramento pelo qual passam os remidos processa-se através do poder da conversão, da santificação e do poder de transformação do Espírito Santo, que vai moldando os filhos de Deus segundo a imagem e a natureza do Filho de Deus (ver Rom. 8:29; II Cor. 3:18). Todavia, o cristianismo é muito mais do que algum programa de aprimoramento.

MELISSO DE SAMOS

Ele foi um filósofo grego do século V A.C., natural de Samos. Também foi o almirante grego que comandou a frota grega que combateu a frota ateniense, em cerca de 440 A.C. Plutarco informa-nos que ele se saiu vitorioso na refrega.

Melisso de Samos foi um filósofo eleático que criou argumentos como aqueles de Parmênides e de Zeno. Ele argumentava em favor da infinitude espacial e temporal do mundo, daí deduzindo a imutabilidade de todas as coisas. A mudança nas coisas é ilusória e pertenceria às vicissitudes da percepção dos sentidos, que nunca nos dão um verdadeiro conhecimento das coisas—um argumento muito fraco, que a ninguém convence. De acordo com esse ensino, o *Um* deve ser infinito, sem começo, sem fim, sem mutações, incorpóreo, não constituído de partes. Afirmava ele: «Se houvesse pluralidade, cada um dos muitos teria de dizer, tal como eu, eu sou o *um* que existe». Assim, ele procurava refutar a idéia de pluralidade, mostrando o absurdo da idéia.

MELITA

Ver sobre **Malta**.

MELITO

Ele foi bispo de Sardes, na província romana da Ásia, na segunda metade do século II D.C. Eusébio informa-nos que ele foi um escritor prolífico (ver *Hist. Eccl.* 4.26,2). Foi descoberto um manuscrito em papiro, em 1940, contendo quase todo o seu tratado intitulado *Sobre a Paixão*; mas temos bem pouco daquilo que ele escreveu. Tornou-se conhecido como Melito de Sardes.

Melito tornou-se um apologista cristão, bem conhecido, que também escreveu acerca de muitos outros campos. Um outro escritor posterior, Pitra, escreveu um elaborado tratado sobre os sentidos místicos dos nomes próprios das Escrituras, publicado em sua obra *Spiceleq. Solesm*, com o nome de *Clavis Melitonis*. Quanto disso reflete as idéias e escritos de Melito de Sardes é difícil de dizer, embora a data da publicação dessa obra (meados da Idade Média) não favoreça muito a dependência de uma obra à outra. O fato é que Melito escreveu seis livros sobre *Ecloques*, que abordavam a questão do testemunho que o Antigo Testamento dá a Cristo e ao cristianismo.

MELITO, NARRATIVA DE

Temos aí um relato, em latim, da morte e da assunção da Virgem Maria, que tem sido erroneamente atribuído a Melito de Sardes. Ver os artigos intitulados *Mariologia* e *Mariolatria*.

MELODIA: OS LÍRIOS

Essa expressão aparece, em nossa versão portuguesa, como subtítulo do Salmo 80, embora outras versões também a apresentem no Salmo 40. No hebraico temos a expressão *Shoshannim-Eduth*, «lembrança de lírios». É possível que isso aponte para o uso de flores em algum cortejo festivo. Mas outros estudiosos preferem pensar em alguma melodia antiga bem conhecida, o que explica a tradução que aparece em nossa versão portuguesa, «melodia: os lírios». A palavra hebraica *eduth* também era usada para indicar «lembrete», «testemunho», «advertência». Por essa razão, foi usada para aludir aos dez mandamentos, como os preceitos divinos todo importantes. Ver Êxo. 25:16,21; 31:18; 32:15 e 34:29, onde essa palavra é traduzida por «testemunho», em nossa versão portuguesa.

Essa mesma palavra é encontrada como parte de

uma inscrição ou de certas composições poéticas, com o intuito de indicar que o que se segue é uma advertência ou incumbência divina revelada. Entre os judeus modernos, esse vocábulo significa um *compromisso* de intenções.

MELQUI

No hebraico, «meu rei». Nome de duas personagens bíblicas:

1. Um filho de Adi, antepassado de Jesus, conforme se vê na genealogia de Lucas (Luc. 3:28). Ele tem sido identificado com o Maaséias de II Crô. 34:8.

2. Um outro dos antepassados de Jesus, conforme Lucas (Luc. 3:24). Ele era filho de Janai e pai de Levi.

MELQUISEDEQUE

Esboço:

I. Nome e História
II. Rei e Sacerdote
III. Referências Bíblicas
IV. Significação Profética
V. Uso Hermenêutico
VI. Identificações

I. Nome e História

Melquisedeque é a transliteração, para o português, de um nome hebraico que significa «rei da justiça». Ele era rei de Salém (Jerusalém) e sacerdote de El Elion, o que o tornava um rei-sacerdote, o que serviu mui apropriadamente para ilustrar o mesmo ofício, ocupado em forma muito mais significativa, pelo Senhor Jesus, o Cristo. Salém tem sido identificada com Jerusalém com base na referência bíblica de Sal. 76:2, e pela antiga menção a essa cidade nas cartas de Tell el-Amarna, do século XIV A.C. As inscrições assírias referem-se a ela muito antes dessa cidade ter qualquer coisa a ver com o povo de Israel, mediante os nomes *Uru-salem* e *Uru-salimmu*. Os Targuns regularmente identificam-na com Jeru-salém, conforme também faz o *Gênesis Apócrifo*.

Talvez Melquisedeque fosse um sacerdote cananeu. Tanto *El* quanto *Elion* eram divindades cananéias bem conhecidas. A adoração cananéia a El Elion tem sido associada a Yahweh e sua adoração; e deveríamos recordar que esses nomes divinos não foram cunhados pelos hebreus, pois a verdade é que eles os empregaram para indicar seus conceitos específicos de Deus. A maioria dos críticos pensa que os trechos de Gên. 14:18-20 e Sal. 110:4 refletem sincretismo, mediante o que o reinado pré-davídico e a adoração ao El Elion cananeu foram vinculados à adoração a Yahweh. Naturalmente, muitos eruditos conservadores rejeitam isso. Mas, porque haveríamos de supor que a primitiva fé dos hebreus surgiu no vácuo? Coisa alguma é mais clara, na história das religiões, do que o fato de que elas dependiam de outras religiões mais antigas, ou paralelas, fazendo empréstimos das mesmas. Se acompanharmos a fé dos hebreus, veremos muitos desses empréstimos e adaptações. Até mesmo uma doutrina tão básica como a da imortalidade da alma não se originou entre os hebreus, podendo ser achada nas religiões orientais e na filosofia grega muito antes que ela tivesse aparecido na teologia dos hebreus. A complicada angelologia dos hebreus também era uma doutrina emprestada, que não aparece nos primeiros livros da Bíblia, pois ali, apesar de ser dito que os anjos existem, não há qualquer sistema hierárquico de tais seres.

Em Gênesis 14:19, El Elion aparece como o Criador, tornando-se claro que novas idéias, como também idéias adaptadas, foram atreladas a alguns nomes divinos. Mas isso não prova que esses povos antigos não conheciam e nem usavam esses nomes. A arqueologia tem provado, de maneira absoluta, que assim sucedia. A contribuição dos hebreus foi o monoteísmo, embora, provavelmente, até esse tivesse começado como um *henoteísmo* (vide). As noções dos homens sobre Deus são passíveis de melhoria, e na fé dos hebreus vemos esse princípio em operação. E esse processo nunca terminará, porquanto as nossas idéias sobre Deus são necessariamente provinciais e imperfeitas, estando sempre sujeitas a melhor elaboração. Em caso contrário, a *teologia* não será outra coisa senão *humanologia*. Somente Deus conhece verdadeiramente a teologia, os homens continuam em sua inquirição.

É claro que Abraão deve ter pensado que Melquisedeque servia ao *mesmo Deus* que ele servia. Porém, também é patente que em parte alguma Melquisedeque é identificado com a fé dos hebreus. De fato, aquelas delicadas distinções que os historiadores religiosos agora fazem acerca dessas coisas dificilmente descrevem o *primitivo estado* de coisas que prevalecia na época de Abraão. Não há que duvidar que Melquisedeque era homem conhecido por seu poder político e por sua espiritualidade, bem como por suas funções sacerdotais; e Abraão não hesitou em associar-se a ele, e mesmo a tratá-lo como um superior.

Muitas tentativas têm sido feitas para identificar Melquisedeque. Algumas dessas tentativas, equivocadamente, tentam situá-lo solidamente dentro da fé e da cultura dos hebreus, mas daí não tem advindo qualquer conclusão útil. Geralmente, somos ensinados a mostrar-nos hostis para com pessoas de outras fés religiosas, o que obscurece o respeito que elas merecem. Lembremo-nos que José casou-se com a filha de um sacerdote egípcio (ver Gên. 41:45). Desse casamento resultou o nascimento de Manassés e de Efraim, que, subseqüentemente, tornaram-se os patriarcas de duas das doze tribos de Israel. É difícil imaginarmos José mostrando-se hostil à família de sua esposa egípcia. Antes, ele deve ter mantido estreitos laços com a casta sacerdotal egípcia, embora também conservasse suas distinções pessoais. Talvez Abraão também mantivesse relações amistosas com os melhores membros religiosos de povos estrangeiros, tal como se deu com José e a família de sua esposa.

Informação Dada por Davi. Em Sal. 110:4, um rei da linhagem de Davi aparece sendo aclamado, por juramento divino, como «...tu és sacerdote para sempre, segundo a ordem de Melquisedeque...» Talvez essa aclamação fosse resultante da conquista de Jerusalém por parte de Davi, em virtude do que ele e sua casa tornaram-se herdeiros da dinastia de reis-sacerdotes de Melquisedeque. Naturalmente, essa passagem também é profética e messiânica, embora talvez Davi nem tivesse entendido isso. A falta de informações sobre o sacerdócio do Melquisedeque histórico não nos permite especular muita coisa. Porém, podemos supor que alguma espécie de linhagem altamente respeitada de reis-sacerdotes tinha em Jerusalém o centro de seu poder, antes dessa cidade cair sob o domínio de Israel. É claro que esse oficial e o seu culto não faziam parte da fé e da cultura dos hebreus, a despeito do que, era altamente respeitada pelos grandes líderes da nação de Israel.

II. Rei e Sacerdote; Tipologia

Melquisedeque é apresentado como um rei que tinha funções e direitos sacerdotais (ver Gên. 14:18 e *ss*). O próprio Abraão lhe prestou homenagem. Certamente, pois, a sua glória ultrapassa à de Aarão. Cristo assumiu esse sacerdócio real, mas revestido ainda de maior glória. Notemos que, no trecho de Zac. 6:13, são combinados os ofícios de rei e de sacerdote, no tocante ao Messias. O autor sagrado volta a considerar o sumo sacerdócio de Melquisedeque de forma mais completa, em Heb. 7:1-10, com o propósito definido de mostrar sua superioridade sobre o sacerdócio aarônico, e isso faz parte de seu argumento que visava mostrar que, em Cristo, todos os tipos sacerdotais são cumpridos e ultrapassados, não havendo mais qualquer necessidade de um sumo sacerdócio terreno. Cristo incorpora, em si mesmo, todo o sacerdócio de que precisamos. Até o próprio Aarão, por intermédio de Abraão, pagou os dízimos a Melquisedeque, com o resultado que o «menor foi abençoado pelo maior». Foi Melquisedeque quem abençoou Abraão, pelo que também aquele era maior do que este, para nada dizer sobre Aarão, que por esse tempo nem havia nascido ainda.

III. Referências Bíblicas

Melquisedeque: As únicas referências bíblicas a esse personagem se acham nos trechos de Gên. 14:18; Sal. 110:4; Heb. 5:6,10; 6:20 e 7:1,10,11,15,17,21. Pode-se ver, com base nisso, que o autor supre a discussão maior. No A.T., quando muito, Melquisedeque aparece como figura simbólica. É dito que ele era «rei de Salém» (Jerusalém), na passagem referida do livro de Gênesis, sendo também chamado de «rei da justiça», em Heb. 7:2. Ele saudou a Abraão ao voltar este, após ter vencido Quedorlaomer e seus aliados, tendo-lhe apresentado pão e vinho e tendo-o abençoado no nome do Deus Altíssimo; ao mesmo tempo, Melquisedeque recebeu dízimos da parte de Abraão, de todos os despojos que este tomara do inimigo (ver Gên. 14:18 e *ss*). Essa é a totalidade das informações que possuímos a seu respeito, embora a tradição, como é usual, tenha adornado a narrativa bíblica.

IV. Significação Profética

A *significação profética* de Melquisedeque é claríssima, entretanto. O Salmo 110 pinta a divindade do Messias (ver Sal. 110:1, comparar com Mat. 22:41-46). Também fica destacada a sua realeza (ver Sal. 110:1 e *ss* ; comparar com Atos 2:34-36). O seu sacerdócio é igualmente destacado (ver o quarto versículo). Nas referências da epístola aos Hebreus sua significação profética é ainda mais amplamente esclarecida. Ele ilustra a superioridade do sacerdócio de Cristo sobre o de Aarão (ver Heb. 5:6 e 7:7). Seu sacerdócio é eterno (ver Heb. 5:6); é real (ver Heb. 7:1); sua origem é misteriosa e desconhecida, e assim a filiação eterna de Cristo é ilustrada (ver Heb. 7:1). Na qualidade de Filho é ele também sacerdote, e isso empresta à ele uma dignidade maior que a de qualquer sacerdote terreno (ver Heb. 7:3 e 5:5). Ele é o grande abençoador, mediante quem todos os «menores» são abençoados (ver Heb. 7:7). E ele é superior a Levi, a Aarão, a Abraão e a todos os seus descendentes levitas (ver Heb. 7:6-10).

V. Uso Hermenêutico

Hermeneuticamente, Melquisedeque é importante porque ilustra diversas coisas: 1. um significado mais profundo da história; 2. como a história pode ser profética e simbólica; 3. a unidade do Antigo e do Novo Testamentos; 4. a universalidade do ofício messiânico e sumo sacerdotal de Cristo; 5. a ab-rogação das ordens sacerdotais do Antigo Testamento, por estarem todas cumpridas em Cristo.

VI. Identificação

A sua obscuridade tem fascinado a tradição, pelo que também muitas identificações conjecturadas têm sido imaginadas, a saber:

1. Alguns dizem que o Espírito Santo teria aparecido na terra sob essa forma. Mas essa opinião é extremamente ridícula.

2. Outros fazem dele uma manifestação de Cristo no A.T. Se isso fosse verdade, teríamos de esperar uma verdadeira «encarnação» antes dos tempos neotestamentários, posto que ele teve uma história contínua, tendo sido rei de Jerusalém. Contudo, alguns aceitam a idéia de uma «encarnação».

3. Outros estudiosos supõem que Melquisedeque teria sido encarnação de alguma outra elevada personalidade celeste.

4. Outros dizem que ele seria Sem, filho de Noé, o que é opinião comum entre vários escritores judeus (ver Targum em *Jon. e Jerus. Jarchi, Baal Hatturim, Levi Ben Gersom e Abendana*, sobre Gên. 14:18; *Bemidbar Rabba*, seção 4, fol. 182,4; *Pierke Eliezer*, cap. 8; *Jushasin*, fol. 135:2 e outros).

5. Outros supõem que ele teria sido um monarca cananeu, da descendência de Cão.

6. Outros ainda consideram-no um ser como Adão, diretamente criado por Deus, e que literalmente não teria ascendência humana.

7. Também há aqueles que o identificam com Jó ou com algum outro personagem do A.T.

Todas essas conjecturas não têm base em que se possa confiar, sendo bem provável que ele não possa ser identificado com qualquer outra personagem conhecida. O fato de que ele não tinha pai nem mãe provavelmente significa que não há *registro* de seus ancestrais, e, que, profeticamente, ele simboliza o divino Filho-Profeta, acerca de quem não se pode falar de qualquer linhagem terrena.

MELZAR (COZINHEIRO-CHEFE)

No hebraico, **melzar**, uma palavra de origem persa que significa «copeiro», «despenseiro». Esse era o título de certo oficial da corte persa, que ficou encarregado de cuidar de Daniel e dos outros jovens hebreus que eram candidatos à promoção ao ofício de magos (ver Dan. 1:11,16). Alguns eruditos acham que essa palavra indica o nome próprio do homem em questão, mas outros supõem que esteja em pauta um mero título oficial. Aparece sempre com o artigo definido, detalhe que pesa em favor da idéia de tratar-se de um título, e não de um nome próprio.

MEM

Esse é o nome da décima terceira letra do alfabeto hebraico. Foi usada para introduzir o décimo terceiro segmento do Salmo 119, que é um acróstico, onde cada verso começa com essa letra, no original hebraico. Numericamente, valia quarenta.

Um poema *acróstico* é aquele em que letras introduzem porções do mesmo, especialmente quando tais letras, acompanhadas uma a uma, formam uma palavra. Esse termo português vem do grego *ákros*, «fim», e *stíchos*, «verso». Ver o artigo geral sobre o *Hebraico*. Em seu uso, o *Mem* equivale ao nosso *M*.

MEMBRO

1. Usos Veterotestamentários

No hebraico, *yatsur*, palavra usada para indicar qualquer porção ou membro do corpo humano. Ver Jó 17:7; Sal. 139:16. Jó, em seus sofrimentos físicos, referiu-se a todos os membros de seu corpo como uma *sombra*, dando a entender a fragilidade e temporalidade do homem mortal. A referência do livro de Salmos alude a partes dos corpos dos animais.

2. Usos Neotestamentários

O termo grego é **mélos**, um membro literal do corpo, como a mão ou um olho. Ver Mat. 5:29,30. Nesses versículos, lemos que é melhor perder um membro ofensor, que nos leva ao pecado, do que o corpo inteiro sofrer angústias na Geena. Visto que as traduções comuns dizem «inferno», em vez de «geena», alguns têm objetado, dizendo que os corpos não podem ser lançados no inferno (isto é, no hades). A dificuldade é prontamente resolvida mediante o exame do original grego, onde se lê *géena*, que corresponde ao «lago do fogo» de Apo. 20:14,15. Essa passagem mostra que, então, as almas perdidas terão recuperado seus corpos físicos, mediante a ressurreição para a condenação. Isso posto, Jesus estava falando sobre a residência final dos perdidos, após o julgamento do trono branco, e não sobre a residência temporária das almas perdidas, que o original grego chama de *ádes*, e que deu *hades* em português.

Outros estudiosos têm aventado a idéia de que a linguagem de Jesus, em Mat. 5:29,30 era figurada, porquanto corpos físicos não podem ser enviados para o inferno. Mas, novamente, essa idéia deriva-se de não se levar em conta a diferença entre *ádes* e *géena*, que mostramos no parágrafo acima. Seja como for, a palavra «corpo», incluindo seus membros, serve para indicar a *vida* da pessoa, e a vida está na alma.

Em um trecho como Rom. 6:13 aprendemos que os membros do corpo são usados por nós para cometermos pecados, e a exortação que ali existe é que não devemos permitir tal coisa. Bem pelo contrário, nossos membros do corpo devem ser usados para fins de justiça. A passagem de Tia. 4:1 diz algo similar. As paixões operam em nossos membros do corpo, causando muitos males e confusões entre nós. As paixões pecaminosas atuam através dos membros do corpo (Rom. 7:5). Em Rom. 7:25 também aprendemos que a lei do pecado opera nos membros do corpo. A despeito disso, as Escrituras jamais chamam a matéria ou o corpo físico de pecaminosos, conforme fazia o *gnosticismo* (vide), que afirmava que a *alma* é pura, mas que a matéria (e, por conseqüência, o corpo físico) é impura e má, por participar do princípio do mal. No cristianismo, porém, o corpo físico aparece como uma vítima fácil do princípio do pecado, embora ele não seja maligno em si mesmo. O trecho de Col. 3:5 mostra que se quisermos vencer a batalha contra o pecado será mister mortificar os nossos membros, a fim de que não se prestem como instrumentos da injustiça.

Sócrates, o filósofo grego, dizia que ele morria diariamente, dando a entender com isso que salientava a vida do espírito e desenfatizava a vida física, pelo que, metaforicamente, mantinha-se em estado de mortificação física. Tiago 3:5,6 é passagem que mostra que a língua pode ser um membro do corpo muito ativo e destrutivo, ajuntando que aquele que pode controlar a língua, pode controlar seu corpo inteiro. Efésios 4:25 frisa a necessidade de *dizermos a verdade*, porquanto somos membros uns dos outros (espiritualmente falando), visto que entre os remidos há certa unidade espiritual, e a mentira tende por destruir essa unidade.

3. Sumário de Usos Metafóricos

a. O homem é frágil e temporal, conforme o demonstra a debilidade dos membros de seu corpo (Jó 17:7).

b. Os membros do corpo simbolizam a *vida* ou alma, que pode sofrer danos no hades (Mat. 5:29,30).

c. Nossos membros físicos demonstram a fraqueza do ser humano, que cede diante de uma grande multidão de pecados diversos (Rom. 7:5,25).

d. Nossos membros físicos devem ser metaforicamente mortificados, mediante a santificação e uma vida disciplinada (Col. 3:5).

e. A língua é como um *cavalo* desembestado, que precisa ser controlado mediante um *freio* (a disciplina espiritual). A língua assemelha-se a uma chama, que pode incendiar toda uma floresta (Tia. 3:5). Ela é um *mundo* de injustiça, entre outros membros, tão grandes são seus poderes de destruição (vs. 6). Ela é um *veneno* descontrolado (vs. 8). A língua é um *instrumento* que abençoa ou amaldiçoa (vs. 9). É como o *leme* de uma embarcação, que guia a pessoa inteira para o bem ou para o mal (vs. 4).

f. Cada membro do corpo simboliza um membro da Igreja de Cristo. Em seu conjunto, esses membros perfazem o corpo, tal como Cristo é o Cabeça do Seu corpo místico (Rom. 12:4; I Cor. 12:12,25). Isso deveria inspirar-nos a cuidar uns dos outros, da mesma maneira que um corpo adoece, a menos que todos os seus membros sejam saudáveis. Cristo, na qualidade de Cabeça da Igreja, deve governá-la, e o seu corpo místico precisa obedecer-lhe as ordens, tal como os membros do corpo físico obedecem às determinações do cérebro. Cristo, o Cabeça da Igreja, supre ao seu corpo místico vida e nutrição (Efé. 4:16). Quanto a um completo desenvolvimento dessa metáfora, ver os artigos separados intitulados *Corpo; Corpo de Cristo; Cabeça* (*Cristo*) e *Corpo* (*Igreja*).

g. *Nos Sonhos e nas Visões*. 1. O corpo inteiro simboliza a pessoa inteira, visto que o corpo físico é a manifestação externa da *pessoa*. Mas, por ser uma manifestação externa, o corpo físico também pode simbolizar a *máscara* da pessoa, ou seja, o que ela mostra ser, diante das outras pessoas, embora não seja isso. 2. Em face de seus muitos mistérios, o corpo físico pode representar o que é insondável e impossível de entender. 3. A parte superior do corpo pode apontar para a mente ou para os aspectos pessoais de uma pessoa. 4. A parte inferior do corpo pode indicar os instintos básicos. 5. O lado direito do corpo pode simbolizar a parte moral e correta de uma pessoa; o seu lado esquerdo pode apontar para os aspectos imorais e inferiores de uma pessoa. 6. Partes aguçadas do corpo, como um dedo, um braço ou um dente, podem simbolizar o pênis masculino. Aberturas, como a boca, podem simbolizar a vagina. 7. A cabeça simboliza a capacidade de controle sobre o corpo. 8. O abdômen pode simbolizar a ansiedade ou as emoções em geral. 9. O ânus pode simbolizar o egoísmo, o espírito voluntarioso ou a atitude de desafio. 10. O sangue pode simbolizar vida, comunhão, expiação, o espírito de unidade, conforme se vê na expressão «irmãos de sangue». 11. O olho simboliza o discernimento, a iluminação, a apreciação acerca das outras pessoas. Ver Efé. 1:18 e Mat. 6:22. Além disso, o olho representa aquilo que é muito precioso, como na expressão «a menina dos olhos» (Deu. 32:10; Sal. 17:8; Pro. 7:2; Zac. 2:8). 12. A calvície ou perda dos *cabelos* simboliza a perda da virilidade ou das forças físicas. A *cabeleira abundante* representa força, saúde e fertilidade. Os psicólogos dizem-nos que as mulheres com longos cabelos atraem a atenção, não somente pelo fato em si, como objeto de beleza, mas porque os cabelos longos da mulher dão a entender que ela é fértil. — 13. As *mãos* ou os *dedos* podem simbolizar os agentes do trabalho, a capacidade de fazer coisas, a criatividade, ou, então, podem ser um símbolo fálico. Uma mão gigantesca, vista no céu, pode significar o Ser divino. As mãos postas em contraste indicam conflito e indecisão. A mão direita, nesse caso, indica o que é melhor para ser feito ou decidido; a esquerda aponta para a alternativa inferior. 14. A *cabeça* é indicativa da inteligência, da orientação, dos intuitos conscientes. Uma pancada na cabeça indica um ferimento sério ou um retrocesso na vida. 15. A *boca* aponta para os aspectos receptivos ou exigentes do indivíduo. A boca também representa o poder das palavras, que podem ser usadas para o bem ou para o mal. Em Rom. 3:14, a boca é símbolo da maldição e da amargura que tanto caracteriza os homens. Os *lábios*, parte frontal da boca, indicam palavras maliciosas, pois sob os lábios está o veneno das cobras (vs. 12). 16. A *garganta*, em Rom. 3:13, aparece como um sepulcro aberto, o que alude à horrenda depravação do ser humano não-regenerado. 17. Os *pés* são os instrumentos do ato de andar, da conduta, da busca, da progressão. Eles podem encaminhar-se para o bem ou para o mal. Rom. 3:15 expõe o lado negativo da questão. Os homens usam seus pés a fim de correrem para a violência, ao derramarem sangue inocente. Rom. 10:15 salienta o lado positivo, falando de quão belos são os pés daqueles que pregam o evangelho. 18. O *nariz* indica a intuição, como na expressão: «Estou cheirando algo de errado». Alguns animais são equipados com narizes muito sensíveis, que lhes dão muitas formas de informação. A intuição de algumas pessoas é uma fonte de conhecimento muito necessário. 19. A *pele* pode mostrar a parte externa de uma pessoa, aquilo que ela aparenta para as outras, a maneira como ela se apresenta. Essa máscara é «tão superficial quanto a pele», ou seja, não mostra muito da verdadeira personalidade e caráter da pessoa. Uma pele áspera e feia indica uma pessoa dura, egoísta. Uma pele grossa indica insensibilidade moral e espiritual. 20. Os *dentes* são símbolos de agressão. Dentes que caem simbolizam a morte. Porém, no caso de crianças, indica que estão chegando à adolescência. Se uma mulher sonhar que engoliu seus dentes, isso pode indicar gravidez. Isso deriva-se do fato de que a boca pode simbolizar a vagina, e o estômago, para onde desceram os dentes engolidos, simboliza o útero. 21. O *útero* é a fonte da vida.

MEMENTO

Palavra latina que significa **recordação**. Esse termo designa duas preces comemorativas, cada qual iniciada com a palavra latina *memento*. Uma delas ocorre por ocasião da celebração da *missa* (vide), no começo do cânon. A outra é uma oração pelos mortos, proferida após a consagração dos elementos da *eucaristia* (vide).

MEMÓRIA

Uma das coisas mais misteriosas que existem no ser humano é a sua *memória*. A questão só parece simples para os não-sofisticados, que nunca refletiram mais profundamente a respeito.

Esboço:

I. Definições
II. Ponto de Vista Reducionista
III. Pontos de Vista Filosóficos
IV. Memória Arquétipa e Memória Ancestral
V. Ponto de Vista Espiritual

I. Definições

1. «A memória é aquele processo ou faculdade mental de representar na consciência um ato, uma experiência ou uma impressão pertencente ao passado; as experiências da mente consideradas em seu agregado, e consideradas como influentes sobre o comportamento presente e futuro; a exatidão e facilidade com que uma pessoa pode reter e relembrar experiências passadas». (WA)

2. «O processo mental da retenção e da lembrança de experiências anteriores. Há uma crença comum e falaz de que a memória, como um músculo, pode ser aprimorada por meio de exercícios. Porém, a memória consiste em uma série de atividades, e não em uma entidade. O termo refere-se às atividades do aprendizado, da retenção, da rememorização, do reconhecimento e do reaprendizado. Cada uma dessas atividades pode ser melhorada quanto à sua eficiência, mas a memória, que é apenas um termo conveniente para designar essas atividades, não pode ser fortalecida por qualquer sistema de exercícios». (P)

3. *Na Filosofia*. Usualmente, a memória é estudada como parte da *epistemologia* (vide). Sua análise difere dentro dos estudos feitos por diferentes filósofos. Como reconhecemos o passado está relacionado à questão de como reconhecemos o presente e antecipamos o futuro. A memória inclui os eventos que realmente sucederam, mas também como eles são percebidos e avaliados. Além disso, sabe-se agora que a percepção, a base da memória dos eventos que ocorreram, em parte é ilusória, e isso, naturalmente, inclui coisas que não sucederam, realmente, embora possamos estar bem certos de que tiveram lugar.

Quando discorremos filosoficamente sobre a memória, imediatamente topamos com um certo número de problemas. Como poderíamos definir uma palavra tão rica como a *memória*, que, naturalmente, inclui questões biológicas, neurológicas e metafísicas? Falamos sobre como a *mente* relembra as coisas, ou sobre como o *cérebro* relembra as coisas; e aí caímos no *problema corpo-mente* (vide), que, por si mesmo, já é um formidável problema. Além disso, o quanto sabemos a respeito do cérebro, e o quanto não sabemos? Quanto já sabemos acerca da mente, e o quanto resta ainda ser descoberto? A memória não poderá ser plenamente definida enquanto essas perguntas não obtiverem respostas satisfatórias. Por essa razão, todas as nossas descrições, por enquanto são parciais. Deveríamos sentir-nos pequenos diante do fato de que estamos envolvidos em profundos mistérios, e nós mesmos, seres humanos, somos uma das nossas maiores maravilhas. A memória faz parte das maravilhas da vida.

II. Ponto de Vista Reducionista

Os materialistas supõem que todos os chamados eventos mentais, incluindo a memória, na verdade são *materiais* (nesse caso, cerebrais). Isso significaria que todos os eventos mentais podem ser *reduzidos* a eventos físicos, com base nos átomos, em seus estados, movimentos e potencialidades. Assim, se pudéssemos compreender os mistérios do cérebro, também poderíamos entender a memória. No entanto, ninguém sabe como essas coisas funcionam. Porventura existem moléculas da memória? Há certa possibilidade disso, demonstrada pelo fato de que certos animais inferiores adquirem a memória de outros, cujos corpos foram esfarinhados e servidos àqueles como alimento. Mas, apesar de ainda não sabermos como o cérebro retém imagens passadas, sabemos que essas imagens podem ser vividamente estimuladas mediante leves descargas elétricas. Em uma dessas experiências, quando um eletrodo foi implantado em certo ponto da cabeça de uma pessoa, ela pôde relembrar nitidamente um *sonho* que tivera há muitos anos atrás. Outras pessoas têm *ouvido* músicas que ouviram no passado, mediante o mesmo tipo de estímulo elétrico. A hipnose parece demonstrar que todas as experiências pelas quais passamos são permanentemente gravadas na memória. De algum modo, o cérebro preserva tudo quanto aprendeu ou observou, guardando tudo em seus arquivos, que podem ser ativados no tempo próprio em que precisa de tais informações. Com o passar dos anos, o número de células do cérebro reduz-se em muito e com isso, sofremos perdas tanto a percepção quanto a memória. Esses fatores e dados demonstram que a memória é cerebral, pelo menos em parte, embora muitos mistérios continuem precisando ser esclarecidos, no tocante ao seu *modus operandi*.

Críticas:

1. É óbvio que pelo menos **um aspecto** da memória é cerebral. Porém, há estudos que demonstram que, de alguma forma, a memória também tem aspectos extracerebrais, —podendo até mesmo ignorar as barreiras do tempo, incluindo os adventos do nascimento e da morte.

2. A demonstração bem comprovada do aspecto cerebral da memória é muito interessante, mas isso aborda somente uma parte dos fenômenos associados à memória.

3. A tentativa para reduzir a memória humana ao cérebro humano faz parte da tentativa geral de mostrar que o homem consiste apenas em seu corpo físico, e que a mente ou a alma nem existem, ou, então, são apenas aspectos do cérebro, ou um epifenômeno do mesmo. Ver a quinta seção, *Ponto de Vista Espiritual*, quanto a informações sobre as tentativas para mostrar que o homem e sua memória envolvem mais do que o seu cérebro. Quando examinamos a memória, naturalmente, vemo-nos envolvidos na metafísica antropológica.

III. Pontos de Vista Filosóficos

1. *Platão*. Ele acreditava que o conhecimento consiste em memória. Tendo contemplado os *universais* (vide), a alma conhece todas as coisas; mas a sua encarnação oculta esse conhecimento do homem. Mediante o diálogo, o raciocínio, a intuição e as experiências místicas (o processo mediante o qual obtemos conhecimentos), a pessoa, uma vez encarnada, é levada a *lembrar* aquilo de que já tem conhecimento. Isso posto, a alma seria um grande armazém de conhecimentos. Sócrates havia antecipado, pelo menos em parte, essa doutrina, ao supor que o homem possui, em si mesmo, o conhecimento dos princípios éticos, o que pode ser extraído dele mediante o diálogo ou a intuição. Sócrates também cria que a *Mente Universal* (vide), um tesouro de conhecimento que o homem poderia sondar, e que existe fora do homem, em um outro sentido, faz parte de sua herança. Mais ou menos no sentido platônico, os princípios éticos podem ser, destarte, uma forma de memória, visto que esses princípios não foram criados pelo homem, através de suas próprias experiências. Alguns estudos modernos parecem comprovar as idéias de Platão sobre o conhecimento e a memória, que mencionarei sob a quarta seção, abaixo.

2. *Hobbes*, em seu materialismo, acreditava que a memória está totalmente alicerçada sobre a percepção dos sentidos, e que ela consiste em «fragmentos de percepções», restos de informes colhidos pelos sentidos.

3. *Hume* pensava da mesma maneira. Utilizando-se da noção de força e vivacidade, ele pensava que as idéias da memória são menos intensas que os informes dados pela percepção dos sentidos. Mais abaixo ainda, nessa mesma escala, ele situava a imaginação, como algo menos poderoso ainda que a memória.

4. *John Stuart Mill* preferia uma visão do bom senso acerca da memória, sem oferecer explicações técnicas, afirmando que a memória consiste apenas na consciência que a mente tem sobre o passado. Porém, ele deixava sem explicação a mente e a consciência.

5. *William James* explicava a memória como algo que envolve imagens e idéias de mistura com sentimentos de calor, de intimidade ou de aversão, no tocante ao passado e suas experiências. Visto que ele acreditava na alma e no dualismo, por isso mesmo ele concebia a memória como algo que envolve mais do que apenas o cérebro, porquanto faria parte das propriedades da alma.

6. *Bergson* acreditava que a pessoa é capaz de uma *consciência* perceptiva, que retém o passado e o liga ao presente. Seria um estado de consciência interno, sempre presente conosco.

7. *Bertrand Russell* afirmava que a memória é a retenção de sentimentos e idéias que refletem a nossa *familiaridade* com elas, e que essas noções misturam-se com aquelas do presente. Se juntarmos as noções do passado com as do presente, teremos o conhecimento direto.

8. *C.I. Lewis* pensava que a memória ostensiva sobre qualquer evento é uma credibilidade *prima facie*. Seu grau de probabilidade aumenta quando são adicionados outros eventos relembrados, que consubstanciam o primeiro.

9. *Os filósofos lingüísticos* definem a memória em termos das palavras e conceitos da linguagem, reunidos no cérebro, a fim de descrever acontecimentos passados. Eles definem a memória em termos de disposições e atos relembrados.

10. *Os filósofos materialistas* definem a memória conforme descrevi na segunda seção, acima, acreditando que se trata de um fenômeno cerebral que nada tem a ver com uma suposta parte não-material do homem, que poderia ter conhecimento e memória, sem a ajuda de um cérebro físico.

11. *Os filósofos dualistas*, que acreditam na existência da alma imaterial e supõem que ela seja um *intelecto*, muito naturalmente crêem que esse intelecto tem conhecimento e memória, sem necessitar do corpo e de seu cérebro. Quando a alma e o corpo estão unidos, então o cérebro serve de medianeiro da memória, embora não seja a fonte primária da mesma. Alguns desses filósofos adotam o ponto de vista platônico de que a alma é uma substância transcendental, que já traz consigo grandes conhecimentos, podendo obter uma memória parcial desse tesouro através de vários meios. Mas outros pensadores não aceitam essa elevada apreciação a respeito da alma, em seu presente estado; mas, mesmo assim, acreditam que a alma é um real armazém de conhecimento e memória.

IV. Memória Arquétipa e Memória Ancestral

Os estudos de Carl Jung sobre o inconsciente humano convenceram-no de que os elementos básicos da psique humana são os arquétipos. Por assim dizer, esses são os temas ou elementos fundamentais da mente. Isso é amplamente explanado nos verbetes intitulados *Jung* e *Arquétipos*. Jung também acreditava que todos os homens compartilham desses elementos na «mente coletiva inconsciente». Dessa maneira, a mente é uma espécie de depósito universal da memória da raça humana. E Jung ia ao ponto de afirmar que a mente de cada indivíduo contém toda a memória da raça humana. Apesar dos estudos que se têm feito não apresentarem prova absoluta em prol dessa teoria, o que se tem podido colher em favor da idéia da memória ancestral é bastante convincente. Tem havido casos claros em que o neto de alguém, por exemplo, ao visitar a terra de seus antepassados, e, particularmente, os lugares que foram familiares a seus ancestrais, tem *reconhecido* e até mesmo *antecipado* muitas coisas, embora nunca tivesse estado antes naqueles lugares. Isso envolve, alguns casos, a lembrança sobre o idioma, informações dadas através de sonhos, visões e experiências intuitivas—tudo atinente às vidas que os antepassados daquele homem viveram. Há evidências suficientes em favor do conceito da memória ancestral, para encorajar os pesquisadores a asseverarem que, de alguma maneira misteriosa, a memória pode ser herdada, e, realmente, o é. É possível que exista algo como o que se tem chamado de moléculas da memória, mas o que é indubitável é que a *mente*, acima do cérebro, está envolvida em tudo isso. Ver o artigo sobre *Jung*, especialmente em seu sétimo ponto.

V. Ponto de Vista Espiritual

1. As Religiões Orientais

Algumas religiões, como aquelas do Oriente, tomam um ponto de vista platônico da memória, com suas adaptações particulares. O hinduísmo crê que a alma, em sua evolução, viu diretamente a história inteira da existência. Ela teria existido sob muitas formas, começando no estado mineral, passando para o estado vegetal, animal e daí até o ser humano. Nessa ascensão, a história inteira da criação teria ficado gravada na alma, no inconsciente, embora somente fragmentos disso cheguem ao nosso conhecimento consciente, quando nos encarnamos. Mas, através da *iluminação*, a alma poderia vir a relembrar-se de muitas coisas, e a memória, como é óbvio, seria uma função da alma. Mas a alma, ao encarnar-se, usaria a instrumentalidade do cérebro, operando por meio do mesmo, quando a encarnação une aquilo que é mental àquilo que é físico.

2. Indicações Dadas Pela Hipnose

Em nossos dias, estão sendo feitas experiências que procuram levar as pessoas a lembrar vidas passadas, mediante a hipnose ou outros meios, tendentes a despertar as memórias adormecidas. Alguns notáveis resultados têm provindo dessas experiências, os quais, embora inconclusivos, certamente sugerem que há alguma verdade envolvida nessa idéia, mesmo que a fantasia às vezes corra solta. Ver o artigo geral sobre a *Reencarnação*, quanto a alguns detalhes sobre essa questão. Estudos dessa natureza deveriam continuar, até os pesquisadores chegarem a conclusões mais satisfatórias, visto que a ignorância dos fatos em nada ajuda. A verdade haverá de conduzir-nos ao bem, e deveríamos estar interessados na busca pela verdade muito mais do que em defender os dogmas. Precisamos saber as respostas para os grandes enigmas da vida humana. Essas respostas poderão ser positivas ou negativas, concordando ou não com aquilo que agora cremos.

3. Experiências Perto da Morte

Nos últimos anos, os cientistas passaram a investigar as experiências de quase-morte, envolvendo casos de pessoas que estiveram clinicamente mortas. Não havia mais circulação do sangue; seus corações haviam cessado de pulsar, e nem mesmo tinham mais ondas cerebrais. Apesar dessas condições, tais pessoas continuaram plenamente conscientes e donas de perfeita memória. Isso demonstra que a memória opera perfeitamente bem sem o cérebro, o que significa que há um *aspecto extracerebral* da memória. Ora, se a alma é um *intelecto*, então isso não nos deveria surpreender. Essas e outras experiências no campo das pesquisas psíquicas (ver o artigo chamado *Parapsicologia*) fornecem-nos boas evidências em prol do *dualismo*. Algumas experiências perto da morte incluem elementos transcendentais onde são visitadas dimensões da natureza espiritual (de cunho positivo ou negativo). Isso tende por confirmar o ponto de vista transcendental da alma. Algumas pesquisas indicam a verdade de que grandes ciclos envolvem a vida humana em geral, bem como almas específicas, em particular, emprestando alguma confirmação para o segundo ponto, acima, *Indicações Dadas pela Hipnose*. Temos provido um artigo separado sobre esse assunto, intitulado *Experiências Perto da Morte*, fornecendo detalhes sobre a questão.

4. Na Religião dos Hebreus

Os patriarcas hebreus aparentemente não incluíam a vida após-túmulo em suas crenças, ou, pelo menos, o Pentateuco não sugere que assim sucedia. Moisés não requeria obediência à lei com base em um julgamento ameaçado, no estado após-morte, e nem prometeu recompensas celestiais aos obedientes. Somente nos *Salmos* e nos *Livros Proféticos* que surgiu a crença na vida após-túmulo (com ou sem ressurreição), dentro da fé dos hebreus. No judaísmo *helenista* continuamos vendo refletida antiga visão dos israelitas, embora por esse tempo, a imortalidade da alma se tivesse tornado a doutrina padrão entre eles. Além disso, a preexistência da alma e a reencarnação eram ensinadas nas escolas dos essênios e dos fariseus. Se isso é verdade, então suas noções sobre a memória, se tivessem sido estudadas e delineadas, devem ter sido similares às idéias de Platão. Seja como for, a memória extracerebral era, necessariamente, parte da fé dos hebreus, durante o período helenista.

5. *No Cristianismo*, a doutrina padrão fala sobre a alma imaterial, pelo que também vemos aí, obrigatoriamente, a idéia de memória extracerebral. Todavia, em tempos recentes, os Adventistas do Sétimo Dia e as Testemunhas de Jeová têm repelido essa idéia. Todavia, nem todos os cristãos concordam entre si no tocante à *origem* da alma. Alguns afirmam que Deus cria uma nova alma quando da concepção de cada criança (*criacionismo*; vide). Outros afiançam que a reprodução humana foi arranjada de tal modo que a parte imaterial é criada, mediante esse ato, juntamente com a parte material (*traducionismo*; vide). Os pais alexandrinos da Igreja, e, também muitos da Igreja Oriental, têm crido na preexistência da alma (ver sobre a *Preexistência*). Se a preexistência da alma é crida em algum círculo cristão (com ou sem a reencarnação), então também deve ser aceita alguma forma do ponto de vista platônico sobre a memória. E, se alguma forma de dualismo é aceita, então o ponto de vista extracerebral da memória também é crida. No cristianismo, a alma é concebida como uma entidade transcendental, mesmo que ela não seja concebida como preexistente. E, visto que isso é uma verdade, então, acredita-se que a alma é um *intelecto* dotado de conhecimento e memória, inteiramente à parte do cérebro e suas funções. (AM E EP)

Avaliações. O ponto de vista reducionista do homem está perdendo terreno em nossos dias. A ciência está deixando para trás o antigo materialismo. Há estudos que nos estão fornecendo visões excitantes sobre a verdadeira estatura do ser humano. Quanto mais os estudos vão avançando, tanto mais parece que as teorias platônicas tornam-se plausíveis. Pelo menos, o simples dualismo tem sido reforçado significamente em nossos dias, pelos homens de ciência. Um corolário necessário é a idéia da memória extracerebral. De forma totalmente independente da fé religiosa, parece estar emergindo nesses estudos a idéia da alma transcendental. Esse ponto de vista requer uma concepção muito ampla sobre a memória. Talvez seja mesmo verdade aquilo que Platão, o hinduísmo e os pais alexandrinos ensinavam: a *eternidade inteira* reverbera na memória da alma. (AM E F EP P MM)

MEMORIAL, MEMÓRIA

1. Palavras Envolvidas

No hebraico, *azakarah*. Essa palavra era associada, a princípio, com os sacrifícios. Ela trazia à memória a essência do culto religioso, para proveito do homem. Ver Núm. 5:26. A raiz dessa palavra significa «ferroar», «espinhar», fazendo-nos lembrar o que foi dito sobre as palavras de Sócrates. Essas palavras eram como «espinhos» nas mentes de seus ouvintes. Aquilo que espinha, penetra ou estimula a mente serve-nos de lembrete. As formas nominais, *zekher* e *zikkeron* referiam-se aos memoriais do santo nome do Senhor (Sal. 30:4); ou eram aplicadas a pedras (ver Jos. 4:7) que serviam para comemorar algum evento ou oferenda (ver Núm. 5:15). Também podiam indicar o registro sobre algum fato (Êxo. 17:14), ou um livro de memórias (Mal. 3:16) ou de crônicas (Lev. 23:24). A memória do justo permanece como uma bênção àqueles que chegaram a conhecê-lo, direta ou indiretamente (Pro. 10:7); mas a memória dos ímpios perece da face da terra (Jó 18:17).

No hebraico, *moemosunon*, «memorial». Esse vocábulo aparece por três vezes no Novo Testamento: Mat. 26:13; Mar. 14:9; Atos 10:4. O evangelho sempre incluirá a história da mulher que ungiu a Jesus com um ungüento caro como que preparando o seu corpo para o sepultamento. Isso, por sua vez, servirá de perene *memorial* em favor dela (segundo se vê nas referências de Mateus e de Marcos). As orações e as esmolas de Cornélio serviam de memorial diante de Deus. Em outras palavras, Deus lembrava-se dele por causa dessas atitudes, e abençoou a sua vida de acordo com elas (a referência em Atos). Essa palavra também pode ter o sentido de simples «memória» (I Clemente 45:8; Sal. 34:16, na Septuaginta). Também foi empregada na Septuaginta com o sentido de *oferta memorial* (ver Lev. 2:2,9,16; 5:12). Uma palavra grega cognata é *mnéma*, «túmulo», porquanto lembra de modo especial alguma pessoa falecida. *Mneme*, «memória», é outra palavra cognata.

2. Definição e Ilustração

Um **memorial** consiste em qualquer coisa escrita, ou mental, mediante o que as pessoas têm sua memória avivada quanto a algum acontecimento ou personalidade. A páscoa, por exemplo, fazia o povo de Israel relembrar como *Yahweh* poupara aos primogênitos de Israel, mas tirou a vida dos primogênitos dos egípcios (ver Êxo. 12:14). Um monte de pedras, deixado no leito do rio Jordão, serviu de memorial do cruzamento desse rio, sob circunstâncias especiais (Jos. 4:7). O sumo sacerdote de Israel usava pedras preciosas com letras hebraicas gravadas (Êxo. 28:12; 29). Os sacrifícios oferecidos por Israel faziam-no lembrar seus pecados e seu pacto com Yahweh (Núm. 5:15). Quando Maria ungiu a Jesus com um dispendioso ungüento, ele cuidou para que o mundo nunca se esquecesse do evento, que veio a tornar-se parte do evangelho (Mat. 26:13). O nome do Senhor, por si mesmo, é um memorial para os seus filhos (ver Isa. 26:8). Vários atos divinos pesados, envolvidos na origem ou destino do homem foram assim comemorados: a criação (Êxo. 13:9), o livramento da servidão no Egito (Êxo. 13:8), a morte de Cristo na cruz (I Cor. 11:24-26), comemorada mediante a Ceia do Senhor, e, então, os feitos e a adoração memorial de homens santos, como Mordecai (Est. 6:1 *ss*), de Maria (Mat. 26:6-13), de Cornélio (Atos 10:1-4), e de todos os justos, porquanto seus feitos seguem-nos, ao morrerem, garantindo a segurança e a bem-aventurança deles (Apo. 14:13).

3. Propósitos e Instrumentos Especiais

Os memoriais serviam para destacar aquilo que era importante do que era comum; para inspirar os homens a atos de justiça; para preservar a memória daquelas coisas que Deus aprova, para que os homens aprendam das mesmas. Os *túmulos* eram memoriais, talvez com um sentido interior, uma instituição que relembrava o fato de que o homem, realmente, é um ser imortal, e que qualquer tributo prestado ao homem não é vão e nem destituído de significação. *Pedras* serviam de memoriais importantes, porquanto as coisas que nelas se inscreviam perduravam por longo tempo. Ver Êxo. 28:9-12. O novo nome será inscrito em uma pedra preciosa, o que simboliza o caráter ímpar de cada ser (ver Apo. 3:12). Os crentes são colunas no templo de Deus, em cujas colunas é inscrito o nome de Deus, o nome da Nova Jerusalém e o nome do próprio Cristo. Isso designa a imortalidade e a glorificação deles. Os *livros* são memoriais naturais porquanto registram, de forma extensa, a mensagem divina, dando clara indicação acerca da responsabilidade humana (Êxo. 17:14). A Bíblia é o mais duradouro dos memoriais de Deus, que continua comunicando o plano de Deus aos homens, além de revelar-lhes a mensagem da redenção. *As festividades*. Há uma festa no Antigo Testamento, a *Páscoa* (vide), e uma no Novo Testamento, a *Ceia do Senhor* (vide). Ver, respectivamente, Êxo. 12:14 e I Cor. 11:24. *Dias especiais*. O sábado servia de memorial (Êxo. 20:8). Paulo mencionou muitos dias especiais, quase todos eles comemorativos (Rom. 14:4 *ss*). A Igreja cristã tem determinado muitos dias comemorativos, sobre eventos e pessoas. Ver sobre o *Calendário Eclesiástico*.

MEMORIAL ESCRITO

Em Malaquias 3:16, há alusão a um registro com esse nome. O mais provável é que se trate de uma metáfora, similar à que cerca o «livro da vida» (ver o artigo). Estão em foco registros memoriais antigos, feitos por reis, onde eles anotavam questões importantes, que não deveriam ser esquecidas. Seria a mesma coisa que os anais de um reino. O trecho de Malaquias fala sobre aqueles que agora reverenciam a Deus, os quais serão relembrados no futuro dia do Senhor, e serão protegidos e salvos eternamente. (G)

MEMRA

Essa palavra, que é de origem aramaica, é uma espécie de eufemismo, para justificar certos atos de Deus, que parecem não ficar muito bem na Pessoa divina. Esse vocábulo é empregado nos Targumim, ou seja, versões aramaicas da Bíblia. O termo, por si mesmo, significa *palavra*. Quando é dito que Deus teria feito algo que poderia ferir a sensibilidade espiritual de Deus, então, eles dizem que *memra*, «a palavra», teria feito tal coisa. Usos similares são *yekara*, «a glória», e *shekinta*, «presença». A *memra*, entretanto, não equivale ao Logos, que pode designar um ser e no Novo Testamento, a encarnação de Deus. Esses termos, pois, foram usados a fim de distanciar

Deus das coisas que são ditas que ele fez, por assim dizer, através de um tipo de poder indiferente e impessoal.

MEMUCÃ

Não se sabe o que essa palavra significa. Foi nome de um dos sete conselheiros reais, que atuava na corte dos medos e persas (ver Est. 1:14,16,21). Ele recomendou a deposição da rainha Vasti. Aqueles conselheiros eram homens sábios, eruditos nas leis, os quais eram consultados sempre que os conselhos deles se faziam necessários.

MENÃ

Nome de um dos antepassados de Jesus, mencionado em sua genealogia, em Luc. 3:31.

MENAÉM

Esse foi o nome do décimo sexto rei de Israel. Ver o artigo geral sobre *Israel, Reino de*. Esse artigo alista todos os reis de Israel, dando as suas datas e uma breve descrição de seus reinados. Ver também *Israel, História de*.

Esboço:

1. Nome e Família
2. Caracterização Geral
3. Data de seu Reinado
4. O Problema de Tifsa
5. Relações com a Assíria

1. Nome e Família

O nome desse rei, em hebraico, significa «consolador». Ele era filho de Gadi, o que pode significar que ele pertencia à tribo de Gade, e não que seu pai, realmente, tivesse esse nome. Fora à parte essa pequena informação, nada sabemos acerca de seus antecedentes.

2. Caracterização Geral

No texto bíblico ele aparece abruptamente, parecendo ter sido um dos chefes militares do rei Zacarias. Quando soube do assassinato daquele rei, e de como Salum, o assassino, havia usurpado o trono, marchou imediatamente de Tirza (onde recebera tais notícias) para Samaria, a capital do reino do norte. Menaém matou Salum e tornou-se rei por usurpação, por sua vez. A cidade de Tifsa (ver o quarto ponto, abaixo) recusou-se a aceitar o seu governo, pelo que ele prontamente marchou contra a mesma e ordenou uma grande e bárbara matança, acerca do que Josefo (ver *Anti*. 9.11,1) fez comentários mordazes. Josefo disse que nem mesmo da parte de estrangeiros se poderia esperar coisas tão terríveis como aquelas que Menaém fez. Tendo começado tão horrendamente, naturalmente ele aderiu aos pecados de *Jeroboão* (vide). Porem, as dificuldades estavam tão-somente começando. Os assírios estavam expandindo seus territórios, e Israel tornou-se alvo dessas conquistas. Menaém, porém, foi capaz de evitar a invasão assíria mediante o pagamento de cinqüenta siclos cobrados de cada homem de posses em Israel. Não muito mais é dito acerca de Menaém. Esse suborno, entretanto, não livrou Israel por muito tempo, embora ele mesmo tivesse continuado a ocupar o trono até à sua morte, que ocorreu em cerca de 742—741 A.C. Foi substituído no trono por seu filho, Pecaías. Menáem foi o último rei de Israel a ter um filho seu como sucessor. Quanto aos registros bíblicos a respeito de Manaém, ver II Reis 15:14-22. Seu reinado durou dez anos (cerca de 746—737 A.C.).

3. Data de seu Reinado

Uma das grandes dores de cabeça que cercam os estudos sobre o Antigo Testamento é a questão da cronologia. Ver o artigo *Cronologia*. Há estudiosos que pensam que é imprescindível determinar datas exatas, razão pela qual um ano ou dois torna-se motivo para intermináveis discussões. A arqueologia e as referências literárias antigas são evocadas para prestar seu testemunho, na busca pela solução desses enigmas cronológicos. Os sincronismos com base em II Reis 15:17,23 informam-nos de que o reinado de Menaém deu-se entre o trigésimo nono e o qüinquagésimo ano de Uzias, o que seria dez anos, mais o seu ano de ascensão ao trono. Tiglate-Pileser III tornou-se rei da Assíria em 745 A.C., e rei da Babilônia, com o nome de Pul, em 727 A.C., ou seja, apenas um ano antes de sua morte. Esses fatos são demonstrados pela correlação da Crônica Babilônica com a lista dos reis babilônios. O trecho de I Crô. 5:26, dá-nos essa identificação de nomes. Menaém é mencionado com seu nome em assírio, *Menihimmu*, nos anais de Tiglate-Pileser, que diz ali que Menaém pagou tributo ao império assírio. Essa referência literária tem sido datada por Albright como pertencente a 738 A.C. Ele parte da data mais remota em que esse rei assírio pode ter morrido. Todavia, a questão tem dado margem a muitos debates, e poderíamos pensar que aquela referência fala sobre algum outro ano. Isso posto, não nos ajuda muito tentar marcar uma data exata para o reinado de Menaém, rei de Israel. Alguns pensam que ele reinou entre 752 e 742 A.C., mas outros falam em 745 e 738 A.C. Essa última possibilidade não aceita como exato o sincronismo com II Reis 15:1. Na verdade, a questão dos reinados e co-reinados dos monarcas sempre provocou confusão quanto às datas de governo de qualquer dos reis antigos. Alguns estudiosos tentam datar o reinado de Menaém como mais antigo, dando espaço para os reis restantes, que são mencionados em II Reis 15:23,26 e 17:1. Os eruditos ainda não encontraram qualquer modo de computação que seja absolutamente certo, acerca dessa questão, pelo que a questão da cronologia bíblica, no tocante aos períodos de governo dos reis, forma um espinhoso problema para os eruditos.

4. O Problema de Tifsa

O nome dessa cidade, no grego, tinha a forma de *Thapsacus*. Ficava no alto curso do rio Eufrates, embora sua localização não possa agora ser determinada com exatidão. Os críticos textuais emendam o nome para *Sameque*, o que não representa muita modificação no hebraico. *Tifsa* poderia ter sido forma produzida por um erro escribal. Mas outros dizem que esse nome aponta para uma localidade não-identificada, que tinha, realmente, esse nome. A Septuaginta luciana diz *Tapua* (vide), o que tem sido seguido por algumas traduções, mas sem apoio nos antigos manuscritos, mas somente naquela versão. Além da identificação geográfica do lugar, um outro problema é o da excessiva brutalidade que o rei Menaém usou contra seus compatriotas israelitas, ultrapassando o que se poderia esperar de um pagão. Mas, quando se trata de um político sedento de poder, qualquer coisa pode suceder, até mesmo matanças, e a questão de raça em coisa alguma impede tais violências. Consideremos os grandes expurgos de Stalin, da União Soviética, entre a sua própria gente; ou os expurgos de Mao Tsé-Tung, na China Comunista. E também não é nenhum segredo o que aconteceu na Argentina, em tempos bem mais recentes. Talvez Menaém não tivesse agido pior do que Stalin.

5. Relações com a Assíria

Não há certeza se Manaém pagou seu suborno (tributo) à Assíria, nos primeiros ou nos últimos anos de seu reinado, e os eruditos não concordam entre si a esse respeito. Sem importar qual tenha sido o caso, coisa alguma ficaria provada sobre o estado do poder assírio, se mil talentos de prata, pagos, não fossem o bastante para impedir uma invasão assíria, se a Assíria, naquele ponto dos acontecimentos, tivesse a capacidade de desfechar tal ataque. A história mostra-nos que os reinos sempre foram muito ambiciosos por tributos, e talvez, em certas ocasiões, fosse mais interessante receber tributo do que invadir outra nação e defrontar-se com uma multidão de problemas. O fato foi que, a fim de pagar tanto dinheiro, Menaém impôs uma taxa sobre sessenta mil pessoas, aquelas que eram mais endinheiradas. Incidentalmente, isso mostra que eram mantidos registros cuidadosos dos cidadãos de Israel, de tal modo que o governo sabia qual a situação financeira dos indivíduos. A taxa envolveu o preço de um escravo (ver Zac. 11:12), o que consiste em uma curiosidade para nós. Um tributo similar foi cobrado por Tiglate-Pileser III, de Peca, e por Senaqueribe, de Ezequias. Porém, Adade-Nirari realmente se saiu bem quando levou dois mil e trezentos talentos de prata, de Damasco, em 806 A.C., além de vinte talentos de ouro. Menaém, como é claro, estava barganhando para permanecer mais tempo no trono. Talvez, incidentalmente, ele estivesse interessado na independência de Israel. Sem dúvida, ele agia pragmaticamente. Mas talvez ele tivesse pensado ser mais fácil negociar com a Assíria do que com outros inimigos, como a Síria e a Fenícia. Tal avaliação, porém, mostrou estar equivocada, e o cativeiro assírio (vide) ocorreu não muito tempo depois.

MÊNCIO (MENG-TZU)

Suas datas foram cerca de 371—289 A.C. Ele foi um filósofo chinês, natural de Xantungue. Estudou com um discípulo do neto de Confúcio. Foi mestre e funcionário público, de grande prestígio na China antiga. Sua carreira foi parecida com a de Confúcio. Consagrou sua vida à tarefa de persuadir os governantes e os belicosos estados chineses de que fariam bem em basear seu governo sobre as idéias e a moralidade ensinadas por Confúcio. Ver sobre o *Confucionismo*.

Sua grande influência levou-o a ser alcunhado de Meng-Tzu, «mestre Meng», um nome que foi latinizado para *Mêncio*. Ele argumentava que um governante verdadeiramente bom e capaz haveria de receber o apoio natural e espontâneo do povo, pelo que o caminho seguido pelo confucionismo seria bom, quando aplicado à política governamental.

Mêncio partia do pressuposto de que a natureza humana é boa, e que ela pode ser treinada, quando surgem oportunidades para tanto. Em conseqüência, um governante pode tornar-se um homem bom, e o povo corresponderá favoravelmente a isso, porquanto todos os homens teriam afinidade com a bondade. Ele acreditava que a planta da bondade e da moralidade precisa de um cultivo constante, e que é nesse ponto que se faz sentir a contribuição da filosofia e da religião.

Os ensinos de Mêncio, incluindo diálogos com governantes, com discípulos, etc., estão registrados na obra *Meng-Tzu*, que contém uma completa expressão das idéias do confucionismo. A ênfase dele recaía sobre a dupla virtude da justiça e da humanidade, chamadas *li* e *jen*, respectivamente, em chinês. Ele reconhecia o direito do povo revoltar-se contra governantes maus e empedernidos, que rejeitassem os verdadeiros princípios e teimassem em seguir seus caminhos tortuosos.

MENDELSSOHN, MOISÉS

Suas datas foram 1720—1786. Ele foi um filósofo judeu, nascido em Dessau, na Alemanha. Foi estudante de *Maimônides* (vide), mediante o livro deste, *Guide for the Perplexed*. Ele foi, essencialmente, um autodidata no campo da filosofia. Foi humanista de estatura considerável, um dos originadores do *Iluminismo* (vide) e do período de emancipação dos judeus alemães.

Mendelssohn recebeu uma educação talmúdica tradicional, mas foi muito além da mesma, tendo estudado largamente ciências, filosofia, línguas e literatura. Obteve assim a reputação de ser um dos principais filósofos de sua época, na Europa e na Alemanha. Sua obra, *Phaedon* (publicada em 1768), foi lida por muitos garantindo-lhe o título de *Sócrates Alemão*. Ele estava à frente dos homens de sua época, tendo advogado a absoluta separação entre a Igreja e o Estado, bem como a liberdade nas crenças e práticas religiosas. Procurou levar o povo judeu a sentir-se mais ligado à cultura que o cercava. Traduziu o Pentateuco para o alemão, além de haver impresso, como obra paralela, um comentário, para o qual outros escritores também contribuíram. Encorajou os judeus da Alemanha a aprenderem bem o alemão, abrindo-lhes assim um horizonte mais lato quanto à cultura e à vida na Alemanha. Junto com alguns poucos amigos, fundou o que veio a chamar-se de *Ha-Meassef*, «O Coletor», que servia de porta-voz do Iluminismo entre os judeus. Também foi instrumental na ampliação do currículo de assuntos ensinados em escolas judaicas, tendo estimulado, principalmente, o estudo das ciências e da literatura entre os judeus. Mendelssohn contava com importantes amigos, incluindo filósofos de proa, além de Gotthold Ephraim Lessing, que se utilizou da figura de Mendelssohn como seu herói na peça teatral *Natã, o Sábio*. Mendelssohn é lembrado por sua defesa em favor da tolerância entre os povos, como também por sua inquirição pelo que é excelente, aquilo que ultrapassa dos limites da cultura e da criação do indivíduo.

Obras Principais. *Philosophical Conversations; On Evidence in the Science of Metaphysics; Phaedon,* ou *Concerning the Immortality of the Soul; Jerusalem; Morning Hours* ou *Lectures on the Existence of God.*

Idéias:

1. Mendelssohn não foi nenhum filósofo original, que tivesse criado alguma nova escola de pensamento filosófico, mas foi um mestre eficaz e escritor sobre antigos temas, como os argumentos em favor da existência de Deus e da imortalidade da alma. Ele deduzia a imortalidade da alma do conceito da alma como uma substância simples e irredutível, *à la Sócrates-Platão*.

2. Foi um resoluto defensor da liberdade e independência pessoal, religiosa e política. Ele enfatizava a liberdade de consciência e de fé.

3. Advogava a separação entre a Igreja e o Estado, como medida necessária à liberdade religiosa.

4. Argumentava que diferentes pessoas necessitam de diferentes fés religiosas, insistindo que a prova da religião de uma pessoa encontra-se em sua conduta, e não em suas crenças diferenciadas. Temos aí o teste moral da verdade.

5. Ele defendia o direito dos judeus de serem judeus, e o direito de insistirem em amoldarem-se às suas inúmeras leis. Porém, também insistia que isso deve ser posto em prática em meio à liberdade de opinião, até mesmo entre os judeus que se reúnam na prática de sua religião.

6. No campo da *estética*, ele supunha que as obras de arte buscam um senso de *aprovação* da parte dos que as contemplam. Essa aprovação emprestaria às obras de arte a sua beleza. Todavia, dizia que a *perfeição* é subjetiva na estética. Essa avaliação subjetiva alicerçar-se-ia sobre a perfeição metafísica objetiva, ou seja, Deus. Assim sendo, a arte seria imitativa. Sentimos uma beleza perfeita, em uma obra de arte, quando sentimos nela a presença de Deus, simbolizada pelos esforços do artista em imitar a natureza.

7. No terreno da *epistemologia*, Mendelssohn cria que a verdade é obtida através da revelação bíblica, embora também possa ser obtida mediante a combinação da razão com o bom senso.

8. Ele foi um campeão do conceito da *tolerância* (vide).

•••

MENDICANTES, ORDENS

Essas são as fraternidades religiosas que crêem que a espiritualidade pessoal e o serviço ao público podem ser melhor servidos mediante a renúncia às riquezas e propriedades, e pela necessidade conseqüente de mendicar. Esse conceito era especialmente forte durante a Idade Média. Franciscanos, dominicanos, agostinianos e carmelitas, cada um a seu próprio modo, ocupava-se nessa filosofia e prática. Foi assim que os franciscanos tornaram-se recolhedores de esmolas. Para eles, isso parecia um bom exercício de humildade, além de prover para as necessidades básicas de sua ordem. Deveríamos deixar claro que isso não tinha por fim obviar a necessidade de trabalhar, embora a história mostre-nos que, algumas vezes, tal filosofia degenerava exatamente nisso.

Os dominicanos lançavam mão da mendicância como ajuda à renúncia, e não apenas como meio de obter dinheiro. Pregadores envolviam-se nas atividades da prédica, dos estudos eruditos e dos labores missionários, mas a mendicância tornava-se uma parte muito comum em suas vidas. Os eremitas de Santo Agostinho e os carmelitas combinavam as associações de ermitões com fraternidades mendicantes. A prática de esmolar não era a maneira principal de ganharem a vida, no caso de nenhuma dessas ordens. Antes, era meio para promover o que seus membros pensavam ser uma maneira ideal de viver, em uma séria dedicação religiosa a certo número de causas, incluindo a busca pela espiritualidade pessoal. Mas, com a passagem dos séculos, essa filosofia foi-se tornando menos e menos saliente, embora substituída, em muitos casos, pela promoção de obras de caridade e o levantamento de fundos para as mesmas (e para outras causas), o que afinal de contas, é apenas outra maneira de pedir esmolas. No entanto, nem mesmo grupos evangélicos têm escapado disso! A mendicância não é vista com bons olhos nas Escrituras. Basta uma citação para mostrar isso: «...estamos informados de que entre vós há pessoas que andam desordenadamente, não trabalhando; antes, se intrometem na vida alheia. A elas, porém, determinamos e exortamos, no Senhor Jesus Cristo, que trabalhando tranqüilamente, comam o seu próprio pão» (II Tes. 3:11,12).

MENE, MENE, TEQUEL, UFARSIM

1. As Palavras

Essas palavras são aramaicas e significam «numerado, pesado, dividido», as quais foram interpretadas por Daniel (Dan. 5:5,25-28), como uma predição de condenação contra Belsazar e seu reino babilônico. A mensagem completa era a seguinte: «MENE: Contou Deus o teu reino, e deu cabo dele». «TEQUEL: Pesado foste na balança, e achado em falta». «PERES: Dividido foi o teu reino, e dado aos medos e aos persas». Belsazar e seu povo haviam sido pesados e achados leves demais, na balança divina, não podendo contrabalançar o juízo divino iminente. Os medos e persas, povos irmãos, haveriam de tornar-se o império mundial seguinte.

2. A Interpretação

Demos acima tanto a interpretação de Daniel quanto uma interpretação histórica do que veio a suceder. Os astrólogos, oficiais e adivinhos babilônicos não puderam nem ler e nem interpretar a mensagem. Visto que as palavras são caldaico puro, é difícil perceber a razão pela qual não as puderam ler. Talvez tivessem sido inscritas de forma visionária, não podendo ser lidas por olhos profanos. Ou, então, «ler», nesse caso (ver Dan. 5:7,8), signifique «ler com entendimento». Nesse caso, eles reconheceram as palavras, mas não souberam dizer qual o seu significado. O próprio rei estava aterrorizado e perplexo, e chamou seus sábios, na esperança de lhe fornecerem uma resposta. Mas isso só foi feito por Daniel (ver Dan. 5:24 *ss*), presumivelmente por divina interpretação. O mistério não estava no deciframento das palavras, mas no significado delas. A interpretação dada pressupõe o texto massorético. A palavra «mene», duplicada como foi, ocorreu por ditografia escriba, para efeito de ênfase, ou propositalmente, a fim de fazer as quatro palavras corresponderem aos quatro reinos de Daniel, nos capítulos segundo e sétimo de seu livro, a fim de emprestar à mensagem uma espécie de simetria. Pessoalmente, penso que a repetição visava à ênfase.

3. As Circunstâncias

O rei **Belsazar** (vide) organizara um imenso festim. Por pura ostentação, foram exibidos os vasos de ouro e de prata que Nabucodonosor, seu pai, havia retirado do templo de Jerusalém. Isso simbolizava o poder da Babilônia, e como a Babilônia havia reduzido a nada outras nações. Mas também era um ato de desrespeito para com *Yahweh*, o Deus de Israel. Ademais, os babilônios exaltavam às suas próprias divindades, representadas por ídolos feitos de ouro, de prata, de bronze, de ferro, de pedra e de madeira. Isso posto, o festim era uma orgia idólatra e blasfema. Foi em meio à festa que os dedos de um homem apareceram e escreveram sobre a caiadura da parede. E o rei, estando perto, pôde observar todo o acontecimento. Pode ter havido uma escrita literal, que deixou marcas sobre a parede, ou pode ter sido uma visão compartilhada por todos os convivas. Seja como for, foi um acontecimento impressionante, que arrebatou a atenção de todos os presentes e os deixou aterrorizados.

4. A Providência Divina

Deus é quem dera aos babilônios e a Belsazar o poder que eles tinham. Não obstante, não reconheceram isso, nem apreciaram sua significação. Ver Dan. 5:18-20. Deus dava a eles até mesmo a vida que tinham, simbolizada pela respiração deles (vs. 23). No entanto, Deus não estava sendo honrado por eles. Antes, volveram-se para os ídolos e para a bebedeira como sua maneira de viver. Portanto, a mesma providência divina que lhes havia dado todas aquelas coisas e vantagens, agora as removia deles, com a total desintegração do próprio império babilônico.

5. Lições Espirituais

Os propósitos e a providência de Deus incluem até mesmo os povos pagãos. Nada existe fora do controle do poder de Deus. Até mesmo os pagãos têm a responsabilidade de manusear corretamente os dons e privilégios que recebem, e tanto mais os indivíduos regenerados. Deus é um Deus teísta, e não deísta. Deus intervém, castiga e recompensa aos homens, de acordo com as obras de cada um. Quanto maior é o privilégio recebido, tanto maior deve ser o senso de responsabilidade. Ver os artigos intitulados *Teísmo* e *Deísmo*.

MENELAU

Essa palavra significa «resistindo ao povo». Vem do grego *meno* e *laos*. No grego, a combinação dessas palavras deu *Menelaos*. Ele foi uma importante figura da história dos *Macabeus* (vide). Ele era irmão de Simão, o Benjamita (ver II Macabeus 4:23; 12:3-8). Josefo informa-nos que ele também era irmão de Jasom e de Onias III (ver *Anti*. 12.5), que usurpou o ofício sumo sacerdotal. Durante o reinado de Antíoco IV Epifânio, Menelau foi enviado pelo sumo sacerdote Jasom (o qual traçava ludíbrios juntamente com Onias) a Antioquia, a fim de levar tributo dos judeus ao rei (171 A.C.). Em vez disso, Menelau ofereceu ainda maior soma de dinheiro ao rei, acima da quantia que Jasom havia oferecido, a fim de ser confirmado como sumo sacerdote. E foi assim que Menelau tornou-se sumo sacerdote dos judeus (ver II Macabeus 4:23 *ss*). Em vista disso, Jasom precisou fugir. Incrivelmente, Menelau não pagou o que oferecera pagar, a fim de obter por simonia a posição de sumo sacerdote. Recebeu ordens de comparecer novamente em Antioquia. Ali chegando, ofereceu ainda mais subornos. Os livros dos Macabeus dizem-nos que ele precisou furtar os vasos do templo a fim de levantar fundos para pagar Andrônico a fim de que assassinasse a Onias, que desmascarara as nefandas atividades de Menelau (II Macabeus 4:31 *ss*). O incrível é que quando a história foi descoberta, Antíoco mandou executar Andrônico, mas Menelau escapou sem um único arranhão.

Menelau ainda caiu em outros equívocos. Ele deixou Lisímaco, seu representante, em Jerusalém, a fim de administrar durante a sua ausência. Ele oprimiu o povo e isso deu motivo a um levante onde se derramou muito sangue. Naturalmente, foram feitas acusações contra Menelau, pois Lisímaco estava agindo em nome dele. Menelau tomou conhecimento das dificuldades quando se encontrava em Tiro. Todavia, não precisou enfrentar problemas insuperáveis, pois tinha muito dinheiro. Ele simplesmente subornou ainda um maior número de pessoas. Dessa vez, subornou a Ptolomeu, um influente cortesão, que usava sua influência para manipular o rei. O resultado de tudo isso foi que Menelau foi inocentado, e seus acusadores foram executados (ver II Macabeus 3:39 *ss*).

Entrementes, em seu exílio, Jasom estava traçando planos para voltar em grande estilo. Circularam rumores no Egito (onde ele estava) que Antíoco, o rei, havia morrido. Isso encorajou-o a pôr o seu plano em execução. Mas o rei, afinal, não havia falecido. Antes, avançou contra Jerusalém, efetuou um grande massacre e saqueou o templo, e, naturalmente, aquele grande vigarista, Menelau, estava presente a fim de ajudá-lo (ver II Macabeus 5).

Mas, finalmente, a justiça apanhou Menelau. Em 162 A.C., aparentemente, ele não era mais o sumo sacerdote, e foi condenado por Eupator. Foi executado violentamente, precipitado de uma elevada torre e caiu sobre cinzas, lá embaixo.

MENESTEU

Esse nome grego significa **habitante**. Ele era pai de Apolônio, um dos generais de Antíoco IV Epifânio (ver II Macabeus 4:4,21).

MÊNFIS

1. Nome
2. Geografia
3. Esboço Histórico
4. Arqueologia
5. Importância Religiosa
6. Nas Páginas da Bíblia

1. Nome

No egípcio, essa palavra é *Mo-nfr*. No hebraico, temos *Mop* ou *Nop*. No começo, essa cidade era chamada *inb-hd*, «muralha branca». Então, tornou-se *Menefer*, o nome da pirâmide que comemorava Pepi I, da VI Dinastia egípcia. Essa palavra acabou corrompida para *Mênfis*. Um nome alternativo dessa cidade era *Hi-k-up-tah*, cuja raiz significa «casa do espírito de Ptá». Dessa palavra é que se deriva o nome *Egito*. *Menefer*, por sua vez, alicerça-se sobre o egípcio *Man nofri*, que significa «a habitação», conforme somos informados por Plutarco (*Isid. et Osir*., cap. 20). Ela também era chamada *Pthah-ei*, «residência de Ptá». Há uma lenda que diz que Menes foi o primeiro rei humano do Egito, e alguns ligam o nome dele ao nome dessa cidade; mas, mais provavelmente, a lenda inventou esse nome a fim de «explicar como as coisas começaram», e, mediante um som similar, chegou-se ao seu nome. Nesse caso, o nome daquele rei derivou-se do nome dessa cidade, e não vice-versa.

2. Geografia

Mênfis ficava localizada às margens do rio Nilo, cerca de vinte e quatro quilômetros do ponto mais nortista do rio, e cerca de vinte e um quilômetros ao sul da moderna cidade do Cairo. Uma cidade moderna, chamada Mit Rahineh, ocupa parte do antigo local.

3. Esboço Histórico

As tradições dizem-nos que Menes (3100 A.C.) foi o fundador de Mênfis, e que também unificou o Egito, formando um único império, fazendo dessa cidade a sua capital. Sem importar se isso exprime a verdade ou não, o fato é que essa cidade foi capital do Reino Antigo, tendo retido essa posição até o final daquela era (cerca de 220 A.C.). Então, ao deixar de ser a capital, Tebas passou a ocupar esse privilégio. Contudo, Mênfis continuou sendo cidade importante, mormente como centro religioso. Os etíopes capturaram-na em 630 A.C.; os assírios fizeram a mesma coisa em 731 e 666 A.C. Os persas apossaram-se dela em 525 A.C. Durante o período persa, Mênfis foi um centro cosmopolita, tendo sido visitada pelo historiador grego Heródoto. Alexandre, o Grande, visitou a cidade; mas Alexandria ultrapassou-a em muito. Após isso, pouco mais se registra sobre a cidade, até à conquista dos islamitas. Eles usaram material retirado de suas ruínas para edificar o Cairo, a princípio chamado *al-Fustat*. Isso ocorreu no século VII D.C.

4. Arqueologia

As escavações começaram em Mênfis, em 1909. Essa primeira campanha arqueológica prolongou-se até 1913. O principal arqueólogo foi Sir Flinders Petrie. Foram descobertos o templo e a acrópole de Ptá. Houve outros dois períodos de escavações, encabeçados por C.S. Fisher, em 1915—1919, e novamente, em 1921—1922. Restos do templo de Ramsés II (1301—1234 A.C.) foram, então, descobertos, como também uma capela de Seti I (1313—1301 A.C.), vários túmulos datados de cerca de 800 A.C.; restos de casa de embalsamamentos do boi Ápis, com inscrições de Neco, de Apries (na Bíblia, Ofra) e de Sesonque (na Bíblia, Sisaque). A Universidade de Pennsylvania auspiciou essas escavações de 1954 a 1956, do que resultaram muitos artefatos descobertos. Entre os restos encontrados podemos mencionar ruínas de uma vintena de pirâmides, e a famosa esfinge. Também devemos mencionar as pirâmides de Djedefre, em Abu Rawash, as de Quéopes, Quéfren e Miquerinos, em Gizé, e as da V Dinastia, em Abisir.

5. Importância Religiosa

O deus supremo de Mênfis era Ptá. Ele era considerado o criador, o patrono das artes e dos ofícios, e era concebido como dotado de imensos poderes. Seus ídolos exibem-no com a forma de um homem, com barba reta, cabeça lisa (provavelmente careca), à moda dos egípcios, que rapavam os cabelos. Ele brandia um cetro que indicava seu poder real. Uma estela do tempo de Sabaca (cerca de 700 A.C.) dá-nos algum discernimento quanto à teologia que circunda esse deus. Presumivelmente, ele teria criado todas as coisas mediante a força de seu pensamento, conforme muitos filósofos idealistas têm dito ser possível. E também teria criado as coisas falando para elas virem à existência, *à moda do livro de Gênesis*. Naturalmente, ele não era a única divindade de Mênfis. Ele formava uma tríada divina, juntamente com Ptá, sua esposa, e o filho deles, Nefertem. A adoração ao boi, tão popular no Egito, fazia parte do culto religioso de Mênfis. Ver sobre o *Boi Ápis*. Entre os seus chifres aparecem o disco solar e uma serpente. Esse boi era considerado encarnação de Ptá e de Osíris. Quando Osíris foi combinado com o boi Ápis, tornou-se Serápis. Ver o artigo geral intitulado *Deuses Falsos*. Ver o artigo chamado *Tríadas (Trindades) na Religião*.

6. Nas Páginas da Bíblia

Os hebreus chamavam essa cidade de **Nofe** (ver Isa. 19:13) ou *Mope* (ver Osé. 9:6). Jeremias falou sobre os ultrajes da cidade (Jer. 2:16), tendo predito que Nabucodonosor derrotaria os egípcios, e que os israelitas que estivessem então residindo em Mênfis seriam feitos prisioneiros. Ezequiel também profetizou acerca dessa cidade (Eze. 20:13-16). A cidade é mencionada um total de oito vezes, nos livros proféticos. Talvez a mais notável profecia de condenação de Mênfis seja a de Ezequiel, que atacou amargamente a sua idolatria, predizendo a destruição da cidade. Jeremias predisse que a cidade ficaria desolada e em totais ruínas. Alguns intérpretes pensam que a ausência comparativa de ídolos, descobertos no Egito (embora saibamos que a idolatria tivesse sido intensa ali) pode ser explicada pela vasta destruição de seus templos e artefatos, por exércitos inimigos invasores.

MÊNFIS, VERSÃO DO NOVO TESTAMENTO

Além das duas principais versões egípcias do Novo Testamento—a saídica e a boárica, também houve outras, em quatro outros dialetos: a menfítica; a faiúmica; a acmímica e a subacmímica. Todavia, nesses dialetos faltam largas porções do Novo Testamento. Cerca de metade do evangelho de João existe em um manuscrito pertencente ao século IV D.C., no dialeto faiúmico. No dialeto subacmímico, há o evangelho de João, em um papiro do século IV D.C. Há fragmentos de Mateus, Lucas, João, Tiago e Judas no dialeto acmímico, parte dos quais data dos séculos IV e V D.C. No tocante a versões do Antigo e do Novo Testamentos, o termo *menfítico* designa o que agora se chama boárico. Há alguns poucos fragmentos do Antigo Testamento. Mênfis era a principal cidade do Baixo Egito, e o adjetivo boárico refere-se àquela área do Egito. Esse nome deriva-se do árabe, *Bohairah*, que é dado à região. Em conseqüência, *menfítico* e *boárico* são meros sinônimos. Existem mais de cem manuscritos da versão boárica; e o mais antigo é um manuscrito dos evangelhos, com data de 1173—1174 D.C. Quanto a completas informações a respeito, ver *Manuscritos, Novo Testamento* e *Versões Antigas*. A versão egípcia, a grosso modo, tem o tipo alexandrino de texto, o mais antigo representante de tipo de texto regional do Novo Testamento.

MENI (DESTINO)

No hebraico, «destino», «sorte». Essa era o nome de uma divindade pagã, mencionada em Isa. 65:11. O profeta Isaías queixou-se que o povo de Israel esquecera-se do culto a Yahweh a fim de armar mesas de banquetes à Fortuna (o deus *Gad*) e ao *Destino* (o deus *Meni*). O culto religioso sempre envolveu a idéia de banquetes. O alimento é oferecido aos deuses, mas é consumido pelos homens. Não se sabe ao certo que povos adoraram, a princípio, os deuses Gad e Meni. Alguns estudiosos têm sugerido a Babilônia, mas outros pensam na Ásia Ocidental. Ver o artigo geral intitulado *Deuses Falsos*.

MENINA

No hebraico, **yaldah**, que significa, literalmente, «nascida». Em Joel 3:3 e Zac. 8:5, a palavra parece significar, apenas, «menina». Mas em Gênesis 34:4, onde a palavra é traduzida por «jovem», em nossa versão portuguesa, parece que o termo refere-se a uma donzela em idade de casamento, presumivelmente virgem, mesmo porque, em Israel, todas as jovens solteiras que havia, presumivelmente, — eram virgens. O trecho de Zacarias 8:5 fala tanto sobre meninos como sobre meninas. No Novo Testamento, temos a palavra grega *kore*, «menina», em sua forma diminutiva, *korasion*. Mas também encontramos a forma diminutiva *paidiske*, derivada de *pais*, «criança». *Korasion* é palavra que aparece no Novo Testamento por um total de oito vezes: Mat. 9:24,25; 14:11; Mar. 5:41,42; 5:22,28 (neste último versículo, por duas vezes). *Paidiske* pode significar «menina» (Mat. 26:69; João 18:17; Atos 12:13), menina escrava (Atos 16:16) ou serva (Gál. 4:22,23,30,31). Essa palavra aparece por um total de treze vezes, nas páginas do Novo Testamento.

MENINA (DONZELA)

Devemos pensar aqui sobre certa variedade de palavras hebraicas e gregas:

No hebraico:

1. *Negebah*, «menina», similar a *naarah* (II Reis 5:2,4; Esd. 2:4,9,13). Ver seu uso em Lev. 12:5.

Corresponde ao termo grego *paidíske* (Mar. 14:55), designando uma criança do sexo feminino, do nascimento à adolescência. Esse termo hebraico ocorre somente em Lev. 12:5.

2. *Bethulah* (Êxo. 22:16; Juí. 19:24; Jó 31:1; Sal. 78:63; Jer. 2:32; 51). Essa palavra significa «virgem», podendo tanto indicar uma virgem recém-casada, ou mesmo uma jovem esposa (ver Joel 1:8).

Metaforicamente, cidades e países também eram designados por essa palavra, mais ou menos como usamos os pronomes «ele» ou «ela» para indicar um país ou uma cidade. Ver Jer. 18:13; 31:4,21; Amós 5:2. Tal termo ocorre por nada menos de sessenta e uma vezes no Antigo Testamento.

3. *Almah* (Gên. 24:43; Êxo. 2:8; Sal. 68:25; Isa. 7:14). Essa é a palavra em torno da qual os estudiosos têm debatido tão acaloradamente, visto que aparece na passagem messiânica de Isa. 7:14, sendo citada em Mat. 1:23 mediante o termo grego *párthenos*, «virgem». A própria palavra hebraica, *almah*, significa «mulher jovem». Porém, visto que toda mulher jovem e solteira, em Israel, segundo se esperava, era uma virgem, algumas vezes a palavra era usada nesse sentido secundário. *Bethulah*, mais freqüentemente, era usada para indicar a idéia de «virgem». Essa palavra, *almah*, ocorre por catorze vezes nas páginas do Antigo Testamento. Ver o artigo intitulado *Nascimento Virginal de Jesus*.

4. *Shipheah* (Gên. 30:7 *ss;* Sal. 123:2; Isa. 24:2), «criada». Essa palavra hebraica ocorre por sessenta e três vezes no Antigo Testamento. É usada no Antigo Testamento como sinônimo da palavra seguinte, número cinco.

5. *Amah*, «escrava» ou «criada» (ver Gên. 30:3; Êxo. 21:20; Lev. 25:6; I Sam. 1:11; Sal. 116:16). Esse vocábulo hebraico aparece por cinqüenta e uma vezes no Antigo Testamento.

No grego:

1. *Korásion*, forma diminutiva e posterior de *kóre*, «menina», «menina pequena», palavra comumente usada na Septuaginta, por vinte e nove vezes. É empregada por oito vezes no Novo Testamento: Mat. 9:24,25; 14:11; Mar. 5:41,42; 6:22,28 e Apo. 18:9.

2. *Neanis*, «jovem». Usada por trinta e nove vezes na Septuaginta, mas por nenhuma vez no Novo Testamento.

3. *Paidíske*, «menina». Essa palavra é forma diminutiva de *pais*, «criança», sendo usada por noventa vezes na Septuaginta e por treze vezes no Novo Testamento: Ver Mat. 26:69; Mar. 14:66,69; Luc. 12:45; 22:56; João 18:17; Atos 12:13; 16:16; Gál. 4:22,23,30,31. A palavra normal, *pais*, «criança», é usada por vinte e quatro vezes no Novo Testamento, e indica tanto uma criança quanto um jovem, do sexo masculino ou do sexo feminino.

4. *Párthenos*, «virgem». Usada por sessenta e quatro vezes na Septuaginta, embora nem sempre com o sentido de «virgem». Interessante é que em Gên. 24:16; Mat. 1:18; Luc. 1:27 temos a palavra nesse sentido; e, em Apo. 14:4, até mesmo indicando homens. Esse vocábulo grego é usado por catorze vezes no Novo Testamento: Mat. 1:23; 25:1,7,11; Luc. 1:27; Atos 21:9; I Cor. 7:25,28,34,36,37; II Cor. 11:2; Apo. 14:4. Essa é a palavra que é tradução de *almah*, termo hebraico que aparece em Isa. 7 14 e em Mat. 1:23. — Assim sendo, *párthenos* é a interpretação neotestamentária de *almah*. Ver os artigos intitulados *Virgem* e *Nascimento Virginal de Jesus*.

MENINA DO OLHO

Expressão que indica a pupila do olho. Metaforicamente era usada para indicar algo *precioso*, que tinha de ser ciosamente guardado. O termo hebraico por detrás do vocábulo significa «homenzinho», provavelmente uma alusão à pequena imagem que uma pessoa vê de si mesma, refletida nos olhos de outra pessoa. Há também outras expressões hebraicas como «filha do olho» ou «portão». Ver Deu. 32:10; Sal. 17:8 e Zac. 2:8, que enfatizam os cuidados de Deus por Seu povo, e também Pro. 7:2, que fala sobre a preciosidade da lei divina. Em Lamentações 2:18, o termo é usado como símbolo das lágrimas. (SZ)

MENINO

Uso literal. A palavra indica uma criança ou infante, como Moisés e Jesus, os mais importantes exemplos de crianças cujas histórias tiveram destaque. O caso de Moisés ilustra a providência divina na preservação de sua vida (ver Êxo. 2), quando ele foi então preparado para uma grande missão (ver Êxo. 2:11 *ss* , bem como o resto do livro de Êxodo). O relato sobre Jesus segue esse mesmo padrão, porque Sua vida foi primeiramente preservada, a fim de que pudesse cumprir uma grande missão, como o Segundo Moisés. Essa é a narrativa dos quatro evangelhos, mas somente Mateus e Lucas fornecem-nos qualquer informe sobre os primeiros anos da vida de Jesus. *Outras histórias de infantes importantes*. a. A matança dos meninos de Israel, para que não viessem a tornar-se uma ameaça para o Egito (ver Êxo. 1 e 2). Novamente, prevaleceu a providência divina. b. O profeta Samuel foi cercado de importantes eventos que garantiram o êxito de sua missão, quando ainda infante, quando sua mãe dedicou-o ao templo e ao serviço de Deus (ver I Sam. 1:10 e cap. 2). c. A matança dos meninos inocentes de Belém (ver Mat. 2:16 *ss.*). Neste ponto é ilustrada a loucura dos homens, paralelamente à providência divina, que impede que essa loucura chegue aos seus propósitos. d. Durante a Grande Tribulação futura (ver o artigo sobre a Tribulação), as mães com crianças pequenas sofrerão horrores especiais (ver Mat. 24:19).

Salvação de crianças (infantes). Há um problema teológico em torno das crianças e infantes que morrem. Há várias respostas: 1. Resposta calvinista radical. As crianças que morrem antes de receber o oferecimento da salvação estão eternamente condenadas, embora recebam um julgamento mais suave. 2. A resposta católico romana. Essas crianças e infantes vão para o *limbo*, um lugar que nem é céu e nem inferno, embora possamos supor que ali impere uma existência razoavelmente feliz. 3. A resposta da preexistência da alma. A alma é preexistente, pelo que já tem uma história espiritual *antes* de haver-se unido ao corpo físico. Essa história não é beneficiada e nem sofre prejuízo devido à breve união com o corpo. O destino do indivíduo é determinado à parte de sua existência física, se isso for necessário e todos os destinos são determinados pela vida da alma, antes e depois do nascimento, e não apenas pela vida física, quando a alma passa algum tempo nesta esfera terrestre. 4. A resposta racional. Se uma criança morre antes de chegar à idade da razão (digamos, até os seis, sete ou oito anos de idade), ela irá para o céu. Somente Deus pode determinar a idade exata. A maior parte dos evangélicos defende essa idéia.

Comentários sobre essas idéias. 1. A idéia calvinista radical é irracional, repulsiva e um insulto à bondade e ao amor de Deus, sem importar quantos textos de prova os homens pensem encontrar em seu favor. 2. A resposta católica romana tem o apoio apenas dos dogmas católicos, por não ser a resposta da Bíblia. 3. A resposta da preexistência pode solucionar muitos mistérios acerca da salvação humana. Era a posição da Igreja grega e dos pais gregos da Igreja. Não é necessário determinar o destino de uma alma em uma única vida terrena, e se a alma vive antes e depois dessa vida terrena, então a porta da salvação deve estar aberta, inteiramente independente do tempo em que uma criança morre. (Ver os artigos sobre a *restauração* e sobre a *descida de Cristo ao hades*). Alguns eruditos têm combinado as idéias da reencarnação com essa terceira resposta, presumindo que outras vidas terrenas continuem o dia da salvação, e que uma morte prematura, em qualquer vida, não exerce efeito sobre o destino final de uma alma (ver o artigo sobre a *reencarnação*). 4. A idéia racional é apenas isso, traçada através da *razão*. Não há qualquer apoio bíblico para ela. Como idéia racional, ela é mais razoável que a primeira e a segunda respostas, e menos racional que a terceira resposta, em minha opinião.

Uso metafórico.

a. Os crentes recém-regenerados são comparados com bebês. Tal como nossos corpos físicos são limitados quanto às comidas que eles podem ingerir, assim também os novos crentes precisam começar aprendendo as doutrinas mais simples, os requisitos da fé mais superficiais (ver I Ped. 2:1). O objetivo de qualquer nutriente é o crescimento, o qual deve ser buscado com anelo. b. O trecho de I Crô. 3:1,2 repreende aqueles que agem como crianças, sempre necessitados do leite espiritual. O resultado é que esses são crentes carnais, que vivem em contendas, brigando como fazem as crianças. c. Os trechos de Heb. 5:12-14 e 6:1-3 usam o termo como uma reprimenda. Os bebês não são hábeis no uso da palavra, e continuam precisando de mestres, quando eles mesmos deveriam tornar-se mestres, devido ao longo tempo passado desde a sua conversão. Devemos crescer em nosso conhecimento, ultrapassando as doutrinas primárias da fé cristã. Em caso contrário, correremos o perigo de cair na apostasia. Prosseguindo como adultos, buscamos a perfeição na fé. Estando envolvidos no processo de aperfeiçoamento, não haveremos de desviar-nos.

MENIPO DE GADARA

Ele viveu em cerca de 270 A.C. Menipo foi um filósofo grego da tradição cínica. Nasceu na Fenícia. Credita-se a ele o ter desenvolvido a tradição de escrever de modo satírico e burlesco. No mundo romano, a expressão sátira manipeana era usada para indicar a continuação do estilo e das formas escritas desenvolvidas por Menipo. Esse estilo influenciou os escritos de Varro e Sêneca.

MENNO, SIMONS

Suas datas foram 1492-1559. — Ele foi um reformador holandês. Foi dele que os *menonitas* (vide) adquiriram seu nome. Ele foi um ancião *anabatista* (vide). Nasceu em Witmarsum, na Freslândia, em cerca de 1496 (alguns dizem que até antes), e faleceu em Wustenfeld, Holstein, a 31 de janeiro de 1561 (alguns têm dito 1559). Foi ordenado padre católico romano e labutou como cura na vila de Pingium. Tinha suas dúvidas sobre a doutrina da *transubstanciação* (vide). Mediante o estudo do Novo Testamento, decidiu-se pela falsidade dessa doutrina. Por causa disso e de outras questões, gradualmente chegou a pensar que deveria tornar-se evangélico. O martírio de Sicke Syner, de Leeuwarden, um anabatista, atraiu-o de vez para a causa dos anabatistas. Tornou-se parte daquele grupo, embora evitando os excessos deles, e tornando-se conhecido por sua moderação.

Sua influência foi um fator acalmador e saudável naquele grupo. Ele se casou, tendo abandonado o conceito de celibato forçado, e não demorou a passar a viajar como evangelista, tendo pregado na Freslândia, na Holanda, na Alemanha e na Livônia. Finalmente, estabeleceu-se em Wustenfeld, perto de Oldesloe, onde o seu ministério chegou ao fim. Com base em seus esforços foi que os menonitas vieram à existência. Ver o artigo separado sobre os *Menonitas*.

Idéias:

1. A necessidade de santidade pessoal.

2. A necessidade de conversão pessoal. Sua própria história assemelha-se à de Agostinho. Sua conversão foi radical e decisiva.

3. Um ponto de vista *docético* de Jesus. Para ele, Cristo seria divino, mas não verdadeiro homem. Ele dizia que Jesus nasceu *em* Maria, mas sem assumir carne e sangue. Muitos menonitas modernos abandonaram essa posição, que talvez tenha sido a posição mais comum sobre a natureza de Jesus, entre os anabatistas.

4. A rejeição de infantes quanto ao batismo; o batismo em água é somente para os convertidos adultos.

5. O uso vigoroso da exclusão para manter a pureza da Igreja.

6. A exclusão de magistrados civis do rol de membros da Igreja, com base na idéia de que a Igreja é uma teocracia, e ter esses homens como membros é uma contradição com isso.

7. A absoluta proibição dos crentes prestarem juramento.

8. Para ele, a ciência é inútil e mesmo perniciosa para os crentes. Porém, se ele tivesse precisado de uma intervenção cirúrgica, teria chamado um de seus irmãos na fé para realizá-la?

9. A necessidade de uma vida santa; de boas obras; de repreender vigorosamente aos ímpios; de disciplina na vida.

Obras: *The Foundations of Christian Doctrine; Collected Writings.*

MENOLÓGION

Essa palavra designa o **Menaion**, uma coletânea de cultos litúrgicos em doze volumes, um volume para cada *mês*, o que explica seu nome (que vem do grego *men*, «mês»). Esse é o manual litúrgico da Igreja Ortodoxa Oriental. Mas esse mesmo nome também pode designar um volume menor, que consiste essencialmente em esboços dos santos de cada dia, ou de tabelas de lições escriturísticas. O termo também pode referir-se à coletâneas das histórias das vidas dos santos.

MENONITAS

O nome desse grupo religioso deriva-se de **Menno** (vide). Ver também o artigo intitulado *Anabatistas*.

Esboço:

1. Origem
2. Perseguições e Martírios

3. Doutrinas Distintivas
4. Grupos Distintivos entre os Menonitas
5. Estatísticas e Descrições

1. Origem

Os menonitas são um grupo evangélico que brotou dentre o movimento religioso do protestantismo, historicamente derivado dos *anabatistas* (vide), no século XVI. Menno Simons foi um ancião anabatista. O fundador dos anabatistas foi Conrado Grebel (cerca de 1498—1526), que, originalmente, fora discípulo do reformador suíço, *Huldreich* (Ulrico) *Zwínglio* (vide). Gradualmente, Grebel foi-se afastando de Zwínglio, formando o seu próprio grupo, que insistia em rebatizar aos crentes (pois rejeitava o batismo infantil). Seu primeiro batismo foi efetuado por George Blaurock, um ex-padre católico romano, que chegara a aceitar o ponto de vista evangélico. Por sua vez, Blaurock batizou outras pessoas.

Grebel era um homem bem-educado, treinado nas melhores universidades da época (Basiléia, Viena e Paris). A pregação de Zwínglio levou-o a abraçar o ponto de vista evangélico, e, por sua vez, Grebel influenciou a muitos outros. As Escrituras Sagradas tornaram-se sua única fonte de autoridade, embora algumas das doutrinas por ele ensinadas não tivessem origem bíblica.

Principais Idéias de Grebel:

1. A Igreja deveria ser composta somente de pessoas convertidas, que dessem evidência de seu arrependimento, mediante um cuidadoso e santo andar cristão.

2. As crianças são salvas naturalmente, até chegarem à idade da razão. Ver o artigo sobre *Infantes, Morte e Salvação dos*, que aborda essa complicada doutrina, com detalhes.

3. Os crentes adultos (aqueles que já tivessem chegado à idade da razão) deveriam ser batizados. O batismo infantil era rejeitado. Todavia, os primeiros anabatistas não batizavam por imersão. A afusão (derramamento abundante de água) era o modo usado.

4. Não deve haver religião oficial, do governo. Os convertidos devem unir-se voluntariamente à Igreja.

5. Nenhuma força ou violência deveria ser empregada em questões de fé. As pessoas precisam ser livres, unindo-se livremente à Igreja ou distanciando-se livremente dela. Os que abandonassem à Igreja não deveriam ser perseguidos.

6. Os crentes devem atuar inspirados pela lei do amor. Qualquer instituição que atue à base da força, automaticamente está errada e está fora da Igreja cristã. Matar em nome de Deus é um mal; perseguir é um grave pecado.

7. Os crentes precisam abster-se do serviço militar, porquanto matar o próximo é errado, mesmo que se trate de um ato oficializado. Os crentes também devem abster-se da magistratura civil.

8. Os crentes não podem emitir juramentos.

2. Perseguições e Martírios

Era apenas esperado que os poderes governamentais e religiosos viessem a perseguir aos anabatistas como um grupo herético. Perseguições foram desfechadas contra eles, e muitos dentre eles foram martirizados. E os primeiros grupos reformados (como os luteranos), embora não os tivessem perseguido ativamente, pelo menos manifestavam-se contra eles, devido aos seus excessos e devido a algumas de suas doutrinas.

3. Doutrinas Distintas

Ver estes dois artigos: *Menno, Simons* e *Anabatistas*, os quais alistam as crenças distintivas desse grupo. As doutrinas deles cobriam uma vasta gama. Alguns dentre eles eram universalistas (ver sobre o *Universalismo*). Muitos deles eram docéticos. Ver sobre o *Docetismo*. Os menonitas modernos, todavia, têm assumido uma posição mais bíblica e ortodoxa.

4. Grupos Distintivos Entre os Menonitas

Três seitas principais deram origem aos menonitas, os quais estão agora espalhados pelo mundo. Esses grupos tiveram sua origem naquela atmosfera inicial da Reforma Protestante européia: os irmãos suíços; os obenitas e os hutteritas. Tendo-se ampliado até à América do Norte (e daí para a cena internacional), cada uma dessas seitas produziu duas doutrinas distintivas e seu modo de vida peculiar. Todavia, esses grupos contavam com vários pontos em comum, especialmente a sua oposição ao batismo infantil, a sua insistência sobre o batismo somente de crentes e a sua oposição à hierarquia eclesiástica, formando um sacerdócio formal. Os grupos maiores, na América do Norte, são os Antigos Menonitas, a Conferência Geral de Menonitas, os Irmãos Menonitas em Cristo, a Mennonita Bruder Gemeinde, os Menonitas Reformados e os Menonitas da Antiga Ordem Amish. Também há numerosos outros grupos menores, com menos de dez mil seguidores, havendo apenas cinco desses grupos que contam com mais membros do que isso.

5. Estatísticas e Descrições

O número total de membros menonitas, ao redor do globo, incluindo todos os grupos, aproxima-se de quatrocentos mil, se incluirmos aqueles ganhos nos campos missionários. Dez desses grupos têm menos de seis mil membros. O grupo mais numeroso chama-se apenas *Igreja Menonita*, com cerca de cem mil membros, incluindo aqueles que se acham em vários países estrangeiros, onde as atividades deles têm florescido. Esse grupo maior retém as antigas e típicas doutrinas menonitas, requer que as mulheres usem um pequeno véu branco, quando oram nas igrejas, e mantêm vários colégios, uma escola de enfermagem e seminários para o treinamento de ministros.

A *Igreja Menonita de Conferência Geral* surgiu como um esforço unificador, que terminou fracassando. Atualmente, é o segundo maior grupo menonita, com cerca de setenta mil membros. Assemelham-se muito à Igreja Menonita em suas crenças e práticas, mas mostram-se muito mais moderados quanto à disciplina. Esses grupos batizam por efusão. Mas a *Igreja dos Irmãos Menonitas da América do Norte*, sob a influência dos batistas, adotou a imersão como modo de batismo. Eles dispõem de cerca de trinta e cinco mil membros, e defendem uma doutrina tipicamente menonita.

Um grupo menonita fora à parte é a Igreja Menonita Antiga Amish, que tem o seu centro de atividades no estado da Pennsylvania, nos Estados Unidos da América do Norte. Eles são seguidores de Jakob Amman, um bispo menonita suíço, que se afastou do grupo maior, em 1693, por querer uma disciplina mais estrita, incluindo que a Igreja repelisse a sociedade geral, e, especialmente, os excluídos. Os homens deixam crescer a barba, e as mulheres usam boinas e xales. As crianças são réplicas em miniatura de seus pais. A adoração é efetuada em residências particulares. Eles retêm o alemão (palatino) em seus cultos, o que é comumente chamado de alemão da Pennsylvania. Esse grupo conta com cerca de vinte mil membros. Os *hutteritas* são similares em aparência com o grupo anterior. São seguidores de Jacob Hutter (falecido em 1536). Eles praticam a comunhão de bens e vivem em colônias. Os membros não têm salários individuais, e compartilham de tudo quanto possuem. Esse tipo de comunismo cristão funciona bem entre eles, embora tenha falhado entre outros grupos, quando o têm experimentado. Contam com um pouco mais de dez mil membros, quase todos residentes no Canadá. (AM E P)

MENORAH

Essa é a palavra hebraica que indica o candeeiro com sete braços, usado no tabernáculo (ver Êxo. 25:31-40; 37:17-24), e, então no templo de Jerusalém (ver Zac. 4:2-5,10-14). Ver o artigo separado sobre o *Candeeiro de Ouro*.

De acordo com a tradição popular, a luz divina do *menorah* simboliza a presença de Deus (no hebraico, *shekinah*). Essa tradição também diz que essa luz jamais se apagou, até que a glória de Deus se afastou voluntariamente do templo de Jerusalém. Isso teve lugar, segundo a mesma tradição, pouco antes do templo ser destruído. Em cada sinagoga há uma imitação do *menorah*, e que simboliza ali, entre outras coisas, o espírito iluminador e inextingüível do *judaísmo*.

MENSAGEIRO

Esboço:

1. Palavras Empregadas
2. Tipos de Mensageiros
3. Mensageiros Celestes e Humanos na Igreja
4. Os Apóstolos de Cristo
5. Cristo, o Maior dos Mensageiros

1. Palavras Empregadas

No hebraico, *tsavah*, que vem de uma raiz que significa «nomear», «prescrever», «pôr em ordem», «enviar como mensageiro». Ver Gên. 50:16. O verbo hebraico usual para indicar o ato de enviar é *malak*, «despachar como mensageiro», «embaixador», «anjo», «deputado», «profeta», «rei».

As palavras gregas usadas no Novo Testamento são *ággelos* e *apóstolos*. A primeira delas aparece por cento e oitenta e seis vezes no Novo Testamento, indicando mensageiros humanos e angelicais. Ver, como exemplos: Mat. 1:20,24; 13:39,41,49; 24:31,36; Mar. 1:11,13; 4:10; 9:26: Luc. 1:51; 12:29; 20:12; Atos 5:19; 7:30; 11:13; 12:7-9; 23:8,9; Rom. 8:38; I Cor. 4:9; 11:14; Gál. 1:8; 4:14; Col. 2:18; II Tes. 1:7; Heb. 1:4-7,13; 3:2; 12:22; 13:2; I Ped. 1:12; 3:22; Jud. 6; Apo. 1:1,20; 3:1,5,7,14; 5:2,11; 7:1; 14:6; 15:1; 17:1,7; 18:1; 22:6,8,16. A segunda, *apóstolos*, aparece por oitenta e uma vezes no Novo Testamento. Para exemplificar: Mat. 10:2; Luc. 6:13; 11:49; Atos 1:2,26; 5:2,12,18; Rom. 1:1; 11:13; I Cor. 1:1; 4:9; II Cor. 11:5; Apo. 2:2; 18:20. Em II Cor. 8:23 e Fil. 2:25 essa palavra é usada com o sentido de «mensageiro»; em João 13:16, com o sentido de «aquele que foi enviado».

2. Tipos de Mensageiros

a. Um portador de notícias (Jó 1:14; II Sam. 15:13).

b. Alguém que leva um requerimento (Núm. 20:14; 21:21; Deu. 2:26).

c. Espias (Jos. 6:17,25; Tia. 2:25).

d. Alguém enviado para convocar outros (I Reis 22:13; II Crô. 18:12).

e. Soldados enviados para ajudar em batalha (Juí. 6:35).

f. Deputados (II Reis 5:10; 6:32).

g. Enviados (II Sam. 2:5; I Reis 19:2; Pro. 25:13).

h. Algum sacerdote ensinador (Mal. 2:7).

i. Um profeta (II Crô. 6:16; Mat. 11:10).

j. Alguém nomeado para desempenhar uma missão especial (II Cor. 8:23; Fil. 4:18).

3. Mensageiros Celestes e Humanos na Igreja

Esses são representantes de Cristo, como os mensageiros das sete igrejas da Ásia Menor, aos quais foi enviado o livro de Apocalipse. Esses mensageiros podem ter sido os ministros humanos daquelas igrejas, ou, então, mensageiros celestes, que atuavam através daqueles ministros humanos. Ver Apo. 2:1,8,12,18; 3:1,7,14.

4. Os Apóstolos de Cristo

Esses foram mensageiros especiais de Cristo, por ele selecionados pessoalmente, enviados à Igreja e ao mundo, a fim de anunciarem a nova fé religiosa e conduzirem os convertidos pelo caminho do avanço espiritual. Ver Mat. 10 e o artigo separado chamado *Apóstolos*.

5. Cristo, o Maior dos Mensageiros

Em sua missão messiânica, Jesus Cristo é o principal dos mensageiros, o qual trouxe uma nova e viva mensagem para a salvação dos homens. «Porque a lei foi dada por intermédio de Moisés; a graça e a verdade vieram por meio de Jesus Cristo» (João 1:17). Jesus é o Apóstolo e Sumo Sacerdote de nossa fé (Heb. 1:1).

MENSAGEIRO (ARAUTO)

No aramaico, *karoz*, que ocorre somente em Dan. 3:4. Ver também o artigo intitulado *Proclamação*.

Um *arauto oficial*, usualmente, era um representante do governo. Os arautos é que levavam as mensagens oficiais do governo. Apesar de que o Antigo Testamento não chama, especificamente, os profetas de arautos, era exatamente isso que eles eram. Assim Sião é uma anunciadora de coisas boas, em Isa. 40:9. Em Gên. 41:43 e Est. 6:9*ss*, a função dos arautos pode ser vista por alguém que corria adiante da carruagem real, proclamando alguma mensagem aos ouvidos do povo. Em Dan. 3:4, o arauto aparece operando, ao tornar conhecida a vontade do rei. Nos escritos dos rabinos vemos os arautos sendo usados para fazer anúncios públicos, incluindo os ensinamentos da lei.

No Novo Testamento, os arautos do evangelho são os evangelistas, os pregadores e os mestres cristãos. A idéia de «pregador» aparece no Novo Testamento grego mediante a palavra *kerússo*, «pregar». Ver o artigo sobre *Pregar, Pregação*.

MENTALISMO

Essa palavra é usada em contraste com o termo *materialismo* (vide). Esse vocábulo afirma que a mente e os estados internos existem inteiramente à parte do fator material. Em outras palavras, trata-se de uma realidade não-atômica. O idealismo assegura-nos que aquilo que é mental ou não-material é a substância da realidade, e que a chamada materialidade é apenas um epifenômeno do espírito, por assim dizer, o véu da realidade, mas não a realidade propriamente dita. As religiões orientais referem-se ao mundo material como se fosse ilusório.

••• •••

MENTE

O artigo **Problema Corpo-Mente** contém as especulações dos filósofos a respeito da interação entre a mente e o corpo físico. Consideremos os pontos abaixo, que se fazem necessários:

1. *Monismo Materialista*. Essa posição diz que não existe entidade como uma mente distinta, como essência ou realidade separada do cérebro e suas funções. Antes, os acontecimentos mentais nada mais seriam do que epifenômenos (ver sobre o *Epifenomenalismo*) das funções cerebrais. Essa é a teoria da identidade. Assim, os eventos mentais e os eventos cerebrais seriam uma mesma coisa, embora certas coisas sejam vistas como físicas, e outras sejam vistas como mentais, *como se* alguma distinção básica pudesse ser feita entre tais eventos.

2. *Monismo Espiritual*. De acordo com esse parecer, haveria apenas *uma realidade*, a saber, a mente. Aquilo que as pessoas chamam de objetos e entidades físicas seriam apenas epifenômenos da mente. Mas são ilusórias, não constituindo uma realidade separada. A verdadeira realidade é não-material. Ver sobre o *Idealismo*.

3. *Dicotomia*. O homem seria uma dualidade, combinando mente (constituída por alma e espírito) e corpo. São realidades separadas, embora combinadas de tal forma que se tornam uma unidade. Representam duas realidades distintas. Ver o artigo separado intitulado *Dicotomia, Tricotomia*.

4. *Tricotomia*. O homem seria constituído de corpo, mente e espírito. Ou, então, de corpo, alma e espírito. A mente é mais ou menos equiparada à alma, que é um elemento imaterial do homem, embora inferior ao espírito. A alma seria mediação entre Deus e o homem. O espírito seria aliado de Deus. A alma é a base das emoções humanas. O espírito está sujeito à contemplação de Deus, nas experiências místicas.

Há uma forma não-religiosa de tricotomia, que concebe o homem composto por corpo, vitalidade e alma (que também pode ser chamada de espírito). A vitalidade, nesse caso, seria uma espécie de essência semimaterial que serviria de medianeira entre a alma (espírito) e o corpo. Explicaria fenômenos como as projeções da psique, que ocasionalmente podem ser vistas; como os fantasmas, que podem ser vistos e podem assombrar casas; as atividades *poltergeist*, etc. A essa vitalidade poderíamos dar o nome de *mente*, mas, nesse caso, a mente não alude à porção imaterial do homem, que tem os nomes de alma ou espírito.

5. *Considerações Filosóficas — um Esboço*

a. As religiões orientais, até onde podemos retroceder no tempo, consideravam a mente (alma) como algo diferente (e muito superior) ao corpo (ou matéria).

b. Se os filósofos milesianos (Tales de Mileto, Anaximandro e Anaxímenes) foram, realmente, advogados do *pampsiquismo* (vide) então, desde o começo, a filosofia ocidental considera o princípio da mente segundo termos não-materiais.

c. *Anaxágoras* (vide) talvez tenha sido o primeiro filósofo a distinguir claramente a *nous* (mente) como uma entidade separada no mundo. Mas, se a mente consiste em uma coleção de partículas, então, a mente deve ser considerada material, juntamente com o resto da existência, embora dotada de funções diferentes. Por outro lado, a idéia de partículas mentais, de Anaxágoras, poderia ser considerada como algo que apontava para o que é imaterial.

d. *Platão* distinguia claramente a mente do que é material, conferindo-lhe importância muito maior que à matéria, como representante da realidade, visto que os universais são entidades mentais, e não físicas. Além disso, para ele a mente era uma das funções da alma. Durante muitos séculos, o dualismo platônico dominou o campo inteiro, e os filósofos, incluindo aqueles que pertenciam à Igreja, preocupavam-se muito mais com a alma e a mente, e, com freqüência, atribuíam à alma as propriedades intelectuais. O Deus de Aristóteles era *Intelecto* absoluto, e os homens seriam intelectos menores.

e. Os idealistas modernos, com freqüência, usam o termo «mente» como sinônimo de espírito. Deus é mente ou espírito absoluto. Deus é Intelecto, e os homens são intelectos.

f. O surgimento das ciências naturais produziu um monismo materialista, e, a despeito das debilidades dessa teoria como explicação dos eventos mentais, o *materialismo* (vide) tem persistido na ciência, posto que tal quadro esteja modificando-se em nossos próprios dias. Um número demasiadamente grande de fenômenos não pode ser explicado através dessa teoria. Impõe-se uma visão mais ampla do mundo, a fim de explicar o que podemos perceber e experimentar, conforme aquele sistema não é capaz de fazer. Quanto a um bom representante da teoria materialista, ver sobre *Hobbes*.

g. Kant não acreditava que possamos demonstrar, empiricamente, que há uma substância chamada mente. Mas, na verdade, ele foi um idealista, que fazia as suas categorias racionais da mente controlarem todas as coisas, da mesma maneira que possuímos e avaliamos a percepção dos sentidos. Isso posto, todos os chamados eventos físicos são forçados a seguir os ditames de nossas categorias mentais. Assim sendo essas são categorias *a priori* e *a posteriori* (ver ambas as coisas), ao mesmo tempo, ou seja, são ditadas pela mente e experimentadas através dos sentidos. Temos aí o idealismo subjetivo. De acordo com essa idéia, a mente estrutura as nossas experiências, e deveríamos estar interessados pela investigação da mente e suas propriedades. Afinal de contas, nosso conceito do mundo origina-se na mente. Quando a mente postula, então, adquirimos noções sobre Deus, sobre a alma, sobre o mundo, sobre a moralidade, sobre a ética, sobre o destino, sobre a estética, etc.

6. *A Parapsicologia*. Ver o artigo separado sobre esse assunto. Esse novo campo de estudos desenvolveu-se com base na psicologia. Em muitos casos, inspirou-se no interesse pela existência dos espíritos e outras realidades imateriais. As experiências feitas nesse campo estão lançando luz sobre a mente como uma entidade separada do corpo, e, de modo geral, sugerem fortemente o dualismo.

7. *Experiências Perto da Morte*. Ver o artigo separado sobre essa questão. Um de nossos melhores meios para afirmar a distinção entre a mente e o corpo é aquilo que sucede a uma pessoa, quando ela entra nos primeiros estágios da morte. Tem ficado demonstrado que existe tal coisa como uma atividade inteligente, mas não-cerebral. Uma pessoa clinicamente morta, continua sabendo, lembrando e raciocinando, para nada dizermos sobre súbitos exaltados poderes psíquicos e um profundo discernimento intuitivo e espiritual. Ver os artigos paralelos intitulados *Alma* e *Imortalidade* (sob estes títulos; vários artigos são apresentados).

8. *Interação Entre a Mente e o Corpo*. Ver o artigo intitulado *Problema Corpo-Mente*.

9. *Os Ensinos Bíblicos e a Mente*

a. *Palavras Envolvidas*. A antiga teologia hebraica

era bastante deficiente quanto à antropologia metafísica. Não há ali qualquer ensino claro sobre a alma, senão quando chegamos aos Salmos e aos Profetas. Visto que a alma e a mente estão tão intimamente associadas, não é de surpreender que os antigos hebreus não tivessem um equivalente exato para *mente*. Outros vocábulos davam a entender algum conceito sobre a mente, como «meditar», «coração», «propósito», «conselho», etc. Naturalmente, essas palavras envolvem idéias que dizem respeito às funções da mente. Mesmo assim, talvez eles pensassem que a mente depende do cérebro e seus poderes, nada dando a entender sobre a porção imaterial do homem.

Quando chegamos ao Novo Testamento, topamos com a palavra grega *nous* (já discutida, neste artigo), que figura por vinte e quatro vezes. Ver Luc. 24:45; Rom. 1:28; 7:23,25; 11:34 (citando Isa. 40:13); 12:2; 14:5; I Cor. 1:10; 2:16; 14:14,15,19; Efé. 4:17,23; Fil. 4:7; Col. 2:18; II Tes. 2:2; I Tim. 6:5; II Tim. 3:8; Tito 1:15; Apo. 13:18 e 17:9.

b. *Significados no Novo Testamento*. A mente é aquela faculdade que *compreende* (Luc. 24:45; Apo. 13:18). Talvez não entenda a mensagem divina, por estar destituída do poder do Espírito divino (*pneuma*), que a ilumina (I Cor. 14:14). A mensagem cristã, sem importar como ela foi entregue, deve ser compreendida (I Cor. 14:19). A mente pode ser *disposição*, como na questão de perder a tranqüilidade mental (II Tes. 2:2). A mente é o *intelecto* (Rom. 7:23). Servimos a Deus com essa mente ou intelecto. Precisamos *dedicar* nossa mente às realidades espirituais (Rom. 12:2), diante do que ela será um poder transformador em nossa vida. Nesse caso, a mente é a soma total das atitudes mentais e morais do ser humano. Se tivermos de ser bons crentes, cumpre-nos adaptar-nos a uma nova atitude mental (Efé. 4:23). Os homens, em seu estado natural, têm mentes carnais e arrogantes (Col. 2:18). Alguns chegam ao extremo de ter uma mente constantemente *depravada* (II Tim. 3:8), ou *imunda* (Tito 1:15). Nosso elevado ideal é compartilhar da *mente de Cristo* (I Cor. 2:16). Mas isso só poderá suceder se formos iluminados e dirigidos pelo Espírito de Deus, porquanto é claro que somente o homem regenerado pode ter sua mente de tal modo transformada que compartilha da consciência de Cristo. Quanto a uma completa explicação sobre essas questões, ver os artigos separados *Mente Cósmica; Cristo-Consciência* e *Cristo-Misticismo*.

c. *A Alma Imaterial*. As referências bíblicas e as idéias aludidas acima não afirmam a existência da mente imaterial ou alma, mas sugerem essa existência. A palavra grega *nous*, é usada nos escritos clássicos com esse sentido. Mas, nas páginas do Novo Testamento, esse conceito é transmitido por outras palavras gregas, *psiché* e *pneuma*. Não obstante, fica subentendido que a mente humana recebe comunicações da parte da mente divina (o Espírito de Deus), e não o cérebro humano, apesar de que essa compreensão, naturalmente, é mediada através desse órgão físico. Os usos da palavra grega *nous*, no Novo Testamento, indicam mais as questões morais e espirituais, dizendo respeito às atitudes, disposições e intenções, embora tais coisas jamais sejam meramente cerebrais, dentro do contexto neotestamentário. A mente divina entra em comunicação com a mente humana e a transforma, chegando mesmo ao ponto de dizer-se que compartilhamos da mente de Cristo. Isso subentende, bem definidamente, a comunicação divina do Espírito de Deus com o espírito humano. Conforme declarou um famoso místico: «A Mente é uma construtora». É a Mente divina que nos edifica espiritualmente, transformando-nos segundo a imagem de Cristo (ver Rom. 8:29; II Cor. 3:18). A mente humana é uma cópia da Mente divina, visto que o homem foi criado à imagem de Deus. Essa mente humana pode ir sendo transformada, adquirindo mais e mais aquela imensa *Imagem*. (AM E EP F MM)

MENTE CÓSMICA

Ver **Mente Universal; Mente Cósmica.**

MENTE DE CRISTO

Ver os artigos sobre *Cristo-Consciência; Consciência Cósmica; Mente Universal; Mente Cósmica; Iluminação*.

MENTE INCONSCIENTE

Ver *Inconsciente* (*Mente*).

MENTE UNIVERSAL; MENTE CÓSMICA

Essas duas expressões são intercambiáveis. Acompanhemos sua história:

1. *Sócrates*. Ele exibia a fé de que existe uma espécie de substância mental ou armazém de informes mentais, que o raciocínio é capaz de sondar e aproveitar, incluindo-se nesse processo o diálogo, a intuição e os estados de transe. Lemos que Sócrates, algumas vezes em profunda meditação, passava um dia inteiro procurando obter informação sobre algum problema ético. Podemos supor que ele havia entrado em estado de transe. Talvez em algum tipo de estado místico, Sócrates tenha chegado a atingir algumas de suas idéias. Sua mente cósmica (universal) não era pessoal, até onde podemos determinar, mas seu *daemon* (espírito orientador) presumivelmente era um modo de comunicação que poderia estar envolvido com a mente cósmica.

2. *Platão*. Em sua doutrina dos *universais* (vide), achamos a base para a crença na mente cósmica (universal), visto que o mundo mental das idéias avulta por detrás de todas as manifestações do mundo físico dos *particulares* (que representa este mundo material). Todas as atividades mentais terrenas devem originar-se na mente universal ou cósmica. Outrossim, os universais são os depositários perfeitos de todas as coisas que existem e podem ser conhecidas. Os particulares são meras imitações, que tomam emprestada, a sua realidade, dos universais. A fim de obtermos o conhecimento investido na mente cósmica, dispomos de uma escala ascendente: a percepção dos sentidos (quase sempre ilusória); a razão, que nos dá mais que a percepção dos sentidos; a intuição, que vai mais fundo e também mais alto que a razão; e, finalmente, a contemplação mística dos próprios universais. Nessa contemplação, encontramos aquilo a que alguns chamam de consciência cósmica. Ver o artigo separado sobre *Consciência Cósmica*.

3. *Adaptações Teístas*. As religiões, incluindo o cristianismo, que aceitam a validade de algum armazém mais alto da mente, do conhecimento e da verdade, personalizam essa idéia em seu conceito da Mente divina. Desse modo, a mente cósmica torna-se a mente de Deus. Entretanto, a mente cósmica, nesses sistemas (segundo a explicação de alguns), pode ser uma manifestação natural e inferior de depósitos mentais que tem origem na mente divina, embora distinta da mesma.

4. *Os Registros Eternos*. Esses registros, de acordo

com aqueles que acreditam na reencarnação, consistem nos registros completos de todas as vidas humanas que já viveram, incluindo, naturalmente, as várias vidas de cada indivíduo. Se esse conceito está com a razão, então esses registros fazem parte da mente cósmica, estando abertos ao conhecimento dos mortais que procuram sondá-los da maneira correta. Naturalmente, de acordo com esses registros é que o juízo divino processar-se-á, pelo que, em certo sentido, tal conceito é paralelo do ensino sobre os *livros* que acompanham o Livro da Vida, livros esses com base nos quais os homens serão julgados diante do trono branco (ver Apo. 20:12). Naturalmente, não esperamos que existam livros e registros escritos literais, pois consideramos essas declarações como símbolos de fatos espirituais, e não como se aludissem a objetos físicos, literais.

5. *A Consciência Cósmica e a Cristo-Consciência.* Ver os artigos separados com esses dois títulos. O indivíduo seria capaz de sondar, ou mesmo por um limitado tempo poderia entrar na mente cósmica e ser absorvido por ela. O espírito humano, mesmo agora, é capaz de uma elevada, embora finita, participação na mente universal. As experiências místicas conferem iluminação em graus variegados, o que se relaciona à consciência cósmica. Algumas vezes, uma pessoa recebe uma súbita e inesperada experiência mística, na qual a sua mente penetra na mente cósmica, e a sua consciência é assim grandemente expandida. Algumas pessoas são capacitadas a ter repetidas experiências dessa natureza, tornando-se indivíduos dotados de notável experiência espiritual. Certos momentos de consciência cósmica ocorrem às pessoas sob a forma de sonhos ou visões. As experiências místicas produzem a iluminação espiritual.

A Cristo-consciência é a mente cósmica envolvida na pessoa de Cristo, através do poder iluminador do Espírito Santo. Destarte, um indivíduo pode chegar a possuir, literalmente, a mente de Cristo. Tal indivíduo compreende mistérios profundos, sendo transformado pelos mesmos. Quanto ao mais que tenho a dizer sobre o assunto, o leitor poderia consultar os artigos acima mencionados.

MENTHA LONGIFOLIA (HORTELÃ)

Ver Mat. 23:23 e Luc. 11:42. Está em foco a *Mentha longifolia*, popularmente chamada hortelã. A menção a essa planta é feita na Bíblia porque os fariseus mostravam-se muito precisos quando davam o dízimo desse produto (juntamente com o de outras espécies de pequena importância). O Senhor Jesus objetou aos cuidados extremos dos fariseus acerca de questões mínimas, ao mesmo tempo em que negligenciavam questões de real importância, como a retidão e a misericórdia.

Essa *erva amarga* era consumida durante a páscoa (ver Êxo. 12:8; Núm. 9:11), e até hoje continua a ser usada nas refeições pascais dos judeus. A hortelã é uma espécie vegetal cuja planta pode chegar aos 90 cm de altura, sendo uma planta bastante comum na Palestina. Nos dias de nosso Senhor, suas folhas eram espalhadas no piso das sinagogas, a fim de que quando pisadas pelas pessoas, emitissem uma fragrância agradável.

MENTIRA (MENTIROSO)

1. *Definições Básicas*

Temos preparado um longo artigo sobre os *Vícios*, onde é comentado o vício da mentira. *Mentir* é fazer declarações propositalmente falsas, meias verdades que envolvem falsas impressões. Um exagero proposital é um tipo de mentira, como também o é uma declaração parcial proposital. Até mesmo as verdades proferidas com o intuito de enganar, naquilo em que visam iludir, não passam de mentiras. Entretanto, as histórias de ficção, escritas ou filmadas, embora não correspondam à realidade, não são mentiras, visto que não se propõem a narrar fatos, mas tão-somente simbolizam fatos e idéias.

2. *Palavras Bíblicas Envolvidas*

No hebraico encontramos *kazab*, palavra usada por vinte e nove vezes, conforme se vê, por exemplo em Juí. 16:10,13; Sal. 40:4; Pro. 6:19; 14:5,25; 19:5,9; Isa. 28:15,17; Eze. 13:8,9,19; Dan. 11:27; Osé. 12:1; Amós 2:4; Sof. 3:13. Também encontramos *sheqer*, que aparece no Antigo Testamento por cerca de quarenta e três vezes com o sentido de «falsidade», «mentira», («mentiroso», etc., segundo se vê, para exemplificar, em Jó 13:4; Sal. 63:11; 119:69; Isa. 9:15; 59:3; Jer. 9:3,5; 14:14; 29:21,31; Eze. 13:22; Miq. 6:12; Hab. 2:18; Zac. 10:2 e 13:3. Ambas as palavras podem indicar «engano», «mentira». Outras palavras hebraicas bem menos usadas são *akzab* (Miq. 1:14), *bad*, «artifício» (Jó 11:3; Isa. 16:6; Jer. 48:30); *kachash*, «fingimento» (Osé. 7:3; 10:13; 11:12; Naum 3:1); *dabar*, «palavra de falsidade» (Pro. 29:12).

No grego encontramos *pseûdos*, «mentira» «falsidade», palavra empregada no Novo Testamento por sete vezes: João 8:44; Rom. 1:25; II Tes. 2:11; I João 2:21,27; Apo. 21:27; 22:15. E também *pseûsma*, «falsidade», em Rom. 3:7.

3. *Usos Bíblicos*

Os homens mentem, principalmente, a fim de enganar. Essa palavra é usada nas Escrituras para indicar as declarações falsas dos homens acerca de Deus e das realidades espirituais (Jer. 14:14; Eze. 13:9; Rom. 1:25). A verdade divina é reduzida a uma mentira, pelas idéias e declarações dos homens. As mentiras dos homens pervertem, portanto, a verdade dita por Deus. Toda mentira cria uma falsa certeza (Isa. 28:15). Os resultados da mentira são o erro e a ilusão (Jer. 23:32). Os padrões morais são solapados pelas mentiras (Rom. 1:26 *ss*).

Deus não pode mentir, mas precisa julgar (I Sam. 15:29; Tito 1:2). Por isso, a mentira nunca é atribuída a Deus, mas é atribuída aos homens, como quando prestam falso testemunho (Pro. 6:19). O ato de mentir era proibido pela lei mosaica (Êxo. 20:16; Lev. 19:11). Os crentes deveriam reconhecer que o ato de mentir é próprio da vida velha, na incredulidade, devendo ser rejeitado pelo crente como uma roupa indesejável, segundo se vê em Col. 3:9; «Não mintais uns aos outros, uma vez que vos despistes do velho homem com os seus feitos». O trecho de João 8:44 apresenta Satanás como o pai da mentira. Os trechos de Apo. 21:27 e 22:15 mostram que os mentirosos habituais (que o fazem devido à sua natureza corrompida e não regenerada), ficam impedidos da salvação e do lar celestial.

4. *Discussões Filosóficas*

Será errada a mentira, em todos os casos? Alguns filósofos asseveram que há ocasiões em que mentir é melhor do que dizer a verdade. Um meu professor de filosofia deu um exemplo em classe, baseado na vida real, ocorrido durante a Segunda Guerra Mundial. Ele falou sobre um sacerdote católico romano que se viu envolvido no movimento de resistência subterrânea de um país debaixo do poder militar dos nazistas. Vidas dependiam dele. Quando foi apanhado, ele confessou, e não mentiu, dizendo aos alemães que, de fato, fazia parte daquele movimento. O resultado foi desastroso. Também poderíamos pensar no caso dos pacientes terminais. Tais pacientes devem ficar sabendo da verdade, ou, pelo menos em alguns casos, é melhor enganar o doente? Há pessoas que simplesmente querem saber seu estado, e a essas deveríamos dizer a verdade. Mas há outras que, segundo os médicos e seus familiares julgam, sentir-se-iam menos premidas se a verdade não lhes fosse revelada, pois assim enfrentariam a morte mais tranqüilamente. Isso posto, em tais casos, seria melhor mentir a um paciente terminal. Se esses casos são exemplos de exceções válidas à regra contra a mentira, então podemos afirmar que, algumas vezes, a lei do *amor* é melhor servida por um engano (cuja intenção é aliviar o sofrimento), do que se dizendo a verdade chocante e brutal.

MENTIROSO, PARADOXO DO

Esse paradoxo é tradicionalmente atribuído a Epimenides de Creta, tendo, então, sido reiterado por Eubulides. Há duas aplicações desse paradoxo. Se todos os cretenses são mentirosos, e se um dos cretenses afirma que todos os cretenses são mentirosos, eles são mentirosos ou não? Ver a declaração de Paulo, em Tito 1:12: «Foi mesmo dentre eles, um seu profeta, que disse: Cretenses, sempre mentirosos, feras terríveis, ventres preguiçosos». Mas, se esse profeta era cretense, podemos confiar em sua palavra?

Um outro uso desse paradoxo é aquele em que uma formulação está gramaticalmente correta, mas logicamente destituída de sentido, conforme se vê na seguinte afirmativa: «'Estou mentindo' só é verdadeiro se é falso; e é falso se for verdadeiro». Os não filósofos podem dizer por que essa declaração não faz sentido, e como uma gramática correta misturou-se com essa declaração absurda.

MEOLATITA

Esse adjetivo gentílico provavelmente indica «nativo de Abel-meolá». Ver I Sam. 18:19 e II Sam. 21:8. Esse adjetivo foi dado a Adriel, filho de Barzilai, que se casou com Merabe, uma das filhas de Saul. Em II Sam. 21:8, em algumas traduções, ela é chamada de *Mical*, o que, sem dúvida, é um erro escribal. Nossa versão portuguesa faz a devida correção, para Merabe.

MEONENIM, CARVALHO DE (CARVALHO DOS ADIVINHADORES)

Nossa versão portuguesa, e a RSV, em inglês, dizem «carvalho dos adivinhadores», em Juí. 9:37. A própria palavra hebraica, *meonenim*, significa «augures», derivada do termo hebraico *canan*, «agir encobertamente», referindo-se às práticas mágicas. Algumas traduções dizem ali «planície de Meonenim», mas é melhor dizer «carvalho», em lugar de «planície».

Alguns eruditos pensam estar em foco o carvalho de Moré, associado às vidas de Abraão (Gên. 12:6), Jacó (Gên. 35:4), Josué (Jos. 24:26) e Abimeleque (Juí. 9:5). Este último foi feito rei perto do carvalho ou coluna que estava em Siquém. O carvalho em questão, ao que tudo indica, era um marco geográfico que, por razões desconhecidas, tornou-se um lugar onde eram feitas adivinhações. John Gill, comentando Juí. 9:37, afirmou que os carvalhos eram grandemente apreciados pelos idólatras. Eles costumavam reunir-se em árvores específicas, ou em florestas de carvalho (carvalhais), a fim de praticarem artes mágicas.

MEONOTAI

No hebraico, «minhas habitações». Nome de um irmão de Hatate, filho de Otniel, pai de Ofra, sobrinho de Calebe (ver I Crô. 4:14). Ele viveu em cerca de 1440 A.C.

MERABE

No hebraico, **aumento**, ou, então, «procedente de um chefe». Esse era o nome da filha mais velha do rei Saul (ver I Sam. 14:49). Saul tinha duas filhas, Merabe, a mais velha, e Mical, a mais nova. Saul havia determinado que a mais velha seria esposa de Davi. Porém, em vez disso, ela fora dada ao meolatita Adriel (ver I Sam. 18:19). Não se sabe dizer por que motivo Saul agiu assim, embora possamos estar certos de que houve alguma vantagem pessoal na jogada. Naturalmente, é de conhecimento geral que Mical, finalmente, tornou-se esposa de Davi. Merabe acabou dando a luz a cinco filhos de Adriel, e o casamento de Davi com Mical terminou em um caso tempestuoso. Ver a história de Merabe em I Sam. 14:49 e 18:17 *ss*.

Problema Textual. Algumas versões, seguindo alguns manuscritos da Septuaginta, em II Sam. 21:8, dizem que os cinco filhos de Merabe eram filhos de Mical. O texto hebraico massorético reflete, nesse ponto, um equívoco escribal, embora o erro possa ter-se dado devido a um erro primitivo do próprio autor original, corrigido então na LXX, embora não em todos os manuscritos. Dois manuscritos hebraicos também dizem ali Merabe em vez de Mical, o que, sem dúvida, representa uma correção. Nossa versão portuguesa, corretamente, diz *Merabe*.

MERAÍAS

No hebraico, **rebelião**. Esse era o nome de um sacerdote liderante, contemporâneo do sumo sacerdote Joiaquim (Nee. 12:12). Ele era o cabeça da família sacerdotal de Seraías, à qual Esdras também pertencia. Viveu por volta de 536 A.C.

MERAIOTE

No hebraico, «rebelde». Mas outros estudiosos preferem pensar em «amargo». Esse foi o nome de duas personagens que aparecem na Bíblia, ambas descendentes da família sacerdotal de Aarão.

1. Um filho de Zeraías, um sumo sacerdote da linhagem de Eleazar (I Crô. 6:6,7,52; Esd. 7:3). Alguns eruditos pensam que ele foi o antecessor imediato de Eli, e que, por ocasião de sua morte, o sumo sacerdócio passou da linhagem de Eleazar para a linhagem de Itamar. Esse homem viveu por volta de 1062 A.C.

2. Um sacerdote liderante, cuja casa fazia-se representar, ao tempo de Joiaquim, por Helcai (Nee. 12:15).

Problema Textual. Em Nee. 12:15, a Septuaginta dá a Meraiote um nome diferente, embora similar. Mas, em I Crô. 9:11, a Septuaginta diz Marmote, onde o contexto requer Meraiote. Nossa versão portuguesa segue o texto massorético, Meraiote, que é o correto.

MERARI (MERARITAS)

No hebraico, «amargo», ou «triste». Mas alguns estudiosos dizem que a raiz desse nome é *mrr*, que significa «fortalecer» ou «abençoar». Esse era o nome de um dos três filhos de Levi. Ele foi o genitor de uma importante família levítica (ver Gên. 46:11; Êxo. 6:16,19). Sua família dividiu-se nos ramos dos malitas e dos musitas (ver Núm. 3:20). Cabia-lhes a tarefa de carregar as armações, as barras, as colunas, as bases e os acessórios do tabernáculo (ver Núm. 3:36,37; 4:31-33; 7:8; 10:17; Jos. 21:7,34,40). Várias referências mostram a importância dos meraritas no trabalho envolvido no culto divino. Ver I Crô. 6; 9; 15; 23; 24; 26; II Crô. 29; 34 e Esd. 8.

O próprio Merari só se tornou conhecido por haver dado seu nome a uma das três divisões importantes da tribo de Levi, ou seja, a uma família sacerdotal. Ele acompanhou a Jacó, em sua migração ao Egito. Os meraritas estavam subdivididos nas famílias dos malitas e dos musitas (ver Núm. 3:20,33). Por ocasião do primeiro censo, eles totalizaram seis mil e duzentos homens. Quatro cidades lhes foram determinadas nos territórios das tribos de Gade, Rúben e Zebulom. Dentre essas cidades, a de Ramote-Gileade era uma cidade de refúgio (ver Jos. 21:34; I Crô. 6:63,77-81). Davi reorganizou a tribo (I Crô. 23:6,21-23).

MERATAIM (TERRA DUPLAMENTE REBELDE)

No hebraico, **merataim** significa «duplamente rebelde», um nome dado à Babilônia, em Jer. 50:21. A designação reflete o duplo cativeiro (intensa aflição) que a Babilônia infligiu a Israel. Mas também é possível que um nome locativo similar, *Marratim*, ao sul da Babilônia, tenha sugerido tal uso. A palavra talvez aluda à rebeldia dos babilônios contra o Senhor, sob a forma de uma rebeldia dupla, radical, tão graficamente enfatizada na questão do *cativeiro* de Israel.

MERCADO

No hebraico, *maharab*, referindo-se ao comércio. Ver Eze. 27:13,17,19,25. Essa é a única passagem do Antigo Testamento que contém esse termo hebraico. Não há qualquer informação, em Ezequiel, sobre a natureza do «mercado», e o que se sabe a respeito é derivado dos tempos neotestamentários, sob a hipótese de que ambos os Testamentos falem sobre a mesma coisa.

A palavra grega correspondente é *agorá*, que aparece por onze vezes: Mat. 11:16; 20:3; 23:7; Mar. 6:56; 7:4; 12:38; Luc. 7:32; 11:43; 20:46; Atos 16:19 *e* 17:17.

No grego, *mákellon*, termo que figura exclusivamente em I Cor. 10:25. Esse vocábulo não significa açougue e, sim, «mercado de carne», conforme também algumas versões estrangeiras o traduzem. É provável que outros mantimentos também fossem vendidos ali, como peixes, pão, frutas, etc.

O termo hebraico tem o sentido de «negócio», «empório» e a questão de auferir lucro através do comércio, visto que todas essas idéias estão contidas no vigésimo sétimo capítulo de Ezequiel. O *agorá* dos gregos era uma importante instituição social, um lugar de negócios, de trocas, de funções sociais e políticas, além de servir de tribunal, etc. O trecho de Mat. 11:16 mostra-nos que as crianças costumavam brincar no mercado. Ali também era cena de acontecimentos públicos. Jesus curava nos mercados (ver Mar. 6:56). Em Atenas, na Grécia, o *agorá* era o centro da vida pública (ver *Ceramicus* 17:17; *Paulus in Athen. Sab.* 93,925 *ss*). O mercado, pois, era cena onde os juízes se reuniam para julgar e resolver pendências legais (*Demosth.* 43,36). Funções religiosas populares também tinham lugar nos mercados, havendo ali centros de ritos religiosos. Edifícios públicos também eram freqüentemente edificados nos mercados. Na maioria das cidades, servia como lugar para assembléias gerais, de qualquer propósito. Dois mercados são mencionados no livro de Atos, em cidades gregas, de estilo tipicamente helênico, cercados de colunas, templos e edificações públicas. Também eram adornados com estátuas e outras obras de arte e de modo geral, eram centros de vida pública daquelas cidades. Ali havia julgamentos (ver Atos 16:19). Debates públicos, como aqueles entre os filósofos, eram ali efetuados (ver Atos 17:17). Ver o artigo separado sobre *Agorá*.

MERCADO NEGRO

Esse mercado, comumente chamado «mercado paralelo», usualmente é uma maneira ilegal de cambiar dinheiro, ou de adquirir mercadorias escassas. O mercado negro surge quando os produtos rareiam ou mesmo desaparecem totalmente. Ou então quando os governos gravam demais as mercadorias com impostos, e torna-se vantajoso aos negociantes oferecê-las a preços mais baixos, embora eles não paguem impostos sobre as mesmas. Em casos assim, os governos forçam o aparecimento do mercado negro, mesmo quando os produtos envolvidos não estão em falta.

No caso do mercado negro no câmbio, os governos valorizam moedas estrangeiras a preços baixos não-realistas, o que propicia o surgimento do mercado paralelo, onde o câmbio é mais favorável aos que têm moedas estrangeiras. Muitos estrangeiros, entre eles missionários evangélicos, ansiosos por obter o pleno valor de suas moedas estrangeiras, sentem-se tentados a apelar ao mercado paralelo. O quadro fica ainda mais complicado nos lugares onde o mercado oficial também é corrupto, e onde os cheques trocados nos bancos subseqüentemente são vendidos no mercado paralelo. Os bancos ganham, e os indivíduos perdem! Há mesmo lugares onde o governo vende cheques ao mercado negro. E, nesse caso, o governo ganha, e os indivíduos perdem! Soldados estacionados em países estrangeiros, bem como empresas estrangeiras, enfrentam idêntico problema.

Os evangélicos, mediante uma ética estrita, não deveriam deixar-se envolver em tais práticas. Mas, quando governos e casas bancárias manuseiam assim o dinheiro, a tentação para o indivíduo desculpar-se da prática torna-se insuportável. Nem todas as questões éticas são resolvidas preto no branco. O crente deveria racionalizar, ou deveria seguir os estritos ditames do décimo terceiro capítulo de Romanos, que determinam que obedeçamos as leis do país? Que fazer nos casos em que a lei é corrompida pelo próprio governo? A consciência de cada um ditará então as regras. (H)

MERCANCIA, NEGOCIANTE

Ver sobre *Comércio, Negócios e Intercâmbio*.

MERCIER, DÉSIRE

Suas datas foram 1851—1926. Ele foi um filósofo belga, nascido em Brabante. Foi professor de filosofia tomista, na Universidade de Louvain, em 1882. Fundou o Instituto de Filosofia de Louvain. Tornou-se arcebispo em 1907. Veio a ser cardeal. Sistematizou o *tomismo* (vide), e preparou-o de tal modo a ser útil para a moderna abordagem filosófica. Foi uma figura intelectual importante na Bélgica e presidente da Real Academia Belga. Durante a Primeira Grande Guerra, quando seu país foi invadido pelas tropas alemãs, ele se tornou o símbolo do espírito não-conquistado de seu país. Trabalhou em prol da unidade entre a Igreja Católica Romana e a Igreja Anglicana.

Mercier é lembrado por seus estudos sobre *criteriologia*. Nesse campo, ele fazia a distinção entre a criteriologia geral e a criteriologia especial. Ele buscava o elemento da certeza tanto na ciência quanto na ontologia, e afirmava ter achado um critério interno que evitava tanto o *ceticismo* (vide) quanto o *positivismo* (vide). Exaltava o tomismo, ao ponto de afirmar que esse ponto de vista é superior e um melhor veículo da verdade que todo e qualquer outro sistema, e acreditava firmemente em sua compatibilidade com a verdade divinamente revelada.

Escritos. Entre seus extensos escritos, devemos enfatizar os seguintes: *Course of Philosophy* (quatro volumes); *Metaphysics or Ontology; General Criteriology or General Theory of Certitude; The Origins of Contemporary Psychology; Elementary Treatise of Philosophy; Manual of Modern Scholastic Philosophy; Christianity in Modern Life*.

MERCÚRIO

Essa palavra portuguesa vem do latim, *Mercurius*, derivado de *merx*, «comerciar». No começo, esse deus era reputado o protetor dos antigos negociantes romanos e seus empreendimentos. Mercúrio passou a ser identificado com o deus Hermes dos gregos, o mensageiro dos deuses e o guia das almas dos mortos. Diante desse amálgama, a estatura dele aumentou. Hermes era o supremo arauto. Era considerado filho de Zeus e de Maia, pelo que sua importância entre os deuses era grande. Mercúrio foi considerado como o inventor da lira, e no mesmo dia em que nasceu tornou-se conhecido como um ser extremamente astuto.

Além dele ser o guia das almas até o hades, ele também realizava missões especiais para os deuses, estando até mesmo envolvido nas questões da fertilidade. Na qualidade de mensageiro dos deuses, ele usaria uma capa, sandálias e o *caduceu*, ou bastão do arauto. Foi essa suposta função de Mercúrio que levou os homens de Listra a chamarem Paulo de *Mercúrio* (por ser ele o principal pregador), enquanto que Barnabé seria Zeus. O milagre que os dois mensageiros do Senhor tinham acabado de realizar inspirou grande admiração, e assim a imaginação popular imediatamente contemplou-os como seres divinos. Ver Atos 14:12. Ver o artigo geral intitulado *Deuses Falsos*.

MEREDE

No hebraico, **rebelião**. Esse foi o nome do segundo filho de Esdras, da tribo de Judá (I Crô. 4:17,18). Ele se casou com duas mulheres, uma judia (cujo nome não é dado) e Bitia, uma filha do Faraó, rei do Egito. Ele deve ter vivido em cerca de 1400 A.C. Ele era descendente de Calebe, filho de Jefuné.

MEREMOTE

No hebraico, esse nome parece significar **alturas**, ou seja, «exaltações». Todavia, tal palavra também pode significar «orgulho», «altivez». Esse nome próprio pessoal só aparece na Bíblia para designar pessoas que viveram após o exílio babilônico, a saber:

1. Um sacerdote, filho de Urias, descendente de Cós. Ele retornou do cativeiro babilônico em companhia de Zorobabel (Nee. 12:3). Ficou encarregado dos vasos de ouro e de prata trazidos por Esdras (Esd. 8:33). Provavelmente, ele foi o mesmo homem que reparou duas seções das muralhas de Jerusalém, segundo o registro de Nee. 3:4,21. Viveu em cerca de 459 A.C.

2. Um leigo, dentre os descendentes de Bani, que se casara com uma mulher estrangeira, na época do cativeiro babilônico. Ao retornar a Jerusalém, ele precisou divorciar-se dela, visto que o novo pacto dos israelitas com *Yahweh* requeria essa medida. Qualquer aliança com estrangeiros era incompatível com as intenções religiosas do povo de Israel. Ver Esd. 10:36. Isso aconteceu por volta de 459 A.C.

3. Um sacerdote ou uma família sacerdotal, que assinou o pacto encabeçado por Neemias, quando um remanescente de Judá voltou do cativeiro babilônico. Ver Nee. 10:5. Alguns estudiosos identificam esse homem com o primeiro desta lista de três personagens. Nesse caso, teria vivido em torno de 459 A.C.

MERES

No hebraico «digno», «valoroso». Esse era o nome de um dos sete sábios conselheiros da corte medo-persa, mencionados em Est. 1:14. Eles serviam ao rei Assuero. Seu tempo girou em torno de 483 A.C.

MERIBÁ

Ver o artigo sobre **Massá e Meribá**. Todavia, deve-se observar que a *Meribá* aqui estudada não é a mesma daquele outro artigo.

Meribá é nome aplicado a duas localidades diferentes, onde, miraculosamente, esguichou água de uma rocha, para atender à necessidade de água para os sedentos israelitas, durante suas peregrinações pelo deserto do Sinai. Um desses locais é mencionado em Êxo. 17:1-7, discutido no artigo *Massá e Meribá*. O outro desses lugares é mencionado em Núm. 27:14. O incidente ali mencionado aconteceu perto de Cades, pelo que, em Deu. 32:51, encontramos o nome «Meribá de Cades». Foi ali que foi dito que Moisés e Aarão desagradaram ao Senhor, devido à sua impaciência (ver Núm. 20:10-12). Moisés desobedeceu a Deus, batendo na rocha por duas vezes, quando lhe fora dito que tão-somente *falasse* com a rocha. Talvez a razão dessa proibição deveu-se ao fato de que bater na rocha poderia levar os israelitas a pensar que esse ato produzira o fluxo de água. Como é óbvio, o simples falar à rocha não poderia ter produzido naturalmente o fluxo da água. Assim sendo, a demonstração do poder divino foi obscurecida pelo ato de Moisés. Outros estudiosos opinam que o bater na rocha, na primeira vez, representava, simbolicamente, a morte única de Jesus, na cruz, um ato sem repetição. Seja como for, foi por causa desse pecado de desobediência que a Moisés não foi permitido entrar na Terra Prometida, e, metaforicamente falando, isso indica que a lei não pode ser a porta da salvação, embora possa conduzir-nos até à Porta, que é Cristo. Ver Núm. 20:12; 27:14; Gál. 3:24,25.

Meribá significa «querela», «contenda», referindo-se às queixas de Israel contra o Senhor e contra Moisés, por motivo da falta de água para beber.

MERIBÁ DE CADES

Essa é a forma alternativa do nome **Cades-Barnéia** (vide).

MERIBE-BAAL

Ver também sobre **Mefibosete** (II Sam. 4:4). *Meribe-Baal* significa «Baal é advogado». Esse era o nome de um dos filhos de Jônatas, filho de Saul, primeiro rei de Israel. Ao que tudo indica, esse nome repetiu-se na família, ao longo dos séculos. Essa forma aparece em I Crô. 8:34 e 9:40, embora a mesma pessoa seja chamada *Mefibosete* (vide) em II Sam. 4:4; 9:6,10-12; 16:1,4; 19:24,25,30 e 21:7. *Bosete* (no hebraico, «vergonha») veio a substituir *Baal*, nome de uma divindade pagã bem-conhecida. Talvez essa modificação tenha sido propositalmente feita por algum escriba posterior (ou mesmo pelo autor original), que não tolerava escrever o nome de um deus cananeu, associado a uma das famílias reais de Israel. Porém, pôde escrever «vergonha» (Bosete), demonstrando o seu desprazer, diante desse nome, aplicado a um dos netos de Saul. A mesma variação pode ser encontrada no caso do nome Is-bosete (ver II Sam. 2:8 e I Crô. 8:33).

MÉRITO

Esboço:

I. A Palavra e suas Definições
II. No Judaísmo
III. Nos Ensinos de Jesus e de Pedro
IV. Nos Ensinos de Tiago e do Legalismo
V. Na Teologia Católica Romana
VI. Objeções dos Protestantes e Evangélicos
VII. Quando Méritos, Recompensas, Obras e Salvação são Sinônimos

I. A Palavra e Suas Definições

Essa palavra deriva-se do termo latino *meritus*, do verbo *merere*, «merecer». Quando usada em contextos teológicos, essa palavra refere-se ao que uma pessoa merece, ou por meio de seus atos e realizações espirituais, ou por meio de atos e realizações espirituais de outras pessoas. Destarte, está em pauta a qualidade ou fato do merecimento, de escapar de algum castigo, ou de receber algum benefício positivo, incluindo a salvação ou galardões. Em um sentido secundário, o *mérito* refere-se ao louvor ou aos elogios diante de atos realizados.

«Um certo crédito devido a atos justos pode ser usado a fim de compensar pelos deméritos do pecado. O termo está intimamente associado à idéia de boas obras, ou seja, atos ou conduta religiosa dignas de encômios, que as pessoas crêem ser merecedores de recompensas, evocando a divina aprovação ou capacitando a pessoa a salvação. A idéia de mérito assemelha-se à noção de eficácia religiosa, que os povos primitivos atribuíam à realização correta dos ritos. E mesmo as religiões principais, como o budismo, o zoroastrismo, o judaísmo, o islamismo e algumas formas variantes do cristianismo têm doutrinas de mérito que enfatizam, em graus variegados, a natureza ética da religião e o valor moral das boas obras» (E).

II. No Judaísmo

É um erro tentar cristianizar o judaísmo e dizer que esse sistema não concebia a salvação mediante ritos religiosos e a realização de boas obras. Naturalmente, no Pentateuco, sabemos que o objetivo do cumprimento dos preceitos da lei não era o bem-estar espiritual em alguma vida futura. A vida da alma, para além da morte biológica, não foi uma idéia incluída no judaísmo senão já no tempo dos salmistas e dos profetas. E mesmo então, daí até o tempo do Novo Testamento, importantes representantes da fé judaica continuavam não aceitando a idéia da imortalidade da alma, ao passo que outros nunca aceitaram a idéia da ressurreição do corpo. Porém, se permanecermos em terreno bíblico, poderemos afirmar que o judaísmo posterior tinha ambas essas doutrinas. Logo, as boas obras e os ritos religiosos eram elementos considerados merecedores da salvação. Alguma afirmação ocasional baseada na graça, nas páginas do Antigo Testamento, não anula o ensino geral que ali se vê de que a observância da lei e das cerimônias instituídas por Moisés eram meios dos homens obterem mérito, mérito esse que os conduziria à vida eterna. — É desse modo que podemos interpretar Lev. 18:5: «Portanto, os meus estatutos e os meus juízos guardareis; cumprindo os quais, o homem viverá por eles: Eu sou o Senhor». O indivíduo precisava *cumprir* os preceitos da lei; e, nessa ação, haveria de *viver*.

III. Nos Ensinos de Jesus e de Pedro

«Por isso te digo: Perdoados lhe são os seus muitos pecados, porque ela muito amou...» (Luc. 7:47).

Essa afirmação de Jesus originou-se da circunstância que uma mulher pecadora ungira os pés do Senhor Jesus com um dispendioso ungüento, assim demonstrando grande amor por ele. Se compreendermos esse versículo do ângulo das religiões orientais (também consoante o espírito do judaísmo), ignorando por alguns momentos as revolucionárias doutrinas da justificação pela fé e da salvação exclusivamente pela graça, ensinadas por Paulo, então poderemos entender que os pecados, realmente, podem ser *anulados* pelo amor. Pedro escreveu algo similar: «...o amor cobre multidão de pecados» (I Ped. 4:8). Mas, se interpretarmos essas palavras à moda paulina, então diremos que somente o homem que se converteu por meio da fé pode amar de tal modo que os seus pecados sejam anulados. Mas o anulamento desses pecados envolverá apenas os maus resultados e as consternações que os pecados provocam entre os homens, nada tendo a ver com a salvação da alma.

A doutrina do *karma* (vide) afirma que o mal pode ser cancelado pelo bem, e, naturalmente, que o amor e suas obras (a observância da lei do amor) é o maior de todos os bens. Esse cancelamento do mal poderia envolver a salvação da alma, embora também pudesse dizer respeito à punição temporal por causa do pecado. Assim, se eu quiser escapar de algum castigo merecido, deverei sair propositalmente a praticar o bem, a fim de cancelar a minha dívida e anular a punição que, de outra forma, fatalmente viria. Para a mente oriental, e para alguns cristãos, o cancelamento das dívidas assumidas por causa do pecado, no tocante aos seus efeitos sobre a alma ou sobre os castigos temporais merecidos, através das boas obras, mormente através da lei do amor, parece refletir uma boa teologia. Mas, aqueles que seguem princípios paulinos estritos, negam esse princípio. Permanece de pé a dúvida se Jesus defendia ou não tal mentalidade, no caso que se vê no sétimo capítulo de Lucas. Minha opinião pessoal é que um grande amor ao Senhor cancela os pecados, e que isso depende de uma decisão do *Senhor*. Já é outra questão, porém, se idêntico resultado é obtido mediante o amor ao próximo. Todavia, penso que a vida segundo a lei do amor pode cancelar os castigos temporais contra o pecado, embora não creia que isso possa ser mediado pela Igreja, em qualquer sentido. Trata-se de uma questão exclusiva entre Deus e o indivíduo.

IV. Nos Ensinos de Tiago e do Legalismo

Até onde posso ver as coisas, a epístola de Tiago toma a posição do judaísmo, quanto à questão da fé e suas obras, conforme se vê em seu segundo capítulo. A maior parte dos eruditos modernos não acredita que foi Tiago, irmão do Senhor, quem escreveu esse livro. Isso posto, o homem Tiago talvez não tenha tomado essa posição, conforme também o décimo quinto capítulo de Atos indica, posto que ele concordou com as decisões do primeiro concílio ecumênico, de Jerusalém. Porém, o autor da epístola de Tiago, simplesmente exprimiu o que o judaísmo sempre ensinou, antes que Paulo viesse esclarecer a questão. A posição legalista sobre essa questão do mérito humano diz que a fé e as obras cooperam juntas, merecendo assim a justificação, e, portanto, a salvação. Ver o artigo separado sobre o *Legalismo*.

V. Na Teologia Católica Romana

Já pudemos ver que no judaísmo existia a doutrina da salvação por meio do merecimento humano, para nada dizermos sobre certos segmentos do cristianismo, bem como nas religiões orientais. Não admira, pois, que a teologia católica romana tenha desenvolvido esse tema. Dentro dessa teologia, essa doutrina passou por um desenvolvimento complexo. Várias tentativas têm sido feitas para correlacioná-la com as doutrinas neotestamentárias da graça e da fé. E, finalmente, essa doutrina assumiu a forma que diz que o valor das boas obras deve-se ao poder da graça infundido a elas *mediante os sacramentos*, das quais participam os fiéis, sob a sanção e o cetro oficiais daquela igreja. Assim, tem sido afirmado que as boas obras merecem a vida eterna, servindo também de meio para cancelar a punição temporal em face dos erros cometidos. Os clérigos que se têm esforçado por reconciliar esses ensinos com os conceitos paulinos, não se têm esquecido de afirmar que coisa alguma que o homem faça ou possa fazer, por seus *poderes naturais*, pode ser meritório aos olhos de Deus. Não haveria, pois, qualquer mérito desvinculado da graça divina. Mas, com a ajuda dessa graça, se o homem cooperar com a mesma, ele poderá merecer não somente mais graça, mas também a vida e a felicidade eternas. Como é óbvio, para essa teologia, não há salvação desvinculada dos méritos humanos. E a teologia católica romana sofisticada ainda vai além: ninguém merece a graça real, que começaria a capacitá-lo a receber a justificação. Isso seria um dom de Deus. Além disso, a cooperação do indivíduo, com a graça real e inicial, seria meritória. Quando um homem faz o que pode, então, seria *congruente* ou apropriado que os seus esforços venham a ser galardoados. Deus veria o homem esforçando-se ao máximo, e o abençoaria com a sua graça, do que resultaria o mérito. A esse conceito dá-se o nome de *meritum de congruo*, «mérito de congruidade». Nesse sentido qualificado, o homem merece ser justificado; mas, em um sentido não-qualificado, todo mérito procede exclusivamente de Cristo. E, uma vez que um homem é justificado, então, sob o poder do Espírito, ele teria o poder de merecer a recompensa eterna. Na teologia católica romana, a isso se dá o nome de *meritum de condigno*, «mérito devido ao valor». Se tomarmos essa explicação, oferecida pela teologia católica romana sofisticada, não a mediando através dos sacramentos, então, ela não parecerá diferente, em sua *essência* (embora seja diferente em seu modo de expressão) das idéias paulinas e evangélicas. Contudo, a questão não cessa nesse ponto. Antes de tudo, a teologia católica romana sofisticada insiste em que o mérito é, de fato, mediado através dos sacramentos, um elemento inteiramente estranho às idéias evangélicas mais representativas, e, certamente, estranho aos ensinamentos paulinos.

O Merecimento dos Santos. Durante a Idade Média, surgiu uma nova complicação na doutrina do mérito humano. Passou-se a ensinar que pessoas especialmente espirituais, como os chamados *santos*, podem ter obras de «super-rogação». Em outras palavras, uma pessoa poderia adquirir mais méritos do que os necessários para si mesma, e esse *fundo* de méritos, adicionado aos de Cristo, termina sendo um *superfundo* de méritos, um Tesouro de Méritos. E os membros mais humildes da Igreja poderiam, então, extrair desse fundo, para seu próprio benefício. Naturalmente, protestantes e evangélicos quedaram-se abismados, diante da estranheza total de tal doutrina, diante do Novo Testamento. E os esforços católicos romanos para ligar essa doutrina à doutrina da comunhão dos santos, têm todos fracassado, até onde é possível uma pessoa que conhece a Bíblia ver. Impõe-se a pergunta: Por que razão Cristo, cujos méritos são confessadamente infinitos, precisaria dessa ajuda dos méritos dos santos?

O papel das obras meritórias está intimamente ligado ao *sacramento da penitência* (vide). Assim, se a vida pecaminosa de alguém fê-lo perder a graça justificadora recebida por ocasião do batismo em água, seria mister recuperar tal graça por meio do sacramento da penitência, que operaria através das obras de contrição e da confissão auricular. O indivíduo deveria realizar obras de satisfação a fim de cobrir a punição temporal devida aos pecados. Se ao menos isso fosse tudo quanto está envolvido, ainda poderíamos perceber algum sentido na penitência, encarada por esse ângulo; porém, a idéia da recuperação da graça perdida (que teria sido obtida por meio do batismo em água), necessariamente envolve as questões da justificação e da salvação, e não meramente a questão dos castigos temporais. A isso deve-se acrescentar que a doutrina das *indulgências* foi criada com a idéia de cancelar a punição temporal, tornando-a parte integrante da doutrina do mérito.

VI. Objeções dos Protestantes e Evangélicos

Quando são reunidas, em um único pacote, as doutrinas católicas romanas dos sacramentos, dos méritos humanos, da penitência e das indulgências, como se fossem ensinos interligados, não resta alternativa, aos protestantes e evangélicos senão lamentar profundamente diante do abismo de erros doutrinários que isso representa. Nos artigos sobre tais assuntos, oferecemos as objeções específicas sobre cada um deles. Quanto à questão dos *méritos*, as objeções são as seguintes:

1. A total depravação humana furtou do homem qualquer mérito pessoal que, porventura, ele pudesse ter.

2. As obras de super-rogação, como se uma pessoa pudesse amealhar um excesso de méritos, passando esse excesso a outras pessoas, é um ensino totalmente divorciado da doutrina bíblica da salvação através da graça, por meio da fé.

3. Doutrinas como essas, — da Igreja Católica Romana, diminuem e degradam a doutrina da missão expiatória toda-suficiente de Cristo. Somente em Cristo há todo mérito. E somente em Cristo o homem pode obter qualquer mérito. Esse é o motivo pelo qual fomos aceitos «no Amado» (Efé. 1:6).

4. Visto que aquilo que um homem pratica afeta o julgamento que ele receberá *terminada* a sua vida física (ver Rom. 2:6; Apo. 20:12), por isso mesmo, o

que ele fizer de bom ou de ruim também terá efeitos sobre seu *presente* castigo temporal, por causa de seus atos errados. Isso posto, talvez ele *mereça* escapar do castigo imposto pela lei da colheita segundo a semeadura, se ele vier a contrabalançar os seus erros com mais semeaduras positivas. Porém, isso nada tem a ver com a salvação da alma, propriamente dita, embora possa direcioná-lo a um curso de ações retas, dentro do qual a graça de Deus poderia atingi-lo mais facilmente.

5. Os galardões resultam de méritos, mas são as conseqüências da graça, a qual opera na vida de uma pessoa, depois de haver sido ela regenerada e justificada.

6. As boas obras resultam ou são frutos da regeneração (no caso daqueles que já se acham no caminho da salvação da alma e entrarão na glória após a vida física). Essas boas obras, sob hipótese alguma, são a *causa* da salvação.

VII. Quando Méritos, Recompensas, Obras e Salvação são Sinônimos

Em certo sentido, podemos entender como sinônimos todos esses elementos. Se as obras, méritos e recompensas resultam das operações do Espírito *no* crente, então, não haverá qualquer contradição entre o princípio da graça e o princípio das obras. Pois, nesse caso, as obras resultarão das operações divinas da graça. Entretanto, isso nada tem a ver com as obras humanas meritórias. Tais obras são derivadas das divinas operações da graça. Todavia, isso não tem qualquer ligação com as obras humanas meritórias. Como é óbvio, *os galardões fazem parte da salvação*, porquanto eles determinam a *extensão* em que um homem participará da natureza — e dos atributos divinos (ver Rom. 8:29; II Ped. 1:4; Efé. 3:19; II Cor. 3:18). A participação na natureza divina, mediante a filiação, *é* a salvação, considerada por seu ângulo mais elevado. E a extensão da participação *é* o galardão sobre o qual estamos falando. Ora, esse galardão depende das obras do crente. Todavia, essas obras são impulsionadas pelas operações do Espírito, como seus resultados específicos na vida de uma pessoa. Nesse sentido, pois, não há diferença entre a *graça* e as *obras*. Essas são duas palavras que exprimem uma e a mesma coisa. Naturalmente, requerem que um homem entregue a sua vontade à direção do Espírito Santo, para que ele transforme tal indivíduo segundo a imagem de Cristo. Todavia, o indivíduo tem a capacidade de cooperar com essas operações do Espírito, ou de abafá-las, sendo esse o lado humano da questão. Nenhuma explicação pode satisfazer, contudo, a todas as nossas indagações, visto que estamos abordando questões profundas e misteriosas. O que há de mais misterioso do que a própria salvação?

Não nos deveríamos esquecer que jamais poderá estagnar-se a extensão da nossa participação na natureza e nos atributos divinos. Assim sendo, a salvação é um processo eterno e sempre crescente. Visto haver uma infinitude com que iremos sendo replenados, também deverá haver um enchimento infinito. (C E H)

MERNEPTA

Nome egípcio que significa «amado por Ptá». Ptá era uma das principais divindades egípcias. Tal nome, *mernepta*, não figura nas páginas da Bíblia, embora seja ele uma figura de interesse para nós, porquanto muitos pensam que ele era o Faraó egípcio na época do *êxodo* (vide). Os problemas de *cronologia* (vide), relacionados à data desse evento, nunca foram satisfatoriamente resolvidos. Isso significa que sempre poderá haver dúvidas, sem importar que Faraó seja selecionado como aquele que esteve envolvido nesse aspecto da história de Israel.

Mernepta foi o décimo terceiro filho de Ramsés II, da XIX Dinastia, e também tornou-se o seu sucessor. Mernepta governou o Egito entre 1224 e 1214 A.C., aproximadamente. Os arqueólogos descobriram seu templo mortuário, em Tebas, na margem esquerda do rio Nilo, não muito distante do Rameseum. Muitos artefatos foram recuperados ali. Entre eles havia a famosa e grande estela de granito, originalmente usada por Amenhotepe III, mas que Mernepta também veio a usar. Alguns estudiosos chamam essa estela de *estela de Israel*, porquanto se refere a uma vitória dos egípcios sobre os israelitas, no quinto ano do governo de Mernepta. Lemos ali: «Israel jaz assolada; sua semente já não existe».

MERODAQUE

Ver o artigo geral intitulado **Deuses Falsos**. Merodaque significa «rei dos deuses». Em acádico era Marduque. Marodach era a adaptação hebraica desse nome. Seu nome aparece em várias combinações, nas páginas do Antigo Testamento, como Evil-Merodaque (II Reis 25:27; Jer. 52:31) e Merodaque-Baladã (II Reis 20:12 e Isa. 39:1). Jeremias aludiu especificamente à Babilônia e a essa divindade, quando disse: «Tomada é Babilônia, Bel está confundido, e abatido Merodaque...» (Jer. 50:2). Ele vinha sendo adorado desde o segundo milênio A.C., quando, então, era a divindade suprema da Babilônia. Mas sua história retrocede a um tempo anterior a isso, visto que ele era uma divindade suméria, conhecida como *Amar-utu*, compartilhando, no panteão das divindades pagãs, de uma posição entre deuses como Anu e Bel, cujos imaginários atributos ele posteriormente foi absorvendo, conforme sua importância foi aumentando.

Alguns estudiosos acreditam que o hino épico da criação, dos babilônios, foi composto em sua honra. Os eruditos pensam que esse deus aparece como uma das representações existentes na estela de Hamurabi.

MERODAQUE-BALADÃ

Essa é a adaptação hebraica, então passada para o português, do nome do rei babilônico que enviou uma embaixada a Ezequias (ver Isa. 39:1), Marduque-Apla-Idina III. Ele governou um distrito caldeu, o de Bit-Yakin, ao norte do golfo Pérsico. Afirmava-se descendente de Eriba-Marduque, rei da Babilônia, em cerca de 800 A.C., quando Tiglate-Pileser III, da Assíria, invadiu a Babilônia, em 731 A.C.

Sua associação com Ezequias e o cultivo de amizade com ele (foi enviado um presente ao adoentado rei de Judá), provavelmente tinha por intuito encorajar a Ezequias a revoltar-se contra os assírios. Mas Isaías, o profeta, fez oposição a esse plano, que resultou em nada. Foi assim que os próprios babilônios tomaram medidas para derrotar aos assírios. Quando Sargão I tornou-se rei, em 721 A.C., Merodaque-Baladã entrou na Babilônia e apossou-se do trono. Mas os assírios reagiram, atacando os aliados elamitas da Babilônia.

Sabe-se que Merodaque-Baladã manteve-se no trono até 710 A.C. Mas Sargão I, tendo neutralizado os elamitas, foi capaz de entrar na Babilônia sem sofrer qualquer oposição, e apossou-se do governo. Embora Merodaque-Baladã tivesse perdido quase todo o seu poder de mando, foi usado por Sargão I como um governante local, e não se revoltou contra Sargão durante todo o tempo em que o mesmo foi monarca. Entretanto, quando Sargão morreu (em 705 A.C.), Merodaque-Baladã esforçou-se para libertar os babilônios do jugo assírio, ocasião em que, possivelmente, buscou a cooperação de Ezequias. Ver II Reis 20:12-19; Isa. 39. Entretanto, quem realmente estava brandindo o poder era Senaqueribe, que se apossou da Babilônia nomeando Bel-Ibni para ocupar o trono babilônico. Posteriormente, o mando passou para as mãos de um filho de Senaqueribe, Assur-Nadin-Sumi. Merodaque-Baladã, então, precisou fugir para a cidade costeira de Elão. A história informa-nos que Senaqueribe aprisionou a Nabusumiscum, filho de Merodaque-Baladã, naquela região, sobre a qual impôs o seu poder, mas nenhuma menção é feita ao próprio Merodaque-Baladã, nessa ocasião. Merodaque-Baladã morreu no território de Elão, antes que Senaqueribe conquistasse esse lugar, o que aconteceu em 694 A.C.

Merodaque-Baladã é lembrado por seus amargos mas fúteis esforços por libertar os babilônios do poder assírio. Mas, como governante, pode-se dizer que ele era homem astuto, decidido e ambicioso.

MEROM, ÁGUAS DE

Ver sobre *Águas de Merom*.

MERONOTITA

Adjetivo gentílico dado aos nativos de um lugar presumivelmente chamado *Meronote*, acerca do qual nada se sabe. Nas páginas do Antigo Testamento, houve dois homens assim caracterizados, a saber:

1. *Jedias*, que cuidava dos jumentos pertencentes a Davi (I Crô. 27:30).

2. *Jadom*, um daqueles que ajudaram a reparar as muralhas de Jerusalém, depois que o remanescente de Judá voltou do cativeiro babilônico para a Terra Santa (Nee. 3:7). Esse versículo sugere que Meronote ficava perto de Gibeom e de Mispa. Mas isso é complicado pelo fato de que Mispa, naquela passagem, é um texto duvidoso.

MEROZ

Não se sabe o significado desse nome. Mas refere-se a um lugar no vale de Esdrelom, ou nas proximidades, que tem sido identificado com a moderna Khirbet Marus, a doze quilômetros ao sul de onde morava Baraque (vide), em Cades-Naftali. No entanto, essa identificação não tem merecido a aprovação de muitos historiadores e arqueólogos. Débora, em seu cântico de vitória sobre os inimigos de Israel, encabeçados por Sísera, proferiu uma maldição contra Meroz, porquanto os seus habitantes não quiseram participar da guerra contra o adversário. A amargura da citada maldição sugere que Débora pensava que os habitantes de Meroz estavam na sagrada obrigação de responder à convocação à guerra. Ver Juí. 5:23.

Alguns estudiosos têm opinado que Meroz nem era uma cidade de Israel, mas antes, uma cidade dos cananeus, que tinham firmado um acordo com Israel, e que eles não quiseram cumprir. Essa afirmação deriva-se da convicção de que uma cidade pertencente aos israelitas jamais teria sido amaldiçoada, conforme o foi aquele lugar. Não há como solucionar, de forma absoluta, essa questão, e nem a localização exata de Meroz pode ser pronunciada com certeza.

MERRÃ

Uma localidade mencionada no livro apócrifo de Baruque (3:23). Os estudiosos acreditam que esse nome sofreu uma corrupção escribal, e que deveria dizer *Midiã*.

MÊS

Ver sobre **Calendário.**

MESA

Essa é a tradução de certo número de palavras hebraicas e gregas, com vários significados. Estão incluídas mesas rituais, mesas para comer, mesas para escrever e mesas dos cambistas.

Esboço:

I. Terminologia
II. Mesas Rituais
  1. Mesa dos pães da proposição ou da presença
  2. Outras mesas rituais dos hebreus
  3. Mesa do Senhor
  4. Em outras religiões
III. Mesas para Comer
  1. Mesas dos governantes
  2. Mesas no lar
IV. Mesas dos Cambistas
V. Usos Figurados
VI. Uso Escatológico

I. Terminologia

Há duas palavras hebraicas e duas palavras gregas envolvidas neste verbete, a saber:

1. *Mesab*, «mesa redonda», «círculo». Esse termo hebraico aparece por apenas uma vez com esse sentido, a saber, Can. 1:12.

2. *Shulchan*, «mesa». Termo hebraico usado por setenta vezes, conforme se vê, para exemplificar, em Êxo. 25:23,27,28,30; 26:35; 30:27; 40:4,22,24; Lev. 24:6; Núm. 3:31; 4:7; Juí. 1:7; I Sam. 20:29,34; II Sam. 9:7,10,11,13; 19:28; I Reis 2:7; 4:27; 7:48; II Reis 4:10; I Crô. 28:16; II Crô. 4:8,19; 9:4; 29:18; Nee. 5:17; Jó 36:16; Sal. 23:5; 69:22; Pro. 9:2; Isa. 21:5; 28:8; Eze. 23:41; 39:20; 44:16; Dan. 11:27; Mal. 1:7,12.

3. *Klíne*, «divã» (que os antigos usavam como mesa, deitados de lado). Palavra grega empregada por nove vezes: Mat. 9:2,6; Mar. 4:21; 7:4,30; Luc. 5:18; 8:16; 17:34; Apo. 2:22. O verbo correspondente é usado por sete vezes: Mat. 8:20; Luc. 9:12,58; 24:5,29; João 19:30; Heb. 11:34.

4. *Trápeza*, «mesa». Vocábulo grego que ocorre por catorze vezes: Mat. 15:27; 21:12; Mar. 7:28; 11:15; Luc. 16:21; 19:23; 22:21,30; João 2:15; Atos 6:2; 16:34; Rom. 11:9 (citando Sal. 69:23); I Cor. 10:21; Heb. 9:2.

II. Mesas Rituais

No ritual dos hebreus, bem como de outros povos, as mesas sempre estiveram presentes, a partir da construção do tabernáculo.

1. *Mesa dos Pães da Proposição ou da Presença*. As instruções relativas à construção dessa mesa ritual aparecem em Êxo. 25:23-30. Ela era feita de madeira de acácia, com cerca de um metro de comprimento, meio metro de largura e setenta e cinco centímetros de altura. Era recoberta de ouro puro, com uma moldura de ouro em redor. Havia varas e argolas de ouro, usadas para o transporte dessa peça da mobília do tabernáculo. Essa mesa ficava do lado de fora do véu, no lado norte do tabernáculo (Êxo. 40:22). Foi

consagrada para uso mediante azeite de unção (Êxo. 30:27). A cada sábado, um sacerdote arrumava doze pães asmos novos sobre essa mesa, em duas pilhas de seis pães cada, após terem sido retirados os pães anteriores, que então estavam com uma semana (Lev. 24:5-8). Somente os sacerdotes podiam comer desses pães (Lev. 24:9). Os coatitas é que estavam encarregados dos cuidados com a mesa (Núm. 3:27-31), bem como de seu transporte, sempre que o tabernáculo tivesse de mudar de localização (Lev. 4:1-8). Salomão mandou fazer uma mesa nova, de ouro, para o seu templo, em Jerusalém (I Reis 7:48). O rei Acaz havia contaminado o templo com suas práticas idólatras; por esse motivo, durante o reinado do rei Ezequias, os sacerdotes tiveram de purificar os móveis e utensílios do templo, incluindo a mesa dos pães da proposição (II Crô. 29:18,19). Essa mesa foi destruída durante o incêndio do templo, provocado pelos babilônios (II Reis 25:9). Deve ter sido feita uma outra mesa, porque, se tivermos de acreditar em I Macabeus 1:22, Antíoco IV Epifânio saqueou os tesouros do templo de Jerusalém, incluindo a mesa dos pães da proposição. Depois que Judas Macabeu derrotou o exército de Lísias, o templo foi reparado, e foram feitos novos vasos e utensílios para o mesmo (I Macabeus 4:49-51). A mesa dos pães da proposição é retratada no Arco de Tito, em Roma, como um dos troféus de guerra tomados pelos romanos, por ocasião da queda de Jerusalém, no ano 70 D.C.

O primeiro nome que esses pães recebem, no hebraico, é *lechem panim*, «pão da face» ou «pão da presença», conforme se vê em Êxo. 25:30; 35:13; I Sam. 21:6; I Reis 7:48 e II Crô. 4:19. Mais tarde surgiu uma outra expressão para indicá-los, a saber, *lechem maareketh*, «pão do arranjo» (I Crô. 9:32;29; II Crô. 13:11; Nee. 10:33). No Novo Testamento, a expressão correspondente é *ártoi tēs prothéseos*, «pães da exposição» (Mat. 12:4; Mar. 2:26 e Luc. 6:4), ou *próthesis tõn árton*, «exposição dos pães» (Heb. 9:2). Por isso, muitos estudiosos não gostam da expressão «pães da proposição» que se encontra na Bíblia portuguesa, e, sim, «pães da exposição» ou «pães da presença».

2. *Outras Mesas Rituais dos Hebreus*. Salomão mandou fazer dez mesas, — que pôs no templo de Jerusalém (II Crô. 4:8). Eram feitas de prata, que Davi lhe entregara com esse propósito (I Crô. 28:16). Em sua visão sobre o templo restaurado, Ezequiel viu doze mesas, oito para descarnar as vítimas sacrificiais e quatro para os instrumentos usados e para pôr sobre as mesmas os pedaços de carne (Eze. 40:38-43).

3. *Mesa do Senhor*. Malaquias deixou registrado que a mesa do Senhor estava poluída (Mal. 1:7,12). Ele se referia ao altar das ofertas queimadas. No Novo Testamento, essa mesma expressão refere-se à cerimônia da Ceia do Senhor (I Cor. 10:21).

4. *Em Outras Religiões*. Parece haver uma referência a certa prática idólatra pagã, que consistia em oferecer uma mesa posta à deusa Fortuna (Isa. 65:11), com o que concordaram os revisores de nossa versão portuguesa da Bíblia. Por sua vez, a «mesa dos demônios», aludida pelo apóstolo Paulo, refere-se às refeições sacrificiais dos pagãos (ver I Cor. 10:21). O papiro 110 de Oxyrhynchus contém a seguinte sentença, muito parecida com a de Paulo: «Chairemon vos convida para uma refeição à mesa do senhor Serápis». Ver também Sal. 69:22.

III. Mesas para Comer

As residências de pessoas comuns, no antigo Oriente, Próximo e Médio, eram servidas com um mínimo de utensílios domésticos. Os comensais ficavam acocorados, em algum lugar perto da mesa, mesmo enquanto comiam. Esse costume até hoje é praticado por muitos, naquelas regiões. Somente aqueles que residiam em palácios ou residências mais abastadas estavam acostumados com cadeiras, mesas e camas (II Reis 4:10). As mesas, usadas nas refeições, entretanto, eram bem baixas, visto que as pessoas sentavam-se sobre tapetes, para comer (Isa. 21:5). As mesas usadas nos tempos do Novo Testamento já eram um tanto mais altas, porquanto lemos sobre cães que vinham lamber as migalhas deixadas cair sob as mesas, por seus donos (Mar. 7:28).

1. *Mesas dos Governantes*. Como governante egípcio que era, José comeu em uma mesa separada da mesa de seus irmãos (Gên. 43:34). Os inimigos derrotados, com freqüência, comiam à mesa dos monarcas vencedores (Juí. 1:7; II Reis 25:29). Tanto Davi quanto Jônatas comiam à mesa do rei Saul (I Sam. 20:29,34), uma cortesia que, anos depois, Davi estendeu a Mefibosete, neto de Saul (II Sam. 9:7), como se ele fosse um de seus próprios filhos. As provisões servidas sobre a mesa de Salomão eram riquíssimas e abundantes (I Reis 4:27). Quando contemplou essa mesa servida, a rainha de Sabá «ficou como fora de si» (I Reis 10:5). Filhos de amigos leais de Davi comiam à mesa de Salomão (I Reis 2:7). Os falsos profetas comiam à mesa de Jezabel (I Reis 18:19). Oficiais, em número de nada menos de cento e cinqüenta, comiam à mesa de Neemias, quando este era o governador de Judá (Nee. 5:17).

2. *Mesas no Lar*. A Bíblia contém muitas referências a refeições tomadas em casa. A expressão mais freqüentemente usada é «sentar-se à mesa». Um profeta de Judá sentou-se à mesa com um idoso profeta de Betel (I Reis 13:20). Aquilo que se servia à mesa de algum homem próspero, segundo certa expressão antiga, seria «cheio de gordura» (Jó 36:16). O costume neotestamentário, seguindo as práticas dos gregos, era o de reclinar-se pelo lado de fora de mesas baixas. Certa mulher veio ungir os pés de Jesus, estando ele reclinado à mesa (Luc. 7:38). Isso não teria sido possível se ele estivesse sentado com os pés por baixo da mesa, conforme acontece atualmente quando nos sentamos à mesa. A última páscoa, celebrada por Jesus e seus apóstolos, foi comida estando os comensais na posição reclinada, contrariamente à representação artística comum da chamada «Última Ceia». Ver Luc. 22:21; João 13:23; ver também Mat. 8:11; 15:25,26; 26:20; Mar. 2:15; Luc. 7:37; 14:15; 24:30; João 12:2, etc., onde, no original especialmente, todos os verbos usados sugerem a posição reclinada, e não sentada. Na Igreja primitiva, os apóstolos tiveram de enfrentar um problema, o da distribuição eqüitativa entre as viúvas, incapacitando-os a devotar todo o seu tempo à pregação. O resultado foi a escolha de sete homens, considerados os primeiros diáconos da Igreja, «para servir às mesas» (Atos 6:1-6).

A moderna páscoa dos judeus (a Pesach) encontra seu ponto culminante na *Seder*, um pequeno banquete em nível doméstico, onde todos os membros de uma família se reúnem em torno da mesa e participam da cerimônia, que gira, essencialmente, em torno do relato dos acontecimentos relativos ao êxodo de Israel no Egito.

IV. Mesas de Cambistas

Essas eram mesinhas, parecidas com banquetas, por detrás das quais os cambistas judeus costumavam sentar-se, enquanto trocavam as moedas por outras, utilizáveis no templo de Jerusalém. Os cambistas, realmente, ficavam acocorados, de pernas cruzadas. Foram mesinhas assim que Jesus derrubou, quando se indignou diante do comercialismo que se instalara nos recintos externos do templo (Mat. 21:12; Mar. 11:15; João 2:15).

V. Usos Figurados

Talvez o uso figurado mais notório seja aquele que se encontra em Provérbios 9:1,2: «A sabedoria.. arrumou a sua mesa...» Isso simbolizaria os benefícios próprios de uma vida piedosa. Em Salmos 23:5, temos um quadro sobre o cuidado protetor de Deus. Em Isaías 28:8, lemos: «Porque todas as mesas estão cheias de vômito, e não há lugar sem imundícia». Isso indica a tremenda imundícia moral que prevalecia, na época entre os sacerdotes e os falsos profetas, no reino do norte, Israel. De fato, em Ezequiel 23:41, Israel é retratada como uma prostituta que ficava sentada à mesa, esperando os seus amantes. Em suas parábolas, Jesus referiu-se, com freqüência, a mesas (Luc. 12:37; 17:7; 22:27).

VI. Uso Escatológico

Aos fiéis ao Senhor foi prometido que eles comeriam e beberiam com ele, em sua mesa, quando for inaugurado o seu reino na terra (Luc. 13:29; 22:30). Isso, os crentes fiéis farão, em companhia de Abraão, Isaque e Jacó (Mat. 8:11). Em certo trecho de seu livro, Ezequiel compara a satisfação sentida, diante da mesa do Senhor, a fim de julgar, ao convite feito às aves e aos animais para se banquetearem com as carnes dos inimigos mortos (Eze. 39:20). Essa idéia dos remidos julgarem ao mundo é reiterada no Novo Testamento. Por exemplo: «Ou não sabeis que os santos hão de julgar o mundo?» (I Cor. 6:2). Portanto, escudados no trecho de Ezequiel 39:20, descobrimos que não o faremos de má vontade, mas antes, com grande satisfação íntima.

MESA (NOME PRÓPRIO)

No hebraico, «distrito do meio». Esse era o nome de uma localidade e de três pessoas, nas páginas da Bíblia:

1. A localidade chamada *Mesa* marcava o limite do território dos descendentes de Joctã (ver Gên. 10:30). O outro limite era *Sefar* (vide). Talvez Mesa seja idêntica a *Massá*, no norte da Arábia, embora a maioria dos eruditos diga que Mesa ficava na parte sul da Arábia, pois, com quase absoluta certeza, era ali que se encontrava Sefar. Seja como for, nenhuma localidade com essa designação tem sido encontrada pelos estudiosos, naquela região.

2. Um filho de Saaraim, que pertencia à tribo de Benjamim, e que nasceu em Moabe (I Crô. 8:9).

3. O filho mais velho de Calebe, e irmão de Jerameel. Ele foi pai ou fundador de Zife (I Crô. 2:42). Viveu em cerca de 1390 A.C.

4. Mesa, rei de Moabe. A forma hebraica desse nome é levemente diferente da forma que aparece nos três casos anteriores, e significa «salvação». Sua história é contada em II Reis 3. Naquela passagem, é dito que ele era um *noged*, ou seja, proprietário de um rebanho de ovelhas, de fama em face da alta qualidade de sua lã. Ele governou os moabitas no século IX A.C., tendo sido contemporâneo de Acabe, filho de Onri, rei de Israel, bem como dos dois filhos de Acabe, Acazias e Jeroão, que também foram reis de Israel, a nação do norte.

Nos dias de Davi. Nesse tempo, os moabitas estiveram sujeitos a Israel. Mas, quando o reino de Israel dividiu-se em dois, os moabitas obtiveram sua independência, pelo menos durante um breve período. No entanto, Onri, do reino do norte, Israel, terminou por sujeitar novamente os moabitas. Essa condição continuou por cerca de quarenta anos. O rei Mesa, tendo obtido considerável poder, buscou novamente a independência de Moabe. Seu país, porém, foi obrigado a pagar um tributo excessivamente alto, sob a forma de lã de cem mil ovelhas e carneiros (ver II Reis 3:4). Mesa tornou a rebelar-se, dessa vez com sucesso, depois da morte de Acabe, o que teria acontecido no segundo ano do reinado de Acazias, de acordo com Josefo (ver *Anti.* 9:2,1). A chamada *Pedra Moabita* (vide) informa-nos que esse levante ocorreu quarenta anos depois que Moabe ficara sujeita a Israel pela primeira vez. Porém, os estudiosos pensam que não se passou tanto tempo assim, visto que os reinados de Acabe e Onri, se somados, não chegaram a cobrir trinta e quatro anos. Entretanto, o número quarenta pode ter sido um arredondamento, sem querer indicar nenhum número exato.

Tentativa de Recuperação. Durante o reinado do segundo filho de Acabe, Jeorão, houve a tentativa de trazer Moabe de volta ao domínio de Israel (ver II Reis 1:17; 3:4 *ss*). Jeorão conseguiu a cooperação de Josafá, de Judá, pois este havia sofrido sob ataques dos moabitas (ver II Crô. 20). Além disso, o rei de Edom tornou-se aliado de Jeorão (ver II Reis 3:9). E os aliados, padecendo devido à falta de água, apelaram para que Eliseu os ajudasse. A descrição que aparece em II Reis 3:9 *ss*, parece falar sobre uma miraculosa provisão de água, porquanto não houve chuva. É possível, todavia, que tivesse chovido à distância, e que a inundação resultante tivesse chegado até onde estavam as tropas sedentas. John Gill sugeriu que a água manou das rochas circundantes, *à moda de Moisés*. A própria Bíblia, entretanto, não nos dá qualquer explicação a respeito. O fato é que houve na ocasião um estranho fenômeno. O sol, refletindo-se nas poças de água, emprestava uma aparente coloração vermelha à água. E os moabitas pensaram que aquilo deveria ser sangue derramado, por causa de alguma dissenssão entre os aliados. Assim sendo, atiraram-se precipitadamente à batalha; porém, tiveram de defrontar-se com uma poderosa força, e foram derrotados. Fugindo, refugiaram-se na cidade de Quir-Heresete.

Mesa, rei dos moabitas, talvez em ato de desespero, na tentativa de chamar a atenção de seu deus, sacrificou seu próprio filho primogênito. O resultado disso foi que Israel e seus aliados (sem nenhuma razão declarada para tanto), não prosseguiram na batalha e nem reivindicaram os despojos. Talvez tivessem ficado horrorizados diante do sacrifício humano, e desistiram de continuar. Dessa maneira, os objetivos da batalha não foram concluídos. A Pedra Moabita fornece um relato detalhado sobre os feitos de Mesa.

MESA, REI DE MOABE

Ver o artigo **Mesa**, em seu quarto ponto.

MESALOTE

Esse é o nome de um lugar, existente em Arbela, que foi capturado por Baquides e Alcimo, em sua marcha contra Judá (ver I Macabeus 9:2). Não se conhece a moderna localização.

MESAQUE

Ver o artigo sobre *Sadraque, Mesaque e Abede-Nego*. Mesaque foi o nome dado pelos babilônios a Misael, um dos três companheiros de Daniel. Especificamente, quem deu essa alcunha ao jovem foi o eunuco-chefe da corte babilônica. *Mesaque* deriva-se de *Saque*, nome de um deus ou de uma deusa dos caldeus. O nome original do rapaz era Misael, que, no hebraico, significa «Quem é o que Deus é?» Os nomes Sadraque, Mesaque e Abede-Nego sempre aparecem juntos. Ver Dan. 1:7; 2:49 e 3:12-30. Quanto a maiores detalhes, ver o artigo mencionado acima.

MESELEMIAS

No hebraico, «Yahweh vinga-se». Esse foi o nome de um homem levita, da família de Coré. Ele, seus sete filhos, e outros parentes, eram porteiros do templo de Jerusalém (ver I Crô. 9:21; 26:1,9). Em I Crô. 26:14, ele é chamado *Selemias*; e em Nee. 12:25, ele é chamado *Salum*. Todos aqueles familiares de Meselemias foram nomeados para cuidar do Portão Oriental, excetuando Zacarias (I Crô. 9:14), que deveria vigiar a Porta Norte.

MESEQUE

No hebraico, esse nome significa «alto», «prolongado», embora alguns também pensem em «possessão». O *texto massorético* (vide) diz *Mesek*; e a Septuaginta diz *Mosoch*. Esse nome aparece como o apelativo de um dos filhos de *Jafé* (vide), para então designar um povo e uma nação da Ásia Menor. Ver Gên. 10:2; I Crô. 1:5; Eze. 27:13; 32:26; 33:26; 38:2,3; 39:1; Sal. 120:5.

1. *O Homem*. Meseque foi um dos filhos de Jafé (ver Gên. 10:2). Seu nome sempre aparece mencionado com o nome de um irmão, Tubal. Todavia, em I Crô. 1:17, esse nome aparece como nome de um dos descendentes de Sem, através de Arã, ao passo que na passagem paralela, em Gên. 10:23, o nome aparece com a forma de *Más*. Talvez haja um equívoco escribal, em uma ou outra dessas passagens. Isso pode ter acontecido pela descontinuação da letra *k*, em um suposto nome, *msk*, em Gên. 10:23.

2. *Descendentes de Meseque*. No trecho de Eze. 27:13, encontramo-los mencionados como um povo que exportava cobre e escravos (ver também Eze. 32:26; 38:2,3 e 39:1, que se referem a eles como um povo aguerrido, que ameaçava invadir vindo das bandas do norte). Nas inscrições assírias, os descendentes de Meseque e Tubal são referidos como *Musku* e *Tabal*. Heródoto, que era grego, refere-se a eles como *Moschoi* e *Tivarenoi*, respectivamente. Nos anais de Tiglate-Pileser I são mencionados os *mus-ka-ia* (fins do século XII A.C.), como um povo capaz de lançar um exército de vinte mil homens, nas regiões do norte. É possível que, nessa época, eles estivessem habitando uma região a suleste do mar Negro.

Os textos hititas (os heteus da Bíblia) falam sobre um certo *Mitas*, um nome similar aos *muski*, de tempos posteriores. Os anais de Sargão I, do século VIII A.C., mencionam o nome *Mi-ta-a*, como nome do governante dos povos em foco, e alguns estudiosos associam essa palavra ao *Midas* da Frígia. Os frígios formavam o reino que substituiu o império dos hititas, na Ásia Menor. Nesse caso, os *muski* seriam os mesmos que os frígios. Ou, então, os frígios seriam uma parte dos *muski*. Os eruditos têm chegado à conclusão de que *Meseque* refere-se a um povo, talvez de origem indo-européia, que penetrou no Oriente Médio, proveniente das estepes do sul da Rússia, tendo imposto o seu predomínio sobre a população indígena da área oriental da Anatólia (moderna Turquia Asiática). Já foi comum associar-se os *moschoi* de Heródoto aos moscovitas, isto é, aqueles primitivos habitantes da região que hoje tem como centro a cidade russa de Moscou, capital da União Soviética. Todavia, de algum tempo para cá, os estudiosos estão abandonando essa identificação, posto que não apresentam razões convincentes para isso.

3. *Referências Proféticas*. Nos capítulos 38 e 39 do livro de Ezequiel (que têm atraído tanto a atenção dos eruditos dispensacionalistas), o uso que se faz do nome Meseque talvez seja diferente. Pois tal nome pode ter sido empregado como símbolo, juntamente com o de Tubal, e não como uma referência direta a um povo conhecido. Ali, Meseque e Tubal são apresentados como poderes liderantes na terra de Magogue. Ao que parece, eles representam forças contrárias a Deus e ao povo de Israel. Os intérpretes dispensacionalistas empurram a questão inteira para os tempos do fim, e opinam que *Magogue* refere-se à União Soviética, ao passo que *Gogue* seria o chefe deles. Isso posto, Meseque e Tubal corresponderiam, a grosso modo, a Moscou e Tobolsk. Além disso, Tobolsk fica às margens de um rio chamado Tobol. Assim sendo, esses intérpretes pensam que aqueles dois capítulos do livro de Ezequiel aludem a um ataque da União Soviética contra Israel, durante a batalha do Armagedom (ou algum tempo antes, conforme outros supõem), e *também* após o milênio, segundo se vê em Apo. 20:8 *ss*. Ver o artigo intitulado *Gogue e Magogue*. Ver também o artigo separado chamado *Gogue*. Essa interpretação dispensacionalista não tem sido vista com bons olhos por muitos eruditos, embora seja muito popular, em largos segmentos da Igreja evangélica.

MESEZABEEL

No hebraico, «Deus livra». Esse foi o nome de três homens que são mencionados nas páginas do Antigo Testamento:

1. Ao que tudo indica, um sacerdote, pai de Berequias, antepassado de Mesulão, um homem que ajudou Neemias a reparar as muralhas de Jerusalém, quando o remanescente de Judá voltara do cativeiro babilônico (Nee. 3:4). Ele viveu por volta de 440 A.C.

2. Um chefe do povo, que assinou o pacto encabeçado por Neemias, quando o remanescente de Judá tinha voltado do cativeiro babilônico (Nee. 11:13), e que também viveu em torno de 440 A.C.

3. O pai de Petaías, da tribo de Judá (Nee. 11:24). Ele viveu em cerca de 410 A.C.

MESILEMITE, MESILEMOTE

No hebraico, «reconciliação». Nome de duas personagens da Bíblia:

1. Um sacerdote, filho de Imer (Nee. 11:13), que viveu por volta de 440 A.C.

2. Um efraimita, pai de Berequias, que se recusou a reduzir ao cativeiro os seus compatriotas da tribo de Judá (II Crô. 28:12, em cerca de 735 A.C.). Ele viveu nos tempos do rei Peca.

MESOBABE

No hebraico, «restaurado» ou «regressado». Um príncipe simeonita que se estabeleceu, com seu clã, nas novas terras de pastagem, perto de Gerar (I Crô. 4:34). Isso aconteceu nos dias do rei Ezequias, de Judá.

MESOPOTÂMIA

Esboço:

1. O Nome
2. Localização Geográfica
3. Informes Históricos

1. O Nome

O nome **Mesopotâmia** vem diretamente do grego, e significa «entre rios». Designa aquela faixa de terra que jaz entre os rios Tigre e Eufrates. Seu nome hebraico era Arã-Naaraim, que significa, essencialmente, a mesma coisa. O nome grego passou a ser usado largamente após as conquistas militares de Alexandre, o Grande. O território assim designado, no tempo dele, não incluía a sua porção norte, que continuou a ser conhecida como *Babilônia*. O nome hebraico significa, literalmente, «Arã (Síria) dos dois rios». Ver Gên. 24:10; Deu. 23:4; Juí. 3:8,10 e I Crô. 19:6.

A Mesopotâmia teve vários outros nomes, durante sua longa história, como centro de uma antiga civilização. No começo era chamada *Suméria*, no extremo sul daquela região; *Acade*, na porção média; e *Subartu*. na sua porção noroeste.

2. Localização Geográfica

As terras que jazem ao longo e entre os rios Tigre e Eufrates, na porção sudoeste da Ásia. Seus limites eram o planalto da Anatólia, o planalto do Irã, o golfo Pérsico e os desertos da Arábia e da Síria. Essa era uma região de terras férteis, a leste do rio Orontes, que cobriam os cursos superior e médio do Eufrates, bem como as terras banhadas pelos rios Gabur, e Tigre, isto é, a porção leste da Síria e a porção norte do Iraque. A região inclui a área de Harã, para onde Abraão mudou-se, depois que partiu de Ur dos Caldeus. E foi a Harã que Eliezer foi enviado por Abraão, a fim de obter esposa para Isaque (Gên. 24:10). Também era a região do nascimento de Balaão (ver Deu. 23:4), e era o país governado por Cusã-Risataim, quando ele oprimiu ao povo de Israel (ver Juí. 3:8-10). Atualmente, a maior parte da antiga Mesopotâmia está confinada dentro do moderno país do Iraque, com pequenas porções na Síria e na Turquia. Os gregos não incluíam a parte norte, a Babilônia, quando usavam a designação *Mesopotâmia*. Portanto, de acordo com os gregos, a Mesopotâmia envolvia uma porção menor de território do que aquela que veio a ser conhecida por esse nome.

3. Informes Históricos

a. Antes do século XVIII A.C., essa área foi local onde houve certo número de cidades-estado independentes. Quase todas essas cidades-estado foram destruídas nas guerras de Hamurabi, rei da Babilônia.

b. Duas potências principais emergiram finalmente dali: a Assíria, na Alta Mesopotâmia, e a Babilônia, na Baixa Mesopotâmia. Esses dois países compartilhavam de uma civilização em comum, embora dando à mesma um caráter diferente. Por isso mesmo, inevitavelmente acabaram entrando em conflito. A Assíria tornou-se o primeiro desses poderes dominantes, tendo expandido o seu império para bem além dos limites da Mesopotâmia. Mais tarde, chegou a vez da Babilônia, que derrotou o império assírio e lhe pôs fim; e, então, a Babilônia passou a ampliar sua esfera de influência para além daqueles estreitos limites. Ver os artigos separados sobre a Assíria e a Babilônia, quanto a detalhes. Foi durante esse período que houve os cativeiros assírio e babilônico (ver os artigos a respeito), com efeitos tão devastadores para as nações de Israel e Judá.

c. Os persas ocuparam a Babilônia em 539 A.C., embora a cultura babilônica tivesse continuado ali por mais mil e oitocentos anos. Essa cultura continuou declinando, até 1258 D.C., quando uma invasão mongol produziu grandes destruições, com perda da população, que o sistema de irrigação, do qual dependia a própria vida, não pôde mais ser reparado e mantido.

d. Durante todo o período de 539 A.C. a 1258 D.C., a Mesopotâmia e a Pérsia formaram uma única unidade política. A dinastia acamenida da Pérsia chegou ao fim por obra de Alexandre, o Grande, em 331 A.C. A dinastia selêucida apareceu em seguida, em 312 A.C. Então, veio a dinastia asárcida (partas, em 141 A.C.). Depois vieram os romanos e, finalmente, os sassânidas (persas), já em 226 D.C.

e. Os sassânidas foram derrubados pelos árabes, em 637 D.C. Dessa data até 1258, tanto a Mesopotâmia quanto a Pérsia formaram parte do califado. Durante a maior parte desse período de mil e oitocentos anos, a sede do governo esteve na Mesopotâmia, e não na Pérsia, visto que a primeira tinha uma população maior. As capitais foram: Babilônia, Selêucia, Ctésifon e, finalmente, Bagdá.

f. Após a invasão mongol, em 1258, houve três séculos caóticos. A Mesopotâmia tornou-se uma província pobre e obscura do império turco (otomano).

g. Durante a Primeira Grande Guerra (1914—1918), a Mesopotâmia tornou-se o campo de batalha de campanhas militares acirradas entre os turcos e os ingleses. Em 1917, os ingleses tomaram a cidade de Bagdá. Terminada aquela guerra, a parte noroeste da Mesopotâmia foi entregue à Síria. Com o resto do território, foi formado um novo estado, com o nome de Iraque. Atualmente (começos de 1988), o Iraque está em guerra com o Irã, que já se arrasta aproximadamente a uma década.

MESOPOTÂMIA, RELIGIÕES DA

Ver os artigos separados intitulados *Suméria; Assíria; Babilônia*. Cada um desses artigos tem uma seção que aborda as antigas religiões dessas respectivas culturas.

MESQUITA

Essa palavra portuguesa deriva-se do termo árabe *masjid*, cuja raiz, *sajada*, significa «prostrar-se», «adorar». Assim chama-se algum templo maometano ou islâmico. O termo também é aplicado a um grupo de pessoas associadas a qualquer mesquita específica.

MESSIADO DE JESUS, Apologia da Igreja Primitiva

Ver também sobre Messias.

1. Ao defenderem o caráter messiânico de Jesus, alguns cristãos primitivos compilaram «testemunhos», isto é, versículos extraídos do A.T. que eram usados como textos de prova em favor da idéia de que a vida, as obras, as palavras e a morte de Jesus tinham sido adredemente profetizadas.

2. Paralelamente a essa atividade, os primeiros escritores cristãos salientaram certos aspectos da vida e do ministério de Jesus, em consonância com o que se esperava do Messias, dentro da tradição judaica. De certa maneira, o N.T. inteiro serve de apologia dessa natureza. Era mister provar que o Messias seria o Servo Sofredor, e não apenas o Senhor conquistador. Não importava apenas a vida e o ministério de Jesus. Sua morte também desempenhava um papel vital em

seu ofício messiânico.

3. *No evangelho de João*. Esse testemunho é variegado no quarto evangelho, a saber: 1. O testemunho de João Batista, que o povo de Israel considerava como grande profeta (primeiro capítulo). 2. O testemunho dos primeiros discípulos de João Batista, que se tornaram os primeiros discípulos de Jesus, como testemunhas de sua grandeza (primeiro e segundo capítulos). 3. Um círculo crescente de discípulos, que testificou acerca da mesma verdade (João 2:11). 4. Grande número de pessoas da área de Jerusalém, as quais reconheceram a grandeza de Jesus (João 2:23). 5. Nicodemos, um dos membros do sinédrio, que acolheu a Jesus primeiramente como profeta, e então como o próprio Cristo (João 3 e 19:39,40); e José de Arimatéia, também membro do sinédrio, que recebeu a Jesus como o Messias (João 19:38-41). 6. A samaritana e os samaritanos, em grande número, apesar do fato de que os samaritanos eram inimigos figadais dos judeus, mas que receberam a Jesus como o Messias (quarto capítulo). 7. A influência de Jesus chegou até mesmo à corte de Herodes, e ele tinha seguidores até mesmo ali (João 4:46-54). 8. Os seus próprios discípulos, além de vários outros, na área geral de Jerusalém, que permaneceram na companhia de Jesus sob as circunstâncias mais adversas, demonstrando assim a sua confiança nele (João 6:67 e 7:31). 9. Vários elementos da polícia do templo de Jerusalém, os quais reconheceram as sua grandeza, sentindo-se incapazes de aprisioná-lo (João 7:44-47),— disseram: *Jamais alguém falou como este homem*. 10. Por semelhante modo, os muitos e poderosos feitos de Jesus, evidentes para todos, testificavam seu caráter messiânico (João 5:36; 10:38 e 14:11). 11. O testemunho das Escrituras do A.T., que dizia respeito à natureza de sua vida, testemunho esse que assumia a forma de profecias, as quais foram perfeitamente cumpridas na pessoa de Jesus (João 5:39). 12. Assim, pois, o testemunho de Moisés também o favorecia (João 5:45,46). 13. Jesus exerceu o conhecimento todo especial que era esperado da parte do Messias, podendo ler os pensamentos e demonstrando um conhecimento sobre todas as coisas (João 13:19 e 16:4,30). 14. Notáveis milagres, como o da ressurreição de Lázaro (décimo primeiro capítulo). 15. O Espírito Santo, que viria testificar a seu respeito (João 14:16—as declarações de Jesus sobre o divino «paracleto» aparecem nesta altura da narrativa; esse é o ministério do Espírito, como prova do caráter messiânico de Jesus). 16. As muitas aparições do Senhor Jesus, após a sua ressurreição dentre os mortos, também comprovaram a realidade de sua ressurreição. Essa foi de todas a obra mais poderosa de Cristo, o maior *sinal* que, mais do que qualquer outro, comprovava a validade de suas reivindicações (vigésimo capítulo. Ver a introdução a esse capítulo no NTI onde damos uma lista dessas diversas aparições de Jesus). 17. Finalmente, a ascensão de Jesus aos lugares celestiais provou o fato de que Deus estava com ele, tendo aceito o seu ministério salvador (João 20:17).

Essa conclusão do quarto evangelho faz-nos retrocecer até às palavras do prólogo: «A vida estava nele, e a vida era a luz dos homens...Mas, a todos quantos o receberam, deu-lhe o poder de *serem feitos filhos de Deus*; a saber: aos que crêem no seu nome» (João 1:4,12).

Carlos Wesley, em seu hino *Desce, Espírito da Fé*, combinou os testemunhos de Paulo e de João que apelam para a «atitude da fé».

Ninguém pode dizer em verdade
Que Jesus é o Senhor,
A menos que tu tires o véu,
E sopres a Palavra viva;
Então, somente então é que sentimos
Nosso interesse em seu sangue,
E clamamos, com alegria incontida:
Tu és meu Senhor, Meu Deus!

Eis o parecer de diversos grandes estudiosos das Escrituras, sobre a importância da ressurreição do Senhor Jesus:

«Apesar de que há um mistério que não pode ser dissipado no que concerne à maneira da ressurreição, o fato da ressurreição não pode ser posto em dúvida mais do que a evidência histórica e honesta do assassinato de César» (*DeWette*).

«Pode-se afirmar sem a mínima hesitação que a ressurreição de Cristo é o fato mais bem comprovado da história» (*Edersheim*).

«Nada é tão historicamente confirmado como o fato de que Jesus ressuscitou dentre os mortos e apareceu novamente para os seus seguidores». (*Ewald*).

«Se ainda não sabemos que Jesus de Nazaré ressuscitou dentre os mortos, então ainda não sabemos coisa alguma sobre a história». (*John A. Broadus*).

MESSIANISMO

Esse é o nome da crença no poder de um indivíduo (ou de um grupo, de uma nação, etc.), para transformar ou revolucionar a ordem social ou religiosa existente. No campo religioso, essa palavra aponta especificamente para o aparecimento de um Messias pessoal (ou de um poder impessoal) que haveria de tornar-se o veículo especial que entregaria uma mensagem divina capaz de modificar a ordem de coisas vigentes. Ver o artigo geral sobre o *Messias*. Quase todas as religiões têm alguma figura messiânica, já vinda ou prevista.

Ocasionalmente, uma denominação religiosa em particular salienta a idéia que ela é melhor, ou é singular, e assume sobre si mesma a tarefa de converter ou reformar as outras denominações. Muitas novas seitas, pois, são messiânicas em seu intuito, sem importar se estão associadas ou não à tradicional Igreja cristã. Os movimentos de *restauração* são sempre messiânicos, e eles sempre exibem considerável arrogância.

Politicamente falando, uma nação inteira pode ver-se como superior às demais nações, como sucedeu com a Polônia, no século XIX, quando seus filósofos, poetas e pensadores religiosos chegaram a supor que o papel da Polônia era o de ser um edificador espiritual, fazendo da Polônia, antes de tudo, uma nação *autêntica*, para, em seguida, influenciar outras nações a também serem autênticas. Em um sentido negativo, Hitler foi um messias alemão. O espírito nacionalista norte-americano também tem-se aproximado, com freqüência, de um messianismo — primeiramente, na promoção dos ideais democráticos; e, em segundo lugar, na promoção de missões religiosas por todo o mundo.

MESSIAS Ver Também **Messiado de Jesus.**

Esboço:

I. Palavras Empregadas
II. Definições e Usos
III. Unção Fora de Israel

IV. Tipos de Unção em Israel
V. A Literatura Messiânica
VI. O Messias no Novo Testamento

I. Palavras Empregadas

O termo hebraico **mashiah** significa «ungido» e vem de uma raiz hebraica que significa «untar». A Septuaginta traduziu essa palavra pelo vocábulo grego *christós*, «ungido». Essa palavra grega foi transliterada para o português, Cristo, em vez de ser traduzida, para Ungido. Assim, o Cristo, ou o Ungido, cumpre as expectações e simbolismos do ato de ungir. Essa palavra, referindo-se ao esperado Messias, é um produto do judaísmo posterior, ainda que desde tempos bem remotos, entre os hebreus, encontremos indicações simbólicas. Somente por duas vezes, em todo o Antigo Testamento, essa palavra é usada como um título oficial. Ver Dan. 9:25,26. O conceito messiânico, pois, embora tivesse tido início no Antigo Testamento, (como no livro de Isaías, onde não é usada a palavra hebraica específica), teve prosseguimento durante o período intertestamentário, nos livros apócrifos e pseudepígrafos. Ver o artigo separado chamado *Unção*. Esse artigo inclui muitas referências bíblicas.

A palavra grega *Christós*, «Ungido», é de uso freqüente no Novo Testamento. Aparece por nada menos de quinhentas e sessenta e nove vezes ali. Damos abaixo meros dez exemplos, de diferentes livros neotestamentários: Mat. 1:1; Luc. 9:20; Rom. 1:16; I Cor. 11:1; II Cor. 10:1; Efé. 1:20; Fil. 1:19; Col. 3:1; I Tes. 5:9; Apo. 1:1. Ver o artigo separado sobre *Cristo*, quanto a um estudo completo a respeito; e um outro, chamado *Jesus, o Cristo*.

II. Definições e Usos

Na cultura do Antigo Testamento, profetas, sacerdotes e reis eram *ungidos*, a fim de desempenharem sua tarefa ou missão especial. No artigo sobre a *Unção*, explicamos isso, dando ilustrações e referências bíblicas. Outrossim, surgiu a expectação messiânica, em torno do Messias profetizado (ver Dan. 9:25,26). Ver o artigo intitulado *Esperança Messiânica*. Com base nessa circunstância, essa personagem passou a ser conhecida como *o Messias*. Nas páginas do Novo Testamento são combinados a pessoa de Cristo, com os ofícios e qualidades dos profetas, sacerdotes e reis. No tocante à questão da unção fora de Israel, ver a terceira seção deste artigo. O rito da unção emprestava aos homens uma posição ímpar e sagrada, bem como a conveniente autoridade, para os ungidos desempenharem algum ofício ou alguma tarefa especial. A aspersão ou unção com óleos sagrados também era aplicada a objetos sacros como os altares, a arca da aliança e vários objetos do tabernáculo e do templo de Jerusalém (ver Êxo. 30:26; Lev. 8:10,11). Assim, mediante esse ato de unção, tais objetos tornavam-se instrumentos usados no culto divino. No judaísmo, a esperança messiânica estava centralizada em torno de uma pessoa (no caso de alguns dos autores sagrados), embora também girasse em torno de certa condição nacional de Israel, que cumpriria os seus ideais e sonhos como nação. Portanto, por um lado, a esperança messiânica girava em torno do Messias, e, por outro lado, girava em torno de algo que pertencia à nação de Israel, quanto às suas futuras expectações. Essas expectações continuam sendo uma característica distintiva do judaísmo ortodoxo, sendo refletidas na grande oração central da liturgia judaica, chamada *Shemonch, Esreh* ou *Dezoito Bênçãos*. Para muitos, essa esperança não depende de uma pessoa, o Messias, porquanto concebem-na como a vindoura era da salvação, da justiça, da paz, da saúde, das realizações nacionais de Israel, de mistura com sonhos utópicos e o cumprimento de profecias veterotestamentárias acerca de Israel. A tradição profética informa-nos que, finalmente, essas esperanças centralizar-se-ão todas em Jesus, o Cristo, quando Israel tornar-se uma nação cristã. Esperamos ver isso acontecer como parte das convulsões que serão produzidas pela Terceira Guerra Mundial.

III. Unção Fora de Israel

As pessoas costumam usar elementos comuns de maneira religiosa. Assim é que o azeite, uma substância empregada na cozinha, na iluminação, nas lavagens (como parte constituinte do sabão), na medicina ou na cosmetologia, também era e continua sendo empregado nos ritos religiosos. Talvez a sua associação às curas tenha sido o grande motivo que levou o azeite a ser usado nas unções dos enfermos. O dicionário Clássico de Oxford informa-nos que o uso cúltico do azeite é uma das mais antigas práticas de que os homens têm notícia.

Sabe-se que as estátuas dos deuses eram ungidas no Egito, na Babilônia, em Roma e em outros países da antiguidade. O azeite era usado nas purificações rituais. O Tablete 51 dos tabletes de Tell el-Amarna contém uma referência à unção dos vice-reis dos Faraós egípcios. No entanto, não há qualquer alusão para mostrar que isso era feito no tocante aos próprios Faraós. Todavia, o Tablete 34 sugere tal coisa. Talvez a unção fosse praticada no caso dos reis porque esse ofício era mesclado com o do sacerdócio, perfazendo assim uma espécie de sinal divino das funções reais, tendo em vista interesses tanto políticos quanto religiosos. O uso da unção, quando da consagração de sacerdotes era uma prática comum em muitas culturas antigas.

IV. Tipos de Unção em Israel

Quanto a um estudo completo a respeito, ver o artigo chamado *Unção*. Eram ungidas coisas e pessoas (reis, sacerdotes, profetas, visitantes dos mortos, inquiridores); também havia unções com propósitos cosméticos e de higiene, sem falarmos nos propósitos religiosos. Os usos metafóricos dessa prática falavam sobre a unção do Espírito; o poder da cura; a transmissão de autoridade e aprovação. Mas, acima de tudo, temos o caso notável do Ungido, o Messias (o Cristo). Oferecemos referências bíblicas quanto a essas questões, no artigo acima referido.

V. A Literatura Messiânica

1. No Antigo Testamento

a. *Pano de Fundo*. Apesar de que somente o trecho de Dan. 9:25,26 tem a palavra hebraica *mashiah* como um título oficial, há muitas passagens do Antigo Testamento que refletem o conceito messiânico. Os reis, sacerdotes e profetas ungidos *prefiguravam* o Ungido do Senhor, que estava destinado a incorporar, em sua pessoa, todos os três ofícios, missões e realizações daqueles. Os sacerdotes são mencionados como ungidos (ver Lev. 4:3; 8:12; Sal. 105:15). Outro tanto no caso dos reis (ver I Sam. 24:7-11; Sal. 2:2; Dan. 9:25-26) e dos profetas (ver I Reis 19:16). Quando o pecado veio macular a humanidade, foi feita uma promessa, da parte de Deus, para cuidar do problema em sua própria raiz (ver Gên. 3:15). Por sua vez, o pacto abraâmico (vide) incluía uma promessa nesse sentido, a de que o descendente de Abraão haveria de abençoar a todas as nações da terra (ver Gên. 12:3; 9:36; 22:19). E foi através da descendência de Abraão que surgiram em cena primeiramente a nação de Israel e, então, o Messias. A nação escolhida de Israel estampava esse caráter singular, era uma nação santa, um reino de sacerdotes (ver Êxo. 19:6).

b. *Designações Messiânicas*. Descendente de Abraão; Filho de Davi; Filho do Homem; Meu Filho; Meu Servo; Meu Eleito; o Renovo; Príncipe da Paz; Maravilhoso; Conselheiro; Poderoso Deus; Pai da Eternidade. Ver Gên. 22:18; II Sam. 23:6; Sal. 2:7; Isa. 9:6,7; 42:1; Zac. 3:8; 6:12; Dan. 7:13,14; 10:16-18. Finalmente, temos a designação específica de *Messias*, em Dan. 9:25,26.

c. *Passagens Proféticas*. Várias das referências dadas acima, sob «a», podem ser consideradas passagens proféticas messiânicas. Os estudiosos da Bíblia (talvez com alguns exageros) descobrem muitas passagens proféticas. Billy Graham asseverou que *todos* os Salmos contêm profecias acerca do Messias. Naturalmente, nisso há um exagero; mas é verdade que os salmos são a porção veterotestamentária mais constantemente citada no Novo Testamento. Damos uma lista completa de citações dos salmos, no Novo Testamento, no artigo sobre aquele livro de Salmos. Não há que duvidar que muitos dos salmos são messiânicos. Certo autor foi capaz de encontrar quatrocentas e cinqüenta e seis profecias sobre o Messias, no Antigo Testamento: setenta e cinco no Pentateuco; duzentas e quarenta e três nos livros proféticos; e cento e trinta e oito nos rolos (ele usava a divisão do Antigo Testamento segundo os hebreus faziam). Mas, se examinássemos uma por uma dessas passagens, veríamos que aquele autor exagerou. Não se pode duvidar, porém, que ao menos os Salmos e o livro de Isaías contêm muitas passagens proféticas a respeito do Messias. Ver os pontos «g» e «h», abaixo. Ver também o artigo separado **Profecias Messiânicas Cumpridas em Jesus**. Esse artigo relaciona aquelas referências do Antigo Testamento que estão obviamente vinculadas ao Senhor Jesus, no Novo Testamento, servindo como uma seleção de passagens proféticas que falam sobre esse tema.

d. *O Messias Através de Tipos Simbólicos*. Pode-se dizer que a própria Israel, como nação através da qual foi dada a mensagem de redenção, servia como tipo simbólico do Messias. Além disso, Adão, o primeiro homem, prefigurava o *Segundo* (ou Último) *Adão*, conforme Paulo nos ensina no quinto capítulo de Romanos. Abraão, por meio de quem se cumpririam as condições do pacto especial de Deus, prefigurava Aquele que teria o *Novo Pacto* (vide). Em Abraão e em seu Filho maior seriam abençoadas todas as nações da terra. Jacó, que era *Príncipe* com Deus, simbolizava Aquele que seria, acima de qualquer outro, o Príncipe de Deus. Moisés, o primeiro legislador, prefigurava o Messias, que é o Segundo e Maior Legislador. Os capítulos quinto a sétimo de Mateus fornecem-nos o sumário da nova legislação, que tanto interpreta quanto ultrapassa a primeira legislação. A primeira legislação tinha por finalidade servir de aio, conduzindo-nos ao segundo e maior Legislador, Cristo (ver Gál. 3:24,25). Davi foi o antepassado real do Filho de Davi, que veio a ser o líder do povo de Israel em um sentido todo especial.

e. *Filho de Davi*. Ver as seguintes referências do Novo Testamento: Mat. 1:1; 9:27; 12:3,23; 15:22; 20:30,31; 21:9,15; 22:42,43,45; Mar. 10:47,48; 12:35-37; Luc. 1:27,32; 2:4; 18:38; 20:42,44; João 7:42; Atos 13:22,34; 15:16; Rom. 1:3; II Tim. 2:8; Apo. 3:7; 5:5; 22:16. Ver também o artigo intitulado *Pactos*, onde é ventilado o chamado Pacto Davídico.

f. *O Ser Sobrenatural*. O Messias, como uma figura celestial, aparece obviamente no trecho de Isa. 9:6 *ss*. Em Dan. 7:13 *ss*, o Rei ideal humano retrocede a segundo plano e em seu lugar, emerge o Cristo sobrenatural, um ente sobrenatural que haveria de entrar no palco da história humana, vindo das dimensões celestes. Esse tema também é proeminente em I Enoque, e aparece no Novo Testamento sob os termos mais enfáticos, especialmente dentro da doutrina do *Logos* (vide).

g. *As Bênçãos Proféticas de Jacó a seus Filhos. O Filho que Viria*. É muito instrutiva a questão das bênçãos de Jacó a seus filhos, em seu leito de morte. O *Targum* sobre Gên.49:10 é significativo: «O cetro não se arredará de Judá... até que venha o tempo da vinda do Rei, o *Meshiah*, o mais jovem de seus filhos; e, por causa dele, todas as nações fluirão juntamente. Quão belo é o Rei, o *Meshiah*, que se erguerá dentre a casa de Judá!» Nesse comentário, o nome próprio Messias toma o lugar do nome Siló, dentre aquela predição de Jacó. Os eruditos consideram que esse comentário judaico mais antigo que o começo do cristianismo, é, naturalmente, inteiramente independente da Igreja cristã.

h. *As Profecias de Isaías*. Devemos considerar as seguintes: em Isa. 4:2, sobre o Renovo do Senhor. Em 7:10-17, sobre o prometido Emanuel. Em 7:14, sobre o nascimento virginal de Cristo (ver Mat. 1:23). Em 9:1-17, sobre a Personagem celeste. Em 11:1 *ss* sobre o nascimento de um Filho especial. Em 32:1-8 sobre a visão messiânica. Em Isa. 55:3,4, sobre o pacto eterno com Davi. É com toda a razão, pois, que o livro de Isaías tem sido apodado de Evangelho do Antigo Testamento.

i. *Outros Trechos Bíblicos Notáveis*. Em Jer. 23:5,6, sobre o Senhor Justiça Nossa. Em Jer. 31:31 *ss*, sobre o Príncipe Messiânico. Em Eze. 24:23,24, sobre o Novo Pacto. Em Eze. 37:22 *ss*, sobre o Pastor de Israel. Em Miq. 5:1-4, sobre Belém Efrata, local do nascimento do Messias. Em Zac. 9:9, sobre a entrada triunfal do Messias em Jerusalém.

j. *Alguns Salmos Messiânicos:* 2; 8; 22; 23; 34:21; 41:10; 45; 69; 72. Todos esses trechos são mencionados no Novo Testamento.

l. *O Apólogo*. Um dos melhores argumentos em favor de um elo genuíno entre o Antigo e o Novo Testamentos (alguns pensam que esse elo é um acidente histórico) é a tradição profética. E o principal conceito que liga os dois Testamentos é o tema do Messias.

2. Na Literatura Extracanônica

a. *I Enoque*. Uma das grandes falhas na erudição evangélica é a falta de conhecimento sobre os livros apócrifos e pseudepígrafos. Ver os artigos separados sobre essas coletâneas. O esboço profético adotado no Novo Testamento já existia naqueles livros, segundo se vê claramente em I e II Enoque. O conceito messiânico é saliente em I Enoque, incluindo a doutrina da Personagem celestial. Naturalmente, em forma preliminar, encontramos essa doutrina no livro de Daniel. Os livros apócrifos não contribuem muito para definir o conceito messiânico; mas essa definição é bem vívida em alguns dos livros pseudepígrafos. O artigo sobre I Enoque demonstra isso claramente. Paralelamente, fica demonstrado que aquele livro já continha um dos principais temas proféticos posteriormente desenvolvidos no Novo Testamento.

Nos livros pseudepígrafos, «...os conceitos messiânicos são altamente desenvolvidos e desempenham um papel vital na mensagem daqueles livros. Especialmente o livro de I Enoque rebrilha com grandiosa esperança messiânica, refletindo o julgamento contra os inimigos de Israel, predizendo a fundação da Nova Jerusalém, concebendo a conversão dos gentios, falando sobre a ressurreição dos justos, e atingindo um clímax em sua visão do advento do Messias. R.H. Charles reputa essa obra como a mais importante na história do desenvolvimento teológico. Esse livro de I Enoque retrata o Messias como um Cordeiro com chifres na cabeça, por causa do qual o Senhor das ovelhas regozija-se (90:38). Os títulos dados ao Messias, nesse livro, são dignos de atenção, por estarem tão próximos da nomenclatura neotestamentária. O Ungido (48:10; 52:4); o Justo (38:2; 46:3; 53:6; comparar com Atos 3:14: 7:52; 22:14; I João 2:1); o Eleito (40:5; 45:3 *ss;* 49:2,4; 51:3,5; comparar com Luc. 23:35; I Ped. 2:4); o Filho do Homem (46:3 *ss;* 48:2; 62:9,14; 63:11; 69:26 *ss*; 70:1; 71:1)» (Z).

Em I Enoque também há menção a várias funções que pertencem ao Messias, e que reaparecem no Novo Testamento: Ele é o Juiz do mundo; Ele é o Revelador de todas as coisas; Ele é o Campeão e Dirigente dos justos; Ele ressuscita aos mortos (51:1; 61:5).

b. *Outras Obras Pseudepígrafas*. O livro Testamento dos Doze Patriarcas refere-se à missão universalista do Messias, que haveria de envolver todos os seres humanos. II Baruque alude ao reino messiânico e à ressurreição dos mortos. IV Esdras é livro que indica o triunfo do Messias sobre os seus inimigos.

c. *Josefo e Suetônio*. Esses antigos escritores falam sobre o poder que as idéias messiânicas exerciam sobre o judaísmo, pouco antes da época de Cristo. Ver *A Vida de Vespasiano* 4, e também *Guerras* VI, 5,2.

d. *Materiais entre os Manuscritos do Mar Morto*. São mencionados dois messias, em IQS 9:11, um de Aarão e outro de Israel. Também são mencionados o Mestre da Justiça; o grande Homem (IQS 4.18); o grande Profeta (IQS 9.11). O *Homem* reaparece no Testamento dos Doze Patriarcas, em Zac. 12:7 e em Lamentações 3:1. Também lemos sobre o Poderoso Conselheiro (Hino 3.5), e sobre o Botão, o Renovo e a Planta Eterna (Hino 6), que cobrem a terra inteira.

e. *A Quarta Écloga de Vergílio*. Essa bucólica peça da literatura latina é verdadeira e espantosamente messiânica. Alguns comentadores têm pensado que ela foi inspirada pelo Espírito de Deus em um escritor pagão. Quando, na universidade, meus colegas e eu a líamos, nosso professor de latim comentou sobre o caráter incomum desse escrito, e sobre como muitos o consideram profético e messiânico. Há eruditos, porém, que oferecem uma explicação mais simples, embora não, necessariamente, a correta. Esses supõem que a obra foi escrita sob a influência das expectações messiânicas dos hebreus, não sendo um conceito independente de Vergílio. Suas datas (70—19 A.C.) fazem isso tornar-se perfeitamente exeqüível. Seja como for, essa obra fala sobre o nascimento de um menino que trará a paz ao mundo.

f. *A Inspiração dos Macabeus*. Os Macabeus liberaram Israel da dominação estrangeira. Infelizmente, porém, não demorou para que Roma pusesse fim à liberdade deles! Os judeus começaram a anelar por uma figura que renovasse e até mesmo ultrapassasse a glória trazida pelos Macabeus. Por isso, o Messias foi assumindo dimensões cada vez maiores na mente popular, revestido de uma estatura metafísica gigantesca. Ele haveria de ser o Filho de Davi, inigualavelmente dotado, e que haveria de restaurar a nação de Israel, levando-a a ser a cabeça de um reino universal. Ele também seria o Filho de Deus, a Personagem celeste que traria aos judeus a salvação e seria o mediador de uma nova mensagem da parte de Deus. Veio à tona a idéia da *era áurea* (o milênio). O livro de *Jubileus* menciona, especificamente, os mil anos, e *I Enoque* refere-se a uma era áurea de trezentos anos. As expectações foram-se intensificando, à medida que a nação de Israel aproximou-se dos seus cinco mil anos do calendário da criação. As crenças populares afirmavam que seria então inaugurado o período do milênio. Esse período seria um tempo de justiça, paz, bênção e grandeza universais. Foi em meio dessas grandiosas expectações que nasceu Jesus, o Cristo.

VI. O Messias no Novo Testamento

Há uma série de artigos, nesta Enciclopédia, ou mesmo partes de artigos, que abordam essa questão, os quais o leitor poderia examinar, a saber:

1. *Esperança Messiânica;* 2. *Cristo*; 3: *Filho do Homem*; 4: *Filho de Deus*; 5. *Profecias Messiânicas Cumpridas em Jesus;* 6. *Jesus* (ver especialmente a seção III. 3. *Temas Básicos*, a. Reino; b. Filho do Homem; c. Missão Messiânica). 7. *Logos*.

É óbvio que o Novo Testamento leva o conceito messiânico muito além do que o faz o livro de I Enoque. O Messias é ali não somente uma figura celeste, porquanto ele é divino, ele é o Servo sofredor que fez expiação por seu povo (ver sobre a *Expiação*); Ele é o Juiz de vivos e de mortos; ele é o *Logos*, o divino Revelador de todas as coisas; ele é o Salvador; ele é o verdadeiro Deus; ele tem uma tríplice missão: sobre a terra, no hades e nos céus. Em sua *encarnação* (vide), Cristo é o *Deus-homem*, naquela misteriosa união de personalidades que nenhuma teologia jamais foi capaz de explicar devidamente.

No artigo intitulado *Cristo*, o leitor é dirigido a consultar vinte e quatro outros artigos que desdobram a doutrina de quem foi o Cristo, o que ele realizou, e quais são os seus ofícios e poderes. Torna-se imediatamente patente que, sem embargo às grandes contribuições do Antigo Testamento e dos livros extracanônicos para o conceito do *Messias*, o Novo Testamento desenvolve essa idéia em dimensões muito mais elevadas e profundas. Os artigos que dizem respeito à missão de Cristo são os seguintes: *Salvação; Descida de Cristo ao Hades; Transformação do Crente Segundo a Imagem de Cristo*.

Em todo o volume do Novo Testamento, a palavra *Messias* aparece somente por duas vezes, em João 1:41 e 4:5. Em todas as demais ocorrências à idéia do Ungido de Deus é usada a palavra grega *Christós*.

Bibliografia. AM C CB CH E ED EN J KLA ME(1964) YO W Z. Quanto a outros verbetes, ver as bibliografias dos artigos *Cristologia* e *Jesus*.

MESSOS, APOCALIPSE DE

Esse é o nome de uma obra de origem gnóstica, escrita em cóptico, descoberta em Chenoboskion, no Egito, em 1946. O manuscrito em foco não tinha a porção onde deveria ficar o título; mas, visto que *Messos*, um vidente gnóstico, é a personagem central do livro, este acabou sendo chamado por seu nome. Messos teria sido convocado ao céu, a fim de contemplar muitas coisas. Todavia, não lhe foi permitido divulgar imediatamente as revelações que lhe foram proporcionadas. Antes, deveriam ser ocultas em uma montanha, a fim de virem a tornar-se conhecidas mais tarde. Isso é apenas típico das pseudo-profecias e dos ensinos dessa natureza. Pois explica como, algum tempo mais tarde, subitamente tais revelações vieram à luz. Alguém achou as placas! Esse truque empresta à obra a aparência de antiguidade, contrabalançando o elemento negativo de ser uma fabricação recente! Porfírio mencionou essa obra em seu livro sobre a vida de Plotino, e tachou-a de uma obra herética.

MESTRE DO NAVIO

No grego, **naúkleros**. Nem todos os intérpretes

concordam acerca do significado desse termo. Alguns pensam no «proprietário», e outros, no «contramestre». Ver Atos 27:11, onde a palavra ocorre, acerca de alguém que fazia parte da tripulação da embarcação que Paulo apanhou, a caminho de seu julgamento em Roma. Ali, a nossa versão portuguesa traduz o termo por «mestre do navio», o que corresponde a «contramestre do navio».

A bordo, o centurião era o militar de mais alta patente; mas a mais alta autoridade civil era a do contramestre ou proprietário. Se o navio pertencia à frota alexandrina, que estava a serviço do império romano, então a embarcação era de propriedade do Estado. Nesse caso, o *naúkleros* era um contramestre, um civil nomeado como capitão. Porém, é possível que o navio fosse de propriedade particular, embora posto a serviço do governo central. Nesse caso, «proprietário» seria uma boa tradução para esse vocábulo grego.

MESTRE, ENSINO Ver também **Mestres**.

Ver os artigos separados sobre *Ensino* e *Ensinos de Jesus*.

Há quatro palavras hebraicas e duas palavras gregas envolvidas neste verbete, a saber:

1. *Bin*, «fazer compreender». Esse verbo hebraico é empregado por mais de cento e sessenta vezes, com variados sentidos, embora sempre ligados à idéia de «compreensão», «conhecimento», etc. De fato, no hebraico, «entendimento», «sabedoria», etc., corresponde a *binah*. Ver, por exemplo, I Crô. 25:8; II Crô. 35:3; Nee. 8:9; Isa. 40:14; Dan. 11:33; Deu. 32:10.

2. *Yarah*, «direcionar», «ensinar». Esse verbo, no *hifil*, é usado por quarenta e sete vezes com o sentido de «ensinar». Ver, por exemplo, Êxo. 4:12,15; Lev. 10:11; Deu. 17:11; Juí. 13:8; I Sam. 12:23; I Reis 8:36; Jó 6:24; 34:32; 36:22; Sal. 25:8; 27:11; 32:8; 86:11; Pro. 4:4,11; 6:13; Isa. 2:3; 9:15; Eze. 44:23; Miq. 3:11; 4:2; Hab. 2:18,19.

3. *Lamad*, «ensinar». Palavra hebraica usada por cinqüenta e sete vezes com esse sentido. — Por exemplo: Deut. 4:1,5,10,14; 5:31; 6:1; Juí. 3:2; II Sam. 1:18; II Crô. 17:7,9; Esd. 7:10; Jó 21:22; Sal. 18:34; 25:4,5,9; 34:11; Ecl. 12:9; Isa. 40:14; Jer. 2:23; 9:5,14,20; 32:33; Dan. 1:4.

4. *Sakal*, «fazer agir sabiamente». Usado no *hifil* por oito vezes, com o sentido de ensinar: Dan. 1:17; 9:22; Nee. 9:20; Sal. 32:8; II Crô. 30:22; Pro. 16:23; Jó 22:2; Pro. 10:5.

5. *Didáskalos*, «mestre», «professor». Palavra grega usada por cinqüenta e oito vezes: Mat. 8:19; 9:11; 10:24,25; 12:38; 17:24; 19:16; 22:16,24,36; 23:8; 26:18; Mar. 4:38; 5:35; 9:17,38; 10:17,20,35; 12:14,19,32; 13:1; 14:14; Luc. 2:46; 3:12; 6:40; 7:40; 8:49; 9:38; 10:25; 11:45; 12:13; 18:18; 19:30; 20:21,28,39; 21:7; 22:11; João 1:39; 3:2,10; 8:4; 11:28; 13:13,14; 20:16; Atos 13:1; Rom. 2:20; I Cor. 12:28,29; Efé. 4:11; I Tim. 2:7; II Tim. 1:11; 4:3; Heb. 5:12 e Tia. 3:1. O substantivo, *didaskalía*, «ensino», aparece por vinte e uma vezes, de Mat. 15:9 a Tito 2:10. E o verbo, *didásko*, «ensinar», é usado por noventa e cinco vezes, desde Mat. 4:23 até Apo. 2:10. E outro substantivo derivado desse verbo, *didaché*, aparece por trinta vezes, de Mat. 7:28 a Apo. 2:24.

6. *Katechéo*, «instruir». Verbo grego usado por sete vezes: Luc. 1:4; Atos 18:25; 21:21,24; Rom. 2:18; I Cor. 14:19; Gál. 6:6.

I. No Antigo Testamento

Na antiguidade, a educação, entre os judeus, consistia inteiramente na instrução religiosa. Nos dias do Antigo Testamento não havia compêndios exceto o próprio Antigo Testamento, e toda a educação resumia-se à leitura e estudo das Sagradas Escrituras. Nessa época, não havia nenhum ofício reconhecido como o dos professores, e nem havia um título definido para tais. Falava-se em «ensinar», mas não em «professores», conforme se vê nas quatro palavras hebraicas estudadas no começo deste verbete. Para os judeus, o centro de educação e instrução era o lar, pois a responsabilidade do ensino das crianças recaía sobre seus genitores (Deu. 4:9,10; 6:7,20-25; 11:19; 32:46).

Os profetas, entretanto, foram reconhecidos como mestres, mas, novamente, de assuntos religiosos, como porta-vozes de Deus. Mediante a palavra oral e a palavra escrita, eles ensinavam a vontade de Deus no tocante aos israelitas. Antes deles, os sacerdotes também estavam ocupados na tarefa da instrução religiosa do povo (II Crô. 15:3). Pode-se mesmo dizer que foi porque os sacerdotes falharam no papel de mestres que Deus levantou os profetas. Os sacerdotes ensinavam com base nas instruções aprendidas nas Escrituras; os profetas ensinavam com base na Palavra viva, que lhes era dada por revelação.

Nos dias anteriores ao exílio babilônico, não havia qualquer vestígio da existência de escolas em Israel. A sinagoga foi uma instituição que surgiu em face das novas necessidades, impostas pelo exílio. E, quando o templo de Jerusalém foi destruído, no ano 70 D.C., os ritos sacrificiais tornaram-se impossíveis. E, por essa razão, no exílio, os judeus começaram a se reunir aos sábados, a fim de orarem e receberem instruções religiosas. É por esse motivo que Filo, um pensador judeu do passado, chamou as sinagogas de «casas de instrução». Foi a partir dessa altura dos acontecimentos que os escribas, que dedicavam toda a sua vida à tarefa de compreender e interpretar a lei, entraram em cena.

Não se sabe exatamente quando, após o retorno do exílio babilônico, teve início a instrução elementar, como um serviço público organizado. O Talmude informa-nos de que Simão ben-Setaque, irmão da rainha Alexandra, que reinou de 78 a 60 A.C., baixou decreto impondo que as crianças judias deveriam freqüentar as escolas elementares; e também ajunta que o sumo sacerdote Josué ben-Gamala (63—65 D.C.) foi quem universalizou a educação elementar por toda a Judéia. Somente os meninos judeus recebiam essa educação pública, a começar com a idade entre cinco e sete anos. Usualmente, essas escolas elementares eram um adendo à sinagoga. Essas escolas eram chamadas casas do Livro. O ensino judaico era efetuado de maneira inteiramente oral, e a educação consistia quase inteiramente na memorização. Apesar das falhas didáticas e de método, os professores eram altamente estimados e respeitados em Israel.

II. No Novo Testamento

No Novo Testamento, o substantivo *didáskalos* é usado, de maneira geral, para indicar qualquer tipo de professor, de assuntos religiosos ou não (Mat. 10:24; Luc. 6:40; Rom. 2:19,20; Heb. 5:12), que é termo grego equivalente ao termo hebraico *rabi*, que significa «meu mestre» (Mat. 8:19; 12:38; 19:16; 22:16,36).

De todos os mestres que ali aparecem, nenhum é tão destacado como o Senhor Jesus, o Mestre por excelência. Nicodemos, que Jesus chamou de «mestre em Israel», disse: «Rabi, sabemos que és Mestre vindo da parte de Deus...» (João 3:2). Jesus foi o protótipo de uma série de «mestres cristãos», levantados por ele no seio de sua Igreja. Em I Coríntios 12:28 e

Efésios 4:11, o apóstolo Paulo refere-se a um ministério especial, dos *mestres*, cuja finalidade era a de instruir a verdade cristã aos crentes. E o confronto entre Atos 13:1 com Rom. 12:7; II Tim. 1:11 e Tia. 3:1 mostra-nos que os mestres cristãos—que exerciam seu dom ministerial juntamente com os apóstolos, os profetas, os evangelistas e os pastores (na verdade, os mestres eram sempre pastores, embora nem todos os pastores fossem mestres) — na maioria das vezes ensinavam em congregações locais já estabelecidas. O ministério do ensino não estava necessariamente limitado a eles, porquanto também era exercido pelos apóstolos e profetas.

Dentro do círculo apostólico, o grande mestre dos gentios foi o apóstolo Paulo. Testificou ele: «Para isto fui designado pregador e apóstolo (afirmo a verdade, não minto), mestre dos gentios na fé e na verdade» (I Tim. 2:7). E Tiago, prático como sempre, nos oferece uma interessante instrução acerca desse ministério de mestre: «Meus irmãos, não vos torneis, muitos de vós, mestres, sabendo que havemos de receber maior juízo» (Tia. 3:1).

MESTRE ESCOLA

Ver **Educação**.

MESTRE-SALA

No grego, *architriklinos*, «chefe da sala de jantar». O termo aparece somente em João 2:8,9, na narrativa sobre o casamento em Caná da Galiléia. Depois que Jesus foi atendido pelos serviçais, e as talhas de barro haviam sido cheias de água, Jesus disse: «Tirai agora e levai ao mestre-sala». Aludia ele ao vinho que miraculosamente, fizera surgir da água. E lemos que quando o mestre sala provou do vinho, sem saber qual a sua origem, chamou o noivo e reparou que ele agira de modo contrário a todos os que davam festas: «Todos costumam pôr primeiro o bom vinho e, quando já beberam fartamente, servem o inferior; tu, porém, guardaste o bom vinho até agora» (João 2:10).

De acordo com Eclesiástico 32:1, era usual nomear um «mestre-de-cerimônias», conforme chamaríamos modernamente *mestre-sala*, dentre os convidados mais distintos. Era dever do mestre-sala determinar os lugares dos convidados, fazer observar a etiqueta apropriada e cuidar do bom andamento da festa. Foi por isso que Jesus ordenou que lhe levassem uma prova do vinho.

O incidente mostra que Jesus não era asceta e nem nazireu, conforme alguns têm pensado, talvez em face da semelhança entre *narireu* e *nazareno*. Os nazireus (ver Núm. 6:2-21, etc.) faziam voto de «separação», evitando, entre outras coisas, tomar vinho, enquanto durasse o voto. Os nazarenos eram os habitantes da aldeia de Nazaré (ver Mat. 2:23). Jesus é chamado nazareno, nunca de nazireu.

O ascetismo é uma atitude tão arraigada em certas pessoas que, de certa feita, quando este tradutor comentava que Jesus transformou água em vinho, e certamente bebeu do mesmo, um judeu convertido reparou: «Sim, mas ele deve ter purificado o vinho que bebia, deixando o vinho pecaminoso para os outros!» Que tolice! Em si mesmo, o vinho não é pecaminoso, e nem sua ingestão moderada é condenada na Bíblia. O que ali se condena é o excesso. Mas os ascetas, *jamais* seguros de que foram aceitos por Deus, e julgando que o ascetismo os recomenda diante de Deus, evitam certos alimentos, alguns de modo irracional e caprichoso, como é o caso dos Adventistas do Sétimo Dia, que proíbem o café, mas tomam «café» feito de arroz queimado! Todos eles se esquecem da instrução do Senhor: «Nada há fora do homem que, entrando nele, o possa contaminar...» E comenta Marcos logo adiante: «E assim considerou ele (Jesus) puros todos os alimentos» (Mar. 7:15-23). Que Jesus tomava vinho é indiscutível. Vendo-o tomar vinho, os judeus incrédulos acusaram-no, dizendo: «Eis aí um glutão e bebedor de vinho...» (Mat. 11:19; cf. Luc. 7:34). De acordo com Paulo, uma das características dos apóstatas, que obedecem a espíritos enganadores, é que eles «exigem abstinência de alimentos» (ver I Tim. 4:1-5). Cuidado com o ascetismo! É muito perigoso para a alma.

MESTRES

Ver o artigo sobre *Dons Espirituais*, IV.13, *Dom da Palavra do Conhecimento*. Ver sobre «o ensino na igreja», em I Cor. 14:26 e I Cor. 12:28. Devemos observar que o ensino, juntamente com o evangelismo, faz parte da original Grande Comissão de Cristo à sua igreja. Ver Mat. 28:20 quanto à importância do *ministério do ensino*. Ver os artigos separados sobre *Conhecimento, Conhecer; Conhecimento e a Fé Religiosa*; e *Conhecimento Espiritual*. Tanto os apóstolos como os profetas eram mestres, e nenhum pastor pode ser um verdadeiro pastor se não for apto para ensinar (ver I Tim. 3:2,11). Notemos que não há artigo antes da palavra *mestres*, no original grego, razão pela qual alguns supõem que isso salienta uma única *categoria*—pastores e mestres seriam aspectos de uma mesma função. Mas parece que isso é exagerar a importância da omissão do artigo, no que diz respeito ao grego helenista. Assim sendo, duas classes, e não uma só estariam aqui em foco. Não obstante, é verdade que o pastor também deve ser mestre, pois boa parte de seu trabalho é o ensino. «Nenhum homem é apto para ser pastor se não souber ensinar; e o mestre precisa do conhecimento que a experiência pastoral confere». (Vincent). Todavia, existe o dom distinto do ensino. Alguns têm maior discernimento quanto aos significados, capacidades intelectuais maiores dadas por Deus. Esses são guardiães do «conhecimento», possuidores de habilidades naturais e concedidas por Deus, para transmitirem conhecimento. Os mestres também têm um entendimento natural e intuitivo da verdade, embora talvez não recebam revelações diretas, como no caso dos profetas. A tarefa dos mestres é a de transmitir conhecimento, inspirar aos crentes com grandes verdades, e assim, através da instrução geral conferida à igreja, contribuir para levar os crentes mais perto do ideal da imagem de Cristo; porque levam os homens a perceber a grandiosidade de Cristo, os seus propósitos no mundo, a responsabilidade do crente individual como membro da comunidade cristã, e a necessidade de santidade e consagração.

MESTRES CAROLINAS

Baseado no latim, *Carolinus*, alusivo a Carlos, ou seja, ao período dos reinados de Carlos I e Carlos II da Inglaterra. Esse título designa um grupo de eruditos eclesiásticos da Alta Igreja Anglicana, teólogos que viveram no século XVII, sobretudo durante os reinados daqueles dois reis de nome Carlos. Haviam amainado os levantes da **Reforma Protestante**, e a era elizabetana havia garantido uma razoável tranqüilidade no país. Contudo, as controvérsias rugiam entre pessoas que eram contra ou a favor do estabelecimento, iniciado pela rainha Elisabeth. Esses teólogos, pois, tentavam encontrar uma espécie de *meio-termo* entre os católicos e os protestantes, com idéias tomadas por empréstimo de ambos os lados.

Características. 1. Eles eram entusiasmados apoiadores da idéia do direito divino dos reis. 2. Apoiavam a idéia do caráter supranacional da Igreja de Cristo. 3. Consideravam que a autoridade da Bíblia é digna de todo o respeito, embora objetando à interpretação literalista, que busca um padrão imutável acerca da adoração e dos princípios morais. Eles aprovavam folguedos no domingo, rejeitando os rígidos conceitos sabáticos, apelando para a tradição em apoio às suas idéias a esse respeito. 4. Eles admiravam Calvino, embora recusassem-se a acompanhá-lo em seu extremismo, preferindo os escritos dos primeiros pais da Igreja. Nenhuma geração do clero anglicano esteve tão profundamente familiarizada com esses escritos como os mestre carolinas. 5. Eram fortemente influenciados pelos pais gregos da Igreja. 6. Demonstravam profundo interesse pela filosofia e pela teologia morais. 7. A confissão auricular era recomendada, mas, na prática, esse método quase desapareceu na época deles. 8. Eram inflexíveis defensores do episcopado, o que consideravam necessário para que houvesse uma verdadeira expressão eclesiástica. 9. Admiravam e amavam o Livro de Oração Comum, e muitos deles foram homens de profunda piedade pessoal. Já nos fins do século XVII, houve uma modificação no anglicanismo. Começou uma maior saliência dada às provas da religião revelada do que ao conteúdo dogmático. A piedade tornou-se mais formalizada. Por isso foi que o Movimento de Oxford (que vide) tentou reviver a vitalidade dos mestres carolinos.

Homens Proeminentes dentre Esse Grupo. Bispo Simon Patrick; bispo Jeremy Taylor, que se tornou muito conhecido por causa de seu livro, *The Rule and Exercise of Holy Living*. Pessoas notáveis que por eles foram influenciados, foram: Robert Sanderson, bispo de Lincoln, um dos mais hábeis teólogos de seus dias; Lancelot Andrewes, Lord Claredon, George Herbert, John Evelyn, Margaret Godolphin e Izaak Walton, cujo livro, *Lives*, fornece-nos um atraente relato sobre alguns deles. (C WA)

MESULÃO

Não se conhece o significado dessa palavra, no hebraico. No entanto, há quem arrisque o sentido de «associado» ou «amigo». Era nome muito comum nos dias do Antigo Testamento, havendo vinte e uma pessoas com esse nome, na Bíblia:

1. Um chefe da tribo de Gade, que vivia em Jerusalém, nos tempos do rei Jotão (I Crô. 5:13). Viveu em cerca de 781 A.C.

2. O avô de Safã, o escriba, secretário do rei Josias (II Reis 22:3). Viveu por volta de 623 A.C.

3. Um filho de Zorobabel, da casa de Davi (I Crô. 3:19). Ele viveu em cerca de 536 A.C.

4. Um filho de Elpaal, da tribo de Benjamim (I Crô. 8:17). Ele morava em Jerusalém, depois que o remanescente de Judá voltou do cativeiro babilônico.

5. O pai de Salu, da tribo de Benjamim (I Crô. 9:7 e Nee. 11:7). Ele residia em Jerusalém, depois que o resto de Judá voltou do exílio na Babilônia, em cerca de 445 A.C.

6. Um filho de Sefatias, da tribo de Benjamim (I Crô. 9:8). Ele morava em Jerusalém, depois que o remanescente de Judá voltara do cativeiro babilônico, em cerca de 445 A.C.

7. Um sacerdote da família de Sadoque, pai de Hilquias, o sumo sacerdote que, nos dias de Josias, encontrou o livro da Lei no templo de Jerusalém, segundo se lê em I Crô. 9:11; Nee. 11:11. Ver também II Reis 22:8 *ss*. Talvez ele fosse o mesmo homem chamado algures de *Salum* (vide). Viveu em torno de 445 A.C. Veio residir em Jerusalém, quando o remanescente de Judá voltou do cativeiro babilônico.

8. Um filho de Mesilemite, da família sacerdotal de Sadoque. Ele foi um ancestral de Masai ou Amasai (I Crô. 9:12; Nee. 11:13). Viveu em algum tempo antes de 445 A.C.

9. Um membro da família sacerdotal dos coatitas, que serviu como superintendente dos reparos da casa do Senhor, durante o reinado de Josias (II Crô. 34:12). Viveu em torno de 639 A.C.

10. Um líder do povo que retornou do cativeiro babilônico em companhia de Esdras. Ele ajudou Esdras no recrutamento de levitas tendo em vista a consolidação do culto religioso, depois da volta de Judá à Terra Prometida. Ver Esd. 8:16. Ele viveu em cerca de 557 A.C.

11. Um homem que se opôs a Esdras, quando este exigiu que todos aqueles que se tinham casado com mulheres estrangeiras, durante o cativeiro babilônico, se desfizessem delas, depois que o remanescente de Judá voltara a Jerusalém. Ver Esd. 10:15.

12. Um filho de Bani, que se casara com uma mulher estrangeira, ao tempo do cativeiro babilônico, mas que precisou divorciar-se dela, quando os israelitas voltaram a Jerusalém (ver Esd. 10:29).

13. Um filho de Besodias, que ajudou nos reparos da Porta Velha, uma das muitas existentes nas muralhas de Jerusalém. Isso ocorreu quando o remanescente de Judá havia voltado do cativeiro babilônico para Jerusalém. Ver Nee. 3:6.

14. Um filho de Berequias, que ajudou a reparar as muralhas de Jerusalém, depois que o remanescente de Judá voltara do cativeiro babilônico (Nee. 3:4,30). Sua filha tornou-se esposa de Joanã, filho de Tobias, o amonita (Nee. 6:18). Ele viveu em torno de 445 A.C.

15. Um líder do povo que se postou à esquerda de Esdras, quando este leu a lei mosaica diante do povo, depois que os judeus retornaram do cativeiro babilônico (Nee. 8:4). O tempo foi cerca de 445 A.C. Parece ter sido o mesmo homem que apôs seu nome em aprovação ao novo pacto (ver Nee. 10:20).

16. Um sacerdote que assinou o pacto feito por Neemias e o povo de Israel, quando o culto divino foi restabelecido, terminado o cativeiro babilônico (Nee. 10:7).

17. Um líder do povo que assinou o novo pacto encabeçado por Neemias, depois da volta do remanescente de Judá do cativeiro babilônico. Talvez ele tenha sido o mesmo homem alistado acima como o de número quinze. Ver. Nee. 10:20.

18. Um sacerdote da família de Esdras, na época do sumo sacerdote Joiaquim (Nee. 12:13).

19. O cabeça de uma família sacerdotal de Ginetom, que viveu nos dias de Joiaquim (Nee. 12:16). Viveu em cerca de 536 A.C.

20. Um porteiro que trabalhou como guarda dos tesouros ou depósitos das portas (Nee. 12:25). Isso aconteceu quando Neemias era o governador de Judá.

21. Um líder do povo que ajudou a dedicar as muralhas de Jerusalém, depois que as mesmas foram reconstruídas, após a volta do remanescente de Judá do exílio na Babilônia (Nee. 12:33).

O nome Mesulão parece ter-se tornado tão comum na cultura dos hebreus, terminado o cativeiro babilônico, como José é um nome comum para os brasileiros. É possível que isso se deve ao fato de que esse nome signifique «reconciliação» ou «restauração».

MESULEMETE

No hebraico, «amiga». Ela foi esposa do rei Manassés e mãe do rei Amom (II Reis 21:19). Era filha de Haruz, de Jotbá. Viveu em cerca de 664 A.C.

METAFÍSICA

Esboço:

I. Definição Básica; Áreas de Afirmação
II. Definições de Vários Filósofos
III. A Metafísica como uma Disciplina Filosófica
IV. A Metafísica e a Ética
V. A Metafísica e a Fé Religiosa

I. Definição Básica

1. A metafísica é qualquer idéia ou atividade em que ou pela qual um indivíduo presume dizer algo de significativo sobre a verdadeira natureza de alguma coisa. Também entramos no terreno da metafísica quando duvidamos ou negamos a verdadeira natureza de alguma coisa. Ver o artigo *Ontologia*.

2. *Exemplo*. Se eu disser: «Deus existe», então estarei fazendo uma declaração metafísica. E mesmo que eu seja um agnóstico e diga: «Não sei se Deus existe ou não», ainda assim estarei entrando no campo da metafísica, porquanto estou supondo que posso dizer algo de significativo (compondo uma proposição) acerca de Deus. E se eu disser: «Deus não existe», ainda assim estarei fazendo uma asserção de natureza metafísica, supondo que minha declaração sobre Deus reveste-se de *significação*, ainda que tal significação seja negativa. Isso posto, o *teísmo*, o *agnosticismo* e o *ateísmo* são conceitos que asseveram alguma coisa acerca de Deus e que, presumivelmente, reveste-se de significação. E assim, devido a esse próprio fato, são declarações metafísicas. Mas, se por outro lado, eu disser que as afirmações sobre Deus não têm sentido, pois não temos qualquer experiência com um ser divino, e todo o nosso conhecimento repousa sobre as experiências providas pela percepção dos sentidos, então estarei evitando a metafísica. Essa é a abordagem que caracteriza o positivismo lógico (vide). Essa escola de pensamento diz que declarações sobre Deus (e outros temas metafísicos) são *sem sentido*. De acordo com essa definição, o ateísmo é tão destituído de significado quanto o teísmo, pois ambas as posições fariam asserções sobre um assunto que não pode ser investigado pelo homem. O positivismo lógico, pois, elimina a metafísica como um assunto legítimo para as considerações filosóficas e teológicas, reputando destituídas de significação todas as afirmações dessa natureza.

3. *Descrição da Verdadeira Natureza das Coisas*. A metafísica é aquele ramo do conhecimento (ou de um alegado conhecimento) mediante o que é dito algo de significativo (positiva ou negativamente falando) sobre a verdadeira natureza de uma coisa qualquer. Assim sendo, se eu presumir falar sobre a verdadeira natureza do mundo (cosmologia), já estarei entrando nessa área. E se eu presumir dizer algo de significativo (positiva ou negativamente falando) sobre a verdadeira natureza do homem (antropologia), então, ter-me-ei tornado um metafísico.

4. *Áreas de Afirmação*. As três áreas fundamentais da metafísica são: Deus (teologia), o homem (antropologia) e o mundo (cosmologia).

5. *Definições Dadas pelos Léxicos*. A metafísica é «...o estudo sistemático ou ciência dos princípios básicos do ser e do conhecimento; é a doutrina da natureza essencial e das relações fundamentais de tudo quanto é real; é a filosofia especulativa no seu sentido mais amplo; é a ciência mental em geral, ou seja a psicologia; mas, no uso popular, indica qualquer coisa de significado confuso e que deixa os homens perplexos» (WA).

6. *A Definição Popular*. De acordo com essa definição, a metafísica envolve assertivas sobre coisas e seres *imateriais*.

7. *Distinções Modernas*. «Atualmente, faz-se uma distinção comum entre a *metafísica especulativa*, considerada por seus oponentes como uma tentativa para descrever o mundo nos termos mais gerais, sem bases empíricas adequadas, e a *metafísica reflexiva*, que investiga os pressupostos, as suposições e os métodos de conhecimento do próprio conhecimento» (MM).

8. *No Positivismo Lógico*. Dentro do positivismo lógico da atualidade, a «metafísica» indica uma asserção teoricamente *não-verificável* sobre fatos, ou uma afirmação que se propõe ser factual, embora seja *destituída de sentido* do ponto de vista do conhecimento.

II. Definições de Vários Filósofos

1. Aristóteles compôs uma obra intitulada **Física**. Após a sua morte, foi dado o nome de «Metafísica» a uma obra que ele deixara sem título. Esse nome significa apenas «escrito depois do que é físico», derivado de *metá*, «depois», e *physika*, «coisas físicas». Essa obra aparecia imediatamente após o seu tratado sobre a física, o que lhe explica o nome. E, visto que essa outra seção de escritos de Aristóteles aborda questões ontológicas, por isso mesmo o vocábulo *metafísica* tornou-se uma designação técnica de estudos sobre ontologia. «Usado originalmente para indicar os escritos de Aristóteles que seguiam à sua *Física*, na coletânea preparada por Andrônico» (MM). Ver o artigo sobre *Andrônico de Rodes*. Naturalmente, no começo, esse vocábulo não tinha o sentido técnico que lhe damos hodiernamente.

2. *Os Eleáticos*. O principal vulto dessa escola foi *Parmênides* (vide). O que os filósofos dessa escola afirmavam é que o *real* é racional (imaterial), podendo ser conhecido por meio da *razão*, embora talvez seja contrário às aparências. De fato, as aparências eram tidas como ilusórias, não podendo servir de guia para a nossa compreensão quanto à verdadeira natureza das coisas. «A realidade é unitária, eterna, imutável, e o mundo das experiências ordinárias era considerado como meras aparências» (P).

3. *Platão*. Ele também punha em dúvida o valor da percepção dos sentidos para que o homem tome conhecimento da verdadeira natureza das coisas, e encontrava *o real* no mundo dos *universais* (vide). A metafísica dele consistia, essencialmente, na investigação dessas entidades (realidades). O *real* seria conhecido através de uma ascensão epistemológica, começando pela razão, que subentende a dialética e o diálogo (o que explica a razão dos seus diálogos). A intuição levar-nos-ia além da razão, e as experiências místicas, através da contemplação dos universais (formas), levar-nos-iam ainda mais longe. Mas o conhecimento completo das entidades metafísicas só teria lugar após a morte física, mediante a contemplação direta dos universais, sendo esse o equivalente platônico da *visão beatífica* (vide).

4. *Aristóteles*. Ele não mantinha o estrito contraste entre as aparências e a verdadeira realidade, conforme se vê nas idéias de Parmênides e Platão. Antes, *o real* seria o mundo que podemos detectar com nossos sentidos, embora existam realidades que ultrapassam nossos sentidos, mas que a razão e a

intuição detectam, como o Impulsionador Inabalável. Para o pensamento metafísico de Aristóteles eram importantes temas como os problemas da causalidade e da substância, bem como a análise de termos gerais como potencialidade e actualidade. A metafísica (se ele tivesse usado essa palavra em um sentido técnico) seria o estudo do ser e suas implicações, onde as *ciências* estudam *partes* do ser.

5. *Plotino*. Naturalmente, ele era um filósofo platônico. Porém, ele frisava o avanço do indivíduo para o universal como o avanço pessoal para a salvação. O grande tema de sua metafísica era a união da alma com Deus. Como é óbvio, os ensinos de Platão não diferiam dos dele, embora eles usassem termos diferentes. Em seu livro, *Leis*, ele substituiu os muitos universais por uma única palavra: *Deus*. Assim, o retorno da alma, a fim de ser absorvida pelo mundo dos universais, na verdade seria a união com Deus. E nisso consistiria a *salvação*, sem importar se usamos ou não esse termo específico.

6. *Tomás de Aquino*. Tal como se dava com Aristóteles, ele pensava que a metafísica é o estudo do *ser* (ontologia), embora enfatizasse o *ser* transcendental, dentro do contexto cristão, primariamente o ser de Deus e, então, a alma humana. «(Essa palavra) é usada por Tomás de Aquino para designar o conhecimento das entidades *sobrenaturais*» (MM). Para ele, pois, a metafísica era o estudo das *realidades imateriais*.

7. *Descartes*. Para ele, a metafísica é o estudo das entidades imateriais. Ele deu início à sua filosofia postulando aquilo que não pode admitir qualquer dúvida. E encontrou isso somente em Deus. Daí, ele postulou o homem e o mundo. E assim, os três temas de suas investigações metafísicas tornaram-se Deus, o homem e o mundo, ou seja, *teologia, antropologia* e *cosmologia*.

8. *Leibniz*. As proposições metafísicas seriam *verdades necessárias*, cuja negação envolve alguma contradição. Essas verdades necessárias diferem das verdades contingentes por serem verdadeiras em todos os mundos possíveis, e não meramente porque existem atualmente.

9. *Locke*. Ele foi um empirista que fomentou a causa do conhecimento através dos sentidos, a base da nossa ciência. Porém, ele asseverava a validade de alguns argumentos em favor da existência de Deus, e assim também entrou no campo da metafísica. A substância metafísica desafia toda definição, mas é *algo* que está fora de nossos presentes meios de conhecimento.

10. *Berkeley*. Ele concordava que certos argumentos são válidos como afirmações da existência de Deus. E também pensava a mesma coisa no tocante à alma. No entanto, negava a doutrina de Locke, de *algo* mais como verdadeira substância metafísica (embora indefinível). Ele encontrava toda a realidade na *mente* e dizia que aquilo que é material é apenas um epifenômeno da mente.

11. *Hume*. Ele antecipou a abordagem do positivismo lógico, ao asseverar que aquilo que conhecemos são apenas os fenômenos, e que até mesmo asseverar a *própria* existência, que tem a aparência de um fenômeno, é um ato de *fé animal*. Ver o artigo intitulado *Ceticismo*.

12. *Kant*. A essência de seu pensamento metafísico era a descrição da *coisa em si mesma* (a verdadeira realidade de uma substância), e que ele pensava não poder ser descoberta por qualquer tipo de experiência empírica. Isso posto, ele rejeitava todos os argumentos em prol da existência de Deus, sob a base de alguma alegada experiência com um Ser divino, por meio dos sentidos, ou por meio da razão, que presuma asseverar proposições. Todavia, ele defendia a idéia da existência de Deus, sobre bases morais. Os nossos conceitos de justiça requerem que acreditemos em um Deus que faça justiça, recompensando ou punindo, pois, de outro modo, teríamos de admitir que vivemos em um mundo de caos e de permanente injustiça. Mediante um raciocínio *prático* (não crítico), e com a ajuda da intuição, ele apresentou *postulados* (não proposições) acerca de Deus, da alma e do mundo, a fim de contar com um sistema filosófico coerente e significativo.

13. *Bergson*. Juntamente com outros *institucionistas*, ele supunha que o homem é capaz de uma percepção imediata do *real*, familiarizando-se com o mesmo, inteiramente à parte da razão ou da percepção dos sentidos. Além disso, para ele, o raciocínio e a percepção dos sentidos falsificariam a realidade. Ver o artigo intitulado *Intuição*.

14. *Hegel*. Esse pensador tinha grande confiança na razão humana (a razão do homem derivar-se-ia da Razão Absoluta), que seria capaz de descobrir a verdadeira natureza das coisas através de sua dialética de tese, antítese e síntese. O poder da razão vai deduzindo o Espírito Absoluto e as suas atividades. Sua vida é a vida do homem, o mundo e todas as coisas, expressas em sua mania das tríadas. O *real* é o *espírito*. Os espíritos agem de forma racional, pelo que suas manifestações podem ser conhecidas por meio da racionalidade humana. Ver o artigo chamado *Racionalismo*.

15. *Stohr*. Ele distinguia três tipos de metafísica: *patógona* (assertivas sobre a realidade que emergem da dor ou do coração sofredor); *glossomórfica* (afirmações sobre a realidade, através da manipulação de palavras, perfazendo o que ele chamava de «palavra rolante»); a *teorágona* (sentimentos sobre a realidade derivados de nossa admiração e imaginação). Ele rejeitava os dois primeiros tipos como destituídos de valor, mas aceitava o terceiro tipo com base no fato de que satisfaz a uma autêntica propensão artística.

16. *R.G. Collingwood* definia a metafísica como as *proposições finais* resultantes dos sistemas humanos, no decurso do desenvolvimento da civilização.

17. *Rudolf Carnap* e os positivistas em geral rejeitam a metafísica como uma atividade mental legítima, afirmando que não sabemos e nem podemos saber a verdadeira natureza das coisas, e que o nosso «conhecimento» consiste naquilo que nos é dado pela percepção dos sentidos. Ademais um conhecimento útil é aquele que nos chega por intermédio da ciência, ao passo que todos os outros alegados tipos de conhecimento são apenas proposições destituídas de significado. Portanto, Deus pode existir ou não, como também a alma ou qualquer outra coisa imaterial, mas não dispomos de meios para fazer asserções significativas sobre as coisas, estando elas totalmente acima de nossas possibilidades de investigação. Em conseqüência, é mais aconselhável evitar tais especulações, visto que elas não nos levam a coisa alguma. Não haveria tal coisa como conhecimento seguro, o que significaria que o ceticismo está à raiz da epistemologia. E assim, aquilo que denominamos de conhecimento consiste em utilidade, e a ciência confere-nos aquilo que nos é útil na vida.

18. *Os Pragmáticos*. Muitos pragmáticos tomam a posição positivista, embora alguns deles insistam em que algum *alegado* conhecimento, quando útil, pode e deve fazer parte de nossos sistemas, sem importar se lhes falta comprovação. Assim, é útil crer em Deus e na alma, pelo que isso envolve um «conhecimento»,

não porque reflita uma realidade comprovada, mas por causa de seus resultados úteis e práticos para aquele que adere a essas idéias.

19. *Gilbert Ryle*, e outros filósofos da linguagem comum, supõem que as declarações metafísicas envolvem erros de categoria lingüística. Em outras palavras, a metafísica envolveria um abuso da linguagem.

20. *Dorothy Emmet* supunha que a metafísica pode ser de dois tipos: o primeiro é aquela atividade que assevera suas proposições por meio da *coerência*. Mas, além desse tipo, pode haver uma referência alegadamente transcendental. Ver o artigo chamado *Coerência, Teoria da Verdade*.

III. A Metafísica como uma Disciplina Filosófica

Os seis tradicionais sistemas da filosofia são os seguintes: 1. *Epistemologia* (gnosiologia): o estudo do conhecimento, seus modos, limites, objetivos e extensão. 2. *Lógica*: o estudo das proposições válidas e inválidas. 3. *Ética*: o estudo da conduta ideal do indivíduo. 4. *Política*: o estudo da conduta ideal da sociedade. 5. *Estética*: o estudo dos meios, significação e aplicação das belas artes. 6. *Metafísica*: o estudo da verdadeira natureza das entidades e coisas. Esta enciclopédia oferece artigos separados acerca de cada um desses ramos separados da filosofia.

IV. A Metafísica e a Ética

Aquilo que cremos sobre a ética (a conduta humana ideal) está obviamente relacionado àquilo que acreditamos sobre a metafísica. Há várias abordagens:

1. *A Abordagem Positivista*. Se eu creio que as proposições metafísicas são destituídas de sentido, e que assuntos como Deus e a alma estão acima de nossas possibilidades de averiguação, então, também não me sinto responsável diante de um Ser ou poder maior, nem me preocupo com isso, e nem me interessa se há uma alma imortal que receberá recompensa ou castigo, segundo os meus atos. Provavelmente, se enveredo por esse caminho, terminarei asseverando que o prazer é a finalidade da existência terrena. Ver o artigo sobre o *Hedonismo*.

2. *A Abordagem Pragmática*. Nesse caso, haverei de escolher aquelas coisas práticas, com resultados úteis. Muitos pragmáticos também encontram nos prazeres o alvo da existência, embora isso não seja uma conseqüência necessária desse sistema. Talvez seja bom praticar o bem, em face dos bons resultados que a bondade, naturalmente, produz.

3. *A Abordagem de Emanuel Kant*. Apesar de eu não perceber razões empíricas para crer na existência de Deus, posso perceber razões morais. Eu sempre deveria pôr em prática aquelas coisas que eu gostaria que fossem leis universais. Ver sobre o *Imperativo Categórico*. Nesse caso, terei um agudo senso de justiça, pelo que haverei de supor que há um Deus que me chamará a prestar contas a Ele, a fim de galardoar-me ou castigar-me, a despeito do fato de que chamo a isso de conhecimento prático, e de postulado, e não de proposição.

4. *A Abordagem Platônica*. O alvo da minha vida será o retorno ao mundo dos universais. Para conseguir esse alvo, meu lar espiritual, terei de atravessar o processo de purificação que consiste em muitas encarnações sucessivas. Estarei, pois, interessado na santificação e na perfeição, ou nunca chegarei àquele lar.

5. *A Abordagem Aristotélica e Católica Romana*. Inteiramente à parte da revelação divina, podemos conhecer a realidade dos seres e dos estados metafísicos. A razão segreda-nos essas coisas, como também como relacioná-las entre si. A Bondade Absoluta é Deus, e a própria razão ensina-nos que devemos refletir essa bondade em nossas vidas. Naturalmente, os católicos romanos também crêem na revelação divina como informação que nos diz o que é melhor para nós, bem como qual o curso ideal que devemos seguir.

6. *A Abordagem Atéia*. Essa é inexistente. Alguns ateus, entretanto, são indivíduos morais e bons, embora sobre bases *humanitárias*, e não teístas. Mas há ateus que favorecem os prazeres como o alvo da existência.

7. *A Abordagem Evangélica*. Os evangélicos nunca desenvolveram uma filosofia, conforme fez a Igreja Católica Romana. De fato, muitos evangélicos são adversos à filosofia. Poucos procuram saber algo a respeito. Essa situação é deveras lamentável, pois a filosofia muito tem a oferecer-nos, pelo menos não como fonte de respostas para os mistérios da vida, mas como disciplina mental, mormente no campo da lógica. Deveríamos tomar a seguinte posição: o Novo Testamento é minha mãe, e a filosofia é minha esposa intelectual. Seja como for, a abordagem evangélica está quase inteiramente alicerçada sobre a revelação bíblica e o que essa revelação nos ensina. A Bíblia é o nosso texto bíblico de ética, com fortes raízes na revelação divina. Quanto à questão do dogma e da doutrina, a teoria protestante da «Bíblia exclusivamente» deixou-nos com «a Bíblia e aquilo que eu e minha denominação interpretamos», causando entre protestantes e evangélicos a fragmentação em inúmeras seitas. Não obstante, no terreno da Ética, essa circunstância não se mostra ameaçadora. É admirável constatar o quanto as denominações cristãs concordam quanto às *questões éticas*. Essa concordância, além disso, envolve a maioria dos sistemas religiosos, e não somente as denominações existentes na cristandade.

8. *A Abordagem Liberal*. Os cristãos liberais usualmente não aceitam a Bíblia como o único guia perfeito da conduta. Antes, representam muitas posições. Uma das mais salientes é a da *ética situacional*, que é apenas outro nome dado à ética pragmática. De acordo com ela, cada situação requer uma reação específica, e talvez, leve uma pessoa a tomar um curso inteiramente diferente de ação, em relação a outra pessoa, diante de uma mesma situação. E amanhã, em face de novas situações, talvez eu mesmo venha a agir de modo diferente do que faço hoje. Uma outra designação que poderíamos usar para essa abordagem é *ética relativista*.

Ver o artigo geral sobre a *Ética*.

V. A Metafísica e a Fé Religiosa

Apesar de que poucas fés religiosas têm qualquer coisa comparável com uma abordagem filosófica da metafísica, todas elas deixam-se envolver pesadamente na questão, visto que as realidades superiores são consideradas *imateriais* (uma definição comum da metafísica). Ademais, é do interesse da fé religiosa *afirmar* a realidade do ser imaterial, como também *descrever* a natureza do mesmo. Isso é feito, essencialmente, através das reivindicações da revelação divina. A Igreja Católica Romana tem desenvolvido, através de vários representantes, e no decurso de muitos séculos, uma útil filosofia metafísica. Apesar de podermos criticar vários aspectos dessa filosofia, essa tem sido, em sua maior parte, uma atividade positiva e útil. A metafísica filosófica cristã tem-se estribado sobre a metafísica de Platão e de Aristóteles para exprimir seus conceitos cristãos.

«O teólogo é obrigado não somente a expor o

conteúdo da revelação, mas também a *justificar* sua afirmação de que a revelação vem de *Deus* e versa sobre ele. Esse teólogo precisa ser capaz de mostrar que eventos reveladores, historicamente concretos—como aqueles do Novo Testamento—revelam um Deus que também transcende ao mundo e todas as suas particularidades, sendo ele um Deus eterno e não temporal... Se a tarefa metafísica for inteiramente rejeitada pelo teólogo, a única avenida de explicação cristã que ainda está franqueada a ele é o padrão da vida humana, demonstrada aqui e acolá. Então, as Escrituras terão de ser consideradas uma *parábola*, no sentido bem lato da palavra, delineando uma maneira de viver, mas em sentido algum revelando ou fazendo menção ao que é transcendental, revelador de uma vida após-túmulo. Nesse caso, a teologia transmutar-se-á em *antropologia*. Considerando quão drasticamente ficaria sendo tal teologia, parece essencial que o teólogo cristão não repudie a metafísica» (C). E, podemos e devemos concluir, é essencial que ele não repudie a filosofia. Essa declaração, naturalmente, foi escrita essencialmente contra os teólogos liberais e céticos, que negligenciam o lado metafísico da fé cristã e se concentram somente sobre os seus lados temporal e ético.

Bibliografia. AM C E EP MMP

METAFÍSICA GLOSSOGNOSA Ver **Storh, Adolf.**

METÁFORA Ver **Metáfora, Metáforas (Símbolos)** no índice onde uma lista extensiva é apresentada.

METÁFORA DA CAVERNA DE PLATÃO

Essa metáfora encontra-se na **República** de Platão (livro VII). Essa metáfora ilustra a diferença entre o conhecimento e a ilusão, entre a realidade e as aparências. Platão solicita que imaginemos uma cena na qual homens encontram-se acorrentados diante de uma parede nua, — em uma caverna. Diante deles há uma fogueira que lança sombras sobre essa parede. Nunca tendo visto outra coisa, aqueles homens pensam que aquelas sombras são realidades. E ficam muito atarefados, descrevendo, catalogando e analisando as sombras. O resultado de toda aquela atividade produz um corpo de *conhecimento* que eles protegem, mostrando-se muito zelosos em sua preservação. Um dia, um dos cativos acorrentados escapa e consegue sair da caverna. A princípio, ele fica ofuscado com o resplendor da luz solar. Mas, uma vez que seus olhos ajustam-se à iluminação, ele começa a ver os objetos conforme eles realmente são, em plena luz do dia. Então ele reconhece que alguns dos objetos da caverna são similares àqueles que ele vê do lado de fora da caverna, mas, no interior da caverna, esses objetos são representados por meras sombras. O homem acabara de experimentar a iluminação do entendimento, ao perceber a realidade pela primeira vez. Muito excitado, ele desce de volta à caverna para espalhar a notícia do que são a realidade e o conhecimento. Seus amigos, porém, pensam que ele está mentindo ou que está ficando louco, e chegam a ameaçar matá-lo. Sob hipótese nenhuma desistiriam do tipo de conhecimento que vinham acumulando durante toda a vida deles.

Aplicação. A caverna representa o mundo físico. Seus objetos são apenas sombras da realidade, sendo conhecidos apenas pela percepção dos sentidos. O mundo exterior, o *mundo real*, representa o mundo platônico das *Idéias das Formas*, ou seja, consiste nas realidades espirituais, que são copiadas e imitadas pelos objetos desta terra. O sol representa a iluminação da razão, da intuição e das experiências místicas. O conhecimento obtido acerca das Idéias é o verdadeiro conhecimento, em contraste com o conhecimento imitativo que recebemos neste mundo, através da percepção dos sentidos. (F TVS)

METAL, METALURGIA

Ver o artigo geral sobre **Artes e Ofícios**, que fornece alguma informação sobre esse assunto.

Esboço:

I. Definição
II. Metais Referidos na Bíblia
III. Informes Históricos Sobre a Metalurgia
IV. Os Metais e a Metalurgia Mais Importantes da Bíblia

I. Definição

Um metal é um elemento que forma uma base, combinando-a com um grupo ou grupo hidroxílico. Um hidroxílico é o radical univalente OH, que consiste em um átomo de oxigênio e um átomo de hidrogênio. Ocorre nos álcoois, na maioria dos ácidos e em muitos compostos orgânicos. — Os metais geralmente são duros, pesados, lustrosos, maleáveis, dúcteis, tenazes, sendo bons condutores do calor e da eletricidade. Uma combinação de metais produz uma liga. Os *metais nobres* são aqueles que não se oxidam facilmente em contacto com o ar ambiente, como o ouro, a prata e a platina.

A metalurgia é a arte ou ciência da extração de um metal ou metais, de seus respectivos minérios, mediante processos como a fundição, a redução, o refino, a liga, a eletrólise, etc. O termo português «metalurgia» vem do grego *metallon*, «mina», e *ergos*, «trabalho». Todavia, mais diretamente, essa palavra portuguesa vem do latim, *metallurgia*, uma adaptação das palavras gregas envolvidas. «Metal», naturalmente, vem do grego *metallon*, ou do latim, *metallum*, «mina». Como uma ciência e uma técnica, a *metalurgia* envolve os processos da produção de metais mediante a extração de seus minérios, seu refino e purificação, bem como a aplicação desses metais a vários usos.

II. Metais Referidos na Bíblia

A metalurgia é uma das mais jovens ciências do mundo, embora uma de suas artes mais antigas. É impossível alguém pensar na civilização sem pensar em metais. Quase tudo quanto possuímos no sentido de instrumentos, máquinas e um sem-número de produtos, depende dessa ciência. Os metais são tão importantes na história que as várias eras passadas tornaram-se conhecidas segundo os nomes de vários metais. Assim, temos a era Calcolítica, a era do Bronze, a era do Ferro, etc.

Os metais mencionados na Bíblia são o cobre, o ferro, o ouro, o chumbo, a prata, o estanho, e, em menor escala, o mercúrio e o zinco. Damos informações gerais sobre esses metais, no quadro abaixo:

Metal	*Símbolo*	*Densidade*	*Ponto de Fusão*
Cobre	Cu	8,9	1083° C
Ferro	Fe	7,9	1540° C
Ouro	Au	19,3	1063° C
Chumbo	Pb	11,3	327° C
Prata	Ag	10,5	961° C
Estanho	Sn	7,3	232° C
Mercúrio	Hg	13,6	-39° C
Zinco	Zn	7,1	420° C

•••

É provável que o ouro tenha sido o primeiro metal conhecido e usado pelo homem. Tanto o ouro quanto o cobre ocorrem comumente em estado nativo. Ambos são metais moles, mas o ouro é tão mole que é inútil para ser usado em instrumentos. Isso posto, o ouro era valorizado devido às suas qualidades decorativas, sendo extensamente usado na joalheria. O cobre também é mole, mas, uma vez batido a martelo, podia ser endurecido o bastante para ser usado no fabrico de armas e instrumentos. A prata também pode ser achada em estado nativo, e também era usada pelos homens na joalheria e em obras decorativas. O ferro terrestre nativo é raro, mas a maioria dos meteoritos é composta de ferro, com traços de níquel. O uso do chumbo, do estanho, do mercúrio e do zinco já dependem de bons avanços na metalurgia. O cobre em liga com o estanho produz o bronze. Posteriormente, apareceu a liga do cobre com o zinco, que produz o metal amarelo. A metalurgia teve de dar mais alguns passos para produzir o ferro não derivado dos meteoritos, sempre tão raros. Há mais de oitenta referências ao ferro, nas páginas do Antigo Testamento. Na seção IV, abaixo, desenvolvemos o tratamento dado a cada metal e seu uso, na Bíblia.

III. Informes Históricos Sobre a Metalurgia

1. *Antes de 4000 A.C.* Nesse tempo, os homens usavam o ouro e o cobre nativos, como também o ferro dos meteoritos. Esses metais eram batidos a martelo, até tomarem os formatos desejados, embora também fossem usados os processos da fundição e da moldagem. O metal *nativo* é o metal encontrado em estado natural, que não precisa ser fundido a fim de ser extraído de seu minério. Contas de ferro foram encontradas em um cemitério pré-dinástico em Giza, de cerca de 4000 A.C. Deve ter sido usado ferro nativo, no fabrico dessas contas.

2. *De 4000 a 3000 A.C.* A prata nativa era empregada mediante o uso do martelo; o chumbo, o cobre e o ferro eram extraídos mediante o processo de fundição. Começaram a aparecer as ligas de cobre (o bronze). A moldagem era, então, utilizada.

3. *De 3000 a 2000 A.C.* Foi descoberta a fundição de sulfidos de cobre e de óxidos de estanho. O estanho tornou-se um importante item do comércio. Começou a ser produzido o ferro esponjoso (poroso). A prata começou a ser extraída mediante o processo da refinação com o chumbo, um processo também chamado copelação. Começou a ser manufaturado tanto o ouro em folhas quanto o arame feito de algum metal. As lendas chinesas afirmam que a fundição do ferro começou por volta de 2800 A.C., naquele país. Essas lendas põem no crédito do imperador Shen Nung o descobrimento desse processo. Pelo menos é indiscutível que, em cerca de 500 A.C., os chineses estavam mais avançados na metalurgia do que os europeus. Uma foice de ferro foi encontrada no interior da grande pirâmide de Quéopes, que reinou entre 2590 e 2568 A.C.

4. *De 2000 a 1000 A.C.* Começaram a ser usados foles nas fornalhas, a fim de aumentar a temperatura das mesmas, o que permitiu melhores processos de extração e de refino. Começou a ser fabricado o aço, mediante a carbonização em fornalhas. Em cerca de 1200 A.C., foi descoberto o processo de endurecimento do ferro. O metal amarelo passou a ser fabricado, mediante a liga de minérios de cobre e de zinco. Começaram-se a fabricar espelhos (*specula*), feitos de uma mistura do estanho com o bronze, que era, então, altamente polido. Na época de Ramsés II (1992—1925 A.C.), o ferro já era comum no Egito. Instrumentos e armas de todo tipo eram feitos naquele período, conforme atestam as descobertas arqueológicas.

5. *De 1000 a 0 A.C.* Nesse período houve extraordinária expansão no uso de todos os tipos de metais, tendo aparecido novas ligas metálicas. O mercúrio era distilado de seus minérios; o ouro era separado mediante amálgama com o mercúrio. Surgiram as moedas cunhadas. O bronze tornou-se um importante metal.

6. *Alguns Informes Bíblicos.* O ferro é comumente mencionado nas Escrituras. Ver Gên. 4:22; Lev. 26:19; Núm. 31:22; Deu. 3:11; Jos. 6:19; Juí. 1:19; I Sam. 17:7; II Sam. 12:31; I Reis 6:7; II Reis 6:6; Jó 19:24; Sal. 2:9; Pro. 27:17; Isa. 10:34; Jer. 1:18; Eze. 4:3; Dan. 2:33-35; Amós 1:3; Miq. 4:13; Atos 12:10; I Tim. 4:2; Apo. 2:27; 9:9. Supõe-se que os hebreus tinham conhecimentos de metalurgia, tomados por empréstimo de outras culturas, a começar pelos egípcios, e incluindo os cananeus, que já sabiam fabricar objetos de ferro. O começo da era do Ferro foi em cerca de 1200 A.C., pelo menos na região da Palestina. Na época de Davi, a metalurgia tornou-se mais importante em Israel, e foram desenvolvidas ali técnicas independentes, o que apenas se intensificou nos dias de Salomão (ver I Reis 10:16-23). Davi apossou-se dos territórios de Edom, que continham muitos depósitos de ferro e de cobre (ver II Sam. 8:14). Salomão encorajou o emprego de estrangeiros capazes, a fim de que sua tecnologia fosse absorvida pelos israelitas (ver I Reis 7:13,14).

IV. Os Metais e a Metalurgia Mais Importantes da Bíblia

1. *O Ouro.* Conforme já foi dito, o ouro aparece na natureza em um estado já utilizável (chamado *nativo*). É provável que o ouro tenha sido o primeiro dos metais a ser usado pelos homens. Pepitas e lâminas de ouro podiam ser encontradas em rios e em cascalhos e, ocasionalmente, em veios nas rochas. O ouro era extraído por meio de lavagem. O ouro extraído nas minas era primeiramente reduzido mediante trituração, até tornar-se em pedaços pequenos. Então esse minério era lavado e coado, a fim de que o ouro pudesse separar-se da escória. Monumentos da primeira dinastia egípcia (2900 A.C.) retratam esse processo de lavagem do minério de ouro.

Nos tempos dos romanos, o ouro e a prata começaram a ser extraídos mediante o uso do mercúrio, em um processo intitulado amálgama. Os minérios eram triturados bem finos, dentro da água e, então, misturados com mercúrio, sendo agitados incessantemente. O ouro desprende-se do resto e adere ao mercúrio. Essa mistura (amálgama) é, então, aquecida. O mercúrio desliga-se do ouro, sob a forma de vapor, o qual se condensa e é usado novamente. O ouro fica depositado e, então, é fundido e moldado.

Um outro processo consistia em misturar o ouro com chumbo, sal e farelo de cevada. Essa mistura era então aquecida em um cadinho de barro, estanque. Aqueles agentes serviam para escorificar, fazer fluir e reduzir o metal. O aquecimento destruía aqueles elementos, que eram, então, absorvidos pela argila do cadinho. Ficava, então, somente o ouro. Algumas vezes, era adicionado estanho à mistura, a fim de que resultasse em um ouro um tanto mais duro.

A soldagem com uma liga de ouro e cobre já era conhecida desde nada menos de 3000 A.C. O ouro era batido para adelgaçar-se em lâminas ou em arame de ouro. Essas técnicas são antiqüíssimas, conforme se aprende em Êxo. 3:22; 11:2; 39:8,13; Núm. 7:14,20; Deu. 7:25; Jos. 6:19; Juí. 8:26; II Sam. 1:24; I Reis 6:20-22; 7:48; II Reis 5:5; Esd. 1:4,6; Nee. 7:70; Est.

1:6,7; Jó 3:15; 22:24; Sal. 19:10; Pro. 3:14; 8:10; Can. 1:11; Isa. 2:7,20; Jer. 4:30; Dan. 2:32; Osé. 2:8; Zac. 4:2; Mat. 2:11; Atos 3:6; I Cor. 3:12; I Tim. 2:9; Tia. 2:2; I Ped. 1:7; Apo. 3:18; 4:4. Ao todo, há cerca de seiscentas menções ao ouro, na Bíblia. Ver o artigo separado sobre o *Ouro*. Esse artigo inclui a história e os usos metafóricos desse metal.

2. *A Prata*. Esse metal precioso, encontrado em estado nativo, era empregado como meio de escambo, quase desde o começo da história registrada pela Bíblia. Ver Gên. 23:16; 37:28. Nos tempos de Croeso, da Lídia, era cunhada em forma de moedas, tendo sido introduzida a moeda de prata, no império persa, por Ciro, o Grande, no século VI A.C. Os trechos de Jó 28:17 e Isa. 46:6 mostram que a prata era usada como um valor em peso (pedaços de prata, e não moedas). Gên. 24:53; Êxo. 3:22 e Can. 1:11 são passagens que mostram que a prata era valorizada como metal usado no fabrico de jóias. Coroas (ver Zac. 6:11); instrumentos musicais (ver Núm. 10:2); taças (ver Gên. 44:2); bases (ver Êxo. 26:19); ganchos e enfeites de colunas (ver Êxo. 27:10; 38:19); pratos e bacias (ver Núm. 7:13); e também ídolos (ver Sal. 115:4; Atos 19:24) eram alguns dos itens feitos de prata. As descobertas arqueológicas mostram que a prata era usada pelos sumérios desde o terceiro milênio A.C. A prata tornou-se predominante no novo império babilônico, depois de 1450 A.C. Homero alude a elegantes artigos feitos desse metal (Ilíada 22.704-745). As referências do Antigo Testamento referem-se a objetos de prata como objetos valiosos e de grande beleza (ver Gên. 44:2); pois havia vasos sagrados de prata, no tabernáculo e no templo de Jerusalém (ver Êxo. 26:19-25; Esd. 1:6). A fundição e a moldagem da prata são mencionadas em trechos como Jó 28:1; Sal. 12:6; Pro. 17:3. O dinheiro de prata é referido em Gên. 23:15; Lev. 27; Deu. 22:19,29; Jer. 32:9,25,44. Damos mais detalhes no artigo separado chamado *Prata*.

Usos Metafóricos. A prata simboliza as preciosas palavras de Deus (Sal. 12:16); a língua dos justos (Pro. 10:20); os bons governantes (Isa. 1:22,23); os santos purificados (Sal. 66:10; Zac. 13:9). A sabedoria é mais valiosa do que a prata (Jó 28:15; Pro. 3:14; 8:10,19). Por outro lado, os ímpios são comparados à escória da prata (Jer. 6:30).

3. *O Cobre*. O cobre é um metal mole, encontrado em estado nativo na natureza. Pode ser um tanto endurecido a martelo e, provavelmente, foi o segundo dos metais a ser largamente empregado pelo homem (o ouro deve ter sido o primeiro). Sua descoberta e uso, na *era calcolítica*, quando o cobre e a pedra (conforme a palavra «calcolítica»—no grego vem de *chalcós*, «cobre», e *líthos*, «pedra»—indica claramente) eram usados lado a lado para o fabrico de instrumentos, artefatos e armas, indicou um avanço sobre a idade da Pedra. Esse período vai de 4000 a 3000 A.C. O cobre chegou a ser combinado com o estanho a fim de fabricar-se o bronze; e isso inaugurou a era do Bronze (cerca de 3000 a 2000 A.C.).

Ornamentos de cobre têm sido encontrados, que remontam a nada menos que 8000 A.C. Porém, foi somente por volta de 6000 A.C. que se descobriu que o cobre pode ser fundido (a 1083° C), podendo ser moldado em qualquer formato. Uma fogueira feita com carvão de madeira bastava para esse propósito. É possível que isso tenha sido descoberto acidentalmente, em uma fogueira comum. Buracos eram, então, feitos na terra, que serviam de fornalhas primitivas. O passo seguinte foram fornalhas feitas de pedra. A fundição do cobre possibilitou que se desenvolvesse toda uma nova civilização, com seus novos instrumentos e armas, e isso levou ao abandono total da pedra. O bronze é a liga do cobre e do estanho, mediante o fogo obtido com o carvão de madeira. Esse processo surgiu em cerca de 1800 A.C. Foles melhoraram muito o processo. O cobre chegou a ser ligado ao zinco, compondo o metal amarelo. Ver o artigo sobre o *Cobre*, onde se dá maiores detalhes. Ver Esd. 8:27 e II Tim. 4:14 quanto a referências bíblicas ao cobre. O bronze é mencionado por cerca de cento e cinqüenta vezes na Bíblia. Ver, como exemplos. Gên. 4:22; Êxo. 25:3; 35:24,32; Lev. 26:19; Núm. 21:9; Deu. 8:9; Jos. 6:19; Juí. 16:21; I Sam. 17:5; I Reis 7:14; I Crô. 15:19; Jó. 6:12; Sal. 107:16; Jer. 6:2; Zac. 6:1; Mat. 10:9; I Cor. 13:1; Apo. 1:15; 2:18; 9:20 e 18:12.

Usos Metafóricos. Em Eze. 16:36, o cobre é usado para indicar a idéia de imundícia, referindo-se a um pagamento desgraçadamente baixo (ver os vss. 3 e 34). Em I Tim. 3:3,8, a alusão é a um ganho injusto, uma idéia paralela àquela. Ver o artigo separado sobre o *Bronze*, que inclui vários usos metafóricos.

4. *O Bronze*. Ver o artigo separado sobre esse assunto.

5. *O Chumbo*. O chumbo é facilmente extraído de seus minérios, como o carbonato de chumbo (cerusita). O chumbo era inicialmente fundido em fornalhas cruas, meras perfurações feitas no solo. O minério era posto juntamente com a madeira. A madeira pegava fogo, e o metal assim produzido, uma vez dissolvido, corria para um segundo buraco, mediante uma valeta, onde era coletado. No minério chamado *galena* (sulfido de chumbo), o processo tinha lugar em uma atmosfera oxidante. O óxido de chumbo e o sulfato de chumbo são produzidos em temperaturas moderadas. Se estiverem presentes cobre, antimônio e dióxido de enxofre, isso forma uma capa à superfície da massa fundida, que pode ser removida facilmente. Então, o metal era prateado por copelação. As referências bíblicas ao chumbo são as seguintes: em Êxo 15:10, que enfatiza sua densidade; em Jer. 6:29, que destaca como o chumbo pode ser facilmente dissipado. O chumbo era usado no fabrico de pesos (Zac. 5:7,8), ou para preencher inscrições escavadas na rocha (Jó. 19:24). Provavelmente, também era usado como peso na ponta dos prumos (Jó 7:7,8). Também era usado nas soldagens (Isa. 41:7), como tabletes de escrever, para segurar pedras no seu lugar, e para preencher rachaduras em pedras de construção. O chumbo também era usado para dar uma cobertura vitrificada a peças de cerâmica. O artigo que versa sobre o *Chumbo* entra em maiores detalhes. Metaforicamente, o chumbo simboliza inferioridade e peso inútil.

6. *O Estanho*. A cassiterita (óxido de estanho) é, virtualmente, o único minério do qual se pode extrair o estanho. Esse metal não é comum no Oriente Próximo, embora saibamos que os fenícios tinham um intenso comércio com esse metal. Ver Eze. 27:12. Nos tempos antigos, o estanho era fundido em um buraco feito no solo, mediante o uso de carvão de madeira. O óxido de estanho reage com o carbono do carvão e produz estanho e o gás monóxido de carbono. A fim de obter a temperatura necessária, era provida alguma espécie de ventilação forte. Ver o artigo intitulado *Estanho*, quanto a maiores detalhes.

7. *O Ferro*. Na terceira seção, acima, oferecemos um esboço da história do uso do ferro, desde o seu estado nativo (em meteoritos) até o metal produzido por meio da fundição. A descoberta do uso do ferro introduziu a *era do ferro*, em cerca de 1200 A.C., embora o ferro já viesse sendo usado para certos propósitos desde longa data, ou seja, desde cerca de

6000 A.C. O processo cru de fundição produz uma massa escura e esponjosa, que provavelmente não foi reconhecida como um metal, quando foi produzida acidentalmente, a princípio. Temperaturas mais elevadas faziam-se necessárias para que houvesse boa fundição do ferro, e isso adiou por muito tempo o seu emprego. Quando o metal fundido está esfriando, segundo o processo primitivo, há perda de ar, e isso empresta à massa o seu caráter esponjoso. Marteladas, com a ajuda do calor, podem fazer a massa esponjosa endurecer em pedaços maiores de ferro. Também é possível um endurecimento do ferro, se o metal, ainda mole, é subitamente mergulhado na água. Essas complicações no fabrico do ferro adiaram a era do Ferro, conforme já dissemos, mas, uma vez que foram afastadas, isso fez raiar uma nova era no uso e aplicação desse metal. Não demorou para que o ferro substituísse ao bronze, quanto a muitas coisas. Talvez seja correta a lenda que diz que os chineses foram os primeiros a conseguir uma boa fundição do ferro. Todavia, sabemos que os hititas (chamados heteus no antigo Testamento) sabiam fabricar um bom ferro, na Ásia Menor. E foram eles que ensinaram o uso do ferro para outras culturas daquela região asiática. Acidentalmente (ou mesmo por inspiração do momento), o ferro comum foi sujeitado ao processo de carbonização e que produziu o aço. A combinação do ferro e do carbono, para produção do aço, abriu caminho para uma vasta tecnologia, que se tem tornado uma das mais importantes bases da civilização moderna. Temos nesta Enciclopédia um detalhado verbete chamado *Ferro*, que inclui a história do seu uso e emprego metafórico nas páginas da Bíblia Sagrada.

METEMPSICOSE

Palavra transliterada do grego, *metá*, «de novo», *empsychoein*, «animar», ou seja, dar à alma uma nova forma material. Esse é outro termo para indicar a idéia de *reencarnação*. A idéia que há nessa palavra é que a alma muda de um corpo material para outro, e assim vem a *animar* o novo corpo para o qual se mudou, em nova encarnação. Ver o artigo geral sobre a *Reencarnação*.

METHEG-AMMAH (*Rédeas da Metrópole*)

No hebraico, literalmente, «rédeas da mãe», ou seja, a cidade-mãe, a metrópole. Ver II Sam. 8:1. Nossa tradução portuguesa procura traduzir literalmente o hebraico. Podemos aceitar a tentativa, com um pequeno reparo: «Depois disto feriu Davi os filisteus, e os sujeitou; e tomou de suas mãos a metrópole». Está em foco a principal cidade dos filiteus, *Gate*. O uso metafórico deriva-se da circunstância que entregar as rédeas a outrem significa entregar o poder. Assim sendo, o termo «rédeas da metrópole» parece indicar que Gate dominava outras cidades da região. Davi capturou Gate em batalha contra os filisteus. O trecho de I Crô. 18:1 mostra-nos que Gate está em foco, visto ser aquela uma passagem paralela à de II Sam. 8:1. Não se sabe qual sua moderna localização. A cidade desapareceu misteriosamente, talvez devido a alguma catástrofe natural, ou mediante algum outro acontecimento sobre o qual não temos notícia. Ver Amós 6:2. Todavia, alguns estudiosos sugerem Tell es-Safiyeh, a dezesseis quilômetros a leste de Asdode, como o local onde ficava Gate.

•••

METÓDIO

A data de seu nascimento é desconhecida; mas sabe-se que ele morreu em cerca de 311 D.C. Ele foi bispo da Lícia, na Ásia Menor. Ele defendia o celibato *voluntário*, como algo desejável. Ele também opunha-se às doutrinas de Orígenes da eterna criação, do corpo como uma prisão da alma, da preexistência da alma e da imaterialidade do corpo ressurrecto. Foi martirizado durante as perseguições movidas por Diocleciano contra os cristãos.

METODISMO

Esboço:

I. Origem do Nome
II. Primeiros Anos do Clube Santo; Primeiro Levantamento
III. Segundo Levantamento
IV. Terceiro Levantamento
V. A Pessoa de João Wesley
VI. Ênfases de João Wesley
VII. Dez Passos na Evolução da Igreja Metodista
VIII. O Metodismo por Ocasião da Morte de João Wesley
IX. Doutrinas e Ênfases Distintivas do Metodismo

I. Origem do Nome

Esse termo designou o movimento que começou em 1727, posto na conta de Carlos Wesley. Tal movimento teve início entre os estudantes de Oxford, com o propósito de criar uma maior convicção e expressão religiosa naquele lugar. É de se presumir que tal nome indicasse as maneiras metódicas de Carlos e João Wesley, que eram irmãos. Quando João veio unir-se a seu irmão, em Oxford, tornou-se o cabeça do grupo, então chamado «Clube Santo», por volta de 1729. Alguns dizem que essa designação surgiu quando um observador, que olhava como Carlos Wesley promovia metodicamente essa organização, exclamou: «Está surgindo um novo grupo de metodistas».

II. Primeiros Anos do Clube Santo; Primeiro Levantamento

Esse clube reunia-se aos domingos à tarde. As pessoas envolvidas eram quase todas anglicanas. O entusiasmo despertado levou-as a se reunirem todas as tardes. Observavam a Ceia do Senhor todos os domingos e jejuavam às quartas-feiras. George Whitefield uniu-se ao grupo e tornou-se um dos importantes líderes do movimento. Na época, o grupo compunha-se de cerca de vinte e cinco estudantes. Eles mostravam-se sérios no discipulado cristão, e a revisão constante das vidas dos membros do grupo era um dos fatores da seriedade deles. Esse aspecto da formação histórica do metodismo foi chamado, por João Wesley, de *primeiro levantamento* da organização.

III. Segundo Levantamento

O grupo foi crescendo em número, forças e reconhecimento. João e Carlos Wesley obtiveram algum reconhecimento pessoal ao se tornarem partes integrantes da expedição a Geórgia, em 1738; comandada pelo governador Oglethorpe. Foi desenvolvido um trabalho missionário naquele estado norte-americano, e uma sociedade congênere foi formada ali. João Wesley não se mostrou muito bem-sucedido em seus esforços missionários; e isso foi um fator perturbador em sua vida; mas essa pequena amostra de internacionalização do Clube Santo foi um fator em seu crescimento.

IV. O Terceiro Levantamento

Whitefield tornou-se um poderoso evangelista, dirigindo reuniões ao ar livre que atraíam milhares de pessoas. As portas das Igrejas organizadas foram fechadas para o *Clube Santo*, mas aquelas reuniões ao ar livre popularizaram o movimento. João Wesley uniu-se às reuniões, seis semanas depois que elas tiveram início. Houve milhares de convertidos, tendo-se tornado necessário formar uma organização a fim de manusear as massas, tendo sido nomeados ministros para a tarefa. Whitefield separou-se por algum tempo dos irmãos Wesley, devido a uma disputa teológica. Mas a separação não demorou a ser curada, embora ele continuasse agindo independentemente deles. João Wesley trabalhou durante seis anos a fim de estabelecer o movimento na Irlanda. Em 1751, o movimento espalhou-se para a Escócia e, então, para a América do Norte. Nos Estados Unidos da América do Norte, o metodismo foi inicialmente organizado como uma denominação distinta, tomando o nome de Igreja Metodista Episcopal, em Baltimore, estado de Maryland, em 1784.

Esses três *levantamentos* foram referidos pelo próprio João Wesley como os acontecimentos que, finalmente, formaram a Igreja Metodista.

V. A Pessoa de João Wesley

Ver o artigo separado sobre ele, quanto a detalhes. A conversão de João Wesley, na rua Aldersgate em Londres, a 24 de maio de 1738, foi um evento essencial na criação da Igreja Metodista. Sua conversão ocorreu quando Wesley, trajado no hábito de um padre anglicano, sentou-se, durante uma reunião de oração, em uma saleta na rua Aldersgate. Ele ouviu um leigo ler em voz alta o *Prefácio à Epístola aos Romanos*, de Lutero. Vazado na primeira pessoa do singular, esse prefácio dava, nas próprias palavras de Lutero, a mudança que Deus operou nele, por ocasião de sua conversão, e como ele pôde confiar exclusivamente em Cristo, para sua salvação. Wesley sentiu seu coração bater forte de emoção e um estranho calor lhe sobreveio. Ele confiou em Cristo como seu Salvador, exatamente naquele momento. Wesley deixou sua vida nas mãos de Cristo, crendo que os seus pecados haviam sido tirados e que a sua vida havia sido transformada.

VI. Ênfases de João Wesley

Ele salientava a absoluta necessidade da *regeneração* e da *santificação*. Repelia o sacramentalismo, a dependência a credos, e os ritos e cerimônias eclesiásticos como meios de salvar. Antes, ensinava que a salvação é um presente gratuito da graça de Deus ao indivíduo arrependido. Ele frisava fortemente o fervor evangélico, insistindo em que não há verdadeira religião exceto a *religião experimentada na prática*. Aqueles que o conheceram, afirmaram que ele falava em frases breves, econômicas, incisivas. Ele tinha um olhar penetrante, que encarava cada pessoa presente, ao ponto de todos sentirem que Wesley o havia destacado para falar-lhe pessoalmente. Suas palavras eram quais espinhos nas mentes dos ouvintes, e seu olhar perscrutador fazia cada pecador presente sentir a sua necessidade pessoal de Nosso Senhor Jesus Cristo. Wesley não tinha paciência com coisas secundárias, como a mediação sacerdotal e os mágicos efeitos dos sacramentos. Antes, exortava os homens a terem *experiência pessoal* com Jesus Cristo.

As Regras Pessoais de Wesley:

1. Lê o décimo terceiro capítulo da primeira epístola aos Coríntios, e medita a respeito.

2. Se virdes Deus em todas as coisas, e fizerdes tudo para ele, então todas as coisas serão fáceis.

3. Faze todo o bem que puderes, por todos os meios possíveis, em todos os sentidos, em todos os lugares, a todo o tempo, a todas as pessoas, enquanto puderes.

VII. Dez Passos na Evolução da Igreja Metodista

O movimento metodista cresceu dentro dos limites da Igreja Anglicana. Mas, quando as Igrejas Anglicanas organizadas fecharam suas portas para os irmãos Wesley e para Whitefield, os metodistas começaram a pregar ao ar livre e em auditórios, em grandes reuniões populares. A partir desse início, a Igreja Metodista desenvolveu-se mediante dez grandes passos, a saber:

1. Foram formadas sociedades religiosas, mais ou menos segundo o modelo dos morávios, em substituição aos decadentes puritanos.

2. Os metodistas se separaram dos morávios, em face do quietismo antinomiano que estava surgindo entre eles. Veio à existência a Sociedade Metodista Wesleyana, em 1739.

3. Os metodistas foram repelidos pela Igreja Anglicana. Os púlpitos foram vedados a eles, e aos seus convertidos não foi permitido que participassem da Ceia do Senhor. Desse modo, os Wesleys começaram a administrar a Ceia do Senhor aos seus próprios membros. Os líderes metodistas continuavam sendo sacerdotes da comunidade anglicana, mas isso não continuaria por muito mais tempo. Esse estágio do desenvolvimento metodista ocorreu em cerca de 1740.

4. As sociedades metodistas começaram a treinar seus pregadores. As igrejas começaram a ter suas próprias reuniões, ignorando a Igreja Anglicana. Igrejas locais começaram a ser organizadas segundo o ideal metodista, a partir de cerca de 1741.

5. As sociedades foram divididas em classes com líderes, pastores, subpastores, etc., e precisavam prestar contas dos fundos arrecadados, promovendo o seu próprio trabalho, a partir de cerca de 1742.

6. A publicação das *Regras das Sociedades Unidas*, em 1743, conferiu ao metodismo wesleyano uma espécie de guia. Foram expressas as condições para alguém ser membro atuante.

7. Os Wesleys tiveram sua primeira conferência anual em 1744. Foram discutidos, então, pontos de doutrina. Ministros foram nomeados. Foram designados cem pregadores, dotados de responsabilidades e autoridade, com o propósito de se perpetuarem. Foram organizadas corporações legais em várias áreas.

8. Os Wesleys começaram a consagrar ministros, o que deu às sociedades uma situação distintiva e independente. As sociedades tornaram-se conhecidas como «Sociedade Unida», «Sociedade Metodista» ou «Metodistas», embora continuassem sendo membros da Igreja Anglicana. Em 1746, entretanto, Wesley abandonou a idéia de sucessão apostólica, que ninguém jamais provou ser verdadeira. Ele classificou de «fábula» a idéia da sucessão ininterrupta, e abandonou seus pontos de vista eclesiásticos anteriores, no tocante à natureza da Igreja primitiva. E veio a tomar a posição que ele, como ministro do evangelho, tinha o direito de ordenar a outros, sem precisar da aprovação de qualquer hierarquia eclesiástica.

9. A independência das colônias inglesas da América do Norte mostrou a Wesley a necessidade de organizar um metodismo separado naquele continente. Isso sucedeu em cerca de 1784. Dessa forma, uma parte do metodismo obteve a sua independência.

10. Essa independência, ato contínuo, tornou-se extensiva ao metodismo inteiro. Uma liturgia distinta,

hinários, artigos religiosos, governo eclesiástico, etc., foram surgindo, embora refletindo suas raízes no anglicanismo.

VIII. O Metodismo por Ocasião da Morte de João Wesley

João Wesley faleceu em 1791. Alguns consideram-no o Lutero da Inglaterra, opinando que, com ele, o protestantismo realmente começou na Grã-Bretanha. Mas outros eruditos vêem nele um elo de ligação entre o protestantismo e o catolicismo romano. Ainda outros pensam que ele foi, essencialmente, um pietista. Seja como for, é inegável que a sua influência foi imensa, segundo demonstram as seguintes estatísticas:

Na Grã-Bretanha, na Ilha de Man e nas ilhas de Canal ele tinha dezenove circuitos que unificavam numerosas igrejas locais. Havia duzentos e vinte e sete pregadores, e o número de membros desse sistema chegava a 57.562. Na Irlanda, havia vinte e nove circuitos, sessenta e sete pregadores e 14.006 membros. Nas Índias Ocidentais e na América Britânica, havia dezenove pregadores e 5.300 membros. Nos Estados Unidos da América do Norte havia 43.265 membros.

IX. Doutrinas e Ênfases Distintivas do Metodismo

1. *Universalidade da Oferta de Salvação*. Para os metodistas, o oferecimento da salvação é universal e válido. Todos os homens podem ser salvos. Não existiria a barreira da eleição, que impeça qualquer alma de vir a Cristo. A graça preliminar ou preveniente (também chamada *geral*) é uma realidade, operando em relação a todos os homens, e assim é possível que o homem caído escolha genuinamente dar crédito ao evangelho. Isso posto, ninguém será condenado senão pelo fato de ter-se recusado a crer. A verdadeira fé está dentro da possibildade de todo indivíduo. Isso exprime a posição arminiana no tocante à eleição e à fé. Alguns metodistas são universalistas. Esses acreditam que todos os homens, mediante a graça de Deus, finalmente confiarão em Cristo. Ver o artigo intitulado *Universalismo*.

2. *Segurança dos Salvos*. Todos os homens podem saber que estão salvos, uma vez que o sejam. Essa é a doutrina da *segurança*. Essa segurança lhes é dada por meio do Espírito Santo (ver Rom. 8:16). Em seus primeiros anos, João Wesley pensava que *saber* que é salvo é necessário como evidência da salvação. Não ter essa certeza seria prova de perdição. Todavia, ele abandonou essa posição já perto do fim de sua vida, embora continuasse defendendo a idéia de que os convertidos sabem que foram salvos, afirmando que a segurança é uma graça comum, dada pelo Espírito de Deus. Entretanto, a maioria dos metodistas acredita que é possível o crente cair da graça e perder a sua salvação, o que é contrário à doutrina calvinista da perseverança. Ver o artigo *Segurança Eterna do Crente,* quanto a um completo exame sobre a questão.

3. *Total Santificação*. Um homem poderia ser totalmente salvo, incluindo o ensino que eles chamam de total ou inteira santificação. Isso significa que, mesmo nesta vida terrena o crente pode ficar inteiramente livre de pecado, através de uma experiência religiosa avassaladoramente emocional. Para os metodistas, entretanto, esse estado não é visto como necessariamente permanente. Para eles, a santificação, a exemplo da salvação, pode ser anulada pela vontade humana perversa. Essa estranha doutrina cria o espetáculo de crentes que ora são impecáveis, para em seguida tornarem-se pecadores, novamente impecáveis, novamente pecadores, etc. Trata-se, pois, de um conceito extremamente duvidoso, e que alude a uma santificação deficiente e ineficaz. Além disso, não podemos confundir impecabilidade (que o trecho de I João 1:8 mostra ser inatingível neste lado da existência) com perfeição ou maturidade. Só Deus é perfeito. A perfeição ou maturidade é um grau *absoluto* de virtudes e poderes espirituais, e não meramente a ausência de pecado. Mesmo que aparecesse uma pessoa impecável—o que insistimos ser impossível—ainda assim ela estaria *longe da perfeição*. Quanto a esse aspecto, podemos criticar o metodismo, pois, realmente, eles erraram o alvo. A verdade é que ser salvo *completamente* significa ser absolutamente transformado segundo a imagem e a natureza de Cristo (ver Rom. 8:29), de tal modo que tal pessoa esteja compartilhando da plenitude de Deus (Efé. 3:19), isto é, da própria natureza divina (II Ped. 1:4). E isso envolve um processo eterno, em que o crente irá passando de um estágio de glória para o outro (II Cor. 3:18). Conseqüentemente, falar em impecabilidade (mesmo supondo-se que isso fosse possível agora), acompanhada por algum grau de desenvolvimento espiritual, sob hipótese alguma pode ser equiparado a ser completamente salvo. Isso é degradar o próprio conceito da *salvação* (vide).

4. *Sinergismo*. A cooperação do Espírito Santo com a vontade humana produz as desejadas conseqüências espirituais. Alguns comentadores têm criticado o sinergismo do metodismo. Mas o Novo Testamento é um documento muito sinergístico. Ver o artigo sobre o *Livre-Arbítrio*, sobre a *Predestinação* e sobre o *Determinismo*. A verdade é que a vontade de Deus utiliza-se da vontade do homem, sem destruí-la, embora não saibamos dizer *como*.

5. *Os Meios da Graça*. Os metodistas dão grande importância a essa questão. Eles fazem uso da pregação do evangelho e de formas litúrgicas derivadas da Igreja Anglicana. Também observam dois sacramentos, que consideram meios da graça. Ver o sexto ponto, abaixo.

6. *Os Sacramentos*. Os metodistas aceitam somente dois sacramentos: o batismo e a Ceia do Senhor. João Wesley apegava-se a um ponto de vista sacramentalista do batismo, continuando a batizar infantes, conforme faz a Igreja Anglicana. Ele acreditava que o batismo em água lava misticamente o pecado do infante e assim anula o pecado original. Contudo, com a passagem do tempo, a criança retornaria ao estado pecaminoso, e assim necessitaria do renascimento espiritual. Isso posto, o batismo, para os metodistas, é mais do que um mero sinal da graça. É mesmo um dos meios da graça, conforme é tipicamente ensinado por todas as denominações sacramentalistas. Todavia, alguns metodistas têm abandonado essa posição sobre o batismo, concordando com os batistas de que o batismo em água é apenas um sinal visível da graça interior de Deus, e não um meio de transmissão da mesma. No entanto, esse resquício de sacramentalismo (herdado do anglicanismo) faz parte histórica e persistente do metodismo. A Ceia do Senhor, para eles, é um sinal do amor que os cristãos deveriam ter uns pelos outros, como também um símbolo da redenção do homem mediante a expiação pelo pecado, através do sangue de Cristo. No tocante à Ceia do Senhor como um verdadeiro sacramento (um meio de graça), conforme se vê na transubstanciação católica romana, o metodismo é confuso e contraditório em sua teologia. Para muitos deles, essa cerimônia é apenas um símbolo, mas, para outros, retêm um poder sacramental. Os próprios ensinos de Wesley a respeito estão sujeitos a várias interpretações e controvérsias.

7. *A Sucessão Apostólica*. Essa doutrina foi finalmente rejeitada por João Wesley como ensino impossível de ser demonstrado, ou teologicamente falando ou como algo que, realmente, aconteceu na história. A sucessão ininterrupta foi considerada uma *fábula* por João Wesley. E o metodismo abandonou a idéia.

8. *Tolerância e Liberalidade*. João Wesley declarou: «Nós pensamos, e deixamos pensar». No tocante a opiniões teológicas precisamente formuladas, ele e os seus seguidores não adotaram posições rígidas. A ênfase do metodismo sempre recaiu mais sobre a vida e a experiência cristãs, e não sobre rígidas posições doutrinárias. Naturalmente, existem metodistas fundamentalistas estritos, o que contrasta com o grande número de metodistas liberais, em nossos dias. Porém, a corrente principal do metodismo nunca se preocupou muito com credos, conforme têm feito alguns outros grupos evangélicos. Essa atitude mais descontraída tem evitado que o metodismo caia no mesmo grau exagerado de divisões que outros grupos protestantes e evangélicos têm experimentado. Outro tanto, naturalmente, pode ser dito acerca da comunidade anglicana como um todo. O metodismo, em contraste com outros grupos evangélicos, tem evitado reivindicar foros de novidade teológica e de exclusivismo. O metodismo não criou novas doutrinas, porquanto enfatiza muito mais o lado experimental da fé cristã. Daí, porém, emergiu a busca pela perfeição impecável, um lamentável ensino, que o metodismo não criou, embora tenha revivido um antigo ensinamento.

A teologia metodista gira em torno da idéia do livre-arbítrio humano. Destarte, combate o calvinismo. E sua ênfase sobre a impecabilidade levou os metodistas a se afastarem claramente da teologia reformada comum. — Mas, em certo sentido, o metodismo representa um complemento do que ocorreu na Reforma. Pois, com sua teologia muito menos tensa, o metodismo muito contribuiu para preparar o mundo anglo-saxão para a moderna teologia empírica, associada a nomes como os de *Schleiermachr* (vide) e *Ritschl* (vide).

9. *Governo Eclesiástico*. Na América do Norte, entre os metodistas, a forma episcopal de governo tem sido uma constante, embora sem qualquer reivindicação de *sucessão apostólica* (vide). Na Grã-Bretanha, entretanto, as igrejas retiveram uma forma de governo mais presbiteriana, depois que passou o estágio inicial do metodismo.

10. *Terreno Comum com o Evangelismo*. Quanto a outras doutrinas, que não foram mencionadas acima, o metodismo concorda com os pontos de vista regulares dos grupos evangélicos, que giram em torno de ensinamentos como: a Trindade; a divindade de Cristo; a universalidade do pecado; a necessidade da regeneração; o uso da prédica na evangelização; a imortalidade da alma; a supremacia das Escrituras (embora sem o ensino da infalibilidade, conforme se vê na maioria dos grupos evangélicos atuais); a salvação pela graça, mediante a fé; o sacerdócio de todos os crentes. O liberalismo tem-se mostrado poderoso no seio do metodismo, fazendo com que algumas dessas doutrinas tenham sido ali revisadas Ver o artigo geral sobre o *Liberalismo*.

Bibliografia. AM C CW E H LIN P

METODISTAS CALVINISTAS

Eles constituem certo número de movimentos revivalistas, inteiramente independentes, que surgiram a partir de cerca de 1735, em Gales do Sul e na Inglaterra, similares àquele que se originou sob os irmãos Wesley (que vide). O seu apelo é popular, vinculado à Igreja Anglicana, embora diferindo desta, por ser um movimento calvinista. Houve uma antiga tentativa de organizar esses movimentos, sob a liderança de Whitefield (que vide), mas, em cerca de 1748, tal tentativa foi abandonada. Porém, após o ano de 1790, o movimento ficou unido, quando da primeira Assembléia Geral do Metodistas Calvinistas Galeses. Com freqüência, eles são considerados presbiterianos, e, de fato, um ramo desse movimento, nos Estados Unidos da América, uniu-se à Igreja Presbiteriana dos Estados Unidos da América, em 1920. (E)

MÉTODO AXIOMÁTICO

Um método de formalizar e estudar um assunto, usando somente os métodos da lógica formal, a fim de derivar as verdades do assunto dentre uma lista de termos indefinidos e de uma lista de axiomas. (F)

MÉTODO HIPOTÉTICO-DEDUTIVO

Ver sobre **Hipótese**, décimo primeiro ponto.

MÉTODO SOCRÁTICO

Ver o artigo geral sobre *Sócrates*, onde é descrito o seu método dialético, no seu primeiro ponto.

METROLOGIA

Ver sobre **Pesos e Medidas.**

METROPOLITA

Essa palavra está alicerçada sobre os termos gregos *meter*, «mãe», e *polis*, «cidade». Uma metrópolis é uma cidade principal, ou a capital ou a cidade maior e mais importante de um estado ou de um país. De acordo com o uso eclesiástico, um *metropolita* é o líder religioso de um bispado metropolitano. Na antiga Grécia, onde o vocábulo originou-se, referia-se à «cidade-mãe» ou principal de uma de suas colônias.

O Ofício. 1. Na Igreja Católica Romana, essa palavra indica um título hierárquico acima do de um arcebispo, dado a um prelado que preside pelo menos uma sede sufragânea (isto é, de apoio) além da sua própria sede, em um território demarcado. Um metropolita precisa reunir seus bispos sufragâneos pelo menos uma vez a cada vinte anos. E os apelos diante de decisões de seus tribunais são submetidos a ele. Todavia, sua interferência nas dioceses de seus bispos sufragâneos vê-se estritamente limitada por lei. Um arcebispo pode receber esse título, mesmo que não conte com nenhuma sede adicional, além da sua. 2. Na Igreja Ortodoxa Oriental, tanto as católicas quanto as dissidentes, o título *metropolita* é indicativo de um cargo diferente, embora tenda por desaparecer ou por misturar-se com o título de arcebispo. Todavia, ali há numerosos arcebispos sem províncias ou sem direitos metropolitanos. Ali um metropolita é superior a um bispo, embora inferior a um *patriarca* (vide).

METUSAEL

No hebraico, «homem de Deus» ou «homem de deus». Talvez alusivo ao antigo deus *Selah*, também chamado *Sin*. Ele foi filho de Meujael e pai de Lameque, da família de Caim (ver Gên. 4:18).

MEUJAEL

no hebraico, *ferido por Deus*. Esse era o nome de um dos filhos de Irade. Meujael foi pai de Metusael, um descendente de Caim (ver Gên. 4:18). Em Gên. 5:12, seu nome aparece sob a forma de *Maalaleel*.

MEUMÃ

No hebraico, «fiel». Ele foi um dos sete eunucos que serviam ao rei Assuero (Est. 1:10). Viveu em cerca de 483 A.C.

MEUNIM (MEUNITAS)

Essa é a forma plural do adjetivo **meuni**, «de Maan», no hebraico. O significado desse adjetivo é incerto, e as traduções refletem as dificuldades envolvidas na compreensão dessa palavra. Nossa versão portuguesa não consegue livrar-se da dificuldade. Assim, se em I Crô. 4:41 e em II Crô. 26:7 temos ali a tradução «meunitas», em II Crô. 20:1 lemos «...os filhos de Amom, com alguns dos amonitas...», o que é uma redundância, quando deveríamos ter ali «os filhos de Amom, com alguns dos *meunitas*». Em Nee. 7:52 lemos sobre «os filhos de Meunim».

Parece que o lugar em vista é Maan, na fronteira leste de Edom, uma localidade que não deve ser confundida com Maom, no território de Judá. Ver sobre *Maom*. O povo a quem essa palavra se refere não eram idumeus, embora, ao que tudo indica, estavam relacionados a eles e com a área do monte Sir, pelo que a identificação dos meunitas com os idumeus é apenas natural, embora não seja exata.

Ver II Crô. 20:1,10.

Os simeonitas atacaram aos meunitas e, ao que parece, conseguiram obter algum sucesso, desapossando-os. Ver I Crô. 4:41. Posteriormente, os meunitas aliaram-se aos amonitas, em um ataque contra Judá (II Crô. 20:1). O rei Josafá enviou seu exército, que lhes ofereceu batalha em Ziz; mas a batalha não teve lugar, pois os adversários de Israel, talvez por dissensão interna, praticamente aniquilaram-se mutuamente. A menção a Seir, naquele texto, não dá a entender que os edomitas também participaram do ataque contra Judá, mas apenas que esse ataque veio daquela direção geral.

Durante o reinado de Uzias (cerca de 783—742 A.C.), esses povos, juntamente com os filisteus e os árabes, novamente causaram dificuldades a Judá. O trecho de II Crô. 26:7 mostra-nos que Judá saiu-se vitoriosa na refrega. Alguns dos meunitas tornaram-se escravos de Israel, uma prática bélica comum naqueles tempos. Ver Núm. 31:30; Jos. 9:27; Esd. 8:20. Terminado o exílio babilônico, os «filhos de Meunim», que, provavelmente, significa os descendentes dos escravos meunitas, estavam entre os netinins ou servos do templo de Jerusalém. Ver Esd. 2:50 e Nee. 7:52. A Septuaginta identifica os meunitas com os mineanos e se essa identificação está correta, então, eles formavam a seção nordeste das tribos do sul da Arábia.

MEXERICO

Mexericar é usar de maledicência, repetindo (e, freqüentemente, inventando) estórias sobre outras pessoas. Diz certo dicionário: «Mexericar: narrar em segredo e astuciosamente, com o fim de malquistar, intrigar ou enredar. *Mexerico*: ato de mexericar; enredo, intriga, bisbilhotice, chocalhice, carrilho, mexericada». Muitas das maledicências que se fazem são usadas pelas pessoas apenas como uma forma de diversão. Enquanto as pessoas estão trabalhando (ou procurando maneiras para não trabalhar), entretêm-se contando estórias engraçadas ou escandalosas sobre outras pessoas. É inevitável que meias - verdades, mentiras e invenções baratas misturem-se com isso. Isso posto, grande parte dos mexericos consiste em puras mentiras. Há vezes em que os mexericos são abertamente malignos, ditos com o intuito de prejudicar e ferir. As pessoas gostam de diminuir outras pessoas, no conceito alheio, com freqüência sob a cobertura de uma justa indignação. No entanto, está psicologicamente provado que as coisas sobre as quais as pessoas gostam de bisbilhotar são aquelas coisas que elas mesmas fazem, ou gostariam de fazer.

O trecho de Provérbios 20:19 adverte contra aqueles que revelam segredos e falam de forma insensata, impensada. A mesma palavra hebraica, para indicar essa idéia, é usada em Provérbios 19:16, com o sentido de «caluniar». Como é óbvio, há muito mexerico que não passa de calúnia. A passagem de Ezequiel 36:3 alista o mexerico como um dos pecados, entre outros, que os inimigos de Israel cometiam, e por causa do que haveriam de ser punidos. Sussurros maldosos, notícias distorcidas e calúnia são pecados condenados em trechos bíblicos como Gên. 37:2; Núm. 13:32; 14:36,37; Sal. 31:12; Pro. 10:18; Jer. 20:10 e Eze. 36:3.

No Novo Testamento, a idéia está contida na tradução «difamadores», em Rom. 1:29, em uma passagem onde os vícios dos pagãos são condenados. Essa mesma palavra (no originál grego, *psithurismós*) reaparece em II Cor. 12:20, onde a nossa versão portuguesa a traduz por «intrigas». Esse foi um dos pecados combatidos por Paulo, existentes na igreja de Corinto. Em I Timóteo 5:13 é usada uma palavra grega diferente, *phlúaros*, «baboseador», mas que a nossa versão portuguesa traduz por «tagarelas». Essa é uma palavra que também poderia ser traduzida por «mexeriqueiros». No texto bíblico onde ela é usada, refere-se a coisas que as pessoas fazem como decorrência do ócio, assim ocupando o seu tempo em atos insensatos. O mexeriqueiro, pois, é alguém que ataca a outrem pelas costas, cujas flechas maliciosas não podem mais ser chamadas de volta, e que assim injuria a outras pessoas, com intenção maligna ou não.

Infelizmente, em todas as épocas sempre houve crentes que se tornam culpados do pecado do mexerico. Cabe a eles uma palavra dita pelo apóstolo dos gentios: «Não saia da vossa boca nenhuma palavra torpe e, sim, unicamente a que for boa para edificação, conforme a necessidade, e assim transmita graça aos que ouvem» (Efé. 4:29). Ver o artigo separado sobre a *Linguagem, Uso Apropriado da*.

«*Senhor, disse eu,*
Jamais eu poderia matar um meu semelhante;
Crime de tal grandeza cabe a um selvagem somente,
É o crescimento venenoso da mente maligna,
Ato alienado dos mais indignos.

Senhor, disse eu,
Jamais eu poderia matar um meu semelhante;
Um ato horrível de raiva sem misericórdia,
Punhalada irreversível de inclinações perversas,
Ato não imaginável de plano ímpio.

Disse o Senhor a mim:
Uma palavra sem afeto, lançada contra a vítima que odeias,

É um dardo abrindo feridas de dores cruéis.
Bisbilhotice corta o homem pelas costas,
Um ato covarde que não podes retirar.
Ódio no teu coração, ou inveja levantando sua
horrível cabeça,
É um desejo secreto de ver alguém morto».
(Russell Champlin, meditando sobre
Mateus 5:21,22).

«Antes de falares
Faz tudo passar diante de três portas de ouro:
As portas estreitas são, a primeira: *É verdade?*
Em seguida: *É necessário?* Em tua mente
Fornece uma resposta veraz. E a próxima
É a última e mais estreita: *É gentil?*
E se tudo chegar, afinal, aos teus lábios,
Depois de ter passado por essas três portas,
Então poderás relatar o caso, sem temeres
Qual seja o resultado de tuas palavras».
(Beth Day)

ME-ZAABE

No hebraico, «águas de ouro». Esse homem foi o pai de Matrede e avô de Meetabel, que foi esposa de Hadar (ou Hadade), o último dos reis de Edom a ser mencionado nas Escrituras. Ver Gên. 36:39 e I Crô. 1:50. Ele descendia de Esaú.

MEZUZÁ

Transliteração do termo hebraico **mezuzah**, «ombreiras» das portas. Em Êxo. 12:7,22,23, o local onde foi posto o sangue do sacrifício da páscoa; em Deu. 6:9 e 11:20, as ombreiras das portas onde a lei precisava ser escrita; em Juí. 16:3, a menção é às ombreiras das portas da cidade de Gazaq, levadas por Sansão, e em I Sam. 1:9; I Reis 6:33 e Eze. 31:12, temos menção as ombreiras do templo. Entretanto, em seu desenvolvimento, essa palavra hebraica acabou indicando a pequena caixa contendo porções das Escrituras, e que os judeus ortodoxos afixavam às portas de suas casas, segundo se vê em Deu. 6:9 e 11:20.

Em outras religiões, mormente aquelas que praticam as artes mágicas, sempre foi comum pendurar-se alguma coisa na porta de entrada ou em suas ombreiras, como algum sinal ou algumas palavras especiais. Destaca-se aí a idéia de proteção, embora também haja a inspiração do desejo por prosperidade material. A casa é o lugar da família. A família precisa de proteção e prosperidade. Os poderes divinos são invocados para proporcionarem essa proteção.

MIAMIM

No hebraico, «no lado da mão direita», metafórico para «favorecida», «afortunada». Na Bíblia, um nome pessoal de duas ou três personagens:

1. O cabeça da sexta divisão de sacerdotes, na época de Davi (I Crô. 24:9), que viveu em torno de 960 A.C.

2. O nome de um dos sacerdotes que assinou o pacto de Neemias, quando o remanescente de Judá voltou do cativeiro babilônico e fixou residência em Jerusalém. Ver Nee. 10:7. Isso ocorreu em cerca de 445 A.C.

3. Em Nee. 12:5, pode haver a alusão ao mesmo homem que aparece no número «dois», acima; mas também pode estar em foco um homem diferente. Ele se casara com uma mulher estrangeira, durante o tempo do cativeiro babilônico, e foi obrigado a divorciar-se dela, depois que o remanescente de Judá voltou à Terra Santa. Ver Esd. 10:25.

MIBAR

No hebraico, «elite», «escolha». Esse foi o nome de um dos trinta grandes guerreiros de Davi, e que o acompanhou quando ele precisou exilar-se por causa das perseguições movidas por Saul. Ele era filho de Hagri (I Crô. 11:38). No trecho de II Sam. 23:36 lemos: «...Bani, gadita...», e muitos estudiosos acreditam que temos aí a versão correta. «É fácil perceber como o hebraico *Bani haggadi* poderia ter sido corrompido para *ben-haggerei*, embora que *Mibhar* seja uma corrupção de *mittsobah* (de Zobá) já não é tão claro, embora não seja absolutamente impossível. Com base no texto da Septuaginta, de II Samuel, parece que ambas as formas do texto coexistiam originalmente» (Smith, *Biblical Dictionary*).

MIBSÃO

No hebraico, **bálsamo, fragrância**. — Nome de duas personagens bíblicas:

1. O quarto filho de Ismael, a ser nomeado: Gên. 25:13; I Crô. 1:29. Viveu em torno de 1840 A.C.

2. O filho de Salum e neto de Saul. Este último foi o sexto filho do patriarca Simeão (I Crô. 4:25). Viveu em torno de 1200 A.C.

MIBZAR

No hebraico, **fortaleza**. Esse foi o nome de um dos príncipes ou filarcas dos idumeus, um descendente de Esaú, irmão gêmeo de Jacó (Gên. 36:42; I Crô. 1:53). Ele viveu em torno de 1925 A.C. Ao que parece, ele deu seu nome a uma grande aldeia que vivia à sombra de Petra, mas que continuava existindo nos dias do historiador eclesiástico Eusébio. A forma grega do nome era *Mabsara*.

MICA

No hebraico, «quem é como **YAHU** (Yahweh)?» Na Septuaginta temos as formas: *Miuá* (A) e *Michaias* (B). Esse é o nome de sete homens que aparecem na Bíblia:

1. Um homem natural do monte Efraim, que parece ter pertencido à geração que sobreviveu a Josué (cerca de 1360 A.C.). Ele furtou mil e cem peças de prata de sua mãe. Ela reagiu, proferindo contra ele uma maldição. Ele temeu a maldição e devolveu o dinheiro à sua mãe. Ela tomou duzentas peças dessa prata e mandou fazer uma imagem de escultura e outra de fundição, para um santuário idólatra. Esse santuário também contava com uma estola sacerdotal e ídolos do lar (no hebraico, *teraphim*). Então, Mica nomeou um de seus filhos sacerdote desse santuário. Mais tarde, substituiu seu filho por um levita itinerante, de nome Jônatas (neto de Moisés), oferecendo-lhe um salário anual (ver Juí. 17:1 *ss*). Um grupo numeroso de danitas, passando pelo local, a caminho de Laís, levou tanto os ídolos quanto o sacerdote de Mica. Mica saiu em perseguição deles, somente para descobrir que não tinha forças para fazer-lhes combate, e assim voltou para casa (Juí. 18:1-26).

Ficamos a meditar sobre o poder de certos homens para atrair a atenção de outros, levando-os a crer em suas formas espúrias de adoração. No caso de

Jônatas, vemos que os danitas obtiveram um oráculo favorável da parte dele, e podemos imaginar que eles deixaram-se impressionar por seus poderes espirituais ou psíquicos. O fato de ter sido ele neto de Moisés deve ter-lhe conferido considerável prestígio. O próprio Mica, sem dúvida, era dotado de algum poder, para que fizesse tudo aquilo começar. Temos ali, pois, um pequeno ramo herético, uma seita religiosa, que ilustra os incontáveis milhares de casos semelhantes através dos séculos, no judaísmo e no cristianismo.

2. Um descendente de Rúben, e antepassado de um homem que Tiglate-Pileser III levou para o cativeiro assírio (ver I Crô. 5:5). Ele era filho de Simei e pai de Reaías, descendente de Joel. Viveu por volta de 782 A.C.

3. Um filho de Meribe-Baal (Mefibosete) e neto de Jônatas, que foi filho do rei Saul (ver I Crô. 8:34,35; 9:40,41). Ele viveu algum tempo após 1000 A.C.

4. Um filho de Zicri (I Crô. 9:15), chamado Zibidi em Nee. 11:17. Mas, em Nee. 12:35, ele é chamado *Micaías*. Seus descendentes voltaram do cativeiro babilônico e vieram habitar em Jerusalém.

5. Um levita coatita da família de Uziel, que viveu na última porção do reinado de Davi (I Crô. 23:20), em torno de 966 A.C. Ele tinha um irmão de nome Issias (I Crô. 24:24,25), e o nome de seu filho era Samir.

6. Um homem que assinou o novo pacto com Esdras, quando o remanescente de Judá voltara do cativeiro babilônico (Nee. 10:11). Viveu em torno de 445 A.C.

7. O pai de Abdom. Abdom foi um dos mensageiros que o rei Josias enviou à profetisa Hulda (II Crô. 34:20). Viveu em torno de 642 A.C.

MICAEL

No hebraico, «Quem é como **El** (Deus)?» Esse é o nome dado a dez personagens que figuram nas páginas do Antigo Testamento, a saber:

1. O pai de Setur, um dos espias enviados a investigar a terra de Canaã. Ele pertencia à tribo de Aser (Núm. 13:13). Viveu em cerca de 1440 A.C.

2. Um príncipe ou líder da tribo de Gade, que fixou residência na região de Basã (I Crô. 5:13). Viveu em torno de 1070 A.C.

3. Um outro gadita, antepassado de Abiail (I Crô. 5:14). Alguns estudiosos identificam-no com o Micael anterior, número «dois», acima. Viveu em cerca de 1070 A.C.

4. Um descendente de Gérson e bisavô de Asafe, o cantor (I Crô. 6:40). Era filho de Baaséias e pai de Siméia. Viveu em torno de 1100 A.C.

5. Um dos chefes da tribo de Issacar (I Crô. 7:3), e que foi um dos quatro filhos de Izraías. Viveu em cerca de 1500 A.C.

6. Um benjamita dos filhos de Berias (I Crô. 8:16). Viveu em torno de 1350 A.C.

7. Um capitão que comandava mil homens, da tribo de Manassés, e que se aliou às forças de Davi (I Crô. 12:20). Isso sucedeu quando Davi tivera de exilar-se em Ziclague, fugindo do iracundo Saul. Ele viveu em torno de 1048 A.C.

8. Um homem da tribo de Issacar, pai de Onri. Micael era um dos oficiais de Davi (I Crô. 27:18). Viveu em cerca de 1040 A.C.

9. Um dos líderes da tribo de Judá, filho do rei Josafá e irmão do rei Jeorão (II Crô. 21:2). Jeorão, a fim de consolidar sua autoridade contra toda possível interferência, por parte de seus irmãos, assassinou a todos eles, incluindo Micael. Isso aconteceu em cerca de 850 A.C.

10. O pai de Zebadias. Este último era um chefe entre aqueles que retornaram do cativeiro babilônico em companhia de Esdras (Esd. 8:8). Era filho ou descendente de Sefatias. O grupo por ele encabeçado consistia em oitenta e dois homens, sem falar nas mulheres. Isso aconteceu por volta de 457 A.C.

MICAÍAS

No hebraico, «quem é como **Yah** (Yahweh)?». Nome do filho de Inlá, e que foi um profeta de Samaria, além de figuras de menor envergadura, como um príncipe dos dias de Josafá (II Crô. 17:7) e um homem que foi contemporâneo do profeta Jeremias (Jer. 36:11). Esse contemporâneo de Jeremias era neto de Safã, um escriba que trabalhava associado ao templo de Jerusalém. Micaías levou a mensagem de Jeremias aos príncipes de Judá, reunidos no palácio do rei Joiaquim.

Micaías, filho de Inlá, um profeta que atuou em Samaria, durante o reinado de Acabe, predisse que esse monarca ímpio seria derrotado em batalha e teria morte violenta, o que ocorreu em cerca de 853 A.C. Esse relato aparece em I Reis 22:8-26 e II Crô. 18:7-25. Era homem corajoso, que enfrentou Acabe e Jezabel. Acabe propusera a Josafá, rei de Judá, que os dois reis hebreus juntassem suas forças em batalha contra Ramote de Gileade. Josafá concordou, com a condição de ser consultado o Senhor. Os falsos profetas, convocados por Acabe, garantiram, a uma só voz, que os dois reis obteriam a vitória. Mas Josafá sentiu que algo estava exagerado nas predições dos profetas de Acabe. E foi assim que Micaías também foi chamado. Recomendaram-lhe que concordasse com o parecer dos outros profetas. Mas ele estava mais interessado na verdade. No começo, em sarcasmo, concordou com os outros profetas; mas, então, disse a verdade, predizendo que tanto o exército de Acabe seria derrotado quanto o próprio Acabe seria morto. E sugeriu que algum *espírito mentiroso* inspirara os falsos profetas. Consternado diante daquela voz dissonante das outras, Acabe ordenou que Micaías fosse deixado na prisão até sua volta. É de presumir-se que algo pior, então, aconteceria a Micaías.

Josefo ajunta que Micaías já estava preso quando Acabe mandou chamá-lo. Nesse caso, ele saiu da prisão para dar seu recado condenatório e, então, voltar ao cárcere. Nada mais se ouve na Bíblia sobre Micaías. Contudo, sabe-se que Acabe não voltou da batalha para continuar fazendo sofrer o profeta. Consideremos a ironia: os inimigos de Acabe não puderam encontrá-lo para matá-lo. Porém, um arqueiro adversário entesou o arco e lançou sua flecha ao acaso, a qual feriu a Acabe exatamente em algum ponto não protegido de sua armadura. E ele caiu mortalmente ferido!

MICAL

Essa é uma contração feminina do nome **Micael** (vide). Significa «Quem é como El (Deus)?» Esse era o nome da filha mais nova do rei Saul, e que veio a tornar-se uma das esposas de Davi.

Esboço:

1. Pano de Fundo Histórico
2. Seu Casamento e Eventos Subseqüentes
3. Seu Segundo Casamento

4. Mical é Restaurada a Davi
5. Morre o Romance
6. Uma Lição Aproveitável

1. Pano de Fundo Histórico

Mical era a filha caçula do rei Saul, provavelmente com sua esposa Ainoã (ver I Sam. 14:50). Davi tinha conseguido eliminar o gigante Golias, mediante uma tremenda pedrada com a funda, e assim, por algum tempo, os filisteus foram contidos pelos israelitas. Merabe, filha mais velha de Saul, deveria ser dada a Davi como esposa, em recompensa pelo seu heróico feito, mas, por razões inexplicadas, ela acabou sendo dada como mulher a Adriel, o meolatita. Alguns intérpretes opinam que Merabe simplesmente não estava interessada por Davi, pelo que um outro noivo precisou ser-lhe arranjado, mas isso representa apenas uma opinião. Mas, todos puderam perceber que Mical, a outra filha de Saul, admirava Davi à distância. E Saul, que já não estava satisfeito com Davi, o novo herói de Israel, que lhe estava fazendo sombra, tirou vantagem da situação para ver se conseguia levar Davi à morte. Assim, Saul não pediu dote, mas estipulou que Mical seria dada a Davi como esposa, se ele conseguisse matar e obter os prepúcios de cem filisteus (a única maneira, como é óbvio, que Davi conseguiria obter tais prepúcios!) Sem dúvida, Saul não acreditava que Davi fosse um guerreiro tão bom. Mas, para sua grande surpresa, Davi matou não somente cem filisteus e, sim, duzentos! Destarte, a popularidade de Davi subia cada vez mais, ao mesmo tempo em que a inveja e a ira iam envenenando a mente de Saul. Seja como for, dessa vez o trato foi cumprido, e Mical tornou-se esposa de Davi. Entretanto, tal matrimônio não haveria de dar certo. Talvez nem mesmo pudesse. Aquele que tivera de matar a duzentos homens, a fim de obter esposa, não poderia esperar prosperar.

2. Seu Casamento e Eventos Subseqüentes

No começo, tudo ia bem entre os nubentes, Mical e Davi. E quando Saul tentou armar outro horrendo plano para desfazer-se de Davi (ver I Sam. 19:10-17), Mical atuou com astúcia e conseguiu frustrar o plano de seu pai. Entretanto, a fim de não ser morto, Davi precisou fugir. E Davi foi ter com Samuel, em Ramá, a quem contou como Saul estava agindo desvairadamente. Davi e Samuel foram juntos à casa dos profetas. Então, Saul enviou mensageiros que prendessem a Davi. Mas, os profetas estavam profetizando, e os mensageiros foram envolvidos pelo espírito de profecia, e puseram-se a profetizar. Isso anulou o plano, pelo que o rei foi em pessoa à casa dos profetas, porém, também foi arrebatado pelo espírito de profecia, e muitas pessoas acharam estranho ouvir o rei Saul agir como profeta. Ver I Sam. 20:18 *ss*.

3. Seu Segundo Casamento

Davi continuou esquivando-se de Saul, e Mical ficou sem marido, embora não por muito tempo. Talvez como um ato de vingança, Saul deu-a como esposa a Palti, da localidade de Galim (ver I Sam. 25:44; II Sam. 3:15). Entrementes, em suas jornadas por vários lugares, Davi também se casou com várias mulheres, não lhe faltando assim o consolo de uma companheira.

4. Mical é Restaurada a Davi

Quando Saul morreu e Davi negociava com Abner a fim de obter o reino inteiro de Israel, sua primeira exigência foi que Mical lhe fosse devolvida como esposa (ver II Sam. 3:12-16). Isso foi feito, apesar de Palti ter ficado muito consternado. Existem teias matrimoniais que não têm qualquer solução boa. Porém, muitas coisas aconteceram desde a última vez em que Davi e Mical se tinham visto, antes da morte de Saul. Mical já não sentia a mesma coisa por Davi. Talvez agora ela preferisse a sua nova situação. Talvez a sombra de Saul se interpusesse entre eles, levando-a a sentir-se mal diante dele.

5. Morre o Romance

Espera-se que o amor vença tudo, mas não foi o que aconteceu dessa vez. Davi obtivera uma grande vitória e estava conduzindo a arca do Senhor de volta a Jerusalém. Ele estava tão feliz que seguia o cortejo, saltando e dançando. Mical, entretanto, não gostou do que viu e recebeu-o com palavras sarcásticas, criticando-o por ter dançado e mostrado as pernas, diante de homens e mulheres igualmente. A maneira de dançar não mudou muito através do tempo (ver II Sam. 6:16,20-23). Mical acusou Davi de ter-se comportado como um «vadio qualquer», ao dançar e tornar-se ridículo diante dos olhos de todos. Davi ficou ofendido diante de tais palavras injustas, fazendo-a lembrar-se que o Senhor o havia escolhido em lugar de Saul, pai dela. Acresça-se a isso que Davi dançara *diante do Senhor*, de pura alegria. E declarou que se humilharia ainda mais diante do Senhor, o que não o teria desonrado diante das mulheres do povo. Foi uma típica briga de fim de casamento. Visto que o versículo seguinte (II Sam. 6:23) afirma que Mical morreu sem filhos (o pior opróbrio que podia acontecer às mulheres israelitas), muitos intérpretes são da opinião que o casal deixou de ter relações sexuais. Nesse caso, Mical, rejeitada por Davi, mas tirada da companhia de Palti, terminou abandonada. Algumas versões fazem o nome de Mical reaparecer em II Sam. 21:8, como mãe de cinco filhos, mas, como é evidente, isso representa um erro escribal. Nossa versão portuguesa, acompanhando outras, grafa ali o nome de Merabe, irmã de Mical.

6. Uma Lição Aproveitável

Há em todo esse relato sobre Mical uma lição perfeitamente óbvia. Os casamentos românticos, tão poderosos no começo, podem sofrer as dilapidações do tempo e dos choques de personalidades. As brigas domésticas, em meio às atitudes irracionais, podem pôr fim até os mais felizes matrimônios.

MICLOTE

No hebraico, **varas**. Esse é o nome de dois homens que figuram nas páginas do Antigo Testamento, a saber:

1. Um filho de Jeiel, e pai ou fundador de Gibeom, pai de Siméia, residente em Jerusalém após o cativeiro babilônico. Pertencia à tribo de Benjamim. Ver I Crô. 8:32; 9:37,38. Viveu em torno de 536 A.C.

2. Um oficial militar que comandava a segunda divisão do exército de Israel sob Dodai, durante o reinado de Davi (I Crô. 24:7). Viveu em torno de 1020 A.C.

MICMÃS

Não há certeza quanto ao sentido desse nome, embora alguns tenham sugerido «oculta». Era uma cidade do território de Benjamim, a leste de Betel, às margens da estrada para Jerusalém. Foi ali que Saul e seu filho, Jônatas, obtiveram uma vitória decisiva contra os filisteus. Jônatas havia estacionado as suas forças, que consistiam em mil homens, em Gibeá de Benjamim, ao passo que Saul ficou à testa de dois mil homens. Jônatas obteve uma rápida vitória sobre o inimigo, embora isso tivesse servido apenas para incensar os filisteus, que reuniram forças muito mais poderosas. Os filisteus conseguiram uma considerável força de infantaria, além de trinta mil carros de combate, seis mil cavaleiros, e acamparam diante de Micmás. Prudentemente, Saul retrocedeu para o vale de Gilgal, perto de Jericó, na esperança de poder juntar maiores tropas israelitas (ver I Sam. 13:1 *ss*). Jônatas, por sua vez, atacou um posto avançado dos filisteus, no passo de Micmás, e obteve uma notável vitória (ver I Sam. 14:1 *ss*). Jônatas obteve tal triunfo atacando o adversário de surpresa; também contou com a ajuda dos prisioneiros hebreus, antes feitos pelos filisteus, israelitas esses que tiraram proveito da oportunidade para oferecer resistência interna, e também contou com a cooperação de refugiados no acampamento, sem falarmos na confusão geral que se abateu entre os filisteus. Mediante essa conjugação de circunstâncias, os filisteus sofreram uma derrota decisiva.

O profeta Isaías (ver 10:24,28) predisse a captura de Micmás pelos assírios, quando do cativeiro assírio. Mas, terminado esse cativeiro, indivíduos que tinham residido naquela cidade, conseguiram retornar a Jerusalém, eles ou os seus descendentes (ver Esd. 2:27; Nee. 7:31; 11:31). Na época dos Macabeus, Jônatas Macabeu usou Micmás como residência (ver I Macabeus 9:73). Atualmente, o local chama-se *Mukhmas*, uma aldeia arruinada na crista norte do wadi Suweinit. Essa é uma localidade árabe. Nenhuma escavação arqueológica tem sido ali efetuada, mas os estudiosos têm certeza de que se trata da antiga Micmás. As informações geográficas e literários são suficientes para tanto. A região é um tanto montanhosa, e há um passo ou garganta que conduz na direção suleste, e que se ajusta bem às descrições bíblicas a respeito, sem falarmos nas informações que nos são oferecidas por Josefo (ver *Anti*. 6:6,2).

MICMETÃ

No hebraico, **esconderijo**. Esse era o nome de uma cidade que ficava na fronteira dos territórios de Efraim e Manassés, a oeste do rio Jordão (ver Jos. 16:6 e 17:7). Trata-se da moderna Khirbet Juleijil. Ficava cerca de três quilômetros a nordeste de Siquém. É mencionada no Antigo Testamento em conexão com a fixação das fronteiras internas de Israel.

MICNÉIAS

No hebraico, «possessão de Yahweh». Esse era o nome de um levita que foi porteiro do tabernáculo e tocava a harpa. Foi nomeado por Davi para ocupar esse serviço (I Crô. 15:18,21). Viveu em torno de 966 A.C.

MICRI

No hebraico, «prêmio de Yahweh». Esse era o nome de um dos descendentes de Benjamim (I Crô. 9:8). Ele foi antepassado de Elá, que foi um chefe daquela tribo, na sua época. Viveu após o cativeiro babilônico, por volta de 536 A.C.

MICROCOSMO

Ver sobre **Macrocosmo**.

••• •••

MICTÃ

No hebraico **escrito** (referindo-se a um salmo). Essa palavra aparece nos títulos de seis dos salmos (16, 56—60), todos eles atribuídos a Davi. Alguns pensam que essa palavra tem sentido incerto, mas talvez tenha algo a ver com a idéia de «expiação». Provavelmente era o título de um hino que figura em Isa. 38:9.

MIDGAL-ÉDER

Ver sobre **Éder**.

MIDIÃ (PESSOA)

Esse nome significa **contenda**. Ele foi o quarto dos seis filhos de Abraão e Quetura (ver Gên. 25:2 e I Crô. 1:32). Os trechos de Gên. 25:4 e I Crô. 1:33 informam-nos que Midiã teve quatro filhos, mas isso é toda a informação que temos na Bíblia a respeito dele.

MIDIÃ, MIDIANITAS

Esboço:

I. Informações Bíblicas
II. A Terra de Midiã
III. Os Midianitas
IV. Descobertas Arqueológicas

I. Informações Bíblicas

Em contraste com tantos outros assuntos, no caso dos midianitas, a Bíblia e a arqueologia são nossas únicas fontes fidedignas de informação. Os midianitas eram uma raça que habitava ao sul e a leste da Palestina, no deserto ao norte da península da Arábia. Os midianitas aparecem na Bíblia associados a várias personagens bíblicas importantes, como Abraão, José, Moisés, Balaão e Gideão. Não se pode duvidar que o nome dessa gente derivava-se de Midiã, um dos filhos de Abraão e Quetura. Os filhos de Midiã chamavam-se Efé, Efer, Hanoque, Abida e Eldá (ver Gên. 25:4; I Cor. 1:33). Abraão despediu todos os filhos de suas concubinas para que fossem para o Oriente (ver Gên. 25:6). Os negociantes que levaram José, filho de Jacó, depois que este foi tirado do poço vazio, onde seus irmãos o haviam lançado, venderam-no para os ismaelitas, que eram midianitas (ver Gên. 37:28). Quando Moisés fugiu da ira do Faraó, dirigiu-se à terra de Midiã (ver Êxo. 2:15). Foi ali que ele conheceu Reuel, — que lhes deu uma ocupação. Com a passagem do tempo, ele se casou com uma das sete filhas de Reuel (ou Jetro), que era sacerdote midianita. O nome da filha de Reuel com quem Moisés se casou era Zípora. Foi quando Moisés cuidava dos rebanhos de Jetro, seu sogro, que ele chegou a Horebe, o monte de Deus (ver Êxo. 3:1). Horebe é outro nome para o monte Sinai, embora a localização exata desse monte continue sendo um mistério para os estudiosos.

A informação bíblica seguinte, acerca dos midianitas, nos é conferida em Núm. 22:4 *ss*. Midiã fazia fronteira com Moabe; e, quando o povo de Israel, após ter saído do Egito, passava por ali, os anciãos de Midiã e de Moabe contrataram o falso profeta, Balaão, a fim de que amaldiçoasse a Israel. Disso, entretanto, nada resultou, exceto que temos uma narrativa interessante, acerca da personagem pervertida, chamada *Balaão* (vide).

Os israelitas e midianitas nunca se deram muito bem, e estes últimos chegaram a ser reputados como estrangeiros que era conveniente evitar, por parte dos israelitas. O trecho de Núm. 25:6 conta-nos a história de um hebreu que teve relações sexuais com uma mulher midianita, o que trouxe uma praga sobre o povo de Israel, enquanto os ofensores não foram executados. Moisés falou em termos bem desprezíveis acerca dos midianitas, tendo enumerado todos os males e a má influência dos midianitas sobre o povo de Israel (ver Núm. 25:18). O versículo trinta e um daquele capítulo menciona uma maldição divina contra aquele povo.

As Hostilidades eram uma Constante. O trecho de Núm. 31:7 *ss* relata como os israelitas foram vitoriosos em batalha contra os midianitas, e como daí resultou uma grande matança, incluindo a execução de todos os varões e dos cinco reis midianitas. Naturalmente, o próprio Balaão foi executado, como medida de segurança. As mulheres midianitas, entretanto, foram poupadas, por razões óbvias (poligamia), mas Moisés permitiu a poupança somente das midianitas virgens, todas as outras mulheres foram executadas (Núm. 31:14-18). Tudo isso foi feito em nome *de Deus*, e desmaiamos diante da desumanidade do homem contra o homem, para quem todas as desculpas (e algumas poucas alegadas razões) sempre são suficientes para encorajá-los às matanças.

Entretanto, apesar de tantas execuções, os midianitas prosseguiram existindo. E foi assim que Gideão, um juiz posterior de Israel, foi obrigado a continuar a luta contra eles. Nos dias de Gideão, os israelitas estiveram sob o domínio dos midianitas por sete anos (ver Juí. 6:1). Foi no vale de Jezreel (ver Juí. 6:33) que se feriu a batalha decisiva, e qualquer aluno de Escola Dominical conhece bem essa narrativa. Ver Juí. 7:19 *ss*. Em nossos próprios dias, os *Gideões*, uma grande agência distribuidora de Bíblias e porções bíblicas têm como seus símbolos a tocha e o cântaro de Gideão. A vitória de Gideão sobre os midianitas, no vale de Jezreel, foi imortalizada pelo profeta Isaías. Ver Isa. 10:26, em comparação com Isa. 9:4; Sal. 83:9 e Hab. 3:7. Essas referências, nos livros proféticos e no livro de Salmos são as únicas que a Bíblia nos dá acerca dos midianitas, após o relato sobre Gideão. Ao que parece, foi naquela ocasião que eles deixaram de ser um povo separado, sendo absorvidos (aquilo que deles conseguiu restar) por outros povos, principalmente árabes. No entanto, desde o começo, muitos israelitas misturaram-se com os midianitas por casamento.

II. A Terra de Midiã

É impossível definirmos, com precisão, as fronteiras dos territórios dos midianitas. O trecho de Gên. 25:6 fala-nos sobre uma ambígua «terra oriental». Poderia estar em foco qualquer região desde o monte Hermom até às margens do rio Eufrates, e, se pensarmos mais no sul, então pode estar em foco qualquer porção da península da Arábia, incluindo, talvez, até a península do Sinai. Todo esse vasto território consiste em um deserto hostil, onde a sobrevivência humana é apertada. Todavia, a maior parte dos eruditos limita os territórios de Midiã àquela porção da Arábia que fica a leste do golfo da Arábia. Ptolomeu referia-se à *Modiana* e à *Madiana* (VI.7,27). Eusébio, em sua obra, *Onomástica* (136.31), referiu-se a *Madiam*. Falando em termos modernos, essas terras, provavelmente (se é que a Madiam de Eusébio era uma cidade) incluíam a moderna el-Bed, uma cidade cerca de quarenta e dois quilômetros a leste do golfo de Ácaba. Josefo também falou sobre uma Madiam nas costas do mar Vermelho (isto é, às margens do golfo de Ácaba), em sua obra *Anti*. 2.11,1.

III. Os Midianitas

Esse povo derivava-se de cinco famílias, cada qual descendente dos cinco filhos de Midiã, que, por sua vez, era filho de Abraão e sua concubina, Quetura. Abraão enviou-os na direção do Oriente, juntamente com seus irmãos (ver Gên. 25:1-6). A partir desse incidente, começou a história separada daquele povo. Eles vieram a habitar áreas desertas na Transjordânia, desde Moabe e daí passando além das terras dos idumeus. Tornaram-se aquilo que se costuma chamar de «ratos do deserto», juntamente com os ismaelitas. Ver Gên. 37:28,36. Na verdade, o apodo «ratos do deserto» não é pejorativo. É preciso muita habilidade para que um grupo humano sobreviva no deserto e até se torne um povo. Visto que os midianitas eram um povo do deserto, a vida deles caracterizava-se pelo nomadismo, pois nenhuma área do deserto poderia produzir alimentos suficientes para sustentar a vida das pessoas. Por isso mesmo, os midianitas ocupavam-se na caça, no comércio, nas viagens constantes. E, nessas andanças, montados em seus camelos, eles espicaçavam outros povos, geralmente com a idéia de saqueá-los. Por duas vezes, no livro de Juízes, Jetro, sogro de Moisés, é chamado de queneu (ver Juí. 1:16 e 4:11). Se os queneus também eram um ramo midianita, então, havia alguma conexão vital entre Jetro e os midianitas. Entretanto, os estudiosos continuam a disputar sobre essa possibilidade. Talvez os queneus fossem mesmo um clã midianita. Como grupo humano, os *queneus* (vide) sobreviveram aos demais midianitas. Ver I Sam. 27:10; 30:29. Eles são mencionados até mesmo nos tempos de Jeremias (ver Jer. 35). Porém, ao que tudo indica, Moisés rompeu definitivamente com os midianitas, em qualquer sentido prático, conforme vimos acima, no primeiro ponto deste artigo.

IV. Descobertas Arqueológicas

Nenhuma cidade dos midianitas foi jamais descoberta pela arqueologia. E isso é apenas natural, pois nenhum povo nômade constrói cidades permanentes. Assim sendo, as informações que dispomos acerca deles limitam-se a inscrições e referências literárias, e, naturalmente, há informes geográficos que formam parte da história de todos os povos, os midianitas não são nenhuma exceção. Tiglate-Pileser III mencionou a tribo de ***haiappu***, em uma de suas listas, e os estudiosos pensam que esse nome aponta para os midianitas. Eles pagaram tributo aos assírios, sob a forma de ouro, prata, camelos e especiarias. Os habitantes de Efá também tiveram de pagar tributo aos assírios. O trecho de Isa. 60:6 vincula Midiã, Efá e Sabá, o que talvez indique que eles eram povos aparentados entre si. Nos registros assírios, aparecem vinculados entre si os sabeus (Sabá) e os haiappu. (ADM MON ND Z)

MIDIM

No hebraico, «extensão». Esse era o nome de uma cidade existente na porção oeste do mar Morto, na Terra Prometida, mencionada somente em Jos. 15:61. Desconhece-se sua localização moderna, embora seja uma boa possibilidade a moderna Khirbet Abu Tabaq, no vale de Acor, atualmente conhecido como el-Buqe'ah.

MIDRASH

A palavra hebraica assim transliterada para letras latinas significa «buscar», «investigar». Daí é que se derivou a idéia de *estudo*, de *exposição homilética*. A raiz do termo hebraico é *darash*, «sondar».

1. *Usos Bíblicos*. O termo aparece somente por duas vezes no Antigo Testamento. Em II Crô. 13:22, onde nossa versão portuguesa diz «história», encontramos o vocábulo hebraico *midrash*. A sabedoria, a eloqüência e as declarações de Abias foram registradas por Ido, o profeta. E isso foi a sua *midrash* sobre Abias, isto é, seus escritos e comentários. A idéia é que Ido *comentou* sobre aqueles registros históricos sobre Abias. Além disso, em II Crô. 24:27 lemos novamente a palavra *midrash*, no original hebraico, onde a nossa versão portuguesa novamente diz «história»—mas onde a Revised Standard Version diz «comentário»—aludindo aos comentários ou explicações que apareciam no Livro dos Reis de Israel. Isso alude a uma narrativa não-canônica, atualmente perdida, acerca dos reis hebreus. A essa narrativa foram adicionados comentários ou pareceres a respeito.

2. *A Midrash dos Rabinos*. Esse título refere-se a uma exposição exegética feita pelos rabinos e eruditos, acerca das Escrituras do Antigo Testamento. Até onde se sabe, uma atividade anterior, dessa sorte (à parte de instâncias isoladas, conforme demos no primeiro ponto), surgiu em cerca de 100 A.C. Essa atividade midrashica prosseguiu durante trezentos anos, até cerca de 200 D.C. Tal palavra, em seu sentido mais amplo, referia-se a qualquer exposição bem antiga acerca da Lei, dos Salmos e dos Profetas. Tal material tinha natureza exegética, homilética, alegórica e prática. No seu sentido mais geral, o termo aponta para a literatura judaica inteira não-canônica, incluindo o Talmude, e indo até à compilação do livro intitulado Jalkuth, do século XIII D.C. Mas, a partir daquele século, gradualmente o termo foi deixando de ser aplicado aos escritos rabínicos.

Quando os exilados retornaram do cativeiro babilônico, a **Tora** era a principal, se não mesmo a única autoridade espiritual para os judeus. O cânon judaico, porém, gradualmente foi incluindo os Salmos e os Profetas, ainda que, na opinião de algumas seitas, essas *adições* nunca obtiveram posição verdadeiramente canônica. A *Tora* era considerada autoritária, mas o velho problema de interpretação sempre existiu. Desse modo, os líderes espirituais e os eruditos tomaram sobre si mesmos a tarefa da interpretação. E isso deu nascimento à *Midrash*. Sem alguma autoridade interpretativa, o resultado é uma interminável fragmentação, tão vividamente ilustrada pelos protestantes e evangélicos de nossos dias.

Os saduceus eram os literalistas bíblicos de sua época, negando o valor das tradições orais que circundavam a lei. Os fariseus, em contraste com aqueles, demonstravam profundo respeito pela lei oral, apoiando-a com os seus comentários. O judaísmo de nossos dias pode ser considerado a continuação da posição tomada pelos fariseus.

3. *Dois Tipos de Midrashim*. O primeiro tipo consiste na *lei* (regra, tradição), que trata das explicações da lei mosaica. Isso incluía a aplicação daqueles preceitos a situações particulares, não cobertas pela letra exata da lei. O segundo tipo era a *narração*, que eram as exposições bíblicas sobre questões práticas, éticas e devocionais. Esse segundo tipo incluía questões homiléticas, onde o propósito era exortar, e não legislar.

4. *Coletâneas de Midrashim*. Comentários (midrashim) orais foram postos em forma escrita. As mais antigas dessas coletâneas eram as Midrashim Haláquicas, compiladas em cerca de 200 D.C. O adjetivo ***haláquico*** refere-se ao primeiro tipo de midrashim, mencionado no terceiro ponto, acima. A palavra hebraica ***halakah*** significa «regra», «lei», derivada do termo básico ***halk***, «andar», «ir». E o segundo tipo de midrashim, chamados ***hagádicos***, era representado em uma coletânea que vem do século III D.C. Essa palavra hebraica significa «contar», «narrar», derivada da raiz hebraica ***hiqqid***, «contar». É o tipo de comentário descrito acima, sob o ponto terceiro.

As Midrashim Haláquicas. Os livros mais importantes desse tipo são o *Michilta* (uma palavra aramaica que significa «tratado»), e que versa sobre o livro canônico de Êxodo; a Sifra (que significa «livro») sobre Levítico e a Sifra sobre Números e Deuteronômio.

As Midrashim Hagádicas. As mais importantes obras dessa categoria são a Midrash Rabboth, que comenta sobre o Pentateuco inteiro e os cinco rolos (Cantares, Rute, Lamentações, Eclesiastes e Ester); a *Tanhuma* (homilias sobre o Pentateuco inteiro); e a Psikta de-Rav Kanana (homilias acerca dos dias santos e outras ocasiões especiais).

5. *Obras Sobre Pregação e Sobre Interpretação*. Essas coletâneas proviam material para discussão, instruções e ensinos sobre a prédica, para mestres rabinos e outras pessoas interessadas. Posteriormente, a *Mishnah* (vide) rivalizou com essa coletânea, chegando mesmo a absorver e substituir essas midrashim. A Mishnah consistia em ensinos sobre a lei oral, sem fazer alusões às próprias Escrituras. Naturalmente, mediante um uso lato da palavra midrash, o material do Talmude (incluindo a Mishnah) foi incluído. Ver o artigo sobre o *Talmude*.

6. *A Inspiração das Midrashim*. Os comentários dos rabinos tinham por finalidade definir as leis, dar-lhes aplicação universal e, de modo geral, elucidar as Sagradas Escrituras. Isso não equivale a negar a autoridade da Bíblia. Mas é que uma interpretação inteligente também é necessária, a fim de ser evitada a fragmentação. «Visto que as circunstâncias alteradas, que prevaleceram nos tempos pós-bíblicos, tinham tornado o simples código da Bíblia insuficiente em si mesmo, como norma orientadora da vida, os rabinos procuraram sondar de maneira mais penetrante os textos bíblicos, buscando descobrir implicações, que nem sempre transparecem superficialmente, mas que, com freqüência, oferecem a orientação que se faz mister». Ver o artigo sobre *Pirke Aboth*. (AM E WA Z)

MIÉVILLE, HERN HENRI

Ele nasceu em 1877, embora minhas fontes informativas não dêem a data de sua morte. Miéville foi um filósofo suíço de qualidade, que se tornou melhor conhecido por causa de suas declarações acerca da fé religiosa, especialmente sobre o problema da *autoridade* (vide). Ele combinava o racionalismo com um genuíno e fervoroso sentimento religioso. Opunha-se ao *antiintelectualismo* (vide), e mostrava-se incansável em sua busca pela bondade, pela verdade, pela justiça e pela beleza. Ao atacar certos pontos de vista da autoridade, ele salientou quão inevitavelmente podem envolver-se no *antropomorfismo* (vide), chegando mesmo a promover um «deus» imoral, que se envolve em coisas que as pessoas morais evitariam. Ele ilustrou isso com o Antigo Testamento, onde Deus aparece como o Chefe de Exércitos, por causa do que muitas matanças e brutalidades foram praticadas, tudo em nome do Ser Supremo.

Ao falar sobre Deus, ele insistia que Deus precisa combinar, em si mesmo, todas as mais nobres aspirações e conceitos humanos, incluindo o ideal de um mundo melhor e mais justo. Deus mesmo está acima daquilo que denominamos justiça e razão; mas não deveríamos degradá-Lo ao ponto de compará-Lo com o que é vil e brutal no homem, em vez de compará-Lo com aquilo que é nobre, curador e magnificente. Deus não está limitado àquilo que a teologia diz sobre os seus atributos, os quais, afinal, são apenas atributos humanos, então exaltados. Deus faz-se presente em todos os atos virtuosos e inteligentes. Deus é bom e inteligente.

Os raciocínios de Miéville contrabalançam, na opinião de muitos, o *fideísmo* (vide) e o antiintelectualismo de Karl Barth, que convocou os homens a sacrificar a sua razão sobre o altar da fé cega.

MIGDAL-EL

No hebraico, «torre de Deus». Esse era o nome de uma das cidades fortificadas, capturadas pelos homens da tribo de Naftali (Jos. 19:38). Entre as várias sugestões acerca da sua moderna localização, a mais provável é *Mujeidil*, cerca de dezenove quilômetros a noroeste de Cades. Pelo menos, ficava localizada na Alta Galiléia, entre Yiron e Horém.

MIGDAL-GADE

No hebraico, «torre de fortuna». Essa era uma cidade de Judá, no distrito de terras baixas de Laquis (Jos. 15:37). Tem sido identificada com a moderna Khirbet el-Mejdeleh, a suleste de Tell ed-Duweir. Nos dias de Josué, estava sob o domínio dos filisteus, perto de Laquis.

MIGDOL

No cananeu, «forte» ou «torre de vigia». Há um acampamento e uma localidade no Egito, com esse nome, nas páginas da Bíblia:

1. *O Acampamento*. Migdol foi um dos lugares onde os israelitas acamparam temporariamente, após terem deixado o Egito. Ficava perto do mar Vermelho (ver Êxo. 15:4,22; Deu. 11:14). Ficava nas proximidades de Pi-Hairote e Baal-Zefom (ver Êxo. 14:2; Núm. 33:7). Visto que essa palavra cananéia significa «torre de vigia», é possível que o local fosse um posto militar avançado dos filisteus. Sabe-se que houve uma extensa ocupação semita do delta do Nilo, antes do Novo Império Egípcio (cerca de 1546—1085 A.C.). Outros nomes cananeus também aparecem, naquela e em áreas adjacentes, como Sucote (Êxo. 12:36); Baal-Zefom (Êxo. 14:2); Zilu (Tell Abu Seifah) e Gósen (Êxo. 8:22; 9:26). W.F. Albright, em seu livro, *From the Stone Age to Christianity*, 1940, pág. 184 argumentou nesse sentido. Após terem acampado em Migdol, os israelitas cruzaram o mar Vermelho, na direção oeste-leste, e penetraram novamente no deserto. Em face das descrições geográficas envolvidas, são rejeitadas as identificações ordinárias de Migdol, dadas pelos estudiosos, preferindo-se pensar que o lugar era simplesmente uma das muitas torres ou fortins. A palavra hebraica *migdal*, que lhe é paralela, é bastante comum, com o sentido de «torre».

2. *Uma Localidade no Egito*. Em Jer. 44:1 e 46:14, achamos um lugar com esse nome, atribuído ao Egito. Encabeça uma breve lista de localidades egípcias onde os judeus buscaram refúgio quando fugiam das forças babilônicas de Nabucodonosor, consumada a destruição de Jerusalém. Ficava na porção norte do Egito, e tem sido equiparada à *Magdali* dos tabletes de Tell el-Amarna. Ver sobre *Tell el-Amarna*. Porém, também tem sido identificado esse lugar com *Tell el-Heir*, cerca de dezenove quilômetros ao sul de Pelúsium. As palavras, «desde Migdol até Sevene, até às fronteiras da Etiópia», em Eze. 29:10 e 30:6, evidentemente indicam os limites extremos norte e sul do Egito. Migdol assinalava o extremo norte (ou nordeste), enquanto que Aswan assinalava o extremo sul do Egito. Migdol ficava às margens de um antiga estrada que ia do Egito à Palestina. Provavelmente deve ser identificado com a Migdol de Sethos I (cenas de guerra em Carnaque).

MIGROM

No hebraico, **precipício**. Esse era o nome de uma cidade do território de Benjamim, aparentemente localizada na rota tomada pelo exército assírio invasor, em sua campanha contra Israel (ver Isa. 10:28). Ficava perto de Gibeá, onde Saul acampou certa ocasião (ver I Sam. 14:2). Ao que parece, mais de uma localidade recebeu esse nome, embora haja eruditos que neguem isso. Assim, não sabemos se o local associado a Saul era o mesmo que aquele associado à invasão dos assírios. Mas sabe-se que o local associado a Saul é modernamente conhecido como Tell el-Full, cerca de cinco quilômetros ao norte do terraço do templo de Jerusalém. Esse lugar ficava ao norte de *Micmás* (vide).

MIGUEL, ARCANJO

Seu nome significa «Quem é como **El** (Deus)?» Na Septuaginta, *Michaél*. Portanto, embora diferente de Micael, em português, tem a mesma origem, e poderia ser grafado daquela maneira. Ver o artigo sobre *Micael*. Somente esse arcanjo tem o seu nome grafado com «g», na Bíblia portuguesa. Quanto a informações sobre os *arcanjos*, ver a lista dos sete tradicionais seres celestes que têm esse nome, no verbete *Rafael*.

A tradição sobre a existência de arcanjos não fazia parte original da fé judaica, mas foi pedida por empréstimo da cultura persa. Por isso mesmo, os arcanjos só são mencionados no Antigo Testamento nos últimos livros (cronologicamente falando) do Antigo Testamento, nos livros apócrifos e pseudepígrafos do Antigo Testamento, e em alguns dos livros do Novo Testamento. Na literatura bíblica, Miguel é introduzido em Dan. 10:13,21 e 12:1 e reaparece no Novo Testamento em Jud. 9 e Apo. 12:7. O arcanjo Gabriel também é mencionado na Bíblia em Dan. 8:16; 9:21 e Luc. 1:19,26. A obra pseudepígrafa de Enoque alista os nomes de quatro arcanjos: Miguel, Gabriel, Rafael e Uriel (9:1 e 40:9), mas também assevera que o número total desses elevados poderes espirituais é sete (20:1-7). O trecho de Tobias 12:15 diz algo similar. Acompanhando os informes dados a respeito de Miguel, podemos alistar os pontos abaixo:

a. Miguel é o príncipe e guardião celeste de Israel, estando envolvido no destino apropriado daquela nação (Dan. 10:21; 12:1). A angelologia, bíblica ou não, vincula os anjos às nações, da mesma maneira que há anjos pessoais, que dirigem, protegem, ajudam e instruem aos herdeiros da salvação, para que cumpram a sua missão (ver Heb. 1:14).

b. Foi predito que por ocasião do período «sem precedentes» de tribulações de Israel (ver Dan. 12:1; Jer. 30:7; Mat. 24:21), Miguel entrará em atividade, desviando desse povo de Deus os ataques de Israel, a fim de que a identidade deles seja preservada e o destino deles tenha cumprimento (Apo. 12:7 *ss*).

c. Jesus Cristo está relacionado a esses anjos, sendo o grande Chefe deles. Esse não é um ensino latamente desenvolvido, embora fique por toda a parte implícito no Novo Testamento, segundo se vê em Mat. 26:53.

d. O trecho de Jud. 9 fala sobre como Miguel resistiu ao diabo, no tocante à disputa sobre o corpo morto de Moisés. Foi mister que Miguel repreendesse a Satanás em nome do Senhor, talvez dando-nos a idéia de que Satanás tem um tão grande poder (como príncipe dos anjos caídos) que nem mesmo Miguel podia enfrentá-lo sozinho, na esperança de vitória. Esse relato sobre a disputa de Miguel com o diabo não aparece no Antigo Testamento, mas Orígenes (*Sobre os Primeiros Princípios* 3:2,1) informa-nos que o mesmo foi extraído da obra *Ascensão de Moisés*, um livro pseudepígrafo; e não há razão para duvidarmos dessa informação. Também há outros paralelos entre a epístola de Judas e essa obra pseudepígrafa, conforme Charles tão abundantemente demonstrou (ver CH II, 412,413). Alguns rabinos ensinam que essa contenda em torno do cadáver de Moisés girava em torno da idéia se ele seria ou não um assassino; se fosse, não poderia receber um sepultamento condigno (ver Êxo. 2 e Deu. 34).

Uma curiosidade moderna a respeito de Miguel é que algumas Testemunhas de Jeová confundem Cristo com Miguel, o que é absurdo. E fazem isso com base em sua interpretação de Dan. 10:5,6 e Apo. 12:7.

Para alguns intérpretes, parece perturbador encontrar idéias das obras pseudepígrafas aproveitadas no Novo Testamento, mas a maioria desses intérpretes desconhece quase tudo sobre esse fenômeno. A tradição profética essencial, e muito dos ensinamentos sobre o Messias, são temas comuns no livro de *I Enoque*. Os artigos sobre esse livro e sobre o *Messias* demonstram isso detalhadamente. Os eruditos conservadores anelam por preservar a inspiração da Bíblia, afirmando o valor da inspiração (e a resultante exatidão) de *algumas* das obras pseudepígrafas, o que explicaria sua inclusão legítima no Novo Testamento. Mas isso não é necessário, tal como não é necessário emprestar foros de inspiração ao poeta cretense, somente porque Paulo o citou em Tito 1:12. Os eruditos liberais, de sua parte, simplesmente frisam que todas as produções literárias que se estendem por longo período de tempo, como o Antigo Testamento, as obras apócrifas e pseudepígrafas e o Novo Testamento, naturalmente incluem empréstimos de idéias, visto que representam uma tradição em desenvolvimento. Nesse caso, a evolução histórica de idéias, os movimentos religiosos e a tradição profética estão todos envolvidos nessa questão. Que isso tenha tido lugar é tão óbvio que nem requer apologia. Por outra parte, não há razão alguma para crermos que a inspiração divina não possa acompanhar e mesmo guiar esse processo histórico. Outrossim, não é necessário afirmar que a inspiração, ao acompanhar ou mesmo guiar esse processo, tenha de mostrar-se sempre cem por cento acurada, ou que ela não possa evoluir, pois ambas essas assertivas são infantis, necessárias somente para o consolo de bebês na fé.

As referências bíblicas a Miguel, o arcanjo, são as seguintes: Dan. 10:13,21; 12:1; Jud. 9 e Apo. 12:7. As alusões a ele são mais numerosas nos escritos e livros dos rabinos helenistas. Em Jud. 9 oferecemos no NTI a nota de sumário sobre ele.

Lugar de Miguel dentro das tradições literárias judaicas:

1. Em Dan. 10:13,21 e 12:1, ele é pintado como o anjo guardião da nação de Israel. Todas as nações são pintadas como possuidoras de tais guardiães angelicais, idéia que certamente não se limita à cultura judaica. Essa idéia foi, finalmente, ampliada para ensinar que todos os indivíduos também possuem tais guardiães, e o trecho de Apo. 1:20 amplia o conceito para envolver as igrejas locais.

2. O trecho de I Enoque 20:5 faz Miguel não o guardião de toda a nação de Israel, mas somente dos verdadeiros santos daquela comunidade. Os trechos de Deut. 32:8,9 (LXX); Sir. xvii.17 e Jubileus xv.31,32 distinguem-no dos patronos angelicais das nações, em número de setenta, desde que Israel, supostamente, não estaria sob a proteção angelical, mas diretamente sob a proteção e o cuidado de Deus.

3. No Testamento dos Doze Patriarcas, Miguel é apresentado como o intercessor em favor dos santos de Israel, mas também dos santos de outras nações.

4. O Testamento de Levi tem Miguel como o mediador entre Deus e os homens em geral. Outro tanto aparece no Testamento de Dan. 6:2.

5. A intercessão de Miguel por Israel, nos «últimos dias», quando isso tornar-se criticamente necessário é salientado em Dan. 12:1; I Enoque 90:14 e Assunção de Moisés 10:2.

6. A passagem de Apo. 12:7 e *ss* expande mais ainda a missão de Miguel. Ali ele é apresentado como o maior dos subcomandantes dos exércitos do bem, o oponente direto do próprio Satanás. Jud. 9 também parece indicar algo assim.

Pelejaram contra o dragão e seus anjos. (Quanto a Satanás como «o dragão», ver os versículos três e quatro de Apo. 12). Os anjos caídos são aqui chamados simplesmente de *anjos*. Esse termo usualmente é usado para indicar os anjos bons, mas não necessariamente e sempre. Esses anjos caídos são as «estrelas» caídas do céu, no quarto versículo deste capítulo. São esses que ficaram cativos pelo encanto e poder de Satanás, ao ponto de se revoltarem contra Deus. E *alguns* deles, pelo menos, podem ter poderes *demoníacos* maiores. Ver o artigo separado sobre *Demônio*. Ver o Testamento de Aser 6.4. quanto a menção aos «anjos de Satanás». Em Mat. 25:41, também há menção do «diabo e seus anjos».

MIGUEL, FESTA DE SÃO

Essa festa religiosa, em honra ao arcanjo Miguel, é observada a 29 de setembro. De acordo com o calendário da Igreja Anglicana, esse dia é combinado com o dia de *Todos os Anjos*.

MIL

Ver sobre **Número**.

MILAGRES

Ver também **Milagres, Importância dos,** e **Sinal (Milagre)**.

Esboço:

I. A Palavra e Suas Definições
II. Maneiras de Explicar os Milagres
III. Especulações Filosóficas sobre os Milagres
IV. Milagres da Bíblia; Nomes; Critérios; Propósitos
V. Milagres em Culturas Não-Hebreu-Cristãs
VI. A Ciência e os Milagres
VII. Milagres Modernos

I. A Palavra e Suas Definições

Ver o artigo separado intitulado *Milagres, Importância dos*.

A palavra «milagre» vem do latim, *mirari*, «admirar-se». *Mirus* é um adjetivo latino que significa «maravilhoso», «admirável». *Miraculum* é alguma «maravilha», um «prodígio», um «milagre». Se os *eventos miraculosos* são aqueles que ultrapassam daquilo que se poderia esperar de circunstâncias naturais e usuais, então esses acontecimentos são chamados *milagres*. Os teólogos têm discutido se pode ocorrer alguma coisa que não esteja dentro dos limites do *natural*, pelo menos do ponto de vista de Deus. Aquilo que consideramos acima do natural, ou que parece quebrar alguma lei natural, por uma definição mais alta ainda poderia ser tido como natural. Assim sendo, um milagre pode ser aquilo que apenas *parece* ter ultrapassado do que é natural, embora seja algo que apenas ultrapassa nossa compreensão. Agostinho argumentava fortemente em prol da *naturalidade* dos milagres, do ponto de vista de Deus, apesar de parecerem sobrenaturais ou contrários à natureza, do nosso ponto de vista. Deus parece contradizer ou quebrar alguma lei natural, mas ele simplesmente aplica alguma lei superior, anulando outra lei, inferior. Há uma suprema lei da natureza, dentro da qual todos os milagres podem ser ajustados. O argumento filosófico-teológico dessa abordagem é que Deus, que estabeleceu as leis naturais, jamais agiria contrariamente a Si mesmo, quebrando, ocasionalmente, e por motivos especiais, essa lei (Contra Faustum, 26.3).

Outros teólogos, entretanto, não vêm qualquer perigo na suposição de que Deus pode quebrar leis naturais em suas intervenções. Mas, talvez toda essa discussão seja fútil. Em primeiro lugar, no presente, considerando a natureza fragmentar tanto de nosso conhecimento quanto da ciência, não podemos chegar a uma definição decente do *natural*, quanto menos do *sobrenatural*. Do ponto de vista pragmático, podemos dizer que um verdadeiro milagre quebra ou ultrapassa daquilo que *conhecemos* como leis naturais, e a definição pragmática é a única de que dispomos no momento.

Popularmente, um milagre é qualquer evento admirável que excita a mente devido ao fato de ser incomum. Mais estritamente falando, é um evento *dentro* do mundo natural, mas que aparentemente está *fora* de sua ordem normal, podendo ser explicado somente através de algum poder sobre-humano ou divino.

Palavras e Indicações Bíblicas:

Certa variedade de termos hebraicos, aramaicos e gregos é usada na Bíblia para indicar acontecimentos miraculosos ou admiráveis. Esses termos são traduzidos como «milagres», «maravilhas», «sinais», «poderes», etc. No hebraico temos o vocábulo *mopet*, «maravilha», «milagres» (ver Êxo. 7:9; Deu. 29:5; Êxo. 7:3; Deu. 4:34; Sal. 78:43; I Reis 13:3,5). A raiz hebraica *pl'*, «diferente», é usada no particípio *nipla ot*, «distintivo», «incomum», «admirável» (ver Êxo. 15:11; Jos. 3:5). O termo aramaico *temah* significa a mesma coisa. Ver Dan. 4:2,3; 6:27. A raiz hebraica *'ot* significa «significativo» (ver Nee. 9:10). O termo aramaico *'at* tem o mesmo sentido, sendo encontrado em Dan. 4:2,3 e 6:27. O termo hebraico *qeburah* significa «poderoso», e se vê em Sal. 106:2 e 145:4.

Quando chegamos ao Novo Testamento grego encontramos três palavras:

— *Teras*, «distintivo», «maravilhoso». Essa palavra ocorre por dezesseis vezes: Mat. 24:24; Mar. 13:22; João 4:48; Atos 2:19 (citando Joel 3:3); 2:22,43; 4:30; 5:12; 6:8; 7:36; 14:3; 15:12; Rom. 15:19; II Cor. 12:12; II Tes. 2:9; Heb. 2:4.

— *Dúnamis*, «poder», «prodígio». Essa palavra é muito comum no Novo Testamento, pois ocorre por cerca de cento e vinte vezes, algumas vezes indicando poderes miraculosos, começando em Mat. 6:13 até Apo. 19:1. O verbo correspondente, *dúnamai*, também é muito comum.

— *Semeîon*, «sinal», algo de natureza extraordinária, um acontecimento miraculoso que serve de sinal. Esse termo grego aparece por setenta e três vezes no Novo Testamento, embora por menos da metade desse número indique algum acontecimento miraculoso. Começa a ser usado em Mat. 12:38 e vai até Apo. 19:20. Ver João 2:11; 3:2; Atos 8:6,13; 15:12.

No *Novo Testamento*, esses três termos, «milagre», «maravilha» e «sinal», algumas vezes aparecem juntos. Ver Atos 2:22; II Tes. 2:9 e Heb. 2:4. Algumas religiões, como o budismo, não exibem paciência diante dos milagres, supondo que tendem por iludir as pessoas acerca da verdade religiosa, em vez de convencê-las. Sem dúvida, assim ocorre no caso dos milagres e santuários populares; mas a Bíblia empresta um importante lugar aos milagres, como obras divinas, realizadas em *benefício* do homem, e também como ocorrências incomuns, que servem para autenticar idéias e emprestar autoridade às pessoas que realizam tais prodígios. Existe aquilo que poderíamos designar de «milagres didáticos», que parecem ter desempenhado importante papel no ministério de Jesus Cristo.

II. Maneiras de Explicar os Milagres

1. No tocante aos milagres de Cristo: a interpretação *monofisista*. Essa palavra alude aos ensinos dos *monofisistas*, que diziam que Cristo tinha somente uma natureza, composta de humano e divino, mas, em nenhum sentido, separada. Na prática, porém, essa doutrina dava pouca importância à parte humana, e, com freqüência, tornava-se apenas uma variedade do *docetismo* (vide). Em princípio, o Logos tornara-se carne, mas, na realidade, a carne foi transformada no divino. O resultado prático dessa doutrina, no tocante aos milagres, é que o Cristo divino é quem realizava os milagres, sem envolvimento nenhum de sua parte humana. As explicações evangélicas comuns não diferem muito disso. Quando eles falam nos milagres feitos por Jesus, quase sempre fazem-no no contexto de sua divindade. Todavia, podemos objetar a isso, com toda a razão. Apesar de Cristo, algumas vezes, ter apelado para suas divinas prerrogativas na realização de algum ato incomum, o ensino da *encarnação* é que Jesus fazia o que fazia como um ser humano, impulsionado pelo Espírito, mostrando-nos assim o que podemos fazer (até mesmo atos maiores que os de Cristo; João 14:12), se mantivermos estreita comunhão com ele.

2. *Explicações Naturais*. Os milagres seriam meras excitações da imaginação popular, mas, após detido exame, tais milagres sempre podem ser explicados como acontecimentos naturais. Quando acontecia algo de incomum, os gregos exclamavam: «É algum deus!» E os homens continuam dizendo isso, sempre que algo de aparentemente incomum ocorre.

3. *Explicações Parabólicas e Alegóricas*. Essa posição diz que os documentos religiosos não estavam falando a sério sobre acontecimentos prodigiosos. Tais ocorrências seriam meros comentários parabólicos. Os milagres faziam parte das alegorias, não tendo havido qualquer transtorno da natureza.

4. *Explicações Simbólicas*. As narrativas foram contadas para ensinar certas lições. Seriam meros símbolos de verdades espirituais e religiosas, não devendo ser interpretadas literalmente, como se tivessem sido acontecimentos reais.

5. *Seriam Invenções Fraudulentas*. Não precisamos supor que os escritores religiosos sempre foram honestos. Basta que consideremos os muitos e tolos

Moisés e o arbusto ardente

Jesus acalma as águas da tempestade
(Marcos 4:37)

Jesus levanta a filha de Jairo, Mar. 5:41

JESUS ALIMENTANDO A MULTIDÃO

milagres das obras apócrifas e pseudepígrafas. Não admira, pois, que algo desse material tenha penetrado na Bíblia, tanto no Antigo quanto no Novo Testamentos. Certo escritor chegou ao ponto de asseverar que os muitos milagres atribuídos a Jesus na verdade O insultam, em vez de glorificá-lo, pois, antes de tudo, Jesus não teria feito o que dizem que ele fez; e em segundo lugar, o ensino de Jesus não depende de tais acontecimentos, e, sim, de suas instruções morais e espirituais.

6. *Explicações Mitológicas*. Os mitos seriam instrumentos úteis de todas as culturas humanas. Esses mitos sempre exageram as ocorrências reais, e, algumas vezes, são meros produtos de uma vívida imaginação. Assim, o Antigo e o Novo Testamentos teriam seus elementos mitológicos, que podem ter algum valor didático, mas não deveríamos levá-los a sério como descrições de acontecimentos físicos miraculosos. Seria natural inventar mitos em torno de personagens poderosas. De fato, isso sempre acontece, sem importar se essa personagem é uma figura religiosa, militar, política, etc., contanto que sua vida tenha sido impressionante o bastante para inspirar esse endeusamento.

7. *Seriam Meras Ilusões*. Um milagre é obra de arte de algum mágico, e não algum acontecimento real. Os líderes religiosos, com freqüência, aprendem artes mágicas, e não se importam em enganar o povo com suas ilusões.

8. *Os Milagres Seriam Acontecimentos Psíquicos, Naturais*. O poder da mente é imenso, capaz de realizar prodígios. Não é mister apelar para um fator divino a fim de explicar tais coisas. Consideremos o que os santos homens hindus podem fazer. Eles treinam suas mentes desde o começo de suas vidas, e são capazes de grandes feitos.

9. *Explicações Hipnóticas*. Uma figura poderosa, dotada de extraordinárias energias mentais, pode fazer com que as pessoas pensem que alguma grande coisa física teve lugar. Mas tudo não passa de uma ilusão mental, hipnótica. Isso também poderia explicar as histórias sobre contactos com seres trazidos pelos discos voadores. Muitas pessoas, em nossos dias, alegam ter entrado em contacto com seres extraterrestres. Sob hipnose, elas continuam afirmando a realidade desses acontecimentos. Porém, são reais apenas mentalmente, e não fisicamente. Uma figura poderosa, como foi a de Jesus, poderia ter provocado muitos eventos mentais, que não correspondiam a algo real na natureza. Talvez a hipnose estivesse envolvida, ou, então, algum outro processo mental poderoso, que ainda não compreendemos.

10. *Explicações Psicossomáticas*. Quanto às curas, é fato conhecido que muitas enfermidades são imaginárias, e que é possível reverter as mesmas fazendo as pessoas pensarem, bastando isso para melhorar as suas condições físicas. O placebo atua com base nesse princípio, e a palavra falada, proferida por um alegado curador, pode não passar de um placebo verbal.

11. *A Historicidade dos Milagres*. Apesar de todas as explicações acima poderem ter algum valor, explicando certas histórias sobre eventos miraculosos, há provas insofismáveis em favor de milagres, na antiguidade e em nossos dias, sobre os quais a Bíblia presta testemunho. Certos milagres realmente sucederam, e são eventos históricos autênticos.

12. *Histórias Românticas*. Aqueles que escreveram sobre milagres estavam apenas inventando histórias românticas. Eles não tencionavam, porém, que seus leitores levassem a sério os seus escritos.

13. *Forças Demoníacas; Forças Angelicais*. Alguns milagres, apesar de serem reais, não são produtos nem do poder divino e nem do poder humano. Existe tal coisa como os prodígios do mal. Pelo lado positivo, podemos supor com toda a segurança que existem outros poderes espirituais, positivos em sua natureza, como é o caso dos anjos (e outros, que talvez desconheçamos), que têm o poder de realizar milagres.

III. Especulações Filosóficas Sobre os Milagres

Relatos sobre milagres têm circundado a vida da maioria dos grandes líderes religiosos, incluindo Confúcio, Lao-Tzé, Buda, Maomé, e, naturalmente, acima do todos, Jesus Cristo. O que os filósofos têm a comentar sobre isso?

1. Os primeiros apologistas cristãos usavam argumentos filosóficos em favor da autenticidade dos milagres e o valor dos mesmos em apoio às reivindicações da teologia cristã.

2. Agostinho argumentava em prol dos milagres, embora contendendo em favor da *naturalidade* dos mesmos, supondo, naturalmente, que essa naturalidade é do ponto de vista de Deus, e não do ponto de vista de nossa limitada sabedoria.

3. Tomás de Aquino e os escolásticos em geral argumentavam de modo similar, distinguindo duas ordens na natureza: a. aquela ordem conhecida de Deus, dentro da qual ele atua de maneiras misteriosas; b. aquela conhecida dos homens, em suas limitações. Um milagre é uma obra que contradiz a ordem inferior da natureza e as suas normas, embora não da ordem superior. Um milagre, de fato, *expressaria* a ordem superior da natureza, longe de contradizê-la. Isso nos mostra como os escolásticos brindaram-nos com maneiras úteis de pensar sobre as coisas, que se fazem ausentes, por tantas vezes, na teologia dogmática comum.

4. Spinoza (lançando mão de argumentos concebidos por Gersonides) afirmava que os milagres não podem acontecer. Ele se baseava no raciocínio de que as leis da natureza são decretos de Deus, e que Deus não violaria os seus próprios decretos, o que seria uma autocontradição divina.

5. O *deísmo*, como um sistema, opõe-se aos milagres. Seu ponto de vista é que Deus, há longo tempo, abandonou a sua criação, e que as leis naturais controlam todas as coisas. Nada poderia acontecer fora dos ditames das leis naturais. E nem poderíamos esperar que Deus, subitamente, aparecesse e desfizesse o que ele mesmo estabeleceu.

6. O *deísmo sobrenatural*, no entanto, apesar de normalmente apoiar o ponto de vista deísta, supõe que, *ocasionalmente*, Deus volta e intervém, devido a alguma razão especial.

7. *David Hume* parece ter dado atenção justa aos milagres, sugerindo que deveríamos examinar caso por caso, averiguando seus próprios méritos; mas terminou virtualmente fechando a porta aos milagres, ao insistir sobre a necessidade de evidências, para então dizer que essas evidências simplesmente não existem. Nossas experiências, em sua esmagadora maioria, confirmariam as leis da natureza. E assim, quando as evidências parecem confirmar algum milagre, esses casos excepcionais jamais são capazes de contrabalançar o volume maior do testemunho das leis naturais. O resultado final de seu raciocínio é que os milagres nunca podem ser provados, e nem mesmo pode ser demonstrado que eles são prováveis.

8. *Schleiermacher* procurou ocupar um terreno intermediário entre os que defendem o intervencionismo divino e os apologistas dos milagres de acordo com as leis da natureza. Ele supunha que os milagres são

realizados por Deus em conformidade com as leis da natureza (conforme ele as conhecia). A natureza conteria potenciais nesse sentido, mas os milagres só ocorreriam quando Deus, mediante alguma intervenção especial, resolve aplicar esse potencial. Portanto, a posição dele representa uma intervenção teísta, embora não represente qualquer contradição das leis naturais.

9. Os teólogos e filósofos do século XIX, fascinados pelo ceticismo, imaginaram todas as explicações racionalistas possíveis para os milagres. Alguns chamaram-nos meras lendas, mitos, fraudes ou alegorias. Muitos outros supuseram que as idéias metafísicas provocariam relatos sobre milagres, embora esses relatos de modo nenhum correspondessem a fatos históricos. Renan afirmou que a geração de Jesus fez uma violência contra ele, vinculando histórias fraudulentas ao seu nome, e que o sentido de Jesus jaz em sua vida e em seus ensinamentos, e não nos relatos sobre seus alegados milagres.

10. *A Filosofia Moderna e a Ciência*. Ver a seção VII quanto a uma ampla exposição.

IV. Milagres da Bíblia; Nomes; Critérios; Propósitos

1. Milagres da Bíblia. Abaixo damos exemplos:

a. *No Antigo Testamento*. Talvez devêssemos começar pela própria criação, e então, entrar pelo começo da vida, mormente a vida humana. O que poderia ser milagre maior do que essas coisas? Não precisamos tentar ajustar esses misteriosos eventos a qualquer definição de milagres. Eles são milagres iniciais grandiosos. Muitas vezes minha mente tem-se admirado profundamente diante da indagação: Como é que as coisas têm podido vir à existência? A existência das coisas e da vida constitui o mais inefável de todos os mistérios; e a esse mistério podemos chamar de primeiro dos milagres de Deus, o seu primeiro e maior milagre. Os demais milagres fluem daquele mesmo poder divino, que criou todas as coisas, sem importar se esses outros milagres são efetuados por meio de agentes humanos ou angelicais.

Há quem considere o dilúvio um milagre. Pessoalmente, porém, vejo no dilúvio um grande cataclismo natural, um cataclismo como já houve outros (sobre os quais os registros não-bíblicos atestam de forma convincente, sob forma escrita ou sob forma geológica). Ver o artigo sobre o *Dilúvio*. Outros referem-se à confusão das línguas, por ocasião da torre de Babel, como uma intervenção divina, uma intervenção que poderia ser considerada miraculosa. Mas há quem pense que tudo é apenas lendário, em uma tentativa inadequada de explicar a origem da linguagem humana. Ver os artigos intitulados *Língua-Linguagem-Linguagens* e *Línguas, Confusão das*.

Êxodo 4:2-4: Moisés jogou seu cajado no chão. Este transformou-se em serpente. Quando ele a segurou pela cauda, transformou-se novamente em um objeto sem vida. Êxodo 4:6,7: A mão de Moisés ficou leprosa, e, então, ficou boa novamente, ambos os acontecimentos instantâneos. Êxodo 8: As pragas do Egito envolveram elementos da intervenção divina, como quando Aarão feriu as águas do rio Nilo com a sua vara, e elas foram transformadas em sangue. Os mágicos do Faraó obtiveram sucesso parcial, ao imitarem os atos de Aarão e de Moisés. Teria sido natural que os primogênitos do Egito morressem todos subitamente, e em uníssono? Ou o autor sagrado teria exagerado no relato, e o que teria havido foi uma praga que destruiu a muitos, mas não todos os primogênitos? Êxodo 14: A saída de Israel do Egito teve seus elementos miraculosos, mormente no que diz respeito à divisão das águas do mar Vermelho, por ordem de Moisés. Os racionalistas vêem nisso apenas um forte vendaval que, temporariamente, fez as águas se dividirem, supondo então que os exércitos do Faraó afogaram-se quando as águas voltaram à sua anterior posição. Talvez a profundidade necessária tivesse sido conseguida pelo poder da maré. O livro de Êxodo prossegue, falando sobre como o povo de Israel ficou vagueando pelo deserto, com a provisão da nuvem durante o dia e a coluna de fogo durante a noite. Essas foram intervenções divinas, que os racionalistas apodam de mitos.

Números 22:28-30: A jumenta de Balaão falou e deu-lhe instruções espirituais. Josué 6:1-21: As muralhas de Jericó ruiram diante de certos atos comandados por Josué. I Samuel 5:1-5: A imagem de Dagom cai sozinha, de rosto em terra. I Reis 17:8-16: Elias multiplicou o azeite da viúva, com uma palavra. I Reis 18:20-40: Elias faz descer fogo do céu. II Reis 2:1-12: Uma carruagem de fogo com cavalos de fogo transporta Elias para o céu. II Reis 4:32-37; 13:20,21: Pessoas são ressuscitadas dentre os mortos. II Reis 19:20-37: O exército assírio é eliminado por intervenção divina. Daniel 3:1-30: Três jovens hebreus não morrem na superaquecida fornalha do rei Nabucodonosor. Daniel 5:1-30: Uma escrita misteriosa aparece em uma parede, com uma mensagem espiritual. Jonas 1—2: Um grande peixe é preparado para engolir ao profeta Jonas, mas este consegue sobreviver à prova.

b. *No Novo Testamento*. Temos ali *intervenções divinas diretas*: O nascimento virginal de Jesus, a estrela de Belém, o véu do templo estranhamente partido ao meio; a ressurreição especial dos mortos por ocasião da ressurreição de Jesus Cristo, sendo que esta última foi o grande milagre que deu origem ao cristianismo. Acrescente-se a isso os milagres de Jesus, de seus apóstolos e dos primeiros discípulos. Em termos gerais, isso nos fornece três classificações. Os milagres dos apóstolos e dos primeiros discípulos de Cristo foram realizados mediante a agência humana. No artigo sobre o *Problema Sinóptico*, VI. *Os Milagres de Jesus*, damos os milagres realizados por Cristo, após a lista de suas parábolas, com as devidas referências bíblicas. Em sua maioria, esses milagres consistiram em curas, embora também incluíssem milagres *sobre a natureza*, como a transformação da água em vinho, a tranqüilização dos ventos e das ondas, a multiplicação de pães e peixes, o caminhar de Jesus sobre a superfície do lago e a figueira ressecada.

O livro de Atos registra os milagres efetuados pelos apóstolos e por outros cristãos. Atos 5:1-11: a morte súbita de Ananias e Safira. Atos 12:1-19: o livramento de Pedro do cárcere. Atos 6:8: Os milagres não descritos realizados por Estêvão. Atos 8:39: a miraculosa transferência de Filipe de Gaza para Azoto. Atos 9:8,18: A súbita cegueira de Paulo e sua subseqüente recuperação. Atos 19:12: os milagres de cura de Paulo, mediante o uso de lenços e aventais. Atos 20:9-12: Êutico ressuscitado dos mortos. Atos 10:45,46; 19:6: Línguas, o que penso não ser um fenômeno miraculoso. E também temos as predições de milagres que serão efetuados nos últimos dias, como os atos do anticristo: II Tes. 2; Apo. 16:14 e 19:20.

Milagres falsos de falsos cristos ou de falsos discípulos de Cristo são mencionados em Mat. 24:24. Nessa categoria cabem aqueles prodígios referidos em Atos 8:9, os milagres efetuados através de artes mágicas.

Um dos dons espirituais consistia nas «operações

de milagres» (I Cor. 12:10), que ninguém pode provar se deveriam ocorrer somente na primeira geração dos crentes.

2. Nomes. Os milagres são chamados de *poderes* e *sinais* (ver Mar. 9:39; Atos 2:22; 19:11; Êxo. 9:16; 15:6). Também são chamados *maravilhas* (ver Êxo. 15:11; Dan. 12:6). Aparecem como *o dedo de Deus*, em Luc. 4:18. Outras vezes, são meramente chamados *obras* (ver João 5:36; 7:21; 10:25; 14:11,12; 15:24).

3. Critérios. A Bíblia contém aqueles milages que são chamados de **divinos**. Mas esses incluem milagres efetuados por meio de *agentes*, e não apenas aqueles feitos diretamente por Deus. Os milagres divinos são *verdadeiros* milagres. Nesse contexto, «verdadeiro» não significa real em contraste com irreal, e, sim, através de agentes bons, de acordo com a vontade divina, em contraste com outros milagres, que são reais, mas realizados por agentes duvidosos. Assim, não é negado que os mágicos egípcios realizavam prodígios genuínos, e nem é dito que Simão Mago estava operando apenas de maneira ilusória. Ver Êxo. 7 e 8; Atos 13:6-12; 8:9-24. Porém, o que esses agentes fizeram era *falso*, no que diz respeito aos propósitos espirituais. Discípulos falsos realizam milagres reais, em nome de Cristo, mas esses milagres são falsos, no que concerne ao seu propósito espiritual. Ver Mat. 24:24. Destarte, o anticristo haverá de realizar grandes milagres da *mentira*, ou seja, milagres que servirão apenas para promover seu culto falso. Ver II Tes. 2:9 e Apo. 13:13 *ss*. Esta última referência alude aos milagres que serão feitos pelo falso profeta, o João Batista do anticristo, que também possuirá poderes miraculosos reais, embora malignos.

Quanto aos *critérios*, podemos afirmar que os milagres são verdadeiros quando efetuados por algum poder bom, e com bons propósitos. Mas são falsos ou mentirosos quando realizados por algum poder maligno e com propósitos malignos e enganadores. A *realidade* de um milagre (algo de grande realmente teve lugar) jamais serve de sinal de que Deus operou, ou que Deus o aprovou. O reino das trevas também possui grandes poderes, que se tornam manifestos entre os homens.

Um Meio-Termo. Não é necessário, porém, pensar que todas as obras poderosas tenham de ser catalogadas como boas ou más. Essas obras podem ser grandes, e, no entanto, neutras. A mente é possuidora de grandes poderes, podendo curar e realizar outros feitos, que poderíamos rotular de miraculosos, sem que nada de divino ou de diabólico esteja envolvido. Um ser humano, criado um pouco menor que os anjos, se receber o desenvolvimento apropriado, pode realizar coisas realmente miraculosas, porquanto, por haver sido criado à imagem de Deus, é capaz disso. Agostinho e os escolásticos argumentavam em favor da naturalidade dos milagres, provenientes ou de uma ordem superior (onde Deus atua) ou de uma ordem inferior, onde estão os homens. Quando uma atuação da ordem superior infringe a ordem inferior, então chamamos isso de uma obra de Deus. Porém, na dimensão inferior, algumas fantasias podem ter lugar, sem qualquer intervenção do que é divino ou do que é demoníaco.

4. Propósitos. No relato bíblico, quase sempre que houve algum milagre, algum problema foi resolvido, algum ato de misericórdia foi estendido, algum ensino foi enfatizado, alguma coisa útil foi realizada. Os sinais não eram realizados por mera curiosidade, ou como vã exibição de poder. Diz o trecho de João 20:30,31: «Na verdade fez Jesus diante dos discípulos muitos outros sinais que não estão escritos neste livro. Estes, porém, foram registrados para que creiais que Jesus é o Cristo, o Filho de Deus, e para que, crendo, tenhais vida em seu nome».

Naturalmente, essa declaração é parcial. Ao lermos o relato neotestamentário sobre os milagres de Jesus, ficamos impressionados pelo fato de que muitos desses milagres foram meros atos misericordiosos. Sem dúvida, esses atos ajudaram as pessoas a porem nele a sua confiança, mas, quando esses milagres foram realizados, não tiveram o propósito de provar seu messiado. Simplesmente aliviaram o sofrimento humano.

a. *Exageros*. Não deveríamos emprestar uma *importância exagerada* aos milagres. Certo profeta persa afirmava que seus ensinamentos eram os seus milagres. João Batista foi o maior dos profetas, mas não realizou qualquer milagre. O budismo repele àqueles que querem ver sinais, crendo que esses são prejudiciais para um ensinamento sério e para o discipulado, visto que as pessoas comumente andam à cata de excitação, e não tanto de desenvolvimento espiritual. Até mesmo na cristandade, um milagre pode não passar de ostentação. Os milagres, por si mesmos, jamais autenticam qualquer coisa. É mister que sejam acompanhados por genuínos desenvolvimento e expressão espirituais. Muitos grupos, fora do cristianismo tradicional, têm os seus milagres. Dentro dos limites da Igreja, há muitas denominações, muitos segmentos. Vários desses agrupamentos reivindicam milagres, desde os evangélicos carismáticos até os católicos romanos. Todos os grupos partem do pressuposto de que seus milagres provam a veracidade de seus dogmas, mas essa é uma suposição precária.

b. *Negligência*. Por outra parte, *não devemos negligenciar* o elemento miraculoso. Certamente o Senhor Jesus não mostrava tal negligência. Um milagre feito no tempo certo pode fazer muito em favor da fé; e precisamos de toda a ajuda possível. Uma das teses mais absurdas que existe é que os milagres não são para a nossa época. Bons cristãos têm defendido essa posição, embora ela reflita o mais insensato absurdo. Charles Hodge, certamente um teólogo tradicionalista, ainda assim foi capaz de dizer, com toda a verdade: «Nada existe no Novo Testamento de incoerente com a ocorrência de milagres no período pós-apostólico da Igreja» (citado por Unger, em seu artigo sobre os *Milagres*). Contudo, Unger prosseguiu, dizendo que «não há mais necessidade» de milagres. Porém, pergunto: Qual era jamais vivida foi mais necessitada da exibição do poder divino do que a nossa própria, quando já nos aproximamos de seu final?

Os católicos romanos e os evangélicos carismáticos continuam tendo eventos miraculosos, apesar das ilusões, desilusões, fraudes e meros desejos que possam ter lugar, para nada dizermos sobre os milagres efetuados por poderes malignos. A despeito disso, as evidências são por demais claras para podermos negar que milagres autênticos ocorrem nesses dois segmentos da cristandade. Meu próprio irmão, um missionário evangélico, não-carismático, tem realizado aquilo que poderíamos classificar de miraculoso, quando as circunstâncias assim o têm *requerido*. Isso significa que ele tem tido um ministério tipo quase-apostólico, primeiramente no Zaire, e, então, no Suriname. Os céticos que abundam nas igrejas evangélicas têm-se recusado a crer em alguns de seus relatos, posto que esses céticos estão por demais distantes da espiritualidade refletida no Novo Testamento para terem fé nessas ocorrências miraculosas. É um erro dizermos aos outros: «Leia sua Bíblia e ore», como se isso resolvesse todos os problemas espirituais e provesse todo o desenvolvimento espiritual. Precisamos alimentar o intelecto, mediante a leitura, o estudo e a disciplina; precisamos da oração, da meditação e das boas obras. Mas também precisamos *ver* e *experimentar*, ao menos ocasionalmente, a mão de Deus manifestando-se, miraculosa, entre nós. Não para efeito de excitação emocional, mas a fim de nos avizinharmos do poder do Espírito, dotados poderosamente pelo mesmo.

Assim sendo, quando discutimos sobre o propósito dos milagres, achamo-nos não somente em sólido terreno neotestamentário, onde os milagres autenticam a mensagem cristã, mas também encontramos uma cura para muitos males espirituais e religiosos modernos, como *um* dos meios para fortalecer-se a nossa fé, que nos ajuda a crescer espiritualmente. O Deus que realizou tantos e tão variegados atos poderosos, no passado, e, então, deixou-nos um Livro para narrar esses prodígios, mas que, supostamente, nada faz hoje em dia para mostrar a realidade de suas obras poderosas, é fruto de um *dogma*, e não o Deus da realidade da experiência humana.

V. Milagres em Culturas Não-Hebreu-Cristãs

Todas as grandes religiões têm contado com seus operadores de milagres, não havendo como negar isso. Lao-Tzé, Buda, Maomé e figuras religiosas do mundo atual não-cristão têm apresentado possuir poderes miraculosos. É ridículo, em primeiro lugar, dizer que isso não pode ser, e, em segundo lugar, atribuir tudo isso ao diabo. Antes de tudo, a natureza humana é dotada de grandes poderes, capacitando-a a realizar milagres inteiramente à parte de deuses, demônios e poderes sobre-humanos. Em seguida, há aquela atuação universal do *Logos*, que pode implantar suas sementes nos lugares mais insuspeitos, de tal modo que alguns propósitos sejam cumpridos. É uma visão muito estreita supor que o Logos limita suas atividades à cultura hebreu-cristã. Os pais gregos da Igreja supunham que o Logos também operava através dos melhores aspectos da filosofia grega, a fim de conduzir, finalmente, os homens a Cristo. Assim, no caso dos gentios, a filosofia era o aio deles, tal como a lei foi o aio dos judeus para conduzi-los a Cristo. Os *logoi spermatikoi* vão sendo plantados por toda parte, cumprindo propósitos de Deus, embora isso não signifique que todas as religiões sejam verdadeiras ou historicamente necessárias. No entanto, presumimos demais em nossa estreiteza de visão, ditando a Deus como ele deve operar, ou afirmando que Deus tem atuado no mundo somente através de uma tradição, a saber, a nossa.

Nas chamadas culturas pré-científicas, supunha-se que um deus, espírito (humano ou não), homen santo, mágico ou líder religioso de nome, como um sacerdote, seria capaz de realizar milagres. Esses milagres poderiam ocorrer por meio de rituais, orações, encantamentos, imposição de mãos (visando às curas) ou maldições (milagres destrutivos). Foi apenas natural que grandes nomes, como Zoroastro, Lao-Tzé, Mahavira, Gautama Buda, Confúcio, Maomé, etc., estivessem associados a milagres. Isso não significa que tais indivíduos fossem, comumente, operadores de milagres, ou que os milagres fizessem parte primacial de seus movimentos e de seus credos. Maomé ensinava que solicitar sinais miraculosos, como meio de autenticação de seus ensinos, era sinal de cegueira espiritual. O budismo sempre procurou diminuir a importância dos milagres, a tal ponto que qualquer membro da ordem budista que afirmasse possuir poderes sobre-humanos estava sujeito à disciplina. No entanto, homens que atingiam um elevado grau de desenvolvimento espiritual, por meio da disciplina pessoal, das orações e do ascetismo, algumas vezes tornavam-se conhecidos por seus poderes miraculosos. Entretanto, os textos budistas mostram que essa questão não era enfatizada, e nem se pensava que os milagres, por si mesmos, provassem qualquer coisa.

Sempre será difícil perceber quanto elemento lendário entra nos relatos sobre os antigos líderes religiosos. Suas vidas são circundadas pelo maravilhoso. Concepções e nascimentos miraculosos, poderes sobre os espíritos malignos, curas e outros grandes feitos fazem parte dessas narrativas. Os seguidores imediatos dos grandes líderes religiosos também teriam recebido poderes miraculosos, como sucedeu no caso dos discípulos de Jesus. Tais milagres, tal e qual se vê no Novo Testamento, eram tidos como *sinais* autenticadores da doutrina dos mestres. Houve milagres de multiplicação de alimentos, em tempos de necessidade, transportes repentinos, quando isso se fazia mister, etc.; novamente com paralelos no Novo Testamento. Os santos do hinduísmo e do budismo, se podemos crer nesses relatos, teriam produzido muitos prodígios. Eles podiam transportar-se pelo ar, e alguns teriam chegado assim ao próprio céu; eles podiam transportar-se de forma imediata, ou mesmo transportar um grupo de pessoas, para algum lugar distante; eles podiam controlar as intempéries, curar os enfermos, remover a esterilidade de mulheres, atravessar paredes ou outros obstáculos, ficar invisíveis, assumir outras formas físicas, ao ponto de não poderem ser reconhecidos, prover iluminação instantânea para outras pessoas, exercer poderes psíquicos (incluindo a capacidade de prever o futuro).

Ficou registrado que, por ocasião do nascimento de Buda, o ar encheu-se de cânticos angelicais, que apareceram hostes de anjos, que houve terremotos, e que quatro grandes reis, vindos de lugares distantes, vieram visitá-lo. Quando ele morreu, choveu flores do céu em tal abundância que se formou uma camada de flores até os joelhos das pessoas que participavam do cortejo funerário dele. Também caiu fogo do céu, e houve outras manifestações incomuns, que assustaram às pessoas. No caso de Zoroastro, também é dito que milagres ocorreram por ocasião de seu nascimento e de sua morte. Ele teria sido perseguido por poderes malignos, que pretendiam destruí-lo (conforme também é dito a respeito de Jesus); mas ele foi salvo de tudo por um poder divino miraculoso. As tradições islâmicas dizem que Maomé subiu ao céu. Os santos muçulmanos teriam realizado muitíssimos milagres. Os homens santos chineses seriam possuidores de poderes sobre-humanos de todas as variedades, poderes esses que foram empregados nas mais diversas circunstâncias.

VI. A Ciência e os Milagres

Para entendermos o que a ciência moderna diz sobre os milagres, precisaremos saber algo sobre a filosofia da ciência. Essa filosofia é melhor exemplificada no *Positivismo Lógico* (vide). A atitude básica dessa filosofia é como segue:

Todo conhecimento válido vem através da percepção dos sentidos; reivindicações de conhecimento que estejam fora disso são *destituídas de sentido*. E o próprio conhecimento adquirido através dos sentidos não é e nem poderá ser perfeito e absoluto; sempre dependerá de certa taxa de probabilidades, pois novas evidências podem alterar qualquer reivindicação de conhecimento. Visto que a *metafísica* não está sujeita à investigação empírica, suas reivindicações podem ser verazes ou não; mas, seja como for, elas não têm sentido, até onde diz respeito ao conhecimento humano. O conhecimento precisa ser sujeitado a testes de laboratório, pois o conhecimento não é apenas aquele tipo popular, delineado pelas experiências das massas destreinadas. Já pudemos ver, em III.7 deste artigo, que o cético David Hume requeria evidências em prol dos milagres; e que ele pensava que tais evidências nunca são dadas. De fato, ele pensava que os alegados milagres transgridem as leis da natureza. Mas, ao assim dizer, ele caiu em sua própria armadilha, visto que, de acordo com a posição do ceticismo, nunca podemos estabelecer qualquer *lei*, de qualquer tipo, porquanto nada existe, exceto um cortejo de percepções do sentido, que identificamos com algum indivíduo por meio da *fé animal*.

Os cientistas mais antigos, em meio aos triunfos da física e da matemática, chegaram a pensar que poderiam apresentar explicações naturalistas para a natureza inteira. Mas, o próprio avanço da ciência anulou essa posição. E isso chegou a um ponto em que a maioria dos cientistas (e a classe científica, oficialmente), desistiu de tentar provar a origem última da vida e da matéria, como também os propósitos porventura envolvidos na existência, nas causas últimas, como supostos deuses, Deus, ou os poderes metafísicos. De fato, a ciência atual chama todas essas tentativas de excursões da metafísica—tentativas que não fazem parte do campo das pesquisas científicas. As pesquisas científicas de nossos dias ocupam-se com o *aqui* e *agora*, com aquilo que é prático e funciona, aquilo que é capaz de aliviar os sofrimentos e as necessidades humanas presentes, provendo maior conforto e prosperidade aos homens. E assim, visto que os cientistas têm concentrado toda a sua atenção sobre o que é material, desinteressados como estão pelo que é espiritual ou não-material, eles não têm colhido qualquer evidência em prol da existência do espírito, na natureza. Naturalmente, há muitos cientistas individuais que têm encontrado Deus e o espírito na natureza, através de suas pesquisas, mas isso não tem influenciado, de modo geral, a filosofia da ciência. Einstein declarou o seguinte: «Todo aquele que se tem envolvido seriamente nas inquirições da ciência está convencido de que se manifesta um Espírito nas leis do universo—um Espírito vastamente superior ao espírito do homem, em face de cujo Espírito, nós, com nossas modestas capacidades, precisamos sentir-nos humilhados» (*The Human Side*, Princeton University Press, 1979, pág. 33).

Muitos cientistas têm feito afirmações similares, que abrem o caminho para a confissão que o miraculoso faz parte da experiência humana, dentro do misterioso universo no qual vivemos. Porém, a filosofia da ciência ainda não chegou a fazer qualquer confissão semelhante.

Podemos dizer, com toda a razão, que a ciência moderna está sofrendo de certo *provincialismo*. O mundo da matéria é apenas *um* dos aspectos da existência total. O misticismo, os estudos científicos no terreno da parapsicologia, a experiência humana em geral, que incluem o que é incomum e miraculoso—tudo confirma a existência de uma realidade distinta que transcende ao mundo da matéria e suas leis provinciais. É possível que os estudos que estão sendo feitos atualmente, sobre as *experiências perto da morte* (vide), representem aquele ponto em torno do qual a ciência e a fé religiosa se estão aproximando uma da outra, lenta mas seguramente. Se puder ser demonstrado, cientificamente, que a alma humana existe e sobrevive ante a morte física, isso será uma descoberta de tal impacto que permitirá que a questão dos milagres não fique muito distante do alcance da ciência.

VII. Milagres Modernos

Talvez um dos mais ridículos fenômenos religiosos modernos é aquele da negação, por parte dos evangélicos tradicionalistas, de que não ocorrem milagres em nossos dias. Isso reflete um arraigado ceticismo. Quedamo-nos perplexos diante da declaração da Enciclopédia Bíblica de Zondervan: «...uma firme conclusão poder ser extraída... a de que não há prova conclusiva de que os milagres tiveram mais lugar, desde os tempos apostólicos» (pág. 250, vol. 4; artigo sobre os *Milagres*).

Falando no mesmo tom, Unger, em seu Dicionário Bíblico, assevera: «Não existe mais a necessidade (dos milagres). Ademais, os professos milagres destes últimos tempos não resistem aos testes de genuinidade» (pág. 750, artigo sobre os *Milagres*).

Essas citações exibem uma *cegueira dogmática* especial. Se negarmos que os dons espirituais podem manifestar-se em nossa época, então, naturalmente, o dom de *milagres* precisa ser eliminado com o resto, e vice-versa, se negarmos que *milagres* ocorrem atualmente, então teremos de negar todos os outros dons espirituais, incluindo os de conhecimento e sabedoria. Apesar de reconhecermos muitos abusos no alegado uso dos dons espirituais, em nossos dias, na hipótese que esses dons possam ser exercidos segundo um *modus operandi* que não o do Novo Testamento, nada me parece mais claro do que o fato de que o próprio Novo Testamento não pode ser usado como meio de afirmar-se que os dons espirituais cessaram quando o cânon do Novo Testamento se completou. O uso de I Cor. 13:8-10 como prova de tal cessação representa uma exegese ridícula. Pois o texto em foco nada diz sobre o cânon do Novo Testamento. A *parousia* (que Paulo esperava que ocorresse em sua própria época) será o acontecimento que anulará o anterior *modus operandi* dos dons espirituais, embora não os próprios dons. Certamente esses dons prosseguirão, embora mediante um diferente modo de expressão. Acredito que um diferente modo de expressão já é mesmo possível e desejável, embora a maioria dos crentes que crêem nos dons espirituais aceite que esse *modus operandi* deva prosseguir até à *parousia*. Um novo *modus operandi* ajudar-nos-ia a passar para uma expressão melhor dos dons espirituais, para cuja expressão a Igreja deveria crescer. Os próprios dons, entretanto, jamais tornar-se-ão obsoletos. Assim, dizer alguém que os milagres não têm sido modernamente confirmados por provas convincentes é demonstrar uma suprema ignorância sobre o que está sucedendo no mundo atual.

Confirmações Modernas de Milagres:

1. Na Igreja Católica Romana

A ortodoxia católica romana afirma aberta e firmemente que milagres ocorrem e deveriam ocorrer atualmente, embora seus dogmas limitem os milagres verdadeiros e genuínos aos limites dessa denominação. A reivindicação é válida, mas aquela limitação é enganadora. Os milagres de cura, que têm tido lugar nos santuários católicos romanos, como aquele de Lourdes, na França, têm sido sujeitados aos mais rigorosos testes, e alguns deles têm sido confirmados. De fato, a Igreja Católica Romana tem requerido um exagerado rigor nesses testes, chegando perto do ceticismo. Não obstante, os poucos casos que têm sido oficialmente aprovados têm sido confirmados com tal rigor que nenhuma mente não-preconcebida pode duvidar dos mesmos. Muitos cristãos não-católicos, reconhecendo o fato, apressam-se a atribuir essas obras poderosas ao diabo. Mas, essa é outra evasiva que não me impressiona. Apesar de haver tal coisa como poderes malignos que podem realizar atos miraculosos, sem dúvida é inseguro dizer que esses poderes são responsáveis por tudo quanto sucede nos santuários católicos romanos.

Uma distorção interessante dessa questão é que os católicos romanos, até recentemente, frisavam a ausência de milagres, entre os grupos protestantes, como prova da inferioridade de sua fé e sistema religioso. Essa ausência de milagres era tida como sinal da falta de uma fé cristã completa. Mas o movimento carismático, entre os evangélicos, tem alterado essa situação.

2. No Movimento Carismático

Esta enciclopédia contém um artigo separado sobre esse movimento, incluindo comentários sobre os seus aspectos negativos. A despeito do que possamos dizer como crítica, e apesar das fraudes, ilusões e desilusões que afetam as mentes das pessoas envolvidas, para nada dizermos sobre os ocasionais acontecimentos malignos (ou diabólicos) entre os carismáticos, que produzem sinais da mente, não se pode negar que tem havido ali milagres genuínos, para benefício das pessoas. É possível que parte desses milagres seja produzida pelo poder humano, parte por poderes angelicais, e parte pelo poder do Espírito Santo; mas há evidências inequívocas de poder miraculoso entre os carismáticos. Os evangélicos não-carismáticos atacam aos carismáticos, da mesma maneira que atacam aos católicos romanos, atribuindo tudo ao diabo. Porém, aqueles que se dão ao trabalho de pensar, nunca aceitam essas explicações fáceis e escapistas de atribuir tudo ao diabo. Sem dúvida, o dedo de Deus faz-se presente, de modo geral, nessas manifestações.

3. No Espiritismo

Arigó, um brasileiro, realizou muitos milagres, de acordo com qualquer definição aceitável do termo, e nunca foi apanhado em qualquer fraude, embora investigado por cientistas competentes. O Dr. Andrija Puharich, a quem Aldous Huxley chamou de «uma das mais brilhantes mentes da parapsicologia», encabeçou duas equipes de cientistas norte-americanos, incluindo médicos, que investigaram os fenômenos de Arigó sob as mais rigorosas condições, e confirmaram a validade de suas intervenções cirúrgicas incomuns. Em anos mais recentes, o médico brasileiro, Edison de Queiroz, da cidade do Recife, realizou operações similares, asseverando que o Dr. Fritz operava por meio dele, tal como fizera por meio de Zé Arigó. Paralelamente a isso, Dr. Queiroz ocupava-se na prática médica tradicional. Esse médico é considerado um cientista, pelo que deve saber a diferença entre a medicina tradicional e a medicina que atua por intermédio de poderes espirituais.

Sem importar o que pensemos sobre as reivindicações do espiritismo no tocante a tais fenômenos e sua origem (espíritos do outro lado da existência), o registro é bem claro: o miraculoso acontece entre os espíritas. Tanto os católicos quanto os evangélicos estão prontos para atribuir todas essas manifestações às forças malignas. Mas, apesar de, sem dúvida, haver casos dessa origem, é impossível repelir todos os aspectos do movimento, mediante o uso desse único argumento. É possível que *alguns* espíritos do outro lado da existência *estejam* envolvidos, exatamente conforme os espíritas dizem. Somente uma longa investigação, com melhores métodos do que aqueles que atualmente possuímos, poderia fornecer-nos uma resposta final para essa questão, mas é inútil apresentar reivindicações de conhecimento sobre um ponto acerca do qual ignoramos praticamente tudo.

4. Conhecimento Pessoal

Meu irmão, que foi missionário evangélico no Zaire e que atualmente trabalha no Suriname, no norte da América do Sul, tem realizado aquilo a que poderíamos intitular de milagres. Ele é batista, não-carismático, e em sentido algum afirma ser um homem santo ou um operador de milagres. Mas, em determinadas ocasiões, ao surgir a necessidade, ele tem feito coisas espantosas, dando um colorido quase apostólico ao seu ministério. Os relatos abaixo ilustram isso:

Andando Sobre as Brasas. Entre os labores de meu irmão, ele cuida de duas escolas: uma para treinamento de pregadores, e a outra para ensinar o curso elementar às crianças. Nesta última, o currículo inclui a educação religiosa. O feiticeiro da área convidou meu irmão e seus alunos a verem uma demonstração de andar sobre brasas e vidros quebrados. A demonstração feita pelo feiticeiro foi impecável. Em seguida, ele apelou aos que seguiam a «nova religião» que estava sendo promovida por meu irmão, que abandonassem tal fé e voltassem ao rebanho dos feiticeiros. E prometeu que aqueles que o fizessem receberiam poderes como aqueles que ele havia demonstrado. Outros poderes que eles desenvolveriam seria a impunidade às balas. Quando um tiro é disparado, a bala pode até deixar uma marca sobre a pele da pessoa que serve de alvo, mas não a penetra. Meu irmão vira um caso desses. Certo feiticeiro, ao receber o primeiro tiro, não sofreu dano. A irmã do feiticeiro passou na ocasião, e a atenção do feiticeiro se desviou momentaneamente. Então foi disparado um segundo tiro. A bala penetrou em seu corpo e o matou. Podemos apenas imaginar que tais homens são capazes de ficar em um estado mental, talvez em transe, que os protege das balas. A presença da irmã dele deve ter interrompido o transe, e o resultado foi fatal. Nossa ciência, porém, não tem como explicar tais coisas. Talvez a ciência mais avançada do futuro venha a ser capaz de explicar tal fenômeno. Por enquanto, tudo parece um estado mental ou espiritual, capaz de anular certas condições materiais. Seja como for, prosseguindo a história, quando meu irmão ouviu o desafio, disse: «Espere um minuto! Farei a mesma coisa!» O fogo foi aceso e as brasas ficaram vermelhas. Meu irmão saltou descalço sobre a fogueira e, literalmente, apagou-a com os pés. Ele não caminhou apressadamente sobre as brasas, conforme fazem alguns. Meses mais tarde, quando nos encontramos nos Estados Unidos da América, ele contou-me que sentira o calor do fogo, mas não se queimara. Em seguida, meu irmão saltou sobre os pedaços de vidro. Ele pulou sobre os cacos e quebrou-os em pedaços menores, ainda sem sapatos. E ele disse que não se feriu, não tendo levado qualquer talho e nem tendo sentido qualquer desconforto. Os seguidores do feiticeiro começaram a discutir entre si. Meu irmão retornou à aldeia, com as crianças que ele havia levado em sua companhia. Chegando em casa, meu irmão ajoelhou-se ao lado de sua cama, e orou: «Senhor, se em meus pés houver queimaduras ou cortes, então sofreste uma grande derrota». Ao amanhecer, ele saltou da cama e examinou seus pés. Não havia um único golpe, e nem queimadura. Mais tarde, chegaram pessoas que pediram: «Missionário, deixe-nos ver os seus pés». Ele lhes mostrou seus pés. E as pessoas comentaram: «Sim, Deus tem poder!»

Morte Clínica. Noutra ocasião, um homem foi trazido ao meu irmão. O homem estava clinicamente morto. Sua pressão arterial era 0/0. Não dava qualquer sinal de vida. Os feiticeiros haviam tentado ressuscitá-lo, mas a pressão do homem tinha continuado 0/0. Então meu irmão disse que nada faria enquanto os feiticeiros não fossem embora. As outras pessoas tiraram dali os feiticeiros. Então meu irmão invocou o Senhor, para que devolvesse a vida ao homem. E a vida do homem lhe foi instantaneamente restaurada.

Uma Prova de Força. Certo dia, um homem de grande força física chegou à casa de meu irmão, a fim de humilhá-lo. Ele era lenhador e usava instrumentos pesados em seu trabalho. Tinha braços tão musculosos que eram três vezes mais grossos que o normal. Esse homem era hostil ao evangelho e pensou que seria bom se humilhasse o missionário diante de sua gente. Assim, desafiou meu irmão a fazer uma prova de queda-de-braço. O ponto da prova é fazer o braço do oponente encostar na superfície da mesa. As mãos juntaram-se. A prova era claramente injusta. Em primeiro lugar, o homem era bem mais jovem que meu irmão, e muito mais musculoso. De fato, o homem era conhecido como homem de grande força física, pelo que era temido pelos outros. A prova começou. O homem exerceu toda a sua força, querendo humilhar meu irmão. Meu irmão contou-me que o outro literalmente levantou o corpo dele do chão, com sua grande força, mas o braço de meu irmão não se dobrava. Nenhum esforço do homem foi capaz disso. O homem forte partiu, humilhado. No dia seguinte, o homem retornou, e declarou que queria receber a Cristo como seu Salvador, pois sabia que o que acontecera no dia anterior não era normal. Nenhum outro homem jamais conseguira resistir a ele, quanto menos aquele fraco missionário. Mas ele sentira uma força inabalável contra o seu braço. E ele entendeu que houve algo de sobrenatural cercando a questão. Sua resistência ao evangelho havia cessado.

Expulsando um Demônio. Certo homem que meu irmão conhecia, mas que nunca se convertera a Cristo, foi a uma cerimônia de macumba e foi possuído por um espírito maligno. Normalmente, isso ocorre temporariamente, e as coisas voltam ao normal, terminada a cerimônia. Mas, dessa vez, a possessão continuou. O homem foi considerado insano e internado em um hospital psiquiátrico. Foi isolado dos demais pacientes, por ser considerado perigoso. Meu irmão ouviu o que lhe acontecera, e foi visitá-lo. O médico encarregado disse a meu irmão que o homem era perigoso, e que meu irmão não podia aproximar-se dele, pois correria o risco de ser morto. Mas, meu irmão insistiu. Após muita hesitação, o médico permitiu que meu irmão entrasse na cela onde o homem era mantido. O homem gritou para meu irmão: «Se você entrar aqui, eu o matarei». Meu irmão ignorou a ameaça. Entrou na cela e repreendeu ao espírito maligno. O homem foi instantaneamente liberado, e voltou ao seu estado mental normal. O médico, vendo o que sucedera, deu alta ao homem, e disse a meu irmão: «Sempre que você quiser voltar e ajudar-me, será bem-recebido!» Esse relato tem uma seqüela interessante. O homem libertado disse que sabia que fora possuído por algum poder maligno. Quando meu irmão repreendeu ao espírito, o homem afirmou que *vira* o demônio sair pela porta.

Sim, — há um poder espiritual para quando precisamos do mesmo. Milagres continuam acontecendo. E esse poder não respeita as fronteiras que temos estabelecido com nossas denominações e credos.

5. Sathya Sai Baba. Esse homem é um homem santo do hinduísmo, um líder espiritual que duplica os tipos de milagres feitos por Jesus, incluindo curas admiráveis, ressurreição de mortos e multiplicação de matéria (alimentos). Apresento um artigo separado sobre ele, nesta enciclopédia. Atualmente, ele encabeça uma organização espiritual e de caridade. Seu caso tem sido investigado por cientistas competentes. Alguns deles têm-se tornado seus discípulos. São esmagadoras as evidências de genuinidade de seus milagres, que são realizados diariamente. Declara ele: «Vossa ciência não tem meios para investigar-me».

6. Este Co-Autor e Tradutor. Decidi-me a Cristo e fui batizado em uma igreja batista, em Manaus, Amazonas, em 1952. Durante quinze anos, militei somente em igrejas batistas e ignorava qualquer manifestação carismática, sem ao menos ter curiosidade de investigar essas manifestações. Mas, em abril de 1967, na cidade de São Paulo, estado de São Paulo, quando orava em companhia de um pastor norte-americano e sua esposa, recebi poderoso e inefável influxo do Espírito, que identifiquei como batismo no Espírito Santo. Houve manifestações em línguas, e também manifestações em minhas mãos e braços, pés e pernas, plexo solar, orelhas, face e boca. Seis meses depois recebi o que considero revelações. Ocasionalmente, desde então, fico sabendo o que sucede na vida de alguém em cujo favor estou orando, seja algum problema, seja alguma enfermidade. Quanto a isso não quero prolongar-me. Mas quero contar duas curas instantâneas, pois penso que elas têm um valor didático, tudo redundando na glória de Cristo, por meio de Seu Espírito.

Estávamos reunidos uns quinze irmãos, na casa de um deles. Havia outras pessoas presentes. Entre elas uma senhora de seus trinta anos, muito estrábica de um dos olhos, o esquerdo. Ela se declarou casada, mãe de filhos pequenos, e que era cega do olho direito. enxergando somente um pouco pelo olho esquerdo, aquele muito torto, que parecia querer esconder-se atrás do nariz. Pastor que sou, eu disse aos irmãos: «Esta mulher não é crente, mas é criatura de Deus. Vamos orar por ela, deixando o Senhor resolver o caso como ele quiser». Começamos a orar juntos. Pedi para a mulher ajoelhar-se e cobri seu olho estrábico com a mão direita. Oramos uns três minutos. Quando retirei a mão do olho estrábico da mulher, esse olho deu um salto para o lugar certo, assustando a própria mulher e às pessoas presentes. Prorrompemos em louvor ao Senhor, por sua misericórdia. Encontrei-me novamente com aquela mulher cerca de um ano mais tarde. Ela comentou: «Pastor, continuo com o olho no lugar certo!» Falei-lhe uma vez mais do amor de Cristo, que deu sua vida na cruz para curar-nos a própria alma da doença do pecado muito mais grave, pois ela ainda não se decidira a aceitar a Cristo.

Quando minha esposa estava com quarenta e cinco anos de idade, teve um aborrecimento muito forte, em nossa microempresa, e chegou em casa sentindo-se muito mal. Deitou-se. Dez minutos depois, teve um caso de derrame. Extraí cerca de 30 cm(3) de sangue dela, com uma seringa, e ela se sentiu aliviada da agonia. Nisso, fui tomado em uma brevíssima profecia que dizia: «Serva, não deixarei nenhum sinal no teu corpo!» No entanto, durante dois dias ela ficou com a mão esquerda sem forças e com a perna esquerda totalmente paralisada. Ela chorava de tristeza, pois é mulher ativa, que liderava então umas duzentas outras mulheres. Na madrugada do segundo dia, ela pediu para eu ajudá-la a ir até à cozinha, para fazer um chá, que desejava tomar. Na cozinha, ela

disse: «João, ora por mim ao Senhor, com imposição de mãos!» Atendi-a e fiz breve oração. De repente ela disse: «Pronto, eu fui curada. Senti como se um líquido sido injetado no meu tendão de Aquiles da perna esquerda!» Ela começou a caminhar da cozinha para a sala, da sala para a cozinha, normalmente; e eu atrás, com medo que ela caísse. Não sabíamos como agradecer ao Senhor. Na manhã seguinte, ela disse: «Estou completamente curada. Para prová-lo, vou pôr sapatos de salto alto e vou à nossa firma!» Entendi que ela queria testar seus passos escadaria acima (dois lances). Chegando ao local, ela subiu pela escada com passos lépidos; e eu atrás, observando tudo. Louvado seja o Senhor! Não restou nenhum mínimo sinal do derrame. O espaço proíbe-me de contar muitos outros casos dos quais tenho sido protagonista. Sei que o poder não é meu. Atribuo esse poder ao Espírito de Cristo, meu Rei e Senhor!

Bibliografia. AM B E EP C JR(1981, Proceedings; julho de 1985, vol. 8, núm. 3); ND P UN Z

MILAGRES, IMPORTÂNCIA DOS

1. Os milagres podem autenticar uma reivindicação, como se deu no caso de Jesus. Suas obras poderosas são postas em realce principalmente por autenticarem sua missão messiânica. (Ver um sumário das provas sobre a «missão divina de Jesus», em João 20:31 no NTI.).

2. Na igreja primitiva, esses milagres autenticaram a mensagem profética e deram ao cristianismo um começo poderoso. E foi assim que os primitivos cristãos deram continuidade à missão de Cristo por meio do poder de seu Espírito.

3. O trecho de Atos 5:12 mostra que o dom de curar era comum entre os apóstolos, e especialmente poderoso em Pedro. Atos 5:15 dá a entender que sua **própria sombra podia causar curas. — De Pedro emanava uma imensa energia curadora. Não é mister** duvidarmos desse fato, pois a fotografia kirliana tem demonstrado que a energia curadora emana das mãos daqueles que têm esse dom. Provavelmente, essa energia se assemelha à energia que constitui a própria vida.

4. Comparemos esse trecho com Atos 19:12, onde se vê que certos objetos físicos foram usados para transmitir a energia vital curadora. As pequisas modernas também têm mostrado que isso é possível. Objetos físicos podem absorver as energias vitais dos seres humanos, e a energia curadora é uma delas.

5. As curas podem ser fenômenos totalmente naturais, pois o homem é um ser espiritual, dotado de poderes de cura. Porém, também há aquela forma de cura que provém de Deus e que transcende ao que se poderia esperar de qualquer homem, no presente estado das coisas. Mesmo em casos de curas operadas pelo Espírito, é possível que sejam utilizadas as energias vitais do indivíduo, isto é, que elas sejam instrumentais nas curas efetuadas.

6. Ver sobre a prodigiosa promessa de Jesus de que seus seguidores poderiam duplicar e mesmo ultrapassar os próprios milagres feitos pelo Cristo. Mas mesmo nesse caso, teremos apenas a continuação de seu ministério, embora, agora, por meio de homens, através do seu Espírito.

7. Os milagres, quando genuínos levam os homens a perceberem com clareza quão inadequada é a teoria materialista para explicar a vida. As mentes humanas são elevadas até o sobrenatural, e ali podem encontrar-se com Deus, por meio de Cristo.

8. Consideremos os abusos! Os homens têm utilizado objetos, sagrados e profanos, para realizar milagres e curas. Imagens de santos e de demônios são usadas nos ritos de curas, e os homens se ajuntam em magotes diante dos santuários a fim de adorarem imagens que supostamente produziriam tais curas. Em meio à confusão, os homens perdem de vista a pessoa de Cristo. Há milagres que podem ser genuínos, e, no entanto, podem ser prejudiciais, quando os homens não acham Cristo nos mesmos. Quão grande é a desgraça que alguns segmentos da cristandade promovem à loucura dos milagres falsos!

MILALAI

No hebraico, eloqüente. Nome de um dos filhos dos sacerdotes que participaram da dedicação das muralhas de Jerusalém (Nee. 12:35), em cerca de 536 A.C. Milalai era músico. A Septuaginta omite o seu nome, pelo que alguns eruditos supõem que se trata de uma adição feita ao *texto massorético* (vide).

MILCA

No hebraico, conselho. Há algumas variantes textuais, que incluem *Melcha* (na Septuaginta), e *Malka*, que já significa «rainha». Essa palavra é usada como nome próprio feminino, para indicar duas mulheres nas páginas da Bíblia:

1. Uma filha de Harã, e esposa de Naor. Ela teve oito filhos, um dos quais foi Betual, pai de Rebeca (esposa de Isaque). Ver Gên. 11:29; 22:20,23; 24:15,24,47. Ela viveu por volta de 1950 A.C.

2. A quarta das cinco filhas de Zelofeade, da tribo de Manassés. Ela e suas irmãs receberam uma herança, sob a condição de que se casassem com homens da mesma tribo de seu pai, visto que não tinham irmão a quem tal herança fosse dada. Ver Núm. 26:33; 27:1; 36:11; Jos. 17:3. Ela viveu em tôrno de 1375 A.C. As jovens casaram-se com seus primos da tribo de Manassés. Elas e seus maridos receberam dez quinhões de território (ver Jos. 17:3-6).

MILCOM

Essa divindade dos amonitas também era conhecida pelos nomes de *Malcam* e *Moloque* (ver os artigos). A raiz é o termo hebraico *mélek*, que significa «rei». A raiz semítica dessa palavra é *mlk*, de onde surgiu uma certa variedade de nomes. Milcom era o deus nacional dos amonitas, uma das divindades em honra das quais Salomão, lamentavelmente, construiu um lugar alto, no monte das Oliveiras (ver I Reis 11:5,7,33). Esse santuário foi, finalmente, destruído por Josias (ver II Reis 23:13). O texto massorético diz «rei deles», mas a maioria dos eruditos pensa que está mesmo em foco *Milcom*, conforme se vê em nossa versão portuguesa. Ver também Jer. 49:1,3. Em Sof. 1:5, *Milcom* denota uma divindade cujo nome era *Meleque*, «rei». Ele tinha uma coroa de ouro, com um talento de ouro, pelo que deve ter sido uma figura gigantesca. Com base no trecho de I Reis 11:7, a maioria dos eruditos supõe que Milcom e Moloque eram uma mesma divindade, com dois nomes diferentes. Aquela passagem chama-o de «abominação» dos amonitas. Ver também I Reis 11:5,33. Alguns estudiosos, entretanto, mantêm a diferença entre esses dois deuses, apesar do fato de que esses nomes, sem a menor sombra de dúvida, derivam-se de uma mesma raiz. É possível, porém, que pelo menos em certos lugares, eles fossem adorados como dois deuses distintos. Comparar I Reis 11:5; 11:33 e II Reis 23:13. Nesse último caso, nada se sabe acerca de

alguma adoração separada a Milcom. Ver também o artigo geral *Deuses Falsos*.

MILENARIANISMO

Ver o artigo detalhado sobre o **Milênio**. Esse termo vem do latim, *millenarius*, «aquilo que contém mil». O *Livro de Enoque* fala de uma era áurea (antes da inauguração do estado eterno) de quatrocentos anos. O livro de *Jubileus* fala sobre mil anos. O vigésimo capítulo do Apocalipse incorpora essa idéia na doutrina cristã. As profecias sobre o reino, no Antigo Testamento, são interpretadas pelos dispensacionalistas como predições que envolvem o milênio, e não meramente a restauração da nação de Israel. A expectação sobre o breve retorno de Cristo e sobre a instituição de um milênio era muito forte na Igreja primitiva. Na segunda metade do século II D.C., entretanto, essas doutrinas começaram a perder a sua importância. O ensino de que haverá uma era áurea de mil anos chama-se *milenarianismo*. O artigo sobre o *Milênio* fornece amplas informações sobre essa doutrina, e sobre o ponto de vista contrário.

MILÊNIO

Esboço:

1. Caracterização Geral
   No Antigo Testamento
   No Novo Testamento
2. Pano de Fundo Judaico
3. Descrições Patrísticas
4. A Palavra *Milênio*
5. Uma Intervenção Divina
6. Vários Pontos de Vista Acerca do Milênio
7. Características do Milênio
8. Propósitos do Milênio
9. Fraquezas das Interpretações Pré-Milenistas

1. Caracterização Geral

Examinaremos o que as Escrituras do Antigo e do Novo Testamentos ensinam sobre essa questão:

No Antigo Testamento:

Os profetas predisseram que a **era áurea** de Israel viria após o cativeiro babilônico. Quando isso não ocorreu imediatamente, os intérpretes passaram a pensar que o retorno da Babilônia era apenas típico e profético da restauração final de Israel, em uma verdadeira Era Áurea, no futuro distante. Esse modo de interpretação foi absorvido pela Igreja cristã, e em nossos dias é enfatizado pelos evangélicos dispensacionalistas. Os eruditos liberais, por sua vez, simplesmente supõem que o profetizado reino de Israel falhou, e não vêem qualquer validade nessa *transferência* para algum tempo futuro.

Nos livros de Daniel e de Isaías encontramos uma doutrina emergente sobre o Messias. Essas idéias foram mais amplamente desenvolvidas nos livros pseudepígrafos, principalmente em I Enoque. Esses livros pseudepígrafos são, alguns deles, milenários, e outros, amilenários. Vale dizer, alguns deles falam em alguma espécie de era áurea, que antecederá ao estado eterno, mas outros fazem a era áurea terminar em destruição e um início imediato do estado eterno, sem qualquer período intermediário.

O livro de I Enoque alude a uma era *áurea* de quatrocentos anos; o livro de Jubileus, entretanto, fala sobre mil anos. É muito provável que esse número tenha sido tomado por empréstimo por João, o vidente, no seu livro canônico neotestamentário do Apocalipse. Em IV Enoque, tal como no Novo Testamento, a era áurea é combinada com a *esperança messiânica* (vide), uma maneira comum de manusear as duas questões nos livros pseudepígrafos que antecipam qualquer espécie de era gloriosa, que antecederá ao estado eterno. IV Esdras volta à cifra dos quatrocentos anos. Isso quer dizer que essa idéia deve ter sido comum no período intertestamentário. Alí, o Ungido aparece, destrói toda e qualquer oposição, governa durante quatro séculos, mas, então, morre! — o que não combina com as expectações do Novo Testamento. Então, seguem-se a ressurreição e o juízo final, após o que virá a *nova era*, a dispensação da eternidade.

No Novo Testamento

A **única** menção clara ao milênio, em todo o Novo Testamento, fica no vigésimo capítulo do livro de Apocalipse. Ali, esse período coincide com o período de prisão de Satanás: «Ele (o anjo que descera do céu) segurou o dragão, a antiga serpente, que é o diabo, Satanás, e o prendeu por *mil anos*, lançou-o no abismo, fechou-o, e pôs selo sobre ele, para que não mais enganasse as nações, até se completarem os *mil anos*... Vi ainda as almas dos decapitados por causa do testemunho de Jesus, bem como por causa da palavra de Deus, tantos quantos não adoraram a besta, nem tão pouco a sua imagem, e não receberam a marca na fronte e na mão; e viveram e reinaram com Cristo durante *mil anos*. Os restantes dos mortos não reviveram até que se completassem os *mil anos*. Esta é a primeira ressurreição. Bem-aventurado e santo é aquele que tem parte na primeira ressurreição; sobre esses a segunda morte não tem autoridade; pelo contrário, serão sacerdotes de Deus e de Cristo, e reinarão com ele os *mil anos*. Quando, porém, se completarem os *mil anos*, Satanás será solto da sua prisão...» (Apo. 20:2-7).

Os amilenistas, procurando diminuir a importância do milênio no Novo Testamento, como se tivesse sido um fiasco da profecia do Antigo Testamento, argumentam que o milênio não deve ser importante por ser mencionado em apenas um trecho do Apocalipse (aquele que citamos acima). Mas, tal argumento não procede, porquanto o Apocalipse é o único livro profético do Novo Testamento; é onde o cumprimento das expectações do reino eterno de Deus são devidamente desdobradas. Falar sobre o milênio, nos evangelhos, no livro de Atos ou nas epístolas estaria fora de lugar, como é óbvio. Acresça-se a isso que o milênio não é um fim, mas somente um meio—o meio para que se chegue ao estado eterno. E isso pode explicar a exigüidade do próprio Apocalipse, quanto aos «mil anos». Por outra parte, em apenas seis versículos, os «mil anos» são referidos por seis vezes, com informações suficientes para sabermos muita coisa a respeito:

a. Será um período de inatividade para Satanás.

b. As nações da terra não estarão sob o controle do diabo nesse período.

c. Os mártires da Grande Tribulação (que terá ocorrido antes do milênio) haverão de governar o mundo juntamente com Cristo.

d. Por ocasião da segunda vinda de Cristo, quando ele vier a fim de inaugurar o milênio, haverá a ressurreição dos justos—«A primeira ressurreição». Esses ressurrectos também reinarão com Cristo durante os mil anos.

e. Terminados os mil anos, Satanás será solto de sua prisão. E os versículos do Apocalipse que se seguem mostram que haverá, então, grande rebelião dos povos contra o domínio do Senhor, somente para que o Senhor inaugure o julgamento dos rebelados, que serão mortos, ressuscitados para vergonha eterna, lançados na Geena ou lago de fogo (a residência final dos perdidos), e, então, será inaugurada a era eterna, com a restauração dos céus e da terra.

Sem dúvida, esse esquema é muito mais completo do que qualquer coisa que os livros pseudepígrafos tenham dito! Contudo, é óbvio que o esboço geral dessas predições do Apocalipse depende em muito das idéias que se desenvolveram durante o período intertestamentário (entre o Antigo e o Novo Testamentos), idéias essas que se foram refletindo, para melhor ou para pior, nos livros pseudepígrafos. Temos demonstrado isso a sobejo, no artigo sobre I Enoque. É lamentável, entretanto, que tão poucos eruditos do Novo Testamento, nos dias que correm, conheçam algo sobre esses livros, vitais à tradição literária judaica. Na verdade, esses livros exerceram influência sobre o Novo Testamento, a despeito da opinião em contrário de pessoas desinformadas. Os eruditos conservadores que têm consciência desses fatos não vêem qualquer dificuldade para aceitar que a tradição profetica foi um processo de evolução, que terminou concretizado no cânon do Novo Testamento, embora não se tenha desenvolvido somente com base no Antigo Testamento, quanto a alguns pontos. Mesmo que não aceitemos a dependência parcial do quadro profético do Novo Testamento aos livros pseudepígrafos, pelo menos temos que reconhecer que os esquemas gerais são muito parecidos, no tocante às predições sobre o fim. E isso indica, por sua vez, que os autores dos livros pseudepígrafos foram intérpretes regularmente bons das predições do Antigo Testamento, tendo podido até mesmo desenvolvê-las até certo ponto. Nem por isso, porém, precisamos aceitar aqueles livros pseudepígrafos como canônicos. O Novo Testamento é muito mais abrangente que eles. O Apocalipse é uma colcha de retalhos de ensinos e predições do Antigo Testamento, com a preciosa vantagem de ter sido dado por inspiração do próprio Espírito de Cristo! Ver Apo. 1:1-3.

Os eruditos liberais supõem que muito da tradição profética não passa de desejo expresso. Todavia, alguns deles pensam que algumas dessas predições são válidas, embora não a tradição profética inteira. Seja como for, a Igreja cristã primitiva continua retendo fortíssimas esperanças acerca do retorno de Cristo, incluindo o conceito do milênio (pelo menos João, o vidente, o exprimiu).

Atualmente, a Igreja está dividida quanto à questão: há os amilenistas (que não crêem no milênio), os pré-milenistas (que dizem que Jesus virá a fim de inaugurar o milênio), e os pós-milenistas (que dizem que o evangelho lentamente fará surgir as condições preditas no milênio, e que Jesus voltará no fim desse período, que não teria de ser rigidamente de mil anos). Podemos acrescentar a isso que, no tocante à Grande Tribulação, o mundo evangélico também está dividido: Há pré-tribulacionistas, que dizem que Jesus virá arrebatar sua Igreja antes da eclosão da tribulação; há os meio-tribulacionistas, que insistem que Jesus virá buscar sua Igreja em meio à Grande Tribulação; e há os pós-tribulacionistas, que ensinam que Jesus só virá buscar sua Igreja após o fim da Grande Tribulação. — Essas variegadas posições mereceram, nesta Enciclopédia, artigos separados. Ver o artigo detalhado intitulado *Parousia* que examina o problema todo. No quinto ponto do presente artigo, oferecemos um sumário sobre os vários pontos de vista concernente ao *milênio*.

Aí pelos meados do século II D.C., os assuntos proféticos ou escatológicos começaram a receber menor atenção por parte dos cristãos. Mas, aí pelo século XIII D.C., o mileniarismo começou novamente a impor-se. Os *anabatistas* (vide) aceitavam seriamente esse ensino. Os reformadores discutiram sobre o assunto, e alguns teólogos da época também levaram a sério esse ensino bíblico. Nos séculos XIX e XX, o assunto tem recebido atenção especial, juntamente com a tradição profética em geral. Ver o artigo intitulado, *Tradição Profética e a Nossa Época*.

L. Berkhof, em sua obra sobre a Teologia Histórica, afirma que grandes doutrinas bíblicas foram sendo ventiladas no decorrer dos séculos, como a bibliologia, a pessoa de Deus, Jesus Cristo, o Espírito Santo, o homem, a salvação e a Igreja. Mas essa seqüência foi interrompida aí pelo século XVI. Nunca foram examinadas com maior profundidade doutrinas como aquelas sobre o reino e sobre as últimas coisas (escatologia). Isso explica, pelo menos em parte, as discordâncias existentes entre os evangélicos acerca dessas questões escatológicas.

2. Pano de Fundo Judaico

Um reinado literal do Messias era uma expectação rabínica. Jubileus e a tradição judaica posterior falam de uma duração de 1000 anos: I Enoque fala de 400 anos; outros apocalipses judaicos têm períodos de duração mais curta. O Apocalipse de João (N.T.), antecipa uma era áurea de 1000 anos (20:5). Sua duração exata não é importante, mas, provavelmente, os mil anos refletem a verdade, porque Israel, depois de um tempo de terrível julgamento e sofrimento em todo o mundo, será o protetor da nova civilização que será estabelecida na terra, como Roma era durante a Idade Média. Os místicos contemporâneos concordam com a *literalidade* da idade áurea. O conceito milenar é um desenvolvimento natural de expectações veterotestamentárias da vitória e exaltação finais de Israel, bem como do estabelecimento do reinado teocrático em bases mundiais, sobre o que Israel se imporia como cabeça das nações. Essa expectação criou o conceito do *reino de Deus*.

A tradição apocalíptica, que se reflete em alguns escritos judaicos helenistas, estabeleceu claro rompimento entre a nova e a antiga era, entre a antiga e a nova criação, não deixando espaço para qualquer período áureo e de transição, entre o antigo e o novo período (ver Is. 24—27). Gradualmente, porém, houve a combinação de conceitos do reino e conceitos apocalípticos, e o NT reflete essa fusão. II Esdras 7:26-30 também combina os dois conceitos. Naquela obra, os patriarcas, no fim de uma série de desastres, descem dos céus à terra, estabelecendo um reino para os justos que sobreviveram às destruições. Esse reino perduraria por 400 anos. Então, a ressurreição e o juízos finais teriam lugar. Afinal, Deus estabeleceria a nova era, o estado eterno. II Baruque 39—40 tem algo similar. (Ver Paulo em I Cor. 15:23-28). O **Apocalipse neo-hebraico** de Elias dá um esboço apocalíptico similar ao do nosso Apo. de João. Embora esse outro apoc. tenha sido escrito depois do nosso, parece ser independente deste, pois se fundamenta sobre apocalipses judaicos anteriores quanto a muitos detalhes.

3. Descrições Patrísticas

Papias, discípulo de João (ou do presbítero João) era milenista entusiasta (ver Irineu, *Haer*. v. 33:3). Justino Mártir, que viveu em Éfeso cerca de 135 D.C., escreveu acerca do Apocalipse de João: «E, além disso, um homem entre nós, de nome João, um dos apóstolos de Cristo, profetizou em uma revelação que lhe foi feita, que aqueles que confiassem em Cristo passariam mil anos em Jerusalém, e que depois a ressurreição universal e eterna de todos ao mesmo tempo, terá lugar, como também o juízo» (*Diálogo* *com Trifo*, 81). A crença no milênio, como realidade literal, pois, é bem antiga, envolvendo nomes excelentes, antigos e modernos, não podendo ser desprezada sob hipótese alguma.

4. A Palavra Milênio

Esse termo vem do latim «mile» e «annus», mil anos. O termo «chiliasma» também é usado para aludir ao «milênio», e essa outra palavra vem do grego, e tem o mesmo sentido que aqueles termos latinos. Teologicamente, alguns fazem diferença entre os milenistas e os quilialistas. Os primeiros creriam em mil anos de uma idade áurea; os últimos creriam nisso, embora pensem que haverá no mesmo a restauração do antigo judaísmo, com um reino davídico, tendo como rei ao próprio rei Davi, com seus sacrifícios, etc., pensando que as profecias do A.T. se cumpriram *mui literalmente*, naquilo que diz respeito ao milênio e a essas condições.

5. Uma Intervenção Divina

O milênio envolverá o reinado espiritual e literal de Cristo. Alguns estudiosos pensam que Cristo reinará visivelmente, ao passo que outros pensam que seu espírito governará este mundo e todo o universo, particularmente por meio de seus representantes.

6. Vários Pontos de Vista Acerca do Milênio

a. *Ponto de vista judaico.* **A restauração de Israel,** seu governo sobre o mundo, a adoração no templo, os sacrifícios de animais, etc. Isso seria o «quiliasma». Os milenistas comuns não negam a *restauração* de Israel, mas pensam que as noções dos quilialistas são exageradas.

b. *Ponto de vista eclesiástico.* **A Igreja, vitoriosa,** obterá domínio sobre o mundo inteiro, e, mesmo sem o retorno corporal de Cristo («parousia»), estabelecerá o seu reino. O «pós-milenismo» é uma forma modificada desse ponto de vista.

c. *Ponto de vista escatológico.* **Alguns identificam o milênio com o «estado intermediário» dos crentes, em** que haverá a sobrevivência da alma, antes do estabelecimento da era eterna. Mas isso está longe do ensino do presente contexto.

d. *Ponto de vista evangélico.* Para alguns, o milênio é apenas «um triunfo espiritual no íntimo», o que também é a opinião de algums acerca do «reino», segundo os quais não haverá jamais qualquer reino literal, qualquer estrutura política ou social.

e. *Ponto de vista amilenista.* Essa idéia repousa sobre um total conceito «simbólico» de Apo. 20:4 e *ss*. Tal termo, «amilenista», significa somente que não haverá milênio, nem reino terrestre, e nenhuma era áurea, etc. Os mil anos mencionados no Apo. 20:5, seriam apenas símbolo de alguma outra coisa, menos de qualquer período áureo, etc. Talvez pensem no triunfo pessoal de Cristo sobre o mal, tal como no ponto de vista «evangélico», acima, ou como no triunfo da igreja em meio às tribulações. Alguns estudiosos «amilenistas» não negam qualquer forma de milênio, mas buscam alguma outra explicação para o reinado de mil anos, como se isso não envolvesse qualquer estrutura social e política, nos últimos dias. Alguns deles afirmam que o milênio é apenas símbolo de «descanso completo», que Deus dará ao seu povo; e, por isso, alguns o confundem com o «estado intermediário» dos crentes, antes da «parousia», conforme se vê acima, sob o ponto de vista «escatológico». Mas a maioria dos que tomam essa posição parece crer que o conceito do milênio é apenas símbolo das bênçãos da experiência cristã, nesta vida material. A fraqueza desse ponto de vista é que ignora as predições do A.T., que definidamente exigem a renovação de Israel, em um período áureo. Também *ignora* as tradições judaicas sobre esse tema, que João, naturalmente, tomou por empréstimo. Essa posição oferece uma explicação *menos do que satisfatória* de Apo. 20:4 e *ss* , impondo sobre essa passagem a idéia de que um súbito cataclismo, quando da vinda de Cristo, dará início, ato contínuo, ao estado eterno. Essa posição também é contrária ao que dizem os místicos contemporâneos, que vêem claramente a inauguração de uma era áurea na primeira quarta parte do século XXI, após uma Quarta Guerra Mundial. (Ver o artigo existente intitulado, *Profecia: A Tradição Profética e a Nossa Época*, que aborda detalhadamente o quadro sobre o mundo do amanhã).

f. *Ponto de vista pós-milenista.* Essa é a posição que diz que a vinda de Cristo não antecederá, mas antes, seguir-se-á ao milênio, o qual, por sua vez, é definido como uma espécie de conversão da humanidade, por meio dos esforços da igreja. Agostinho, em sua *Cidade de Deus*, — parece ter sido o genitor dessa idéia. Supunha ele que a igreja não somente converteria ao mundo, mas também o governaria de modo bem real, produzindo uma era áurea espiritual. A vinda de Cristo ocorreria em resposta a isso, não sendo a «parousia» o agente da introdução do milênio. Segundo esse ponto de vista, a «primeira ressurreição» consiste da participação na ressurreição de Cristo, «espiritualmente falando», nada tendo a ver com a ressurreição do corpo. O pós-milenismo tende a ir morrendo nos tempos modernos, conforme o mundo vai piorando e a igreja se vai corrompendo e debilitando. Contra tal posição pode-se dizer que as Escrituras nunca prometem essa forma de triunfo à igreja, no nível terreno, sem alguma intervenção divina direta, tal como é a «parousia» ou segundo advento de Cristo. O processo histórico não tem produzido qualquer período áureo, e nem há grandes possibilidades disso, diante da ameaça das guerras atômicas.

g. *Ponto de vista pré-milenista.* Essa posição pode ser dividida **entre a posição comum** dos pré-milenistas, e daqueles que tendem para o exagero «quiliástico». Este último enfatiza a nação de Israel, em sua restauração em todos os aspectos, com seu reino davídico, seus ritos, cerimônias, sacrifícios no templo de Jerusalém, etc. (Ver o terceiro ponto, sobre as «palavras» usadas em relação ao milênio).

De conformidade com os pré-milenistas, certos acontecimentos antecederão ao milênio. Alguns deles se apegam à idéia do retorno *iminente* de Cristo para vir arrebatar a igreja. (Ver no NTI notas expositivas completas sobre isso, em I Tes. 4:15, pró e contrárias, e comparar isso com as notas de introdução a Apo. 4:1). Aqueles que crêem no arrebatamento iminente são chamados «pré-milenistas-pré-tribulacionais». Seja como for, — **os milenistas comumente** - acreditam que surgirá um anticristo pessoal na cena mundial, e que haverá uma grande tribulação. Essa será uma época de tribulações sem precedente, tanto para a nação de Israel como para a igreja cristã. **Cremos nisso com bases bíblicas e não-bíblicas, dizendo que o mundo ainda passará por duas guerras** mundiais antes da «parousia», a Terceira e a Quarta Guerras Mundiais. (Quanto a detalhes sobre isso, ver no NTI, as notas de introdução a Apo. 14:14). Após a tribulação é que Cristo virá arrebatar sua igreja, transformando aos crentes e julgando aos incrédulos. E assim ele estabelecerá o seu reino milenar.

Esse reino poderá ser visível, tendo a ele como Rei, ou poderá assumir um aspecto espiritual, em que ele governaria realmente, embora «fisicamente invisível», por meio do seu Santo Espírito, e através das instituições terrenas de seus representantes. Para o crente, seja como for, entretanto, a vinda de Cristo será «visível», se não mesmo para o mundo em geral. Quando de sua vinda, haverá a primeira ressurreição, em que as almas serão reunidas a seus respectivos corpos, ainda que estes sejam transformados em «veículos espirituais». (Ver no NTI as notas expositivas a esse respeito em I Cor. 15:20,35,40). O milênio será uma autêntica e áurea época, que haverá, literalmente, sobre a terra. Os crentes terão relacionamentos com ele e seu governo, mas isso será definido melhor pelos próprios acontecimentos.

7. Características do Milênio

a. Prevenção da total destruição da terra, o que sucederia em face da tribulação, a qual é descrita nos capítulos sexto a décimo nono do Apocalipse.

b. A revelação universal de Jesus Cristo. (Ver Apo. 19:1 e *ss* e Dan. 7:13,14). Cristo reinará. A nação de Israel se converterá a ele. Todas as nações lhe prestarão lealdade.

c. O novo paraíso ou era áurea. Toda a vida, em seus aspectos científico, social e espiritual, fará progressos impressionantes. O mal será removido da face da terra. A duração da vida dos homens será fantasticamente aumentada.

d. Será um período de teste, e nem todos os homens sair-se-ão dele triunfantes (estando excluídos da derrota, naturalmente, os remidos). O mal retornará uma vez mais, por breve tempo (ver Apo. 20:7 e *ss*).

e. Será um período de preparação para o estado eterno, uma transição do mundo antigo para o novo mundo, da antiga criação para a nova. (Comparar com Apo. 21 e 22).

f. A terra inteira será renovada (ver Isa. 11:6-9). A paz governará juntamente com a santidade (ver Isa. 2:3,4).

g. A raça humana será renovada. Uma humanidade de muito mais espiritualizada terá lugar, em vez dos guerreiros tribais de hoje (ver Isa. 65:20). Haverá morte, mas tornar-se-á muito rara.

h. Todos os seres humanos conhecerão a Deus. Haverá progresso espiritual, ainda que não perfeição. Essa será a principal característica do milênio (ver Isa. 11:9).

i. Israel será renovada e tornar-se-á cabeça das nações (ver Isa. 12:6; 11:12,13 e 14:1,3).

8. Propósitos do Milênio

a. Evitar a destruição total do globo terrestre e sua população.

b. Estabelecer o reino de Cristo sobre a terra, seu conhecimento e, assim, o pleno conhecimento de Deus entre todos os povos.

c. Quebrar o poder do mal e de Satanás.

d. Prover um teste final para a humanidade.

e. Levar Israel ao seu lugar legítimo e profetizado, e as nações.

9. Fraquezas das Interpretações Pré-milenistas

a. Literalismo em um livro repleto de símbolos místicos.

b. O resto do N.T. não dá qualquer ensino pré-milenar claro.

c. Forçar as profecias do A.T. para assumirem um aspecto «milenar» pode ser artificial.

d. A teoria do reino «adiado» é duvidosa.

e. A existência de duas ressurreições literais é uma doutrina singular das Escrituras, que se encontra em Apo. 20:5. Talvez seja melhor interpretar a «primeira ressurreição» de modo espiritual, e não literal.

Embora as objeções acima tenham valor para seus defensores, concordando com o tipo de mentalidade que exibem, conforme seus costumes de interpretação, nenhuma delas apresenta qualquer problema especial para os pré-milenistas. O maior problema é que o resto do N.T. não encerra qualquer ensino milenar claro. Todavia, é natural supormos que várias passagens sobre o *reino*, no N.T. aludem a um reino milenar, além do que vários cristãos antigos sustentavam essa posição, sem importar se a vinculavam ou não a um reino de duração de mil anos. Os discípulos diretos de Cristo esperavam que Cristo viria a estabelecer um reino literal em sua primeira vinda. Isso eles simplesmente transferiram para os «últimos dias», nos quais acreditavam que estavam entrando, vinculando esse reino ao segundo, e não ao primeiro advento de Cristo.

MILESIANOS (ESCOLA FILOSÓFICA)

Os mais antigos filósofos gregos de que se tem notícia foram Tales, Anaximandro e Anaxímenes. E eles foram apodados de milesianos porque foi em Mileto (às costas marítimas da Ásia Menor) que eles residiam e desenvolveram sua filosofia. Ver o artigo sobre o *Hilozoísmo*, bem como os artigos separados sobre cada um dos filósofos mencionados acima. O interesse primário deles era a investigação dos elementos primários da existência, dos quais todas as coisas dependeriam. Ver também o artigo sobre *Mileto*, abaixo.

MILETO

Esboço:

I. Localização Geográfica
II. Informes Históricos
III. Nas Páginas do Novo Testamento

I. Localização Geográfica

Mileto era uma antiga cidade da Ásia Menor, localizada próximo ao estuário do rio Meandro, a cinqüenta e oito quilômetros ao sul de Éfeso. Essa área fica, atualmente, dentro da Turquia. Ficava no extremo sul das cidades jônicas (colônias gregas), nas costas ocidentais da Ásia Menor. Na antiguidade, ficava à beira-mar, mas atualmente o local fica um tanto distante do mar, devido ao acúmulo de entulho, depositado no decorrer dos séculos. Era a capital da antiga Jônia. Em nossos dias o local é ocupado pela vila de *Aydin*.

II. Informes Históricos

a. Os jônios ter-se-iam apossado à força do lugar, desde tempos tão remotos quanto 1100 A.C., tendo massacrado os cários, que ali habitavam, embora preservando a vida das mulheres, naturalmente. Sua localização geográfica favorável levou-a a florescer até onde a história nos permite recuar.

b. *Colonização*. Os historiadores assinalam 750—550 A.C. como o período da colonização grega de Mileto. Primeiro chegaram os cretenses e, então, os gregos. Foi durante esse período que os gregos ampliaram sua influência a todas as áreas do Mediterrâneo. Cerca de noventa colônias foram estabelecidas, principalmente às margens do mar Negro. Além de Mileto, outras localidades bem conhecidas incluíam Abidos, Cízico e Sinope. Essas colônias foram atapetando o caminho dos gregos em direção ao Egito. Além de ser um local de comércio, em Mileto floresciam, igualmente, a filosofia e a literatura. Ver o artigo *Milesianos* (*Escola Filosófica*). De fato, até onde a história o demonstra, Mileto foi a

cena dos primórdios da filosofia ocidental. A cidade contava com quatro bons portos, o que a ajudava extraordinariamente em seus empreendimentos comerciais. De fato, chegou mesmo a dominar o comércio com o mar Negro, de onde se derivavam as riquezas da cidade. Itens de luxo, importados das regiões em torno do mar Negro, eram muito importantes à economia ateniense, no século VI A.C.

c. *Conflito com a Lídia*. O reino dos lídios fez reiteradas tentativas para conquistar a cidade de Mileto. Finalmente, a colônia reconheceu a soberania de Creso e começou a pagar-lhe tributo. A despeito disso, Mileto continuou a prosperar. Essa situação prosseguiu até à época da conquista persa, em meados do século VI A.C.

d. *Conflitos com os Persas*. Um arranjo similar foi firmado entre Mileto e Ciro, rei da Pérsia, em 546 A.C., o que evitou uma calamidade maior para essa cidade. Mas, por essa altura dos acontecimentos, Éfeso estava surgindo como rival séria de Mileto. Os filósofos de Mileto iniciaram ali suas atividades, conforme ficou descrito acima. Aí pelos fins do século VI A.C., Hecateu fundou uma escola de historiadores antiquários, conhecidos como os *logógrafos*, escola essa que exerceu influência sobre o desenvolvimento da obra de Heródoto, o pai da ciência histórica. Naturalmente, antes mesmo disso, já havia historiadores hebreus; mas estes deixavam-se envolver pesadamente nos assuntos religiosos, e, geralmente, escreviam história desse ponto de vista. Talvez fosse mais exato dizer que Heródoto foi o pai da história secular.

e. *Até cerca de 500 A.C.*, Mileto foi a maior das cidades gregas fora das terras gregas continentais européias; e, comercialmente, foi a mais importante de todas.

f. *Revolta Contra os Persas*. Mileto resolveu libertar-se do jugo persa, em 499 A.C. Essa independência, todavia, perdurou somente por cinco anos. Os persas retornaram, destruíram, massacraram e saquearam, levando para o exílio a muitos dos habitantes de Mileto. Desse golpe, Mileto só conseguiu recuperar-se muito lentamente.

g. *Reconquista e Liberdade*. Após a derrota das forças persas, quando da batalha de Micale, em 479 A.C., a cidade de Mileto reconquistou a sua liberdade, tornando-se independente dos persas.

h. *Tornam-se Parte da Confederação Ateniense*. Atenas tornou-se, então, a nova grande potência, e Mileto aceitou fazer parte da confederação de cidades encabeçadas por Atenas, em 450 A.C.

i. Revolta Contra Atenas. Em 412 A.C., Mileto soltou-se das amarras a Atenas; mas não demorou muito a cair novamente sob o domínio persa.

j. *Alexandre, o Grande*, conquistou Mileto, em 334 A.C., mas não interferiu muito com a vida da cidade.

l. *Os Reis Helenistas*. Os sucessores de Alexandre, tornaram-se os senhores de Mileto. Importantes edificações foram, então, construídas, e a prosperidade da cidade prosseguiu, embora ela tivesse sofrido considerável declínio, em comparação com a sua época áurea.

m. *Os Romanos*. Em 133 A.C., Mileto passou para a hegemonia romana, quando, então, se tornou parte da província romana da Ásia. Os imperadores romanos, Augusto e Trajano, tiraram proveito da prosperidade comercial da cidade, visando aos seus próprios interesses. Por essa época, porém, os portos da cidade já se haviam entulhado consideravelmente, e ela foi descendo de categoria, até tornar-se como uma outra cidade provincial romana qualquer.

n. *Os Godos*. Em 263 A.C., os godos (uma tribo guerreira germânica) destruíram o templo de Ártemis, além de lançarem a cidade em confusão geral.

o. *Na época de Justiniano* (século VI D.C.), Mileto estava reduzida à condição de pequena aldeia, destituída de maior importância.

p. *Os turcos* destruíram o que, porventura, ainda tinha restado. O local, atualmente, está virtualmente deserto.

III. Nas Páginas do Novo Testamento

No Novo Testamento, Mileto é mencionada por três vezes, em Atos 20:15,17. A ocasião foi a parada de Paulo ali, que estava em viagem da Grécia a Jerusalém. Foi em Mileto que ele dirigiu conselhos aos anciãos de Éfeso, a quem havia convocado para dar instruções finais. E, então, pela terceira vez, em II Tim. 4:20, Paulo informa que deixara *Trófimo* (vide) enfermo em Mileto.

Após os tempos neotestamentários, Mileto tornou-se a sede de um bispado cristão, já no século V D.C. Podemos presumir que o cristianismo fora crescendo ali através de vários séculos, até ter chegado àquele ponto, embora nunca tivesse sido um dos importantes centros cristãos.

Descobertas Arqueológicas. Escavações arqueológicas tiveram início em Mileto desde tão cedo quanto o século XVI. Foram encontradas extensas ruínas, pertencentes ao período clássico em diante. Foram desenterrados edifícios públicos e privados, desde o século V A.C., até os tempos da dominação romana. Uma interessante inscrição foi encontrada ali, que dizia como os judeus são um povo «temente à divindade». Essa inscrição estava em uma pedra que fazia parte de um teatro, marcando os lugares reservados aos judeus naquele logradouro.

MILIC, JOHN DE KROMERIZ

Desconhece-se a data de seu nascimento, embora seja sabido que ele faleceu em cerca de 1374 D.C. Ele foi um reformador que viveu antes da Reforma Protestante. Ele chamou os métodos papais de corruptos e resignou dos benefícios de que desfrutava na Igreja Católica Romana. Passou a viver na pobreza e começou a pregar a reforma. Profetizou que o *anticristo* (vide) apareceria entre 1365 e 1367, e passou a identificá-lo com o imperador Carlos IV. Por causa disso, foi detido, mas foi-lhe permitido ter uma audiência pessoal com o papa Urbano V, em 1367. Insistiu em continuar pregando sobre a vinda do anticristo, e chegou a escrever um livro sobre o assunto, intitulado *Libellus de Antichristo*. Milic era, realmente, um homem ousado e persistente. Exigiu que fosse convocado um concílio ecumênico, para iniciar reformas na Igreja. Foi posto em liberdade e começou a pregar com maior fervor do que nunca. Pregava nada menos de cinco vezes por dia! Não obstante, foi acusado de heresia, e teve de comparecer diante do papa Gregório XI, em Avignon. Porém, morreu antes do seu caso ficar resolvido.

MILITARISMO

Ver os artigos paralelos: *Nacionalismo; Pacifismo; Paz e Guerra; Guerra* e *Exército*.

Coisa alguma tem mostrado ser mais constante na história da humanidade do que as guerras, as matanças e a luta para o estabelecimento da paz. Assim sendo, nem mesmo em uma enciclopédia bíblica a questão da guerra pode ser negligenciada. A maioria dos antigos governos era, por necessidade, militarista; não fora isso, não poderiam ter sobrevivido em meio a vizinhos hostis. O erro consistia em lançar toda a culpa pelas matanças sobre Deus, o que era feito por todas as nações, incluindo Israel.

1. Definição

O **militarismo** é aquela filosofia, atitude e atos de um governo que prepara, promove e continua a usar o poder militar, a fim de resolver problemas ou de adquirir aquilo que deseja. Para aquele governo, o militarismo é um meio moral e político útil. Naturalmente, cidadãos individuais podem ter essa mesma atitude, mas o militarismo torna-se conspícuo e destrutivo quando aqueles que brandem as rédeas de um governo nacional são dominados por essa filosofia.

2. As Forças que Produzem o Militarismo

a. O instinto natural do homem para lutar, matar e saquear, que infeccionou a sua alma desde a queda no pecado, e que agora, provavelmente, é mediado através da herança genética. O homem é um ser beligerante por natureza.

b. As pressões externas. Outras nações são hostis e ameaçadoras, o que só pode ser devidamente enfrentado por forças militares preparadas e aguerridas.

c. As pressões internas. Os homens temem a outros homens, mostrando-se inerentemente desconfiados das intenções alheias, tendo aprendido isso mediante a própria experiência pessoal e os estudos da história.

d. A busca pela segurança contra a anarquia, no seio de um país qualquer.

e. A busca pela garantia de um governo estável, contra as ameaças de partidos políticos que não recuam diante de nada enquanto não obtêm o que desejam.

f. A ambição pessoal de certos políticos e seus partidos, podem levá-los a empregar o poder militar a fim de obterem o que querem.

g. As alianças entre os complexos governamentais, industriais e militares. Parece ser um bom negócio o fabrico e a exportação de armas. Tal indústria envolve muito dinheiro e multiplica empregos para muitos cidadãos. Mas isso prepara um povo para a guerra.

h. A guerra é mãe de toda espécie de invenção, pelo que as atividades bélicas em muito estimulam a tecnologia. Portanto, que venham as guerras: a velha Guerra não é assim tão velha que não possa gerar novos valores.

3. O Caos do Militarismo

De certo ponto de vista, a história é a crônica das guerras da humanidade. Qualquer livro, secular ou religioso, que se proponha a ser histórico sobre qualquer povo, necessariamente falará constantemente em guerras. O homem é um guerreiro tribal. Se existe a evolução, foi somente até aí que a evolução o levou. Mas a Bíblia garante que, por ocasião do milênio (a futura era áurea da humanidade, sob o governo direto de Cristo), o homem será guindado um passo acima dessa lamentável posição de selvageria. É impossível justificar o inferno terrestre produzido pelas guerras, cada vez mais destrutivas, com sofrimentos inúteis e agonizantes, que os homens infligem uns contra os outros. No entanto, os homens continuam a glorificar a guerra, e seus heróis mais imorredouros são aqueles que sabem matar em grande quantidade os seus semelhantes. Na verdade, porém, isso nada tem a ver com os valores da alma.

4. A Bíblia, a Religião e o Militarismo

Orígenes não foi o único intérprete cristão que teve dificuldades em aceitar a visão veterotestamentária de Deus, como o General de Forças Militares (o Senhor dos Exércitos), tão comum nos primeiros livros da Bíblia. De fato, há algo de estranho nesse conceito de Deus a enviar exércitos que praticam matanças e incríveis brutalidades; estranho, de fato, a menos que digamos que era assim que os homens O *concebiam*, e não como Ele realmente é. Por isso mesmo, os intérpretes liberais rejeitam totalmente o ponto de vista militarista de Deus no Antigo Testamento, atribuindo isso à *religião primitiva* que o Antigo Testamento apresenta. Alguns intérpretes conservadores mostram-se cautelosos com suas declarações, porquanto não querem criar problemas com a interpretação do Antigo Testamento. Por outra parte, admite-se abertamente que o Novo Testamento tem um ponto de vista diferente de Deus, quanto a essa questão. Como prova disso podemos apelar para o episódio de quando os discípulos de Jesus quiseram aplicar os métodos brutais de Elias a fim de julgar a uma população que oferecera resistência ao evangelho. Jesus, porém, não aprovou a *atitude* demonstrada por seus discípulos, e repreendeu-os por se assemelharem tanto a Elias! Ver Luc. 9:53-55. É ridículo não acompanhar o Novo Testamento nesse avanço, que deixa para trás uma teologia deficiente do Antigo Testamento. A epístola aos Hebreus é um tratado que mostra como, em certo número de pontos importantes, o Novo Testamento ultrapassa ao Antigo. Em verdade, os conceitos humanos sobre Deus melhoraram, embora muita coisa ainda esteja sujeita a aprimoramento. De fato, o maior mistério de todos é a própria teologia, e sempre teremos de ficar sondando as suas profundezas!

O décimo terceiro capítulo de Romanos exorta-nos a cumprir as nossas obrigações diante dos governos humanos, como instituições iniciadas por Deus. O *pacifismo* (vide) nunca foi favorecido pela corrente principal do cristianismo. E a participação nas guerras, nas matanças e nos atos de brutalidade, por parte de cristãos, é algo escandaloso para o que não há qualquer cura fácil, nem do ponto de vista teórico e nem do ponto de vista prático. No artigo sobre o pacifismo, exponho meus pontos de vista sobre esse assunto e suas implicações.

MILL, JAMES

Suas datas foram 1773—1836. Ele foi um filósofo escocês. Estudou em Edimburgo. Trabalhou para a Companhia das Índias Orientais. Foi discípulo de Jeremias Bentham, o utilitário. Tornou-se líder do movimento utilitário e exerceu vasta influência no campo da filosofia. Foi o genitor de John Stuart Mill (vide). Foi instrumental no desenvolvimento de algumas das idéias da *Associação de Psicologia*, de Harley (vide).

Quando estudava na Universidade de Edimburgo, James Mill já era notável erudito do grego. Em 1784, começou seus estudos teológicos, e tornou-se pregador. Porém, ele era por demais intelectual, e seus pobres ouvintes quedavam-se paralisados diante das fantásticas produções de sua mente. Foi assim que abandonou a prédica, dando preferência à carreira literária, onde podia fazer trabalhar com maior proveito a sua mente deveras brilhante.

Mudou-se para Londres, na Inglaterra, onde seguiu o jornalismo. Casou-se com a filha de um homem rico, que dirigia um asilo para desequilibrados mentais. John Stuart Mill foi seu filho mais velho.

James Mill voltou-se para a filosofia, depois que conheceu *Jeremias Bentham* (vide). Tornou-se seu assessor e principal propagandista. Viveram juntos pelo resto de suas vidas. Bentham supria as teorias, e

Mill cuidava em publicá-las. Mill prosseguiu atuando como jornalista, por cujo meio expunha as teorias que eram expostas pelos Filósofos Radicais. Tornou-se um propagandista em prol da reforma pública. Salientou diversas coisas interessantes: 1. a reforma deve ter por alvo a limitação da população (um fator tão importante em nosso mundo superpovoado). 2. O valor de uma coisa depende do trabalho nela despendido. 3. As rendas das pessoas deveriam ser taxadas, a fim de que o governo dispusesse de meios pecuniários para pôr em vigor as reformas. Essa idéia certamente vingou, pois temos aí o imposto de renda!

Ele publicou o livro, com título em inglês, *Analysis of the Phenomena of the Human Mind*, que era uma espécie de interpretação psicológica da filosofia utilitária de Jeremias Bentham. Além disso, essa obra lançou mão da teoria de David Harley, que dizia que as atividades da consciência racional são constituídas em três camadas; sensações (a percepção dos sentidos); as idéias; e, então, a corrente de idéias, ou seja, a essência da teoria empírica. Um outro livro dele, *Fragment on Mackintosh*, defendia o utilitarismo contra os ataques dos seus adversários.

James Mill não foi um pensador original, mas serviu de instrumento dedicado e inteligente na promoção de idéias de outras pessoas, a quem ele se afeiçoava. Sob sua liderança, surgiu um grupo de eficientes reformadores políticos na Europa moderna.

MILL, JOHN STUART

Suas datas foram 1806—1873. Era o filho mais velho de James Mill (vide). Tornou-se um renomado economista inglês, como também lógico e filósofo moral. Seus escritos abordavam, acima de tudo, a lógica, a filosofia utilitarista, as reformas políticas e sociais, a filosofia política e uma reformulação da economia clássica. Era dotado de mente excepcional. Foi essencialmente educado por seu pai, que reconheceu, desde cedo, seus dotes e potencialidades. Começou a estudar o grego com a idade de três anos, e aos oito começou a estudar o latim. Ao completar catorze anos de idade, já havia recebido uma rigorosa e completa educação nos clássicos, sendo capaz de ler os filósofos gregos no original. Posteriormente, modestamente, John Mill observou que uma mente humana **comum** pode realizar muita coisa, se devidamente treinada. E apontava para seu próprio caso. Na verdade, calcula-se que o quociente de inteligência de John Stuart Mill era de 220. Ora, os pesquisadores mais exigentes dizem que um quociente de 180 já chegou ao grau de gênio! E a média fica entre 90 e 110 Q.I.

As idéias de *Jeremias Bentham* (vide) chegaram ao conhecimento de John Mill em face da associação de seu pai com aquele, no decurso de muitos anos. Destarte, John Mill tornou-se um porta-voz convicto do *utilitarismo*, a principal idéia de Bentham. O grupo intitulado os Filósofos Radicais, do qual Mill fazia parte, acreditava que o bem consiste no que é melhor para o maior número de membros da sociedade. Isso tinha aplicações práticas: eles exigiam a diminuição dos impostos; a remoção das causas da superpopulação; — o uso extensivo de educação gratuita; a reforma nas uniões trabalhistas; a extensão do direito de voto; as reformas parlamentares; uma maior eficiência governamental; menos controle do governo sobre a economia. Mill escreveu uma influente obra sobre política, intitulada *The Principles of Political Economy*, uma reformulação da economia clássica. Isso incluía os princípios de que o tempo-trabalho requerido para a produção de bens determina o valor desses bens; a produção total de um país está limitada pela extensão de suas terras úteis; a população multiplica-se mais rápido que a produção, razão pela qual é mister haver controle da natalidade. E também incluía valiosas normas sobre como os governos devem controlar a economia.

Idéias de Mill, além daquelas que são dadas acima:

1. *Empirismo*. A base do utilitarismo é, como é óbvio, a aceitação geral do empirismo. Para os utilitaristas, o conhecimento só nos chega através da percepção dos sentidos e da experimentação. John Mill tornou-se o principal representante do *empirismo* (vide) no século XIX. Ele favorecia a lógica indutiva como algo importante para o conhecimento. Para ele, a lógica dedutiva serve tão-somente para sumariar aquilo que temos aprendido por meio da experiência (pelo que resultaria da lógica indutiva, posta em ação). E, se não é exatamente isso, então, a lógica dedutiva é apenas *petitio principii*, isto é, consiste em argumentos circulares, onde a conclusão já foi afirmada nas duas premissas.

2. Os *juízos empíricos* seriam meramente prováveis. Os *juízos necessários* seriam meramente verbais e analíticos. As *definições* são nominais, conferindo-nos meras informações sobre o uso que fazemos da linguagem. Mill também tomava a estranha posição que a matemática é indutiva, e não analítica.

3. *Contribuições à Lógica*. John Mill fez importantes contribuições à lógica, com os seus métodos de concordância e diferenciação.

4. *O Fenomenalismo*. Interpretamos aquilo que captamos por meio dos sentidos, e o que sabemos são os *fenômenos*. Mas isso não significa que já conheçamos a realidade, pois conhecemos apenas os fenômenos com que nos defrontamos. A mente não é apenas uma série de sentimentos e fenômenos, que alinhavamos mediante a *fé animal*, conforme dizia a proposta de Hume, mas isso não significa que sabemos muita coisa meramente por nos termos familiarizado com certos fenômenos. A memória e a antecipação mostram que a mente consiste em mais que uma série de fenômenos experimentados.

5. *O Grande Princípio da Felicidade*. Mill definia a bondade em termos essencialmente hedonísticos; mas ele estava pensando em uma felicidade coletiva, e não meramente individual. O alvo da existência seria a maior felicidade para o maior número possível de pessoas (posição do utilitarismo). Bentham era mais cru em sua análise. Para ele, a bondade ética consistia no maior prazer para o maior número possível de pessoas, com a menor dose de dor e sofrimento possível. Mill distinguia entre graus de prazer. Dizia ele: «É melhor que Sócrates fique satisfeito do que os porcos fiquem satisfeitos». Um prazer mais sublime é melhor do que um prazer inferior. Assim, os prazeres mentais são preferíveis aos prazeres físicos.

6. *Liberdade*. O Estado deveria prover o *máximo de liberdade* aos seus cidadãos. Até as ditaduras benévolas são más, porquanto solapam as liberdades do indivíduo. Nada existe de tão fundamental e vital, em todo o mundo, quanto a liberdade. As tiranias produzem apenas o que é convencional, e o convencional não é prova nem da verdade e nem da bondade. Portanto, é errado um governo impor aos seus cidadãos o que pode e o que deve ser crido. O governo deveria ser representativo, responsável, promovendo, acima de qualquer outra coisa, a *liberdade*. Ver o artigo sobre a *Liberdade*.

7. *Um Teísmo Limitado*. Apesar de bastante positivista em seu empirismo radical, Mill estava pessoalmente convencido da existência de Deus. Impressionava-o o argumento baseado no desígnio.

Ver sobre o *Argumento Teleológico*. Todavia, acreditava que as evidências subentendem um Deus limitado, e não um Deus Todo-Poderoso. Por outra parte, ele rejeitava o *Argumento Cosmológico* (vide), porquanto pensava que um infinito regresso de causas e efeitos é mais lógico do que uma Causa Primária única. Quanto à imortalidade pessoal, ele não acreditava que existam provas conclusivas contra ou a favor. Se John Mill tivesse vivido em nossos próprios dias, provavelmente teria pensado de maneira diferente. Ver os artigos sobre a *Imortalidade*, e especialmente, aquele intitulado *Experiências Perto da Morte*. (AM EP MM P)

MILLER, WILLIAM (MILLERISMO)

Suas datas foram 1782-1849. Miller foi um intenso fazendeiro batista, que se tornou pregador e líder religioso. Sua educação acadêmica era deficiente, mas ele procurou auto-instruir-se mediante livros tomados por empréstimo de outras pessoas de Hampton, estado de Nova Iorque, onde ele passou os anos de sua meninice e juventude, embora tivesse nascido em Pittsfield, estado de Massachusetts. Lutou na guerra de 1812, contra os ingleses. Terminada a guerra, Miller voltou a Hampton, para dedicar-se à agricultura. Sua vida foi transformada mediante a conversão religiosa, e desde então ficou profundamente interessado pelas Escrituras, mormente quanto às questões proféticas.

Com base em seus estudos sobre profecias, ele concluiu que o «fim do mundo» ocorreria em 1843. Começou a pregar sermões carregados de emoção, atraindo numerosas multidões, tendo obtido muitos adeptos para seu movimento. Em 1836, publicou um volume de suas conferências, intitulado *Evidence from Scripture and History of the Second Coming of Christ about the Year 1843*. Joshua Vaughan Himes, um de seus discípulos, encarregou-se de publicar os escritos de Miller e de propagar a sua causa. Não demorou muito para formar-se um movimento *adventista* nacional. Daí se origina a denominação Adventistas do Sétimo Dia, sobre a qual oferecemos um artigo separado. Nos seus primeiros anos, os adeptos desse movimento eram conhecidos ou como *adventistas* ou como *milleritas*.

Chegou o ano fatal de 1843, mas Cristo não voltou. Então, Miller marcou uma data específica, 22 de outubro de 1844. Ao aproximar-se essa data, milhares de pessoas abandonaram suas ocupações e ficaram aguardando, em grande atitude de expectação. Aquele dia veio e se passou (faz agora cerca de cento e cinqüenta anos), mas nada aconteceu quanto à volta de Cristo à terra. A fim de encobrir o fiasco, os milleritas, *ad hoc*, criaram o ensino que aquele foi o dia em que Jesus entrou no Santo dos Santos dos céus, a fim de oferecer seu sangue em sacrifício ao Pai, pelos pecados da humanidade. Um pouco tarde, diríamos. Mas, para muitos adeptos do movimento, isso se tornou uma boa desculpa para ocultar o fracasso da predição de Miller, ao mesmo tempo que lhes permitia voltar à sua equivocada fé apocalíptica, que eles haviam gerado. O próprio Miller continuou em suas atividades, embora, dali por diante, se tivesse refreado de marcar novas datas acerca do retorno de Cristo. Mas isso não foi seguido por alguns de seus discípulos, que marcaram outras datas, todas as quais fracassaram. Mas o cerne do movimento perdeu a mania de marcar datas para o retorno de Cristo à terra. O máximo que Miller teria calculado foi a data da purificação do santuário celeste (outra bobagem, pois nenhum santuário celeste precisa de purificação, e nem há na Bíblia qualquer ensino nesse sentido)!

Até então, os discípulos de Miller tinham permanecido em suas respectivas denominações, apoiando-o de longe. Mas, em 1845, crescendo a dissensão entre os milleritas e outros protestantes e evangélicos, tornou-se imperioso aos milleritas formarem sua própria organização separada. Desde os dias de Miller, porém, o movimento inicial se tem fragmentado em vários segmentos. No artigo sobre os *adventistas*, mencionamos as idéias distintivas desse grupo. A tendência deles, atualmente, é manterem-se como uma denominação cristã peculiar, distinta dos evangélicos em geral. A principal objeção às suas doutrinas, levantada por outros grupos cristãos, é que eles dizem que a alma não existe, e que a redenção só será mediada através da ressurreição do corpo. E, naturalmente, se eles preferem guardar o sábado, como dia santo, isso é lá com eles; mas, eles não param aí, porquanto denunciam aos cristãos que preferem guardar o primeiro dia da semana, como se isso fosse um dos sinais da besta. Na verdade, a guarda do sábado não é um dos aspectos originais do adventismo. Isso surgiu um pouco depois da organização formal do movimento, mas, aí por 1860, já havia conquistado a maior parte dos seus aderentes, como a doutrina aceita entre eles. Quanto a maiores detalhes sobre as doutrinas típicas desse movimento, ver o artigo intitulado *Adventismo*.

MILTON, JOHN

Suas datas foram 1608—1674. John Milton foi um poeta inglês que realmente se notabilizou. Nasceu em Londres. Educou-se na Escola de São Paulo e no Colégio de Cristo, em Cambridge. Devotou seus primeiros anos ao estudo privado e a escrever versos em latim e em inglês. Ele se mostrou ativo como servidor público, tendo trabalhado como Secretário do Conselho de Estado. Também foi ativo escritor, tendo publicado uma série de panfletos sobre assuntos eclesiásticos, sociológicos e políticos. Em seus últimos anos de vida, ficou cego; e foi, então, que se dedicou ao seu notável poema épico, intitulado *Paraíso Perdido* (1667), seguido por um outro, mais breve, *Paraíso Recuperado*. Mas também escreveu várias outras obras, incluindo aquela chamada *De Doctrina Christiana*, que foi o seu principal esforço teológico.

Idéias:

Milton, naturalmente, é reconhecido como um grande poeta, cujos poemas religiosos transparecem de intensa devoção e discernimento. Os leitores de suas composições perguntam-se se ele somente louvou e descreveu experiências extáticas, ou se teria passado pessoalmente por essas experiências, o que melhor explicaria o poder de sua poesia. Em seus dias, Cambridge era cena de conflitos ideológicos, e Milton pertencia ao grupo humanista mais progressivo que ali havia. Chegou a ser tentado a entrar no ministério; mas os seus interesses literários desviaram-no daquela tentativa, que nunca desabrochou. Os pontos abaixo descrevem suas idéias filosóficas e teológicas.

Tendo começado como um anglicano de inclinações puritanas moderadas, ele se foi tornando, sucessivamente, um presbiteriano e um independente radical, que criticava acerbamente ao episcopado. Mas, sua posição teológica final tornou-se ariana, bastante antiortodoxa quanto a certos pontos.

1. Milton rejeitava vigorosamente o calvinismo e seu corolário da *predestinação*. Antes, defendia denodadamente a idéia do livre-arbítrio humano. Ver os artigos separados sobre o *Determinismo;* a *Predestinação* e o *Livre-Arbítrio*. Para Milton, o

livre-arbítrio é um dom de Deus, e não apenas um dote natural. O livre-arbítrio é um dom da graça, que põe a salvação ao alcance de todo homem, conforme ele dizia. No entanto, Cristo ensinou: «Não fostes vós que me escolhestes a mim; pelo contrário, eu vos escolhi a vós outros...» (João 15:16).

2. A verdadeira liberdade era um tema importante na época de Milton, o que reverbera em sua poesia e em sua prosa. — Somente através da verdadeira liberdade um homem pode obter um caráter humano bem-formado. Para isso, o homem deve experimentar tanto o bem quanto o mal, aprendendo a escolher o bem e a rejeitar o mal. Mas vemos que quando Adão resolveu experimentar a desobediência, isso prendeu-o ao pecado, juntamente com toda a sua descendência. Em seu estado natural, o homem só tem liberdade para continuar no pecado. E só Cristo é capaz de libertá-lo dessa prisão. «Se, pois, o Filho vos libertar, verdadeiramente sois livres» (João 8:36). Mas Milton insistia que o homem que é espiritual aprende a escolher o que é direito. Concordamos, contanto que ele já tenha sido transformado pelo poder regenerador do Espírito, quando sua vontade muda de direção. É o poder divino que dá tais forças ao homem regenerado, que, então, aprende a escolher a Cristo e a rejeitar à desobediência.

3. *As Duas Escrituras*. Para Milton, a primeira Escritura seria *externa*, as Escrituras Sagradas, a Bíblia, mediante a qual Deus tem mostrado sua vontade e sua mente aos homens. Mas, haveria uma segunda Escritura, *interna*, gravada em seu coração, e que ele pode sondar mediante a razão e a intuição. A gravação das leis do Senhor, entretanto, só é prometida aos regenerados. Desassistido, o homem não consegue inscrever as leis de Deus em seu íntimo, insistimos nós. Para Milton, entretanto, a consciência do homem é um depósito dos preceitos divinos. O Espírito Santo salientaria essas Escrituras internas, como seu agente. Estaria envolvida a lei da natureza, comum a todos os homens, que teria sido embotada pelo pecado, mas que ainda assim pode ser atiçada pelo homem, se ele tiver boa-vontade. Milton, pois, refletia idéias tipicamente arminianas, duns-scotenses, arianas. Ver os artigos sobre *Armínio; Duns Scoto* e *Ário*.

4. Milton negava a doutrina da divina Trindade, como se lhe faltassem provas bíblicas convincentes. Ele acreditava que tanto o Filho quanto o Espírito foram criaturas criadas pelo Pai. Isso reflete a abordagem ariana.

MIMESIS (MIMESE)

Essa é uma palavra grega que significa «imitação». Ela veio a adquirir grande importância na filosofia. Platão ensinava que o tempo é uma imagem da eternidade, em movimento; e também dizia que os objetos físicos (particulares), são imitações dos *universais* (vide). A realidade física (real, mas de categoria secundária) seria apenas uma imitação da realidade. Platão, pois, não chegava ao extremo de algumas religiões orientais, que dizem que o mundo físico é ilusório. Porém, para ele, o mundo das idéias (universais ou formas) é que seria o mundo imutável, que teria dado origem à alma humana. O mundo físico teria sido criado não pelo verdadeiro Deus, mas pelo demiurgo, o qual se teria valido das formas como sua fonte de idéias. Cada objeto físico, como também as idéias humanas, conforme elas atualmente existem, são meras tentativas para mostrar no que consiste a forma que há por detrás desses objetos e dessas idéias, embora demonstrem essa forma de maneira muito débil. O resultado seria mera imitação, e não duplicação.

Platão incluiu essa idéia em sua teoria da arte. O homem imita, intuitivamente, as grandes realidades, e o resultado são as suas obras de arte. Porém, a arte seria apenas a imitação de uma imitação. Em primeiro lugar, temos a coisa que o artista copia, como um pintor que procura reproduzir alguma cena da natureza. Porém, a própria natureza seria uma imitação das formas. Outro tanto poderia ser dito sobre uma idéia artística—uma imitação de uma imitação.

Aristóteles levou ainda mais adiante essa idéia, ao afirmar que a arte pode imitar uma coisa possível, que nem ao menos existe. Nesse caso, a arte busca subsídios na imaginação, e não meramente nas coisas que podem ser vistas, e que formam a realidade material.

Filósofos posteriores, que teceram considerações sobre as artes, apegaram-se também a essa teoria, e alguns têm pensado que essa idéia dominou a teoria da arte, no século XVIII. O abade Du Bois, em sua obra *Critical Reflections on Poetry, Painting and Music*, também expôs essa teoria.

MINA

Ver sobre **Moedas**.

MINA, MINERAÇÃO

Ver os artigos separados sobre **Metal; Metalurgia** e **Artes e Ofícios**. As mais extensas atividades de Israel, no campo da mineração, tiveram lugar nos dias do rei Salomão. Quanto a essas atividades, há um artigo intitulado *Minas do Rei Salomão*, nesta enciclopédia, que fornece informes sobre a importância que teve a mineração, naquela era áurea de Israel, onde também há informações sobre a mineração na antiguidade.

Materiais Não-Metálicos. Os mineiros da era neolítica extraíam minérios das minas. Materiais não-metálicos, como *pederneira*, várias qualidades de pedra e mármore foram muito importantes, antes que fossem extraídos os metais. Em cerca de 4000 A.C., conforme a arqueologia mostra, a pederneira era usada no fabrico de toda espécie de instrumento e de armas. Esse material aparece nas Escrituras por causa de sua dureza, inflexibilidade e grande duração, o que dá margem a várias referências metafóricas. Ver, por exemplo, Deu. 8:15; Sal. 114:8; Isa. 50:7 e Eze. 3:9. A perderneira é uma rocha de grão fino, que a lâmina de uma faca de metal não consegue arranhar. A perderneira era extraída de áreas calcárias, ou, então, na Palestina, de depósitos de cascalho. É verdade que a perderneira continuou sendo um produto importante, mesmo quando os metais começaram a ser usados.

Pedras importantes eram o granito, o diorito e outras rochas ígneas. Essas várias rochas existiam e continuam existindo em abundância na Palestina, como também os arenitos e as pedras calcárias. Sabe-se que os homens da era neolítica tinham grande perícia na extração de pedras, usando-as em muitos tipos de construção, como edifícios, cisternas, túmulos e até mesmo pequenos itens, como jarras para conter água (ver Jer. 2:13; Mat. 27:60; João 2:6).

Mármore. Temos provido um artigo separado sobre essa pedra nobre, que era usada na construção de edifícios ou com propósitos decorativos. O mármore é uma pedra calcária de grão fino, de cor branca ou creme, podendo ter veios rosa, vermelhos ou verdes. O mármore era o material favorito nas estátuas. As melhores estátuas de mármore do Oriente Próximo vinham de Paros (Minoa), embora houvesse outras fontes produtoras, incluindo o golfo de Suez, o sul da Grécia, e, na Assíria, a região a leste do rio Tigre. Nos tempos de Davi e Salomão, havia um ativo comércio com essa pedra, e sabe-se que ela era importada pela Palestina. O mármore mencionado em I Crô. 29:2, poderia ser pedra calcária polida.

Pedras Preciosas. A arqueologia e as referências literárias informam-nos sobre as extensas atividades dos antigos egípcios, no campo da mineração de metais. Eles fizeram centenas de prospecções, em busca de esmeraldas, nas costas do mar Vermelho. A turquesa, durante muito tempo, foi a primeira e mais usada das pedras na joalheria. Ver o artigo detalhado intitulado *Jóias e Pedras Preciosas*. A mineração de turquesas era efetuada na península do Sinai. A busca por pedras preciosas provocava a ocupação humana de trechos que, de outra sorte, não teriam sido habitados, levando à construção de trilhas e estradas que melhoravam as comunicações. Essas trilhas dos mineiros foram consideravelmente usadas quando do êxodo de Israel do Egito. Ver Êxo. 15:22-16:1.

Metais. Ver o artigo separado sobre *Metais, Metalurgia*. As Escrituras não contam com um vocábulo separado para indicar «mina», embora haja alusões a esse processo, em muitos trechos bíblicos. Ver Jó 28:1-11. Sabe-se, mediante a arqueologia, que a península do Sinai era um lugar de intensa atividade mineradora, desde a mais remota antiguidade. Os monitu, que freqüentavam aquela região, encontraram colinas ricas em veios de metal e camadas que continham pedras preciosas. O ferro, o cobre, o manganês, a turquesa eram extraídos ali, tornando-se artigos de comércio. O delta do rio Nilo era local onde esse comércio era intenso. Essas atividades ajudaram os Faraós a amealharem grande parte de suas riquezas. No wadi Magharan («vale da caverna») há vestígios de colônias egípcias e suas atividades nesse campo. Muitas inscrições hieroglíficas testificam a esse respeito, e antigas fornalhas até hoje são visíveis na área, o que também se vê nas costas do mar Vermelho. Cais e outras instalações portuárias, em ruínas, podem ser ali encontradas. Dali partiam embarcações carregadas com esses itens, muitas delas com destino ao porto de Abu Zelimeh.

A mineração do cobre era intensa na Iduméia, em Zoar e em Petra. Diocleciano forçou cristãos a trabalharem nas minas daquelas localidades. Naturalmente, Salomão muito se concentrou nessa atividade, especialmente na mineração do cobre, sobre o que damos um artigo separado, segundo já foi dito. Chipre era um dos lugares onde o cobre era extraído na antiguidade, do que resultou um grande comércio com esse metal. Alusões literárias dizem-nos que os egípcios extraíam o ouro, e que o deserto de Bisharee era uma das localidades dessas operações. Ruínas de cabanas de mineiros podem ser vistas em Serabit el-Khadem. Os egípcios extraíam o cobre da ilha de Meroe, na desembocadura do rio Nilo.

MINAS

No hebraico, *motsa* «saída», «afloramento». Essa palavra hebraica ocorre somente por uma vez, em todo o Antigo Testamento, em Jó 28:1, onde diz a nossa versão portuguesa: «Na verdade, a prata tem suas minas, e o ouro, que se refina, o seu lugar». O que Jó queria dizer é que *existe* um lugar onde os homens podem encontrar minerais preciosos como a prata e o ouro, e, no entanto, conforme ele adiciona um pouco adiante (vs. 12 *ss*), não há nenhum local onde a sabedoria possa ser encontrada pelos viventes. «Mas onde se achará a sabedoria? e onde está o lugar do entendimento!»

MINAS DO REI SALOMÃO

Acompanhamos os pontos abaixo, que dividem a questão em informes mais fáceis de serem compreendidos:

1. *As Grandes Riquezas de Salomão*. O trecho de I Reis 10:14 dá-nos a estonteante informação de que o *peso em ouro* que chegava às mãos de Salomão, em *um* ano, era de seiscentos e sessenta e seis talentos de ouro. Um talento era o equivalente a mil siclos, e um siclo pesava cerca de 7,08 g. Isso significa um total de cerca de 4.715 kg de ouro, anualmente! Isso dá, aproximadamente 63,2 milhões de dólares, a cada ano. Mas, além do ouro, sabemos que o país produzia prata, pedras preciosas (incluindo diamantes, esmeraldas e rubis). Naturalmente, Salomão também importava itens exóticos, como bugios, pavões, marfim, especiarias raras e muitos outros artigos de luxo. Portanto, sua reputação de homem rico está bem fundada. Famosas são as minas de cobre de Salomão, na Arabá, bem como a refinaria real de cobre, descoberta em Ezion-Geber, moderno Tell el-Kheleifeh, escavada por Nelson Glueck. Timna, não muito distante do extremo norte do mar Vermelho, era um lugar rico em cobre, explorado por Salomão.

2. *Muitas histórias românticas* têm dramatizado as minas de Salomão. Presume-se que Salomão tinha minas tão distantes quanto a cadeia dos Himalaias, as profundezas da floresta equatorial da África, e até mesmo a região inca, no moderno Peru, nos Andes. Até mesmo filmes de Tarzã (no tempo de Johnny Weissmuller, o primeiro Tarzã cinematográfico) estiveram envolvidos nessas minas. Tarzã era sempre perseguido por alguma bela mulher, que precisava ser salva de toda espécie de perigo. Ela se encontrava nas selvas porque seu pai, um professor distraído, entrara nas florestas africanas em busca das minas de Salomão. Mas a verdade é que as minas de Salomão (pelo menos a mais central dentre elas), não são difíceis de encontrar. Qualquer mapa moderno de Israel nos dirá onde deveremos ir. Basta apanhar um automóvel e guiar até Beer Sheba. Dali, dirige-se para leste, por cerca de sessenta e cinco quilômetros até o vale do deserto conhecido como Arava. Então, vira-se para o sul, e chega-se a uma pequena estrada que se bifurca para a direita, e passa pelo Kibutz Elifaz, e, então, chega-se ao espetacular vale de Timna. Era ali, naquele território de terras estéreis e ressecadas, entre picos denteados, que os antigos mineiros hebreus extraíam toneladas daquele metal amarelo-esverdeado mais precioso que o ouro, chamado *cobre*. O minério de cobre ali extraído era de uma qualidade fantasticamente elevada, e as fornalhas conseguiam produzir um metal de cobre noventa e nove por cento puro, um feito significativo para a metalurgia antiga. O cobre era o ingrediente primário na produção do bronze (nove partes de cobre e uma de estanho). Foi esse o metal que arrancou o homem da idade da Pedra. O ferro era difícil de fundir; e assim sendo, mesmo quando o ferro começou a ser usado em muitos lugares, nem assim o bronze foi abandonado. No dizer de Deuteronômio 8:9, Israel foi enviado a uma terra «...de cujos montes cavarás o cobre». A habilidade de Salomão, pois, trouxe grandes riquezas ao seu povo de Israel, em uma época que foi o período áureo daquela nação.

3. *Um Mistério é Solucionado*. O rabino Nelson

Fundidores de Salomão, em Ezion-Geber
Cortesia, Levant Photo Service

O Poço de Salomão, perto de Hebrom

Foto por Alistair Duncan

Glueck, arqueólogo israelita, era um aventureiro que amava o deserto. Explorando o remoto vale de Timna, ele descobriu vários antigos locais de fundição, tendo reunido nódulos de cobre e peças quebradas de cerâmica. Essas peças de cerâmica levaram-no à sua maior descoberta. Juntando as peças, ele ficou admirado ao descobrir que elas pertenciam à época de Salomão, isto é, século X A.C.

4. *A Antiguidade da Mineração*. As escavações têm mostrado que a mineração teve início naquela área cerca de três mil anos antes dos tempos de Salomão. Isso significa que ele deve ter tido consciência do valor econômico daquela região, desde o começo. Não foi nenhuma descoberta ao acaso. O arqueólogo israelense, Beno Rothenberg, tem mostrado que Timna conta com as mais antigas minas de cobre de que há notícia no mundo. Os eruditos têm especulado que Timna pode ter sido o lugar onde residia Tubalcaim, «artífice de todo instrumento cortante, de bronze e de ferro» (Gên. 4:22).

5. *Métodos de Mineração*. Os antigos mineiros escavavam o minério de cobre do solo, principalmente dos depósitos de pedra calcária branca, onde é possível trabalhar com facilidade com instrumentos primitivos. Em seguida, o minério era esmagado por meio de martelos de pedra, e, então, misturado com carvão de madeira e uma pequena quantidade de minério de óxido de ferro. Essa mistura era, então, posta sobre um braseiro, no solo. Quando o combustível terminava, o cobre era coletado. Então era moldado, a marteladas, no formato que se desejasse. Dessa maneira de trabalhar o cobre é que nos vem a palavra *calcolítico* (no grego, *chalcós*, «cobre»; *líthos*, «pedra»), que indica aquele período arqueológico quando o cobre começou a substituir a pedra como a matéria prima principal do homem.

6. *O Comércio Egípcio*. Aí pelo século XIII A.C., os metalurgistas egípcios haviam montado uma sofisticada operação mineira em Timna e estavam enriquecendo-se com o comércio do cobre. Enquanto os Faraós maltratavam seus escravos hebreus, os mineiros egípcios extraíam toneladas de cobre, a cada ano, de Timna, as quais eram transportadas, através do rio Nilo, para vários locais do Egito.

7. *As Inovações Egípcias*. Os egípcios criaram o método de pequenos tubos que levavam ao interior das fornalhas, e daí para fora. Os tubos de entrada eram respiradouros, por onde o ar entrava mediante foles, o que aquecia a temperatura no interior da fornalha. Os tubos de saída permitiam que a escória escorresse para fora da fornalha, a fim de que o metal pudesse ser retirado da fornalha antes desta esfriar. Eles também inventaram uma vara de metal resistente, que podia ser mergulhada no interior da fornalha, sem derreter-se. Essa vara era usada para retirar o metal fundido. Escravos eram usados nesse trabalho de mineração e fundição, por não serem muitos os homens livres que, em troca de um parco salário diário, se interessavam por trabalhar em uma atividade tão perigosa. Timna, além disso, era um lugar extremamente quente no verão, chegando até nada menos de 50° centígrados à sombra, e, ao sol, chegava ao extremo de 73° centígrados! Se adicionarmos a isso o calor produzido pela própria fundição, veremos que o trabalho era feito sob condições que nenhuma união de sindicato trabalhista aprovaria em nossos dias. Além disso, Timna é um local cercado por elevadas colinas, e a circulação de ar é ali bem modesta.

8. *O Trabalho dos Midianitas e dos Queneus*. A arqueologia tem demonstrado que os egípcios lançavam mão do trabalho de estrangeiros nas suas minas e fundições. Entre esses estrangeiros havia midianitas e queneus. Provavelmente, também eram utilizados operários hebreus, embora não haja qualquer referência direta à contribuição desses últimos.

9. *Artefatos Encontrados em Timna*. Inúmeros artefatos têm sido encontrados pelos arqueólogos, pertencentes às Dinastias XIX e XX (1300 A.C. ou antes). O professor Rothenberg encontrou mais de mil artefatos dentro dos limites de um pequeno templo cujas dimensões eram 8,5 m x 6,7 m. Havia ali contas, peças de madeira e de vidro, jóias de cobre e de bronze, peças de cerâmica, etc. Algumas destas últimas contavam com sinais hieroglíficos estampados. Supomos que os mineiros levavam consigo objetos próprios de seu culto religioso, o que também explica a existência daquele templo.

10. O Êxodo. Uma das rotas tomadas por ocasião do êxodo de Israel do Egito foi «o caminho do Arabá, de Elate e de Eziom-Geber» (Deu. 2:8). Elate (modernamente conhecida como *Eilat*) fica a apenas trinta e dois quilômetros ao sul de Timna. Uma outra parada foi Jotbata (ver Núm. 33:34), um oásis a apenas dezesseis quilômetros ao norte de Timna. Uma estrada ligava aqueles dois lugares, passando pelo vale de Arava. Os montes ao derredor, bloqueavam outras rotas em potencial.

11. *Uma Serpente de Cobre em Timna*. Um dos objetos incomuns, encontrados em Timna, foi uma serpente de cobre reluzente. Alguns eruditos da Bíblia têm associado esse objeto com a história de Moisés e a serpente, em Núm. 21:9, e também vêem alguma conexão entre isso e a adoração dos midianitas à cobra. Naturalmente, devemo-nos lembrar que Moisés casou-se com Zípora, filha de um sacerdote midianita (ver Êxo. 2:21).

12. *Nos Tempos de Josué*. Mais ou menos nesse tempo, declinou o domínio egípcio sobre a região de Timna, até que, finalmente, desapareceu. O povo de Israel estava conquistando a terra, e o Egito, como um império, estava em franco declínio, após ter-se envolvido em muitas guerras. A economia do Egito fraquejou, e, juntamente com isso, as operações de mineração em Timna, por parte dos egípcios. Povos que antes tinham trabalhado como escravos, obtiveram liberdade, e tornou-se difícil encontrar quem quisesse trabalhar naquela ocupação.

13. *Um Hiato na História*. Depois dessa época, há poucos registros históricos sobre as atividades mineiras em Timna. Também não se encontram ali traços de atividades dos israelitas.

14. *Salomão e Timna*. Apesar desse fato, Timna é a única área de mineração de cobre significativa em todo o território de Israel. É impossível que Salomão não soubesse de sua existência e nem a tivesse explorado. Salomão mantinha um comércio que envolvia mercadorias que não eram produzidas em Israel, e nem eram nativas dali. É provável, pois, que o cobre israelita fosse trocado por aquelas outras mercadorias. Ele dispunha de uma grande frota mercante, com base em Eziom-Geber, «que está junto a Elate, na praia do Mar Vermelho» (I Reis 9:26). E isso nos leva à área de Timna. De fato o porto mais importante de Salomão, por onde entrava ou escoava o ouro, ficava a apenas trinta e dois quilômetros de Timna, e, com base nessa circunstância, podemos estar certos de que Salomão também estava explorando o cobre que havia naquela região, visto que seus riquíssimos depósitos desse metal já eram conhecidos desde muitos séculos antes.

15. *Por Que Não Dispomos de Evidências?* Certo autor sugeriu que nenhum artefato de origem israelita

tem sido encontrado em Timna porque os israelitas não costumavam jogar lixo e outros restos ao acaso! Porém, o mais provável é que o motivo para isso é que os arqueólogos não tenham escavado nos lugares certos, visto que os oitenta quilômetros quadrados de área aproximada, onde essas minas estavam localizadas, oferecem muito espaço para a exploração arqueológica em nossos dias. Comparativamente, apenas uma pequena porcentagem dessa área tem sido explorada. Também é possível que a terceira legião romana, que ocupou aquela região, tenha obliterado os sinais da anterior presença dos israelitas no local. E a adoração ao imperador, por parte dos romanos, pode ter sido responsável por isso, embora o judaísmo fosse considerado uma religião legítima pelos romanos. No entanto, em situações locais, uma certa aversão dos romanos pela fé judaica poderia tê-los levado a remover todos os sinais físicos da presença dos israelitas. A terceira legião romana esteve em Timna, após a segunda revolta judaica e a destruição da nação de Israel (132 D.C.). Os romanos começaram a explorar o cobre da região, mais ou menos por esse tempo. Entrementes, a décima legião romana ficou estacionada em Jerusalém, onde permaneceu pelo espaço de quase dois séculos.

16. *Nos Tempos Modernos*. Atualmente aquela região está abandonada, sendo visitada somente por turistas e arqueólogos. As ruínas do templo de uma deusa pagã podem ser vistas, como também o que resta dos acampamentos de operários escravos. Inscrições deixadas nas rochas esperam ser decifradas, e desenhos de carruagens, de antigos animais e de soldados egípcios ferem os olhos dos curiosos. Gazelas vivem no fundo do vale, e o veloz e ágil *íbex* habita nas montanhas. Leopardos percorrem as colinas estéreis, procurando algo para comer. Há muitos morcegos, que ocupam as galerias das minas agora abandonadas, e que chegam a ser nada menos de sete mil em número. Porém, a glória de Salomão se foi.

MINDOS

Esse era o nome de uma cidade que havia na orla marítima da Cária, na Ásia Menor, já perto da extremidade da península. Era famosa por suas excelentes minas de prata. Tem sido identificada como a moderna cidade de Gumushli. Mindos é mencionada em I Macabeus 15:23, como o local para onde o senado romano enviou uma carta, procurando ajudar aos judeus, em cerca de 139 A.C. Parece que Mindos era independente da confederação cária.

MINEANOS

Esse povo não é mencionado na Bíblia. Eles eram um povo de origem semita, que habitava, principalmente, no reino de Ma'in, na porção sudoeste da Arábia. Esse reino tinha por centro uma região chamada Jauf, no extremo nordeste do moderno Iêmen, não longe da antiga *Seba*, ao norte (ver sobre *Seba*). Durante algum tempo eles foram importantes, controlando as rotas de caravanas da área e desenvolvendo a sua agricultura com a ajuda da irrigação. Estrabão alista-os como um dos quatro principais povos da *Arábia* (vide), dizendo que o nome da capital deles era *Carna*. As inscrições mineanas exibem esse nome como *qrnw* (pronunciado *Qarnawu*), o local da moderna Ma'in.

A localidade, segundo tudo indica, foi fundada pelos reis de Hadramaute, em cerca de 400 A.C. Sua era áurea foi cerca de 200—75 A.C. Finalmente, a região foi conquistada pelos cabananos (cerca de 50—25 A.C.). Apesar desses povos nunca serem mencionados na Bíblia, fazem parte da história bíblica, como partes constitutivas de outras populações árabes.

MINERAL (AIS)

Ver os artigos separados intitulados *Metais, Metalurgia; Jóias e Pedras Preciosas; Minas, Mineração* e *Minas do Rei Salomão*. Todos os itens do reino mineral que são mencionados na Bíblia são discutidos mediante artigos separados. Um *mineral* é uma substância inorgânica. Há minerais de todas as cores, graus de dureza e de densidade. Os minerais são importantes na história humana, no sentido comercial e em outros sentidos. Os artigos acima aludidos fornecem detalhes sobre essas questões.

MINERVA

Essa palavra portuguesa vem diretamente do latim, *Minerva*, cuja raiz é *men*, «relembrar». Esse era o nome de uma antiga deusa da guilda dos negociantes. Posteriormente, foi identificada com a deusa grega Atena, quando então revestiu-se de um caráter marcial. Virgílio apresentava-a como deusa tanto da guerra quanto dos ofícios manuais.

MINI

Jeremias (51:27) menciona o reino de Mini, juntamente com os de Ararate e Asquenaz. Josefo, por sua vez, fala nos «Minyai de Nicolau de Damasco» (*Anti*. 1:3,8). Eles formavam uma nação que ocupava a área ao sul do lago Urmia, na parte ocidental do Irã. Tiveram alguma proeminência nos séculos IX a VII A.C. As inscrições assírias descrevem-nos como um povo aguerrido. Salmaneser III, da Assíria, conquistou a região em 830 A.C. Em 715 A.C., o rei de Mini resolveu revoltar-se contra o domínio assírio. Deram algum trabalho a Assurbanipal (669—626 A.C.), ao tornarem-se aliados dos medos, e assim foram capazes de vingar-se dos assírios. Eles tinham contingentes entre os exércitos que provocaram a queda de Nínive, em 612 A.C. Mas, depois desse tempo, desapareceram dos registros históricos.

As escavações arqueológicas têm ilustrado a cultura de Mini. Essas escavações têm sido efetuadas em Hasanlu, ao sul do lago Urmia. Os níveis IV e III B correspondem ao de uma cidadela fortificada. Ficou demonstrado que os minianos eram trabalhadores notáveis com metais. Jeremias convocou-os, juntamente com os urartianos e os citas, para guerrearem contra os babilônios.

MINIAMIM

No hebraico, «no lado direito», uma maneira metafórica de dizer «favorecido». Houve dois homens com esse nome, referidos nas páginas da Bíblia:

1. Um levita que estava encarregado da distribuição das oferendas sagradas, nos tempos de Ezequias (II Crô. 31:15). Ele viveu em torno de 715 A.C.

2. Um sacerdote que voltou do cativeiro babilônico em companhia de Zorobabel (Nee. 12:17). Parece que ele foi um dos trombeteiros, por ocasião da consagração das muralhas de Jerusalém, quando estas foram reconstruídas (Nee. 12:41). Ele viveu por volta de 546 A.C.

••• •••

MINIMS (MINIMI)

Essa palavra vem do latim, **minimus**, «menor de todos», «mínimo». Esse é o nome de uma ordem mendicante, fundada por São Francisco de Paula, em 1453. Essa ordem foi modelada segundo o modelo dos frades menores de São Francisco de Assis. Seu propósito era prover retiros, missões e assistência aos pobres e negligenciados. O adjetivo *menor* reflete a idéia de humildade, e o termo *mínimos*, «minimi», é apenas a intensificação da mesma idéia. Aqueles que são os menores entre os homens servem a seus semelhantes, em cujo aspecto encontra-se a grandeza deles. Houve tempo em que essa ordem religiosa estava bem espalhada na Europa e em outros países, mediante missões ao estrangeiro. No presente, a ordem diminuiu muito em números, mas ainda conta com vinte e dois mosteiros. Essa ordem, como outras que lhe são semelhantes, exemplifica um ponto onde os católicos romanos servem de modelo: *atos de caridade*. A propósito, esse é um dos pontos débeis dos evangélicos.

MINISTÉRIO; MINISTRO

Esboço:

I. Terminologia Bíblica
II. Caracterização Geral e Definições
III. Ministério Angelical
IV. Os Ministros do Antigo Testamento
V. Cristo, o Arquétipo dos Ministros
VI. Natureza do Ministério Cristão
VII. Os Dons Espirituais e o Ministério
VIII. Os Ministros como Dons Dados à Igreja
IX. O Ministério Organizado (Eclesiástico)

I. Terminologia Bíblica

Ministério é um termo coletivo que aponta para vários oficiais e autoridades religiosas e civis no contexto bíblico. É palavra usada para traduzir certo número de vocábulos hebraicos e gregos, que também podem denotar ofícios específicos.

Palavras Hebraicas:

1. *Meshareth*, alguém que assessorava pessoas de alta categoria (ver Êxo.24:13; Jos. 1:1; II Reis 4:43); algum cortesão (I Reis 10:4; II Crô. 22:8; Sal. 104:4); os auxiliares dos sacerdotes e levitas (Isa. 61:6; Eze. 44:11; Joel 1:9,13; Esd. 8:17; Nee. 10:36). Essa palavra hebraica, *meshareth* é traduzida na Septuaginta pela palavra grega *leitourgós*, «funcionário público», cujo uso mais freqüente diz respeito ao serviço prestado no templo. Em Sal. 104:4 está em foco o ministério dos anjos. Josué era ministro de Moisés (ver Êxo. 24:13 e Jos. 1:1).

Palavras Gregas:

1. *Diákonos* (*diakonéo*), respectivamente, o substantivo e o verbo. Essa palavra grega apontava para todo tipo de serviço, secular ou religioso. Em Luc. 12:37; 17:8 e João 12:2 temos alusão ao serviço a mesas. Os apóstolos de Cristo, em certo sentido, eram *diákonoi* (ver I Cor. 3:5; I Tim. 1:12). Os magistrados civis também são chamados servos ou ministros de Deus, em Rom. 13:4. Os anjos são espíritos que ministram diante de Deus (Heb. 1:14). Paulo também usou esse termo a fim de apontar para Cristo como ministro (Rom. 15:8). De fato, Jesus servia (ver Luc. 22:27).

A forma verbal dessa palavra tem muitas aplicações no Novo Testamento: o discipulado cristão em geral (João 12:26); todo tipo de serviço e ministração de ordem espiritual (Atos 21:19; I Cor. 16:15; Efé. 4:11; Col. 4:17; II Tim. 1:12). A prédica e o ensino cristãos também são referidos por meio dessa palavra (Atos 6:5). Os dons espirituais são meios usados pelo ministério cristão, embora não somente os ministros do evangelho recebam dons espirituais (Rom. 12:7; I Cor. 12:5). Essa palavra também envolve atos de beneficência aos necessitados (Atos 6:1). A contribuição das igrejas gentílicas aos pobres de Jerusalém é indicada por meio dessa palavra (II Cor. 8:4). Ela também é usada para indicar serviços pessoais (Efé. 6:21). Finalmente, temos o ofício dos *diáconos*, diretamente derivado da palavra grega em questão (Fil. 1:1; I Tim. 3:8,12).

2. *Uperētes* (*uperetéo*). Novamente, o substantivo e o verbo. O uso clássico e original dessa palavra apontava para os remadores do nível mais inferior, nas galeras antigas. Essa palavra grega foi usada para traduzir o termo hebraico *chazen*, que era nome que se dava a um atendente de uma sinagoga. Seu dever era o de abrir e fechar o edifício, apresentar e substituir livros, e ajudar aos sacerdotes ou mestres em tudo quanto fosse necessário. Destaca-se nessa palavra a idéia de assistência pessoal. Ver Luc. 1:12; Atos 26:16. O sub-remador fazia o seu trabalho sob as ordens do capitão do barco. Por igual modo, o subministro serve sob a supervisão de um superior. João Marcos *assistia* a Barnabé e a Paulo, na primeira viagem missionária deles (Atos 13:5). Os assistentes de Jesus ministravam a Palavra de Deus (Luc. 9:2). O trecho de João 18:16 contém essa palavra referindo-se aos seguidores de Jesus que também eram ministros da Palavra. Paulo mantinha essa relação para com o Senhor Jesus Cristo (ver Atos 26:16 e I Cor. 4:1).

3. *Doũlos* (*douleúo*). Uma vez mais, o substantivo e o verbo. O sentido primário dessa palavra era o trabalho feito por um escravo, que cumpria as vontades expressas de seu senhor. Por extensão, também podia indicar um servo (não-escravizado). Os ministros do Senhor Jesus servem à causa do evangelho como «escravos» (ainda que alguns não apreciem a idéia), o que aponta para a absoluta dedicação deles à causa, e também para o fato de que cumprem a vontade do Senhor, e não a própria. Ver Atos 4:29; I Cor. 7:22; Gál. 1:10; Col. 4:12; II Tim. 2:24; Rom. 1:1; Fil. 1:1; Tito 1:1. Ver também Tia. 1:1 e Jud. 1. Paulo trabalhava como um «escravo», tendo em vista o bem espiritual de todos (I Cor. 9:19). Surpreendentemente, por ocasião de sua encarnação, o próprio Cristo submeteu-se a esse estado de humilhação; como homem, serviu como um escravo dentro do drama espiritual. Ver Fil. 2:7.

4. *Leitourgós* (*leitourgéo*). De novo, o substantivo e o verbo. É dessa raiz que nos vem a palavra portuguesa *liturgia*. Essa palavra refere-se a serviços profissionais civis e religiosos. Indicava os funcionários públicos. Na Septuaginta, o trabalho desempenhado pelos sacerdotes é destacado por meio dessa palavra. Nos trechos de Luc. 1:23 e Heb. 9:21, esse uso é transferido para o Novo Testamento. A passagem de Heb. 1:14 contém essa palavra, indicando os anjos de Deus, que são seus ministros e servem aos crentes, em momentos de necessidade de alguma intervenção especial, por serem aqueles herdeiros da salvação. Cristo é o grande Ministro celestial (Heb. 8:2,6). No Novo Testamento, essa palavra recebe uma ampla aplicação, em consonância com a idéia do sacerdócio universal de todos os remidos. Assim, profetas e mestres são *ministros* de Deus (Atos 13:2). O ministério de Paulo é salientado por meio desse vocábulo (Rom. 15:16; Fil. 2:17). O dinheiro coletado pelas igrejas gentílicas, para ser enviado aos santos pobres de Jerusalém, foi um ministério ou serviço (ver Rom. 15:27). As próprias

autoridades civis, em certo sentido, são ministros de Deus (Rom. 13:6).

5. *Latreía* (*latreúo*). Novamente, o substantivo e o verbo. Essa palavra grega, quando contrastada com aquela outra, *douleúo*, indica um serviço realizado em troca de remuneração, ao passo que os escravos trabalhavam sem nada receber. No entanto, qualquer serviço prestado a Deus pode ser aludido por meio desse vocábulo grego. O povo servia a Deus de inúmeras maneiras, e o serviço que prestavam era indicado por meio dessa palavra. A forma verbal aparece no Novo Testamento por vinte e uma vezes, geralmente traduzida por «servir». Ver, por exemplo, Mat. 1:10; Luc. 1:74; 3:27; Atos 7:7; 26:7; Rom. 1:9,25; II Tim. 1:3; Heb. 8:5; 9:14; 12:28; 13:10; Apo. 7:15; 22:3. E a forma nominal ocorre por cinco vezes: João 16:2; Rom. 8:4; 12:1; Heb. 9:1,6.

II. Caracterização Geral e Definições

1. *Definições*. Um ministro, no sentido mais elevado, é o chefe de um departamento governamental, ou alguém comissionado para representar o seu governo, no serviço diplomático. Em sentido secundário, um ministro é alguém que age em situação de subserviência a outrem, e cumpre a sua vontade. No sentido eclesiástico, um ministro é alguém autorizado a pregar a Palavra de Deus, usualmente através de alguma forma de ordenação, e que dirige as atividades religiosas de sua igreja local. Nas páginas do Novo Testamento, certa variedade de serviços é indicada pela palavra geral «ministros», conforme foi abundantemente ilustrado na primeira seção deste artigo, onde foram explicadas as palavras hebraicas e gregas envolvidas.

O ministério do Novo Testamento começa com Cristo, que é o Grande Ministro de Deus. Daí se vai descendo para os ministérios apostólico, profético, evangelístico, pastoral e didático, e ainda mais para os serviços diaconal, litúrgico, prático, de caridade, etc. Todos aqueles que servem são ministros em suas respectivas capacidades. Vários dos ministérios são equipados com dons espirituais, os quais reforçam suas realizações. No sentido eclesiástico, no tempo em que foram escritas as chamadas epístolas pastorais (Tito; I e II Timóteo), havia os bispos ou supervisores, que quase certamente exerciam autoridade sobre uma área, e não meramente sobre uma comunidade isolada. Quase sem dúvida, Timóteo e Tito ocupavam tais funções, por delegação apostólica. Os apóstolos tinham autoridade para inspecionar o trabalho de outros, porquanto, como representantes diretos de Cristo, estavam dotados de poderes especiais que os demais não possuíam. Temos aí os primórdios do governo episcopal na Igreja, que alguns segmentos da cristandade afirmam que deveria continuar entre nós, embora outros segmentos tenham rejeitado tal forma de governo eclesiástico. Na nona seção deste artigo aludo mais detalhadamente à questão.

2. *O Aperfeiçoamento dos Santos*. O trabalho do ministério (envolvendo todos os ofícios e serviços) visa ao «...aperfeiçoamento dos santos... a edificação do corpo de Cristo...» (Efé. 4:12). Isso significa que o ministério cristão está envolvido em uma séria responsabilidade, dentro da causa espiritual.

3. *Multiplicidade de Ofícios*. Os trechos de Efé. 4:11 *ss* e I Cor. 12:28 fornecem-nos uma lista: apóstolos, profetas, evangelistas, pastores, mestres, milagres, curas, socorros, governos, línguas, interpretação de línguas. Aprendemos ali que a origem desses ofícios e suas respectivas operações é divina. O sexto capítulo de Atos narra como teve início o ministério diaconal, um ministério cujas atividades são, principalmente, de natureza prática (física) e caritativa.

Paulo nomeava anciãos — (também chamados bispos e pastores), em todas as igrejas locais (ver Atos 14:23; 20:17-28). Paulo também supervisionava a outros (como apóstolo), conforme se vê nas epístolas pastorais.

Os ministros eram homens dotados tanto de habilidades naturais quanto de habilidades sobrenaturais, conferidas pelo Espírito de Deus. Desse modo, tornavam-se *membros* ativos do corpo de Cristo, cada qual dentro de suas respectivas funções, todas elas necessárias para o bom funcionamento, bem-estar e desenvolvimento do corpo de Cristo (a Igreja), o que redundava na glorificação do Cabeça (Jesus Cristo). Dessa maneira, cada qual contribuía para a continuação do ministério cristão, que tinha propósitos evangelísticos e didáticos.

4. *A Evolução Espiritual e o Elevado Destino dos Remidos*. Ninguém brilha sozinho no corpo de Cristo. Todos evoluímos juntos, formando um organismo espiritual, vivo. Basta que um membro fique espiritualmente enfermo, para que o corpo todo fique enfermo. A prosperidade espiritual de um dos membros é a prosperidade do corpo inteiro. O ministério cristão, pois, contribui para a higidez do corpo místico de Cristo, além de ter como um de seus alvos a adição de outros membros a esse corpo místico. O grande alvo é a participação na natureza de Deus Pai, a natureza divina, manifestada na pessoa de Jesus Cristo (II Ped. 1:4; Rom. 8:29). E isso ocorre mediante o poder transformador do Espírito Santo, que nos vai conduzindo de um estágio de glória para o próximo (II Cor. 3:18). Dessa maneira, os membros do corpo de Cristo haverão de participar na própria plenitude de Deus, com a sua natureza e os atributos divinos (Efé. 3:19).

III. Ministério Angelical

Os anjos que não caíram são ministros de Deus. Eles prestam esse serviço no caso de indivíduos e até de nações inteiras. O trecho de Heb. 1:14 é um texto muito citado em favor da idéia dos anjos guardiães. Oferecemos um artigo bem detalhado sobre os anjos e sob a sua décima primeira seção, ilustramos abundantemente o ministério deles. Ver o artigo intitulado *Anjos*. Neste artigo, damos esta seção separada sobre o ministério dos anjos a fim de chamar a atenção para um assunto que tem sido muito negligenciado pelos intérpretes evangélicos, que temem abusos nessa área. Mas esse legítimo temor não nos deve empurrar na direção da negligência. Pessoalmente creio que alguns de nossos homens mais espirituais devem isso ao fato de que são sensíveis à orientação de seus anjos guias. Por outra parte, os falsos mestres atuam sob o impulso de demônios (ver I Tim. 4:1 *ss*). Também é perfeitamente possível que alguns dons espirituais sejam mediados por meio de anjos. Precisamos de poder espiritual em nosso ministério, e o ministério dos anjos é um aspecto desse poder, embora haja o poder ainda infinitamente maior do Espírito de Deus.

IV. Os Ministros do Antigo Testamento

Representantes de Deus, no Antigo Testamento, como Abraão, Moisés, os profetas, os sacerdotes e os reis, foram Seus ministros. Seus assistentes diretos, como no caso de Josué, que servia a Moisés, eram subministros. O aspecto cúltico do ministério do Antigo Testamento desenvolveu-se na elaborada instituição do tabernáculo e do templo, cujas principais figuras eram o sumo sacerdote e os sacerdotes, assessorados pelos levitas e outros. Ver os artigos separados intitulados *Sacerdotes* e *Levitas*. Os autores neotestamentários aceitaram tudo isso como antecipação e tipo dos ofícios de Cristo, conforme a epístola aos Hebreus explica tão completamente. Na primeira seção deste artigo, damos as palavras hebraicas envolvidas no termo português *ministério* (*ministro*), e onde é ilustrada a variedade de ministérios do Antigo Testamento.

V. Cristo, O Arquétipo dos Ministros

1. Cristo é o **Logos** encarnado (João 1:13; ver o artigo sobre o *Logos*). Ele é o principal representante e ministro de Deus, tendo em mira a redenção dos homens. Ver o que diz Paulo a esse respeito, em Fil. 2:7 *ss*.

2. Na qualidade de Servo sofredor, o Servo de Yahweh (Cristo) tinha o propósito de servir a Deus tendo em vista a redenção humana; e assim veio a tornar-se o arquétipo de todos aqueles que servem ao Senhor. Ver Atos 4:27,30; Isa. 40—66; Zac. 3:8-10. Um anjo revelou a missão redentora ímpar de Jesus Cristo (ver Mat. 1:21).

3. Jesus, como Messias, foi o servo especial de Deus em favor do povo de Israel, com sobras no caso dos povos gentílicos. Ver o artigo separado sobre o *Messias* e os diversos artigos sobre o *Cristo*, de diferentes ângulos. Ver também o artigo intitulado *Messiado de Jesus*.

4. Jesus, como Filho do Homem, apresentou-se como Servo de Deus em benefício dos homens. Ver o artigo separado sobre o *Filho do Homem*.

5. Jesus, como Filho de Deus, mediou o Ser divino diante dos homens, por ser, ele mesmo, o próprio Deus. Ver o artigo chamado *Filho de Deus*.

6. Jesus, como supremo exemplo de serviço sacrificial, deixou a inspiração apropriada para os demais ministros do evangelho (ver Fil. 2:7 *ss*).

7. Jesus é o Supremo Pastor que os demais pastores precisam imitar (I Ped. 2:25). Ver o décimo capítulo do evangelho de João, quanto à atuação pastoral de Cristo, explicada com abundância de detalhes.

8. Jesus é o Bispo dos bispos (o Supervisor dos supervisores) (I Ped. 5:4), cuja volta antecipamos ansiosamente.

9. O ministério de Jesus foi divinamente determinado, desde a fundação do mundo, com o que temos comunhão e do que fazemos parte (João 17:18; 20:21).

10. A grandeza de Jesus Cristo acha-se em seu serviço prestado a outros; e aqueles que quiserem ser grandes, no sentido espiritual, precisam imitá-lo (Mar. 10:43,44). O serviço prestado a outros é tanto uma honra como uma maneira de obter honra.

11. Cristo tem um ministério celeste em favor dos homens (Heb. 7:25; I João 2:2; João 14:1-3).

12. A descida de Cristo ao hades (ver o artigo *Descida de Cristo ao Hades*) acrescentou uma importante dimensão ao seu ministério, garantindo oportunidade universal e a aplicação de sua missão salvatícia na outra dimensão. O *mistério da vontade de Deus* (vide), mencionado em Efé. 1:9,10, mostra-nos que a missão de Cristo tem uma aplicação universal.

VI. Natureza do Ministério Cristão

O que foi dito acima fornece-nos a substância da questão. Abaixo damos um sumário de idéias. O ministério cristão é:

1. A imitação do serviço prestado pelo Servo-Chefe (Fil. 2:7 *ss*; Mar. 10:43,44).

2. A participação, junto com o Filho, no ministério de Deus (João 17).

3. Realizado através de homens que são dons dados à Igreja (Efé. 4:11 *ss*), homens que receberam dons espirituais (I Cor. 12—14; Rom. 12). Comparar com Atos 20:24; Col. 4:17; I Tim. 1:12; I Ped. 4:11.

4. Uma atividade que tem por finalidade a edificação do corpo místico de Cristo, promovendo sua higidez e bem-estar espirituais (Efé. 4:12,13) e a adição de outros membros a esse corpo (Mat. 28:18-20), além de promover os elevados propósitos da participação dos remidos na própria imagem e natureza de Cristo (Rom. 8:29; II Cor. 3:18), e, em conseqüência, a participação na natureza divina e seus atributos (Efé. 3:19; II Ped. 1:4).

5. Muitos ofícios e funções estão envolvidos no ministério da Igreja, cujos variegados aspectos são alistados em II.3 deste artigo.

6. Deveres cerimoniais também estão incluídos no ministério cristão (I Cor. 1:17; implícitos em Rom. 6; Atos 20:7; I Cor. 11:23 *ss*; Mat. 28:19,20). Naturalmente, esse aspecto da questão, importantíssimo em certos segmentos da cristandade, e menos importante em outros, é uma questão envolvida em intensa controvérsia. Ver os artigos *Sacramentos* e *Cerimonialismo*.

7. Cristo dá continuidade ao Seu ministério por meio de seu corpo místico, a Igreja. Isso traduz continuidade, identidade de propósitos. Da mesma forma que o Senhor Jesus atuava por intermédio do Espírito, outro tanto se dá com os membros do seu corpo (João 14:15 *ss*; I Cor. 12:4 *ss*; Efé. 1:22,23; 5:1-16; Mat. 28:18-20).

8. O discipulado cristão, em si mesmo, é um ministério. O cumprimento do propósito de Deus no mundo, em Cristo, nunca é algo meramente humano.

9. Cristo estendeu o seu ministério até o hades, onde também pregou o evangelho (I Ped. 3:18—4:4). Ver o artigo *Descida de Cristo ao Hades*. Vários dos chamados pais da Igreja, como Clemente de Roma e Orígenes, supunham que Cristo conta com representantes humanos, que efetuam um ministério no hades, tal como o seu ministério sobre a terra está sendo levado avante sob a sua direção, por meio de instrumentos humanos. As *experiências perto da morte* (vide) têm demonstrado que um trabalho missionário está sendo desenvolvido nos mundos invisíveis.

VII. Os Dons Espirituais e o Ministério

Quanto a um abundante material acerca dos dons espirituais ver os artigos *Carismata* e *Dons Espirituais*. A obra do ministério cristão é espiritual e divina, e não poderia mesmo ser deixada ao sabor do engenho e do poder humanos. Provavelmente, os dons espirituais ocorrem em vários níveis: capacidades psíquicas e espirituais humanas—usadas em benefício da Igreja; poderes angelicais—que capacitam os homens a fazer coisas que não poderiam fazer desassistidos; o Espírito Santo—que confere aos homens poderes divinos. Em todos os três casos, o trabalho do ministério é empregado de tal modo que os seus resultados ultrapassam daquilo que poderíamos esperar de meras atividades humanas. Alguns estudiosos têm opinado, com base na doutrina da comunhão dos santos, que os espíritos remidos, nos lugares celestes, podem ajudar aos homens neste mundo, o que poderia incluir o uso de dons espirituais. Nesse caso, poderia ser acrescentada uma *quarta* dimensão às possíveis fontes originárias dos dons espirituais. O *Credo dos Apóstolos* menciona a comunhão dos santos, na segunda cláusula do seu nono artigo. Os eruditos católicos romanos dão grande importância a essa questão, tal como a comunhão anglicana, mas os vários grupos evangélicos não têm desenvolvido esse conceito conforme ele merece. Ver o artigo sobre a *Comunhão dos Santos*, quanto a detalhes.

VIII. Os Ministros como Dons Dados à Igreja

Um ministro espiritualmente dotado torna-se, ele mesmo, um dom conferido à Igreja de Cristo. Observemos que nos capítulos doze a catorze de I Coríntios há extensas descrições dos dons espirituais. Mas, em Efé. 4:11 é dito que Cristo, depois da ascensão ao céu, deu à Igreja, que deixara na terra, *homens* como dons, a saber: apóstolos, profetas, evangelistas, pastores e mestres. É dentro desse contexto que achamos uma das melhores declarações do Novo Testamento sobre o propósito desses dons ministeriais: «...com vistas ao aperfeiçoamento dos santos, para o desempenho do seu serviço, para a edificação do corpo de Cristo, até que todos cheguemos à unidade da fé e do pleno conhecimento do Filho de Deus, à perfeita varonilidade, à medida da estatura da plenitude de Cristo» (Efé. 4:12,13).

Os próprios dons espirituais são *necessários* com esse propósito (ver Rom. 12:6-8; I Cor. 12:4-11; 28:31). Esses dons nos são dados com certa *diversidade*, para que o trabalho cristão seja desempenhado a contento (I Cor. 12:4-11). Esses dons são distribuídos de modo *universal*, onde cada membro recebe algum dom (I Cor. 12:7; Rom.12:6-8; Efé. 4:7,16; I Ped. 4:10). Ninguém tem o monopólio do Espírito Santo; mas ninguém é deixado vazio. Os dons espirituais são concedidos visando ao bem da coletividade cristã, e não com propósitos de autoglorificação. Esses dons também são *suficientes* para fazer o corpo místico de Cristo evoluir, levando a realização do Cabeça da Igreja, Cristo, à sua plena fruição (I Cor. 14:3 *ss*; Efé. 4:11,12). Isso posto, um ministro espiritualmente dotado fica bem equipado para cumprir a sua tarefa, e a Igreja inteira deriva disso um benefício, à proporção que homens vão sendo conquistados para Cristo e vão sendo instruídos. Quanto a detalhes, ver o artigo separado intitulado *Dons Espirituais, Homens como*.

IX. O Ministério Organizado (Eclesiástico)

Aqueles que acreditam na forma episcopal de governo eclesiástico são capazes de encontrar textos de prova no Novo Testamento em apoio à sua posição. Aqueles que acreditam na continuação do ministério apostólico, paralelamente a uma forma episcopal de governo, também são capazes de achar versículos em respaldo à sua idéia. Aqueles que crêem em uma democracia representativa como a melhor forma de governo eclesiástico, estão certos de que o Novo Testamento lhes dá razão. Aqueles que acreditam em uma democracia plena e direta como a melhor variedade de governo eclesiástico acham que podem provar seus pontos de vista pelo Novo Testamento. Na verdade, quase qualquer forma de governo eclesiástico, dentro da cristandade organizada, hoje em dia, pode ser alegadamente comprovada com base no Novo Testamento. Damos detalhes sobre a questão no artigo *Governo Eclesiástico*.

MINISTÉRIO DOS ANJOS

Ver o artigo geral sobre Anjos, em suas seções dez e onze onde existe uma análise detalhada.

O livro de Laura Newhouse, *Redescovering the Angels*, descreve a doutrina bíblica dos anjos. No tocante ao quadro sobre os anjos que há no Apocalipse de João—que, naturalmente, reflete a visão dos anjos no judaísmo do período helenista, conforme se vê mediante as obras apócrifas e pseudepígrafas—ela oferece três classificações:

1. Anjos que são como uma nuvem de testemunhas e de servos, diante do trono de Deus: os serafins, os querubins e os tronos.

2. Anjos dotados de virtudes e poderes extraordinários, como seres de avançadíssima ordem. Fazem parte da criação divina, perfazendo sua parte mais elevada, embora em muitos níveis e ordens de poder. Fica implícito um mundo espiritual densamente povoado.

3. Os anjos estão divididos em muitas patentes e ordens, como arcanjos, poderes, principados, etc.

4. Os anjos recebem serviços especializados. Eles devem assemelhar-se aos homens, sendo bem variegadas as suas capacidades inatas, as suas experiências e o seu aprendizado. Talvez Orígenes estivesse com a razão, ao especular que o espírito humano não difere grandemente dos anjos, a não ser naquela extensão em que a queda no pecado reduziu o homem a uma posição bem inferior à dos anjos.

O estudo geral sobre os anjos, mais acima, fornece amplas ilustrações sobre esses conceitos.

Os Anjos e seu Ministério no Pensamento Cristão

A angelologia não foi devidamente desenvolvida no antigo pensamento hebreu. Todavia, a doutrina foi crescendo no Antigo Testamento. Parcialmente através da influência de outras religiões (conforme já disse), durante o período intertestamental, a fé dos hebreus adquiriu uma visão bem complexa dos anjos, grande parcela da qual transparece nos livros pseudepígrafos. O Novo Testamento, por sua vez, não examinou essas crenças de maneira crítica, mas antes, incorporou-as, com algumas adições, sobretudo no caso de narrativas específicas concernentes aos anjos, como a atuação do anjo Gabriel, em seu diálogo com Maria e Isabel; o ministério angelical por ocasião do nascimento e da morte de Jesus; o aparecimento de anjos para cumprirem tarefas específicas, como o livramento de Pedro do cárcere; e inúmeras funções no livro de Apocalipse.

Após o período neotestamentário, a angelologia desenvolveu-se imensamente. Parte disso deveu-se à fértil imaginação dos homens, mas outra parte deveu-se à experiência mística pessoal de cristãos, que entraram em contacto com os poderes angelicais. Algumas facetas desse desenvolvimento podem ser vistas nos pontos abaixo.

1. *Anjos da natureza*, que controlam as tempestades, produzem os terremotos, tranqüilizam as águas turbadas e de modo geral, exercem seu poder sobre o que sucede na natureza física.

2. *Anjos inspiradores*, que iluminam as mentes humanas, solucionam mistérios, dão conselhos pessoais e de modo geral, prestam assistência aos homens.

3. *Anjos que são ministros do amor e do serviço*, como no caso geral dos anjos guardiães, os anjos curadores, os elevados anjos espirituais que inspiram as pessoas a atos de caridade e de amor; anjos cantores, que insuflam qualidades estéticas de elevada ordem nas vidas das pessoas; anjos de nascimentos e mortes, que assistem a ambos os acontecimentos, e que algumas vezes, no tocante à morte, são os agentes que produzem as circunstâncias que matam, por enfermidades ou acidentes.

4. *Anjos masculinos e femininos*, ou, pelo menos, poderes angelicais que *assumem* esses gêneros, com razões específicas.

5. *Seres angelicais de muitas ordens e em vastos números*, que inspiram aos homens por seu grande número e poder.

6. *Anjos que guardam e guiam igrejas* (conforme se vê nos capítulos dois e três do Apocalipse). Isso

amplia a idéia de anjos que guiam indivíduos. Daniel falou sobre anjos que serviam de guardiães e guias de nações inteiras.

7. *Anjos com muitos ofícios e funções*, como de saúde e cura, de profecia, de indústria (ajudam os homens a realizarem seu trabalho), de vida nacional, de progresso, de raças específicas, além de ministérios sobrenaturais distintivos.

8. *Anjos que ajustam e influenciam o pensamento humano*. Da mesma forma que os espíritos malignos influenciam aos ímpios, assim também os anjos bons influenciam aos justos, mediante a transferência de pensamento e mediante a influência mental. A experiência com a verdade é muito mais vasta do que qualquer teoria a respeito.

A influência dos seres angelicais sobre a mente humana pode ser bastante poderosa, embora não se revista de qualquer dos aspectos negativos da *possessão* demoníaca. Antes, é uma influência elevadora, inspiradora, saudável, e ajuda muito definidamente o homem em seu desenvolvimento espiritual, e não meramente em seus conhecimentos teológicos. Mistérios são revelados; conselhos são dados; à vida é conferido um novo e mais vasto horizonte, tanto quanto ao conhecimento como quanto aos propósitos. A ajuda angelical é um dom de Deus. Talvez alguns dos melhores elementos cristãos sejam aqueles que estão mais próximos de seus anjos guardiães. Não obstante, os anjos não são mediadores da salvação. São ministros de Cristo, postos a nosso serviço; e nós precisamos da ajuda deles.

MINITE

No hebraico, **distribuição**. Nome de uma cidade na terra dos amonitas (Juí. 11:33). Era famosa devido à excelência de seu trigo, que era exportado para os mercados de Tiro (ver Eze. 27:17). Eusébio (*Onomastica*, 140) revela-nos que Minite ficava a quatro milhas romanas de Hesbom, às margens da estrada para Filadélfia, embora a sua localização precisa permaneça desconhecida até hoje. Tem sido tentativamente identificada com a Khirbet umm el-Hanfish, a meio caminho entre Hesbom e el-Yadudeh; ou, então, com a Khirbet Kamzeh, a seis quilômetros e meio a nordeste de Hesbom.

MINORIA CRIATIVA

Dentro da filosofia de Arnold Toynbee, a *minoria criativa* é aquele pequeno segmento da sociedade que responde aos desafios que são feitos aos povos, segmento esse que produz modificações. Uma sociedade saudável existe quando a *maioria transmissiva* aceita o esforço da modificação. Uma sociedade enferma, entretanto, existe quando o proletariado não sente qualquer identificação com a estrutura armada pelo governo. Ver o artigo sobre *Arnold Toynbee*, quanto aos detalhes.

MINUCIUS, FELIX MARCUS

Esse homem viveu no fim do século II e no começo do século III D.C. Ele foi o primeiro dos apologistas cristãos a escrever em latim. Usualmente empregou o diálogo como seu modo de expressão. Cícero exerceu influência sobre seu estilo e seu modo de expressão. Sua apologia contém os seguintes elementos: oposição ao politeísmo e outras corrupções da fé popular; ênfase sobre a onipresença de Deus e outras qualidades que transcendem às qualidades dos *deuses* pagãos da época; a unidade do cristianismo com os melhores aspectos da filosofia grega.

Ele via a prefiguração da trindade na idéia filosófica sobre o *Nous*, o *Logos* e o *Pneuma* (Pai, Filho e Espírito Santo, respectivamente). Ele chegou ao extremo de declarar que os verdadeiros cristãos são os mais profundos filósofos, e também que os verdadeiros filósofos, quando aderem à crença na imortalidade da alma e no monoteísmo, são cristãos. Minucius mostrou que a fé cristã é moralmente superior às fés comuns de sua época. De fato, segundo ele, esse é um ponto onde os filósofos são fracos, carentes da revelação cristã plena.

MINÚSCULOS

Esse termo é usado em relação a manuscritos escritos com letras minúsculas (por isso mesmo conhecidos como a, b, c, d, para exemplificar), em contraste com os manuscritos maiúsculos (conhecidos, por isso mesmo, como A, B, C, D, etc.). Estes últimos também são chamados manuscritos *unciais*. Uncial significa «com uma polegada de altura», ou seja, «grande», ao passo que minúsculo significa «pequeno». Essa palavra vem do latim, *minusculus*, diminutivo de *minor*, «menor». Os manuscritos minúsculos também são conhecidos como *cursivos*, ou seja, «fluentes». Esse foi um estilo novo de escrita que, na realidade, acabou desenvolvendo-se na moderna forma manuscrita, em contraste com as letras impressas, onde cada letra aparece separada, sem linhas de ligação. Essas letras *cursivas* também podem ser entendidas como «correntes», onde as letras são escritas unidas umas às outras.

Os manuscritos unciais são os mais antigos. Pelo século IX D.C., porém, começaram a aparecer os manuscritos minúsculos ou cursivos; e, no século seguinte, a maioria dos manuscritos foi escrita desse modo. Ver o artigo geral a respeito dos *Manuscritos*.

MINYAN

No hebraico **contagem**. Esse vocábulo refere-se ao número mínimo de adultos do sexo masculino que eram necessários para a organização de uma sinagoga. Esse número mínimo era de dez.

MIQUÉIAS

No hebraico, «quem é como Yahweh?» No original hebraico seu nome é grafado como uma forma abreviada de Micaías. Na Septuaginta, *Meichaías*. E, visto que no grego o ditongo *ai*, que aparece na forma grega de seu nome, é pronunciado *é*, isso explica como a forma *Miquéias* apareceu em português.

Esboço:

I. Quem Foi Miquéias?
II. O Período de Miquéias
III. Suas Relações com Isaías
IV. Conteúdo e Forma de sua Profecia Escrita

I. Quem Foi Miquéias?

Esse profeta, que foi um dos autores sagrados intitulados Profetas Menores, porque o seu volume não é muito grande, não deve ser confundido com Micaías, filho de Inlá (ver I Reis 22:8). Este último pregou no reino do norte, Israel, na época de Acabe e Josafá, e não foi um dos profetas escritores. Vale dizer, viveu em torno de 890 A.C. Mas o profeta escritor, Miquéias, é de época mais recente, porquanto ele mesmo esclarece que a palavra que recebeu lhe foi dada nos dias de Jotão, Acaz e Ezequias, reis de Israel e de Judá (entre 750 e 700

A.C., aproximadamente). Contudo, também não se sabe muita coisa sobre o profeta Miquéias, o escritor, além daquilo que ele mesmo disse em seu livro. Mas, em relação a certos silêncios que ele faz, os estudiosos têm deduzido certos fatos. Vejamos: a única informação explícita que ele dá sobre si mesmo é que ele era um «morastita», ou seja, ele era natural de Moresete. A isso ele acrescenta, indiretamente, que essa cidade chamava-se Moresete-Gate (ver Miq. 1:1 e 14). E isso porque essa cidade ficava situada, não longe da cidade filistéia de *Gate* (vide). Quanto à localização de Moresete-Gate, Jerônimo e Eusébio informam-nos que ela ficava a leste de Eleuterópolis, não muito distante. Um dos silêncios de Miquéias é que ele não dá o nome de seu pai de onde os eruditos têm concluído que ele pertencia a uma família de condição humilde. Com isso concorda a natureza de sua mensagem, onde, naturalmente, entre várias outras coisas, ele defende os direitos dos campesinos espezinhados, que estavam sendo oprimidos pelos ricos arrogantes. Todavia, insistimos, isso é apenas uma conclusão indireta, e não necessariamente válida.

II. O Período de Miquéias

Os complicados estudos e comparações feitos pelos estudiosos dão a entender que o seu primeiro discurso (ver Miq. 1:1-16) foi proferido durante o tempo do rei Acaz, ao passo que o material que se acha nos capítulos segundo a quinto foi anunciado publicamente nos tempos de Ezequias. Isso posto, esses discursos foram pronunciados após o ano de 722 A.C., mas antes de 701 A.C. Não obstante, é impossível datar com exatidão esses discursos, mesmo porque, posteriormente, eles foram editados em uma coletânea bem alinhavada, talvez pelo próprio Miquéias. Já os capítulos sexto e sétimo de seu livro cronologicamente pertencem aos reinados de Jotão e Acaz.

Esses informes, por sua vez, permitem-nos afirmar que Miquéias foi um contemporâneo mais jovem de Isaías, e que talvez ele tenha profetizado em Judá, talvez até na própria capital, Jerusalém. E isso nos conduz, mui naturalmente, ao nosso próximo ponto, o terceiro, mais abaixo.

As injustiças sociais eram notórias nos dias de Miquéias, razão pela qual já ia surgindo no horizonte profético a ameaça do exílio. E, visto que isso representou uma tendência contínua naquela geração ou naquelas duas ou três gerações sucessivas do povo escolhido, não admira que a mensagem de Isaías se assemelhe tanto à mensagem de Miquéias.

III. Suas Relações com Isaías

Que Miquéias foi contemporâneo mais moço de Isaías, não há que duvidar. Porém, há uma indagação que se impõe: visto que o trecho de Miq. 4:1 *ss* se acha quase *verbatim* em Isa. 2:2 *ss*, a qual dos dois devemos creditar o original, Miquéias ou Isaías? Essa pergunta tem suscitado intensos debates e muita literatura. Após pesados todos os prós e os contras da questão, parece ser melhor concluir o seguinte: em vista do fato de que a profecia sobre o estabelecimento da casa do Senhor no cume dos montes não aparece pela primeira vez nem em Miquéias e nem em Isaías, devemos concluir que ambos pediram por empréstimo o conceito, de algum outro profeta anterior, sem importar se ele tivesse sido um profeta escritor ou não. Todavia, que houve alguma dependência, quanto à forma de expressão, de Miquéias a Isaías, ou de Isaías a Miquéias, também parece claro, porque, em nenhuma outra porção bíblica a idéia é vazada naqueles termos tão similares, conforme se vê naqueles trechos de Miquéias e de Isaías. Porém, exatamente quem dependeu de quem quiçá nunca se consiga deslindar, e nem a questão se reveste de grande importância. O que importa é que, após o exílio ameaçado, os profetas anteviam uma futura restauração do povo de Israel, quando o reino do Senhor for o poder dominante sobre o orbe inteiro!

Entretanto, alguns comentadores resolveram descobrir se Isaías dependeu de Miquéias, ou vice-versa, quanto a essas famosas predições. E, assim sendo, destacam o fato de que a predição, no livro de Miquéias, parece fluir mais naturalmente do que ele diz imediatamente antes, ao passo que, no livro de Isaías, tal discurso parece começar um tanto ou quanto abruptamente, como se esse profeta o tivesse derivado de alguma outra fonte. Mas, os opositores desses comentadores reparam que é possível que Isaías tenha escolhido essa sentença a fim de encabeçar seu grupo maior de declarações proféticas, nos capítulos segundo a quarto de seu livro, como se fosse um título explicativo. Como estamos vendo, os debates a respeito da questão têm levado em conta muita coisa subjetiva, por falta de dados objetivos. E tudo volta à estaca zero: não se sabe se Miquéias é que dependeu de Isaías, ou vice-versa; e nem isso tem qualquer importância real!

IV. Conteúdo e Forma de sua Profecia Escrita

Naturalmente, esse ponto fica melhor definido no artigo sobre o *Livro de Miquéias* (vide), que o leitor poderá examinar. Mas, neste quarto ponto do presente verbete queremos mostrar as diferenças entre o livro de Miquéias e o livro de seu mais famoso contemporâneo, Isaías.

Isaías, que pertencia à família real, tinha livre acesso à corte, entrando em contato pessoal com os monarcas, sobre os quais procurava exercer influência no tocante às suas decisões políticas. Miquéias, entretanto, embora talvez também tivesse exercido o seu ministério profético em Jerusalém, a capital do reino, endereçara as suas profecias ao grande público judeu, dirigindo-se mais aos ricos do que propriamente aos nobres. Por isso mesmo, alguns comentadores têm observado que ele é o Tiago do Antigo Testamento. E isso em mais de um sentido. Não somente Miquéias tomava a defesa dos pobres explorados pelos ricos (ver Tia. 5:1-6), mas também fez insistentes apelos a que o povo tivesse uma autêntica piedade, que não estivesse presa às externalidades do cerimonialismo e, sim, partisse de um coração voltado para a prática do bem (ver Tia. 1:19-27). Esse ataque de Miquéias ao cerimonialismo, que prevalecia em seus dias, pode ser visto, especialmente na seção de seu livro que aparece em 6:6-8. É como se ele estivesse respondendo à pergunta: «No que consistem os deveres religiosos, diante do Senhor? O que ele realmente busca ver em nós?», e, então, tivesse retrucado, citando o oitavo versículo: «Ele te declarou, ó homem, o que é bom; e que é o que o Senhor pede de ti, senão que pratiques a justiça e ames a misericórdia, e andes humildemente com o teu Deus?»

Uma outra distinção que se deve fazer entre Miquéias e Isaías são as descrições a respeito do Messias e seu reinado. Miquéias mostra-se muito compacto nessas descrições, ao passo que Isaías as desdobra com muitos pormenores. A descrição de Miquéias fica em 5:2-5; ao passo que Isaías ocupa muitos capítulos ao falar sobre o Ungido do Senhor.

Isaías fez uso de alguns nomes locativos, fazendo considerações a respeito. Mas Miquéias, em seu sucinto livro, aprecia muito mais esse tipo de jogo de palavras, como é o caso, por exemplo, de Laquis, «a cidade dos cavalos» (ver Miq. 1:13), onde há um jogo de palavras. Acrescente-se a isso que Miquéias apreciava ainda dois outros artifícios literários: o uso de antíteses e o uso de interrupções dramáticas e respostas. Ver, para exemplificar, 2:5-12; 3:1; 6:6-8; 7:14,15.

Finalmente, Miquéias gostava de fazer referências históricas (ver Miq. 1:13-15; 5:5; 6:4,5,6-16; 7:20). E, facilmente, seu estilo tornava-se lírico, conforme se vê no sétimo capítulo, em especial, embora o seu livro, quase inteiro, seja uma composição poética, excetuando-se apenas a introdução (Miq. 1:1), que é prosaica. Incidentalmente, visto que essas características fazem-se notar por todos os capítulos de seu livro, isso serve de poderoso argumento em favor da unidade do livro—Miquéias foi o autor do livro inteiro, em que pese a opinião de alguns comentadores, que pensam que os capítulos quarto e quinto são de duvidosa autoria miqueana.

Através de sua jóia literária, Miquéias deixa transparecer um notável traço de seu caráter: ele conhecia bem a pessoa do Senhor Deus. Miquéias deixou patenteado que Deus odeia a injustiça social, abomina o ritualismo, mas deleita-se em perdoar aos ofensores arrependidos. Isso tudo é destacado mormente nos últimos versículos de seu livro, quando ele indaga: «Quem, ó Deus, é semelhante a ti...?» A julgar pelo seu livro, portanto, podemos deduzir que Miquéias era homem controlado, dotado de grande discernimento espiritual, amante da verdade no íntimo, adversário das meras externalidades religiosas, dono de um coração terno e compreensivo, inclinado ao perdão, mas, acima de tudo, alguém que conhecia, realmente, ao seu Deus, a Fonte originária de todas as coisas. Ver o verbete intitulado *Miquéias, Livro de*.

MIQUÉIAS (LIVRO)

Esboço:

I. Caracterização Geral
II. Unidade do Livro
III. Autoria do Livro
IV. Data do Livro
V. Razão e Propósito do Livro
VI. Condições do Texto do Livro
VII. Problemas Especiais
VIII. Esboço do Conteúdo

I. Caracterização Geral

O nome Miquéias vem de uma palavra hebraica que significa «Quem é como Yahweh?» O nome do autor do livro de Miquéias aparece na Septuaginta como *Michaías*. A Vulgata Latina diz *Michaeas*. Ele foi o autor do livro que figura em sexto lugar na arrumação dos profetas menores, segundo o nosso cânon do Antigo Testamento. No texto do cânon hebraico aparece no «livro dos doze profetas»; e na Septuaginta aparece em terceiro lugar entre esses profetas. O seu livro é mencionado por Ben Siraque (Eclesiástico 48:10), de maneira tal que fica confirmada a sua aceitação, desde tempos antigos, como parte das Sagradas Escrituras do Antigo Testamento.

O profeta Miquéias ministrou durante os reinados de Jotão (742—735 A.C.), Acaz (735—715 A.C.) e Ezequias (715—687 A.C.), ou seja, por cerca de cinqüenta anos. O trecho de Jeremias 26:18 refere-se a isso, quando diz: «Miquéias, o morastita, profetizou nos dias de Ezequias, rei de Judá, e falou a todo o povo de Judá...» Visto que o sexto capítulo de seu livro foi dirigido a «Israel» (ver Miq. 6:2), e, visto que o primeiro capítulo de seu livro alude à queda de Samaria (Miq. 1:5 *ss*), é evidente que sua carreira começou antes de 722 A.C., quando Samaria caiu, pois Miquéias profetizou sobre essa queda bem antes dela ter ocorrido.

A grande potência mundial e a constante ameaça à segurança do povo hebreu, na época de Miquéias, era a Assíria, governada, sucessivamente, por Tiglate-Pileser III (745—727 A.C.), Salmaneser V (727—722 A.C.), Sargão II (722—705 A.C.) e Senaqueribe (705—681 A.C.). Durante a primeira parte da vida de Miquéias teve lugar a guerra siro-efraimita, que teve, como contendores, por um lado, Judá, e, por outro lado, a coligação de Israel (nação do norte) com a Síria. Parte da razão desse conflito foi a recusa de Acaz de juntar-se na aliança ocidental contra Tiglate-Pileser III. Miquéias, pois, acabou sendo testemunha da derrota do reino do norte e da queda de sua capital, Samaria, diante da Assíria, em 722/721 A.C. E o final de seu ministério, provavelmente, ocorreu antes da invasão encabeçada por Senaqueribe (ver II Reis 18:13 *ss*), que cercou Jerusalém, reino do sul, em 701 A.C., um cerco que deu motivos para a construção do túnel de Siloé, por parte do rei Ezequias. De fato, até mesmo isso, e o futuro exílio babilônico, foram preditos por Miquéias, quando ele dissera: «...as suas feridas são incuráveis; o mal chegou até Judá; estendeu-se até à porta do meu povo, até Jerusalém» (Miq. 1:9).

Miquéias vivia na fronteira entre Judá e uma «terra de ninguém», cobiçada pelos filisteus, pelos egípcios e até pelos assírios. Os levantes dos filisteus contra a Assíria, que sucederam no período entre 721 e 711 A.C., estavam em mira. As incursões de Sargão II, naquela área, entre 715 e 711 A.C., talvez estejam em pauta no trecho de Miq. 1:10-16. Acaz conseguia manter uma paz muito precária, pagando tributo aos assírios. Durante o longo reinado de cinqüenta e dois anos de Uzias (terminou em 742 A.C.), e depois, houve um período de prosperidade econômica comparativa, ocasionada em parte pelo fato de que Judá passou a controlar o comércio entre o interior e o porto de Elate, ao sul (cf. II Reis 14:7). Essa prosperidade concentrou riquezas, e seu conseqüente poder, nas mãos de alguns poucos privilegiados, provocando injustiças sociais que o profeta atacou decididamente. Ver, por exemplo, Miq. 2:2: «Cobiçam campos, e os arrebatam, e casas, e as tomam; assim fazem violência a um homem e à sua casa, a uma pessoa e à sua herança».

Muitos estudiosos opinam que as reformas religiosas instituídas pelo rei Ezequias, de Judá, tiveram lugar perto do fim do ministério registrado de Miquéias. Ou, então, essas reformas afetaram somente o cerimonial e o culto, alcançando pouco impacto sobre a vida pessoal e social dos judaítas. Esse é o pano de fundo do livro de Miquéias.

II. Unidade do Livro

Por muitos séculos, o livro de Miquéias foi considerado uma unidade literária. Um dos primeiros eruditos a pôr em dúvida essa unidade foi Stade, que entre 1881 e 1884, afirmou que tudo quanto aparece depois do terceiro capítulo do livro não foi escrito pelo profeta Miquéias. Atualmente, a maioria dos especialistas pensa que os capítulos quarto a sétimo do livro consistem em duas ou mais coleções de miscelâneas, adicionadas como suplementos ao livro original de Miquéias, talvez depois do exílio babilônico. Também há eruditos modernos que pensam que até mesmo porções desses últimos quatro capítulos do livro contêm elementos pertencentes legitimamente a Miquéias, embora discordem quanto às porções e às proporções exatas. Mas a falta de concordância entre os críticos faz com que a questão permaneça em aberto, no tocante às conclusões deles.

Por outra parte, há argumentos substanciais em prol da unidade do livro de Miquéias. Esses argumentos são em número de seis, a saber:

1. Três oráculos separados são iniciados, nesse livro, pela palavra «ouvi» (ver 1:2; 3:1 e 6:1), indicando um único escritor.

2. As mudanças de assunto (que os críticos tomam como indicações de uma autoria composta) podem ser explicadas com base no fato de que o livro é uma coletânea de oráculos fragmentares de um único profeta, e não registros de extensos discursos.

3. O mesmo simbolismo do «pastor» acha-se espalhado pelo livro inteiro, segundo se vê em 2:12; 3:2,3; 4:6; 5:3 *ss* e 7:14.

4. O artifício literário da «interrupção e resposta» encontra-se em cada uma das seções do livro (2:5,12; 3:1; 6:6-8 e 7:14,15).

5. Por todo o livro há freqüentes alusões ou referências históricas, demonstrando uma única mão escritora.

6. Pelo menos vinte e quatro passagens extraídas de outros profetas do século VIII A.C. — Oséias, Amós e Isaías, além de duas passagens em Joel, que, talvez, também tenha escrito no século VIII A.C. — encontram paralelos nos capítulos quarto a sétimo de Miquéias, o que argumenta que o livro inteiro foi escrito naquele século.

Outrossim, os argumentos contrários à unidade do livro de Miquéias, com base no fato de que a linguagem de Isaías 40—66 se assemelha à linguagem de Miquéias 4—7, são duvidosos, porquanto dependem da data em que foram escritos os capítulos quarenta a sessenta e seis de Isaías. Ver sobre a questão do *Deutero-Isaías*, um autor desconhecido, que teria escrito esses capítulos finais do livro de Isaías, e não o profeta desse nome.

III. Autoria do Livro

O profeta Miquéias era nativo de Moresete (em nossa versão portuguesa, «morastita» 1:1, um local talvez idêntico a Moreste-Gate — uma dependência de Gate; — cf. a Septuaginta, *Kleronomías Gèth*, 1:14). Alguns estudiosos têm identificado esse lugar com o antigo nome locativo no grego, Marissa. O local fica na área em redor de Beit Jibrin, cerca de quarenta quilômetros a sudoeste de Jerusalém. Jerônimo a localizava imediatamente a leste de Jibrim; mas outros a têm localizado em Tell el-Judeideh, ou em Tell el-Menshiyeh, cerca de dez quilômetros e meio a oeste de Beit Jibrin. Moresete é mencionada por nome em Jos. 15:44; II Crô. 11:8; 14:9,10 e 20:37. Sua localização geográfica fazia da cidade um posto avançado de fronteira, de onde era possível observar facilmente quaisquer movimentos militares na região. Os assírios passaram por ali nos anos de 734, 711 e 701 A.C., e se defrontaram com os egípcios em Rafia, em 719 A.C., nas proximidades. Portanto, o ponto de vista de Miquéias não era o de um homem isolado e distante, mas antes, de alguém vitalmente interessado pelos negócios estrangeiros de sua nação. Como nativo da Shephelah (vide), que ele era, Miquéias sentia profundamente as desgraças do povo pobre do interior de sua nação ameaçada.

Miquéias foi homem corajoso, dotado de fortes convicções e de uma rara fé pessoal. Alguém sumariou muito bem o caráter e as atitudes dele ao escrever que as características de Miquéias eram uma moralidade estrita, uma inflexível devoção à justiça, tanto na lei quanto nas ações práticas, e grande simpatia para com os pobres. O que mais perturbava o profeta Miquéias eram as injustiças sociais prevalentes em seus dias. Tais injustiças, segundo ele ensinou claramente, só poderiam ser apagadas mediante o reavivamento religioso. Para Miquéias, entretanto, isso só ocorrerá, para valer, por ocasião da restauração futura do povo de Israel, por obra e graça do Messias. Essa é a mensagem central dos capítulos quarto a sétimo do livro. Serve de exemplo disso o trecho de Miq. 4:6: «Naquele dia, diz o Senhor, congregarei os que coxeiam, e recolherei os que foram expulsos e os que eu afligira». Isso posto, se os israelitas não se voltassem de todo o coração para o Senhor, Deus haveria de visitar a nação com açoites (os exílios assírio e babilônico). Porém, a esperança final é acenada ao povo de Deus, mediante a vinda do Messias a este mundo, em Belém: «E tu, Belém Efrata, pequena demais para figurar como grupo de milhares de Judá, de ti me sairá o que há de reinar em Israel, e cujas origens são desde os tempos antigos, desde os dias da eternidade» (Miq. 5:2).

IV. Data do Livro

Os estudiosos discordam quanto às datas exatas do começo e do fim do ministério de Miquéias. Lê-se, em Miq. 1:1, que ele profetizou «nos dias de Jotão, Acaz e Ezequias, reis de Judá». Além dessa informação inicial, que alguns eruditos pensam que foi uma adição feita por algum editor pós-exílico, todas as evidências cronológicas são escassas e apenas inferenciais. O conteúdo do sexto capítulo do livro parece indicar uma data antes de 722 A.C. para aquele oráculo. A citação de Jeremias do terceiro capítulo de Miquéias (ver Jer. 26:18,19), parece datar essa seção durante o reinado de Ezequias, rei de Judá. A descrição, feita por Miquéias, sobre a corrupção prevalente e a imoralidade, ajusta-se às condições que havia durante o reinado de Acaz (735—715 A.C.). Parece provável que a maior parte de seus oráculos proféticos registrados foi proferida durante o período de 727—710 A.C.

A menos que as reformas encabeçadas por Ezequias tivessem deixado as condições sociais sem qualquer modificação, o ministério de Miquéias deve ser situado antes desse reavivamento. Miquéias pregou tanto contra o reino do norte como contra o reino do sul, embora enfeixasse a atenção principalmente sobre o reino do sul, Judá.

V. Razão e Propósito do Livro

Procedente das classes mais pobres, Miquéias tinha plena consciência das injustiças praticadas pelos ricos e da avareza dos mesmos. Apesar dele estar vivamente interessado nas condições políticas da nação, Miquéias só fez comentários a esse respeito naquilo em que essas condições estavam vinculadas à situação moral e religiosa do povo. Sua mensagem pode ser sumariada com as suas próprias palavras: «Eu, porém, estou cheio do poder do Espírito do Senhor, cheio de juízo e de força, para declarar a Jacó a sua transgressão e a Israel o seu pecado» (Miq. 3:8). Foi em razão dos pecados de seu povo que Deus estava enviando os assírios como látego castigador. Todavia, o castigo divino haveria de ser seguido por um período futuro de bênçãos sem paralelo, ligadas à vinda do Messias. Para Miquéias, pois, a fé em Yahweh deve resultar em justiça social e em santidade pessoal, porquanto Yahweh é justo e soberano. Exemplos evidentes de falta de fé na proteção de Yahweh, por parte dos monarcas do povo de Deus—também evidenciada essa incredulidade por parte do povo comum — foram a recusa de Acaz de pedir um sinal (Isa. 7:12) e o pagamento de tributo que Ezequias teve de pagar aos assírios (II Reis 18:14-16). Miquéias, portanto, foi o porta-voz do queixume de Deus contra o seu povo (ver o sexto capítulo), tendo anunciado um vindouro e certo castigo divino. No entanto, a misericórdia de Deus haverá de prevalecer finalmente, conforme anuncia Miquéias no sétimo capítulo do seu livro.

VI. Condições do Texto do Livro

O texto hebraico do livro de Miquéias parece ter sido bastante bem preservado até nós, conforme se vê mediante a comparação com o texto da Septuaginta. As várias versões antigas (sobretudo a Septuaginta) são de grande ajuda na correção do texto massorético, quanto aos sinais vocálicos. Ver o artigo sobre o *Texto Massorético*.

VII. Problemas Especiais

No estudo do livro de Miquéias, destacam-se três problemas especiais, que exigem cuidadosa abordagem:

O primeiro é que, em vista de uma abrupta transição, vários eruditos pensam que o trecho de Miq. 2:12,13 está fora de lugar, ou, pelo menos, trata-se de uma interpolação. Essas palavras dizem: «Certamente te ajuntarei todo, ó Jacó; certamente congregarei o restante de Israel; pô-los-ei todos juntos, como ovelhas no aprisco, como rebanho no meio do seu pasto; farão grande ruído por causa da multidão dos homens. Subirá diante deles o que abre caminho; eles romperão, entrarão pela porta e sairão por ela; e o seu Rei irá adiante deles, e o Senhor à sua frente». Há cinco explicações possíveis, a saber:

a. Essas seriam palavras dos falsos profetas, que tentavam insuflar esperança no povo (Ibn Ezra, Michaelis), ou, então, uma nota marginal feita por Miquéias ou por alguém que dizia qual o ensino dos falsos profetas (Ewald); ou mesmo as palavras de um falso profeta que interrompera Miquéias (Van Orelli). O ponto de fraqueza dessa interpretação é que seria, realmente, extraordinário, se um falso profeta admitisse a realidade do exílio futuro—pois os falsos profetas sempre anunciavam falsas esperanças, dando a entender que nunca a nação de Israel ou a nação de Judá seriam arrancadas de sua Terra Santa!

b. Essa passagem seria uma composição posterior, pós-exílica (Smith, no ICC). Portanto, ela não seria uma predição e, sim, uma narrativa, embora vazada em forma de predição.

c. A passagem dá prosseguimento à ameaça de Miq. 2:10, ou seja, Jacó seria reunido para ser castigado (Kimchi, Efraim Siro, Theodoreto, Calvino, Van Hoonaker).

d. A passagem é genuína e pertence ao contexto.

e. A passagem é genuína mas está deslocada de seu verdadeiro lugar (Van Ryssel, Koenig, Driver).

Talvez a explicação mais segura seja aquela que diz que se trata de uma interrupção, feita pelo Espírito de Deus, que quebrou o fluxo das ameaças (que certamente se cumpririam), em um arroubo de misericórdia e graça (mostrando o que certamente ocorreria no futuro, após o castigo haver sido descarregado sobre o rebelde povo de Israel e Judá). Não aceitamos a explicação que diz que esse trecho representa a citação que Miquéias teria feito de um falso profeta, que teria falado sobre o remanescente deixado pelos assírios, depois de 722 A.C. Por que motivo se poria na boca de um falso profeta uma predição que certamente terá cumprimento, e que encontra reflexo em tantas outras passagens do Antigo Testamento. Ver, por exemplo, Isa. 1:26; 11:12; 60:10; Eze. 20:40; 36:8. Zac. 1:17; 10:6; 14:11; Mal. 3:4. Ver também o artigo intitulado *Restauração de Israel*.

O segundo problema do texto do livro de Miquéias envolve o relacionamento entre o oráculo de Miq. 4:1-3 e a passagem idêntica, em Isa. 2:2-4. Quase todos os intérpretes mais antigos opinavam que Miquéias tomou por empréstimo, de Isaías, esses três versículos de seu livro. A explicação é que há diferenças suficientes, dentro do contexto e na extensão dos oráculos de Isaías e de Miquéias, que nos capacitam a argumentar que ambos os profetas fizeram uso de algum oráculo «já existente», emitido por algum profeta anterior. Deve-se observar que, no livro de Miquéias, esse oráculo ajusta-se ainda melhor ao contexto do que ao livro de Isaías. Não há nenhuma dificuldade em harmonizar esse trecho de Miquéias com outros livros e passagens do Antigo Testamento. Assim Miq. 4:3 pode ser cotejado com Joel 3:10, onde o leitor verá perfeita consonância de idéias, como se elas formassem um tesouro comum dos profetas do século VIII A.C.

O terceiro problema do livro de Miquéias consiste na ocorrência da palavra «Babilônia», em Miq. 4:10. Essa passagem diz: «...agora sairás da cidade e habitarás no campo, e virás até Babilônia; ali, porém, serás libertada; ali te remirá o Senhor da mão dos teus inimigos». Essa passagem, entretanto, só constitui problema para aqueles que negam o elemento preditivo nas profecias bíblicas. Esses pensam que a menção à Babilônia indica que algum editor posterior é o autor dessas palavras (após 605 A.C., quando o poder de Nabucodonosor tornara-se evidente). Ainda outros pensam que «Babilônia» deveria ser entendida, aqui, como uma alusão à Assíria. Explicações dessa natureza alicerçam-se sobre a incredulidade, como se o Espírito de Deus não pudesse referir-se a acontecimentos futuros, dando até o nome de países e de indivíduos nessas predições. Ver a menção a *Ciro*, em Isa. 44:28 e 45:1.

VIII. Esboço do Conteúdo

A maioria dos estudiosos divide o livro de Miquéias em três seções principais, a saber:

1. Julgamentos de Yahweh contra Israel e Judá (caps. 1—3).
2. Visão de um futuro glorioso (caps. 4 e 5).
3. Controvérsia de Yahweh com seu povo e promessa de bênçãos futuras (caps. 6 e 7).

Essa é uma divisão do livro da maneira mais simples, sem entrar em detalhes. Se preferirmos um esboço do conteúdo mais pormenorizado, poderíamos pensar em algo como damos abaixo:

1. Juízo vindouro contra Israel e Judá (1:1-16)
2. Israel será restaurado, depois de ser castigado (2:1-13)
3. Denúncias contra os príncipes e os falsos profetas (3:1-12)
4. A paz e a glória vindouras de Jerusalém (4:1-13)
5. Sofrimentos de Sião e sua restauração (5:1-15)
6. Contraste entre a religião profética e a religião popular (6:1-16)
7. Corrupção social; declaração final de fé em Deus (7:1-20).

Observações sobre o Conteúdo:

No seu livro, Miquéias destaca os nobres (no hebraico, *roshim*), os governantes civis (3:1—4) e os falsos profetas (3:5-7) como alvos de suas denúncias. Ele se preocupava tanto com Samaria (capital de Israel, nação do norte) quanto com Jerusalém (capital de Judá, nação do sul), onde os poderes estavam concentrados e de cujos centros fluía a injustiça para o resto dessas duas nações. Entre os pecados por ele denunciados, podemos salientar os seguintes: a idolatria, que haveria de ser destruída (1:1-7; cf. II Reis 16:10-19). A cobiça dos nobres, que se iam apossando dos campos dos pobres (2:2). A desconsideração para com os direitos de herança (2:4,5; cf. Lev. 25:8 *ss*, Núm. 27:11; Deu. 27:17). Até mesmo visitantes estrangeiros eram assaltados e roubados (2:8). As viúvas acabavam perdendo suas residências (2:9; ver Êxo. 22:22; Deu. 27:19; Isa. 1:17). Porém, o pior de todos os pecados denunciado por Miquéias era a prática dos sacrifícios humanos (6:7; cf. II Reis 16:3,4). Esse era um pecado que se chegou a praticar nos dias do rei Acaz, como também nos dias de Manassés, cuja subida ao trono provavelmente se verificou após o falecimento de Miquéias.

Uma das grandes características do conteúdo do livro de Miquéias é a longa passagem de 1:10-16, repleta de nomes próprios locativos. Esses nomes são muito sugestivos. Assim, Gate = cômoro; Ofra = casa de poeira; Safir = agradável; Zaanã = sair; Marote = amargo; Laquis = parelha; Aczibe = enganadora; Maressa = conquistadora. O leitor observará, na leitura desse trecho, acompanhando o sentido desses nomes próprios, que o trecho mostra que todas as expectativas de seus habitantes não se cumpririam, mas, antes, receberiam o contrário de suas melhores esperanças. Assim, enquanto os falsos profetas enchiam a cabeça dos israelitas e judaítas de esperanças vãs, Miquéias mostrou-lhes que essas esperanças não tinham razão de ser, porquanto Deus estava irado com o seu povo!

A pregação de Amós, Oséias e Isaías nos é sumariada naquela famosa declaração de Miquéias 6:8: «Ele te declarou, ó homem, o que é bom; e que é o que o Senhor pede de ti, senão que pratiques a justiça e ames a misericórdia, e andes humildemente com o teu Deus?» Se Amós era o profeta da justiça (Amós 5:24), e Oséias falava sobre a infalível misericórdia de Deus (Osé. 6:6), ao passo que Isaías invocava o povo judeu a viver cultivando a comunhão com Yahweh (Isa. 6:5), Miquéias, por sua vez, conclamava todo o povo de Israel a todos esses três deveres.

Talvez, o mais extraordinário exemplo do chamado oráculo de demanda judicial, em toda a Bíblia, encontre-se em Miq. 6:1-8. Esse tipo de oráculo, conforme vários comentadores têm observado, alicerçava-se sobre o padrão dos acordos humanos formais. Nesses acordos, os céus e a terra são invocados como testemunhas, segundo se verifica em Deu. 32:1,5; Sal. 50:4; Isa. 1:2; Eze. 6:2,3. Esse trecho de Miquéias, pois, começa como um desses pactos. O profeta invoca os montes e os outeiros, bem como os «duráveis fundamentos da terra», como testemunhas da controvérsia do Senhor «com o seu povo». Essa contenda surgira porque o povo, em sua ignorância da vontade e das exigências do Senhor, preferia multiplicar os holocaustos, concentrar toda a sua atenção no cerimonial, e chegava até a apelar para o culto pagão como modelo, quando praticava sacrifícios humanos. Tudo isso sem perceber que o que Deus requer é a autenticidade e a santidade no íntimo, com o tempero da justiça, da misericórdia e da humildade, conforme vimos no parágrafo anterior. Aliás, essa é a grande lição que a humanidade inteira só aprende com imensa dificuldade, e que muitos nunca chegam a aprender. Haja vista a cristandade, cujos segmentos mais numerosos estão perdidos no atoleiro do cerimonialismo, sem jamais buscarem por aquela justiça e demais qualidades interiores, conferidas graciosamente por Deus aos arrependidos, que torna o homem aceitável diante dos olhos de Deus. Todo pregador do evangelho que se preza, pois, calcará sobre essa questão em sua pregação. Sim, «...o que o Senhor pede de ti...», ó homem?

Entre as passagens preditivas de Miquéias destacam-se os trechos de 1:3-5 e 3:12, ambos prevêem a destruição de Jerusalém; e também 4:10, que promete que Deus haveria de resgatar o seu povo, quando estivesse exilado na Babilônia. Quanto a essa última passagem, não nos devemos esquecer do profundo sentido do vocábulo «Sião», dentro dos contextos de restauração. Em passagens assim, Sião é mais que Jerusalém, é mais que a nação de Israel—é o povo remido escatológico, composto por judeus e gentios penitentes, igualmente. Está em pauta, nessa passagem, o nascimento da nova humanidade, moldada à imagem de Cristo. Isso fica claramente anunciado nas primeiras palavras desse versículo: «Sofre dores e esforça-te, ó filha de Sião, como a que está para dar à luz...» Com isso devemos comparar o que ensinou o apóstolo dos gentios, no Novo Testamento: «Porque é necessário que este corpo corruptível se revista da incorruptibilidade, e que o corpo mortal se revista da imortalidade... então se cumprirá a palavra que está escrita: Tragada foi a morte pela vitória» (I Cor. 15:53 e 55). Naturalmente, a aplicação primária da predição é ao exílio babilônico que Judá estava prestes a sofrer; mas o profeta olhou também para um cumprimento maior e mais distante, quando, na infinita misericórdia de Deus, dentro do contexto da restauração de Israel, o Senhor houver de dar-nos a vitória definitiva! «Porque, se o fato de terem sido eles (os judeus) rejeitados trouxe reconciliação ao mundo, que será o seu restabelecimento (restauração), senão vida dentre os mortos?» (Rom. 11:15).

Resta-nos uma palavra sobre Miq. 5:2. É que alguns estudiosos têm opinado que a menção a Belém deveria, talvez, ser interpretada como uma alusão à dinastia davídica, e não à cidade de Belém, como uma localidade. No entanto, o cumprimento dessa notável predição (ver Mat. 2:4 *ss*) não envolveu a dinastia de Davi, antes, o que estava em foco era o *local* do nascimento do Rei dos judeus! Portanto, deve-se interpretar literalmente a menção a Belém da Judéia, «Belém Efrata», conforme disse Miquéias.

MIRA

No grego, **Mura**, cujo significado é incerto, embora pareça estar associado à palavra que significa «ungüento». Mira era uma cidade da Lícia, na Ásia Menor. Ficava cerca de dezenove quilômetros da beira-mar, em um trecho que constituía uma subida, ao pé da qual havia um rio navegável com um excelente porto. Posteriormente, os turcos deram ao lugar o nome de *Dembre*.

Em sua viagem final a Roma (conforme os registros do livro de Atos), Paulo foi transferido do navio que o trouxera da Cilícia para o navio que vinha de Alexandria, o que sucedeu em Mira. Ver Atos 27:5.

Visto que Mira era uma cidade importante, é surpreendente que se saiba tão pouco acerca de sua história. Em 88 A.C., Ptolomeu IX, do Egito, ao fugir de seu exército em revolta, refugiou-se em Mira. Em 42 A.C., quando Roma entrou em um breve período caótico, após o assassinato de Júlio César, Mira foi atacada e tomada por Bruto. Em 141 D.C., um terremoto causou grandes estragos na cidade, mas foi depois reconstruída, graças a esforços de seus residentes mais abastados. Daí por diante, praticamente nada mais se sabe sobre a história dessa cidade.

Sua descrição como «a melhor e mais fulgurante» cidade da Lícia tem podido ser confirmada pela arqueologia, que tem desenterrado ali muitos edifícios públicos, incluindo ginásio esportivo, teatro, banhos públicos, um *stoá* ou colunata coberta, templos, e, pertencentes à era cristã, vários templos. Muitos de seus habitantes também tornaram-se cidadãos honorários de outras cidades, o que era um costume helenista.

MIRIÃ

No hebraico, «obstinação», «rebeldia». Nome de duas personagens bíblicas, e, naturalmente, o nome próprio por detrás do comuníssimo nome *Maria*. No Novo Testamento, oito mulheres são chamadas pelo nome de Maria, o que nos autoriza a dizer que, nos dias do Novo Testamento, esse nome se tornara muito popular.

1. A irmã de Moisés e Aarão, filha de Anrão e Joquebede.

a. *Primeira Menção*. Ver Êxo. 15:20,21. Ela liderou o coro de mulheres do Cântico de Moisés, por ocasião da travessia do mar Vermelho, após o êxodo. Essa é a primeira vez em que é chamada por nome; mas, em Êxo. 2:3 *ss*, ela é descrita a vigiar a arca que sua mãe preparara para o bebê Moisés. Isso foi feito a fim de salvar a vida do menino, visto que o Faraó ordenara que todos os recém-nascidos do sexo masculino, entre os hebreus, fossem mortos, pois temia que a multiplicação dos hebreus fosse prejudicial ao Egito, posteriormente.

b. *Dom Profético*. Ela foi a primeira pessoa, da família de Moisés, acerca de quem é dito que possuía o dom de profecia. Ela é chamada de *profetisa* em Êxo. 15:20,21.

c. *Rebeldia de Miriã*. Tanto Aarão quando Miriã tiveram ciúmes do supremo poder de Moisés, mas foi Miriã quem teve a coragem de vir a público. De fato, ela instigou uma franca rebelião contra Moisés. Ela se opôs a Moisés, em Hazerote, porque ele tomara para si uma esposa da raça de Cuxe (Núm. 12:1). Porém, a oposição envolvia mais do que isso, e a inveja também atuava (Núm. 12:2). Yahweh vindicou Moisés (ver Núm. 12:4 *ss*), e Miriã foi punida, ficando leprosa.

d. *Cura de Miriã*. Aarão não se conformava em deixar a questão nesse pé, pelo que intercedeu vigorosamente diante do Senhor, a fim de que ela fosse curada da lepra (ver Núm. 12:11,12), rogo esse que lhe foi concedido. Apesar disso, Miriã foi compelida a permanecer fora do acampamento de Israel por sete dias, após ter sido purificada da lepra, a fim de que tivesse tempo para considerar o que lhe sucedera, e tivesse melhores atitudes dali por diante.

e. *Uma Lição Objetiva*. Esse acontecimento proveu uma lição objetiva para o povo de Israel, no tocante à autoridade de Moisés. Naturalmente, a ocorrência envolve ainda uma outra importante lição. Pois, embora Miriã tivesse errado gravemente, ela também foi alvo de significativa graça. Onde ficaríamos, todos nós, sem a graça de Deus? Moisés, em outra oportunidade, lembrou o castigo imposto a Miriã, diante dos ouvidos de todo o povo, não muito antes de sua própria morte; e isso nos permite perceber que o ocorrido serviu para ilustrar uma lição durante longo tempo. Ver Deu. 24:9.

f. Apesar desse problema e dos erros que cometeu, muito tempo depois ela era lembrada como uma das grandes líderes de Israel, durante o tempo do êxodo e subseqüentes vagueações pelo deserto (ver Miq. 6:4).

g. *Morte de Miriã*. Miriã faleceu perto do fim das vagueações de Israel, em Cades, e foi sepultada ali (ver Núm. 20:1). Isso sucedeu em cerca de 1401 A.C. Nos dias de Jerônimo, o túmulo de Miriã era mostrado perto de Petra, embora ninguém sabia se o local era autêntico. Josefo informa-nos que ela era casada com Hur, pelo que foi a avó do arquiteto e artífice Bezeleel. Ver *Anti*. 3:2.

h. *De Miriã a Maria*. Na Septuaginta, o nome dela é grafado como *Mariam*, de onde veio a tornar-se *Maria*, no grego, e daí tornou-se um popularíssimo nome feminino, em muitos idiomas.

2. Uma descendente de Judá, através de Calebe, também era chamada por esse nome. Ver I Crô. 4:16. O texto não deixa claro, porém, se a pessoa em foco era do sexo masculino ou do sexo feminino, e seus pais não são mencionados. Unger opina estar em foco o primeiro dos filhos de Merede, da família de Calebe, por meio de Bitia, filha do Faraó. A Revised Standard Version, em inglês, altera o versículo em foco, tomando a última metade do versículo dezoito e inserindo-a antes da última metade do versículo dezessete, dando assim a entender que Merede e Bitia foram os pais de Miriã, bem como de duas outras pessoas mencionadas. Alguns estudiosos interpretam o versículo dezessete como se desse a entender que Miriã era um dos filhos de Esdras. Parece não haver como deslindar esses informes a ponto de termos certeza sobre como se deve interpretar a questão.

MIRMA

No hebraico, «engano», «logro». Nome do último dos sete filhos de Saaraim e Hodes. Ele era benjamita, e nasceu em Moabe, em cerca de 1440 A.C. Ver I Crô. 8:10.

MIRRA

1. *Descrição Geral*

A *mirra* é uma pequena árvore, um arbusto espinhento. — Ela produz pequenos frutos, semelhante à ameixa. A goma, que era o produto cobiçado dessa planta, exsudava naturalmente de seus ramos. Também, qualquer incisão artificial, feita na planta, produz um ponto de emissão da goma. A sua seiva é oleosa, mas, ao gotejar em algum receptáculo que a recolha, solidifica-se. O óleo de mirra era usado como um cosmético. Ver Est. 2:12. Lê-se, em Apo. 18:11, que os negociantes do futuro haverão de lamentar pela perda da mirra, como um dos produtos que se perderam na destruição da cidade de Babilônia—Roma—o que nos mostra que até o fim a mirra será um dos artigos do comércio.

2. *A Substância*

A mirra é uma exsudação de certas plantas arbustivas, como a *Commiphora myrra* e a *commiphora kataf*, que são encontradas na Arábia, em certas regiões da África, e em outros lugares. A mirra era usada como perfume, para untar (ver Eze. 30:32,33), além de ser empregada como ungüento, por ocasião dos sepultamentos. Ver João 19:39.

3. *No Antigo Testamento*

A palavra hebraica correspondente é *mor*, que ocorre por doze vezes no Antigo Testamento: Êxo. 30:23; Est. 2:12; Sal. 45:8; Prov. 7:17; Can. 1:13; 3:6; 5:6,14; 5:1,5,13. Além disso, nossa versão portuguesa traduz também como «mirra», mas equivocadamente, uma outra palavra hebraica, *lot*, que já se refere ao ládano, uma goma-resina extraída, principalmente, do xisto de Creta. Ver Gên. 37:25 e 43:11. A mirra era usada, no Antigo Testamento, principalmente na perfumaria. Era um dos ingredientes usados no óleo santo das unções (Êxo. 30:23).

4. *No Novo Testamento*

A mirra foi um dos presentes que os *magos* (vide) trouxeram ao menino Jesus (ver Mat. 2:11). Aí já temos a palavra grega *smúrna*, que também figura em João 19:39, por ocasião da preparação do corpo de Jesus para o seu sepultamento. Os presentes trazidos pelos magos foram ouro, incenso e mirra. Alguns intérpretes têm procurado encontrar um símbolo para cada um desses materiais: o ouro representaria o caráter real de Jesus; o incenso falaria de seu ofício sumo sacerdotal; e a mirra serviria de emblema de seus sofrimentos e de sua morte. Ainda outras significações simbólicas têm sido emprestadas a esses itens, ainda que o mais certo é que fossem apenas artigos dispendiosos, próprios para serem oferecidos a Quem foi chamado de «o Rei dos judeus» (Mat. 2:2), mas destituídos de qualquer significado simbólico. Seja como for, a mirra foi um dos ingredientes usados por ocasião da unção de Jesus, segundo o relato de João 11:2. Estando ele crucificado, foi-lhe oferecida uma mistura de vinho com mirra, pelo menos de acordo com certas traduções (o grego original diz *cholé*, «fel», conforme também se vê em nossa versão portuguesa; Mat. 27:34). — Essa mistura tinha o propósito de amortecer as dores excruciantes, pois emprestava uma espécie de torpor. Mas Jesus não quis sorver a mistura. Finalmente, a mirra foi usada por ocasião da preparação do corpo de Jesus para o sepultamento, sobre o que já falamos. Esse processo não era, realmente, um embalsamamento, que já exigiria a retirada das entranhas do cadáver, e era um processo demorado, e nada disso sucedeu ao corpo de Jesus. Além disso, os judeus não embalsamavam os seus mortos, conforme faziam os antigos egípcios. José de Arimatéia usou um composto de mirra e aloés (cerca de 45 kg), com o qual envolveu o corpo de Jesus Cristo, e então envolveu tudo com faixas ou lençóis. Ver João 19:39 e 20:5-7.

MISÃ

No hebraico, «purificação» ou «movimento rápido». Nome de um benjamita, filho de Elpaal. Elpaal foi um daqueles que ajudaram a construir e restaurar Ono e Lode (I Crô. 8:12). Viveu em torno de 1400 A.C.

MISAEL

No hebraico, «Quem é o que Deus é?», ou, então, «Quem é como Deus?» Esse foi o nome de três personagens do Antigo Testamento:

1. O primeiro dos filhos de Uziel a ser chamado por nome; Uziel era irmão de Anrão, pai de Moisés. Portanto, ele era primo de Moisés. Ver Êxo. 6:22. Moisés ordenou-lhe que transportasse os cadáveres de Nadabe e Abiú, depois do pecado e da morte deles (Lev. 10:4). Isso ocorreu por volta de 1439 A.C.

2. Um ajudante de Esdras, que se postou à sua esquerda, enquanto ele lia a lei diante dos israelitas, depois que o remanescente voltou do cativeiro babilônico e renovou o pacto com Yahweh (ver Nee. 8:4). Doze homens levantaram-se juntamente com Esdras, ou levitas ou leigos. Esse homem também é mencionado em I Esdras 9:44.

3. Misael foi um dos três jovens hebreus treinados juntamente com Daniel, na Babilônia. Passou a ser considerado um dos honrados mágicos do reino (ver Dan. 1:6,11,19). Esses três jovens hebreus ajudaram Daniel a encontrar a solução para o sonho esquecido de Nabucodonosor, o que é mencionado em Dan. 2:17. Posteriormente, os três foram utilizados na administração do governo da Babilônia (ver Dan. 3:13). Ainda mais tarde, em face de sua persistência em favor da fé dos hebreus, e recusa de transigirem diante do paganismo, os três foram lançados na fornalha aquecida sete vezes mais, mas foram miraculosamente preservados. Então, foram promovidos por decreto real (ver Dan. 3:13-30). Isso ocorreu por volta de 586 A.C.

MISERICÓRDIA (MISERICORDIOSO)

Esboço:

I. Palavras Envolvidas
II. Definições
III. Na Ética Cristã
IV. Referências e Idéias Bíblicas
V. Uma Virtude Cultivada pelo Espírito

I. Palavras Envolvidas

A palavra portuguesa **misericórdia** vem do latim *merces, mercedis*, «pagamento», «recompensa», que veio a ser associada às recompensas divinas, ou seja, aos atos de compaixão celeste.

No Antigo Testamento temos três palavras que devem ser consideradas:

1. *Hesed*, que aponta para a idéia da sede física da compaixão, e que leva o indivíduo a sentir e exprimir compaixão. Ver Sal. 23:5; Jos. 2:12-14; Jer. 3:13, para exemplificar. Essa sede da compaixão eram as *entranhas* (modernamente atribuímos isso ao «coração») ou o *ventre* (ver Gên. 43:30; I Reis 3:26). É daí que se originam o amor e a misericórdia naturais, que se podem achar nos membros de uma mesma família, uns pelos outros, e que o homem espiritual é capaz de ampliar, envolvendo seus parentes distantes e outras pessoas. Deus estende a sua misericórdia a todas as criaturas vivas, sendo esse o alvo mesmo da espiritualidade, no tocante a esse aspecto. Uma mãe sente compaixão por seu bebê (ver Isa. 49:15); um pai por seu filho (ver Jer. 31:20); um amante por seu objeto amado (ver Osé. 2:19); um irmão por seu irmão (ver Amós 1:11).

2. *Rhm*, uma raiz hebraica que descreve as atitudes de Deus em relação à miséria e desgraça de seu povo, ou seja, a compaixão que isso provoca nele. O vínculo que une Deus às suas criaturas, leva-o a expressar compaixão para com todos os seres vivos. Até mesmo aqueles que nada merecem da parte dele recebem misericórdia (ver Isa. 13:18; Jer. 6:23; 21:7; 42:12; I Reis 8:50). — Um aumentativo plural dessa raiz, *rachamim*, fala sobre a piedade, a compaixão, o amor e as emoções associadas (ver Sal. 103:4). Na verdade, *hesed* e *rachamim* são sinônimos virtuais.

3. A raiz hebraica *chnn* é usada para indicar a exibição de favor e misericórdia, de alguém mostrar-se gracioso para com outrem. Ver Deu. 7:2; Sal. 57:1; 123:2,3. A forma substantivada dessa raiz é *chen*, «favor», «sucesso», «aceitação», «fortuna». Essa palavra também aponta para a idéia de sentir compaixão, de poupar à pessoa favorecida, de não aplicar nenhum castigo a ela. O trecho de Deu. 7:2 diz que Israel não deveria poupar seus adversários; não obstante, Deus poupa a todos nós, pois os resultados da aplicação de sua justiça seriam desastrosos para com todos nós. Ver Lam. 3:22.

No Novo Testamento também precisamos considerar três vocábulos, a saber:

1. *Éleos*, «misericórdia», «compaixão». Essa palavra grega ocorre por vinte e sete vezes: Mat. 9:13 (citando Osé. 6:6); 12:7; 28:23; Luc. 1:50,54,58,72,78; 10:37; Rom. 9:23; 11:31; 15:9; Gál. 6:16; Efé. 2:4; I Tim. 1:2; II Tim. 1:2,16,18; Tito 3:5; Heb. 4:16; Tia. 2:13;

3.17; I Ped. 1:3; II João 3; Jud. 2,21. A forma *eleemosúne* aparece por treze vezes: Mat. 6:2-4; Luc. 11:41; 12:33; Atos 3:2,3,10; 9:36; 10:2,4,31; 24:17. O verbo, *eleéo*, figura por vinte e nove vezes: Mat. 5:7; 9:27; 15:22; 17:15; 18:33; 20:30,31; Mar. 5:19; 10:47,48; Luc. 16:24; 17:13; 18:38,39; Rom. 9:15 (citando Êxo. 33:19); 9:16,18; 11:30-32; 12:8; I Cor. 7:25; II Cor. 4:1; Fil. 2:27; I Tim. 1:13,16; I Ped. 2:10; Jud. 22,23. O adjetivo *eleémon* ocorre por duas vezes: Mat. 5:7 e Heb. 2:17. A idéia de misericórdia está sempre relacionada à idéia de «graça» (no grego, *cháris*).

2. *Oiktirmós*, «simpatia», «compaixão». Essa palavra grega, que se refere às simpatias e interesses coletivos de Deus pelos homens, aparece por cinco vezes: Rom. 12:1; II Cor. 1:3; Fil. 2:1; Col. 3:12; Heb. 10:28. Sua forma adjetivada, *oiktírmon*, foi usada por duas vezes: Luc. 6:36 e Tia. 5:11. O verbo, *oikteíro*, aparece só por duas vezes: Rom. 9:15 (citando Êxo. 33:19).

3. *Splágchna*, «entranhas», está metaforicamente envolvida à idéia de misericórdia. Essa palavra grega aparece por onze vezes: Luc. 1:78; Atos 1:18; II Cor. 6:12; 7:15; Fil. 1:8; 2:1; Col. 3:12; File. 7,12,20; I João 3:17. O verbo, *splagchnízomai*, aparece por doze vezes: Mat. 9:36; 14:14; 15:32; 18:27; 20:34; Mar. 1:41; 6:34; 8:2; 9:22; Luc. 7:13; 10:33; 15:20.

II. Definições

A misericórdia é o ato de tratar um ofensor com menor rigor do que ele merece. Trata-se do ato de não aplicar um castigo merecido, mas também envolve a idéia de dar a alguém algo que não merece. Pode referir-se a atos de caridade ou de cura. Também aponta para o ato de aliviar o sofrimento, inteiramente à parte da questão de mérito pessoal. Quando chega à idéia de favor desmerecido, então, já se torna um sinônimo da palavra «graça». Alguém já declarou que a *misericórdia* retém o julgamento que um homem merece; que a graça outorga alguma bênção que esse homem não merece. De fato, algumas vezes pode ser feita essa distinção, mas, na maior parte dos casos, os dois conceitos justapõem-se. Por conseguinte, a misericórdia pode indicar benevolência, benignidade, bênção, clemência, compaixão e favor.

A misericórdia é uma «atitude de compaixão e de beneficência ativa e graciosa expressa mediante o perdão calorosamente conferido a um malfeitor Apesar de ser uma atitude apropriada somente a um superior ético, não denota condescendência, e, sim, amor, desejando restaurar o ofensor e mitigar, se não mesmo omitir, o castigo que esse ofensor merece. Na Bíblia, a misericórdia de Deus é oferecida gratuitamente, uma expressão não-constrangida de amor, sem qualquer mácula de preconceito, aberta a todos os homens, dignos e indignos igualmente. A teologia cristã não considera a misericórdia divina como incompatível com os seus justos julgamentos, mas considera ambas as coisas como expressões vivas de seu amor, conforme o mesmo é revelado em Cristo, cuja morte expiatória reconcilia as exigências da justiça divina com as misericórdias divinas» (E).

«É evidente que a misericórdia combina um forte elemento emocional, usualmente identificado com a compaixão, a piedade ou o amor, com alguma demonstração prática de gentileza ou bondade, em resposta à condição ou às necessidades do objeto da misericórdia» (Z)

III. Na Ética Cristã

1. *Deus é o exemplo* que devemos seguir. Sua misericórdia abarca a todos os seres humanos, e ninguém é tido como merecedor de qualquer coisa. Assim, também a misericórdia humana é uma qualidade espiritual que procura aliviar o sofrimento humano e retém a vingança e os atos de retaliação. «Dentro da ética cristã, a misericórdia, em um homem, faz parte da justiça do reino, como um reflexo da misericórdia divina, onde aquela encontra seu modelo e inspiração. A misericórdia de Deus também é salientada na teologia judaica e maometana, mas tudo se deriva dos ensinamentos bíblicos» (E).

2. *Bultmann tinha razão* quando falava na misericórdia como a qualidade da *fidelidade na ajuda*. Quando os homens se dedicam a Deus, quando têm uma lealdade que corresponde à correta espiritualidade, então eles agem misericordiosamente. A própria salvação alicerça-se sobre a misericórdia divina (Êxo. 34:6; Luc. 1:58; Efé. 2:4; Tito 3:5). A espiritualidade do crente está baseada na regeneração que produz a salvação, pelo que a misericórdia é uma qualidade espiritual que caracteriza aqueles que são verdadeiramente justos.

3. *A misericórdia sempre mitiga e condiciona a justiça*. Não existe tal coisa como a *justiça crua*, despida de misericórdia. No primeiro e segundo capítulos da epístola aos Romanos, Paulo concebe a justiça crua, mediante a qual vê a condenação de todos os homens, mesmo sem que eles tenham ouvido a mensagem de Cristo. Nisso consiste a *justiça crua*, sem o tempero da misericórdia e do amor. Infelizmente, alguns teólogos têm usado esses capítulos, com exclusão de tudo o mais que o Novo Testamento ensina a respeito, como texto de prova de que a misericórdia e a graça de Deus não se estendem para além da morte física do indivíduo. Porém, do terceiro capítulo de Romanos em diante, Paulo mostra-nos que, na realidade, o evangelho intervém, de tal modo que a justiça crua não é aplicada. Em vez disso, manifesta-se abundante misericórdia divina. Ademais, o relato da descida de Cristo ao hades mostra-nos que a misericórdia e a graça divinas têm feito provisão até mesmo em favor das almas perdidas no hades, um lugar de julgamento. Mas, isso é exatamente o que poderíamos esperar de um Deus de amor, de graça e de misericórdia. Desse modo, a missão de Cristo afeta *três* dimensões: a dimensão terrena, a celeste e a do hades. É entristecedor que na Igreja atual (especificamente na Igreja ocidental), esteja sendo pregado um evangelho de apenas *uma* ou *duas* dimensões. Porém, visto que Deus age com tanta misericórdia em favor dos homens, faz parte da responsabilidade dos homens tratarem-se com idêntica misericórdia. Ver I Ped. 3:18—4:6 e o artigo chamado *Descida de Cristo ao Hades*. «De graça recebestes; de graça dai».

4. *Uma divina arbitrariedade* fica entendida em Rom. 9:15. Ver o artigo sobre o *Voluntarismo*. Todavia, essa não é a base da teologia paulina, embora ele tenha usado esse conceito, dentro de sua argumentação. Seja como for, o voluntarismo reflete uma teologia capenga, sem importar quem a tenha utilizado, e sem importar com que razão o tenha feito. Por semelhante modo, o homem não deve usar de misericórdia de maneira arbitrária. O amor de Deus é mais poderoso do que o voluntarismo.

5. *O Teísmo*. Deus leva a sério os atos humanos. Ele recompensa e castiga; ele intervém. Esse é o ensino do *teísmo* (vide). O deísmo, em contraste, ensina que Deus abandonou a sua criação e a deixou aos cuidados das leis naturais. Ele não faria intervenção, e nem recompensaria e nem castigaria aos homens. Na verdade, os atos divinos são permeados pela misericórdia, pois, sem esse fator,

seriam impossíveis o bem-estar e a salvação dos homens. A misericórdia, pois, é a pedra fundamental do conceito do teísmo.

6. *O julgamento e a justiça* não são conceitos contrários ao da misericórdia. De fato, as duas coisas são sinônimas, quando compreendidas pelo ângulo certo. Deus julga a fim de mostrar sua misericórdia, em última análise. Na realidade, os juízos divinos são atos de misericórdia, que alcançam resultados benévolos. A *cruz* do Calvário foi um julgamento divino contra o pecado; mas dali manou a salvação dos homens. O trecho de I Ped. 4:6 mostra-nos que o próprio julgamento será remedial, e não apenas penal.

7. *O cumprimento da lei do amor* inclui atos de misericórdia, sendo esse o nosso principal conceito ético. O amor é a prova da existência e da qualidade da espiritualidade (I João 4:7 *ss*).

IV. Referências e Idéias Bíblicas

O material acima oferece muitos ensinamentos e referências bíblicas sobre a misericórdia. Neste ponto, limitamo-nos a dez declarações que ilustram essa doutrina:

1. Deus é o grande exemplo de misericórdia (Luc. 6:36).

2. As Escrituras mandam que usemos de misericórdia (II Reis 6:21; Osé. 12:6; Rom. 12:20,21).

3. A misericórdia deve ser gravada em nossos corações, tornando-se uma parte integrante de nossa natureza espiritual (Pro. 3:3).

4. A misericórdia deve ser uma das características dos santos (Sal. 37:26).

5. Neste mundo, Jesus foi o exemplo supremo do exercício da misericórdia, fazendo parte integral de sua missão salvatícia (Mat. 11:29,30; Luc. 1:78; Tito 3:5).

6. A misericórdia divina é grande (Núm. 14:18; Isa. 54:7); multifacetada (Lam. 3:32); abundante (I Ped. 1:3) e certa (Isa. 55:3; Miq. 7:20).

7. A misericórdia de Deus enche a terra (Sal. 119:64).

8. A misericórdia divina é a base de nossa esperança (Sal. 130:7).

9. A misericórdia divina deve ser magnificada por nós (I Crô. 16:34; Sal. 115:1; Jer. 33:11).

10. Ela é tipificada no *propiciatório* (vide) (Êxo. 25:17), sendo ilustrada nas vidas de Ló (Gên. 19:16,19), de Epafrodito (Fil. 2:27) e de Paulo (I Tim. 1:13).

V. Uma Virtude Cultivada pelo Espírito

A qualidade da *misericórdia* não é especificamente alistada em Gál. 5:22,23 como um dos aspectos do fruto do Espírito; porém, é uma virtude similar a outras que ali figura, devendo ser incluída entre elas. Para exemplificar, é similar ao amor, à bondade e à benignidade, sendo uma daquelas *coisas* contra as quais não há lei. Assim sendo, a misericórdia também é cultivada em nós pelo Espírito Santo, não podendo ser possuída em qualquer grau apreciável a menos que se tenha devolvido como um cultivo espiritual, na vida do crente. Os meios do crescimento espiritual produzem a qualidade da misericórdia em uma pessoa remida. Ver os artigos intitulados *Maturidade* e *Desenvolvimento Espiritual, Meios de*, onde se mostra como a espiritualidade deve ser cultivada.

MISGABUE (FORTALEZA)

No hebraico, «altura», «alto». Alguns interpretam como «fortaleza». Esse nome talvez seja um apelativo alternativo para Quir Moabe, capital de Moabe (ver Jer. 48:1). Mas outros afiançam que está em foco Mispa de Moabe (I Sam. 23:3). Esse nome, contudo, poderia ser uma designação geral para as terras altas de Moabe (Isa. 25:12). A Revised Standard Version, em inglês, diz «fortaleza», de onde certamente se deriva a tradução «fortaleza», que aparece em nossa versão portuguesa.

MISHNA

Ver o artigo geral sobre o **Talmude**. A raiz hebraica, envolvida nesse nome, é *shanah*, «ensino». A Mishna é a primeira parte ou texto do Talmude. Consiste em tradições orais e comentários sobre o Pentateuco, compilados por Judá, o Patriarca (cerca de 135—220 D.C.). Essa obra também é chamada *ḥa-Nasi* ou *ha-Kadosh*. A compilação desse material ocorreu em cerca de 210 D.C. O autor dispunha de trabalhos similares anteriores. Apesar da Mishna ter sido reduzida a uma forma unificada no começo do século III D.C., ela incorporou muitas regras que antecediam à era cristã. Judá, o Patriarca, preparou essa obra a fim de pôr ponto final ao caos e à confusão que havia na lei judaica, devido ao surgimento de coletâneas rivais das leis, práticas e ritos judaicos, nenhuma delas tinha maior autoridade que as demais. Ele foi extremamente bem-sucedido nesse propósito, visto que era um erudito de considerável habilidade, e assim produziu o que foi considerado uma obra autoritária. O fato de que ele também foi um notório líder espiritual de sua época também deve ter contribuído para garantir o sucesso de seu labor literário.

A classificação do material, dentro dessa obra, é significativa. Na Bíblia, rito e jurisprudência não são distinguidos um do outro, e, com freqüência, aparecem lado a lado. A Mishna, por outra parte, arranjou o material em seis ordens, que, por sua vez, são subdivididas em tratados. As ordens são as seguintes: 1. leis agrícolas; 2. o sábado e as festas religiosas; 3. leis domésticas; 4. jurisprudência ou leis civis e criminais; 5. leis do templo e dos sacrifícios. 6. leis referentes à impureza.

Apesar dessa obra ter sido escrita em hebraico, contém certo número de palavras gregas, latinas e aramaicas, bem como um número regular de expressões idiomáticas em aramaico.

A segunda porção do Talmude é a *Gemara* (vide).

A Lei Oral. As tradições que vieram a ser registradas na Mishna eram altamente consideradas pelos fariseus, constituindo uma lei oral que, supostamente, foi entregue a Moisés da parte de Deus. Alegadamente, de Moisés teria passado para Josué. Dali, presumivelmente, teria passado para os anciãos de Israel; e dos anciãos para os profetas; e dos profetas para os homens da grande sinagoga. Entretanto, os saduceus rejeitavam essa tradição e suas implicações, e atinham-se ao Pentateuco escrito quanto à sua autoridade. Não obstante, eles respeitavam e faziam vigorar muitas coisas que dependiam dessas tradições que, finalmente, vieram a fazer parte integrante do Talmude.

MISHNEH (CIDADE BAIXA DE JERUSALÉM)

Esse era o nome de certa porção da cidade de Jerusalém, aparentemente localizada não distante da Porta do Peixe (ver II Reis 22:14; II Crô. 34:22). A Revised Standard Version diz «Second Quarter». Nossa versão portuguesa diz «Cidade Baixa de Jerusalém». A interpretação sobre Mishneh está ligada à suposição de que Ezequias, ao construir «o outro muro por fora» (II Crô. 32:5), fez a segunda muralha, ao norte. No entanto, parece haver poucas evidências a esse respeito, e a palavra «outro», que aparece nessa citação, pode referir-se ao distrito da cidade que havia na colina ocidental, ou, talvez, à própria colina, e não a uma segunda muralha. A interpretação da questão envolve outro trecho bíblico, isto é, Sofonias 1:10, onde nossa versão portuguesa também fala em «Cidade Baixa». Também está envolvido o Targum de Jônatas sobre II Reis 22:14, onde há uma combinação equivocada com a Mishna, o bem conhecido código de leis do segundo século D.C. Ver o artigo sobre a *Mishna*.

MÍSIA

Uma província que ocupava o ângulo noroeste da Ásia Menor, separada da Europa somente pelo Propontis e pelo Helesponto. Ao sul, fazia fronteira com Eolis, e ficava separada da Bitínia pelo rio Esopo. Paulo, o apóstolo, passou por essa região e tomou uma embarcação em seu porto principal, *Trôade* (vide), em sua primeira viagem missionária. Ver Atos 16:7,8.

Nos tempos gregos, essa região esteve envolvida nos acontecimentos que tiveram lugar na parte ocidental da península. Ela caiu sob o poder dos romanos em 133 A.C., como parte de um legado real, em favor dos romanos, por parte de Atalo III. Na verdade, a região nunca foi uma área independente, politicamente falando. Era uma região montanhosa que, na antiguidade, era bem recoberta por florestas, atravessada por várias rotas comerciais. A cidade de Pérgamo ficava dentro de suas vagas fronteiras. Os mais antigos habitantes da região parecem ter tido origem trácia, e durante muito tempo mantiveram uma posição estratégica em Mísia, perto da entrada do Helesponto. Os frígios parecem ter sido de raça indo-européia. Mas, expandindo-se, esse povo foi ocupando áreas do leste europeu. Talvez sejam um dos elementos constitutivos dos modernos eslavos.

Em suas andanças, Paulo apenas passou por ali, mas a arqueologia tem demonstrado que a Igreja cristã formou-se ali desde bem cedo, embora não se saiba por meio de que agência. Paulo permaneceu algum tempo em Trôade. Foi ali que o apóstolo recebeu sua «chamada macedônica», que deu início aos seus labores missionários na Europa. Talvez algum trabalho mais permanente tenha sido estabelecido por ele, em Trôade, acerca do que Lucas nada nos informa no livro de Atos, mas essa fundação e organização podem ter sido efetuada pela agência de outros discípulos (talvez até de Paulo).

MISMA

No hebraico, «fama», «relatório». Esse foi o nome de duas personagens que aparecem nas páginas do Antigo Testamento:

1. Um simeonita, filho de Mibsã (I Crô. 4:25,26). Viveu em cerca de 1053 A.C. Esse texto fala em descendentes que não foram incluídos na passagem de Gên. 46:10, provavelmente porque Mibsã e Misma nasceram depois que Jacó e sua família mudaram-se para o Egito.

2. O quinto filho de Ismael, que se tornou cabeça de um clã árabe (Gên. 25:14; I Crô. 1:30). Talvez o nome tenha sido preservado no lugar chamado *Jebel Misma*, localizado entre Damasco e Jarife, ou, então, em um local com o mesmo nome, cerca de duzentos e quarenta quilômetros a leste de Taima.

MISMANA

No hebraico, «força», «gordura», «vigor». Nome de um homem gadita que se aliou a Davi, em Ziclague, quando este fugia de Saul. Ver I Crô. 12:10. Isso sucedeu em torno de 1061 A.C. Posteriormente, Mismana tornou-se oficial do exército de Davi.

MISO, DEMÉTRIO

Suas datas foram 1519-1570. Devemo-nos lembrar que a Igreja Ortodoxa Oriental separou-se da Igreja Ocidental em 1054, embora isso tivesse sido a culminação de um processo gradual de separação, mais por motivos políticos do que mesmo devido a convicções religiosas. Então houve a Reforma Protestante do século XVI. Essa já foi uma fragmentação da Igreja Ocidental. Ora, Demétrio Miso foi um diácono enviado a Wurttenberg pelo patriarca grego, em 1557. Seu propósito era o de estudar o movimento protestante. Ele permaneceu com Filipe Melanchton por cerca de um ano, examinando a situação. Isso permitiu que a Igreja Ortodoxa Grega adquirisse um conhecimento exato sobre o protestantismo que ia aparecendo, mas não parece que isso tenha provocado qualquer modificação significativa na Igreja Ortodoxa Oriental.

MISPA

No hebraico, «torre de vigia». Esse é o nome de várias localidades mencionadas no Antigo Testamento. Também serve como substantivo do sentido dado, sem designar qualquer lugar específico, ou seja, qualquer torre de vigia era uma *mizpah*. Seis são as localidades com esse nome:

1. Esse foi um dos três nomes dados ao memorial erguido por Jacó, como testemunha do pacto estabelecido com Labão (Gên. 31:49). Labão chamou-o segundo o idioma arameu, de *Jegar-Saaduta;* mas Jacó chamou-o de *Galeede*, conforme o idioma cananeu. Ambos esses nomes, ao que tudo indica, significam «montão (de pedras) de testemunho», visto que aquele memorial consistia em um monte de pedras. O acordo é que nem Jacó e nem Labão ultrapassariam daquele marco, com o propósito de atacar o outro. Esse monumento foi levantado em Gileade, a leste do rio Jordão. Posteriormente, tornou-se conhecido como «torre de vigia» (no hebraico, *mizpah*). Não se conhece o local exato hoje em dia, embora, presumivelmente, não fique distante do ribeiro do Jaboque, um tanto mais para o norte.

2. Nome de uma cidade onde residia o juiz Jefté (Juí. 10:11—11:40). Esse lugar era chamado Mispa de Gileade. Foi ali que os israelitas reuniram-se, sob a liderança de Jefté, para guerrearem contra os filhos de Amom (ver Jos. 10:17; 11:11). Esse lugar tem sido identificado com Ramate-Mispa, no território de Gade (ver Jos. 13:26).

3. Havia uma cidade de nome Mispa, em Moabe (I Sam. 22:3). Davi levou seus pais até àquele lugar, como medida de segurança, quando fugia de Saul. Visto que Quir de Moabe (atualmente chamada Queraque) era a capital de Moabe, naquela época, alguns pensam que Mispa era outro nome de Quir. A etimologia da palavra, «torre de vigia», ajusta-se a Quir. Esse lugar podia ser atingido facilmente por quem partisse de Belém, atravessando o rio Jordão perto de sua desembocadura no mar Morto.

4. Um lugar com esse nome também existia a oeste do rio Jordão, mencionado em Jos. 11:3. Sabemos que ficava no extremo norte da Galiléia. Os principais

habitantes da região eram os heveus. Mas a localização desse lugar permanece incerta.

5. No território de Judá também havia uma Mispa (Jos. 15:38). Parece que ficava perto da fortaleza de Laquis, embora se desconheça sua localização exata. Ficava no distrito da Sefelá, um trecho de terras baixas marítimas. Tem sido identificada com o Tell es-Safiye, o mesmo lugar chamado *Blanchegarde*, no tempo das cruzadas.

6. Talvez a mais importante cidade bíblica chamada Mispa era aquela localizada no território de Benjamim (Jos. 18:26). Não foi ainda absolutamente identificada. Alguns opinam que corresponde à Nebi Samwil, mas outros pensam no Tell en-Nasbeh. Este último parece contar com mais sólidas evidências, ajustando-se à etimologia de Mispa, com seus elevados picos montanhosos, que dão frente para o vale de Aijalom, a melhor rota que se pode tomar entre as costas do mar Mediterrâneo e o vale do Jordão. Josué usou esse caminho em sua conquista da Palestina. Os outros lugares mencionados eram bastante vulneráveis, e precisavam dispor de grandes muralhas defensivas.

Episódios bíblicos associados a Mispa. O trecho de I Sam. 7:1-14 fala sobre um grandioso culto religioso efetuado ali, quando a arca da aliança foi devolvida a Israel. Essa memorável ocasião causou muita emoção em Israel, e a ocasião mostrou ser apropriada para a renovação de votos de intenção espiritual. O rei Asa, de Judá, fortificou-a devido aos ataques desfechados por inimigos (ver I Reis 15:22; II Crô. 16:6; Jer. 41:9). Após a destruição de Jerusalém, tornou-se a residência do superintendente nomeado pelo rei da Babilônia (ver Jer. 40:7). Depois que o remanescente judeu voltou do cativeiro babilônico, o local foi novamente ocupado por hebreus (ver Nee. 3:8,15,19). Foi também o palco de uma importante assembléia, nos dias de Judas Macabeu, quando este convocou os homens de Judá para orarem e tomarem conselho (ver I Macabeus 3:46).

Escavações Arqueológicas. As explorações dos arqueólogos, nesse lugar, têm revelado que o mesmo vinha sendo ocupado pelo menos do começo da era do Bronze, e daí, continuamente, até o período dos Macabeus. Vieram à luz provas das fortificações construídas por Asa. Alças de jarras, com inscrições, estampavam as letras MSH e MSP, e estas últimas sugerem *Mispa*.

MISPAR

No hebraico, «escrita». Nome de um israelita que voltou do cativeiro babilônico, junto com Zorobabel. Ver Esd. 2:2 e I Esdras 5:8. Ele viveu por volta de 538 A.C. Em Nee. 7:7 ele é chamado Misperete.

MISPERETE

No hebraico, «escrita». Trata-se do mesmo homem que é chamado Mispar em Esd. 2:2. A forma Misperete aparece em Nee. 7:7. Ver sobre *Mispar*.

MISRAEUS

Esse nome foi aplicado aos habitantes de um lugar fundado por uma das quatro famílias de Quiriate-jearim (ver I Crô. 2:53). Essa é a única referência bíblica direta aos misraeus. Usualmente, os estudiosos pensam que Quiriate-Jearim, cujo pai (ou fundador) foi Sobal (vs. 52), veio a ser o nome de uma cidade, e que as quatro famílias aludidas eram suas colônias. Essa opinião é provável, embora não haja certeza a respeito. Com freqüência, nomes de pessoas tornavam-se nomes de cidades. Dois casos que provam isso são *Efrata* (Gên. 35:15,19; comparar com I Crô. 2:19) e Hebrom (I Crô. 2:42,43). Sobal, que aparece como *pai* daquele lugar, portanto, teria sido o seu *fundador*. Seus *filhos* reais, teriam sido Sobal, Salma e Harefe. E os demais nomes próprios que aparecem no trecho são nomes locativos, e não pessoais. «Os filhos de Hur, primogênito de Efrate, foram: Sobal, pai de Quiriate-Jearim, Salma, pai dos belemitas, e Harefe, pai de Bete-Gader» (I Crô. 50,51).

MISRAIM

Esse era o nome comum pelo qual os hebreus designavam o *Egito*. O Mizraim original era filho de Cão (Gên. 10), e, presumivelmente, o remoto antepassado dos egípcios. A origem e o significado de Mizraim (confirmado por tabletes escritos de Ugarite e de Tell el-Amarna, século XIV A.C.) são obscuros, embora alguns pensem que venha do egípcio *imdr*, «fortificação». Outros supõem que essa palavra está no número dual, referindo-se, originalmente, aos dois Egitos, o Alto e o Baixo. A forma singular dessa palavra, *masor*, acha-se somente em II Reis 19:24; Isa. 19:6; 37:25 e Miq. 7:6.

Fatos a Observar:

1. Quando se refere a uma pessoa, esse nome alude ao segundo filho de Cão. Mizraim foi progenitor dos ludins, anamins, leabins, naftuins, casluins e caftorins (ver Gên. 10:6,13; I Crô. 1:8,11). As nações envolvidas incluem mais do que os egípcios.

2. Em um sentido restrito, esse nome veio a designar, especificamente, os egípcios.

3. Com base em I Reis 10:28,29, é possível argumentar que os primeiros *misrayim* não apontavam para o Egito, e sim, para *Musur*, na porção suleste da Ásia Menor. Mas, contra essa opinião, pode-se também argumentar que a referência paralela de II Crô. 10:18 (a importação de cavalos, por parte de Salomão, daquele lugar) aponta para o *Egito*. «Os nomes Mizraim e de seus descendentes, em Gên. 10:13,14 e I Crô. 1:11,12 parecem ser todos nomes de nações, e não de indivíduos, e incluem muito mais do que o Egito... Consideramos que a distribuição dos mizraitas mostra que suas colônias foram apenas uma parte da grande migração que conferiu aos cuxitas o domínio das terras em redor do oceano Índico, o que explica a afinidade que os monumentos egípcios exibem entre os cretenses pré-helênicos — e os cários (estes últimos, sem dúvida, os selégios dos escritores gregos) e os filisteus» (Unger citando o *Smith's Bible Dictionary*).

MISREFOTE-MAIM

No hebraico, «incêndio» ou «águas», ou mesmo «águas incendiadas». Esse era o nome de um local cujo nome dá a entender que ficava perto de *fontes termais*. Alguns estudiosos negam que se trate de um nome próprio, preferindo traduzir a palavra hebraica por «poços de sal», «covas de fundição» ou «cabanas de vidro». Ver Jos. 13:6. Em Jos. 11:8, Misrefote-Maim é mencionada como uma cidade localizada entre Sidom e o vale de Mispa. Foi até ali que Josué perseguiu aos homens dos exércitos combinados de Jabim, Jobabe, Sinrom e Acsafe, além de vários outros. Lemos nesse versículo o resultado: os israelitas «feriram-nos sem deixar nem sequer um». Há bons indícios de que se trata da mesma cidade de *Sarepta* (vide). O trecho de Jos. 13:6 mostra-nos que o local ficou sob o domínio dos cananeus.

Seu local moderno não foi ainda identificado com certeza. Alguns dizem que se trata de Khirbet el-Musheirefeh, um pouco ao sul do promontório conhecido como «a escada de Tiro» (Râs en-Naqûra). Mas outros supõem que seja 'Ain Mesherfi, um grupo de fontes termais, perto de Râs en-Naqûfa.

MISSA

Esboço:

1. Descrição Geral
2. Teologia da Missa
3. As Missas Anglicana e Luterana
4. Tradições Protestantes
5. A Missa no Ocidente
6. A Missa no Oriente

1. Descrição Geral

Essa palavra portuguesa vem do latim, *missa*. Esse é o nome comumente aplicado à *eucaristia* (vide), por parte do catolicismo ocidental. A derivação do nome é incerta, mas os eruditos supõem que vem das palavras latinas, *Ite, missa est*, «Ide, estais despedidos», que o diácono pronuncia no fim da cerimônia. Geralmente, desde a Reforma Protestante, o termo *missa* refere-se ao rito romanista desse nome, embora tenha sido retido como título alternativo da *Ceia do Senhor* e da *Santa Comunhão*, no Livro de Orações, de 1549, compilado pelo arcebispo Cranmer, da comunhão anglicana.

A missa da Igreja Católica Romana é litúrgica. A porção que é alterada com a passagem das estações chama-se *própria*. E a parte inalterável chama-se *ordinária*. Essa parte inalterável consiste no *kurie*, no *gloria*, no *credo*, no *sanctus et benedictus* e no *agnus dei*. Há a missa cantada e a missa rezada, cujos adjetivos ajudam-nos a determinar no que elas consistem. Uma missa é chamada de *solene* quando um sacerdote, um diácono ou um subdiácono tomam parte no ritual, todos os três juntos. Vários estilos de acompanhamento musical podem adornar a cerimônia. Já desde o século XV D.C. canções populares foram introduzidas na missa, além de outras variedades musicais. Porém, o concílio de Trento reagiu contra isso (1545—1563), tendo padronizado o aspecto musical, usando a polifônia de Palestrina. Posteriormente, porém, veio a ser usado o estilo de ópera napolitana no caso de algumas missas. Mas esse estilo é longo demais para uso litúrgico. Consiste em grandes passagens corais, acompanhamento por orquestra, e, por muitos é considerada a única obra coral jamais escrita para uma missa. Quando é assim acompanhada, a missa é concebida como uma grande forma de arte, e não apenas um rito religioso.

2. Teologia da Missa

Ver os artigos separados intitulados *Transubstanciação; Consubstanciação; Jesus Como o Pão da Vida;* e *Ceia do Senhor*. Ver também o artigo *Agapé*, um nome alternativo para a Ceia do Senhor.

Sumário dessa teologia, nas palavras do Concílio Vaticano II:

«Por ocasião da última Ceia, na noite em que foi traído, nosso Salvador instituiu o sacrifício eucarístico de seu corpo e de seu sangue. Ele fez isso para perpetuar o sacrifício da cruz através dos séculos, até que ele volte, tendo confiado à sua amada Esposa, a Igreja, um memorial de sua morte e ressurreição, um sacramento de amor, um sinal de unidade, um vínculo de amor, um banquete pascal no qual Cristo é consumado, a mente é cheia de graça e nos é dada uma garantia da glória futura».

3. As Missas Anglicana e Luterana

Lutero reteve o nome missa, em alusão à eucaristia (ver *Formula Missae*, de 1523; e *Deutsche Messe*, de 1526). Outro tanto sucedeu entre os anglicanos, no *English Prayer Book*, de 1549. O termo sobreviveu na Escandinávia, embora com alguma modificação quanto ao seu uso. Na Suécia, o culto matutino, sem ou com comunhão, chama-se *Hogmassa*, ou seja, a missa cantada. Na Inglaterra, o termo foi retirado de uso, exceto quando aparece como parte de termos como *Christmas* (Natal). Desde o movimento de Oxford, dentro da comunidade anglicana, os anglo-católicos começaram a usar novamente o termo e mais ou menos com o mesmo sentido que se vê entre os católicos romanos.

4. Tradições Protestantes

Os protestantes como um todo (embora com algumas exceções) rejeitam o caráter sacrificial da eucaristia, e a maioria deles rejeita sua interpretação sacramental. Eles não crêem que haja qualquer presença real do corpo e do sangue de Cristo no pão e no vinho, e a Ceia do Senhor (conforme preferem chamá-la) é encarada apenas como um memorial, olhando retrospectivamente para a morte de Cristo e como um anúncio de sua futura segunda vinda. Os protestantes e evangélicos também não crêem que qualquer sacerdócio humano tenha o poder de sacrificar novamente a Cristo, pois aceitam o ensino bíblico de que o sacrifício único de Jesus Cristo, na cruz do Calvário, foi final e sem repetição. Portanto, a Ceia do Senhor celebra, mas não reitera o ato único de Cristo.

O luteranismo ortodoxo e o calvinismo consideram a missa como uma subversão do sacerdócio ímpar de Jesus Cristo, diminuindo o valor de seu sacrifício único na cruz, cujos méritos só podem ser aplicados agora mediante a fé. É verdade que alguns luteranos defendem a doutrina da *consubstanciação* (vide), e assim permitem a idéia de uma presença real *com* os elementos do pão e do vinho. O protestantismo liberal exclui, ainda mais radicalmente que a ala fundamentalista do protestantismo, a noção de um sacrifício cristão válido na missa, afirmando que a eucaristia é mero ato memorial, despido de toda aquela pesada teologia que caracteriza o sacramento romano. Naturalmente, os eruditos protestantes liberais também não acreditam em qualquer mediação sacerdotal humana. Devemos considerar esses elementos como inovações teológicas e litúrgicas, parte da história do dogma eclesiástico, sem qualquer sanção ou comprovação nos documentos e nas práticas cristãs originais, o Novo Testamento.

5. A Missa no Ocidente

Quase todo o Ocidente segue o rito romano. Seu desenvolvimento teve lugar entre os séculos IV e VII D.C. As alterações feitas desde então são superficiais. Há quatro formas de missa, progressivamente mais simples: a pontifical, a solene, a cantada e a rezada. Em todos os ritos, as mesmas duas divisões primitivas da missa podem ser discernidas: a. a missa dos catecúmenos, um culto preparatório composto de orações e trechos lidos das Escrituras; b. a missa dos fiéis, onde o sacrifício de Cristo é supostamente repetido em meio a orações solenes, seguindo-se à distribuição da hóstia, de ações de graça e de uma despedida.

6. A Missa no Oriente

Nessa porção do mundo, as duas liturgias originadoras foram a síria e a egípcia. Em ambas havia grande riqueza de ritualismo, e, uma vez padronizadas e combinadas, isso produziu o rito bizantino, que atualmente predomina na Igreja

Ortodoxa Oriental. O rito bizantino originalmente era o do patriarcado de Constantinopla, embora tal rito se tivesse propagado para três outros antigos patriarcados orientais, os de Alexandria, Antioquia e Jerusalém, aí pelos fins do século XIII D.C. Atualmente é usado pela Igreja Ortodoxa Oriental inteira, embora não seja usada qualquer linguagem litúrgica. A liturgia, do uso comum, é a de Crisóstomo. (AM C DUC E R)

MISSAL ROMANO

O nome latino é **Missale Romanum**. Esse é o manual oficial do altar da Igreja Católica Romana, publicado pela primeira vez em 1570, como resultado de um decreto do concílio de Trento. Esse missal substituiu a vários ritos medievais e unificou as provisões, orações, ritos, etc. Contém o *Calendário*, com seu elaborado devocional e procedimentos litúrgicos; a missa comum e a canônica; e as estações próprias com suas orações, cânticos e lições variáveis para o ano cristão do advento ao advento; o próprio dos santos e outros materiais suplementares. O novo missal foi subseqüentemente revisado por Clemente VIII (1604), Urbano VIII (1634), Leão XIII (1884), Pio X (ordenado em 1911, mas completado por Benedito XV, em 1920).

Vários missais medievais são obras-primas de caligrafia, iluminação (ilustrações) e encadernação.

MISSÃO, TEOLOGIA DE (EVANGELISMO)

Ver os artigos separados que tratam do evangelismo: *Evangelho* e *Evangelistas*.

Esboço:

I. Pano de Fundo
II. O Manifesto do Novo Testamento
III. Primeiros Esforços Missionários
IV. Missões Católicas Romanas da Idade Média
V. A Reforma Protestante
VI. O Moderno Movimento Missionário
VII. Elementos da Teologia de Missão e Evangelismo

I. Pano de Fundo

Talvez tenhamos razão em caracterizar o período do Antigo Testamento como um período de «missões pátrias». Os profetas, sem dúvida, foram missionários no sentido mais verdadeiro. Todavia, é verdade que somente após a época dos profetas e dos salmistas que houve uma visão clara sobre a vida após-túmulo, sendo evidente que a mensagem divina foi dada para preparar os homens para essa vida.

Apesar de que houve convertidos entre os antigos hebreus, principalmente de estrangeiros que, por várias razões, tinham fixado residência nos territórios ocupados por Israel (incluindo cativos de guerra e habitantes de territórios conquistados), dificilmente poderíamos chamar Israel de uma nação missionária. O judaísmo posterior tornou-se mais missionário, algo sobre o que o Senhor Jesus comentou negativamente (ver Mat. 23:15). No Antigo Testamento, contudo, encontramos um livro surpreendentemente evangelístico, o livro de Jonas, pois esse profeta tornou-se missionário no estrangeiro (Nínive), embora de forma relutante. Por isso, esse livro tem sido chamado, com razão, de João 3:16 do Antigo Testamento. Seu final é tão incomum que os eruditos liberais têm sentido necessário conferir-lhe uma data mais recente, a fim de que se ajuste à atmosfera mental de séculos mais tarde.

«...e não hei de eu ter compaixão da grande cidade de Nínive, em que há mais de cento e vinte mil pessoas, que não sabem discernir entre a mão direita e a mão esquerda, e também muitos animais?» (Jon. 4:11).

Deus teve compaixão até dos animais daquele país? Isso é o que o texto sagrado afirma. Nesse caso, não admira que a mensagem do evangelho foi dirigida a todos os homens de todos os lugares, com um convite para quem quiser vir.

II. O Manifesto do Novo Testamento

O ministério de Jesus, confinado principalmente aos judeus (pois ele era o Messias dos judeus), foi universalizado pela cena da ascensão, com a Grande Comissão (ver Mat. 28:18-20; Luc. 24:46-49; João 20:21; Atos 1:8). Em cada um desses, há alguma modificação no fraseado, pelo que são narrativas suplementares, que abordam pontos referidos por Jesus em seus dias finais sobre a terra. Representam uma espécie de breve comentário sobre coisas que ele ensinou, da mesma forma que o resto dos evangelhos é apenas uma espécie de sumário (ver João 20:30 e 21:25). Há um artigo detalhado nesta Enciclopédia sobre *Comissão, A Grande*, que o leitor poderá consultar quanto a detalhes. Visto que a tarefa evangelizadora resulta do amor e da lealdade ao Redentor, nenhum remido está isento dessa tarefa evangelística. Naturalmente, existem evangelistas que receberam dons divinos especiais, com esse propósito, sobre os quais pesa a incumbência maior. Ver sobre os *Evangelistas*.

III. Primeiros Esforços Missionários

É significativo que o livro de Atos tenha sua própria versão da Grande Comissão (ver Atos 1:8). Esse livro consiste, essencialmente, no relato sobre como os apóstolos e seus discípulos imediatos (ajudados, sem dúvida, pelos setenta discípulos especiais, nomeados por Cristo; ver Luc. 10), propagaram o manifesto evangelístico de Jesus. Durante esse período, continuava forte a autoridade apostólica. De acordo com as tradições, cada apóstolo abriu algum tipo de campo missionário no estrangeiro, pelo que aquilo que está registrado no livro de Atos é apenas uma espécie de primórdios. Mas o trecho de Col. 1:6 diz que *o mundo inteiro* recebera a mensagem cristã, pelo que podemos supor que os principais centros já haviam sido atingidos no mundo conhecido de então.

As primeiras missões cristãs enfrentaram a oposição dos perseguidores romanos e judeus; mas esses elementos não conseguiam restringir eficazmente a propagação da mensagem de Cristo. De fato, o avanço missionário da Igreja primitiva, e que teve continuidade nos primeiros poucos séculos, foi simplesmente dramático. O evangelho de Cristo ultrapassou em muito as fronteiras do império romano. O islamismo, ao surgir, um pouco mais tarde, foi uma força restringidora mais eficaz do cristianismo. De fato, países inteiros e muitos territórios, como a Ásia Menor (atual Turquia), foram tomados por essa nova fé, e antigos centros cristãos desintegraram-se em nada. A Igreja também perdeu o norte da África para o islamismo, e até mesmo certas porções da Europa. Carlos Martel, por ocasião da batalha de Tours (732 D.C.), foi quem refreou o avanço do islamismo.

IV. Missões Católicas Romanas da Idade Média

A Igreja Católica Romana nunca perdeu sua visão missionária. Países inteiros foram evangelizados por missionários, pessoalmente enviados por vários papas (como Agostinho, enviado à Inglaterra; não o mesmo Agostinho de fama filosófico-teológico). Talvez um dos fatos mais notáveis dos grupos evangélicos é a extensão e eficácia de seus esforços missionários. Todavia, precisamos relembrar que a Igreja Católica Romana, durante vários séculos, foi a Igreja organizada de Cristo no mundo, e que grupos dissidentes quase sempre eram bastante heréticos e dificilmente poderiam ser considerados representantes do cristianismo original.

V. A Reforma Protestante

Os reformadores protestantes, com a possível exceção de M. Bucer, consideravam que a Grande Comissão deixou de estar em vigor quando os apóstolos faleceram. Todavia, esse ponto de vista (que é errado), nunca foi aceito pela Igreja Católica Romana. Apesar dessa comissão assumir uma forma fortemente pastoral, no seio da Igreja de Roma, precisamos lembrar os amplos esforços missionários de Francisco Xavier e seus seguidores, Matteo Ricci e Roverto di Nobili, na Ásia, nos séculos XVI e XVII. O despertamento missionário, entre os grupos evangélicos, só ocorreu dentro do século XIX.

VI. O Moderno Movimento Missionário

O fervor evangelístico entre os protestantes e os evangélicos até agora tem prosseguido, ainda que alguns se queixem que esse fervor diminuiu um tanto, nos últimos vinte anos. É verdade que o avanço missionário do século XIX representou o maior movimento de avanço do evangelismo internacional desde os dias dos apóstolos. As missões modernas surgiram na Alemanha, entre os luteranos, embora em breve se tenha estendido a outros grupos, formando um esforço internacional e interdenominacional. No século XX, o centro do movimento missionário transferiu-se da Europa para a América do Norte. Esse foi um desenvolvimento histórico lógico. A América do Norte conta com a prosperidade econômica necessária para a promoção vigorosa de missões no estrangeiro. Grandes sociedades missionárias, em quase todas as denominações, formaram-se, e a vida missionária passou a ser um grande desafio e aventura. Nem mesmo o liberalismo conseguiu refrear o movimento, visto que os grupos independentes, saídos das denominações maiores, sempre estiveram interessados, quase ao ponto de fanatismo, no evangelismo. Os evangélicos fragmentam-se por motivos doutrinários sem importância; mas cada fragmento tem permanecido zeloso quanto ao empreendimento missionário. Um outro aspecto da questão é a instituição das escolas bíblicas, as quais, embora não oferecendo graus universitários, enfatizam o conhecimento bíblico e o esforço missionário. E assim, um grande número de jovens passou a ser preparado nesses «acampamentos de treinamento de pregadores», que é exatamente o que muitas escolas bíblicas continuam sendo. Quase todas essas escolas bíblicas têm-se tornado faculdades e um processo de intelectualização gradual tem tido lugar, o que talvez seja uma das causas do declínio gradual do fervor missionário.

O maior obstáculo que o moderno movimento missionário tem enfrentado é o comunismo. Esse tem fechado países inteiros para as missões estrangeiras, e, paralelamente, tem destruído a Igreja organizada que existia dentro das fronteiras desses países. Ver o artigo sobre o *Comunismo*.

VII. Elementos da Teologia de Missão e Evangelismo

1. O evangelismo é aquela atividade de Deus, por meio de seus representantes, com o propósito de promover a redenção dos homens. O Deus da Bíblia está interessado nos homens (*teísmo*, em contraste com o *deísmo*; ver os dois artigos). O primeiro e maior dos missionários foi o *Logos*, chamado Cristo, durante a sua missão terrena. Esse Logos (Cristo) é o Filho de Deus, dentro da Trindade divina. Isso posto, o evangelismo afeta diretamente a própria Trindade divina.

2. Um missionário ou evangelista é alguém que se deixa usar como cooperador de Deus (ver I Cor. 3:9). A Grande Comissão foi a última comunicação terrena do Senhor Jesus. A tarefa remidora é muito grandiosa, e requer uma autoridade especial por detrás da mesma, a autoridade de Cristo.

3. O objetivo do programa evangelístico é a feitura não somente de *discípulos*, mas também de *filhos* de Deus, que estejam sendo transformados segundo a imagem do Filho de Deus (ver Rom. 8:29; II Cor. 3:18). Isso envolve a participação na própria natureza divina (ver II Ped. 1:4), bem como na plenitude de Deus (em sua natureza e atributos; ver Efé. 3:19). A epístola aos Hebreus fala sobre os «filhos» que estão sendo conduzidos «à glória» (Heb. 2:10). Assim, o evangelismo está envolvido na pregação das *boas novas*, que produzem a evolução espiritual dos homens. O guerreiro tribal, que é o homem em sua condição atual, está destinado a tornar-se possuidor da própria natureza divina, uma vez que se converta a Cristo. E isso, por sua vez, glorifica a *Deus Pai*.

4. O *Espírito Santo*, o alter ego de Cristo, é o mais poderoso agente atual do evangelho. É por meio do dom do Espírito, conferido por Cristo (ver João 20:21-23) que a nova criação e a nova era deverão vir à existência. Ademais, é o poder do Espírito que vai levando o crente de um estágio de glória para outro (ver II Cor. 3:18). O evangelismo permite que o Espírito de Deus seja derramado sobre toda carne (ver Atos 2:17).

5. *Não há limites*. O alcance universal do evangelho não visa somente a alcançar a todos os povos e nações, falando em termos genéricos. Antes, cada indivíduo é um objeto autêntico do apelo evangelístico. Os trechos de I Tim.2:4 e I João 2:2 deixam isso bem claro, para nada dizer sobre o «todo o que nele crê» de João 3:16. Não devemos limitar isso com a doutrina da predestinação, a qual, apesar de ser uma verdade bíblica, enfoca uma questão totalmente diferente, não podendo ser usada como meio de se anular a verdade do livre-arbítrio humano, ou a verdade da responsabilidade do indivíduo, pois todos os homens podem e devem ser *alcançados* com o evangelho. Naturalmente, aí entramos no mistério de como a vontade do homem relaciona-se com a vontade determinadora de Deus. Afirmo o que é possível dizer sobre a questão nos artigos *Livre-Arbítrio; Predestinação; Eleição* e *Determinismo*. O livre-arbítrio é uma verdade tão absoluta quanto a eleição. Mas, se pudéssemos explicar o *como*, então já estaríamos transformando a *teologia* em *humanologia*. Todas as grandes doutrinas cristãs terminam em paradoxos, que nossas formulações, por mais cuidadosas que sejam, não conseguem reconciliar, ainda que, mediante a fé, possamos dizer que poderão sê-lo, chegado o tempo certo para tanto, ou seja, quando recebermos maiores luzes espirituais sobre essas questões, talvez somente no outro lado da existência.

6. *Aspectos do Evangelismo e das Missões*

a. *Missões consistem em reação favorável*, antes de tudo sob a forma de obediência a Deus, que ordenou o evangelismo; e, em segundo lugar, por parte do crente individual que acolheu a mensagem cristã. Conforme foi dito acima, uma reação genuína é possível a todo homem, através da graça geral de Deus. Ver sobre os *Meios de Graça*. Deus requer a reação favorável da parte de todos os homens (ver Isa. 6:1-8; João

20:21-23).

b. *Missões consistem em diálogo*. O evangelismo requer encontros pessoais. O crente precisa ir até onde *eles* (os perdidos) estão. É mister derrubar as barreiras, mediante o processo evangelístico (ver Efé. 2:11-16).

c. *Missões consistem em translação*. O Cristo celestial, em sua encarnação, experimentou um esvaziamento (no grego, *kénosis*; ver Fil. 2:5-11). Por assim dizer, ele transladou-se da condição divina para a condição humana. E os evangelistas precisam do mesmo processo, passando para os termos e condições daqueles que ouvem a mensagem cristã. Isso requer a *kénosis* ou esvaziamento de cada pregador, ou o processo não obterá sucesso.

d. *Missões consistem em serviço*. O Senhor Jesus veio ao mundo não para ser servido, mas para servir e dar a sua vida em resgate por muitos (ver Mat. 20:28). Para ele, é maior quem serve mais, e não quem é mais servido. A missão envolvida no evangelismo é melhor ilustrada por Cristo em seu aspecto de Servo (ver João 13:1-16). O amor é a base do serviço e de todas as virtudes espirituais (Gál. 5:22,23). O amor está à base do intuito remidor de Deus (ver João 3:16). E é o amor que inspira nosso envio como embaixadores de Cristo (ver I Cor. 5:14,15,20).

e. *Missões consistem em presença*. Jesus prometeu estar com os seus evangelistas (ver Mat. 28:1,20). A presença do Espírito Santo garante a presença de Jesus, embora ele esteja invisível (João 14:16 *ss*). Em sentido secundário, o evangelista faz a sua presença fazer parte do plano total. Ele precisa estar no lugar para onde foi enviado.

f. *Missões consistem em cumprimento*. Salvação, reconciliação, união com Cristo são grandes lemas do evangelismo, e são aspectos do cumprimento da mensagem cristã. Ver Efé. 1:9,10; Apo. 21:1-5; I Cor. 15:20-28. As missões cristãs devem estar intimamente relacionadas ao propósito divino e universal de Deus.

7. *O Propósito Final do Evangelismo e das Missões é a Redenção-Restauração*. Os eleitos serão *remidos*. Os não-eleitos serão *restaurados*. O mistério da vontade de Deus (ver Efé. 1:9,10), fornece-nos esse ensino todo-abrangente. Atualmente, em muitos segmentos da Igreja cristã, espera-se um fracasso geral do evangelismo. Ali não se espera que o evangelismo tenha sucesso. As forças do mal, de acordo com tal ponto de vista, haverão de cativar, para sempre, a esmagadora maioria dos homens. Contudo, o mistério da vontade de Deus (aquilo que ele realizará, *finalmente*), é bem diferente disso. Finalmente, através dos propósitos que se cumprirão nas eras vindouras da eternidade, Deus tenciona produzir uma unidade de todas as coisas em torno de Cristo: uma unidade perfeita e completa. Destarte, o evangelho está destinado a vencer, e não as forças do mal. Os aspectos da redenção (participação na natureza divina) e da restauração (a ressurreição ilimitada dos perdidos, mediante o julgamento e outros meios) haverão de caracterizar a unidade que, finalmente, Deus imporá à sua criação. Quanto àquilo que tenho a dizer sobre esse assunto, ver o artigo *Restauração*.

O evangelismo, portanto, é assim visto como um empreendimento otimista, a despeito da atitude derrotista de muitos cristãos, quanto às possibilidades de seu sucesso.

MISSÃO DE CRISTO

Ver **Missão Universal do Logos (Cristo)**.

MISSÃO GENTÍLICA

Obviamente, **Cornélio** (Atos 10:1), foi o primeiro elemento gentio a ser admitido na comunidade cristã primitiva, sob a condição exclusiva do batismo, sem necessidade alguma de ser circuncidado, pelo menos no seio da igreja cristã de Jerusalém. Também há de duvidar que muitos cristãos, de origem puramente judaica, se sentiam apreensivos com todos esses desenvolvimentos, julgando, erradamente, que Deus não aprovava a inclusão de gentios no seio de sua igreja. É exatamente por isso, portanto, que Lucas documentou a história cuidadosamente, mostrando como tudo fora orientado por Deus através de visões, dadas tanto a Cornélio como ao próprio Pedro, e que algumas radicais modificações doutrinárias teriam de ser feitas na igreja, sobretudo no que diz respeito às leis cerimoniais judaicas.

Tão grande, entretanto, foi a pressão em contrário à inclusão de convertidos puramente gentios no seio da igreja cristã, por parte de irmãos de tendências legalistas, que a questão precisou ser levada à consideração da igreja inteira, provocando uma espécie de concílio apostólico. Os trechos do décimo quinto capítulo do livro de Atos e o segundo capítulo da epístola paulina aos Gálatas, contém algo sobre o que se tratou nessas reuniões. O resultado foi a plena aprovação da missão gentílica, juntamente com a declaração de que os gentios não deveriam ser obrigados a observar as leis cerimoniais judaicas.

Verdadeiro Começo das Missões Cristãs entre os Gentios. Alguns estudiosos têm feito objeções a essa pregação de Pedro a Cornélio e seus familiares, como evento que assinala o início das missões gentílicas, porque, em primeiro lugar, o apóstolo Paulo já vinha pregando desde há muito a gentios, na Cilícia, especialmente em sua principal cidade, Tarso, onde, provavelmente, se demorara pelo espaço de dez anos. E, em segundo lugar, porque Paulo é caracterizado, nas Escrituras, como o grande apóstolo aos gentios, e não Pedro. É verdade que as igrejas cristãs da Cilícia provavelmente foram iniciadas por Paulo, antes deste episódio de Cornélio. Assim sendo, de conformidade com a verdade estritamente histórica, as missões gentílicas há muito vinham sendo efetuadas, já tendo obtido considerável progresso, antes deste incidente que envolveu Pedro e Cornélio. Assim sendo, dentre quatro possibilidades, uma delas deve expressar a verdade:

1. Lucas não estaria informado sobre essa missão cristã anterior, entre os gentios, e teria pensado que o esforço de Pedro foi o primeiro nesse sentido.

2. Embora soubesse da missão gentílica dirigida *por Paulo*, considerou que seria mais próprio indicar Pedro como originador da missão entre os gentios, talvez porque, através deste último é que a igreja mãe, em Jerusalém, haveria de aceitar esse tipo de atividade. Mas também é possível que, por detrás desse manuseio dos eventos históricos, avulte o pensamento de que a Pedro foram dadas as «chaves» do reino dos céus, e que assim, de alguma maneira, toda a nova progressão, no avanço histórico da pregação do evangelho, entre os diversos povos, pelo menos oficialmente teria de ser inaugurado por Pedro. As atividades evangelísticas de Pedro, naturalmente, serviram de uma espécie de uso dessas chaves, quer achemos necessário, quer não, apresentar «inícios» de ministérios evangelísticos, como algo que, por direito, coubesse exclusivamente a Pedro. (Quanto às «chaves do reino», dadas a Simão Pedro, ver Mat. 16:19).

3. Talvez Lucas tenha pensado ser *apropriado* que essa forma de manuseio dos eventos históricos

aparecesse em sua narrativa, não estando especialmente preocupado com a exatidão histórica dessa questão.

4. Finalmente, é possível que a história de Cornélio tivesse se tornado o *registro oficial* de como tivera começo a missão de evangelização entre os gentios, porquanto fora através desses episódios que vários membros da igreja cristã, de inclinações legalistas, se tinham ofendido, porquanto agora, um gentio puro e sua família, sem haver passado pelo rito da circuncisão, mas exclusivamente com o batismo em água, fora admitido no seio da igreja cristã, não sendo assim forçado a observar as leis cerimoniais do judaísmo.

As atividades de Paulo, na distante Tarso da Cilícia, embora talvez batizasse apenas os seus convertidos, sem que os obrigasse a observarem as leis cerimoniais mosaicas, e sem que os circuncidasse, eram suficientemente distantes para não perturbarem a ordem na comunidade cristã de Jerusalém. Além disso, é bem provável que pouquíssimo das atividades de Paulo se conhecesse em Jerusalém: e não foi senão a partir do momento em que Pedro começou a dar atenção aos gentios que se criou qualquer perturbação na igreja. Assim sendo, essas atividades de Pedro, pelo menos oficialmente, devem ter parecido a muitos como o começo da evangelização dos gentios, visto que foi através dessa atividade petrina que se tornou necessário um pronunciamento dos apóstolos sobre o caso.

Assim sendo, pelo menos sob certo ponto de vista, que é *o oficial*, foi Simão Pedro quem abriu o ministério do evangelho entre os gentios, embora, na realidade, o começo das missões gentílicas houvesse sido obra de Paulo. E este, para sempre, tornou-se o «apóstolo dos gentios». Por outro lado, embora Pedro fosse, essencialmente, o «apóstolo dos judeus», o seu ministério não se limitava totalmente a essa esfera, como também Paulo não se deixava limitar exclusivamente à pregação entre os gentios.

Também é perfeitamente possível que o ministério de Paulo já fosse previamente conhecido pela **igreja-mãe, de Jerusalém,** e que já houvesse sido amplamente aprovado; porém, que os problemas em potencial, com irmãos legalistas, se tivessem aprofundado quando Pedro também começou a participar dessa espécie de ministério. E isso tornou urgente um pronunciamento apostólico oficial sobre toda a questão.

Atos capítulo 10, por conseguinte, registra uma das principais expressões *do crescimento* da igreja **cristã. Ora, o crescimento e desenvolvimento são obtidos pelo sacrifício do indivíduo que deseja desenvolver-se para ter uma vida própria, independente; mas o abandono do lar não é empresa fácil para** muitas pessoas. E todos, em última análise, tornam-se devedores àqueles que os procriaram, nutriram e educaram. Assim também sucedeu no caso da igreja cristã. A igreja se expandiu para outras terras, distantes, porquanto não podia, para sempre, conservar-se em seu lar original, Jerusalém. E esse afastamento para outros lugares criou problemas, conforme sempre sucede quando há modificações. Não obstante, essa expansão era necessária para o cumprimento da ordem do Senhor Jesus, de que os seus seguidores saíssem pelo mundo inteiro a pregar o evangelho, a cumprir o intuito universal do plano divino atinente à redenção dos homens.

Se o cristianismo houvesse permanecido exclusivamente em Jerusalém, quando muito, ter-se-ia tornado a religião de *uma só nação*, conforme era a posição essencial do judaísmo. Foi muito melhor, por conseguinte, que o cristianismo se tivesse tornado uma religião universal, para todos os povos. Dessa maneira, o cristianismo eliminou o exclusivismo do judaísmo, deixando para trás o seu provincialismo, tendo-se feito um meio satisfatório de encaminhar todos os homens à vida que há em Cristo. Alguns membros da igreja judaica, dotados de curta visão espiritual, especialmente da igreja em Jerusalém, gostariam de ter desfeito todo esse notável desenvolvimento, se pudessem fazê-lo, requerendo que todos os gentios se tornassem judeus, para todos os propósitos práticos. Graças sejam rendidas a Deus, porém, Pedro, Paulo e os demais apóstolos, com iluminação divina, reconheceram que isso podia e devia ser feito. Assim a igreja de Cristo saltou de um desenvolvimento para outro, até que a pequena semente que fora plantada se transformou em um majestoso carvalho, estendendo os seus ramos até os confins da terra.

MISSÃO UNIVERSAL DO LOGOS (CRISTO)

Esboço:

I. Preparação no Antigo Testamento
II. Durante o Período Intertestamental
III. Durante o Novo Testamento
IV. A Dimensão do Hades
V. A Dimensão Celeste
VI. A Universalidade da Missão de Cristo

I. Preparação no Antigo Testamento

Ver os artigos intitulados *Messias* e *Messiado de Jesus*. Ver especialmente *Profecias Messiânicas Cumpridas em Jesus*.

II. Durante o Período Intertestamental

As expectações messiânicas acenderam-se muito durante esse período, ao ponto do livro de I Enoque falar em um Messias celeste, um conceito que se tornou comum no Novo Testamento, dando ao Messias o seu aspecto divino. Esse livro exibe o esboço da predição profética que se acha no Novo Testamento, sendo esse um ponto surpreendente para aqueles que o lêem pela primeira vez. O período dos Macabeus, naturalmente, aumentou as expectações, em Israel, quanto a um libertador político, embora a dimensão espiritual também tivesse sido muito fomentada durante esse tempo. A comunidade (ou comunidades) que produziu os manuscritos do mar Morto, esperava três figuras messiânicas distintas: um sacerdote aarônico de poder e espiritualidade especiais; um rei davídico; e um profeta semelhante a Moisés.

III. Durante O Novo Testamento

Encontramos aqui o cumprimento das expectações anteriores, com várias amplificações significativas. Ver o artigo sobre o *Messias*, que tem amplos detalhes, além de profecias cumpridas por Jesus, segundo se disse acima.

IV. A Dimensão do Hades

O apóstolo Pedro (ver I Ped. 3:18-4:6) adicionou ao registro da missão de Cristo um aspecto no hades, o que universalizou sua realização e levou o evangelho até àquele lugar de julgamento. Ver o artigo detalhado sobre **Descida de Cristo ao Hades.**

V. A Dimensão Celeste

Todos os crentes têm consciência do ofício de Mediador, ocupado por Jesus Cristo. Essa é uma doutrina tão fundamental que todos os ramos da Igreja cristã a reconhecem e ensinam. Ver o artigo separado sobre *Mediador, Cristo, o Único*. Ver também o artigo geral chamado *Mediador, Mediação*. Porém, o que não é muito ensinado na Igreja é a missão de Cristo nas dimensões celestes, e daí ampliada a *toda a criação*, o que constitui o *Mistério da Vontade de Deus* (vide). Isso promete realizar a restauração de todas as coisas, segundo os termos de Efé. 1:9,10. Ver o artigo intitulado *Restauração*. Ver também a seção VI. abaixo.

VI. A Universalidade da Missão de Cristo

Cristo realizou (realiza) uma missão tridimensional que garante o êxito do plano do amor de Deus: na terra, no hades, nos céus.

Ele foi chamado Cristo na sua encarnação.

1. O N.T., como um inteiro, não ensina universalismo, embora alguns versículos isolados, aqui e lá, assim possam ser interpretados.

2. O N.T. *certamente* ensina que todos, sem exceção, serão sujeitos a Cristo como Senhor. Isto significa todos os seres inteligentes, não somente seres humanos. Ver Fil. 2:9-11.

3. Note bem que Ele será Senhor na capacidade de *Jesus*, não somente como «Cristo». Isto *implica*, se não ensina como dogma, que a condição de ter Jesus como Senhor será restaurativa. Isto não significa, todavia, que a «restauração» assim feita (universalmente) pode ser comparada com a «salvação» dos eleitos. Ver o artigo sobre *Restauração*.

4. Achamos que a aceitação de Cristo como Senhor não será meramente «forçada», mas encorajada pela «fé» dos não-eleitos, embora aquela fé não seja a fé evangélica dos eleitos. Cristo, também para eles deve ser o alvo da vida, a razão de viver, a harmonia da existência, a fonte de bem-estar, ver Efé. 1:23.

5. I Ped. 4:6 (junto com a história da descida de Cristo ao hades. I Ped. 3:18 *ss*) tem sido interpretado por muitos dos antigos pais e pela igreja histórica, como significando que a plena salvação será possível para todas as almas humanas até a segunda vinda de Cristo (ou segundo alguns, quando do julgamento final). *Estes acontecimentos*, portanto, determinariam os destinos finais dos homens, não a morte física de cada indivíduo. As escrituras normalmente colocam o julgamento junto à segunda vinda de Cristo.

6. Outros acham que a história da descida de Cristo ao hades significa um *melhoramento* no estado dos perdidos, não a plena salvação em potencial. Neste melhoramento, os não-eleitos teriam uma vida útil, numa sociedade capaz de trazer uma glória positiva a Deus, e com propósitos de vida que agradam a Deus.

7. Escrituras como Efé. 1:10,23 e Col. 1:16 exigem a idéia de uma restauração universal de todas as coisas, com Cristo como Cabeça, Senhor, fonte e alvo de toda a vida, de todos os seres. A *unidade* da qual ele será o Cabeça deve ser totalmente universal da mesma maneira como ele foi o criador de todas as coisas. As coisas que ele criou devem voltar para ele como alvo. Assim, ele é o *Ômega* e não somente o *Alfa*. Esta unidade não pode ser feita através da exclusão de uma parte da criação dele.

8. Esta restauração (e unidade, Efé. 1:10), todavia, não significa salvação evangélica para todos os seres; mas significa, certamente, que todos os seres vivem por e para Cristo. A unidade terá muitos níveis de *tipo de vida*, mas todos eles terão um objeto em comum: *Para mim, viver é Cristo*.

9. I Ped. 4:6, quase certamente, indica que o próprio julgamento é *restaurativo* em seu propósito, e não meramente retributivo. A maioria dos pais da igreja tem ensinado isto e sempre foi uma posição comum da igreja histórica concernente ao julgamento. A «unidade» ao redor de Cristo, portanto, não ultrapassa o julgamento, mas, sim, de certo modo, é criada pelo julgamento.

10. O significado de ser *perdido* reside muito mais no fato de que os não-eleitos perderão o mais elevado significado da vida, isto é, de compartilhar da natureza divina (II Ped. 1:4), a plenitude divina (Efé. 3:19), a imagem e natureza do Filho (Rom. 8:29), do que no sofrimento que eles devem passar.

11. *O Logos* é o único salvador, mas sua missão é grandemente mais imensa do que muitas igrejas ensinam hoje. *Eu, quando for levantado da terra, atrairei todos a mim mesmo*. (João 12:32).

Da covardia que teme novas verdades,
Da preguiça que aceita meias-verdades,
Da arrogância que pensa conhecer toda a verdade,
Ó Senhor, livra-nos. (Arthur Ford)

12. O *Logos* (Cristo) planta suas sementes em filosofias e religiões não-cristãs como atos preparatórios à Restauração (que vide). Portanto, sua exclusividade é ao mesmo tempo uma universalidade, porque opera através de uma multiplicidade de meios. As verdades nas religiões, nas filosofias, e nas ciências, são *todas elas*, as verdades universais do Logos. Seu campo de atividade é universal.

13. *Evitando limitações*. Meus amigos, para mim, é uma coisa séria limitar a missão do Logos, chamado Cristo na sua encarnação. As Escrituras fazem do *julgamento* um remédio dos males de todos os homens, I Ped. 4:6, não simplesmente, um castigo. Este mesmo versículo remove a morte biológica como o fim da oportunidade. Será que existirá fim de oportunidade? Alguns acham que a Segunda Vinda de Cristo terminará a oportunidade e não a morte biológica de cada um. Alguns teólogos acham que nossa informação é limitada demais para fazer de alguns poucos textos de prova, a base de um dogma. Se isto representa a verdade, então podemos dizer que oportunidade é terminada ou limitada pela vontade humana, porque a porta é trancada do lado de dentro, não do lado de fora. Neste caso, não podemos marcar um tempo agora, ou no futuro, quando o destino dos homens será estagnado. Teoricamente, a oportunidade nunca cessará, embora não saibamos o resultado final, além do fato de que tudo será *restaurado* a um estado glorioso, porque somente isto concorda com o poder, o amor, e a vontade divina. Certamente Efé. 1:10 ensina isto. Mas, sabendo que haverá uma restauração não resolve o problema envolvido na pergunta, «A oportunidade para a *plena salvação* continuará para sempre? Meus amigos, vou lançar aqui meu voto. Acredito que esta oportunidade continuará para sempre, ou até o fim do presente *ciclo cósmico* no qual estamos envolvidos. Porém, oportunidade sem limite e sem fim, não quer dizer que todos os homens aproveitarão da mesma. Acredito que o número das almas humanas que participarão na natureza divina, que podemos chamar de *redenção*, será pequeno, a despeito da oportunidade espetacular e toda duradora. As almas humanas restauradas tornar-se-ão em muitas espécies de seres inferiores, mas suas diversas inferioridades, em si mesmas, representarão uma imensa obra do Restaurador, e uma série de glórias admiráveis, embora secundárias, em comparação com a suprema glória da participação na natureza divina — o destino dos redimidos.

Confesso, naturalmente, que nestas declarações, entro no campo da teologia especulativa, mas sinto-me justificado nisto, porque há evidências nas Escrituras, no misticismo, e no testemunho da razão. Também, para mim, estas idéias concordam melhor com o poder, inteligência, boa vontade e amor de Deus. Além disto, alguns dos pais mais antigos da igreja concordaram, em linhas gerais, com estas

MISSÃO UNIVERSAL DO LOGOS

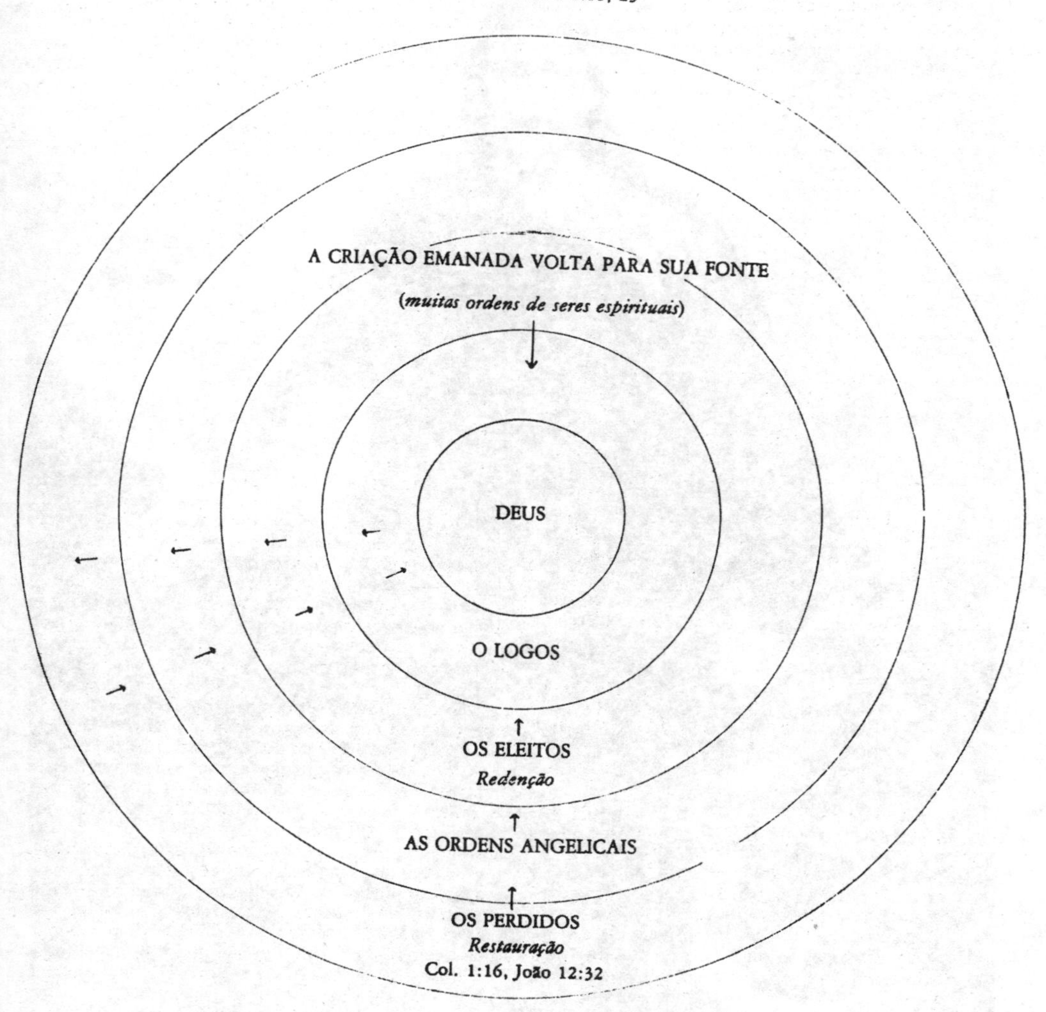

O Amor de Deus é Real
Todo-Poderoso
e será
Absolutamente Efetivo
Afinal

O julgamento é um dedo da mão amorosa de Deus. O julgamento efetua aspectos importantes do trabalho do amor de Deus.

***O amor de Deus* escreverá o último capítulo da história humana.**

O oposto de injustiça não é justiça — é *amor*.

Vinde a Mim, todos

idéias, especialmente os pais alexandrinos. Lanço meu voto numa cristandade mais otimista do que a variedade que domina na maioria das igrejas evangélicas.

Quero afirmar aqui também que existem verdades que vão além do Novo Testamento porque nenhum livro pode conter toda a verdade de Deus. Algumas partes da verdade de Deus podem ser alcançadas de outras fontes, e o Espírito tem o ofício de nos dirigir a *toda* a verdade. Vamos com cautela. Todavia, a verdade é uma aventura. Portanto, vamos com coragem e entusiasmo. Sabemos praticamente nada até agora, embora nosso conhecimento tenha alguns itens de suprema importância.

MISSÕES DOMÉSTICAS

Essa expressão já serviu de virtual sinônimo de evangelismo rural ou nas edificações das igrejas. Atualmente, porém, grandes cidades, com muita criminalidade, são objetos do labor missionário, pelo que se têm tornado parte integrante dos programas de missões domésticas.

Em alguns países, como o Brasil, onde ainda existem tribos indígenas primitivas, as missões domésticas incluem todas as características do trabalho missionário no estrangeiro, incluindo a necessidade do aprendizado de alguma língua estrangeira. O trabalho das missões domésticas tem-se devotado tradicionalmente aos grupos minoritários, como as áreas rurais, que não têm acesso aos templos, ou grupos de imigrantes, trabalhadores imigrantes, ministérios a grupos subprivilegiados e qualquer outro grupo humano que não disponha dos benefícios de templos para freqüentarem, nas cidades.

As missões domésticas trazem pessoas para trabalharem na Igreja em todos os aspectos de suas atividades, incluindo o evangelismo, o ensino e as instituições humanitárias. As missões domésticas são contrastadas com as *missões no estrangeiro* somente devido ao fato de que os missionários envolvidos naquelas primeiras não deixam seu país de origem para realizarem o seu papel. Ver os artigos separados intitulados *Evangelismo; Igreja* e *Movimentos Missionários*.

MISSÕES URBANAS

As cidades são campos missionários com grandes necessidades. Além da necessidade do evangelismo e da construção de templos, sempre haverá a carência dos pobres e de outros a ser atendida. Há a necessidade de educar as pessoas, o que inclui a instrução religiosa, a necessidade de ajudar as pessoas a adquirirem artes e ofícios, mediante os quais possam ganhar a sua vida, e há a necessidade de instalações recreativas, sobretudo no caso das crianças atendidas. De algumas décadas para cá, o problema dos tóxicos tem-se agravado muito, sobretudo nas grandes cidades, já havendo trabalho missionário especializado para atuar entre os viciados.

MISTÉRIO

Esboço:

I. Definição
II. Pano de Fundo
III. Mistérios de Paulo
IV. Sumário dos Mistérios do Novo Testamento
V. Importância Teológica do Mistério

I. Definição

Um **mistério** é qualquer verdade divina, antes oculta, que nos foi *revelada*, para que fôssemos *iluminados*. Consideremos abaixo alguns pontos sobre o que não é e o que *é* um «mistério».

1. Um mistério não é alguma verdade misteriosa que somente os *iniciados* possam compreender, segundo se pensava nas *religiões misteriosas* dos gregos e dos gnósticos.

2. Um mistério é antes uma verdade que até o momento de sua revelação estava *oculta*, mas que agora nos foi desvendada.

3. Envolvendo alguma verdade divina profunda, um mistério se reveste de determinados elementos que até agora não são compreendidos por nós, o que requer a *iluminação espiritual* da alma. E o Espírito Santo é quem projeta o foco *de luz* para esclarecer as nossas almas.

4. Compreendem-se os mistérios intuitivamente, em parte, não se tratando de uma compreensão inteiramente descritiva. Em outras palavras, alguns crentes perceberão, intuitivamente, a importância e a natureza dos mistérios de Deus; e esse entendimento os transformará, tornando-os mais santos e espirituais, apesar de não poderem «descrever», em termos objetivos e intelectuais, a natureza do mistério melhor do que outros crentes.

5. Um mistério é um *segredo desvendado*, uma verdade divinamente revelada. Não se trata de algo que possa ser descoberto exclusivamente pelo raciocínio da razão e, muito menos ainda, através da pesquisa. Trata-se de conhecimento outorgado mística e intuitivamente e não empiricamente.

6. O vocábulo «mistério» provavelmente foi tomado por empréstimo, pelo apóstolo Paulo, das religiões misteriosas de sua época, a fim de estabelecer um paradoxo proposital. De acordo com essas religiões, os mistérios seriam segredos ocultos, que só poderiam ser entendidos por alguns poucos. Seria um conhecimento esotérico. No cristianismo, entretanto, os mistérios são *segredos desvendados*, a fim de se tornarem conhecidos pelo mundo inteiro. A tarefa dos crentes é justamente tornar tais mistérios conhecidos, a fim de que os homens tomem conhecimento da glória de Cristo e de suas promessas aos homens. Tais mistérios devem ser «publicados» e não ocultados, conforme era o caso naquelas religiões da antiguidade.

7. A própria palavra grega aqui usada, *musterion*, significa «segredo», «rito secreto», «doutrina secreta». Nas páginas do N.T., portanto, um mistério é alguma realidade espiritual antes oculta nos conselhos divinos, mas que agora ele nos desvendou. Os mistérios sempre são verdades profundas e importantes. Existem muitos mistérios no N.T.

8. Nas antigas religiões misteriosas, os «mistérios» eram reservados aos *iniciados*. Não se assemelham a isso os mistérios aludidos no Novo Testamento. Antes, segundo os termos neotestamentários, *todos os homens* podem chegar a conhecer os mistérios da fé cristã, se assim o quiserem. Não obstante, devemo-nos lembrar que esses grandes mistérios cristãos, nesta vida terrena, só podem ser conhecidos em forma preliminar, como esboços. Todos esses mistérios precisam ser aprendidos com maior profundidade, como parte das experiências espirituais da alma remida, o que só se completará na presença mesma do Senhor, e não como mera compreensão intelectual. Ver o artigo separado sobre *Religiões Misteriosas* (dos *Mistérios*).

••• •••

II. Pano de Fundo

A palavra mistério era importante e muito usada, nos círculos religiosos do mundo helenista da época apostólica. Aparecera uma grande classe de cultos religiosos, naquele tempo, que desfrutava de extraordinário prestígio entre as massas populares, cultos religiosos esses que se tornaram conhecidos como «cultos misteriosos». Nesses cultos, a palavra era usada para indicar qualquer elemento «misterioso» e oculto. A própria palavra, no original grego, indica um «segredo», um «rito secreto», um «ensinamento secreto», um «mistério», mais ou menos da mesma forma como se utiliza esse vocábulo nos idiomas modernos. Os «cultos misteriosos» se caracterizam por seus ensinamentos estranhos e pelas suas cerimônias e seus costumes esquisitos. Não pode haver sombra de dúvida que o apóstolo tomou esse termo por empréstimo, baseado no vocabulário religioso da época; mas é igualmente verdade que ele empregou tal termo de maneira muito diferente do que se fazia em tais cultos. Pois, enquanto que nos cultos misteriosos, a palavra «mistério» indicava um «segredo fechado», franqueado somente aos adeptos do sistema, nos escritos de Paulo essa palavra indica, invariavelmente, um *segredo desvendado*. Para esse apóstolo, um «mistério» é um segredo do conselho divino, anteriormente oculto para os homens e além de sua capacidade de compreensão, mas que agora fora revelado e transformado em tema de sua consideração, ainda que não totalmente compreendido. (Ver I Cor. 2:7; Efé. 3:3,4 e Rom. 16:25, quanto a esse aspecto da «revelação de mistérios»).

Naturalmente, o judaísmo não pode ser arrolado como uma das religiões misteriosas. Todavia, o judaísmo reveste-se do espírito do que é misterioso, por ser uma religião divinamente revelada. Deus revelou os seus segredos aos seres humanos, conferindo-lhes importantíssimas informações, inteiramente à parte de seus raciocínios e esforços intelectuais. Assim, os profetas do Antigo Testamento foram instrumentos escolhidos por Deus, para revelação de sua vontade. A sua inspiração e as suas visões tornam-se agora veículos de nossa iluminação. O livro de Daniel ressalta as diferenças entre um vidente de Yahweh e um vidente pagão. O verdadeiro Deus revela os seus segredos aos seus servos autênticos, embora possa haver segredos espúrios em outras fés religiosas. Os livros escritos pelos judeus no período intertestamentário, chamados apócrifos e pseudepígrafos, dão prosseguimento às idéias essenciais, ensinadas no Antigo Testamento, no tocante à revelação divina. Assim, o livro Sabedoria de Salomão (6:2) afirma que a verdade de Deus não é privilégio de alguns poucos iniciados (*mystae*). Antes, Deus revela a verdade acerca de problemas intrincados, como o problema do mal, do julgamento, etc. (ver Enoque 68:5; 103:2; II Baruque 81:4; IV Esdras 14:5). O Filho do Homem haveria de revelar-se, expressando o conselho secreto de Deus, no dia do julgamento (ver Enoque 48:7; 51:3; 62:1 *ss*). Deus também teria revelado os seus segredos ao Mestre da Justiça, uma declaração constante nos materiais dos manuscritos do mar Morto (I Qp Hab. 7:1-5). Esses materiais também referem-se aos mistérios da iniqüidade (I Qh 5:3), algo paralelo ao que se lê em II Tes. 2:7. E em I Qs 4.1 há menção aos maus conselhos de Belial.

Aproximando-se a época da composição do Novo Testamento, vemos a coincidência de duas grandes correntes de crenças religiosas: a corrente do judaísmo e a corrente das idéias helenistas. Encontramos ali o precedente dos «mistérios», e os autores neotestamentários não hesitaram em empregar esse vocábulo a fim de falar acerca de suas doutrinas, antes ocultas dos homens, mas agora reveladas por Cristo e os seus apóstolos.

Não podemos supor, com base nisso, que a questão a ser revelada precisa ser, necessariamente, compreendida com perfeição, e isso porque, tratando-se de um mistério, sabemos que, ainda depois de desvendado, continuará se revestindo de determinados elementos verazes, que estão além do entendimento humano. Não obstante, no novo pacto, os mistérios não existem a fim de continuarem permanentemente ocultos, e, sim, a fim de se tornarem conhecidos e explanados. Tais mistérios sempre revelam algum intuito especial da vontade e do plano divinos, algum propósito eterno do Senhor, que usualmente tem algo a ver com a redenção humana. Os mistérios revelados, portanto, em sua quase totalidade, consistem em vislumbres acerca de vários aspectos do plano da redenção.

O trecho de I Cor. 2:7 refere-se aos mistérios como pertencentes à «sabedoria de Deus», e o exame do contexto mostra que essa sabedoria divina está vinculada à redenção humana, ao ministério do «Príncipe da glória» (ver o oitavo versículo de I Cor. 2.), o que conduz ao pensamento da *nossa glória*, que fala sobre o grande alcance da salvação humana em Cristo (ver o sétimo versículo). O que o olho não viu e o que o ouvido não ouviu, isso é que o Espírito tem revelado a nós, no dizer de Paulo. Esse é o verdadeiro caráter dos mistérios neotestamentários — alguma verdade anteriormente oculta, mas agora revelada. Essas verdades, entretanto, ainda assim retêm alguns aspectos difíceis para a compreensão humana, simplesmente porque procedem da mente divina.

III. Mistérios de Paulo

O apóstolo Paulo se refere a diversos «mistérios», os quais são aludidos nas seguintes passagens; Rom. 11:25; 16:25; I Cor. 2:7; 4:1; 15:51; Efé. 1:9; 3:3,4,9; 5:32; 6:19; Col. 1:26,27; 2:2; 4:3; II Tes. 2:7; I Tim. 4:9,16.

IV. Sumário dos Mistérios do Novo Testamento

1. **Os mistérios do reino dos céus (ver Mat. 13:3-50)**. Todos esses mistérios, de uma maneira ou de outra, estão associados à redenção humana.

2. O mistério da cegueira de Israel, o que envolve o propósito de Deus por detrás dessa cegueira, incluindo principalmente a idéia de que isso contribui para a salvação dos gentios e para o chamamento da igreja, embora também inclua a idéia de que essa cegueira envolve um período particular de tempo, cujas provisões não são permanentes (ver Rom. 11:25).

3. O mistério do arrebatamento dos santos, no fim da presente dispensação — o arrebatamento (ver I Cor. 15:51,52 e I Tes. 4:14-17).

4. O mistério da igreja, o corpo místico único de Cristo, composto tanto de judeus como de gentios, como a Noiva de Cristo (ver Efé. 3:1-11; Rom. 16:35; Efé. 5:26-32; 6:19 e Col. 4:3).

5. O mistério da habitação íntima do Cristo vivo no crente, que é o segredo da santidade e da transformação segundo a sua imagem (ver Gál. 2:20 e Col. 1:26,27).

6. O mistério de Cristo, isto é, Jesus Cristo como a plenitude encarnada da deidade, em quem habita toda a sabedoria divina (ver Col. 2:2,9 e I Cor. 2:7).

7. O mistério mediante o qual a piedade é restaurada ao indivíduo (ver I Tim. 3:16).

8. O mistério da iniqüidade (ver II Tes. 2:8 e Mat. 13:33).

9. O mistério das sete estrelas e das sete igrejas (ver

Apo. 1:20).

10. O mistério de Babilônia (ver Apo. 17:5,7).

11. O mistério da vontade de Deus, a *restauração* de todas as coisas (ver Efé. 1:10).

V. Importância Teológica do Mistério

1. Traz compreensão e conhecimento espirituais que representam um *avanço*. Estes avanços podem chegar de súbito.

2. É uma *intervenção divina* que outorga ao homem conhecimento e avanço espirituais.

3. Os mistérios do Novo Testamento demonstram que aquele documento ultrapassou a mensagem do Antigo Testamento.

4. Os mistérios de Paulo, *dentro* do Novo Testamento, demonstram que ele, como autor sagrado, ultrapassou outros escritores daquele documento em alguns pontos importantes da teologia. Portanto, o Novo Testamento representa níveis de revelação, não um nível só.

5. O mistério, como revelação e iluminação, demonstra a verdade do *teísmo* (vide) no lugar do *deísmo*. O teísmo ensina que Deus tem interesse na sua criação, fazendo intervenções, recompensando e castigando. O *deísmo* (vide) ensina que Deus abandonou seu mundo e deixou a lei natural para reinar. Assim, ele não faz intervenções, não castiga, e não recompensa.

6. Os mistérios demonstram a função do *misticismo* (vide) entre os homens. O homem pode saber das coisas através do empirismo, do racionalismo, da intuição e do *misticismo* (visões dos profetas, sonhos, revelações, ministério do Espírito Santo). O misticismo é o principal meio do conhecimento espiritual.

7. O mistério revela, mas por natureza contém verdadeiros mistérios, portanto, sua revelação é sempre parcial, embora de grande importância.

MISTÉRIO DA CEGUEIRA e endurecimento de Israel: Romanos 11:25.

1. Existem certos elementos *humanos* por detrás da cegueira de Israel. (No tocante a esse tema, ver todo o décimo capítulo da epístola aos Romanos).

2. Contudo, de alguma maneira, por toda a questão também transparece certo decreto da *vontade divina*, de tal modo que nem todas as explicações dessa cegueira de Israel podem ser descobertas pela sabedoria humana. De alguma maneira, pois, tal cegueira faz parte do plano divino.

3. Essa cegueira visa prover, para as nações gentílicas, a oportunidade de ouvirem e aceitarem o evangelho, o que contribuirá para a formação da Noiva de Cristo, onde os remidos serão transformados segundo a imagem de Cristo, moral e metafisicamente falando, tornando-se participantes da própria natureza divina. (Ver Rom. 11:12-24 quanto a esse tema: ver também Rom. 8:29 e II Ped. 1:4, acerca dos detalhes do que isso significa).

4. Essa cegueira de Israel não será permanente, mas antes, tem por finalidade dar tempo suficiente para que se complete o plano divino relativo aos gentios, incluindo o chamamento de «todos os membros» da igreja cristã.

5. Essa cegueira ainda redundará, finalmente, na completa restauração nacional de Israel, ou seja, o cumprimento do plano divino sobre essa nação, o que satisfará todas as provisões do pacto abraâmico, o que a simples chamada do «remanescente» não pode satisfazer. (Ver Rom. 11:26).

6. Em termos bem latos, pode-se dizer que o «mistério», neste versículo, consiste de *todo o plano* ou esquema da redenção, conforme a Paulo fora revelado, e mediante o qual os judeus e os gentios, por semelhante modo, serão incluídos no reino de Deus, o que também inclui os métodos particulares, utilizados por Deus, na concretização desse plano, métodos freqüentemente invisíveis e desconhecidos, mas nem por isso inoperantes. A cegueira de Israel faz parte integrante desse quadro, pois, mas a restauração final de Israel também faz parte do mesmo, conforme se aprende no vigésimo sexto versículo, o que deve ser incluído na declaração do mistério geral deste texto.

MISTÉRIO DA VONTADE DE DEUS

Esboço:

I. Unidade de Tudo em Cristo: Efé. 1:10.
II. Sumário de Idéias
III. A Redenção é um Aspecto da Restauração
IV. O Que Dizer sobre o Julgamento?
V. Algumas Particularidades Desse Mistério
VI. Cuidado para não Diminuir a Grandeza do Evangelho
VII. A Missão Tri-dimensional do Logos (Cristo)

Efé. 1:10: ***para a dispensação da plenitude dos tempos, de fazer convergir em Cristo todas as coisas, tanto as que estão nos céus como as que estão na terra.***

I. Unidade de Tudo em Cristo: Efé. 1:10.

De fazer convergir nele...todas as coisas. Essas palavras expressam o **mistério máximo** da vontade de Deus. Todas as coisas encontram sua existência, propósito e significação em Cristo Jesus. E isso, por sua vez, mostra a sua significação cósmica, e não meramente terrena. Cristo é o ponto culminante ou centro em torno de quem todas as coisas têm sua existência e sentido. De uma maneira ou de outra, todas as coisas lhe redundarão em glória e nele serão glorificadas. Ele é o Cabeça e benfeitor universal de todas as coisas, de todos os seres inteligentes, e não apenas dos homens.

Notemos que este versículo menciona coisas *tanto as do céu como as da terra*. Na qualidade de Verbo de Deus, todas as coisas conhecidas por Deus foram conhecidas por intermédio dele. Isso está incluso na doutrina do «Verbo», que aparece no primeiro capítulo do evangelho de João, como também está implícito em Col. 1:15, onde ele é visto como «a imagem do Deus invisível». Deus vive em luz inabordável, de quem ninguém se pode aproximar (ver Tim. 6:16). Qualquer ser que se avizinhe de Deus tem de fazê-lo por intermédio do Verbo, a imagem de Deus, e qualquer acesso futuro terá de ocorrer da mesma maneira. **Por conseguinte, todo o bem-estar e a *unidade universal* de *todas* as coisas,** tudo se centraliza em torno de Cristo. Nas Escrituras aprendemos que tudo vive, se move e tem seu ser em Deus (ver Atos 17:28); e agora ficamos sabendo que isso faz parte do mistério da vontade divina, sendo plano do Senhor que todas as coisas tenham seu centro em Cristo, o Verbo eterno. E a história inteira **da humanidade é tão-somente o processo terreno mediante o que isso está tendo lugar.**

Fazer convergir. No grego, *anakephalaico*, isto é, «sumariar», «recapitular», *reunir*. Podemos comparar isso com Rom. 13:9: «...tudo nesta palavra se resume: Amarás ao teu próximo como a ti mesmo». Por semelhante modo, a criação inteira está «sumariada» em Cristo, tendo nele o seu ser, propósito, destino e centro. E tudo é «devolvido à sua órbita, sendo ele o centro». Isso indica a unidade universal de todas as coisas em Cristo. Todos os seres e todas as coisas, igualmente, giram em torno dele. (Comparar isso com Rom. 8:21 e I Cor. 15:28).

II. Sumário de Idéias

O Mistério da Vontade de Deus: A Restauração Universal

1. É tempo perdido procurar diminuir o alcance do que é dito no texto à nossa frente. A vontade de Deus é restaurar «todas as coisas», tal como ele também criou «todas as coisas». O trecho de Col. 1:16, encerra idêntica mensagem. E assim como a criação foi realizada «por Cristo» (ele é o Alfa), assim também veio a existir «para Cristo» (pois ele também é o Ômega). Finalmente, Cristo haverá de «sumariar» a criação inteira. Ele terá de ser «tudo para todos» (interpretação do trecho de Efé. 1:23). Ora, isso não poderia ocorrer a menos que a unidade em torno de Cristo fosse absolutamente toda compreensiva, incluindo cada ser que jamais viveu, bem como a estrutura de todos os mundos criados.

2. Os intérpretes que opinam que essa unidade envolverá somente os salvos, entendem mal o grandioso conceito da vontade de Deus, no tocante a toda a sua criação.

3. Unidade fala de harmonia, boa vontade, **bem-estar. A unidade que finalmente se formará em redor de Cristo, portanto, deve visar o *bem*, Não basta** dizer-se que os perdidos servirão de louvor a Deus, ao mesmo tempo que habitarão no fogo eterno, porquanto contemplarão a santidade divina. Isso exprime uma verdade, mas é uma declaração por demais parcial, por demais míope. Orígenes por certo tinha razão, quando afirmou que o conceito do julgamento como algo apenas retributivo (sem qualquer grau de restauração), é uma idéia que condescende com uma teologia inferior.

4. Não temos nisso o universalismo. Alguns intérpretes têm lançado mão do presente texto para defender a idéia do universalismo, isto é, o conceito de que, finalmente, todos serão salvos, e que o «quando» (o ponto dentro do tempo) é a única diferença que se pode conceber aqui. Pelo contrário, consideremos os pontos abaixo:

III. A Redenção É Um Aspecto da Restauração

1. **A restauração envolverá todos os seres e todas as coisas. A redenção, por sua parte, antinge somente** os eleitos. A redenção quer dizer que os homens participarão da própria imagem e natureza de Cristo (ver Rom. 8:29) e, portanto, da própria natureza divina (ver II Ped. 1:4), e dos atributos de Deus (ver Efé. 3:19) e, assim sendo, de sua própria forma de vida (ver João 5:25,26). Os eleitos passarão de um estágio de glória para outro, pois a glorificação deles será interminável (ver II Cor. 3:18).

2. Em contraste com isso, os *não eleitos restaurados*, formarão uma espécie completamente diferente, que não compartilhará da natureza divina, e as vantagens que adquirirem — pelo motivo de fazerem parte da unidade em torno de Cristo e do fato de que ele será tudo para eles (ver Efé. 1:23) — serão, em comparação com o ganho infinito dos eleitos, uma categoria de ser bastante mais baixa. Mesmo assim, não podemos imaginar qualquer estagnação no estado dos perdidos. Até qual ponto de glória eles poderão chegar fica escondido na infinita sabedoria de Deus.

3. Os eleitos serão maiores, em poder e glória, do que a maioria dos homens concebe acerca do poder e da glória de Deus, pois os homens, afinal de contas, fazem uma idéia bem baixa da pessoa de Deus. Por semelhante modo, especulamos, os perdidos terão uma glória e uma utilidade maiores, a serviço de *Jesus Cristo* (porquanto eles provavelmente comporão muitas sociedades bem dispersas, onde Cristo será ativamente glorificado), do que a maioria dos homens agora pensa ser o destino dos eleitos.

IV. O Que Dizer Sobre o Julgamento

1. **A restauração dos perdidos não deixará de lado o** julgamento. Antes, o próprio juízo será um dos elementos que produzirão essa restauração. O julgamento será restaurador, e não apenas retributivo, conforme somos ensinados em I Ped. 4:6 (onde as notas expositivas no NTI devem ser examinadas. Ver um conceito similar comentado em Rom. 11:32).

2. O julgamento pode ter ou não uma natureza *remidora*. Antes da Segunda Vinda de Cristo, certamente, terá esta qualidade. Mas se reterá este poder depois daquele evento, somente Deus sabe.

3. O julgamento deve ser aquilatado em termos de «contraste», e não em termos de «sofrimento». Em outras palavras, **os não-eleitos sempre estarão** debaixo de julgamento, porque esse será eterno, porquanto a idéia central do julgamento é privação. Aqueles que forem assim julgados, jamais poderão ser remidos. Todavia, o julgamento ajudá-los-á a verem restaurado às suas pessoas um certo grau de utilidade e glória, que os ajustará dentro do plano de Deus. Esse «grau», repetimos, por si mesmo será um julgamento, pois será uma perda infinita, *em contraste* com a redenção.

4. O número dos eleitos será extremamente pequeno. Poucos descobrirão o caminho da redenção que há em Cristo; poucos compartilharão de sua própria natureza e imagem; poucos obterão o ganho infinito. O número dos restaurados será muito vasto, a saber, ***todos* os não-eleitos.**

V. Algumas Particularidades desse Mistério

1. **Envolve muito mais do que a «salvação dos povos** gentílicos», segundo essa questão tem sido reduzida por alguns intérpretes. Pois que os gentios haveriam de ser salvos não constituía nenhum segredo, por ser tema das profecias do A.T. (Ver Rom. 9:24-33 e 10:19-21).

2. Esse mistério também não consiste de iguais privilégios religiosos e espirituais entre judeus e gentios, embora isso não houvesse sido antecipado pelo A.T. e embora isso faça parte integrante do mistério.

3. Por conseguinte, esse mistério não é a «igreja», nem mesmo em seu sentido mais elevado de «Noiva», algo novo na economia divina, em que os seus participantes serão remidos e compartilharão da imagem de Cristo. Realmente, isso constitui um mistério, a saber, aquele explicado em Efé. 3:3 e *ss*. Mas aquele mistério faz parte do que aqui é abordado e mostra como esse mistério mais extenso se aplica aos remidos.

4. Esse mistério também não é o evangelho, em seus muitíssimos aspectos. O evangelho faz parte deste mistério maior, por ser um agente da redenção humana.

5. Pelo contrário, o mistério aqui ventilado é uma espécie de *restauração universal* incluindo a universal unidade em torno de Cristo. Portanto, isso envolve Israel como nação e o cumprimento de todas as promessas; a nova criação, a habitação de todos os seres unificados; todos os seres inteligentes, todos os exércitos celestiais, todas as hostes angelicais; os novos céus, os lugares celestiais como moradas dos seres espirituais; a igreja, que é a comunidade dos espíritos humanos remidos; e, de alguma maneira, como sugerida acima, até mesmo os perdidos.

●●● ●●●

Descobrindo-nos o mistério da sua vontade, segundo o seu Beneplácito, que propusera em Si mesmo,

De tornar a congregar em CRISTO todas as coisas, na dispensação da plenitude dos tempos, tanto as que estão nos CÉUS como as que estão na TERRA.

Assim Cremos

Aos Efesios I: 9-10

Caligrafia de Darrell Steven Champlin

Mistério da Vontade de Deus

O oposto de injustiça não é justiça — é *amor*.

Medalhão decorativo, evangelho
de João, Livro de Durrow

VI. Cuidado Para Não Diminuir a Grandeza do Evangelho

Existem alguns versículos do Novo Testamento, como aqueles considerados neste artigo, que, certamente, oferecem um quadro mais otimista sobre o que podemos esperar, afinal, da missão de Cristo. Ver o artigo sobre a *Missão Universal do Logos (Cristo)*. O mistério de Paulo revelou o que Deus, afinal, vai fazer em relação à sua criação e não devemos anular esta revelação, insistindo na aplicação de versículos sobre o julgamento que agora foram ultrapassados, mesmo como o Novo Testamento ultrapassou o Velho Testamento. Partes do Novo Testamento também ultrapassam outras partes. Isto acontece sempre quando um *mistério* é revelado. É sério anular as revelações assim apresentadas numa insistência de preservar, sem mudança, idéias mais antigas. Devemos nos lembrar que foi exatamente isto que os judeus fizeram com a revelação cristã, supondo que ninguém podia ultrapassar suas escrituras. Ver sobre **Restauração e Descida de Cristo ao Hades.**

N.B. Há alguns anos, quando a parte maior deste artigo foi escrito, falei da *perda infinita* dos restaurados, em comparação com os eleitos. Ver III. 2, acima. Acredito agora que é errado falar desta maneira de qualquer realização do *Logos*. Tais expressões diminuem a glória e realização da missão universal de Cristo, e não devem ser empregadas.

VII. A Missão Tridimensional do Logos (Cristo)

A missão do Logos foi universal: na terra, no hades e no céu. Creio que há continuidade em todos esses três aspectos da missão de Cristo, a fim de garantir o sucesso absoluto e a universalidade de sua missão, embora isso não afete as almas sempre da mesma maneira. Porém, podemos estar certos de que aquilo que essa tríplice missão realiza em favor de todos é bom, muito bom.

Ver uma crítica (por Pastor João Marques Bentes) de alguns pontos de vista (doutrinas) deste artigo, sob seções IV e V do artigo, **Universalismo.**

MISTÉRIOS ELEUSIANOS

Ver sobre **Religiões Misteriosas.**

MISTÉRIOS DIONISÍACOS

Ver o artigo sobre **Religiões Misteriosas.**

MISTICISMO

Esboço

I. Definições e Descrições
II. Tipos de Misticismo
III. A Mediação do Misticismo
IV. A Fé Cristã é de Natureza Mística
V. Conhecendo o Infinito
VI. Alvo do Misticismo
VII. Misticismo Falso e Misticismo Verdadeiro
VIII. Considerações Históricas e Filosóficas
IX. Categorias Místicas
X. Lições Que o Misticismo Ensina
XI. Meios do Conhecimento
XII. Meios do Crescimento Espiritual

I. Definições e Descrições do Misticismo

1. *A Palavra*. O termo básico grego é *mústes*, «iniciado nos mistérios». E o vocábulo grego *mustérion* significa «mistério», «rito secreto», «doutrina secreta». Essa mesma palavra no plural, *mustéria*, apontava para os «mistérios», as celebrações religiosas secretas, os ritos e as doutrinas inescrutáveis. Ao que parece, esse termo, com tal sentido, foi usado pela primeira vez, dentro do contexto cristão, na obra *Dionysius Areopagitica*, do *pseudo-Dionísio* (vide). Nessa obra, a referência é a via negativa. — ou seja, aquele método de aproximar-se de Deus (que é transcendental) negando o mundo, com sua linguagem e suas características. Assim, Deus é aquilo que o mundo e seus caminhos não são. Ver o artigo intitulado *Via Negationis*. Os antropomorfismos são assim evitados ao máximo, e a debilidade da linguagem humana está sempre diante de quem quer que tente dizer algo de significativo acerca da natureza de Deus.

2. *Descrições*. A abordagem mística de Deus é aquela que enfatiza a comunhão com a divina Presença, a qual é espiritual, não-discursiva, e, com freqüência, inefável. Nessa abordagem, é importantíssima a *unidade*: unidade com a natureza; unidade com a alma; unidade com Deus. A *iluminação* é sempre importante no misticismo, fazendo isso contraste com a razão e com a lógica, que se expressam por meio da linguagem. A *transformação*, efetuada pela divina Presença, também é sempre importante, o que contrasta com a ética, inspirada pelos «faze» e «não faças» racionais. Por semelhante modo, a *experiência* sempre é importante, fazendo contraste com a teologia dogmática. É verdade que o subjetivismo é um acompanhamento; mas, afinal, toda *crença* repousa sobre o subjetivismo. Isso não significa, porém, que o misticismo e a crença não se originem em experiências verídicas. A meditação e a busca pela iluminação são sempre importantes para o misticismo. O misticismo é um dos *caminhos para o conhecimento:* de um conhecimento que nos vem através das experiências místicas, e não através da percepção dos sentidos, do empirismo e da razão. A revelação divina é uma forma de misticismo, porquanto os profetas recebem suas mensagens por iluminação ou inspiração, com freqüência nos estados extáticos.

3. *Definições*. Primeiramente fornecemos as definições bem fundamentais, e então as secundárias.

O misticismo é o contacto, real ou imaginário, com algum ser ou entidade *superior*, maior que o próprio indivíduo, podendo envolver seres ou coisas. No cristianismo, esse contacto pode dar-se com o próprio «eu» mais elevado, a alma, com algum ser angelical ou demoníaco, com Cristo, com o Espírito Santo ou com Deus Pai. No Oriente, o misticismo tende por ser «subjetivo», isto é, contato com o próprio ser mais elevado. No Ocidente, tende mais por ser «objetivo», ou seja, contato com seres mais elevados que os seres humanos.

O misticismo infunde na religião o senso do sagrado. Confere vida aos dogmas mortos. Outorga luz, mesmo não havendo definições verbais.

O *caminho místico*, dentro da experiência cristã, envolve quatro estágios comuns: a. o despertamento; b. a expurgação; c. a iluminação; d. a unificação com a divina Presença.

Citações de Teólogos e Filósofos:

«O verdadeiro misticismo assevera que todos os crentes são templos do Espírito, estando assim em condições de serem diretamente iluminados por ele, mas também assevera que há uma completa revelação que já foi dada, e que a obra iluminadora do Espírito confina-se ao desvendamento das Escrituras à mente e ao coração do homem. Porém, o misticismo falso ignora essas afirmações» (Lewis Sperry Chafer, Theology, vol. I, pág. 14).

«O misticismo cristão pode ser considerado como a

conseqüência normal do desenvolvimento na graça» (Karl Rahner, *Encyclopedia of Theology*, artigo sobre o *Misticismo*).

«Misticismo Autêntico. Já vimos que existe uma *iluminação* das mentes de todos os crentes, por parte do Espírito Santo. Contudo, o Espírito não revela nenhuma verdade inédita, mas apenas usa como seus instrumentos a verdade já revelada por Cristo, na natureza e nas Escrituras. Portanto, a obra iluminadora do Espírito é a abertura das mentes humanas para que entendam as preciosas revelações de Cristo. Como alguém iniciado nos mistérios do cristianismo, cada crente verdadeiro pode ser chamado de místico. O verdadeiro misticismo é aquele conhecimento superior e comunhão com o Espírito Santo, que é dado através do uso da natureza e das Escrituras, como os meios secundário e principal» (Augustus Hopkins Strong, *Systematic Theology*, pág. 32).

«O misticismo existia em Israel na forma de profetismo» (Vergilius Ferm, *Encyclopeia of Religion*, artigo sobre o *Misticismo*).

«O misticismo é aquela atitude mental na qual todas as relações são absorvidas na relação da alma com Deus» (Edward Caird).

«*Misticismo*. A crença que o conhecimento da verdade divina ou que a união da alma com o Ser divino é algo que se obtém mediante o discernimento espiritual ou a contemplação extática, sem o intermédio dos sentidos ou da razão» (Funk & Wagnall's Standard Dictionary).

«A grosso modo, a misticismo pode ser entendido como uma abordagem espiritual e não-discursiva da união da alma com Deus, ou com qualquer coisa que seja considerado como a realidade central do universo» (*Dictionary of Philosophy and Religion*, artigo sobre o *Misticismo*).

«A doutrina que a natureza da Realidade é *inefável*, ou seja, inacessível através dos sentidos ou do intelecto, indescritível em qualquer dos termos e categorias ao comando da consciência humana ordinária, e inabordável exceto através de algum estado especial de *êxtase*, que transcende a todas as formas e atividades sensíveis, emocionais, intuitivas, volitivas e racionais da experiência humana normal. Nesse êxtase, desaparece todo o senso de separação, de desunião e de diferença entre o próprio 'eu' e a natureza do Real, a autoconsciência é obliterada e o indivíduo ou realmente mergulha no Real e torna-se um com ele, ou é envolvido em uma visão beatífica dc Real, onde não mais é experimentada a distinção entre sujeito e objeto, embora essa distinção continue existindo metafisicamente» (MM, *Glossary of Common Terms*, «Mysticism»).

Palavras Indefiníveis. A filosofia analítica tem demonstrado que as palavras de **profundo sentido** não têm definição. Quanto a essas palavras, sem importar o que digamos, alguém verá algo de errado, ou mesmo de inadequado, em nossa definição. O que finalmente sucede é que terminamos com uma série de descrições, cada uma das quais talvez consiga atingir a verdade em algum ponto. Ora, isso se aplica à palavra *misticismo*. Tanto Chafer quanto Strong restringiram em demasia a idéia do misticismo, porquanto ambos foram teólogos sistemáticos. Mas o pais gregos da Igreja com razão afirmavam que a atividade do Logos é universal, não estando confinada aos sistemas judaico e cristão. O trecho de Efé. 1:9,10 (o *mistério da vontade de Deus,* vide) promete que, finalmente, haverá a unidade de todas as coisas em volta de Cristo. Enquanto isso não for uma realidade, sempre haveremos de confirmar, com a nossa experiência, apenas fragmentos das atividades do Logos e da divina Presença.

II. Tipos de Misticismo

O misticismo não respeita fronteiras denominacionais, nem barreiras de credos e dogmas. Tem sido experiência de todas as culturas e em todas as épocas. Consideremos os pontos abaixo:

1. As visões místicas podem ter natureza puramente *psíquica*, isto é, podem ser projeções mentais do próprio ser, sem qualquer contacto com outros seres de natureza espiritual. Aqueles que recebem essas experiências pensarão, entretanto, que elas são experiências «objetivas», tal como quando sonhamos, e tal experiência parece perfeitamente objetiva. As experiências místicas podem ser prenhes de significado, até mesmo totalmente «psíquicas», porquanto o homem possui espírito, embora entravado pelo corpo físico, podendo revelar coisas significativas para a sua própria mente consciente, tal como tem sido demonstrado que os sonhos, com freqüência, têm tal significação. A experiência psíquica mais comum é o *sonho precognitivo*, — isto é, sonhos que revelam coisas do futuro. Os sonhos humanos comum e normalmente incluem predições do futuro.

2. As experiências místicas podem ter a natureza de *alucinações*, provocadas por transtornos químicos ou tendências neuróticas. Essas experiências, que com freqüência incluem visões de monstros, demônios e seres espirituais malignos, são pouco mais do que pesadelos tidos à luz do dia.

3. As experiências místicas podem ser mediadas por espíritos *angelicais* ou *demoníacos*.

4. As experiências místicas podem ser provocadas por *drogas*; quando isso sucede, podem ter natureza religiosa **ou não-religiosa,** com grande ou com nenhuma significação. É possível provocar certas formas de experiência mística, de forma válida, mediante drogas, embora isso não seja desejável e nem «moral». Não é preciso um grande senso espiritual para saber que a provocação de experiências místicas, mediante drogas, mesmo que sejam válidas (o que usualmente não ocorre), *é prejudicial e imoral*.

5. As experiências místicas, finalmente, podem provir de um nível altíssimo, isto é, da parte dc *Espírito Santo*. Os grandes profetas e videntes tinham experiências desse nível. Mui provavelmente, na igreja cristã, dons espirituais genuínos são mediados por seres angelicais, o que quiçá se dê na maior parte dos casos. Ocasionalmente, alguns gigantes espirituais podem ser diretamente influenciados pelo Espírito Santo. Em outros casos, os dons podem ser desenvolvimentos das qualidades espirituais do próprio indivíduo, não transcendendo a seu próprio ser. Porém, já que o homem é um espírito, podem ocorrer fenômenos de elevada ordem, contanto que a pessoa envolvida esteja altamente desenvolvida no espírito. O propósito de todas essas experiências é transformar os crentes segundo a imagem de Cristo, infundindo neles o Homem ideal.

6. A *Encyclopedia of Religion*, de Vergilius Ferm, distingue os seguintes tipos de misticismo:

a. *Contemplativo*, do tipo monístico, como os de Plotino, Agostinho, Eckhart, Emerson e os platonistas cristãos. Mediante a contemplação, aliada à meditação e aos estados extáticos, é buscada a união com o Um. Esse Um pode não ser identificado como uma pessoa distinguível.

b. *Pessoal*. Comunhão com alguma pessoa elevada metafisicamente ou divina, como Deus, Cristo, o Espírito Santo, um anjo, etc. Esse é o tipo de misticismo recomendado pelo Senhor Jesus, Paulo,

Lutero, Thomas à Kempis, Fra Angélico, George Fox, Fenelon e Kagawa.

c. *Misticismo da Natureza*. De alguma maneira nebulosa e não-definida, a natureza é investida de qualidades místicas e religiosas, segundo as quais o indivíduo pode participar da natureza, vindo a tornar-se um com a mesma. Esse tipo de misticismo era ensinado por Francisco de Assis, que foi o principal dos místicos da natureza. Também podemos pensar em Wordsworth e vários poetas, incluindo John Muir, escritor sobre a natureza.

d. *Prático*. Essa é a prática do serviço sacrificial, impulsionado pelo senso avassalador do amor, que age como um motivo incansável. Bem podemos imaginar que alguns dos santos estiveram envolvidos em grandes movimentos de caridade impulsionados exatamente por esse misticismo prático, um motivo acerca do qual o crente comum conhece pouquíssimo. A história do misticismo tem demonstrado que esse grande senso de amor com freqüência é dado ao homem mediante alguma experiência mística, como se fora um dom de Deus. O amor é um cultivo do Espírito; e, em certas pessoas, esse cultivo atinge um nível muito elevado.

Esses quatro tipos de misticismo não são contraditórios. Antes, são **suplementareres**, dependendo das atitudes pessoais e das experiências de cada místico. Assim, um místico prático também pode ser um místico pessoal. Podemos encontrar Deus na natureza; podemos pensar em Deus como o grande Unificador de todas as coisas; ou podemos pensar nele como uma Pessoa. Deus é todas essas coisas.

7. *Misticismo Ocidental* (extrovertido; objetivo) e *Misticismo Oriental* (introvertido; subjetivo). Usualmente, no Ocidente, o objeto da busca mística está fora do próprio indivíduo. É objetivo, porquanto as pessoas «voltam-se para fora de si mesmas» em sua busca mística. Nós, ocidentais, buscamos uma Pessoa, distinta de nós mesmos, como Deus, Cristo, o Espírito, algum poder angelical, etc. Em contraste com isso, no Oriente, a busca usualmente é interior, subjetiva, em que o interessado rebusca alguma dimensão superior de sua própria alma. Ali a busca é «dentro» do próprio indivíduo. No misticismo ocidental é buscado o *Mysterium Tremendum* (vide), para que com ele possa haver comunhão e união, como o mais elevado de todos os princípios. Os primeiros dos chamados pais da Igreja falavam sobre o *Mistério* como o objeto de nossa inquirição espiritual. «Esse misticismo que busca o mistério é que se mostra particularmente harmônico com a tradição cristã» (C).

8. *Formas Bíblicas de Misticismo*. Em alguns dos livros do Antigo Testamento, a divina Presença é facilmente acessível, como nos relatos sobre Adão, Abraão, Jacó e Moisés. O contato com essa Presença ocorria por meio das experiências místicas, algumas delas altamente emocionais e extáticas. Além disso, vemos que a divina Presença revelou a sua vontade aos profetas, por meio de sonhos e visões. Daí é que surgiram as Sagradas Escrituras. A revelação é, realmente, uma subcategoria do misticismo. No Novo Testamento, a grande possibilidade mística é a união e a comunhão com o Espírito Santo, a presença de Cristo que foi posta à nossa disposição. Neste documento, pois, encontramos as visões dos primeiros líderes cristãos; temos os mistérios paulinos, que lhe foram desvendados por divina revelação. E com base nessas experiências místicas é que apareceram as Sagradas Escrituras.

A doutrina da regeneração é uma doutrina mística, porquanto requer um autêntico contacto com o Espírito transformador. E sua obra contínua, quando real, também é eminentemente mística. Ele vai transformando-nos segundo a imagem de Cristo (ver II Cor. 3:18; Rom. 8:29), de tal maneira que chegaremos a compartilhar da natureza divina (ver II Ped. 1:4). Ora, isso só é possível através das operações da divina Presença sobre a alma humana. Podemos acrescentar que, no campo do serviço cristão, existem os dons espirituais que são mediados pelo Espírito Santo, o que oferece uma outra forma muito prática de misticismo. O trecho de Efé. 3:19 ensina-nos que chegaremos a compartilhar da plenitude de Deus, incluindo sua natureza e seus atributos, conforme devemos compreender corretamente a palavra plenitude (no grego, *pleroma*; vide). Isso seria simplesmente impossível sem a divina Presença transformadora. Jamais poderíamos atingir esse nível de comunhão mediante a simples leitura da Bíblia e a oração.

III. A Mediação do Misticismo

Os impulsos místicos chegam aos homens quando estão despertos através de transes, em que eles têm «visões»; ou então através de sugestões intuitivas; mediante impulsos espontâneos de conhecimento interior, ou em palavras proferidas sobre as quais o indivíduo tem pouco ou nenhum controle, de tal modo que aquilo que diz transcende a seus poderes de raciocínio, ficando até ele mesmo surpreendido. Ainda há experiências dessas através de sentimentos extáticos, em que o indivíduo profere palavras em língua desconhecida, angelical ou humana.

Alguns sonhos se revestem de conteúdo místico, podendo ser revelações, predições ou instruções espirituais. Os transes, quando são superficiais, podem permitir que o indivíduo tenha plena consciência de seu meio ambiente. Porém, se forem profundos, podem deixar a pessoa inteiramente fora de si, de modo que tenha consciência apenas de sua existência espiritual. Ocasionalmente, as experiências místicas envolvem o abandono do corpo por parte do espírito (ver II Cor. 12:2 e *ss*). As experiências místicas chegam até nós mediante o poder do toque curador, capaz de comover a mente e levar o coração ao louvor. Podem ser *poderosas* ou *sutis*; mas, quando são reais, são dons de Deus ao homem, em seu humilde estado terreno, conferindo-lhe um toque celestial, mostrando-lhe o *real*.

IV. A Fé Cristã é de Natureza Mística

Consideremos como a nossa fé repousa sobre as experiências místicas dos profetas, dos videntes e dos homens santos. As Escrituras resultaram de experiências místicas. Os dons espirituais, misticamente mediados (porquanto vêm através do poder do Espírito Santo, direta ou indiretamente ministrado), conferem crescimento à igreja espiritual, sendo meios de desenvolvimento espiritual, conforme se aprende em I Cor. 12 — 14, e Efé. 4:12 e *ss*. As igrejas modernas sem contar com o toque místico, mostram-se moribundas, espiritualmente inativas, frias, infrutíferas. O intelecto é uma força *poderosa*, mas *não* suficientemente. Por conseguinte, nunca será suficiente alguém recomendar: «Lede as vossas Bíblias e orai», como se isso pudesse resolver todos os problemas espirituais, conferindo um autêntico progresso espiritual. Pelo contrário, precisamos do contacto direto com Deus, através de seu Santo Espírito. Necessitamos de discernimento espiritual de modo a não sermos influenciados por «espíritos estranhos», que se deleitam por imitar as experiências cristãs, a fim de atraírem após si aos discípulos, tal e qual fazem os falsos mestres humanos. Precisamos assediar os portões do céu, com oração e discernimento, buscando as experiências místicas, através *dos agentes de Deus*. Dessa maneira seremos transformados segundo a imagem de Cristo, o maior de todos os místicos; e tudo isso está envolvido em nossa salvação. (Ver no NTI em Col. 2:18 notas quanto aos «tipos de visões», com notas adicionais sobre o «misticismo»).

V. Conhecendo o Infinito

Abaixo oferecemos diversas citações nesse sentido: «Tu perguntas: 'Como podemos conhecer o infinito?' Respondo: não por meio da razão. O ofício da razão consiste em distinguir e definir. O *infinito* por conseguinte, não pode ser enfileirado entre seus objetos. Pode-se apreender o infinito exclusivamente por uma faculdade superior à razão, isto é, quando entramos em um estado em que não somos mais o nosso próprio 'eu' finito, em que a essência divina nos é transmitida. Trata-se do *êxtase*. É somente vez por outra que podemos desfrutar de tal elevação (que nos é tornada possível pela misericórdia divina), acima dos limites do corpo e do mundo... Tudo que tende por purificar e elevar a mente nos ajuda nessa realização, facilitando a aproximação e a repetição desses bemaventurados intervalos. Portanto, há diferentes estradas mediante as quais esse fim pode ser atingido. O amor à beleza, que exalta ao poeta; a devoção a Deus e a escalada da ciência, que é a ambição do filósofo; e o amor e as orações feitas por almas devotas e ardentes tendem em favor da pureza moral, na direção da perfeição. Essas são as principais estradas que conduzem aos altos níveis acima do que é material e particular, onde nos encontramos na presença imediata do Infinito, que brilha como que desde as maiores profundezas da alma». (*carta de Plotino*; cerca de 260 D.C.).

«No grego temos 'vim a ser', 'tornei-me' no Espírito, em estado de êxtase. O mundo externo foi fechado, e a vida interna e superior do espírito tomou plena possessão, pelo Espírito de Deus, de tal modo que o contacto imediato com o mundo invisível foi estabelecido». (Fausset, em Apo. 1:10).

«Certamente não se deve entender apenas por 'estive', mas por 'tornei-me' no Espírito, ou seja, em estado de êxtase espiritual, em estado de transe, ficando assim passível de receber a visão ou revelação que se seguiu». (Alford em Apo. 1:10).

Estágios de contemplação. Ricardo de São Vitor (falecido em 1173 D.C.) descreveu seis estágios de contemplação: — dois residem na imaginação; dois na província da razão; e dois na província da inteligência. Os mais elevados céus se abrem somente para os olhos da inteligência contemplativa. No estado mais alto é atingido o êxtase. É então que a alma e o espírito são divididos pela espada do Espírito de Deus. Nesse estado, o corpo dorme ou perde os sentidos, o mundo visível se apaga; o espírito se une a seu Senhor, tornando-se um como ele; todas as limitações humanas se dissolvem.

••• •••

Nós do corpo mais sublime
Temos emanado aos céus o que é pura luz;
Luz intelectual repleta de amor,
Amor do bem verdadeiro repleto de êxtase,
O êxtase que transcende todas as doçuras.

Percebi-me
Á ser levantado acima de meu próprio poder,
E com nova visão me reacendi,
Tal que luz nenhuma é tão pura
Que meus olhos contra ela foram fortificados.
Minha vista, tornando-se purificada
Entrava cada vez mais no raio
Da Alta Luz que por si é verdadeira.
Destes tempos em diante o que vi era ainda maior
Que nosso discurso, que a tal visão cede,
E cede a memória a tal excesso.

(John Milton, *Paraíso* xxx.38-60, xxxiii, 46-57)

VI. Alvo do Misticismo

Esse alvo é a visão beatífica, a visão envolvedora de Deus, mediante a qual a alma é espiritualizada de modo a compartilhar da vida divina (ver João 5:25,26 e 6:57), ficando cheia de toda a plenitude de Deus (Col. 2:10) e da natureza divina (II Ped. 1:4).

VII. Misticismo Falso e Misticismo Verdadeiro

1. Dificilmente alguém conseguirá negar de maneira válida a realidade do misticismo. Existem sonhos e visões que predizem corretamente o futuro e descrevem situações desconhecidas, mas reais. Também há muitas alucinações entre supostos místicos, bem como um misticismo prejudicial e espúrio, cuja influência procede dos demônios.

2. Praticamente todas as fés religiosas estão alicerçadas sobre experiências místicas. O profeta recebe uma visão ou revelação. Isso é, subseqüentemente, passado para a forma escrita. Com a passagem do tempo, os livros sagrados são canonizados e assim se tornam os documentos oficiais de alguma organização religiosa. A validade de tal organização depende da veracidade das revelações originais. Filosofias e comentários são acrescentados a esses documentos originais, mas o âmago da questão continuará sendo aquelas revelações.

3. Existem certos testes comprobatórios do misticismo autêntico:

a. Nenhuma revelação será imoral em si mesma, e nem encorajará ações imorais.

b. As verdadeiras revelações tendem por inspirar-nos à correta ação moral. Elas são moralmente revolucionárias.

c. Revelações subseqüentes devem ser coerentes com as revelações anteriores, embora possam transcendê-las. Deve haver uma correspondência razoável entre elas.

d. Alguns estudiosos supõem que apesar das revelações ou experiências místicas poderem transcender à lógica humana, nem por isso serão irracionais. Todavia, essa é uma regra bastante fraca, se é que ao menos serve de regra. A razão não pode conter a fé, e nem pode conter a experiência religiosa. Sem embargo, pode agir como um guardião.

e. O trecho de Col. 2:8 e *ss* , mostra-nos que o misticismo autêntico promove a glória de Cristo, o que é o arquétipo da salvação humana.

A experiência religiosa está firmada sobre o misticismo, se é que o Espírito de Deus é o agente dessa experiência. Pode assumir variegadas formas, algumas delas sutis, interiorizadas, embora outras sejam externas, extáticas, dramáticas.

VIII. Considerações Históricas e Filosóficas

1. *Na Fé dos Hebreus*. Ver a seção II, ponto oitavo. Ver também o ponto nono.

2. *Na Fé Cristã*. Ver a seção II, ponto oitavo, e a seção IV.

3. *No Hinduísmo*. Temos aí a união entre *Atman* (vide) e *Brahman* (vide), que pressupõe experiências místicas. Visto que, segundo o hinduísmo, Brahman está em Atman, por isso mesmo a busca se faz mediante a meditação e a iluminação interior, algo subjetivo. Técnicas de meditação têm por desígnio

promover esse tipo de misticismo. De acordo com os ensinos de Ramanuja, há o misticismo subjetivo e objetivo. A divindade é concebida como unidade divina e como alma do mundo. Ver sobre *Ramanuja*.

4. *No Budismo*. Ali a ênfase recai sobre a obtenção de um estado iluminado através da meditação e da contemplação. Seres divinos podem entrar em contato com o homem, em um misticismo objetivo, mas o alvo é a unidade e a absorção finais, a identidade com a natureza de Buda. O estado intermediário é o estado de iluminação. Porém, o estágio final, na Unidade, não pode ser definido por qualquer categoria ou terminologia humanas.

5. *Em Platão*. O ideal de Platão era a reabsorção do particular no universal. Nisso a alma humana deixaria de ser perene para tornar-se imortal. As experiências místicas, para ele, oferecem a forma mais elevada de conhecimento, e, finalmente, a mais alta experiência possível, equivalente à visão beatífica do cristianismo.

6. *Nas Religiões Gregas Misteriosas*. Ver o artigo separado sobre *Religiões Misteriosas (dos Mistérios)*. Talvez essas religiões, juntamente com o gnosticismo, fossem preparações históricas para a busca mística de alguns dos primitivos cristãos, embora as crenças envolvidas nos vários sistemas fossem distintas umas das outras. O *neoplatonismo* (vide) tinha sua própria inquirição mística, cuja proposta era a comunhão com o Um divino, em união com Ele. Essa idéia já havia sido sugerida por Platão, com seu conceito de reabsorção no universal.

7. *No Antigo Monasticismo Cristão*. Nesses movimentos monásticos havia a busca mística por meio do ascetismo e da meditação, em combinação com ritos de purificação.

8. *No Islamismo*. O *sufismo* (vide) é um movimento místico no seio do islamismo. Começou com ascetas árabes e desenvolveu-se em comunhão com outros ramos do islamismo. A união com Alá é buscada por meio da oração, da meditação e de práticas ascéticas.

9. *No Judaísmo Posterior*. A *Cabala* (vide) foi e continua sendo o manual dos místicos judeus. As raízes da Cabala podem ser achadas antes da era cristã, porém, sua forma mais distintiva cristalizou-se aí pelo século XIV D.C. Também devemos pensar no *hassidismo* (vide), dotado de marcantes qualidades místicas. O misticismo judaico mais antigo baseava-se muito no neoplatonismo. O hassidismo, entretanto, foi uma espécie de movimento de renovação espiritual. E sabemos que sempre que o Espírito é frisado, haverá experiências místicas. *Buber* (vide) foi influenciado pelo hassidismo, o que deu origem à moderna expressão mística da fé judaica.

10. *No Catolicismo Romano*. Os movimentos monásticos eram místicos, posto que de mistura com pronunciado ascetismo. O misticismo católico romano atingiu o seu ponto culminante durante a Idade Média, com personagens notáveis como, por exemplo, *Bernardo de Clairvoux* (vide). De acordo com Clairvaux, o quarto estágio do amor envolve o aniquilamento do próprio «eu», com sua deificação. E a divina Presença é concebida como o grande poder transformador. Por igual modo, Boaventura foi um místico, e a tradição franciscana e agostiniana conta com seus notáveis místicos do passado. Esse tipo de misticismo concentra-se sobre a tentativa de tornar a imagem de Deus real e operante no homem. *Meister Eckhart* (vide), um místico alemão, era homem espiritual de nomeada e de grande experiência. No entanto, foi convocado perante o tribunal da *Inquisição* (vide) por haver dito coisas que não concordavam com os dogmas do catolicismo romano. Os místicos quase sempre se vêem em dificuldades quando começam a opinar sobre questões teológicas.

Várias escolas místicas desenvolveram-se dentro do arcabouço da Igreja Católica Romana. Houve, para exemplificar, *João Tauler* (vide) e os seus seguidores; *Henrique Susso* (vide) e *João Ruysbroeck* (vide). Comunidades religiosas surgiram devido à influência exercida por esses homens. Tauler e Susso tiveram grande papel no desenvolvimento dos *Amigos de Deus* (vide). *Ruysbroeck* estabeleceu uma sociedade religiosa. *Groote* (vide) fundou os *Irmãos de Vida Comum* (vide). Dessa atmosfera foi que emergiu a famosa obra *Imitação de Cristo*. Essa obra foi escrita por Groote, embora atribuída a Thomas à Kempis, que foi quem a popularizou, levando-a à atenção de muitos.

No século XVI houve *Santa Teresa* (vide), uma pessoa realmente incomum e mística de primeira grandeza. *João da Cruz* (vide) muito fez para explicar a vereda do misticismo, e até hoje é lido avidamente pelos católicos romanos.

11. *Preparações para a Reforma Protestante*. A tradição mística sempre deu muito maior valor à experiência do que aos dogmas. Essa liberdade, no tocante às idéias, foi uma das influências sobre o aparecimento do protestantismo, quando certas idéias foram postas em dúvida e novos credos foram compostos.

12. *Alguns Místicos Protestantes*. *Jacob Boehme* (vide) foi um notável místico luterano. Ele viveu nos finais do século XVI e nos primórdios do século XVII. O *pietismo* (vide) alicerçou-se em parte sobre a sua influência. *George Fox* (vide) foi o criador de certa forma de misticismo, do que resultou o movimento dos quacres, com a sua *luz interior*. *William Law* (vide) foi chamado de o místico inglês. *João Wesley* (vide) teve experiências místicas que moldaram até certo ponto a natureza do metodismo.

13. *O Moderno Movimento Carismático*. Entre os protestantes e evangélicos, o movimento carismático tem sido a principal expressão mística, historicamente falando, tanto quanto ao número de pessoas envolvidas como quanto à extensão de sua influência, que tem afetado até mesmo as mais tradicionais denominações. Ver os seguintes artigos: *Movimento Carismático; Carismata; Dons Espirituais; Línguas, Falar em*.

IX. Categorias Místicas

1. *Unidade*. Os místicos buscam unidade com Deus, ou, então, com algum poder cósmico, em Quem ou no que todas as coisas se sumariariam. O *mistério da vontade de Deus* (vide), sobre o qual se lê em Efésios 1:9,10, tem por seu escopo a unidade de todas as coisas em torno de Cristo.

2. *Transcendência*. A grande Realidade está acima do indivíduo. Deus é inefável, e não pode ser conhecido através de nossa razão e de nossos sentidos.

3. *Inefabilidade*. Os místicos chegam a conhecer seu grande Alvo, embora não seja fácil expressá-lo por meio de palavras. A Realidade não pode ser sondada pelos homens, embora uma cognição inefável acompanhe os estados místicos, que só podem ser expressos em parte por meio de palavras. A mensagem dali derivada é altamente otimista: a grandiosidade de Deus, que a tudo ultrapassa; o seu amor sem limites; a restauração geral de todos os seres inteligentes; o bom resultado final da história humana; uma teologia que vai além da tempestade do julgamento, onde o próprio julgamento é absorvido e utilizado, tendo em mira a união de tudo em torno de Cristo.

4. *Caráter Noético*. Os místicos reconhecem a verdade daquilo que lhes foi revelado. Para eles, essas revelações são indiscutíveis, dispensando qualquer argumento.

5. *Reorientação das Atitudes e dos Valores*. Os místicos são transformados para melhor, pelas suas experiências. Eles vêem a futilidade do egoísmo e da atitude belicosa. É que entraram em contacto com a eternidade e com a luz divina, emergindo como novas pessoas. E começam. realmente, a viver segundo a lei do amor.

6. *Êxtase, Alegria, Otimismo, Senso de Triunfo*. Há uma profunda alegria na grandiosidade de Deus, e os místicos entram em contacto com essa grandiosidade, emergindo dali dotados de imorredouro otimismo e júbilo. Eles compreendem que o bem haverá de triunfar, afinal de contas, em favor de todos os homens de todos os lugares, embora uma vereda dificílima tenha de ser palmilhada por alguns, até chegarem a esse desiderato. Ver o artigo intitulado *Restauração*, quanto à mensagem otimista do misticismo.

7. *A Imortalidade é Assegurada*. Nos estados místicos não resta margem para a manifestação da dúvida. Os místicos entram na plena convicção da imortalidade da alma. Eles tomam conhecimento de que são eternos, e não apenas duradouros.

8. *Passividade*. O Espírito de Deus opera profundamente sobre a alma dos místicos remidos. Eles são passivos, e o Espírito mostra-se ativo. Deus atua e outorga, o homem recebe a bênção, o toque místico e seus resultados.

9. *A Relevância da Vida Espiritual*. Para os místicos, a vida espiritual deixa de ser uma mera faceta da personalidade e vida deles. Torna-se o total. As experiências místicas ensinam a completa relevância da espiritualidade, porquanto o homem é um espírito, posto que preso a um corpo físico. Por assim dizer, é nas experiências místicas que um homem descobre o seu verdadeiro «eu»; e é depois delas que ele começa a viver esse verdadeiro «eu». O serviço prático, em favor do próximo, em cumprimento da lei do amor, passa a fazer parte dessa nova expressão do «eu».

X. Lições que o Misticismo Ensina

O presente artigo já ofereceu a essência desta seção, pelo que aqui damos apenas um *breve sumário*.

1. A importância da experiência pessoal na fé religiosa.

2. Os dogmas estão sujeitos a aprimoramento, modificação ou mesmo eliminação, através da iluminação que nos mostra o caminho.

3. A importância da inquirição interior (como na meditação), e não apenas da expressão externa da religião, mediante o ensino e as boas obras.

4. O que é eterno pode ser descoberto em meio ao que é temporal.

5. Há um certo valor na solidão.

6. A alegria é um dos principais aspectos da fé e das experiências religiosas.

7. O crente deveria sentir alegria no serviço que presta. O serviço prático, no cumprimento da lei do amor, reveste-se de suprema importância.

8. Os valores humanos que exaltam líderes humanos são falsos. Há uma honra autêntica na humildade.

9. *Otimismo*. A visão do futuro, que coerente e constantemente é dada mediante as experiências místicas é mais otimista do que a teologia ocidental dogmática. O destino humano é deveras grandioso, e o amor de Deus é tão poderoso que o bem será estendido a todos, finalmente, embora a missão de Cristo não venha obter a mesma bênção para todos. No entanto, essa missão não falhará. Antes, obterá sucesso, posto que de diversos modos e em vários níveis. Isso pode ser ilustrado por meio de um tapete colorido. Todos os matizes da redenção-restauração são necessários dentro do plano eterno, sendo complementares e estando sempre harmônicos uns com os outros.

10. A derrota final e absoluta do mal, de tal maneira que o *problema do mal* (vide), encontrará, afinal, uma solução otimista.

XI. Meios do Conhecimento

1. *Empirismo*. Esse é o conhecimento que nos chega através dos cinco sentidos físicos e sua manipulação, mediante a razão. Daí é que surge o método científico de investigação, bem como o conhecimento empírico, comum, de todos os dias.

2. *Racionalismo*. Isso aponta para a capacidade racional do homem, por intermédio da qual algumas coisas podem ser conhecidas pela razão pura, inteiramente à parte da intervenção dos sentidos físicos.

3. *Intuição*. Temos aí o conhecimento imediato, sem ajuda dos meios físicos dos sentidos e nem da razão. O homem é um ser capaz de conhecer, e, por intermédio da intuição simplesmente fica sabendo de certas coisas, sem o uso de meios evidentes.

4. *Misticismo*. Esse é o conhecimento que nos vem como um dom de Deus, primeiramente nas visões dos profetas, e em seguida nas operações do Espírito de Deus. Dentro da filosofia há uma variedade não-teísta de misticismo. Seus conhecimentos alegadamente procedem de poderes cósmicos, não-pessoais. A alma do próprio indivíduo é fonte de conhecimento, através da ajuda dos poderes da meditação. Faz parte da compreensão filosófica que o misticismo é a base de quase todas as fés religiosas, incluindo especialmente o cristianismo bíblico, — que é teisticamente orientado, e que ensina a *imanência de Deus*. A visão dos profetas termina por assumir uma forma escrita; esses escritos são coligidos sob a forma de Escrituras Sagradas. A Igreja vem à existência, com a finalidade, entre outras coisas, de proteger e interpretar essas Escrituras. Além disso, deve-se levar em conta a experiência mística pessoal, através da meditação ou não, que confere iluminação ao indivíduo.

XII. Meios de Crescimento Espiritual

1. O *estudo* dos documentos sagrados; a inquirição pelo entendimento intelectual; o aprendizado por meio de livros apropriados, que ajudam no crescimento espiritual; a disciplina do intelecto.

2. A *oração*, que é linha de comunicação com o Ser divino, e mediante a qual conseguimos mais do que poderíamos fazer de outra maneira. Além disso, a vida de oração transforma-nos para que sejamos pessoas melhores.

3. A *meditação*, irmã gêmea da oração, e através da qual a alma é iluminada.

4. A *santificação*, que consiste em desvencilhar-se o crente de aspectos pecaminosos e negativos de sua vida, aspectos esses que servem de empecilho, ao mesmo tempo que consiste na consagração da vida a Deus e na substituição dos vícios pelas virtudes positivas de Deus, com a ajuda do cultivo do Espírito Santo (ver Gál. 5:22,23).

5. A *prática das boas obras*, em atendimento à lei do amor. Isso é benéfico tanto para nós mesmos quanto para aqueles a quem servimos. A cada vez que alguém faz o bem ao próximo, impelido por motivos

puros, eleva-se a sua própria qualidade espiritual.

6. O *tôque místico*, com suas experiências interiores e externas, a iluminação, as experiências extáticas, as visões, os sonhos, as revelações, o recebimento e o uso dos dons espirituais. Essas coisas vivificam-nos a fé e transformam profundamente os nossos seres. O toque místico é um dos mais poderosos meios de crescimento e desenvolvimento espirituais. Ver também o artigo separado com o título de *Misticismo Falso*.

Bibliografia. AM B C DALB E EP F HUG HY MM P

MISTICISMO FALSO

Ver o artigo geral sobre o *Misticismo*, em sua oitava seção, *Misticismo Falso e Misticismo Verdadeiro*, quanto a testes tradicionais, dentro da fé cristã, a fim de ser averiguada a validade das experiências místicas.

Advertência contra o falso misticismo, Col. 2:18,19.

Quase todas as religiões estão alicerçadas sobre princípios místicos. O misticismo, em sua definição mais básica, **consiste do contato** com algum ser ou poder mais elevado que o próprio indivíduo. Tal **contato pode ser feito — com qualquer poder sobre-humano, como Deus, Cristo, os anjos, etc. O misticismo** *ocidental* **normalmente** é *objetivo*, isto é, os objetos de contato estão fora do próprio indivíduo, seres *exteriores* a ele. **Já o misticismo** *oriental* tende a ser «subjetivo», fazendo do alvo da pesquisa a própria alma ou «eu» superior, o que, embora em certo sentido seja externo ao indivíduo, é reputado como a verdadeira identidade da pessoa. Com base nessa descrição básica, pode-se ver que toda a religião tem um «deus» ou qualquer poder *superior* a buscar, ficando pressuposto **que o contato com** esse poder é possível, o que torna tal religião automaticamente «mística». No cristianismo, o pensamento que Deus se importa com os homens, e que podemos entrar em **contato com ele,** mediante o seu Espírito, ou através da pessoa de Cristo, demonstra que o cristianismo é uma religião mística. A ênfase do N.T., sobre o Espírito Santo em nós residente, faz do cristianismo uma fé eminentemente mística. Os dons do Espírito, que são tidos como a base de toda a atividade e crescimento da igreja (ver o quarto capítulo da epístola aos Efésios), são dados mediante esse **contato místico. O contato com o Espírito pode ser bem direto e vívido; mas a sua influência também** pode ser sutil, com poucas demonstrações externas, sendo experimentada apenas na forma de impulsos íntimos e intuitivos. Porém, **até mesmo esse contato** sutil com o Espírito de Deus, se for real, é uma forma de misticismo autêntico.

Notemos a qualidade mística das orações de Paulo, registradas em Efé. 1:15 e *ss*; 3:13-21 e Col. 1:9-13. É impossível compreendermos ou experimentarmos o cristianismo verdadeiro, sem alguma experiência mística. A conversão e a santificação, quando são reais, já que dependem de uma operação do Espírito Santo no indivíduo — e também as grandes realidades cristãs — se alicerçam sobre experiências místicas.

O fato é que Paulo não objetava aos misticismo autêntico. Ele mesmo era místico de primeira ordem, homem que recebia muitas visões, sempre submisso às orientações do Espírito de Cristo, exercendo dons espirituais. No entanto, há certa forma de misticismo que ele condena, isto é, aquela forma em que Cristo não é o centro, sobretudo quando sua pessoa é diminuída, pois tal forma descobre o sentido da vida em coisas inferiores, como os seres angelicais, dando valor a orientações visionárias que não dão a Cristo a honra que lhe cabe, o que leva os homens a ignorarem seu senhorio. Certas formas de misticismo, por não terem Cristo como seu «centro», são denunciadas e severamente repreendidas pelo apóstolo.

MISTO DE GENTE

Nem todas as pessoas que partiram do Egito, durante o êxodo, estavam buscando uma Terra Prometida. Sem dúvida havia muitos motivos para as pessoas quererem libertar-se daquele lugar. Talvez algumas apenas fossem impulsionadas pelo espírito de aventura. Além disso, houvera casamentos mistos que produziram pessoas sem uma clara linhagem hebréia. Textos provenientes do século XIII A.C., do Egito, contêm muitos nomes de origem estrangeira. O chamado *misto de gente*, que fez parte da massa que saiu do Egito, por ocasião do êxodo, sem dúvida incluía muitos estrangeiros, pessoas que chamaríamos de mestiças. Na verdade, esse processo teve lugar durante a história inteira de Israel. Duas das mulheres de Jacó — Bila e Zilpa — eram sírias. José casou-se com Asenate, uma egípcia. Uma das mulheres de Judá era a filha de Sua, um cananeu. Davi era bisneto de uma moabita, Rute. E assim por diante.

A expressão «misto de gente» indicava aqueles que não eram de linhagem hebréia pura, incluindo até quem não tinha nenhuma ligação racial com Abraão. Ver Êxo. 12:38; Núm. 11:4. A referência de Nee. 13:3 mostra que a mesma coisa sucedeu quando um remanescente retornou a Jerusalém, após o cativeiro babilônico. O trecho de Deu. 29:10 indica que tais pessoas ocupavam uma baixa posição na estrutura social de Israel. Quase todas elas parecem ter-se ocupado em trabalhos manuais pesados. Parece que essas foram as pessoas que primeiro anelaram pelas coisas boas que haviam deixado para trás, no Egito (ver Núm. 11:4). Por outro lado, o registro histórico mostra que até os hebreus puros deixaram-se envolver em práticas horrendas. Isso mostra, incidentalmente, que ninguém precisa orgulhar-se nem de sua raça, nem de suas realizações, e nem do que pensa ser. Todos os seres humanos são pecaminosos, sujeitos a escorregões e quedas, de tal modo que talvez nenhum outro ditado popular é mais veraz que «errar é humano».

MITANI

Esse é o nome de um reino, existente ao norte da Mesopotâmia, que atingiu o seu ponto culminante em cerca de 1500-1340 A.C., provavelmente de natureza indo-iraniana. A família ali dominante tinha o nome de *Washukanni*. A existência desse reino veio à luz mediante a descoberta de tabletes com escrita cuneiforme em túmulos de Tell-el Amarna, no Alto Egito, em 1887-1888. Esses tabletes contêm correspondência entre o Egito e a Babilônia, a Assíria, e outros povos antigos do segundo milênio A.C. Esses tabletes referem-se ao reino de Mitani como Arã-Naaraim, ou seja, «Arã dos Dois Rios», aludindo aos rios Tigre e Eufrates. Balaão, que aparece como falso profeta em trechos bíblicos como Deu. 23:4 e Núm. 23:7, era nativo de Mitani. A última dessas duas referências alude a como ele viera «...de Arã... dos montes do Oriente». Todavia, o nome *Mitani* nunca aparece no Novo Testamento.

O povo que habitava na região era um misto de hurrianos e semitas, embora governados por indo-europeus. A palavra *Washukanni* foi aplicada à capital deles, de acordo com alguns eruditos. Em cerca de 1475, esse povo foi capaz de dominar seus vizinhos orientais, os assírios, tornando-os vassalos; e seus principais adversários, nesse período, eram os egípcios e os hititas da Ásia Menor. Eles foram derrotados pelos Faraós egípcios Tutmés II e Amenhotepe I, e este último forçou-os a tornarem-se seus aliados, embora relutantes. No século XIV A.C., o poder de Mitani declinou, e seu reino veio a ser um estado vassalo do império hitita. Isso deixou os assírios livres para atacar Mitani, e não foi preciso muito tempo para que a Assíria anexasse Mitani, o que sucedeu em cerca de 1250 A.C.

MITCA

Essa palavra significa, no hebraico, «doçura». Esse era o nome da vigésima nona parada onde os israelitas fizeram alto durante suas vagueações pelo deserto, após terem saído do Egito. Ficava entre Tara e Hasmona (Núm. 33:28,29), e tem sido tentativamente identificada com o wadi Abu Takiyeh, embora alguns considerem isso duvidoso. O local é desconhecido.

MITENITA

Josafá, um dos oficiais militares de Davi, é chamado de «mitenita», dentro do catálago de nomes de I Crô. 11:43. Presume-se que a alusão seja a algum clã que teria um nome parecido com *Metem*, e sobre o qual não há qualquer informação.

MITILENE

Esse é o nome grego da capital da ilha de Lesbos, no mar Egeu. Ficava cerca de onze quilômetros do ponto oposto da costa marítima da Ásia Menor. Ficava situada na encruzilhada do caminho entre a Europa e a Ásia, pelo que sempre esteve sujeita a perturbações militares. Os romanos mudaram a situação, transformando a cidade em um lugar de lazer, para passarem seus feriados. A cidade contava com um porto espaçoso, que dava frente para as costas da Ásia Menor. Paulo esteve ali, a caminho de Corinto para a Palestina (ver Atos 20:14).

Mitilene era a terra nativa de Pitaco, Teófanes Safo, Alceu e Diófanes. Era povoada por gregos eólios. Tanto Safo quanto Alceu escreveram nesse dialeto.

Informes Históricos. Houve um período de independência e imperialismo, durante o qual Mitilene entrou em choque com Atenas. Foi dominada pelos persas. Participou desastrosamente da revolta das cidades jônicas contra os persas. Atenas acabou tomando a região, e Mitilene tornou-se parte da Liga de Delos, embora nunca tivesse sido uma participante entusiástica. Deixou essa liga por duas vezes, em 428 e em 419 A.C. Sofreu ataques, tendo perdido seus navios e seu território. No século IV A.C., era um dos aliados firmes de Atenas. Após a morte de Alexandre, o Grande, nunca mais desfrutou de autêntica independência, tendo estado sempre sujeita a governantes sucessivos. Vários estados gregos competiam pelo controle sobre Mitilene. A princípio mostrou-se amigável para com os romanos, mas então revoltou-se contra eles, seguindo-se a chamada guerra Mitridática. Pompeu restaurou a liberdade da cidade, e desde então ela se tornou uma estância balneária dos romanos.

História Eclesiástica. Não se sabe dizer se a Igreja cristã foi estabelecida em Mitilene ainda durante o período apostólico. O paganismo dominava ali durante o século II A.C. Somente já no século V D.C., ouvimos falar sobre um bispo cristão no lugar. Entre os séculos V e XVIII D.C., bispos cristãos, provenientes de Mitilene, freqüentaram vários concílios eclesiásticos. O poder turco, finalmente, tomou conta do lugar. A capital acabou emprestando seu nome à ilha inteira, que passou a chamar-se Metelin. Mas o povo que ali habita é de origem essencialmente grega.

MITO

Esboço

I. A Palavra, Definições e Caracterização Geral

1. *A Palavra*. A palavra portuguesa *mito* vem do grego, *múthos*, que indica qualquer idéia expressa somente por palavra oral, em contraste com *érgon*, «trabalho», «ação». Assim, um mito é algo sobre o que os homens falam, mas sem base na realidade. Está em foco algum assunto de conversa, alguma estória, alguma fábula. De fato, no grego, o verbo *muthéo* significa «contar», «narrar uma ficção». Uma definição léxica: «Uma estória, apresentada como histórica, relacionada a tradições cosmológicas e sobrenaturais de um povo, com seus deuses, sua cultura, seus heróis, suas crenças religiosas, etc.» (WA). Um mito é uma ficção popular, contada como se fosse histórica e real.

2. *Caracterização Geral*. Os antigos mitos acerca de deuses e heróis proveram estórias dramáticas para explicar a origem e as operações do universo, bem como o destino dos homens em relações a essa origem e operações. A filosofia assinalou certa modificação no modo de expressar as idéias, de forma que o mitológico (sempre expresso à guisa de teologia) cedeu lugar a uma abordagem racional. Em seguida apareceu a abordagem científica, com a sua base empírica. Mas, quando surgiu a ciência, os mitos já haviam sido confinados às estórias da literatura de ficção, embora permaneçam ativos em muitos sistemas religiosos do mundo.

Os mitos sempre serviram de forças impulsionadoras de atos humanos. Mitos sobre deuses que galardoam e castigam têm encorajado os homens a adotarem atitudes particulares e a agirem de determinadas maneiras. Poderíamos mesmo dizer que os mitos são «estórias impulsionadoras», relatos cujo intuito é o de levar os homens à ação, e não meramente narrativas divertidas. Os mitos também são *estórias explicativas*, que tentam explanar coisas sobre as quais os homens mostram curiosidade, embora não disponham de meios para investigá-las. Naturalmente, os relatos míticos são inventados como se fossem verazes, esperando-se que os homens creiam nos mesmos. De fato, grandes sistemas religiosos têm sido essencialmente mitológicos, pois, embora sistemas inventados pela imaginação humana, têm sido levados a sério. Desde os tempos de Platão, os filósofos precisavam ter extremo cuidado com o que diziam a respeito dos mitos encontrados nos escritos de Homero, mitos esses que se tornaram a base de religiões populares, politeístas. E isso porque negar os mitos sobre os deuses era, para os gregos, o que é hoje negar a Bíblia para os evangélicos fundamentalistas. Os escritos de Homero eram uma bíblia para os gregos, e todos eles pensavam que Homero não podia ter-se enganado.

Em certo sentido, os mitos são buscas pela verdade, posto que mal-orientadas. Muitos mitos contêm um certo cerne de verdade que, posteriormente, vem à superfície. As realidades finais impressionam-nos no mais íntimo do ser, e acabam por conferir-nos discernimento quanto à sua veracidade, mas, no processo, isso é distorcido e exagerado. Assim, dessa atividade podem surgir conceitos mitológicos. Mas os mitos terminam por provar que são insuficientes para explicar as realidades. No entanto, quando a verdade começa a raiar, os mitos mostram ser extremamente resistentes, podendo persistir ainda por longo tempo. E assim, quando a verdade é buscada, os mitos entrincheiram-se, pois, para os homens parece difícil sacrificar doutrinas preciosas, consagradas pelo tempo, mesmo que sejam erradas. Os mitos emprestam coerência a grupos humanos, e a verdade ameaça essa unidade. Só mui gradualmente é que as tradições vão incorporando a verdade e sacrificando, paralelamente, os mitos. Algumas verdades precisam de meio século, ou mesmo mais, para se firmarem, depois que começam a emergir. É que os mitos atuam como estímulos, que levam um grupo social qualquer a seguir determinada linha de pensamento e de ação. A verdade age do mesmo modo, mas sempre aparece depois dos mitos, e enfrenta muita dificuldade para desacreditar e deslocar os mesmos. Todavia, à verdade compete tomar o lugar dos mitos. Talvez sempre tenhamos de tolerar algum mito na sociedade humana, mas, é mister que o controle exercido pelos mitos decline, e que o controle exercido pela verdade aumente, à medida que avançarem a ciência e o conhecimento em geral. Porém, não se deve esperar que isso venha a processar-se de maneira homogênea, porquanto nenhuma era será mais mitológica, na história da humanidade, como o futuro período do anticristo.

II. As Religiões e os Mitos

Tive um professor de clássicos que costumava afirmar que as religiões ocidentais estavam todas pesadamente endividadas diante da mitologia grega. Não concordamos com isso, embora tenhamos de reconhecer que os estágios iniciais das grandes religiões do mundo muito se alicerçam sobre mitos. Naturalmente, os seguidores dessas religiões relutam em confessar isso, quanto às suas próprias religiões, embora não o neguem no tocante às outras religiões.

«Todas as religiões, tanto as primitivas quanto as avançadas, requerem algum mito. Pois a ligação entre o divino e a experiência pessoal só pode ser feita de acordo com conceitos mitológicos. O mito da criação, nos relatos babilônicos, fala sobre Marduque, em sua luta titânica contra o dragão Tiamate, como preparação prévia para a criação da terra e do homem. No hinduísmo, por sua vez, temos a história de Brahma, inspirando e expirando a vida do universo criado. Também fala-se sobre aqueles heróis mitológicos como Rômulo e Remo; sobre mitos estelares para explicarem as constelações e os movimentos dos astros. Há o mito egípcio do sol, retratado como Rá, a atravessar o firmamento em um bote. Também há mitos sobre o mundo inferior, como os de Osíris, Orfeu, Charon e Izanagi. Mitos sobre os deuses e um grande dilúvio, como o de Ut-Napistim dos babilônios e o de Noé, dos hebreus. Mitos que explicam festividades e costumes, como a fuga do Egito como uma explicação para a páscoa. Os mitos têm por finalidade narrar, em forma de estória, a experiência dos homens em sua consciência de Deus. As mitologias foram os primeiros professores da humanidade» (E).

Naturalmente, a citação acima está sujeita a discussões e refutações parciais, embora forneça-nos o âmago da questão de como os mitos estão relacionados à fé religiosa. Um mito é uma espécie de primeira tentativa para os homens chegarem à compreensão dos grandes mistérios que nos circundam. É verdade que os mitos refletem discernimentos, porque os homens possuem uma função intuitiva que revela alguma verdade. Os muitos mitos acerca do hades, em várias religiões, mostram-nos que o coração humano reconhece o desespero do lugar de julgamento que tem esse nome, e que busca uma saída esperançosa para o mesmo. Muitos dos mitos sobre o hades, incluindo estórias de descidas àquele lugar de juízo, proclamam esperança para os homens. É significativo que os mitos também exibam certa progressão. Os deuses vão ficando melhores, à medida que os séculos se escoam. Os estóicos viam os mitos como uma *filosofia primitiva*, que teve a sua contribuição, mas que, finalmente, precisou ceder terreno a um fator mais alto, o do raciocínio, na filosofia posterior. Quanto a como os mitos estão possivelmente relacionados ao Novo Testamento, ver o artigo separado *Demitização*.

Alguns judeus helenistas sentiram ser útil tratar certos relatos do Antigo Testamento como alegorias, que envolveriam algum elemento mitológico. Filo, filósofo judeu, foi o supremo exemplo dessa atividade. Os pais alexandrinos da Igreja também se ocuparam nessa atividade. Ver os artigos chamados *Alegoria* e *Interpretação Alegórica*. Esse tipo de interpretação pressupõe que nem sempre é possível aceitar os relatos do Antigo Testamento em sentido histórico. É preciso esclarecer, porém, que uma alegoria não inclui, necessariamente, o elemento mitológico. Uma alegoria pode ser apenas uma estória representativa, ilustrativa. Por outro lado, por muitas vezes mito e alegoria avançam de mãos dadas. Ver os artigos *Mitos Gregos* e *Religiões Misteriosas* (*dos Mistérios*), seções segunda e terceira.

III. Principais Alegados Mitos da Bíblia

1. *O elemento miraculoso*, tanto no Antigo quanto no Novo Testamento, é reputado mitológico por intérpretes liberais radicais. Há intermináveis exemplos de milagres míticos nas religiões dos povos; mas isso não é um argumento fatal contra a realidade dos milagres. É verdade que muitos desses relatos podem ser fruto de uma fértil imaginação religiosa, conforme sucede com tantas pessoas religiosas. No entanto, milagres podem acontecer, e realmente acontecem. Ver o artigo separado sobre os *Milagres*. Esse artigo é bastante pormenorizado, abordando muitos aspectos do problema.

2. *O Relato da Criação*. As objeções a esse relato são esboçadas no artigo intitulado *Criação*. A visão do mundo, por parte dos hebreus antigos, era bastante crua, e assim continuou até ser aprimorada pelo cristianismo. Além disso, existem claros paralelismos entre Gênesis e as estórias da criação de outros antigos povos semitas. Não há que duvidar que essas diversas narrativas estão alicerçadas sobre algum fundo comum tradicional. Apesar do Antigo Testamento mostrar-se superior quanto ao monoteísmo (ou quanto ao henoteísmo; vide), e quanto a todo o seu tom moral, esses fatores, como é óbvio, não removem todos os problemas. Ver também o artigo intitulado *Cosmologia*, que fornece alguns detalhes relativos a essa questão.

3. *O Sábado Divino*. Os relatos da criação dos babilônios e dos hebreus terminam todos com algum período de descanso dos deuses ou de Deus. Ver Gên.

2:2,3. Os elementos são diferentes, mas o fato é o mesmo. No livro de Gênesis, lemos que Deus descansou da própria obra de criação. E nas estórias babilônicas, os deuses descansam após determinadas tarefas completadas.

4. *A Criação do Homem*. No livro de Gênesis, Deus criou o corpo humano do pó da terra, animando esse corpo material com o seu divino *sopro*. De acordo com a antiga teologia dos hebreus, isso nada teve a ver com a infusão de uma alma *imaterial*. Ora, no *Épico de Atraasis*, o deus Nintu fez o homem misturando barro com sangue, e, então, fazendo os outros deuses cuspirem nessa mistura.

5. *O Paraíso e a Queda do Homem*. Os mitos sobre paraísos primevos, referentes a uma época utópica da existência humana, antes que a iniqüidade tivesse vindo estragar tudo, são bastante comuns em muitas culturas. A harmonia com os céus e a ausência da morte são fatores comuns a esses mitos. Além disso, o agente do mal com a forma de uma serpente, sempre aparece nesses esquemas. Essa serpente mostra-se sutil e enganadora, e o seu ataque transmite morte certa. Apesar dos mitos fazerem esse animal ter alguma associação com o mundo inferior e com os deuses, associando-o ao dragão Tiamate, ao monstro leviatã, ou a alguma outra criatura não-terrestre ou super-terrestre (sobre o que o livro de Gênesis não fala), contudo, o relato de Gênesis não está inteiramente livre de elementos incomuns. Assim, a serpente aparece ali como animal que falava, que raciocinava e que convencia, não parecendo tratar-se de um réptil comum. A interpretação bíblica posterior faz essa serpente ser Satanás, operando por meio da serpente; mas essa interpretação não fazia parte do relato original.

6. *O Dilúvio*. Ver o artigo separado e detalhado sobre o *Dilúvio*, que oferece plenas informações a respeito, incluindo seus elementos similares, em confronto com antigos relatos sobre o dilúvio, de outras culturas.

7. *Os Milagres no Egito e Quando do Êxodo* (com a divisão das águas). Temos aí, essencialmente, o problema dos milagres, sobre o qual discutimos no artigo intitulado *Milagres*. Ver também sobre o *Êxodo*.

8. *Os Filhos de Deus e as Filhas dos Homens: os Gigantes*. Ver Gên. 6:4. Quase certamente, esse relato, pelo menos dentro dos mitos antigos, tentava ensinar que deuses (ou seres angelicais) podiam gerar filhos em mulheres mortais. A interpretação bíblica, entretanto, elimina tal aspecto da narrativa bíblica. Mas, precisamos reconhecer que as interpretações têm o mau hábito de impor dificuldades, em vez de explicá-las, dentro de seu contexto histórico. Porém, mesmo quando assim não seja, os antigos mitos pagãos indicavam que os seres celestiais, ao caírem no erro, vieram à terra impregná-la de iniqüidade.

9. *A Torre de Babel*. Esse é o relato que busca explicar a multiplicidade dos idiomas da humanidade. Ver o artigo sobre *Babel, Torre de*.

10. *O Monstro; Leviatã; o Dragão*. Ver Jó 41:1; Sal. 74:14; 104:26; Isa. 27:1; 51:9. O quadro aí envolvido talvez tenha incluído animais autênticos, agora extintos. Mas, quase certamente inclui o elemento mitológico. Alguns intérpretes supõem que esse quadro reflete o tema do conflito com Tiamate, a deusa babilônica, personificada no monstro marítimo. Os mitos envolvidos começam com o conflito primevo entre o bem e o mal, um conflito iniciado desde a própria criação.

11. *No Novo Testamento*. Temos a considerar aí as interpretações dos eruditos liberais, — que opinam que os relatos bíblicos sobre o nascimento virginal de Cristo, sobre a estrela de Belém e sobre os muitos milagres de Jesus envolvem mais mitos do que mesmo narrações da realidade. Ver os artigos sobre o *Nascimento Virginal;* sobre a *Estrela de Belém* e sobre os *Milagres*, onde essas questões são devidamente tratadas.

IV. O Novo Testamento e a Demitização

Essa tem sido a atividade crítica mais severa dos eruditos liberais, no que concerne ao Novo Testamento. Apresentamos um estudo completo a respeito, no artigo *Demitização*.

V. Os Mitos e os Milagres

Nem todos os homens têm fé; nem todos os homens têm experiência religiosa suficiente para entrar em contato pessoal com o miraculoso. O surgimento do racionalismo, no século XIX, inspirou os homens a abandonarem a noção dos milagres, e, por conseguinte, a pensarem em termos de mito quando pensam em milagres. Ver o artigo geral sobre os *Milagres*, quanto a um tratamento completo a esse respeito.

VI. O Mito Segundo os Filósofos

1. Os *mitos gregos*, descritos no artigo sobre *Religiões Misteriosas* (*dos Mistérios*), especialmente em sua primeira seção, por longo tempo dominaram os povos, razão pela qual se tornaram a base das religiões populares, politeístas. Os escritos de Homero eram a Bíblia dos gregos, Os deuses eram concebidos à imagem dos homens, embora dotados de grandes poderes, de modo a serem ainda mais maldosos do que os homens.

2. *Primeiras Objeções e Tentativas de Reforma. Heráclito*, mas especialmente, *Xenófanes* (ver os artigos sobre eles), atacaram os mitos gregos, deplorando a imoralidade dos deuses que esses mitos expunham. Os *sofistas* (vide) afirmavam que os mitos disfarçam a verdade conceptual. Os pensadores cristãos, em tempos posteriores, empregaram os mesmos argumentos que os filósofos haviam desenvolvido, atacando os gregos e sua religião primitiva.

3. *Platão* empregava mitos como meios de ensino, tal como Jesus usou as parábolas e alegorias. Um notável exemplo disso é o mito de Er. Ver o artigo intitulado *Er, Mito de*. Esse relato, como é evidente, contém uma experiência perto da morte que é válida; e, por essa razão, tem atraído muita atenção em nossos dias, quando esse estudo cada vez mais se reveste de importância aos olhos dos cientistas.

4. Os *judeus helenistas* alegorizavam o Antigo Testamento, no esforço por eliminar dali histórias sobre Deus que possam parecer dignas de objeção. Filo Judeu foi um dos mais destacados representantes dessa atividade.

5. Os pais alexandrinos da Igreja empregavam a interpretação alegórica de Filo, mais ou menos pelas mesmas razões que o fizera Filo. Ver sobre *Interpretação Alegórica*.

6. *Agostinho* julgou encontrar várias alegorias no Antigo Testamento, e utilizou a interpretação alegórica. Isso ele fazia erroneamente, ignorando aspectos literais e históricos de algumas narrativas veterotestamentárias. Os teólogos-filósofos da Idade Média seguiam o método de Agostinho. Todavia, na história da hermenêutica (a ciência da interpretação), tem sido necessário distinguir entre vários tipos possíveis de significado, como moral, teológico, místico, alegórico, histórico e literal. *Orígenes* (vide) já havia sugerido tal abordagem, ao estabelecer a diferença entre as verdades literais, éticas e místicas que um intérprete pode encontrar em uma dada

passagem, pois certas verdades não podem ser interpretadas historicamente. Um mito ou uma alegoria pode ensinar esplêndidas verdades espirituais sem que as tenham de combinar com a realidade histórica.

7. *Vico* (vide) acreditava que os mitos retraçam a história da humanidade em termos simbólicos. Os grupos sociais costumam reter esses ensinamentos. Os mitos eram meios padrões de expressão, nos primeiros milênios da humanidade. E as realidades sociais é que dão forma aos mitos.

8. *Schelling* (vide) emprestava grande poder aos mitos, supondo que, na realidade, eles criam tendências históricas. Segundo ele, os mitos apossam-se das puras capacidades criativas dos membros de um grupo humano, conferindo-lhes forma. Os mitos, pois, seriam edificadores.

9. *Strauss* (vide) aceitava os evangelhos como mitos que representariam a mente humana inconsciente e suas aspirações, e não acontecimentos históricos.

10. *Max Muller* dava à linguagem o primeiro lugar, e ensinava que a linguagem lança um certo matiz aos pensamentos. Esse matiz consiste nos mitos. Isso posto, os mitos tornam-se agentes da linguagem, visando à formação de pensamentos. A linguagem é figurada, pelo que fala segundo termos míticos e simbólicos. Daí é que se originariam as formas do pensamento humano. Todavia, os mitos seriam uma enfermidade da linguagem, lamentáveis, mas inevitáveis.

11. *E.B. Taylor* opinava que os mitos representam apenas a confusão inicial dos homens, acerca de seu meio ambiente e de suas experiências. Destarte, os sonhos misturam-se com as experiências das horas despertas.

12. *Sorel* ensinava que os mitos exprimem a vontade social, esforçando-se na direção da obtenção de algum tipo particular de futuro.

13. *Freud* pensava que os mitos são oriundos das íntimas relações domésticas, caracterizadas por amor ou ódio, e que então são extrapolados até assumirem dimensões cósmicas, universais.

14. *Jung* achava que os mitos são uma expressão básica da mente inconsciente, que opera por meio dos arquétipos da mente coletiva inconsciente. Nossas religiões, nossa literatura e todos os tipos de narrativas revelam esses mitos e apresentam o seu conteúdo à mente consciente. Os sonhos estão densamente povoados por arquétipos míticos.

15. *Bultmann* é o nome mais importante associado à demitização do Novo Testamento e da fé cristã. Ver o artigo sobre a *Demitização*.

16. *Levi-Strauss* referia-se aos mitos como antropólogo que era. Para começar, a sua abordagem assemelhava-se à de Vico (ver acima). Ademais, ele acreditava que os mitos têm a função de manter compacta a realidade social, contra as oposições sociais que os próprios mitos procuram reconciliar. Ele cria que os mitos não podem ser tratados racionalmente. Ele classificava sua análise dos mitos como «o mito da mitologia». Ver o artigo sobre *Demitização*.

Bibliografia. AM C E EP P Z

MITO DE CRISTO

Trata-se de uma teoria, aspectos da qual mostraram-se populares na Alemanha, a partir de cerca de 1910. Essa teoria apresenta um Jesus que é apenas uma divindade astral que veio à terra, sofreu, morreu e ressuscitou (mas tudo mitologicamente, naturalmente), ou como projeção das aspirações reprimidas, de natureza social, econômica e política, das classes baixas do império romano. Em sua forma mais extremada, tal teoria negava até mesmo a existência de uma pessoa de nome Jesus, supondo que a sua existência fosse parte do mito que chegou a circundar o seu nome. (E)

MITO DE ER

Ver sobre **Er, Mito de.**

MITOLOGIA

Esse é o termo usado para indicar o estudo dos mitos e para falarmos sobre os conjuntos específicos de mitos. *Mitologia*, como um termo científico, refere-se ao estudo preciso dos mitos, com suas origens, idéias, intenções e inter-relações com outras disciplinas de estudo. Como uma ciência, a mitologia começou no século XVIII. De Brosses e Schelling foram os iniciadores desse estudo mais exato dos mitos, e desde os dias deles várias escolas têm vindo à existência, cada qual com suas diferentes interpretações. Esses esforços têm desvendado um vasto tesouro da história e do pensamento da humanidade. Mas outras disciplinas, especialmente a arqueologia, têm criticado construtivamente esse avanço. Ver o artigo separado sobre *Mito*, quanto a um estudo completo a respeito.

MITRA

Essa palavra portuguesa vem do grego **mitra**, «turbante». Trata-se de uma peça do vestuário usada na cabeça, por vários dignitários eclesiásticos, como o papa, arcebispos, bispos e abades. No começo, a mitra era um pequeno gorro, mas foi evoluindo até tornar-se um elevado ornamento. Originalmente, somente os papas usavam um gorro. Mas esse humilde gorro foi assumindo ares cada vez mais imponentes. Tornou-se, afinal, uma espécie de chapéu alto e rígido. A mitra é fixada em seu lugar mediante uma faixa que há em sua porção inferior. Também dispõe de duas projeções soltas (chamadas *infulae*), na parte de trás. Teoricamente, a mitra deve ser sempre branca. Mas pode ter vários ornamentos, dependendo do ofício ocupado por quem a usa, e também da ocasião mais ou menos solene em que é usada. Por ocasião do rito de consagração, a mitra simboliza o capacete da salvação.

Usos Bíblicos. A palavra hebraica, *misnefeth* (ver Êxo. 28:4,27,29; 29:6; etc.) refere-se à mitra usada pelo sumo sacerdote. Sem dúvida, essa peça serviu de inspiração da elevada mitra de certos eclesiásticos cristãos. O trecho de Zac. 3:5 envolve outra palavra hebraica, *sanif*, aludindo à peça usada na cabeça pelos sacerdotes levíticos, mas que, na oportunidade, foi posta sobre a cabeça do sumo sacerdote Josué, por parte de um anjo, a fim de dignificar o seu ofício, fazendo-o lembrar-se de suas responsabilidades espirituais.

O turbante do sumo sacerdote de Israel era feito de linho fino (ver Êxo. 28:39), com uma placa de ouro fixada ao mesmo, com a inscrição «Santo ao Senhor» (ver Êxo. 28:36-39). No dia da Expiação, o sumo sacerdote de Israel devia usar essa mitra.

MITRADATES

Essa palavra é de origem persa e significa «presente de Mitra». Mitra era uma das principais divindades dos persas. Sua função especial era prover luz entre o céu e o inferno. Esse nome também foi o apelativo de sete reis da dinastia arsácida, reis da Pártia. Na Bíblia, há duas pessoas com esse nome: o tesoureiro de Ciro, rei da Pérsia. O rei entregou-lhe os vasos do templo, para cuidar dos mesmos. Esses deveriam ser entregues a Sesbasar, o príncipe de Judá (Esd. 1:8), o que ocorreu em cerca de 536 A.C. Um outro homem com esse nome é mencionado em Esd. 4:7. Ele era um oficial persa destacado para Samaria. Ajudou a escrever uma carta a Artaxerxes, acusando aos judeus. Isso aconteceu por volta de 522 A.C.

No livro apócrifo de I Esdras (2:11,16), um certo oficial também é chamado Mitradates. Os romanos fizeram guerra contra Mitradates VI Eupator, o Grande. Isso ocorreu entre 88 e 64 A.C. Essa guerra impediu uma conquista romana total da Palestina; mas, aí pelo ano de 63 A.C., toda resistência havia terminado. Os governantes mitradáticos eram helenistas em suas atitudes, e preservaram o período helenista na Síria-Palestina por cerca de um século depois que as outras áreas helenizadas já haviam sucumbido diante do poder romano.

MITRAÍSMO

Assim se denominava o culto a *Mitra*, um deus-sol dos persas. Essa foi a última religião misteriosa a popularizar-se no império romano. Ver o artigo geral sobre as *Religiões Misteriosas*. É possível, porém, que esse culto tenha chegado a Roma muito antes de termos notícias a respeito. Seja como for, sabe-se que chegou a Roma em cerca de 69 D.C., através das legiões orientais que estabeleceram Vespasiano como imperador (Tácito, *Hist*. 3:24). Quanto a detalhes, ver o artigo mencionado, seção I, ponto 5.

MIZÁ

No hebraico, «temor». Nome do quarto e último filho de Reuel, filho de Esaú e sua esposa, Basemate (ver Gên. 36:13; I Crô. 1:37). Ele foi chefe de um clã idumeu.

MIZAR

No hebraico, «enfermidade». Parece que temos aí o nome de um pequeno monte da serra de Hermom (ver Sal. 42:6). No entanto, talvez *Mizar* seja apenas um adjetivo que descreve um monte pequeno ou outeiro, contrastando com o gigantesco Hermom. Mas, sem importar exatamente do que se trata, o local ainda não foi identificado.

MNASOM

Esse nome deriva-se do grego, talvez com o sentido de «memória». Era um «velho discípulo», isto é, um antigo seguidor de Cristo, talvez desde o dia de Pentecoste. Era judeu cipriota, tal como Barnabé. Paulo aceitou a sua hospitalidade na última vez em que esteve em Jerusalém (ver Atos 21:16), em cerca de 60 D.C. Ele acolheu a Paulo e seus amigos helenistas, e talvez até os tenha ajudado materialmente.

O texto chamado ocidental, do Novo Testamento, localiza sua casa em uma vila existente entre Cesaréia e Jerusalém. Embora talvez haja algum valor histórico nessa informação, o mais provável é que se originou na tentativa de explicar a construção gramatical incomum do vs. 16, que pode significar tanto «trazendo consigo Mnasom» (conforme diz nossa versão portuguesa) quanto «trazendo-nos Mnasom». Assim, diz o texto ocidental: «chegando a uma vila, estivemos com Mnasom». Poderia estar em vista apenas um pernoite, em algum lugar entre Cesaréia e Jerusalém.

MOABE, MOABITAS

Esboço:

I. O Nome e sua Origem
II. Situação Geográfica
III. Fontes de Informação
IV. Informes Históricos
V. Profecias a Respeito
VI. Língua e Religião dos Moabitas

I. O Nome e sua Origem

O nome **Moabe** parece significar «do pai», ou seja, uma alusão a como esse povo começou, como descendentes de Ló e sua filha mais velha, ver Gên. 19:30-37. Isso ocorreu em cerca de 2055 A.C. Tanto os descendentes de Ló e sua filha mais velha quanto o território onde eles habitavam, tornaram-se conhecidos por esse nome. Eles eram os *moabi* (moabitas). O filho de Ló, que ele teve com sua filha, nasceu nas colinas acima de Zoá, aparentemente em um ponto que, posteriormente, se tornou a parte sul do território de Moabe. A Septuaginta provê uma glosa explicativa sobre o nome, «dizendo, do meu pai», o que pode refletir uma explicação existente no texto hebraico original, que terminou não fazendo parte do texto massorético padrão. Ver sobre o *Texto Massorético*.

II. Situação Geográfica

A parte principal do território moabita era o planalto existente a leste do mar Morto, entre os rios Arnom e Zerebe, embora uma área ainda maior que essa estivesse incluída no nome Moabe, a maior parte de sua história. Esse planalto fica a uma média de 1300 m acima do nível do mar Morto. O território, de norte a sul, tinha pouco mais de noventa e seis quilômetros de extensão. E de leste a oeste, media apenas cerca de quarenta quilômetros. Em tempos de guerra, esse território, já tão pequeno, ainda era mais drasticamente reduzido. As regiões costeiras de Moabe contavam com férteis e baixas terras aráveis, mas profundas gargantas e porções de terra árida, a leste, que iam dar no deserto, limitando muito a agricultura. A pequenez desse território e suas limitações naturais significavam que nas épocas em que a população ficava mais densa, era mister aproveitar todas as terras capazes de cultivo. A agricultura processava-se lado a lado com a criação de ovelhas. As melhores porções do território contavam com mananciais perenes, e assim eram bem regadas.

Áreas de Moabe e seus nomes. 1. O campo de Moabe (Rute 1:1,2) era aquela área delimitada, ao norte, pelo precipício do Arnom; a oeste pelos íngremes rochedos que se elevam, quase perpendicularmente, das margens do mar Morto; ao sul e a leste por um semicírculo de colinas que são interrompidas somente pelo rio Arnom e por uma outra torrente que deságua no mar Morto. 2. A terra de Moabe, o campo aberto que vai do rio Arnom, ao norte, até às colinas de Gileade. 3. A planície de Moabe (ver Núm. 22:1), o distrito de terras baixas, nos baixios tropicais do vale do rio Jordão.

III. Fontes de Informação

1. *A Bíblia*. Contamos com bem parca informação dada sobre os moabitas, da parte deles mesmos. Nossas principais fontes de informação são os registros de povos vizinhos, a Bíblia e a arqueologia moderna. As evidências indiretas tendem por ser inexatas, visto que usualmente derivam-se de guerras,

que distorcem a realidade. Seja como for, a Bíblia é nossa principal fonte informativa sobre esse povo, visto que, desde os dias de Abraão, eles estiveram intimamente associados a Abraão. Não há que duvidar que os israelitas viam os moabitas de forma essencialmente negativa, mesmo porque pensavam na origem incestuosa deles (ver Gên. 19:30-38), sem falar no fato de que houve uma hostilidade quase constante entre Israel e Moabe. Isso se evidenciou desde o começo. Após o êxodo, convinha a Israel atravessar o território moabita, pela *estrada do rei*, mas os moabitas negaram permissão (ver Núm. 20:19). A Moisés, o Senhor não deu permissão de atacar os moabitas (ver Deu. 2:9), pois o Senhor reservara aquela terra para os filhos de Ló, como possessão. Assim, apesar de haver hostilidades, aos moabitas o Senhor conferiu certa medida de proteção, pelo menos durante os primeiros séculos. Entretanto, de Moisés em diante, os moabitas foram excluídos de participar em Israel, apesar de sua herança ancestral próxima (ver Deu. 23:3-6; Nee. 13:1).

Foi Balaque, rei de Moabe, quem convocou a ajuda de Balaão, a fim de amaldiçoar o povo de Israel (Núm. 22:1 *ss*; Jos. 24:9). E, apesar de tal maldição não ter sido permitida, os israelitas foram um tanto debilitados na ocasião, por parte dos moabitas e midianitas pagãos, que tiraram vantagem dos varões israelitas tradicionalmente fracos, atraindo-os a relações sexuais ilícitas e daí, a uma conduta idólatra.

Na época dos juízes de Israel, os moabitas, durante algum tempo, graças aos esforços de seu rei, Eglom, governaram os israelitas durante dezoito anos. Israel só foi libertada desse jugo quando Eúde, um juiz benjamita, matou o rei Eglom (ver Juí. 3:12-30).

Rute, a moabita, oferece uma interessante distorção na história. Elimeleque, de Belém, havia migrado para o território de Moabe com sua esposa e seus dois filhos. Os rapazes, subseqüentemente, casaram-se com jovens moabitas, Orfa e Rute. Morreram afinal Elimeleque e seus dois filhos, ficando vivas somente a esposa daquele, Noemi, e suas noras. Rute resolveu acompanhar sua sogra ao território de Israel, e, com a passagem do tempo, casou-se com Boaz, descendente de Judá. Destarte ela tornou-se antepassada do rei Davi e passou a fazer parte da árvore genealógica de Jesus, o Cristo (Rute 4:18-22; Mat. 1:5).

Nos governos de Saul e Davi prosseguiram as hostilidades entre Israel e Moabe, embora essas questões fossem pequenas, em relação a outras dificuldades enfrentadas pelos israelitas. Os moabitas foram derrotados por Saul (14:47). Davi deixou seus pais em território moabita, a fim de protegê-los, enquanto fugia de Saul (ver I Sam. 22:3,4). Ao tornar-se rei, Davi derrotou aos moabitas, forçando-os a pagarem tributo (II Sam. 8:2,11,12). Salomão, que tanto gostava de mulheres, naturalmente teve ao menos uma mulher moabita (ver I Reis 11:1,7). Mas isso envolveu-o na idolatria, pois, entre os lugares altos por ele edificados, havia um em honra a Camos, uma divindade moabita (ver I Reis 11:7; II Reis 23:15). Após a morte de Salomão, os moabitas tiveram oportunidade de libertar-se do jugo israelita. Nos tempos de Onri, rei da nação do norte, Israel conseguiu subjugar novamente os moabitas (cerca de 885 A.C.).

Moabe rebelou-se novamente durante o reinado de Acabe (874—853 A.C.). O filho de Acabe, Jeorão, aliou-se a Josafá, de Judá, tentando abafar a revolta moabita; mas sem sucesso (ver II Reis 1:1; 3:4-27).

Hazael, rei de Arã, conquistou territórios moabitas até então em mãos de Israel (II Reis 10:32,33). Os moabitas lançaram vários ataques contra Israel, nos últimos meses da vida de Eliseu (II Reis 13:20). Parece que a expansão israelita, nos tempos de Jeroboão II (782/781 — 753 A.C.), incluiu certas porções do território de Moabe (II Reis 14:25). O profeta Amós (2:1-3) havia predito essa perda territorial de Moabe, devido a crimes notáveis cometidos pelos moabitas.

Os assírios sujeitaram os moabitas, na porção final do século VIII A.C., segundo se vê nos capítulos quinze e dezesseis do livro de Isaías. Mas, quando o poder assírio entrou em colapso, os moabitas ficaram livres de novo. Grupos de moabitas armados continuaram atacando Israel, nos dias de Jeoaquim (609—597 A.C.) (II Reis 24:2). Quando caiu a cidade de Jerusalém, alguns judaítas fugiram para Moabe, e, então, retornaram para ali, quando Gedalias tornou-se governador temporário da região (ver Jer. 40:11).

Após o cativeiro babilônico, os moabitas continuaram como uma raça distinta (Esd. 9:1; Nee. 13:1,23). Porém, houve várias predições proféticas sobre como os moabitas seriam julgados por Deus. Ver Isa. 25:10-12; Jer. 9:26; 25:31; 27:3; Eze. 25:8-11; Amós 2:1-3; Sof. 2:8-11.

2. *Fontes Informativas Não-Bíblicas*. A maior descoberta arqueológica atinente a Moabe, foi a estela do rei Mesa, encontrada em Dhiban (Dibom), em 1868. Essa estela tornou-se conhecida como Pedra Moabita. Ela comemora a revolta de Mesa contra Israel e a reconstrução de várias importantes cidades moabitas. Mas essa pedra tornou-se particularmente importante por ser a única fonte que nos permite compreender algo da linguagem moabita, além de fornecer-nos algumas informações interessantes. Geralmente ela é datada como pertencente a meados do século IX A.C. Temos preparado um artigo separado sobre esse monumento, intitulado *Moabita, Pedra*.

Uma outra inscrição antiga foi achada em Dhiban, que foi publicada em 1952. Mas essa consiste em um pequeno fragmento (de uma pedra maior), contendo poucas informações, excetuando que mostra que a Pedra Moabita não foi um registro histórico isolado entre os moabitas.

A chamada **Estela Balu'ah**, encontrada em 1930, a vinte e quatro quilômetros ao norte de Kir-Haresete, exibia uma inscrição em mau estado de conservação, devido à antiguidade e à ação das intempéries. Albright atribuiu-a ao período mais antigo da era do Bronze. Entretanto, um outro estudioso, Drioton, calculou ser ela muito mais antiga, pertencente ao século XII A.C. É possível que os elamitas, que migraram para o território de Moabe, tivessem sido os preparadores dessa estela, e não os próprios moabitas, que chegaram mais tarde e absorveram povos que ali já habitavam. A natureza indecifrável dessa inscrição significa que ela nada tem adicionado ao nosso conhecimento acerca do território de Moabe e os povos que ali habitaram ao longo dos séculos.

3. *Textos em Escrita Cuneiforme*. Temos algumas informações acerca de Moabe através de textos assírios, visto que os dois povos tiveram algum contacto hostil. Eles chamavam Moabe de *amurru*. Apesar dessas informações totais serem menos do que nos dá o Antigo Testamento, é significativo que esse material fala sobre um maior número de reis moabitas do que se lê na Bíblia. Escavações em Ninrode encontraram cartas que abordam questões na Síria e na Palestina. Um ataque contra Moabe por parte de certa tribo (provavelmente beduínos) é mencionado, e que teve lugar perto dos fins do século VIII A.C. Alguma informação das relações entre Moabe e a Assíria deriva-se dos anais de reis assírios, como

Assurbanipal, Senaqueribe e Esar-Hadom.

Os escritos egípcios fazem um silêncio quase total quanto a Moabe. Dibom (no egípcio, *tpn*) é mencionada em uma lista de cidades, preparada por Tutmés III. Essa relação foi encontrada no templo de Amom, em Carnaque. Visto que essa lista mostra que esse lugar ficava localizado no Alto Retenu, sem dúvida está em foco o atual Tell Dibbin. Vários tabletes, grafites, ostraca e fragmentos de papiro, descobertos em Sazzara, em 1926, contêm alguma referência aos moabitas.

4. *Literatura Judaica Não-Canônica*. O trecho de Eclesiástico 36:10 preserva a atitude hostil de Israel contra Moabe, desejando que fossem esmagadas as cabeças de seus príncipes. O livro de Judite menciona Moabe por cinco vezes, embora sem dizer nada de valor histórico. Josefo também preservou algumas poucas informações (*Anti*. 10:9,7), como a destruição da cidade de Amom pelas tropas babilônicas de Nabucodonosor.

IV. Informes Históricos

A contribuição bíblica essencial ao nosso conhecimento sobre a história de Moabe foi dada na terceira seção, acima. Damos aqui um esboço dos eventos essenciais:

1. *6000-4500 A.C.* Algumas informações esparsas, pré-bíblicas, são-nos dadas a respeito de Moabe, derivadas desse arcaico período, sob a forma de *menhirs* (grandes pedras eretas, em fileiras ou círculos) e *dólmens* (câmaras de pedra feitas com maciças lajes de pedra). Podemos apenas conjecturar quanto ao significado desses monumentos. Eles remontam ao período neolítico.

2. *2200-1900 A.C.* Começo da era do Bronze e era do Bronze Média. As evidências mostram uma densa ocupação de Moabe, durante esse período. Havia cidades fortificadas e rotas de caravanas que atravessavam a Transjordânia, do norte para o sul. A agricultura desenvolveu-se. Estava em uso uma cerâmica primitiva. Foi durante esse período que Quedorlaomer marchou até El-Parã, em Edom (Gên. 14:5-7), deixando destruição e ruínas em sua passagem. Talvez tenha sido aí que houve a destruição dos *emins*, um grupo de gigantes *refains* que ocupavam territórios moabitas antes mesmo dos moabitas (ver Deu. 2:10,11). No entanto, o período de 1900 a 1300 A.C. foi um tempo de esparsa população em Moabe, pelo menos na porção ao sul do ribeiro do Jaboque. Foi durante esse tempo que ocorreu a invasão dos amorreus, quando prevaleceu, ao que tudo indica, a vida nômade.

No período anterior ao êxodo, o território de Moabe era ocupado, contando com aldeias até cerca de 1850 A.C. Seus descendentes encontraram ali uma população indígena, misturando-se com aquela gente por casamento. Quatro reis vindos do Oriente invadiram as terras moabitas, e destruíram o povo de Savé-Quiriataim (ver Gên. 14:5). Essas perturbações contribuíram para o abandono das aldeias, e daí por diante a vida nômade ou seminômade tornou-se a regra entre os moabitas.

3. *1300 A.C.* Diversos reinos apareceram durante a idade do Ferro, pouco antes dessa data. Entre esses estava o reino de Moabe. Esses povos eram agrícolas e pastoris, mas conseguiram deixar notáveis exemplos de arquitetura, peças de cerâmica e artefatos de metal. Os moabitas acabaram adquirindo total domínio sobre aquela região, e ocuparam o planalto principal e áreas ao norte do rio Arnom, destruindo as fortificações de outros povos. Ver Deu. 2:10,11,19-21. Esses territórios foram compartilhados pelos amonitas, um povo intimamente relacionado aos moabitas, pois também eram descendentes de Ló e sua filha mais jovem.

Pouco antes da saída de Israel do Egito, os amorreus conseguiram dominar aos moabitas. Seom, rei dos amorreus, ocupou as terras ao norte do rio Arnom. Em seguida, veio o incidente da recusa de Moabe à passagem do povo de Israel por seu território (após o êxodo; ver Juí. 11:17). Os moabitas não deveriam ser atacados por Moisés, apesar da hostilidade deles (Deu. 2:9) contra os israelitas; mas, daquele tempo em diante, foram excluídos de Israel e seus benefícios (ver Deu. 23:3-6; Nee. 13:1). Isso leva-nos ao ponto da história bíblica que demos na terceira seção, primeiro ponto, acima.

V. Profecias a Respeito

Um exame da história de Moabe, no tocante a seus vizinhos, incluindo Israel, mostra-nos que praticamente a única coisa registrada eram suas guerras. Podemos supor, entretanto, que havia outros tipos de acontecimentos entre aquele povo. Seja como for, a alienação entre Moabe e Israel ocorreu desde quase o começo (o incidente com Moisés, após o êxodo), e desde então quase nada mais se encontra senão uma crônica de hostilidades. Era apenas natural, pois, que os profetas de Israel tivessem feito de Moabe um alvo especial. Damos uma lista de predições de condenação no ponto III.1, último parágrafo.

Nos capítulos quinze e dezesseis do livro de Isaías encontramos a *sentença* de Isaías contra Moabe. Essa predição fala sobre a queda de Moabe, e a redução de um povo arrogante a um débil remanescente. Jeremias (cap. 28 de seu livro), cerca de cento e quarenta anos mais tarde (cerca de 600 A.C.), reiterou, essencialmente, os sentimentos expressos por Isaías, embora dando um laivo de esperança para os moabitas, em Jer. 48:47. Moabe era um povo arrogante e opulento, mas forças hostis, como a dos assírios e a dos babilônios, poriam fim a tudo. Sofonias dirigiu uma diatribe contra os moabitas e amonitas, em face da hostilidade deles contra Israel. Jeremias (27:3) falou contra Edom, Moabe, Amom, Tiro e Sidom, e advertiu Judá a não resistir a Nabucodonosor, porquanto Deus estava por detrás de sua autoridade, usando os babilônios como medida disciplinadora.

VI. Língua e Religião dos Moabitas

Língua. O único material de qualquer valor especial sobre o idioma falado pelos moabitas acha-se na chamada Pedra Moabita. Ver sobre *Moabita, Pedra*. As letras ali constantes ilustram o desenvolvimento da escrita cananéia durante a porção final do século IX A.C. A gramática dessa língua encerra elementos que também figuram no ugarítico, no fenício, no aramaico e no árabe. Muitos elementos do hebraico aparecem em suas formas gramaticais. As palavras eram divididas por pontos, o que também era feito por outros povos. As letras vogais eram a exceção, e não a regra. Via de regra, podemos dizer que, apesar dos empréstimos feitos de outros idiomas, a língua moabita era, essencialmente, um dialeto do hebraico.

Religião. A divindade nacional dos moabitas era *Camos* (vide). Ele é mencionado em Núm. 21:29; Juí. 11:24; I Reis 11:7,33; II Reis 23:13; Jer. 48:7,13,46. A Pedra Moabita mostra que os moabitas referiam-se a essa sua divindade mais ou menos da mesma maneira como os israelitas falavam sobre Yahweh. Ele era um deus de ira, que julgava e abandonava o seu povo quando eles não viviam corretamente, apesar de seu verdadeiro desejo ser abençoá-los e salvá-los. Ritos foram criados para sua adoração, e ele tinha muitos lugares altos (santuários) onde o seu culto era promovido. Não deveríamos pensar, porém, que a sua importância era tão grande ao ponto de eliminar o politeísmo e a idolatria. O trecho de Núm. 25:2 menciona especificamente os *deuses* que as mulheres moabitas fizeram o povo de Israel adorar. Baal era a principal divindade venerada pelos moabitas.

As evidências arqueológicas mostram que havia um elo entre as formas religiosas dos moabitas e as dos cananeus. Ritos são mencionados na história de Balaão (ver Núm. 22:40; 23:1-4; 24:1-5), onde é clara a semelhança com os cultos cananeus. Figurinhas de cerâmica, representando divindades masculinas, mostram a extensão da idolatria dos moabitas. A deusa Astarte era uma divindade feminina favorita dos moabitas. Uma outra divindade feminina era Istar-Camos, mencionada na Pedra Moabita. Figurinhas de animais, em cerâmica, poderiam ter servido de pedestais para as imagens de deuses e deusas. A deusa-mãe era adorada em conexão com o culto a Camos. Alguns pensam que a Estela de Balu'ah mostra que essas duas divindades eram adoradas quando as tribos moabitas entraram pela primeira vez no território que veio a tornar-se conhecido como Moabe.

Evidências em prol de uma casta sacerdotal bem desenvolvida (contrastando com o culto de Israel), não têm sido encontradas. Talvez o rei moabita também atuasse como uma espécie de sumo sacerdote, não se sentindo assim a necessidade de qualquer hierarquia de líderes religiosos. É verdade que os reis cananeus de modo geral possuíam poderes religiosos e serviam como sacerdotes, e isso também pode ter sido o caso dos reis moabitas. O trecho de Núm. 23:1,14,29 ilustra a existência de sacrifícios de animais entre os moabitas: touros e carneiros estavam entre esses animais. Representações desses animais, em cerâmica, também têm sido encontradas em Khirbet el-Medeiyineh e Salijeh. Todavia, até agora não se encontrou qualquer altar para incenso. Os despojos de guerra (chamados *herem*) eram dedicados aos deuses. Pessoas capturadas eram executadas, até mesmo cidades inteiras, para nada dizer sobre guerreiros aprisionados—barbaridades essas que os moabitas julgavam ser necessárias para aplacar a ira dos deuses da guerra. Como é óbvio, os hebreus compartilhavam de algumas dessas idéias, sendo evidente, pelos relatos do Antigo Testamento que mostram o que sucedia a povos que se saíam perdedores. (ALBR AM BAL ND UN Z ZY)

MOABITA, PEDRA

1. Descrição

Essa pedra, uma estela do rei Mesa, de Moabe, é um bloco de basalto negro, cujas medidas aproximadas são de 112 cm de altura por 69 cm de largura. De espessura, ela tem cerca de 35 cm. Sua base é quadrada, e o alto é arredondado. Sua inscrição consiste em trinta e quatro linhas em caracteres hebreu-fenícios, com um original calculado em mil e cem letras.

2. Descoberta

Essa pedra foi encontrada a 19 de agosto de 1868, pelo Rev. F. Klein, um missionário alemão que trabalhava com a Sociedade Missionária Igreja. Um xeque árabe, de nome Zattam, foi quem chamou a atenção dele para o antigo monumento. Imediatamente Klein reconheceu a importância potencial da pedra e deu notícia a respeito ao Dr. Ptermann, o cônsul alemão, que passou a entabular negociações para obtê-la para o Museu de Berlim. C.S. Clermont-Ganneu, do consulado francês, também tentou obtê-la para o Museu de Paris. Enviou mensageiros que, ao trabalharem com a pedra, acabaram quebrando-a. O interesse fez os árabes pressentirem a grande importância do achado, o que acabou provocando o desastre.

3. Destruição

Os árabes resolveram quebrar a pedra, supondo que em pedaços ela valeria bem mais do que em uma única peça. As peças pequenas poderiam ser usadas como amuletos de boa sorte, e que apareceriam muitos compradores para as mesmas. Subseqüentemente, Clermont-Ganneau conseguiu recuperar diversos fragmentos da pedra, que foi então reconstituída em parte. Calcula-se que dentre uma inscrição original de cerca de mil e cem letras, seiscentas e sessenta e nove delas foram assim recuperadas. Isso representa cerca de dois terços do original, bem como a maior parte da mensagem inscrita na pedra. Além disso, uma impressão da pedra original fora obtida antes dela ser partida em pedaços, o que ajudou extraordinariamente a reconstituição da inscrição.

4. A Mensagem

A pedra Moabita fala sobre a revolta de Mesa, rei de Moabe, contra os israelitas, sendo assim um documento paralelo ao trecho de II Reis 3:4 *ss*. Essa inscrição é datada pelos estudiosos em 850 A.C. É o mais extenso exemplo de escrita hebreu-fenícia. Além de ser um paralelo daquele trecho do Antigo Testamento, narra também as guerras de Mesa contra os idumeus, e, incidentalmente, fornece-nos alguma informação sobre a religião dos moabitas, conforme foi mencionado no artigo *Moabe, Moabitas*, ponto sexto, *Língua e Religião dos Moabitas*. O idioma dessa inscrição é, essencialmente, um dialeto do hebraico. Isso serve de prova do fato de que os moabitas eram aparentados dos israelitas, quanto à raça e quanto ao idioma que falavam, e que seus antepassados haviam adotado a antiga língua de Canaã. E as semelhanças vão além da mera língua, pois também há similaridades de expressão e de formas de pensamento.

Elementos:

a. Essa inscrição é um paralelo próximo na história do rei Mesa, conforme está registrado em II Reis 3:4-27, embora contenha suplementos e outro material informativo.

b. Mesa é chamado ali tanto rei de Moabe quanto filho de Camos. Seu pai governou Moabe durante trinta anos. Mesa desvencilhou-se do jugo israelita, e honrou ao deus Camos pela suposta ajuda desse deus, edificando-lhe um lugar alto. Esse lugar ficava em *Caró* (QRHH). Ele diz ali que Moabe fora dominada pelo rei Onri, devido ao julgamento de Camos contra os moabitas, devido à conduta deles. Onri e Acabe haviam dominado Moabe por um total de quarenta anos. Mas foi Mesa quem conseguiu libertar os moabitas. O relato subentende que isso sucedeu antes da morte de Acabe, entrando em choque com o trecho bíblico de II Reis 1:1, que afirma que essa revolta moabita deu-se após a morte de Acabe. Porém, por que nos perturbaríamos diante de minúsculos detalhes como esse? Essas pequenas discrepâncias, reais ou não, nada têm a ver com a fé religiosa. Talvez o controle de Acabe sobre os moabitas tenha diminuído bastante, embora não completamente, antes de sua morte, e que os moabitas foram obtendo sua liberdade apenas gradualmente, completando-se após o falecimento daquele rei de Israel. Portanto, torna-se uma questão meramente subjetiva dizer quando, *exatamente*, ocorreu a libertação dos moabitas.

c. Várias cidades teriam sido edificadas pelos moabitas, entre as quais Baal-Meom, Bezer, Medeba, Bete-Diblaten e Bete-Baal-Meom. A captura de Atarote (edificada pelos israelitas) também é mencionada. Homens gaditas foram aprisionados e muitos dentre eles foram mortos. Nebo foi conquistada. Atrocidades foram cometidas, e atribuiu-se tudo isso às exigências das divindades, como sempre. Foi o trabalho escravo, prestado por israelitas, que construiu muralhas, cisternas, portões, torres e o palácio do rei. Foi construído um caminho elevado no vale do rio Arnom.

d. Transparecem elementos da crença religiosa dos moabitas, como a idéia de que é o poder divino que envia homens à guerra, que abençoa aos homens em face das destruições que causam, que julga enviando inimigos que destroem àqueles que não o agradam, que se agrada diante do culto prestado pelos homens nos lugares altos. Destarte, é apresentada, na Pedra Moabita, uma visão verdadeiramente teísta da divindade, embora corrompida pelo fato de que os homens concebem divindades de acordo com a mentalidade deles. Yahweh é mencionado, como o paralelo hebreu de Camos. A total destruição de cidades, com atrocidades acompanhantes, agradaria aos deuses, se pudermos acreditar nas palavras dos homens.

e. *Estilo e Escrita*. O estilo dessa inscrição assemelha-se às narrativas do Antigo Testamento, o que demonstra que havia coincidência de maneiras de pensar e de expressar, bem como quanto a certas crenças básicas, entre os israelitas e os moabitas. (AM DRI(2) UL(2) UN Z)

MOBILIÁRIO

Ver o artigo geral sobre **Casa**.

A palavra hebraica *keli*, usada em conexão com o mobiliário, significa «qualquer coisa feita», pelo que tem muitas aplicações, incluindo aquilo que chamamos de *móveis*. Refere-se a instrumentos, objetos, utensílios, vasos e todos os tipos de móveis usados em uma casa. Os implementos do templo de Jerusalém, seus utensílios, também são aludidos por meio dessa palavra. Assim, temos o altar dos holocaustos, o lavatório, a mesa dos pães da proposição, o candeeiro de ouro, o altar do incenso, a arca, o propiciatório (ver Êxo. 26:9; 31:9; 39:33; 40:9), onde, nas traduções, também encontramos vocábulos que indicam instrumentos e vasos que se referem a esses itens. Em Gên. 31:34, a alusão é a uma «sela», embora algumas traduções digam ali «móveis», o que constitui um equívoco.

A palavra em questão pode indicar todo tipo de móveis domésticos, embora também sejam usadas outras palavras hebraicas. Na Palestina dos tempos bíblicos, tal como nos tempos modernos, esses móveis ou utensílios ou eram riquíssimos ou eram os mais simples, ou então um meio termo, dependendo das posses materiais das pessoas. — Eram usadas cortinas, tecidas à mão, separando os aposentos dos homens e das mulheres. Os pobres dormiam no chão, ou sobre colchões bem finos; os ricos contavam com leitos, alguns deles elaboradamente trabalhados e decorados. Os pobres tinham poucos móveis em suas casas, empregando tapetes postos sobre o chão de terra batida, para ali se sentarem. Alguns até comiam sobre tais tapetes, por não contarem com mesas ou divãs. Bancos toscos de madeira serviam de cadeiras. No caso de pessoas abastadas, as coisas eram diferentes. Essas tinham móveis luxuosos, algumas vezes decorados com marfim ou metais preciosos. O profeta Amós denunciou os ricos de Samaria, que se deitavam preguiçosamente sobre seus leitos e divãs de marfim (Amós 3:12; 6:4), cujas refeições eram excelentes e tomadas com vagar. — A preocupação com residências luxuosas sempre foi considerada um vício. Até mesmo hoje em dia, cristãos supostamente espirituais, ocupados no trabalho ministerial, preocupam-se em demasia com as riquezas materiais que são capazes de amealhar. As residências tornam-se depósitos de ostentação, contendo coisas luxuosas que as pessoas reúnem. E o dinheiro que deveria ser usado para finalidades espirituais é desperdiçado em tais coisas.

Os Móveis nos Símbolos dos Sonhos e das Visões:

1. Cama, colchão. Casamento, sexo ou condições específicas que surgem, usualmente com algum sentido negativo, como na expressão: «Ele fez a sua cama». Sair da cama significa escolher o próprio caminho em algum empreendimento ou esforço.

2. Tapetes. Esses representam as mulheres, por causa das várias formas e decorações existentes nos tapetes, que relembram as mulheres.

3. Qualquer objeto dos móveis e utensílios de uma casa, que provêem um local fechado, como uma copa, pode representar uma mulher ou o sexo. Um armário pode indicar, especificamente, a vagina, embora também possa referir-se a uma *mente fechada*, cheia de sigilos.

4. Uma mesa pode indicar um altar, ou algum sacrifício. O altar dos sacrifícios, em alguns contextos, pode referir-se a uma mulher que é sacrificada caprichosamente, ou para beneficiar ao homem.

5. Os móveis em geral, pertencentes a uma casa, podem indicar o conteúdo do corpo, ou podem referir-se ao *conhecimento em geral*, visto que a pessoa decora a sua mente com bons conhecimentos.

MODALISMO

Esse é um termo teológico que descreve a idéia de que os membros da Trindade não são pessoas separadas, e muito menos substâncias diferentes, mas apenas três modos distintivos de expressão do Deus único. Assim, Deus manifestar-se-ia ora como Pai, ora como Filho, ora como Espírito Santo; mas não seriam três pessoas distintas. O mais famoso representante do modalismo foi Sabélio, que viveu em torno de 230 D.C. Ver o artigo separado sobre ele.

A idéia dele é que o Deus *único* é substancial, não podendo ser dividido em qualquer sentido. Suas três diferenciações seriam apenas adjetivos usados para descrever suas diversas manifestações. O modalismo procurava evitar explicações politeístas de Deus, e, para muitos, o trinitarianismo é apenas uma forma velada de politeísmo, que não admite qualquer definição sensata. O modalismo, pois, oferecia uma espécie de «trinitarismo em expressão», sem tocar no problema da essência divina unificada. Tertuliano criticou essa idéia de forma bastante crua, sugerindo que a mesma expõe uma espécie de Deus que se veste com várias *casacas*, ora uma, ora outra. Basílio fez críticas mais sofisticadas, ao dizer que o modalismo concebe Deus a modificar-se a si mesmo de vários modos, a fim de enfrentar as necessidades do mundo.

O modalismo começou como um movimento asiático, na pessoa de Noeto de Esmirna. Dali a idéia imigrou para Roma, tendo sido absorvida nas explicações de Noeto, Epógono, Cleômenes e Calixto. Na África, foi ensinado por Práxeas, que foi combatido por Tertuliano. Na Líbia, Sabélio defendeu e até refinou a idéia. Essa teoria provê um meio de enfatizar a unidade de ação do Pai e do Filho na redenção humana, além de prover uma maneira fácil de aduzir à divindade de Cristo. Ver os artigos gerais sobre *Cristologia* e *Trindade*. Ambos esses artigos mostram como os homens têm-se esforçado por explicar aquilo que é, essencialmente, inexplicável. Doutrinas específicas a respeito da Trindade cortam o nó górdio, em vez de desatá-lo. Mas, afinal, quem alguma vez conseguiu desatar esse nó? (Ver o artigo sobre *Nó*, quanto a explicações sobre a idéia do *Nó Górdio*).

MODAS (MÚSICA)

Na música, as modas são uma série de notas em escala, sem qualquer timbre definido subentendido, mas com um arranjo definido do todo, e com intervalos de meio-tom, entre as notas. O uso dessa modalidade de música, adaptada aos cânticos, foi tomado por empréstimo do sistema grego. Já estava em uso tão cedo quanto o século II D.C. O *canto gregoriano* (vide) e toda música polifônica, composta antes do ano de 1600, foram escritos de acordo com esse sistema modal. No sistema modal mais avançado, eram usadas catorze escalas. Os números ímpares eram autênticos, onde as notas extremas da escala eram as mesmas que as finais, enquanto que os números pares eram plagais, onde as notas finais eram as mesmas que as modas autênticas correspondentes; mas as notas extremas eram um quarto abaixo das modas autênticas correspondentes. Muitos compositores medievais acreditavam que cada moda tinha seu próprio *etos*, «espírito», sendo especialmente apropriada para a mensagem e o humor que o indivíduo desejasse transmitir.

MODELO

Essa palavra, a princípio, era usada em certa teoria científica. Mas daí acabou transferida para a linguagem teológica. Na linguagem dos cientistas do século XIX, os *modelos* eram supostas réplicas ou cópias de alguma realidade, como o átomo, para exemplificar. Naturalmente, a ciência de hoje sabe que dificilmente o átomo pode ser representado por uma figura qualquer, ou modelo. Contudo, os modelos matemáticos podem ajudar-nos a compreender certas coisas acerca do átomo, além de ajudar-nos a pôr o átomo em uso prático. Mas, a natureza real do átomo continua constituindo um mistério, e não pode ser *representada* (pelo menos por enquanto) por qualquer modelo.

Tal como sucedeu na ciência, assim também na teologia, podemos trabalhar mediante o uso de *modelos*. Sabe-se que aquilo que se diz por meio desses modelos é parcial, não podendo conferir-nos um quadro verdadeiro de uma verdade qualquer. Não obstante, um modelo pode ser útil como auxílio para explicar alguma coisa. Por exemplo, dentro da palavra *Trindade*, de nada adianta esperar qualquer coisa como uma explicação lógica da essência divina, embora essa palavra possa servir de modelo que nos outorga algum tipo de informação. Também poderíamos falar em *mente*, que é outro modelo que nos ajuda a explicar certa realidade. Ou, então, consideremos a questão da *cristologia*. As muitas explicações que os estudiosos têm oferecido são apenas modelos que nos permitem entender algo a respeito, mas nunca explicações verdadeiras sobre a questão. E assim, a realidade permanece misteriosa quanto a muitas outras doutrinas cardeais. No entanto, nossos modelos permitem-nos obter alguma espécie de informação. O termo *modelo*, assim sendo confirma nosso conhecimento parabólico das coisas. Conhecemos as coisas apenas mediante sinais e símbolos. Nossas definições são parciais, ou mesmo distorcidas. Somente Deus tem conhecimento verdadeiro dos grandes mistérios!

MODERAÇÃO

1. Observações Preliminares

Moderação era uma das palavras-chave da filosofia grega. Ver os artigos intitulados *Meio-Termo Áureo* e *Ética*. Aristóteles, seção VI, onde apresentamos as suas doze principais virtudes, com seus correspondentes vícios de deficiência e de excesso. O estoicismo romano substituiu a apatia dos gregos pela *moderação*.

2. Definições

A moderação consiste em manter-se dentro de limites apropriados, evitando-se os extremos. Consiste em ser bem equilibrado. O termo vem do latim, *modus*, «medida». Fica implícito que, em qualquer ato ou palavra, o indivíduo deve conservar a *medida apropriada*—nem demais e nem pouco demais. O verbo latino *moderare* significa «regular». Portanto, a moderação é o regulamento apropriado da vida, de tal modo que os extremos sejam evitados. Um importante vocábulo grego para indicar essa atitude era *sophrosúne*, «discrição», «temperança», «autocontrole», «sobriedade», «moderação». Algumas vezes era traduzido pelo termo latino *temperantis*. Portanto, destaca-se a idéia de bom equilíbrio. A raiz da palavra grega é *sóphron*, que significa «dotado de mente equilibrada», «prudente», «discreto», «autocontrolado», «casto».

3. Usos Bíblicos

O termo grego **sophrosúne** ocorre em Atos 26:25, onde nossa versão portuguesa o traduz por «bom senso», o que também se vê em I Tim. 2:9,15. No entanto, a tradução «moderação» aparece em nossa versão portuguesa em Fil. 4:5, onde o texto sagrado diz: «Seja a vossa moderação conhecida de todos os homens». No entanto, nessa última referência o original grego já diz *epieikés*, que tem mais o sentido de «tolerância», de «gentileza». Ver também I Tim. 3:3; Tito 3:2; Tia. 3:17 e I Ped. 2:18. A forma nominal dessa palavra grega, *epieikía*, aparece em Atos 24:4 (onde nossa versão portuguesa a traduz por «clemência»). Em II Cor. 10:1, essa palavra aparece como «benignidade», em nossa versão portuguesa. No entanto, nessa última passagem caberia muito melhor a palavra «consideração». Paulo estava exortando aos crentes de Corinto, mediante a gentileza e consideração de Cristo; e o próprio apóstolo revestia-se de humildade, procurando reformá-los. Conforme é fácil de ver, pois, as palavras gregas envolvidas não expressavam, em termos exatos, a idéia de moderação, embora transmitam-nos qualidades próprias de quem é moderado em suas atitudes e em seus atos. Quando Paulo asseverou que já havia aprendido a contentar-se em qualquer situação, mostrou que estava evitando reações extremadas contra as suas circunstâncias externas. Ver Fil. 4:11.

MODERNISMO

Ser *moderno*, na opinião de alguns, é *abandonar* o que é *tradicional* e conservador e aderir ao que é *moderno*, substituindo antigas idéias por novas, presumivelmente alicerçadas sobre um fundo maior de pesquisa e conhecimento. Nesse caso, modernismo é um sinônimo aproximado de *liberalismo*. Temos apresentado um artigo detalhado sobre o *Liberalismo*, que também serve para definir e descrever o *Modernismo*. Ver também o artigo intitulado *Liberalismo Católico*. Um outro artigo de interesse, nesse contexto, é *Crítica da Bíblia*. Os quatro termos envolvidos na presente questão são: liberalismo, modernismo, neoprotestantismo e teologia radical.

Modernismo. Essa é a tendência humanística do pensamento religioso, cujo intuito é suplementar ou suplantar antigos credos e dogmas teológicos mediante uma nova erudição científica e filosófica, assim dando ênfase à ética prática, à justiça em termos os mais amplos, e ao avanço científico. Dessa forma, a palavra é usada como o oposto de *Fundamentalismo* (vide).

MODÉSTIA

A raiz latina por detrás desse termo é **modestus**, «moderado»; e esse vocábulo, por sua vez, está alicerçado sobre *modus*, «medida». Em seu uso, essa palavra significa retraído por um senso de humildade, de decêndia, de pejo ou de senso de propriedade. Isso posto, *modéstia* aponta para «reserva decente», «decoro», «propriedade». O termo indica o ato de evitar, devido à sensibilidade, qualquer coisa que seja vulgar, indecorosa, indiscreta ou vergonhosa. Muitas mulheres, durante o carnaval, são totalmente imodestas (para exemplificar claramente).

Quando aplicada a homens, a palavra *modéstia* usualmente significa ser humilde, em contraposição à ostentação. Quando aplicada a mulheres, geralmente relaciona-se à maneira delas se comportarem em público ou se vestirem. Uma mulher modesta veste-se de tal modo que não acentue seus traços femininos característicos, não chamando assim uma atenção indevida à sua pessoa. Um homem exerce modéstia quando se restringe no exercício de sua autoridade. Os costumes orientais procuravam garantir a modéstia feminina. Por exemplo, não era permitido que mulheres ficassem andando por lugares públicos sem acompanhamento. Elas tinham de usar um véu e roupas que, essencialmente, ocultavam suas formas. O costume bíblico do uso do véu, conforme é descrito no décimo primeiro capítulo de I Coríntios, está alicerçado sobre esse decoro oriental. Ver o artigo sobre o *Véu*. As regras atinentes às esposas dos ministros requeriam decoro (ver I Tim. 3:11). O apóstolo Pedro baixou regras específicas para todas as mulheres crentes, incluindo essa questão de vestes modestas (ver I Ped. 3:3 *ss*). Há uma certa verdade naquele ditado popular: «Todos os homens são malandros ; todas as mulheres são exibicionistas».

A base biológica desse impulso tem o propósito de garantir a propagação da raça. As mulheres exibem-se, e os homens querem levar esse exibicionismo à sua conclusão lógica. Os genes tornam os homens desejosos de procriarem. E os genes impelem as mulheres a exibirem-se, atraindo assim aos homens. Mas a espiritualidade restringe esse instinto. Primeiramente, confinando o sexo aos casais legitimamente casados; e, em segundo lugar, requerendo uma conduta modesta da parte das mulheres. No entanto, os preceitos tendentes à modéstia funcionam muito precariamente em público, e mesmo no seio da Igreja há abusos, infelizmente.

MODO

Essa palavra vem do latim, **modus**, «modo», «maneira». Na filosofia, essa palavra é usada para indicar a maneira da existência de algum ser ou substância.

1. *Descartes*. Deus é a substância primária e divina. Ele criou a mente e o corpo físico como duas espécies distintas de substância, mas que, afinal, conseguem combinar-se no homem, o qual, por isso mesmo, é uma substância dual. Essas duas substâncias têm modos de existência ou de manifestação que ultrapassam às meras propriedades acidentais, que também fazem parte da existência do homem. E assim poderíamos dizer que o homem, na qualidade de uma substância, expressa-se nos modos de mente e de corpo físico; e, nesse sentido, a mente e o corpo são, em si mesmos, modos. Descartes não esclareceu, entretanto, como os modos e atributos poderiam relacionar-se às nossas explicações sobre a substância de Deus.

2. *Spinoza*. Ele tomava um curso diferente no tocante à questão dos modos. Em sua filosofia, mente e corpo já não são considerados substâncias. Antes, seriam modos dos atributos divinos. Naturalmente, Spinoza ensinava certa forma de panteísmo, pelo que a explicação de todas as coisas precisa ser encontrada em algum ponto de sua teologia sobre a pessoa de Deus. Mente e corpo seriam, respectivamente, pensamento e extensão divinos, pelo que ambos seriam atos de Deus.

3. *Locke*. Ele fazia os modos referirem-se às *idéias*. Existiriam *modos simples* (idéias sem complexidade e sem agrupamentos) e *modos complexos* (idéias agrupadas e tornadas complexas por meio de organização). Esses modos estão por detrás das qualidades da percepção dos sentidos humanos. Nessas percepções (com base na experiência dos sentidos) é que poderíamos encontrar aquilo que se chama de «conhecimento». Os modos, para ele, seriam idéias cujos objetos não podem existir por si mesmos, independentemente. Para exemplificar, tomemos a idéia de *uma dúzia*. Mas isso é apenas a noção sobre algo, e não uma substância por si mesma. Esse é um modo ou idéia *simples*. Já a idéia de beleza é *complexa*, porquanto aí já nos vemos envolvidos em um conjunto de várias idéias. Em contraste com os modos, existem as *substâncias*. Estas já são idéias cujos objetos existem por si mesmos, como, por exemplo, um ser humano.

MODOS DE SER

Os homens têm-se sujeitado a fantásticas contorções na tentativa de explicar a natureza e os atos da divina *Trindade* (vide). Um exame dessa e de outras doutrinas, como a da *Cristologia* (vide), fornece-nos um quadro de homens que procuram explicar intelectualmente o que, em sua própria essência, é inexplicável. Não obstante, tal atividade tem seu uso, embora nunca chegue a conclusões definitivas. A idéia de *modos de ser* faz parte dessa atividade.

Basílio introduziu essa expressão na teologia, no seu esforço de combater o *Modalismo* (vide). O modalismo negava a existência de três pessoas distintas na Trindade, referindo-se ao Pai, ao Filho e ao Espírito Santo como modos de expressão ou manifestação de Deus. — Em contraste, Basílio ensinava a existência de três *Pessoas* na Trindade, e procurava demonstrar, mediante a sua doutrina de *modos de ser*, como cada uma dessas três pessoas tem suas próprias características e manifestações.

A expressão «modos de ser» é normalmente empregada em conexão com as características particulares das três Pessoas de Deus, ilustradas nas doutrinas da *ingeneração*, *geração* e *processão* (ver esses três artigos). Esses três vocábulos apontam, respectivamente, para Deus Pai, para Deus Filho e para Deus Espírito Santo. Cada modo de ser tem sua correspondente maneira de expressão; mas esses modos estão alicerçados sobre um ser específico. Os «modos de ser», postulados por Basílio, contrastam com a *ousia*, idéia ensinada por Anfilóquio de Icônio. E também combinam-se com as *upóstasiai* de Máximo, o Confessor, porquanto os «modos de ser» são um corolário dessas últimas, e não as substituem.

Karl Barth aproveitou essa expressão, «modos de ser», em sua tentativa de definir a idéia de Pessoas como um *modo* (Seinwesen), embora sua ênfase fosse diferente da de Basílio. Tanto Barth quanto Basílio rejeitam a interpretação modalista; mas enquanto Basílio frisava a condição plena, objetiva e independente de cada hipóstase de Deus (levantando os problemas do *triteísmo*), para em seguida usar a expressão «modos de ser» a fim de descrever as *relações* entre essas hipóstases, Karl Barth, por sua vez, desejava evitar o uso do vocábulo «Pessoa», porque, segundo ele, tal palavra é indevidamente triteísta. Em lugar de Pessoas, pois, ele preferia «modos de ser», como um equivalente mais fraco. Isso posto, parece que Karl Barth tomou uma espécie de meio-termo entre as idéias do modalismo e as idéias de Basílio. É fácil os teólogos e filósofos caírem em armadilhas como essas quando tentam explicar o *Mysterium Tremendum* (vide), que é a personalidade de Deus.

Modos de Ser na Filosofia. Ver o artigo sobre *Weiss, Paul*.

MODUS OPERANDI

Essa expressão significa a «maneira de operação» de qualquer coisa que esteja sendo feita. Ver também o artigo *Modus Vivendi*.

MODUS VIVENDI

Expressão latina que significa «maneira de viver». Ver o artigo intitulado *Concordata*. Um *modus vivendi* é diferente de uma *concordata*, visto que esta última ainda não é um arranjo permanente, mas apenas um acordo tentativo, sujeito a posteriores ratificações, modificações ou anulação.

MOEDAS

Ver o artigo geral sobre **Dinheiro**.

MOER

Grãos foram reduzidos a farinha por diversos processos de moer. Um deles era o uso de animais para girar pesadas rodas entre as quais, os grãos eram moídos. Existiam também pequenos moinhos operados à mão. A pedra colocada em cima tinha um buraco perfurado e através dela os grãos eram derramados. Grandes moinhos foram, freqüentemente, propriedade comunal (ver Mat. 12:41 e Mar. 9:42. Ver também sobre *Moinho*).

Usos metafóricos

1. Quando os moinhos param de girar e um silêncio toma conta do lugar, desolação está presente, representando o julgamento de Deus, Jer. 25:10, Apo. 18:22.

2. O julgamento de Deus, através de Cristo, é representado pelo moinho que reduz os grãos a farinha, Mat. 21:44.

3. Moer os rostos dos pobres significa oprimi-los, Isa. 3:15.

4. Se uma esposa moer por outro (não o marido), isto significa que ela ficou uma escrava do outro e sua propriedade, Jó 31:10.

MOINHO; PEDRA DE MOINHO

1. Referências Bíblicas

Quanto a moinhos: Êxo. 11:5; Mat. 24:41. Quanto a pedras de moinho: Deu. 24:5; Juí. 9:53; II Sam. 11:21; Jó 41:24; Isa. 47:2; Jer. 25:10; Mat. 18:6; Mar. 9:42; Luc. 17:2; Apo. 18:21,22.

2. Tipos de Moinho

Um dos tipos de moinho portátil consistia simplesmente em duas pedras, uma que servia de base fixa, e outra que ficava por cima da primeira. A pedra base media cerca de 80 cm de comprimento e a metade disso na largura. Era levemente côncava, com uma das extremidades mais espessa do que a outra. A pedra móvel tinha de 15 cm a 40 cm de comprimento, com alguma saliência nas extremidades, para que a pessoa pudesse manejá-la. Era esfregada para a frente e para trás sobre os grãos postos sobre a pedra base. O processo não era muito eficiente, pois apenas uma pequena porção de cereal era moída de cada vez. Algumas pedras superiores tinham um cabo, o que permitia melhor manejo. Uma perfuração no meio dessa pedra superior permitia que a pessoa fosse derramando grãos de cereal, o que apressava o processo da moagem. Um outro tipo, realmente primitivo, consistia em uma pequena pedra que a pessoa podia segurar com uma das mãos, esfregando-a sobre o cereal, posto sobre uma pedra maior. Essa pedra superior, cujo peso podia ser dominado por uma mulher, era do tipo que matou Abimeleque, quando caiu sobre o seu crânio (ver Juí. 9:53; ver também II Sam. 11:21). As pedras menores podiam ser manuseadas por uma só pessoa, mas as maiores já requeriam duas.

Moinhos desse tipo cru têm sido encontrados pelos arqueólogos, pertencentes a tempos tão remotos quanto os tempos neolíticos. Mas, na era do Ferro surgiu um moinho mais sofisticado, que envolvia um cabo na pedra superior, conforme foi descrito acima. Mesmo assim, a farinha de cereal derramava-se no chão, e a mulher que fazia a moagem precisava recolhê-la dali (ver Êxo. 11:5; Mat. 24:41). Geralmente, o trabalho de moagem era deixado ao encargo das mulheres, mas os prisioneiros também eram forçados a cumprir tal tarefa, talvez como uma medida de humilhação (Isa. 47:2; Lam. 5:13; Mat. 24:41).

Todavia, havia moinhos rotativos, com pedras por demais grandes e pesadas para que seres humanos pudessem fazê-las girar. Animais eram usados para fazer girar essas pedras, para o que eles caminhavam em círculos. Algumas vezes, porém, pessoas eram obrigadas a fazer girar essas pedras maiores, conforme se deu no caso do cativo Sansão (Juí. 16:21). Prisioneiros, algumas vezes, eram mantidos presos nos moinhos, que lhes serviam de cárcere, e onde também trabalhavam. Pedras de moinho revolvidas por animais podiam ter nada menos de um metro e meio de diâmetro. Esse tipo de moinho era usado para moer o grão para clãs ou comunidades inteiras.

3. Lições Morais e Metafóricas dos Moinhos

a. Ofender a um novo convertido a Cristo é uma ofensa séria. Cristo ensinou que seria melhor se o ofensor morresse afogado (ver Mat. 18:6). Uma «grande pedra de moinho» (literalmente, «moinho de jumento», porque usualmente esse era o animal empregado para fazer tal pedra girar) deveria ser atada ao pescoço do ofensor, e lançada ao mar. De conformidade com Jerônimo, os judeus da Galiléia, às vezes, usavam essa modalidade de afogamento como pena capital, mas diversos intérpretes negam a veracidade dessa observação. É perfeitamente claro, contudo, pelo que se pode observar da história antiga, que os romanos e outros povos, incluindo os gregos, usavam esse método de execução (ver *Diod. Sic.* 15:1,35).

b. A absoluta necessidade de uma família ter um moinho pequeno para a produção do pão diário, fez com que a legislação mosaica (ver Deu. 24:6) proibisse que tal pedra fosse dada como garantia por uma dívida assumida. Essa era uma provisão moral que visava proteger aos pobres que tinham poucas possessões materiais e não podiam sofrer a perda daquelas coisas que eram realmente vitais à continuação da vida.

c. *A cessação* do constante ruído do moinho era sinal de desolação e de morte (ver Jer. 25:10; Apo. 18:22).

d. Os dentes da pessoa são comparados a um moinho (ver Ecl. 12:4).

e. O trabalho no moinho é, ao mesmo tempo, um labor cansativo, tedioso, mas necessário e fundamental.

f. A retribuição divina pode ser comparada a um moinho, quando visto nos sonhos e nas visões. Dessa circunstância é que surgiu aquele dito popular: «Os moinhos de Deus moem lentamente, mas moem fino». Em outras palavras, a retribuição divina pode parecer lenta, mas cobra até o último centavo. Graças a Deus, o mesmo se dá com as bênçãos divinas.

MOISÉS

Esboço:

I. Nome, Linhagem e Família Imediata
II. Visões Críticas Sobre Moisés
III. Significação Ética e Teológica de Moisés
IV. Fontes Informativas Sobre Moisés
V. Moisés e os Acontecimentos Históricos
VI. Referências a Moisés Fora do Pentateuco
VII. Os Ofícios de Moisés e o Seu Caráter
VIII. Moisés e a Arqueologia

I. Nome, Linhagem e Família Imediata

A palavra portuguesa **Moisés** é transliteração da forma grega (*Mouses*), que, por sua vez, é transliteração do hebraico, *Mosheh*. A derivação e o significado desse nome não são conhecidos com certeza, embora várias conjecturas possíveis tenham sido apresentadas. Talvez sua raiz seja a palavra hebraica *mashah* (ver II Sam. 22:17), que indica a idéia de «extração de água». Naturalmente, isso referir-se-ia ao fato de que, na tenra infância, Moisés foi salvo de morrer afogado no rio Nilo, pela mulher egípcia que o recolheu dali. Talvez também esteja em foco a combinação dos termos egípcios *ms*, «criança» e *mw-s*, «filho da água», — evidentemente, um antigo jogo de palavras que não é inteiramente claro para nós. O nome ocorre por cerca de setecentas e cinqüenta vezes no Antigo Testamento, embora nenhuma outra explicação nos seja dada.

Se essas conjecturas estão com a razão, então a história de Moisés começa com o seu próprio nome, referindo-se à providência divina, que garantiu a sua sobrevivência, em um tempo em que, por ordem do Faraó, rei do Egito, estavam sendo mortas por afogamento todas as crianças do sexo masculino que nasciam aos israelitas, a fim de que o povo de Israel não viesse a tornar-se uma ameaça para o Egito, em virtude da multiplicação de seu número. Mas, o que sucedeu a Moisés, em certo sentido ocorre também à vida humana e a cada indivíduo em particular, porquanto há um desígnio divino em cada caso, embora nem sempre fiquem claros os princípios em atuação, e embora algumas manifestações da providência divina sejam realmente estranhas.

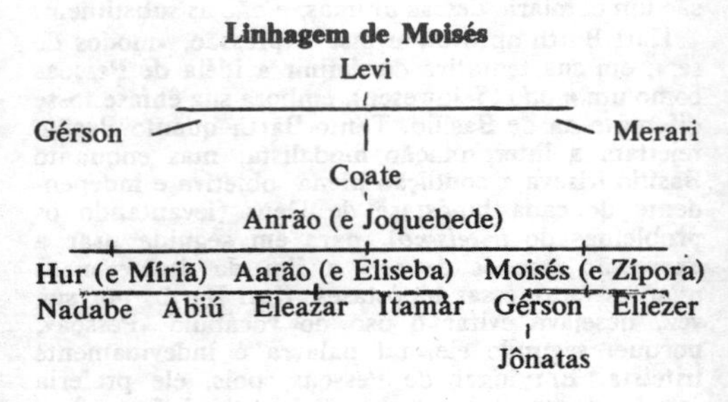

Família Imediata de Moisés

Moisés pertencia à tribo de Levi, e era filho de Anrão e sua esposa, Joquebede. Os outros membros de sua família imediata eram Aarão e Míriã, seu irmão e sua irmã, mais velhos do que ele. Por meio de sua esposa, Zípora (filha de um sacerdote midianita), Moisés teve dois filhos, Gérson e Eliezer. Moisés nasceu em cerca de 1520 A.C. De acordo com Meneto (conforme Josefo informa-nos, em *Ap.* 1,26; 2,2), ele nasceu em Heliópolis, no Egito. Além disso, ainda de acordo com Josefo (*Anti.* 2.9,2-4), o nascimento de Moisés fora predito por mágicos egípcios, porquanto as coisas haveriam de modificar-se radicalmente por causa dele. Josefo, em acréscimo, diz que o pai de Moisés teve um sonho muito significativo, referindo-se ao seu nascimento e à sua grandeza. Poucas coisas são mais comuns, na existência humana, do que sonhos de conhecimento prévio, no tocante a pessoas que tenham alguma grande tarefa a cumprir, mormente líderes religiosos importantes.

II. Visões Críticas Sobre Moisés

A grosso modo, podemos dizer que os críticos literários e historiadores do século XIX tendiam por duvidar da validade das tradições bíblicas acerca de Moisés. Alguns não admitiam mais do que ele foi uma figura histórica. Todavia, no século XX, a maioria dos eruditos e críticos concorda com a exatidão essencial do registro bíblico, ou, pelo menos, com o «âmago de historicidade», embora com alguns adornos lendários, segundo pensam.

O que dizemos em seguida, fornece-nos um leque dessas idéias: Antes de tudo, é difícil precisar datas. Há quem situe Moisés tão tarde quanto 1350-1250 A.C., mas também há quem fale em 1520 A.C. A maior parte dos críticos nega que Moisés possa ter sido o autor do Pentateuco, ou, pelo menos, da maior parte do volume desses cinco livros, embora ele possa ter sido uma das fontes do Pentateuco. Assim, há afirmativas como aquela que diz que Moisés foi o «reputado autor» do Pentateuco e da *lei oral* (vide) do judaísmo, e que, «tradicionalmente», ele foi o famoso legislador do monte Sinai. Embora, sem dúvida alguma, ele tenha sido uma figura histórica, não há registros contemporâneos de sua vida (segundo dizem os críticos), que tenham sobrevivido até os nossos dias. Naturalmente, se ele não foi o autor do Pentateuco, não há sobre ele outros registros; mas, por outra parte, não há dúvidas quanto à autenticidade do material incorporado no Pentateuco, preservado desde tempos mais remotos.

Os críticos supõem que os registros do Pentateuco

O nenê Moisés retirado das águas do Nilo (Êxo. 2:5)

Moisés e o arbusto ardente
(Êxo. 3:2)

preservaram pelo menos tradições *orais*; mas o mais provável é que o Pentateuco também esteja alicerçado sobre registros escritos.

Surge um outro problema, de acordo com os críticos. É que o livro de *Êxodo* é mais uma interpretação teológica dos acontecimentos (acompanhados por alguns espetaculares milagres «populares») do que mesmo um registro histórico fidedigno. Para eles, é difícil dizer quanto do material primitivo é exato. Teria sido Moisés, realmente, criado tão próximo da família real egípcia quanto se lê no livro de Êxodo, ou esse detalhe é um mero adorno literário? Nesse caso, haveria uma base teológica com material lendário embelezador, como sempre acontece com as histórias de heróis antigos, sem importar que povo lhes tenha dado origem. Apesar desses reparos, a maioria dos críticos pensa que o relato bíblico consegue contar a essência da história real, posto que com alguns detalhes irreais. «Há boas razões para crermos na historicidade substancial do relato; a força de suas tradições; a sua congruidade com datas e circunstâncias da história egípcia; o nome e as conexões egípcias de Moisés; e, acima de tudo, a distintiva religião profética de Israel, que reflete a notável personalidade e obra de uma figura fundadora de religião. Moisés não é lembrado nem como guerreiro e nem como legislador, por seus próprios méritos, mas, como *profeta*, ele foi comissionado a falar em favor de seu povo e ao seu povo, a fim de anunciar e interpretar os atos de Yahweh no plano da história, a fim de reivindicar para Yahweh a lealdade exclusiva do povo de Israel, e para ser o porta-voz da vontade de Yahweh. O movimento profético clássico dos séculos VIII e VII A.C., foi, conscientemente, uma renovação do profetismo mosaico, tornando-se inexplicável sem ele, como seu antecedente. À estatura moral e à experiência espiritual de Moisés podemos atribuir o pensamento de Deus como Quem não está localizado, não tem sexo e nem consorte, e, de fato, é antropopsíquico e não antropomórfico, não podendo, dessa maneira, haver alguma imagem de Deus. Além disso, Moisés exigia lealdade exclusiva da parte de seu povo. A presença dele é sentida, principalmente, nas exigências da *vontade ética* de Deus, quanto à gratidão, à lealdade e a reação favorável dos homens diante de seu justo propósito e de sua misericórdia. O poder de Deus manifestar-se-ia através de fenômenos físicos e psíquicos morais dos homens. A adoração a Deus era o *vínculo* que unia a sociedade de Israel, porquanto isso envolvia não somente atos cúlticos, mas também uma *conduta moral*, que produzia coesão e bem-estar sociais» (E).

III. Significação Ética e Teológica de Moisés

1. Moralidade; a Alma; a Antiga Fé e a Nova Fé

A antiga teologia dos hebreus mostrava-se deficiente quanto à existência e sobrevivência da alma ante a morte física. Isso é reconhecido pelos estudiosos, embora, quanto ao nível popular, o relato da criação, em Gênesis, seja concebido como uma narrativa que inclui a existência da alma. Todavia, nenhuma doutrina da alma pode ser extraída do Pentateuco. Essa doutrina só fez seu aparecimento, no Antigo Testamento, já nos Salmos e nos Profetas. Embora uma característica central da vida de Moisés, exemplificada em sua lei, fosse os requisitos éticos impostos por Yahweh, ainda assim a lei nunca apela para uma vida após-túmulo, ou boa (para os justos) ou má (para os pecadores impenitentes). E, apesar de ser dito que o homem «viverá» mediante o cumprimento das exigências da lei (ver Lev. 18:5), essa *vida* consiste em uma existência próspera e abençoada neste mundo, e não algo a ser desfrutado após a morte biológica. A despeito dessa deficiência, que foi anulada obviamente por Jesus, o segundo Moisés, não se pode subestimar a importância ética dos escritos de Moisés. Não deveríamos olvidar a natureza altamente desenvolvida das leis da Mesopotâmia. Os hebreus não foram o único povo semita que contava com sistemas legais bem elaborados. Contudo, foi Moisés quem conseguiu assentar isso sobre uma firme base monoteísta (ou henoteísta?), ao remover o entulho de idolatria e de um interminável cortejo de deuses imaginários. Mas o decálogo e a lei do sábado não eram únicos. As leis babilônicas já tinham incluído esses preceitos, excetuando-se apenas a demanda em favor do monoteísmo. Mas foi a combinação, feita por Moisés, desses elementos com a *nova teologia*, que formou a base de uma nação dedicada a princípios éticos e religiosos.

O Antigo Testamento faz de Moisés uma figura ímpar (ver Deu. 34:10); e o Novo Testamento equipara-o com a figura central da fé cristã, Jesus Cristo. Lemos em João 1:17: «Porque a lei foi dada por intermédio de Moisés; a graça e a verdade vieram por meio de Jesus Cristo». Assim, a *antiga fé* estava alicerçada sobre Moisés; a nova fé está alicerçada sobre Cristo. Nisso, pois, divisamos a importância teológica de Moisés. O judaísmo apóia-se sobre Moisés, isto é, sobre a legislação mosaica, com o acréscimo de questões tradicionais. Em contraste com isso, sobre Cristo (principalmente conforme ele é interpretado por Paulo) é que se respalda a *nova fé*. Nos conflitos em meio aos quais foi formado o cânon veterotestamentário, Moisés sempre se destacou em primeiro lugar, ou mesmo, exclusivamente. E até mesmo já dentro da era cristã, entre os judeus havia os saduceus, que aceitavam *exclusivamente* o Pentateuco, como sua regra de fé e prática, embora outros judeus adicionassem os Salmos e os Profetas. E os judeus da diáspora (da dispersão) adicionaram a isso os livros apócrifos e mesmo alguns dos livros pseudepígrafos. Não obstante, em todos os casos Moisés foi sempre a figura central desse processo canonizador, e sua pedra angular.

2. A Revelação Divina

É verdade que quase todos os povos antigos já tinham tido a idéia de que os seus deuses revelavam-lhes a sua vontade, mediante profetas cujas mensagens eram então preservadas em documentos escritos. Portanto, não foi Moisés quem inventou a idéia. Mas o processo histórico tem honrado essa lealdade a Yahweh e à sua mensagem aos esforços de Moisés, que assim se destacou acima de qualquer outro líder religioso. Os Dez Mandamentos aparecem escritos pelo próprio dedo de Deus (ver Deu. 5:22); e podemos estar certos de que, pelo menos desde tempos bem antigos, assim se acreditava quanto à totalidade do Pentateuco. Revelações divinas sempre formaram o alicerce dos sistemas religiosos. Isso não significa, contudo, que os homens não se possam equivocar, ou que um profeta ou místico esteja sempre com a razão quanto àquilo que ele supõe que o poder divino lhe revelou. Mas significa que a revelação tem tido um papel importante na história das idéias religiosas.

3. Atos Divinos; o Teísmo

Também não podemos esquecer que, por detrás da lei e da revelação divina, temos os *atos divinos*, como no relato do êxodo de Israel do Egito e da conquista da Terra Prometida. Isso ensina-nos o *teísmo*, em contraste com o *deísmo*. No teísmo, Deus aparece como um Deus ativo, que intervém na história humana, que recompensa e pune a cada indivíduo, segundo o caso, e que está sempre interessado pelo homem e seu bem-estar. O deísmo, por sua vez, supõe que Deus, desde há muito, abandonou a sua criação, permitindo que as leis naturais se encarregassem de galardoar ou punir aos homens. Ver os artigos distintos sobre esses assuntos. Quanto ao propósito de Deus a ser cumprido, se seu desejo revelador devesse ser levado à fruição, então Israel, o veículo da revelação divina, precisou ser tirado do Egito e estabelecido em sua própria terra prometida. O êxodo e a conquista da Terra Prometida tinham de ser bem-sucedidos.

4. Moisés: Tipo e Antitipo de Cristo

Moisés trouxe uma fé preliminar, e foi o primeiro legislador. Cristo não veio ao mundo para anular essa revelação mosaica, mas para levá-la à perfeição (ver Mat. 5:17). O trecho de João 1:17 contrasta a lei e a graça, conforme já vimos, atribuindo a primeira a Moisés e a segunda a Cristo. E a mensagem geral do apóstolo Paulo exibiu a futilidade da lei como medida salvatícia, ainda que exaltasse a lei como um meio necessário para mostrar aos homens o quanto eles carecem de Cristo. As epístolas aos Romanos e aos Gálatas servem de declarações clássicas dessas idéias fundamentais. Cristo foi o Segundo e Maior Legislador. Os capítulos cinco a sete do evangelho de Mateus mostram isso claramente, visto que Cristo reinterpretou a lei mosaica, do ponto de vista dos motivos íntimos, conferindo-lhe uma significação ética muito mais profunda.

IV. Fontes Informativas Sobre Moisés

O Enigma do Silêncio

Muito material histórico antigo, pertencente ao segundo milênio A.C., tem sido preservado em documentos egípcios. No entanto, não há uma única menção a Moisés, nesses escritos. E ele também não é mencionado nas inscrições palestinas, siro-fenícias e mesopotâmicas do mesmo período. Essa circunstância, que forma aquilo que alguns têm chamado de «enigma do silêncio», talvez tenha sido o principal fator no ceticismo dos estudiosos do século XIX quanto à historicidade das narrativas bíblicas. Porém, várias coisas podem ser ditas, suavizando a situação. Por exemplo, os historiadores têm observado que os egípicos (como outros povos antigos) não tinham o cuidado de preservar registros de suas derrotas. Por isso mesmo, há muitas e graves lacunas nas informações históricas sobre o antigo Oriente Próximo e Médio, envolvendo todas as nações da área, e não apenas o Egito. Acresça-se a isso que se na Bíblia o êxodo de Israel do Egito foi um acontecimento de capital importância, para os egípcios deve ter sido um incidente pequeno, indigno de qualquer maior atenção.

«Os historiadores modernos não mais se surpreendem diante da ausência de evidências extrabíblicas acerca de Moisés, de Abraão e de outros patriarcas. O caso não é diferente daquilo que aconteceu a Buda, a Jesus, a Maomé e a outras personagens religiosas, cujas atividades tiveram lugar à beira dos centros políticos da civilização» (AM). Em outras palavras, tais figuras só se tornaram vultos importantes mais tarde, quando seus respectivos movimentos religiosos já haviam conquistado muito terreno.

Quanto aos registros bíblicos, que constituem as únicas fontes informativas realmente dignas de confiança (as tradições, como aquelas preservadas por Josefo e pelo Talmude, talvez tenham algum valor; mas isso é difícil de ser avaliado), nos últimos duzentos anos têm sido sujeitados à mais exaustiva crítica e análise. Os críticos distinguem três tipos principais de documentos, de várias épocas e proveniências, que estão envolvidos nesses relatos:

1. Duas tradições orais: uma delas foi a repousar em Jerusalém, na época de Davi (cerca de 1000 A.C.). E a outra chegou à plena fruição em cerca de 850 A.C., nos dias de Acabe e Elias. De acordo com certos estudiosos, essas tradições vieram a ser conhecidas, respectivamente, como o material Jeovista (J) e o material Eloísta (E).

2. Outras tradições, especialmente concernentes a questões legais, reunidas no norte de Israel e publicadas em Jerusalém, nos tempos de Josias (621 A.C.). Essas tradições são chamadas *D*, por estarem ligadas à segunda lei, o *Deuteronômio*, em contraste com a primeira lei, contida nos livros de Êxodo, Números e Levítico.

3. Tradições sobre ritos religiosos, preservadas pelos descendentes dos sacerdotes de Jerusalém, durante e após o exílio babilônico (cerca de 587-538 A.C.). Essas tradições são chamadas *S*, por serem de origem sacerdotal. Dentre essas quatro fontes, os críticos pensam que as mais dignas de confiança são as fontes *J* e E. Além desse material, poderíamos adicionar algumas poucas referências bíblicas, como I Sam. 12:6; 6:4 e Jer. 15:1. Por sua parte, os escritos judaicos não-bíblicos, embora contenham muitas tradições e lendas, não se revestem de grande valor histórico. Quanto a maiores detalhes sobre essas alegadas fontes informativas ver o artigo intitulado *J.E.D.P.*(S). Ver também a seção VIII. *Moisés e a Arqueologia*, abaixo.

V. Moisés e os Acontecimentos Históricos

A vida de Moisés pode ser facilmente dividida em três períodos de quarenta anos cada, o que é comentado no trecho de Atos 7:23,30,36. Sigamos esse esboço geral nos pontos 1,2 e 3 abaixo, que apresentamos sob forma de esboço.

1. Os Primeiros Quarenta Anos

a. *Nascimento. A Filha de Faraó Salva Moisés*. Os estudiosos variam muito no tocante à data do nascimento de Moisés. Alguns chegam a pensar em 1520 A.C., mas outros falam em 1350 A.C. Já demos informações sobre sua linhagem e família imediata, na primeira seção. Moisés era o irmão mais novo: Miriã era a irmã mais velha, e depois vinha Aarão. Moisés, muito criança ainda, foi posto em uma cestinha calafetada e deixada a boiar sobre as águas do rio Nilo, a fim de que escapasse da ordem de Faraó, que era a de que fossem atirados no rio todos os meninos nascidos aos israelitas. Uma filha do Faraó veio até à beira do rio a fim de banhar-se e encontrou a cestinha com a criança. A simpatia humana, bem como o instinto maternal levou a jovem egípcia a ter misericórdia do menino. Sem dúvida despertou o seu desejo de criar a criança para ela mesma. A beleza de Moisés como criança ajudou a situação. Ver o primeiro capítulo do livro de Êxodo.

b. *Infância e Criação de Moisés*. Não dispomos de informações diretas sobre a criação de Moisés; mas, visto que ele estava tão próximo do próprio Faraó, podemos supor que ele recebeu a melhor educação possível entre os egípcios. O trecho do Atos 7:22 faz um comentário a respeito, embora o próprio Antigo Testamento se mostre silente sobre a questão. A descoberta dos tabletes de Tell el-Amarna mostrou que havia uma cultura literária adiantada por todo o Oriente Próximo e Médio, nos dias de Moisés. Assim, é provável que Moisés tenha aprendido a escrever nos hieróglifos egípcios, na escrita cuneiforme acádica, e, talvez, em alguma escrita cuneiforme alfabética, como a de Ugarite, quase idêntica à escrita dos hebreus da época. Não se sabe dizer como ele aprendeu o hebraico, mas, de algum modo, ele mesmo deve ter-se interessado pela questão.

2. Os Segundos Quarenta Anos

a. *Moisés Torna-se Assassino e Foge*. Quando Moisés tinha cerca de quarenta anos de idade, viu um compatriota seu ser vítima dos abusos de um egípcio. Em uma explosão de ira, matou o egípcio. Moisés pensava que ninguém o teria visto. Mas, no dia seguinte, quando tentou intervir entre dois israelitas que disputavam, tanto eles rejeitaram a intervenção dele quanto mencionaram o ocorrido no dia anterior. A notícia deve ter-se espalhado rapidamente. Faraó ouviu a notícia e começou a procurar Moisés, a fim de executá-lo. Temeroso, Moisés fugiu para Midiã. Ver Êxo. 2:11 *ss*. A decisão de Moisés, de aliar-se a seu povo de Israel merece atenção toda especial, em Heb. 11:24,25.

b. *Casamento*. Na península do Sinai, ou nas proximidades, em sua fuga, Moisés pôs-se a descansar por um pouco, perto de um poço. Ele ajudou algumas donzelas a tirarem água para suas ovelhas, e, por causa disso, elas puderam voltar mais cedo para casa. E contaram ao pai delas, Jetro (que tinha sete filhas), o que havia acontecido à beira do poço. Ora, Jetro era um sacerdote midianita. Ele convidou Moisés para sua casa e, não muito tempo depois disso, deu Zípora, uma de suas filhas, como esposa, a Moisés. E Moisés tornou-se pastor de ovelhas, cuidando dos rebanhos de seu sogro. Ver Êxo. 2:15 *ss*.

c. *Dois Filhos*. Primeiramente nasceu Gérson, nome que significa «estrangeiro», refletindo a situação civil de Moisés. Depois nasceu Eliezer, que significa «Deus foi minha ajuda», dando a entender que essa ajuda lhe era conferida, quando necessário (ver Êxo. 2; Atos 7:20-29; Heb. 11:24-26).

Entrementes, o Faraó que pretendera justiçar Moisés, acabou morrendo. Mas os judeus continuavam escravizados.

d. *A Sarça Ardente*. Moisés continuou a trabalhar como pastor, no espaço de quatro décadas. Um dia, quando ele conduzia seus rebanhos para a porção norte ou ocidental do Sinai, viu um arbusto que pegava fogo, mas não era consumido pelas chamas. Ele ficou admirado diante da cena, e aproximou-se para ver melhor o que estava sucedendo. Então, ele ouviu a voz do Senhor, que saía dentre os ramos do arbusto. E foi-lhe ordenado tirar as sandálias, porque aquele terreno era santo. Ali estava o Deus de Abraão, de Isaque e de Jacó. Deus tinha consciência dos sofrimentos de seu povo, e estava prestes a intervir na história humana. E o seu agente humano, naquela intervenção, seria Moisés.

Na ocasião, Deus revelou-se como o grande «EU SOU», o Deus eterno, de Quem depende todo ser e o próprio tempo. Como sempre acontece, o candidato a profeta (Moisés) precisava de um sinal. Deus, pois, concedeu-lhe um sinal quádruplo. Sua vara de pastor transformou-se em uma serpente, predizendo como certas pragas sacudiriam o Egito. Então, a vara voltou à forma normal. Isso serviria de símbolo do poder que Moisés teria, a fim de humilhar aos egípcios. Além disso, por ordem do Senhor, Moisés meteu a mão no peito, e ela ficou leprosa, e, então, tornou a metê-la ali, e ela lhe foi restaurada. Isso lhe serviria de sinal do fato de que Deus controla toda espécie de condição física. Esses milagres deveriam ser repetidos diante dos hebreus, como sinal de autenticação de sua missão.

Apesar disso, Moisés ainda não estava convencido. E queixou-se de não ser bom orador, pelo que dificilmente conseguiria convencer ao Faraó. O Senhor, em face disso, referiu-se a Aarão, irmão de Moisés, que sabia falar bem; e o Senhor nomeou a Aarão para ser o companheiro e porta-voz de Moisés. Então, a aliança do Senhor com Moisés foi confirmada. Através de Moisés, o Senhor estava prestes a desencadear acontecimentos imortais. Ver Êxo. 3:10 *ss*.

e. *O Tetragrama*. A palavra hebraica de quatro letras consoantes, que indica o nome especial de Deus, que ele revelou a Israel—YHWH (Yahweh). Esse nome passou a ser o nome de Deus, do ângulo do pacto que ele firmou com o povo de Israel. Os eruditos, mui provavelmente, estão com a razão, quando dizem que esse nome já era conhecido antes, em outras culturas semíticas, para indicar a deidade. Mas, foi por ocasião dessa teofania a Moisés que o nome Yahweh passou a revestir-se de significação toda especial para com o povo de Israel.

f. *Jetro Permite que Moisés Vá ao Egito*. Na qualidade de sacerdote que era, Jetro deve ter entendido a experiência mística de Moisés (ver sobre o *Misticismo*). Mas Moisés apresentou certas razões para sua visita ao Egito, sem revelar a seu sogro o seu verdadeiro motivo. E Jetro lho permitiu, ver I Sam. 16:2 *ss*. A missão era perigosa, mas Moisés contava com a garantia divina de que seria protegido. E partiu para o Egito, levando consigo a vara de Deus: um homem munido com uma vara, desafiando o império egípcio!

g. *A Viagem ao Egito*. Moisés fez montarem sobre um único jumento a sua esposa e seus dois filhos. Isso mostra-nos duas coisas: quão pequenos eram ainda os seus filhos; e, em segundo lugar, quão grande conquistador era Moisés: um único jumento!

h. *O Marido Sangüinário*. Esse episódio é contado em Êxo. 4:24-31. Foi um incidente estranho, para dizer o mínimo. O Senhor (ou, conforme alguns insistem, o Anjo do Senhor) veio ao encontro de Moisés na hospedaria onde a família fizera uma pausa na viagem, e ameaçou matá-lo, provavelmente por ter-se esquecido do sinal da circuncisão, deixando seus filhos como se fossem pagãos. Zípora, sem dúvida assustada diante da visão, e/ou sob ordens de Moisés, tomou uma pedra afiada e circuncidou seus dois meninos. No entanto, ela não estava acostumada com uma operação como essa. O sangue ficou escorrendo dos meninos, e ela exclamou, horrorizada, acusando Moisés: «Esposo sangüinário»! Ver Gên. 17:13,14 quanto à exigência da circuncisão, por parte do pacto abraâmico.

i. *O Encontro com Aarão*. Ver Êxo. 4:14,27. O Senhor enviou Aarão para ir encontrar-se com Moisés. Parece que Zípora e seus filhos tiveram de voltar à companhia de Jetro, enquanto Moisés encarregava-se da perigosíssima missão. Lemos, em Êxo. 18:1-6, que ela foi trazida de volta a Moisés, por seu pai, com os dois meninos. E isso significa que, em algum ponto dos acontecimentos, ela deve ter voltado à sua terra. Então os dois irmãos, Moisés e Aarão, foram comissionados para a tarefa. Moisés contou-lhe tudo quanto havia acontecido, bem como as divinas palavras que lhe tinham sido dirigidas, bem como todos os sinais miraculosos que lhe haviam sido concedidos.

3. Os Últimos Quarenta Anos

Esse último período da vida de Moisés começou quando ele retornou ao Egito. Agora, Moisés já era homem com cerca de oitenta anos de idade, mas foi então que começou o período mais importante de sua vida! A sua tarefa era libertar os israelitas da servidão no Egito. Moisés defrontava-se com duas gigantescas tarefas: 1. o conflito com Faraó e os egípcios; 2. a necessidade de instar com os próprios israelitas, que só seriam libertados da escravidão em meio a muita relutância, queixumes e rebeldia. Em Deu. 9:24 somos informados de que Moisés queixou-se de que Israel se mostrara rebelde contra Deus desde o primeiro dia!

a. *Moisés Defronta-se com o Faraó. Primeira Solicitação*. Moisés e Aarão tinham-se feito crer pelos hebreus—e assim começara o movimento de libertação de Israel. Em seguida, eles apresentaram sua exigência ao Faraó (Aarão foi o porta-voz), para que os israelitas recebessem liberdade. Ver Êxo. 3:18; 4:29-31; 5:1,2,22 *ss*. O *Senhor Deus* é quem estava exigindo a soltura, mas o Faraó não se sentia impressionado diante da menção do nome do Senhor. Não reconhecia ao Senhor e nem concederia o pedido feito por Moisés. E o Faraó reagiu contra a iniciativa de Moisés, aumentando os labores dos hebreus, que já eram escravos oprimidos. As coisas estavam ficando cada vez mais negras. E Moisés e Aarão foram acusados pelos israelitas de terem piorado as coisas, em vez de melhorá-las. E Moisés, por sua vez, lançou a responsabilidade disso sobre Deus (ver Êxo. 5:22 *ss*).

b. *O Conflito com o Faraó*. Foi renovada por Deus a promessa de sucesso (ver Êxo. 6:1); mas antes teria de haver um amargo *conflito*. As vitórias só são obtidas depois da luta, e não antes; e essas vitórias são prêmios que recebemos após duras experiências. A vida é uma escola, e temos de aprender reiteradamente essa lição. Nenhum boxeador vale muita coisa enquanto não passa da teoria para a prática, e a prática é que confere habilidade, em meio a muitas lutas. Moisés recebeu a garantia de que o pacto firmado com sua gente não seria anulado, e nem mesmo sofreria emendas. Antes, a promessa seria cumprida aos descendentes de Abraão, e uma parte dessa promessa é que eles sairiam livres do Egito (ver Êxo. 6:2-9). Quem falava assim era o próprio YHWH. Ver os artigos separados com os títulos de *Yahweh* e *Jeová*, quanto a amplos detalhes sobre o pano de fundo histórico e sobre o que estava implícito nesse nome de Deus. Muitas e tremendas pragas far-se-iam necessárias para que o propósito de Deus tivesse cumprimento. O Faraó precisava ser convencido. Usualmente é assim que acontece com os pecadores empedernidos.

c. *As Pragas do Egito*. Oferecemos um artigo separado sobre a questão, com esse título. Dez pragas foram necessárias para convencer o Faraó sobre a soberania de Deus, forçando-o a libertar Israel. O alvo primário era o êxodo; um alvo secundário era que o Faraó e os egípcios viessem a reconhecer a identidade e o poder de Yahweh (ver Êxo. 7:5,17; 8:10,22; 9:14,29; 11:7; 14:18). E os próprios israelitas precisavam aprender essas lições (ver Êxo. 6:7; 10:2; 11:7; 14:31; 31:12). O nono capítulo da epístola aos Romanos é o mais longo comentário neotestamentário sobre essas questões, cujo intuito era o de demonstrar a soberania de Deus. A passagem não conta com a vantagem da *polaridade* (vide), pelo que sofre diante das interpretações extremistas, que deixam totalmente de fora o fator do *livre-arbítrio* humano (vide). Todavia, o quadro é claro, embora sejamos deixados a debater-nos com o misterioso paradoxo entre o *determinismo* divino (vide) e o *livre-arbítrio* humano. Esse paradoxo não pode ser devidamente sondado pela mente humana. Os artigos mencionados entram em detalhes sobre o assunto. Ver também o artigo intitulado *Predestinação*, que oferece informações adicionais. As pragas do Egito foram enviadas para fornecer iluminação e quebrar as vontades rebeldes e obstinadas. Ambos esses propósitos são necessários, ambos são dignos. A última das dez pragas foi a mais severa de todas, porquanto requereu a morte de todos os primogênitos do Egito, ao mesmo tempo em que os hebreus foram isentados de tal perda. A cada nova praga, a autoridade de Moisés ia crescendo (ver Êxo. 11:3), e podemos apenas supor que ele ia desdobrando aqueles propósitos divinos através da proteção divina direta, pois, sem a mesma, desde o começo teria sido assassinado. O homem que viera com um jumento, muito já havia progredido em sua conquista.

d. *O Êxodo*. Ver o artigo separado sobre esse assunto. A morte de todos os primogênitos do Egito foi demais para que o Faraó continuasse controlando a situação. Ele foi forçado a permitir que Israel partisse do Egito. Sob a liderança de Moisés, Israel celebrou a *páscoa* (vide), e então saiu do Egito, levando todos os seus filhos, seu gado, seus bens domésticos *e* os ossos de José, que são especificamente mencionados em Êxo. 13:19. Isso cumpriu um desejo expresso por José, servindo de apropriado símbolo. Mas o Faraó insistiu em sua dureza de coração, e saiu em perseguição dos israelitas. Isso lhe custou a vida, pois morreu afogado nas águas do mar Vermelho, com todas as tropas egípcias que o seguiam (ver Êxo. 14:13).

e. *A Coluna de Nuvem e de Fogo*. Damos um artigo separado sobre esse fenômeno, com o título de *Colunas de Fogo e de Nuvem*. Ali são passadas em revista as explicações naturais e sobrenaturais do fenômeno. Tais elementos falam acerca dos cuidados de Deus por seu povo. O homem nada pode fazer por si mesmo. Algumas vezes, precisa ser socorrido pela ajuda divina. Há batalhas nas quais podemos entrar sozinhos; mas outras existem que requerem a intervenção de nosso divino Aliado.

f. *Começam as Murmurações. As Águas de Mara*. Ver Êxo. 14:31 *ss*; 15:24 *ss*. Uma obra grandiosa fora realizada, mas a própria vida vai trazendo sempre novas lições. Assim sendo, talvez não devêssemos ser muito críticos acerca de como o povo de Israel murmurou no deserto contra Moisés e o Senhor. Em nossos próprios desertos, vivemos a queixar-nos. Poucos dias depois que partira do Egito, o povo de Israel desviou sua rota para o suleste. Acabou-se a água, e não havia água no deserto. Finalmente, encontraram água em Mara, mas tal água era amargosa demais para ser bebida. Moisés chegou a perguntar a si mesmo se Deus trouxera o seu povo ao deserto, somente para matá-lo de sede. E rogou pela ajuda divina. E então foi orientado para lançar uma árvore nas águas, e ao fazer assim, as águas de Mara tornaram-se potáveis. Em seguida, os israelitas marcharam na direção de Elim, onde havia água abundante, porquanto ali havia um oásis com setenta palmeiras.

g. *As Codornizes e o Maná*. Trinta e um dias após os israelitas terem partido do Egito, os alimentos terminaram. As murmurações intensificaram-se, porque nada havia para comer. Moisés clamou ao Senhor. Naquela mesma noite, um número prodigioso de codornizes ajuntou-se em redor das tendas dos israelitas. E na manhã seguinte começou o milagre do maná, o que continuou sendo a provisão alimentar, providenciada miraculosamente pelo Senhor, durante todos os quarenta anos em que Israel ficou vagueando pelo deserto. Naturalmente, em tudo isso ocultam-se grandes lições para nosso aprendizado: «...Deus... há de suprir em Cristo Jesus cada uma de vossas necessidades» (Fil. 4:19). Essa é uma lição que eu mesmo tenho tido de aprender por muitas vezes, embora também tenha presenciado notáveis intervenções divinas nessa área. Que Deus conceda mais dessas vitórias, a *mim* e ao prezado *leitor!* Não obstante, nunca nos deveríamos esquecer que nossas mais profundas necessidades são espirituais. Acima de tudo, precisamos da iluminação do Espírito Santo, a fim de que possamos ser espiritualizados segundo a imagem de Cristo, o Filho de Deus (ver Rom. 8:29; II Cor. 3:18). Esse episódio com Israel é narrado no décimo sexto capítulo do livro de Êxodo.

h. *Em Horebe. Batalha Contra os Amalequitas.* Em Horebe houve outra provisão miraculosa de água potável, após muitas murmurações dos hebreus. Então seguiram-se batalhas e vitórias sobre os filhos de Amaleque. Ambos os incidentes supriram um incentivo psicológico muito necessário para Moisés e para o povo de Israel. Ver o capítulo dezessete de Êxodo.

i. *A Visita de Jetro.* É bom quando estamos em boas relações com nossos respectivos sogros. O décimo oitavo capítulo de Êxodo registra a visita que Jetro fez a Moisés, tendo ouvido todas as grandes coisas que vinham sucedendo. Ele reconheceu a mão de Deus em todas as ocorrências, e deu a Deus o devido crédito, exaltando-o acima de todos os outros deuses. Assim, sua fé estava crescendo. Jetro percebeu as imensas responsabilidades de Moisés, e sugeriu que ele delegasse parte de sua autoridade. O conselho foi seguido por Moisés, e assim tiveram início as primeiras agências governamentais do povo de Israel. Moisés continuou a jornada, e Jetro voltou para casa.

j. *A Outorga da Lei, no Sinai.* Ver o vigésimo capítulo de Êxodo quanto a essa questão. O relato começa em Êxo. 19:18, contando sobre uma teofania. Foi um espetáculo amedrontador. Moisés foi convocado a subir ao alto do monte Sinai. Os *Dez Mandamentos* (vide) foram dados. O trecho de Heb. 12:21 enfatiza o terror da visão dada a Moisés. Novamente, uma experiência mística (ver sobre o *Misticismo*) fez o homem avançar em sua espiritualidade. Os israelitas postaram-se à distância. Somente ao instrumento especial de Deus foi concedida aquela visão, embora o povo também tivesse presenciado coisas notáveis.

1. *Aarão e os Setenta Anciãos de Israel.* Ver o capítulo vinte e quatro de Êxodo. Moisés desfrutava de comunhão direta com Deus. Líderes secundários, como Aarão e os anciãos, mantinham-se à distância. A lei foi lida, ratificada, e tornou-se a base legal do povo de Israel. Esses líderes secundários eram representantes do povo, e tinham experiências religiosas mais modestas (vs. 11). Moisés passou quarenta dias na presença de Deus e não comeu nem bebeu durante esse período. As modernas experiências místicas demonstram o quanto as pessoas podem passar sem comida e sem água, quando em meio a experiências místicas significativas. Moisés foi sustentado de maneira misteriosa para nós, tal como foi dito acerca de Jesus, em João 4:32, em sentido metafórico. O trecho de Êxo. 32:17 fala de dias próximos aos primeiros quarenta dias; mas, nos segundos quarenta dias, não havia ninguém com Moisés (ver Êxo. 34:3). Pois, então, Josué ficou encarregado da tenda (ver Êxo. 33:11).

m. *Moisés e o Tabernáculo.* Um segundo período de quarenta dias no monte esteve associado à revelação de Deus a Moisés acerca da ereção do tabernáculo, e todos os seus ritos. Ver Êxo. 24:14 *ss* e 25:9,40, comparando isso com o comentário de Heb. 8:5. Então foram preparadas as tábuas de pedra, onde a lei fora inscrita «pelo dedo de Deus» (Êxo. 31:18).

n. *A Grande Apostasia. O Bezerro de Ouro.* Em ocasião posterior, quando Moisés recebia mais instruções sobre como Yahweh se relacionaria ao povo, os israelitas, valendo-se da ausência dele, reverteram à idolatria, sem dúvida imitando o que tinham visto e talvez praticado no Egito. O fato de que eles puderam reverter assim a uma crassa idolatria mostra o baixo estado espiritual de entendimento e avanço em que eles se achavam. Ver Êxo. 32:1. Outro fator espantoso, nesse episódio, foi a facilidade com que Aarão cedeu diante das exigências deles (ver Êxo. 32:2). Foi feito o bezerro de ouro, com grande sacrifício financeiro do povo; e a essa falsa divindade foi dado o crédito de ter livrado Israel do Egito! Mas, na verdade, Israel estava voltando, espiritualmente, ao Egito, visto que o culto ao boi era tão importante naquele país. Ver o artigo sobre *Ápis*.

o. *O Desprazer e a Intercessão de Moisés.* Moisés ficou muito irado ao ver o que estava sucedendo, e quebrou as tábuas da lei. Pulverizou a imagem de ouro e misturou o pó em água, e fez o povo beber a mistura. Em seguida, os levitas mataram cerca de três mil homens, buscando aplacar a ira de Deus e evitar o seu juízo. O próprio Aarão, porém, foi poupado (ver Êxo. 9:20). Então Moisés passou a interceder pelo povo de Israel (ver Êxo. 32:31), a fim de que aquele grande pecado lhes fosse perdoado. Chegou mesmo a dizer que preferia ter o seu nome apagado do Livro da Vida de Deus do que ver Israel ser destruído por aquele motivo. O tom da passagem (Êxo. 32:12 e seu contexto) assemelha-se ao de Paulo, em Rom. 9:2 *ss*. Moisés teve várias experiências místicas profundas da presença de Deus. O povo de Israel foi perdoado, e foram preparadas novas tábuas da lei. Ver o capítulo trinta e três do livro de Êxodo.

p. *O Véu Sobre o Rosto de Moisés.* Após a sua segunda permanência no monte, Moisés desceu com seu rosto *resplandecente*, como se dele saíssem raios (ver Êxo. 34:29-35). Os intérpretes têm duas idéias diversas sobre a questão, ambas refletidas nas traduções. A primeira é que o véu protegia as pessoas, a fim de que não contemplassem visão tão gloriosa, por não serem capazes de suportá-la. A outra idéia é que o véu impedia as pessoas de verem a glória celeste que elas não mereciam contemplar, nem mesmo estando preparadas para tal experiência. Gradualmente, porém, esse brilho foi-se dissipando. Paulo, em II Cor. 3:13, faz alusão a essa experiência. A interpretação do apóstolo é que as pessoas não podiam divisar a verdadeira natureza da dispensação e provisão mosaicas. Pois, embora essa glória fosse grande, desde o começo estava destinada a desaparecer, e não a prosseguir. Tratou-se, pois, de uma glória oculta e não bem entendida. Mas, simbolicamente, o véu é abolido em Cristo, visto que ele trouxe uma glória maior e destituída de véu—a dispensação da graça e da salvação. Em seguida, Paulo aplica o incidente ao embotamento do entendimento de Israel, a despeito do aparecimento de Cristo. E até hoje o véu permanece sobre os corações e entendimentos do povo de Israel, porquanto não têm contemplado a glória do Filho de Deus (II Cor. 3:15). Mas o Senhor, o Espírito Santo, é capaz de remover esse véu de ignorância, livrando os homens e conferindo-lhes sua total liberdade. E então, nesse contexto, como conclusão da questão, aparece um dos maiores versículos de todo o Novo Testamento:

> «E todos nós com o rosto desvendado, contemplando, como por espelho, a glória do Senhor, somos transformados de glória em glória, na sua própria imagem, como pelo Senhor, o Espírito»

(II Cor. 3:18).

Quando contemplamos o *espelho espiritual*, não vemos a nós mesmos. Antes, miramos ali o Homem Ideal, em cuja imagem estamos sendo paulatinamente transformados. Enquanto contemplamos essa visão, vamos sendo transformados na imagem que divisamos. E isso vai passando de um grau de glória para o outro, até que, finalmente, chegaremos a compartilhar da perfeita imagem de Cristo (ver Rom. 8:29). Os remidos chegam a compartilhar da plenitude de Deus (sua natureza e atributos; Efé. 3:19), e de sua divina natureza (II Ped. 1:4). Essa é a mensagem do evangelho em seu ponto culminante, embora esse particular não seja bem compreendido e nem muito pregado hoje em dia nos púlpitos evangélicos. Esse processo de transformação prosseguirá por toda a eternidade. A glorificação será algo eterno, e não um acontecimento de uma vez por todas. Visto que há uma infinitude com que seremos cheios, também deverá haver um enchimento infinito.

q. *Consolidação da Nova Adoração*. O tabernáculo e seu ritual foram delineados e estabelecidos (ver Êxo. 25:9,40; 26:30; 27:8; 39:32,43; comparar com Heb. 8:5). Um planejamento divino cercou toda a ereção do tabernáculo, até os mínimos detalhes. O tabernáculo seria o lugar de contacto entre Deus e os homens, o lugar de seu culto formal. Aarão e seus filhos tornaram-se os sacerdotes-guardiães desse culto. Isso já havia sido descrito nos capítulos oitavo e nono do livro de Êxodo. Seguem-se detalhes nos capítulos vinte e oito e vinte e nove, como também em 39:1-31,41.

A solene inauguração do sistema é descrito nos capítulos oito e nove do livro de Levítico, livro esse que fala sobre os detalhes das obrigações, dos serviços e do culto que deveriam ser prestados pelos sacerdotes. A posição de Aarão, que era a de sumo sacerdote, era vitalícia e hereditária (ver Lev. 6:22; 16:32). Antes de morrer, Eleazar, seu filho, tornou-se o seu substituto (ver Núm. 20:22-28). Porém, o próprio Moisés não teve sucessor. Seu trabalho estava terminado. Só podia mesmo haver um legislador no Antigo Testamento, tal como só pôde haver um segundo Moisés no Novo Testamento, o qual nos trouxe a graça e a verdade, em lugar da antiga fé da lei mosaica (ver João 1:17). Nessa segunda provisão, foi-nos revelado o Filho, que é Revelador de Deus Pai, algo que a antiga fé não conseguiu fazer em qualquer sentido eficaz.

r. *A Tragédia de Nadabe e Abiú*. Esse relato aparece no décimo capítulo de Levítico. Esses dois eram filhos de Aarão, e eram sacerdotes autorizados; mas ofereceram fogo estranho diante do Senhor. Eles acenderam esse fogo sobre o altar do incenso, que ficava no Lugar Santo, perto do véu que dividia o Santo dos Santos do Lugar Santo. Fizeram isso por iniciativa própria, sem terem recebido qualquer ordem para isso. A Aarão é que cabia oferecer o incenso. Como punição, Nadabe e Abiú foram consumidos pelo fogo de Deus. E não parece ter havido qualquer remorso, por parte de Moisés, diante da morte de seus sobrinhos, um sinal da gravidade da falta deles. Esse relato tem-se tornado em um texto comum para destacar o erro da adoração ilegítima, sem importar quão sinceros sejam os adoradores.

s. *O Povo Parte do Sinai*. O livro de Números conta a história da numeração das doze tribos de Israel, a separação da tribo de Levi dentre as demais, e as posições ocupadas pelas tribos, dentro do acampamento, em redor do tabernáculo, que ocupava posição central a tudo. O nono capítulo desse livro fala sobre a celebração da páscoa, um ano depois do êxodo. Foi então que o povo de Israel partiu dali, com a ajuda de Hobabe como guia, que conhecia bem as regiões que eles teriam de atravessar. Ver Núm. 10:31.

t. *O Maná e as Queixas de Israel*. Nem bem o povo tinha deixado o Sinai quando deixou claro que estava enfadado de maná. Tinham muito o que comer, mas era terrível! Eles tinham o chamado «pão do céu», mas preferiam carne. Ver o décimo primeiro capítulo de Números quanto à história. Yahweh ficou muito irado diante de tais atitudes da parte de seu povo. Grande número de codornizes foi enviado para satisfazer o pedido deles; mas, então, sobreveio uma praga para castigá-los. Muitos morreram e foram sepultados no local. O lugar passou a ser chamado de Quibrote-Taavá, «sepulcros do desejo» (ver Núm. 11:34), devido ao desejo que manifestaram de comer carne. Dali partiram na direção de Hazerote. Um ponto positivo, entre esses acontecimentos, foi que Moisés precisou aprender a delegar autoridade, porquanto não havia como ele pudesse manusear sozinho tanta gente, com suas necessidades e queixas.

u. *Míriã e Aarão Rebelam-se*. Parece que a iniciativa, nessa rebeldia, partiu de Míriã, pois somente ela foi punida, posteriormente. Moisés havia tomado como esposa uma mulher cuxita (etíope), e Míriã ressentiu-se disso, talvez por pensar que aquilo era uma afronta a Zípora, ou, então, porque a presença de uma outra mulher perturbava a sua própria posição de autoridade. Porém, o que esteve, realmente, em jogo, foi a autoridade de Moisés. Como castigo, Míriã foi ferida com lepra, embora depois tivesse sido purificada. Mas ela aprendeu sua lição.

v. *Os Espias Enviados a Canaã*. Os anos em que Israel errou pelo deserto estavam prestes a chegar ao fim. A terra visitada pelos patriarcas seria, finalmente, conquistada. Porém, muitos poderosos inimigos haveriam de dificultar a tarefa da conquista. A história é narrada nos capítulos treze e catorze do livro de Números. Um líder dentre cada tribo foi nomeado para a missão de espiar a Terra Prometida. Ao retornarem, todos os doze espias concordaram que a terra era em extremo desejável; mas somente Josué e Calebe encorajaram o povo a ter fé no Senhor e se lançarem à tentativa. Sempre são uns poucos que ousam tentar grandes coisas. O resto sempre descobre razões para acomodar-se ao *status quo*. Diante do relatório negativo de dez dos espias, o povo acusou Moisés e Aarão de liderança inepta, e ameaçaram apedrejar a Josué e Calebe. E o Senhor, por sua vez, ameaçou destruir a todo o povo de Israel (ver Êxo. 32:10). Porém, uma vez mais Moisés intercedeu em favor deles. E Yahweh fez seu *juramento* de intenção de que a Terra Prometida seria conquistada e que a sua própria glória seria exaltada. Esse juramento do Senhor aparece em Deu. 32:40.

4. O Quadragésimo Ano

a. *O Erro de Moisés, em Cades*. Esse episódio é relatado no vigésimo capítulo do livro de Números. Uma vez mais, os israelitas reclamaram de Moisés, devido à falta de água. A Moisés e Aarão foi dada ordem para que falassem a uma rocha, da qual brotaria água, por sua mera palavra. Mas, irado com o povo, Moisés bateu na rocha com sua vara por duas vezes. É verdade que a água jorrou da rocha, mas Moisés acabara de cometer um erro sério. Esse erro, de acordo com a explicação dada por Yahweh, foi um erro causado pela incredulidade (vs. 12). Em ocasião anterior, Moisés havia ferido uma rocha e obtivera água (ver Êxo. 17:2 *ss*), e agora, no episódio das «águas de Meribá», ele imitou aquele primeiro gesto. Podemos supor somente que a ordem divina fora clara, e que Yahweh queria mostrar o seu poder de uma nova maneira. Como castigo, Moisés não teve permissão de entrar na Terra Prometida. Quarenta anos de luta não tinham conseguido levar Moisés ao grande alvo—introduzir o povo de Israel na Terra Prometida. E isso serve de emblema do fato de que a lei não pode levar o homem à salvação da alma. É preciso a intervenção de Jesus (representado ali por Josué) para que os homens sejam levados até à Terra da Promissão. Pois, assim como Josué veio a ser o sucessor de Moisés (ver o capítulo vinte e sete de Números), de modo a introduzir os israelitas na Terra Prometida, assim também Jesus é o sucessor espiritual de Moisés, conduzindo os homens à salvação. E ainda há uma outra lição nesses acontecimentos. As vagueações de Israel pelo deserto envolveram quarenta anos difíceis e de muitos testes. Porém, disso não resultou a conquista do alvo colimado. Por semelhante modo, a salvação da alma, por meio da guarda da lei é um esforço dificílimo, mas sem levar o indivíduo ao resultado desejado—a salvação da alma.

b. *Eventos Subseqüentes*. O rei de Arade e os amorreus foram derrotados, após terem desfechado um ataque contra Israel, sem terem sido provocados (ver Núm. 21:1—3). O povo de Israel chegou às margens do Jordão, de onde contemplava a Terra Prometida, e dispunha-se a entrar. Temos então uma série de episódios: a história de Balaão (caps. 22-24); a sedução dos israelitas à idolatria e à imoralidade, com resultantes grandes destruições de vidas, mediante uma praga (cap. 26); a vingança de Israel contra os midianitas (caps. 26; 31:2). Então, Josué foi comissionado para ser o sucessor de Moisés (cap. 27). Aos rubenitas e gaditas foi feita a partilha das terras que lhes cabiam, na Terra Prometida, de acordo com seus desejos expressos (cap. 32). Foram nomeados encarregados para dividir a Terra Prometida entre as tribos de Israel (cap.34).

c. *Mensagens de Despedida de Moisés*. Essas mensagens aparecem nos capítulos primeiro a trinta e três do livro de Deuteronômio. Elas são uma essencial reiteração da lei mosaica, além de alguns detalhes adicionais.

d. *A Morte de Moisés*. Narrada no capítulo trinta e quatro do livro de Deuteronômio. Moisés subiu desde as planícies de Moabe até o monte Nebo, ao cume de Pisga, que ficava defronte de Jericó, e de onde ele foi capaz de contemplar, em um lance de olhos, a Terra Prometida, onde não teve permissão de entrar. Ele viu o território desde Gileade até Dã, todo o território de Naftali, as terras de Efraim e Manassés, e toda a terra de Judá, além de também ter divisado o mar Ocidental (o Mediterrâneo), o Neguebe e a planície, ou seja, o vale de Jericó, e a cidade das palmeiras, e daí até Zoar. Yahweh assegurou-lhe que aquele era o território que havia dado a Abraão e seus descendentes, como herança; e que essa promessa seria cabalmente cumprida. O fim de Moisés é anunciado com simplicidade. Ele era o *servo* de Yahweh. Morreu, e Yahweh o sepultou em um vale, na terra de Moabe, defronte de Baal-Peor, embora ninguém saiba dizer onde. Tinha cento e vinte anos de idade quando morreu. No entanto, sua visão era como a de um jovem, e ele não perdera suas forças naturais.

O povo de Israel lamentou pela morte de Moisés por nada menos de trinta anos, — nas planícies de Moabe. Josué, cheio da força do Espírito de Deus, deu prosseguimento à obra. Mas nunca mais se levantou em Israel um profeta comparável a Moisés, que conhecesse a Yahweh face a face. Ademais, ele realizou inúmeros sinais e prodígios. Derrotou um grande Faraó e todo o seu império. O homem que voltara ao Egito com um jumento, sua esposa e dois filhos pequenos, realmente chegou longe, muito longe!

O fato de que Moisés contemplou a Terra Prometida do alto do cume de *Pisga* (vide), deu origem a alguns versos de um dos mais belos hinos que são entoados pela Igreja cristã.

Doce hora de oração, participe eu de teu consolo,
Até que do alto cume do monte Pisga,
Eu veja o meu lar e alce vôo.
Deixarei estas vestes de carne e me levantarei
Para tomar posse do prêmio eterno.
(W.W. Walford)

VI. Referências a Moisés Fora do Pentateuco

Há quase sessenta referências a Moisés no livro de Josué. Exemplos: Jos. 1:1,2,3,5,7,13-15,17; 3:7; 4:10,12; 8:31-33; 9:25; 11:12-15; 12:6; 13:8,12,15,21; 14:2,3; 17:4; 18:7; 20:2; 21:2,8; 23:6; 24:5. Muitos eruditos têm pensado mais em termos de um Hexateuco (os cinco livros de Moisés e o de Josué) do que em termos de um Pentateuco (os cinco livros de Moisés), pensando que o livro de Josué usou as mesmas fontes informativas que os livros de Moisés. Nesse caso, o grande número de referências a Moisés, no livro de Josué, deixa de ser tão surpreendente. Historicamente falando, porém, seja como for, as freqüentes referências a Moisés, no livro de Josué, são apenas naturais.

Há três referências a Moisés no livro de Juízes: Juí. 1:20; 3:4 e 4:11. E também há referências a Moisés noutros livros históricos do Antigo Testamento: I Sam. 12:6,8; I Reis 2:3; 8:9,53,56; II Reis 14:6; 18:4,6,12; 21:8; 23:25.

Narrativas paralelas fazem com que I e II Crônicas contenham um grande número de referências a Moisés. Damos exemplos: I Crô. 6:3,49; 15:15; 22:13; 23:13-15; 26:24; II Crô. 1:3; 5:10; 8:13; 23:18; 24:6,9; 33:8; 34:14; 35:6,12.

O livro de Ezequiel tem três referências a Moisés: Eze. 3:2; 6:18; e 7:6. O livro de Neemias tem sete referências: Nee. 1:1,8; 8:1,14; 9:14; 10:29; 13:1. O livro de Salmos tem oito referências: Sal. 77:20; 90 (título); 99:6; 103:7; 105:26; 106:23,32. O livro de Isaías tem duas referências: Isa. 63:11,12. O livro de Jeremias tem uma: Jer. 15:1. O livro de Daniel tem duas: Dan. 9:11,13. O livro de Miquéias tem uma: Miq. 6:4. O livro de Malaquias, uma: Mal. 4:4.

No Novo Testamento há um total de oitenta referências a Moisés, que é mencionado em doze de seus vinte e sete livros. Damos exemplos: Mat. 8:4; 17:3; Mar. 1:44; 7:10; 9:4,5; Luc. 2:22; 5:14; 16:29; 24:27; João 1:17,45; 3:14; 5:45; 7:19,22; 8:5; 9:29; Atos 3:22; 6:11,14; 7:20,22,29, etc. (o sermão de Estêvão); 13:39; 21:21; 26:22; Rom. 5:14; 9:15; 10:5,19; II Tim. 3:8; Heb. 3:2,3,5,16; 7:14; 8:5; 11:23; 12:12; Jud. 9; Apo. 15:3.

Em certas passagens, — o Novo Testamento apresenta Moisés como o Primeiro Legislador, a principal figura da economia veterotestamentária. Ele é posto em contraste com o Segundo Legislador, Cristo, que trouxe ao mundo a graça e a verdade, tendo ultrapassado em muito ao primeiro legislador (I João 1:17). A natureza transitória da dispensação mosaica é aludida em II Cor. 3:13-18, um conceito que os judeus consideravam a pior de todas as heresias. O ofício de mediador de Moisés é contrastado com a permanente e clara comunicação de Deus na pessoa de Jesus Cristo (Gál. 3:19). Moisés foi apenas um servo de Deus, contrastando com Cristo, que é o Filho e chefe da casa espiritual de Deus

(Heb. 3:5,6). Moisés escreveu acerca de Cristo (em seu ofício profético) (João 5:46). Cristo é o Moisés da Nova Dispensação (Heb. 3:1-19; 12:24-29; Atos 7:37). O trecho de Jud. 9 cita o livro *Assunção de Moisés* (vide), ao mencionar a história da disputa entre o arcanjo Miguel e Satanás, em torno do corpo morto de Moisés. O décimo sétimo capítulo de Mateus encerra a história da Transfiguração do Senhor Jesus, quando então apareceram, juntamente com ele, Moisés e Elias, representantes da economia do Antigo Testamento (a Lei e os Profetas), após o que Cristo ficou sozinho, como autor único da economia do Novo Testamento.

VII. Os Ofícios de Moisés e o seu Caráter

1. Como Líder. A história de como Deus escolheu esse homem e o preparou durante nada menos de oitenta anos, antes de chamá-lo de volta ao Egito, em sua incumbência de livrar o povo de Israel, é, realmente, uma das maravilhas da literatura mundial. Trata-se de um daqueles casos em que a vida real é mais estranha que a ficção. Contamos a história com detalhes, na seção quinta deste artigo, *Moisés e os Acontecimentos Históricos*. Devemos observar que ele foi equipado para sua tarefa através de sua criação e educação no Egito. Foi equipado melhor ainda quando de seu exílio em Midiã; mas foi equipado, acima de tudo, por suas muitas e grandes experiências místicas, que lhe conferiram uma invencível força de vontade e inabalável convicção, para prosseguir na tarefa. «A única coisa capaz de explicar as suas realizações é que ele foi um homem de fé inarredável no Deus invisível (Heb. 11:27), tornando-o zeloso pelo nome de Deus (Núm. 14:13 *ss*). Ver Filipenses 4:13». (ND)

2. Como Profeta. Uma leitura aligeirada da história de Moisés pode evitar que notemos o fato de que Moisés, devido às suas muitas experiências místicas, foi um profeta, e não meramente um legislador. O maior resultado de seu ofício profético foi a própria lei. Sem aquele ofício profético, ele jamais teria sido o legislador que foi. Moisés foi o grande modelo de todos os verdadeiros profetas posteriores, até a vinda de Cristo, o Profeta, de quem Moisés foi tipo e precursor (Deu. 18:18; Atos 3:22 *ss*). Todos os profetas, de um modo ou de outro, prestaram testemunho acerca de Cristo (ver Atos 10:43). Moisés previu o êxodo de Israel (Êxo. 4:30 *ss*; 6:8 *ss*); transmitiu a vontade de Deus às vésperas do livramento e por ocasião da celebração da páscoa (Êxo. 11:1-3; 12:21,28,35 *ss*; 13:3 *ss*, 14:1). Deus falava com o povo de Israel por meio de Moisés (Êxo. 14:13,21-38; 19:3,7). Moisés usufruía de uma comunhão toda especial com Deus (Êxo. 24:18). Sendo profeta, Moisés levava uma significativa vida de oração (I Sam. 7:5; 8:6; 13:23; 15:11).

3. Como Legislador e Mediador da Aliança. A lei mosaica tanto foi uma legislação quanto foi uma aliança. E Moisés foi o instrumento humano para tanto. O capítulo vinte do livro de Êxodo fornece-nos a porção cêntrica dessa legislação, mas quase todo o livro de Êxodo está envolvido em seu delineamento; e o livro de Deuteronômio repete a questão, com algumas adições, ao passo que o livro de Levítico fornece-nos as intrincadas leis acerca do sacerdócio e do culto religioso. A lei mosaica não era apenas um documento religioso de *proibições*. Paralelamente a isso, era um complexo conjunto de leis civis, muitas delas com preceitos paralelos em outras legislações semíticas. Ver o artigo intitulado *Hamurabi, Código de*, quanto a uma ilustração a esse respeito. O código de Hamurabi foi escrito cinco séculos antes de Moisés; e os pontos de semelhança mostram que uma das fontes da legislação mosaica foi o fundo de leis desenvolvidas pelas culturas semíticas durante um longo período de tempo.

Pode-se dizer que as leis civis de Moisés ocupam cerca de quarenta parágrafos em Êxodo 21—23; em Levítico 18—20, um pouco mais do que vinte parágrafos; em Deuteronômio 12—16, cerca de noventa parágrafos. O material, desse modo, mostra ser bastante completo, embora não exageradamente longo. Esses cento e cinqüenta parágrafos são menos do que os 282 parágrafos do código de Hamurabi. As leis dos assírios ocupavam cerca de 115 parágrafos, embora muito mais material se tenha perdido. As leis dos heteus, até onde o demonstram as descobertas arqueológicas, ocupam cerca de 200 parágrafos. Ver o artigo geral intitulado *Pactos*, quanto a uma discussão sobre a legislação mosaica. Esse pacto mosaico é contrastado com o Novo Testamento, trazido por Cristo. Caracterizava-se por uma lei, e, presumivelmente, era capaz de transmitir vida (ver Lev. 18:5). Entretanto, os eruditos hebreus têm demonstrado que, nos escritos de Moisés, essa *vida* era apenas terrena, e não pós-morte. Os intérpretes posteriores do judaísmo é que a interpretaram como pós-morte. Seja como for, como um contraste com a lei mosaica, a graça, a verdade e a vida eterna vieram por meio de Cristo (João 1:17). O evangelho anuncia ao mundo a graça divina (ver Rom. 3 e 4).

O pacto mosaico estava contido em três divisões: a. os mandamentos (Êxo. 20); b. os juízos (Êxo. 21:1—24:11), que regulamentavam a vida social de Israel; e c. as ordenanças (Êxo. 24:13—31:18) que governavam a vida religiosa da nação. Esses três aspectos constituíam a *lei*. O trecho de II Cor. 3:7-9 caracteriza essa legislação como «ministério da morte» e «ministério da condenação», porquanto não era através da lei que a vida espiritual é conferida ao homem. O crente do Novo Testamento não está debaixo da lei mosaica, e, sim, sob o incondicional Pacto Novo da graça divina (ver Rom. 3:21-27; 6:14,15; Gál. 2:16; 3:10-14; 4:21-31; Heb. 10:11-17). Ver os seguintes artigos: *Lei, Características da; Lei, Jesus e a; Lei no Antigo Testamento; Lei, Função da; Lei, Rudimentos Fracos e Pobres; Lei, Usos da*.

4. Autor de Escrituras Sagradas. Os ultraconservadores dizem que Moisés escreveu o Pentateuco inteiro. A única coisa que admitem é que ele pode ter usado várias fontes informativas, que alinhavou. Mas, segundo os estudiosos liberais extremistas, Moisés (embora admitam ter sido ele uma figura histórica) não escreveu o Pentateuco. O Pentateuco teria permanecido como meras tradições orais durante muitos séculos, até ser finalmente compilado, com base em muitas fontes informativas. E então, foi dito que Moisés, o herói do povo hebreu, teria sido o autor do Pentateuco, embora isso não corresponda à verdade. Nos artigos sobre os cinco livros do Pentateuco, oferecemos detalhes sobre a questão da autoria e sobre as controvérsias que circundam a questão. Demonstramos, na segunda seção do presente artigo, *Visões Críticas Sobre Moisés*, que os eruditos do século XIX tomavam um ponto de vista cético sobre todas essas questões, mas que, no século XX, a maioria dos eruditos tem admitido a exatidão histórica essencial do Pentateuco, embora muitos deles continuem a pôr em dúvida a validade de muitas experiências místicas e milagres ali atribuídos a Moisés. Seja como for, não há motivo algum para duvidar-se que o cerne do Pentateuco, pelo menos, repousa firmemente sobre a autoria de Moisés, e também que ele mesmo, ou escribas que atuaram sob sua orientação, reduziram todo o relato à forma escrita. Não é necessária a suposição de que a maior parte da obra tivesse sido preservada como tradições orais durante muitos séculos. E, apesar de ser verdade que segundo os costumes antigos muitos mitos eram atribuídos a heróis e figuras religiosas, e isso sem qualquer hesitação (formando esses escritos o que chamaríamos de pseudepígrafos), o fato é que a natureza intrincada dos escritos mosaicos, com suas muitas e variegadas leis, quase certamente indica que todo o material foi escrito na hora, quando as leis vieram a ser unificadas no código mosaico. Em favor dessa assertiva temos o fato de que outras antigas leis semíticas certamente já estavam em uso, muito antes das leis mosaicas, conforme já vimos no caso do código de Hamurabi, cujos preceitos antecederam aos de Moisés por nada menos de cinco séculos. E que Moisés escreveu pessoalmente pelo menos certas porções do Pentateuco, fica bem caracterizado em referências como as seguintes: Êxo. 17:4; 24:4-8 (com seus paralelos, onde não é dito especificamente que ele escrevesse, ou seja, Êxo. 20—23); Núm. 33:1 *ss*; a maior parte do livro de Deuteronômio, até o cap. 31; ver, especificamente, 31:9-13,24 *ss*; 32. Além disso, o próprio Senhor Jesus atribuía o Pentateuco a Moisés, como seu autor (ver João 5:46). Quanto à idéia de uma múltipla autoria, com atividades editoriais, no tocante ao Pentateuco, ver o artigo sobre *J.E.D.P.*(*S.*).

5. Caráter de Moisés. Certas qualidades específicas do caráter de Moisés eram as seguintes:

a. *Liderança*, o que é discutido sob o primeiro ponto, acima.

b. *Fé*, o que é frisado no comentário de Heb. 11:26.

c. *Intensa vida de oração*. — Isso faz parte indispensável da vida espiritual de qualquer pessoa séria em sua inquirição espiritual. «Em qualquer momento de emergência, Moisés apelava imediatamente a Yahweh. Ele não falava então como um estranho, mas antes como um filho que pede algo a seu pai; e foi assim que ele nunca pleiteou em vão» (S). Mui conspicuamente, vemos Moisés a intervir em favor de Israel em momentos críticos, quando seu povo tornava-se culpado de algum grave pecado ou apostasia. Ver Êxo. 32:31; 33:11. Nessas oportunidades, podemos ver Moisés em seu intenso e sincero amor por seu povo, amando a Deus, zeloso pelo cumprimento da tarefa que recebera, procurando honrar a Deus, dotado assim de autênticas qualidades de liderança.

d. *Humildade*. Moisés era suficientemente grande para não ter de fingir que era. A grandeza vinha ao encontro dele, sem que ele tivesse de persegui-la. A humildade de Moisés é mencionada como uma característica especial de sua personalidade, em Nú. 12:3. «Ele não cobiçava distinções e nem procurava proeminência» (S).

e. *Resistência; persistência*. Alguns intérpretes pensam que o vocábulo hebraico *'anayw*, em Núm. 12:3 (traduzido por «manso», em nossa versão portuguesa), deveria ser entendido como «persistente». Sem importar se assim devemos interpretar ou não aquela palavra hebraica, torna-se óbvio, pelo próprio relato bíblico, que a sua persistência, na causa que defendia, nunca sofreu qualquer lapso ou hesitação.

f. *Serviço amoroso*. Em tempos de crise, quando Moisés rogava em favor de seu povo de Israel, há ilustrações especiais do amor que lhes devotava. «Ele se aliou aos seus compatriotas, em sua servidão degradante (Êxo. 2:11; 5:4); ele se esqueceu de vingar-se das afrontas sofridas (2:14); ele desejou que seu irmão fosse o líder, em vez dele mesmo (4:13); e quando Yahweh ofereceu-se para destruir o povo, fazendo de Moisés uma grande nação (32:10), ele orou para que o Senhor os perdoasse, «...ou se não, risca-me, peço-te, do livro que escreveste». (*Smith Bible Dictionary*).

VIII. Moisés e a Arqueologia

1. *O Nome Moisés*. A arqueologia tem mostrado que o nome *Moisés* está relacionado ao termo egípcio *mase* (pronunciado *mose*, depois do século XII A.C.), e que significa «criança». Moisés, quando «criança», foi tirado das águas do rio Nilo, pela filha do Faraó. Foi ela quem lhe deu o nome (Êxo. 2:10), como quem dava a entender: «a criança tirada das águas». Ver a seção primeira, quanto a explanação completa.

2. *Nomes Compostos com Moisés*. Vários apelativos têm sido ilustrados pela arqueologia e por antigas referências literárias. Assim, por exemplo, *Ah-mose*, que significa «filho de Ah», o deus da luz. Tutmés (mais literalmente, *Tuth-mose*) quer dizer «filho de Thot».

3. O casamento de Moisés com uma mulher cuxita ou núbia, fica esclarecido em parte quando se leva em conta que o nome de um de seus netos, Finéias, em egípcio significa «núbio», «cuxita». Ver Núm. 12:1; Êxo. 6:25.

4. O infante Moisés, deixado a flutuar em uma cestinha calafetada, sobre as águas do Nilo, tem seus paralelos nas antigas lendas populares do Oriente. A mesma história era contada acerca de Sargão I, de Acade (que viveu em cerca de 2400 A.C.), um relato descrito na obra de Hugo Grossmann, *Altorientalische Texte und Bilder zum Alten Testament*, 1909, vol. I, pág. 79. Um texto em escrita cuneiforme, do século IX A.C., preserva o relato. Exemplos clássicos encontram-se nas estórias que cercam Rômulo e Remo, e Baco e Perseu. Não devemos supor, contudo, que haja qualquer conexão entre essas histórias e o relato bíblico sobre Moisés, embora alguns estudiosos pensem que a experiência de Moisés foi repetida em outras culturas, ou, pelo menos, foi comentada e historiada entre outros povos proeminentes. O mais provável é que acontecimentos dessa ordem simplesmente ocorressem por acaso, o que explicaria as várias narrativas independentes, parecidas umas com as outras.

Bibliografia. AM AO ARC E FIN FRE KY MAN ND ROW(1963) UN UNA S Z

MOISÉS (Não o Legislador)

Em Juí. 18:30 há menção de outro Moisés que teria sido avô de certo Jônatas, que se tornou um sacerdote idólatra entre os danitas. No texto massorético, seu nome foi alterado para *Manassés*, o que é seguido em nossa versão portuguesa, porquanto os massoretas não podiam aceitar que um neto de Moisés se tivesse tornado um sacerdote idólatra.

MOISÉS, ASSUNÇÃO DE

Ver sobre **Assunção de Moisés**.

MOÍSMO

Esse foi um movimento filosófico chinês que oferecia uma alternativa ao confucionismo. Mostrou-se poderoso entre os séculos V e III A.C. Os escritos de Mo Tu (que viveu no século V A.C.) foram a sua principal inspiração.

MOKSHA

Essa é uma palavra sânscrita que significa

«livramento», «libertação». Apareceu pela primeira vez nas *Upanishadas* (vide). Alguma forma desse conceito é comum a todas as religiões indianas, como o *budismo*, o *jainismo* e a *sancara* (vide). Essa doutrina assume várias formas e adaptações. A grosso modo, refere-se a um estado de exaltada iluminação. Mediante essa iluminação, o homem identificar-se-ia com Deus (Brahman). Isso resulta em autoliberação e total autonomia. Na *Bhagavad-Gita* (vide), a *moksha* envolve a liberação de indivíduos pertencentes a todas as classes, incluindo as mulheres. Pode-se afirmar que, pelo menos dentro de alguns grupos, esse vocábulo equivale à «salvação», embora a sua definição específica varie de seita para seita. Ver o artigo intitulado *Salvação (de Várias Religiões)*, sob *Hinduísmo*. A *moksha* também pode ser equivalente ao *Nirvana* (vide). Também pode indicar o livramento dos ciclos da reencarnação, bem como a liberdade nisso envolvida, com a entrada em uma forma superior de vida.

MOLADÃ

No hebraico, «geração». Esse é o nome de uma cidade do Neguebe, não longe de Berseba (Jos. 15:26). A cidade foi entregue à tribo de Simeão, após a conquista da Terra Prometida (Jos. 19:2; I Crô. 4:28). Após o cativeiro babilônico, foi reocupada por um remanescente que retornou (Nee. 11:26). Josefo (*Anti.* 18:6,2) informa-nos que essa região foi posteriormente ocupada pelos idumeus, quando passou a chamar-se *Malada*. Então, tornou-se uma fortaleza. Eusébio e Jerônimo localizaram-na cerca de vinte milhas romanas ao sul de Hebrom. Várias identificações incertas têm sido sugeridas, incluindo Tell el-Milh, que fica cerca de dezenove quilômetros a leste de Berseba. Mas outros pensam em Quseife, a seis e meio quilômetros, na direção de Arade.

MOLDURA

No hebraico, *misgereth*, «cerco», «tapume». A palavra aparece por dezessete vezes, quase todas em Êxodo 25 e 37 e em I Reis 7. Era uma estrutura que circundava as margens da mesa dos pães da proposição (Êxo. 25:25).

MOLEQUE, MOLOQUE

1. Sentidos Possíveis da Palavra e seus Usos

Os eruditos não concordam quanto à natureza exata do que se deve entender com essa palavra. O termo parece indicar «dirigente». A Septuaginta diz *árchon*, «governante», ao traduzir a palavra hebraica para o grego, em Lev. 18:21; 20:2,5; mas também *basiléus*, «rei», em I Reis 23:10. Porém, em Jer. 32:35, a Septuaginta diz *Moloch basiléus*, ou seja, «rei Moloque». É possível que tenha sido cunhada uma nova palavra hebraica, combinando as letras consoantes de *melek*, «rei», com as letras vogais de *boset*, «vergonha». E daí surgiu *molek*. E do hebraico, *molek*, a palavra passou para a Septuaginta com a forma de *moloch*. É possível que a palavra hebraica esteja relacionada ao cartaginês-fenício, *molok*, que tem sido encontrada em inscrições do período 400—150 A.C. Em inscrições latinas, achadas em Cartago, a palavra aparece como *Molc*. A dividade assim referida está associada a *muluk*, que era adorada em Mari, em cerca de 1800 A.C., e também à divindade *malik*, dos textos acádicos.

A palavra aparece em nomes compostos, como Adrameleque e Anameleque, conforme se vê em II Reis 17:31. Visto que, no Antigo Testamento, a palavra traz o artigo, exceto em I Reis 11:7, o seu significado parece ser «aquele que governa». Alguma conexão com Baal tem sido suposta, conforme também é sugerido em Jer. 32:35. Sacrifícios humanos eram oferecidos a Baal-Melcarte, em Tiro, o que parece ter sido um paralelo cultural.

Usos possíveis incluem: a. *Um sacrifício*, feito a alguma divindade pagã, ou mais especificamente, a Moleque, como um deus pagão. Alguns estudiosos têm sugerido nessa conexão, que as palavras *mlk'mr* e *mlk'dm*, que significam, respectivamente «oferenda de um animal» e «oferenda de um homem» (às vezes, uma criança ou infante), estão relacionadas uma à outra. Uma criança podia ser oferecida, ou um cordeiro poderia substituí-la. Os antigos cultos da área da Mesopotâmia incluíam sacrifícios humanos, conforme nos é sugerido pela história de Abraão e Isaque. Sabemos que outro tanto ocorria entre os fenícios. b. *O deus a quem o sacrifício era feito*. A partir dessa idéia, a palavra veio a designar o deus a quem os sacrifícios (incluindo sacrifícios humanos) eram feitos. Isso posto, os deuses *mlkm* tornaram-se sacrifícios *molk* divinizados. Em Lev. 20:5, Moleque é definido como uma divindade, e não como um sacrifício, e todos os textos bíblicos parecem indicar que essa palavra aponta para alguma divindade. c. «O termo tem sido tradicionalmente explicado, e recentemente foi defendido como uma vocalização distorcida e deliberada do título *rei* ou *o rei* (no hebraico, *hammelek*), para indicar o deus dos amonitas, mediante a inserção das vogais da palavra *boset*, «vergonha» (cf. Astorete). Esse título é um epíteto divino que entra na composição de muitos nomes pessoais e de divindades dos fenícios ou entre os hebreus. Esse epíteto também se acha sob as formas *muluk* e *malik*, nas listas de Mari, no começo do segundo milênio A.C. De acordo com isso, a palavra pode ser entendida como uma forma alternativa de *Milcom*. J.Gray argumentava que o nome próprio dessa divindade era Athtar, uma divindade astral». (Z)

2. O Culto a Moleque

A adoração a esse deus estava associada ao sacrifício de crianças ou infantes, na fogueira (Lev. 18:21; 20:2-5; II Reis 23:10; Jer. 32:35; II Reis 20:3-5; 17:31). Essa prática é confirmada nos antigos cultos mesopotâmicos e filisteus. A arqueologia tem demonstrado abundantemente essa prática. As referências bíblicas são perfeitamente claras. As leis de Moisés proibiam essa prática, sob pena de morte (Lev. 18:21; 20:2-5). No entanto, em cerca de 1000 A.C., Salomão edificou um lugar alto em honra a essa divindade (naquele lugar que, mais tarde, veio a ser chamado de monte das Oliveiras) (I Reis 11:7). O rei Acaz, em cerca de 730 A.C., queimou seus filhos na fogueira (II Crô. 28:3), tal como veio a fazê-lo Manassés (II Reis 21:6). Em Samaria também chegou-se a praticar esse incrível pecado, e a cidade foi julgada por esse motivo (II Reis 17:17). Josias destruiu os lugares altos de Moloque (II Reis 23:10,13). E foi necessário que Ezequiel condenasse essa prática, já tão tarde quanto o começo do século VI A.C. Somente o cativeiro babilônico parece ter posto fim, definitivamente, a esse horrendo culto, embora, fora da Palestina, ainda tivesse permanecido no norte da África, entre os fenícios cartagineses, até dentro da própria era cristã.

É possível que a psicologia perversa que inspirava esse culto fosse a idéia de que o sacrifício de um filho ou de uma filha era um ato final de dedicação, e que esse ato arrancava das divindades alguma grande bênção. Certamente essa psicologia está implícita na narrativa sobre Abraão e Isaque. Até mesmo hoje, esse relato é explicado metaforicamente, em termos de «o maior sacrifício possível», e somos exortados a agir segundo o espírito desse tipo de dedicação. Mas essa interpretação é lamentável, pois não podemos levar a sério que o Deus do céu poderia mesmo ter ordenado um sacrifício humano. Orígenes alegorizava a narrativa, e essa parece ser a melhor abordagem.

N.H. Snaith deu uma explicação alternativa ao episódio. Ele tentou demonstrar que não houve o envolvimento de qualquer sacrifício infantil. Ele acredita que o que estava envolvido era a entrega de crianças para serem criadas nos templos e serem treinadas como prostitutas e prostitutos. E ele oferece o décimo oitavo capítulo de Levítico como a principal evidência. É verdade que ali estão em foco atividades sexuais ilícitas. Além disso, há uma referência no Talmude que dá essa interpretação do texto. A solução para o problema parece ser que havia o envolvimento tanto de sacrifícios de infantes quanto da chamada «santa» prostituição ou prostituição sagrada. O Talmude fornece detalhes horripilantes acerca dos sacrifícios infantis oferecidos a Moloque. A abundância de referências bíblicas a respeito desse culto favorece, de forma irresistível, a interpretação de sacrifícios de infantes; mas isso não elimina a realidade daquela outra prática, que também pode ter estado envolvida na adoração a Moloque.

3. Um Propósito Central no Culto a Moloque

Apesar de podermos imaginar que muitos motivos estavam por detrás desses sacrifícios, parece que Moloque era uma antiga divindade semítica, que era patrona especial de votos. Crianças eram sacrificadas como o mais forte compromisso da santidade de um voto. A palavra púnica, *molok*, significava «voto», «compromisso».

MOLHO

No hebraico, **omer**, «montão». Essa palavra também era usada para indicar certa medida de capacidade. No caso de um molho, uma pequena quantidade de cereal era cortada e reunida. Os principais cereais mencionados nas Escrituras são o trigo e a cevada. O trigo era cultivado nas terras baixas da Palestina e na região do Haurã, a leste do rio Jordão, ao passo que a cevada era plantada nas terras altas. Ambos os cereais eram cultivados segundo o método que se tornou padrão, naquelas regiões, durante muitos séculos seguidos, — que podemos observar no Oriente Médio de nossos próprios dias: o ceifeiro vai à frente, com sua foice, cortando o cereal. Em seguida, o cereal é colhido e juntado em molhos por vários trabalhadores (geralmente mulheres, mas nem sempre), que seguem atrás do ceifeiro. Os molhos são feitos por essas pessoas. Ainda mais atrás vêm outras pessoas, os rabiscadores, que juntam quaisquer hastes de cereal que tenham ficado no chão. A melhor descrição bíblica sobre esse processo ocorre no livro de Rute.

Molhos assim eram usados como uma forma de oferenda, dentro do sistema de sacrifícios dos levitas (cf. Lev. 23:10-12). Mui provavelmente, eram então usados molhos de cevada, a primeira variedade de cereal a ser colhida a cada ano, na Palestina. Esses molhos representavam a oferta de agradecimento ou ação de graças, pelas primícias do cereal.

Com o sentido de feixe ou punhado, temos três palavras hebraicas, a saber: 1. *Aguddah*, «molho», palavra usada com esse sentido, apenas em Êxo. 12:22. 2. *Tsimmuqim*, «bolos de uvas passas», em I Sam. 25:18 e 30:12. 3. *Eshkol*, «cachos», palavra que aparece por dez vezes (por exemplo: Gên. 40:10; Núm. 13:23; Isa. 65:8). Esta última tem paralelo no termo grego *bótrus*, «cacho», que aparece somente em Apo. 14:18.

••• ••• •••

MOLIDE

No hebraico, «gerador». Esse era o nome de um homem da tribo de Judá. Ele era filho de Abisur e Abiail (I Crô. 2:29). Viveu em torno de 1600 A.C.

MOLINA, LUÍS DE (MOLINISMO)

Molina foi um escolástico espanhol. Nasceu em Cuenca. Ingressou na ordem dos Jesuítas em 1553. Educou-se em Coimbra, Portugal. Ensinou em Coimbra e em Évora, Portugal. Escreveu duas obras: *Concórdia do Livre-Arbítrio com o Dom da Graça* e *Sobre a Justiça e a Lei*.

Molinismo. Molina fez a sua tentativa para explicar como a graça divina é capaz de operar (como no caso da «predestinação»), sem prejudicar o livre-arbítrio humano. E pensava ter descoberto uma idéia capaz de reconciliar as duas coisas. Ele invocava aquilo que, na filosofia, chama-se *Scientia Media*, «conhecimento intermediário», dando a entender que Deus prevê como as pessoas haverão de reagir, sob várias circunstâncias, incluindo a reação delas no tocante ao oferecimento da graça divina para a salvação. Assim, Deus simplesmente decretaria as circunstâncias apropriadas, e os efeitos seguir-se-iam naturalmente, sem fazer qualquer violência ao exercício do livre-arbítrio humano. Desse modo, conseguimos não ter de dizer que Deus preordenou alguém para a condenação ou para a salvação, ou que ele obrigou alguém a crer ou a descrer no evangelho. Essa é uma interpretação comum de I Ped. 1:2: «...eleitos, segundo a presciência de Deus Pai...». Segundo essa interpretação, os eleitos de Deus são aqueles que ele previu que *acreditariam*. Porém, o texto em foco nada diz sobre alguma «fé» prevista por Deus. As pessoas é que são conhecidas de antemão, tal como Cristo foi «conhecido» antes da fundação do mundo (ver I Ped. 1:20). A mesma palavra grega, *prógnosis*, «conhecimento anterior», é usada nos vss. 2 e 20 do primeiro capítulo de I Pedro. Essa interpretação, assim sendo, apenas anula a *eleição*, e ensina que cada indivíduo auto-elege-se, mediante a fé que chega a exercer.

Parece-nos melhor dizer que Deus usa o livre-arbítrio humano, sem destruí-lo, embora não saibamos explicar *como*. É melhor confessar que estamos tratando com um paradoxo, com um mistério. Tanto a eleição divina quanto o livre-arbítrio humano são verdades, embora não disponhamos de conhecimento e compreensão suficientes para dizer *como* as duas verdades coexistem lado a lado. Deve haver alguma verdade mais profunda (mas não-revelada) capaz de harmonizar ambos esses ensinos, que atuam como os polos extremos daquela verdade não-revelada. Enfatizar um desses pólos às expensas do outro é que não convém, porque então ficamos com uma teologia de um único pólo, unilateral, conforme fazem aqueles que salientam somente a eleição ou somente o livre-arbítrio. Ver o artigo intitulado *Polaridade*.

O molinismo, entretanto, continua sendo ensinado nas escolas e seminários dos jesuítas até hoje. A questão ocasionou grandes disputas teológicas no século XVII. Infelizmente, os debates prosseguem no seio do cristianismo, até agora.

MOLINOS, MIGUEL

Suas datas foram 1640—1692. Ele foi um padre espanhol que se tornou um dos principais defensores do *quietismo* (vide) católico romano. Seu livro, *Guia Espiritual*, trouxe-lhe muitas dificuldades, porquanto promove a doutrina que diz que as almas purificadas podem unir-se diretamente a Deus, anulando assim os bons ofícios da Igreja. Por isso mesmo, seu livro foi condenado, e ele mesmo foi detido pelos inquisidores. Ele morreu na prisão. Ver sobre a **Inquisação**.

MOLOQUE Ver sobre **Moleque, Moloque.**

MOMENTARIEDADE, DOUTRINA DA (Transitoriedade)

Buda não era metafísico. Portanto, sua doutrina não contém o conceito da alma como substância que continua de uma reencarnação para a outra. O que reencarnaria seriam as atitudes e características mentais, passadas para alguma outra pessoa, mais ou menos como uma chama pode passar de uma vela de estearina para outra, embora não se requeira a existência contínua de qualquer dessas velas. Ora, se não existe a substância alma, então não deveríamos esperar que a matéria seja algo real. A matéria seria ilusória. Assim, tanto a chamada «alma» quanto a pseudomatéria estariam envolvidas em um «momento de tempo» que também é ilusório. Tudo estaria envolvido em um todo-poderoso fluxo, sendo apenas um agregado temporário de porções em mutação. Todas as coisas estão envolvidas em um momento que logo passa. O budismo posterior, em algumas de suas escolas de pensamento, aderiu à doutrina da substância-alma; mas a qualidade de momentariedade continua sendo uma constante naquela fé.

No cristianismo, há várias declarações neotestamentárias que dizem algo similar: «Pois toda carne é como a erva, e toda a sua glória como a flor da erva; seca-se a erva, e cai a sua flor...» (I Ped. 1:24). «Sois apenas como neblina que aparece por instante, e logo se dissipa» (Tia. 4:14). É precisamente por esse motivo que precisamos depender do Senhor, a fim de que nossas almas escapem do momentâneo.

MÔNADA (MONADOLOGIA)

Quanto a um sistema bem desenvolvido que emprega o princípio das *mônadas*, ver o artigo separado sobre *Leibnitz*. Ver também sobre o *Problema Corpo-Mente*, em sua quarta seção.

O termo português *mônada* vem do grego, *monás*, «unidade». Consideremos os seis pontos abaixo:

1. *Pitágoras* parece ter sido o primeiro filósofo a empregar a idéia. De acordo com seu sistema, uma mônada era o primeiro número de uma série, como também o número de onde se derivavam todos os números de um sistema qualquer.

2. *Giordano Bruno* usava esse termo para indicar a unidade ontológica irredutível, da qual tudo o mais se compõe. a. Deus é a Mônada de todas as mônadas. b. A alma humana é uma mônada. c. Os átomos são mônadas. Todas as mônadas são imortais, e até mesmo — as mais simples — são animadas e têm vida própria. Tudo faria parte de um sistema panteísta; e, como é óbvio, Deus não está morto, mesmo se levarmos em conta as suas mais simples manifestações.

3. *F.M. Van Helmont* (vide) pensava que a natureza é dinamicamente constituída por mônadas. Estariam as mônadas arranjadas segundo uma ordem hierárquica, enquanto que Deus seria a mônada controladora de todas as outras. Leibnitz, como é evidente, foi diretamente influenciado por essa idéia.

4. *Leibnitz* tornou-se melhor conhecido por causa de seu complexo sistema de mônadas. Apresentamos um artigo separado sobre ele, definindo a questão.

5. *Goethe* (vide) aceitava os pontos de vista de Leibnitz, fazendo dos mesmos a base de seu conceito da natureza como algo dinâmico.

6. *Lotze* (vide) interpretava a natureza do ângulo das mônadas.

Uma mônada poderia ser interpretada como um *átomo*, embora não seja essa a maneira usual de explicá-la. Antes, uma mônada seria um centro de força que não pode ser identificado com simples átomos em movimento.

MONARQUIANISMO

Essa palavra vem do grego, **monarchia**, o governo exercido por um único indivíduo. Na teologia (dentro dos debates sobre a natureza trinitária de Deus), a palavra era e continua sendo aplicada a Deus como o único dirigente de tudo, o poder único que é o princípio originador de todas as coisas. Essa era uma doutrina comum nos séculos II e III D.C., salientando a natureza divina como a tendência (que finalmente prevaleceu) de afirmar distinções pessoais dentro da deidade. Em termos gerais, podemos distinguir dois tipos principais de monarquianismo, a saber:

a. O *monarquianismo dinâmico*, ensinado pelos alogi, por Teodoto de Bizâncio, por Artemão e por Paulo de Samosata. Esses ensinavam que Cristo era um mero homem que fora *adotado* ou que fora constituído como o Filho de Deus, visto que a *dúnamis*, «força», viera repousar sobre ele em um sentido todo especial. Mas negavam qualquer princípio-do-Filho na Trindade, e, em conseqüência, rejeitavam a própria idéia de uma Triunidade em Deus.

b. O *modalismo*. Aqueles que defendiam ou defendem essa teoria supõem que a deidade tem seus modos de manifestação como Pai, Filho e Espírito Santo, mas que esses modos não representam pessoas específicas e separadas umas das outras. Ver o artigo sobre o *Modalismo*. Noeto de Esmirna, Práxeas Cartago e Sabélio ensinaram essa variedade de monarquianismo. Conforme é fácil de ver, essa idéia favorecia um monoteísmo cristão não-complicado. Esse termo também tem sido usado a fim de enfatizar o Pai como a fonte da deidade, de onde o Filho e o Espírito Santo derivariam a sua própria deidade, mesmo quando essa derivação é concebida como eterna, e também lógica, e não cronológica. Esse ponto de vista é compatível com o conceito de pluralidade dentro de Deus, apresentando um terceiro uso possível do termo.

MONERGISMO

Essa palavra faz parte do vocabulário radical do agostinianismo e do calvinismo. Afirma que a regeneração depende, totalmente, das operações do Espírito Santo, onde a vontade humana se mostra completamente passiva, durante todo o processo da regeneração. Esse conceito, porém, representa uma teologia unipolar, que não leva em conta muita coisa ensinada pelo Novo Testamento, ao mesmo tempo em que enfatiza somente aqueles versículos bíblicos que aludem ao lado divino desse processo. Ver os artigos intitulados *Polaridade* e *Sinergismo*.

MONGES NEGROS

Um nome popularmente aplicado aos beneditinos (ver o artigo) porque esses monges usam roupas inteiramente negras. (E)

MONISMO

Esse vocábulo vem do grego, **monos**, «único». Refere-se a qualquer doutrina que diz que algum princípio único governa todas as coisas, por meio de cujo princípio tudo existe e opera. Dentro da *cosmologia*, essa palavra indica que todos os fenômenos podem ser explicados mediante o apelo a uma única substância mundial, seja ela divina ou não. Haveria uma única *substância final*, embora possa haver várias manifestações da mesma, o que resulta em um pluralismo prático ou lógico.

Esse termo foi introduzido na filosofia por Christian Wolff, em sua discussão sobre o problema corpo-mente (vide). Ele usava a palavra «monismo» a fim de designar a idéia daqueles filósofos que reconhecem somente a existência do corpo físico, e que fazem da mente apenas uma função do cérebro (como no caso do materialismo), ou que reconhecem somente a existência da mente, pensando que o corpo físico é uma ilusão, ou apenas uma instância da mente (como no caso do idealismo).

1. *Parmênides* e *Spinoza* são exemplos de filósofos monistas. Spinoza, naturalmente, ensinava certa forma de panteísmo. Quanto à sua explicação do monismo no tocante ao *Problema Corpo-Mente*, ver aquele artigo, em sua terceira seção.

2. *Demócrito, Leibnitz* e os cientistas contemporâneos, que acreditam que o átomo é a base de todas as coisas, também são monitas. Para Demócrito, o *átomo* era o princípio todo-abrangente, tal como a *mônada* o era para Leibnitz.

3. *Bertrand Russell*, pelo menos durante algum tempo, ensinava o que ele denominava de *monismo neutro*. Uma substância única, que comporia a realidade, poderia manifestar-se naquilo que chamamos de eventos físicos ou eventos mentais. Essa substância não seria física e nem mental, mas seria ainda mais fundamental, embora sua natureza permaneça um mistério para nós. Outros filósofos que têm ensinado esse ponto de vista, embora não usassem necessariamente a mesma terminologia, foram William James, Ardigo e Aloys Riehl (este último usava a expressão *monismo filosófico*). No tocante ao problema *corpo-mente*, essa posição é uma possível explicação do duplo-aspecto. Ver o artigo sobre o *Duplo-Aspecto*, em sua terceira seção.

O *monismo epistemológico* assevera que o objeto conhecido e o processo de conhecer são uma só coisa dentro da relação-conhecimento, o que empresta imenso poder à percepção dos sentidos e suas capacidades. O *monismo crítico* é uma forma de realismo crítico. Assevera que o conhecimento das realidades externas é um incidente com duas mãos, de ida e volta. Essa posição é monística porque diz que o mundo é desvendado à mente em termos de qualidades primárias, como números, repouso, movimento, figura, solidez e extensão. Porém, é uma posição crítica por afirmar que a mente é que fornece as qualidades secundárias, como cor, gosto, som e cheiro.

O *monismo ontológico* é a variedade de monismo que foi abordada na primeira parte do presente artigo, a substância única da realidade ou do ser.

O cristianismo é pluralista, pois aceita que há vários tipos de substância, tanto a física quanto vários níveis de substâncias espirituais. Desse modo evita-se no cristianismo qualquer sugestão de panteísmo. Porém, em um sentido secundário, pode-se dizer que o cristianismo é monista. Pois postula uma única causa da existência, uma única fonte da vida, embora possam ter existido ou possam existir meios intermediários de *modus operandi*.

A Unidade da Verdade. Ainda há um outro uso do monismo, que propõe que toda verdade é uma só, visto que Deus é a fonte originária de toda verdade. As disciplinas são divididas, dissecando a verdade em vários campos, havendo até verdades que parecem contraditórias, mas isso se dá devido ao nosso pouco conhecimento da realidade. Desse ponto de vista, o conhecimento é sempre teológico, porquanto a sua origem sempre é e será Deus.

MONISMO NEUTRO

Essa é a idéia que diz que a realidade básica do mundo nem é a matéria física e nem é a idéia (mente), mas antes, alguma coisa neutra, ainda indefinida, por meio da qual se expressam, de diferentes modos, os fenômenos materiais e mentais. Essa posição é mantida no tocante ao *Problema Corpo-Mente* (vide), de acordo com a noção do duplo aspecto. Bertrand Russell (vide) defendia o conceito do monismo neutro, pelo menos durante uma parte de sua carreira e a idéia foi sugerida por William James, em sua noção da *experiência pura*. Ver o artigo intitulado *Novo Realismo*, pontos quarto e quinto.

MONOFISISMO

Essa palavra vem do grego **mónos**, «único», e *phúsis*, «natureza». Esse vocábulo indica o ensino que afirma que Cristo tem uma só natureza, a divina; ou, então, uma única natureza composta, sem qualquer distinção entre o divino e o humano. Essa doutrina usualmente assumia a forma de uma natureza humana que teria absorvido a natureza humana, fazendo-a tornar-se divina. Essa explicação cristológica surgiu entre os séculos V e VII D.C., isto é, entre os concílios de Calcedônia e o de Constantinopla. Há muitas formulações dessa idéia, cada qual levando a um diferente resultado. Uma dessas formulações é a que concebe uma única energia, que teria unido as duas naturezas, de tal modo que não restou qualquer distinção clara entre essas duas naturezas. Outra é que o corpo físico de Cristo (e, portanto, a sua humanidade) foi transformado pela presença do Logos, tornando-se então, um corpo divinizado, incorruptível e impecável. Essa formulação chegou ao ridículo de dizer que, por ocasião da morte de Cristo, o próprio Deus sofreu e morreu. Apesar do ensinamento cristão comum dizer que o *Logos* tornou-se carne em Jesus, de acordo com esse ponto de vista a carne de Jesus foi transformada na própria natureza divina.

Os *jacobitas sírios* (vide), as igrejas cóptica, abissínia e armênia eram todos monofisistas. Esses cristãos opunham-se à doutrina das duas naturezas de Cristo, ensinada pelo concílio de Calcedônia. O concílio de Constantinopla, de 680 D.C., também rejeitou o monofisismo.

MONOGAMIA

Por detrás dessa palavra portuguesa há dois termos gregos: *mónos*, «único», e *gamos*, «casamento».

Portanto, a *monogamia* é o princípio ou a prática de um único casamento de cada vez: um homem-uma mulher. Usualmente, esse princípio não é considerado como violado se uma pessoa tornar a casar-se, no caso do primeiro casamento tiver sido considerado nulo, por qualquer razão legítima, embora o primeiro cônjuge continue vivo.

A monogamia faz oposição à bigamia (uma pessoa tem dois cônjuges ao mesmo tempo) ou à digamia (um segundo mas legítimo casamento). E, naturalmente, faz oposição à poligamia (um homem com várias esposas; ou uma mulher com vários maridos— este último caso chama-se também *poliandria*).

A sociedade judaica antiga, como a maioria, foi polígama, mas no Novo Testamento o *ideal* é a monogamia. Ver Mat. 19:4 *ss*. Ver o artigo geral sobre *Matrimônio*.

Monogamia na Natureza

Patricia Wright, antropóloga de Duke University, tem estudado, com muita diligência, a questão da monogamia na natureza. Um artigo publicado por ela na revista *National Wildlife* nos dá as seguintes informações:

As espécies de animais que praticam a monogamia são coiotes, lobos (surpresa!), morcegos, antílopes, castores, ratos almiscarados, e algumas espécies de toupeiras. Até estes animais aproveitam de oportunidades de ter relações sexuais com «estranhos», se as condições são favoráveis, embora não as procurem. Aparentemente, sua conduta monógama é devida a tentativa de preservar a comida e facilitar a sobrevivência.

Nas sociedades humanas no Ocidente, monogamia é popular na palavra, mas pouco popular de fato. 87% das sociedades humanas (em todo o mundo) não a praticam. Um *grande benefício* da monogamia (reconhecido universalmente) é que os homens têm a tendência de cuidar de filhos gerados que sabem que são *seus*, enquanto poucos homens ajudam a criar filhos cuja paternidade está em dúvida ou desconhecida.

MONOGENISMO

Essa palavra vem do grego **mónos**, «único», e **génos**, «geração». Portanto, está em pauta a unidade de origem ou de geração. Esse vocábulo alude à idéia de que a humanidade inteira (pelo menos no caso daqueles que têm vivido após o pecado original) deriva-se de um único casal de antepassados. Naturalmente, isso concorda com a doutrina bíblica, embora não seja contrário às especulações que dizem que talvez tenham existido raças humanas pré-adâmicas. Meramente leva a sério a idéia de um único primeiro casal, de onde se deriva toda a presente raça de homens, *homo sapiens*.

Alguns cientistas advogam essa teoria do ponto de vista da evolução; mas outros postulam a possibilidade de vários ramos derivados, de vários começos, resultando aquilo que se conhece como *ser humano*.

A palavra *monogenismo* contrasta com o termo *poligenismo*, que afirma que o processo evolutivo levou do animal irracional ao homem, através de mais de um rebento, pelo que não teria havido nenhum único casal que deu origem aos homens, segundo os conhecemos hoje. Alguns evolucionistas crêem mesmo que é provável que as diferentes raças humanas existam devido a diferentes começos. Ainda de acordo com eles, tais diferenças não poderiam ser explicadas se toda a raça humana começou de um único casal.

Trechos bíblicos como Gên. 2:5; 3:20; Atos 17:26 e Heb. 2:11 ensinam o *monogenismo*. Mas outros insistem em que isso pode ser visto em termos práticos presentes: a atual raça veio de um único casal, apesar de que, teoricamente, pode ter havido outras raças humanas, não-adâmicas. O monogenismo assevera a unidade da raça humana sobre bases biológicas, e não meramente sobre considerações espirituais. Alguns teólogos, que defendem a idéia do poligenismo, têm imensas dificuldades para reconciliar isso com o pecado original, os seus efeitos e sua anulação final. Porém, é difícil perceber por que teríamos de envolver nisso as questões biológicas. Pois, afinal de contas, o homem é um ser espiritual caído, e não um ser físico caído; e qualquer raça humana, adâmica ou não, estaria na mesma necessidade de redenção, se, porventura, tivesse caído. Não temos conhecimento algum sobre alguma raça humana não-caída. Conjecturalmente, poderia existir uma raça humana assim, mas não dispomos de meios para investigar o problema.

Na teologia tem-se disputado se Adão era um indivíduo ou se era representante de *humanitas originans*. Os estudiosos conservadores defendem o ponto de vista literal: *um homem*. Mas os estudiosos liberais tendem por aceitar Adão como mero símbolo das origens humanas. Karl Rahner comentou sobre essa questão como segue: «Sumariando, pode-se afirmar que quanto à natureza do pecado original, não importa se *Adão* foi um indivíduo ou se foi apenas um nome para a *humanitas originans*. Não importa se o pecado que é a situação de ruína, desde o começo, foi cometido por um indivíduo ou por muitos, entre essa *humanitas originans*. Segue-se, assim, que o monogenismo não é um elemento necessário para o dogma do pecado original». Ver o artigo intitulado *Adão*.

MONOLATRIA

Essa palavra vem do grego **mónos**, «único», e **latria**, «adoração». Esse vocábulo indica a adoração de um único Ser divino, em contraste com a crença que há muitos deuses a serem adorados. A monolatria diz: Embora possam existir outros deuses, adoramos somente a um Deus. Isso deve ser comparado com o que diz o *henoteísmo*: há muitos deuses, mas só há um Deus que mantém relação conosco, ou diante de Quem somos responsáveis. Parece que os primeiros israelitas eram *henoteístas*, mas praticavam a *monolatria*. O monoteísmo foi uma conseqüência apenas natural do henoteísmo.

MONOTEÍSMO

Esboço:

I. Definição
II. Distinções
III. Idéias Usualmente Associadas ao Monoteísmo
IV. O Monoteísmo na Bíblia
V. As Religiões Monoteístas

I. Definição

Essa palavra vem do grego **mónos**, «único», e **theós**, «Deus». Portanto, ela indica aquele ensino de que só existe um Deus. Isso pode ser contrastado com o *henoteísmo* (vide), que admite uma pluralidade de deuses, embora afirme ter relações somente com um deles, que merece a nossa adoração e obediência.

II. Distinções

1. Conforme acabamos de notar, deve-se fazer a distinção entre o *monoteísmo* e o *henoteísmo*.

2. Deve-se distinguir o *monoteísmo* das várias formas do *teísmo*. O ensino do teísmo é que Deus (ou

deuses) está interessado nos homens, intervindo em sua história, recompensando ou punindo, dependendo dos méritos de cada um. O monoteísmo ensina que só existe *um* Deus que tem interesse pelo homem.

3. Deve-se distinguir o *monoteísmo* do *deísmo*. Apesar do deísmo poder ser monoteísmo, difere deste ao asseverar que Deus não se interessa pelos homens, pois deixou o mundo ser governado por leis naturais, ao abandonar a sua criação. Deus também não intervém, não recompensa e nem castiga. E apesar do deísmo poder ser monoteísta, usualmente o monoteísmo envolve a idéia teísta de que Deus continua interessado pela sua criação, intervindo, etc.

4. Deve-se distinguir entre o *monoteísmo* e o *politeísmo*. Ambas as posições ensinam que Deus (ou deuses) tem interesse pelo homem, mas o politeísmo postula a existência de muitos deuses. O *triteísmo* é uma forma de politeísmo que tem sido defendida por alguns cristãos que não aceitam a doutrina da Trindade. Os mórmons de nossos dias são triteístas práticos, embora sejam politeístas teóricos.

5. Alguns distinguem o *monoteísmo* do *trinitarismo*, pois pensam que, apesar de todas as tentativas e «contorções», o caso do trinitarismo está longe de estar provado. Para eles, o trinitarismo é apenas uma forma velada e sofisticada de triteísmo. Ver o artigo geral sobre a *Trindade*.

6. Deve-se distinguir o *monoteísmo* do *panteísmo*. De acordo com os padrões cristãos, o panteísmo é uma forma de ateísmo, porque apesar de falar acerca de Deus, faz tudo ser parte de Deus, e assim destrói a distinção entre Deus e a sua criação, quanto à questão de essência. O panteísmo propõe a existência de uma única essência, a divina, e todas as coisas seriam, finalmente, parte da essência divina.

III. Idéias Usualmente Associadas ao Monoteísmo

1. Deus como um Ser *absoluto* e *infinito* usualmente é um conceito associado ao monoteísmo. Pelo menos os teólogos cristãos referem-se ao Deus único dessa maneira. Nenhuma das coisas alistadas nesta seção, entretanto, é absolutamente necessária como corolário do monoteísmo. Os mórmons acreditam em um Deus finito, que tem os seus próprios problemas. A idéia de um único Deus finito ocasionalmente aparece entre os teólogos cristãos.

2. Deus é dotado de *vida necessária e independente*. Deus não pode deixar de existir e a sua vida não depende de qualquer causa externa ou fator sustentador. Ele é a sua própria causa e sustentador.

3. Deus como *criador*. O Deus único criou tudo. A idéia de Deus como arquiteto ou organizador, entretanto, é uma forma possível de monoteísmo. Nesse caso, a matéria é considerada eterna. Sua forma seria modificada por Deus, manipulando materiais já existentes. O mesmo poderia ter-se dado com o espírito, por ocasião da formação do mundo espiritual.

4. *Personalidade:* o Deus *pessoal*. Usualmente, o monoteísmo assevera que Deus é uma pessoa, e não alguma força cósmica impessoal.

5. *Moralidade*. Deus põe em vigor aquilo que é correto, sendo ele a origem do que é certo. Ele castiga o mal. Tem Deus muitas virtudes morais que os homens precisam emular, especialmente a virtude do amor, que é a base onde florescem todas as demais virtudes.

6. Deus é tanto *imanente* quanto *transcendente*. Deus faz-se presente, mas em um outro sentido. Deus está completamente acima de nossa experiência e conhecimento. Usualmente, o monoteísmo assevera que Deus *pode ser conhecido*, mas limita isso em consonância com os homens finitos. Se Deus pode ser conhecido, então, o *agnosticismo* labora em erro. Podemos ter um conhecimento válido de Deus, e não precisamos dizer: «Não sabemos se Deus existe ou não». Deus, como alguém que pode ser conhecido também nega a avaliação negativa do *ateísmo*, bem como as limitações do *positivismo lógico*, posições que querem fazer-nos acreditar que qualquer proposição sobre um ser divino é *destituída de sentido*.

7. O Deus único é *Pai*. Essa é a proposição mais consoladora da religião. Porquanto garante para o homem um teísmo baseado no amor. Deus cuida de nós como o faria um pai. Quanto a um maior desenvolvimento das idéias que aparecem nesta seção, ver o artigo separado sobre os *Atributos de Deus*.

IV. O Monoteísmo na Bíblia

1. Os capítulos primeiro e segundo do livro de Gênesis, a história da criação, indicam uma única operação divina. Pode ser verdade, conforme dizem muitos teólogos, que a fé religiosa original dos hebreus fosse *henoteísta*, e não monoteísta. Mas o relato da criação foi escrito em uma época da história de Israel em que o monoteísmo já estava bem firmado. Seções posteriores do Antigo Testamento talvez reflitam uma fé religiosa mais primitiva. O trecho de Deu. 4:7 poderia ser um reflexo do henoteísmo. Outras nações tinham deuses, mas não defendiam os seus adoradores, como o Deus dos hebreus fazia em favor deles. Posteriormente, todos os outros deuses foram tidos por falsos. Como é óbvio, esse ponto é intensamente disputado, sendo inconclusivas as evidências em prol de um período mais remoto. É inegável que os antepassados de Abraão eram politeístas (ver Gên. 35:2; Jos. 24:2). Permanece em dúvida quanto desse politeísmo entrou nas vidas dos patriarcas. A história dos ídolos do lar que Raquel ocultou e que, posteriormente, Jacó sepultou, antes de retornar à Terra Prometida, indica definidamente um tempo em que o monoteísmo ainda não havia prevalecido totalmente. Ver Gênesis 31 e 32. O trecho de Gên. 35:2 *ss* registra o fato de que Jacó desfez-se dos «deuses estranhos». Sem dúvida isso indicou uma definida preferência pelo monoteísmo, e não que o monoteísmo só se estabeleceu relativamente tarde na história do povo de Israel, embora ainda dentro do período dos patriarcas.

2. *Os Dez Mandamentos*. Essas leis encerravam provisões em favor de um monoteísmo prático, mesmo que não de um monoteísmo absolutamente teórico. «Não terás outros deuses diante de mim», declarou Yahweh (Êxo. 20:3). E é interessante que essas palavras são ligadas ao fato (mencionado no vs. 2) de que foi esse o Deus que tirou Israel da terra do Egito.

3. *O conflito de Elias* com os profetas de Baal não afirma claramente o monoteísmo, mas o fato de que pôs a ridículo os deuses de seus adversários, com toda a idolatria envolvida, mostra um provável monoteísmo teórico, e, certamente, um monoteísmo prático. Ver I Reis 2:8-24 e seu contexto.

4. *Os Profetas*. Durante esse período da história de Israel, do século VIII A.C. em diante, encontramos um claro monoteísmo teórico e prático. O trecho de Isa. 46:9 é enfático a esse respeito: «Lembrai-vos das cousas passadas da antiguidade; que eu sou Deus e não há outro, eu sou Deus, e não há outro semelhante a mim». O trecho de Salmos 115:4-8, que ridiculariza a idolatria, é uma forte afirmação em favor do monoteísmo.

5. *O judaísmo do período intertestamental* contava com um intransigente monoteísmo.

6. *No Novo Testamento*. Paulo, no primeiro capítulo de Romanos, escreve alicerçado sobre o

monoteísmo. Ele assevera que a própria natureza comprova isso desde o princípio: «Porque os atributos invisíveis de Deus, assim o seu eterno poder como também a sua própria divindade, claramente se reconhecem, desde o princípio do mundo, sendo percebidos por meio das cousas que foram criadas. Tais homens são por isso indesculpáveis» (Rom. 1:20).

Paulo ensinou que os homens não têm desculpa por se terem tornado idólatras politeístas, porquanto as evidências da razão e da natureza mostram-se tão firmemente contrárias a tal desenvolvimento. Rom. 1:23 *ss* é trecho que mostra o que sucedeu, em face dos homens haverem corrompido a imagem de Deus e distorcido a razão, ao promoverem a idolatria, com seu inerente politeísmo. Aí começam os problemas morais dos homens (ver o vs. 24), e o juízo divino aguarda por eles.

A passagem de I Cor. 8:6 é enfaticamente monoteísta, ao declarar o Pai como o único Deus e Jesus Cristo como o único Senhor. Entretanto, esse mesmo versículo, com seu único Deus e seu único Senhor, já cria o problema trinitariano, e como o mesmo se relaciona ao monoteísmo. Damos um artigo detalhado sobre a *Trindade*. Ninguém encontrou ainda uma maneira de fazer o trinitarismo corresponder ao monoteísmo absoluto, embora uma teologia muito complexa tenha sido criada nessa tentativa. Podemos afirmar que essa impossibilidade resulta de uma entre duas causas: 1. o trinitarianismo, na verdade, é contrário ao monoteísmo, sendo apenas uma forma velada de *triteísmo*. 2. Ou, então, há certa verdade no trinitarianismo, que não é contrário ao monoteísmo, embora não haja qualquer maneira clara e lógica de expressar a idéia. A maioria dos teólogos ortodoxos toma a segunda explicação, embora sempre tenha havido cristãos que têm negado a possibilidade de tal acomodação. Os estudiosos liberais, por exemplo, usualmente sacrificam a divindade de Cristo a fim de preservarem o monoteísmo. Os mórmons manifestam-se abertamente em favor do triteísmo. Na teologia popular (peça-se a qualquer pastor que explique a doutrina da Trindade), o triteísmo é comum. O crente médio apresentará uma explicação triteísta sobre Pai, Filho e Espírito Santo, não sendo capaz de manipular as sutilezas do triteísmo. Os próprios grandes teólogos da Igreja, bem como nos concílios, têm-se debatido diante desse problema. E assim sendo, dificilmente poderíamos esperar que o crente médio fizesse muita coisa a esse respeito. A melhor resposta ao problema é que não há resposta. Essa doutrina é misteriosa e não se presta para qualquer explicação clara lógica e lingüística. Mas isso não nos deveria surpreender. Pois Deus é o *Mysterium Tremendum*. É uma presunção supor que nossas *humano*logias podem explicar a *teo*logia.

V. As Religiões Monoteístas

Apesar do monoteísmo ter existido por toda parte, tendo sido defendido por muitas culturas, suas três grandes expressões, entre as importantes religiões do mundo, são o judaísmo, o cristianismo e o islamismo, acerca das quais oferecemos artigos separados. No Egito, o Faraó Ikhnaton, que promoveu a adoração exclusiva a *Aton*, o deus-sol, teria sido um monoteísta; mas há eruditos que acreditam que em seu culto havia elementos do henoteísmo. O movimento cessou com o falecimento daquele monarca egípcio. Nos escritos de Platão, temos uma antecipação do monoteísmo, em seu diálogo sobre as *Leis*, onde suas formas, idéias ou universais são aludidas coletivamente sob o título de *Deus*. O *Impulsionador Primário* (ou Impulsionador Inabalável) era uma espécie de forma cósmica impessoal, monoteísta. Essa força seria a força controladora e unificadora de todas as coisas. Na *filosofia hindu* encontramos um violento contraste entre a realidade do mundo (que seria ilusória) e a realidade de Deus (na qual, finalmente, todas as coisas seriam reabsorvidas). Em última análise, só Deus seria real.

Chegamos ao conhecimento de Deus e à comunhão com ele através das experiências místicas, e quando essas experiências são suficientemente profundas, somos reabsorvidos no princípio divino. Somos tentados a chamar esse princípio todo-poderoso de *Logos*, à moda da filosofia grega (como no estoicismo), uma forma de monoteísmo. Entretanto, quase sempre esse ponto de vista assume uma explicação panteísta.

Tipos de Monoteísmo a serem Distinguidos:

a. *Monoteísmo Pessoal e Ético*. Deus é o único e santo governante do Universo. Esse é o tipo de monoteísmo que veio a fazer parte do judaísmo, do cristianismo e do islamismo. Deus aparece ali como uma pessoa, e não como uma força cósmica.

b. *Uma força cósmica e impessoal*, como nos escritos de Platão e Aristóteles.

c. *Deus como a única realidade autêntica*, enquanto que tudo o mais é apenas uma ilusão, conforme se vê no hinduísmo.

Bibliografia. AM B C E EP MM Z. Ver o artigo geral sobre *Deus*.

MONOTELISMO

Essa palavra vem de dois termos gregos, *mónos*, «único», e *thélema*, «vontade». Essa doutrina desenvolveu-se no século VII D.C., tendo-se tornado parte dos debates cristológicos. Ver sobre *Cristologia*. Essa doutrina afirma que apesar de Cristo ter duas naturezas, essas estavam tão completa e harmonicamente unidas nele que ele tinha *uma única vontade*. Os monofisistas é que defendiam um cristianismo monofisista e monotelístico. O concílio de Constantinopla (680 D.C.) condenou essa doutrina, afirmando que em vista de Cristo ter duas naturezas, ele também tinha, necessariamente, duas vontades, embora a vontade humana sempre atuasse em submissão à vontade divina.

MONSENHOR

No italiano, *monsignor*, «meu senhor». No plural, *monsignori*. Esse é um título que, em virtude do ofício, pertence a todos os *prelados* (vide) da Igreja Católica Romana, no Ocidente. Em um sentido mais estreito, o título é usado para indicar os prelados da corte romana, ativos e honorários, como os prelados domésticos e os prelados papais. Na Europa, essa palavra é usada como título comum dos bispos.

MONTAGUE, W.P.

Suas datas foram 1873-1953. Ele nasceu em Chelsea, estado de Massachussets, nos Estados Unidos da América do Norte. Educou-se na Universidade de Harvard. Ensinou em Barnard e Colúmbia. Mostrou-se ativo no movimento filosófico norte-americano conhecido como *Novo Realismo* (vide).

Idéias:

1. *Realismo*. O objeto do conhecimento existe independentemente de quem o conhece. Existe, esteja ou não sujeito a uma mente conhecedora. Ele mesmo

usava a expressão *realismo subsistencial*, a fim de descrever a sua filosofia. Além das coisas reais, que existiriam em substância, ele admitia em sua discussão sobre a realidade aquelas coisas que funcionam como o objeto de um discurso, mesmo que elas sejam não-coisas. Essas não-coisas *subsistiriam*, em vez de existirem.

2. *Subsistência*. Seria esse o tipo de existência que abstrai entidades, universais, proposições lógicas, fórmulas, tipos, leis, etc., que devemos distinguir da *existência* de objetos concretos, particulares. A palavra *subsistência* geralmente indica alguma realidade não-temporal, não-espacial, ao passo que a palavra *existência* indica uma localização dentro do espaço-tempo. Entretanto, o termo «subsistência» foi inicialmente usado na filosofia (como sucede até hoje) para indicar a substância de algo, em contraste com seus acidentes. A substância é a verdadeira essência de algo, necessário para a sua existência, ao passo que os acidentes, como cor, odor, e outras qualidades dessa ordem, não são necessários à existência de alguma coisa. A substância é algo constante; os acidentes vêm e vão, como expressões da substância.

3. No tocante ao *Problema Corpo-Mente* (vide), ele ensinava o que se chama de *materialismo animista*. Isso dá margem a uma alma material, embora real, supondo-se que o que é material pode ter elementos psíquicos genuínos.

4. O mundo seria o corpo de Deus, estando Deus limitado ao mundo. Todavia, isso é uma limitação de seu poder, embora não de sua bondade.

Escritos. *The New Realism; The Ways of Knowing; Belief Unbound; The Ways of Knowing* (uma publicação posterior).

MONTAIGNE, MICHEL DE

Suas datas foram 1533—1592. Ele foi um filósofo e ensaísta francês. Nasceu na Périgord. O latim foi a sua primeira língua. Seu tutor falava com ele e lhe ensinava exclusivamente o latim. Estudou em Bordeaux e em Toulouse. Serviu como membro do parlamento. Tornou-se prefeito de Bordeaux. Mostrou-se ativo na tentativa de encontrar solução para as divergências entre católicos romanos e protestantes. Desenvolveu uma filosofia cética; criticou acerbamente a Igreja Católica Romana (embora, noutras oportunidades, a tenha elogiado). Mas, embora tivesse criticado tanto o catolicismo romano, — nunca abandonou essa igreja, e faleceu quando a missa estava sendo celebrada em seu quarto de enfermidade. Seus escritos foram criticados pelos eclesiásticos católicos romanos devido ao seu ceticismo, e, ocasionalmente, por sua lascívia. No entanto, seus escritos são considerados atualmente como clássicos de uma graça encantadora, de uma vitalidade inebriante, de um brilho fascinante. Esses escritos influenciaram Pascal, Descartes, Malebranche, William Shakespeare e Francis Bacon.

Idéias:

1. A muito louvada racionalidade do homem não passa de uma forma de comportamento animal.

2. Embora exalte a si mesmo, com freqüência o homem é moralmente inferior aos animais, e não vive tão feliz quanto o reino animal.

3. O homem, em todas as eras, tem falhado em entrar em harmonia com a verdade e o conhecimento, e até mesmo com as ciências. Isso posto, a revelação divina é a única fonte segura de conhecimento.

4. O homem, em seu presente estado de humilhação, nem dá valor à verdadeira bondade, e nem ao verdadeiro conhecimento.

5. *Ceticismo*. Ele aceitava o ceticismo radical de *Pirro* (vide), contra a expressão moderada das Academias Segunda e Terceira de Platão. Aquelas academias ensinavam que apesar de não podermos ter certeza quanto ao conhecimento, pelo menos podemos ter uma probabilidade. Porém, a visão de Pirro é que nem mesmo isso é possível. Por isso mesmo, suspendiam o juízo quanto a todas as questões.

6. Visto que o homem encontra-se nessa deplorável situação, o que ele deveria fazer era retornar à natureza, reduzir sua vida às formas mais simples, controlar a sua arrogância e deixar de fingir que é tão grande e sabe tanta coisa.

7. *O Pirronismo Leva ao Cristianismo*. Estando reduzido a praticamente nada, através da abordagem cética e da humilhação que isso lhe provê, o homem está pronto a aceitar a graça divina e a revelação como fonte de conhecimento. O ceticismo (surpreendentemente!) leva à fé, ou àquilo que os filósofos chamam de *fideísmo*, isto é, aquela fé que precede à razão e não depende da mesma.

Escritos. *Travel Journal; Essays; Apology for Raimond Sebond*.

MONTANHAS DE HERES

No hebraico, «montanhas do sol», referindo-se a um dos lugares onde os amorreus conseguiram instalar-se, tendo expulsado dali os filhos de Dã. Ver Juí. 1:34,35. Ver também o artigo *Heres*.

MONTANISMO

1. *Caracterização Geral*

Esse foi o nome de um movimento apocalíptico do século II D.C., que derivava seu nome de *Montano*. Teodoreto (*Haer. fab.* III.2) usou essa designação para indicar o grupo, ao passo que Eusébio chamou-os de frígios ou catafrígios (*HE* 5.14). Epifânio, porém, chamava-os de pepuzianos (*Haer.* 48.14), devido à localidade de Pepuza, onde profetizavam Montano e suas duas associadas, Prisca e Maximila. Hipólito chamava-os de priscilianistas (*Ref.* 7.12), embora esse título talvez aludisse a uma subdivisão do movimento principal.

Montano nasceu em Ardabau, na Frígia, o que explica por que motivo seus seguidores chegaram a ser chamados *frígios*, por Eusébio. Em 156 D.C., ele proclamou ser o escolhido para dar início à dispensação do Espírito Santo. Foi então, que aquelas duas profetisas aliaram-se a ele, e passaram a anunciar para breve o fim de todas as coisas.

O montanismo e o gnosticismo foram dois importantes desafios à corrente principal do cristianismo antigo. O movimento de Montano apelava às massas por declarar-se totalmente contrário a todas as formas de mundanismo, salientando a importância do martírio e proclamando o retorno iminente de Cristo, de tal modo que seus adeptos viviam na expectativa desse evento. Apesar da Igreja, em linhas gerais, opor-se ao movimento, alguns cristãos notáveis, especialmente Tertuliano, sentiam-se atraídos pelo montanismo.

Os exageros fantásticos de Montano incluíam a afirmação de que ele mesmo era o *Paracleto* (vide) prometido, o que era suavizado pela explicação que ele era um agente especial do Espírito Santo, o qual, com toda a razão, era o Paracleto. Seja como for, Montano tomava-se por demais a sério. Seu carisma foi suficientemente forte para atrair suas duas profetisas, que abandonaram seus respectivos maridos a fim de dedicarem-se ao seu ministério profético.

2. *Elementos do Movimento*

a. Montano seria o Paracleto. b. Todo crente poderia ser canal de revelações especiais. c. Uma iminente *parousia* (a segunda vinda de Cristo), com o milênio como resultante. d. O ascetismo como reação à urgência do momento. e. Um discipulado estrito, com a exclusão de membros que não levassem a sério a inquirição religiosa ou que ofendessem ao grupo, devido à falta de disciplina em suas vidas. f. Para os pecados mortais não se esperava que houvesse perdão. g. Segundos matrimônios (mesmo quando legítimos) eram condenados. h. Fugir da perseguição era considerado pelos montanistas como um pecado.

3. *Extensão do Movimento*

A seita continuou a florescer na Ásia Menor, mesmo após a morte de Montano. Em seguida, espalhou-se para o Ocidente. Tertuliano abraçou o montanismo, em cerca de 207 D.C., tornando-se seu principal porta-voz no Ocidente. Ele fez o movimento tornar-se ainda mais ascético. Mas o movimento morreu no Ocidente no decorrer do século III D.C., embora tivesse continuado no Oriente, até ser suprimido, durante o reinado de Justiniano (527-565 D.C.).

4. *Necessidade de Modificações*

Esses movimentos inovativos, revivalistas e proféticos, sempre deixam a Igreja organizada envergonhada. Esses movimentos sempre atraem alguns homens bons, e uma multidão mista, que logo pensa ser a renovação da Igreja, ou mesmo a sua única legítima expressão. Esses movimentos sempre se apresentam como uma restauração do verdadeiro evangelho e da verdadeira Igreja. Mas, finalmente, após terem percorrido seu curto trajeto, a Igreja de Cristo continua sendo expressa através de sua corrente principal. Pelo lado positivo, contudo, esses movimentos ensinam-nos a necessidade de maior zelo e sinceridade em nossa fé. Mas, pelo lado negativo, esses movimentos são facciosos, fanáticos e se julgam muito importantes.

MONTANO

Ver sobre o **Montanismo**.

MONTÃO

No hebraico temos uma palavra que aparece só por nove vezes, que é traduzida por vários termos portugueses, como «montão», «muro», «baluarte», etc. Significa «aquilo que circunda». Geralmente aplicada a alguma rampa protetora de uma cidade, como em Naum 3:8, onde a versão portuguesa diz «baluarte». Em II Sam. 20:15 temos a tradução «montão», no caso do ataque à cidade de Abel-Bete-Maacá, mas em I Reis 21:23, a mesma palavra hebraica é traduzida por «muros». Em Sal. 48:13, em uma alusão a Sião, encontramos a idéia de algum tipo de proteção da cidade, com o nome dado na Bíblia portuguesa, de «baluarte». O lado norte da antiga Jerusalém, acima do vale de Hinom, era protegido por tal muro (Lam. 2:8, que nossa versão portuguesa chama de «antemuro»). A maioria desses montões, como se verificava em Jericó, era feita de terra batida, e, posteriormente, faziam-nos protegidos por uma camada de blocos de pedra.

MONTÃO DE PEDRAS

Talvez fosse esse o sinal ou memorial terrestre mais simples que os antigos costumavam usar. No Antigo Testamento, há menção a isso em vários contextos:

1. Um montão de pedras podia assinalar um *ato mau significativo*, para relembrar aos homens a conseqüência de ações degradantes e prejudiciais. Depois que Acã e seus familiares foram apedrejados e queimados, um montão de pedras foi colocado sobre os seus cadáveres.

2. *Um marco tumular*. O corpo do rei de Ai foi, a princípio, enforcado em uma árvore, e então foi sepultado, e um montão de pedras assinalou o local do sepultamento (Jos. 8:29). O sepulcro de Absalão foi igualmente marcado (II Sam. 18:17). A simplicidade de tal sepultamento provavelmente reflete o desprazer do povo de Israel, por causa da traição de Absalão contra seu pai, Davi.

3. *Símbolo de um pacto*. Um pacto estabelecido entre Jacó e Labão, em Mizpa, foi assim assinalado. O monte de pedras serviu de testemunho do acordo, de que nenhum deles passaria para além daquele marco, a fim de prejudicar ao outro (ver Gên. 31:46-52).

4. *Um símbolo do juízo divino*. Incidentes dessa natureza encontram em Jó 15:28; Isa. 37:26; Jer. 9:11 e Osé. 12:11.

5. Montões de pedras e de entulho assinalavam as ruínas das cidades e suas muralhas (Jó 8:17; Isa. 4:2; Jer. 9:11).

MONTE (MONTANHA)

Esboço:

1. Palavras Empregadas
2. Montes Especificamente Mencionados na Bíblia
3. Usos Metafóricos

1. Palavras Empregadas

a. Cabeça (no hebraico, *rosh*) — Gên. 8:5; Êxo. 19:20; Deu. 24:1; I Reis 18:42. Essa palavra é usada no original hebraico para indicar uma colina, em Êxo. 17:9,10.

b. Orelhas (no hebraico, *aznoth*), como no caso do nome Aznote-Tabor, em Jos. 19:34, sem dúvida aludindo a alguma *projeção* existente em um monte.

c. Ombro (no hebraico, *chateph*) — Deu. 33:12; Jos. 15:8; 18:16. Essa palavra hebraica também é traduzida por *lado*, referindo-se as colinas sobre as quais Jerusalém fora edificada.

d. Lado (no hebraico, *tzad*), a palavra hebraica comum para indicar o lado de qualquer coisa—II Sam. 2:16. Pode indicar as faldas de uma montanha ou algum terreno inclinado (ver I Sam. 23:26; II Sam. 13:34).

e. Lombos ou flancos (no hebraico, *chisloth*), como se dá no caso do nome combinado Quislote-Tabor, em Jos. 19:12. Essa palavra também era usada para indicar alguma aldeia, provavelmente por estar situada nos lados de alguma montanha, como é o caso de Quesulote, em Jos. 19:18.

f. Costela (no hebraico, *tzelah*), palavra usada para indicar o Monte das Oliveiras—II Sam. 16:13. Essa palavra também é traduzida por «lado».

g. Costas (no hebraico, *shechem*). Provavelmente temos aí a base do nome Siquém, que ficava na parte de trás do monte Gerizim.

h. Cotovelo (no hebraico, *ammah*). Nome de uma colina próxima de Gibeom—II Sam. 2:24. Em nossa versão portuguesa, «outeiro de Amá».

i. Coxa (no hebraico, *yarchah*). Essa palavra tanto indicava uma coxa humana (ver Juí. 3:16,21) quanto certa formação montanhosa no monte Efraim (ver Juí. 19:1,18). Tal palavra também foi aplicada ao Líbano (ver II Reis 19:23). As paredes laterais internas das cavernas também eram assim referidas (ver I Sam.

24:3).

j. Cobertura, dando a idéia de esconderijo (proveniente do termo hebraico *sether*), talvez referindo-se aos arbustos e outras formações vegetais que recobriam as colinas (ver I Sam. 25:20).

2. Montes Especificamente Mencionados na Bíblia

Monte Seir, na Iduméia. Monte Horebe. perto do Sinai, na Arábia Petrea. Monte Sinai, na Arábia Petrea. Monte Hor, na Iduméia. Monte Gilboa, perto do mar Morto. Montes Líbano e Antilíbano. Monte Gerizim, em Samaria. Monte Ebal, próximo do monte Gerizim, na Samaria. Monte Gileade, do outro lado do rio Jordão. Monte Amaleque, em Parã, na Arábia Petrea. Monte Gaás, em Efraim. Monte das Oliveiras, defronte de Jerusalém. Monte Pisga, do outro lado do rio Jordão. Monte Hermom, do outro lado do rio Jordão, perto do Líbano. Monte Carmelo, perto do mar Mediterrâneo. Todos esses montes são tratados em artigos separados.

3. Usos Metafóricos

a. Os montes são fortalezas naturais, pelo que falam sobre força e inexpugnabilidade. Por isso foi que Davi disse: «Tu, Senhor, por teu favor fizeste permanecer forte a minha montanha» (Sal. 30:7). Ele queria indicar assim a estabilidade do seu trono.

b. A segurança do povo, que habitaria nos montes (Eze. 6:2,3).

c. O templo de Jerusalém foi edificado sobre um monte, a fim de exibir exaltação (ver Isa. 30:29; Jer. 17:3,26).

d. O povo de Deus e seu culto religioso são simbolizados pelo monte Sião, o qual é forte e conspícuo (ver Sal. 2:6; Isa. 2:2). O monte Sião terminará por encher a terra toda, e todas as nações se juntarão a ele (ver Dan. 2:34,45).

e. Homens de elevada posição e autoridade tambér são representados por montes (ver Sal. 47:3; Isa 44:23).

f. Os poderosos inimigos da verdade também são montes (ver Isa. 40:4; 41:15).

g. *Perenidade*. O programa de rádio de alcance nacional, da Igreja Mórmon, do Templo Square, em Salt Lake City, nos Estados Unidos da América, sempre é encerrado com as seguintes palavras: «Do Temple Square, à sombra das colinas perenes, na encruzilhada do Ocidente» (porque Salt Lake City fica assim localizada). Essa declaração nunca deixou de me emocionar, porquanto, embora eu nunca tenha sido mórmon, foi nessa cidade que me criei. As colinas referidas naquela declaração são as Montanhas Rochosas. (Ver Hab. 3:6).

h. *Idolatria*, visto que, com freqüência, os cultos idólatras ocorriam em lugares elevados, onde tinham sido plantados bosques (ver Eze. 18:6,11).

i. *O próprio Deus* foi comparado a uma montanha que cercasse a cidade de Jerusalém, o que representa a *proteção* divina.

j. A monarquia caldaica, da Babilônia, foi comparada a um monte, devido à sua elevada posição. Mas também era um monte que pegava fogo, porque, finalmente, haveria de ser incendiado, e os seus escombros se assemelhariam a um monte coberto de cinzas (ver Jer. 51:25; Isa. 13:2).

1. *Nos Sonhos e nas Visões*. Nessas manifestações, os montes podem simbolizar obstáculos, dificuldades, desafios, tarefas difíceis. O *pico* de um monte pode representar as mais caras ambições de uma pessoa, ou seus poderes, ou então, se esse pico já tiver sido atingido, estará em foco o bom êxito daquela pessoa. O ato de *subir um monte* fala sobre a tentativa de vencer dificuldades, de esforçar-se na direção de um alvo. A dificuldade para escalar um monte, mas sem que haja sucesso, simboliza a futilidade ou extremas dificuldades envolvidas em algum ato, ambição ou trabalho. Subir por um dos lados de uma montanha simboliza a primeira metade da vida do indivíduo. Descer pelo lado oposto pode simbolizar a outra metade da vida. A saliência de um rochedo pode simbolizar o peito de uma pessoa, ou mesmo os seios de uma mulher. Encontrar-se em um vale, entre dois montes, pode indicar um dilema sério que a pessoa está enfrentando, embora também possa significar segurança, conforto, isolamento ou mesmo aprisionamento.

MONTE ATOS (Monte Santo)

O maior centro histórico do monasticismo ortodoxo oriental. Fica em uma península que se adentra pelo mar Egeu, parte da península de Calcídice. O centro foi reorganizado como um centro monástico no século X, contendo vinte mosteiros: dezessete gregos, um búlgaro, um sérvio e um russo. Dispõe de uma grande coleção de manuscritos bíblicos.

MONTE DA ASSEMBLÉIA

Ver sobre *Monte da Congregação*.

MONTE DA CONGREGAÇÃO

Ver Isa. 14:13. Esse lugar «visionário» é mencionado em conexão com o rei da Babilônia. Provavelmente, para Isaías, o nome equivalia ao Olimpo, na Grécia, o «monte dos deuses». Ele fantasiou a Babilônia assentada sobre esse Olimpo babilônico. Mas então, ao sofrer destruição, devido ao juízo divino, o rei foi lançado às profundezas do hades (no hebraico, *sheol*). Alguns eruditos pensam que a referência primária é à queda de Lúcifer, quando ele se tornou Satanás. Nesse caso, a Babilônia (ou o rei da Babilônia) recebe uma referência secundária, como um dos lugares (ou pessoas) governados por Satanás.

MONTE DAS BEM-AVENTURANÇAS

Trata-se de um lugar (talvez imaginário), nas vertentes do noroeste do mar da Galiléia, onde Jesus entregou o sermão sobre as *bem-aventuranças*. Essas bem-aventuranças fazem parte inicial do *Sermão da Montanha* (vide; Mat. 5:3-12; Luc. 6:20-23). Mateus fala sobre um «monte», ao passo que Lucas refere-se a uma «planura», palavra essa que dificilmente indica algum lugar nivelado, em algum monte. Ver Mat. 5:1; 8:1; Luc. 6:17. Os eruditos têm desperdiçado muito tempo e papel procurando resolver o problema, e tentando identificar qual monte seria aquele, sem perceberem que o Sermão da Montanha não foi dito em uma única ocasião, porquanto Mateus arranja seu material por tópicos, e nos capítulos quinto a sétimo ele estava reunindo os ensinos de Jesus acerca dos princípios básicos de seu reino espiritual. O evangelho de Mateus contém cinco compêndios de afirmações de Jesus, em redor dos quais a parte histórica é arranjada. O fato de que Lucas dispersa material, por diversos de seus capítulos, ao passo que Mateus os reuniu, mostra claramente que, no Sermão da Montanha, em Mateus, temos um esboço sumário de palavras de Jesus, talvez repetidas em diversas ocasiões e em muitos lugares diferentes, e não um único sermão. O artigo desta enciclopédia sobre o *Sermão da Montanha* oferece completos detalhes sobre a questão.

MONTE DAS OLIVEIRAS

Esboço:

1. O Nome
2. Geografia e Topografia
3. Informes Dados pelo Novo Testamento
4. Santuários do Monte das Oliveiras

1. O Nome

No hebraico, **har hazzethim**, que se acha somente em Zac. 14:4. No Novo Testamento grego achamos *tò óros tõn elaiõn*, «o Monte das Oliveiras» (ver Mat. 21:1; 24:3; 26:30; Mar. 11:1; Luc. 19:37; João 8:1). Em II Sam. 15:30, lê-se sobre a «encosta das Oliveiras»; I Reis 11:7 diz «o monte fronteiro a Jerusalém»; II Reis 23:13 reza: «os altos que estavam defronte de Jerusalém», e que certo rei havia profanado com suas práticas idólatras pagãs, em locais que, infelizmente, tinham sido edificados pelo rei Salomão. O trecho de Nee. 8:15 fala apenas sobre o «monte». Em nossos dias, esse monte é conhecido por dois nomes diferentes: *Jebel et-Tur*, «o monte», e *Jebel et-Zeitum*, «Monte das Oliveiras».

2. Geografia e Topografia

A colina em questão é uma pequena serra de quatro cumes, o mais alto dos quais tem 830 m acima do nível do mar, dando frente para Jerusalém e para o monte do templo, para quem olha do leste, do outro lado do vale do Cedrom e do poço de Siloé. O Monte das Oliveiras é uma serra de pedra calcária que se estende por cerca de 1600 m, na direção geral norte-sul, cobrindo todo o lado oriental da cidade de Jerusalém. Em sua extremidade norte, a serra dobra para a oeste, e assim também circunda a cidade por aquele lado. Ao norte, cerca de um quilômetro e meio de distância, chega a interceptar as muralhas da cidade, ao passo que a leste, o monte fica distante da cidade, embora separado dela somente pelo vale do Cedrom. É justamente a essa última porção que as referências neotestamentárias nos chamam a atenção. Outras colinas têm sido identificadas com eventos na vida de Jesus, localizadas naquela área geral, como o suposto lugar onde o anjo instruiu aos discípulos, chamado *Viri Galilaei* (ver Atos 1:11); o monte da Ascensão, atualmente assinalado pelas cúpulas da igreja da Ascensão; o monte dos Profetas, subordinado ao anterior; e o Monte das Oliveiras. Três caminhos separados podem ser tomados, desde o vale até o cume do *Monte das Oliveiras*. O primeiro passa pelo tradicional jardim do Getsêmani. O segundo separa-se do primeiro cerca de 50 m além do Getsêmani e dobra para a direita, terminando na serra associada à lamentação de Jesus sobre Jerusalém. E o terceiro separa-se dos dois primeiros no canto nordeste do jardim do Getsêmani, estendendo-se para o sul e chegando até o chamado túmulo dos profetas. Talvez Davi tenha tomado o primeiro desses caminhos quando fugia de Absalão, e o mesmo caminho pode ter sido tomado por Jesus e seus discípulos, quando eles se retiraram para as colinas, em sua jornada de Jerusalém para Betânia. Após a ascensão de Cristo, esse também pode ter sido o caminho tomado pelos discípulos, ao voltarem a Jerusalém. A tradição tem marcado vários lugares sagrados em toda aquela área, mas ninguém sabe, realmente, a localização exata de qualquer dos eventos historiados no Novo Testamento. O máximo que os estudiosos podem dizer é que esses acontecimentos tiveram lugar naquela área geral.

Nos dias de Jesus, o Monte das Oliveiras era densamente coberto por vegetação, incluindo extensas plantações de oliveiras, o que explica o seu nome. Porém, nos dias de Tito, essa colina foi desnudada de árvores. Perto da igreja de Todas as Nações, à base do Monte das Oliveiras, há algumas oliveiras extremamente antigas, embora não pareça que elas remontem aos dias de Jesus. Uma sucessão de igrejas da Ascensão coroa o reputado cume onde esse acontecimento teria tido lugar. Porém, o evangelho de Lucas favorece a área de Betânia para esse evento. Os eruditos sérios, porém, desprezam essas tolas tentativas de localização, contentando-se em dizer: «Aqueles acontecimentos aconteceram por toda essa área em geral».

3. Informes Dados pelo Novo Testamento

Não há que duvidar que Jesus atravessou o Monte das Oliveiras por muitas vezes, quando chegava para festejos em Jerusalém, ou ia-se embora da cidade. O costume dos judeus era de evitar atravessar a Samaria em suas peregrinações, atravessando o Jordão um tanto ao norte de Jerusalém, e, então, tornando a atravessar para a sua margem ocidental, perto de Jericó. Talvez por essa razão é que Jesus esteve em Jericó em várias ocasiões. O trecho de João 8:1 *ss* menciona o Monte das Oliveiras em conexão com a história da mulher apanhada em flagrante adultério. À parte aquelas referências, todas as demais referências neotestamentárias aparecem em relação à triunfal entrada de Jesus em Jerusalém, já na semana da paixão. Os evangelhos de Marcos e de Lucas mencionam Betânia, Betfagé e o Monte das Oliveiras juntamente, quando registram a narrativa da entrada triunfal (ver Mar. 11:1; Luc. 19:29). Ao chegar ao alto da colina, sem dúvida ele viu a cidade santa e chorou, por causa de seus desvios (ver Luc. 19:41). Talvez Jesus tivesse tido esse monte em mente quando falou sobre a fé que é capaz de remover montanhas até o mar (ver Mat. 21:21). E também foi no Monte das Oliveiras que Jesus apresentou o seu discurso profético sobre a destruição de Jerusalém (ver Mat. 24:3; Mar. 13:3). E a passagem de Lucas 21:37 mostra-nos que Jesus costumava retirar-se com freqüência para aquele lugar, após ter passado o dia inteiro a ensinar. É perfeitamente provável que, durante os dias festivos, não houvesse acomodação nas hospedarias, pelo que aquele lugar fosse usado por muitos como um lugar onde eles dormiam ao ar livre. No jardim do Getsêmani, que ficava nas faldas ocidentais do Monte das Oliveiras, Jesus passou suas horas de agonia, quando o fim de sua vida já se aproximava, e ele foi traído e feito prisioneiro (ver Mat. 26:30 *ss*; Mar. 14:26; Luc. 33:39 *ss*; João 19:1 *ss*). E quando os discípulos voltavam da cena da ascensão de Jesus, passaram novamente por aquela área (ver Atos 1:9-12; comparar com Luc. 24:50).

4. Santuários do Monte das Oliveiras

Embora não possam ser demarcadas áreas autênticas pelos muitos santuários existentes no Monte das Oliveiras, apesar disso têm servido de marcos importantes na história do cristianismo. Nada menos de três caminhos do Domingo de Ramos estão assinalados naquela colina; há três jardins do Getsêmani; duas estradas para Jericó são mostradas aos turistas. A igreja de Dominus Flevit alegadamente marca o local onde Jesus chorou diante de Jerusalém. Até a suposta pedra sobre a qual ele pisou a fim de montar melhor no jumento, tem sido preservada por uma imaginação infantil. Uma suposta pegada, deixada na pedra, foi preservada em uma igreja cristã, edificada no Monte das Oliveiras, em 375 D.C. Esse santuário fora destruído, mas depois os cruzados restauraram-no. Um santuário islâmico, chamado *Inbomon*, também foi construído naquela área. Para diversão dos turistas, um árabe aluga um jumentinho para ser montado, afirmando ser o mesmo descenden-

(CEDROM) VALE DO MONTE DAS OLIVEIRAS — Cortesia, Matson Photo Service

MURO DA CIDADE NO MONTE DAS OLIVEIRAS — Cortesia, Matson Photo Service

te direto daquele sobre o qual Jesus montou. Talvez deixemos escapar um sorriso diante de coisas assim, mas elas não são mais ridículas do que quaisquer outras identificações e relíquias que a imaginação fértil dos espertalhões força sobre pessoas crédulas.

O primeiro santuário do *Monte das Oliveiras* foi construído por Helena, em 325 D.C. Esse santuário é chamado de *Eleona*, «Olivas». Tratava-se de uma estrutura que abrigava uma gruta onde, alegadamente, Jesus costumava ensinar aos seus discípulos. Os persas destruíram o lugar, no século XVII, mas, em 1869, foi construída ali a igreja do Pater Noster, na hipótese de que ali fora o lugar onde Jesus ensinara a oração que começa com as palavras «Pai nosso...» (ver Luc. 11:1-4). Nesse templo, existem painéis com essa oração, escrita em quarenta idiomas diferentes.

A fim de assinalar o lugar da ascensão de Cristo, foi construído o mosteiro da Ascensão, pela Igreja Ortodoxa Russa. E também há o mosteiro da Igreja Ortodoxa Grega, chamado *Viri Galilaei*, cujo nome vem do texto latino, de Atos 1:11. Na vertente ocidental da colina, perto da parte mais baixa, há vários jardins do Getsêmani. Também há três diferentes templos cristãos naquela área. A meio caminho da subida fica a igreja russa de Maria Madalena, e, um pouco mais abaixo fica a famosa igreja católica romana de Todas as Nações, que presumivelmente assinala a rocha da agonia, onde Jesus prostrou-se quando orou insistentemente a Deus Pai. Nesse jardim existem as célebres oliveiras que têm cerca de mil anos de idade. Mais ao norte fica uma igreja onde ficaria o suposto túmulo de Maria. Essa igreja é dirigida pelos gregos e pelos coptas. Na extremidade norte da serra há o magnífico hospital de Augusta Vitória, construído pelo kaiser Guilherme II. Os construtores do mesmo descobriram ali construções antigas, quando estavam lançando os alicerces do hospital. Um moderno hotel de luxo, que é extremamente rendoso, domina a extremidade sul da serra central, que dá frente para muitos túmulos, que se têm multiplicado ali através de séculos. (AM DAL ND UN Z)

MONTE EFRAIM

Ver sobre *Efraim*, *Região Montanhosa*.

MONTE ESCABROSO

Essa é a tradução portuguesa do termo hebraico *bether*, «profundeza» ou, talvez, «casa da montanha», que aparece em Cant. 2:17. Algumas versões o traduzem como se fosse o nome de um monte, «Beter». O nome também aparece no Talmude Georg. d. Tal. 103 e em Eusébio (*Hist*. IV.6), com a forma de *Bathera*. É possível que estejam em foco as ravinas desse monte.

Uma cidade de Beter, todavia, ocupa posição proeminente na história posterior dos judeus, como lugar onde os judeus resistiram às tropas de Adriano, na época de Bar Cochba, em 135 D.C. Sua identidade com Bittir, a onze quilômetros a sudoeste de Jerusalém, é confirmada por uma inscrição. Alguns estudiosos opinam que o nome talvez seja subentendido em III Esdras 5:17, no termo grego *Baiterous*. Mas isso poderia ter sido um erro escribal para Gaberous.

Uma expressão semelhante aparece em Cant. 8:14, «montes aromáticos», correspondente ao hebraico *har besem*, «monte de especiarias». Aliás, em Cantares há mais algumas menções metafóricas a montes, como «monte da mirra» (4:6) e «montes dos leopardos» (4:8)

MONTE HOR Ver **Hor, Monte.**

MONTE NEBO

Esse é um monte defronte do qual ficava a cidade de Jericó, no outro lado do rio Jordão. Foi dali que Moisés contemplou, em um lance d'olhos, a Terra Prometida. Ver também sobre *Pisga*. Alguns têm identificado o monte Nebo com o monte que os árabes chamam de *Jebel-en-Neba*; mas, nesse caso, a referência ao mar Ocidental não pode ser entendida literalmente. O monte Nebo é mencionado apenas por duas vezes na Bíblia, em Deu. 32:49 e 34:1.

Yahweh ordenou que Moisés subisse àquele monte, que estaria dentro do território de Moabe, diante de Jericó. Moisés subiu no monte e chegou ao cume de Pisga, um dos picos das montanhas de Abirã, a nordeste do mar Morto. Os lugares que Moisés teria visto daquele lugar eram por demais distantes e numerosos para que, realmente, tivessem sido vistos por ele, daquela elevação. Por isso mesmo, os estudiosos interpretam essa passagem como poética ou simbólica, ou dando a entender que Deus deu a Moisés uma visão, para que ele divisasse o que seus olhos físicos não poderiam ver.

Se o monte Nebo é mesmo o *Jebel en-Neba*, então, o cume de Pisga é o *Ras Es-Siyaghah*. Esses dois picos estão ligados por uma sela. Do monte Pisga tem-se uma vista magnificente do vale do rio Jodão até o monte Hermom, em dias claros, mesmo que não seja uma paisagem tão completa quanto dá a entender o trecho de Deu. 34:1 e seu contexto. A serra montanhosa obstrui a visão do mar Mediterrâneo, pelo que aquele mar (ali chamado mar Ocidental) não pode ter sido visto por Moisés, a menos que tudo faça parte do caráter poético, simbólico e visionário da passagem. Por isso, alguns dizem que está ali em foco o mar Morto, mas isso é menos provável. Ainda outros estudiosos dizem que o cume de Pisga é apenas um outro nome para o monte Nebo. Seja como for, na região existem ruínas pelas quais os arqueólogos nutrem grande interesse, incluindo as ruínas de uma igreja bizantina.

Deve-se esclarecer ao leitor que os eruditos continuam disputando quanto à localização exata da visão de Moisés, o que significa que não se pode dizer que o monte Nebo e o cume de Pisga já foram identificados com absoluta certeza.

MONTE TABOR

Esse é o nome de uma colina de certa proeminência, localizada cerca de dezesseis quilômetros a sudoeste do mar da Galiléia, no vale de Jezreel. Chega a 562 m de altitude, acima do nível do mar. Suas vertentes são muito inclinadas, e em vários lugares da ascensão divisam-se paisagens espetaculares. O monte Hermom é muito maior e mais alto, mas os magníficos cumes do Tabor têm-lhe dado fama, juntamente com aquele outro célebre monte.

Nos dias de Oséias foi erigido ali um santuário idólatra, pois os homens sempre se deixaram atrair por lugares elevados como locais próprios para culto. Uma aldeia foi construída no cume mais alto do Tabor, por Antíoco III, em 218 A.C. Em 53 A.C., houve ali uma batalha entre os romanos e as tropas de Alexandre, filho de Aristóbulo. Josefo, o famoso historiador judeu, em seus dias de atividade militar, por ser o general judeu, deu a essa cidade do cume uma rampa defensiva, em 66 D.C., porções de cuja rampa podem ser vistas até hoje.

Embora o monte Tabor não seja mencionado no

Novo Testamento, sua fama, em relação ao mesmo, deve-se ao fato de que se tornou o tradicional lugar da transfiguração de Jesus, diante de três de seus discípulos. Essa tradição foi iniciada por Helena, mãe do imperador Constantino. Ela mandou construir um santuário no cume. As guerras destruíram esse santuário; mas, com a passagem do tempo, foram levantados outros santuários. Os cruzados dominaram a área por algum tempo, mas, em 1187, o Tabor caiu novamente em poder dos árabes. Os islamitas construíram ali um forte, que também foi destruído mais tarde. No século XIX, a Igreja Ortodoxa Grega construiu ali um mosteiro; e os frades franciscanos construíram a chamada Basílica da Transfiguração. Essa basílica está dividida em três compartimentos: um para Jesus, outro para Moisés e outro para Elias. Os árabes chamam esse monte de Jebel al-Tur; mas os israelenses preservam seu antigo nome hebraico, *Har Tabor*.

Informes Dados pelo Antigo Testamento:

a. O tabor assinalava a fronteira do território herdado por Issacar (Jos. 19:22). O outro lado da fronteira era o território pertencente à tribo de Zebulom.

b. Talvez esse monte também seja mencionado em Deu. 33:18 *ss*, em cujo caso, desde tempos antigos aquele foi um lugar alto de culto.

c. Baraque estacionou ali tropas, que usou contra Sísera, o general cananeu (Juí. 4:6,14 *ss*).

d. Zebá e Zalmuna mataram ali os irmãos de Gideão (Juí. 8:18).

e. O trecho de Salmos 89 menciona o Tabor, juntamente com o Hermom, como montes que prestam louvor a Deus.

f. O rei da Babilônia foi comparado ao monte Tabor, devido à sua exaltação (Jer. 46:18).

g. A severidade de Deus contra a desviada nação de Israel foi ilustrada como uma rede lançada sobre o Monte Tabor (Osé, 5:1).

MONUMENTO

1. *Definição*

Qualquer coisa que traz o passado à memória. Os monumentos podem ter a forma de túmulos, relíquias de templos, parte dos objetos da idolatria, marcos, inscrições, obras literárias, um edifício, um cômoro, uma pilha de pedras, uma localidade, um monte, uma cidade, etc.

2. *Na Bíblia*

Saul levantou um memorial após a sua vitória sobre os amalequitas (ver I Sam. 15:12). Hadadezer planejou levantar um monumento às margens do rio Eufrates (ver I Crô. 18:3). Absalão levantou uma coluna como monumento, a fim de exaltar-se (ver II Sam. 18:18), embora não se trate do mesmo monumento atual de Absalão, existente no vale do Cedrom. Esse monumento só foi edificado já no século I A.C. Mesa, de Moabe, os reis egípcios, assírios e sírios levantaram todos monumentos, como estelas, inscrições de vários tipos, todos caracterizados por muita jactância e auto-exaltação.

O trecho de Isa. 56:5 promete um memorial aos eunucos piedosos, provavelmente sob a forma de algum tipo de pedra comemorativa no templo de Jerusalém. Os santuários cananeus tinham estelas que serviam de monumentos. Embora essas estelas e inscrições possam ter distorcido alguns fatos históricos, contudo têm servido de algumas das melhores fontes históricas sobre a antiguidade, além de revestirem-se de grande importância lingüística. Em II Reis 23:17, encontramos a menção ao *túmulo* de um profeta, que servia de monumento ou memorial. Jesus chamou os túmulos dos profetas de «*monumentos*», em Mat. 23:29 (no grego, *mnemeíon*, «memorial»).

MOODY, DWIGHT LYMAN

1. *Informações Gerais*. — Suas datas foram 1837—1899. Freqüentou a escola até os treze; anos de idade, passou a trabalhar em fazendas. Aos dezessete anos, tornou-se caixeiro na sapataria de seu tio. Ali tornou-se membro da Igreja Congregacional. Tornou-se, então, caixeiro-viajante de uma firma de sapatos. Mostrou-se sempre interessado pela religião e pelo bem-estar dos homens. Organizou uma Escola Dominical, e promovia obras sociais. Em 1860, abandonou o seu trabalho secular a fim de dedicar-se, por tempo integral, à obra religiosa.

Durante a Guerra Civil Norte-Americana, serviu junto à Comissão dos Estados Unidos, ajudando às tropas, e trabalhou na frente de batalha em muitas ocasiões. Organizou uma igreja não-denominacional em Chicago. Em 1866, tornou-se o presidente da Associação Cristã de Moços, e construiu o primeiro edifício de YMCA nos Estados Unidos da América. Tornou-se um simples, mas brilhante evangelista nos Estados Unidos da América e nas ilhas britânicas. Seus sermões escritos não parecem grande coisa; mas quando eram proferidos por ele, tinham grande poder.

Tornou-se internacionalmente conhecido, e passou a ser um evangelista pessoal incansável, e não meramente um orador público. Conta-se a história que um dia ele abordou um homem em uma rua de uma das grandes cidades norte-americanas e começou a interrogá-lo sobre seu relacionamento com Jesus Cristo. O homem sentiu-se ofendido e disse: «Isso não é de sua conta!» Moody respondeu simplesmente: «Eu sou Dwight Lyman Moody». E o homem então replicou: «Bem, então é de sua conta».

Moody era homem de pouca educação formal, e a sua gramática não era boa. E por isso, foi criticado. Ele replicou às críticas: «Uso toda a gramática que sei para o Senhor Jesus Cristo». Quando ele foi à Inglaterra, alguns dos prelados da Igreja Anglicana criticaram aquele jovem ignorante, não se sentindo inclinados a cooperar com a sua campanha. Porém, quando o viram em ação e sentiram o poder de suas palavras e de seu carisma, não tardaram a mudar de opinião, e sua campanha foi largamente apoiada pelos anglicanos.

Encorajado por Henry F. Durant, fundador do Colégio Wesley, Moody estabeleceu o Seminário Northfield para moças, e a Escola Monte Herman, para rapazes. Depois disso, Moody retornou à Inglaterra para uma segunda campanha evangelística. Foi durante essa série de encontros públicos que Wilfred T. Grenfell dedicou a sua vida ao trabalho médico missionário no Labrador, devido à inspiração que recebeu da parte de Moody.

Entre 1884 e 1891, Moody mostrou-se ativo em campanhas evangelísticas nos Estados Unidos da América e no Canadá. Sentindo a necessidade de treinar leigos em estudos bíblicos, vida cristã e evangelismo, ele estabeleceu o Instituto Bíblico de Chicago, que mais tarde mudou o nome para Instituto Bíblico Moody. Essa escola, no decorrer dos decênios, tem servido de grande força no movimento evangélico, e tem preparado inúmeros pregadores, missionários e líderes evangélicos, que têm trabalhado para Cristo em todos os continentes do mundo.

Moody trabalhou, durante vários anos, entre estudantes universitários, tanto nos Estados Unidos da América quanto na Inglaterra. Esse trabalho estimulou o crescimento da Associação Cristã de Moços, além de organizações estudantis similares. Em 1891, Moody voltou à Inglaterra, depois do que esteve na Palestina; e, em 1893, efetuou campanhas evangelísticas em Chicago.

2. *Sua Pregação*. Essa tem sido caracterizada, por aqueles que o ouviam, como direta, sincera, franca, sem enfeites, não-gramatical, sempre simples, mas enormemente sincera e convincente. Seu sucesso como evangelista era surpreendente. Considerando o homem e sua expressão, isso parece impossível de explicar, a menos que suponhamos que a Presença estava com ele. A impressão que ele deixava é que ele era o instrumento de uma força e de uma verdade maiores que ele mesmo.

3. *Moody e o Dinheiro*. De modo diferente de muitos evangelistas modernos, que têm enriquecido, Moody era homem simples e honesto no tocante ao dinheiro, como em tudo o mais. Não aceitava lucros. Todos os proventos das vendas do hinário de sua autoria e de Ira D. Sankey eram administrados por uma junta de encarregados, e eram destinados principalmente para o sustento das escolas de Northfield. Aproximando-se o tempo de sua morte, Moody era homem relativamente pobre. Ele declarou: «Minha esposa e meus filhos simplesmente terão de confiar no mesmo Deus em que tenho confiado».

4. *Instrumentos do Poder Divino*. Moody foi um notável exemplo moderno de como uma pessoa pode ser instrumento do Poder Divino, e assim transcender a si mesma.

MOORE, G.E.

Suas datas foram 1873-1958. Nasceu em Londres e educou-se em Cambridge, onde também ensinou. Foi eleito para ser membro da Academia Britânica e nomeado a receber a Ordem do Mérito. Progrediu através de uma série de posições filosóficas; e, finalmente, deixou sua contribuição distintiva como porta-voz do chamado *Realismo do Bom Senso*, que diz que o mundo é como parece ser, e que nossos sentidos são suficientes e adequados para conhecê-lo. Mas nunca se sentia satisfeito com a maneira como abordava os problemas filosóficos, e sempre voltava a atacá-los. Tornou-se conhecido por sua honestidade e labor incansável.

Idéias:

1. *Quanto à Epistemologia*. Moore negava os esforços dos céticos que tanto rebaixam o poder dos sentidos, em sua filosofia, que chegam a anular o conhecimento. Também atacava todos os idealistas, que pensam que todas as realidades são mentais. Ele defendia o *realismo*. As coisas que «vemos» são coisas reais, independentemente de nossas mentes, que delas tomam conhecimento. Nesse realismo, Moore era simples e ingênuo. Os objetos que vemos são exatamente aquilo que parecem ser e a percepção de nossos sentidos é adequada para tomarmos conhecimento deles. Ele ilustrava sua posição simples levantando uma das mãos e dizendo: «Aqui está uma mão». E então, levantando a outra, dizia: «Aqui está outra mão». Para ele, coisas assim não precisam de muita análise. Mas se falarmos com um físico teórico, veremos se sua abordagem ao conhecimento é adequada, para nada dizermos sobre os místicos.

2. Quanto à distinção entre *esse* e *percipi*, ou seja, entre «ser» e «percepção». Um idealista dirá: o ser está na percepção mental.Moore respondia que ser e ser percebido são coisas distintas, e que a percepção, sem importar se a mesma ocorre ou não, nada tem a ver com a realidade do ser. Além disso, o ato de «perceber» é poderoso o bastante para fornecer-nos uma boa descrição daquilo que «existe».

3. *Realismo Representativo*. Se separarmos o ser da percepção, então poderemos cair no ardil de dizer que percepção é *representação*, e não a *apresentação* do conhecimento sobre alguma coisa. Porém, parece que o próprio Moore caiu nessa armadilha, em alguns de seus escritos. Porém, uma vez que se fala em representação, já se terá debilitado o poder da percepção dos sentidos. Pois o que é uma representação senão uma avaliação mental? Outrossim, nossa ciência ensina-nos que nossos sentidos realmente não nos *apresentam* conhecimento. Para ilustrar o ponto: nem o mais poderoso dos microscópios conseguiu ainda apresentar-nos com o que se parece o átomo.

4. *Verdades que estão Acima de Análise*. Moore afirmava conhecer muitas verdades para as quais ainda não achara uma análise. E nem pretendia definir no que consiste a análise correta, e como ela deve ser efetuada.

5. *Os Universais*. Moore acreditava nos *universais* (vide), compreendendo-os como ou relações (propriedades relacionais) ou *propriedades não-naturais*, como números e cores.

6. Ele defendia a teoria da correspondência da verdade.

7. No campo da *ética*, ele dava prosseguimento à sua abordagem simplista, e terminou defendendo uma forma de *intuicionismo ético*. Ele cria que o homem é capaz de saber o que é certo e o que é errado, mediante seus poderes intuitivos. Mas não acreditava que o que é bom possa ser crassamente identificado com qualquer qualidade natural, como o prazer, por exemplo. Sua obra, *Principia Ethica*, expressava crença na qualidade não-natural da bondade. A bondade seria um conceito ético fundamental, que não pode ser definido ou analisado. Coisas como conceitos de dever, de correto, etc., podem ser definidas em termos de produzirem e preservarem, até onde possível, a qualidade da bondade. Isso poderia ser melhor exemplificado por meio de atos de amizade (amor) ou por meio do aprazimento estético. Qualquer tentativa para definir a ética, de forma naturalista, leva-nos a cair na falácia naturalista. Por outro lado, ele não alicerçava suas idéias éticas em Deus ou em causas naturais. Preferia ficar com uma espécie de fonte não-natural, nebulosa, para o conhecimento da bondade, sem chegar nunca a tentar analisar ou definir essa fonte. De fato, ele pensava que tal definição é impossível, e assim abandonou sua forte abordagem empírica, que usava quanto a outras questões. O bem não poderia ser analisado, embora cheguemos a intuir no que o mesmo consiste, sendo impelidos por uma orientação interior, quando queremos fazer o bem. Não obstante, o homem seria capaz de identificar vários «bens», embora não o princípio mesmo do bem, conforme já foi dito.

Escritos: Principia Ethica; Ethics; Philosophical Studies; Some Main Problems of Philosophy; Philosophical Papers; The Common Place Books.

MORADIA ABERTA

Em países onde há discriminação racial, certas áreas são vedadas aos negros e a outras raças minoritárias. Nos Estados Unidos da América do Norte têm sido baixadas leis de «moradia aberta», que têm feito certa diferença para melhor quanto à questão. Porém, fatores econômicos e preferências raciais com freqüência mantêm uma casa fechada, se não em teoria, pelo menos na prática. Esse regime de casa fechada nem sempre é resultante de preconceitos raciais (o problema da cor da pele); antes, é uma questão econômica, pois pessoas de menor cultura, quando se mudam para alguma área, mostrando-se descuidados para com as propriedades imóveis, em breve podem transformar uma vizinhança decente em um cortiço. E, naturalmente, muitas áreas residenciais fecham-se para pessoas assim destrutivas, sem importar sua raça ou sua cor. Acresça-se a isso que, em determinadas áreas, essas práticas desmazeladas e destrutivas estão associadas a certos grupos raciais, pelo que esses grupos são mantidos afastados de certas vizinhanças. Em várias cidades dos Estados Unidos da América os cortiços têm sido totalmente demolidos para serem substituídos por decentes edifícios de apartamentos, e é espantoso em quão pouco tempo, esses projetos têm-se novamente transformados em cortiços! Um líder negro bem conhecido de certa feita declarou: «É preciso tirar o cortiço da pessoa, antes que a pessoa possa sair do cortiço».

Isso posto, uma autêntica «moradia aberta» depende da educação de longo tempo e das mudanças nos costumes sociais, e não meramente de legislação. Quando as pessoas atingem um nível decente de cultura e educação, deixa de existir o problema residencial; mas isso pode exigir muito tempo.

O Brasil tem conseguido resolver melhor do que muitos países industrializados do mundo, esse problema racial. No entanto, hoje mesmo, 13 de maio de 1988, quando se comemora o centenário da Libertação dos Escravos no Brasil, a nove quilômetros daqui, neste momento, está havendo uma concentração de protesto, no Largo 13 de Maio, em Santo Amaro, São Paulo, contra a discriminação do negro no Brasil! Sintomático? Diante de mim, co-autor e tradutor desta enciclopédia, — está aberto um panfleto que protesta contra o racismo, o arrocho salarial, a carestia, o desemprego, as péssimas condições de vida e *moradia* da população brasileira. Todas essas dificuldades atingem as classes mais pobres, dentre as quais destacam-se os negros como as maiores vítimas! Essas são questões sociais que têm muitas causas. E, quando não forem essas, serão outras questões. Este mundo só terá sua era áurea durante o governo milenar de Cristo, e nunca antes!

MORALIDADE

A base dessa palavra é o termo **mos (moris)**, «costume», «vontade», «uso». A ela corresponde a palavra *ética*, que vem do grego, *éthos*, um virtual sinônimo de *mos*. Naturalmente, a moralidade difere, dependendo de cada indivíduo, e não segue, necessariamente, meros costumes, hábitos ou volições pessoais, conforme a palavra indica, literalmente. Ver o artigo geral sobre a *Ética*, quanto a uma completa declaração a respeito.

1. Alguns filósofos e teólogos consideram a moralidade como algo natural e humano, objetando às idéias que falam sobre alguma mente divina ou cósmica que controlaria a moralidade. Isso corresponde à ética relativa ou ética situacional. Essa é uma moralidade *a posteriori*.

2. A moralidade também poderia ser considerada *a priori*, isto é, dependente de regras que antecedem à experiência, presumivelmente alicerçadas sobre fontes extra-humanas ou sobre-humanas. Esse tipo de moralidade equivale à ética rigorosa ou formal, segundo a qual os homens não estabelecem as regras, mas são obrigados a obedecer às mesmas. *Fichte* (vide) emprestava à consciência moral um primado tal que ele alicerçou as suas idéias metafísicas sobre a mesma. O categórico imperativo de Kant, segundo ele, seria por demais rigoroso, e não dependente das circunstâncias. Esse categórico imperativo apresenta uma regra geral e absoluta: «Faze somente aquilo que gostarias que se tornasse uma lei universal».

3. Também existe a moralidade das *coisas boas*. Essas coisas, embora não reputadas absolutas, são estáveis. Assim, a moralidade não seria algo absolutamente fixo, mas seria estável. As coisas boas valorizadas hoje, serão as mesmas coisas boas valorizadas amanhã. Após longos períodos de tempo, entretanto, poderá haver alguma leve modificação.

4. Poderíamos conceber que a moralidade é derivada do processo evolutivo, e não de poderes divinos, uma variante da primeira possibilidade, acima. As leis morais seriam estabelecidas mediante a experiência, a necessidade e o uso costumeiro.

5. Nietzche ensinava que há dois tipos de moralidade: a moralidade do senhor e a moralidade do escravo. Seriam meras conveniências sociais, e não, necessariamente frutos da vontade de qualquer força divina.

6. Apesar de que *ética* e *moralidade* são sinônimos, alguns filósofos, como *Santayana* (vide), fazem distinção entre uma coisa e outra. Ele considerava a ética como uma disciplina racional. Mas para ele a moralidade nada era senão costume ou hábito, sujeito a desenvolvimento e modificações. Ele distinguia entre formas pré-racionais e pós-racionais de moralidade.

7. Argumentos metafísicos baseados sobre a moralidade. Ver o artigo *Moralidade, Argumentos Baseados Sobre a*, bem como as referências que damos ali.

A Origem Divina da Moralidade

1. Quase todas as filosofias, bem como a esmagadora maioria das religiões, reconhecem a existência do problema do pecado. A maioria delas oferece algumas sugestões sobre como esse problema pode encontrar solução. O cristianismo, por sua parte, salienta que qualquer moralidade autêntica e duradoura, tem de ter origem divina. A santidade puramente humana não é grande coisa, não é muito pura, e é extremamente vascilante.

2. O Espírito Santo, atuante sobre o espírito humano, provê uma real santidade. O Espírito é o agente do arrependimento e, por conseguinte, do impulso e primeiro passo da santidade. Ele é o autor da santificação (ver I Cor. 6:11 e Rom. 15:16) e, portanto, da santificação contínua.

3. Da mesma forma que ele é a fonte da santidade, assim também todas as qualidades morais são inspiradas por ele. O trecho de Gál. 5:22,23, mostra-nos que as virtudes espirituais são um cultivo do Espírito. Ele é, igualmente, a origem de todos os dons espirituais, através dos quais expressamos as nossas excelências (ver I Cor. 12; com suas muitas referências).

4. O alvo final é fantasticamente elevado, a saber, as perfeições morais do próprio Deus (ver Mat. 5:48). Através disso, chegaremos a participar da própria natureza e dos atributos de Deus (ver Efé. 3:19). Eis por que a salvação vem pela graça divina (ver no NTI as notas em Efé. 2:8), porquanto, um alvo tão elevado jamais poderia ser atingido pelos esforços ou pelo mérito humano.

5. É impossível exagerar a importância da moralidade na fé cristã, porquanto é através da transformação moral que se efetua a transformação metafísica. Ninguém poderá jamais compartilhar da natureza de Cristo, a menos que chegue à perfeição moral.

MORALIDADE A POSTERIORI

Ver o artigo sobre a **Moralidade**, mormente seu primeiro ponto.

MORALIDADE A PRIORI

Ver o artigo sobre a **Moralidade**, mormente seus pontos dois e quatro.

MORALIDADE, ARGUMENTOS BASEADOS SOBRE A

Emanuel Kant, em sua forte filosofia moral, assevera que as provas da existência tanto de Deus quanto da alma estão alicerçadas sobre as questões morais, e não sobre as questões racionais. Ele rejeitava os tradicionais argumentos racional e empírico (em sua obra, *Razão Crítica*), embora tivesse restaurado essas provas em uma outra obra sua, *Razão Prática*, posto que como postulados, e não como proposições. Ver o artigo intitulado *Argumento Moral*. Esse argumento procura provar tanto a existência do Ser divino quanto da alma humana.

MORALIDADE CONVENCIONAL

Ver os artigos sobre *Costumes* e sobre *Tradição*. Moralidade convencional é uma expressão que indica uma espécie de processo de padronização mediante o qual um grupo de pessoas concorda, em termos gerais, sobre o que é bom ou mau. Uma vez que um padrão geral seja estabelecido por tal acordo, então a sociedade pode dizer: «Este é um homem bom. Este é um homem mau». As leis são preparadas na sociedade essencialmente de acordo com um processo de convencionalização. Também, existem leis injustas que servem aos interesses de governantes atrabiliários e prejudicam os interesses dos cidadãos comuns. E também há falsas ideologias políticas que incluem a violência em seu sistema, prejudicando os direitos humanos. O nazismo e o comunismo são exemplos flagrantes disso. A moralidade convencional, assim sendo, pode ser prática e essencialmente boa, ou pode ser pervertida e distorcida, — dependendo das forças que atuam na sociedade. Alguns eruditos pensam que há grande similaridade entre os padrões bons e os padrões maus, em diversas culturas, quando o convencionalismo é a força operante. Porém, o exame das diferentes culturas mostra-nos que essa opinião está equivocada. É verdade que Paulo, em Romanos 2:14,15, afirma que a lei moral de Deus foi posta nos corações de todos os homens, de todos os lugares. Mas a Bíblia também ensina que o homem, individual e coletivamente, revolta-se contra a lei moral de Deus, e é justamente por causa dessa distorção que o convencionalismo termina por produzir maus resultados. Basta-nos considerar as sociedades primitivas e seus costumes pervertidos, para confirmarmos isso. Entre algumas tribos indígenas do extremo norte do Brasil, quase todos os membros adultos das mesmas já mataram algum ser humano, pois, entre elas, a vida humana é considerada de pouquíssimo valor. Também mudam de esposa a cada ano ou dois. No entanto, a moral dessas tribos é inteiramente baseada em convenções. Todos concordam que aquilo que estão praticando é correto.

MORALIDADE, E A METAFÍSICA

Ver *Metafísica*, em sua quarta seção, *A Metafísica e a Ética*.

MORALISTAS INGLESES

Os moralistas ingleses do século XVIII assinalaram um marcante estágio na história da ética (que vide). Eles limitavam-se quase inteiramente a métodos empíricos e racionais, fazendo assim, da ética, uma disciplina autônoma, não mais subordinada à religião e à teologia. Contudo, a maioria deles não se mostrava hostil contra essas outras disciplinas. Os nomes desses moralistas eram Anthony Ashley Cooper (1671-1713), Francis Hutcheson (1694-1746), Joseph Butler (1692-1752), William Paley (1743-1805), Richard Price (1723-1791), William Wollaston (1659-1724), David Hume (1711-1776) e Adam Smith (1723-1790). Ver os artigos sobre cada um desses filósofos. (E)

MORASTITA

Miquéias, tendo nascido em Moresete-Gate, foi chamado de «morastita», em Jer. 26:18 e Miq. 1:1. Essa cidade tem sido identificada com a moderna Tell ej-Judeideh. Ver o artigo sobre **Moresete-Gate**.

MORÁVIA (IGREJA MORÁVIA)

1. *Pano de Fundo Histórico*

A origem dessa igreja encontra-se em *João Huss* (vide). Ele encabeçou um movimento evangélico na Boêmia (parte da atual Checoslováquia) que, finalmente se tornou uma igreja organizada, apesar do seu martírio, em 1415. Seus seguidores organizaram-se em 1457, e passaram a ser conhecidos como Irmãos Unidos (no latim, *Unitas Fraternum*).

2. *Quatro Princípios Fundamentais*

a. A Bíblia é a única fonte originária da doutrina e da prática cristãs.

b. O culto público deve ser modelado segundo o da Igreja apostólica.

c. A Ceia do Senhor deve ser observada segundo regras neotestamentárias.

d. Uma vida cristã autêntica é essencial para a fé salvatícia.

3. *Crescimento Inicial*

Por volta de 1500 D.C., havia cerca de quatrocentas paróquias e duzentos mil membros. Foram feitas traduções das Escrituras, foram formadas escolas de vários níveis. Também foram publicados livros, incluindo catecismos e hinários. Os Irmãos Unidos foram a primeira denominação cristã a imprimir um hinário na língua vernácula do povo. Isso ocorreu em cerca de 1501.

4. *História Subseqüente*

Iniciou-se uma cruel perseguição contra os Irmãos Unidos. Essa igreja foi esmagada na *Guerra dos Trinta Anos* (vide). Mas o episcopado foi preservado mediante consagrações regulares e a publicação da obra *Ratio Disciplinae*, de autoria do bispo *João Amós Comenius* (vide). E isso assegurou a continuação do grupo. Um grupo de fugitivos da Morávia foi para a Saxônia, em 1722. A cidade alemã de Herrnhut tornou-se ponto de concentração para pessoas de idênticas convicções. Não demorou muito para que o lugar fosse conhecido por seu fervor evangélico e por seu trabalho árduo, e muitos sentiram-se atraídos para ali. Nos vinte anos seguintes, grupos também foram estabelecidos na Inglaterra e na América do Norte. E não demorou muito mais tempo para que essa denominação tivesse um alcance missionário no estrangeiro bastante considerável.

5. *Empreendimentos Atuais*

— Missões estrangeiras em diversos países, escolas para todos os níveis, instituições para promoção dos interesses e do desenvolvimento espirituais, escolas para internos, instituições para treinamento de evangelistas. A ordem eclesiástica dos morávios inclui bispos, presbíteros (anciãos) e diáconos.

6. *Formas de Adoração*

Muita liberdade na adoração é permitida, embora seja usada uma liturgia comum. Também é usada uma litania na adoração dos domingos pela manhã. Cultos litúrgicos especiais são usados nas festividades e nos dias comemorativos. A hinologia ocupa ali um lugar importante.

7. *Doutrina*

Apesar de não haver qualquer declaração doutrinária formal, os pontos essenciais podem ser derivados do catecismo, da Litania Matinal Oriental e das declarações dos sínodos. A maioria das doutrinas dos Irmãos Unidos concorda com as de outros grupos evangélicos: a total depravação do homem, as Escrituras como única base da fé e da prática, a humanidade e a divindade de Cristo, a justificação pela fé com base na expiação de Cristo, a personalidade do Espírito Santo, a comunhão dos crentes, a segunda vinda de Cristo, a ressurreição dos mortos para salvação ou condenação eternas, Cristo como Cabeça da Igreja, a qual é o seu corpo místico.

8. *Estatísticas*

Todos os grupos combinados de morávios chegam a cerca de trezentos mil membros. Há cerca de cento e setenta postos missionários, provendo uma boa parte do número total de membros.

MORCEGO

Pelo menos vinte espécies diferentes de morcegos têm sido descobertas na Palestina. A palavra hebraica *atallef* indica qualquer ser vivo que voe no escuro. Répteis voadores eram considerados imundos, pelo que não podiam ser consumidos como alimento pelos israelitas. Isso significa que a ingestão de insetos também era proibida, com a única exceção do gafanhoto. Sabemos que as populações das nações ao redor de Israel comiam morcegos, insetos e tantas outras coisas vedadas aos israelitas. Alguns morcegos são tão volumosos quanto os ratos, pelo que têm muita carne. Moisés, porém, não pensava ser boa a idéia de seu povo alimentar-se de morcegos (Lev. 11:19,20). É difícil alguém apreciar os morcegos como parte da alimentação, porquanto eles têm mau cheiro e têm o hábito de deixar grandes depósitos fecais perto e sob seus ninhos. Algumas pessoas, porém, juntam esses depósitos para servirem de estrume. Somente indivíduos mais primitivos chegam a apanhar morcegos para comerem-nos. Seu aspecto geral também é muito asqueroso, alguns comparam-nos com cães, e outros, com ratos. A associação dos morcegos com os vampiros também não tem servido para melhorar a reputação deles. Naturalmente, a maioria das pessoas não acredita em vampiros, e com razão, mas quando caminhamos ao ar livre à noite e algum morcego passa voando baixo, quase tocando na gente, desconfiamos que as histórias de vampiros são verdadeiras.

A maioria dos morcegos é de natureza inofensiva. Na verdade, eles são úteis, porque consomem insetos. Apenas algumas espécies gostam de sangue. Esses morcegos são prejudiciais, porque atacam o gado e as pessoas, podendo até mesmo inocular a raiva. Mas o problema é que a pessoa comum não sabe como distingui-los, pelo que todos os morcegos são tidos como perigosos.

Hábitos. Os morcegos habitam na folhagem densa das árvores, em lugares reclusos, como torres de igrejas ou cavernas. Voam somente à noite, exceto em ocasiões raras. Alimentam-se de insetos, frutos, etc. Ao se alimentarem de insetos, mostram-se benéficos; ao se alimentarem de frutos, daninhos, fazem muitos estragos nos pomares. Quanto a isso, são como os homens: bons ou maus. Dormem pendurados pelos pés, de cabeça para baixo. Isso também se dá com a moral de muitas pessoas. O trecho de Isaías 2:20 associa os morcegos à idolatria, dizendo que os objetos do culto idólatra eventualmente são esquecidos e entregues aos morcegos, quando visitados pelo juízo divino.

O morcego é como uma ave falsa. Na verdade, é um mamífero voador. Suas asas têm membranas, e não penas. Os morcegos têm um apetite voraz. Todas as descrições sobre os morcegos falam em um animal feio e estranho. Uma enciclopédia que trago aberta agora, à minha frente, diz que os morcegos não merecem a má reputação que os cerca. Mas não tenho muita certeza quanto a isso. (ID S UN Z)

MORDECAI

O significado desse nome é incerto, embora pareça vinculado ao nome do deus pagão *Marduque* (vide), que era uma das principais divindades da Babilônia. Há dois personagens da Bíblia com esse nome.

1. Primo da Rainha Ester, descrito no livro **Ester**. Esse Mordecai era filho de Jair, descendente de Quis, o benjamita. Residia em Susã, a metrópole da Pérsia, depois que fora deportado para a Babilônia, por Nabucodonosor. Participou do drama em que Xerxes, o rei do império persa, desejou encontrar uma sucessora para a rainha Vasti. Mordecai criava sua prima mais jovem como filha; e ela tornou-se fortíssima candidata a tornar-se a nova rainha de Xerxes, devido à sua grande beleza física. Após muitos percalços, foi Ester confirmada como a rainha de Xerxes.

Elementos da História. Assuero (Xerxes) escolheu Ester para ser a sua próxima rainha, depois de Vasti. Assuero foi o rei da Pérsia entre 486 e 465 A.C. Mordecai já ocupava então importantes posições no governo. Dois dos eunucos do rei, Bigtã e Teres (Est. 2:21), tinham traçado um conluio para matá-lo. Mordecai descobriu seus planos e avisou Ester, e assim o conluio fracassou (Est. 2:22).

Posteriormente, Hamã tornou-se inimigo mortal de Mordecai, e pretendeu destruir aos judeus (Est. 3:3 *ss*). Ester, porém, intercedeu em favor dos judeus, com grande risco para sua própria vida (Est. 4:14). Hamã havia preparado uma forca (ou um poste de empalação?) para Mordecai (Est. 5:15). O instrumento divino de intervenção foi a leitura do livro das crônicas dos reis da Pérsia, onde ficara registrado aquele serviço à casa real, prestado por Mordecai. E Mordecai foi publicamente honrado (Est. 6:11).

O rei acabou tomando conhecimento dos planos de Hamã contra os judeus, e ordenou que o mesmo fosse enforcado na mesma forca que havia preparado para

Mordecai (Est. 7:10). Mordecai terminou ocupando o posto vago por Hamã, e assim cresceu em muito a sua autoridade (Est. 8:2). E isso contribuiu para o bem dos judeus, os quais foram liberados de ameaças, mediante decretos enviados a todas as províncias da Pérsia (Est. 8:13). E os judeus puderam vingar-se de seus adversários.

Então Mordecai instituiu a *festa de Purim* (vide), a fim de celebrar a vitória. O termo hebraico *purim*, forma plural de *pur*, «sorte», foi aplicado a essa festividade devido às sortes que haviam sido lançadas contra os judeus, mas acabaram sendo revertidas (ver Est. 9:26). O trecho de II Macabeus 15:36 chama essa festa de «dia de Mordecai».

Visto que a história secular não traz qualquer menção a essa narrativa, e nem à rainha Ester, muitos eruditos têm pensado que o livro de Ester não passa de uma novela religiosa, e não de um documento histórico. Abordamos a questão da historicidade do *livro de Ester* no artigo sobre esse livro.

2. Um outro homem desse nome retornou do cativeiro babilônico em companhia de Zorobabel e Josué, tendo fixado residência em Jerusalém. Ver Esd. 2:2; Nee. 7:7 e I Esdras 5:8.

MORDOMO

Três expressões hebraicas e duas palavras gregas estão envolvidas neste verbete, a saber:

1. *Ha-ish asher al*, «homem que está sobre». Expressão hebraica que aparece somente em Gên. 43:19.

2. *Asher al bayith*, «quem está sobre a casa». Outra expressão hebraica, que só pode ser encontrada em Gên. 44:4.

3. *Ben mesheq*, «filho de aquisição». Essa expressão hebraica ocorre somente uma vez, em Gên. 15:2.

4. *Epítropos*, «encarregado». Palavra grega que é usada por três vezes: Mat. 20:8; Luc. 8:3; Gál. 4:2. O verbo aparece em Luc. 3:1; e o substantivo, «encargo», em Atos 26:12.

5. *Oikonómos*, «mordomo». Termo grego usado por dez vezes: Luc. 12:42; 16:1,3,8; Rom. 16:23; I Cor. 4:1,2; Gál. 4:2; Tito 1:7; I Ped. 4:10. O verbo só aparece em Luc. 16:2. O substantivo, «mordomia», ocorre por nove vezes: Luc. 16:2-4; I Cor. 9:17; Efé. 1:10; 3:2,9; Col. 1:25; I Tim. 1:4.

Aquelas três expressões hebraicas têm equivalentes semânticos no acádico e no ugarítico, embora sejam especialmente comuns, esses equivalentes, nos idiomas semíticos ocidentais. A terceira dessas expressões não tem explicação, embora os Targuns a interpretem por «mordomo». Nossa versão portuguesa põe a palavra «herdeiro» nos lábios de Abraão, bem como na resposta que lhe deu o Senhor (ver Gên. 15:2 e 4); mas o original hebraico só tem aquela expressão no vs. segundo, enquanto que no vs. quarto o Senhor usou outra palavra hebraica, *yarash*, «herdeiro». Isso significa que nossa versão portuguesa não reflete a expressão hebraica *ben mesheq*.

Em I Crônicas 28:1, algumas versões dizem «mordomos», onde a nossa versão portuguesa, mais acertadamente diz «administradores». Todavia, no original hebraico temos a palavra *sar*, «príncipe», que aceita a idéia secundária de «supervisor».

No Novo Testamento grego, o equivalente semântico de *sar* é *epítropos*, ao passo que *oikonómos* é, realmente, a palavra que deveria ser traduzida em português por «mordomo».

MORE, HENRY

Suas datas foram 1614-1687. Ele foi um filósofo e teólogo inglês, cuja posição afinava-se com a dos platonistas de Cambridge. No começo de sua carreira filosófica, ele defendia idéias de Descartes. Mas, com a passagem do tempo, ele se afastou das mesmas, em face do suposto mecanicismo daquele filósofo francês. More chegava quase ao fanatismo em sua confiança que Deus é demonstrável, e chegava ao extremo de declarar que «a verdade da existência de Deus é claramente demonstrável, como qualquer teorema matemático». Ele acreditava que Deus estende-se infinitamente pelo espaço e pelo tempo, e que a sua disposição há um ser espiritual subordinado, que seria o espírito da natureza. Também cria que é impossível pensarmos apenas em ser simplesmente mecanicista, porquanto desígnio e poder, atuantes através da agência do espírito da natureza, é que explicam a continuação de todas as coisas. Uma de suas grandes preocupações, fora à parte as suas especulações teológicas, era o seu desejo de demonstrar a harmonia que há entre a razão e a fé.

MORE, SIR THOMAS

Suas datas foram 1478-1535. Ele foi um estadista e ensaísta inglês. Nasceu em Londres e chegou a tornar-se membro do parlamento britânico. Foi Lord Chancellor da Inglaterra. Morreu martirizado, por ter-se recusado a reconhecer a Henrique VIII como cabeça da Igreja da Inglaterra.

Idéias:

1. Sua mais famosa obra, **Utopia**, foi moldada superficialmente segundo a obra de Platão, *República*, embora seguindo uma filosofia bastante diferente. Nesse livro, o prazer aparece como um apanágio humano, que deve concretizar-se dentro do contexto de um comunismo platônico, embora com a preservação da família. Homens e mulheres são absolutamente iguais. Ele criticava amargamente a perfídia da diplomacia, a moralidade das comunidades tradicionais, uma sociedade interesseira e inquisitiva e o ávido mundo dos negócios. Ele tomava por empréstimo idéias do epicurismo cristão, de Erasmo de Roterdã e certos elementos de obras de Platão, como *República e Leis*; e, dessa mistura toda, ele formava o que chamava de um novo humanismo.

2. No campo da ética, o *summum bonum* (supremo bem) seria o prazer, individualmente orientado, embora compartilhado por toda a comunidade dos homens. Cada pessoa deveria buscar os prazeres *naturais*, em uma vida caracterizada pela simplicidade, ficando rejeitados os falsos valores, cujo grande alvo são as riquezas materiais, o poder e as extravagâncias. Além disso, deveríamos pensar nos prazeres eternos, residentes na providência divina, e na prometida vida vindoura, após a morte biológica.

3. More tentava defender a racionalidade e franqueza de uma verdadeira forma de humanismo, não-distorcida, que não deixa de lado a dimensão eterna.

Escritos. Utopia; A Dialogue of Comfort Against Tribulation.

MORÉ, CARVALHO DE

No hebraico, *moreh* significa «mestre». Algumas traduções dizem, erroneamente, «planície de Moré». Ver Gên. 12:6. Esse carvalho é mencionado em conexão com Abraão, — que armou seu acampamento perto do mesmo, ao chegar à terra de Canaã, ao vir de Harã. Foi ali que Deus revelou-se a Abraão, prometendo-lhe dar a terra de Canaã como herança, a fim de que os seus descendentes pudessem tornar-se uma grande nação, escolhida pelo Senhor, naquele lugar. Talvez esse seja também o carvalho mencionado em Gên. 35:4, onde Jacó enterrou seus deuses estrangeiros, assim purificando o seu acampamento, antes de prosseguir até Betel. Também há uma alusão ao mesmo local na história sobre Abimeleque (Juí. 9:37).

Os eruditos crêem que se trate de uma árvore especialmente sagrada, vinculada a adivinhações, parte de um antigo santuário cananeu. De fato, em Juí. 9:37 lemos sobre o «carvalho dos adivinhadores». Esse local era considerado sagrado, sendo perfeitamente possível que Abraão tenha ido até ali exatamente por essa razão. Ali chegando, erigiu um altar dedicado a Yahweh, e, então, recebeu a visitação do Senhor e as suas promessas. Torna-se óbvio, pela Bíblia, que o local continuou sendo muito importante para Israel, — pois continuou a ser uma espécie de santuário e lugar santo, ocasionalmente visitado pelos israelitas.

MORÉ, OUTEIRO DE

No hebraico, **moreh** significa «mestre». Uma colina com esse nome é mencionada em Juí. 7:1. Os midianitas acamparam ali (ver Juí. 6:33), quando foram atacados por Gideão e seus trezentos homens. Desconhece-se a atual localização exata, mas não há que duvidar que ficava nas vizinhanças de Siquém, podendo ser o que se conhece hoje em dia como Jebel Nabi Dahi, que alguns, equivocadamente, chamam de Pequeno Hermom. Esse fica a quase treze quilômetros a noroeste do monte Gilboa, e a um quilômetro e meio ao sul de Naim.

MORES

Essa palavra vem do plural da palavra latina **mos** (**mores**), «costume», «hábito». O termo refere-se a algum costume social e ético bem estabelecido que, presumivelmente, existe por contribuir para o bem-estar da sociedade e veio a tornar-se parte das tradições de uma cultura. Em um sentido secundário, a palavra pode referir-se a convenções sociais aceitas, embora não exibam, necessariamente, o que é melhor, embora tenham sido impostas por sua antiguidade.

MORESETE-GATE

No hebraico, «possessão de Gate», uma cidade mencionada em Miq. 1:14. Ao que tudo leva a crer, esse foi o lugar onde nasceu o profeta Miquéias, razão pela qual ele é chamado de «morastita» (ver Jer. 26:18 e Miq. 1:1), um adjetivo que lhe é aplicado a fim de distingui-lo de outro profeta, mais antigo, de nome (no hebraico), Micaías, filho de Inlá (ver I Reis 22:8 *ss*), além de outros.

Jerônimo situava essa cidade a curta distância a leste de Eleuterópolis, o que a identifica com Khirbet el-Basel, ligeiramente mais que um quilômetro e meio distante de Eleuterópolis. Mas outros estudiosos preferem pensar no Tell ej-Judeideh, a oito quilômetros a oeste de Gate, e cerca de trinta e dois quilômetros a sudoeste de Jerusalém, como se fosse o antigo local de Moresete-Gate.

MORGAN, C. LLOYD

Suas datas foram 1852-1936. Ele foi um cientista e filósofo inglês. Nasceu em Londres. Estudou com T.H. Huxley. Ensinou na África do Sul e na Universidade de Bristol. Tornou-se conhecido por seus pontos de vista teístas da evolução, e afirmava que a mente é que orienta esse processo, fazendo parte integral do mesmo. Isso posto, ele não via qualquer contradição entre a mente e a matéria. Ver sobre o *Problema Corpo-Mente*.

Idéias:

1. Foi Morgan quem originou a expressão «método da tentativa e erro». Ele acreditava que podemos aprender mediante a observação e a pesquisa das evidências, e que errar não é algo fatal, porquanto tão-somente faz parte do processo do aprendizado.

2. Suas pesquisas levaram-no a crer no que se chama de *evolução emergente*. Isso significa que o processo evolutivo não deve ser concebido como um processo contínuo, porquanto verificar-se-ia em «ondas», de forma «emergente», de forma abrupta, passando das formas inferiores para as formas superiores de vida.

3. As formas *emergentes* partiriam de uma matriz original no espaço-tempo, incluindo a própria matéria, embora não matéria morta e caótica. Das formas emergentes aparecem as formas «resultantes», elementos repetitivos que provêem a necessária continuidade do processo evolutivo.

4. Morgan deixava-se influenciar pela filosofia de Spinoza, supondo que os eventos mentais e físicos, igualmente, fazem parte do processo evolutivo, e que esses eventos cooperam entre si, longe de se contradizerem. A realidade consistiria em pensamento e em coisa, sendo esses apenas aspectos de uma mesma natureza. Ver sobre *Spinoza*, oitavo ponto.

5. A *Mente Divina* é que dirigiria o processo evolutivo. Deus não seria uma forma emergente, mas antes, o diretor de todo o processo. Entretanto, a mentalidade é uma forma emergente do elemento psíquico que existe em todas as coisas. A alma, por conseguinte, existe como parte do processo evolutivo. Há propósito em todas as coisas, visto que a Mente Divina está por detrás de tudo. A mente é uma «qualidade emergente em um elevado nível do processo evolutivo», e somente a Mente Divina, atuante em todas as coisas, pode fornecer uma explicação adequada para as maravilhas que testemunhamos diariamente.

Escritos: Emergente Evolution; Life, Mind and Spirit; Mind at the Crossway; The Emergence of Novelty.

MORGAN, THOMAS

Suas datas foram 1690-1743. Ele foi um deísta galês (ver o artigo sobre o *Deísmo*). Foi também um ministro independente que foi privado de seus proventos, por causa de suas opiniões. De modo geral, ele seguia as cinco «Noções Comuns» de Herbert de Cherbury (vide). Atacava o sacerdócio das religiões organizadas, acusando-o de promover a superstição e a perseguição. Argumentava em favor da tolerância. Uma de suas contribuições foi no campo da crítica bíblica, em cujo campo ele foi um pioneiro quanto a certos aspectos.

MORIÁ

No hebraico «alta (região)». Esse nome consiste em três elementos: *men*, «lugar», *ra'ah*, «ver», e *Yah*, forma abreviada de *Yahweh*. Por isso é que alguns estudiosos dizem que esse nome significa «visto por Yahweh» ou «escolhido por Yahweh». A palavra ocorre somente por duas vezes em todo o Antigo

Testamento: em Gên. 22:2, onde se refere ao lugar até onde Abraão levou Isaque, a fim de oferecê-lo em sacrifício. Esse lugar ficava a três dias de viagem para quem partia da terra dos filisteus (ver Gên. 21:34), a região de Gerar, mas podia ser visto à distância, devido à sua elevação (ver Gên. 22:4). E também em II Crô. 3:1; o local onde foi construído o templo de Salomão, a saber, o «monte Moriá», na eira de Ornã, o jebuseu, e onde Deus aparecera a Davi (II Crô. 3:2).

Vários problemas têm surgido no tocante a essa questão. Em primeiro lugar, o sul da Filístia não ficava a três dias de viagem desse lugar. Além disso, quando alguém caminhava para a área do templo, não podia vê-la à distância. A tradição samaritana ligava o monte Moriá ao monte Gerizim. A isso, outros retrucam dizendo que em vista do sul da Filístia ficar cerca de oitenta quilômetros de Jerusalém, poderiam ser necessários três dias de caminhada até à área onde, futuramente, foi construído o templo. Além disso, em Gênesis não está em foco algum monte isolado, e, sim, toda uma região montanhosa, pelo que essa região é que seria visível à distância. Assim, se o monte Moriá, propriamente dito, não podia ser divisado à distância, as colinas circundantes podiam. Josefo concordou com a identificação do monte Moriá com a área do templo (ver *Anti.* I.12,1; VII.13,4), tal como o faz o livro dos Jubileus (18:13) e a literatura rabínica em geral. Atualmente, há no local uma mesquita islâmica, a mesquita de Omar.

MÓRMON, LIVRO DE

Ver sobre *Livro de Mórmon; Livros Apócrifos Modernos*, primeiro ponto.

Idéia Geral Sobre o Livro de Mórmon:

Joseph Smith Jr. (vide) afirmava ter recebido visitações angelicais, durante certo período de tempo, que o ajudaram a traduzir o Livro de Mórmon, do que resultou a publicação desse material, em março de 1830. Inúmeras edições se têm seguido, em muitos idiomas. O material relaciona-se a três alegadas migrações e subseqüente história de antigos habitantes da América do Norte: por volta de 2200 A.C., que teriam partido da torre de Babel. Dessa primeira leva, todos os participantes acabaram mortos. Então migraram descendentes de Manassés, que teriam partido de Jerusalém, em cerca de 600 A.C. E, então, logo em seguida, uma terceira leva, em 588 A.C., uma colônia de Jerusalém, encabeçada por um filho de Zedequias. Essas duas últimas migrações se uniram, e, mais tarde, dividiram-se para formar os nefitas e os lamanitas. Esses grupos teriam sido visitados por Cristo após a sua ressurreição. Durante mais de 200 anos, eles continuaram vivendo em paz. Posteriormente, porém, já em 400 D.C., guerras destruidoras aniquilaram a todos, menos aos lamanitas, que aparecem como os antepassados dos índios norte-americanos. Os artigos acima mencionados fornecem muitos detalhes, tanto sobre o Livro de Mórmon, quanto sobre os próprios mórmons.

MÓRMONS

Ver o artigo *Santos dos Últimos Dias (Mórmons)*.

MORNIDÃO ESPIRITUAL

Apo. 3:15: *Conheço as tuas obras, que nem és frio nem quente; oxalá foras frio ou quente!*

Conheço as tuas obras. Em outras palavras: «Conheço tuas condições espirituais em geral». (Ver no NTI as notas expositivas completas sobre essa expressão, comum em todas as sete cartas do Apocalipse, ou com as mesmas palavras, ou em espírito, em Apo. 2:2).

Nem és frio nem quente. Somos informados de que Laodicéia não tinha suprimento de água próprio, mas que tinha de ser servida por um aqueduto. Nesse processo, a água chegava morna. Os laodicenses se assemelhavam à sua água. O simbolismo fala sobre a indiferença «religiosa», sobre a superficialidade, sobre a falta de resolução.

Os Significados da Mornidão Espiritual:

1. *Historicamente,* supomos que uma das coisas nisso envolvida, era a recusa da igreja de abandonar abertamente o *culto ao imperador*, em que os imperadores romanos eram adorados como deuses. Adoravam ao imperador, ao mesmo tempo que diziam tratar-se apenas de uma formalidade, não o fazendo de coração. Dessa maneira, pois, evitavam a perseguição e participavam amplamente das riquezas da cidade. Paralelamente a tudo isso, procuravam manter uma «igreja cristã». Não eram quentes e nem frios, mas uma espécie de igreja cristã pagã.

2. *Profeticamente*, cremos que a mesma coisa ocorrerá de novo. O anticristo exigirá a lealdade dos homens, e até mesmo a *adoração* da parte deles. Alguns elementos anuirão às suas exigências, e apesar disso se chamarão cristãos. Uma forma grandemente pervertida de cristianismo emergirá dessa situação, e o próprio Satanás, indiretamente, tornar-se-á o deus da «igreja», onde será adorado. O vidente João queria que não houvesse transigências ante o «culto ao imperador», e nem concessões ao mesmo. Aqueles que tentam uma posição «eqüidistante», através das pressões e perseguições que passarem, são detestáveis, causadores de náusea, semelhantes à água morna. Tal atitude deve ser totalmente rejeitada, e os que assim agem serão vomitados, por assim dizer, tão forte será a reação da verdadeira piedade e a lealdade cristã, em tal situação.

3. Essa idéia também se aplica a qualquer crente individual ou igreja que realmente não se tenha decidido a ser *antipagã* em seus costumes. São apenas e **tão-somente «meio-crentes»**, nunca conseguindo qualquer avanço espiritual firme e permanente. Tais cristãos não são «frios» à mensagem cristã, isto é, não a rejeitam total e obviamente. Mas também não são «quentes», pois não agem decisivamente, de acordo com a mensagem cristã. Facilmente são impelidos por um sermão ou lição. Mas nunca aplicam, realmente, a mensagem a si mesmos.

4. A «mornidão» deles se deve ao fato de que sua fonte de satisfação e razão de vida está fora de Cristo, embora não se disponham a rejeitar a Cristo aberta, abrupta e decisivamente. De acordo com o sistema deles, Cristo não solucionou todos os problemas de lealdade. A questão sobre a quem ou a que devem consagrar suas vidas e energias, é deixada em aberto.

5. No caso de alguns, a mornidão não significa que não sejam culpados de pecados abertos e grandes, como o caso dos nicolaítas, dos seguidores de Baal, etc., mas também não são conhecidos por uma ação positiva e dedicada, em favor da causa de Cristo. A principal característica deles é a «complacência» com as coisas, conforme elas são. Não vêem qualquer razão em Sião para se apressarem e cumprirem uma elevada missão. Estão no mundo e gostam do mesmo. Para esses, a igreja é apenas uma extensão do mundo, e não algo do qual se devam separar.

6. Uma outra característica da mornidão é o não reconhecimento de um estado espiritual deficiente, a

satisfação com aquilo que poderia ser chamado de «espiritualidade falsa». Juntamente com a mornidão vai a cegueira e a insensibilidade espirituais.

7. «Até mesmo o *repúdio franco* da religião pelo menos é mais *promissor*, do ponto de vista ético (ver Arist. *Nic. Eth.* vii.2-10), do que a lealdade morna, do que a complacência a qualquer falha. Quem está de fora (por ser incrédulo) pode ser convencido e conquistado: há esperança para ele, pois não está sob ilusão acerca de sua real relação para com a fé. Porém, que se pode fazer com pessoas que são cristãs nominais, incapazes de reconhecer que precisam de arrependimento, e que Jesus, na realidade, está fora das vidas deles (ver o vigésimo versículo)». (Moffatt, *in loc.*).

8. O espírito deste versículo é similar ao do vigésimo terceiro capítulo do evangelho de Mateus, onde Jesus denunciou os líderes religiosos de sua época, tachando-os de «hipócritas», porquanto se preocupavam somente com questões externas e diminutas infrações da lei, ao mesmo tempo que viviam atolados em grandes males e na insensibilidade espiritual.

9. O entusiasmo espiritual (estado de quem está «quente») não é o único elemento necessário na fé religiosa; pode até mesmo ser perigoso, se não existir paralelamente à fé e à dedicação. Mas, aliado a estes, é ideal e poderoso em suas operações e resultados.

10. Precisamos ser «sensíveis» para com os nossos *defeitos*, e para com o que fica *irrealizado* em nossas vidas, não dando atenção somente àquilo que já possuímos, aos progressos já feitos. A mornidão espiritual impede isso.

Quem dera fosses frio, ou quente! «O termo grego *ophelon*, é usado no indicativo passado, no grego posterior, a fim de apresentar um desejo impraticável; mas quando usado no futuro do indicativo (ver Gál. 5:12, por exemplo), — expressa um desejo praticável. Mas aqui, tal como em II Cor. 9:1, temos *ophelon* usado no passado do indicativo, expressando uma possibilidade, embora, no presente, ainda não se tivesse realizado». (Charles *in loc.*). O grego helenista não observava a exatidão minuciosa do grego clássico, e nem se mostrava consistente em seus usos.

Para o bem e o mal, em igual inclinação,
Sou tanto um demônio como sou um homem.
(Erskine)

Adam Clarke (*in loc.*) supõe que eram eles «bons demais para irem para o inferno e maus demais para irem para o céu. Era similar ao caso de Efraim e Judá, em Osé. 6:4: 'Que te farei, ó Efraim! Que te farei, ó Judá? porque o vosso amor é como a nuvem da manhã, e como o orvalho da madrugada, que cedo passa'. Tinham boas disposições, que eram cativadas por más inclinações; e tinham más disposições que, por sua vez, cediam a boas inclinações. E a justiça divina e a misericórdia pareciam perplexas em saber o que fazer com eles ou contra eles. Esse era o estado da igreja de Laodicéia, e nosso Senhor expressa aqui, nesse desejo aparente, a mesma coisa que foi expresso por Epicteto, *Ench.*, capítulo 36: 'Tu deves ser um tipo de homem, ou homem bom ou homem mau'».

MORRISON, ROBERT

Suas datas foram 1782-1834. Ele tem a distinção de haver sido o primeiro missionário protestante a ser enviado à China. Nasceu de pais escoceses, em Buller's Green, em Northumberlândia. Estudou o chinês na Inglaterra e foi enviado pela London Missionary Society a Cantão, em 1807. Na China, Morrison tornou-se tradutor da East India Company. Publicou então uma tradução do Novo Testamento para o chinês, em 1814, e, em cooperação com o Rev. William Milne, publicou uma tradução do Antigo Testamento, em 1818. Também fundou um colégio anglo-chinês. Treinou obreiros nativos; abriu uma clínica médica; preparou um dicionário e uma gramática chineses (uma coleção de seis volumes). Tornou-se reconhecido por seus esforços literários, e foi eleito «fellow» da Real Sociedade Inglesa. Muitos outros livros de caráter religioso foram escritos e publicados por ele. Morreu em Cantão, a 1º de agosto de 1834.

MORTAL (MORTALIDADE)

Essa palavra vem do latim, **mors (mortis)**, «morte», e, mais especificamente ainda, de *mortalitas*, «sujeito à morte». Visto que o homem é *mortal*, aquilo que lhe diz respeito, e que é transitório, também é indicado por esse termo.

Biologicamente falando, reconhece-se que as coisas compostas de matéria estão envolvidas em um processo degenerativo natural que as leva, inevitavelmente, à morte. Teologicamente, isso é atribuído à entrada do pecado no mundo. Presumivelmente, se não tivesse caído em pecado, Adão teria tido uma existência biológica que não estaria sujeita à desintegração. Contudo, esse ponto é disputado pelos teólogos, para não dizermos coisa alguma quanto aos biólogos. Muitos desses pensam que temos aí um mito para explicar a morte, um mito que não ofereceria qualquer explicação convincente sobre a morte, afinal de contas.

O termo grego equivalente é *thnetós*, «passível de morrer». No Novo Testamento original, esse vocábulo é aplicado ao corpo humano (ver Rom. 6:12; I Cor. 15:53,54; II Cor. 4:11). Em contraste com isso, temos a alma imortal, que não está sujeita à desintegração, e que constitui o verdadeiro homem. Ver vários artigos sob o título *Imortalidade*. Ver também *Experiências Perto da Morte*, um artigo que mostra que essas experiências estão se tornando uma espécie de ponte entre a ciência e a fé religiosa, no tocante à questão da sobrevivência da alma diante da morte física.

MORTALISTA

Esse é o nome que se dá ao indivíduo que crê que quando as pessoas morrem, não há tal coisa como uma vida continuada por meio da alma, ou porção imaterial do homem. Em outras palavras, não haveria sobrevivência diante da morte biológica, e essa morte seria o fim definitivo da consciência e da existência da pessoa. Essa idéia deve ser contrastada com a crença na imortalidade da alma. Ver os vários artigos sob o título *Imortalidade*.

Paulo ensinava que Cristo, o Salvador, «não só destruiu a morte, como trouxe à luz a vida e a imortalidade, mediante o evangelho» (II Tim. 1:10).

MORTE

Esboço:

I. Caracterização Geral
II. A Palavra «Morte» e Suas Muitas Conotações
III. O Estado dos Mortos
IV. A Morte como Punição pelo Pecado
V. A Consternação da Morte
VI. A Morte Não é Vitoriosa
VII. A Segunda Morte e a Morte Espiritual
VIII. Usos Figurados e Personificação da Morte
IX. Como a Morte Nos Serve

MORTE

Ver o artigo paralelo, *Mortos, Estado dos.*

I. Caracterização Geral

Um dos grandes mistérios da nossa existência é como um espírito eterno veio a envolver-se com um corpo físico, e como esse elemento físico é incapaz de resistir à ruína produzida pela passagem do tempo, e finalmente morre, livrando outra vez o espírito, de sua habitação de carne.

Alguns estudiosos supõem que o corpo e a alma têm uma origem comum, mediante a procriação (posição chamada *traducionismo*; que vide). Outros supõem que uma vez que o corpo físico começa na procriação, que Deus cria, em cada caso individual, uma nova alma (posição chamada *criacionismo*; que vide). Ainda um terceiro grupo insiste que a alma é *preexistente*, e que a sua união com o corpo físico é um acontecimento relativamente recente. Muitos daqueles que mantêm essa terceira posição também pensam que essa união da alma com o corpo faz parte das *conseqüências* da queda da alma, — que deslizou para um estado espiritual inferior. Platão aludia ao corpo como o sepulcro da alma, ou como sua prisão. Os pais alexandrinos da Igreja diziam coisas semelhantes. Todavia, o nosso corpo precisa ser respeitado, tanto por ser obra de Deus como por prover-nos o instrumento necessário para a nossa manifestação nesta esfera terrena. A teologia ensina-nos que essa manifestação é importante, visto que a salvação está sendo realizada com base na mesma. Alguns pensadores, talvez corretamente, supõem que há um destino terreno, tanto de cada indivíduo como da humanidade em geral, coletivamente falando. Isso é importante *por si mesmo*, mas também por estar relacionado ao destino físico. O corpo está pesadamente envolvido nesse destino menor. Ficamos consternados porque o corpo físico está sujeito à morte; mas uma reflexão sábia revela-nos que isso tanto é necessário quanto é desejável, porquanto uma imortalidade física, nas nossas condições atuais, em muito perturbaria o verdadeiro destino do homem.

Aqueles que acreditam na reencarnação (que vide) supõem que muitas vidas terrenas permitem que uma pessoa realize, afinal, o seu propósito terreno, porquanto, em uma nova vida, ela poderia terminar aquilo que apenas havia começado. Era comum na teologia judaica, dos tempos helenistas, que todos os profetas do Antigo Testamento teriam mais de uma missão à face da terra, para darem continuação ao seu trabalho. O trecho de Mateus 16:14 é um reflexo dessa crença. A doutrina neotestamentária do anticristo dá a entender que ele teve uma história anterior e destrutiva na terra, e que emergirá do hades para continuar a sua missão maligna (Apo. 11:7; 17:8-11). Alguns intérpretes supõem que todos os homens são repetições de existências anteriores, pelo que estariam continuamente envolvidos em alguma missão, ou em missões secundárias. Por sua vez, isso indicaria que a morte biológica não é experimentada apenas por uma vez, mas por muitas vezes, e também que o julgamento final nos aguarda na «parousia», não se seguindo imediatamente à morte biológica do indivíduo. Seja como for, a morte do corpo físico sempre se faz presente, reivindicando direitos sobre as suas vítimas (ou vitoriosos?).

II. A Palavra Morte e Suas Muitas Conotações

Quanto a esse aspecto da questão, que o leitor examine o artigo separado intitulado «Mortos». Quanto aos muitos costumes associados ao sepultamento dos mortos, ver o artigo sobre *Sepultamento, Costumes de.*

III. O Estado dos Mortos

Neste ponto investigaremos o destino das almas que passaram pela experiência da morte biológica. Esse é um assunto complexo, que foi manuseado em um artigo separado, intitulado, *Mortos, Estado dos.* É nesse artigo que apresento a teologia bíblica envolvida no assunto, juntamente com alguma teologia especulativa.

IV. A Morte como Punição pelo Pecado

O trecho de Gênesis 2:17 é o primeiro que alude à morte, onde também ensina que a morte é a punição contra o pecado. Paulo confirmou esse ponto teológico (Rom. 5:12; 6:23), ligando-o à narrativa sobre Adão, e estabelecendo o princípio geral que o pecado tem seu salário, que é a morte física e espiritual. Essa morte, em seu duplo aspecto, físico e espiritual, é contrastada com o dom da vida, que é o pólo oposto dessa doutrina. Tomás de Aquino ensinava que o homem foi criado com o poder sobrenatural de preservar-se na imortalidade física, mas que a queda no pecado arrebatou dele essa capacidade. Por outra parte, Platão supunha que a alma é preexistente, e que, por causa de sua queda, veio a este mundo a fim de unir-se a uma existência mortal. Em seus escritos, isso é visto como um castigo, forçando a alma a entrar em uma prisão, ou em um sepulcro. O ensino de Platão é um tanto similar ao de Gênesis e do resto da Bíblia, exceto que, em Platão, a alma vem para aquilo que *já* é mortal, devido à sua natureza material. Qualquer coisa material estaria sujeita à desintegração, somente por ser material. Poderíamos perguntar, com razão, se qualquer ser vivo, material, poderia também ser imortal, sem importar qualquer poder que pudesse possuir. Alguns filósofos opinam que a idéia de Platão sobre a mortalidade necessária de qualquer tipo de vida biológica (material) está mais próxima da verdade do que a idéia bíblica que diz que antes havia uma materialidade imortal, que perdeu essa qualidade por causa do pecado. Seja como for, o resultado final não difere em grande coisa: em ambos os casos temos uma alma imaterial que habita em um corpo material e mortal; e essa mortalidade é sinal do envilecido estado da alma e de sua natureza pecaminosa, sem importar se foi o pecado ou não que causou essa mortalidade. A teologia também é a mesma, quando se trata da salvação dessa alma. Uma parte da redenção consiste em sermos libertos da materialidade mortal, recebendo em troca uma forma de vida superior, que não requer associação com a matéria pura. Naturalmente, a redenção faz a alma humana participar da natureza divina, com seus atributos (II Ped. 1:4), mas, para tanto será mister uma caminhada muito longa em que os remidos passarão por muitos estágios de glória (II Cor. 3:18) até que aquele alvo final seja finalmente atingido.

V. A Consternação da Morte

Estive presente a uma reunião, em uma igreja batista, quando o pastor perguntou aos presentes quantos ali temiam a morte. Ergui a mão, para surpresa dele, e alguns poucos outros também o fizeram. Mas, os denodados irmãos não levantaram suas mãos, que era o que o pastor esperava, naturalmente. Como é claro, estavam todos sendo mentirosos, pois a epístola aos Hebreus diz-nos que todos os homens temem a morte (Heb. 2:15). Como filhos adotivos de Deus, aprendemos a controlar essa emoção, e, quando já se avizinha a morte, aprendemos a livrar-nos de tal temor, conforme se pode entender o trecho de Romanos 8:15. Alguns dias antes do falecimento de minha mãe (e ela sabia que estava à beira da morte), ela me segredou que estava com medo. Porém, chegado o momento da morte, ela não aparentava medo. Um professor de problemas mentais, em uma escola bíblica, disse a seus alunos que eles não precisavam de coragem para morrer, até chegarem ao ponto de passar pela experiência. A morte envolve certo temor, a despeito dos nossos dogmas, porque há certo mistério que a circunda. Os estudos no campo das experiências perto da morte (que vide) informam-nos que essa experiência, mais do que qualquer outra, tem aspectos gloriosos; porém, associamos de tal maneira as nossas vidas com os nossos corpos físicos que uma ameaça contra o corpo é considerada uma ameaça contra a própria vida. Isso não corresponde aos fatos, embora os nossos instintos naturais nos façam encolher, diante da morte, quando ela se aproxima. —Conforme disse certo pregador: «Não é fácil chegar perto da morte».

Em nossos dias, alguns psicólogos e psiquiatras se têm especializado na *tanatologia* (que vide), ou seja, o estudo sobre a morte, com o propósito de ajudar as pessoas a se prepararem melhor para essa experiência, para que façam uma transição mais suave. Muitos desses estudiosos, por causa de sua longa associação com a morte, sabem que há uma porção imaterial no homem que sobrevive. Também conhecem muitos relatos de retornos após a morte clínica, contados por aqueles que a experimentaram. Esses têm podido mapear as fases da experiência da morte. No artigo intitulado *Experiências Perto da Morte*, o leitor poderá encontrar evidências que destacam esse ponto. A clínica em Campinas, no estado de São Paulo, Brasil, que cuidou do caso de câncer de minha mãe, do qual ela, finalmente faleceu, usou os métodos dos tanatologistas, porquanto as pesquisas deles nos têm possibilitado entender melhor a jornada envolvida na experiência da morte física. Na verdade, a misericórdia e o amor de Deus fazem-se presentes. Ele mantém a situação sob o seu controle, e a maioria das pessoas regozija-se na morte, quando ela já se aproxima. Deus provê orientação, por ocasião da morte, por meio do *Ser Luminoso*, um ente que irradia tremendo poder e amor. Todas as almas reagem favoravelmente diante desse ser, e ele as ajuda na passagem. Ademais, a comissão de recepção faz-se presente, a fim de cortar o fio de prata (Ecl. 12:6), — guiando a pessoa para o outro lado do Jordão. Naturalmente, as pessoas ímpias temem a morte, porquanto pressentem as temíveis conseqüências de seu pecado. Na verdade, todas as pessoas, que já se aproximam da hora da morte, percebem com clareza o que o pecado causou em suas vidas. Porém, naquele momento recebem uma orientação e uma direção, e não o julgamento final, que só ocorrerá após a «parousia» ou segunda vinda de Cristo. Ver o artigo sobre o *Julgamento*. Todavia, nenhuma declaração minha acima deve ser tomada como uma tentativa para diminuir a importância da morte. Morrer é algo que nos enche de solenidade. Morrer é uma questão séria. Mas o amor de Deus está presente, visando o nosso bem.

VI. A Morte não é Vitoriosa

Jó demonstrou ter confiança na sua **imortalidade** pessoal, sabendo que sair-se-ia bem diante da morte (Jó 19:25-37). Davi compartilhou desse otimismo (Sal. 16:8-11; 17:15; 73:23-26). O trecho de II Timóteo 1:10 ensina que Deus aboliu a morte e trouxe à luz a vida e a imortalidade, por meio do evangelho. Paulo tinha a certeza de que, algum dia, o ferrão da morte seria eliminado, e que, sendo esse o caso, a morte perderia a sua vitória temporária sobre nós (I Cor. 15:55). Essa vitória nos será dada por Deus, através do evangelho, no seu Filho, Jesus Cristo, mediante a ressurreição (I Cor. 15:57). Alguns teólogos ligam essa vitória somente aos relativamente poucos que fazem parte do grupo dos escolhidos. E, realmente, é uma verdade que somente os poucos escolhidos é que virão a participar da natureza divina (que é o que a Bíblia entende por *salvação*, em seu aspecto total). Por outro lado também é verdade que todos os homens, mediante a restauração, virão a compartilhar em outros aspectos da vitória obtida pela missão de Cristo. Sem dúvida, os trechos de I Ped. 3:18 — 4:6 e Efé. 1:10,23 ensinam isso. Ver o artigo sobre a *Restauração*, onde essas questões são esclarecidas.

VII. A Segunda Morte e a Morte Espiritual

A primeira morte é biológica; a segunda morte é espiritual. Já pudemos ver que o pecado está ligado à morte espiritual. O conceito básico da morte espiritual é a alienação entre a pessoa e Deus, ficando ela destituída da vida de Deus, o que é até um privilégio humano, porque o homem é um espírito. Se o homem perder esse direito, mediante privação, fica separado da vida de Deus, e, por definição bíblica, está espiritualmente morto. A segunda morte, porém, é também vinculada ao juízo final, que ameaça a eterna separação entre o homem e a vida de Deus, acompanhada pelo devido castigo em face do pecado. A morte espiritual é aludida em trechos como Mat. 8:22; Luc. 15:32; Efé. 2:1-3; 4:17-19; Col. 2:13; I Tim. 5:6 e Jud. 12. Especificamente, a segunda morte é mencionada em Apocalipse 2:11; 20:14 e 21:8. O termo «segunda» contrasta com a «primeira» morte, que atinge o corpo físico. Tal expressão pode ser encontrada nos escritos extrabíblicos achados com os manuscritos bíblicos do mar Morto (que vide), como também nos escritos do judaísmo helenista, de natureza apocalíptica. Cumpre observar que, no vigésimo capítulo do Apocalipse, a *segunda morte* é associada ao *lago do fogo* (que vide). Ser alguém lançado naquele lugar de juízo divino é morrer a segunda morte. Nesse versículo, lemos que a morte e o hades serão lançados dentro do lago do fogo. Não há que duvidar que o autor do Apocalipse via isso como uma condição permanente, eterna.

Mas, o trecho de II Pedro 3:18 — 4:6 mostra que até o julgamento poderá ser revertido. A mesma mensagem é destacada no ensino sobre a restauração geral, em Efésios 1:10,23. O *mistério* da vontade de Deus (que vide) reserva uma surpresa para os homens; o amor de Deus atinge até o mais profundo inferno, revertendo a maldição, até mesmo ali. Contudo, isso será resultante das operações das eras da eternidade vindoura (na dispensação da plenitude dos tempos, isto é, dos ciclos). Antes disso, entretanto, o julgamento divino haverá de realizar a sua obra *remedial*, e não apenas retributiva. Conforme dizia Orígenes, ver o julgamento divino apenas em seu aspecto retributivo é condescender diante de uma teologia inferior, incompleta. Ver o artigo sobre *Morte, a Segunda*.

Observação. A verdadeira vida é a vida *superior*, isto é, a vida de Deus. Só em Deus encontramos a vida em sua expressão mais ampla. O destino dos remidos é participar da forma de vida de Deus, ou seja, da divindade (II Ped. 1:4), mediante muitos estágios de transformação espiritual (II Cor. 3:18), segundo a imagem do Filho de Deus, Jesus Cristo (Rom. 8:29). Nesse sentido, somente os eleitos participarão da vida. Nesse sentido estrito e comparativo, as outras almas humanas estão *mortas*, e, *nesse sentido*, pode-se dizer que sofrerão a morte eterna, ainda que as outras formas de vida das quais participarão sejam gloriosas, harmoniosas e proveitosas. Não obstante, a fim de não degradar a obra do Restaurador (o Logos, o Cristo), não estou chamando aqui de «morte» àquelas formas de vida que ele conferirá aos restaurados. Portanto, temos nisso uma revelação que olha para além do conceito da segunda morte, devendo ser considerada uma revelação superior, que deve ser recebida por nós com alegria, e não rejeitada a fim de ser preservada uma teologia não tão completa. A própria palavra «mistério», empregada em Efésios 1:10, mostra-nos que ali nos é revelado algo que não era conhecido antes. Isso posto, não há necessidade de tentarmos reconciliá-la com a teologia inferior e mais antiga, no tocante ao julgamento, da mesma forma que não temos necessidade de tentar fazer o Novo Testamento tornar-se compatível com o Antigo Testamento, nos pontos onde avanços e diferenças vêm à tona. Meus amigos, precisamos dar crédito a Cristo, pela missão por ele realizada. Isso é muito mais importante do que preservar uma teologia ultrapassada na própria Bíblia, sobre a questão do julgamento.

VIII. Usos Figurados e Personificação da Morte

No sexto ponto, acima, vimos que há uma morte espiritual e também a segunda morte, usos figurados da palavra «morte», associados à morte biológica, mas que, na realidade, apontam para condições espirituais. Além desses usos, há outros empregos da idéia, nas Escrituras. Assim, a morte é personificada como um governante tirano, que domina sobre um vasto e melancólico reino. A morte é representada como uma figura assustadora, que brande uma foice, ou como um caçador que persegue suas vítimas de perto (Sal. 18:5,6; 91:3). Uma antiga figura simbólica judaica era a de um demônio ou espírito maligno, ou, em alguns casos, a de um anjo cuja tarefa era sair colecionando almas humanas. Além disso, a morte é retratada como uma bebida poderosa e venenosa, que as pessoas precisam sorver (Mat. 16:28; Heb. 2:9). De várias maneiras, os quatro cavaleiros do Apocalipse representam a morte e o julgamento (Apo. 6:1 *ss*).

Nos sonhos e visões, a morte pode ser literal. Em outras palavras, podem antecipar a morte de outras pessoas, ou a nossa própria morte, de forma simbólica ou literal. Mas, nesses casos, a morte também pode apontar para o fim de alguma coisa e o começo de outra coisa, o que pode ser positivo ou negativo. Além disso, a morte e os cemitérios podem representar os estados pecaminosos, em consonância com o simbolismo bíblico. Outrossim, sonhar que alguma pessoa morreu pode representar a profunda hostilidade que o sonhador tem para com aquela pessoa. Todavia, também pode estar em pauta o temor que o sonhador tem de que a morte sobrevenha a outra pessoa. O sonho em que tiramos a vida de alguma pessoa ou animal pode indicar o desejo que temos de livrar-nos da qualidade indesejável de caráter representada por aquela pessoa ou animal. Sonhar com a própria morte pode indicar o desejo de livrar-se do antigo estado pecaminoso e inferior do próprio «eu», ou da antiga natureza, a fim de que as coisas se renovem e sejam melhoradas. Sonhar sobre a *rigor mortis* pode simbolizar uma visão rígida, inflexível e bitolada da vida, ou uma atitude irracional e inflexível que alguém tenha diante da vida. Sonhar com a morte de outrem pode representar uma *vida arruinada*, no caso daquela pessoa. O mesmo pode aplicar-se ao sonho com o próprio falecimento.

IX. Como a Morte nos Serve — I Cor. 3:22

1. Esse será um acontecimento solene, em razão do qual dizemos: «Ensina-nos a contar os nossos dias, para que alcancemos coração sábio» (Sal. 90:12).

2. A morte física não nos separará de Cristo; pelo contrário, nos levará à sua presença, pois estar ausente do corpo é estar presente com o Senhor (ver II Cor. 5:8).

3. Para o crente, a morte envolve vantagem (ver Fil. 1:21). A morte física livra-nos daquilo que é mortal e terreno, conferindo-nos grande avanço espiritual.

4. Quiçá Paulo também estivesse pensando aqui acerca da morte de Cristo e de como ela nos propiciou a expiação dos pecados e a admissão à vida eterna (ver Rom. 3:25).

«Morte, aquela hora solene, tão temida pelos ímpios; tão odiosa para aqueles que vivem sem Deus; ela é vossa. A morte é vossa serva; ela vem como mensageira especial da parte de Deus; ela vem para desfazer um nó que agora liga corpo e alma, e que não nos seria legítimo desmanchar. Ela vem para conduzir as nossas almas à glória; e ela não poderia vir 'antes' do seu devido tempo, para aqueles que estão esperando a salvação de Deus. Os santos desejam viver somente para a glória de Deus; **e aquele que** querem viver mais tempo do que podem 'obter' e 'fazer' o bem, não é digno da vida». (Adam Clarke, *in loc.*, que nos dá assim um comentário deveras excelente sobre o papel da morte física para nós).

«A morte de Cristo visava ao benefício deles, por ter sido sofrida em lugar deles, por causa dos seus pecados, apresentando uma satisfação ante a justiça divina, em prol deles; e os benefícios dessa morte passam a ser desfrutados por eles. A morte dos homens bons, dos ministros do evangelho, dos mártires, dos confessores, pertence a eles, servindo para fortalecer a sua fé, para animar o seu zelo, encorajando-os a se aferrarem na profissão de sua fé sem qualquer hesitação. A morte desses é uma bênção para eles, porquanto o *ferrão* da morte foi retirado, em relação a eles, por Cristo; a maldição da morte foi removida para eles. Para eles a morte não é uma condenação má; mas antes, é livramento de todas as tristezas e tribulações desta existência terrena, bem como a passagem dos crentes para a glória e a felicidade intermináveis». (John Gill, *in loc.*).

Tememos instintivamente a morte, parcialmente por causa de suas características raciais inerentes, que ajudam a preservar a humanidade mortal. Mas também porque, por baixo disso tudo, a despeito de toda a nossa instrução e erudição, algumas vezes tememos que talvez seja o fim da existência, conforme alguns erroneamente supõem, ou porque pensamos que a morte nos traga alguma desvantagem.

Por Que Temer a Morte?

O homem teme instintivamente a morte. A despeito da fé, a morte abre diante de nós um caminho novo e ainda não experimentado, e os novos começos sempre envolvem algum desconforto e temor. Também tememos o processo da morte física, com as suas dores, com a separação dos entes queridos. Na realidade, porém, a morte não existe, pois tal termo é apenas o nome que empregamos para aludir a uma nova e melhor existência. A vida além-túmulo é um fato bem atestado, que hoje em dia vai sendo demonstrado por estudos feitos em laboratório. (Ver os diversos artigos sobre a *Imortalidade*).

Naturalmente a doutrina ensinada pelo apóstolo Paulo vai mais longe do que a mera sobrevivência. Ele garante que nada, durante o processo da própria morte, ou qualquer conseqüência daí decorrente, poderá nos prejudicar, pois a morte nos pertence e serve de portal para a vida eterna.

A Metáfora — Elementos da Morte

1. Misticamente (dentro da identificação espiri-

tual), morremos juntamente com Cristo. O Espírito aplica em nós esse princípio, e cuida para que tenhamos forças contra o pecado (Rom. capítulo 6).

2. Mediante a energia concedida pelo Espírito, cortamos relações com o pecado. Encorajamos isso por meio do crescimento espiritual. Isso ocorre através da aplicação dos meios de desenvolvimento espiritual: o estudo da Bíblia, a oração, a santificação, a prática da lei do amor, o uso dos dons espirituais, etc.

3. O exercício da fé nos põe acima do poder do pecado (ver I João 5:4).

4. Nossa transformação gradual segundo a imagem de Cristo (ver Rom. 8:29) dá-nos a vitória sobre o pecado, — pois, à medida que vamos nos transformando moralmente segundo *ele* (ver Mat. 5:48), nossas vidas vão sendo radicalmente transfiguradas para melhor.

5. A morte é um ponto final: pomos um ponto final na vida antiga, começando uma nova vida, em Cristo (ver notas em Col. 3:1 no NTI).

6. A morte é uma separação: por termos sido separados para Cristo, ficamos separados do pecado. O pecado morre para nós, e nós morremos para o pecado. Essas são palavras cabíveis, mas somente se o Espírito realizar sua obra. Como ele realiza isso, é algo que sugerimos acima. A morte presume que a pessoa vai para outro lugar, separando-se de seu antigo meio ambiente e modo de vida.

7. Ver o artigo sobre *Batismo Espiritual* que esclarece estes conceitos. Este *batismo* é a nossa identificação com Cristo em sua morte e ressurreição.

a. Há um grupo de pessoas, representado pela palavra *nós* (oculto), que aparece em Rom. 6:2, em quem essa separação do pecado deve tornar-se uma realidade, pois, do contrário, o sistema inteiro da graça não passará de uma mera ilusão.

b. Tais pessoas não são conclamadas a *morrerem* para o pecado, embora isso seja um apelo legítimo, mas antes, supõe-se que já passaram por tal experiência quando de sua conversão. E se porventura **não experimentaram essa realidade, então é que há algo de errado em torno dessa «conversão», ou, por** outro lado, essa realidade ainda não foi aplicada às pessoas subentendidas em Rom. 6:2.

c. É logicamente impossível, falando moral e experimentalmente, que essas pessoas referidas *continuem a viver no pecado*, porquanto um dos principais efeitos da fé, na conversão e na regeneração, **é exatamente o** de dar a vitória.

d. Embora o pecado ainda se manifeste nos crentes, e chegue mesmo a dominá-los ocasionalmente, Paulo fazia muito mais do que meramente exibir aqui um «ideal», em direção ao qual nos devemos esforçar. Pelo contrário, ele apontava para a «realidade» que já deveríamos estar experimentando. Essa realidade necessariamente resulta na «vitória», agora mesmo e, finalmente, na «perfeição total». O Espírito Santo precisa de tempo para completar a sua obra na alma humana, porquanto essa é uma tarefa longa e difícil.

e. Por isso é que, no dizer de Philip Schaff, em Rom. 6:2, «Viver no pecado, e conservar qualquer conexão com o mesmo, daí por diante, e para sempre, é algo incompatível com a justificação». Calvin em Rom. 6:2 comentou como segue: «Realmente Cristo não nos limpa com o seu sangue, e nem Deus se torna propício a nós, mediante a sua expiação, por qualquer outro meio que não seja o de tornar-nos participantes do seu Espírito, que renova em nós uma vida santa. Portanto, seria uma inversão estranhíssima da obra de Deus se porventura o pecado adquirisse mais forças por causa da graça que nos é oferecida em Cristo; pois o medicamento não alimenta a enfermidade que destrói». (Essa observação de Calvin é excelente).

f. Finalmente, a morte para o pecado, em Cristo, o que nos é *conferido misticamente*, altera toda a perspectiva do crente no que diz respeito ao pecado, de tal maneira que, juntamente com Deus, tal crente começa a «odiar todo o caminho mau». O crente passa a reconhecer que envolvido no pecado está o princípio da morte. E por isso abomina o pecado, sendo essa uma das maneiras pelas quais o crente é libertado do mesmo, obtendo assim a *vitória*. Porquanto sabe que o princípio duplo do pecado-morte é contrário a tudo quanto o Senhor tenciona como destino para o homem, especialmente para os remidos pelo seu sangue. O crente é transformado não só intelectualmente, mas também o é moral e espiritual. E, como é natural, a *vitória* é o resultado.

O poeta, nas suas eloqüentes palavras, pôde perceber algo da natureza venenosa do pecado, bem como algo de seu remédio, que é a misericórdia de Deus, ainda que fiquem suas idéias bem aquém da vitória de que Paulo fala aqui.

Se Os Minerais Venenosos

Se minerais venenosos, e se aquela árvore
Cujo fruto lançou a morte, quando éramos imortais,
Se cabras traiçoeiras, se serpentes invejosas
Não podem ser domadas, ai! como posso sê-lo eu?
Por que intuito ou razão, nascido em mim,
Faz os pecados, embora iguais, mais hediondos?
E a misericórdia, sendo fácil, e gloriosa
A Deus, em sua ira severa ele me ameaça?
Mas, quem sou eu, que ouso disputar contigo,
O Deus? Oh! de teu único sangue valioso,
E de minhas lágrimas, faz um dilúvio celestial,
E apaga em mim a memória negra do pecado;
Para que te lembres deles, alguma reivindicação com dívida,
Penso ser misericórdia, que tu os esqueças.

(John Donne, 1573 — 1631)

É verdade que precisamos de misericórdia, mas Paulo contempla aqui muito mais do que a misericórdia divina, derramada sobre os pecadores, o que ele contemplava era uma vitória verdadeira

(B BOE C CHE E NTI SAL STRA W)

MORTE, A SEGUNDA

Essa expressão, bem como aquela outra, *lago do fogo*, que lhe é equivalente, aparecem nos escritos pseudepígrafos e apocalípticos dos judeus, e foram incorporadas em Apocalipse (2:11; 20:6,15 e 21:18). A expressão «segunda morte» também equivale a outras expressões existentes nas obras apocalípticas não-canônicas, como «o lagar da ira», «as trevas», «as trevas exteriores», o «rilhar de dentes», etc., que também aparecem no Novo Testamento. Em Apo. 20:15 e 21:8, a segunda morte é definida como o «lago do fogo». Esta última expressão aparece em trechos como Apo. 19:20; 20:10,14,15 e 21:8. O conceito é similar ao da *geena* (que vide). Ver Mat. 5:22,29,30; 10:28; 18:9; 23:15,33; Luc. 12:5 e Tia. 3:6. Na literatura apocalíptica do judaísmo helenista, o juízo final é retratado como um lago que queima continuamente. Provavelmente, essa metáfora alicerça-se sobre a observação da combustão de petróleo cru ou das erupções vulcânicas, que parece algo espantoso para a mente dos homens, fá-los pensar que

Deus haverá de tratar com os homens de alguma forma semelhantemente terrível. Na literatura judaica extracanônica, a expressão «lago do fogo» aparece em I Enoque 21:7-10; 54:1,2; 90:26,27; II Esdras 7:36; II Baruque 85:13; Oráculos Sibilinos 2:196-200,252, 253; II Enoque 10:2 e Apocalipse de Pedro 8. O lago do fogo ou geena aparece como a cena do juízo final, substituindo o juízo intermediário do hades (que vide). A Bíblia, em Apocalipse 20:14, ensina que a morte e o hades serão lançados dentro do lago do fogo.

O adjetivo *segunda*, dentro da expressão *segunda morte*, contrasta essa morte espiritual e esse julgamento da alma com a morte biológica do corpo, ou *primeira* morte. Não há que duvidar que os autores sagrados que usaram essa expressão, «segunda morte», empregaram-na ou por conceberem o total aniquilamento do ser, ou uma terrível e eterna punição da alma, que ficaria sujeita a um sofrimento contínuo, entre horrores e agonias. Não obstante, é necessário que, a esta altura, sejam feitas algumas observações esclarecedoras:

1. Isso reflete o quadro do juízo que aparece nas obras *pseudepígrafas* dos judeus, quadro esse que, até certo ponto, e em alguns trechos, foi incorporado ao Novo Testamento. Não pode ser a palavra *final* acerca do julgamento divino.

2. Outras passagens do Novo Testamento ultrapassam esse ponto de vista. O trecho de I Pedro 3:18 — 4:6 (especialmente 4:6) revela-nos que a descida de Cristo ao hades (que vide), provê ao homem ampla oportunidade de salvação, para além da morte biológica, de tal maneira que o próprio hades tornou-se um campo missionário de Cristo.

3. A passagem de Efésios 4:8 *ss* mostra que a descida de Cristo ao hades e a sua ascensão tiveram o mesmo propósito, a saber, fazer dele tudo para todos, a fim de oferecer ampla oportunidade e esperança, muito além do que fora antecipado nas obras pseudepígrafas dos judeus, e até mesmo em certos trechos do Novo Testamento.

4. O passo bíblico de Efésios 1:9,10 refere-se ao «mistério da vontade de Deus», que envolve a restauração de todas as coisas. Efésios 1:23 é trecho que mostra que a Igreja mostrar-se-á ativa como instrumento (entre muitas outras coisas, sem dúvida) que fará a restauração final tornar-se uma realidade. O trecho de Efésios 1:9,10 ensina que isso terá lugar nos ciclos da eternidade futura. Por conseguinte, podemos legitimamente contrastar a redenção (para os eleitos de Deus) com a restauração (para os perdidos). Portanto, pode-se ainda afirmar, com plena segurança, que o Novo Testamento encerra ensinamentos sobre o julgamento final (que vide), que ultrapassam as idéias expostas nas obras pseudepígrafas, as quais foram incorporadas, em alguns lugares, no Novo Testamento. Confessamos abertamente que o Novo Testamento é uma gradação em relação ao Antigo Testamento, quanto a muitas e importantes doutrinas. Mas também podemos confessar, com confiança, que certos trechos do Novo Testamento vão mais além que outras porções do mesmo Novo Testamento. Assim, — cada vez que Paulo falava sobre um *mistério*, temos uma situação dessa ordem. Pois um mistério, por sua própria natureza, é a revelação de algo que, até então (mesmo bem dentro da era apostólica) ainda não havia sido ensinado por Deus. Qual ponto de vista abrangente do julgamento divino precisa levar esse princípio em consideração? Em primeiro lugar, porque o próprio Novo Testamento não apresenta uma visão homogênea do julgamento (havendo passagens mais superficiais e mais profundas); e, em segundo lugar, porque a razão afirma que o lago do fogo, como palavra final de juízo, nos deixa com um conceito negativo a respeito de Deus. Orígenes com razão pensava que conceber o julgamento final apenas como uma medida retributiva, sem qualquer aspecto restaurador ou remedial, é condescender diante de uma teologia inferior.

A despeito disso, o juízo final será uma temível e inescapável realidade, servindo tanto como medida necessária, como retribuição (porquanto terá de haver a aplicação correspondente da justiça, segundo a gravidade dos erros cometidos), — como também — um elemento que produzirá uma modificação para melhor, em última análise. É mister relembrarmos que a sã teologia ensina que *o contrário* da injustiça não é a justiça, mas antes, é o *amor*. Esse é o único atributo divino que pode se tornar o nome do próprio Ser divino: Deus é amor. Ver I João 4:8. Concluo que o próprio juízo é um dedo da amorosa mão de Deus. Há um trabalho necessário que somente o juízo divino poderá realizar. De fato, Deus pode fazer melhor, certas coisas, através do julgamento, do que através de qualquer outro intermédio. Porém, o julgamento sempre será *instrumental*, e não um fim em si mesmo.

MORTE CLÍNICA, A VOLTA APÓS A

Um considerável número de retornos à vida, após a morte clínica, tem sido verificado pelos homens da ciência. Isso nos tem permitido determinar quais são os primeiros estágios da morte física, compreendendo que tipos de experiências têm as pessoas quando morrem. A volta da morte clínica faz parte do assunto geral chamado experiências de quase-morte. Em meu artigo intitulado *Experiências Perto da Morte*, apresento completos detalhes sobre a questão. Tais experiências, em minha opinião, são a prova mais poderosa de que dispomos para demonstrar a existência da alma e sua sobrevivência ante a morte biológica, de um ponto de vista *científico*. Entre os artigos sobre a alma, nesta Enciclopédia, também incluo um verbete intitulado *Abordagem Científica à Crença na Alma e na Sua Sobrevivência Ante a Morte Física*, também redigido do ponto de vista científico. E também exponho, em meu artigo sobre a *Alma*, as provas teológicas e filosóficas da existência da alma.

MORTE DE CRISTO

Esboço

I. Pano de Fundo do Antigo Testamento
II. Primeiras Discussões Teológicas sobre a Morte de Cristo
III. A Morte de Cristo como Expiação
IV. A Teologia da Cruz
V. A História da Morte de Cristo
VI. Implicações Éticas

I. Pano de Fundo do Antigo Testamento

A teologia cristã defende a crença de que Jesus, o *Messias*, cumpriu as profecias messiânicas sobre a Sua primeira vinda, entre as quais está aquela que predizia a sua morte. Há um artigo separado sobre esse assunto, *Profecias Messiânicas Cumpridas por Jesus*. Seus sofrimentos foram previstos no Salmo 22, onde, quase certamente, aparecem detalhes da cena da crucificação. Seus sofrimentos vicários foram preditos em Isaías 52:12. O fato de que ele tomou a bebida repugnante é referido em Salmos 69:21. O seu lado transpassado é visto em Zacarias 12:10. Sua crucificação juntamente com criminosos comuns é predita em Isaías 53:12, e o contexto nos dá informações sobre os sofrimentos de Cristo em geral. Que um ato de lançamento de sortes estaria envolvido, aparece em Salmos 22:18. Que nenhum de seus ossos seria partido é predito em Salmos 34:20. Seu sepultamento com os ricos é predito em Isaías 53:9. E sua ressurreição é prevista em Salmos 16:10.

II. Primeiras Discussões Teológicas sobre a Morte de Cristo

Em certo sentido, os evangelhos são *apologias* cristãs que defendem o conceito de que o *Messias* teria de sofrer a morte por crucificação, um tipo de execução reservada para os piores homens. Entretanto, o povo judeu não estava esperando tal coisa, sentindo ser ridículo que o Rei-Messias viesse a sofrer dessa maneira. O trecho de Lucas 24:25 *ss* mostra-nos que Jesus, após a sua ressurreição, abriu as Escrituras que falavam sobre sua pessoa, para serem compreendidas por seus discípulos. E a informação por ele dada incluiu a necessidade dele sofrer e morrer. «Porventura não convinha que o Cristo padecesse e entrasse na sua glória?» (Luc. 24:26). Além disso, o sistema sacrificial do Antigo Testamento é visto cumprido no grande e único sacrifício de Cristo (João 1:29), o que também é um dos principais temas da epístola aos Hebreus (9:7 *ss*), que contém uma longa discussão a esse respeito. A expiação é encarada como resultante da morte de Cristo (Heb. 9:28), sendo esse um dos temas cardeais do Novo Testamento. Ver o artigo sobre a *Expiação* quanto a completos detalhes a respeito.

Todavia, não foram somente os judeus que tiveram dificuldades com a noção do Messias como Servo Sofredor, que experimentou uma morte vergonhosa.

O Docetismo e o Gnosticismo. Ver os artigos separados sobre esses dois assuntos. Antes mesmo do fim do século II D.C., havia cerca de vinte grupos diferentes, cada qual se intitulando cristão e afirmando ser mais fiel ao que Jesus ensinara do que qualquer dos outros grupos. Uma das grandes **dificuldades que eles enfrentavam era de explicar como Jesus fez o que fez e como viveu a vida poderosa que** viveu. Isso envolvia a Igreja e os grupos fragmentares nas questões da cristologia (que vide). Os docetistas imaginavam que aquilo que foi realizado por Cristo, incluindo os seus muitos milagres, era obra de algum ser angelical que não era humano em qualquer sentido (pois não teria havido qualquer encarnação). O *aeon* (um elevado poder angelical) tão-somente *parecia* ser humano, de tal modo que a sua suposta humanidade não passava de uma espécie de representação teatral. O gnosticismo estava maculado por aspectos docéticos, embora também contasse com seguidores que concebiam Jesus como um homem real; mas supunham que o *aeon*, por ocasião de seu batismo, teria tomado posse do corpo físico de Jesus. De acordo com esse ponto de vista, teria havido uma possessão, e não a encarnação. Também ensinava-se que, por ocasião da morte de Jesus, esse *aeon* o teria abandonado, razão pela qual ele ter-se-ia queixado diante de Deus, por haver sido deixado na cruz. Alguns manuscritos antigos, no trecho de Mateus 27:46, registram um dos clamores da cruz como: «Meu *poder*, meu *poder*, por que me abandonaste?» Isso reflete a influência gnóstica. O artigo sobre a *Cristologia* demonstra que muitas idéias foram inventadas na tentativa de explicar o poder de Jesus Cristo.

Para os docetistas, a morte de Jesus foi apenas um ato teatral. Para os gnósticos, foi apenas a morte de um homem, Jesus de Nazaré, — sem qualquer poder expiatório. O *aeon* não participou na sua morte. Como um elevado poder espiritual, era imortal e não podia passar pela morte. Todavia, a corrente central do cristianismo sempre entendeu a morte de Jesus Cristo como a expiação eficaz pelo pecado. E o próprio Senhor Jesus deixou isso claro, antes de sua morte: «...tal como o Filho do homem, que não veio para ser servido, mas para servir e dar a sua vida em resgate por muitos» (Mat. 20:28).

III. A Morte de Cristo como Expiação

Há um artigo separado sobre esse assunto, nesta enciclopédia. Ver sobre a *Expiação*.

IV. A Teologia da Cruz

Esse assunto é amplamente tratado no artigo intitulado *Cruz, Efeitos da*.

V. A História da Morte de Cristo

No artigo sobre *Jesus*, no seu quinto ponto, *Dias Finais de Jesus*, é relatada a história da morte de Cristo. O subponto «g» fornece os detalhes específicos. Ver também o artigo sobre a Crucificação. No artigo sobre *Jesus*, III, (f), há uma discussão sobre o significado da morte de Cristo. As passagens bíblicas envolvidas, no relato sobre a morte de Cristo, são Mat. 27, Mar. 15 Luc. 23 e João 18.

VI. Implicações Éticas

O quinto capítulo da epístola aos Romanos ensina que a humanidade está envolvida em duas cabeças federais, o primeiro e o último Adão. Este último Adão é Cristo. Na primeira dessas relações, encontramos o processo do pecado, da morte e da perdição. Na segunda delas, encontramos o processo da redenção, que envolve a retidão e a vida eterna. Fomos aceitos no Amado (Efé. 1:6). A sua justiça nos foi imputada, ou seja, nos foi lançada na conta (Rom. 3:21 *ss*) e o nosso crescimento diário na santificação e nos atributos morais de Deus são cultivos do Espírito Santo (Gál. 5:22,23). A nossa identificação com Cristo, o que inclui a sua morte, torna isso possível, e o ministério do Espírito torna isso real, em nossa experiência. Damos fruto para Deus devido ao nosso relacionamento com Cristo (Rom. 7:4). Essa identificação nos ajuda a servir em novidade de espírito e não de acordo com a lei, que é o ministério da condenação. O trecho de Colossenses 3:1 *ss* mostra que a nossa conduta moral é modificada pela nossa união com o Cristo ressurrecto, através da comunicação de uma nova vida, a vida de Cristo, ou vida eterna. (B C H NTI SAL W)

••• ••• •••

MORTE DE DEUS, A

Esboço:

I. Pano de Fundo Antigo
II. Preparação para o Secularismo
III. O Século XIX — o Existencialismo
IV. A Teologia Radical e a Morte de Deus
V. O Homem, o Super-Homem, é Deus
VI. A Morte de Deus como um Fato Cultural e Pessoal

I. Pano de Fundo Antigo

1. De acordo com o Antigo Testamento é o insensato que diz «Não há Deus» (Sal. 14:1). Essa declaração é própria dos ateus, os quais, em teoria, rejeitam a idéia da existência de Deus. Mas também pode estar em foco o *ateu prático*, o qual, embora creia na existência do Ser divino, como uma doutrina, não permite que Deus faça diferença na sua vida.

2. *Epicuro* (342-270 A.C.; que vide), sentia-se muito insatisfeito ante o temor causado entre os gregos pela crença nos deuses. A fim de aliviar a situação, ele propôs certa forma de *deísmo* (que vide), que ensinava que os deuses (apesar de existirem) não entram em contacto com os homens, pelo que não seriam os causadores das misérias humanas. E Epicuro continuava supondo que os deuses nunca se preocuparam com questões como justiça, castigo, etc. Ademais, fazia parte da doutrina dele que a alma humana compõe-se de substância material (composta de átomos), a qual se dissolveria, por ocasião da morte, juntamente com o corpo. Disso se conclui que nenhuma alma existe capaz de sofrer sob a ira das divindades. Essa noção representa uma forma primitiva da idéia da morte de Deus, porquanto sem importar qual seja a realidade ou a falsidade das idéias sobre a existência de seres divinos, no que diz respeito a qualquer relacionamento com o homem, esses seres não existem.

3. O *modalismo* (que vide) foi uma antiga escola de pensamento que floresceu perto do fim do século II D.C., contendo os ensinos de Práxeas. Ele ensinava que, por ocasião da *encarnação*, a deidade foi derramada na pessoa de Cristo. Isso posto, foi Deus Pai quem nasceu da Virgem Maria, o qual também sofreu e morreu. Esse ponto de vista tem sido promovido, nos dias modernos, como no movimento de *Jesus somente*, e por teólogos como T.J.J. Altizer, que asseveram que Deus morreu em Cristo, e que a sua morte foi um ato de auto-aniquilamento, e, portanto, de total *kenosis* (esvaziamento). Essa doutrina envolve estranhas implicações. Ali afirma-se que o cristão pode regozijar-se agora, porquanto Cristo não ressuscitou dos mortos, não subiu aos céus e nem foi glorificado. Em outras palavras, em Cristo, Deus morreu permanentemente. Contudo, quando examinamos essa doutrina, averiguamos que Altizer queria dar a entender que é o *nosso conceito* de Deus que morreu, mediante um real ato histórico. Deus não é mais a figura remota, transcendental e ameaçadora que antes nos parecia ser. Ainda de acordo com Altizer, Deus agora estaria imanente no mundo, sendo uma presença que convive conosco. Todavia, o conceito dele de Deus, de forma alguma é um ensino cristão e teísta, mas apenas uma espécie de *vazio sagrado*, acerca do qual temos sentimentos muito vagos.

II. Preparação para o Secularismo

Durante a Idade Média, o poder da Igreja Católica *no mundo* atingiu o seu zênite, de tal modo que em alguns períodos desse tempo, o papa foi mais poderoso que os reis ou o imperador do Santo Império Romano. A crença cristã começou então a ser imposta, e a incredulidade tornou-se um crime contra o Estado, que, vez por outra, era castigado com a punição capital. A renascença (que vide) porém, debilitou o enorme poder do catolicismo romano; e o surgimento da ciência moderna surtiu o mesmo efeito. O fato de que tanta perseguição e morticínio foram promovidos tanto pelos católicos quanto por alguns dos primeiros reformadores protestantes (como Calvino), não criou muita simpatia pela fé religiosa, entre muitos cientistas, uma vez que o poder da Igreja começou a enfraquecer. A ciência passou quase totalmente para o campo do naturalismo e do ateísmo, a tal ponto que ser ateu, em algumas universidades, quase era um pré-requisito para alguém ser um cientista.

III. O Século XIX — o Existencialismo

Primeiramente foi Mainlander (que vide), então Nietzsche (que vide), seguidos mais tarde por Sartre (que vide), que declarou abertamente que *Deus está morto*. Mas eles, ao contrário de Altizer, não queriam dizer meramente que o nosso *conceito* de Deus não mais tem aplicação, e, assim, está morto; antes, mediante declarações altissonantes, afirmaram o seu *ateísmo*. Todas as formas de *ateísmo* (que vide) são outras tantas maneiras dos homens proclamarem a falsa noção de que Deus está morto, no que concerne ao indivíduo. Ver sobre o *Existencialismo*.

IV. A Teololgia Radical e a Morte de Deus

Na década de 1960, T.J.J. Altizer e W. Hamilton desenvolveram o que foi chamado de *Teologia Radical*, dentro da qual tiveram o desplante de falar em *ateísmo cristão*. Altizer expôs suas idéias em um livro intitulado *The Gospel of Christian Atheism* (1966). Por sua vez, W. Hamilton escreveu o volume intitulado *Radical Theology and the Death of God* (1966). Esse foi o tema que se tornou a doutrina central da teologia deles. Essa teologia afirma que Deus morreu quando Cristo morreu na cruz. Cristo não teria ressuscitado dentre os mortos, nem teria ascendido ao céu e nem teria sido glorificado. Portanto, desde então não haveria nenhum Deus no céu, reinando com poder transcendental, não haveria qualquer Rei divino, e nem haveria Deus que seria o Juiz de todos, afinal. O conceito divino estaria, agora presente no mundo, como uma mera presença secular entre nós. Como é óbvio, segundo o sistema deles, está equivocado o conceito cristão de Deus. Na verdade, esse sistema propõe uma religião cristã sem Deus. Estaríamos vivendo em uma espécie de *vazio sagrado*, esperando que um novo e melhor vocábulo venha substituir o desgastado vocábulo «Deus», capaz de descrever melhor a realidade de nossa existência.

V. O Homem, o Super-Homem, é Deus

Nietzsche também ensinava que Deus está morto, e que foi o homem quem O matou. Portanto, os homens devem fazer de si mesmos deuses ou super-homens. Isso posto, o homem assume a direção de sua própria história, que ele passa a edificar sobre o cadáver de Deus. De acordo com ele, a cruz seria o símbolo humano de sua vitória sobre Deus. Os supostos atributos divinos seriam agora os atributos humanos, de tal modo que a teologia agora transmutou-se em antropologia. Essa idéia da «morte de Deus», pois, resulta na deificação do homem, na exaltação do absurdo e na glorificação do nada.

VI. A Morte de Deus como um Fato Cultural e Pessoal

De acordo com G. Vahanian, o homem moderno secularizou todas as coisas de tal maneira que, para todos os propósitos *práticos*, Deus está morto como um fato cultural. Mas isso também seria um fato pessoal, porquanto muitas pessoas já perderam toda a experiência com Deus, toda a consciência de seu poder, nas suas vidas. Muita gente que se acha nessas condições, porém, continua a acreditar na existência de Deus, pelo menos teoricamente, embora essa teoria não tenha aplicação a qualquer coisa que elas façam. Ouvi certo homem declarar: «Quanto à teoria, sou um agnóstico; mas, quanto à minha conduta diária, sou um ateu». Isso equivale a dizer: «Em teoria, potencialmente, creio em Deus, mas vivo como se Deus não existisse». — Na verdade, cada vez que um crente peca propositalmente, odeia, entra em alguma contenda, ou deixa de pôr em prática a lei do amor cristão, está sendo um ateu prático. (ALT C P)

MORTE E SALVAÇÃO DE INFANTES

Ver **Infantes, Morte e Salvação dos.**

MORTE E SEPULTAMENTO

Ver o artigo sobre **Sepultamento, Costumes de.**

MORTIFICAR, MORTIFICAÇÃO

No grego, **thanatóo**, «mortificar», «fazer morrer». Esse vocábulo aparece por onze vezes no Novo Testamento: Mat. 10:21; 26:59; 27:1; Mar. 13:12; 14:55; Luc. 21:16; Rom. 7:4; 8:13; 8:36 (citando Sal. 44:23); II Cor. 6:9; I Ped. 3:18. Um dos textos mais claros a respeito da idéia da mortificação é o de Rom. 8:13, onde lemos: «...se viverdes segundo a carne, caminhais para a morte; mas, se pelo Espírito mortificardes os feitos do corpo, certamente vivereis». Um outro verbo grego, sinônimo, é *nekróo*, «necrosar», «matar», e que figura por três vezes no Novo Testamento: Rom. 4:19; Col. 3:5; Heb. 11:12. Citamos aqui Col. 3:5 que diz: «Fazei, pois, morrer a vossa natureza terrena: prostituição, impureza, paixão lasciva, desejo maligno, e a avareza, que é idolatria...» Ali, o aoristo imperativo dá a idéia de «matar de uma vez por todas».

Não há que duvidar que há aí uma alusão à crucificação de Cristo, que «foi morto» por causa do pecado. Assim também o crente deve imitar esse ato, em sua vida diária, a fim de que a nova vida que lhe foi oferecida em Cristo possa florescer devidamente. A frutificação cristã e a ausência de mortificação são incompatíveis entre si. As atitudes e ações específicas que devem ser sentenciadas à morte, conforme aqueles textos bíblicos citados mostram são a prostituição, toda sorte de impureza sexual, as paixões, a cobiça, a idolatria, e, naturalmente, todos os vícios e pecados citados no Novo Testamento. Ver o extenso artigo sobre os *Vícios*. O trecho de I João 2:15,16 informa-nos sobre a ampla área onde opera o princípio do pecado. Um crente, se quiser que sua vida cristã seja bem-sucedida e vitoriosa, terá de resguardar-se terminantemente de tudo isso. Ver os artigos intitulados *Mundanismo* e *Mornidão Espiritual*.

Os próprios filósofos têm reconhecido a necessidade do controle-próprio. Assim, Sócrates recomendava que cada pessoa morresse diariamente, com o que ele dava a entender que é mister enfatizar a vida do espírito, submetendo diariamente, a estrito controle, os nossos impulsos mais baixos, para que não recebam atenção indevida. A mortificação consiste, conforme definiu alguém, em «romper a ligação com o pecado; em declarar *hostilidade* franca contra o mesmo, oferecendo-lhe tenaz resistência (ver Efé. 6:10; Gál. 5:24; Rom. 8:13» (S).

Abusos dos Textos Bíblicos a Respeito

Conforme já seria mesmo de esperar, os ascetas encontram, nesses versículos, um forte incentivo ao *ascetismo* (vide). Porém, o agente dessa luta contra o pecado é o Espírito Santo, e não certas medidas extremadas que as pessoas, tolamente, aceitam como regras. Tais medidas ascéticas não passam de manifestações de carnalidade, nada havendo de espiritual acerca delas, mas antes, o contrário. As palavras de Paulo aos crentes da Galácia vêm bem a calhar: «...como estais voltando outra vez aos rudimentos fracos e pobres, aos quais de novo quereis ainda escravizar-vos?» (Gál. 4:9).

Os Meios Para o Sucesso

Visto que o desvencilhar-se do domínio do pecado é parte importante da inquirição espiritual, sendo também algo que resulta do crescimento espiritual, é claro que a mortificação torna-se certa como resultante do desenvolvimento espiritual. O desenvolvimento espiritual depende muito do uso de certos meios, como, por exemplo: 1. o estudo dos documentos sagrados e outros livros que ajudam no aprimoramento intelectual, que levam a uma visão espiritual da vida. 2. A oração, uma arma poderosa na batalha em favor da retidão. 3. A meditação, que pode ajudar a ativar as energias espirituais, mantendo-nos em contacto com o Espírito de Deus. 4. A santificação, sem a qual ninguém verá ao Senhor. 5. A prática das boas obras, em obediência e manifestação à lei do amor. 6. Os toques místicos, mormente a possessão e uso dos dons espirituais, pois os estados místicos vivificam extraordinariamente o espírito. Ver o artigo intitulado *Misticismo*, quanto a explicações completas a respeito.

O crente já está morto para o pecado, devido à sua comunhão mística com Cristo em *Sua* morte; o Espírito de Cristo, que nos confere poder, é quem torna isso uma realidade. Ver o artigo sobre o *Batismo Espiritual*. Devemos aplicar diariamente, às nossas vidas, essa verdade, submetendo-nos ao Espírito Santo de todas as maneiras possíveis.

Entre feridas e sangue,
Em uma rude cruz,
Ele sofreu a perda
Para parar o dilúvio do pecado.
Pode agora ser dada a vitória,
Sem ser testada a coragem,
Sem ser negado o «eu»,
Para a alma estranha à agonia?

(Russell Champlin, ao meditar sobre Col. 3:5).

Há uma antiga lenda escocesa que conta a história de um fazendeiro que se viu a braços com um horrível monstro destruidor. O monstro derrubou os celeiros do fazendeiro, — matou e dispersou o seu gado, arruinou as suas plantações, e, finalmente, matou o seu próprio filho primogênito. Entristecido e irado, o que venceu momentaneamente o seu terror, o fazendeiro resolveu caçar o monstro e matá-lo. Assim, em uma noite fria, o fazendeiro se pôs de tocaia em uma ravina. A memória dos males provocados pelo monstro, conservavam-lhe a coragem. Repentinamente, o homem ouviu as pesadas passadas do monstro, que se aproximava. Enfurecido, o fazendeiro lançou-se para a frente, soltando um grito de guerra. Seu impulso deu-lhe uma vantagem temporária, e o monstro foi derrubado. Mas o monstro era mais forte do que o homem havia antecipado, e não demorou a revidar com golpes e maldições. O fazendeiro sentiu que começava a ser dominado, mas, em desespero de causa, reiniciou heroicamente a luta, de modo que conseguiu enfraquecer o monstro. Finalmente, o monstro foi subjugado. O fazendeiro puxou da espada e se preparou para desfechar o golpe mortal. Nesse momento, um raio de luar incidiu sobre o rosto do monstro. Horrorizado, o fazendeiro retrocedeu—o rosto do monstro era *o seu próprio rosto!*

MORTOS Ver também, **Mortos, Estado dos.**

Ver o artigo sobre **Sepultamento, Costumes de.** Ver também o artigo sobre a *Morte*. Sempre houve, entre os homens, um estranho e mórbido fascínio pela morte, uma certa solenidade que os atrai. É por ocasião da morte que o indivíduo é desnudado de tudo, exceto de sua espiritualidade (e seus resultados), que ele tiver obtido. Aqueles que permanecem em vida, precisam enfrentar os profundos mistérios da vida e da morte e com freqüência, hesitam em sua fé, diante da morte de parentes ou amigos. Momentos de grande solenidade fazem-nos lembrar a seriedade do uso que fazemos da vida, a qual, tão repentinamente, pode ser decepada pela morte. Isso nos leva a meditar sobre o valor devido da imortalidade (que vide), porquanto a morte tão facilmente apaga os nossos conceitos acerca dos valores terrenos.

Esboço:

I. Costumes Sobre a Morte e o Sepultamento
II. Vários Sentidos da Palavra «Morte»
III. Expressões Figuradas
IV. Os Mortos, às Vezes, Voltam?

I. Costumes Sobre a Morte e o Sepultamento

Esse aspecto tem sido ventilado em um artigo separado, intitulado *Sepultamento, Costumes de*

II. Vários Sentidos da Palavra «Morte»

1. Pode estar em foco a privação da vida natural, física (I Ped. 4:6; Rute 1:8). Alguns teólogos encontram a causa da morte física no pecado de Adão. Ver Rom. 5:12 *ss*. Mas outros supõem que isso se aplica à raça adâmica. Também há um terceiro grupo que retrocede até à história perdida da terra, antes da raça adâmica; mas até estes estiveram sujeitos à morte física. Os filósofos descobrem a causa da morte na própria natureza da matéria, que está sujeita à desintegração, ao passo que a essência espiritual nunca morre.

2. *O vazio da vida espiritual*. A pessoa que está sob o domínio do pecado, à qual falta expressão espiritual, está *morta*, de acordo com a definição bíblica. Ver Efé. 2:1; I Tim. 5:6; Luc. 15:24.

3. *Os ídolos estão mortos*. Embora sempre reverenciados, nunca tiveram vida. Ver Jó 26:5; Isa. 8:19.

4. *O estado da mortalidade*, comparativamente falando, é uma espécie de morte. Ver Rom. 8:10; Gên. 20:3. Platão chamou o corpo de prisão e sepulcro da alma.

5. *Um estado de opressão*, como é o caso da escravidão, é uma espécie de morte em vida. Ver Isa. 26:19; Eze. 37:1-14.

6. *A incapacidade de procriar* faz com que o organismo do indivíduo seja reputado como morto, como no notório caso de Abraão. Ver Rom. 4:19; Heb. 11:12.

7. *Os hipócritas*, a despeito de sua ostentação, estão mortos (Apo. 3:1).

8. Há ressurreição dentre os mortos (I Cor. 15:29). Alguns pensam que ressuscitará o corpo morto literal, que de algum modo será devolvido à vida em todos os seus elementos, posto que transformados. Mas outros estudiosos supõem que a ressurreição será uma espécie de nova criação, quando receberemos um tipo diferente de veículo da alma. Nesse caso, a ressurreição seria assim denominada porque haveria uma substituição—um novo corpo seria dado em lugar do antigo. Ver o artigo sobre a *Ressurreição*.

III. Expressões Figuradas

1. «Deixa aos mortos sepultar os seus próprios mortos» (Mat. 8:22). Isso significa que aqueles que não estão interessados pelas realidades espirituais ocupem-se daquelas coisas que só serviriam de empecilho para os que querem seguir a Cristo.

2. A fé morta (Tiago 2:17,29) é a crença desacompanhada da espiritualidade vital, do que pouco ou nada resulta.

3. As «obras mortas» (Heb. 9:14) são aquelas que não são produzidas pela vida espiritual, que não justificam, e que receberão a devida punição quando do julgamento divino.

4. Morrer relativamente à lei (Rom. 7:4) significa não mais ter na lei a causa da própria justificação diante de Deus.

5. Morrer para o pecado significa ter alcançado um desenvolvimento espiritual, mediante o ministério interno do Espírito, em que o crente não mais é dominado pelo pecado e seus efeitos (Rom. 6:7 e Col. 3:3).

IV. Os Mortos, às Vezes, Voltam?

A médium de En-Dor realmente fez subir o espírito de Samuel? (Ver I Samuel 28). Vamos expressar a questão com maior precisão. Samuel realmente apareceu (inteiramente à parte do alegado poder da médium), ou aquilo foi apenas uma representação demoníaca? Quando examinamos os comentários, vemos que alguns autores respondem na afirmativa, e que outros o fazem na negativa. Por igual modo, se falarmos com pregadores e eruditos, veremos que alguns respondem com um «sim», e que outros respondem com um «não». John Gill é daqueles que negam um aparecimento real; mas Adam Clarke afirma: «Que Samuel *apareceu* nessa ocasião é evidentíssimo através do texto, e isso não pode ser negado mediante qualquer modo legítimo de interpretação». No entanto, ele passa a dizer que o poder da médium de En-Dor nada teve a ver com o aparecimento de Samuel. Ela ficou mais assustada e surpresa do que qualquer outra pessoa, quando *Samuel* subitamente apareceu.

Porém, mesmo que alguém queira negar que Samuel voltou a este mundo naquela ocasião, ainda assim terá de explicar o caso de Moisés e de Elias, que apareceram ao lado de Jesus, no monte da Transfiguração. Adam Clarke foi o principal comentador metodista, altamente recomendado por Spurgeon e amigo pessoal dos irmãos Wesley. Comentando sobre o trecho de Mateus 14:26, ele afirma vigorosamente:

«Que os espíritos dos mortos *podiam* e realmente *apareciam* — tem sido uma doutrina defendida pelos maiores e mais santos homens que já existiram, e é uma doutrina que os caviladores, os livres pensadores e **os bitolados de diferentes épocas nunca conseguiram mostar como falsa».**

A doutrina comum sobre os demônios, no judaísmo e no antigo cristianismo, era que espíritos humanos desencarnados, sendo manipulados enganadoramente por Satanás, tornam-se demônios. Somente nos dias de Crisóstomo foi que, na Igreja cristã, ganhou ascendência a idéia de que somente os anjos caídos são demônios. Lange oferece uma longa discussão sobre a questão, chegando à conclusão de que há vários níveis de espíritos demoníacos. A moderna pesquisa psíquica lhe dá apoio quanto a esse particular. Parece, portanto, que o mundo intermediário do hades não está completamente incapacitado de entrar em contacto com a terra, podendo acontecer algumas coisas bem interessantes. Devemos reconhecer, entretanto, que essa possibilidade não pode servir de base a práticas religiosas — conforme o faz, por exemplo, o espiritismo. Rejeito o espiritismo decididamente como uma religião, embora não me atreva a afirmar categoricamente que um autêntico **espírito humano nunca entra em contato com os médiuns espíritas.**

Eu poderia citar o nome de um dos mais poderosos líderes do movimento fundamentalista que, segundo ele mesmo afirmou, cinco dias depois do falecimento de sua esposa, ela lhe apareceu e lhe entregou uma mensagem. Um dos professores da primeira escola teológica que freqüentei, de acordo com a sua esposa (que era amiga chegada de minha mãe), visitou-a não somente por uma vez, mas por nada menos de três vezes. Não sei dizer quão freqüentemente essas manifestações podem ocorrer, e nem com que freqüência elas são genuínas. Por igual maneira, sob nenhuma circunstância eu transformaria isso em uma religião, ou buscaria tais coisas como parte de minha inquirição espiritual. Porém, tanto as evidências bíblicas quanto a experiência humana parecem ensinar-nos que há *alguns* casos de aparecimentos autênticos de espíritos humanos desencarnados. Essa questão é crida por muitos evangélicos, e não considero que seja uma doutrina não ortodoxa. O trecho de Atos 12:15 quase certamente mostra que os crentes de Jerusalém pensaram que o *espírito* de Pedro havia aparecido, quando, na realidade, ele estava *fisicamente* em pé, diante da entrada da casa onde aqueles crentes estavam reunidos, a orar.

MORTOS, ESTADO DOS

Esse é um assunto muito importante, sujeito a muitos dogmas e tradições. Sendo esse o caso, muitos pensam que sabem mais a respeito do que realmente sabem. Outrossim, não se trata de uma questão que possa ser resolvida mediante a mera apresentação de textos de prova tirados da Bíblia. Assim é, em primeiro lugar, porquanto as Escrituras nunca pretenderam resolver todos os mistérios envolvidos na questão, e nem se mostram totalmente homogêneas, apesar do que, alguns estudiosos insistem em dizer que elas são homogêneas, a fim de chegarem a uma teologia sistemática sem falhas e hiatos, e, em muitos casos, a fim de obterem conforto mental. Ao estudarmos a *teo*logia deveríamos cuidar para não reduzi-la a uma *humano*logia. Todas as teologias sistemáticas são culpadas desse erro, embora nem todos os estudiosos de teologia sistemática tenham percebido isso. O melhor que podemos fazer quanto a isso é fornecer algumas indicações gerais a respeito de uma questão que ainda envolve muitos mistérios, esperando elucidação. Henry Ward Beecher (que vide) foi um famoso e eloqüente pregador do passado. Era homem de verdade, de poder e eloqüência. Era também homem de fé. Porém, quando estava morrendo, foi ouvido a dizer: «Agora parto para o Grande Desconhecido». Nessa declaração de Beecher há uma grande verdade, embora ela não precise assustar-nos, sem que isso diminua a sua veracidade. Dispomos apenas de um esboço muito amplo do que nos espera do outro lado da vida. Contamos com algumas grandes verdades a respeito, mas também há muitos e grandes mistérios envolvidos, relacionados à questão.

Esboço:

I. O Pentateuco
II. O Antigo Testamento em Geral
III. No Novo Testamento
IV. O Efeito do Tapete de Muitas Cores

I. O Pentateuco

É doutrina comum, entre os estudiosos do hebraico, que não sentem a necessidade de injetar naquela coleção de livros várias interpretações cristãs, que os antigos hebreus não tinham um conceito de uma alma não-material, como uma entidade distinta do corpo físico. Portanto, eles também não tinham conceito de uma vida após-túmulo, para a alma. Antes, o homem era pó, destinado a voltar ao pó (Gên. 3:19). Por outra parte, houve o caso de Enoque, que foi arrebatado para Deus, presumivelmente para o lugar de sua habitação, mas sem haver experimentado a morte física. Permanece obscuro se ele recebeu ou não o dom da imortalidade, e nesse caso, até que ponto poderíamos esperar que outros (e em qual quantidade) participassem da *imortalidade* (Gên. 3:21-24). A expressão «reunido ao seu povo» (Gên. 25:8) poderia sugerir a esperança de uma vida no além. O trecho de Gênesis 35:18, que se refere à morte de Raquel, declara que ela morreu «ao sair-lhe a alma». Todavia, isso poderia indicar apenas que ela estava dando o seu último *suspiro*, como também o texto hebraico poderia ser traduzido. Ademais, embora os judeus tivessem alguma espécie de conceito da alma, não nos é dito qual a sorte dessa alma. O trecho de Hebreus 11:11-16 revela-nos que Abraão tinha um conceito do após-vida, mas isso já é uma interpretação cristã, uma adaptação que não figura no próprio Pentateuco. Essa adaptação neotestamentária reflete a verdade, mas não sabemos até que ponto os patriarcas tinham consciência dessa verdade.

***Seol* (*sheol*). Ver o artigo separado sobre *Sheol*. As primeiras ocorrências desse vocúbulo hebraico são em Gênesis 37:25; 42:38; 44:29,31. O verbete sobre essa palavra mostra que havia muitas crenças diferentes vinculadas ao conceito. Essa palavra hebraica ocorre por sessenta e cinco vezes no Antigo Testamento, embora sem um desenvolvimento da doutrina. Os antigos hebreus acreditavam que o *seol* seria um abismo literal na terra. Ver o artigo sobre a *Astronomia*, onde ilustramos a cosmogonia hebraica sob a forma de um gráfico. No idioma hebraico, *seol* era, igualmente, um sinônimo de *sepultura*, não envolvendo, necessariamente, mais do que a idéia de sepultamento. Isso deve-se a um comum fenômeno gramatical, que reaparece em todos os idiomas — as palavras homógrafas, que são usadas com mais de um sentido (um exemplo comum em português é *manga*). Porém, essa idéia básica se foi aprimorando, de tal modo que nenhum profeta do Antigo Testamento pensaria que *seol* fosse apenas a «sepultura», ou vice-versa. Isso torna-se ainda mais evidente quando chegamos no Novo Testamento, onde há uma palavra para «sepultura» (mnomion), e outra para o lugar dos mortos (hades).**

Por igual modo, a idéia hebraica original de uma alma distinta do corpo, quando muito, chegava somente à idéia de uma *sombra*, uma espécie de força psíquica, uma fraca réplica do homem conforme ele vivia na terra, mas agora cortado da companhia dos *vivos*; não envolvia qualquer idéia de partir para uma vida superior. Por essa razão, o *seol* era temido, e não antecipado com satisfação. Isso era reforçado pelo fato de que não há uma doutrina do céu no Pentateuco, como a futura e feliz habitação dos homens, ainda que Deus fosse concebido como residente ali, juntamente com os anjos. Portanto, a tal *sombra* ainda não era a alma, conforme a definição de *alma*, na doutrina mais desenvolvida de tempos posteriores. — Podemos estar certos de que em um documento de elevadíssima moral como é o Pentateuco, *se* já existisse um conceito completo de vida futura, com recompensas e castigos, em esferas ou dimensões superiores e inferiores às da terra, que algo dessa natureza teria sido dito ali, porquanto tais idéias são extremamente importantes em qualquer sistema de moral.

II. O Antigo Testamento em Geral

Mesmo fora do Pentateuco, não encontramos nenhum quadro claro sobre uma vida celestial. O fato de que Davi disse que sua alma não seria deixada no *seol* (Sal. 16:10) mostra que ele deve ter crido na existência da alma, e que ele esperava por alguma forma de salvação que não permitisse às almas ficarem naquele horrível lugar. O *seol* como lugar de punição aparece em Deu. 32:22 e Sal. 8:17; mas

a doutrina envolvida não é ali precisamente definida. Jó 19:25,26 expõe a esperança de uma vida futura e de ver a Deus, e deve ter havido, por detrás disso, alguma forma de conceito do céu, mas esse também não é definido. A indagação de Jó 14:14: «Morrendo o homem, porventura tornará a viver»?, pode ter em foco ou a reencarnação ou, mais provavelmente, a ressurreição. A esperança de despertar do sono da morte também está contida em Sal. 16:11; 17:15; 49:14,15; 73:24. Esta última referência inclui a idéia de ser recebido em alguma espécie de glória; e o trecho de Salmos 73:25 exibe uma excelente esperança na providência divina, que consola ao homem que morre, mas que não serviria de consolo a ninguém se o homem não continuasse a existir após a morte física, embora ali a doutrina também não seja mais claramente definida.

Ressurreição. Porventura a alma dorme (ou seja, deixa, realmente, de existir, conforme os Adventistas do Sétimo Dia acreditam), e então haverá a ressurreição do corpo? É claro que muitos hebreus antigos assim pensavam, ao mesmo tempo em que desde o tempo dos salmos e dos profetas, também houve a crença na existência de uma *alma imaterial*, e portanto, que não pode morrer (pois a morte é a separação entre a alma e o corpo). A ressurreição é claramente prometida em trechos como Isaías 26:19 e Daniel 12:2, e também, provavelmente, em Ezequiel 37:1-14.

Nos Escritos Apócrifos e Apocalípticos. Entre os judeus, a doutrina sobre o estado dos mortos foi adquirindo novas facetas. Nos livros apócrifos e apocalípticos encontramos a menção a um paraíso (como parte boa do *seol*), em contraste com a porção do *seol* que importa em julgamento. A ressurreição é ali mais firmemente estabelecida como uma doutrina. II Macabeus 12:39-46 menciona a utilidade das orações em favor dos mortos, o que significa que se supunha no judaísmo anterior ao cristianismo que o estado dos mortos pode ser melhorado, o que indica o início de um *purgatório*. Além disso, nas obras pseudepígrafas, como o Testamento de Levi, o Testamento de Abraão, a Assunção de Moisés e o livro de Enoque, há relatos de descidas ao hades, que teriam redundado na melhoria do estado das almas ali residentes, ou mesmo de almas totalmente remidas e tiradas daquele lugar, o que se reflete em I Pedro 3:18 4:6, em nosso Novo Testamento canônico. Ver o artigo sobre a *Descida de Cristo ao Hades*, quanto a um completo exame dessa doutrina e seu pano de fundo literário.

III. No Novo Testamento

Alguns gostam de pensar no Novo Testamento como um documento homogêneo, apresentando todas as doutrinas de maneira sistemática. No entanto, o estágio da revelação da verdade, nos evangelhos, é um; passa-se para um novo estágio no livro de Atos e ainda em outro, em Paulo. Pedro, certamente, reconhece que Paulo tinha revelações todas suas (II Ped. 3:15), e assim por diante. O Senhor Jesus mesmo deu a entender que, quando da vinda do Espírito Santo, os seus apóstolos subiriam a um novo degrau da revelação divina: «...quando vier, porém, o Espírito da verdade, ele vos guiará a toda verdade... e vos anunciará as cousas que hão de vir» (João 16:13). Na verdade, o Novo Testamento é um receptáculo de idéias antigas, e não apenas a apresentação sistemática de uma nova fé religiosa. Portanto, embutidas no Novo Testamento temos várias idéias judaicas helenistas sobre a vida após-túmulo; mas também obtemos informações que ultrapassam em muito a esses pontos de vista. Em meio a toda essa combinação, não há como estabelecer uma exposição sempre com o mesmo nível de profundidade, nas páginas do Novo Testamento. Há desenvolvimento doutrinário dentro do próprio Novo Testamento, com um ângulo de visão bem mais amplo do que aquele que existia no judaísmo, em qualquer de suas fases históricas. Consideremos os pontos abaixo, que esclarecem melhor ainda essa questão:

1. Há uma ressurreição que conduz ao julgamento (Mat. 25:26; João 5:29; II Tes. 1:7-10; Heb. 9:27,28). O último desses textos bíblicos dá a entender que a morte biológica do indivíduo leva ao juízo, pelo menos em seu estágio preliminar. Não haveria espaço e nem tempo para qualquer reencarnação ou mudança de estado no mundo intermediário, antes do julgamento final; mas isso representa apenas uma das maneiras de se encarar a questão, sem entrar em pormenores, e não o *único* ponto de vista bíblico sobre a questão.

2. Também há um estado desencorporado das almas, que pode ser comparado ao repouso do sono (Atos 7:60; I Tes. 4:13,15), ou então à nudez (II Cor. 5:1-5). Mas, até mesmo esse estágio, anterior à ressurreição, é declarado como uma condição feliz para quem morreu lavado no sangue de Cristo (II Cor. 5:8; Fil. 1:21,23).

3. O *hades*, como lugar de juízo, continua a existir no Novo Testamento (Luc. 16:19-31).

4. Ao menos algumas almas, como as dos mártires, são vistas já *no céu* (Apo. 6:9-11). O trecho de Efésios 4:9,10 tem sido usado por muitos estudiosos como texto de prova de que a porção boa do hades foi eliminada, e que agora, por ocasião da morte física, os remidos passam diretamente para o céu. Ver os comentários sobre essas passagens, no NTI, onde são comentadas com mais amplitude.

5. Trechos bíblicos como Mat. 5:12; 6:20; João 14:1-6; Efé. 3:15; Fil. 1:23; 3:20; Col. 1:15; I Ped. 1:4; e Apo. 21 prometem, sem nenhum rebuço, o *céu*, aos crentes, como sua futura residência, quando saírem deste mundo. A passagem de João 14:2 mostra que há *muitas dimensões celestiais*. Os judeus do período helenista acreditavam em sete níveis no céu, conforme os livros apócrifos e pseudepígrafos demonstram amplamente. Esse conceito foi transferido para o Novo Testamento.

6. O trecho de II Coríntios 3:18 demonstra que a *redenção*, uma vez chegado o crente no outro lado da existência, importa em um contínuo progresso, mediante o qual a alma remida avança de um estágio de glória para outro, ininterruptamente.

7. A passagem de Romanos 8:29 mostra que, nesse avanço, a imagem e a natureza de Cristo, o nosso Irmão mais velho, serão compartilhadas, finalmente, por todos os outros irmãos.

8. O trecho de II Pedro 1:4 ensina que essa transformação, segundo a imagem de Cristo, envolve a participação na natureza divina, em sentido real, posto que secundário. Portanto, a salvação (que vide), tem o seu ponto culminante na nossa participação finita na própria divindade. Ver o artigo sobre a *Divindade, Participação do Homem na*.

9. O trecho de Colossenses 2:10 mostra que as almas remidas chegarão a participar da inteira *plenitude* ou *pleroma* de Deus. Isso significa que elas terão a natureza e os atributos divinos de maneira sempre crescente. Será um processo eterno, e não uma realização feita de uma vez por todas. Deus é a infinitude na direção para qual os remidos e *todas as coisas* estão se aproximando. Ver Efé. 1:9,10. Visto que há uma infinitude na qual participaremos, também haverá um preenchimento infinito com a natureza divina.

10. A passagem de João 5:25,26 ensina que os remidos chegarão a participar da forma de *vida necessária e independente* de Deus. Isso quer dizer que, finalmente, eles não poderão não existir. Nossa presente imortalidade ainda é dependente. Em outras palavras, depende do contínuo favor divino para que continue, porquanto está baseada em Sua vida, é dependente dela. Porém, quando chegarmos a participar plenamente da natureza divina, haveremos de ter nossa própria vida necessária e independente. Esse é o mais elevado conceito em todo o nosso sistema teológico revelado.

11. A passagem de I Pedro 3:18 — 4:6 mostra que a missão de Cristo incluiu o próprio hades, de tal forma que a oportunidade de salvação não termina quando da morte biológica de uma pessoa. A maioria dos primeiros pais da Igreja deu importância a essa doutrina, mas não tem sido levada em conta na Igreja ocidental, exceto entre os anglicanos. A Igreja oriental sempre teve esse conceito como parte de seu ensino.

12. O trecho de Efésios 4:8 *ss* mostra-nos que a descida de Cristo ao hades teve o mesmo propósito que a sua ascensão, ou seja, para que pudesse preencher todas as coisas, tornando-se assim tudo para todos. Isso prova que a descida ao hades, tanto quanto a ascensão, por parte de Cristo, teve propósitos remidores e restauradores.

13. O trecho de Efésios 1:10 ensina que a vontade de Deus, a longo prazo, após as eras da eternidade futura, consiste em *restaurar* todas as coisas. Isso significa que, lado a lado, temos o propósito remidor e o propósito restaurador de Deus. A redenção visa os eleitos; a restauração, a toda a humanidade. Em tudo isso, o Logos, Jesus Cristo, em sua encarnação, é altamente exaltado, visto que a sua missão é um *magnífico sucesso*, e não um lamentável fracasso, conforme é tão freqüentemente pregado em algumas denominações da Igreja. Essas dimensões maiores da missão e da realização de Cristo são encaradas mais a sério pelos pais gregos da Igreja, pela Igreja oriental e pela comunhão anglicana. Mas a Igreja ocidental tem mantido um ponto de vista mais rígido e limitado sobre a oportunidade da salvação, negligenciando o ensino bíblico da *restauração* (que vide).

14. *Quanto à questão da extensão da oportunidade da salvação*, assumo a posição que os atos redentor e restaurador de Deus são eternos. Os homens serão divididos em várias espécies espirituais, aquém da elevada participação na natureza divina, se não fazem parte dos escolhidos do Senhor, os quais, fatalmente, serão conduzidos à completa salvação. Não obstante, visto que **Cristo será o restaurador** até mesmo desses, só poderemos usar os termos mais exaltados para descrever o estado final dos homens, mesmo que não façam parte dos remidos. Porém, será mister a imensa expansão da eternidade futura para que a restauração ocorra. O julgamento será *um meio* para se chegar a essa realização. O juízo divino será definidamente retributivo, visto que a lei da colheita segundo a semeadura requer que assim seja (ver Gál. 6:7,8). Mas esse julgamento também é *restaurador*, segundo afirma I Pedro 4:6. Por conseguinte, grandiosas são as obras do Senhor, grande é sua misericórdia amorosa, de tal modo que o juízo divino também é uma expressão de amor, ainda que severo. Esse juízo será severo o bastante para que a *restauração* ocorra. Naturalmente, isso será apenas um dos fatores envolvidos. O trecho de Efésios 1:22,23 indica que a Igreja ocupar-se-á em um ativo ministério nos mundos eternos, cujo propósito será fazer de Cristo tudo para todos, e esse ministério será poderosíssimo, muito extenso.

IV. O Efeito do Tapete de Muitas Cores

Aplicando indicações bíblicas, outras extraídas dos sistemas religiosos e da razão, o melhor que podemos dizer acerca do estado final das almas humanas, às quais erroneamente chamamos de *mortas*, porquanto passaram pela experiência da morte biológica do corpo, é que o estado da redenção-restauração pode ser assemelhado a um *tapete de muitas cores*. Essa obra de arte adquire a sua beleza mediante a combinação de cores, de luzes e sombras, do que rebrilha e é opaco. Poderíamos comparar a redenção a uma cor dourada e brilhante. Os estados menores de glória poderiam ser comparados com variegadas cores, desde as cores mais brilhantes às mais desbotadas, desde as mais claras até às mais escuras. Porém, todas essas cores são *necessárias* para a beleza total da obra final de arte. Todavia, há um ponto crítico: até mesmo as cores mais escuras fazem parte da harmonia e da beleza final da obra. Não podemos falar sobre essas cores usando termos como condenação eterna, perdição, destruição, etc. Esses termos terão tido sua devida aplicação por ocasião do julgamento. Porém, o julgamento fará sua obra, ajudando a preparar o caminho para a restauração. Esses termos não mais poderão ser aplicados à obra realizada por Cristo, *em última análise*. Isso constitui o mistério da vontade de Deus: «...desvendando-nos o mistério da sua vontade, segundo o seu beneplácito que propusera em Cristo, de fazer convergir nele, na dispensação da plenitude dos tempos, todas as coisas, (**ta panta**), tanto as do céu como as da terra» (Efé. 1:9,10). Ver o artigo sobre **Restauração**.

Notemos que isso constitui um «mistério», um **segredo divino** anteriormente oculto, mas **agora** revelado. Esse aspecto da revelação olha para além da visão dos conceitos prévios do estado final dos mortos, abrindo uma grande porta de esperança, firmemente baseada na vontade predestinadora de Deus. O trecho de Efésios 1:23 mostra-nos que a Igreja estará envolvida na tarefa de fazer Cristo tornar-se tudo para todos, de tal modo que ele venha a encher todas as coisas. Assim funcionará a restauração final. Em nossa teologia, não temos dificuldades em dizer que o Novo Testamento trouxe novas revelações, que cancelaram grande parte do Antigo Testamento. Os judeus, sem dúvida, considerariam uma blasfêmia a declaração de que a revelação dada a eles, em *qualquer* sentido fora suplantada. Jesus e Paulo foram classificados por eles como hereges que mereciam morrer. Aqueles que percebem, dentro do Novo Testamento, mais de um nível de revelação, com a possibilidade de que um estágio de revelação venha a suplantar futuramente a outro, são agora considerados hereges. Porém, somente os dogmas humanos argumentam que isso não poderá acontecer, nada no Novo Testamento proíbe tal possibilidade. Portanto, afirmamos que I Pedro 4:6 nos traz uma verdade que ultrapassa à de Hebreus 9:27. E, do ponto de vista teológico, não vejo nenhum problema em aceitar esse conceito. Uma revelação, por si mesma, indica que antigas idéias são substituídas por novas idéias, como um desenvolvimento das idéias mais antigas. Sempre que Paulo referiu-se a algum *mistério* ele estava como que dizendo: «Até agora você nunca tinha ouvido esta doutrina. *Agora* eu a estou revelando a você». Isso significa que aquilo que ele dizia ultrapassava aquilo que Pedro ou João sabiam.

Os mistérios do Novo Testamento são todos marcos de progresso. Observamos que esses mistérios estão dispersos por todo o volume do Novo Testamento, aparecendo em diferentes ocasiões, dentro da cronologia da era apostólica. A razão indica-nos que os propósitos de Deus nunca poderão estagnar-se. Os homens, com os seus dogmas, querem estagnar um sistema, a fim de encontrarem conforto mental. Dizem eles: «Agora a revelação divina terminou. Esta é a verdade, e repousaremos nela». A verdade, porém, é uma aventura eterna, e não uma estagnação histórica. No vocabulário da verdade divina, a palavra *terminado* jamais será usada. O *avanço* constante é a idéia que melhor descreve a verdade. E no próprio volume do Novo Testamento encontramos esse avanço. Acresça-se a isso que Deus tem o direito de dar prosseguimento às suas obras e revelações, em qualquer ponto da história que ele queira fazê-lo. Os homens tentam cercar Deus com limites, mediante as manipulações de seus dogmas. Mas isso é como um brinquedo de crianças, e não uma tentativa séria de saber como a revelação realmente opera. Além disso, sinto-me na obrigação de afirmar que todas as fontes da verdade são necessariamente parciais, e as informações que elas nos dão são sempre parciais, incompletas. Portanto, sem importar se essa fonte são os sentidos físicos, a razão, a intuição ou as experiências místicas — e a revelação é uma subcategoria das experiências místicas — as coisas reveladas sempre são um desvendamento parcial da verdade, sujeitas a ampliação, aperfeiçoamento, desenvolvimento. Falar em outros termos é exibir arrogância, como a de Satanás, que queria ser semelhante ao Deus Altíssimo. Somente Deus conhece a verdade em sua forma final e perfeita. Sempre que está envolvida a mente humana, temos aí uma transigência, uma verdade incompleta.

Apesar do que acabamos de dizer, muitas das verdades parciais e fragmentárias que possuímos são extremamente importantes para nós. Tão importantes que, sobre elas, podemos edificar nossas vidas e dirigir nossos destinos. Estou procurando dirigir a minha vida de acordo com várias grandes verdades. Uma delas é a verdade do amor de Deus, que proveu em favor do homem a obra de arte da redenção-restauração, a maior de todas as revelações bíblicas quando está em pauta o destino humano. Essa revelação pode ser devidamente ilustrada por meio de um *tapete de muitas cores*, cuja beleza deriva-se da complexidade e variedade de suas cores e padrões. *Então levanta-se a pergunta*: Uma das cores do tapete de muitas cores pode tornar-se outra cor? Minha resposta é **sim**. Parto do raciocínio que **nenhum ato** de Deus, incluindo os atos redentor e restaurador, pode **estagnar-se**. No entanto, antecipo que o tapete manterá suas formas essenciais e que os homens serão divididos em várias espécies espirituais; mas somente a cor dourada, que representa os eleitos, participará da natureza divina (II Ped. 1:4). Somente essa cor está envolvida na salvação ou redenção.

Apesar disso, seria um erro degradar qualquer aspecto da obra do Grande Artista, somente porque essa obra inclui realizações menores que a obra da salvação, que envolve multidões de classes de seres espirituais. A obra inteira é grandiosa, gloriosa, poderosa. Não se pode descobrir nela qualquer defeito, qualquer debilidade, porquanto é a obra do Grande Artista. Meus amigos, o Grande Artista simplesmente não erra. Seus pincéis nunca tremem, quando ele está pintando o maior de todos os quadros: o ato da redenção-restauração. Seus dedos nunca erram, enquanto ele entretece as várias cores. Essa é a minha esperança, e não entendo como as coisas podem ser de outro modo, considerando que é a obra-prima do Mestre dos mestres. Quando vou a algum concerto, para ouvir algum famoso violinista tocar, quando ali chego sei que a arte do grande músico me deixará fascinado. Coisa alguma nos fascina a mente como a obra do Mestre do cosmos inteiro. (B BOE E NTI SAL STRA)

MORTOS, ORAÇÕES PELOS

Ver o artigo **Orações Pelos Mortos**.

MOSAICO

A base dessa palavra portuguesa é o termo grego *mouseíos*, «das musas», dando a entender uma obra artística. Mas o uso da palavra é mais especializado, e significa «trabalho de entalhe». A idéia é a formação de uma gravura com pequenas peças que são reunidas de tal modo que formem alguma cena. A arqueologia tem encontrado mosaicos nas terras bíblicas, alguns dos quais com a forma de inscrições. Os materiais coloridos iam desde pedras coloridas até vidro, conchas, pedacinhos de cerâmica, pedras preciosas, mármore, metais, etc. Eram formadas toda a variedade de gravuras, como desenhos geométricos, vida animal, vida vegetal e vida humana.

Foi descoberto um antigo mosaico, formado no piso de um antigo templo cristão, perto de Betsaida. Comemorava a multiplicação de pães e peixes para os cinco mil homens. No livro de Ester (1:6), um mosaico, no pavimento do palácio real de Susã, é descrito como feito «de pórfiro, de mármore, de alabastro e de pedras preciosas». A arqueologia tem mostrado que os mosaicos eram uma forma de arte comum entre muitos povos antigos. Alguns mosaicos eram simples, feitos de simples terracota colorida, mas outros eram feitos formando desenhos complexos de material dispendioso. O Salão das Colunas, em Warka, conta com pedras coloridas fixadas no bronze. O templo de Nin-Khursague, em al-'Ubaid, dispunha de colunas com o formato de troncos de palmeiras, — recobertas de mosaicos elegantes formados por muitos triângulos de madrepérola negra, vermelha e branca, asfalto e arenito vermelho. Uma outra obra-prima desse tipo de arte foi encontrada no cemitério real de Ur, na Caldéia. Envolvia uma decoração tumular que dispunha de pequenas figuras formadas por conchas e madrepérola, engastadas com betume, contra um mosaico de lápis-lazúli. Um dos lados retrata uma batalha com carros de combate e infantaria, e o outro lado estampa uma festa comemorando a vitória.

Os romanos apreciavam muito mosaicos em pavimentos e paredes. Essa arte foi aproveitada pela Igreja antiga, e muitos templos cristãos (e até mesmo sinagogas judaicas) eram decorados desse modo. Notáveis exemplos desse tipo de trabalho têm sido achados em Antioquia, na Síria, em Tabgha, em Gerasa, em Medeba e na sinagoga Bete Alfa, perto de Jezreel.

MOSCA

No hebraico, **zebub**, palavra que figura por duas vezes no Antigo Testamento: Ecl. 10:1 e Isa. 7:18.

Esse é o nome de qualquer inseto da ordem Plecópteros, de larguíssima distribuição. Muitas das espécies são pestes, ameaçadoras à saúde. Há cerca de cem mil espécies de moscas, e a mosca doméstica é a mais comum e perturbadora de todas. Os mosquitos também são classificados juntamente com as moscas. Alguns afirmam que o mosquito é o mais perigoso de todos os insetos e animais da terra, devido às muitas doenças graves que transmite; mas, para outros estudiosos, essa distinção pertence à mosca. Estritamente falando, a mosca é um inseto que possui apenas um par de asas, ao passo que outros insetos possuem dois pares de asas. Algumas poucas espécies de moscas não têm asas; e somente os entomologistas podem dizer quais insetos são moscas ou não, apesar de lhes faltarem asas. Todas as moscas que picam são prejudiciais, porquanto transmitem doenças que produzem organismos ou parasitas. Além disso, muitas moscas são insetos extremamente imundos, que transmitem toda a espécie de bactérias para aquilo em que tocam. No entanto, existem espécies úteis de moscas, que caçam e devoram outros insetos daninhos. Por igual modo, há moscas que são polinizadoras das flores, e, ainda outras, alimentam-se de matéria em decomposição de plantas e animais, e assim desempenham um necessário papel de lixeiros da natureza. Há um certo tipo, cientificamente denominado *Drosophila melanogaster*, que está sendo largamente utilizado em experiências genéticas, que têm provido muitas informações valiosas para a ciência.

As moscas são os insetos de mais larga distribuição à face do planeta, infestando cada lugar deste mundo. Algumas adaptaram-se ao frio extremo. Outras podem viver em fontes termais com elevada concentração de sais e enxofre. Uma certa espécie vive no petróleo, pois as suas larvas multiplicam-se no óleo cru. Nos lugares de clima quente, o número e as espécies de moscas são tão grandes que a estimativa de cem mil espécies diferentes talvez fique aquém da realidade.

As moscas passam por quatro estágios em seu desenvolvimento: o ovo, a larva, a pupa e o inseto adulto. Passam por várias gerações a cada ano e proliferam de maneira simplesmente fantástica. O ciclo de vida de uma mosca pode ser extremamente curto. Algumas espécies vivem apenas algumas horas como inseto adulto. A esse grupo pertencem os chamados insetos pólvora. A maioria das espécies de moscas vive por diversas semanas. Os hábitos de acasalamento incluem a dança no ar. Os machos dançam no ar e as fêmeas reconhecem que isso é um convite ao acasalamento. Visto que a dança nunca falha, a reprodução nunca chega ao fim. O acasalamento ocorre em pleno vôo, em muitas espécies.

As Moscas na Bíblia. Nos trechos de Êxo. 8:21,22,24,29,31; Sal. 78:45 e 105:31 temos menção à praga das moscas, que atacou ao Faraó e aos egípcios, pouco antes do êxodo de Israel. Filo, em seu livro *Vida de Moisés* (1:23, par. 401), descreveu as moscas como criaturas insidiosas, que mordiam as pessoas, que atacavam como dardos, com grande ruído em seu vôo. Muitos autores antigos pensaram que estivessem envolvidas, nessa praga, diversas espécies de inseto. Sabemos que no Egito há muitas espécies de moscas, sendo impossível identificar aquelas que participaram dessa praga. Visto que lemos que essas moscas foram retiradas do Faraó e dos egípcios, podemos imaginar que elas pousavam nas pessoas, picavam-nas e transmitiam enfermidades. Alguns vêem certa ligação entre a praga das moscas (que foi a quarta praga) com a sexta praga, que consistiu em uma enfermidade cutânea, talvez similar à praga que atingiu o gado, a quinta praga. Nesse caso, três pragas teriam sido causadas por moscas, de uma maneira ou de outra.

O deus Baal-Zebube (ou Baalzebul) era o *deus das moscas*, ao qual Acazias, rei de Israel, quis consultar, mas acerca do que foi impedido pelo recado enviado por Elias (II Reis 1:1-16). Esse nome talvez seja uma alteração zombeteira da palavra cananéia Baal-Zebul, que significa «senhor dos lugares altos». Ver as referências no Novo Testamento, em Mat. 12:24-29; 10:25; Mar. 3:33; Luc. 11:15-19. Ver os artigos sobre *Baal-Zebube* e *Belzebu*.

MOSEROTE (MOSERA)

No hebraico, «correção», «castigo», embora haja quem diga «cego». Esse era o nome de uma das paradas, perto do monte Hor, onde os israelitas estiveram estacionados por algum tempo, depois que saíram do Egito. Ficava entre Hasmona e Bene-Jaacã. Ver Núm. 33:30,31; Deu. 10:6. A forma singular dessa palavra é *mosera*; o plural é *moserote*. Desconhece-se, contudo, a sua atual localização exata.

O trecho de Deu. 10:6 informa-nos que foi ali que Arão faleceu. Todavia, a passagem de Núm. 33:38 identifica o monte Hor como o lugar da morte dele. Mas a proximidade de ambos os lugares torna aceitável uma outra referência. Alguns eruditos, entretanto, pensam que a tradição a respeito tem formas variantes, a de Moserote e a do monte Hor. Talvez os dois relatos digam respeito a duas jornadas diferentes. O relato do livro de Deuteronômio aludiria à morte no décimo quarto ano, quando Israel partiu de Cades e passou pelo wadi Murrah, na Arabá, e chegou ao monte Hor, —tendo acampado primeiro na Arabá. E, então, em Mosera, tendo Aarão morrido no monte Hor (que ficaria perto do outro lugar), já na segunda visita de Israel ao local. O *castigo* poderia ser a morte de Aarão. Mas há quem diga que a base verdadeira dessa palavra hebraica é *'asar*, «atar». E, nesse caso, a transgressão de Aarão, em Meribá, não estaria em foco como a razão de sua morte (ver Núm. 20:24; Deu. 32:51).

MOSQUITO (PIOLHO, CARRAPATO)

O termo hebraico *kinna*, que aparece em Êxodo 8:16-18, provavelmente, refere-se ao *piolho*, embora outros estudiosos digam que significa «carrapato». O vocábulo grego *konoch* significa «piolho», sendo a palavra escolhida pela Septuaginta para traduzir aquela referência do livro de Êxodo. Em Mateus 23:24 (onde há uma das famosas declarações de Jesus), temos a palavra grega *konops*, que só aparece ali em todo o Novo Testamento.

Os mosquitos do vinho eram pestes irritantes, porquanto reuniam-se em grandes números em torno do vinho que fermentava ou evaporava. Os fariseus, juntamente com muitos outros, sem dúvida, coavam o vinho por meio de algum tecido, para evitar engolir algum desses insetos, os quais, naturalmente, eram imundos segundo a lei levítica. De fato, essa palavra grega pode referir-se a certa variedade de pequenos insetos com asas. A passagem de Levítico 11:22,23 proibia a ingestão de quase todos os insetos. Jesus lançou no ridículo aqueles que coavam os mosquitos de ordem moral, mas eram capazes de engolir grandes males, tão volumosos como os camelos. O camelo era o maior animal conhecido na Palestina, tal como o mosquito era o menor. É verdade que há pessoas que embora tão cuidadosas em não cometer pequenos pecados, cometem pecados graves sem sentirem coisa alguma na consciência.

O Mosquito no Simbolismo dos Sonhos. Um enxame de mosquitos, em um sonho, indica que o sonhador tem um sistema nervoso perturbado.

MOSTARDA

No grego, **sinapi**, palavra que ocorre por cinco vezes

no Novo Testamento: Mat. 13:31; 17:20; Mar. 4:31; Luc. 13:10; 17:6. Está em foco a mostarda negra, cujo nome científico é *Brassica nigra*. Atualmente é plantada para fabricação de um tempero muito comum em pratos ligeiros. — No tempo de Jesus, parece que também era cultivada para extração de seu óleo. A planta pode crescer até atingir uma altura de cerca de 5 m. Tem um grosso tronco principal, com galhos fortes o suficiente para neles pendurar-se uma criança. Há uma espécie variante, conhecida por *Sinapis alba*, «mostarda branca», que é muito menor. Também há uma espécie de dimensões intermediárias, chamada *Salvadora persica*, que algumas vezes é chamada de planta de mostarda, e que medra nas margens do mar Morto. Alguns estudiosos têm pensado que essa é a planta das referências bíblicas; mas o fato é que a mesma não produz sementes pequenas, não se ajustando assim à descrição bíblica. A referência de Marcos (4:32) a essa espécie vegetal, como «maior do que todas as hortaliças», sem dúvida alude à mostarda negra.

Jesus chamou suas sementes de menor de todas as sementes, mas das quais crescem grandes arbustos. Sua linguagem era ilustrativa do fato de que o reino de Deus também vai crescendo a partir de algo muito pequeno. Em Mat. 17:20, a referência é como a fé de uma pessoa pode ser tão poderosa que lance um monte no mar, se ao menos tiver fé como um grão de mostarda. E isso, por sua vez, mostra quão minúscula é a nossa fé, pois até onde nos é possível investigar, não se sabe de um servo de Deus que tenha feito esse prodígio. Logo, quão pequena é a nossa fé! As sementes de mostarda são pequenas, mas produzem grande efeito se tiverem permissão de brotar e crescer. E isso mostra que, embora nossa fé seja tão pequena, conseguirá efetuar aquilo para o que ela nos foi dada!

Comparar reinos com árvores era muito comum entre os judeus, conforme se vê na própria Bíblia—Dan. 4:10-12,20-22; Eze. 31:3-9; Sal. 80:8-10. É possível que Jesus tivesse em mente a referência de Daniel, quando proferiu suas palavras sobre a mostarda. Assim sendo, Jesus indicou o tipo de reino que ele tinha em mente, isto é, o reino dos céus, e como este operaria através de sua Igreja. A figura das aves (ver Mat. 13:32), aninhadas nos galhos desse arbusto, talvez tenha sido tomada por empréstimo de Dan. 4:20-22, ainda que, na declaração de Jesus, assumiu um significado diferente. Não há razão para pensarmos nessas aves como um símbolo negativo—dos demônios ou de mestres falsos—dentro das palavras de Jesus. Mas elas ilustram tão-somente como aquela hortaliça cresceu tanto que se tornou uma árvore, capaz de conter os ninhos de muitas aves. A fé é uma força muito poderosa. Pode começar pequena (tal como as sementes de mostarda são pequenas), mas pode obter incríveis resultados. Esse é o ponto salientado nessa ilustração de Jesus acerca da mostarda, suas sementes e seu extraordinário desenvolvimento até tornar-se uma árvore.

MOSTEIRO; MONASTICISMO; EREMITA

Esboço:

I. Caracterização Geral e História
II. Motivos por Detrás do Monasticismo
III. Críticas ao Monasticismo
IV. Contribuições do Monasticismo

I. Caracterização Geral e História

1. *Eremita*

Esse termo vem do grego *éremos*, «ermo», «deserto (de gente)». Eremita, portanto, é aquele que se afasta do convívio com a sociedade em geral. Quando isso está baseado em motivos religiosos, criam-se condições para a formação de mosteiros formais, que são lugares onde pessoas de idênticas convicções e sentimentos congregam-se, — formando pequenas comunidades fechadas. Esse vocábulo é sinônimo de anacoreta, que vem do grego *anachoréo*, «retirar-se». Assim, um anacoreta é um recluso religioso voluntário. Usualmente, trata-se de uma pessoa solitária, que não ocupa qualquer ordem religiosa oficial, mas que se devota ao serviço de Deus mediante a oração, a meditação, a contemplação, e, talvez, obras de caridade. Em seu uso técnico, o termo denota um membro de alguma associação organizada de eremitas. Foram os anacoretas (eremitas religiosos) que deram origem ao monasticismo cristão. Quando os *monges*, mais formais, substituíram os eremitas informais, nem assim estes últimos desapareceram. Se os monges tornaram-se anacoretas especializados, os anacoretas continuaram a existir.

A definição geral dessa palavra é qualquer indivíduo que abandona a sociedade a fim de levar uma vida solitária, sem importar as suas razões para tanto. Dentro do contexto religioso, a palavra é usada como sinônimo de *anacoreta* (vide). O termo alude aos cristãos ascéticos que buscam aperfeiçoar-se espiritualmente por meio da contemplação, retirando-se da vida normal no mundo. Os eremitas surgiram pela primeira vez no século III D.C. Em um sentido mais geral, os eremitas religiosos são aquelas pessoas que adotam a vida de solidão, com finalidades religiosas, sem pertencerem a qualquer ordem religiosa e sem ocuparem qualquer ofício eclesiástico, que os tenha inspirado a levar essa forma de vida. Essa atitude, naturalmente, deu começo às ordens monásticas (vide). Quando os monges começaram a viver formando comunidades, e não mais como indivíduos isolados, como eremitas, isso não eliminou a variedade individualística de ascetismo. Muitos teólogos têm posto em dúvida a autêntica espiritualidade de tal modo de vida, com base na lei do amor, que é fundamental a toda espiritualidade, e que procura servir a outras pessoas, em vez de isolar-se da comunidade e da sociedade. De fato, é duvidoso que a vida monástica, e, principalmente, a vida dos eremitas realmente promova a piedade individual e as experiências místicas. Todavia, pelo menos no caso de alguns, esse exercício é benéfico.

2. *O Monasticismo*

Essa palavra vem do verbo grego *monázo*, «viver solitário». Certos indivíduos, ao observarem as corrupções do mundo, e sentindo que isso lhes servia de obstáculo à sua inquirição espiritual, resolvem retirar-se do seio da sociedade, a fim de dedicarem-se a uma vida de oração, meditação, abnegação, e, usualmente, um *ascetismo* (vide) mais ou menos severo. Os mosteiros são uma constante religiosa nas fés orientais e ocidentais, cristãs ou não-cristãs. Os budistas e hindus também têm os seus mosteiros. No cristianismo, o movimento formal começou já no século III D.C., quando eremitas passaram a retirar-se para o deserto do Egito. Antônio, o ermitão (vide), deu o exemplo que muitos passaram a emular. Se os primórdios do movimento foram informais, não demorou quase nada para assumir aspectos formalizados, seguindo alguma regra fixa escrita. Existem ordens monásticas no hinduísmo, em todas as variedades de budismo, no judaísmo (os *hasidim*), no islamismo (os *derviches*) e no cristianismo.

Pacômio (cerca de 290—346 D.C.), segundo

muitos, foi o primeiro a estabelecer um conjunto de regras para os eremitas cristãos. Não demorou muito para serem organizados nove mosteiros no deserto do Egito. Benedito de Núrsia (cerca de 480-547 D.C.) desenvolveu a chamada Regra Beneditina para o mosteiro do Monte Cassino na Itália. De fato, ele é reputado o fundador das ordens monásticas *ocidentais*. Além dos beneditinos, foram surgindo outras ordens monásticas, como os franciscanos, os dominicanos, os carmelitas, os agostinianos e os jesuítas.

3. *Movimentos Pré-Cristãos*

O monasticismo floresceu entre dois grupos de judeus: os *essênios* e os *terapeutas* (ver os artigos a respeito). Todos temos consciência das contribuições para o pensamento e a conduta religiosos desses dois grupos. Monges sempre estarão interessados por Escrituras e Livros Sagrados, e é aos cuidados deles que devemos a preservação de muitos manuscritos do Antigo e do Novo Testamentos que hoje possuímos. Esses movimentos judaicos estavam cansados com as corrupções da correnteza principal do judaísmo, e pensaram que poderiam servir melhor a Deus retirando-se do meio da sociedade judaica. Mas essa retirada, apesar de suas vantagens, tem algumas decisivas desvantagens. Pode mesmo ser indagado se a vida de um *casulo* (como a do claustro) contribui muito para o desenvolvimento de uma espiritualidade autêntica. Antes, parece que quando as tentações desabam, encontram pessoas susceptíveis. Ademais, se os monges servem a si mesmos e cuidam de antigos manuscritos, não fazem muito pelas pessoas que vivem fora de suas comunidades, a menos que se apliquem a alguma atividade externa.

4. *Os Pacômios*

Eles introduziram a idéia de uma ordem monástica religiosa no cristianismo, embora, com base naquilo que já foi dito, possamos concluir que eles não inventaram a idéia. Mas as regras deles regulamentavam cada faceta da vida dos monges. Eles tinham suas refeições e orações em comum, e, naturalmente, precisavam cooperar na produção de meios de subsistência do grupo. Propagaram-se rapidamente pelo Egito e pela Abissínia, de tal modo que, em 410 D.C., já havia nada menos de sete mil monges pacômios. Mas, aí pelo ano 500 D.C., o fervor pacomiano começou a diminuir.

5. *Basílio*

De acordo com os ritos gregos, foi Basílio a figura antiga mais influente. Devido à sua influência, o monasticismo entrou na Igreja Cristã Oriental. Ver os artigos sobre *Basílio* e os *Basilianos*. Seu tipo de monasticismo continuou sendo o padrão seguido pelos monges gregos e eslavos orientais.

6. *Atanásio*

Ele foi o instrumento que introduziu o monasticismo em Roma, por volta de 340 D.C., quando visitou aquela cidade. Mas foi Benedito quem formou, em cerca do ano 500 D.C., a ordem dos beneditinos e a regra que deu perpetuidade ao monasticismo ocidental.

7. *Inovações Beneditinas*

Essas, em sua essência, foram duas: foi enfatizado o ideal da lei e da boa ordem, ao que ficavam obrigados tanto os monges quanto os próprios abades; e também foi destacado o ideal da estabilidade. Um monge e sua comunidade ficavam jungidos um ao outro de forma vitalícia.

8. *Regra de Columbano*

Essa regra imperou por longo tempo na Irlanda, como contraparte da regra beneditina. Porém, no século VII D.C., a regra beneditina também foi adotada pelos monges irlandeses.

9. *Ordens de Resgate e Ordens Militares*

As guerras contra os islamitas trouxeram à existência essas variedades de ordens religiosas do catolicismo romano.

10. *Ordens Mendicantes*

No século XIII, vieram à existência várias ordens de monges mendicantes: os franciscanos, os dominicanos, os carmelitas e os eremitas agostinianos. Temos apresentado artigos sobre cada uma dessas ordens.

11. *A Reforma Protestante*

Se uma parte da Igreja organizada abandonou a idéia monástica, por outra parte surgiram os jesuítas, uma força contrária à Reforma Protestante. Os jesuítas têm o seu ramo monástico, em adição ao ramo já existente dentro da Igreja Católica Romana.

12. *Nos Séculos XIX e XX*

As pressões e incertezas da vida moderna têm-se mostrado favoráveis ao florescimento do monasticismo. Têm aumentado em muito os novos tipos de comunidades religiosas. Os seus elementos em comum são os votos de pobreza, de castidade e de obediência, embora variem suas ênfases e serviços.

II. Motivos por Detrás do Monasticismo

1. *Motivos Psicológicos*

À parte dos motivos religiosos, é claro que algumas pessoas não estão aptas a enfrentar este mundo agitado, com suas exigências e competições, onde, com freqüência, a desonestidade rende melhor do que a honestidade. Além disso, algumas almas sentem-se melhor na quietude e na solidão. Algumas almas tímidas não têm a coragem suficiente de competir. Também há pessoas psicologicamente distorcidas, de tal maneira acanhadas que somente a vida de eremitas as atrai. Também há indivíduos psicologicamente perturbados, que recebem pseudovisões, que os encorajam a aceitar formas de vida diária que são estranhas para outras pessoas, inclusive para os próprios eremitas.

2. *Alegados Mandamentos Bíblicos*

Há quem diga que encontra provas bíblicas para a vida monástica. As passagens assim usadas são: I João 2:15-17; I Cor. 7:38,40; Rom. 14:2,21; Apo. 14:4. Que o leitor as examine, e tire suas próprias conclusões!

3. *Motivos Espirituais*

O desejo de se levar uma vida espiritual mais profunda, sem perturbações da parte das tentações e distrações do mundo, como um protesto *contra o mundanismo*. O desejo de se ter mais tempo para a oração, a meditação, a contemplação e a busca pela santidade. O desejo de servir de algum modo específico, oferecido por alguma ordem religiosa monástica. A busca pela iluminação e pela espiritualidade fornecidas pelo trabalho árduo. Algumas ordens religiosas requerem um labor físico duro, como medida disciplinadora, havendo pessoas que se deixam atrair por esse princípio. O *ascetismo* tem sido uma constante na vida monástica, pois os ascetas podem satisfazer-se melhor em uma ordem monástica, onde encontram o apoio e o encorajamento de outras pessoas, que compartilham dos mesmos motivos. A busca pela *perfeição*, mediante a imitação de Cristo. O mundo distrai; mas a vida monástica oferece um lugar e tempo para uma busca espiritual aparentemente mais elevada. O ideal da *peregrinação*. Isso pode ser satisfeito melhor através da vida monástica. E, finalmente, o *celibato*. Há pessoas que sentem ser essa a única maneira de viver santamente, separando-se totalmente do convívio com mulheres.

III. Críticas ao Monasticismo

1. O ascetismo é combatido em trechos bíblicos como o segundo capítulo da epístola aos Colossenses. Jesus mesmo não era asceta.

2. O celibato forçado é uma idéia antibíblica.

3. A vida monástica viola e impede o mais importante princípio de todos: viver a vida do amor, no serviço ao próximo.

4. Os monges, em sua reclusão, dificilmente podem refletir o ideal da vida cristã. Um retiro ocasional é bem-vindo e benéfico; mas um retiro permanente é uma prática duvidosa, que encerra certo número de perversões.

5. Salvação mediante as boas obras e os esforços próprios com freqüência é um forte motivo por detrás da vida nos mosteiros. Isso é contrário à doutrina paulina da graça e da justificação pela fé.

6. Os monges, em sua reclusão, dificilmente podem dedicar-se ao evangelismo e ao ensino de discípulos; mas esses são aspectos centrais e obrigatórios da verdadeira vida cristã. O mundo é redimível; mas os monges abandonaram o mundo, por pensarem que o mundo não pode ser redimido. Nossa tarefa consiste em nos envolvermos no processo remidor de outras pessoas, e não somente de nós mesmos.

7. Uma falsa virtude. Uma virtude não testada será uma virtude real? Na luta pelo desenvolvimento espiritual, precisamos entrar em um conflito real, e não ilusório, contra o pecado. A remoção das tentações de modo algum fortalece moralmente ao indivíduo. O exercício físico fortalece o corpo. O trabalho exercita os músculos. Um lutador só se torna melhor através da experiência. Todo boxeador precisa encontrar contendores reais. Não pode recusar-se a subir ao ringue e ser um boxeador apenas teórico. É difícil louvar uma virtude enclausurada. Isso não é a mesma coisa que dizer, naturalmente, que todas as virtudes dos monges são falsas, mas somente que eles não podem submetê-las a testes reais.

IV. Contribuições do Monasticismo

Apesar dos pontos negativos, as contribuições do monasticismo são óbvias. Sempre houve grandes homens espirituais nesse movimento. Os labores deles quanto às Sagradas Escrituras, preservaram-nas para as gerações seguintes. Outros têm-se envolvido em boas obras. Podemos supor que uma vida dedicada à oração tem resultados positivos para com outras pessoas, e não meramente em favor dos próprios que oram. Também não se pode duvidar que alguns daqueles que se têm envolvido no monasticismo têm obtido certo grau de *iluminação*, o que é um feito desejável e significativo. Esses têm deixado um exemplo de dedicação séria ao discipulado cristão, ainda que o sistema tenha suas falhas clamorosas. Convém que elogiemos seus protestos contra o mundanismo, ainda que seu *modus operandi* possa ser questionado. (ANS B BOU C E H WOR)

MO TZU

Suas datas foram 479-381 A.C. Ele é considerado o segundo maior filósofo chinês, depois de Confúcio. Presume-se que, no começo de sua carreira, foi discípulo de Confúcio. Mas, posteriormente, chegou a ser seu oponente. Sua escola chegou a ser conhecida como a escola *moísta*. Sua influência era maior sobre a classe dos cavaleiros, e não tanto sobre a classe literária, de tal maneira que quase todos os seus discípulos originaram-se entre os cavaleiros. E foram opositores dos seguidores de Confúcio.

IDÉIAS

1. Existem duas correntes de idéias que são unidas pela utilidade de ambas. *Por uma parte*, haveria a classe dos cavaleiros. Cada membro era obrigado a identificar-se com o líder do grupo; esse líder tinha de identificar-se com o líder superior. E o propósito dessa unidade, em vários níveis, era a de ser atingido o Grande Líder, o Filho do Céu. Essa elevadíssima personagem é o Rei. Esperava-se que ele se norteasse pelos princípios certos de vida, podendo assim transmiti-los aos demais membros do grupo, como o exemplo supremo. Mas, se essa figura fosse injusta, a própria natureza haveria de reagir e de derrubá-lo.

2. Todos os oficiais deveriam ser selecionados com base exclusiva no mérito pessoal.

3. *Por outra parte*, há o ideal do amor, que é universal. Mo Tzu não rejeitava as idéias de Confúcio sobre o *jen* (simpatia humana) e sobre o *li* (retidão), pontos esses muito importantes, porquanto ajudariam o homem a pôr em prática o *ai* (amor), que é todo-abrangente. Para ele, o amor soluciona os problemas humanos e é o ideal que unifica todas as coisas. Requer que o indivíduo considere outras pessoas, outras famílias e outras nações como se fosse ele próprio. — Isso equivale à regra postulada pelo Senhor Jesus, de que devemos fazer aos outros o que queremos que eles nos façam. O amor remove a opressão e a injustiça. Anula a cobiça e cria a paz.

4. Essa lei do amor harmoniza-se com a vontade celeste, que é um princípio divino, e não meramente um princípio humano. O fatalismo precisa ser evitado, porquanto a vontade celestial opera através do amor, sendo capaz de modificar todas as condições.

5. O que é benéfico deve ser *feito*, e não meramente idealizado ou comentado. Todo erro precisa ser eliminado, e não meramente condenado verbalmente. Algumas coisas devem ser evitadas, porquanto levam a excessos. Para exemplificar, a composição musical, que rouba aos homens um tempo precioso, tempo esse que poderia ser consagrado ao trabalho produtivo. Além disso, os serviços fúnebres elaborados são um desperdício; e todo desperdício é um erro.

MOTIVO, MOTIVAÇÃO

Teorias da Motivação

1. *Teoria Associativa*. Um dado estímulo produz uma reação previamente esperada, usualmente com o envolvimento do princípio do prazer.

2. *A Teoria dos Impulsos*. O homem seria essencialmente motivado por impulsos biológicos, e, com freqüência, é vítima de sua própria natureza física. O organismo humano seria compelido por sensações de desequilíbrio, para comportar-se de tal maneira que se restabeleça o equilíbrio, — ou *homoeostasis*, sem importar se esse equilíbrio é biológico ou psicológico. Poucas pessoas compreendem seus próprios motivos, embora tenham consciência do poder impulsionador desses motivos.

3. *A Teoria Psicanalítica*. Os desejos nunca satisfeitos, que buscam expressão e que podem estar alicerçados sobre impulsos biológicos ou sobre necessidades psíquicas irracionais, podem compelir os homens a fazerem o que fazem.

4. *A Teoria Eclética*. Sem dúvida, alguns elementos das teorias anteriores estão com a razão. A questão dos motivos é muito complexa, e uma única teoria não é capaz de explicá-la.

5. *A Teoria do Autodinamismo*. Quanto mais

aprendemos sobre o ser humano, tanto mais chegamos a perceber que ele é um ser criativo. Apesar de haver indivíduos que são motivados essencialmente por seus impulsos básicos, há outros que são motivados por elevados ideais, sendo capazes de modificar tanto a si próprios quanto ao ambiente em que vivem. Não é mister que o homem seja vítima de sua biologia. As pessoas ficam famintas, entediadas, temerosas, sexualmente despertas, etc., mas também podem elevar-se acima de tudo isso, expressando-se segundo canais criativos, seguindo os ditames de princípios mentais superiores.

6. *As Motivações Espirituais*. Não nos podemos esquecer que o homem é um espírito, posto que cativo em um corpo físico. O homem pode ser inspirado por elevados princípios espirituais; e, à medida que se for desenvolvendo espiritualmente, poderá enfatizar cada vez mais esses valores espirituais em sua vida, em vez de ficar debatendo-se somente com as suas necessidades e apetites inferiores. Conforme um indivíduo for aplicando os meios espirituais de desenvolvimento—o estudo dos documentos espirituais, no treinamento da mente; a oração; a meditação; a prática das boas obras, no cumprimento da lei do amor; a santificação; a posse e uso dos dons espirituais—mais e mais deixar-se-á motivar pelos valores espirituais. Não há que duvidar que isso foi o que inspirou sempre os grandes movimentos missionários, que tanto sacrifício humano têm envolvido, com a exclusão do egoísmo, embora este último seja exaltado dentro de várias teorias acerca das motivações. Naturalmente, o maior de todos os motivos práticos é o **princípio do amor** (vide), um princípio que é a **própria essência** do primeiro e do segundo dos mais importantes mandamentos: o amor a Deus e o amor ao próximo. Ver Mat. 22:34 *ss*. O trecho de Gál. 5:22 mostra-nos que o amor é produzido pelo cultivo do Espírito de Deus em nosso homem interior, sendo esse o solo mesmo onde lançam raízes e medram todas as demais virtudes espirituais.

7. *O Grande Dilema*. O ser humano tem uma parte biológica e outra espiritual. O sétimo capítulo de Romanos ensina que o próprio apóstolo Paulo reconheceu que o homem que está seguindo seriamente pela senda espiritual, ainda assim encontra problemas com seus impulsos mais baixos. Por isso, vez por outra, encontramos o espetáculo de homens bons que se envolvem em algum escândalo, ao qual, irracionalmente, se deixaram arrastar. A vida neste mundo é uma escola, e até mesmo os melhores dos homens têm de passar, às vezes, por lições desagradáveis, que envolvem derrotas morais e espirituais. A realidade dos fatos é que Jesus Cristo veio salvar pecadores, e é preciso muito tempo para transformar um pecador em um santo, de tal maneira que, nesse longo percurso, muitas quedas podem ter lugar. Por outra parte, muitos servos de Deus têm encontrado o caminho para a vitória geral, ainda que venham a sofrer escorregões ocasionais.

8. *O Propósito Transcendental*. O homem espiritual está sendo transformado segundo a imagem do Filho de Deus (ver Rom. 8:29), de forma a vir a compartilhar de toda a plenitude de Deus, em seus atributos e em sua natureza (ver Efé. 3:19), e, por conseguinte, tornando-se participante da própria natureza divina (ver II Ped. 1:4). Mas isso é um processo eterno, que vai passando de um estágio de glória para o próximo (ver II Cor. 3:18). O homem espiritual, pois, é motivado a seguir essa vereda da ascensão espiritual, que começa na conversão e que passa por muitas experiências transformadoras, alicerçadas sobre a missão de Cristo e promovidas pela missão do Espírito Santo.

Ver também, **Motivos Misturados**.

MOTIVOS MISTURADOS

A personagem Cristão no livro **O Peregrino**, queixa-se sobre seus motivos misturados, de tal modo que seus mais nobres atos, com freqüência, estavam escudados sobre motivos egoístas. Esse fenômeno é tão comum que o tema dos *motivos misturados* é uma importante e necessária consideração ética. A questão é complicada pelo fato de que um homem está sempre em conflito no tocante a bons e maus princípios, que Paulo descreveu tão vividamente no sétimo capítulo de Romanos. Os estudiosos têm tido muita dificuldade com a interpretação dessa passagem. Pois ela parece indicar um exagerado conflito no caso do homem regenerado. Muitos pensam que a conversão deveria tê-lo libertado de tão profundo conflito. Por outro lado, parece dizer muito em favor do homem não-convertido. Talvez devêssemos tomar esse trecho como típico tanto do homem não-convertido, mas que está buscando a Deus, quanto do homem convertido, mas perturbado. A experiência humana suporta ambas as interpretações. Visto que o conflito com os poderes malignos, internos e externos, devem assinalar a experiência de qualquer homem de fé sério, é inevitável que ele estará perturbado diante de motivos misturados. Ele será mesmo tentado a apresentar sua carnalidade, hostilidade e espírito de crítica ao próximo como se fosse uma santa indignação e o desejo de «instruir» a outras pessoas. Muitos homens arrogantes fazem-se de mestres de outros, e a sua arrogância aparece sob a forma de uma suposta espiritualidade superior.

Um motivo é aquilo que nos inspira a fazer alguma coisa. Esse motivo pode ser negativo ou positivo. Pode ser mal ou bom. Pode ser egoísta ou altruísta. Todas as pessoas religiosas são hipócritas em certo sentido, devido ao próprio fato de que os seus atos nunca se equiparam à altura de suas aspirações. No entanto, querem que as outras pessoas pensem que elas são melhores do que realmente são. Em conseqüência, com freqüência, os motivos são duvidosos, embora quase sempre apresentados como bons. Alguns motivos são inconscientes. Um homem age de certa maneira, sem saber, realmente, por quê. Os fariseus, em sua fingida piedade, sem dúvida, julgavam-se verdadeiramente piedosos. Os cegos guiam os cegos; os críticos são culpados dos mesmos crimes cometidos por aqueles que eles criticam, conforme aprendemos no segundo capítulo de Romanos. Os fariseus preocupavam-se muito com o que outras pessoas diriam acerca deles (ver Mat. 6:1; 23:5-7; Mar. 12:40), mas não se interessavam pelo que Deus pensaria deles. Jesus salientou isso diante da atenção deles. Talvez nunca tivessem considerado a questão por esse prisma. É que a mente distorcida não é muito racional e lógica.

O homem inspirado por uma atitude pugnaz, e que gosta de brigar, aproveita-se de causas santas como oportunidades para ele armar situações contenciosas. Mas podemos ter a certeza de que ele apresentará sua inclinação natural para a contenção com as vestes de um sumo sacerdote que se esforça por livrar as pessoas de seus pecados.

Apesar da glória de Deus e do bem dos homens serem motivos aceitáveis, que se tornam motivos poderosos por meio do *amor* (vide), o coração do homem que odeia sempre encontrará *razões* para cortar e queimar, em vez de curar. De fato, tal indivíduo sempre chamará seus ataques ferinos de tentativas de cura. Porém, em vez de amor, o que ele realmente sente no coração é ódio e inveja.

Há ministros que são tentados a buscar aceitação para suas pessoas, porque estão atrás de consolo mental ou dinheiro, e assim apresentam essa atitude como uma defesa da ortodoxia, o que os torna aceitos aos olhos de outros. A filosofia ética chamada *egoísmo* assevera que todos os atos humanos estão baseados sobre motivos egoístas, sem importar o quanto os homens considerem-nos altruístas. Mas essa é uma visão por demais pessimista do homem, embora haja aí alguma verdade.

Bases verdadeiras para os motivos aparecem no Novo Testamento. Essas bases incluem: 1. O desejo de glorificar a Deus (Rom. 14:8; I Cor. 10:31; II Cor. 5:9). 2. A gratidão pelo perdão recebido da parte do Senhor (Col. 3:13). 3. A reverência filial por um Pai santo (I Ped. 1:15-17). 4. A prestação de contas diante de Cristo (Col. 3:23 *ss*). 5. O reconhecimento da brevidade da vida (Tia. 4:13-15). 6. A singeleza de coração (I Crô. 29:17; Efé. 6:5). 7. Redenção e retribuição (Rom. 8:12 *ss*; Gál. 6:8). 8. O maior motivo ético de todos é o *amor* (Gál. 5:22,23; I João 4:7 *ss*).

MOVEDOR INABALÁVEL

Ver sobre *Aristóteles*, terceira seção, *Metafísica*, ponto sexto.

MOVIMENTO

Essa palavra tem algumas importantes implicações filosóficas, a saber:

1. Parmênides, Zeno e Nagarjuna (ver os artigos sobre eles) argumentavam contra a possibilidade do movimento, com as mudanças e desenvolvimentos envolvidos nesse movimento, sobre supostas bases lógicas. Eles diziam que o movimento é ilusório, pois defendiam a natureza imutável da força suprema da criação, ou princípio da deidade, o único princípio que realmente existe.

2. Demócrito, em contraste com isso, pensava no movimento como uma qualidade inerente dos átomos, de tal modo que os movimentos nunca cessariam, e todas as coisas estariam em perene fluxo.

3. Aristóteles ampliou mais ainda o conceito, incluindo no mesmo todas as formas de modificação, desenvolvimento e concretização, que governariam as ações de todas as coisas. A evolução, como é óbvio, é controlada por um tipo de movimento onde há modificações. Os pensamentos são imitadores dos movimentos, e as coisas que são levadas à concretização obedecem a esse princípio.

As *quatro causas* (material, formal, eficiente e final) de Aristóteles dependem do princípio metafísico do movimento. Isso posto, não deveríamos pensar que o movimento envolve somente a passagem de corpos através do espaço, de um lugar para outro. O Impulsionador Primário (Impulsionador Inabalável) é a causa de todo movimento, que ele produz ao «ser amado»; mas ele mesmo não se move, pois qualquer mudança envolveria, finalmente, decadência, pois aquilo que já é perfeito tem que ser imutável, já que qualquer mudança seria para pior.

4. Na teologia, o movimento é a força de Deus, que realiza todas as coisas através do poder de sua vontade e de sua palavra. Infelizmente, a Igreja romana, apegando-se à idéia aristotélica de que do movimento só pode proceder a decadência, chegou a argumentar, equivocadamente, que a terra não podia estar em movimento, e condenou a Galileu, que sabia que a terra tem movimento. Somente já em nossa época o catolicismo romano «perdoou» a Galileu, por ele ter estado com a razão!

MOVIMENTO CARISMÁTICO

Esboço:

1. Definição
2. Primórdios nos Tempos Modernos
3. Controvérsias
4. Defesa de Certos Aspectos do Movimento Carismático
5. Teste do Valor Intrínseco

1. Definição. Esse refere-se aos membros de qualquer denominação cristã que salientam o batismo do Espírito Santo, como experiência subseqüente à conversão, usualmente acompanhada, segundo se supõe, pelo falar em uma língua desconhecida para quem a fala. Geralmente, a *glossolalia* é considerada como a *evidência* inicial do recebimento do Espírito, de tal modo que o indivíduo recebe o seu Pentecoste particular (que vide). Essa língua pode ser: a. Uma língua real, antiga ou moderna, desconhecida por aquele que a fala; b. ejaculações extáticas, que não são tomadas como um idioma, no sentido normal da palavra, não formando frases conhecidas em qualquer língua antiga ou moderna; c. línguas de entidades não-humanas, como os anjos. O dom de curas é uma outra ênfase carismática. Os grupos pentecostais aludem aos seguintes nove dons: sabedoria, conhecimento, fé, curas, milagres, profecia, discernimento de espíritos, línguas e interpretação de línguas. Tal como os batistas, alguns grupos pentecostais procuram vestígios de sua história através dos séculos, de volta à Igreja primitiva; tal como os batistas, não conseguem fazê-lo. Os grupos apresentados como elos de ligação dificilmente são fundamentais, conservadores e pentecostais, conforme hoje os conhecemos; antes, eram movimentos fanáticos que incorporavam toda a espécie de atos e doutrinas estranhas, e que a maioria dos pentecostais desaprovaria totalmente. Por que será que os homens procuram autenticar suas denominações com o selo da antiguidade? O único teste real é o *valor intrínseco*, pois a única *denominação* verdadeiramente antiga é a Igreja Católica, que, em 1054, dividiu-se em Igreja Católica Romana e Igreja Ortodoxa Oriental.

As origens do moderno movimento carismático encontram-se nos Estados Unidos da América e na União Soviética. Foram missionários suecos que trouxeram ao Brasil, precisamente a Belém do Pará, a mensagem pentecostal. Depois deles chegaram aqui evangélicos pentecostais de outras nacionalidades. Atualmente, o movimento se desdobra em movimentos nacionais independentes, com uma mensagem com cada vez menos elementos bíblicos e cada vez mais elementos legalistas.

Os predecessores imediatos dos pentecostais foram os grupos de «holiness», os quais frisam uma presumível «segunda bênção». Segundo eles, essa segunda bênção consiste em uma espécie de iluminação espiritual e avanço na santificação, que geralmente eleva a espiritualidade da pessoa. Rebuscando as Escrituras, os cristãos «holiness» anelavam pela restauração do cristianismo apostólico, e chegaram à conclusão de que isso só seria possível mediante a restauração dos dons espirituais. Ver o artigo sobre os *Dons Espirituais*. Ver também sobre o *Batismo no Espírito Santo*. Esse anelo pela restauração dos dons do Espírito estava vinculado ao anseio por uma maior santificação pessoal. Por esse motivo, tem-se manifestado sempre a luta dos grupos pentecostais contra o mundanismo e os excessos de todas as espécies. Nessa reação, os pentecostais têm chegado ao extremo do legalismo, mormente na questão dos trajes femininos. Todavia, como via de regra, os grupos pentecostais não se têm destacado como grupos que estudam as Escrituras em profundidade. Suas igrejas, na maioria das vezes, compõem-se de crentes superficiais, cuja santidade consiste mais em determinada aparência pessoal, e não tanto na observância de princípios piedosos e éticos. É lamentável que um ideal tão elevado como o do movimento pentecostal inicial, em menos de um século se tenha diluído tanto. Se a mim, o tradutor desta obra, fosse indagado por que assim sucede, minha resposta seria na forma de uma crítica construtiva, como passo a fazê-lo:

a. A ênfase dos grupos holiness e pentecostais está equivocada. Não é mediante o exercício dos dons espirituais que os crentes atingem maior santidade; e nem é mediante esses dons que a Igreja cristã haverá de aproximar-se do modelo apostólico primitivo. A finalidade dos dons espirituais não é a santificação, e, sim, a edificação espiritual. «...o que profetiza, fala aos homens, *edificando*, exortando e consolando. O que fala em outra língua a si mesmo se *edifica*, mas o que profetiza *edifica* a igreja... quem profetiza é superior ao que fala em outras línguas, salvo se as interpretar, para que a igreja receba *edificação*... Assim também vós, visto que desejais dons espirituais, procurai progredir, para a *edificação* da igreja» (I Cor. 14:3-5,12). E a idéia de edificação repete-se no vs. 17 desse mesmo capítulo. É inútil buscar santificação através dos dons espirituais. Eles não existem para isso. Outrossim, o «aperfeiçoamento» da Igreja vem através de um ministério levantado por Deus, segundo os moldes de Efésios 4:11-13. Porém, como esperar que se levante um ministério dessa elevada natureza quando, nas igrejas pentecostais, tornou-se comum a noção de que basta falar em línguas para que um homem já seja considerado digno de receber o ministério?

b. O legalismo dos grupos pentecostais é um fator extremamente debilitador da espiritualidade autêntica. À medida em que esse legalismo vai-se fanatizando mais e mais, conforme ocorre em nossos dias, quando os crentes ficam olhando para as externalidades, e não para a piedade do homem interior, menos poderemos esperar do movimento carismático. O remédio para esse legalismo consiste em se buscar a verdadeira espiritualidade, mediante a formação de Cristo em nós, por operação permanente do Espírito de Deus. Se Paulo vivesse em nossos dias, teria endereçado aos grupos pentecostais as palavras que dirigiu aos crentes da Galácia: «...meus filhos, por quem de novo sofro as dores de parto, *até ser Cristo formado em vós*; pudera eu estar presente agora convosco, e falar-vos noutro tom de voz; porque me vejo perplexo a vosso respeito» (Gál. 4:19,20).

c. O movimento pentecostal preocupa-se muito com a questão do «poder espiritual». No Brasil, essa tendência pende mais para as curas do que para a glossolalia. Basta atentar ao fato que aqui vive e prega «o maior pregador de cura divina da América do Sul». Mas, seria bíblica a sua mensagem? Fala ele na urgente necessidade do arrependimento e da fé em Cristo? Prega ele sobre a transformação do caráter? Ensina ele todo o conselho de Deus, conforme o mesmo é exposto nas Escrituras? Basta ouvir seu programa de rádio diário para saber que a resposta a essas perguntas é um redondo NÃO. Com raras exceções, os demais pregadores pentecostais seguem esse modelo, esquecidos que o poder de Deus manifesta-se *muito mais* sob a forma de *vidas transformadas* do que sob a forma de curas dos males *físicos*. Não podemos pôr de lado esse aspecto menor; mas sob hipótese nenhuma podemos olvidar-nos daquela questão bem maior. Jesus curava as multidões, mas não confiava nelas; e, quando queria realizar uma obra permanente, voltava-se para seus poucos discípulos, ajudando-os a rebuscar o fundo do baú dos tesouros da revelação divina, levava-os a provar do maná escondido. Isso, irmãos, é o que a Igreja cristã terá de fazer, em preparação para o nosso encontro com o Noivo celeste. Jesus e os apóstolos usavam seus poderes espirituais a fim de atrair a atenção dos homens para à mensagem cristã, que é o que realmente importa! Mas, muitos pregadores pentecostais ficam competindo uns com os outros, para ver qual é mais poderoso, **quem cura maior** número de enfermos!

d. Os grupos pentecostais tem uma história recente. «É de pequenino que se torce o pepino!» O movimento pentecostal tem algo de proveitoso. Mas, se a reação para melhor não vier logo, então aqueles que têm olhos para ver em breve entenderão que esse movimento tem sido um dos canteiros favoritos do diabo para semear seu daninho joio! (Mat. 13:24-30). Atraídos pelas curas, muitos buscam as igrejas pentecostais. E, sem que se exija conversão autêntica, milhares estão sendo admitidos, e logo se tornam «presbíteros» e pastores! A situação chegou a um ponto em que há quem preferia fazer um negócio ou entrar em acordo com os incrédulos declarados, do que com algum crente pentecostal, pois o incrédulo não decepciona tanto! É claro que há exceções gloriosas, bendito seja Deus!

Encerrando meu parecer, quero esclarecer que quando eu já caminhava na vereda estreita do Senhor por quinze anos, recebi o selo da promessa, o que sucedeu em 1967, na época da guerra dos Seis Dias de Israel. Portanto, falo com conhecimento de causa. Nem por isso, porém, tornei-me legalista ou fiquei pensando que os cuidados com o corpo físico são errados para o crente. Não fico gritando *Aleluia!* à-toa, nem adquiro um aspecto de beato. Isso nada tem a ver com o recebimento da promessa do Espírito! (Ver Gálatas 3:2).

Diante da insistência pentecostal sobre a santidade, ficamos perplexos ao vermos grupos desse movimento usando «conjuntos musicais» que tocam música de ritmo quente, incluindo o rock-and-roll, a fim de animar os seus cultos e atrair a juventude. Apesar desses e de outros aspectos negativos, não queremos condenar os motivos do movimento carismático, mesmo que tanto de seus resultados não sejam positivos.

2. Primórdios nos Tempos Modernos. É voz corrente que o movimento carismático começou com Charles Fox Perham, diretor do Bethel Bible College, de Topeka, estado de Kansas, nos Estados Unidos da América. Ali, o fenômeno da glossolalia foi noticiado a 1º de janeiro de 1901, embora esse fenômeno tivesse sido antecipado no estado da Carolina do Norte, em 1896, por William F. Bryant. De grande influência, no começo do movimento, foi o renomado reavivamento da rua Azusa, de Los Angeles, em 1906, sob a liderança de William J. Seymour, que estudava com Perham. O fenômeno carismático atingiu várias denominações «holiness», e, com menor ímpeto, outras denominações. No começo da década de 1960, várias denominações evangélicas tradicionais também começaram a ter essas manifestações, as quais se evidenciaram até mesmo na Igreja Católica Romana! Os líderes do movimento dizem que isso é o *evangelho* *completo*, a restauração do cristianismo neotestamentário. Mas, o movimento é muito grande e complexo, havendo grupos que rejeitam o que outros grupos aceitam. Isso posto, é difícil generalizar. Cada grupo precisa ser examinado em separado.

3. Controvérsias. — As críticas ao movimento carismático incluem os seguintes pontos:

a. Há toda uma crônica de manifestações de línguas inteiramente à parte da religião cristã, até mesmo no paganismo fetichista. Isso quer dizer que o fenômeno não caracteriza, necessariamente, a fé cristã, embora esteja incluído no ensino do Novo Testamento.

b. Línguas demoníacas, incluindo blasfêmias, têm sido detectadas por missionários evangélicos, capazes de entender o que é falado pelos praticantes da glossolalia. Alguns destes últimos têm confessado que, embora sem saber o que estavam dizendo, tinham a sensação de que uma força maligna os forçava a falar. Isso requer cautela e discernimento espiritual, para não louvarmos a Deus por causa de manifestações demoníacas.

c. Há o fenômeno das línguas puramente psíquicas, desligado das línguas espirituais. Certas formas de excitação, como sons rápidos e ritmados, podem perturbar a oscilação regular dos olhos (que é de cerca de uma por segundo), assim causando a incapacidade de enfocar a visão. E isso, por sua vez, pode resultar em pseudo-experiências espirituais, com visões espúrias, que são apenas formas de alucinação. Tais fenômenos têm sido produzidos em laboratório. Nesse contexto, é lamentável a circunstância de que muitos, no movimento carismático, dependem exatamente das coisas que produzem tais fenômenos, como música estridente, de ritmo iê-iê-iê, a agitação emocional com gritos desencontrados e as batidas de palmas. Há pessoas muito susceptíveis a essas coisas, que logo caem em transe hipnótico, que nada tem a ver com as operações do Espírito. O fenômeno da hipnose em massa é comum na Índia, onde as pessoas supõem estar vendo fenômenos admiráveis, que não estão ocorrendo. Os gurus são dotados de grande controle mental, e sabem como controlar as mentes alheias. Isso é tudo de que são capazes. É de se desconfiar que há muitos gurus no movimento carismático!

d. Os que investigam os casos de *privação dos sentidos*, têm mostrado que o resultado disso pode ser alucinações tão grandes que as vítimas não sabem distinguir o que vêem do que é real. Um dos métodos de laboratório consiste em mergulhar voluntários em tanques cheios de ar, dentro da água. Esses tanques são herméticos à luz e aos sons. Roupas próprias são usadas para privar as pessoas do sentido do tato. Em 48 horas, em tais condições, as pessoas têm alucinações, as mais aberrantes. Isso demonstra o poder da mente, quando provocada por meios artificiais. Ora, sabe-se que a experiênica das línguas extáticas pode ser provocada por estados febris, sugestões psíquicas, etc. Há pessoas mais susceptíveis do que outras. Portanto, cuidado!

e. O fenômeno da *fala simultânea* tem sido demonstrado por alguns. Alguém fala, enquanto outro duplica, instantaneamente, o que está sendo dito. Não importa se alguém está falando em um idioma estrangeiro ou lendo uma literatura desconhecida—o falador simultâneo o acompanhará prontamente. O mais certo é que se trata da telepatia. Os que são capazes disso, preparam-se mentalmente durante alguns momentos, entram em estado receptivo, talvez um transe leve ou um estado hipnótico, e começam a funcionar. Tal fenômeno é perfeitamente natural, —e mostra-se eficaz na produção de línguas desconhecidas. Tais experiências de laboratório têm feito muitos críticos suporem que o que ocorre no movimento carismático nada tem de espiritual; tudo seria puro psiquismo.

f. O *ocultismo na igreja*. Nem todos os não-carismáticos criticam movidos pela inveja; muitos estão certos de que esse movimento representa uma invasão do ocultismo na Igreja cristã. Se Satanás quisesse atacar diretamente a Igreja, haveria melhor método de fazê-lo do que sob o *disfarce* de um movimento de restauração do cristianismo primitivo? Convictos disso, muitos apontam para vários dos argumentos acima, e outros, como comprovação. Até mesmo pentecostais admitem abusos e a operação de forças malignas, dentro do movimento. Tornou-se costumeiro frisar que o movimento carismático e o espiritismo se assemelham, compartilhando de diversas manifestações. Por isso, alguns pensam que o movimento carismático é apenas um movimento espírita *dentro* da Igreja. Há quem prefira o espiritismo intelectual ao espiritismo emocional do movimento carismático. Um ponto salientado é que, nas reuniões carismáticas, quase sempre há expulsão de demônios. Nas igrejas tradicionais pouco se vê dessas expulsões. Por quê? Os carismáticos dizem que estão atacando diretamente o reino de Satanás. Mas, os não-pentecostais pensam que esses espíritos são convidados, mediante a imensa tensão emocional que caracteriza os cultos pentecostais, com pouco ou nenhum controle intelectual, e isso atrairia entidades negativas. Quem acompanha os cultos pentecostais nota que, em muitos casos, os endemoninhados são sempre os mesmos. Parece que o exorcismo dos carismáticos não é tão potente como querem fazer-nos crer. E nem os pés batendo com força no chão, e nem as pancadas dadas com a Bíblia fechada, na cabeça dos endemoninhados, conseguem alguma coisa. No dia seguinte, os endemoninhados continuam endemoninhados! Jesus explicou a razão disso: os exorcizados não se converteram, e o último estado deles é pior do que o do começo. (Ver Mat. 12:43-45).

g. *Falta de interesse pelo estudo das doutrinas cristãs*. Os críticos salientam que os carismáticos dependem demais das experiências místicas, ignorando a doutrina e a erudição bíblicas. De fato, muitos pentecostais são antiintelectuais. Ver o artigo sobre o Antiintelectualismo. Porém, Deus é o autor de todos os meios de conhecimento. O misticismo (que vide) é apenas um dentre vários desses meios, e não o meio exclusivo. O intelecto age como um vigia da casa. Se expulsarmos esse vigia, a casa fica sujeita à invasão de **poderes prejudiciais.** Nossa fé deve ser uma fé esclarecida, mediante o estudo cuidadoso dos Documentos Sagrados. Seus princípios devem ser o nosso guia, e não as experiências carismáticas. Os pentecostais, pois, fazem a carroça puxar o burro, e não o contrário.

h. Finalmente, alguns pensam que assim como as manifestações carismáticas **foram prejudiciais para a** igreja de Corinto, assim continuam a sê-lo para o moderno movimento pentecostal. Talvez fosse melhor dizer que essas manifestações espirituais, quando **sujeitados a abuso, são prejudiciais. Entendemos que Paulo deu instruções para eliminar os muitos** *abusos*. **Não parece que o falar em línguas era algo prejudicial para Paulo. — Ele deixou escrito:** «Dou graças a Deus, porque falo em outras línguas mais do que todos vós» (I Cor. 14:18). Um dos erros dos carismáticos é dar aos dons espirituais uma importância que eles não têm. Paulo contava com uma correta escala de valores. Logo no versículo seguinte, ele escreveu: «Contudo, prefiro falar na igreja cinco palavras com o meu entendimento, para instruir outros, a falar dez mil palavras em outra língua». Portanto a idéia de que o exercício dos dons espirituais **é prejudicial,** forma-se com base na impressão recolhida em face dos abusos, e não com base na correta manifestação dos dons espirituais.

4. Defesa de Certos Aspectos do Movimento Carismático.

Nem tudo anda errado no movimento pentecostal. Isso é evidente. Deus está nos dando muitas lições através desses irmãos dedicados. Sentimos autêntica comunhão cristã com muitos deles. Não nos envergonhamos de chamá-los de irmãos. Como ninguém é dono exclusivo da verdade revelada, os carismáticos estão frisando aspectos da doutrina cristã que outros grupos haviam esquecido. Portanto, há críticas contra eles que são descabidas. Há pontos em que seus críticos é que estão sem a razão. Vejamos alguns desses pontos:

a. Alguns críticos asseveram dogmaticàmente, e de modo errôneo, usando o suposto texto de prova de I Cor. 13:8: «...havendo línguas, cessarão...» que os dons espirituais cessaram ao término da era apostólica. Tais dons teriam a finalidade de autenticar a mensagem dos apóstolos, mas, terminado o cânon do Novo Testamento, esses dons ter-se-iam tornado desnecessários, pois já chegou o que «é perfeito». Mas, quando se examina o texto, descobre-se que está em foco a *parousia* (a segunda vinda de Cristo), e não o término do cânon neotestamentário. Isso quer dizer que tal trecho não prova que os dons espirituais não continuam operando até hoje.

b. Os cristãos não-pentecostais perturbam-se ante o aparente caos das reuniões carismáticas. Ressaltam I Coríntios 11-14, onde Paulo aborda os vários abusos dos coríntios quanto aos dons espirituais, e terminam dizendo que, em Corinto, surgiu uma *heresia de línguas*, e que o moderno movimento carismático é a repetição dessa heresia. E os críticos frisam outros abusos carismáticos, compartilhados pelos crentes de Corinto. Um desses abusos é o ministério de mulheres, incluindo o caso das profetisas. Paulo ordenou que as mulheres ficassem caladas na igreja (I Cor. 14:34 *ss*). Mas isso não silenciou as profetisas de Corinto, e nem silencia as mulheres do moderno pentecostalismo. Temos assim a estranha situação de um movimento que afirma obedecer, de modo especial, a todo o Novo Testamento, mas que contradiz, continuamente e sem corrigir-se, uma ordem apostólica, que afeta diretamente a natureza do ministério da Palavra. Não defendemos aqui os abusos, nem os de Corinto e nem os do moderno movimento carismático. Mas não concordamos que, em Corinto, a glossolalia fosse uma heresia de línguas. Se assim tivesse sido, Paulo teria ordenado que eles descontinuassem **imediatamente a prática.** Longe disso, ele regulamentou o exercício desse dom, bem como de outros. E, quando Paulo aludiu ao «amor» (I Cor. 13), ele não o fez para eliminar os dons espirituais, mas apenas para mostrar que se ele ensinava que os crentes devem procurar «...com zelo, os melhores dons» (I Cor. 12:31), ainda há um caminho superior a esse, que é o do amor cristão, a prova mesma da espiritualidade (I João 4:7 *ss*). Uma coisa não elimina a outra. A súmula do ensino de Paulo é: Ponde em prática o amor cristão, e buscai com zelo os dons espirituais! Primeiro o amor, depois os dons!

c. A ausência de intérpretes das línguas, nos cultos pentecostais. É claro que Paulo limitou o uso das línguas, em I Cor. 14:13, indicando que elas só deveriam ser exercidas com a presença de intérpretes. E ele também limitou o número dos que falam em línguas, em cada reunião, a dois, ou, quando muito, três (I Cor. 14:27). Ora, isso não é observado nas reuniões carismáticas. Os pentecostais estão na fase em que estavam os crentes de Corinto, antes de receberem as instruções do apóstolo. A diferença é que os coríntios ainda não haviam recebido essas instruções, mas os crentes pentecostais as têm sempre diante de si. Não obedecem porque não querem. Nossa defesa, aqui, consiste em imitar a Paulo. Ele não proibiu o falar em línguas, mas proibiu que se proibisse o falar em línguas (I Cor. 14:39). Todavia, determinou que tudo fosse feito «com decência e ordem» (I Cor. 14:40), ou seja, de acordo com as instruções que acabara de dar. O que as igrejas pentecostais precisam não é interromper o exercício dos dons espirituais, é aceitar a regulamentação apostólica. Enquanto não o fizerem, fazem-se suspeitas de heresia e de desordem. Conselho idêntico pode ser dado no tocante ao dom da «profecia». Nas igrejas pentecostais, quando alguém está profetizando, os demais membros prorrompem em berros de *Aleluia! Aleluia!* e ninguém dá ouvidos ao profeta, nem se toma conhecimento do que ele disse. Os pentecostais acreditam mesmo no dom profético? ou a manifestação desse dom é apenas mais uma oportunidade para eles se excitarem emocionalmente?

d. *Todos os crentes têm o batismo do Espírito Santo?* Alguns usam o trecho de I Coríntios 12:13 para dizer que todos os crentes *têm* o batismo do Espírito. Ato contínuo, afirmam que esperar por uma outra experiência com o Espírito, de natureza dúbia, apenas lança confusão na Igreja. Nossa defesa consiste em mostrar que I Cor. 12:13 não alude ao mesmo fenômeno que o batismo no Espírito Santo. O Novo Testamento mostra que o Espírito Santo é dado aos crentes em vários níveis. Assim, há o nível primário da regeneração, aquela experiência inicial com o Espírito de Deus mediante a qual a pessoa, antes morta em seus delitos e pecados, renasce espiritualmente. É a esse nível que pertencem declarações bíblicas como: «E se alguém não tem o Espírito de Cristo, esse tal não é dele» (Rom. 8:9). E também: «Pois, em um só Espírito, todos nós fomos batizados em um corpo, quer judeus, quer gregos, quer escravos, quer livres. E a todos nós foi dado beber de um só Espírito» (I Cor. 12:13). Logo, todos os crentes regenerados têm o Espírito de Cristo, e isso os torna o corpo místico de Cristo, a Igreja. Um segundo nível de experiência com o Espírito pode ser visto quando o Senhor Jesus, ressuscitado, soprando sobre os seus discípulos, disse: «Recebei o Espírito Santo» (João 20:21). Assim, quem já tinha o Espírito de Cristo, recebeu o Espírito Santo. Ou não? Um terceiro nível de experiência com o Espírito Santo ocorreu no dia de Pentecoste. Antes de sua ascensão, Jesus explicou: «...sereis batizados com o Espírito Santo, não muito depois destes dias» (Atos 1:5). Portanto, quem já havia recebido o Espírito por duas vezes, recebeu então a promessa do «batismo» no Espírito Santo. Note-se que essa foi a primeira vez em que Jesus falou em «batismo no ou com o Espírito». No trecho de I Cor. 12:13, a expressão «em um só Espírito», no grego está no instrumental (no português ficaria melhor «por um só Espírito»), ao passo que a expressão «fomos batizados em um corpo» está no locativo (em português, ficaria melhor «fomos imersos em um corpo»). Logo, esse batismo inicial tem como agente o Espírito Santo, ao passo que o elemento em que somos imersos é o corpo de Cristo. Mas, no caso do batismo no Espírito, prometido pelo Senhor Jesus aos discípulos, o agente é Cristo, e o elemento em que somos imersos é o Espírito. Isso foi ensinado por João Batista: «Ele (Jesus) vos batizará com o Espírito Santo e com fogo» (Mat. 3:11). Quando Paulo escreveu «...um só Senhor, uma só fé, um só batismo...» (Efé. 4:5), ele aludia ao que dissera em I Cor. 12:13. Todos os crentes autênticos participam do primeiro nível de experiência com o Espírito Santo. Esse nível não se repete. O ladrão na cruz recebeu apenas esse batismo. Muitos crentes também só recebem esse batismo. Outros, são batizados em água. Outros são batizados no Espírito Santo! E isso ainda não esgota as experiências com o Espírito. Houve ocasiões em que o Espírito do Senhor «encheu» seus servos, controlando-os (ver, por exemplo: Atos 4:8; 4:31; 7:55; 13:9, etc.). Isso posto, erram muito aqueles que abrem espaço apenas para um nível de experiência com o Espírito Santo!

De certa feita, este tradutor conversava com um irmão, missionário batista, norte-americano, que disse: «Quem não recebe o batismo do Espírito Santo quando se converte, nem crente é!» Então respondi: «Nesse caso, os apóstolos só se converteram no dia de Pentecoste!» Irmãos, é evidente que uma pessoa pode converter-se realmente, e somente algum tempo depois vir a receber o batismo no Espírito Santo. Os convertidos de Filipe, em Samaria, ilustram bem o ponto. Ao ali chegarem, os apóstolos Pedro e João «...oraram por eles, para que recebessem o Espírito Santo; porquanto não havia ainda descido sobre nenhum deles, mas somente haviam sido batizados no nome do Senhor Jesus. Então lhes impunham as mãos, e recebiam estes o Espírito Santo» (Atos 8:15-17). Esses crentes samaritanos passaram por duas fases distintas da experiência com o Espírito de Deus. A primeira, quando se converteram diante da mensagem pregada por Filipe. A segunda, quando receberam oração e imposição de mãos por parte de Pedro e João!

5. Teste do Valor Intrínseco. Segundo ocorre em tantas controvérsias, penso que deveríamos aplicar ao movimento carismático o teste do *valor intrínseco*. Não penso que podemos solucionar esse problema com base em dogmas ou no uso de textos de prova, contra ou a favor do movimento carismático. Por um lado, textos de prova que denunciam os abusos do movimento podem ser evocados, por outro lado, textos de prova podem ser apresentados que recomendam um movimento que pretende restaurar a ordem da Igreja primitiva. Afinal, o próprio apóstolo dos gentios falou aprovadoramente sobre essas manifestações, e isso deveria bastar para impressionar favoravelmente a todos os críticos, excetuando os mais radicais. que pensam que os dons carismáticos foram **prejudiciais** até para os crentes primitivos que os praticavam (ver seção 3 ponto h). Consideremos estes argumentos: nenhum **texto de prova válido,** pode ser apresentado provando que essas manifestações teriam fim antes do retorno de Cristo. Portanto, isso teria de ser demonstrado com base na razão, alicerçada sobre a história subseqüente, e isso paralelamente ao argumento do valor intrínseco. Não podemos afirmar, com base no próprio Novo Testamento, que essas manifestações visavam apenas à era apostólica. Além disso, o argumento de liberais e céticos, de que a questão inteira envolve *fraude* (consciente ou inocente), não pode ser levado a sério. Em qualquer lugar onde os homens se reúnam, incluindo a Igreja, em seus aspectos carismáticos ou não, haveremos de encontrar fraude, mas isso não pode ser declarado como *a* explicação do movimento carismático.

O argumento do valor intrínseco alerta-nos para um importante princípio: As coisas de valor, afinal, não podem ser aquilatadas meramente pela história ou através de textos de prova extraídos dos Livros Sagrados. Se Deus quiser realizar algo, digamos, de uma nova maneira, ele tem a liberdade de fazê-lo. Mesmo que nunca antes tivesse havido fenômenos carismáticos, mesmo que não houvesse precedente para os mesmos no Novo Testamento, mas se esses tivessem *valor intrínseco*, seria perfeitamente legítimo o Espírito Santo inspirá-los nas Igreja moderna. Por outra parte, se, desde o começo, o valor intrínseco do movimento carismático original não fosse *grande*, mesmo que fosse *genuíno*, o mesmo não teria valor suficiente para ser renovado nos tempos contemporâneos. A Igreja primitiva pode ter feito **experiências com algum** meio de expressão espiritual que, afinal, foi descontinuado. Além disso, o Novo Testamento não ensina que as manifestações carismáticas sejam um guia exclusivo das formas e práticas da Igreja. Os homens é que têm dito isso. Portanto, nossa espiritualidade pode assumir outras formas de expressão, desconhecidas no Novo Testamento, sem que coisa alguma seja violada, sem que coisa alguma seja prejudicada. Tudo depende do valor intrínseco de cada coisa. O Novo Testamento mostra-nos como a Igreja primitiva desenvolveu-se; e os dons carismáticos, obviamente, são úteis, pois podemos emular muito do que ocorria na Igreja primitiva. São os homens, com os seus dogmas, que limitam a doutrina cristã a isto ou àquilo. O Novo Testamento é um livro de princípios, e não de finalidades. Se assim quiser fazê-lo, Deus pode mover-se a qualquer tempo. Isso não significa que qualquer seita que surja em cena, dizendo que Deus está operando, seja correta. Pois é mister que haja uma certa *constância* no movimento cristão, sem que isso envolva *estagnação*. Os homens criam o conceito de estagnação para proteger um avanço qualquer, mas, em meio a essa bem tencionada proteção, esse conceito entrava o crescimento. Na história da religião, poucas coisas são tão **auto-evidentes quanto isso.**

Aplicando o Teste. O que eu quero saber é o valor que esse movimento tem. Além disso, quero saber quantos males têm sido praticados pelo mesmo. Quero saber quantas vidas o mesmo tem beneficiado e transformado de modo genuíno. Mas também quero saber quantas mentes têm sido perturbadas e quais são os resultados negativos. Quero saber se partes do movimento produzem resultados benéficos e se outras **partes produzem resultados prejudiciais. Quero saber se partes do movimento são genuínas e se outras partes são essencialmente fraudulentas. Quero saber** se o movimento tem promovido o amor de Deus; mas também quanta arrogância, orgulho humano e exclusivismo ele tem promovido. Se eu encontrar as respostas para essas questões, então também descobrirei, mui provavelmente, que não se pode generalizar o movimento carismático, que são diversos; e também que alguns deles passam melhor no teste do que outros. Haveria segmentos do movimento carismático onde os poderes psíquicos normais do homem têm sido desenvolvidos, à parte da atuação do Espírito? Quanto espiritismo cristão está envolvido neste ou naquele segmento? Respostas a indagações como essas dar-me-ão alguma noção quanto ao valor intrínseco deste ou daquele segmento do movimento carismático. E, com base nisso, saberei, pessoalmente, se devo envolver-me pessoalmente, ou se devo manter-me afastado. Além disso, cada pessoa interessada em fazer esse exame, que seja séria em sua inquirição espiritual, deve resolver o problema por si mesma. Ademais, há *outros* meios de desenvolvimento espiritual que podem ser superiores ou inferiores a um genuíno movimento carismático. Na Igreja Ortodoxa Oriental, cristãos sérios têm buscado a iluminação por meio da meditação, da santidade da vida, etc. Isso tem produzido alguns nobres resultados. Isso também requer investigação, por parte de todo o pesquisador sério. Em todos os casos, dificilmente poderíamos passar sem a regra do valor intrínseco. (H NTI)

MOVIMENTO CONCILIAR (CONCILIARISMO)

Esse é um movimento, dentro da Igreja Católica Romana, que assevera a autoridade dos concílios, nas questões de doutrina e prática. Ver o artigo geral sobre a *Autoridade*. Esse movimento tornou-se mais evidente quando do concílio de Constança (que vide), que declarou que a autoridade dos concílios deriva-se de Cristo, à cuja autoridade o papa está sujeito. Os filósofos Marsílio de Pádua e Guilherme de Ockham eram advogados dessa abordagem.

O termo *conciliarismo* aponta para aquela filosofia mediante a qual a autoridade dos concílios eclesiásticos representativos é considerada superior à autoridade do papado monárquico. Aparece explicitamente nas obras de João de Paris (1302) e de Marsílio de Pádua (1324), bem como nos escritos de Henrique de Langenstein, João Gérson e diversos outros, após o começo do cisma papal de 1378. Os concílios de Pisa, Constança, Basel e Ferrara-Florença exprimiram a idéia. A questão foi sumariada no decreto *Sacrosancta* do concílio de Constança, de 1415. A idéia por detrás do movimento visava a produzir uma espécie de governo representativo na Igreja Católica. As normas do protestantismo com freqüência são conciliares em sua natureza. A Igreja galicana reafirmou os decretos do concílio de Constança, em 1682. (E P)

MOVIMENTO ECUMÊNICO

Esboço:

I. A Expressão
II. Conceitos Veterotestamentários do Ecumenismo
III. Conceitos Neotestamentários do Ecumenismo
IV. O Moderno Movimento Ecumênico
V. Relações com o Catolicismo Romano
VI. Protestantes Dissidentes
VII. A Tradição Profética e o Verdadeiro Ecumenismo

I. A Expressão

O termo grego *oikoumenē*, que significa «mundo habitado», ou aquilo que *pertence a este mundo*, indica aquilo que é universal. Em relação aos concílios, aponta para aquilo que pertence ou é aceito pelo mundo cristão, através de sua representação universal. Com base nisso, a palavra veio a indicar a unidade de todos os cristãos, de tal modo que formam um corpo harmônico e universal, sem quaisquer divisões.

II. Conceitos Veterotestamentários do Ecumenismo

Mui provavelmente, o povo hebreu cria, a princípio, no henoteísmo (que vide). O henoteísmo é o conceito de que existem muitos deuses, embora um só Deus tenha alguma coisa a ver conosco. Isso importa em politeísmo teórico, embora em monoteísmo prático. É curioso que essa seja a posição do mormonismo de nossos dias. O mormonismo defende a doutrina do triteísmo, porquanto o Pai, o Filho e o Espírito Santo seriam deuses distintos, não formando qualquer unidade trinitária. O propósito deles seria o mesmo, mas não a essência deles. Além disso, há muitos deuses, embora nada tenham a ver com a nossa criação terrestre e seus habitantes angelicais ou humanos. O henoteísmo é uma espécie de meio caminho andado na direção do monoteísmo, pelo menos quanto a algumas de suas manifestações históricas. Em um período posterior, o henoteísmo puro foi adotado pela fé judaica. Quando isso sucedeu, Yahweh passou a ser considerado como o Deus universal, a quem devem obediência todos os seres, humanos e angelicais. Esse é o primeiro passo realmente gigantesco necessário para a unidade religiosa, ou seja, para o *ecumenismo*.

Elementos do Ecumenismo do Antigo Testamento

1. A passagem do henoteísmo para o monoteísmo.

2. O ensino que Deus é o único criador do mundo, estabelecendo uma relação especial entre ele e toda a sua criação, ou seja, todos os homens (Gênesis 1).

3. As tabelas genealógicas situam o povo do pacto dentro do arcabouço mais lato da história universal do mundo (Gênesis 1, 2, 5 e 10).

4. Apesar de Deus haver escolhido a nação que descendia de Abraão, para que fossem os seus mensageiros e propagandistas especiais, era seu intuito incluir todas as nações como objetos de seus benefícios e graças finais (Gênesis 12:1—13; 17:1-8).

5. Foi estabelecido um sacerdócio universal para servir de mediação da mensagem divina (Êxo. 19:5). Parte do fracasso de Israel consistiu no fato de que essa mediação não ocorreu de modo totalmente universal. Porém, durante a monarquia houve um senso crescente das funções universais de Israel, como instrumento de Deus entre as nações.

6. A oração de dedicação do templo, feita por Salomão, antecipa um ministério dirigido a todas as nações, que seriam unidas espiritualmente (I Reis 8:41-53).

7. Nos escritos dos profetas é proferido o julgamento e prometida a salvação a todas as nações (Amós 1:3—2:3; Isa. 13—28; Jer. 45:51). Essa ênfase teve prosseguimento durante o período dos profetas do exílio e após o mesmo; — e a *diáspora* (*dispersão*, que vide) teria o propósito de ajudar a alcançar esse objetivo (Jer. 18:7; Eze. 3:6; 47:22; Mal. 1:11).

8. *Participação na história de Israel*. Desde o começo houve uma certa participação na história de Israel, por parte de outros povos. Ver Êxo. 12:38; Deu. 10:19; Jos. 2; II Sam. 15:21 e II Reis 5.

Essas observações, todavia, não anulam o caráter ímpar de Israel como a nação escolhida, embora apontem para a grande razão dessa escolha—fazer de Israel um instrumento especial, para ser atingido o restante da humanidade. Em outras palavras, Israel deveria ser uma nação missionária. O santuário do Senhor foi erigido a fim de ser provido um lugar onde todos os povos poderiam juntar-se a fim de aprender o caminho de Deus (Deu. 12; 14:23-25; 15:20; 16:1-16; 17:8,10; 18:6; 23:16; 31:11 e 33:27).

9. *No Novo Testamento*, no que diz respeito a Israel, Paulo ensinou que o próprio fato de Israel ter sido rejeitado momentaneamente serviu de medida para trazer o resto das nações à unidade espiritual. Ver Rom. 11:13 *ss*. Diz o versículo quinze: «...o fato de terem sido eles rejeitados trouxe reconciliação ao mundo...» Nesse caso, quão maior será o benefício espiritual, dado ao mundo, quando Israel reconciliar-se, finalmente, com seu Deus, ao converter-se a Cristo? No dizer do apóstolo, será «vida dentre os mortos», será o prenúncio da ressurreição para a glória. Israel foi temporariamente removido da cena

central da atuação redentora de Deus a fim de que a Igreja, composta por convertidos de todas as nações, pudesse ser formada. Então Israel será restaurada (Rom. 11:26), e a casa espiritual universal será erigida. Ver o artigo sobre a *Restauração de Israel*.

III. Conceitos Neotestamentários do Ecumenismo

1. O *kosmos* é criação de Deus, estando sujeito ao seu governo e a seu ato remidor. Ver Mat. 4:8; 5:14; 26:13; João 1:9,10,29; 3:16,17,19; 4:42; Atos 17:24; Rom. 1:18,20; 11:15.

2. *O amor de Deus* é universal, abarcando todos os homens (João 3:16; Rom. 5:8 *ss*).

3. *O discurso de Paulo* no Areópago (Atos 17:22 *ss*) contém vários elementos de nota, que demonstram a atitude dos cristãos primitivos acerca da universalidade da mensagem cristã, com base na unidade de todas as nações diante de Deus. Esses elementos são os seguintes:

a. Deus é o criador de todos, o que significa que todas as coisas são responsáveis diante dele, sendo objetos de sua atenção remidora (vs. 23-28).

b. Deus criou todos de um único princípio, de um único progenitor, ou seja, há um único propósito para todas as nações (vs. 26). Os melhores manuscritos não têm a palavra «sangue», nesse versículo (conforme faz, corretamente, a nossa versão portuguesa), deixando a referência um tanto ambígua. Por essa razão, algum escriba antigo adicionou a palavra «sangue», à guisa de explicação. A maioria dos eruditos pensa que esse «um só» alude ao progenitor original da raça humana, Adão. Todas as raças descendem desse progenitor único. Seja como for, o sentido é que todas as nações têm uma origem comum, ou seja, há uma só humanidade. Esse versículo, pois, é um reflexo da história bíblica da criação, e também é o conceito básico do estoicismo (que vide) quanto à unidade da raça humana. No NTI, *in loc.* (Atos 17:26), apresento várias citações extraídas de autores pagãos que ilustram esse ponto.

c. Deus deu a todas as coisas, por assim dizer, o *sopro da vida*, pelo que todos os seres vivos compartilham de uma origem vital comum, o que demonstra a unidade do princípio da vida (vs. 25).

d. Há uma *única providência*, que controla como as nações devem ser divididas, quais os limites de sua habitação, os períodos em que devem existir, etc. (vs. 26).

e. Há a *imanência* de Deus, que une todos os homens por compartilharem do mesmo tipo de vida (vs. 27).

f. Todos os homens são *geração de Deus*. Eles têm uma *origem divina* comum (vs. 29).

g. Há um único requisito divino—o arrependimento—endereçado a todos os homens, os quais estão na obrigação de corresponder ao mesmo (vs. 30).

h. Deus nomeou o mesmo Juiz para tratar com todos os homens, a saber, seu Filho, Jesus Cristo (vs. 31).

i. *Todos os homens são responsáveis diante de Deus*. Ele demonstrou esse fato ao ressuscitar o Juiz dentre os mortos, um ato poderoso que mostrou que o propósito divino será cumprido. Uma vez realizada a ressurreição, ficou demonstrado que o propósito de Deus é doador de vida, o que já fora deixado claro no contexto, de várias maneiras. *Todos os homens* estão em foco nessa seção inteira, estando sujeitos às suas provisões, conforme a leitura honesta do trecho confirma.

4. *A expiação* foi feita em favor de todos os homens (I João 2:2), pelo que todos os homens estão dentro de *um único intuito salvatício*.

5. Todos os homens estão sujeitos à vontade de Deus, pelo que têm o dever de arrepender-se (I Tim. 2:4). Essa vontade única, no tocante ao arrependimento dos pecadores, alicerça-se sobre o monoteísmo, sobre o fato da existência de um único Deus (vs. 5), bem como no caráter medianeiro de Jesus Cristo, o qual está disposto a ser o mediador de todos os homens, de conformidade com a vontade de Deus, a fim de que todos cheguem ao arrependimento (vs. 5). Por essa razão, ele deu a si mesmo como resgate por todos (vs. 6). A universalidade dessa passagem, em I Timóteo (vs. 4-6), que inclui os elementos seguintes: a. vontade de Deus; b. o monoteísmo, segundo o qual Deus busca a todos os homens como um todo; c. a mediação exclusiva de Cristo, que media para todos os homens igualmente; d. a expiação universal, segundo o que ele se entregou como resgate por *todos os homens*, com toda a razão tem sido usada como uma declaração paulina como o exclusivismo. O pano de fundo histórico é o *gnosticismo* (que vide).

Os gnósticos dividiam os homens em três classes, a saber: a. Os *hílicos*, palavra que vem do grego e que significa «matéria». Esses seriam os materialistas, que só se preocupariam com as coisas terrenas, sem nunca se libertarem da matéria, o que significa que, finalmente, serão condenados. Os gnósticos pensavam que a maioria dos homens pertence a essa categoria, pelo que também pensavam que a vasta maioria dos homens não tem qualquer oportunidade de salvação, devido a uma corrupção inerente e incurável. b. Os *psíquicos*, homens dotados de certa espiritualidade, embora de qualidade inferior à dos eleitos. Essa gente haverá de obter uma glória secundária, uma redenção secundária, mas não a participação na natureza divina, ou seja, a reabsorção pela natureza divina. Entre esses, os gnósticos alistavam os profetas do Antigo Testamento. c. Os *pneumáticos*. Essas seriam as pessoas verdadeiramente espirituais, aqueles que atingiriam, finalmente, a plenitude da natureza divina. Esses seriam os eleitos, de acordo com a doutrina gnóstica. Naturalmente, os gnósticos seriam esses eleitos, de acordo com sua própria estimativa.

Paulo, pois, nega o exclusivismo gnóstico nessa passagem de I Timóteo. Essa mesma passagem serve para negar o calvinismo extremado, bem como qualquer outro tipo de exclusivismo.

6. *A unidade em torno de Cristo*, o cabeça federal da humanidade. Todos os homens estão unidos em torno do pecado e da condenação eterna (Rom. 5:12). A transgressão de um único homem levou à condenação merecida *todos os homens*. Por igual modo, o ato de um único Homem, por ser um ato de justiça, abriu o caminho para o perdão dos pecados e para a vida eterna, para *todos os homens* (Rom. 5:18). A palavra «muitos», em Rom. 5:15 equivale a «todos», o que é demonstrado nesse mesmo versículo, onde se lê que «muitos» morreram devido ao pecado de Adão, mas, paralelamente, *muitos* receberam o dom gratuito de Deus. As duas palavras «muitos» equivalem aos dois «todos» da mesma passagem, porquanto aqueles que morreram, e então viveram, na verdade são «muitos» em número. Negar que todos os homens estão potencialmente sujeitos ao ato remidor nega, logicamente, que todos estejam sujeitos à condenação, por causa do ato de iniqüidade e transgressão de Adão. — Afirmar que todos os homens estão sujeitos à morte, por causa do pecado, mas que somente alguns poucos eleitos estão sujeitos à vida, por meio da missão de Cristo, arruina inteiramente a analogia dessa passagem. A força da

passagem, como é óbvio, depende de como entendemos a universalidade de ambas as classes.

7. *A Restauração*. O que a vontade de Deus tenciona fazer, finalmente? O trecho de Efésios 1:9,10 **responde que há o mistério da vontade de Deus. Até o tempo em que Paulo escreveu essa passagem, não** se sabia exatamente o que Deus tencionava fazer com os homens, finalmente. Se isso não fosse verdadeiro, então não teríamos um mistério. Mas agora, o segredo foi revelado: a vontade de Deus significa que terá de haver, finalmente, a restauração geral, para fazer de Cristo tudo para todos (Efé. 1:23). Sua descida ao hades e sua subida dali tiveram o mesmo propósito, isto é, fazer de Cristo tudo para todos (Efé. 4:8-10). Ele terá de preencher todas as coisas, isto é, deverá ser *tudo para todos*. A restauração (que vide) requer que a universalidade do propósito de Deus finalmente realize o seu intento. Essa restauração não precisa envolver somente a redenção. mas incluirá, necessariamente, uma glória **inferior para os não-eleitos.** Os eleitos chegarão a compartilhar da natureza divina (II Ped. 1:4; Col. 2:10), por meio do poder transformador do Espírito Santo, levando-os de um estágio de glória para outro, indefinidamente (ver II Cor. 3:18). Isso conferirá a natureza e a imagem do Filho de Deus aos filhos de Deus (Rom. 8:29). Nisso consiste a *redenção*. A restauração será uma glória menor, embora ainda grande, que levará a criação inteira de Deus à unidade e à harmonia. O *problema do mal* (que vide), pois, terá uma completa e perfeita solução. A redenção dos eleitos será uma parte da restauração geral, a sua realização mais elevada e gloriosa. Se todos poderiam ser eleitos, e assim obter essa elevada posição, já é outra questão. Respondo que sim, poderiam. Mas, se Deus escolheu alguns e haverá de restaurar os demais, ambos os grupos, como parte da missão de Cristo, então não tenho do que me queixar.

Seja como for, observemos que no primeiro capítulo da epístola aos Efésios o *propósito predestinador* está por detrás do ato restaurador-redentor de Deus. A predestinação, pois, torna-se aliada de todos os homens, e não inimiga deles, porquanto será essa força mesma que, finalmente, redundará em bem **universal, em vez de um mal universal, contrariamente à opinião de alguns teólogos.**

Se dissermos que essa unidade em torno de Cristo consiste somente em unir judeus e gentios na na Igreja, então não haveria nisso mistério nenhum, porquanto o Antigo Testamento com freqüência antecipou esse ensino. O trecho de Atos 17:22 *ss* afirma esse princípio de maneira complexa e completa. O *mistério* terá de ser *mais* do que isso, ou não será nenhum mistério. O décimo primeiro versículo afirma a questão com toda a clareza, como o propósito Daquele que realiza todas as coisas segundo os ditames de sua vontade. Esse é o propósito predestinador em operação, que produz o mistério da vontade de Deus.

N.B. Precisamos da predestinação, porquanto somente Deus pode produzir essa realização. Mas esse poder é beneficente, unificador e redentor-restaurador, e não condenador. Faz ocorrer o que os homens querem, quando se utilizam **de seu livre-arbítrio,** quando se voltam para Cristo. Portanto, ambos os elementos são necessários. Os homens precisam voltar-se para Cristo. Porém, não podem voltar-se eficazmente para ele, sem que Deus lhes dê poder para tanto. O primeiro capítulo da epístola aos Efé. assegura-nos de que eles voltar-se-ão eficazmente para Cristo, todos eles, finalmente, de uma maneira ou de outra. Portanto, há alguma possibilidade de que ser eleito ou não, seja algo que resida na vontade humana. Em outras palavras, um elemento necessário para alguém ser eleito acha-se presente. Todavia, o ensinamento bíblico vai mais longe do que isso. Em outras palavras, a vontade de Deus vence *toda* a resistência, finalmente, e reúne todas as coisas em torno de Cristo. Contudo, isso envolverá diferentes níveis de realização e de glória, porquanto parece que, finalmente, haverá um grupo verdadeiramente *eleito*, um pequeno grupo de almas humanas, que chegará a obter a natureza divina, ao passo que as demais almas humanas, por ocasião da restauração geral, terão de contentar-se com um estado inferior. Não obstante, esse estado também seja obra do redentor-restaurador pelo que terá de ser uma realização grandiosa, maravilhosa. Isso é o que nos promete o mistério da vontade de Deus. Isso ultrapassa tudo quanto pudermos antecipar, — como resultado final da missão de Cristo. De outra sorte, esse aspecto da doutrina cristã não seria nenhum mistério. Naquele ponto, o apóstolo Paulo não revela coisa alguma de novo, a menos que tivesse antecipado mais do que a simples união de judeus e gentios na Igreja cristã.

Essa realização precisará de muito tempo para ser concretizada. As longas eras da eternidade futura estarão envolvidas nesse empreendimento. Somente depois da plena realização desse propósito divino, na dispensação da *plenitude dos tempos* (v. 10) é que será plenamente realizado o ato redentor-restaurador. Mas, antes disso tornar-se uma realidade, o próprio juízo divino terá operado como um elemento necessário para a concretização do mistério da vontade de Deus. Por conseguinte, o juízo divino será algo bom, e não mau, porquanto, na realidade, será uma manifestação do amor de Deus, como um dedo da amorosa mão do Senhor. Portanto, afirmo, que venha o julgamento! Isso, meus amigos, constitui as boas novas de Deus para o homem moderno, fazendo o evangelho ser uma mensagem otimista, a qual, em última análise, verá todos os seus propósitos plenamente realizados. Em outras palavras, a missão de Cristo *não pode* falhar.

O Evangelho Otimista. Nisso consiste o verdadeiro ecumenismo. Essas são as boas novas do evangelho de Cristo. Isso é justiça. Isso é amor. Deus ama até mesmo em sua ira. A ira divina é uma expressão do amor divino. Ele ira-se amando. O julgamento divino é restaurador, e não meramente retributivo (I Ped. 4:6). Todos os propósitos de Deus estão unidos em torno desse propósito, e tudo coopera para a mesma grandiosa realização. Deus nunca é tomado de surpresa. Ele não muda de parecer. Sua vontade cumpre-se de modo absoluto, e essa vontade sempre é benéfica aos homens. Os atributos de Deus não podem ser lançados uns contra os outros, como se fossem menores e maiores, meramente potenciais ou reais. Afirmar coisas assim é brincar de teologia, é arruinar a unidade de Deus em tudo quanto ele é e faz. Para nós é impossível vermos tudo quanto há em Deus, ao mesmo tempo. Porém, quanto mais perto chegarmos a perceber essa unidade divina, em sua natureza e em sua realização, mais otimista tornar-se-á o quadro. As pessoas que percebem somente uma parte de Deus e do seu intuito, dividem-no em segmentos. E então aparece a oposição **entre o livre-arbítrio, por um lado,** e a predestinação e eleição, por outro lado. Em tudo isso, entretanto, percebe-se a unidade, uma vez que unifiquemos os dois pólos da questão. A teologia que procura unir esses dois pólos da questão é uma teologia mais completa e mais sábia. Orígenes afirmava que ver somente retribuição no juízo divino é condescender diante de uma teologia inferior. Quanto mais *otimista* tornar-se a nossa teologia, mais próxima ela ficará da verdade. O recado geral dos místicos, que chegam mais perto do Fogo Central, é que a vida é boa, realmente boa. Esse é um discernimento de que precisamos, para não continuarmos pregando um evangelho vergonhoso, pessimista e desencorajador.

IV. O Moderno Movimento Ecumênico

Sempre houve divisões no seio da Igreja cristã, com grupos que se separam, asseverando aqui e acolá a sua autoridade. Porém, a data de 1054 é a data tradicional em que a Igreja oriental separou-se da Igreja ocidental. Ver o artigo sobre o *Cisma*. Ver também sobre a *Igreja Ortodoxa Oriental*. Além disso, a Igreja ocidental dividiu-se novamente, quando da Reforma Protestante do século XVI. Desde então, as igrejas protestantes nunca se uniram, e os séculos que se seguiram têm visto uma fragmentação quase interminável dessas igrejas, além da criação de muitos grupos e seitas que se chamam cristãos, mas que não querem ser rotulados de protestantes. Em nossos dias há a ameaça da *teologia da libertação* (que vide), a qual poderá dividir a Igreja Católica Romana em mais fragmentos do que sucedeu por ocasião da Reforma Protestante (que vide).

O moderno movimento ecumênico tem o propósito declarado de tentar reverter essa fragmentação. Esse movimento busca descobrir um terreno comum mínimo, em torno do qual possam unir-se muitos segmentos da cristandade. Esforços preliminares, nessa direção, envolveram a possível união das denominações cristãs maiores. A inclusão das denominações menores seria um outro estágio nos esforços desse movimento.

O movimento ecumênico visa à *unidade* e à *universalidade*. Os grupos precisam unir-se, mas também deverão representar condignamente a Igreja Cristã Universal, a fim de poder ser revertida a fragmentação que se vem processando há séculos.

1. *Pré-história do Moderno Movimento Ecumênico*

Historicamente falando, a maior parte dos esforços tendentes à unificação da Igreja cristã tem ocorrido durante o século XX. No entanto, houve alguns poucos e esporádicos esforços nesse sentido, desde alguns séculos antes. A Confissão de Augsburgo (que vide), de 1530, foi considerada como um documento aberto que convidava ao catolicismo romano e ao movimento reformado protestante a unirem-se. Em seguida, as igrejas reformadas da Alemanha e da Suíça, sob a liderança de João Calvino e de Ulrico Zwínglio, fizeram intensos esforços com a finalidade de unir os protestantes, muito mais decididamente do que fizera o luteranismo. Na verdade, não houve então tanto a tentativa de se reunirem os protestantes aos católicos romanos, mas apenas a tentativa de unificar o protestantismo.

Os revivalistas dos séculos XVIII e XIX também tinham uma boa visão da unidade necessária, disfarçando pequenas diferenças doutrinárias, a fim de tentar encontrar a unidade no espírito do cristianismo.

Alguns movimentos e denominações têm tido ideais de unificação. Houve a União Prussiana de 1817, que forçou mais ou menos os luteranos e os reformados a se unirem. A Aliança Evangélica de 1846 também conseguiu algum sucesso na unificação de vários grupos evangélicos. Os Discípulos de Cristo tentaram promover o ideal ecumênico, na esperança de levar a Igreja de volta ao cristianismo primitivo. O movimento de Oxford, do anglicanismo britânico (1840) estimulou um novo interesse pelo ensino e pela espiritualidade, tendo enfatizado a continuidade e a unidade da Igreja cristã.

2. *O Movimento Ecumênico do Século XX*

O moderno movimento ecumênico, segundo usualmente se diz, teria começado em uma reunião de missionários protestantes, efetuada em 1910. Essa reunião ocorreu em Edimburgo, na Escócia. Dezessete anos mais tarde, a Conferência Mundial sobre a Fé, que se reuniu em Lausanne, na Suíça, levantou as questões da unidade e da cooperação cristãs. Em 1948, em Amsterdã, na Holanda, formou-se o *Concílio Mundial de Igrejas*. Originalmente, contava com cento e quarenta e oito grupos como membros, com base principal em grupos ortodoxos orientais e várias organizações protestantes. Foi então que o movimento ecumênico moderno se institucionalizou, tendo-se organizado como uma força internacional.

Uma *Segunda Assembléia Geral* foi efetuada em Evanston, Illinois, nos Estados Unidos da América do Norte, em 1954. O movimento estava obtendo poder cada vez maior. Em 1960, foi efetuada a Terceira Assembléia Geral do Concílio Mundial, em Nova Déli, na Índia. A Igreja Católica Romana enviou observadores à mesma. Desde então, a participação dos católicos romanos vem aumentando gradualmente.

A base do *Concílio Mundial de Igrejas*, adotada quando da conferência de Nova Déli, afirma que se trata de uma comunhão que confessa o Senhor Jesus Cristo como Deus e Salvador, de acordo com as Escrituras, e que, por esse motivo, busca cumprir seu chamamento para a glória do único Deus, Pai, Filho e Espírito Santo. Essa posição doutrinária aparentemente forte (ortodoxa) é defendida rigidamente por alguns membros, mas, através da interpretação individual, é praticamente anulada por outros grupos formadores do movimento.

Em 1961, a vida do Concílio Mundial de Igrejas foi complicada pela inclusão das igrejas ortodoxas orientais da Rússia, da Bulgária, da Polônia e da Rumânia e desde então muitos milhões de pessoas, provenientes de nações comunistas, têm se tornado membros da organização. Em 1968, por ocasião da Quarta Assembléia, efetuada em Uppsala, na Suécia, o Concílio Mundial de Igrejas incluía duzentas e trinta denominações, provenientes principalmente de denominações protestantes, anglicanas e ortodoxas.

V. Relações com o Catolicismo Romano

A Igreja Católica Romana aceita as ordens e os sacramentos das igrejas orientais como válidos, mas não a sua organização eclesiástica. Por esse motivo, a sua organização eclesiástica é considerada fora da Igreja. Em 1896, o papa Leão XIII negou a validade das ordens anglicanas. Os grupos protestantes são chamados de irmãos desviados. A despeito dessas barreiras à unidade, no século XIX houve alguns esforços tendentes à eventual união das igrejas cristãs. Foram estabelecidos laços mais apertados com as igrejas orientais, por parte dos papas Leão XIII e Pio XI. Na primeira e na Segunda Guerras Mundiais, a comum resistência de católicos romanos e de protestantes aos governos totalitários produziu uma espécie de união espiritual, embora não uma união organizacional. Grupos como aqueles denominados *Una Sancta* e *Die Sammlug*, na Alemanha e em outros países, encorajaram esforços tendentes à unificação. Porém, até o momento, a maior figura do ecumenismo, dentro da Igreja Católica Romana, tem sido o papa João XXIII, o qual criou um secretariado para promoção da unidade cristã (1962-1965), além de haver ele promovido a causa da unificação por ocasião do concílio ecumênico Vaticano II (que vide). Esses atos têm encorajado as uniões, bem como reuniões de alto nível entre o papa e vários líderes anglicanos e ortodoxos, procurando investigar sobre a questão. Entrementes, representantes da Igreja Católica Romana têm freqüentado conferências do Concílio Mundial de Igrejas com o propósito de averiguar quais medidas podem ser tomadas, a fim de fomentar a unidade.

VI. Protestantes Dissidentes

Muitos protestantes continuam crendo que a *Reforma* (que vide) foi um avanço espiritual e não um equívoco. Eles acreditam que os esforços tendentes à unificação não levam em conta as razões reais da separação, a saber, as questões doutrinárias fundamentais. Eles não têm dúvidas de que o papado é uma aberração e não um ofício legítimo da Igreja. Estão convencidos de que o sistema católico romano **representa uma escrescência cancerosa, que nada tem a ver com os princípios bíblicos e nem serve de** progressão histórica válida na espiritualidade. A maior parte dos grupos evangélicos continua firmemente apegada à Bíblia como a única autoridade válida em questões de fé e prática, asseverando que todas as demais «autoridades», eclesiásticas ou tradicionais, apenas obscureceram as questões envolvidas, em vez de aclará-las. Infelizmente, há muitas malquerenças envolvidas na questão, tanto do lado católico romano quanto do lado protestante, cada qual apodando o outro de diabólico.

VII. A Tradição Profética e o Verdadeiro Ecumenismo

Alguns intérpretes das profecias bíblicas supõem que o movimento ecumênico moderno ir-se-á fortalecendo cada vez mais, de tal modo que, finalmente, uma verdadeira Igreja mundial será formada. Quando isso suceder, então o anticristo haverá de tomar o controle da mesma, usando-a para seus malignos propósitos perseguindo e destruindo todos os dissidentes e promovendo um culto iníquo que somente a Grande Tribulação (que vide) será capaz de terminar.

A tradição profética, tanto a bíblica quanto a dos místicos modernos, prediz para o nosso próprio tempo a restauração de Israel (que vide). Alguns parecem pensar que após o papa João Paulo II haverá apenas mais um ou dois papas, e então o ofício papal terminará, com o assassinato do último papa. Entrementes, por ocasião da Terceira Guerra Mundial, Israel converter-se-á em massa ao cristianismo, em vista de uma direta intervenção de Cristo, em uma batalha sangüinolenta, a fim de preservar a continuação do povo de Israel. Quando a paz for novamente estabelecida, a Igreja uma vez mais terá seu centro em Jerusalém, pelo que o cristianismo tornar-se-á, uma vez mais, um movimento religioso oriental, e não quase exclusivamente ocidental, conforme acontece atualmente. Não existirá mais o ofício papal e uma nova e poderosa expressão da fé cristã terá Israel como seu quartel general. É possível que, diante desse acontecimento, uma forma genuína de Igreja cristã ecumênica surja no mundo, e que seja um dos notáveis fatores do época do milênio. Então Israel haverá de tornar-se protetor da civilização pelo período de mil anos, tal como Roma o foi por mil anos críticos, durante a Idade Média. Não fora o poder da Igreja Católica Romana, durante aqueles mil anos, a civilização poderia ter sido totalmente destruída. Precisamos lembrar que a Igreja Católica Romana preservou a arte, a literatura do mundo e muitos manuscritos bíblicos, além de ter feito grandes contribuições, apesar dos seus erros graves. A verdade é que, por longo tempo, o catolicismo romano representou a Igreja de Cristo no mundo, pois os minúsculos grupos dissidentes que então havia dificilmente poderiam representar a Igreja Universal, além de serem, em seu caráter, essencialmente grupos heréticos. Do ponto de vista histórico, o ofício papal tornou-se uma necessidade, porquanto tinha um sólido papel dentro da tradição profética. Isso não equivale a dizer, contudo, que os dogmas que foram produzidos pelo papado estejam corretos ou sejam espiritualmente saudáveis. Tudo quanto é utilizado pelo homem conterá elementos de corrupção. Seja como for, a utilidade desse ofício chegará ao fim antes do aparecimento do anticristo, talvez em nossa própria época. Então haverá mudanças vastas e profundas na Igreja, o que produzirá uma expressão verdadeiramente ecumênica. Seja como for, a Igreja mística de Cristo, que se compõe de todos os verdadeiros crentes, os quais podem ser encontrados praticamente em todos os segmentos da cristandade, sempre esteve unida. Isso significa que um ecumenismo autêntico sempre caracterizou a Igreja universal. Ver o artigo abaixo, sobre *Ecumenismo e Ética*. (AM B BEA ROU Z)

MOVIMENTO LITÚRGICO

Esse foi um reavivamento havido nas Igrejas católica romana e anglicana, que começou em cerca de 1920. Deu-se então uma nova ênfase à liturgia eclesiástica, envolvendo, principalmente, a *eucaristia* (vide). O movimento pretendia tanto enfatizar os valores históricos da Igreja, para melhor resistir aos avanços do neopaganismo, quanto encorajar os leigos a participarem mais ativamente na adoração e nas atividades da Igreja. O movimento teve início na Alemanha, graças aos esforços dos monges beneditinos da abadia de Maria-Laach. A figura principal foi o abade Ildefonso Herwegen, embora Romanos Guardini também tenha sido uma personagem importante no movimento. Aquele escreveu o livro intitulado *O Espírito da Liturgia*, uma espécie de manual do movimento. — Os países inicialmente afetados pela nova ênfase foram a Alemanha, a França, a Bélgica e a Inglaterra. A.G. Herbert, mediante suas atividades pessoais e através do seu livro, *A Liturgia e a Sociedade* (1935), promoveu esse ideal entre os anglicanos. Nos Estados Unidos da América do Norte, monges beneditinos esposaram essa causa, e seu manual literário mais importante foi a publicação deles, *Orate Frates*. G. Ellard escreveu um clássico nesse campo, chamado *A Vida e a Adoração Cristãs*.

A mensagem central desse movimento era o valor e a necessidade do sacrifício de Cristo, exemplificado na eucaristia, além dos muitos valores éticos e práticos que seriam inspirados pelo sacrifício de Cristo. Dessa maneira, Cristo manifestar-se-ia através dos membros de seu corpo místico, no que esses membros encontrariam vida, tanto a temporal quanto a eterna.

MOVIMENTOS SOCIAIS CRISTÃOS

Ver os artigos paralelos sobre *Interesses Sociais Evangélicos* e sobre O *Humanitarismo* e o *Evangelho Social*.

A mensagem cristã, antes de mais nada, é endereçada à alma; mas, por todas as páginas do Novo Testamento encontramos provisões de Deus acerca do corpo, igualmente. Isso pode ser levado a uma posição extremada, como na *Teologia da Libertação* (que vide), onde a teologia quase se transmuta em sociologia e política, e onde Jesus aparece como o cabeça de uma revolução social. Isso é ler de forma inteiramente distorcida a intensa natureza espiritual da mensagem de Jesus, que paira muito acima dos homens e suas passageiras instituições. Apesar disso, a Igreja cristã tem agido bem, através da história, ao envolver-se em movimentos sociais que procuram promover o bem-estar do homem físico, mortal.

Aqueles que levam a *Grande Comissão* até os confins da terra naturalmente simpatizam com as necessidades temporais dos povos aos quais ministram. Tiago ensina-nos que esse princípio é importante como uma parte integrante da verdadeira religião (Tia. 1:27; 2:14 *ss*). As missões cristãs que se envolvem na construção e organização de escolas, de orfanatos e de hospitais certamente não precisam de apologia, por não estarem ocupadas somente na implantação de igrejas locais.

É precisamente nessa área que a Igreja Católica Romana se tem destacado, pois seus labores nas escolas e em associações de caridade têm sido imensos. Ordens religiosas católicas romanas inteiras dedicam-se a essas atividades. A história da Igreja universal tem-nos fornecido muitos brilhantes exemplos de interesse e labor sociais. Este artigo procura dar exemplos ilustrativos disso.

1. *Durante a Idade Média*. Nesse período de mil anos, a civilização era representada pela Igreja. Virtualmente todas as instituições educativas, e quase todas as instituições de caridade eram iniciativas da cristandade.

2. O *Despertamento Evangélico* foi promovido pelos irmãos Wesley, na Grã-Bretanha, no século XVIII. Esse despertamento semeou as sementes das reformas sociais, e não meramente as sementes do evangelho. Mais tarde, entre 1776 e 1914, houve reformas sociais, parcialmente alicerçadas sobre os princípios do evangelho que muitas pessoas vinham vivendo na época.

3. O *Primeiro Grande Despertamento Espiritual*, de 1725-1775, além de sua influência espiritual imensa, também teve efeitos sociais, dos quais resultaram várias universidades norte-americanas.

4. O *Segundo Grande Despertamento Espiritual* resultou em escolas abertas às massas populares na Inglaterra, bem como à fundação de centenas de colégios (faculdades), nos Estados Unidos da América. As sementes da abolição da escravatura (que ocorreu em 1834 na Inglaterra, e em 1863 nos Estados Unidos da América) haviam sido plantadas naquele despertamento. Mais ou menos na mesma época, Elizabeth Frey, uma mulher evangélica, promoveu a reforma das prisões, com base em princípios cristãos. Friedner, na Alemanha, construiu casas para abrigar ex-prisioneiros, promovendo a reforma e a utilidade dos mesmos. Muitos hospitais foram levantados para cuidar dos enfermos, e Florence Nightingale tornou-se a grande modelo das enfermeiras modernas. Motivos religiosos estavam por detrás dessas inovações.

5. *Os Reavivamentos Norte-americanos* que tiveram lugar, após 1830, provocaram reformas na educação: a promoção de instituições de caridade, melhores condições para os encarcerados, a luta contra a prostituição, o desencorajamento de esportes cruéis e a proteção aos animais.

6. A *Grã-Bretanha* foi a primeira nação a tornar-se industrializada. Isso foi acompanhado pela exploração dos operários, que eram forçados a trabalhar durante dezesseis horas diárias, sob condições as mais adversas. Anthony Ashley Cooper, sétimo conde de Shaftesbury, — que se chamava *Evangélico dos evangélicos*, por causa de seus interesses cristãos, organizou uma cruzada visando à melhoria das condições dos trabalhadores, e conseguiu diminuir pela metade suas longas horas de trabalho. Esforços de crentes assim também conseguiram tirar as mulheres que trabalhavam nas minas, reformar os asilos para insanos, promover a criação de parques públicos, instalações esportivas, bibliotecas públicas, escolas noturnas para operários, sociedades musicais e corais e várias atividades de auto-ajuda.

7. Os *Mártires Tolpuddle*, da Austrália, que foram enviados para campos de prisioneiros por se terem recusado a trabalhar em troca de salários ridiculamente baixos, eram evangélicos. — As atividades deles encorajaram a formação dos sindicatos de trabalhadores. Um dos convertidos de D.L. Moody, de nome Keir Hardie, fundou o Partido Trabalhista, na Inglaterra. Ele promoveu a fé cristã na União, e vários de seus oficiais mostraram-se membros ativos de igrejas evangélicas.

8. O *Terceiro Grande Despertamento* (1858-1859), nos Estados Unidos da América, na Inglaterra e em outros lugares do mundo, foi o instrumento, pelo menos parcial, para o surgimento das atividades filantrópicas em grande escala. O samaritanismo prático começou a ser praticado em larga escala. Muitos asilos, lares para deslocados e para pessoas idosas, além de escolas, foram fundados. O Exército de Salvação desenvolveu-se dentre essa atmosfera. Josephine Butler atirou-se ao evangelismo e à ajuda humanitária às meretrizes. W.T. Stead opôs-se ao comércio das escravas brancas. Foi fundado o Y.M.C.A. em Londres, em 1844, o qual, finalmente, tornou-se uma organização internacional. A Cruz Vermelha (que vide) foi fundada na Suíça mediante os esforços de Jean Henry Dunant.

9. O *Despertamento Americano* de 1858 resultou na luta contra muitas formas de pobreza, promovendo os direitos dos trabalhadores, combatendo o tráfico de bebidas fortes, melhorando a qualidade das moradias, etc.

10. Um outro reavivamento, de 1905, insuflou o interesse social nas igrejas evangélicas da América do Norte. Os esforços de Washington Gladden, que foi chamado de pai do *evangelho social* (que vide), originaram-se dentro desse contexto.

11. O *evangelho social* (que vide), que começou no início do século XX, estava alicerçado sobre elevados ideais. Houve abusos em dois sentidos: a. havia evangélicos que se opunham a qualquer ação social, promovendo apenas o evangelismo; e b. havia liberais que se preocupavam tanto com os programas e as reformas sociais que se olvidaram do aspecto evangelístico da vida cristã.

12. *William Carey*, embora tivesse sido um grande evangelista, também pode ser considerado como o responsável pela abolição do sacrifício de viúvas e de crianças, na Índia, além da introdução da medicina ocidental naquele país, e da organização de muitas escolas.

13. *No Oriente*. Após o reavivamento religioso de 1858-1859, missões médicas espalharam-se para muitos lugares do mundo. Uma pesquisa feita durante a Segunda Guerra Mundial mostrou que noventa por cento das enfermeiras da Índia compunham-se de crentes, e quatro quintos delas haviam sido treinados em hospitais de missões evangélicas. Missionários evangélicos construíram os maiores hospitais da Ásia. Timothy Richard é reputado como o fundador das modernas universidades da China.

14. *Na África*. O continente negro deve muitos de seus hospitais e do seu sistema escolar às missões cristãs estrangeiras. Setenta por cento dos estudantes

africanos, que foram estudar na América do Norte, haviam sido treinados em escolas missionárias.

15. *Billy Graham* (que vide) tem sido, essencialmente, um evangelista, mas, com base em seu trabalho, tem florescido um aspecto humanitário do cristianismo. Vários de seus convertidos têm-se mostrado úteis nesse tipo de trabalho, como é o caso de Jim Vaus, que se converteu em uma campanha em Los Angeles. Ele tem trabalhado entre os criminosos de Nova Iorque. Louis Zamperini tem trabalhado em fazendas correcionais da Califórnia e de muitos outros lugares, em várias áreas de atividade. E o que foi dito sobre esse evangelista mundialmente conhecido pode ser dito, naturalmente, sobre o ministério de ensino de muitos outros, que se têm sentido inspirados a muitos tipos de esforço humanitário.

16. *O problema racial*. A Igreja cristã é um refúgio da raça negra, nos Estados Unidos da América. Podemos dizer, sem medo de errar, que se não fora a influência moderadora da fé religiosa, o problema racial poderia ser muito mais sério do que realmente tem sido, naquele país. Isso destaca outro elemento que merece ser enfatizado. É que em todas as áreas do empreendimento humano, a fé religiosa estabelece uma notável diferença, mesmo que não seja a força central e mais óbvia envolvida. (DEN H)

MOZA

No hebraico, «prole», «descendência». Esse é o nome de duas pessoas e de uma cidade, que aparecem no Antigo Testamento:

1. Um filho de Calebe e Efá, sua concubina (I Crô. 2:46).

2. Um descendente de Saul, mencionado em I Crô. 8:36,37; 9:42,43.

3. Uma cidade dada à tribo de Benjamim (Jos. 18:26). O local exato dessa cidade é desconhecido atualmente. A arqueologia tem encontrado duas asas de vasos com o nome dessa cidade, em lugares como Jericó e Tell en-Nasbeh. E isso indica que a cidade em pauta deve ter produzido e exportado esses vasos. Alguns estudiosos supõem que o local fique perto da vila árabe de Qaluniya, cerca de seis quilômetros e meio a noroeste de Jerusalém, na estrada para Tel Aviv. — Evidentemente, o antigo nome aparece no nome da Khirbet beit-Mizzah. A colônia judaica de Mosah, a oeste de Qaluniya, adotou o nome dessa antiga cidade.

Embora nossa versão portuguesa grafe o nome dessa cidade da mesma maneira que grafa os nomes daqueles dois homens (pontos um e dois), no hebraico há diferença na escrita. O nome dessa cidade significa «fonte de água».

MT (TM)

Essa é a abreviação do **Texto Massorético**, do original hebraico do Antigo Testamento. Ver os artigos seguintes, para maiores detalhes: *Manuscritos do Antigo Testamento* e *Massora* (*Massorah*); *Texto Massorético*.

MUDANÇA

Dentro da terminologia filosófica, **mudança** é o contrário de permanência, constituindo uma das idéias categóricas básicas.

1. Heráclito (que vide) opinava que a mudança ou fluxo é o principal fato de toda a existência, a qual operaria através de tensões criadas por forças opostas. Consideremos a tensão da corda de um arco entesado. Dizia ele que tudo encontra-se em estado de fluxo (*panta rei*). Ninguém consegue pisar no mesmo rio por duas vezes.

2. Parmênides, Zeno e Nagarjuna (ver os artigos sobre cada um deles) argumentavam que a permanência é a principal característica da existência, supondo que toda mudança é apenas ilusória. Nas religiões orientais, onde somente Deus é chamado *real*, tudo o mais é considerado ilusório. Assim, mudança e fluxo são características deste mundo ilusório. Deus representa a realidade e a imutabilidade.

3. Platão situava o fluxo dentro do mundo dos particulares (nosso mundo e seus muitos objetos), como suas principais características; e considerava este mundo *menos real* do que o mundo das Idéias. O mundo das idéias ou formas é o equivalente platônico dos lugares celestiais do cristianismo. O mundo celestial seria real e imutável. O mundo dos particulares seria uma imitação deficiente do mundo real. O mundo menos real é material. O mundo real é imaterial. A alma humana pertenceria ao mundo das idéias. Mas o corpo humano pertence ao mundo dos particulares. A redenção consistiria no retorno ao mundo das idéias. O mundo real de Platão incorporava as idéias de Parmênides.

4. Aristóteles distinguia três variedades de mudança: alteração, crescimento ou diminuição e locomoção. Ele postulava o Impulsionador Inabalável (o seu Deus), como a origem de todas as mudanças. Ele poria outras coisas em movimento ao *ser amado* (sem dúvida uma expressão poética para indicar as forças cósmicas), e não por atuação direta. A filosofia escolástica, sobretudo nas mãos de Tomás de Aquino, valia-se dessa idéia como prova da existência de Deus. Precisamos explicar a causa dos movimentos e das mudanças.

5. Bergson (que vide) e Whitehead (que vide) tinham na categoria do *tornar-se* (que vide) o ponto central de suas filosofias.

6. A *teologia cristã* reconhece Deus como a força por detrás de toda mudança, e também supõe que em Deus reside a permanência. Diz um certo hino evangélico: «Tu que não mudas, habita em mim». O Logos (Cristo) é chamado de imutável, em Hebreus 13:8. Como tal, ele é o nosso alvo, e, portanto, nossa segurança de permanência. Pois, neste mundo, o tempo faz desaparecer todas as coisas. Não obstante, o espírito continua, tendo sido redimido por Cristo; e isso lhe confere um firme alicerce, que lhe garante a permanência, a continuidade e o propósito. De acordo com a mentalidade filosófica, a mudança sempre subentende degeneração e destruição final. No entanto, também pode significar *crescimento*. É por esse motivo que a própria redenção consiste em uma transformação de um grau de glória para outro (II Cor. 3:18), e o bom resultado final desse processo é garantido pela imutabilidade e pela eternidade de Deus. Essas qualidades foram dadas ao Filho de Deus; e, através do Filho, aos demais filhos de Deus (João 5:25,26), de tal modo que as almas remidas finalmente tornar-se-ão Seres Necessários. Em outras palavras, não poderão não-existir, sem importar o imenso programa de mudanças que terão de experimentar. É muito difícil um crente inteligente satisfazer-se sem esse conceito. (H NTI)

MUDANÇA DOS PÓLOS

Uma importante consideração geológica, dentro das narrativas sobre Adão e sobre Noé, é o caso das mudanças dos pólos magnéticos do globo terrestre, a intervalos de alguns tantos milhares de anos. Essas mudanças dão origem a catastróficas destruições, terminam ciclos e dão origem a ciclos. Ver o artigo intitulado *Pólos, Mudança dos*. Ver também sobre *Dilúvio* e sobre *Noé*.

MUDANÇAS, LIVRO DAS

Ver **Livro das Mudanças**.

MUDAS DE FORA

Essa expressão encontra-se em nossa versão portuguesa, em Isaías 17:10. Essa tradução está mais próxima do original hebraico do que o que dizem outras versões, «enxertos estranhos». A idéia era a de que todos os esquemas humanos haveriam de falhar. Mesmo que tentassem revivificar a planta ou árvore que representava a sua vida e cultura, os enxertos não produziriam os resultados almejados. Quando os homens virem que se aproxima o dia da ira do Senhor, no dizer de Isaías haverão de bramir os povos como o rugido das águas do mar. Mas Deus anulará todos os esforços dos povos para evitarem o juízo. Esse ensino aparece dentro da profecia contra Damasco e Efraim (Isaías 17).

MUDO

No hebraico, **illem**, palavra usada por seis vezes: Êxo. 4:11; Sal. 38:13; Pro. 31:8; Isa. 35:6; 56:10 e Hab. 2:18. O sentido básico dessa palavra é «que não fala». No grego, *kophós*, «embotado», como se a mudez fosse um impedimento da língua. Nas Escrituras temos vários usos da palavra, a saber: 1. Destituído da capacidade natural para falar (Êxo. 4:11; I Cor. 12:2). 2. Incapacitado de ensinar a outros por falta de graça, conhecimento ou coragem (Isa. 57:10). 3. Aquele que fica em silêncio, sob as dispensações da providência divina (Sal. 39:9). 4. Aqueles que permanecem em silêncio por qualquer razão (Sal. 39:2; Eze. 3:26). 5. Aqueles que não falam por motivo de temor ou ignorância (Pro. 31:8). 6. O estado de quem fica incapaz de falar por êxtase divino (Dan. 10:15). 7. Uma condição imposta por decreto divino, como foi o caso de Zacarias (Luc. 1:20). 8. Uma aflição causada por possessão demoníaca (Mar. 9:17,25). Ver os artigos sobre *Cura* e *Cura pela Fé*.

MUENZER, THOMAS

Suas datas foram 1489-1525. Esse homem ilustrou, em sua própria vida, a declaração de Jesus de que aquele que fere à espada será ferido à espada (ver Mat. 26:52). Muenzer foi um pregador anabatista, que atuou em Zwickau, Muhlhausen e em outros lugares da Alemanha. Ele promovia a violência, como foi o caso da Guerra dos Aldeões, e finalmente foi decapitado, depois que suas forças foram derrotadas em Frankenhausen.

MUFTI

Essa palavra vem do árabe, «dar uma decisão legal». Esse é o nome de um sacerdote islamita que também é expositor da lei. Geralmente é empregado como um assessor da corte. Na Turquia, porém, o título alude ao cabeça oficial da religião oficial, bem como aos deputados nomeados por ele.

MUGHARAH, WADI EL

Essas palavras árabes significam «vale das cavernas», um vale ao sul do monte Carmelo. Os arqueólogos têm encontrado evidências de uma civilização da idade da Pedra, que ocupava aquele lugar. A Escola Britânica de Arqueologia dirigiu escavações ali, entre 1929 e 1934. Quatro cavernas foram ali exploradas, localizadas cerca de três quilômetros das margens do mar Mediterrâneo. Muitos artefatos foram encontrados, incluindo restos de esqueletos pertencentes a várias culturas da idade da Pedra. Medraram ali culturas da antiga era paleolítica, da era mesolítica e da era natufiana (esta uma subdivisão da segunda, assim chamada por causa do wadi en-Natuf, das proximidades, onde também houve escavações).

As evidências revelaram que os povos natufianos não fabricavam peças de cerâmica, não tinham animais domésticos, mas colhiam plantações, caçavam e faziam armas com pederneira, incluindo pontas de flecha, pontas de lança, facas, raspadores, etc. Mui estranhamente (copiando aqueles que também tinham vivido antes ali, por toda aquela área), os natufianos não sepultavam os seus mortos. Seus esqueletos assemelham-se muito aos do *Homo Sapiens* do período paleolítico superior. A caverna de el-Wad, com seus diferentes instrumentos, de diversas características, foi lugar ocupado por diversos povos, através de um longo período de tempo. A caverna de el-Tabun tinha raspadores crus, facas sem serrilhado e alguns antiqüíssimos artefatos de vários tipos. Não há qualquer referência bíblica a essas cavernas, e nem às populações que nelas habitaram; mas elas revestem-se de interesse para aqueles que gostam de estudar povos pré-bíblicos. que desapareceram há milênios, e que só deixaram como sinal de sua existência os seus primitivos artefatos.

MUHLENBERG, HENRY MELCHIOR

Suas datas foram 1711-1787. Ele tem sido apodado de «pai da igreja luterana na América». Foi consagrado ao ministério na Alemanha, e ensinou em Halle. Então, emigrou para a América do Norte, e responsabilizou-se pelas igrejas luteranas dispersas pelo estado de Pennsylvania. Seu lema, em latim, era *Ecclesia Plantanda*, «a Igreja deve ser implantada».

Muhlenberg efetuou intenso trabalho missionário em vários estados da América do Norte, organizando igrejas, treinando ministros, escrevendo liturgias, hinários e constituições eclesiásticas. Em 1748, ele fundou o primeiro sínodo luterano da América do Norte, atualmente chamado Ministério da Pennsylvania. Embora fosse um luterano entusiasta, tornou-se conhecido por sua tolerância. O grupo de igrejas que resultou de seus labores chama-se Igreja Luterana Unida. Vários de seus filhos foram cidadãos ilustres, pois um deles foi um general revolucionário e senador norte-americano, e outro foi um distinguido clérigo e botânico que descobriu quase duzentas novas espécies da flora norte-americana, e ainda um outro foi o porta-voz do primeiro e do terceiro congressos dos Estados Unidos da América do Norte. Os seus *Journals* continuam em circulação, —até os nossos dias.

MUJTAHID

No árabe, «aquele que se esforça». Esse é o título dado aos teólogos islamitas. Entre os xiitas, porém, o título é dado a algum líder religioso que é autoridade quanto a questões legais e teológicas.

MULÁ

No árabe, dentro do islamismo, esse é o título dado

a algum «mestre erudito» ou expositor das leis e doutrinas do maometismo. Um mulá é treinado nas escolas das mesquitas, tornando-se um teólogo oficial que merece o respeito de todos os fiéis.

MULHER

No hebraico, *ishshah*, o feminino de *ish*. Talvez a melhor tradução portuguesa para esses termos hebraicos seja, respectivamente, «fêmea», e «macho», porque *adam* é a palavra genérica para «homem», sem distinção de sexo. *Ishshah* é extremamente comum. Se contarmos também sua forma plural, *nashim*, encontramos cerca de setecentas menções, desde Gên. 2:22 até Mal. 2:15.

No Novo Testamento grego, *guné*. Esse vocábulo aparece por duzentas e onze vezes, exemplos: Mat. 1:20,24; 5:28,31,32; 19:3,5 (citando Gên.2:24); 19:8,10,29; 22:24 (citando Deu. 25:5); 28:5; Mar. 5:25,33; 6:17,18; 12:9 (citando Deu. 25:5); Luc. 1:5,13,18,24,28,42; 3:19; 4:26; 8:2,3,43,47; 10:38; 14:20,26; 15:8; 16:18; 17:32; 24:22,24; João 2:4; 4:7,9,11,15,17,19,21,25,27,28,39,42; Atos 1:14; 5:1, 2,7,14; 16:1,13,14; Rom. 7:2; I Cor. 5:1; 7:1-4, 10-14,16,27,29,33,34,39; 9:5; 11:3,5-13,15; 34,35; Gál. 4:4; Efé. 5:22-25,28,31 (citando Gên. 2:24); 5:33; Col. 3:18,19; I Tim. 2:9-12,14; 3:2,11,12; 5:9; Tito 1:6; Heb. 11:35; I Ped. 3:1.5; Apo. 2:20; 9:8; 12:1,4,6,13-17; 14:4; 17:3,4,7,9,18; 19:7 e 21:9.

Esboço:

I. Posição no Judaísmo
II. As Mulheres e as Igrejas
III. A Exceção na Antioquia da Pisídia (Ásia Menor)
IV. As Exceções (Biblicamente) não Criam uma Regra
V. Uma Previsão Esperançosa
VI. Mudança de Costumes Sociais Exige Modificação de Certas Regras
VII. Pontos Fortes e Fracos da Mulher
VIII. A Mulher no Antigo Testamento: Sumário
IX. A Mulher no Novo Testamento: Sumário

••• ••• •••

I. Posição no Judaísmo

Paulo proibiu que as mulheres falassem na igreja (ver I Cor. 14:34). Em uma sinagoga judaica seria considerado como uma suprema desgraça uma mulher tomar parte ativa no culto de adoração, falando ou mesmo orando em voz alta. No judaísmo, não era permitido que as mulheres estudassem a lei de Moisés, e alguns sábios judeus asseveravam que mais valia a pena queimar a lei do que ensiná-la a uma mulher.

A posição da mulher, no judaísmo, era muito inferior à do homem, pois alguns rabinos chegavam ao extremo de pensar que as mulheres não tinham alma. Em face de tais idéias, não nos é difícil compreender por que razão as mulheres não tinham permissão de tomar parte ativa nos cultos religiosos dos judeus. (Quanto a outros comentários sobre a posição de inferioridade da mulher, na sociedade judaica, ver João 4:27,29 no NTI).

É entristecedora a verificação do fato de que as mulheres, nas sociedades pagãs, eram mais estimadas do que no judaísmo. (Ver Atos 17:4 quanto a posição das mulheres na sociedade macedônia). Uma das grandes contribuições do cristianismo, para melhoria das condições sociais do gênero humano, foi a elevação da mulher, pois as mulheres cristãs podiam gozar de melhores privilégios que no judaísmo. Espiritualmente falando, apesar das limitações da atividade feminina na igreja cristã, segundo as ordens expressas do novo pacto, a mulher não fica em desvantagem, em relação ao homem, pois elas também esperam a completa transformação, ética e metafísica, na imagem de Cristo. (Ver o trecho de Gál. 3:28, que declara que, em Cristo, não há nem homem e nem mulher, mas são todos iguais). Não obstante, é óbvio, com base no décimo quarto capítulo da primeira epístola de Paulo aos Coríntios, que antigos métodos de adoração do judaísmo foram *transferidos* para a igreja cristã, ou, pelo menos, para aquelas igrejas que sofriam da influência do apóstolo Paulo.

II. As Mulheres e as Igrejas

1. Não havia como Paulo pudesse ter antecipado prazeirosamente o papel que as mulheres desempenham na moderna igreja evangélica. Contemplá-las sem véu, com cabelos cortados à la homme, falando livremente, orando em público e até mesmo ensinando aos homens, liderando a música, etc., teria sido para ele um autêntico horror. Paulo acreditava na atitude dos rabinos e na prática das sinagogas. Paulo ordenou que as mulheres crentes se conservassem em silêncio, e não permitia que ensinassem. Os trechos de I Cor. 14:34 e *ss*, e I Tim. 2:8-15 não podem significar outra coisa.

2. Ver a mulher através dos olhos de Paulo é vê-la segundo a maneira determinada pelo judaísmo. Apesar de que um escravo podia ler as Escrituras em voz alta na sinagoga, uma mulher judia, posto que livre, não podia fazê-lo. Alguns rabinos disputavam mesmo se a mulher tinha alma ou não, e às mulheres não instruíam na lei, exceto dentro dos limites dos serviços regulares na sinagoga. Costumavam dizer: «É preferível queimar a lei a ensiná-la a uma mulher». Paulo não se mostrava tão embotado, mas compartilhava da atitude rabínica em geral no tocante à participação feminina nas atividades das sinagogas.

3. Qualquer igreja que permita às mulheres um papel ativo nos cultos é antipaulina.

4. Só podemos supor que as profetisas exerciam seu ministério (se quisessem agradar a Paulo) em casa, particularmente, mas nunca como parte dos cultos religiosos. Mas que muitas delas participavam ativamente dos cultos, nas áreas de maioria gentílica, é fato óbvio, conforme se vê pelo décimo quarto capítulo de I Coríntios. E foi justamente ali que ficaram sob o fogo do ataque de Paulo.

5. Mas, estaria a razão ao lado de Paulo, em tudo isso? A igreja evangélica tem respondido que «Não!» Portanto, a igreja tem ignorado esse mandato de Paulo, talvez sentindo intuitivamente que essa atitude da sinagoga para com o elemento feminino foi ultrapassada pela espiritualidade cristã.

6. As próprias declarações de Paulo, em Gál. 3:28, nos fornecem uma base para tratarmos as mulheres de maneira diferente do que ele fazia, no tocante a essas questões.

7. Finalmente, seja dito bem claro que a desonestidade não pode fazer parte de nossa interpretação. Examinemos por que Paulo disse o que disse. Interpretemos suas afirmações por esse prisma. Se não gostarmos do que ele disse e não estivermos inclinados a seguir suas injunções, então declaremos nossas razões para tanto. A espiritualidade talvez tenha ultrapassado a Paulo quanto à questão; mas, em caso contrário, a igreja evangélica inteira está laborando em erro.

8. Creio, porém, que ordenar mulheres para o ministério já atingiu o nível da perversão.

III. A Exceção na Antioquia da Pisídia (Ásia Menor)

Atos 13:50: *Mas os judeus incitaram as mulheres devotas de alta posição e os principais da cidade, suscitaram uma perseguição contra Paulo e Barnabé, e os lançaram fora dos seus termos.*

Essas *mulheres piedosas*, obviamente eram gentias, embora se tivessem convertido ao judaísmo. Eram prosélitas do judaísmo que se tinham tomado de grande zelo pela instituição da sinagoga, que foram persuadidas a encarar a atuação dos apóstolos, bem como o crescimento da igreja cristã, naquela região, como uma ameaça à religião que abraçavam. Eram mulheres de *alta posição*, o que, no original grego, é a mesma palavra usada para indicar a alta posição ocupada por José de Arimatéia, segundo lemos no trecho de Marc. 15:43. O mais provável é que isso signifique que elas ocupavam importantes ofícios públicos, ou que, de outro modo qualquer, exerciam considerável influência naquela região. As evidências históricas e arqueológicas mostram que isso é um toque veraz sobre o colorido local da região, pois ali, evidentemente, mulheres ocupavam uma posição mais proeminente, na sociedade, do que em muitas outras partes do **mundo greco-romano.** Algumas mulheres eram nomeadas como magistrados, presidentes de competições esportivas, etc. E em certo caso, que ficou na história, — encontramos uma mulher que foi eleita *archesynagogos* (chefe da sinagoga). Isso teve lugar em Esmirna, e sem dúvida, historicamente falando, foi um caso sem igual, que só poderia ter sucedido realmente naquela área geral, **onde as mulheres podiam ocupar elevados cargos, comumente reservados aos homens. Totalmente** diversa dessa posição quanto às mulheres era a idéia dos rabinos de Jerusalém, os quais chegaram a debater se as mulheres realmente têm almas. Pensavam eles ser um desperdício de tempo e energia ensinar a lei às mulheres, refletindo assim um ponto de vista radicalmente contrário ao que prevalecia na região de que ora nos ocupamos, atingindo não somente a posição das mulheres na sociedade, mas até mesmo a sua posição espiritual. (Quanto a notas expositivas sobre os ridículos pontos de vista que alguns líderes eclesiásticos dos judeus tinham no tocante às mulheres, ver João 4:27,29 no NTI. Fazendo contraste com isso, ver o tema, explorado por Lucas, acerca da elevada posição das mulheres, na tradição do evangelho, no artigo sobre o livro de Atos, sob o título *Autoria*, item V).

IV. As Exceções (Biblicamente) não Criam uma Regra

As exceções não derrubavam por terra a regra. Extraordinárias figuras femininas no A.T. não podem servir para suavizar o ponto de vista normal dos judeus sobre a mulher.

Nem mesmo as profecias bíblicas, como a de Joel (ver Atos 2:18), eram capazes de alterar a situação geral, embora antecipassem um dia melhor e mais iluminado.

A melhor declaração de Paulo nesse sentido fica em Gál. 3:28, onde ele mostra que a mulher, na realidade, é espiritualmente igual ao homem. Isso não ensina a igualdade dentro da «ordem eclesiástica», para Paulo; mas o princípio, por si mesmo, ensina mais do que Paulo admitia.

V. Uma Previsão Esperançosa

A profecia citada em Atos 2:18, com base na profecia de Joel, a qual assevera que mulheres também profetizariam, como uma das manifestações do estabelecimento da *nova ordem*, da nova fé, em Cristo, talvez dê a entender um lugar dado às mulheres, na igreja cristã, que simplesmente não tinha precedentes na sociedade judaica, e que tal lugar lhe dá o direito de participar ativamente da adoração pública das congregações cristãs. Essa é uma conclusão lógica sobre a questão subentendida no sistema cristão, que prevê o mesmo destino tanto para os homens como para as mulheres, visto que tanto uns como outros receberão as mesmas bênçãos espirituais. Esse é um cristianismo *mais avançado* do que era possível nas primeiras décadas de sua existência, quando o fantasma do judaísmo ainda perseguia a igreja cristã. Todavia, compete-nos rejeitar completamente as noções degradantes criadas pelo judaísmo, algumas de cujas noções invadiram a mentalidade cristã sobretudo no que concerne à posição das mulheres. Quão lamentável é vermos, em muitos matrimônios cristãos, um homem dominar sua mulher, simplesmente porque, biologicamente falando, ele é o macho, ao passo que ela é a fêmea. Mas, em muitos desses casos, a mulher é realmente uma pessoa superior ao seu marido, intelectual, moral e espiritualmente. Por essa razão, é possível que o ideal democrático esteja mais próximo da verdade que o cristianismo projetou no mundo, expresso através das seguintes palavras: «Destarte, não pode haver judeu nem grego; nem escravo nem liberto; nem homem nem mulher; porque todos vós sois um em Cristo Jesus» (Gál. 3:28).

Tal verdade básica, entretanto, tem sido obscurecida por antiqüíssimos preconceitos, muitos dos quais se originam da estima absurdamente baixa em que a mulher é tida, conforme o desenvolvimento havido na cultura judaica. O que fica implícito nessa idéia realmente é vasto, com a capacidade de revolucionar a posição da mulher, na sociedade em geral e nas relações matrimoniais, conferindo-lhe aquilo que ela raramente tem possuído, a saber, uma individualidade verdadeira e digna. Se isso fosse devidamente observado, certamente muitos casais crentes seriam melhorados em suas relações matrimoniais. Pois quando os cônjuges remidos reconhecem o valor do outro, sem importar as identificações sexuais, não pode resultar qualquer coisa má. Porquanto o reconhecimento verdadeiro resulta em maior respeito e em mais profundo amor. Por outro lado, deixar de considerar o valor real de uma pessoa é manifestação de uma espécie de ódio.

Em I Cor. 7:4, pelo menos, Paulo reconhece que os direitos sexuais da mulher, dentro do casamento, *não são inferiores* aos direitos do homem, embora isso fosse alguma coisa que um judeu «ortodoxo» jamais reconheceria. Porque, na cultura judaica, as mulheres haviam sido reduzidas a virtuais propriedades de seus respectivos maridos. Pelo menos nesse ponto Paulo avança na direção da verdade, embora tal avanço, aqui expresso, ainda seja parcial.

«A igualdade entre os sexos é indicada mediante o uso da mesma expressão em referência a ambos, ficando assim corrigidas as idéias judaicas e gentílicas sobre a mulher... nas relações matrimoniais cessa a propriedade separada da pessoa. Nenhum dos cônjuges pode mais dizer ao outro: 'Não me é lícito... fazer aquilo que eu quiser com o que é meu?' (Mat. 20:15). Ao salientar que o grande alvo deve ser, não a **auto-satisfação, mas o** cumprimento de um dever que cada qual deve ao outro, o apóstolo Paulo antecipa habilidosamente a crítica mencionada acima. Eleva ele a questão, do nível físico para o nível moral». (Robertson e Plummer).

VI. Mudança de Costumes Sociais Exige Modificação de Certas Regras

Qual é o dilema daqueles que não assumem essa atitude? No caso daqueles que não se dispõem a tomar essa atitude, talvez por ser ela por demais «liberal» ou «contrária às Escrituras», surge um dilema. Pois se os ensinos sobre as mulheres continuam obrigatórios para nós, — devemos obedecê-los totalmente, e a mera leitura dos mesmos mostra que o silêncio absoluto é imposto às mulheres; elas não podem ensinar na igreja, porquanto assim fazendo estão usurpando um direito masculino. Elas não podem falar em línguas e nem profetizar na igreja. Essa é a única coisa que o texto pode significar, considerando-se o fundo histórico judaico que lhe serviu de base. Aqueles que crêem que todas as injunções das Escrituras são sempre obrigatórias para nós devem aceitar também este mandato, pondo-o em prática na igreja, em qualquer comunidade local. Mas seria mister uma das *façanhas de Hércules* para conseguir isso.

VII. Pontos Fortes e Fracos da Mulher

I Cor. 11:3: *Quero, porém que saibais que Cristo é a cabeça de todo homem, o homem a cabeça da nulher, e Deus a cabeça de Cristo.*

Reconhecendo as Autoridades

1. Se por um lado os crentes coríntios exageravam a autoridade de seus heróis, de acordo com os quais criavam divisões denominacionais, por outro lado não percebiam a desordem reinante na congregação de Corinto no tocante às mulheres, o que se devia à sua ignorância quanto à hierarquia de autoridades.

2. Existe certa ordem decrescente de autoridade: cada ser tem o seu «cabeça». O cabeça, como diretor do corpo, representa a autoridade. Assim, de todas as famílias do céu e da terra, Deus é o cabeça. O Pai é o cabeça até mesmo de Cristo, e não somente na missão terrena deste, mas também dentro da própria Trindade o Pai é o cabeça e o Filho lhe é subordinado. (Ver as notas no NTI sobre esse conceito em I Cor. 15:28).

3. O Filho estabeleceu o exemplo. Seu Cabeça é o Pai, e é em obediência ao Pai que ele cumpriu e está cumprindo a sua missão (ver João 8:29).

4. Os filhos de Deus estão todos sujeitos a Cristo como o Cabeça, pois ele é o alvo de toda a sua existência, além de ser o poder que pode fazer deles seres participantes de sua própria natureza divina (ver Rom. 8:29). Portanto, o cabeça do homem é Cristo. O homem não é independente, mas dependente, porquanto nem ao menos é o senhor de seu próprio destino. A própria salvação consiste de crescermos em Cristo como o cabeça, em que contamos com ele como o cabeça de tudo (ver Efé. 1:10,23).

5. A mulher não é espiritualmente inferior ao homem, mas está subordinada a ele nesta esfera terrena, especificamente a seu próprio marido. Não pode cumprir seu papel no seio da igreja, imitando as frenéticas sacerdotisas descabeladas e sem véu dos pagãos. Portanto, que ela faça certas coisas: que traga os cabelos longos, como lhe é natural (símbolo da autoridade de seu marido sobre ela), e que use um véu sobre a cabeça, em determinadas ocasiões, o que também lhe serve de símbolo de sua sujeição.

Os pontos fortes e os pontos fracos da natureza feminina. Por igual modo a mulher, embora da mesma natureza que o homem, — e tendo o mesmo destino, está em posição de sujeição a ele. Até mesmo quando duas pessoas vão montadas em um cavalo, uma delas vai na frente e a outra atrás. Assim também o homem ocupa um primeiro lugar, tanto em sua casa como na casa de Deus. Naturalmente, isso tem dado margem a muitos abusos. Atualmente sabemos que a mulher não é inferior ao homem, exceto na força muscular. Além disso, talvez devido a fatores ambientais, que se prolongam desde eras remotas, a mulher é emocionalmente inferior ao homem. Mui provavelmente isso não é parte inerente da natureza feminina, mas antes, algo implantado nela por circunstâncias diversas.

É provável, entretanto, que à medida que ela vai sendo libertada, conforme deve ser, as suas debilidades emocionais irão desaparecendo. Nota-se que essa fraqueza é parcialmente um *mecanismo de defesa*, porquanto da mulher muito se tem abusado, devido a sua pouca força física. A mulher procura compensar isso através de um truque defensivo. Em outras palavras, ela toma perante o homem, de alguma maneira, a posição de uma criança, a fim de excitar a sua compaixão. Mas, com isso ela tem somente encorajado os abusos, porque o homem é tradicionalmente brutal e sem compaixão. Em outros sentidos, entretanto, a mulher é superior ao homem. A ciência moderna tem demonstrado que o seu corpo físico é mais resistente que o do homem. Em média, as mulheres têm melhores defesas orgânicas contra as enfermidades, como também vivem por mais tempo. As mulheres são iguais aos homens quanto à inteligência, e superior a eles quanto às faculdades intuitivas e psíquicas, porquanto elas têm sido forçadas a compensar a sua posição precária na sociedade. As mulheres, talvez devido à própria natureza de seu ser, em geral são *moralmente* superiores aos homens. Se porventura isso se deriva apenas de uma dotação biológica, então tal superioridade não envolve qualquer glória particular que lhe seja devida. Não obstante, isso é uma verdade bem reconhecida.

O judaísmo ignorava completamente esses fatos, reduzindo ridiculamente a posição das mulheres. E o apóstolo Paulo não fica inteiramente liberto dessa influência, embora reconhecesse o fato da liberação das mulheres, de sua igualdade com os homens, em Cristo Jesus, conforme declara em Gál. 3:28. Esse «ideal», essa «verdade», jamais se cumpriu plenamente na igreja cristã, e nem nos lares cristãos, até o dia de hoje. É uma questão particularmente lamentável ver um homem dominar uma mulher meramente porque ele é biologicamente um homem, e ela é biologicamente uma mulher, quando com freqüência ela é realmente a pessoa superior, moral, intelectual e espiritualmente.

Com base nessa discussão, deve ficar bem claro que os homens que procuram fazer justiça devem ter o cuidado de não abusar de sua posição superior masculina; e enquanto essa justiça for mantida na igreja e no lar, não há qualquer razão para supormos que uma atmosfera verdadeiramente *democrática* não possa ser estabelecida no lar e na igreja cristãos. Essa atmosfera estaria de acordo com o que nos ensina o trecho de Gál. 3:28, que certamente é a verdade mais pura a respeito do tema que comentamos de que deveria ser inquirida e praticada. Se os crentes agissem desse modo, pode-se concluir, sem receio de errar, que o potencial das mulheres seria liberado, e que tanto o lar como a igreja cristãos se beneficiariam. A igreja cristã primitiva, devido aos seus preconceitos judaicos, não conseguiu liberar esse potencial feminino. O «homem como cabeça da mulher» é biblicamente correto, mas de acordo com a interpretação tipicamente judaica, foi uma fonte de erro e de muitos abusos.

Evitando os Abusos

1. O princípio da igualdade feminina com o homem

não quer dizer que ela possa agir como bem entenda, tal como também não significa que o homem possa agir a seu talante. Há uma ordem divina a ser seguida.

2. Mas o princípio de igualdade entre os sexos significa que o homem também tem suas próprias responsabilidades. Não pode fazer da mulher uma escrava. O marido precisa reconhecer a elevada dignidade de sua esposa como uma pessoa, tratando-a com respeito e consideração. No lar, o marido deveria estabelecer uma democracia, ao máximo em que isso possa ser praticado, sem perder a sua liderança.

VIII. A Mulher no Antigo Testamento: Sumário

A. Direitos e Situação na Sociedade

Embora a situação da mulher, no seio da sociedade humana antiga, tenha degenerado rapidamente, devido às conseqüências do pecado, que fazem o homem mostrar-se cruel com seus semelhantes mais fracos, precisamos examinar o relato de Gênesis sobre a criação, quanto à criação da mulher e sua real condição em relação ao homem. A descrição da criação do gênero humano, em Gênesis 1:26,27: «...Criou Deus, pois, o homem à sua imagem, à imagem de Deus o criou; homem e mulher os criou...», parece deixar bem claro que a mulher, como contraparte feminina do homem, é algo essencial à imagem de Deus, segundo essa imagem é refletida no gênero humano. De fato, nas expressões poéticas dos hebreus, tanto o homem quanto a mulher são necessários para que se tenha o quadro tencionado por Deus como sua *imagem* no ser humano. E, embora a questão não seja teologicamente desdobrada no próprio livro de Gênesis, é evidente que o papel ímpar e distintivo da mulher deriva-se da participação dela na *imago Dei*.

No tocante aos vocábulos hebraicos *ish*, «macho», e *ishshah*, «fêmea», muito se tem escrito e especulado. Mas, se alguma coisa se deriva daí é a humanidade essencial da mulher, bem como sua igualdade e unidade com o homem. E isso também é refletido em outras línguas antigas e modernas. Para exemplificar, o latim, *vir*, «homem», e *vira*, «mulher»; ou, o português, «varão» e «varoa».

Um outro ponto, essencial à nossa compreensão sobre o papel da mulher, é que o Senhor Deus a deu ao homem como sua «ajudadora» (no hebraico, *ezer*), segundo se vê em Gên. 2:18,20. Isso indica que o homem ficaria incompleto sem a sua outra metade, a mulher. Ainda outra questão que não podemos esquecer é o próprio nome dado à primeira mulher, Eva, que se deriva de uma palavra hebraica que significa «vida». E a razão desse nome nos é explicada em Gên. 3:20: «E deu o homem o nome de Eva à sua mulher, por ser a mãe de todos os seres viventes». Por conseguinte, o papel subordinado da mulher parece ser resultante da queda no pecado, e não como uma disposição inicial, por força da criação. Com essa apreciação concorda o trecho de Gênesis 3:16, onde Deus diz à mulher, após a queda no pecado, por parte do primeiro casal: «E à mulher disse: Multiplicarei sobremodo os sofrimentos da tua gravidez; em meio de dores darás à luz filhos; o teu desejo será para o teu marido, e ele te governará». Essa disciplina, como é óbvio, abarca quatro facetas importantes na vida de toda mulher: gravidez difícil (enjôos, debilitamento, perigo de aborto, etc.); parto trabalhoso (que muitas vezes leva a mulher a rasgar-se internamente, e até à morte); desejo sexual pelo homem, a despeito de todas aquelas dificuldades e perigos, se a mulher chegar a engravidar; e, finalmente, o marido é quem dirige sua mulher, ficando-lhe esta sujeita. Todavia, apesar dessa subordinação da mulher ao homem, Deus não se furtou em reconhecer os direitos da mulher, diante da família e da sociedade, quando estipulou, já na lei mosaica: «Honra a teu pai e a tua mãe...» (Êxo. 20:12; cf. Lev. 20:9; Deu. 5:16 e 27:16). Todas as legislações dos povos, desde as mais antigas, até hoje, nunca se descuidaram de regulamentar sobre o papel da mulher na sociedade humana, como esposa, como amante, como mãe, como filha solteira, etc. Todos esses muitos preceitos legais têm procurado aliviar a situação de inferioridade a que a mulher é reduzida. E, se os movimentos feministas organizados são um fenômeno social mais ou menos recente, isso não significa que só ultimamente elas tenham acordado para os seus direitos e privilégios. Mas, somente agora está começando a haver clima para o reconhecimento desses direitos. Contudo, por uma questão até mesmo de psicologia feminina, a mulher prefere ser dirigida pelo homem, o que ela não quer é ser brutalmente dirigida! E o homem, até por uma questão de psicologia masculina, gosta de proteger as mulheres que estejam sob seu pálio. O ruim é que alguns homens, em vez de se mostrarem ternos e protetores, tornam-se déspotas. Mas todos esses desvios já podem ser explicados como resultantes da queda no pecado, o que fez os seres humanos tornarem-se uns selvagens para com os seus semelhantes. Além disso, nem todas as mulheres são dóceis, mas rebelam-se!

B. Papel da Mulher na Família

No Antigo Testamento, o papel da mulher na sociedade é sempre enfocado dentro das relações domésticas. Na verdade, nos tempos bíblicos, vemos que a mulher passava da família de seu pai para formar uma nova unidade familiar, com seu marido. Não somente na era patriarcal, mas também durante todo o período abarcado pelo Antigo Testamento, o pai exercia responsabilidade primária pelos membros do sexo feminino de sua família, sem importar se a esposa, se as filhas, se as suas irmãs solteiras, se as servas, enquanto essa responsabilidade não fosse transferida, como no caso do casamento de uma filha solteira, por exemplo. Isso pode ser visto nos casos de Abraão e Hagar (Gên. 16:2); de Labão e suas filhas, Lia e Raquel (Gên. 28—31); de Davi e Mical (I Sam. 18:20,27; 19:11-17); de Salomão e suas muitas esposas (I Reis 11:1). Até mesmo as mulheres que enviuvassem podiam esperar certa proteção por parte da família de seus maridos falecidos, conforme se vê na história de Judá e Tamar, ou de Boaz e Rute.

Talvez o papel mais preponderante da mulher, destacado na Bíblia, seja o de *mãe*, embora todos os demais papéis sejam igualmente reconhecidos. Esse papel de mãe era tão importante nos tempos bíblicos que a esterilidade feminina chegava a ser considerada uma maldição divina, porquanto furtava a mulher de uma de suas funções mais importantes na vida. Há casos que a Bíbla destaca com especialidade, como os de Sara (Gên. 17:15), Raquel (Gên. 30) e Ana (I Sam. 1:2).

Os textos bíblicos também chamam a atenção para os deveres domésticos femininos, como os de fabricar o pão, costurar, carregar água e prover outras coisas necessárias para si mesma, para seu marido e para seus filhos. Cf. Gên. 18:6; 24:11,13-16,19,20; 27:9; 29:6; Pro. 31:10-31; Êxo. 2:16; 35:26; I Sam. 2:19; 9:11; 24:18 *ss*; II Sam. 13:8; Juí. 4:18; II Reis 4:8-10. E a posição secundária da mulher, em relação ao homem, transparece até mesmo no décimo mandamento, onde a mulher é mencionada especificamente: «Não cobiçarás a mulher do teu próximo...» Note-se que não há nenhum mandamento equivalente, dirigido às mulheres, que diga algo como «Não cobiçarás o marido de tua próxima...» Isso dá a impressão de que a mulher era tratada mais ou menos como uma possessão do homem e não como uma pessoa com direitos iguais. Outro fato que mostra a posição secundária da mulher é que uma filha poderia tornar-se herdeira de seu pai, mas somente se não tivesse algum irmão, mesmo que ela fosse a primogênita. Além disso, se uma filha única se casasse com alguém de outra tribo, a herança não podia ser perdida pela tribo à qual ela pertencia, a menos que o seu marido passasse a assumir o nome de família daquela mulher (ver Núm. 27:1-8; 36:6-9; Nee. 7:63). No caso de mulheres solteiras e jovens, era algum irmão mais velho que cuidava delas (ver Gên. 31:14,15). As viúvas jovens e sem filhos, podiam casar-se com um cunhado solteiro, segundo a disposição da lei do levirato (vide), o que foi precisamente o caso de Rute.

Um caso espinhoso para a mulher era o *divórcio* (vide), pois, até mesmo dentro das justas estipulações da lei mosaica (que, entretanto, foram estabelecidas cedendo um pouco diante da dureza dos corações humanos; ver Mat. 19:3-12, especialmente o vs. 8, que diz: «Por causa da dureza do vosso coração é que Moisés vos permitiu repudiar vossas mulheres; entretanto, não foi assim desde o princípio»), o homem é quem saía ganhando na transação. Todavia, apressamo-nos a ajuntar que o Antigo Testamento procurava minimizar as possibilidades de divórcio, mostrando-se cuidadoso em ensinar que Deus desfavorecia a prática. Cf. Deu. 22:13 *ss*; 24:1 *ss*; Isa. 50:1; Jer. 3:8. Malaquias foi muito explícito quanto a isso, onde se lê: «...ninguém seja infiel para com a mulher da sua mocidade. Porque o Senhor Deus de Israel diz que odeia o repúdio...» (Mal. 2:15,16). Trataremos mais detidamente sobre a questão da moralidade, por parte da mulher, um pouco mais abaixo. Contudo, compete-nos aqui frisar que um dos *primeiros papéis* da mulher, dentro das relações matrimoniais, era o de satisfação sexual que ela podia dar ao homem. Isso fica implícito nas narrativas iniciais da Bíblia, como em Gên. 1:26-28 e 2:18-25; e o livro de Deuteronômio chama repetidas vezes a atenção para a dimensão sexual do relacionamento marido-mulher. Assim é que, nesse livro, até uma mulher cativa podia casar-se com um israelita, se este se sentisse atraído por sua beleza física. E, uma vez que uma mulher cativa se tivesse casado com um homem israelita, então deixava de ser apenas uma prisioneira, e passava a assumir um novo papel na sociedade israelita (cf. Deu. 21:10-14). E também lemos em Deuteronômio 24:5: «Homem recém-casado não sairá à guerra, nem se lhe imporá qualquer encargo; por um ano ficará livre em sua casa e promoverá felicidade à mulher que tomou». Essa passagem mostra que a Bíblia não reconhece somente os direitos sexuais do homem sobre a mulher, mas também os direitos sexuais da mulher sobre o homem. E, à medida que vamos folheando o Antigo Testamento, essa idéia vai-se tornando mais e mais clara, mediante preceito ou exemplo. E chega-se a um ponto culminante, quanto a essa questão, em Cantares de Salomão, onde o amor conjugal e seus prazeres físicos são abordados sem embaraço algum, por mais que corem aqueles dotados de espírito vitoriano! É que as Escrituras Sagradas não encaram a sexualidade humana como algo sujo e pecaminoso, e, sim, como uma bênção divina a ser desfrutada, entre outras bênçãos, embora sempre dentro dos limites do certo e correto! O que a Bíblia condena é o sexo distorcido, viciado, fora das relações normais do matrimônio. Haja vista o que Paulo escreveu a Timóteo: «...o Espírito afirma expressamente que, nos últimos tempos alguns apostatarão da fé, por obedecerem a espíritos enganadores e a ensinos de demônios, pela hipocrisia dos que falam mentiras... que proíbem o casamento...» (I Tim. 4:1-3).

Finalmente, nesta seção queremos destacar o papel da mulher como um dos dois esteios da moralidade da família, o outro esteio sendo o marido. Logo no começo de Provérbios aprendemos isso. «Filho meu, ouve o ensino de teu pai, e não deixes a instrução de tua mãe. Porque serão diadema de graça para a tua cabeça e colares para o teu pescoço» (Pro. 1:8,9). Cf. ainda Pro. 6:20; 10:1; 15:20; 20:20 e 23:22.

C. Mulheres como Líderes na Sociedade

Em Israel, houve mulheres que participaram ativamente na vida política da nação, mormente no período da monarquia. Assim, Bate-Seba, mãe de Salomão, chegou a manobrar os eventos, já nos fins do reinado de Davi, garantindo para seu filho o trono (I Reis 1—3). E as reformas políticas e religiosas, instituídas pelo rei Asa, de Judá, incluíram a remoção de sua rainha-mãe, Maaca (I Reis 15:9 *ss*), que estava exercendo uma influência negativa sobre o reino. No décimo primeiro capítulo de II Reis ficou registrado o caso de uma rainha e da irmã de um ex-monarca, ambas lutando pelo controle do trono. Porém, os nomes de Débora e Jezabel estarão para sempre ligados com grandes feitos femininos, em Israel, nos campos militar e político. E assim, embora o escritor do livro apócrifo de Eclesiástico mencione somente grandes líderes masculinos da história de Israel, o texto bíblico tem o cuidado de reconhecer os efeitos, tanto positivos quanto negativos, que as mulheres exerceram na história do povo antigo de Deus. E o cântico de Débora também reconhece o papel desempenhado por Jael, esposa de Heber, que matou Jabim, rei de Canaã (ver Juí. 4:2,17,23,24). E a perversa e idólatra Jezabel aparece simbolicamente, como os efeitos da idolatria na igreja de Tiatira (ver Apo. 2:20). Todavia, a Bíblia também reconhece que quando os homens de uma nação desistem do mando, e entregam as rédeas às mulheres, isso representa uma queda vertiginosa nas forças vivas da nação. «Os opressores do meu povo são crianças, e mulheres estão à testa do seu governo. Oh! povo meu! os que te guiam te enganam, e destroem o caminho por onde deves seguir» (Isa. 3:12).

D. Moralidade e Idealismo Espiritual

O papel desempenhado por Eva, no episódio da queda do gênero humano no pecado, introduz um importantíssimo capítulo nos ensinos do Antigo Testamento sobre a moralidade. Entretanto, somente no Novo Testamento a mulher é um tanto redimida das acusações nesse sentido, quando o apóstolo Paulo escreve: «E Adão não foi iludido, mas a mulher, sendo enganada, caiu em transgressão» (I Tim. 2:14). Isso redime a mulher porque, como um ser mais fraco que Adão, ela foi enganada por Satanás. Adão, em contraste, sabia perfeitamente o que estava fazendo, pelo que a culpa caiu totalmente sobre ele. Porém, não teria ele também agido por amor de Eva? Mas, voltando à mulher, a chave da moralidade feminina reside em sua sexualidade e, em conseqüência, o resultado da queda no pecado refletiu-se com maior proeminência sobre as questões sexuais femininas, conforme também já vimos (cf. Gên. 3:16). Nem por isso, a mulher deixou de ser «ajudadora» do homem, alguém que lhe fosse «idônea», o que aponta não somente para o fato de que a mulher complementa espiritualmente ao homem, mas até mesmo anatomicamente. É por isso que a atração do homem pela mulher e vice-versa é um dos mais fortes impulsos naturais no ser humano. E também é por isso que o homossexualismo, tanto o masculino quanto o feminino, representa distorções da sexualidade que a Bíblia considera uma das mais imundas abominações. Ver os dois artigos separados: *Vícios* e *Homossexualismo*. — O código mosaico, pois, determinava os castigos mais severos para aqueles que violassem essas questões sexuais, viciando-as. Ver, por exemplo, Lev. 20:13.

Essa questão da sexualidade feminina assume proporções espirituais no livro de Oséias, onde o adultério literal ilustra o *adultério espiritual*. Assim como a idolatria furta um homem de sua relação salvadora com *Yahweh*, assim também a imoralidade sexual, sem importar se for a fornicação, o adultério, a bestialidade, o homossexualismo, ou o que for, rouba o ser humano de sua mais elevada potencialidade para as realizações espirituais. O fato do povo de Israel ter-se «prostituído» é freqüentemente mencionado. Cf. Isa. 1:21; 23:15-17; Jer. 3:1-8; Eze. 16:15-41, só para exemplificar, onde se vê que Deus estava falando da prostituição religiosa e espiritual.

Como não há pecado que o Senhor não perdoe, até as prostitutas podem ser perdoadas, contanto que, realmente, se convertam e abandonem sua vida prostituída. É o caso de Raabe, que não somente foi perdoada, mas também veio a tornar-se um dos grandes modelos femininos de fé. Ver Jos. 6:17-25; Heb. 11:31 e Tia. 2:25. Já a mulher Jezabel mostrou ser a antítese de Raabe, porquanto morreu na impenitência, querendo mostrar-se coquete até o fim (I Reis 16:21; II Reis 9:7-37; Apo. 2:20).

Muitos servos de Deus acabaram caindo em transgressão por causa de alguma mulher. Um dos casos mais notáveis é o de Sansão e Dalila. Mas também poderíamos chamar a atenção para Judá e Tamar, sua própria nora (Gên. 38:1—26), para Davi e Bate-Seba, esposa de um de seus heróicos guerreiros (II Sam. 11:3), ou para Amom e Tamar, que eram meio-irmãos um do outro (II Sam. 13:10).

No mundo gentílico, a prostituição quase sempre fazia parte dos cultos pagãos. Esses cultos, em muitos casos, eram dirigidos por sacerdotisas que se prostituíam, e que, com o dinheiro assim arrecadado, financiavam sua religião. Tais práticas foram rigidamente vedadas aos israelitas (ver Lev. 19:29; 20:6-9; Deu. 23:17). A influência maléfica do baalismo, uma dessas religiões pagãs, sempre representou uma tremenda ameaça para os elevados padrões morais em que o povo de Deus deveria conservar-se, e parece que o povo de Israel nunca conseguiu obter grande sucesso para libertar-se dessas formas degradantes de culto (ver I Reis 14:24; 15:12; 22:46; II Reis 23:7; Osé. 4:14). Talvez seja mais fácil acabar com o carnaval, no Rio de Janeiro!

Assim, embora algumas mulheres tivessem sido símbolos dos mais elevados *ideais espirituais*, como Ana (I Sam. 1 e 2), ou como Maria, mãe de Jesus, só para mencionar algumas poucas mulheres virtuosas, muitas outras mulheres destacaram-se como causas ou como envolvidas em pecados e vícios como ciúmes, ambição, orgulho, idolatria e prostituição. Uma mulher podia e continua podendo ser causa de queda de um homem piedoso, como foi o caso de Dalila, com Sansão; ou, então, como Ester, podendo ser mulher que serve de coluna a uma família, a um reino, a um povo. O livro de Provérbios concentra muito a sua atenção sobre esse ponto. Basta-nos considerar uma dessas passagens de Provérbios, como representante de muitas outras, de natureza similar. «O bom siso te guardará... para te livrar da mulher adúltera... a qual deixa o amigo da sua mocidade e se esquece da aliança do seu Deus; porque a sua casa se inclina para a morte, e as suas veredas para o reino das sombras da morte...» (Pro. 2:11 *ss*). Ver também Pro. 5:3,20; 6:24; 7:5-10; 9:13; 21:19; 22:14. Essa mulher *estrangeira*, como ela é chamada várias vezes, palavra cujo sentido moderno seria «prostituta», é contrastada com a *mulher graciosa*, de Pro. 11:16. Mas o texto clássico acerca da mulher virtuosa encontra-se em Provérbios 31:10-31. A leitura atenta desse trecho mostrará o papel glorificado que as mulheres virtuosas ocupavam na vida e no pensamento dos homens de Deus no Antigo Testamento.

E. A Mulher como Membro da Comunidade em Aliança com Deus

Coisa alguma ilustra tão bem a elevada posição da mulher, no ensino do Antigo Testamento, do que o seu desempenho na vida religiosa do povo de Israel. Certas mulheres tiveram uma espiritualidade superior a dos homens de suas épocas, como se vê no caso de Débora, de Ana, de Joquebede, de Rute, de Maria, de Priscila, etc. Mulheres tomaram parte, na adoração de Israel, nos mais diversos campos, como bordadeiras (ver Pro. 31:19), como cantoras (ver II Crô. 35:25), como profetisas (ver Hulda — II Reis 22:14 e II Crô. 34:22; Miriã—Êxo. 15:20; Débora—Juí. 4:4; e a esposa de Isaías—Isa.8:3). E também houve «falsas profetisas», como Noadia (Nee. 6:14). Todo o leitor do Antigo Testamento adquire a impressão de que, em Israel, a posição da mulher era muito superior à das mulheres dos povos gentílicos. Sua liberdade pessoal era maior, ela podia se ocupar em atividades que, entre outros povos eram privilégios exclusivos de homens, e ela mesma era mais respeitada como ser humano.

IX. A Mulher no Novo Testamento: Sumário

O Novo Testamento está totalmente alicerçado sobre as tradições veterotestamentárias, no tocante à mulher e suas condições na comunidade redimida e no mundo. Quanto a certos pontos, o ensino neotestamentário sobre a mulher é mais claro; quanto a outros, mais problemático e difícil de deslindar.

A. Na Vida e no Ministério de Jesus

Os evangelhos estão repletos de referências a mulheres, diretamente envolvidas na vida e no ministério de Jesus. A primeira delas é logo a sua própria mãe, Maria. Em Maria cumpriu-se a promessa feita por Deus ao primeiro casal, Adão e Eva: «Porei inimizade entre ti (Satanás) e a mulher, entre a tua descendência e o seu descendente. Este te ferirá a cabeça, e tu lhe ferirás o calcanhar» (Gên. 3:15). O descendente da mulher é Jesus Cristo. É evidente que a importância de Maria, na vida de Jesus, não se deveu a alguma participação que ela tivesse tido no ministério dele e, sim, devido à sua relação maternal com ele. Durante o ministério terreno de Cristo, Maria se conservou em segundo plano. Todavia, quem mais do que ela para moldá-lo em seus anos formativos, da infância e da meninice? E, se Maria tanto contribuiu para a formação moral e religiosa de Jesus, sem dúvida, o mesmo sucedeu no caso de Isabel e seu filho, João Batista (ver Luc. 1:5-25,39-66). Um dos lances mais interessantes da vida adulta de Jesus, com sua mãe, encontra-se historiado em João 2:1-12. No casamento de Caná da Galiléia, foi Maria quem disse a Jesus que os noivos não tinham mais vinho para servir aos convidados. A isso Jesus respondeu de uma maneira que soa estranha para os nossos ouvidos ocidentais: «Mulher, que tenho eu contigo? Ainda não é chegada a minha hora». Jesus estava mostrando que, na qualidade de Messias, ele não podia mais agir em dependência à sua mãe. Não obstante, Maria não ficou ressentida com a resposta, mas recomendou aos serventes:

«Fazei tudo o que ele vos disser». E foi assim que Jesus transformou a água em vinho, o primeiro dos seus milagres. E o resultado foi que «...os seus discípulos creram nele». Outro notável lance da vida de Jesus e Maria foi por ocasião de sua crucificação. Voltando-se para Maria, perto da cruz com João, o discípulo amado, Jesus disse a Maria: «Mulher, eis aí o teu filho». Em seguida, disse para João: «Eis aí a tua mãe». Jesus não deixou de ser o filho de Maria, até o seu último instante, e cuidou para que alguém tomasse conta dela. E os irmãos de Jesus? Até ali não se tinham convertido, e não saberiam cuidar de Maria como era devido! João, provável primo distante de Jesus, aceitou a incumbência, pois lemos: «Dessa hora em diante, o discípulo a tomou para casa». Ver João 19:25-27.

E os evangelhos também aludem a diversas mulheres, que acompanharam a Jesus bem de perto, durante o seu ministério, como Maria Madalena, Maria, a mãe de Tiago e José, a outra Maria, a mãe dos filhos de Zebedeu, Tiago e João, e Maria e Marta, irmãs de Lázaro.

O Senhor Jesus atendia a pedidos de homens e de mulheres, igualmente, se estivessem alicerçados no direito e na fé. Mas, dentre todas as petições feitas a Jesus. por alguma mulher, a mais impressionante é a da mulher siro-fenícia: «Senhor, socorre-me!» pedira ela. A isso Jesus replicou: «Não é bom tomar o pão dos filhos e lançá-lo aos cachorrinhos». Mas ela insistiu: «Sim, Senhor, porém, os cachorrinhos comem das migalhas que caem da mesa dos seus donos». Para ela, bastava uma migalha da misericórdia de Jesus. E Jesus disse: «Ó mulher, grande é a tua fé! Faça-se contigo como queres» (ver Mat. 15:21-28).

Entre outros milagres de Jesus, atendendo ao pedido de alguma mulher, poderíamos mencionar a cura da mulher hemorrágica (Luc. 8:43 *ss*), a ressurreição do filho único da viúva de Naim (Luc. 7:11-17), e a ressurreição de Lázaro, a pedido de Marta e Maria (João 11:17-43).

Ao mesmo tempo, com freqüência, Jesus dirigiu suas instruções a mulheres, ou, então, utilizou-se da mulher como ilustração de verdades espirituais: em uma de suas parábolas, uma mulher perdeu uma moeda (Luc. 15:8); em uma outra parábola, duas mulheres estariam moendo juntas, imediatamente antes da *parousia*, ou segunda vinda do Senhor (ver Luc. 17:35); em Sicar, uma mulher de reputação duvidosa entra em diálogo com o Senhor, e acaba sendo salva (João 4:1-42). E, na questionável passagem de João 7:53—8:11, Jesus impede que uma mulher seja apedrejada, após haver sido apanhada em flagrante adultério.

Também podemos nota que, em sua última jornada a Jerusalém, onde seria crucificado, lemos que mulheres acompanhavam-no pelo caminho (Mat. 27:56,57); estiveram presentes à cena da crucificação, postando-se de longe (Luc. 23:49); prepararam o seu corpo para o sepultamento, com especiarias e ungüentos (Mat. 27:61; Luc. 23:55,56); na manhã da ressurreição foram as primeiras pessoas a chegarem ao túmulo dele (Mat. 28:1; Mar. 16:1; Luc. 24:1; João 20:1); e, finalmente, foram as mulheres as primeiras a ver o Senhor ressurrecto, triunfante sobre a morte (Mat. 28:9; Mar. 16:9 e João 20:14).

Alguns poucos estudiosos e escritores, ao longo dos séculos, têm conjecturado que Jesus talvez se tivesse casado. Há tradições antigas, que a Igreja Católica Romana preserva, que dizem que a esposa de Jesus era Maria Madalena. Não obstante, nem a Bíblia diz isso e nem tem sido possível comprovar tal coisa por meio de qualquer fonte informativa. Uma questão como essa não teria ficado em silêncio na Bíblia. Sabemos que as tradições se preocupam, entre outras coisas, na tentativa de preencher aquilo que os homens sentem ser um vácuo de informação. Já que o Novo Testamento não fala sobre a suposta esposa de Jesus, alguns criaram para ele uma mulher! Pelo contrário, tudo leva a indicar que o Senhor Jesus não era casado. De certa feita, ele disse: «As raposas têm seus covis e as aves do céu, ninhos; mas o Filho do homem não tem onde reclinar a cabeça» (Mat. 8:20). Logo, se Jesus era casado, então sua imaginária esposa também teria de ficar andando com ele, morando por debaixo das pontes, como se diz hodiernamente. Não que fosse errado ou pecaminoso Jesus ter-se casado, mas isso de uma mulher secreta que Jesus teria em algum lugar, não passa de uma das piores blasfêmias que mentes perdidas e enlouquecidas pelo pecado já inventaram!

B. Na Igreja Primitiva

Na narrativa do que sucedeu aos discípulos, após a ascensão do Senhor Jesus, é descrito um grupo de cento e vinte pessoas, reunidas em Jerusalém, e entre elas são destacadas tanto Maria, a mãe de Jesus, quanto «as mulheres» (Atos 1:14). A igreja cristã em Filipos devia sua existência à conversão de Lídia, negociante de panos tingidos de púrpura (Atos 16:14,40). Essa narrativa também relata como a igreja de Jerusalém, que costumava reunir-se na casa de Maria, mãe de João Marcos, conseguiu a soltura de Pedro, da prisão, à força de suas orações (Atos 12:6-17). A importância de Priscila e de seu marido, Áquila, é sublinhada no relato sagrado, porquanto esse casal se esforçava por propalar a fé por muitos lugares. (Atos 18:2,18,26; Rom. 16:3; I Cor. 16:19; II Tim. 4:19).

Mui equivocadamente, a recomendação apostólica de que as mulheres deveriam manter-se caladas nas reuniões das igrejas tem sido interpretada por alguns como se fosse uma indicação de que os apóstolos tinham *preconceitos* contra as pessoas do sexo feminino! Estariam em foco, principalmente, Paulo e Pedro. Ver I Cor. 14:33-36; I Tim. 2:11,12; I Ped. 3:1.

Eles deram esse conselho mormente para evitar que a reputação das mulheres crentes pudesse ser injustamente atacada, porquanto que elas estivessem em submissão até a «lei» assim o determinasse. Paulo era solteiro não porque estivesse prevenido contra as mulheres, mas porque receberá de Deus uma graça para tanto, segundo ele mesmo dá a entender em I Coríntios 9:5 e 7:7. Pedro era casado, tanto é que Jesus curou-lhe a «sogra» (ver Mar. 1:29-31). Nas saudações finais da epístola aos Romanos, Paulo menciona nada menos de oito mulheres, por seus nomes: Febe, Prisca (Priscila), Maria, Trifena, Trifosa, Pérside, Júlia e a irmã de Nereu. Lóide e Eunice, mãe e avó de Timóteo, foram altamente elogiadas pelo apóstolo dos gentios (II Tim. 1:5; 3:14,15). Assim, embora as instruções de Paulo, acerca das mulheres, possam parecer um tanto ou quanto severas, não nos devemos esquecer que ele falava para uma geração que tratava as mulheres com muito maiores limitações e imposições, e ele não queria que as mulheres crentes fossem consideradas levianas. Outrossim, Paulo não se furtou em ensinar que, simbolicamente, a Igreja é a esposa de Cristo; e a Igreja ocupa uma posição cêntrica no doutrinamento paulino (ver Efé. 4:21-32; cf. Apo. 19:1-10). Ninguém procurou ensinar, com maiores pormenores, as questões domésticas e os relacionamentos entre os sexos, do que Paulo. Na primeira epístola aos Coríntios Paulo reserva nada menos de sessenta e sete versículos que, de uma forma ou de outra, estão vinculados ao assunto, sob vários ângulos. E ele também refere-se mais ou menos longamente ao problema, nas suas epístolas pastorais (I e II Timóteo e Tito), sem falar em instruções mais breves, aqui e acolá. É que ele muito precisava ensinar aos gentios que se estavam convertendo ao cristianismo, a fim de que sua vida fosse moral e correta, sobretudo nessa questão da sexualidade humana!

C. As Profetisas e Diaconisas da Igreja Primitiva

O vocábulo «ofício», no tocante a profetisas e diaconisas, talvez seja por demais eclesiástico. Mas, não há nada de errado nisso. As filhas de Filipe, em Atos 21:8,9, são descritas como segue: «Tinha este (Filipe) quatro filhas donzelas, que profetizavam»; e, em Romanos 16:1, Paulo descreveu Febe como «...a nossa irmã... que está servindo à igreja de Cencréia» (no grego, *oũsan kai diákonon tès ekklesías*). O termo grego *diákonos* tanto pode indicar um «diácono» quanto uma «diaconisa». E, nos trechos de I Coríntios 14:33-35; I Timóteo 2:11,12 e I Pedro 3:1 *ss*, é impossível determinar se as pessoas envolvidas seriam homens ou mulheres. O mais provável é que ambos os sexos estejam ali envolvidos, em face da intensa participação da mulher, nas atividades das Igrejas locais. O *diaconato* é o único *ministério* da ação, no Novo Testamento, ao passo que os *ministérios da palavra* são quatro: apóstolos, profetas, evangelistas e pastores e mestres. Em que pese o importante papel da mulher crente, na Igreja cristã primitiva, não se encontra no Novo Testamento qualquer menção a mulheres que ocupassem o apostolado, que ocupassem o ofício ministerial de evangelistas ou que fossem pastoras ou mestras. O que se ouve é que, às mulheres crentes, era vedado ensinar a seus irmãos. «A mulher aprenda em silêncio, com toda a submissão. E não permito que a mulher ensine, nem que exerça autoridade sobre o marido; esteja, porém, em silêncio» (I Tim. 2:11,12). Por conseguinte, erram as igrejas e denominações que permitem um ministério oficial de mulheres. Não creio que o Espírito de Deus se ajuste aos costumes modernos de alguns, que falam em pastoras e mestras em suas igrejas. E ser ministro da Palavra não é uma questão de autonomeação, e não se lê no Novo Testamento que o Senhor chama a mulheres para o ministério de pregação da Palavra, embora elas possam ensinar particularmente a quem quer que seja! A administração das Igrejas é sempre entregue a crentes do sexo masculino, pelo Espírito Santo! Apesar desse reparo, reconhecemos e até encorajamos a participação feminina em tantas outras atividades nas Igrejas locais, sem que isso contradiga, em coisa alguma, as instruções baixadas por Paulo e por Pedro quanto a essa particularidade.

D. Padrão de Conduta das Mulheres Crentes

Os ensinamentos de Jesus Cristo a respeito do divórcio, tinham o intuito de proteger os direitos das mulheres; e o restante do Novo Testamento somente reforça a ênfase veterotestamentária quanto ao papel primário que deveria ser desempenhado pelas mulheres, a saber, um papel eminentemente doméstico. É claro que não pretendemos legislar para o mundo, e nem o Novo Testamento foi escrito para mudar a face da sociedade, e, sim, tão-somente para regulamentar a vida dos crentes, dos verdadeiros seguidores de Jesus Cristo. Como cidadão ou cidadã, que cada pessoa obedeça à legislação vigente em seu país. Mas, que cada crente, seja homem ou mulher, nessa qualidade obedeça à Palavra de Deus. Qualquer desobediência ou desatenção aos preceitos da Palavra de Deus sujeita o crente a responder diante do tribunal de Cristo (II Cor. 5:10; Rom. 14:10).

As instruções de Jesus dão a entender que o divórcio predispunha a mulher a uma vida de prostituição, meramente se ela quisesse sobreviver, porquanto o mercado de trabalho estava fechado para as mulheres, e somente de algumas poucas décadas para cá começou a abrir-se francamente. Diz Jesus, em Mateus 5:32: «Eu, porém, vos digo: Qualquer que repudiar sua mulher, exceto em caso de relações sexuais ilícitas, a expõe a tornar-se adúltera...» Paralelamente a isso, deveríamos levar em conta as instruções paulinas, em I Coríntios 7:3,4. «O marido conceda à esposa o que lhe é devido, e também semelhantemente a esposa ao seu marido. A mulher não tem poder sobre o seu próprio corpo e, sim, o marido; e também, semelhantemente, o marido não tem poder sobre o seu próprio corpo e, sim, a mulher». Destarte, Paulo preconizava direitos conjugais e de leito iguais para o homem e para a mulher, de tal maneira que nem o homem podia dispor seu corpo físico para sua satisfação pessoal e egoísta, e nem a mulher podia fazer tal coisa. Antes, cada um viveria para satisfazer sexualmente ao outro.

Não obstante, Paulo se mostra insistente quanto à modéstia feminina, no tocante a questões como vestuário e cabelos (ver I Cor. 11:2-16, para exemplificar). Em um meio ambiente social onde o uso de cabelos curtos, por parte da mulher, era sinônimo de devassidão, a mulher crente não podia dar essa falsa impressão, cortando seus cabelos aparados. Naturalmente, hoje em dia, tal preceito perde muito de sua força literal, embora o princípio espiritual permaneça o mesmo: a mulher deve conduzir-se de tal maneira que não pareça uma oferecida aos homens! Ninguém vive solitário, mas todos vivemos no meio da sociedade humana, e todos devemos ter o cuidado de não ferir sensibilidades e de não dar falsas impressões aos nossos semelhantes. Mas, especificamente no tocante às relações do casamento, marido e mulher deveriam ter como seu modelo Cristo e a sua esposa mística, a Igreja—o Senhor a ama e protege; e a Igreja lhe é submissa e obediente (ver Efé. 5:21—23, um tema reiterado em Tito 2:1-10 e I Pedro 3:1-7).

E. Perversões Sexuais

O ministério de Jesus Cristo parece ter atraído muitos párias sociais, incluindo as meretrizes (cf. Luc. 7:36-50; João 7:53—8:11; 4:1-42); mas a disciplina da Igreja visava, especialmente, aqueles que violassem o sétimo mandamento, conforme se vê nos capítulos cinco e seis de I Coríntios. Na verdade, na comunidade cristã de Corinto esse particular requereu uma atenção toda especial do apóstolo dos gentios, pois a situação chegara a um extremo insuportável: «Geralmente se ouve que há entre vós imoralidade, e imoralidade tal como nem mesmo entre os gentios, isto é, haver quem se atreva a possuir a mulher de seu próprio pai» (I Cor. 5:1). Pode-se imaginar coisa pior do que isso? e entre pessoas que se diziam seguidoras de Cristo?

O ato sexual não é um mero ato físico, porquanto estão envolvidas até mesmo as energias da alma. A crer na teoria do traducionismo, segundo a qual os pais transmitem aos filhos não somente a parte física, mas também a alma (ver sobre o *Traducionismo*), então esse ato reveste-se da maior seriedade e solenidade. Por isso mesmo, qualquer tipo de perversão sexual assume as mais graves proporções. Consideremos este trecho das instruções paulinas: «Fugi da impureza! Qualquer outro pecado que uma pessoa cometer, é fora do corpo; mas aquele que pratica a imoralidade peca contra o próprio corpo.

Acaso não sabeis que o vosso corpo é santuário do Espírito Santo que está em vós, o qual tendes da parte de Deus, e que não sois de vós mesmos?» (I Cor. 6:18,19). Que os incrédulos estranhem que não concorramos «com eles ao mesmo excesso de devassidão» (I Ped. 4:4). Nada poderemos fazer acerca deles, pois são hedonistas por natureza; mas, quanto a nós, servos de Deus, devemos levar em conta o grande valor da santidade de nossos corpos físicos. «Porque fostes comprados por preço. Agora, pois, glorificai a Deus no vosso corpo» (I Cor. 6:20).

Em vista do exposto, como o crente, homem ou mulher, poderia viver na imoralidade? Como poderia trocar-se com as prostitutas e os prostitutos deste mundo? Ver também Efé. 5:21-23. A questão assume ainda uma maior seriedade quando aprendemos que a promiscuidade sexual é um dos grandes sinais dos «últimos dias», de acordo com os ensinamentos específicos tanto de Jesus quanto de Pedro. Meditemos sobre estas palavras de nosso Senhor: «Pois assim como foi nos dias de Noé, também será a vinda do Filho do Homem. Porquanto, assim como nos dias anteriores ao dilúvio, comiam e bebiam, casavam e davam-se em casamento, até o dia em que Noé entrou na arca, e não o perceberam, senão quando veio o dilúvio e os levou a todos, assim será também a vinda do Filho do homem» (Mat. 24:37-39). Imediatamente antes de Noé, os homens viviam preocupados em satisfazer aos seus apetites básicos: comiam e bebiam, casavam e davam-se em casamento, no dizer de Jesus. O embotamento deles era tanto, a preocupação deles com essas coisas era tão dominante que eles nada «perceberam» senão quando o dilúvio já estava matando a todos! E o apóstolo Pedro ajunta a isso: «...porque o Senhor sabe livrar da provação os piedosos, e reservar, sob castigo, os injustos para o dia de juízo, especialmente aqueles que, seguindo a carne, andam em imundas paixões...» (II Ped. 2:9,10).

Vivemos na época da glorificação do sexo. Os homens andam dizendo que cada um tem o direito de usar sua sexualidade à sua maneira, sem importar que outros a considerem distorcida, contanto que eles assumam o seu vício. Diante dessa pressão, até mesmo a legislação de alguns países está reconhecendo os supostos direitos dos pederastas e das lésbicas. Trocas de casais, sexo grupal e muitos outros desvios são anunciados até mesmo nos jornais. Toda essa promiscuidade, entretanto, não haverá de esperar até o juízo para que comece a produzir seus efeitos daninhos. Basta que nos lembremos dos aidéticos, que se multiplicam em números assustadores nos países de moralidade mais baixa, como são o caso dos Estados Unidos da América, do Brasil e da França. Mas não se pense que as outras nações estejam livres da AIDS. Esta, porém, que é apenas um enfraquecimento do sistema imunológico do organismo humano, ceifa apenas a vida física. O pecado, que atinge a própria alma com sua mortífera virulência, está ceifando almas humanas eternas, condenando-as ao julgamento. Entrementes, quanto a este último e pior efeito, nem as autoridades sanitárias e nem o público em geral estão despertos. Pelo contrário, continuam sem nada «perceber», tal como sucedia nos dias de Noé.

Não nos regozijamos, sob hipótese alguma, diante da miséria humana, mas não desconhecemos que essa imoralidade generalizada, na civilização moderna, prenuncia, entre vários outros sinais, o segundo advento de Jesus Cristo. Por isso mesmo, sabendo da condenação que paira sobre homens e mulheres cuja mente, sentimentos e atos giram em torno do sexo, em suas piores manifestações, lançamos aqui um apelo aos crentes para que rejeitem essa lassidão moral que se tem tornado tão evidente em todas as facetas da nossa cultura!

MULHER, CONSAGRAÇÃO DA MULHER

1. A Proposta Justificação Bíblica

As funções da mulher sempre apareceram subordinadas às funções do homem (ver Gên. 3:16; 18:11 *ss*, Juí. 13:3; Luc. 1:26 *ss*; I Tim.2:15). Outro tanto, porém, não pode ser dito no tocante à condição, capacidade e destino espirituais da mulher (ver Gên. 1:26-28; Êxo. 25:20 *ss*; Luc. 10:39-42; João 11:21-27; Atos 17:4; Gál. 3:28). E alguns argumentam que, em vista dessa igualdade espiritual, a mulher também é candidata à ordenação para várias funções ministeriais. Mas, contra esse argumento, é alegado que as Escrituras fazem total silêncio sobre a questão, porquanto nem no Antigo e nem no Novo Testamento há menção a ordenação de mulheres. Devemos seguir não somente preceitos expressos, mas também a força do exemplo. Acresça-se que igualdade espiritual não é a mesma coisa que similaridade de funções, dentro do culto divino. A abordagem paulina é especialmente severa. Se as mulheres nem ao menos podem falar nas igrejas (ver I Cor. 14:34 *ss*), como poderiam elas ser ordenadas ao ministério cristão?

A isso retrucam os outros dizendo que a posição de mulheres como profetisas (ver Atos 2:17 e 21:9) merece ser oficializada por meio da consagração, da mesma forma que se dá com homens. Mas voltam os primeiros e insistem que isso nada tem a ver com *ofícios* eclesiásticos, porque está ligado somente a dons espirituais individuais e funções extra-eclesiásticas. Outrossim, na Igreja primitiva não havia consagração de «profetas»; como pois, poderia haver agora consagração de «profetisas»?

Alguns estudiosos modernos vêem uma contradição irreconciliável nas instruções paulinas, quanto à existência de profetisas na Igreja neotestamentária. Mas parece que o último argumento do parágrafo acima resolve a questão. É verdade que no Antigo Testamento havia profetisas (ver Êxo. 15:20; Juí. 4:4); porém, dificilmente isso tem algo a ver com a moderna questão eclesiástica.

2. As Diaconisas

Um bom caso pode ser constituído em favor da propriedade da ordenação de mulheres para ofícios secundários, como, por exemplo, para o diaconato, pois havia diaconisas na Igreja primitiva. Ver o artigo sobre *Diaconisa*, onde há uma completa discussão sobre esse ofício e sua possível ordenação. Porém, mesmo que pudesse ser provado historicamente que as diaconisas eram ordenadas na Igreja primitiva, só podemos ir até aí, e não que mulheres eram ordenadas para o pastorado ou para outros ofícios eclesiásticos na Igreja cristã, tradicionalmente ocupados por homens.

3. O Problema Moderno

Os estudiosos conservadores, que para tudo buscam prova nas Escrituras, sentem-se incapazes de demonstrar a propriedade de ordenação de mulheres para ofícios tradicionalmente ocupados por homens, como os de pastor, ou, então, de bispos e outros prelados. É por isso mesmo que a Igreja Católica Romana sempre se opôs à ordenação de mulheres para seus ofícios eclesiásticos. E outro tanto acontece na esmagadora maioria dos grupos protestantes e evangélicos conservadores.

Por outro lado, os estudiosos liberais, que pensam

não haver necessidade de textos bíblicos de prova para tudo quanto se faz no cristianismo, não se sentem presos nem às Escrituras Sagradas e nem às tradições. De fato, esses eruditos pensam que essas tradições têm limitado injustamente o potencial de serviço das mulheres, na Igreja cristã. E assim, a fim de fomentarem tanto a posição da mulher como o potencial delas quanto ao serviço cristão, eles têm promovido a idéia da ordenação de mulheres para aqueles ofícios que sempre foram ocupados exclusivamente por homens. É um feminismo eclesiástico, promovido por homens!

A comunidade anglicana está dividida quanto a essa questão. Certos segmentos do movimento carismático têm incluído a ordenação de mulheres como *pastoras*, tal como o fazem algumas denominações protestantes de tendências liberais. Os argumentos em favor da ordenação de mulheres têm apelos bíblicos (conforme vimos acima, embora longe de serem convincentes), humanitários, lógicos (ou racionais) e práticos. No âmago da questão oculta-se o pensamento e o sentimento que as sociedades antigas oprimiam a mulher, e que isso foi herdado pela teologia do Novo Testamento. E assim, segundo os tais, uma era mais iluminada como é a nossa, não precisa fechar-se dentro de atitudes antigas e ultrapassadas. Outrossim, ainda de acordo com a sensação deles, não são as mulheres que exibem uma espiritualidade e uma moralidade mais espontânea que os homens? Portanto, deveríamos encorajá-las, conferindo-lhes posições oficiais no ministério da Igreja!

MULHER, SITUAÇÃO DA

O trecho de João 4:27 mostra-nos que os discípulos de Jesus ficaram admirados por estar ele conversando com uma mulher samaritana. Talvez parte da surpresa é que ela era samaritana, e os judeus não gostavam de manter relações amistosas com os samaritanos. No entanto, havia muito mais do que isso na atitude dos discípulos de Jesus, conforme mostra-nos a seguinte citação: «Um homem não deve entabular conversa alguma com uma mulher, na rua, nem mesmo com a sua própria esposa; e, muito menos ainda, com qualquer outra mulher, para que os homens não venham a murmurar» (Strack and Billerbeck, *Kommentar zum N.T. aus Talmud und Midrasch*, II. 438). Pode-se entender, no entanto, através da literatura rabínica (mediante citações extraídas do Bemidbar Rabga, sec. 10, fol. 200.2), que essa regra contrária à conversa de um homem com uma mulher, em lugares públicos, não visava meramente evitar as murmurações, mas também alicerçava-se na pouca importância em que as mulheres eram universalmente tidas na sociedade judaica (e na maior parte do mundo oriental). Era preferível, segundo eles, queimar a lei a ensiná-la a uma mulher. Outras religiões do mundo não eram e nem são muito diferentes disso. Maomé nada fez para melhorar a condição da mulher, e, evidentemente, pensava que a mulher é uma criatura inferior ao homem. Até os sonhos de uma mulher, segundo Maomé, são inferiores aos sonhos de um homem! Contudo, ele admitia que os sonhos de uma mãe são superiores aos sonhos de outras mulheres.

Os hindus apreciam muito o nascimento de um filho, mas o nascimento de uma filha é reputado um acontecimento de segunda categoria. A obra *Diálogos de Buda* mostra-nos que ele suspeitava de qualquer mulher que se aventurasse a seguir ocupações intelectuais. Nos tempos de Jesus, um ponto debatido era se as mulheres possuiam *alma* ou não. Com base em muitas narrativas que nos chegaram da história antiga, ficamos sabendo que muitas crianças recém-nascidas do sexo feminino eram sufocadas quando nasciam, meramente por capricho do pai (ou, em alguns casos, da própria mãe). É verdade que algumas mulheres obtiveram proeminência no mundo antigo, mas isso já foi uma questão individual. O autor A.W. Verral escreveu francamente a respeito, dizendo que o conceito em que as mulheres eram tidas no mundo antigo foi uma das principais *enfermidades* que mataram as civilizações antigas.

Foi Cristo quem *ressaltou* o valor da mulher. Paulo ensinava, especificamente, que, *em Cristo*, «...não pode haver... nem homem nem mulher...» (Gál. 3:28). Porquanto tanto um quanto o outro podem e devem atingir os mesmos elevadíssimos alvos espirituais.

MULHER ADÚLTERA, TRADIÇÃO DE

Jesus e a mulher adúltera: João 7:53—8:11

Jesus e a mulher apanhada em flagrante adultério. Esta passagem encerra uma das mais notáveis variantes textuais de todo o N.T., especialmente em face do fato de que concerne uma narrativa ou seção inteira e não meramente um versículo ou parte de um versículo, como usualmente sucede. As evidências dadas pelos manuscritos e por outros meios, contra e a favor da autenticidade desta parte, são as seguintes:

Esta seção é retida nos mss DFGHKU, Gamma e muitos manuscritos cursivos de origem posterior, sendo seguidos pelas traduções AC, F, KJ, PH e M, sem qualquer sinal de dúvida quanto à sua autenticidade. Já os mss EMS, Lambda e Fam Pi assinalam a passagem como de autenticidade duvidosa. Os mss P(66), P(75), Aleph, BLNTWX, Delta, Theta, Psi, 33, 157, 892, 1241 e Fam. 1424, além das versões Si, Sah, algumas versões Boh, a versão Arm e a Gót, além dos pais da igreja Clemente, Irineu, Orígenes, Tertuliano, Cipriano e Nonato, omitem o trecho em sua inteireza.

Em outros manuscritos, esta narrativa aparece em lugares diferentes do que vemos aqui. A Fam 13 coloca-a depois do trecho de Luc. 21:38. A Fam L põe-na no final do evangelho de João. O ms 225 situa-a após João 7:36. Tudo isso serve para mostrar-nos que a localização exata deste relato não teve lugar definitivo durante muitos séculos.

Essa narrativa, outrossim, não faz parte de qualquer manuscrito grego, senão já no século V de nossa era, com o codex D. Nenhum dos pais da igreja se refere ao episódio durante os primeiros onze séculos depois de Cristo. A evidência textual avassaladora (incluindo o testemunho de todos os papiros que possuímos deste quarto evangelho, que são os representantes mais antigos de que dispomos do evangelho de João), bem como o testemunho dos pais da igreja cristã, é que essa narrativa não passa de um exemplar de tradição flutuante, que subseqüentemente foi aninhada em diversos lugares, dentro dos evangelhos. Os manuscritos posteriores, que contêm essa história, por sua vez, dão bom número de variedades sobre a narrativa.

Alguns eruditos acreditam que embora a história não faça parte original do registro dos evangelhos, não obstante é um incidente autêntico da vida de Jesus Cristo, tendo sido preservado no conhecimento de alguns segmentos da igreja cristã, até que finalmente escribas posteriores encaixaram-na em um dos evangelhos — Lucas ou João. Se essa crença expressa a verdade, então essa narrativa seria uma daquelas muitas outras coisas que Jesus disse e fez, mas que não foram originalmente registradas no evangelho de João (ver João 21:25). Seria extremamente difícil a alguém provar se essa narrativa tem ou não bases históricas na vida terrena de Cristo, embora ela respire o hálito do Espírito de Cristo.

«A seção que se segue (João 7:53—8:11) é uma das mais notáveis ocorrências de uma indubitável adição ao texto original das narrativas dos evangelhos. Encontraremos razões para crer que ela pertence à época apostólica, e que preservou para nós o registro de um incidente na vida de nosso Senhor, embora não tenha chegado até nós através da pena do apóstolo João». (Ellicott, *in loc.*).

Porém, **embora essa seção** não faça parte dos evangelhos originais, podemos estar *gratos* pela sua preservação, porquanto ilustra admiravelmente bem diversas coisas que precisamos compreender. Vemos nela o espírito empedernido dos fariseus para com uma miserável criatura humana, apanhada em um ato de pecado; vemos a brutalidade deles, ao arrastarem-na até diante de Jesus; vemos a total ausência de misericórdia da parte deles, e o seu pretencioso orgulho; vemos a sutileza com a qual pretendiam apanhar Jesus em uma armadilha, se porventura ele viesse a declarar algo que pudesse ser usado contra ele mesmo, porquanto sabiam que de algum modo Jesus haveria de querer salvar a mulher da morte por apedrejamento. Observamos todas essas características nos indivíduos que se deixam dominar por preconceitos religiosos e disso tudo podemos aprender uma preciosa lição.

Assim preferimos ser semelhantes ao Senhor Jesus, que demonstrou compaixão, que não se exaltou altivamente, mas que mostrou simpatia para com uma criatura humana em grande aperto, uma escrava das paixões humanas. Da parte de Jesus aprendemos, por semelhante modo, que a lei deve ser interpretada espiritualmente, porquanto para Jesus importava muito mais que a mulher se arrependesse e fosse espiritualmente restaurada do que fosse cumprida a austera tradição transmitida por Moisés, que requeria a morte cruel por apedrejamento.

Ora, esse princípio podemos aplicar a todos os aspectos da lei, porque a própria lei não tinha por intenção destruir e, sim, apontar para o homem a grande necessidade de redenção, o que deve basear-se em princípios mais elevados do que a mera atitude de vingança. O próprio Jesus consubstanciou esse espírito mais elevado em sua vida e novamente demonstrou o grande valor de uma alma, à vista de Deus.

É realmente de estranhar que esta narrativa raramente tenha sido considerada como fonte orientadora de julgamento e ação, nos casos de disciplina eclesiástica. Quão freqüentemente se ouve falar de histórias em que algum membro de uma igreja evangélica qualquer, errado em suas ações, mas agora impotente, tenha sido tratado como os fariseus trataram da mulher desta história, tendo sido expulso da igreja, alienado para sempre dos seus membros; e quão raramente alguém, com a mesma atitude de Jesus, se tem adiantado, não em apoio a tal atitude, mas a fim de inserir no julgamento a suave medida de misericórdia, tão necessária em tantos casos dessa natureza. Quão raramente alguém, dotado da mesma atitude do Senhor Jesus, se tem apresentado, a fim de *restaurar*, mediante meios inteligentes, em vez de procurar destruir aos outros, mediante princípios supostamente justos, mas que só se alicerçam nos preconceitos humanos inflexíveis.

MULHER ETÍOPE

Zípora, esposa de Moisés, é chamada de «mulher etíope», em Núm. 12:1. Todavia, em Êxo. 2:21 ela é mencionada como filha de um midianita. Nesta última passagem, a referência mais provável é à Etiópia da Arábia. Entretanto, alguns estudiosos preferem pensar que há ali alusão a uma segunda esposa de Moisés, com quem ele se teria casado, após a morte de Zípora (que vede). Nesse caso, a mulher seria, realmente, da raça negra. Pode-se observar, ao longo da história bíblica dos descendentes de Abraão, que eles misturavam-se em casamento com muito maior freqüência com os camitas do que com os jafetitas, mesmo porque estavam cercados por povos camitas por vários lados.

MULHER FEITA DE COSTELA

Somente duas referências bíblicas contêm a palavra *costela*. A primeira se relaciona com a história da criação, (Gên. 2:21) e a outra com o *urso* da visão de Daniel (7:5) que representa o império medo-persa, um dos cinco impérios universais **daquela visão. As três costelas que o urso tem entre os dentes significam o poder que ele tem para destruir.**

Na história da criação, Deus é representado como tirando uma costela de Adão para fazer Eva. Os intérpretes não concordam sobre este item e dizem: 1. A história é *mitológica*, utilizando elementos do ambiente cultural do tempo. 2. A história é *literal*. Deus realmente fez isto. 3. A história é *simbólica*, a costela simboliza a posição secundária e dependente da mulher em relação ao homem, e a íntima comunhão dos dois, sendo *uma só carne*. Eva também simboliza a Igreja, que se deriva de Cristo, e compartilha a natureza dele (II Ped. 1:4, Rom. 8:29).

MULHER VESTIDA DO SOL — Apo. 12:1,2

Uma mulher vestida do sol, Apo. 12:1. É quase certo que o vidente João tomou por empréstimo o seu simbolismo da religião e da astrologia dos egípcios e dos gregos. O nascimento de Apolo foi retratado de modo similar a esta descrição, — **que fala sobre** a primeira vinda do Messias. A deusa Leto, que levava um filho infante de Zeus, foi perseguida pelo dragão Fiton, por causa de uma predição que dizia que se ela tivesse um filho, este cresceria e, finalmente, venceria àquele dragão. Mas, a fim de impedir isso, Zeus ordenou a Boreas, deus do norte, a levar Leto para Poseidon, dando-lhe refúgio em uma ilha, onde ela deu nascimento a Apolo. Depois disso, o dragão foi para o Parnasso. Algum tempo mais tarde, Apolo cumpriu a predição, matando o dragão.

O mito egípcio de Ísis também concorda bem de perto com o simbolismo deste versículo e do contexto que se segue. (Ver Plut. *de Iside*, 51). Ísis deve ser identificada com Virgo, uma constelação do zodíaco. Seu companheiro era **Osíris, o deus-Sol.** Sete-Tifon, pintado como um crocodilo vermelho do rio Nilo, conseguiu matar a Osíris, após o que pôs-se a perseguir Ísis e seu filhinho, Horus, filho de Osíris. Mas Ísis conseguiu escapar, ou em um bote de papiro, ou, em uma variação da história, mediante o emprego de grandes asas. Posteriormente, Horus vingou a morte de seu pai, **derrotando a Sete-Tifon.**

Inácio de Antioquia apresenta-nos uma espécie de «cena celestial de nascimento» do Messias, em sua epístola aos Efésios 19:1,2, que até certo ponto corresponde com as lendas que acabamos de narrar. Segundo aquela história, Jesus foi ocultado do príncipe deste mundo (Satanás) com o sol, a lua e as estrelas ao seu redor, formando um coro, juntamente com a própria «estrela» particular de Jesus (a estrela de Belém). Não é provável que Inácio tenha querido pintar algum nascimento «celestial» de Jesus, antes de seu nascimento terreno; antes, queria retratar seu nascimento na terra mediante figuras celestiais e cosmológicas. Por semelhante modo, o vidente João empregou notáveis símbolos de narrativas egípcias e gregas, a fim de descrever as circunstâncias do nascimento de Jesus, e o que isso significa para a criação inteira.

Objetos que acompanhavam à mulher. A deus Ìsis era descrita como quem estava vestida de modo muito parecido com essa mulher celestial. Por cima da cabeça tinha um círculo rebrilhante que se assemelhava à lua; estrelas cobriam a superfície de suas vestes, estando a lua entre elas, fornecendo um grande jato de luz (ver Apuleius, *Metamorfoses* 11:3,4). Em algumas descrições, ela trazia estrelas nos cabelos, bem como uma coroa composta das doze constelações do zodíaco. Isso simbolizava o poder que ela teria sobre os destinos dos homens. O vidente João, pois, tomou por empréstimo essas descrições, com algumas modificações, para tornar mais vívidas possíveis as suas descrições.

Os intérpretes muito se têm esforçado por encontrar significação para cada item da descrição que temos neste ponto; mas isso serve somente para confundir o quadro, tornando difícil a identificação da própria «mulher». Observemos, primeiramente, os simbolismos possíveis dos itens secundários, e então observemos a identificação da figura principal, a mulher.

Sol. Talvez isso indique a revelação, o poder e a presença divina, operantes através da mulher, visando a salvação dos homens (ver Mal. 4:2 e Sal. 19). Alguns dizem que esse sol representa o próprio «Cristo», por ser ele o «Sol da Justiça» (ver Mal. 4:2); e é bem possível que isso seja indiretamente tencionado. Mas o sol, neste ponto, é a glória do Senhor, que rebrilha por meio da mulher. (Ver essa espécie de simbolismo em Sal. 104:1,2).

Lua. A lua talvez aponte para a «natureza». Assim sendo, essa mulher tem poder sobre a natureza, no tocante à bondade de Deus para com os homens. Outros afirmam que a lua significa a «glória terrestre», a «luz do A.T.», a «igreja», as «forças turcas», etc. Muitos intérpretes defendem aqui a idéia de que isso representa a «igreja». Pois a luz é o refletor da luz do «sol». Não podemos ter certeza acerca desse símbolo. Talvez nada mais esteja em foco do que o fato de que a mulher está revestida de grande poder cósmico, o que tende a conferir algum benefício, porque nela se concentra o propósito remidor.

Uma coroa de doze estrelas. A mulher exerce controle sobre os destinos dos homens, conforme se pensava que isso sucedia às doze constelações do zodíaco. É possível que esse seja o simbolismo aqui tencionado, com propósitos remidores. Mas há outros que vêem nisso uma alusão aos doze patriarcas de Israel, às doze tribos de Israel, ou aos doze apóstolos. Mas esses são significados secundários, embora a idéia das «doze tribos» possa, realmente, fazer parte do quadro tencionado.

O simbolismo inteiro faz-nos lembrar, de qualquer modo, do sonho de José, historiado em Gên. 37:9, porquanto o sol, a lua e as estrelas lhe prestavam honrarias. Isso certamente fala da nação de Israel.

Identificação da mulher celestial:

1. Alguns dizem que ela representa a virgem Maria. A descrição da perseguição movida por Satanás se harmonizaria parcialmente com isso; e as idéias de certo segmento da cristandade, que faz dela uma virtual «rainha dos céus», concordaria com a glória de seus trajes celestes. Porém, a maioria dos intérpretes com razão repele essa interpretação. E essa rejeição é correta porque a perseguição movida por Satanás ultrapassa em muito ao ataque pessoal contra Maria. E nem se lê jamais que houve qualquer tentativa da **parte de Satanás de matar Maria embora tenha tentado tirar a vida de seu filho infante.**

2. A maioria dos bons intérpretes procura fazer essa mulher representar a «igreja» do N.T. Em favor dessa idéia, poder-se-ia salientar o fato de que a igreja é retratada como uma «noiva», e, portanto, como uma mulher. Mas, contra essa idéia, deve-se frisar que é difícil ver como a igreja poderia ser a «mãe» de Cristo. Isso é respondido mediante a afirmativa de que *Cristo nasce* em cada um de nós, mediante a experiência da conversão, de tal modo que «Cristo nasce no mundo» através da agência da igreja. Isso faz algum sentido, mas certamente há alguma explicação melhor. Alguns se apegam a esse ponto de vista e fazem a «criança» representar a «companhia dos regenerados». Mas, nesse caso, mãe e criança tornar-se-iam uma mesma entidade, o que certamente seria um simbolismo estranho, e certamente impossível.

3. Ou então a mulher é a *congregação* do A.T., o Israel verdadeiro ou a nação de Israel, sem qualquer distinção entre verdadeiro e falso, entre espiritual e carnal. Alguns estudiosos pensam aqui na «igreja do Antigo e do Novo Testamentos», que é o «Israel espiritual», mas essa idéia fica sujeita às objeções apresentadas no segundo ponto acima.

4. Ainda pode-se pensar que nenhum «elemento terrestre» está em pauta, porquanto temos aqui uma «mulher celestial». Portanto, a figura seria inteiramente simbólica e mística, indicando os propósitos divinos que trouxeram Cristo a este mundo. Mas essa interpretação, apesar de bem apoiada pelo *quadro celestial* da mulher, não é igualmente bem apoiada pelo quadro terrestre dessa mulher. Pois ela é atacada e perseguida por Satanás. Além disso, ela tem *descendentes*, que Satanás também persegue. Não é fácil vermos «propósitos» impessoais em tudo isso. Antes, há pessoas, envolvidas em tudo isso de alguma maneira.

Essa «mulher» representa a nação de Israel, pelas razões aduzidas abaixo:

1. Essa é a interpretação sujeita ao *menor número* de objeções, não contendo, na realidade, qualquer elemento autocontraditório, conforme sucede às demais interpretações.

2. A narrativa sobre as duas testemunhas, em «Jerusalém» (ver o décimo primeiro capítulo do Apocalipse), arma o palco para a descrição da posição *central* de Israel, dentro da missão remidora de Deus.

3. Os símbolos usados nos fazem lembrar da nação de Israel, com base no sonho de José, em Gên. 37:9.

4. A grande glória de Israel (suas vestes celestiais) fala de como Deus elevou aquela nação para produzir o Messias, o redentor universal. Também aponta para a glória futura de Israel, como cabeça das nações, quando todas as promessas e propósitos de Deus estiverem cumpridos nela.

5. Os profetas descreveram a nação de Israel como quem sofria as dores do parto (ver Miq. 5:2,3; Isa. 9:6 e 7:14).

6. *Israel* deu nascimento a Cristo (ver Rom. 9; Miq. 5; Isa. 9:6 e Heb. 7:14).

7. O dragão, neste ponto, persegue Israel, tal como *Faraó* o fez na antiguidade (ver Êxo. 1:15-22), e tal como os profetas proclamaram que Satanás ainda fará, por intermédio do anticristo, já nos últimos dias.

(Ver Dan. 9, 11 e 12, e também o «tempo de angústia para Jacó», em Jer. 30:7).

MULHERES

Ver sobre Mulher.

MULLA SADRA

Suas datas foram 1571-1640. Ele foi um importante filósofo islamita. Nasceu em Shiraz e estudou em Ispaã. Ensinou em Shiraz. Fundou uma escola de filosofia que continua exercendo vasta influência na Pérsia. O babismo e o movimento Shaikhi são escolas de pensamento rivais. Sadra escreveu em árabe.

Idéias:

1. A qualidade ontológica do conhecimento. O intelecto do indivíduo, ao tomar conhecimento de um objeto, identifica-se com o mesmo. Os atos de conhecer e de ser interpenetram-se.

2. Imaginação. O homem é dotado de poderosa capacidade de imaginação, sendo ele um microcosmo da imaginação cósmica. Esse processo é um processo cognitivo.

3. Há três mundos que precisam ser conhecidos. Há o *Mundus imaginalis*; há o *mundus intelligibilis*; e há o *mundus sensibilis*. Ver o artigo separado para cada um desses títulos.

4. A própria existência não está sujeita à razão humana e suas explicações. Porém, podemos intuir a existência. Não podemos provar a existência de Deus por meio da razão. Deus é o Ser necessário, sendo ele a sua própria prova. Ele não precisa da argumentação humana em seu favor.

5. Todas as demais existências vivem em contingência a Deus, pelo que, por si mesmas nada são. Só têm valor porque Deus lhes dá valor.

MULTIPLICAÇÃO DOS PÃES Para os Cinco Mil

Ver Mat. 14:13-21.

I. Descrição

Esta seção, que é um dos milagres sobre a natureza feitos por Jesus, é o único milagre relatado em todos os quatro evangelhos. (Ver Mar. 6:30-44; Luc. 9:10-17; João 6:1-14). Sem dúvida chegou até nós proveniente de várias fontes, conforme se demonstra no manuseio diferente do incidente nos quatro evangelhos. Alguns estudiosos supõem, entretanto, que o que temos é apenas o manuseio diverso de uma única tradição. Isso é menos provável, entretanto. A menção dos «pães de centeio» (João 6:9) faz-nos lembrar do milagre de Elias, em II Reis 4:42-44. (Ver também I Reis 17:9-16). Porém, a despeito das similaridades, não há motivo para supor-se que temos aqui meramente uma narrativa inventada, mediante a qual o evangelista queria ensinar que Jesus é, espiritualmente falando, o pão da vida. Não tenhamos dúvidas de que Jesus possuía o poder de realizar o que lhe é atribuído aqui, rejeitando todas as interpretações — céticas e racionalistas — que buscam roubar-lhe — **sua glória — e o seu altíssimo desenvolvimento espiritual, obtido mediante a comu**nhão com o Espírito Santo. Isso também está franqueado a nós, pelo que temos grande lição para as nossas próprias vidas. Assim, se quedamos admirados ante o que ele dizia e fazia, resta-nos lembrar que o intuito do evangelho é que tudo quanto havia em Cristo também se acha em nós (ver João 12:14; Col. 2:10; II Cor. 3:18; Efé. 3:19 e II Ped. 1:4). Esse é o aspecto da vida de Jesus que mais facilmente esquecemos. Sua vida, e não apenas sua morte, se reveste de imensa importância. Ele é o Caminho; mas é também o Pioneiro do caminho, o qual mostra aos homens como eles podem e devem retornar ao Pai. Nesse retorno há comunhão de natureza dentro da família divina, conforme se aprende em Heb. 2:10 *ss*. Essas são doutrinas elevadíssimas, que excedem infinitamente à mensagem do mero perdão de pecados e de transferência de cidadania para os céus. O evangelho consiste muito mais do que se realiza em nós, e não do lugar onde habitaremos.

Comer e beber são *metáforas* familiares que apontam para a satisfação de nossas necessidades espirituais. (Ver Jesus como o *pão da vida*, em João 6:48).

O milagre envolveu a multiplicação de matéria física, um ato de criação. Existem pessoas que, a despeito de aceitarem diversos outros milagres de Jesus, especialmente curas, negam este prodígio, achando que só pode ter tido origem psicológica ou psíquica. É evidente que, nessa ocasião, Jesus se utilizou de seus poderes divinos, ou, pelo menos, sobrenaturais, em vez de expressar a sua personalidade humana, que no caso dele era extraordinariamente desenvolvida por causa de busca e experiência espirituais. Jesus usualmente usou esses poderes, disponíveis a qualquer indivíduo que use os meios fornecidos por Deus para desenvolver-se espiritualmente. É verdade que nos utilizamos do poder do Espírito Santo, porém devemos lembrar que esse poder é dado ao homem não somente como instrumento para ser usado em separado da personalidade humana, porquanto o poder do Espírito Santo é outorgado ao homem para que faça parte de sua própria personalidade.

O plano do evangelho é *transformar* o ser humano até que ele se torne um ente superior, mais poderoso e mais inteligente do que os anjos; portanto, o poder do Espírito Santo vem fazer parte da expressão humana. Ver no NTI a nota em Rom. 8:29 sobre essa transformação do ser humano segundo a imagem de Cristo. Mas aqui, neste texto, achamos um tipo de milagre que certamente está além da capacidade da personalidade humana, pois se trata de um milagre que ilustra os poderes divinos **de Jesus. Lembremo**nos que ele operou outros milagres sobre a natureza, como quando a água foi transformada em vinho (João 2), quando andou à superfície do mar (vss. 22,23 deste capítulo), ou quando fez cessar a tempestade (Mat. 8:23-27), etc. Jesus, portanto, mostrou que era capaz de operar milagres de criação.

II. Interpretações

1. *Interpretação natural*. Como as pessoas que tinham levado alimentos repartiram-nos com os que nada tinham levado, quando Jesus distribuiu os dois peixinhos e cinco pães, e então todos fizeram o mesmo com o que cada um possuía, fica *eliminado* o elemento miraculoso. Essa é a interpretação exegética, pela qual não houve milagre, mas apenas exemplo moral.

2. *Interpretação mitológica*. Não há base histórica para essa narrativa. Mateus lançou mão de exemplos do V.T., como Êxo. 16; I Reis 17:8-16 e II Reis 4:1,42, onde há histórias de fornecimento de alimentos por meios milagrosos.

3. Há a interpretação *simbólica*, que diz que diversas referências feitas a Jesus como o pão da vida, ou a instituição da Ceia, etc., formaram a mentalidade da igreja sobre a necessidade de inventar (ou de admitir a existência de) um milagre dessa natureza. Essa interpretação nega que o milagre tenha qualquer base na realidade histórica.

4. Há a interpretação *parabólica*, que diz que a intenção do autor foi a de apresentar um tipo de parábola, e não a de narrar um acontecimento verídico. Todas essas quatro interpretações representam esforços da imaginação. O texto não dá nenhuma indicação de tais possibilidades. É óbvio que a intenção dos quatro autores dos evangelhos foi mostrar que ocorreu um milagre notável na vida de Jesus.

5. A interpretação *verdadeira* é a que aceita a narrativa como um milagre notável e autêntico, feito por Jesus. Os intérpretes oferecem diversas idéias sobre a natureza do milagre e sobre o modo de agir de Jesus, como: a. Milagre abstrato, feito pelo poder divino, sem qualquer tentativa para explicar seja o que for, acerca das influências morais ou mentais que provocaram o milagre ou seu registro nos evangelhos. Essa ocorrência, pois, simplesmente demonstrou o poder divino de Jesus, que ultrapassa qualquer possibilidade de explicação. b. O milagre foi realizado a fim de ilustrar o poder miraculoso de Jesus e para ensinar lições espirituais e morais. Alguns intérpretes estendem essa idéia à eucaristia. O ato de Cristo serviu de exemplo ou símbolo da provisão de Deus para todas as necessidades do homem, em Cristo. Alguns expositores chegam a pensar que esse milagre foi símbolo do «milagre» da eucaristia, no qual o sangue e o corpo de Cristo são miraculosamente multiplicados, naquilo que se chama de doutrina da «transubstanciação». Aqueles que defendem essa interpretação também tentam explicar como o ato se verificou: a. pelo uso de matéria física já presente nos peixes e no pão, porém multiplicada. Assim Jesus não fez alguma coisa do nada, mas tão somente usou o seu poder para aumentar a quantidade de matéria já existente. Talvez seja possível essa explicação do milagre, mas dificilmente se pode afirmar outro tanto no que tange ao milagre da transformação da água em vinho; b. outros acham que o milagre deve ter incluído criação e não apenas multiplicação de matéria, o que o tornaria um milagre notabilíssimo, porque representou, em miniatura, uma nova criação. Por essa razão, sendo um milagre tão notável, é que os quatro evangelistas o teriam registrado. Todas essas explicações envolvem questões que dificilmente podem ser explicadas, porquanto nada se sabe sobre o poder de Deus quanto à criação da matéria. Pelo menos, podemos confirmar que o texto ensina um milagre verdadeiro, e que com grande probabilidade os autores dos evangelhos tiveram a intenção de ilustrar o notável poder de Jesus; outrossim, quiseram ensinar que Jesus era o pão da vida (conforme ele mesmo explica no sexto capítulo de João). A doutrina da transubstanciação, ensinada à base deste texto, não passa de um exagero de interpretação. Ver Mat. 14:16,17 no NTI onde há uma defesa abreviada da idéia de uma ocorrência autêntica na vida do Senhor Jesus.

A despeito do fato de que este texto relata um importante milagre de Jesus, também devemos notar que fica ilustrado, ao mesmo tempo, o *intenso ministério* de Jesus no tocante ao ensino. Durante todo esse tempo, a principal atividade de Jesus foi a do ensino. Ver no NTI a nota em Mat. 15:32, que explica as implicações desse fato em sua aplicação a nós.

MUNDANISMO

Esboço:

I. Identificando-nos com Cristo
II. O Mundo é um Objeto Inapropriado do Nosso Amor
III. O Mundo : Definição
IV. Uma Condição Crítica
V. O Verdadeiro Amor
VI. Detalhes do Mundanismo

I. João 2:15: *Não ameis o mundo, nem o que há no mundo. Se alguém ama o mundo, o amor do Pai não está nele.*

Este versículo pode ser comparado com o que se lê em Col. 3:1-3, que diz: «Portanto, se fostes ressuscitados juntamente com Cristo, buscai as cousas lá do alto, onde Cristo vive, assentado à direita de Deus. Pensai nas cousas lá do alto, não nas que são aqui da terra; porque morrestes, e a vossa vida está oculta juntamente com Cristo, em Deus». Todos seguimos aquilo que amamos; desejamos aquilo que nos agrada; uma pessoa pode cultivar os desejos mundamos até que sua alma seja cativada pelo mundo.

I. Identificando-nos com Cristo

1. O trecho de Col. 3:1 e *ss*, faz-nos lembrar de nossa identificação com Cristo. Ora, Cristo está nos lugares celestiais. Portanto, busquemos os lugares celestiais! Isso produzirá um reflexo em tudo quanto somos e fazemos. Deixemos para um lado os interesses pelas coisas terrenas. Vivamos para o mundo vindouro.

2. O trecho de Rom. 6:1 e *ss*, faz-nos lembrar que estamos identificados com Cristo, em sua morte e ressurreição. O Espírito Santo exerce influência sobre nós, levando-nos a rejeitar o pecado e a viver para a retidão. Ele domina o pecado que está em nós. E faz a vida de Cristo manifestar-se em nós. Fazemos parte da nova comunidade e vivemos como estrangeiros e peregrinos nesta terra.

3. O cristianismo, assim sendo, é muito mais que uma nova filosofia. Antes, é uma intervenção divina. Isso tem produzido algum bem em tua vida? Essa pergunta pode ser respondida segundo a medida em que a intervenção divina tiver se tornado real em sua vida. É óbvio que Deus interveio na história da humanidade através de Cristo. Quão óbvio é que ele já interveio em sua vida, através de Cristo?

II. O Mundo é um Objeto Inapropriado do Nosso Amor

Não ameis o mundo, I João 2:15. O Primeiro e grande mandamento — amar a Deus de todo o coração e de todas as forças (ver Mat. 22:37). Trata-se de um alvo elevadíssimo, que pode ser atingido em parte enquanto o homem ainda está em seu estado mortal, mas sempre através da comunhão mística com o divino. Assim é que a alma ascende para contemplar a beleza que é Deus, e, nessa contemplação, o homem ama. Mas aquele que contempla, e em seguida ama ao mundo, automaticamente torna-se incapaz de amar a Deus. Esses são princípios contrários, e ninguém pode amar e servir, ao mesmo tempo, a Deus e ao mundo. Os mestres gnósticos, em sua licenciosidade, tinham chegado a amar ao mundo, embora professassem estar separados do mesmo. Supunham inutilmente que suas almas não **seriam afetadas, embora seus corpos estivessem mergulhados na lama do mundo, tal como o ouro não pode** ser corrompido quando é mergulhado na lama. O autor sagrado mostra que o «amar ao mundo» incapacita o indivíduo para amar, verdadeiramente, a Deus. Nesse indivíduo não habita o amor de Deus. Ele já entregou seu coração a um rei estranho, tornando-se escravo deste último.

III. O Mundo: Definição

Consideremos os pontos seguintes: 1. Não está em foco o mundo *físico* e seus muitíssimos objetos. O autor sagrado não nos convida a não mais apreciarmos a natureza e sua beleza, e nem a abandonarmos as coisas físicas por si mesmas. 2. A referência não é à ordem geral da criação, o «mundo dos universos». 3. Nem se refere ele à «humanidade», que algumas vezes é chamada também de «mundo». Pois o próprio Deus ama esse «mundo». 4. Antes, seu uso é «ético» e «metafísico». Ele aponta, em parte, para o mundo que se corrompeu com «vícios, blasfêmias e a atitude que se olvida de Deus». Mas também aponta para o «sistema do mundo», incluindo o cósmico (e não meramente o terreno), que é a revolta contra Deus. Esse sistema cósmico está sob o poder do «maligno» (ver I João 2:13). Quando alguém ama aos vícios deste mundo, torna-se escravo deste sistema mundano. O décimo sexto versículo enumera os elementos do mundo que são prejudiciais à espiritualidade. As concupiscências carnais, as imoralidades, as perversões de toda a sorte; a concupiscência dos olhos, as muitas tentações que vêem mediante a «vista», mediante a «contemplação» das vantagens terrenas, como as riquezas, a fama, os prazeres, etc.; e o orgulho da vida, que torna o homem egoísta, que o faz dirigir sua vida para si mesmo, em que o «eu» se torna o seu deus.

O mundo haverá de passar. Os mestres gnósticos ensinavam isso; e o autor sagrado concordava com eles ao menos nisso. Mas o indivíduo só pode «permanecer para sempre» se estiver cumprindo a vontade de Deus. Isso se consegue através da dedicação ao mundo eterno, e não ao mundo presente. (Pode-se comparar esse conceito com a mensagem de II Cor. 4:18). Compete-nos «contemplar» as coisas que são eternas, porquanto as coisas temporais não se adaptam às necessidades da alma eterna.

O autor sagrado queria que soubéssemos que há um profundo abismo entre o bem e o mal, entre o que é espiritual e o que é carnal, entre o que é celestial e o que é terreno. Os gnósticos ignoravam essa diferença para seu próprio prejuízo. — Toda a alma deve escolher a Deus ou ao mundo; o amor de Deus ou o amor ao mundo; e a prova será dada pela conduta moral. É impossível salientarmos em demasia o imperativo moral do evangelho.

«Os homens não podem viver sem terem escolhido, consciente ou inconscientemente, alguma realidade a que dão sua devoção final. Devem amar e realmente amam a alguma coisa. Recusar-se a fazer uma escolha já é fazer escolha. Podem oferecer sua devoção final a Deus, ao diabo, ao mundo, às riquezas, ao estado, a um partido político, à verdade, à beleza ou a seus próprios desejos inferiores. Mas a vida exige decisão, e a vida cristã exige tomada de posição. Entretanto, uma vez feitas, as decisões precisam ser constantemente reafirmadas. A situação que os mais idosos enfrentam são as mesmas decisões que enfrentamos: há pessoas que são criadas como crentes, mas seu entusiasmo arrefece, sua religião se torna nominal, as obrigações morais tornam-se opressivas, as distinções agudas entre as práticas cristãs e as práticas pagãs não mais são observadas. Em tal situação, o dualismo fundamental do evangelho deve ser asseverado: 'Não ameis ao mundo... amai... ao Pai'» (Hoon, em I João 2:15).

Que Mugidos Insensatos são Esses?

Que mugidos e balidos insensatos são esses?
Quem trouxe esses touros ruidosos
e essas cabras berradoras
Até à porta do santuário?
A esta porta do santuário de minha vida?
Que ruídos estranhos são esses que
Desviam a minha mente dos céus?
Os prazeres mundanos, sua fama, suas vantagens
São apenas touros ruidosos e cabras berradoras;
Ruidosos e fedorentos, exigem admissão,
Saltitando loquazmente à porta,
A presença fragrante de Deus e do bem
Não tardarão a dissipar.

Quem trouxe esses touros ruidosos e essas cabras berradoras
A porta do santuário de minha vida?
Longe com eles! Expulsai-os daqui!
Desinfetai o lugar onde estavam.
Que deixem minha alma em paz, para buscar
Ao amor, ao ganho, ao bem eterno.

(Russell Champlin
ao meditar sobre I João 2:15,16)

IV. Uma Condição Crítica

Se alguém amar o mundo, o amor do Pai não está nele. Essa declaração é similar à do Senhor Jesus: «Ninguém pode servir a dois senhores; porque ou há de aborrecer-se de um, e amar ao outro; ou se devotará a um e desprezará ao outro. Não podeis servir a Deus e às riquezas» (Mat. 6:24). A alma não é suficientemente grande para estar dividida em sua dedicação, parte a Deus e parte ao mundo, ao mesmo tempo. Esses princípios são naturalmente antagônicos. A alma que está dividida contra si mesma finalmente cairá debaixo de seu próprio peso, e em seu caso a inquirição espiritual ficará estagnada ou mesmo será destruída. O «amor do Pai» deve ser interpretado como «amor ao Pai», e não meramente o amor que ele nos confere, dirigindo-nos para as realidades espirituais. O primeiro e grande mandamento da lei está em foco. Esse amor do Pai, porém, fora pervertido na forma de ascetismo, de esclerosamento para com a justiça social e de atitudes doentias para com o sexo. Os homens têm a idéia de que a mera *privação física* é, automaticamente, amar às realidades espirituais. Naturalmente, isso não é verdade, e a própria privação pode ter sido transformada em um outro deus. O amor do Pai libera o amor ao próximo, pois o amor ao próximo, é, na realidade, uma forma de amor a Deus, segundo se vê em Mat. 25:35 e *ss*. Portanto, o amor a Deus nos «envolve» no mundo; mas na capacidade de servir aos outros, e não em capacidade egoísta, em que só procurássemos cumprir nossos desejos pessoais. Não se pode louvar à virtude enclausurada. O amor a Deus exige que nos interessemos pelos outros, que sejamos servos de todos. Mas isso não significa que nos devemos deixar arrastar pelos vícios do mundo.

«É impossível amar ao mundo e coexistir isso com o amor a Deus; é impossível a coexistência entre a luz e as trevas». (Filo).

«Os males, Teodoro, nunca poderão desaparecer; pois sempre restará alguma coisa que se mostra antagônica ao bem. Não tendo lugar entre os deuses, no céu, necessariamente pairam ao redor da natureza terrena e nesta esfera mortal. Por conseguinte, devemos fugir da terra para os céus tão rapidamente **quanto possível; e fugir é tornarmo-nos como Deus, até onde isso é possível. E tornarmo-nos como Deus é tornarmo-nos santos, justos e sábios». (*Taeteto*, 176)** Platão).

«...quando nos ocupamos com o vão amor do mundo, fazemos voltar todos os nossos pensamentos e afetos noutra direção; essa vaidade, antes de tudo, deve ser arrancada de nós, a fim de que o amor de Deus reine em nós. Enquanto nossas mentes não forem purificadas, a doutrina anterior (não amemos ao mundo, mas a Deus) poderá ser repetida por cem vezes, sem qualquer efeito: seria como derramar água sobre uma esfera; não se pode recolher ali uma única gota, porque não há lugar côncavo que retenha a água». (Calvino).

V. O Verdadeiro Amor

1. O amor vem de Deus, pois Deus é amor (ver I João 4:7,8). Se o amor de Deus estiver em nós, isso expelirá de nossas vidas o amor pelo mundo, com seus alvos, suas tentações e seus interesses.

2. O amor é cultivo do Espírito (ver Gál. 5:22), sendo também a base de todas as virtudes espirituais. O amor fornece a base para a santidade e a bondade.

3. No processo de nossa transformação segundo a imagem de Cristo, vamos obtendo a sua natureza moral. Quão inútil é este mundo, e quão vazias são as suas vantagens! Aquele em quem Cristo tocou jamais poderá ser o mesmo novamente, pois os céus são agora o seu verdadeiro lar.

4. Portanto, aqui devemos agir como estrangeiros e peregrinos (ver I Ped. 2:11).

VI. Detalhes do Mundanismo

O autor sagrado passa agora a enumerar os elementos «prejudiciais» que há no mundo, aos quais não podemos amar; ou então mostra aquele «tipo de mundo» que não pode ser amado pelos discípulos de Cristo. É um mundo caracterizado pela concupiscência, pelos desejos carnais, pelo orgulho, pela busca egoísta dos próprios interesses.

1. *Concupiscência*. O termo grego *epithumia* é repetido por duas vezes. Trata-se de um termo comum para indicar «desejo» de qualquer espécie. O contexto em que essa palavra é usada define seu tipo. Com freqüência era termo usado em sentido intensivo, isto é, «ansiar», «anelar», «desejar ardentemente». E também era usado com um sentido negativo, quando tinha o sentido de «paixão maculadora», de «concupiscência carnal».

Os filósofos estóicos pensavam que os desejos, cumpridos ou não cumpridos, levam a uma teia *mais complexa* de desejos. Os desejos se multiplicariam, sem a possibilidade de satisfação final. O resultado final seria a *futilidade*. Por conseguinte, seria mais sábio eliminar totalmente os desejos, — em vez de alimentá-los.

2. *Concupiscência da carne*. O autor sagrado salienta agora, diretamente, os «apetites sensuais», os desejos da carne e pela carne. Os gnósticos licenciosos (em contraste com os ascetas) pensavam que poderiam ajudar ao sistema do mundo na destruição do corpo, a prisão da alma, através de abusos contra o mesmo, mediante excessos e perversões sexuais. Pensavam que, assim fazendo, em nada se corromperia sua alma, mas antes, seria preparada para a fuga para longe do corpo, a sede do pecado. Os escritores do N.T. sempre tomaram a posição de que o corpo físico não é mau por si mesmo, **mas tão-somente** vítima fácil do princípio do pecado, que parte do coração, do homem interior. Outrossim, a consagração ao Senhor inclui, necessariamente, o corpo, pois é nosso veículo de expressão neste nível terreno da existência. Isso se vê claramente em Rom. 12:1,2: «Rogo-vos, pois, irmãos, pelas misericórdias de Deus, que apresenteis os vossos corpos por sacrifício vivo, santo e agradável a Deus, que é o vosso culto racional. E não vos conformeis com este século, mas transformai-vos pela renovação da vossa mente, para que experimenteis qual seja a boa, agradável e perfeita vontade de Deus». Além disso, no sexto capítulo da primeira epístola aos Coríntios, Paulo lamenta o uso errôneo do corpo físico, que é «templo» do Espírito Santo. Visto ser seu templo, dificilmente pode ser usado para a prática dos vícios pagãos, permitindo-se que as concupiscências egoístas ali residam. Afirma ali Paulo: «Fugi da impureza! Qualquer outro pecado que uma pessoa cometer, é fora do corpo; mas aquele que pratica a imoralidade peca contra o próprio corpo» (I Cor. 6:18). Paulo dá a entender que os pecados praticados contra o corpo, através da sensualidade exagerada e depravada, são **piores que os pecados comuns; excercem um efeito especialmente daninho, corrompendo ao templo de** Deus. Os não regenerados é que se deixam arrastar por tais anelos profanos (ver I Ped. 2:11 e Efé. 2:3). O indivíduo regenerado deve estar acima dessas coisas. (Os trechos de Gál. 5:21 e Efé. 5:5 mostram que nenhum praticante dos vícios poderá herdar o reino divino).

O N.T. adverte-nos contra a mentalidade que pensa que o homem é um mero animal. Apesar de seu corpo ter um funcionamento orgânico animal, contudo, ali reside uma alma eterna. A espiritualidade da alma, sua busca para retornar ao «habitat» que lhe convém à natureza, é algo imensamente entravado pelos abusos contra o corpo. A biologia natural reduz o homem à química e à endocrinologia, e a psicologia naturalista vê o comportamento humano como mero reflexo de um animal a seu meio ambiente. Mas o N.T. insiste em que o homem é muito mais do que isso; e, por ser o homem, essencialmente, um espírito, embora aprisionado no corpo, é responsável ao mundo eterno e espiritual. Será considerado responsável por aquilo que tiver feito no corpo e por meio do corpo. Mas os homens, esquecidos das dimensões superiores de seu próprio ser, se têm reduzido a simples animais, passando a agir como eles.

«A publicação dos relatórios Kinsey (*Sexual Behavior in the Human Male*, Philadelphia, W.B. Saunders Co., 1948 e *Sexual Behavior in the Human Female*, Philadelphia, W.B. Saunders Co. 1953) refletem as devastações operadas pelo conceito animalesco do sexo na moral e nos costumes **norte-americanos. Parece que os padrões da moralidade sexual, entre os norte-americanos, aproximam-**se daqueles que prevaleciam na civilização romana, no período de sua decadência». (Hoon, em I João 2:16).

Meditemos, entretanto, no que sucedeu no terreno dos costumes sexuais no mundo inteiro, desde 1953. Aqueles relatórios não fariam corar nem mesmo a uma avó de nossos dias. Consideremos uma sociedade em que até mesmo a propaganda de um automóvel requer apelos de natureza sexual. Consideremos até que ponto temos ficado degradados quando a virgindade de uma jovem menina é zombada como um fenômeno social comparável ao dos que cortam o cabelo bem rente ou a Billy Graham, conforme afirmou a revista «Time», edição de julho de 1973. Aquele que se reduz ao nível animal terminará por colher a retribuição própria de um animal. (Quanto a outras notas expositivas que ilustram o texto presente, ver no NTI I Cor. 16:16, acerca do «significado místico do sexo». Nesse mesmo versículo se trata do tema «sexo, união de corpo e espírito», e ali também se estuda sobre «o problema da prostituição». No décimo oitavo versículo daquele mesmo capítulo também há notas expositivas sobre o tema «pecados do sexo — como derrotá-los» e «o pecado contra o corpo»).

Consideremos os antigos gnósticos, que se «intrometiam» pelas casas e cativavam mulherzinhas carregadas de diversas concupiscências. Ensinavam que as mulheres cristãs deveriam abusar do próprio corpo, dizendo que isso fazia parte do sistema ético cristão.

3. *Concupiscência dos olhos*. A concupiscência dos olhos pode ser incluída na concupiscência anterior, como uma de suas subcategorias. A visão, especialmente no caso do homem, é o portão de desejos ilícitos. Mas a concupiscência dos olhos envolve mais que isso, incluindo grande variedade de satisfações. O cativeiro da alma pelo *aspecto externo* das coisas; a preocupação exagerada pela própria aparência e posição; o gosto excessivo pela exibição; o anelo pelo que é vulgar; a distorção do senso natural do belo, mediante o amor ao grotesco. Plínio queixava-se de que os romanos «não sendo capazes de tornar belos os seus valores, tornavam-nos gigantescos» (conforme se via nas estátuas, nos edifícios e nos monumentos públicos).

O livro apócrifo **Testamento de Rúben** (capítulo segundo) alista sete espíritos de engano, um dos quais é o «senso da visão do que se origina o desejo». (Isso pode ser comparado com Eze. 20:7,8). Por igual modo, Jesus também advertiu contra a vista como instrumento de tentação (ver Mat. 5:27-29). Alguns intérpretes acreditam que o pecado da «cobiça» é o mais destacado nesta expressão. O olho observa o que lhe é agradável, levando a mente a cobiçar. O resultado é o desejo intenso. O olho jamais se satisfaz (ver Ecl. 1:8), e quanto mais obtemos, mais queremos. Ver o artigo separado sobre *Cobiça*.

Notemos que os vários «desejos» mencionados sempre desviam o homem de Deus. O mundo eterno e seus valores são ignorados quando tornamos este mundo o objeto de nossos desejos.

4. *Soberba da vida*. Os homens fazem do próprio «eu» um deus; gastam tudo quanto possuem, dinheiro e energias, para o próprio «eu». Esquecem-se do princípio do amor, do serviço que deveria ser feito em favor do próximo. Buscam apenas a glorificação própria; são pessoas de natureza fanfarrã, paroleira e bazofeira.

O termo grego aqui usado é *alazoneia*, «pretensão», «arrogância», «jactância». Os homens buscam exaltação nas riquezas e na posição social, como também de numerosos outros meios, talvez em supostas «realizações espirituais», pois o orgulho pode ter muitas manifestações sutis. Maomé dizia: «Que tenho eu com os confortos desta vida? O mundo e eu — que conexão há entre nós? De fato, o mundo não é diferente de uma árvore para mim; quando o viajante descansa sob sua sombra, passa adiante».

Existe aquela paixão egoísta de viver acima dos outros e com conforto e lazer excessivos. Essa paixão conduz a várias formas de ostentação, de impropriedades nas vestimentas e na maneira de viver.

Essa é a «...vida de vanglória — de presunção, de desejo pelo louvor e pela deferência, pelo deleite de ser considerado importante, de exercer autoridade sobre outros, de estar em primeiro plano; todas as vaidades vazias da moda e dos costumes, dos títulos e ofícios; de uniformes e posição, das pequenas imposturas esnobes em cujas coisas os homens caem...Não lhes importa que... perante Deus, nada disso tenha qualquer valor. O perverso e pequeno 'ego' quer que subamos no palco, saracoteando, agitando-nos e fazendo poses». (H.H. Farmer, *The Healing Cross*, págs. 183-184).

Os diversos pecados que aparecem em João 2:16 são tão latos naquilo que deixam entendido que virtualmente incorporam, potencialmente, todos os pecados, tal como as tentações que Jesus sofreu incluíram todas as gamas possíveis.

Não procede do Pai, mas procede do mundo. O décimo quinto versículo de I João 2 mostra que há grande abismo entre Deus e o mundo e que ninguém pode amar a ambos ao mesmo tempo. Agora fica claro que esses vários pecados e concupiscências têm uma origem mundana. Deus nunca nos tentará a nos ocuparmos com qualquer deles. Até mesmo os gnósticos professavam querer retornar a Deus. Contudo praticavam pecados debilitantes, que o mundo lhes acenava. Não somos todos gnósticos? (Sim, pelo menos nesse particular). Cristo veio a fim de nos dar o remédio para tudo isso. Ele veio do Pai; trouxe a mensagem vinda do outro mundo. Isso inclui o «imperativo moral». O homem é um espírito, localizado neste plano terreno, na prisão do corpo físico, porque o merece. Contudo, o seu destino é muitíssimo mais elevado do que isso. Todavia, jamais atingirá tal destino, enquanto estiver amando ao mundo. É mister que busque aquele nível de existência que se faz compatível com a sua natureza «espiritual». A grande dificuldade que temos, ao fazer isso, é a prova de quanto temos decaído.

MUNDO

Quanto a este verbete, estudaremos acerca de quatro termos hebraicos principais e três vocábulos gregos, envolvidos, a saber:

1. *Erets*, «terra». Como é claro, esse vocábulo hebraico é extremamente comum, mas, com o sentido claro de mundo, podemos encontrá-lo por quatro vezes, em Sal. 22:27; Isa. 23:17; 62:11; Jer. 25:26. Citemos a primeira dessas passagens: «Lembrar-se-ão do Senhor e a ele se converterão os confins da terra; perante ele se prostrarão todas as famílias das nações».

2. *Tebel*, «terra habitável», «terra produtiva». Esse termo hebraico aparece por trinta e seis vezes nas páginas da Bíblia, conforme se vê, para exemplificar, em I Sam. 2:8; II Sam. 22:16; I Crô. 16:30; Jó 18:18; Sal. 9:8; 18:15; 98:7,9; Pro. 8:26,31; Isa. 13:11; 14:17,21; 34:1; Jer. 10:12; Lam. 4:12; Naum 1:5. Esse vocábulo hebraico corresponde ao termo grego *oikouméne*, do Novo Testamento (ver abaixo).

3. *Cheled*, «era», «período de vida». Palavra hebraica usada por cinco vezes: Sal. 17:14; 39:5; 49:1; 89:47; Jó 11:17.

4. *Olam*, «período indefinido». Com o sentido de «mundo», porém, só ocorre por duas vezes, embora seja mais comum do que isso no Antigo Testamento: Sal. 73:12 e Ecl. 3:11. Diz esta última passagem, em nossa versão portuguesa: «Tudo fez Deus formoso no seu devido tempo; também pôs a eternidade no coração do homem...», onde a palavra «eternidade» corresponde ao termo hebraico *olam*.

5. *Kósmos*, «mundo organizado». É palavra grega muito comum no Novo Testamento, onde ocorre por nada menos de cento e oitenta e duas vezes: Mat. 4:8; 5:14; 13:35 (citando Sal. 78:2); 13:38; etc.; Mar. 8:36; 14:9; 16:15; Luc. 9:25; 11:50; 12:30; João 1:9,10,29; 3:16,17,19; 4:42; 6:14,33,51; etc.; Atos 17:24; Rom. 1:8,20; 3:6,19; 4:13; 5:12,13; 11:12,15; I Cor. 1:20,21,27,28; 2:12; 3:19,22; 4:9,13; 5:10; etc.; II Cor. 1:12; 5:19,7,10; Gál. 4:3; 6:14; Efé. 1:4; 2:2,12; Fil. 2:15; Col. 1:6; 2:8,20; I Tim. 1:15; 3:16; 6:7; Heb. 4:3; 9:26; 10:5; 11:6,38; Tia. 1:27; 2:5; 3:6; 4:4; I Ped. 1:20; 3:3; 5:9; II Ped. 1:4; 2:5,20; 3:6; I João 2:2,15-17; 3:1,13,17; 4:1,3-5,9,14,17; 5:4,5,19; II João 7; Apo. 11:15; 13:8 e 17:8.

6. *Aión*, «mundo derivado». Vocábulo grego que figura por cento e quatro vezes no Novo Testamento: Mat. 6:13; 12:32; 13:22,39,40,49; etc.; Mar. 3:29; 4:19; 10:30; 11:14; Luc. 1:33,55,70; 16:8; 18:30;

20:34,35; João 4:14; 6:51,58; 8:35,51,52, etc.; Atos 3:21; 15:18; Rom. 1:25; 9:5; 11:36; 12:2; 6:27; I Cor. 1:20; 2:6-8; 3:18; 8:13; 10:11; II Cor. 4:4; 9:9 (citando Sal. 112:9); 11:31; Gál. 1:4,5; Efé. 1:21; 2:2,7; 3:9,11,21; Fil. 4:20; Col. 1:26; I Tim. 1:17; 6:17; II Tim. 4:10,18; Tito 2:12; Heb. 1:2,8 (citando Sal. 45:7); 5:6 (citando Sal. 110:4); 6:5,20; 7:17,21,24 28; etc.; I Ped. 1:25 (citando Isa. 40:8); 4:11; 5:11; II Ped. 3:18; I João 2:17; II João 2; Jud. 13:25; Apo. 1:6,18; 4:9,10; 5:13, etc.

7. *Oikouméne*, «mundo habitado». Vocábulo grego que foi usado por quinze vezes pelos escritores do Novo Testamento, a saber: Mat. 24:14; Luc. 2:1; 4:5; 21:26; Atos 11:28; 17:6,31; 19:27; 24:5; Rom. 10:18 (citando Sal. 19:5); Heb. 1:6; 2:5; Apo. 3:10; 12:9; 16:14. Indicava os lugares que têm sido ocupados efetivamente pelos homens, à face da terra, e, por conseqüência, em sentido secundário, o mundo civilizado.

8. *Mundo — Sumário de Usos*

As Palavras Gregas e seus Significados Diversos

kosmos:

1. O mundo ou mundos físicos, o universo ou universos, coletivamente. Ver João 17:5; 21:25; Rom. 1:20 e Efé. 1:4.

2. A *ordem* de coisas na qual o homem aparece como centro. Ver Mat.13:38; Marc. 16:15; Luc. 9:25; João 16:21; Efé. 2:12 e I Tim. 6:7.

3. A *humanidade*, como parte integrante dessa ordem. Ver Mat. 18:7; II Ped. 2:5; 3:6 e Rom. 3:19.

4. O mundo ou *ordem de coisas* em *alienação* de Deus, manifestada pela raça humana. Ver João 1:10; 12:31; 15:18,19; I Cor. 1:21 e I João 2:15.

aion:

1. Um *tempo* extremamente longo, a eternidade, tanto a passada como a futura. Ver Jos. *Guerras*, I.12; Gen. 6:4 (LXX) e Atos 15:8.

2. A era *presente*, simplesmente como uma idéia *temporal*, embora, por extensão, também indique o *estado de coisas* que caracteriza a época presente *ou* qualquer outra época da história. O «estado de coisas» que assinala o período de tempo ou as condições que prevalecem durante determinada época, dando a entender o *caráter geral* dessa época. Ver Mat. 13:22 e Rom. 12:2.

3. O *mundo material*, conforme se vê em Heb. 1:2.

4. As condições naturais do homem, o *mundo e seu caráter*. Assim é que esse vocábulo é utilizado em I Cor. 1:20, onde encontramos a menção da «sabedoria do mundo».

5. Algumas vezes, essa palavra é utilizada para referir-se à *era vindoura*, no sentido do «período messiânico», quando se instaurará o governo messiânico à face da terra. Ver Jos. *Antiq.* 18.287; Marc. 10:30; Luc. 18:30 e II Clemente 19:4.

6. O mundo, como um *conceito espacial*. Ver Sabedoria de Salomão 13:9; 14:6 e 18:4.

7. Há, finalmente, um uso *pessoal*, em que a palavra *aion* aparece como um *ser* espiritual, ou mesmo como uma era vista em sentido *pessoal*. Ver Efé. 3:9 e talvez também Col. 1:26 e Efé. 2:2, além de *Mesomedes* 1,17.

A *era presente* é uma expressão que indica um tempo que se caracteriza por uma série de condições, qualidades, costumes, padrões morais e espirituais, degradações, estados maléficos, etc., que não estão de acordo com a *idéia divina* de bondade e moralidade, e quando muito, são valores espirituais bem inferiores. Ora, a *era presente* pode ser uma poderosa influência negativa sobre os crentes, de tal modo que eles sejam meramente produtos de seu ambiente, totalmente parecidos e conformados aos que não se dizem convertidos ou *regenerados*, que nem pensam em serem transformados segundo a imagem de Cristo. Essa conformação com a era presente se tornou tão comum entre os crentes que quase não se pode mais estabelecer a distinção entre a igreja cristã e o mundo. A igreja exibe suas modas mundanas no vestuário, na música, nos maneirismos, nos padrões morais, nas ambições, nos alvos e nos costumes diários. Paulo, quando escreveu Romanos 12:1,2, queria que os membros da igreja se tornassem cidadãos autênticos daquela *outra era*, daquele outro mundo, que existe acima do nosso.

Esboço:

I. O Mundo no Antigo Testamento
  A. Uso
  B. Criação
  C. O Mundo
II. Idéias Gregas sobre o Cosmos
  A. Conceito Fundamental
  B. Em Platão e Aristóteles
  C. Entre os Estóicos
  D. O Mundo Habitado
  E. Nos Escritos de Filo
III. O Mundo no Novo Testamento
  A. Oikouméne
  B. Aion
  C. Kosmos

I. O Mundo no Antigo Testamento

A. *Uso*. Antes de tudo, devemos notar que o hebraico bíblico não dispunha de qualquer vocábulo para denotar a idéia de «universo», no pleno sentido moderno do termo. Antes, para indicar essa idéia, aparecem no Antigo Testamento expressões familiares como «os céus e a terra» (Gên. 1:1), «os céus e a terra, o mar e tudo o que neles há» (Êxo. 20:11), etc. Nos escritos dos profetas também encontramos palavras como «todas as cousas» (Isa. 44:24 e Jer. 10:16). Também encontramos uma expressão como tudo quanto sucede debaixo do céu» (Ecl. 1:13), para indicar o mundo. As palavras hebraicas traduzidas em nossa versão portuguesa por «mundo» têm um sentido restritivo, ou espacialmente falando (a terra e os seus habitantes), ou temporalmente falando (a duração das coisas, alguma era ou período de tempo).

B. *Criação*. Mas, embora o hebraico não conte, na Bíblia, com um vocábulo para indicar «universo», ainda assim o Antigo Testamento exprime plenamente a idéia da unidade de todas as coisas. Essa idéia gira em torno da doutrina bíblica da criação (cf. Gên. 1:1). Foi Deus quem criou todas as coisas. Todas as coisas são, igualmente, obra de suas mãos. Um único planejamento jaz por detrás de tudo. O grande e único propósito divino dirige o curso que deve ser seguido por todas as coisas criadas e por todas as criaturas, estas últimas, até o seu destino. Deus governa igualmente a todas as coisas, na natureza e na história (ver Isa. 40 *ss*). Portanto, do ponto de vista da Bíblia, o mundo não constitui uma unidade autônoma, capaz de dirigir-se por si mesma. Apesar de sua tremenda diversidade, o mundo constitui uma unidade, devido à sua origem divina e por estar sujeito a esse planejamento global de Deus.

C. *O Mundo*. Dentro da criação, segundo a concepção da Bíblia, o globo terrestre ocupa um lugar proeminente, mormente na terra em distinção ao mar (ver Gên. 1:10). No entanto, a terra reveste-se assim, de grande importância, primariamente em função de

seus habitantes, as nações ou povos. «Chegai-vos, nações, para ouvir, e vós, pòvos, escutai; ouça a terra e a sua plenitude, o mundo e tudo quanto produz. Porque a indignação do Senhor está contra todas as nações, e o seu furor contra todo o exército delas...» (Isa. 34:1,2). «Porque assim diz o Senhor que criou os céus, o único Deus, que formou a terra, que a fez e a estabeleceu; que não a fez para ser um caos, mas para ser habitada...» (Isa. 45:18).

Visto que Deus é o Criador e o Dirigente do universo inteiro, por isso mesmo ele desempenha um papel todo especial no tocante ao homem e em conseqüência, ao mundo habitado. A natureza histórica da vida humana, bem como dos relacionamentos de Deus com os homens, parecem ser fatores que provêem um elo entre o conceito do mundo e o conceito de duração ou período de tempo. Assim, é durante a sua permanência neste mundo, caracterizado pelo espaço e pelo tempo, que o homem se vê capaz de experimentar os atos divinos da providência, do julgamento e da graça.

II. Idéias Gregas sobre o Cosmos

A. *Conceito Fundamental*. Em contraste com as idéias expostas no Antigo Testamento, os gregos tinham um senso altamente desenvolvido do universo como uma única entidade, inteiramente à parte de qualquer consideração relativa ao Criador. Isso fica implícito no vocábulo grego *kósmos*, que tem as significações básicas de estrutura bem organizada, de ordem entre os homens, de boa ordem em geral, e, finalmente, de adorno. Esses sentidos fazem parte do conceito do mundo como uma estrutura bem ordenada, bela e harmônica. E, nos primeiros dias da filosofia grega predominava o pensamento de organização ou sistema, como algo que mantivesse o mundo unificado. Mas, em algum ponto da história, não mais tarde do que o século VI A.C., essa palavra grega veio a ser usada para indicar a totalidade das coisas unificadas por essa boa ordem, a saber, o *kósmos* no sentido de «universo». De acordo com Heráclito, nesse sentido o universo seria eterno, sem começo e sem-fim. E, quanto a essa particularidade, é interessante observar que até mesmo os pensadores gregos que sugeriram que o universo teve começo, sempre aceitaram a eternidade da matéria. Para eles, o único começo foi o da boa forma, da boa ordem, da organização da matéria. Como é evidente, isso não concorda com os ensinamentos bíblicos, para os quais a matéria teve começo, mesmo porque somente Deus é eterno. «Em tempos remotos lançaste os fundamentos da terra; e os céus são obras das tuas mãos...» (Sal. 102:25).

B. *Em Platão e Aristóteles*. Platão aceitava sem discussão a idéia de um cosmos integrado, com base em uma ordem ou organização universal. Nesse sentido, o cosmos poderia ser descrito como um corpo dotado de alma, como se fosse até uma criatura racional. Seria uma manifestação especial da idéia divina, um reflexo perceptível do eterno. Na famosa passagem do diálogo de Timeu (28 *ss*), Platão chegou mesmo a conceber a criação do mundo por parte de um *theós* ou *demiourgos*, um ser intermediário entre a Idéia e o mundo da matéria. E isso teria ocorrido de conformidade com a Idéia perfeita. Contudo, cumpre-nos ressaltar que Platão, embora concebesse uma demonstração cosmológica de Deus, na verdade não acreditava em um Deus criador. A função do demiurgo teria sido, simplesmente, a de dar forma a um cosmos sem forma. E ele também manuseou a idéia, já presente, no chamado cosmos noético. No máximo, Deus consistiria somente na idéia mais elevada a respeito do cosmos. O próprio cosmos criado também poderia ser denominado de «Deus». Teríamos aí a noção do *theós aisthétos*, ou seja, um Deus que pode ser apreendido pelos sentidos humanos.

Essa modesta abordagem à idéia de Deus, da parte de Platão, foi abandonada por Aristóteles, que aceitava a eternidade do mundo e considerava Deus, não como o arquiteto do mundo, mas apenas como mente ou forma pura. Por outro lado, o gnosticismo (vide) desenvolveu a distinção entre o mundo noético e o mundo estético, formando um franco dualismo, dentro do qual o mundo material, criado por um demiurgo inferior, aparece como a prisão da alma. E a redenção, por sua vez, consistiria em ser libertado dessa prisão, com o conseqüente retorno à mente pura, ou seja, ao verdadeiro Deus.

C. *Entre os Estóicos*. O estoicismo, à semelhança do platonismo, também tinha a sua própria doutrina da gênese do universo. Não obstante, concebia essa doutrina como uma eterna repetição, um processo de constante tornar-se e dissolver-se. Por conseguinte, para os estóicos não houve verdadeiro começo da criação e nem haverá destruição final do cosmos presente. Outrossim, seus mentores pensavam que não há qualquer necessidade de concebermos um arquiteto do mundo. Deus, para eles, era, tão-somente, a alma do mundo, que permearia o cosmos inteiro, a razão (ou *lógos*) que governa o mesmo. Efetivamente, tão panteísta é a compreensão dos estóicos que se poderia estabelecer uma equação direta entre Deus e o mundo. E o homem, por ser parte integrante da alma do mundo, também faria parte de Deus. Destarte, os filósofos estóicos confundiam a criatura com o Criador e por isso mesmo, estavam entre aqueles acerca de quem escreveu o apóstolo Paulo: «...mudaram a verdade de Deus em mentira, adorando e servindo a criatura, em lugar do Criador, o qual é bendito eternamente. Amém». (Rom. 1:25).

D. *O Mundo Habitado*. Visto que a terra faz parte do cosmos, por isso mesmo o vocábulo grego *kósmos* podia ser utilizado para indicar a terra, como algo distinto do céu, por uma parte, e dos mundos infernais, por outra parte. Daí bastou mais um passo a fim de que essa palavra passasse a ser usada pelos gregos para indicar as criaturas humanas que habitam este globo terrestre; e mais um degrau nessa evolução semântica produziu a noção especial da raça humana, da «humanidade». De fato, no vocabulário do Novo Testamento grego *koiné* (vide), a palavra *kósmos* também é empregada com o sentido de «pessoas» de «todo o mundo». Ver, por exemplo, I João 4:4: «...maior é aquele que está em vós do que aquele que está no mundo (no grego, *kósmos*)».

E. *Nos Escritos de Filo*. Uma ponte de ligação entre a posição grega sobre o *kósmos* e aquilo que o Antigo Testamento ensina a respeito do mundo, pode ser encontrada nos escritos de Filo, escritor filosófico judeu, do século I D.C., que atuou em Alexandria, no Egito. Filo, que usou consideravelmente o vocábulo *kósmos*, distinguia, à moda dos filósofos platônicos, entre o cosmos noético e o cosmos estético. Com base no primeiro capítulo de Gênesis, ele argumentava que Deus criou, primeiramente, o mundo das idéias, mundo esse que serviu de protótipo do mundo material. Para ele, o universo é caracterizado pela boa ordem e pela beleza. Não obstante, ele se redimiu um tanto, ao dizer que o mundo está debaixo da transcendência de Deus. Deus, como pai e arquiteto, é quem foi o criador do mundo. E Deus teria feito isso por intermédio do *lógos*, que Filo concebia, acertadamente, como o mediador entre Deus e o mundo. Dessa maneira, em Filo vemos a combinação das idéias platônicas e estóicas com os ensinamentos fundamentais do Antigo Testamento, no sentido de que o universo é criação de Deus. A despeito disso, nota-se uma certa falta de precisão no pensamento e na linguagem usados por Filo, que deixa os estudiosos em dúvidas quanto a se ele estava falando de uma real criação do mundo, por parte de Deus, ou apenas da organização da matéria destituída de forma, conforme pensavam tantos filósofos gregos. Todavia, ele procurou sempre evitar qualquer identificação entre Deus e o mundo, ou seja, ele repelia o panteísmo (vide). Quanto a esse particular, pelo menos, Filo conservou-se fiel à sua herança judaica, sem dúvida alguma. De fato, sempre será problemático para os homens, ao traçarem a doutrina das relações entre Deus e a sua criação, manterem-se no ponto de equilíbrio entre a imanência e a transcendência de Deus. Ver os artigos sobre a *Imanência* e sobre a *Transcendência de Deus*. Uma imanência exagerada leva ao *panteísmo*, e uma transcendência exagerada leva ao *Deísmo*. Ver sobre o *Panteísmo* e sobre o *Deísmo*. Examinar o meio-termo razoável, na filosofia e na teologia, o *Teísmo*.

III. O Mundo no Novo Testamento

Faremos esse exame acompanhando três vocábulos-chaves do Novo Testamento grego, a saber, *oikouméne, aion* e *kosmos*.

A. Oikouméne

— Esse vocábulo grego, que assumiu ares de suprema importância dentro do movimento ecumênico moderno, reveste-se de pouca importância teológica nas páginas do Novo Testamento. Derivado do termo grego *oîkos*, «casa», trata-se de um particípio usado como substantivo (fenômeno gramatical comum no grego *koiné*). Desde o princípio indicava o mundo habitado. Ver a lista, acima, de palavras gregas, nº 7. Embora seu sentido original fosse de natureza geográfica, não tardou muito para evoluir para sentidos religiosos, culturais e políticos, de tal modo que o *oikouméne* tornou-se sinônimo do mundo civilizado (helênico), ou, então, após as conquistas militares de Roma, do império romano como uma unidade política e cultural.

Usada na Septuaginta, nos escritos de Filo e nos escritos rabínicos, como palavra tomada por empréstimo do grego, o termo *oikouméne* aparece por quinze vezes nas páginas do Novo Testamento, nos evangelhos, no livro de Atos, nas epístolas e no Apocalipse. Na predição de Jesus, em Mateus 24:14, a alusão é às partes habitadas do globo terrestre, onde essa palavra empresta uma certa solenidade à frase dita pelo Senhor Jesus. Entretanto, em Lucas 2:1 parece estar em pauta o império romano, embora Lucas também use essa palavra como alusiva ao mundo habitado (ver Luc. 4:5; 21:26; Atos 11:28 e 17:31). Que *oikouméne* e *kosmos* podiam ser usados como puros sinônimos vê-se no fato de que no paralelo de Lucas 4:5; que é Mateus 4:8, é usado o termo grego *kosmos*.

É digno de atenção que o apóstolo dos gentios emprega o termo *oikouméne* somente na citação que se vê em Rom. 10:18 (onde ele cita Salmos 19:5, segundo a Septuaginta). Por sua vez, na epístola aos Hebreus, o sentido dessa palavra é, novamente, como é comum no Novo Testamento, «o mundo habitado», segundo se vê em Hebreus 1:6. Mas, o emprego dessa mesma palavra grega, em Hebreus 2:5, traz mais o sentido que cabe a *aion* ou *kosmos*. Lê-se ali: «Pois não foi a anjos que sujeitou o mundo que há de vir...» A antiga tradição da literatura apocalíptica talvez esteja por detrás tanto desse último uso na epístola aos Hebreus quanto das três instâncias da palavra, em Apocalipse: 3:10; 12:9 e 16:14. Diz a primeira dessas passagens: «Porque guardaste a palavra da minha perseverança, também eu te guardarei da hora da provação que há de vir sobre o mundo inteiro...» Entretanto, de modo geral, o Novo Testamento não empresta qualquer significação particular ao termo. Porquanto tanto o emprega para indicar a terra habitada em geral, como para indicar a unidade político-cultural constituída pelo império romano, dentro do qual surgiu o cristianismo.

B. Aion

1. *Significado Básico*. Essa palavra, teologicamente falando, reveste-se de muito maior importância do que *oikouméne*. Basicamente, refere-se a uma noção temporal, e não tanto espacial. Nos tempos de Homero, esse termo significava *forma vital*. Daí evoluiu semanticamente, de modo muito rápido, para indicar «período de vida», «geração», «espaço de tempo», e isso com uma referência passada, presente ou futura, até que, finalmente, veio a indicar «eternidade». Desempenhou um considerável papel dentro das discussões dos filósofos gregos acerca do elemento «tempo»; e, no período helenista, chegou a ser personificado como o deus *Aeon*. Sua forma adjetivada, *aiónios*, aparece ligado tanto à salvação quanto à condenação. Assim, no tocante à salvação, poderíamos examinar João 3:16, onde se lê: «Porque Deus amou ao mundo de tal maneira que deu o seu Filho unigênito, para que todo o que nele crê não pereça, mas tenha a vida eterna (no grego, *aiónios*)». E, quanto à perdição: «...melhor é entrares na vida manco ou aleijado do que, tendo duas mãos ou dois pés, seres lançado no fogo eterno (no grego, *aiónios*)». Aliás, esse é, provavelmente, o argumento mais definitivo daqueles que acreditam na eternidade do inferno e do castigo dos que ali serão lançados, como é o caso deste tradutor e co-autor. Só poderíamos aceitar uma condenação provisória na Geena de fogo se a permanência no céu, por parte das almas salvas, também fosse provisória! Todavia, reconhecemos que outros estudiosos têm visto as coisas de modo diferente, como se o adjetivo *aiónios* significasse, ao mesmo tempo, «eterno» e «provisório».

Nota do outro autor desta enciclopédia

É verdade que a palavra envolvida tem o significado explicado, mas devemos nos lembrar que a *Descida de Cristo ao Hades* (vide) abriu uma nova perspectiva em relação aos perdidos, ver I Ped. 3:18—4:6. Cristo levou seu evangelho para o próprio lugar do julgamento e garantiu, com esta missão infernal, uma aplicação *universal* do evangelho. Além disto, o *Mistério da Vontade de Deus* (vide), Efé. 1:9,10, garante uma restauração final, de todas as coisas, que operará na redenção dos eleitos e na restauração dos não-eleitos. Ver o artigo sobre *Restauração*. Devemos nos lembrar também que parte do Novo Testamento (nesta mensagem otimista) ultrapassa a velha doutrina do julgamento que o cristianismo emprestou dos livros pseudepígrafos. Finalmente, devemos nos lembrar que o *próprio julgamento* é *remedial*, e não somente punitivo, I Ped. 4:6. Isto quer dizer que o julgamento é *um dos meios* de Deus, através dos quais, seu amor redentor opera. Portanto, o resultado *final*, que opera através das *eras* da eternidade, deve ser altamente *positivo*. Nisto existe o famoso amor de Deus.

O sentido temporal do vocábulo *aion* também é preservado nas páginas do Novo Testamento, em várias frases usadas para indicar a eternidade. Por exemplo: «...segundo o meu evangelho e a pregação de Jesus Cristo, conforme a revelação do mistério guardado em silêncio nos tempos eternos» (Rom. 16:25). Por semelhante modo, esse adjetivo é usado no Novo Testamento para denotar a idéia da eternidade de Deus. «...a revelação do mistério, guardado em silêncio nos tempos eternos, e que agora se tornou manifesto, e foi dado a conhecer por meio das Escrituras proféticas, segundo o mandamento do Deus eterno...» (Rom. 16:25,26). Em I Timóteo 1:17, Deus aparece como o «...Rei eterno, imortal, invisível, Deus único ...» Com base nos ensinos veterotestamentários, uma declaração como essa não parece indicar que Deus existe tanto quanto os *aiones*, e, sim, que ele existe tanto antes quanto depois de todos os tempos ou de todo o tempo, ou seja, Deus vive na eternidade. E uma característica importantíssima do Novo Testamento é que assertivas similares são feitas no tocante a Jesus Cristo, dando a entender tanto a sua preexistência quanto a sua deidade essencial.

2. *Aion com o Sentido de Mundo*. Como é que uma palavra que dava uma indicação de tempo, veio a ser usada para indicar este mundo? A resposta parece jazer no uso do vocábulo *aion* para designar o tempo que se passa neste mundo, isto é, aquele tempo limitado pela criação e pelo fim do mundo. Assim, conforme comentou um certo intérprete, nas Escrituras, a mesma palavra é utilizada para indicar duas coisas que são, na realidade, profundamente antitéticas, a saber, a eternidade de Deus e a duração do mundo. E é possível, ajuntamos nós, que essa seja a razão pela qual alguns pensam que *aiónios* pode significar algo menos do que «eterno». Em Mateus 13:39, o fim do presente *aion*, sem dúvida aponta para o fim do tempo, neste nosso mundo. E mesmo se considerarmos o plural, conforme se vê em Hebreus 9:12 e I Coríntios 10:11, essa palavra continua revestida do mesmo sentido, embora haja então a sugestão de que o tempo deste mundo compõe-se de dois ou mais períodos sucessivos.

Entretanto, se o vocábulo **aion** aponta para o tempo que se escoa **neste mundo**, e, então equiparar a ordem do mundo com o mundo. No hebraico dos fins do Antigo Testamento já se fizera isso, sendo apenas natural encontrar o mesmo uso gramatical no Novo Testamento. As instâncias mais claras dessa equiparação aparecem no longo trecho de I Coríntios 1—3, onde podemos encontrar, como equivalentes «sabedoria do *kosmos*», «sabedoria deste *aion*», «sabedoria deste *kosmos*», e, em Marcos 4:19 e Mateus 13:22, onde os cuidados deste *aion*, sem a menor sombra de dúvida, significam os negócios deste mundo (cf. *kosmos* em I Cor. 7:33). O amor que Demas demonstrou pelo *aion* presente (II Tim. 4:10), parece apontar para um entendimento semelhante dessa palavra, e os *aiõnes* que aparecem em Hebreus 1:2, sem dúvida, são mundos ou esferas, e não épocas diferentes.

3. *Os Dois Aiones*. Conforme já pudemos salientar, o plural, *aiõnes*, embora, com freqüência, equivalente à sua forma singular, também pode sugerir mais de um período de tempo, em sucessão. Pode-se chegar a essa compreensão de várias maneiras. A recorrência eterna, por exemplo, postula uma série infinita de *aiones*. Todavia, o ponto de vista da Bíblia é incompatível com uma sucessiva escala de *aiõnes*, assim concebida. Antes, de acordo com as Escrituras, o mundo teve começo e terá fim. No entanto, de acordo com a Bíblia, houve uma interrupção no mundo, através do pecado. E isso significa que o quadro apresentado pela Bíblia assume outros aspectos, que não meramente um começo e um fim. Assim, examinando as Escrituras poderíamos sumariar os grandes *aiones* como a criação, a queda no pecado, a destruição da terra, a nova criação e a consumação de todas as coisas. Portanto, os dois *aiones* do Novo Testamento, que sumariam toda essa seqüência, isto é, o começo e o fim do mundo, envolvem todos esses segmentos principais.

O pano de fundo dessa doutrina, todavia, não é grego e, sim, incontestavelmente judaico. Pois nos escritos apocalípticos dos judeus, de tempos posteriores, há constantes referências aos dois *aiõnes*, tanto de natureza espacial quanto de natureza temporal. Cf. o Enoque etíope. Esses *aiones* são o tempo deste mundo, por um lado, e a eternidae, por outro lado, com uma antítese acompanhante entre o presente mundo visível, por um lado, e o futuro mundo invisível, por outro lado. E entre esses *aiones* encontram-se a ressurreição dos salvos, a ressurreição dos perdidos e o juízo final. Ao que tudo leva a crer, os rabinos seguiam esse mesmo esquema, porquanto há exemplos (em sua maioria da época pós-cristã) da distinção que eles faziam entre o presente *aion* e o *aion* vindouro.

Nas páginas do Novo Testamento, o contraste ocorre nos evangelhos **sinópticos**. Assim, o trecho de Marcos 10:30 distingue o tempo presente do *aion* futuro. Lucas 16:8 é passagem que contrasta os filhos deste *aion* com os filhos da luz (cf. Luc. 30:34,35, onde também há uma alusão à ressurreição). E o trecho de Mateus 12:32 ensina que o pecado contra o Espírito Santo não pode ser perdoado nem neste *aion* e nem no futuro. E ainda quando o presente *aion* não é expressamente descrito como pecaminoso, ainda assim a sua pecaminosidade parece ser uma implicação bem clara, em algumas dessas passagens do Novo Testamento.

O apóstolo Paulo só se referiu expressamente ao *aion* vindouro na sua epístola aos Efésios. Não obstante, suas muitas alusões ao presente *aion*, não deixam dúvida alguma de que ele fazia contraste com um *aion* futuro. Exemplificamos com uma citação, a de Rom. 12:2: «E não vos conformeis com este século, mas transformai-vos pela renovação da vossa mente...» (ver também I Cor. 1:20; 2:6,8; 3:18 e II Cor. 4:4). E esse apóstolo também deixou cristalinamente claro que o *aion* presente é mau. «...e do nosso Senhor Jesus Cristo, o qual se entregou a si mesmo pelos nossos pecados, para nos desarraigar deste mundo perverso...» (Gál. 1:3b,4a). Isso deixa esclarecido por que a doutrina bíblica da criação admite uma doutrina de dois *aiõnes*. O presente *aion*, que está em estado de revolta contra Deus, haverá de ser substituído pelo futuro *aion* da salvação e do pleno cumprimento de todas as potencialidades dos filhos de Deus.

A epístola aos Hebreus contém apenas uma referência direta ao *aion* futuro. «...aqueles que... provaram a boa palavra de Deus e os poderes do mundo vindouro» (Heb. 6:5). No entanto, essa única referência é importantíssima, porquanto ensina-nos que agora mesmo, neste mundo, os crentes já tiveram uma prova dos poderes do futuro *aion*. Assim sendo, isso permite-nos concluir que enquanto os escritos apocalípticos dos judeus ainda estavam esperando a manifestação do *aion* futuro, a mensagem cristã anuncia que esse futuro *aion* já se manifestou, na pessoa de Jesus Cristo, de tal modo que aqueles que estão «em Cristo», também estão, em espírito, embora ainda não na carne, vivendo no novo *aion*. Conforme estamos dizendo, isso ainda não é uma escatologia cumprida. Pois, somente por ocasião do segundo advento de Cristo, com a conseqüente ressurreição dos crentes falecidos e da transformação dos crentes vivos, é que este presente *aion* chegará ao fim, e o novo *aîon*, realmente, manifestar-se-á.

A co-existência do antigo *aîon* com o novo *aion*, na vida dos crentes, serve de salutar advertência de que essa palavra grega não significa, meramente, «mundo». Ao mesmo tempo, é mister saber não fazer uma distinção por demais drástica, pois, por enquanto esses dois *aiones* convivem lado a lado, havendo muitos inter-relacionamentos. Além disso, as Escrituras falam sobre um novo céu e uma nova terra. Por conseguinte, no novo *aion* será conservada a relação entre o tempo e o espaço, embora, por enquanto, estando nós ainda na carne, a natureza da nova criação esteja fora do alcance do nosso entendimento. Pois mesmo quando surgir em cena o novo *aion*, restará algo do antigo. Porquanto o novo *aion* envolverá a renovação dos céus e da terra. «Vi novo céu e nova terra, pois o primeiro céu e a primeira terra passaram, e o mar já não existe» (Apo. 21:1).

C. Kosmos

1. *Uso*. Se o termo grego *aion* envolve tantas idéias importantes, conforme acabamos de ver, talvez o vocábulo *kosmos* seja o mais significativo de todos os três termos que o Novo Testamento usa para referir-se ao «mundo». Na Septuaginta, essa palavra foi usada para indicar os «exércitos» do céu (ver Gên. 2:1), e também para aludir a «adorno» (Êxo. 33:5), porquanto devemos lembrar-nos que temos aí as idéias de organização e de enfeite, que faziam parte do significado dessa palavra. E somente nos livros gregos profanos é que esse vocábulo veio a tornar-se proeminente para indicar o universo criado e governado por Deus. Além disso, era empregado para indicar o mundo dos homens, a humanidade. O judaísmo helenista, com grande probabilidade, adotou esse termo, em vez dos termos mais antigos, embora não como um conceito filosófico, e, sim, como uma palavra de uso corrente. E foi assim que tal palavra chegou até a penetrar no vocabulário usado pela liturgia judaica.

Conforme já vimos, esse vocábulo grego ocorre por cento e oitenta e duas vezes (ver acima, na lista de palavras hebraicas e gregas, no começo deste artigo, sob o número 5). Na Bíblia, entretanto, jamais tem o sentido de «ordem», e somente em I Pedro 3:3, podemos ver nessa palavra grega um sentido de «beleza» ou «adorno». Em todas as demais passagens bíblicas, o seu sentido é sempre «mundo». Cerca de metade daquelas cento e oitenta e duas referências acham-se nos escritos joaninos, especialmente no quarto evangelho. Esse vocábulo também é bastante comum nos escritos paulinos, apesar de ser um tanto raro nos evangelhos sinópticos e no livro de Atos. O uso que Jesus fez da expressão «céu e terra» explica a raridade dessa palavra grega nos evangelhos sinópticos. Por outra parte, nas epístolas e no Apocalipse, esse termo parece projetar-se em clara relação de importância teológica.

2. *Universo*. Tanto no Novo Testamento quanto nos escritos seculares da antiguidade, o *kosmos* aparece, primariamente, como o sumário de todas as coisas, o universo, enfim. Lemos em Atos 17:24: «O Deus que fez o mundo e tudo o que nele existe, sendo ele Senhor do céu e da terra, não habita em santuários feitos por mãos humanas». Nesse sentido, a palavra em foco é equivalente às expressões «céus e terra» ou «todas as coisas» (cf. João 1:3,10). Mas, outras vezes, o *kosmos* aponta apenas para o espaço, com uma possível distinção daquilo que enche esse espaço, mas, na maioria dos seus usos, representa a totalidade das coisas que foram criadas.

3. *O Kosmos Transitório*. A conexão fundamental entre o espaço e o tempo se reflete no pressuposto neotestamentário de que o *kosmos* foi criado para ter uma duração limitada. Assim, o *kosmos* ocupa um *aion*. Note o leitor essa combinação das palavras que já temos estudado, em Efésios 2:2: «...nos quais andastes outrora, segundo o curso (no grego, *aion*) deste mundo (no grego, *kosmos*)...» Esse curso ou *aion*, pois, ocupa o tempo que haverá de escoar-se entre a criação do mundo e o seu final. Que o mundo teve começo, Jesus confirmou em Mateus 24:21, onde se lê: «...nesse tempo haverá grande tribulação, como desde o princípio do mundo até agora não tem havido...» Ver também Heb. 4:3. E, com essa passagem de Mateus, poderíamos vincular uma outra, também encontrada nesse primeiro evangelho, que alude ao fim do presente *aion:* «Pois, assim como o joio é colhido e lançado ao fogo, assim será na consumação do século (no grego, *aion*)» (Mat. 13:40). Isso mostra-nos que se o *kosmos* é assinalado por sua grande duração, tudo quanto nele existe é caracterizado por sua transitoriedade. «Ora, o mundo passa, bem como a sua concupiscência; aquele, porém, que faz a vontade de Deus permanece eternamente» (I João 2:17; cf. I Cor. 7:31).

Esses ensinamentos bíblicos, que acabamos de considerar, mostram-nos que o *kosmos* é posto em uma antítese escatológica com o futuro *aîon*. E essa mesma antítese é expressa pelo apóstolo João, quando ele fala sobre a vinda de Cristo a este mundo. «...a verdadeira luz que, vinda ao mundo, ilumina a todo homem» (João 1:9), e que o contexto deixa claro que a referência é ao Verbo de Deus.

Um ponto importante a ser observado, nessa conexão, é que o **Novo Testamento** nunca fala sobre um novo *kosmos*, ainda futuro. Antes, um *aion* haverá de manifestar-se, o que será uma nova criação. Mas não haverá nenhum novo *kosmos*. Falaremos acerca da razão para isso, um pouco mais adiante.

O próprio Deus é o Criador do *kosmos*. «O Deus que fez o mundo e tudo o que nele existe...» (Atos 17:24). E o Novo Testamento cansa-se de mostrar que Deus é quem governa o mundo, o que é reiterado, ainda mais insistentemente, no Antigo Testamento. Não obstante isso, Deus nunca é descrito no Novo Testamento como o Senhor do *kosmos*. Tão-somente, encontramos ali a expressão da esperança escatológica de que os reinos deste *kosmos* haverão de tornar-se o reino de nosso Senhor e do seu Cristo. «O reino do mundo se tornou de nosso Senhor e do seu Cristo, e ele reinará pelos séculos dos séculos (no grego, *kaìk basileúsei eis toùs aiõnas toũ aiónon*, «e reinará de um *aĩon* para outro *aĩon*)» (Apo. 11:15).

4. *A Cosmologia do Novo Testamento*. Uma questão que tem assumido uma certa importância na teologia moderna é a da cosmologia do Novo Testamento. Ao que parece, Bultmann apoiava o seu apelo em favor da «demitização» sobre a necessidade de corrigir o conceito supostamente obsoleto do Novo Testamento sobre o universo, como se este fosse uma estrutura em três andares. Essa descrição seria correta? É mister admitir que a Bíblia fala sobre céus e terra. O mar ou submundo também poderiam ser considerados uma *terceira* divisão. Entretanto, deveríamos notar que o céu também é um sistema de esferas (ou *aiones*), conforme se vê em Hebreus 1:2; e também que há alusões aos elementos do mundo, em Gálatas 4:3 e Colossenses 2:8. Certo comentador evangélico moderno observou três pontos sobre isso: 1. o Novo Testamento não expõe ensinos cosmológicos expressos como parte de sua mensagem; 2. o Novo Testamento meramente alude a idéias correntes, que só têm sentido contra o pano de fundo da época em que foi escrito; e 3. dificilmente alguém poderia costurar os pedaços de informação, para que formasse

um sistema coerente e, então, dizer: Isto é o que o Novo Testamento ensina sobre a cosmologia. (Ver TDNT, III, 87, de Sasse). Se esse reparo está com a razão, então é trabalho inútil tentar «demitizar» o Novo Testamento quanto a essa questão de cosmologia, tal como seria exigir a demitização de um relatório de meteorologia que mencionasse o nascimento do sol e o pôr-do-sol.

5. *O Teatro da História*. A preocupação fundamental do Novo Testamento, tal como se dá com o Antigo Testamento, não é o universo em si e, sim, o homem, que vive dentro desse universo e dele faz parte. Foi Deus quem criou o universo inteiro, mas somente o homem foi criado à imagem e semelhança de Deus. E o principal relacionamento de Deus é com o homem que criou. Portanto, de acordo com uma frase que já se popularizou, o universo é o teatro da história humana, e, mais especificamente, o teatro da história de Deus e do homem. Em muitas instâncias, portanto, a palavra grega *kosmos* reveste-se do sentido especial de «mundo habitado». Esse é o lugar onde o homem habita. Cf. Mat. 4:8; Rom. 1:8. Talvez esse seja o sentido mais exato daquela declaração de Jesus sobre alguém vir a ganhar o mundo inteiro, em Marcos 8:36. Encontramos novamente a palavra, com a tendência de ter um sentido secundário de «nações», em Romanos 4:13.

É exatamente porque o mundo é o teatro onde se desenrola a vida humana que o Novo Testamento pode falar em entradas e saídas. Vir ao mundo é expressão comum nos escritos de João, sem importar se ele aludia às pessoas em geral, a Cristo ou «àquele profeta». O pecado e a morte entraram no mundo (ver Rom. 5:12,13). Outro tanto acontece aos falsos profetas (ver I João 4:1). Mas, assim como alguém pode entrar no mundo, também pode sair dele. Cristo saiu do mundo, por ocasião de sua morte (João 13:1). Os crentes teriam de sair do mundo se tivessem de evitar o contato com os imorais (I Cor. 5:10). E, entre a entrada e a saída neste mundo, há toda uma permanência neste mundo. O *Lógos* esteve no mundo (João 1:10), como também os discípulos (João 17:11), como também todos os crentes, em geral (I João 4:17; II Cor. 1:12, etc.). Um importante princípio está envolvido nisso, ou seja, os crentes não devem sentir-se parte da maneira de viver do *kosmos*. Não obstante, durante o período de sua atual peregrinação, eles não têm outra opção senão continuar a sua existência *dentro* do *kosmos*.

6. *A Humanidade*. No trecho de Romanos 4:13, o sentido da palavra «mundo», como o lugar onde habita a raça humana, mescla-se com o sentido da raça que no mundo habita. «Não foi por intermédio da lei que a Abraão, ou à sua descendência coube a promessa de ser herdeiro do mundo...» Esse uso pode ser encontrado tanto no original hebraico do Antigo Testamento quanto no aramaico, como também na Septuaginta e no grego *koiné*. No Novo Testamento, pode ser achado em Marcos 16:15 e 14:9, onde os discípulos são comissionados para irem ao mundo inteiro, ou seja, não a cada localização geográfica, e, sim, a cada criatura humana. Como é patente, nem sempre é possível determinar esse sentido com precisão; mas, parece ser esse o sentido mais exato de frases como aquela em que o Senhor Jesus afirma que os crentes são a luz do mundo (Mat. 5:14), ou quando ele diz que o campo é o mundo (Mat. 13:38). Ao que parece, Pedro tinha os homens em mira, quando se referiu ao *kósmos* dos ímpios: «...e não poupou o mundo antigo, mas preservou a Noé, pregador da justiça, e mais sete pessoas, quando fez vir o dilúvio sobre o mundo dos ímpios...» (II Ped. 2:5). E esse é, igualmente, o sentido das palavras de Paulo, quando ele designa os apóstolos como o «lixo do mundo», em I Coríntios 4:13. E os anjos também podem ser incluídos nesse pensamento (I Cor. 4:9), embora, na grande maioria das vezes, a alusão seja à humanidade.

7. *O Kosmos Maligno*. A raça humana é uma espécie decaída. Isso significa, por sua vez, que o *kosmos*, igualmente, é apresentado como algo alienado de Deus, mormente nos escritos de Paulo e João. O primeiro desses apóstolos, na primeira epístola aos Coríntios, usa uma série inteira de contrastes a fim de deixar esclarecido, acima de qualquer possibilidade de dúvida, que essa alienação é uma *realidade*. A sabedoria deste *kosmos* (ou *aion*) faz contraste com a sabedoria do Senhor; o espírito do *kósmos* contrasta com o Espírito de Deus; o arrependimento do *kosmos* contrasta com o arrependimento outorgado por Deus. Na epístola aos Romanos é pintado um quadro ainda mais negro. Visto que o pecado entrou no *kosmos*, o *kosmos* inteiro tornou-se culpado, e será julgado e condenado por Deus. Ver Rom. 3:6,19; cf. I Cor. 6:2. A natureza final e definitiva desse pecado manifesta-se no fato de que foram os governantes deste *kosmos* que crucificaram ao Senhor da glória. Como é óbvio, em uma passagem como essa (I Cor. 2:8), o *kosmos*, obviamente, indica a raça humana. Não obstante, *kosmos* é palavra que envolve mais do que isso, porquanto os poderes angelicais controlam o *kosmos* pecaminoso (cf. I Cor. 2:6; Efé. 2:2). E isso explica o motivo pelo qual Deus nunca é chamado, nas Escrituras, de Senhor do *kosmos*. E também por que, nas Escrituras, não haverá nenhum novo *kosmos*, embora tenha de haver um novo *aîon*, conforme já vimos acima. Tão completamente o KÓSMOS é identificado com o pecado e com a queda no pecado, nas páginas do Novo Testamento, que o único destino do *kosmos* só pode ser a condenação e a destruição, uma vez julgado por Deus. O *kosmos*, pois, representa o mundo pecaminoso e mau, que está em irreconciliável conflito com o mundo de Deus, o novo *aion*, que será manifestado por ocasião do segundo advento de Cristo.

João usou uma linguagem ligeiramente diferente, embora, materialmente, o pensamento seja idêntico. Cristo não pertence ao *kosmos*, porquanto ele veio da parte de Deus. Esteve no *kosmos*, mas o *kosmos* não O reconheceu (João 1:10). E nem o *kosmos* confiou Nele (João 7:7). Embora Jesus tivesse vindo a este mundo a fim de salvar, e não de condenar, a incredulidade do *kosmos* só resulta em sua própria condenação.

O príncipe deste *kosmos* foi logo o primeiro a ser julgado. «Chegou o momento de ser julgado este mundo, e agora o seu príncipe será expulso» (João 12:31). A primeira epístola de João encerra contrastes que fazem lembrar os contrastes feitos por Paulo, a saber: aquele que está nos crentes e aquele que está no mundo (I João 4:4); aqueles que são do mundo e aqueles que são de Deus (4:5,6); nós, que pertencemos a Cristo e o mundo que está na iniqüidade e pertence ao maligno (5:19). Novamente, vê-se aí um conflito sem solução por enquanto, que resultará na condenação final dàqueles que teimam em continuar pertencendo ao *kosmos*. Este mundo não escapou ao controle de Deus, embora esteja em estado de revolta contra ele. Mediante o novo nascimento, conferido pelo Espírito de Deus (ver João 3:6), o indivíduo pode ser salvo. Mas o *kosmos*, propriamente dito, por ser um *kosmos* pecaminoso, não pode ser salvo.

8. *O Kosmos como Teatro da Salvação*. Este

mundo, maligno como é, está condenado e perdido. A despeito disso, continua sendo o teatro do ato salvatício de Deus, bem como o objeto de seu amor disposto a salvar. «Porque Deus amou ao mundo (no grego, *kosmos*) de tal maneira que deu o seu Filho unigênito, para que todo o que nele crê não pereça, mas tenha a vida eterna» (João 3:16). Paulo e João estão plenamente de acordo, uma vez mais, na declaração dessa realidade. Disse o apóstolo dos gentios: «...Deus estava em Cristo, reconciliando consigo o mundo (no grego, *kosmos*), não imputando aos homens as suas transgressões, e nos confiou a palavra da reconciliação» (II Cor. 5:19).

Por mais uma vez, o apóstolo Paulo deixou claro que Cristo Jesus veio ao mundo para salvar aos pecadores (ver I Tim. 1:15). Não é apenas que os pecadores sejam salvos do *kosmos*; mas este é o lugar onde os pecadores são salvos. E o apóstolo amado deixou esse ponto esclarecido ainda com maior definição. Assim, Cristo não meramente veio ao *kosmos*, mas veio como o Salvador do *kosmos*, segundo se aprende em João 4:42: «Já agora não é pelo que disseste que nós cremos, mas porque nós mesmos temos ouvido e sabemos que este é, verdadeiramente, o Salvador do mundo» (João 4:42). E Jesus também veio como a **luz do mundo** (no grego, **kosmos**) (João 8:12). Jesus Cristo veio a este mundo a fim de que neste lugar da habitação dos homens, ele fosse o Salvador do mundo, isto é, dos homens.

O impulso por detrás dessa missão é que o mundo, a humanidade, é o objeto do amor de Deus, que se dispõe à reconciliação com os homens. Mas, apesar deste mundo ser a esfera e o objeto da obra graciosa de Deus, em Jesus Cristo, ainda assim continua de pé a verdade que não haverá nenhum *kosmos* vindouro. Os homens que se reconciliarem com Deus formam o reino de Deus, que se manifestará sob a forma do futuro *aion*, a nova criação (ver Apo. 21:1). Conforme alguém já observou, até parece que a palavra *kosmos*, nas páginas do Novo Testamento, foi reservada para indicar aquela porção da humanidade que jaz sob o pecado e a morte. E um ponto que não devemos permitir que escape à nossa atenção é que, se o mundo é convidado a reconciliar-se com Deus, os crentes são salvos deste mundo. Portanto, uma profunda ambivalência circunda a palavra «mundo» (no grego, *kosmos*). No dizer de Sasse, «quando o *kosmos* é redimido, deixa de ser o *kosmos*» (TDNT, III, 893).

9. *Os Crentes e o Mundo*. A compreensão teológica sobre o mundo é que determina a relação entre os crentes e o mundo. Essa relação poderia ser sumariada por meio de três teses: os crentes continuam a viver no *kosmos*; eles não pertencem ao *kosmos*; eles são enviados a pregar a salvação no *kosmos*.

Os crentes continuam a viver no *kosmos*. Este mundo continua sendo o palco onde se agitam tanto a vida humana pecaminosa quanto a vida e o ministério cristãos. Conforme explicou Paulo, os crentes não podem abandonar fisicamente ao mundo (I Cor. 5:10). Eles precisam cuidar de sua própria sobrevivência (I Cor. 7:32 *ss*). Não podem deixar de manter certas relações com este mundo (I Cor. 7:31). E o apóstolo João nos expõe o mesmo ensinamento. Os crentes estão no *kosmos*, tal como Cristo já o esteve (João 17:11). Não são capazes de remover-se fisicamente do mundo. É neste mundo que lhes compete lutar e conquistar (cf. João 16:33).

Os crentes não pertencem ao *kosmos*, embora estejam vivendo nele. Paulo descreve a situação de muitas maneiras. Assim, os crentes estão mortos, juntamente com Cristo, quanto aos rudimentos do mundo (Col. 2:20). O mundo está crucificado para os crentes, tal como os crentes estão crucificados para o mundo (Gál. 6:14). Os crentes não podem moldar suas vidas conforme o mundo (Rom. 12:2). E, quanto a isso, Tiago adiciona um testemunho similar, dizendo: «Infiéis, não compreendeis que a amizade do mundo é inimiga de Deus? Aquele, pois, que quiser ser amigo do mundo, constitui-se inimigo de Deus» (Tia. 4:4). Os crentes precisam resguardar-se do mundo. E o apóstolo João não se mostra menos explícito. Os crentes foram selecionados dentre o mundo (João 15:19). Mediante o novo nascimento, eles passam a pertencer ao Senhor Deus (João 1:12;13). O mundo odeia aos crentes; e os próprios crentes não devem amar ao mundo e às coisas que nele existem (João 15:18,19; I João 2:15). Essa é uma das razões mais fortes pelas quais este mundo é um lugar caracterizado pela aflição (João 16:33). Todavia, os crentes podem encorajar-se quanto a isso, porquanto Cristo venceu ao mundo. Nele, os crentes encontram a sua própria vitória, tal como nele depositaram a sua fé. Essa fé permite que os crentes enxerguem as coisas para além das atrações e dos sofrimentos que há neste mundo, e percebam a realidade do novo *aion*. «Ora, o mundo passa, bem como a sua concupiscência; aquele, porém, que faz a vontade de Deus permanece eternamente» (I João 2:17; cf. I Cor. 7:33).

Finalmente, **os crentes são enviados** a pregar a salvação no **kosmos**. Da mesma maneira que Deus amou ao mundo e Cristo veio a este mundo, assim também os crentes estão na obrigação moral de saírem pelo mundo, como embaixadores de Cristo, anunciando a reconciliação. A Grande Comissão nos impõe esse dever: «Toda a autoridade me foi dada no céu e na terra. Ide, portanto, fazei discípulos de todas as nações, batizando-os em nome do Pai e do Filho e do Espírito Santo; ensinando-os a guardar todas as cousas que vos tenho ordenado. E eis que estou convosco todos os dias até à consumação do século» (Mat. 28:18-20). No quinto capítulo de sua segunda epístola aos Coríntios, Paulo refere-se à Grande Comissão à sua maneira. Em uma outra oportunidade, Cristo deixou claro, diante dos seus discípulos, que ele os estava enviando ao mundo. «Assim como tu me enviaste ao mundo, também eu os enviei ao mundo» (João 17:18). E a humanidade precisa ver nos crentes o mesmo afeto e amor do Pai que os homens podiam ver em Jesus Cristo (ver João 17:21, 23). Assim, embora a Igreja não possa ser confundida com o *kosmos*, sob hipótese alguma, ela encontra-se no palco do *kosmos* (a humanidade). Por isso mesmo, também é uma verdade que embora a Igreja não pertença a este mundo, ela aqui vive por amor ao mundo. Já que os crentes têm plena consciência de que é uma insensatez alguém ganhar o mundo inteiro, mas perder eternamente a própria alma, então também precisam relembrar que a salvação da alma é um acompanhamento inevitável da conquista do mundo para Cristo, ou seja, levar indivíduos ao conhecimento da salvação que há em Jesus Cristo, pela graça divina.

MUNDO EXTERIOR (Argumentos Em Favor Do)

O mundo externo realmente existe? Essa é a posição do *realismo* (que vede). Ou será apenas produto de minha mente? (*Idealismo subjetivo*; que vede); ou será produto da mente coletiva? (*Idealismo objetivo*; que vede); ou será produto da Mente divina? (*Idealismo absoluto*). Os céticos têm afirmado que não há evidências suficientes para provar a existência do mundo externo. No entanto, o próprio Descartes acreditava no mundo externo, argumentando que Deus não nos enganaria para pensarmos que o mesmo existe, quando isso não é verdade. Ele nãc sentia que as evidências de que dispomos a respeito apenas falem sobre uma ilusão. Locke, por sua vez, confiava na percepção dos sentidos para provar a existência do mundo externo à mente. Essas evidências seriam variegadas, mas concordes quanto ao seu testemunho sobre a existência real do mundo externo. *Condillac* (que vede), apesar de confessar que as evidências não são absolutamente conclusivas, calculava que o fato de que procuramos evitar certas coisas externas serve de indicação segura de que elas estão ali, distintas de nós mesmos. Porventura, procuramos evitar a nós mesmos?

O *realismo do bom senso* afirma que existem certas verdades tão inegáveis que é até ridículo tentar provar sua veracidade. Uma dessa verdades é a realidade do mundo externo. A discussão filosófica, por muitas vezes, torna-se divertida. Por isso, nem sempre podemos saber quando os filósofos estão falando sério. Um dia, quando entrei em uma classe de filosofia, em que eu era o professor, encontrei vários alunos perturbados. E eles explicaram o motivo: naquele dia eles tinham tido um debate sobre *se eles* existiam ou não!

MUNDO INTELIGÍVEL

Ver sobre **Mundo Universal (Inteligível)**.

MUNDO INTERMEDIÁRIO

Ver **Estado Intermediário**.

MUNDO PSÍQUICO DE CRIANÇAS MORIBUNDAS

Ver **Parapsicologia**, seção X.

MUNDO SENSÍVEL

Essa expressão aponta para o mundo que podemos conhecer através da percepção dos sentidos. *Emanuel Kant* (vide) limitava o nosso conhecimento teórico a este mundo; mas, por meio do conhecimento prático, admitia o acesso ao mundo *noumenal*, das idéias, o mundo *inteligível*, que pode ser sondado pela razão, embora não pelos sentidos físicos. O mundo sensível também tem sido chamado de *mundo dos fenômenos*, em contraste com o *mundo noumenal*. Kant afirmava que não podemos conhecer a verdadeira natureza das coisas, isto é, das «coisas em si mesmas», embora possamos postulá-las através da razão, da intuição, dos valores morais e das experiências místicas. Conheceríamos o mundo sensível por meio das categorias mentais, que funcionam *a priori*. *Platão*, por sua vez, conferia uma realidade secundária ao mundo sensível, afirmando que conhecemos essa realidade por meio da percepção dos sentidos. Em contraste com isso, o mundo dos *universais* (vide) seria conhecido por meio da razão, da intuição e das experiências místicas. Nas religiões orientais, o mundo sensível é considerado ilusório, sendo admitido somente como epifenômenos da mente, pois a única realidade seria a mente.

MUNDO UNIVERSAL (INTELIGÍVEL)

Ver sobre os *universais*. Paralelamente ao *mundo sensível* (vide), alguns filósofos têm postulado um mundo *noumenal* ou *inteligível*, um mundo de entidades não-materiais. Ver o artigo sobre *Kant*, que mostra um diagrama acerca dos seus *três mundos*. Platão referia-se a este nosso mundo material de realidade menor, pois encontrava a verdadeira realidade no mundo dos universais. As religiões orientais chamam nosso mundo material de ilusório. O cristianismo pensa dualisticamente, admitindo como reais a existência tanto do mundo físico como do mundo não-material, embora sejam de substâncias ou essências diferentes. Este mundo é classificado como *inteligível* porque pode ser apreendido pela mente, e não pelos sentidos físicos.

MUNDOS POSSÍVEIS

Deus podia ter criado um mundo *diferente* daquele que nós conhecemos, sem ter ferido o seu plano geral? O mundo (universo) que criou é o *melhor possível* dentre as possibilidades disponíveis à mente divina? O *pessimismo* (vide) responde que, de fato, o trabalho de Deus (ou de uma força cósmica) era péssimo e que a própria existência é uma maldade. Leibnitz usou a expressão «mundos possíveis» para fazer referência às possibilidades que a Mente Divina podia ter contemplado, e concluiu que é lógico supor que Deus criou «o melhor de todos os mundos possíveis». Isto alivia o *Problema do Mal* (vide), supostamente. A *Grande Mônada* determinou a natureza de todas as outras mônadas das quais o mundo inteiro é composto. Pensar que Deus podia ter criado um mundo *melhor* necessita da idéia paralela de que Deus errou, não tinha todo o poder, e possuia um conhecimento menos do que perfeito. A idéia de Leibnitz pode ser sustentada somente se aceitarmos o *determinismo* (vide) como a regra da criação e ignorarmos a *caos* e a *maldade* que existem no mundo.

MUNDUS IMAGINALIS

Expressão latina que significa «mundo das imaginações». Essa expressão foi usada por **Mulla Sadra** (vide), a fim de descrever um dos aspectos do mundo (ou da criação) que está sujeito ao conhecimento humano, nesse caso, através da imaginação. A imaginação do homem é um microcosmo da imaginação cósmica.

MUNDUS INTELLIGIBILIS

Expressão latina que quer dizer «mundo inteligível», um dos três mundos concebidos por *Mulla Sadra* (vide). Refere-se ao mundo platônico das *idéias* ou *universais* (vide), que são arquétipos de todas as coisas conhecidas neste mundo. Pode ser conhecido por meio da razão, da intuição e das experiências místicas. Outros filósofos usaram a expressão da mesma maneira.

Plotino, entretanto, usou essa expressão para indicar a *Nous* dos filósofos neoplatônicos (a Mente divina), que serviria de intermediária entre Deus e este mundo. Agostinho usava essa expressão como equivalente da *rationes aeternas*, ou idéias eternas, existentes na mente de Deus.

MUNDUS SENSIBILIS

Expressão latina que significa «mundo dos sentidos», ou seja o mundo que chegamos a conhecer mediante a percepção dos sentidos, em contraste com o *mundus intelligibilis* (vide), o mundo superior. Esse conceito fazia parte das idéias de Mulla Sadra (vide).

MUPIM

Um dos filhos de Benjamim, filho de Jacó (ver Gên.

46:21). Ele é chamado *Supim* em I Crô. 7:12,15. E é chamado Sufã, em Núm. 26:39 e I Crô. 8:5. Foi um dos catorze descendentes de Raquel, que pertencia à colônia original dos filhos de Jacó, no Egito.

MURALHA DA LAMENTAÇÕES

Israel Descobre a Extensão do Muro

Reportagem do *Estado de São Paulo* de 8 de outubro de 1987.

Tel-Aviv. — O muro das Lamentações, a única parte que sobrou do Templo de Herodes, é o lugar mais sagrado do judaísmo, representa um muro original maior do que se pensava. Arqueólogos israelenses mostraram ontem um prolongamento de 330 metros do muro sagrado, desenterrado em 20 anos de escavações em um quarteirão árabe na parte antiga de Jerusalém.

A parte *subterrânea* da muralha é quatro vezes mais longa que a parte exposta, onde através dos séculos os judeus se reúnem para rezar e prantear a destruição do templo. Como a parte conhecida, a recém-descoberta foi construída com pedras maciças de um metro de altura. Mas enterrada pelo tempo, ela só é visível através de estreitos túneis, sob casas e lojas de muçulmanos.

O presidente de Israel, Chaim Herzog, ao inspecionar ontem pela primeira vez os túneis, ficou emocionado: «É a ligação direta com nosso passado histórico, há milhares de anos, quando este país era um centro da cultura mundial».

Dan Baht, o arqueólogo responsável pelas obras, informou que trabalhadores judeus começaram a escavar há 20 anos, pouco depois que as forças israelenses ocuparam a velha cidade murada na Guerra dos Seis Dias. A parte exposta do Muro das Lamentações tem aproximadamente 80 metros de comprimento.

MURATORIANO (CÂNON)

Ver o artigo geral intitulado *Cânon do Novo Testamento*. O cânon Muratoriano era uma lista de livros do Novo Testamento, que deveriam ser lidos na adoração pública. O trabalho original, mui provavelmente, foi preparado em grego, embora as informações de que dispomos a respeito tenham chegado até nós mediante uma tradução latina. Aparentemente, a lista reflete o uso da Igreja Romana, em cerca de 200 D.C., e alguns vinculam isso ao trabalho de Vítor, de Roma. Esse cânon deriva o seu nome do erudito italiano Ludovico Muratori, que o encontrou na Biblioteca Ambrosiana de Milão e o publicou em 1740, como um exemplar de escrito vazado em latim bárbaro. Essa lista inclui as epístolas de Paulo, duas epístolas de João, a epístola de Judas, mas não menciona as epístolas de Pedro e nem a de Tiago. Todavia, inclui os livros Sabedoria de Salomão e o Pastor de Hermas, livros esses que, afinal de contas, não foram universalmente aceitos no cânon do Novo Testamento. Entretanto, em alguns grupos protestantes, até hoje esses dois últimos livros são recomendados para a leitura em público.

Esse cânon é importante pelo menos devido a três razões: primeiro mostra que a formação do cânon do Novo Testamento já estava adiantado no século II D.C., embora ainda não estivesse terminado, porquanto não contava com todos os nossos vinte e sete livros neotestamentários. Em segundo lugar, vemos que certos livros, que agora são considerados não-canônicos, chegaram a gozar de considerável prestígio. E, finalmente, que o processo de canonização dos livros sagrados do Novo Testamento ocupou um tempo considerável. Sete hereges são mencionados por nome, e *seus* escritos são rejeitados.

MURATORIANO (FRAGMENTO)

Ver sobre *Muratoriano* (*Cânon*).

MURJITAS

Essa palavra vem de um termo árabe que significa «adiadores». As pessoas religiosas gostam de pensar que *elas* e suas *seitas* são altamente favorecidas por Deus, sendo as únicas a obter a salvação. Entretanto, alguns não estão tão seguros acerca dessa manipulação, feita erroneamente em nome de Deus. Os *murjitas* foram uma antiga seita islamita que se recusava a fazer grandes pronunciamentos acerca de quem eram os bons e favorecidos islamitas, que, finalmente, seriam salvos. Por isso mesmo, foram apelidados de «adiadores», porquanto deixavam a Deus a incumbência de resolver essa questão, no último dia.

MURO DAS LAMENTAÇÕES

Ver sobre *Muralha das Lamentações*.

MURRAY, JOHN

Suas datas foram 1741-1815. Nasceu em Alton, na Inglaterra, e faleceu em Boston, estado de Massachusetts, nos Estados Unidos da América do Norte. Murray rebelou-se contra o calvinismo, partindo do pressuposto de que o amor e o poder de Deus seriam tão grandes que, finalmente, todas as almas humanas, sem exceção, seriam salvas.

Murray migrou para a América do Norte em 1770, onde pregou por toda a Nova Inglaterra. E, finalmente, estabeleceu-se como pastor em Gloucester e em Boston. Tornou-se capelão do exército revolucionário. Naturalmente, por meio de seus escritos, ele mostrou ser um controversista, como também em seus sermões. Ele é considerado por muitos como o fundador do *universalismo* (vide) na América do Norte.

MURTA

No hebraico, **hadas**. Essa planta é mencionada por seis vezes no Antigo Testamento, estando em foco os seus ramos. Ver Nee. 8:15; Isa. 41:19; 55:13; Zac. 1:8,10,11.

A murteira é uma planta perenemente verde, que pode chegar até os dez metros de altura. Suas folhas são pequenas e brilhantes, quase como se fossem de couro, dotadas de um odor agradável. A planta produz pequenas flores brancas ou róseas, e também pequenas bagas escuras, azuladas, que podem ser usadas na produção de um perfume. Os ramos dessa planta eram usados por ocasião da festa dos Tabernáculos (ver Nee. 8:15), para deles fazerem-se cabanas. Isso era apropriado, pois sendo a planta perenemente verde, resistia melhor à ação do tempo. Até os nossos próprios dias, esses ramos de murta são usados na Palestina, com propósitos similares.

Os couros finos da Rússia e da Turquia têm um odor agradável de murta, e isso porque a planta é usada durante o processo de curtição. As rainhas da

Inglaterra levam consigo brotos de murta, em suas festas de casamento, como um símbolo da paz. O nome hebraico de *Ester* (vide) era *Hadassah*, que significa «murta». Em português, um nome feminino é Mírtis, que se deriva do nome grego dessa planta, *múrtos* (embora a palavra grega não apareça no Novo Testamento); mas esse nome feminino vai rareando cada vez mais em nosso país.

MUSA

Vocábulo que tem origem no grego **men**, «pensar», «lembrar». Esse nome veio a designar uma deusa, uma das nove filhas de Zeus e Mnemosime, todas elas inspiradoras da mente humana. As musas tornaram-se as deusas protetoras das artes: da música, da poesia, da dança, etc. A teologia popular transformou-as em algum *gênio* ou *espírito* que inspira os artistas a inventarem coisas ou comporem obras de arte, em seus momentos criativos. Como é claro, o nome *musas* veio a ser aplicado a todas as nove deusas, coletivamente, e não somente a uma delas. Em um sentido secundário, o substantivo *musa* indica qualquer fonte de inspiração artística. Como verbo, a palavra passou para a língua inglesa, com a forma de «to muse», para indicar «ponderar», «meditar», «pensar».

MUSI (MUSITAS)

No hebraico, «sensível». Esse foi o nome de um dos filhos de Merari, que, por sua vez, era filho de Coate (ver Êxo. 6:19; Núm. 3:20; I Crô. 6:19,47; 23:21,23; 24:26,30). O clã que descendeu de Musi tornou-se conhecido como os «musitas» (ver Núm. 3:33; 26:58).

MÚSICA

Ver o artigo sobre Arte que inclui as teorias filosóficas das belas artes.

Ver os artigos separados sobre *Hino* (*Hinologia*); *Hinos, Hebraicos e Judaicos*; e *Música e Instrumentos Musicais*.

Esboço:

I. O Poder da Música
II. Formas de Música na Igreja
III. O Espírito da Música
IV. Formas Nocivas

I. O Poder da Música

Col. 3:16: *A Palavra de Cristo habite em vós ricamente, em toda a sabedoria; ensinai-vos e admoestai-vos uns aos outros, com salmos, hinos e cânticos espirituais, louvando a Deus com gratidão em vossos corações.*

Em certas formas de arte são expressas as realizações e a plenitude espirituais; e, como é óbvio, a música é uma dessas formas recomendadas. Todos têm consciência do poder da música, para moldar o pensamento e as emoções. A música, ordinariamente, é a expressão do «pulso» de um povo. A música pode inspirar pensamentos elevados e ações nobres, ou então atitudes próprias da natureza vil. Há música de natureza espiritual e outra de natureza intelectual, ao passo que há música sensual. Alguém já disse: «Permite-me escrever a música de uma nação, e não me importarei com quem escrever as suas leis». Certamente o poder da música é reconhecido nos países comunistas, onde as artes são usadas como um poderoso meio de propaganda.

Este nosso versículo (Col. 3:16) dá grande valor ao ministério da música na vida cristã. Mostra um profundo discernimento. A música, de conformidade com Aristóteles, é a mais 'moral' de todas as artes. Afeta mais diretamente ao caráter. Uma atitude marcial pode ser produzida por uma marcha; uma atitude de respeito, por um coral nobre; mas o relaxamento pagão das restrições morais por um tom saxofônico. A igreja local vigilante por-se-á em guarda quanto à sua música».

«O cântico coletivo se assemelha ao álcool na transmissão do 'ânimo'. Cria o entusiasmo. Quando o cântico coletivo se torna um costume negligenciado, isso sempre é sinal de uma vida coletiva decadente. Isso já ocorreu em grande parte de nossa moderna cena social. Muitas 'religiões' pagãs têm conquistado terreno, nos corações dos homens, nas asas do cântico. Basta-nos relembrar a 'Marseillaise', da revolução francesa, a 'Internationale' dos países comunistas, ou a 'Horst Wessel' da Alemanha hitlerista e o 'Hino de Batalha da República da Guerra Civil Norte-americana». (Wedell, em Col. 3:16).

Um homem com um sonho, a seu bel-prazer.
Poderá sair e conquistar uma coroa;
E três, com uma nova canção
Podem derrubar toda uma nação.
(Arthur William Edgar O'Shaughnessy)

II. Formas de Música na Igreja

«Os cânticos de Maria e Zacarias foram os genitores e os modelos de uma multidão de cânticos santos. Nos salmos das Escrituras, a igreja neotestamentária encontrou um instrumento de grande amplitude, afinado e tangido para seu uso. Podemos imaginar o deleite com que os crentes gentílicos utilizavam-se do saltério, extraindo dali uma ou outra pérola, recitando-a em suas reuniões e adaptando-a para suas formas nativas de cântico. Depois de algum tempo, começaram a misturá-la com os cânticos de louvor de Israel, formando novas modalidades de 'hinos', para a glória de Cristo e do Pai, como aquele com que tem início em Col. 3:16 faltando-lhe pequeno retoque para que se torne em autêntico poema, ou como aqueles que dão começo às tremendas visões do livro de Apocalipse; e a isso se podem acrescentar os 'cânticos espirituais', de caráter mais pessoal e incidental, como o 'Nunc dimitis', de Simeão, ou o cântico do cisne de Paulo, em sua última epístola a Timóteo». (Findlay, em Col. 3:16).

Salmos. Essa palavra pode ser comparada ao que se lê em I Cor. 14:15. O termo grego «psalmos» é correlato a «psallein», que significa «tanger», uma alusão ao tanger das harpas ou outros instrumentos de corda, porque tais composições eram assim acompanhadas, nos dias antigos. Sem dúvida há alusão aqui aos salmos do A.T., que foram adaptados ao acompanhamento musical, e que naqueles tempos do velho pacto eram usados para propósitos musicais, o que se prolongou até os tempos das sinagogas e da igreja cristã primitiva. As Constituições Apostólicas mencionam seu uso nas igrejas locais. (Ver Constituições Apostólicas II.57.5, que aludem, especificamente, aos «Salmos de Davi»). O «hino» que foi entoado por Jesus e seus discípulos, na ocasião da última ceia (ver Mat. 26:30), mui provavelmente foi um dos salmos de Davi.

Hinos. Originalmente, essa palavra referia-se aos cânticos de louvor em honra a algum deus ou herói. Na igreja cristã, foram criados «hinos», normalmente compostos por seus membros, em louvor a Deus Pai ou a Cristo. A sua forma verbal significa «cantar», «louvar», «narrar repetidamente».

Há possíveis traços de hinos cristãos, nas páginas do N.T. Isso pode ser visto no prefácio ao evangelho de João (João 1:1-5), na opinião de muitos eruditos. (Ver ali as notas expositivas a respeito no NTI). O trecho de Efé. 5:14, evidentemente, contém um fragmento de «cântico espiritual». Outros casos semelhantes podem ser as passagens de I Tim. 3:16; II Tim. 2:11-13; Tia. 1:17 e o décimo terceiro capítulo da primeira epístola aos Coríntios.

III. O Espírito da Música

Cânticos espirituais. No grego temos o termo «ode», palavra geral que significa «cântico». Originalmente também era empregada para indicar o louvor prestado aos deuses ou aos heróis, embora, mais tarde, tenha recebido aplicação mais ampla. Neste ponto são os cânticos *espirituais* que estão em mira. Não há como fazer-se distinção precisa entre os «hinos» e os «cânticos». Na realidade, ambas as palavras apontavam para cânticos, de composição cristã, em contraste com os mais formais «salmos» do A.T. Alguns estudiosos pensam que os «cânticos» eram «poemas» sagrados, adaptados à música, mas, no presente, não há como verificar o acerto ou não dessa opinião. O vocábulo pode indicar todas as formas de cântico, acompanhadas ou não por instrumentos musicais. O trecho de I Cor. 14:14 mostra-nos que alguns «cânticos» eram entoados em línguas, por inspiração do Espírito de Deus. Talvez alguns desses tenham sido preservados, depois de terem sido interpretados.

Plínio, ao relatar os resultados de suas investigações quanto aos costumes dos primitivos cristãos (em 112 D.C.), diz-nos que eles estavam «acostumados a se reunirem, em um dia determinado, antes do irromper do dia, a fim de cantarem um hino, como uma antífona, a Cristo, como se este fosse uma divindade». (*Cartas* X.96).

Com gratidão, em vossos corações. O cântico dos crentes, portanto, é uma autêntica «forma de adoração», e essa adoração é atribuída, segundo diz a nossa versão portuguesa, a *Deus*, no que ela é apoiada pelo texto grego, ainda que outras traduções digam aqui «Senhor». O *coração* é uma alusão ao «homem interior», à «alma», aquela porção do ser humano que é capaz de receber o toque divino, o «homem essencial». Ficam envolvidos o «intelecto» e as «emoções» dos homens; mas mais do que isso, ainda, o «espírito» humano é que expressa louvor e ação de graças ao Salvador de todos os homens.

A música nas igrejas dos crentes, por ser uma expressão espiritual, não deve ter um caráter mundano, seguindo o ritmo do «jazz», do «samba», etc., porquanto isso não contribui para a formação da atitude espiritual, mas antes, excita a natureza mais vil, com suas emoções carnais.

Em vossos corações. Essas palavras não querem dizer que estão em foco apenas os «cânticos particulares», individuais. Antes, o cântico individual, tanto quanto o coletivo, é recomendado como algo útil para a edificação mútua entre os crentes. Um homem pode cantar em voz alta, ao mesmo tempo em que canta no coração. O modo de cantar, quanto à sua atitude, é que está em pauta, e não a questão de cantar-se em voz audível ou em silêncio. Algumas traduções dizem aqui «com o coração», como se estivesse em foco a idéia «instrumental»; e isso é possível. A mensagem dos hinos e demais cânticos cristãos deve ser própria para a edificação dos crentes. No entanto, a música pode tornar-se um abuso, e não uma bênção, no seio das igrejas locais. É cena particularmente entristecedora aquela em que a música mundana é trazida para a igreja, em que um sentimento quase religioso é vinculado à música, mediante as palavras, ao mesmo tempo em que a música é sensual, carnal, terrena, de maneira alguma contribuindo para elevar a alma até Deus. Foi necessário, no concílio de Laodicéia (364 D.C.), que se proibissem os hinos «não autorizados». E apesar disso poder ocorrer novamente, é responsabilidade dos ministros da Palavra preservarem a dignidade e a espiritualidade corretas da adoração na igreja, uma parte importante da qual é o cântico.

IV. Formas Nocivas

1. da revista Ultimato — set/out., 1983.

Desmascarando o «Rock», por Rolando de Nassáu

Rolando de Nassáu é o pseudônimo de Roberto Tôrres Hollanda, Assessor Legislativo da Câmara dos Deputados, crítico musical desde dezembro de 1951, autor de *Introdução à Música Sacra* e Diretor do Departamento de Adultos da Escola Dominical da Igreja Batista Memorial, em Brasília, DF. A Câmara dos Deputados acaba de publicar uma pesquisa de sua autoria sobre descentralização industrial.

••• •••

De amigos que trabalham na Faculdade Teológica de Brasília recebemos recorte de um artigo de *Dennis Roberts* («Rock Music: Stairway to Heaven or Highway to Hell?») publicado no mensário americano «Moody Monthly» (vol. 83, nº 1) de setembro de 1982.

Não apreciamos, nem perdemos tempo com a música de *rock*, porque sempre temos em mente a recomendação do *Apóstolo Paulo:* «Tudo o que é verdadeiro, tudo o que é honesto, tudo o que é justo, tudo o que é puro, tudo o que é amável, tudo o que é de boa fama... nisso pensai» (Fil 4:8).

Comentaremos esse artigo sobre *rock* porque, há mais de 30 anos, escrevemos sobre música para a imprensa evangélica.

Montaigne dizia que devemos ler unicamente o que nos agrada. Procuramos ler o que nos instrui. Perdoem-nos os leitores, lerão informações desagradáveis, mas necessárias. Nossa intenção é despertar os pais para a influência maléfica do *rock* sobre os seus filhos, e advertir os jovens a respeito dos perigos traiçoeiros contidos nas letras e nas melodias desse tipo espúrio de música popular.

Por coincidência, enquanto elaborávamos este artigo, foi publicada uma reportagem sobre a Conferência de Amsterdam; nesse encontro internacional de evangelistas itinerantes estava à venda uma fita gravada em cassete contendo o «Aleluia» de *Haendel* em ritmo de *rock*...

A influência deletéria do *rock* em algumas igrejas evangélicas é evidente: basta ver o uso do *playback*, dos instrumentos musicais elétricos (guitarra, sintetizador) e da batida rítmica simétrica. Já há quem empregue a «new beat».

O artigo de *Dennis Roberts* para o «Moody Monthly» contém revelações realmente estarrecedoras.

Ray Huges, no artigo «Hell's Bells» publicado numa outra revista evangélica que não conseguimos identificar, informa que, em 1955, numa igreja canadense, ao serem exorcizados, demônios anunciaram o próximo lançamento do *Rock and Roll* na América, «para possuir os jovens», que «ficavam histéricos, arrancando os cabelos, rasgando as suas roupas, gritando, gemendo, contorcendo-se e praticando atos de violência durante os concertos». Lembra que Satanás foi anjo de luz e líder de anjos

(Is. 14:4-17; 2 Cor. 11:14; Mat. 25:41; Luc. 11:18; Apo. 20:7-8).

Conta que um missionário ao voltar à tribo africana com discos evangélicos em ritmo de *rock*, teve de ouvir do ex-feiticeiro estas palavras: «Você nos ensinou a abandonar a feitiçaria e a invocação de espíritos. Por que os está invocando com esta música? Com este mesmo ritmo invocávamos os espíritos maus da África!».

No artigo de *Dennis Roberts* lemos que os músicos de *rock*, em sua maioria, estão envolvidos em ocultismo, religiões orientais e feitiçaria.

O *rock* tem contaminado até jovens crentes, com linguagem ímpia, sons alucinantes e ritmo sensual.

Para os nossos leitores faremos um retrospecto deste novo ritmo, da «nova batida», do «novo embalo», que os jovens chamam de *barato* (êxtase provocado por droga ou música psicodélica).

Vários elementos usados pelo *rock* têm origem em estilos de *jazz*: *negro spiritual* (1860), *gospel song* (1880), *blues* (1900) e *rhythm and blues* (1940). O *rock* branco saiu do *rhythm and blues* negro. Ambos prestigiam o ritmo, pois neles a melodia é mero suporte do texto (ver: Joaqhim E. Berendt, *Le Jazz, des origines à nos jours*. Paris: Payot, 1963; Philip Daufouy, *Pop Music/Rock*. Paris: Champ Libre, 1972).

Nos Estados Unidos, o *rock*, profeticamente, teve início no filme *Sementes da Violência*, em 1955, com a música ***Rock around the clock***, executada por *Hill Haley and his Comets*; foi explorado comercialmente, a partir de 1957, por *Elvis Presley*.

Na Inglaterra, a *pop-music* teve nos Beatles, desde 1962, o conjunto mais prestigiado.

O elemento folclórico e político do *folk-rock* foi pesquisado e divulgado por *Bob Dylan*, depois de 1964, através da *protest-song* americana, que ensejou o surgimento do movimento *hippie* na costa ocidental dos Estados Unidos. O *folk-rock* caracterizou-se por um texto poético com uma diretriz política, enquanto o *country-rock* era uma música de origem folclórica, mas sem qualquer conotação política. O movimento *hippie*, por sua vez, procurava satisfação em recursos químicos (drogas) ou estéticos (música psicodélica) como meios de contestar a civilização ocidental. O *acid-rock*, personificado em *Janis Joplin*, tenta reproduzir através do som os efeitos dos alucinógenos (LSD). A música psicodélica é criada ou executada sob a influência de drogas e religiões orientais, utilizando técnicas eletroacústicas.

Depois de 1966, na Inglaterra coexistiam dois estilos: 1) *rock-song* (os *Beatles*, até 1970, usariam a canção popular, sob a inspiração da música européia e da indiana, para uma disseminação de idéias); 2) *pop-rock* (os *Rolling Stones* desviaram a *pop-music* inglesa para uma demonstração de violência sonora); enquanto os *Beatles* eram os menestréis modernos, os roqueiros românticos, os *Rolling Stones* mostravam-se agressivos com suas guitarras.

O *rock* promoveu a eletronização da música popular, já realizada por engenheiros eletroacústicos na música erudita, atingindo inclusive a música religiosa; muitas igrejas têm seu «Gianini» com muitos *watts* para acompanhar o canto de «corinhos».

Para a expansão do *rock* americano e da *pop-music* inglesa contribuíram os meios de comunicação de massa. Na década de 50, a voz lancinante dos cantores de *rock*, difundida pelo rádio, encontrava eco nos corações vazios dos jovens, transviados pela delinqüência e aturdidos pela «guerra fria». Antes de 1955, o filme musicado, para cinema ou televisão, não visava a comunicação com o espectador; deste era esperada apenas uma atitude de admiração, não de participação. A eclosão do *rock* e da *pop-music* significou um impacto sobre a sociedade, nos Estados Unidos e na Inglaterra, depois em toda a América Latina e na Europa, pois rapidamente multiplicaram-se os grupos musicais, e a juventude, oriunda de uma classe média, passou a compartilhar as idéias desses cantores populares, que contestavam a ordem moral, social, política e econômica da época. Por isso, os *Beatles* foram o mais importante fenômeno na música popular internacionalizada da década de 60, e, mesmo fora de cena, continuam a inspirar as letras e as melodias do *rock* e da *pop-music*.

Depressa o mercantilismo multinacional procurou controlar este fenômeno, estimulando, com a comédia musical «Hair», o consumismo de todas as coisas relacionadas com os roqueiros: discos, filmes, livros, revistas, roupas, penteados, linguagem, instrumentos musicais, etc. Para tanto, fez do *rock* uma mercadoria cultural, de modo que, ao mesmo tempo, fosse «um apelo à revolta e um freio à revolução» (ver: Henry Skoff Torgue *La Pop-Music*. Paris: Presses Universitaires de France, 1975).

A *pop-music* retrospectiva reagrupa todos os estilos tradicionais vinculados ao *jazz* (*Rolling Stones, Led Zeppelin, Black Sabbath*) enquanto a prospectiva se aproxima da música erudita contemporânea (Frank Zappa; Pink Floyd).

A deturpação maior do *rock* decorre da adoção, por alguns grupos, de um comportamento imoral (intra e extramusical), que se manifesta no desregramento sexual (*Elvis Presley, Beatles, Rolling Stones, Village People, AC/DC, Queen, Rod Stewart, Elton John, David Bowie*) ou no caráter exibicionista (Elvis Presley, Mick Jagger, Kiss).

2. Rock in Rio

O assunto mais ventilado ultimamente tem sido inequivocamente o Rock in Rio, não obstante, opiniões discordes a respeito. Como homem cristão, não poderia alhear-me a esse evento que inexoravelmente induzirá milhares de jovens inabilitados às raias da perdição.

O rock aparece no cenário musical nos idos de 1955, tendo grande aceitação em todo mundo, alcançando níveis sem precedentes da história humana. Há quem diga que o Rock não conhece fronteiras de **idiomas, cultura, países ou raças.**

Mas... o que dizer do rock como música e seus efeitos macabros?

Todos nós sabemos, por mera intuição, que música expressa sentimento. Se voltarmos no tempo, onde nossos pais e avós cultivavam o inefável dom de cantar harmoniosas e poéticas músicas, melodias que nos adornavam e aformoseavam o espírito com seu sublime som, fazendo-nos perscrutar os meandros celestiais, certamente eles teriam seus espíritos arrebatados pelo som descompassado, estridente e angustiante do rock diabólico, tendo por características essenciais a subversão, violência, agressividade e irreverência indescritível.

O Rock como música agride o sentimento dos homens, acabrunhando, mortificando com sua arte sensual e frenética, ensejando o consumo indiscriminado de drogas, bebidas e **outros estimulantes,** desfigurando por completo a imagem e semelhança que outrora fora esculpida carinhosamente pelo Trino Deus.

O psicólogo George M. Bruno, da Califórnia, EUA, com suas pesquisas musicais, nos afiança que os discos gravados em inglês, ao serem ouvidos ao contrário, ou seja, **sentido anti-horário,** revelam mensagens ocultas e subliminares como veremos:

1º Os Beatles — Revolution Number 9 — Ouve-se uma voz angustiante, quase inaudível que agoniza: «Tira-me daqui» (get me out); ou «Excita-me, homem morto» (Turn me on, dead man) repetindo oito vezes.

2º O conjunto Eletric Light Orchestra — gravação com um milhão e meio de exemplares diz: «Cristo, Ele é maldito» (Christ, He is the nasty one); e «Tu és infernal» (You are infernal).

3º O conjunto Styx gravou o álbum Paradise Theater, a canção Snow Blind, **na qual se ouve** frases: «Apresenta-te, Satanás, manifesta-te em nossa voz» (e outras infinidades).

Como observamos, entres sons estridentes, e dissonantes, mesclados com gritos sinistros e agônicos, faces desfiguradas, escuta-se nada menos do que a própria voz do Satanás.

Numa canção gravada pelo conjunto Black Oak Arkansas, intitulada When Electric Came to Arkansas, escuta-se com nitidez estas blasfêmias: «Satanás, Satanás, ele é deus, ele é deus... Satan... Satan... he is god...»

Outro fator relevante que não se poderia deixar de falar é a mensagem subliminar, algo que ocorre com freqüência no mundo hodierno, corroendo com engenhosidade a mente humana dada a sua eficácia, pois leva pessoas a praticarem algo de maneira inconsciente.

Uma pesquisa realizada nos EUA, em 1977, asseverou que, de mil moças, 900 delas conceberam seus filhos escutando música rock. Constatou-se também que cada música rock contém numa média de oito mensagens subliminares (dado fornecido pela revista mocidade) de origem satânica, como veremos mais algumas nítidas...

1º 'Canto porque vivo com Satanás (I sing because I live with Satan).

2º 'Deus me abandonou' (The Lord turned me off); «Não há saída» (There is nothing in it).

3º 'Aqui está o meu doce Satanás' (Here is to my Sweet Satan); há poder em Satanás (There is power in Satan)...

Creio não haver mais necessidade de mostrar a malignidade do rock e suas nefastas conseqüências. A palavra de Deus tem sido dura para aqueles que se submetem à soberania de Satanás. Vemos que:

«Dizendo-se sábios, tornaram-se loucos. E mudaram a glória do Deus incorruptível em semelhança da imagem de homem corruptível, e de aves e répteis e quadrúpedes. Pelo que também Deus os entregou às concupiscências de seus corações à imundície, para desonrarem seus corpos entre si. Pelo que Deus os abandonou às paixões infames. Porque até as suas mulheres mudaram o uso natural, no contrário à natureza. E semelhantemente também os homens, deixando o uso natural da mulher, se inflamaram em sua sensualidade uns para com os outros, homens com homens, cometendo torpeza, recebendo em si mesmos a recompensa que convinha ao seu erro. E como eles não se importaram de ter conhecimento de Deus, assim Deus os entregou a um sentimento perverso para fazer coisas que não convém. Estando cheios de inveja, homicídio, contenda, engano e malignidade. Sendo murmuradores, detratores, aborrecedores de Deus, injuriadores, soberbos, presunçosos, inventores de males, **desobedientes aos pais,** néscios, infiéis, sem afeição natural, irreconciliáveis e sem misericórdia. Os quais conhecendo a justiça de Deus (que são dignos de morte eterna) os que tais coisas praticam, não somente as fazem, mas também **consentem aos que as fazem». (Romanos cap. 1.**

Oxalá, leitor, que seja tempo de se reconciliar com o soberano Deus, alienando-se do mundo e apegando-se a Jesus Cristo, pois só a Ele devemos prestar culto de louvor, pois quem com Cristo não ajuntar inexoravelmente espalhará. A escolha é sua. *Hugo Guerrato Netto*, Bragança Paulista. (18 de janeiro, 1985, do jornal, *Estado de São Paulo*).

Bibliografia: E EP ES H NTI P

MÚSICA, INSTRUMENTOS MUSICAIS

Ao leitor recomendamos que examine os seguintes artigos: *Música; Hino* (*Hinologia*); *Arte*. O último desses três artigos contém as principais teorias estéticas no tocante às artes (segundo ponto), além de comentar sobre a música sacra (terceiro ponto). Mas esse item ainda é mais amplamente desenvolvido no artigo chamado *Música*. A existência desses outros artigos possibilita-nos concentrar aqui a atenção, principalmente, sobre os instrumentos musicais mencionados na Bíblia.

Esboço:

I. A Teoria da Música
II. A Música no Antigo Testamento
III. A Música no Novo Testamento
IV. Instrumentos Musicais Mencionados na Bíblia

I. A Teoria da Música

A música é a mais abstrata das artes, como também a mais difícil de definir. Mas é inegável que também é a mais poderosa de todas as artes. A música é capaz de fascinar-nos, de inspirar-nos, ou, contrariamente, de degradar-nos. Assim, quando a música é de boa qualidade, podemos dizer juntamente com os poetas:

Música, o maior bem que os mortais conhecem,
E de tudo quanto temos abaixo dos céus.
(John Addison)

A música exalta cada alegria, suaviza cada tristeza,
Expele enfermidades, abranda cada dor,
Subjuga o poder do veneno e da praga.
(John Armstrong)

Com razão diz-se que a música é a língua dos anjos.
(Thomas Carlyle)

A música tem encantos que aplacam o peito selvagem,
Que amolece as rochas e dobram o carvalho nodoso.
(William Congreve)

Um homem com um sonho, a seu bel-prazer,
Poderá sair e conquistar uma coroa;
E três, com uma nova canção,
Podem derrubar toda uma nação.
(Arthur William E. O'Shaughnesse)

«O cântico coletivo assemelha-se ao álcool na transmissão do *ânimo*. Cria o entusiasmo. Quando o cântico coletivo passa a ser um costume negligenciado, isso é sempre sinal de uma vida coletiva decadente. Isso já ocorreu em grande parte da nossa moderna cena social. Muitas religiões pagãs têm conquistado terreno, nos corações dos homens, nas asas do cântico. Basta-nos relembrar a *Marseillaise* da revolução francesa; a *Internationale* dos países comunistas; ou a *Horst Wessel* da Alemanha de Hitler; ou o *Hino da Batalha da República da Guerra Civil Norte-Americana*». (Wedell, comentando sobre Col. 3:16).

Alguns filósofos têm pensado que a música não passa de brincadeira de adultos, que substituem os brinquedos das crianças por seus instrumentos musicais. Outros concebem a música apenas como uma expressão emocional, sem importar de qual tipo. Alguns pensadores já desistiram de tentar definir a música, supondo que se trata de uma daquelas coisas que estão acima da capacidade de conhecimento do homem. Também existem aqueles que opinam que a música provoca certos estados místicos; e, tendo a música tal poder, ela pode fazer coisas admiráveis em favor do bem, ou pode fazer coisas destrutivas, em favor do mal. Pessoalmente, sou dos que têm essa opinião, embora não seja capaz de oferecer uma definição *completa* sobre a natureza da música. Para exemplificar, há música que serve apenas para divertir; outra excita os pés, para que se ponham a dançar; outra deixa escapar o excesso de pressão nervosa; e ainda outra exprime verdades matemáticas ou da razão. Mas, é inegável que há música que parece provocar, inequivocadamente, estados místicos, podendo tanto elevar-nos quanto degradar-nos. O bem é exaltado; e o mal também pode ser elogiado pela música. Lewis Armstrong, o incrível virtuoso do trompete, disse: «Se alguém tiver de perguntar-me o que é o jazz, eu não sei». Para ele, o jazz era uma música tão poderosa que ele não professava ter conhecimento do que estava envolvido no mesmo, posto que soubesse que ele *sentia o poder* que brotava de dentro dele, quando ele tocava o seu instrumento. Há músicos, que tocam música de natureza positiva ou de natureza negativa, que, segundo eles mesmos confessam, entram em estados alterados de consciência quando tocam, tendo feito coisas, com seus instrumentos, que parecem estar acima de seu próprio conhecimento e habilidade. Em alguns concertos de *rock and roll*, o próprio diabo é invocado, e alguns dos astros desse tipo de música têm professado *temor* quanto ao que lhes tem sucedido no palco, mas, ainda assim, não interrompem a sua música.

A Apostasia na Igreja:

A música popular na Igreja sempre se valeu de formas de música correntes na sociedade. Apesar da música assim produzida ficar muito aquém da grandiosidade das formas clássicas, para exprimir os movimentos do espírito, pelo menos ela tem produzido uma música cuja mensagem é aceitável. No entanto, quando os cristãos começaram a utilizar-se de ritmos como o jazz e o rock, a decadência moral e espiritual lhes sobreveio. É conforme me disse um certo diácono: «Quando a música rock começou a ser usada na Igreja, então foi *quando* os jovens da igreja começaram a perder o interesse pelo estudo da Bíblia, pelas escolas bíblicas e pelo trabalho missionário». Eu mesmo cheguei ao ponto de chamar o movimento dos *roqueiros* da Igreja como parte da apostasia dos últimos dias. É simplesmente incrível que a música dos cabarés e dos lugares de prostituição e de uso de drogas tenha-se tornado uma forma de música aceitável para ser usada nas igrejas protestantes e evangélicas. Entretanto, a própria apostasia é uma manifestação incrível, derivada de muitas raízes e com muitos ramos. No artigo sobre a *Música* comentamos longamente essa questão, pelo que, aqui, limitamo-nos a esta simples declaração.

II. A Música no Antigo Testamento

Jubal aparece, em Gên. 4:21, como uma espécie de protomúsico. Ele é ali chamado de pai de todos quantos tocam a harpa e a flauta. Porém, podemos ter a certeza de que a origem da música não tem data, antecedendo o uso desses dois instrumentos musicais. Não sabemos dizer que uso Jubal dava à sua música, embora saibamos dizer que a música sempre permeou todos os setores da sociedade. Mediante a música, celebrava-se ocasiões como a colheita, alguma vitória militar, o nascimento de uma criança, o avanço de um exército, algum dia festivo. Quanto a antigas alusões à música, no Antigo Testamento, ver Êxo. 32:17,18; Núm. 27:17; Juí. 11:34,35; Isa. 16:10; Jer. 48:33. Há coisas específicas mencionadas, que eram acompanhadas por música, como a vitória dos israelitas em Jericó (Jos. 5:4-20); o entronizamento de reis (I Reis 1:39,40; II Reis 11:14; II Crô. 13:14; 20:38); o entretenimento nos palácios reais (II Sam. 19:35; Ecl. 2:8); as festas (Isa. 5:12; 24:8,9); a restauração de dons proféticos (II Reis 3:15). A moderna psicologia tem consciência de que a música tem o poder de até mesmo modificar radicalmente o comportamento das pessoas, sendo natural que a música acompanhe todas as variedades de acontecimentos entre os seres humanos, sejam bons sejam maus.

No tocante ao culto efetuado no tabernáculo não é dito muita coisa sobre a música, exceto que algumas poucas alusões, como em Êxo. 28:34,35, indicam que havia música. Sinetas de ouro eram presas à fímbria inferior das vestes de Aarão, de tal modo que faziam um sonido quando ele caminhava. Davi foi quem deu grande importância à música, em Israel, sendo ele mesmo um músico de habilidade, que tanto tocava instrumentos quanto compunha. Foi com ele que começou a profissionalização da música sacra em Israel, o que veio a tornar-se parte permanente do culto no templo. Quatro mil dentre os trinta e oito mil levitas escolhidos por Davi, para servirem no templo, eram músicos (ver I Crô. 15:16; 23:5). Havia quem somente tocasse instrumentos musicais, como também quem os tocasse e também cantasse. Em I Crô. 25:5,7, lemos sobre duzentos e oitenta e oito músicos, divididos em vinte e quatro turnos de doze membros cada. Quanto aos muitos tipos de instrumentos musicais usados, ver a quarta seção deste artigo, abaixo.

A arqueologia e as referências literárias mostram que povos vizinhos dos israelitas, como os egípcios e os assírios, também contavam com guildas de músicos profissionais bem desenvolvidas, e que a música também era uma parte importante no culto religioso desses antigos povos. Por semelhante modo, havia um ativo comércio de importação e exportação de instrumentos musicais. Uma *midrash* (comentário) da vida de Salomão, na literatura judaica, informa-nos que uma de suas esposas egípcias recebeu mil instrumentos musicais como parte de seu dote. O intercâmbio de instrumentos musicais produziu a circunstância de que havia grande similaridade de instrumentos musicais, entre as culturas diversas existentes no antigo mundo bíblico.

Na cultura de Israel, os coros de vozes humanas eram compostos exclusivamente por homens, o que concordava com a idéia dos hebreus de que as mulheres deveriam ser excluídas do culto religioso. Apesar da cultura hebréia caracterizar-se por um povo que apreciava o cântico e a dança, o próprio culto religioso não incluía dançarinos. E isso, mui provavelmente, a fim de serem evitados os maus exemplos dados pelos pagãos em seus ritos frenéticos e sensuais.

Em conexão com a religião dos hebreus, havia algum cântico público. Quanto a isso, a mais antiga referência de que dispomos pertence ao século I D.C. Assim sendo, é perfeitamente possível que isso tenha sido um costume que se instaurou só posteriormente. Havia três formas desse cântico: 1. um líder cantava uma parte, e então, essa parte era repetida pela congregação; o líder cantava outra parte, mas a congregação repetia o que cantara antes. 2. Um líder cantava meia linha, e a congregação imediatamente repetia o que ele acabara de cantar. 3. Um líder cantava uma primeira linha inteira, e a congregação cantava a segunda linha.

Abandono da Música. Foi não muito tempo depois da destruição do templo de Jerusalém que a música instrumental caiu em desuso em Israel, para não mais ser reativada, embora o cântico jamais tenha sido abandonado. A sinagoga, que já era uma instituição bem forte, antes mesmo da destruição do templo, adquiriu importância suprema, depois que o templo desapareceu. O Talmude revela-nos que havia trezentas e noventa e quatro sinagogas em Jerusalém, na época em que o seu templo foi destruído. Ali, a adoração tomava as formas de estudo e interpretação da Tora; de leitura das Sagradas Escrituras; de orações devocionais. No entanto, não havia holocaustos e sacrifícios e nem havia música instrumental.

III. A Música no Novo Testamento

No Novo Testamento não é dito muita coisa sobre a música, exceto no livro de Apocalipse. Há cerca de uma dúzia de passagens neotestamentárias que têm algo a dizer sobre a música. Cinco dessas passagens são de natureza metafórica: Mat. 6:2; 11:17; Luc. 7:23; I Cor. 13:1; 14:7,8. Os cristãos primitivos aderiram às formas musicais dos hebreus, naqueles lugares onde a Igreja contava com um forte núcleo judaico. Nas terras gentílicas, houve adaptações locais. O concílio de Laodicéia (364 D.C.) precisou condenar hinos não-autorizados, o que nos permite saber que uma música indevida penetrou na Igreja, em áreas de maioria pagã. O trecho de Mat. 26:30 e seu paralelo mencionam o uso de um hino, por parte de Cristo e seus discípulos, terminada a celebração da última ceia. Provavelmente, foi entoada a segunda metade dos Salmos 115-118. O trecho de Luc. 4:16-20, ao mencionar que Jesus leu as Escrituras, talvez também dê a entender que houve cânticos. As outras duas passagens que, nos evangelhos, mencionam a música são Mat. 9:23 (música que acompanhava as lamentações pelos mortos) e Luc. 15:25 (houve música festiva, em conexão com a volta do filho pródigo). E a passagem de Atos 16:25 registra que Paulo e Silas cantavam hinos em louvor a Deus, quando estiveram encarcerados.

Uma Expressão dos Dons Espirituais. Cantar no Espírito pode ser uma forma de falar em língua musical, ou então, alguma espécie de hino espontâneo, dado por inspiração, como uma maneira de louvar ao Senhor. Ver I Cor. 14:15. Presume-se que algum estado de êxtase é que provoca esse tipo de cântico, sendo uma insensatez tentar imitar isso quando não há qualquer impulso do Espírito.

Os passos bíblicos de Efé. 5:19 e Col. 3:16 referem-se a salmos, hinos e cânticos espirituais, que eram utilizados na Igreja primitiva. Sem dúvida, os «salmos» eram o entoar dos antigos salmos do Antigo Testamento, embora ninguém tenha conseguido determinar uma clara distinção entre as duas outras palavras. Mas parece que incluíam hinos que cada igreja local (ou área) compunha, e que talvez refletissem os tipos de músicas freqüentes na localidade. Todos os aspectos do culto religioso, segundo se esperava, deveriam ser controlados pelo Espírito, embora isso não signifique que os cristãos primitivos acreditassem que sua música fosse inspirada. Todavia, existem hinos dotados de tanta graça, de tanta beleza, que temos de dizer que são produtos de uma criatividade especial, contando, pelo menos, com a ajuda divina como inspiração (embora esta última palavra não deva ser entendida no seu sentido técnico, como se dá no caso das Santas Escrituras). Os cânticos expressam profundos sentimentos e convicções religiosas, e, com freqüência, são úteis para exprimir a satisfação religiosa, conforme se vê em Tiago 5:13: «Está alguém alegre? Cante louvores».

Música Escatológica. A trombeta será o instrumento musical que anunciará determinados atos grandiosos de Deus, como: a ressurreição dentre os mortos (I Cor. 15:52; I Tes. 4:16); o recolhimento dos eleitos (Mat. 24:31); o anúncio dos julgamentos divinos, como aqueles do Apocalipse (Apo. 8:2,6). Sem dúvida, temos aí um uso metafórico da música.

O Ruído da Ausência do Amor. Música compõe-se de harmonia e beleza, quando é de boa qualidade. O amor assemelha-se à música, se tiver de ser genuíno. Porém, a falta de amor nada mais é senão ruídos discordantes e dissonantes, como o bronze que soa ou o címbalo que retine, no dizer de Paulo, em I Cor. 13:1. No entanto, não há nessas palavras paulinas qualquer condenação à música instrumental nas igrejas, conforme alguns interpretam, equivocadamente.

IV. Instrumentos Musicais Mencionados na Bíblia

Apesar dos textos bíblicos algumas vezes mostrarem-se obscuros quanto à natureza dos instrumentos musicais empregados nas terras bíblicas do mundo antigo, a arqueologia muito tem feito para dar-nos informações mais exatas sobre a questão. Podemos dividir os antigos instrumentos musicais em três categorias: os de corda; os de sopro; e os de percussão.

1. Instrumentos de Corda:

a. A *harpa* (no hebraico, *kinnor*). Esse é o primeiro de todos os instrumentos musicais mencionados na Bíblia (ver Gên. 4:21). Algumas traduções dizem ali *lira*, conforme a opinião da maioria dos eruditos. Ver também Gên. 31:27. Esse era um instrumento portátil, o que se demonstra pelo fato de que os jovens profetas levavam-no juntamente com três outros tipos (ver I Sam. 10:5). Não sabemos dizer se esse instrumento era tocado com a ponta dos dedos ou com algum objeto de tanger. As antigas pinturas murais dos túmulos egípcios mostram algum objeto de tanger, mas isso não tem de corresponder ao uso dominante em Israel. O trecho de I Sam. 16:23 indica que o instrumento era tocado com as pontas dos dedos. Também não sabemos dizer quantas cordas tinha a harpa. Provavelmente, esse número variava. Josefo fala sobre uma *kinnor* com dez cordas. O hebraico que está por detrás de I Crô. 15:21 parece indicar oito cordas, mas isso já representa uma interpretação duvidosa. A harpa era feita de madeira, embora pudesse haver peças de metal, onde eram presas as cordas. O termo aramaico *qitros* que figura em Dan. 3, vem da mesma raiz de onde se deriva a palavra portuguesa guitarra. De fato, as harpas antigas eram muito mais semelhantes às guitarras, violões, etc., do que às harpas modernas. Muitos eruditos pensam que os hebreus não tinham verdadeiras harpas, um instrumento de formato triangular, semicircular ou parecendo um crescente. As harpas egípcias tinham todos esses três formatos. Porém, visto que os arqueólogos encontraram tal instrumento no Egito, é possível que Israel tenha derivado dali o instrumento, fabricando-o tal e qual o faziam os egípcios. É possível que a palavra hebraica *nebel* refira-se à verdadeira harpa. Esse termo é traduzido, em nossa versão portuguesa por saltério (ver, por exemplo, I Sam. 10:5; II Sam. 6:5; I Reis 10:12; I Crô. 13:8; II Crô. 5:12; Nee. 12:27; Sal. 33:2; 57:8; 150:3). Ou, então, por lira (ver Isa. 5:12; Amós 5:23; 6:5), ou mesmo por harpa (ver Isa. 14:11). Portanto, não há uniformidade de tradução em nossa versão portuguesa, quanto a essa palavra hebraica.

b. *Saltério* (no grego, *psalterion*). Um instrumento de cordas tocado com as pontas dos dedos. O termo grego *psallo* significa «tocar» ou «tanger», o que explica o nome desse instrumento. Essa palavra grega traduzia o termo hebraico *nebel* (ver acima). A maioria dos eruditos pensa que vários tipos de harpa eram assim chamados, de forma geral, ou mesmo exclusivamente. O trecho de I Sam. 10:5 alude ao instrumento, o que parece mostrar uma origem fenícia do mesmo, visto que naquela porção do Antigo Testamento, o pano de fundo era a cultura fenícia. Uma das formas do instrumento tinha uma caixa de ressonância bojuda, parecida com a guitarra portuguesa, na extremidade inferior. Esse instrumento era feito de madeira. O termo hebraico *'asor*, que indica um instrumento de dez cordas, e, na *Septuaginta* (vide), algumas vezes é traduzido pelo vocábulo grego *psalterion*. Porém, também é possível que a *'asor* fosse apenas um tipo de *nebel*.

c. *Cítara*. O trecho de Dan. 3:5 menciona esse instrumento musical como um daqueles que faziam parte da orquestra de Nabucodonosor. Alguns estudiosos pensam que a cítara (no hebraico, *sabbeka*) era uma espécie de harpa, pequena, de formato triangular, dotada de quatro ou mais cordas, e que tocava em tom alto. Estrabão (x.471) diz que se originara entre os bárbaros. Há traduções que dão a esse instrumento o nome de trígono, devido ao seu formato triangular.

d. *Gaita de foles*. Esse instrumento também aparece em Dan. 3:5, como palavra derivada do aramaico, *sumponya*, mui provavelmente um vocábulo tomado por empréstimo do grego. Apesar de estar classificada aqui como um instrumento de cordas, a maioria dos eruditos pensa tratar-se de uma gaita de foles, e não de um instrumento de cordas, o que justifica plenamente a nossa versão portuguesa.

e. *Saltério de dez cordas*. No hebraico, *'asor*. Provavelmente, uma lira com dez cordas (ver Sal. 33:2; 92:3; 144:9). Há quem pense que esse instrumento era chamado *kithara* pelos gregos. Mas esse tinha de trinta a quarenta cordas e era tocado com um plectro, o que mostra que não era o mesmo instrumento referido no Antigo Testamento.

f. *Lira*. Já abordamos esse instrumento sob o título *harpa*, acima. Provavelmente, os hebreus usavam tanto a harpa quanto a lira. Ao que parece, a lira era um instrumento de criação asiática, visto que só mais tarde entrou no Egito. Suas cordas eram feitas de tiras de intestino delgado de ovelhas, esticadas sobre uma caixa ressonante, então sobre um espaço vago, e então presas, na outra extremidade, a uma barra. Usualmente, o instrumento era tocado com um plectro em uma das mãos, enquanto a outra mão era usada para amortecer os sons. Um monumento encontrado em Beni-Hasã, com data de cerca de 1900 A.C., mostra semitas entrando no Egito, tocando liras. O chamado Obelisco Negro de Salmaneser III também exibe músicos tocando esse instrumento, diante de Senaqueribe, em Laquis.

2. Instrumentos de Sopro:

a. *Gaitas* (no hebraico, *chalil*). Algumas traduções também traduzem essa palavra por «flauta». A palavra hebraica *chalil* deriva-se da idéia de «furar» ou «cortar». O termo grego correspondente, *aulós*, envolve a idéia de «soprar». Os eruditos hesitam entre um tipo de oboé e uma flauta. Essa palavra também pode ter um sentido geral, incluindo vários tipos de instrumentos de sopro. Ver I Reis 1:40; Isa. 30:29; Jer. 48:36. No Novo Testamento, o substantivo *aulós* aparece exclusivamente em I Cor. 14:7. Mas o verbo correspondente ocorre por três vezes: Mat. 11:17; Luc. 7:32 e I Cor. 14:7.

b. *Pífaro* (no aramaico, *mashroqitha*). Esse termo acha-se somente em Dan. 3:5,7,10, um dos instrumentos babilônicos ali mencionados. A raiz dessa palavra, *saraq*, significa «soprar» ou «silvar». Vários instrumentos poderiam estar em foco, e talvez o flautim esteja em evidência entre as possibilidades.

c. *Flauta*. No hebraico, *'ugab*. É difícil saber exatamente que instrumento musical seria esse, podendo ser um nome genérico para vários tipos de instrumentos de sopro. Ver Gên. 4:21; Jó. 21:12; 30:31; Sal. 110:4. A *Septuaginta* (vide) dá nada menos de três traduções diferentes para a palavra hebraica envolvida, mas nenhuma delas parece corresponder a um instrumento de sopro, a saber: a guitarra, o saltério e o órgão.

d. *Corneta* (no hebraico, *shophar*). No grego, *kéras*, no latim, *cornu*. Essa palavra hebraica pode indicar frascos para levar líquidos em pequenas porções, pois esses frascos eram feitos de chifres-de-boi. E também podia apontar para um pequeno instrumento como aquele que aparece no sexto capítulo do livro de Josué, quando trombetas foram sopradas e as muralhas de Jericó ruíram.

e. *Trombeta* (no hebraico, *chatsotserah*). Deve ser feita a distinção entre a corneta, feita de chifre-de-boi e a trombeta, que já era um instrumento de metal (ver, por exemplo, Núm. 10:2,8-10; 21:6; II Reis 11:14; 12:13; I Crô. 13:8; II Crô. 5:12; Esd. 3:10; Nee. 12:35; Sal. 98:6; Osé. 5:8). Na *Septuaginta* (vide), temos a tradução para o grego, *sálpinx*. No Novo Testamento, essa palavra grega ocorre por onze vezes: Mat. 24:31; I Cor. 14:8; 15:52; I Tes. 4:16; Heb. 12:19; Apo. 1:10; 4:1; 8:2,6,14 e 9:14. Além disso, a corneta era um instrumento militar, embora também pudesse ser usado em funções religiosas. Assim, esse instrumento até hoje é usado nas sinagogas judaicas. Já a trombeta era um instrumento sagrado, e nunca usado para fins militares.

3. Instrumentos de Percussão:

a. *Címbalo* (no hebraico, *mena' an'im*), uma palavra hebraica de dúbio sentido, que a *Vulgata* traduziu como *sistra*, «guizos». A *Septuaginta* (vide) traduziu essa palavra por *kúmbala*, o que explica a tradução portuguesa. No entanto, dificilmente tratar-se-ia, realmente, do címbalo (ver II Sam. 6:5; Sal. 150:5). Aquela palavra hebraica significa «vibrar». A arqueologia tem ilustrado vários tipos de guizos. Talvez se trate de algo assim.

b. *Címbalo* (no hebraico, *metsiltayim*, «par de címbalos»; ver I Crô. 13:8; 15:16,19,28; 16:5,42; 25:1,6; II Crô. 5:12,13; 29:25; Esd. 3:10; Nee. 12:27; ou *tseltselim*, «címbalos»; ver II Sam. 6:5; Sal. 150:5). Dois tipos de címbalos têm sido achados pelos arqueólogos. Um desses tipos consiste em dois pratos achatados, feitos de metal, que eram batidos um no outro de forma ritmada; o outro tipo consiste em duas espécies de conchas, batida uma na outra. Aqueles termos hebraicos têm o sentido de «zunir». No grego, *kúmbalon*, «címbalo», palavra que ocorre somente uma vez em todo o Novo Testamento: I Cor. 13:1.

c. *Tamborim*. No hebraico, *toph* (ver Êxo. 15:20; Isa. 5:12; I Sam. 18:6). A palavra grega correspondente é *túmanon*. Esse instrumento era parecido com o pandeiro brasileiro, tangido com a mão. Era usado para acompanhar, ritmadamente, a música e a dança, nas festividades e nos cortejos.

Bibliografia. AM GRAD ND SAC STAI UN Z

●●● ●●●

MÚSICA, INSTRUMENTOS MUSICAIS

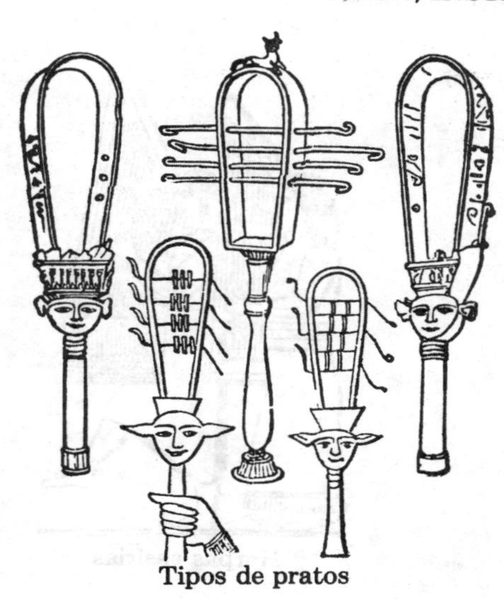

Tipos de pratos

Tamborim

Trombetas assírias e egípcias

Instrumentos de corda e percussão

Harpa egípcia

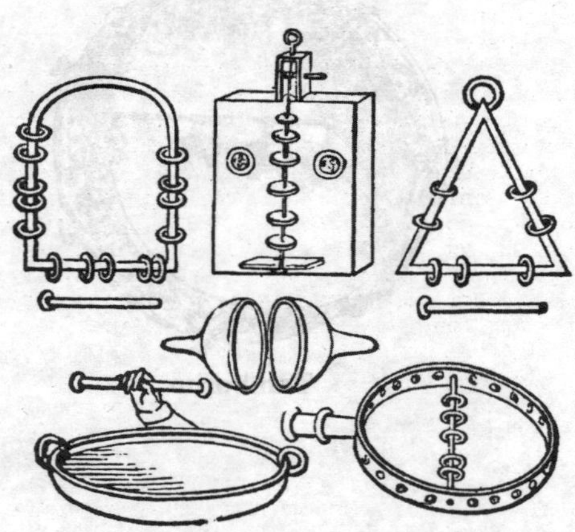

Instrumentos de percussão

Harpas assírias

MÚSICA — *Usos Metafóricos e Citações*

A mais bela música é a filosofia. (Sócrates)

...harmonia existe nas almas imortais,
Ainda que, estando vestidos grosseiramente
em vestes de barro...
(Shakespeare, *Mercador de Veneza*)
...as estrelas da alva juntas
alegremente cantavam.
(Jó 38:7)
são semelhantes aos meninos que assentados
nas praças clamam uns aos outros e dizem:
Tocámo-vos flauta e não dançastes; cantámo-
nos lamentações e não chorastes.
(Lucas 7:32)
A música, foi bem dito, é o falar dos anjos.
(Thomas Carlyle, *Essays: The Opera*)
A música exalta todas as alegrias;
Alivia todas as dores;
Vence a raiva do veneno
e da praga.
(John Armstrong, *Preserving Health*)

MÚSICA DAS ESFERAS

De acordo com Pitágoras e seus seguidores, os movimentos regulares dos corpos celestes produzem uma música soberba, que os ouvidos terrenos normalmente são incapazes de ouvir, embora possa ser detectada, em ocasiões especiais e misteriosas. Essa estranha noção tem captado a imaginação de poetas e de místicos. De fato, em alguns sonhos e experiências místicas extraordinárias, uma música totalmente fantástica pode ser ouvida. Eu mesmo tenho tido essa experiência, em algumas poucas ocasiões. Todavia, tal experiência provavelmente nada tem a ver com aquela interpretação dada por Pitágoras. Música incomum sempre fez parte de certas experiências místicas, embora seja debatida a fonte originária de tal música. Poder ser algo tão elevado como o sobrenatural, ou, então, algo tão comum como uma simples extensão do sentido físico da audição, produzido em estados místicos ou durante os sonhos, ou mesmo por efeito de drogas, conforme os pesquisadores têm descoberto. Podemos tão-somente especular sobre todos esses fenômenos. Minha própria experiência é que essa música tem ocorrido em sonhos de caráter espiritual, aqueles sonhos que tenho reconhecido como espiritualmente instrutivos e inspiradores. Nesses sonhos, desperto inteiramente atônito, como se tivesse entrado em contacto com uma realidade à qual eu nunca julgaria ter acesso. Acresça-se a isso que esses sonhos me têm conferido importantes discernimentos, tanto quanto às minhas crenças, quanto a instruções pessoais acerca de importantes questões.

Shakespeare, no *Mercador de Veneza*, tece um interessante comentário a esse respeito, quando diz:

Não há o menor mundo para o qual não olhes,
Mas em seus movimentos, como um anjo canta,
Cantando no coro dos querubins de olhos jovens;
Tal harmonia existe nas almas imortais,
Ainda que, estando vestidos grosseiramente em vestes de barro,
Não possamos ouvi-la.

Uma das coisas ilustrada nessas experiências místicas é o potencial espiritualizador da música de alto nível, em contraste com a igualmente poderosa sensualidade da música decadente de todos os tempos.

O trecho de Jó 38:7 fala sobre as estrelas matutinas que «juntas alegremente cantavam». Isso parece ser uma antiqüíssima referência ao conceito da Música das Esferas, embora também possa ser mera linguagem poética. As ondas de rádio, emitidas pelos corpos celestes distantes, naturalmente, formam um ruído, mas dificilmente poderíamos chamar a isso de música.

A referência feita por Shakespeare às grosseiras «vestes de barro» (o corpo físico) é interessante e instrutiva. Nosso atual estado como seres mortais, e nossos corpos físicos, com a sua percepção dos sentidos, na verdade servem de obstáculo para as experiências mais elevadas, chegando mesmo a anulá-las, conforme Shakespeare dá a entender com o último verso: «Não possamos ouvi-la».

MUTE

Esse era o nome da deusa-mãe de Tebas, no Egito Ela era representada como a divindade que controlava as águas, em suas enxurradas. Era tida como a esposa do Nilo e consorte de Amom. O emblema de sua maternidade era o abutre, e era reputada protetora dos reis. As rainhas honravam-na usando um enfeite de cabeça com a figura de um abutre. Ver o artigo geral sobre as *Mães-Deusas*.

MUTILAÇÃO

Dentro do contexto religioso, essa palavra, «mutilação», era importante no antigo mundo religioso, por fazer parte do culto de certos deuses. A psicologia por detrás dessa prática era um auto-sacrifício nos termos mais enfáticos. Alguns religiosos ascetas, por alguma misteriosa razão, têm apelado para a mutilação do próprio corpo. Isso assumia muitas formas. Assim, o corpo era desfigurado, marcado com talhos na pele, deformado ou aleijado. Os motivos por detrás desses cruéis auto-sacrifícios podiam ser os costumes tribais, as marcas de identificação de pertencer a alguma divindade, castigos em face de crimes e erros graves, disciplina ascética, símbolo de submissão a algum poder superior, ou propiciação pelos pecados.

A mutilação, como prática ou como castigo, era expressamente vedada pelas leis judaicas, tendo em vista tanto razões humanitárias quanto o fato de que as mutilações eram óbvias práticas pagãs. No entanto, se alguém mutilasse a outrem, teria de receber idêntico castigo, porquanto na lei mosaica impunha-se o princípio que diz olho por olho, dente por dente, ferimento por ferimento, queimadura por queimadura, etc. (ver Êxo. 21:24,25). Em casos assim, a mutilação era aplicada como retribuição contra algum crime. A pena era executada pelo próprio ofendido, diante dos juízes. Se uma mulher, enraivecida contra um adversário de seu marido, o agarrasse pelos órgãos sexuais, de tal modo a prejudicá-lo, em retaliação teria decepada a sua mão (ver Deu. 25:12). Isso posto, de acordo com a lei dos hebreus, a mutilação era proibida como um ato privado, embora ordenada como forma de retribuição judicial.

Aceitando certas palavras metafóricas de Jesus em um sentido literal, alguns cristãos antigos chegaram a mutilar-se. Estamo-nos referindo ao que ele disse em Mat. 5:29,30: «Se o teu olho direito te faz tropeçar, arranca-o e lança-o de ti; pois te convém que se perca um dos teus membros, e não seja todo o teu corpo lançado no inferno. E se a tua mão direita te faz tropeçar, corta-a e lança-a de ti; pois te convém que se perca um dos teus membros e não vá todo o teu corpo para o inferno».

Porém, Aquele que veio para cumprir a lei, não iria ensinar algo contra a lei, exigindo mutilações do corpo físico. E isso fica ainda tanto mais caracterizado quando se vê que não está em foco qualquer ato de retribuição judicial, e, sim, de controle próprio. Essas palavras de Cristo, pois, devem ser interpretadas em sentido metafórico: o crente deve estar disposto a impor rígida disciplina pessoal, sobre os seus impulsos. Essas palavras são paralelas àquelas de Paulo: «...esmurro o meu corpo, e o reduzo à escravidão, para que, tendo pregado a outros, não venha eu mesmo a ser desqualificado» (I Cor. 9:27).

MUTUCA

Está em pauta **um inseto** que pica. Deve estar em vista a *Oestridae* ou a *Tabanidae* (moscardo). O moscardo espanta suas vítimas com um forte zumbido, ao aproximar-se das mesmas, e então inflinge uma dolorosa ferroada. Metaforicamente, parece que Nabucodonosor aparece como uma mutuca que, vinda do norte, desceu sobre o Egito (Jer. 46:20). Isso ocorreu em 568 ou 567 A.C. Também é possível que a praga das moscas, no Egito, tenha consistido em moscardos, embora não haja como determinarmos exatamente a espécie. De fato, é bem possível que várias espécies tivessem estado envolvidas.

Sócrates considerava-se uma mutuca, uma pessoa que agrilhoava as mentes de seus ouvintes, para que dessem atenção aos seus ensinamentos. Sempre haverá lugar para esse tipo de mutuca entre os homens, fazendo-os sentirem-se em desconforto mental, quando forçados a reconhecer suas maneiras descuidadas e negligentes, sendo então induzidos a aprimorar suas maneiras ou seus conhecimentos. Todavia, as pessoas que assim procuram induzi-los nunca serão muito apreciadas. O conforto mental é por demais importante para muita gente.

MUXOXO

No hebraico, **naphach**. Esse vocábulo hebraico aparece somente por doze vezes, com o sentido de «resfolego», «sopro», etc. Mas, em Mal. 1:13 a idéia é que o povo israelita zombava de Deus e de seus mandamentos, ao oferecerem-lhe animais dilacerados como sacrifícios. Isso justifica a tradução «muxoxos», que aparece em nossa versão portuguesa.

MYSTERIUM FASCINOSUM

Quando a criatura humana passa a adorar verdadeiramente ao Ser supremo, então descobre um senso de fascínio pré-racional e extra-racional. Sente-se encantada diante da divina Presença. Isso faz parte dos sentimentos de quem entra em contacto com a santidade de Deus, um outro aspecto de Deus como o *Mysterium Tremendum* (vide). Esses elementos faziam parte da teologia de *Rudolf Otto* (vide).

MYSTERIUM TREMENDUM

Ver os artigos separados, intitulados *Mysterium Fascinosum* e *Rudolf Otto*. Esse filósofo e teólogo usava as expressões *Mysterium Tremendum* e *Mysterium Fascinosum* como parte de suas descrições acerca da natureza augusta e da santidade de Deus. É que os teólogos sistemáticos acreditam muito em si mesmos ao tentarem descrever a natureza de Deus. Mas, usualmente, conseguem descrever apenas um super-homem. Tudo quanto eles podem dizer é aquilo que o homem é, elevado a uma alta potência. Otto percebeu, clara e corretamente, que Deus é, realmente, o *Mysterium Tremendum*, ou seja, «o tremendo mistério».

Se nossa teologia pudesse fornecer uma boa descrição sobre a natureza de Deus, então teríamos uma *humano*logia, e não uma *teo*logia. Deus é o maior de todos os mistérios insondáveis, acima de qualquer análise racional. No entanto, a teologia sistemática transborda de análises racionais, sempre expressas por meio de antropomorfismos. Mas, quando Deus é sentido, embora não possa ser descrito, e isso em termos de ser ele o *Mysterium Tremendum* e o *Mysterium Fascinosum*, então o adorador fica sabendo algo do que significa a santidade e a grandiosidade de Deus.

••• •••

1. Formas Antigas

fenício (semítico), 1000 A.C. — grego ocidental, 800 A.C. — latino, 50 D.C.

2. Nos Manuscritos Gregos do Novo Testamento

3. Formas Modernas

N *N* n *n* **N N n n** *N n*

4. História

N é a décima quarta letra do alfabeto português (ou décima terceira, se deixarmos de lado o K). Historicamente, deriva-se da letra consonantal semítica *nun*, «peixe», embora sua aparência original sugira uma cobra. Os gregos modificaram a letra em seu formato, chamando-a *nu*. Passou para o latim com pouca alteração, e dali para muitos idiomas modernos. Por toda a sua história tem retido o som de *n*.

5. Usos e Símbolos

Na matemática, essa letra indica um número indefinido. *N* é usado como símbolo do *Codex Purpureus Petropolitanus*, descrito em um artigo separado *N*.

Caligrafia de Darrell Steven Champlin

Reprodução Artística de
Darrell Steven Champlin

Arte céltica — o homem, símbolo do evangelho
de Mateus, Livro de Kells

N

N

A letra N é abreviatura do manuscrito chamado *Codex Purpureus Petropolitanus*, escrito no século VI D.C. O texto desse manuscrito é essencialmente bizantino; mas, aqui e acolá, preserva alguma forma mais primitiva. B.H. Streeter alistou-o juntamente com os manuscritos Sigma, Ômicron e Pi, como um membro mais fraco do texto cesareano. Esse manuscrito distingue-se não tanto por seu texto, e, sim, por sua natureza luxuosa. Foi escrito em letras à tinta prateada, sobre pergaminho púrpura, e com tinta dourada, para fazer contraste, sempre que ocorrem as palavras «Deus» e «Jesus». Originalmente, continha os quatro evangelhos, com um total de quatrocentas e sessenta e duas folhas; mas no século XII D.C., foi dividido em porções, talvez pelos cruzados, e seu conteúdo foi espalhado por muitos lugares. Assim, atualmente, restam 182 folhas na Biblioteca Imperial de Leningrado; 33 folhas na ilha de Patmos; 6 folhas na Biblioteca do Vaticano; 4 folhas no Museu Britânico; 2 folhas em Viena; uma folha em uma coleção particular em Lerna, na Itália; uma folha no Museu Bizantino, de Atenas, na Grécia; e uma folha na Biblioteca Perpont Morgan, na cidade de Nova Iorque, nos Estados Unidos da América do Norte.

Sorte idêntica têm tido outros manuscritos, enquanto que ainda outros foram ignorantemente desfigurados ou destruídos. Ver o artigo geral intitulado *Manuscritos do Novo Testamento*.

NAÃ

No hebraico, «solidão» ou «consolação». Nome de um irmão de Hodias, que foi a segunda esposa de Merede, a sua esposa judia. Ele foi pai de Queila, o garmita, e de Estemoa, o maacatita (ver I Crô. 4:19). Alguns identificam-no com o Isbá do vs. 17. Foi um dos chefes da tribo de Judá. Viveu por volta de 1400 A.C.

NAÃ

No hebraico, «doçura», «deleite». Esse foi o nome de um filho de Calebe, filho de Jefoné, da tribo de Judá (I Crô. 4:15). Ele viveu em cerca de 1375 A.C.

NAALAL

No hebraico, «pasto». Esse era o nome de uma cidade da tribo de Zebulom (ver Jos. 19:15). Foi entregue aos levitas (Jos. 21:35). Os homens da tribo de Zebulom encontraram muita dificuldade para desalojar os cananeus que ocupavam a região (ver Juí. 1:30). Essa cidade tem sido identificada com o Tell en Nahl, que fica ao sul de Acre, perto de Haifa; mas também há estudiosos que preferem pensar no Tell el-Beida. O Talmude identifica com *Ma'lul*, a norte da moderna Nahalal, e cerca de seis quilômetros e meio a oeste de Nazaré; mas a arqueologia tem demonstrado que as ruínas ali existentes não são antigas bastante para corresponderem àquela antiga cidade.

NAALIEL

No hebraico, «vale» ou «torrente de Deus (El)». Esse foi o nome de um dos pontos de parada dos israelitas, quando caminhavam do ribeiro de Arnom a Jericó (ver Núm. 21:19). Se esse nome aponta para uma torrente, e não para um vale, então talvez esteja em foco um dos tributários do ribeiro de Arnom. Seja como for, ficava perto de Pisga, ao norte do ribeiro de Arnom, embora sua localização exata não possa agora ser identificada.

NAAMÁ

No hebraico, «doçura», «deleite». Nome de duas mulheres e de uma cidade, que figuram nas páginas do Antigo Testamento:

1. Nome de uma das quatro mulheres cujos nomes foram preservados nos registros bíblicos de antes do dilúvio. Todas essas quatro mulheres, com exceção de Eva, eram cananéias. Naamá era filha de Lameque e Zilá, e irmã de Tubal-Caim (Gên. 4:22). Ela é a única filha cujo nome é mencionado, nas linhagens de Caim e de Abel.

2. Uma das esposas de Salomão e mãe do rei Reoboão (I Reis 14:21,31; II Crô. 12:13). A cada menção, ela é distinguida como «amonita». E isso significa que ela era uma das mulheres estrangeiras que Salomão incluiu em seu numeroso harém. Ver I Reis 11:1. Ela viveu em torno de 960 A.C.

Ao menos parcialmente, foi devido ao casamento de Salomão com ela que Judá terminou por desviar-se do Senhor, em face da introdução dos lugares altos pagãos na cultura israelita, que se tornaram centros idólatras. A prostituição tornou-se parte integrante dessa idolatria, como sempre sucede, e o povo de Israel desviou-se para longe de suas raízes. Os manuscritos da Septuaginta grafam variegadamente o nome dela, como Maacham, Maama, Naana, Nooma e Naama.

3. Uma cidade existente nas planícies de Judá. Sua localização moderna não tem sido determinada com qualquer grau de certeza. Mas ela veio a tornar-se parte da herança territorial de Judá. Ficava entre Bete-Dagom e Maquedá (Jos. 15:41). Provavelmente, não deve ser confundida com a moderna cidade de *Na'neh*, a pouco menos de dez quilômetros ao sul de Lida, apesar da similaridade de nomes. A forma adjetivada do norte encontra-se na cidade de 'Araq Na'amon Zofer, que fica perto da Khirbet Fared, que alguns estudiosos têm identificado como a cidade original de Naamá; mas outros eruditos não têm tanta certeza assim.

NAAMÃ

No hebraico, «deleite». Há dois homens com esse nome, na Bíblia:

1. O segundo filho de Bela, filho de Benjamim (Gên. 46:21). Naamã foi o cabeça da família dos naamitas (ver Núm. 26:40). Ao que parece, ele foi exilado por Bela, seu pai (ver I Crô. 7:7), ou, então, nessa passagem, o seu nome aparece como Uzi. Ele deve ter vivido em torno de 1876 A.C.

2. Naamã, o Sírio:

a. *O Nome*. Como já vimos, no hebraico esse nome significa «deleite». Esse nome é confirmado como nome próprio nos textos administrativos de Ras Shamra, e também como epíteto de personagens reais, como *Krt*, *'Aght* e *Adonis*. Em II Reis 5:1 *ss*, essa palavra aparece como um nome próprio pessoal. Na Septuaginta, encontramos as formas *Naiman* e *Neeman*.

b. *Comandante do Exército Sírio*. Naamã comandava o exército sírio, em Damasco, nos tempos de Jorão, rei de Israel. Naamã foi homem habilidoso e corajoso, que merecia a posição que ocupava. — O trecho de II Reis 5:1 diz que ele era «...grande homem... herói da guerra, porém leproso». Isso posto, ele tipificava os homens em geral. Nos homens sempre haverá aquele *porém*, algo que lhes enfeia o caráter, que lhes macula a descrição. Era um adversário confesso do povo de Israel (ver I Reis 20). Antes de sua conversão ao Senhor, o rei dos arameus, provavelmente Ben-Hadade II (de acordo com Josefo, *Anti*. 18.15,5), deu crédito a Naamã pelas muitas vitórias dos sírios, dependendo do seu gênio militar (5,1). Naamã era servo (alto oficial) do rei da Síria.

c. *Intervenção Divina*. Não há que duvidar que a lepra em muito humilhava a Naamã e lhe servia de empecilho, apesar de suas outras qualidades. A esposa de Naamã recebeu como criada, uma pequena menina israelita. Essa menina anunciou que em Israel havia um profeta que seria capaz de curar a lepra do general sírio (ver II Reis 5:3,4). O rei sírio interessou-se pelo caso, e enviou um apelo, dirigido ao rei de Israel, por meio de uma carta (ver II Reis 5:5). Mas o rei de Israel, longe de sentir-se lisonjeado, desconfiou que Ben-Hadade estava querendo achar uma desculpa tola para atacá-lo, e comentou: «Acaso sou Deus, com poder de tirar a vida, ou dá-la, para que este envie a mim um homem para eu curá-lo de sua lepra?» (vs. 7). Mas o profeta Eliseu ouviu falar no incidente, e sugeriu que Naamã lhe fosse enviado, porque ele se dispunha a ser o agente humano daquela cura divina. Naamã havia solicitado a interferência do rei da Síria, provavelmente por pensar que a sua presença no território de Israel haveria de causar dificuldades, a menos que lhe fosse permitido o ingresso em Israel, devido a uma razão específica. Não é provável, contudo, que Naamã tivesse pensado que o rei de Israel pudesse fazer por ele alguma coisa. Seja como for, a questão chegou ao conhecimento do homem certo, Eliseu. Todo esse relato mostra-nos como a providência de Deus pode operar das maneiras mais surpreendentes. A menina israelita escravizada foi o primeiro elo dentro dessa cadeia de acontecimentos providenciais.

d. *Uma Tola Pompa*. Naamã estava doente e precisava de ajuda. Porém, chegou diante da casa de Eliseu com toda a pompa inútil que sua importância social lhe permitia (vs. 9). Chegou mesmo a esperar que Eliseu viesse vê-lo a fim de prestar-lhe as devidas honrarias, pois, para Naamã, parecia que Eliseu lhe era socialmente inferior, apesar do fato de que ele tinha a reputação de ser grande profeta. Ver o vs. 4. Em seguida, recusou-se a obedecer às instruções simples que Eliseu lhe havia mandado, a saber, mergulhar por sete vezes nas lamacentas águas do rio Jordão. Todos sabiam que na Síria havia rios mais limpos e mais bonitos, nos quais Naamã poderia lavar-se. Mas é que aqui é dada uma outra lição ao mundo: quando Deus intervém, é ele quem dita as regras. O primeiro passo da sabedoria consiste na obediência.

e. *Yahweh estava usando a Naamã*, além de ajudá-lo, mas não exatamente conforme o general sírio havia antecipado. O plano de Deus nem sempre é claro para nós, e nem é lógico, segundo o nosso ponto de vista, no entanto, mostra-se sempre eficaz. Uma de nossas mais preciosas doutrinas é a da providência de Deus como nosso Pai. E equivocamo-nos quando pensamos que essa providência só opera em prol daqueles a quem consideramos «justos». Deus sempre pensa maior do que os homens.

f. *Os Servos Fazem a Parte que lhes Cabe*. Os servos de Naamã salientaram que Eliseu não determinara nenhuma coisa difícil. De fato, se o tivesse feito, Naamã estaria ansioso para provar o seu valor. Naamã afastara-se, aborrecido, diante de uma tarefa simples, que visava ao *seu próprio bem-estar*. Somente a intervenção de seus humildes servos impediu que ele desse vazão à sua ira e deixasse de atender a tão simples recomendação. Esse aspecto do incidente (vs. 13 *ss*) mostra-nos como a arrogância do homem lhe é prejudicial. A verdade é que uma das principais características do ser humano é a *arrogância*, que se apega a ele como uma praga.

g. *O Grande Milagre*. Naamã mergulhou nas barrentas águas do Jordão por nada menos que sete vezes. Ao sair da água pela sexta vez, continuava leproso. Temos nisso uma lição sobre a necessidade de *completa obediência*. Porém, ao sair das águas do Jordão pela sétima vez, «...sua carne se tornou como a carne duma criança, e ficou limpo» (vs. 14). Ali estava a manifestação do poder de Deus, de cuja conclusão ninguém seria capaz de escapar. Ver o artigo sobre os *Milagres*. Até os nossos próprios dias, os homens de ciência tentam encontrar a cura para a lepra; e parece que um grande avanço, nessa direção, está prestes a ser conseguido. Talvez os homens, com seus medicamentos, consigam fazer o que a simples palavra de Deus sempre foi capaz de fazer, com maior eficiência. Há coisas que simplesmente não podemos fazer, contando com nossos próprios recursos. E então, é quando precisamos da intervenção divina.

h. *Um Naamã Transformado*. Ninguém poderia ser curado conforme Naamã o foi, e não sair dali uma pessoa diferente. Naamã prontamente confessou que Yahweh é o único verdadeiro Deus. E pediu que lhe fosse dada a carga de terra, do solo de Israel, que dois mulos pudessem transportar, para que a levasse consigo, quiçá para que pudesse adorar a Yahweh diante de um «altar de terra» (Êxo. 20:24). Naamã sabia que seu senhor (o rei da Síria) havia de continuar em seu culto pagão (vs. 18), e que ele (Naamã), teria de acompanhar o rei; mas seu coração não estaria dedicado a tal culto. E pediu que Eliseu o perdoasse por esse pecadilho. E Eliseu disse-lhe que se fosse em paz, o que talvez indique uma certa liberalidade de sua parte, deixando com o próprio Naamã a solução para seu problema de consciência. É que existem coisas que não estão sujeitas ao nosso controle pessoal.

i. *O Oportunista e Cobiçoso Geazi*. Ver o artigo sobre *Geazi*. Naamã ofereceu riquíssimos presentes a Eliseu, embora este nada tivesse cobrado por seus serviços. Mas quando Naamã já ia a certa distância, Geazi, que fora testemunha da falta de interesse pelo dinheiro, da parte de Eliseu, não conseguiu resistir e saiu atrás do general sírio. E disse uma inverdade a Naamã, afirmando que Eliseu mudara de parecer, precisando agora de algum dinheiro e de boas vestes. Como já seria de esperar, imediatamente Naamã entregou a Geazi o que este lhe solicitou. E assim, pelo menos temporariamente, Geazi tornou-se um homem rico. Mas, ao voltar, Eliseu perguntou-lhe onde estivera. E a resposta de Geazi foi outra estúpida mentira, para encobrir um estúpido erro: «Teu servo não foi a parte alguma» (vs. 25). Como castigo, a lepra de Naamã apareceu subitamente no corpo de Geazi; e o profeta disse que os seus descendentes também seriam afligidos por essa afecção cutânea. Destarte, a punição de Geazi foi tão severa quanto o milagre fora extraordinário. Talvez a misericórdia de Deus tenha intervindo em favor de Geazi em algum ponto do futuro, pois a misericórdia e o amor de Deus ainda são mais poderosos do que a profecia.

j. *Naamã é Mencionado por Jesus*. No trecho de Luc. 4:27, o Senhor Jesus aludiu à cura de Naamã como um exemplo da graciosidade de Deus em favor dos homens, uma graça não limitada ao povo de Israel. Isso antecipou a universalidade da missão cristã e o raiar de um novo dia para a humanidade.

NAAMANI

No hebraico «compassivo». Esse era o nome de um do líderes da tribo de Judá. Ele retornou a Jerusalém em companhia de Zorobabel, terminado o cativeiro babilônico (Nee. 7:7). Seu nome não figura no trecho paralelo de Esd. 2:2. E em I Esdras 5:8 ele aparece com o nome de Enênio. Viveu em torno de 536 A.C.

NAAMANITAS

Essa palavra refere-se aos descendentes de Naamã, filho de Bela (Núm. 26:40; I Crô. 8:4), que, por sua vez, era filho de Benjamim.

NAAMATITA

Um epíteto aplicado a Zofar, um dos consoladores molestos de Jó (ver Jó 2:11; 11:1; 20:1; 42:9). Esse adjetivo gentílico significa «habitante de Naamá». Fora de Israel, não se sabe de nenhum lugar com esse nome; mas os eruditos especulam que está em pauta algum lugar na Arábia. É verdade que há uma cidade em Sefelá com esse nome, que é mencionada em Jos. 15:41, mas essa está excluída por uma questão cronológica. Contudo, há uma localidade na porção noroeste da Arábia, chamada Djebel-el-Naamen, que poderia assinalar o antigo local.

NAARÁ

No hebraico «menina». Nome da esposa de Asur, que pertencia à tribo de Judá. O casal teve quatro filhos (ver I Crô. 4:5,6). Ela viveu por volta de 1560 A.C. Outros estudiosos pensam que esse nome significa, em hebraico, «posteridade», «rebento».

NAARAI

No hebraico, «resfôlego». Ele foi um homem beerotita (da cidade de Beerote). e foi um dos trinta poderosos guerreiros de Davi. Acompanhou a Davi quando este fugia de Saul. Foi armeiro de Joabe, um dos generais de Davi. Ver I Crô. 11:39; II Sam. 23:37. Viveu em cerca de 975 A.C.

NAARATE

Uma cidade desse nome é mencionada em Jos. 16:7. Parece que ficava em uma das fronteiras do território da tribo de Efraim, ou, então, ficava imediatamente dentro da mesma, visto como o trecho de I Crô. 7:28 a menciona como pertencente ao território de Efraim. Eusébio, o grande historiador eclesiástico, refere-se a uma Noorate, que parece tratar-se do mesmo local. Ficava cerca de cinco milhas romanas ao norte de Jericó, e tem sido identificada com a moderna *'Ain Duq*. Ali existem fontes no sopé das colinas da Judéia. Provavelmente, trata-se daquilo que, em Jos. 16:1 é chamado de «águas de Jericó». Josefo (*Anti*. 17.13) diz-nos que Arquelau, após ter reconstruído Jericó, desviou metade dessas águas, a fim de suprir de água a aldeia de Neara (outra forma do nome daquela cidade). Alguns estudiosos favorecem, como identificação, a *Khirbet el'Ayash*, que existe nas circunvizinhanças.

NAÁS

No hebraico, «serpente». Mas outros estudiosos pensam que a palavra está ligada ao acádico *nuhsu*, «magnificência». Esse é o nome de duas personagens que figuram nas páginas da Bíblia, a saber:

1. Um homem mencionado somente em II Sam. 17:25, onde figura como pai de Abigail e Zeruia, as quais, algures, são chamadas de «irmãs» de Davi. Destarte, ou Naás era um outro nome de Jessé, ou, então, ele foi outro marido que tivera a mãe de Davi. Quanto a essa questão, devemos considerar os seguintes pontos: a. há uma tradição rabínica que faz esses dois nomes, Naás e Jessé, aplicarem-se a um único indivíduo. b. O deão Stanley supunha que Naás foi o rei dos amonitas. A mãe de Abigail e Zeruia teria sido esposa ou concubina desse rei; posteriormente, porém, ela ter-se-ia tornado esposa de Jessé, e mãe de seus oito filhos, o último dos quais foi Davi. c. Ainda outros peritos supõem que Naás deve ser entendido como um nome feminino, o nome da esposa de Jessé. A genealogia de I Crô. 2:16 parece fazer de Abigail e Zeruia irmãs de Davi; e é desse detalhe que a dificuldade surge.

2. Um rei dos amonitas, que se tornou famoso pelas duríssimas condições de capitulação que ele impôs aos habitantes de Jabes-Gileade. Ele exigiu que fosse vazado o olho direito de todos os homens do lugar, para que cessassem as hostilidades. Mas Saul convocou os homens armados de todo o Israel, e, finalmente, conseguiu derrotá-lo (ver I Sam. 11:1-11; 12:12). Posteriormente, porém, esse mesmo homem tratou lealmente com Davi, provavelmente porque Saul e Davi tinham-se tornado inimigos. Seja como for, ele tratou Davi bondosamente, em um tempo de necessidade. E Davi não se esqueceu disso, quando subiu ao poder (ver II Sam. 10:2; I Crô. 19:1,2).

NAASOM

No hebraico, «oráculo», ou «encantador». Ver Êxo. 6:23; Núm. 2:3; 7:12-17; Mat. 1:4; Luc. 3:32. Dentro das genealogias de Jesus, Naassom é chamado filho de Aminadabe. Foi um dos chefes da tribo de Judá, ao tempo do êxodo. E quando das vagueações de Israel pelo deserto, ele foi o líder dessa tribo. Naassom, sem dúvida, era homem dotado de considerável autoridade. Sua irmã, Eliseba, casou-se com Aarão (ver Êxo. 6:23). Sua linhagem inclui nomes como Salma, Boaz, Obede, Jessé e Davi (ver Rute 4:20 *ss*; I Crô. 2:10 *ss*). Sendo um dos progenitores de Davi, naturalmente ele aparece como um dos antepassados de Jesus, o Cristo.

NAATE

No hebraico, «descanso», «quietude». Nome de três homens que figuram nas páginas do Antigo Testamento:

1. O primeiro dos quatro filhos de Reuel, filho de Esaú, e que veio a ser um dos líderes dos edomitas (Gên. 36:13,17). Viveu por volta de 1890 A.C.

2. Um levita coatita, antepassado do profeta Samuel (I Crô. 6:26). Esse homem é chamdo Toú, em I Sam. 1:1, e Toá, em I Crô. 6:34. Viveu em torno de 1170 A.C.

3. Um levita encarregado dos dízimos e ofertas sagradas, nos tempos do rei Ezequias (II Crô. 31:13). Viveu em torno de 725 A.C.

••• ••• •••

NAATUS

Em I Esdras 9:31, Naatus aparece como filho de Adi e como um daqueles judeus que retornaram da Babilônia e tiveram de divorciar-se de suas esposas estrangeiras, segundo as condições do pacto encabeçado por Neemias, que requeria a renovação de antigos votos, incluindo o da segregação racial, como medida contra a corrupção da fé hebréia. O trecho paralelo de Esd. 10:30 diz *Adna*, que alguns tomam como menção ao mesmo homem. Porém, para dificultar essa interpretação, ali Adna aparece como um dos filhos de Paate-Moabe. Ver o artigo sobre *Paate-Moabe*.

NABAL

No hebraico, «insensato». Nabal era descendente de Calebe e vivia em Maom, que ficava cerca de treze quilômetros ao sul de Hebrom. Ver o relato em I Sam. 25:2 *ss*. Era homem rico, dono de três mil ovelhas e mil cabras. Os seus rebanhos ocupavam certa área perto do Carmelo, o atual Kurmul, imediatamente ao norte de Maom. O versículo terceiro diz que ele era homem de má disposição.

Enquanto fugia de Saul, Davi esteve na região, e protegera os animais de Nabal dos beduínos assaltantes (vss. 15,16). Chegou o tempo da tosquia dos animais, o que geralmente era um tempo festivo, quando a hospitalidade tornava-se mais franca do que era usual. Davi pensou em receber alguma recompensa, naquele período festivo, pela proteção que havia dado aos homens e aos rebanhos de Nabal, enviando a este dez de seus homens solicitando hospitalidade. Mas Nabal, em consonância com sua disposição irritadiça, referiu-se a Davi como um «joão-ninguém», repelindo-lhe assim a solicitação. E assim, Davi, para mostrar que era «alguém», marchou na direção da propriedade de Nabal, com quatrocentos de seus homens.

Ora, a esposa de Nabal era uma mulher bonita e inteligente, de nome Abigail. Ao saber do avanço de Davi, enviou-lhe mensageiros com provisões de boca, a fim de aplacá-lo. Isso impediu que Davi tirasse a vida a Nabal, o que, naturalmente, estava prestes a acontecer. Entrementes, Nabal resolvera que era próprio o momento para embriagar-se. Mais tarde, ao tomar conhecimento do que sua esposa fizera, e de como escapara por pouco de ser morto, foi atingido por um derrame cerebral, e faleceu cerca de dez dias mais tarde (I Sam. 15). E visto que Abigail era mulher sábia e bela, estando agora viúva, Davi fez dela outra de suas esposas.

NABARIAS

Esse foi o nome de um sacerdote que ajudou a Esdras na leitura das Sagradas Escrituras, diante do povo reunido de Israel, depois que os judeus voltaram a Jerusalém, terminado o cativeiro babilônico (ver I Esdras 9:44). Ele deve ter vivido em torno de 486 A.C. Seu nome nunca é mencionado nos livros canônicos do Antigo Testamento.

NABATEUS

1. O Nome

Esse era o nome de um povo que descendia de Nabaiote, que significa «frutificação». Nabaiote foi o filho primogênito de Ismael (Gên. 25:13; I Crô. 1:29). Damos um artigo separado sobre ele. Nabaiote foi também cunhado de Edom (Gên. 25:13; 28:9). Há uma inscrição assíria, de Assurbanipal (de cerca de 650 A.C.), que alude aos *nabaiates*, aparentemente a mesma gente. Todavia, diferenças ortográficas na maneira de grafar tal nome impedem os estudiosos de fazer uma afirmativa segura a respeito.

2. Caracterização Geral

Os nabateus eram um povo árabe cujo reino expandiu-se, no passado, até Damasco, na direção norte. Perto dos fins do século IV A.C., eles estavam firmemente estabelecidos em Petra, que atualmente faz parte do reino da Jordânia. A cidade de Petra era então a capital dos nabateus, e exercia considerável influência ao redor. Eles forçaram os edomitas a retirarem-se para uma área ao sul do território de Judá.

Petra ficava localizada na rota comercial que ligava o sul da Arábia à Síria, pelo que os nabateus floresceram economicamente no segundo e no primeiro séculos antes da era cristã, bem como no primeiro século de nossa era. Parte dessas riquezas derivavam-se de taxas alfandegárias, impostas sobre os produtos que por ali transitavam. Aretas IV (9 A.C. a 40 D.C.) foi o mais poderoso monarca nabateu, e a cidade de Damasco caiu sob o seu controle. Entretanto, Trajano, imperador romano, conquistou aquela área, em 105 D.C., a qual foi reduzida à condição de província romana.

3. Esboço de Informes Históricos

Entre os séculos VI e IV A.C., os nabateus estavam debaixo da hegemonia de Edom e de Moabe. Mas, os nabateus terminaram por controlar as rotas comerciais que lhes atravessavam os territórios; e o auge desse controle foi atingido no período de 200 A.C. a 100 D.C. Petra era a grande cidade-fortaleza dos nabateus. Muitas aldeias dos nabateus desenvolveram-se na Palestina.

Os nabateus cultivavam terras antes desérticas, mediante o sistema de irrigação planejado pelos seus engenheiros. Continuam em uso, até hoje, muitos dos reservatórios e das represas por eles construídos. Aretas I, em cerca de 170 A.C. (ver II Macabeus 5:8), tornou seguras as rotas comerciais para os caravaneiros. O comércio com lugares distantes, como a Índia, a China e Roma, aumentou em muito as rendas dos nabateus. O imperador César Augusto (em 25 A.C.) não conseguiu conquistar a Arábia, pelo que os produtos daquele comércio internacional tinham de atravessar o território dos nabateus, multiplicando-lhes as riquezas. Surgiram moedas cunhadas em pedra, e até uma forma escrita. Esses registros eram escritos em aramaico, em uma forma de escrita quadrada. Mas, papiros encontrados no deserto da Judéia, bem como ostraca achados em Petra, exibem uma forma cursiva dessa mesma escrita. E é justamente dessa última que se deriva a forma escrita do árabe moderno.

Incidentalmente, o uso do aramaico mostra o grande intercâmbio cultural que prevalecia naquela época. Também houve outras assimilações, nos campos da cultura geral e da religião. Assim, o panteão nabateu chegou a incluir as divindades sírias Hadade e Atargate (Astarte). Os nabateus também vieram a tornar-se artífices de excelente qualidade, tendo desenvolvido estilos próprios.

O Neguebe, ao sul, e Damasco, ao norte, chegaram a ser controlados por Aretas III (cerca de 70 A.C.); e Aretas IV (cerca de 9 A.C. a 40 D.C.) levou o poder dos nabateus ao seu ponto culminante. Foi esse o homem que tentou deter o apóstolo Paulo em Damasco, conforme se lê em II Coríntios 11:32. Malico III e Rabel II, os últimos monarcas nabateus, mudaram a capital de Petra para Bostra, a pouco

Montanhas de Petra, Arábia,
fortaleza dos Nabateus,
Cortesia, Levant Photo Service

Arco Triunfal de Petra,
Cortesia, Levant Photo Service

mais de cento e dez quilômetros a leste da Galiléia. Então, essa cidade veio a tornar-se a capital da província romana que não demorou a formar-se ali (em 106 A.C.), conforme foi dito acima. Dessa maneira, os nabateus perderam a sua independência — e acabaram sendo absorvidos pelos demais povos que residiam na área. Mas a maneira de escrever dos nabateus continuou em uso até dentro do século IV D.C. Em Isa. 63:1, Bostra é chamada *Bozra* (vide).

NABI

No hebraico, segundo uns, «oculto»; mas, segundo outros, «Yah é consolo», ou «Yah é proteção». Ele era filho de Vopsi, que fora enviado como representante da tribo de Naftali como um dos espias que exploraram a terra de Canaã, antes de sua invasão pelos israelitas. Ver Núm. 13:14. Viveu em torno de 1440 A.C.

NABONIDO

Esboço:

I. Caracterização Geral
II. Pontos de Interesse

I. Caracterização Geral

Nabonido foi o último governante do império neobabilônico (556-539 A.C.). Nas inscrições em escrita cuneiforme ele é chamado *Nabunaid*. Seu filho foi Belsazar, o famoso anti-herói do quinto capítulo do livro de Daniel. Belsazar foi uma espécie de co-regente com seu pai, desde o terceiro ano de seu governo até à captura da cidade de Babilônia por Ciro, o Grande, fundador do império persa (539 A.C.). Nabonido foi também o último dos reis babilônicos a reparar o *zigurate* (vide) construído em honra ao deus-lua, Sim, em Ur dos Caldeus.

Nenhum documento babilônico afirma que Belsazar, filho de Nabonido, estava presente por ocasião da queda de Babilônia; mas essa possibilidade também não é eliminada, pois o silêncio não é contra a exatidão do relato feito por Daniel. Até onde o quinto capítulo do livro de Daniel tem sido confirmado pelas descobertas arqueológicas, a sua exatidão tem sido plenamente confirmada. Por conseguinte, não se faz mister nenhum grande salto de fé para que aceitemos a historicidade do incidente que envolveu Belsazar, ali contado.

II. Pontos de Interesse

1. **Fontes Informativas**. Uma crônica babilônica (BM 35382) conta a respeito de Nabonido, como também o fazem três estelas de Harã, além de uma narrativa histórica do reinado de Ciro. Heródoto e Beroso adicionam detalhes sobre a história e as condições econômicas da época. Na Bíblia, o livro de Daniel acrescenta algo sobre a queda da Babilônia. Josefo (*Anti*. 10:11,2) dependeu pesadamente do que diz o livro de Daniel.

2. **Família**. O pai de Nabonido chamava-se Nabu-Balatsu-Iquibi, e Nabonido era filho único. A filha de Nabonido, Bel-Shalti-Nanar, tornou-se a sumo sacerdotisa do deus-lua, Sim, em Ur dos Caldeus. E o filho de Nabonido, Belsazar, governou juntamente com seu pai, como co-regente, já nos fins do império neobabilônico. Talvez estivesse ligado a Nabucodonosor por efeito de casamento.

3. **Reinado**. O nome de Nabonido aparece em um contrato feito no oitavo ano de Nabucodonosor. Se temos aí, realmente, uma alusão a ele, então isso nos permite saber que ele foi um dos principais oficiais da cidade de Babilônia, antes mesmo de tornar-se rei. Nessa época, os conflitos eram comuns, e é possível que Nabonido tenha sido o Labineto que atuou como intermediário babilônico junto aos poderes cilicianos, lídios e medos, em cerca de 585 A.C. Depois que Nabucodonosor deixou de ser rei, as contas sacudiram os membros de sua família, que lutavam procurando sucedê-lo no trono. Assim, seu filho, Evil-Merodaque, foi rei durante dois anos; seu genro, Neriglissar, foi rei por quatro anos; e um outro filho, de nome Labasi-Marduque, foi rei por dois meses. Em seguida, apareceu Nabonido, que conseguiu reunir as facções em luta, tornando-se o único monarca. Cerca de dois anos mais tarde, permitiu que seu filho, Belsazar, se tornasse seu co-regente, com deveres que a história não define. O fato é que Nabonido envolveu-se em obras de cunho religioso, tendo restaurado o templo de Sim, o deus-lua, em Harã. Em seguida, deu início a uma série de conquistas militares que chegaram a expandir um pouco as fronteiras do império. Nabonido manteve-se em contato com sua capital, Babilônia, mas esteve envolvido em muitas coisas, inclusive de natureza comercial. Mas as coisas não iam bem com a Babilônia, ameaçada por uma terrível inflação. E Nabonido declarou que essa situação devia-se aos muitos e grandes pecados do povo. Finalmente, Nabonido retornou à capital, onde fez obras de reparo nos santuários mais importantes dos deuses, demonstrando assim sua preocupação religiosa. E edificou um santuário em honra ao deus-sol, Samás, em Sipar.

Entretanto, as coisas iam de mal para pior para Babilônia, militar e economicamente. Os medos varreram a zona a leste do rio Tigre, bem como porções elamitas do sul da Babilônia. Em seu fervor religioso, Nabonido trouxe para o interior da cidade de Babilônia as estátuas dos deuses, na esperança de que isso fizesse cessar o avanço de seus inimigos. Mas os persas atacaram Babilônia em 539 A.C. Belsazar acabou sendo morto (ver Dan. 5:30) e Nabonido fugiu para Borsiba. Mas, isso não impediu que acabasse sendo feito prisioneiro ali. As tradições informam-nos que Nabonido morreu no exílio, na Carmânia (ver Josefo, *Anti*. I.20). Ciro, o persa, tornou-se o novo governante da Babilônia. Tinha começado assim o império persa, o segundo dos grandes impérios mundiais das profecias bíblicas. Ver Dan. 2 e 7.

4. **Religião**. O parágrafo acima destaca a religiosidade de Nabonido. Na realidade, ele foi um reformador religioso que levava a sério a sua fé, embora estivesse equivocado quanto à sua validade. Parece que ele tentou substituir Marduque pelo deus-lua, Sim, como a principal deidade do império. Quanto a isso, sofreu a oposição dos sacerdotes de Marduque. Porém, fora da cidade de Babilônia, ele encabeçou livremente as reformas religiosas, conforme as suas preferências. Todavia, não abandonou Marduque e outros deuses pagãos. Além disso, Nabonido mostrou interesse pelas coisas do passado, e os estudiosos têm-no chamado de «arqueólogo real», devido às suas investigações e à restauração de antigas obras escritas, relacionadas aos santuários pagãos. No entanto, quando o império babilônico se esboroou, ele foi acusado de não ter mostrado o suficiente entusiasmo pela adoração aos deuses, o que teria provocado a queda desse império, ante o desagrado das divindades. Ciro chegou a vilipendiá-lo, acusando-o de todo tipo de impropriedade; mas isso talvez tenha refletido apenas uma propaganda de oposição.

5. **A Oração de Nabonido**. Heródoto dava o mesmo nome de *Labineto* tanto a Nabucodonosor quanto a Nabonido. Desse modo, a oração registrada em Dan.

4:23-33 pode ter sido feita por Nabonido, e não por Nabucodonosor; mas esse ponto é disputado pelos especialistas. Seja como for, há um texto escrito em aramaico, proveniente de *Qumran* (vide) que encerra uma oração feita por esse homem, e que foi proferida quando ele foi afetado por uma severa afecção da pele, durante sete anos, em Teima. Nabonido ali confessa os seus pecados. E ali também é contado como um judeu recomendou-lhe que adorasse exclusivamente ao Deus de Israel, como sábia medida para que ele recuperasse sua saúde física e espiritual.

NABOPOLASSAR

No caldaico, «Nabu, protege o filho!» Ele foi rei da Babilônia de 626 a 605 A.C. Foi o primeiro rei da dinastia caldéia. Foi o pai de Nabucodonosor II. Começou sua carreira como um pequeno chefe caldeu do sul da Babilônia. Tornou-se rei por ocasião da morte do rei Assurbanipal, da Assíria, em 626 A.C. Em seguida, Nabopolassar obteve rápidas vitórias sobre os assírios, tendo conquistado Nipur e Uruque, de tal modo que, no espaço de poucos anos, já era o senhor da Babilônia inteira.

A fim de garantir o futuro, estabeleceu aliança com Ciaxares, rei dos medos. O casamento entre membros das duas famílias selou o acordo. Ele e os medos conquistaram a cidade de Nínive, em 612 A.C. E o império assírio foi dividido entre os vitoriosos. A parte sul do império assírio coube a Nabopolassar. Em 609 A.C., Harã, a última das fortalezas assírias caiu, e a Babilônia tornou-se o poder supremo. No entanto, Nabopolassar teve de enfrentar os egípcios, que estavam querendo obter uma fatia do ex-império assírio. Foi Nabucodonosor, o príncipe herdeiro, que conseguiu fazer os egípcios retrocederem, tendo obtido sobre eles uma completa vitória, em 605 A.C. Naquele mesmo ano, Nabopolassar morreu na Babilônia.

Nabopolassar gostava de apresentar-se como um rapaz humilde que muito subiu na vida; mas ele nunca conseguiu deixar de jactar-se de haver derrotado à Assíria. Após tal vitória, ele realizou algumas notáveis obras públicas, nos campos da irrigação e do embelezamento de Babilônia.

Nabopolassar não é mencionado na Bíblia. Mas Josias, rei de Judá, durante a época de Nabopolassar, pode ter mantido relações amistosas com ele, da mesma maneira que Ezequias fora aliado dos babilônios, o que pode ter criado uma atmosfera de amizade entre os hebreus e os babilônios. Todavia, essas relações amistosas em breve seriam envenenadas com o cativeiro babilônico de Judá. Josias, rei de Judá, perdeu a vida em Megido, na fútil tentativa de fazer estacar a marcha do exército egípcio, que pretendia ajudar aos assírios, atacados como estavam sendo por medos e babilônios.

NABOTE

Esse nome próprio origina-se do árabe, «rebento», «fruto». Nabote era proprietário de uma vinha que o rei Acabe cobiçara, visto que ficava contígua ao seu palácio, em Jezreel (ver I Reis 21:1-29).

O rei Acabe tentou adquirir as terras de Nabote, ou a dinheiro ou em troca de um vinhedo melhor. Mas Nabote recusou-se a negociar, sob a alegação de que aquelas terras faziam parte da herança de sua família. Ora, a lei mosaica protegia as heranças (ver Lev. 25:23-28; Núm. 36:7-9). Naturalmente, devemos pensar que um rei não teria achado dificuldade para garantir uma herança de família para Nabote, em algum outro lugar, e que talvez até Nabote saísse ganhando nas negociações. No entanto, Nabote parece ter temido a sinceridade de Acabe, e simplesmente não quis entabular negociações.

Acabe, embora com relutância, já se dispunha a aceitar a decisão de Nabote; mas Jezabel, a rainha de Acabe, não concordou com isso. Ela escreveu uma carta em nome do rei e ordenou que anciãos e nobres de Jezreel proclamassem uma festividade religiosa, a fim de que ficasse garantida a participação de Nabote. E então, dois indivíduos de mau-caráter, comprados pela rainha, deveriam acusar a Nabote de blasfêmia, o que seria suficiente para a execução dele. E o plano ardiloso foi cumprido sem o mínimo embaraço. Para que não houvesse dificuldades futuras com a herança de Nabote, ele e seus filhos foram apedrejados e mortos. Ver II Reis 9:26.

Entretanto, a justiça divina não dormitava. O profeta Elias foi ao encontro de Acabe, denunciando toda a questão e apresentando a terrível predição sobre o que sucederia ao rei, em face de sua perversidade. Acabe assustou-se e temeu ao Senhor, o que permitiu que a sentença divina não fosse imediatamente executada (ver I Reis 21:27-29). Porém, quando ele foi morto em Ramote-Gileade, e cães vieram lamber-lhe o sangue, à beira do açude de Samaria, por ocasião da lavagem de seu carro de combate, parte daquela predição de Elias teve cumprimento. E quando Jeú, anos mais tarde, matou a Jeorão, segundo filho de Acabe (ver II Reis 9:24), e, então, foi a causa da morte da ímpia Jezabel, em Jezreel (ver II Reis 9:33), as palavras do profeta Elias tiveram seu cabal cumprimento. Além disso, como medida de segurança, os filhos restantes de Acabe foram executados, em Samaria (ver II Reis 10:1-11).

NABUCODONOSOR

Esboço:

I. Nome e Família
II. Fontes Informativas
III. Informes Históricos
IV. Obras Públicas de Nabucodonosor
V. A Arqueologia e Nabucodonosor

I. Nome e Família

Parece que Nabucodonosor passou pela adaptação aramaica do acádico *Nabukudurri-usur*, que significa «o (deus) Nabu protegeu minha herança». A transliteração hebraica desse nome é *nebuchadrezzar*. Na *Septuaginta* (vide) temos *Nabouchodonosor*. No latim, *Nabuchodenesor*. E não há que duvidar que daí é que se deriva a forma do nome em português. Houve dois reis babilônicos com esse nome: Nabucodonosor I, que reinou entre 1146 e 1123 A.C.; e então Nabucodonosor II, a figura mais famosa, que é mencionada nas páginas da Bíblia, e que reinou de 605 a 565 A.C. Ele era filho de Nabopolassar, o fundador do segundo império babilônico (ou caldeu), sobre as ruínas do império assírio.

Nabucodonosor II era casado com Amitis (Amuhia), filha de Astiages, rei dos medos, provavelmente um casamento efetuado por interesses políticos. Nabucodonosor teve, pelo menos, três filhos: Amel-Marduque (também chamado *Evil-Meredoque*), que o sucedeu no trono, Marduque-Sum-Usur e Nabu-Suma-Lisir.

II. Fontes Informativas

As passagens bíblicas que relatam a história de Nabucodonosor, naquilo em que ele está ligado com o povo de Israel, são: II Reis 23—25; Jer. 22; 32—40; II Crô. 36; Dan. 1—5; Esd. 1—6; Nee. 7, além de algumas poucas outras referências dispersas, no livro de Ezequiel. Uma crônica babilônica, de número 21.946, dá um esboço dos eventos do seu reinado, durante os primeiros onze anos de seu governo. Além disso, existem inscrições, textos de edificações e oitocentos contratos que dão alguma informação a seu respeito, suas obras e sua época. E a arqueologia moderna muito tem feito para esclarecer certos pontos históricos.

III. Informes Históricos

1. Durante o reinado de seu pai, Nebopolassar, Nabucodonosor foi o príncipe-herdeiro da Babilônia. Seu pai foi o fundador do segundo império babilônico (caldeu). Antes de começar a reinar, foi o comandante do exército babilônico que lutou contra os assírios e derrotou-os, no norte da Assíria (606 A.C.).

2. Em 607 A.C., Nabucodonosor havia derrotado a Neco II e seu exército egípcio em Carquêmis e Hamata (ver II Reis 23:29 *ss*; II Crô. 35:20 *ss*; Jer. 46:2).

3. Foi então que Nabucodonosor conquistou a totalidade de *Hati*, ou seja, a Síria e a Palestina, conforme relata a Crônica Babilônica, e acerca do que Josefo teceu comentários (ver *Anti.* 10:6). Ver também Jer. 36:1.

4. Estando Nabucodonosor ocupado nessas conquistas, seu pai morreu; e ele voltou à Babilônia a fim de ser coroado rei, o que teve lugar a 6 de setembro de 605 A.C.

5. Em 604 A.C., Nabucodonosor começou a receber tributos da Síria e dos reis de Damasco, Tiro e Sidom. Jeoaquim, de Judá, foi seu fiel vassalo durante apenas três anos (ver II Reis 24:1; Jer. 25:1). Asquelom não quis cooperar com Nabucodonosor, na repressão aos judeus, pelo que foi demolida.

6. Em 601 A.C., os babilônios sofreram uma derrota parcial diante dos egípcios. E Jeoaquim, rei de Judá, tolamente pensou que a derrota tivesse sido definitiva, transferindo sua lealdade para o Egito. Com seu discernimento profético, Jeremias sabia que isso constituía um terrível engano, porquanto o poder da Babilônia era esmagador e inevitável. Ver Jer. 27:9-11. No entanto, Jeremias foi acusado de traição e aprisionado, por estar favorecendo à Babilônia.

7. Em 599 A.C., Nabucodonosor derrotou as tribos árabes de Quedar e do leste do rio Jordão, conforme Jeremias havia predito (Jer. 49:28-33).

8. Pouco depois, Nabucodonosor vingou-se de Jeoaquim e de Judá (ver II Crô. 36:6). Jerusalém caiu diante dos babilônios a 16 de março de 597 A.C. Nabucodonosor nomeou um elemento de sua escolha, dentre a família real de Judá, para governar em seu nome, e impôs um pesado tributo a Judá (ver Crônica Babilônica BM 21.946). Matanias/Zedequias foi feito governante de Judá, foram tomados despojos e foram tomados reféns (ver II Reis 24:10-17).

9. Nabucodonosor removeu os vasos sagrados do templo de Jerusalém e fê-los transportar para a Babilônia, onde foram depositados no templo de Marduque (II Crô. 36:7;II Reis 24:13; Esd. 6:5). Em seguida, os cativos foram forçados a marchar até à Babilônia, a começar de abril de 597 A.C. Esse foi o cativeiro babilônico, que se prolongou por setenta anos. Jeoaquim e outros cativos de Judá são mencionados por nome nas inscrições babilônicas.

10. Em 596 A.C., Nabucodonosor lutou contra os elamitas (Jer. 39:34); também houve perturbações intensas que ele conseguiu dominar. Além disso, ele ampliou seus ataques militares contra o Ocidente, tendo saqueado Jerusalém, em 587 A.C., ocasião em que capturou o rebelde Zedequias (Jer. 39:5 *ss*). Houve, igualmente, novos levantes no Egito. Nabucodonosor fez deportar mais judeus para a Babilônia (Jer. 52:30). Tiro foi atacada e conquistada (Eze. 26:7). Foi encontrado um texto na Babilônia que alude à invasão do Egito, por parte dos babilônios, em 568-567 A.C. (ver Jer. 43:8-13). No entanto, dispõe-se de poucas informações formais quanto aos seus últimos trinta anos de governo.

11. Daniel registra a loucura temporária de Nabucodonosor, quando ele foi afastado do trono (Dan. 4:23-33), embora essa informação não seja confirmada em qualquer fonte informativa babilônica.

12. Nabucodonosor faleceu em agosto-setembro de 562 A.C., e foi sucedido no trono por seu filho Amel-Marduque, ou Evil-Merodaque.

IV. Obras Públicas de Nabucodonosor

Nabucodonosor foi homem intensamente religioso. Em suas inscrições, ele invocava sempre as principais divindades do panteão babilônico, honrando especialmente aos deuses Marduque, Nabu, Samás, Sim, Gula e Adade. Mandou construir santuários para os mesmos, certificando-se de que os ritos e as oferendas necessários lhes estavam sendo oferecidos. Reconstruiu e aformosou o grande templo de Bel-Marduque, na cidade de Babilônia, templo esse que veio a ser conhecido como E-Sagila. Contribuiu com fundos para a adoração efetuada em Ezida e Borsipa. A sua reputação como planejador e construtor foi merecida (ver Dan. 4:30), — porque sabe-se que ele realizou muitos projetos em cidades do império como Ur, Larsa, Sipar, Ereque e Cutá, para nada dizermos sobre a própria Babilônia. Essa última ele embelezou muito, tendo traçado novas avenidas e levantado novas muralhas, sem falar nos famosos jardins suspensos da Babilônia, uma das grandes maravilhas da antiguidade. Esses jardins foram construídos em benefício de sua esposa, nativa da Média, que tinha muitas saudades de seu país de origem. No interior da cidadela de Babilônia, ele reconstruiu a Avenida do Cortejo, decorada lateralmente por cento e vinte leões de pedra. Essa avenida levava ao portão de Istar, adornado com tijolos esmaltados, com gravuras de quinhentos e setenta e cinco dragões e touros alados. Também construiu um templo em honra a Ninmá, perto do portão de Istar, além de duplas muralhas defensivas, que se estendiam por nada menos de vinte e sete quilômetros e meio! Um imenso lago artificial também tinha o propósito de servir de defesa à cidade. Havia canais que traziam água potável do rio Tigre até o interior da cidade. O rio Eufrates dividia a cidade em duas partes, sendo cruzado por uma série de pontes. Sim, Nabucodonosor, o primeiro rei dos tempos dos gentios, representado em certa porção do livro de Daniel com a cabeça de ouro (ver Dan. 2), levou a glória da Babilônia ao seu ponto culminante. E o último monarca dos tempos dos gentios, o anticristo, reduzirá o mundo a um montão de cinzas e escombros!

V. A Arqueologia e Nabucodonosor

Quase todos os informes mencionados na seção IV acima, têm sido confirmados pelas escavações arqueológicas. As ruínas da cidade de Babilônia foram extensamente escavadas entre 1899 e 1914, por Robert Koldeway e pela Deutsche Grientgesellschaft. De interesse especial foram o portão de Istar, onde começava a Avenida do Cortejo, descrita na quarta seção, acima; a sala do trono de Nabucodonosor, decorada com tijolos esmaltados, formando intrincados desenhos geométricos; um notável *zigurate* (vide); e os jardins suspensos da Babilônia (ver Josefo, *Apion* 1:19; *Anti.* 10:11,1), uma das maravilhas da antiguidade.

A arqueologia tem justificado as palavras de Dan. 4:30; «Não é esta a grande Babilônia que eu edifiquei para a casa real, com o meu grandioso poder, e para glória da minha majestade?»

Bibliografia. AM ND UN WIS Z

NACIONALISMO

Esboço:

1. Definição
2. Fatores que Produzem o Nacionalismo
3. O Nacionalismo Positivo
4. O Nacionalismo Negativo
5. O Crente e o Estado

1. Definição

A base dessa palavra é «nação». O nacionalismo indica a lealdade a alguma nação específica, podendo ser entendido como um sinônimo de «patriotismo». Todavia, há sentidos secundários, como algum sistema que requer o controle das indústrias e da produção agrícola e outras de uma nação; ou então, um sistema que requer que cada nação seja livre para autodeterminar-se quanto à sua maneira de viver e ao seu destino, em contraste com a idéia do *internacionalismo*, onde a comunidade das nações é que deve exercer controle sobre as nações individuais. Este termo também é usado em conexão com o anseio de povos específicos, que almejam sua independência do controle estrangeiro, seja esse controle de natureza política, religiosa ou econômica. Certas modalidades de nacionalismo, fundamentam-se sobre idéias messiânicas, como se determinadas nações devessem ser honradas devido a alguma grandiosa missão, entre as outras nações, que a elas coubessem, exigindo assim um elevado respeito bem como a necessária independência para elas cumprirem aquela missão.

2. Fatores que Produzem o Nacionalismo

O antigo ditado popular que diz: «Por mais humilde que seja, não há lugar como o próprio lar», faz tanger uma corda muito sensível no coração humano. O próprio lar é melhor, apesar das evidências que pareçam contrariar o conceito. É no seu próprio lar que o homem tem o seu conforto. O lar inspira a ufania e o senso de bem-estar. Aquilo que é estrangeiro ou diferente, serve apenas para inspirar o receio. Sempre será difícil para os homens enfrentar o desconhecido. O nacionalismo, pois, alicerça-se sobre os fatores da familiaridade, do amor, das veredas bem conhecidas, da apreciação pela beleza da própria pátria, do senso de que a pátria deve ser protegida de qualquer perigo que a ameaça de fora.

À medida que uma nação se organiza, vai surgindo uma *identidade nacional*, uma espécie de alma comum. Assim, viajando recentemente pelos Estados Unidos da América do Norte, ao cruzar cerca de vinte estados diferentes, como parte da viagem que fiz, desfrutei da companhia de um professor de uma universidade do estado de Nova Jérsei, na porção oriental do país. Ele me falou sobre como já visitara quase a totalidade dos estados norte-americanos, tendo podido observar quão uniforme era a cultura norte-americana, quão padronizada era a vida por toda a nação. E além daquela uniformidade de cultura, também havia uma herança biológica comum. Quando um povo é um cadinho de raças, experimentando uma amálgama racial que nunca se completa, ainda assim sente intuitivamente os efeitos unificadores de uma alma nacional. Essa experiência em torno de valores comuns é de grande importância na formação do nacionalismo. Cada povo tem a sua própria história. Eles se sentem cimentados por terem enfrentado as mesmas guerras, os mesmos desastres naturais e os mesmos triunfos nacionais. Orgulham-se de certos lugares comuns; compartilham dos mesmos ideais e ambições. Um idioma comum a todos é outro fortíssimo fator na formação e manutenção do nacionalismo.

3. O Nacionalismo Positivo

O patriotismo autêntico é algo desejável. Mas os políticos que só são patriotas em seus discursos, ao mesmo tempo em que, egoisticamente, prejudicam o seu país mediante a corrupção, sob hipótese alguma podem ser considerados patriotas. O tipo correto de nacionalismo tem sido um fator de progresso. Há indivíduos que realmente servem à sua nação, encontrando maneiras de prover o bem coletivo. Em minhas viagens, encontrei de certa feita um homem que disse que encorajava seus filhos a tornarem-se oficiais militares, pois, segundo ele dizia, «a melhor coisa que um homem pode fazer por seu país é morrer por ele». E outros cidadãos, embora não voltados para esse aspecto militar da questão, são igualmente bons patriotas quando andam corretamente, não sendo elementos prejudiciais à comunidade onde vivem e procurando conscientemente o bem-estar geral. Um outro aspecto da questão e a autodeterminação, necessária não somente para a preservação da identidade das nações, mas também para o progresso de qualquer povo.

4. O Nacionalismo Negativo

A cobiça pode ocultar-se por baixo da capa de um alegado patriotismo. Os protestos de nacionalismo de alguns podem ser como um mero jogo político, e não um interesse autêntico pela pátria. Assim, a longo prazo, o protecionismo, nas atividades industriais e comerciais, pode ser prejudicial, e não benfazejo.

Nos dias em que vivemos, não pode haver tal coisa como completa independência das nações. A tecnologia precisa ser compartilhada entre os povos. Em caso contrário, os países menos desenvolvidos jamais conseguirão competir com as nações melhor desenvolvidas. As leis internacionais são necessárias, nesta nossa época em que as comunicações rápidas têm encurtado extraordinariamente as distâncias. Por esses e ouros motivos, um alegado nacionalismo pode ser apenas um irracionalismo. A intolerância e o exclusivismo podem prejudicar definitivamente a uma nação. Não nos esqueçamos da Alemanha nacionalista de Hitler. A arrogância pode marcar tão profundamente um povo que isso seja prejudicial tanto para ele mesmo como para outros povos. Usemos aqui de uma ilustração. Se um país insistir no isolacionismo e depender somente de sua própria tecnologia, na extração de petróleo, talvez veja-se incapaz de atingir os vastos depósitos petrolíferos de que dispõe, mas que estão em níveis profundos demais para as suas sondas.

Nesse caso, será mister empregar uma tecnologia superior, que aquele país terá de buscar em outro país. Por semelhante modo, se o meu nacionalismo chegar a misturar-se com alguma filosofia, seja ela política ou religiosa, tornando-me *intolerante*, isso poderá furtar de meu povo sua própria liberdade de crença e de expressão. E embora eu possa alegar que estou impedindo que eles abracem idéias erradas, de fato, estarei impondo a eles as minhas próprias idéias. E a minha intolerância será pior que a liberdade deles errarem.

Albert Einstein costumava dizer que o nacionalismo é o *sarampo* da humanidade (o sarampo é uma enfermidade tipicamente infantil). É de presumir que ele quisesse dizer que os seres humanos adultos deveriam ser dedicados e conscientes cidadãos do mundo. Isso corresponde ao ideal estóico, que afirmava: «Somos cidadãos do mundo».

O Novo Testamento encoraja os crentes a obedecer às leis das autoridades devidamente constituídas (ver o capítulo treze da epístola aos Romanos); mas, por outro lado, deixa claro que somos estrangeiros e peregrinos neste mundo (ver o décimo primeiro capítulo da epístola aos Hebreus), visto que a nossa cidadania mais profunda acha-se em nossa pátria celeste. «Pois a nossa pátria está nos céus, de onde também aguardamos o Salvador, o Senhor Jesus Cristo» (Fil. 3:20). Todavia, nem por isso a nossa cidadania, quanto aos nossos respectivos países de origem, deixa de ter a sua importância, contanto que não exageremos em nosso nacionalismo. O ideal estóico era forte entre os filósofos romanos, razão pela qual as leis romanas finalmente foram modificadas para melhor, no tocante ao tratamento que se deveria dar aos estrangeiros. Pois se todos os seres humanos são cidadãos do mundo, então não faz sentido considerar os estrangeiros cidadãos de segunda classe.

5. O Crente e o Estado. Um dos aspectos do patriotismo e do nacionalismo que não deveríamos jamais negligenciar é a relação entre o crente e o Estado. Podemos afirmar que, de maneira geral, o verdadeiro crente mostrará ser patriota, tal como nos é sugerido no décimo terceiro capítulo de Romanos. Essa passagem bíblica requer o nosso respeito pelo país onde residimos, o que deve ser exibido pela obediência devida às leis. Pedro rogou aos cristãos, como «peregrinos e forasteiros» (I Ped. 2:11), a manterem exemplar a sua conduta; e Paulo aludiu à nossa verdadeira cidadania celestial (Fil. 3:20). Não obstante, naquela mesma passagem, o apóstolo Pedro ordenou que os crentes se submetessem aos governantes e às suas determinações (I Ped. 2:13 *ss*). É desnatural que um homem ame de tal maneira a pátria celeste que não reste amor pela sua pátria terrestre. Por outro lado, alguns pregadores (católicos e protestantes) têm-se tornado mais políticos do que ministros do evangelho. Porém, a preocupação com o que é terreno, por mais nobre que possam ser certas questões terrenas, não deveria embotar os nossos interesses e inquirições espirituais.

NAÇÕES

Esboço:

I. Caracterização Geral
II. Terminologia
III. Listas Bíblicas das Nações e seu Conteúdo
IV. Fontes Informativas
V. Tabela das Nações
VI. Declaração Sumária sobre a Tabela das Nações
VII. Atitudes dos Hebreus e dos Cristãos para com as Nações

I. Caracterização Geral

A tentativa do autor (ou autores, conforme alguns pensam) bíblico de compilar uma lista das origens das nações da terra foi corajosa. Alguns comentadores pensam mesmo que se trata de uma empreitada impossível. Ainda assim, em conexão com este, outros artigos deveriam ser examinados pelo leitor, como *Adão; Criação; Antediluvianos*, ponto cinco; *Raças Pré-Adâmicas; Língua*, IV. *Origem das Línguas*. Esses diversos artigos ilustram problemas concernentes à origem e ao delineamento das nações que são somente mencionados, sem serem ilustrados.

A geologia e a arqueologia têm demonstrado a grande antiguidade do globo terrestre, e também como o homem vem vivendo à face da terra desde tempos remotos. Não há como comprimir a história da humanidade dentro dos seis mil anos que a cronologia bíblica, com base nas genealogias, parece indicar. Por isso mesmo, os eruditos liberais rejeitam terminantemente os registros bíblicos como irremediavelmente incompletos ou mesmo inexatos, pelo menos no tocante às questões cronológicas. Até mesmo estudiosos conservadores têm apresentado a teoria da existência de *raças pré-adâmicas*, a fim de explicarem as grandes extensões de tempo comprovadas pelas descobertas geológicas e arqueológicas. As evidências assim colhidas falam em um passado muito mais remoto do que aquele que podemos depreender das genealogias bíblicas. Na opinião deste autor, essa é a melhor maneira de abordarmos o problema, embora continuem sem solução certas dificuldades. E o principal problema, do ponto de vista dos eruditos conservadores, não fica resolvido por esse meio, que é a questão do silêncio. Pois, apesar de podermos especular toda espécie de ocorrência não-registrada na Bíblia, desde o momento da criação inicial até à criação de Adão, será mister apresentarmos provas extrabíblicas para isso. Penso que essa atividade é perfeitamente possível e legítima. Mas alguns conservadores persistem na suposição de que a Bíblia narra a história inteira do homem, e não apenas a história do homem adâmico. Ademais, eles pensam que o homem adâmico é, de fato, a humanidade *inteira*. Mas, como justificar tão grande diversidade de raças humanas? Consideremos a raça amarela, em contraste com a raça negra, e então essas duas em contraste com a raça branca, cada uma delas com suas variantes. Do ponto de vista da genética, parece impossível que tão grande variedade de raças pudesse ter partido dos três filhos de Noé, apenas há cerca de três mil e quinhentos anos atrás, se datarmos Noé em cerca de 2500 A.C. Para que brancos, negros e amarelos tivessem provindo todos do mesmo tronco, seriam necessárias grandes mutações em brevíssimo espaço de tempo. Ou então, alternativamente, profundas modificações inter-raciais tiveram lugar ao longo de muito mais tempo que um período de, mais ou menos, três mil anos.

Outra suposição é que antes do surgimento da raça humana adâmica, diferentes raças já existiram, e que houve sobreviventes das raças pré-adâmicas diante do dilúvio, os quais, finalmente, misturaram-se com os descendentes adâmicos de Noé. Naturalmente, será preciso levar em conta que a Bíblia insiste em que, por ocasião do dilúvio de Noé, «...foram exterminados todos os seres que havia sobre a face da terra, o homem e o animal, os répteis e as aves dos céus, foram extintos da terra; ficou somente Noé e os que com ele estavam na arca» (Gên. 7:23). E assim, temos de admitir que essa alternativa também não pode ser reconciliada facilmente com os informes bíblicos, mostrando que essa especulação é muito dúbia.

Naturalmente, os evolucionistas buscam solução para o problema rejeitando de vez os registros bíblicos, como mitológicos. Mas nós, que cremos na Bíblia como revelação divina, não podemos aceitar essa posição. É verdade que os eruditos conservadores cortam o nó górdio (ver o artigo intitulado *Nó*), apresentando respostas impossíveis para as perguntas que se impõem. Há mesmo quem desista inteiramente de continuar investigando a questão, dizendo simplesmente: «Não sabemos grande coisa sobre a origem das raças humanas». Realmente, parece que o relato bíblico sobre o homem deixa grandes hiatos cronológicos, mormente quanto ao começo da história da humanidade. A Bíblia não nos fornece informes que nos capacitem a solucionar os enigmas da grande antiguidade da terra e de seus primitivos habitantes humanóides. Penso que o que foi dito acima, neste verbete, ilustra bem essa dificuldade. Algumas vezes, gostamos de apresentar-nos como mais sábios do que realmente somos, como se tivéssemos um conhecimento mais completo do que aquele que possuímos. Odiamos os mistérios. E nada existe de mais misterioso, para nós, do que as *origens*.

O resto deste artigo ignora essencialmente os consternadores problemas que qualquer discussão sobre as raças humanas traz à tona. O que se segue é o relato bíblico acerca das nações.

II. Terminologia

Temos a considerar, quanto a esse ponto, sete vocábulos hebraicos e dois gregos, a saber:

1. *Erets*, palavra hebraica que significa «terra». Esse termo indica a totalidade das terras habitadas pelos povos, ou apenas *a parte conhecida então*, da perspectiva do autor sagrado! Os especialistas estão divididos quanto a essa indagação. Os literalistas insistem que está em foco a face inteira do planeta. A arqueologia tem mostrado a vasta antiguidade de civilizações fora das terras bíblicas (ver sobre *Línguas*, seção IV). Portanto, parece melhor aceitar esse termo hebraico em seu termo limitado: aquilo que o autor sagrado conhecia do globo terrestre. A Bíblia usa esse vocábulo em seu sentido limitado, segundo se vê, por exemplo, em Gên. 10:32. Assim, a propagação das nações foi na terra, naquela *porção* conhecida pelo autor sagrado. Não há qualquer registro bíblico sobre nações fora daquela área.

2. *Bene* e *yalad*. Dentro das três linhas dos filhos de Noé (Jafé, Cão e Sem) encontramos esses dois vocábulos hebraicos. *Bene* significa «filhos de»; e *yalad* quer dizer «gerou». Alguns eruditos têm pensado que esses dois modos de expressar refletem listas compiladas com base em fontes informativas diferentes. E isso é mesclado com a teoria da multiautoria chamada *J.E.D.P.(S.)*. (vide). De acordo com essa teoria, o código sacerdotal — *P.(S.)* — usava o termo *bene*; mas o código jeovista — J. — introduzia as descendências com o termo *yalad*. O código sacerdotal, pois, figuraria em Gên. 10:1,2-7,20,22,23, 31,32, e o código jeovista em Gên. 1:1b,8-19,21,24-30. Mas os que não aceitam isso, afirmam que se trata de uma mera questão de estilo o uso de *bene* ou de *yalad*.

3. *Toledot*. — Palavra hebraica que alude às «gerações» dos filhos de Noé, e que, ao que parece, o autor sagrado pensava poderem explicar todos os povos da terra, após o dilúvio. Ver Gên. 10:2—11:9, quanto à Tabela das Nações, bem como a fórmula em Gên. 10:1 e 11:10. Há eruditos que argumentam que grandes problemas podem ser resolvidos se supusermos que além dos descendentes de Noé, houve outras raças na terra, pré-adâmicas, que acabaram misturando-se com os descendentes de Noé. Isso posto, o trecho de Gên. 7:23 referir-se-ia somente ao extermínio total do homem adâmico, com exceção dos oito que estavam protegidos no interior da arca. E, conseqüentemente, que o dilúvio foi parcial. Mas essa interpretação é extremamente problemática, pois, nesse caso, a raça adâmica teria sido reduzida a uma ínfima minoria, dentro de uma esmagadora maioria de sobreviventes não-adâmicos, que não teriam sido atingidos mais pesadamente pelo dilúvio. Isso não teria alterado radicalmente a raça adâmica, que se veria inteiramente dominada geneticamente pelas supostas raças pré-adâmicas? Todavia, apresentamos evidências em favor daquela suposição, no artigo sobre o *Dilúvio de Noé*.

4. *Mispehot*. Esse é o termo hebraico que significa «famílias», por cujo vocábulo cumpre-nos entender os «clãs» formadores das nações. Essa palavra é usada na Tabela das Nações em Gên. 10:5,18,20,31,32.

5. *Goyim*. Termo hebraico que significa «nações», ou seja, os grupos de clãs que acabaram adquirindo identidade nacional. Ver Gên. 10:5,20,31,32.

6. *Lashon*. Palavra hebraica que significa «línguas». É usada em Gên. 10:31, como se os vários descendentes dos filhos de Noé falassem diferentes idiomas. Entretanto, somente no décimo primeiro capítulo de Gênesis somos informados que essa diversificação de idiomas ocorreu mais tarde, quando da confusão das línguas, por ocasião da construção da torre de Babel. Esse pequeno anacronismo, todavia, não deve ser considerado como um problema. O que cria problema é a questão da origem das línguas, o que é tratado no artigo chamado *Língua*, seção IV. Se há nisso algum problema, talvez o mesmo seja causado pelo fato de que a história sobre a torre de Babel foi preservada por uma tradição independente da Tabela das Nações.

7. *Éthnos*. Palavra grega que significa «nação» (também traduzida por «gentios»). Ocorre por cento e sessenta e quatro vezes no Novo Testamento, começando por Mat. 4:15 e terminando em Apo. 22:2. Alguns poucos exemplos: Mat. 20:19,25; Atos 4:27; 9:15; Rom. 1:5,12; Gál. 1:16; I Ped. 2:9,12; Apo. 2:26; 5:9. Algumas vezes, esse vocábulo refere-se a nações não-judaicas, e, outras vezes, a todas as nações, incluindo os judeus, conforme se vê em Mat. 24:9; 28:19; Mar. 11:17; Apo. 7:9.

8. *Geneá*, palavra grega que significa «nação» ou «geração». Ela é usada por quarenta vezes no Novo Testamento, a grande maioria das vezes nos três evangelhos sinópticos, começando por Mat. 1:17 e terminando em Heb. 3:10. Algumas vezes, essa palavra é traduzida, nas versões, por «gentios». O uso dessa palavra faz-nos entrar na questão das atitudes judaicas e cristãs acerca das nações, o que é comentado mais abaixo, na sexta seção deste artigo.

III. Listas Bíblicas das Nações e seu Conteúdo

A quinta seção deste artigo alista as nações e dá um mapa ilustrativo com um completo quadro acerca do conteúdo. Neste ponto, limitamo-nos a algumas observações.

1. *Tabela das Nações*. «Esse nome, com freqüência, é dado ao décimo capítulo de Gênesis e ao trecho de I Crô. 1:5-23, com algumas pequenas variações, provendo uma lista étnica dos descendentes de Noé por meio de seus três filhos, Sem, Cão e Jafé. Ao que tudo indica, o registro limita-se às nações do mundo então conhecido no segundo milênio A.C., isto é, povos quase todos concentrados no Oriente Próximo e Médio, com quem os israelitas poderiam entrar em contacto. Os antigos documentos egípcios e mesopotâmicos revelam que os detalhes da tabela das nações não ultrapassariam ao conhecimento de uma pessoa educada na corte egípcia de cerca de 1500 A.C., conforme foi o caso de Moisés» (Z).

2. *Indicações sobre a Data das Listas*. Os nomes que foram incluídos ou que foram deixados de fora fornecem-nos alguma indicação de quando essa lista deve ter sido compilada. Assim, a Pérsia é deixada de fora. Se essa lista tivesse sido compilada ou editada por sacerdotes da época de Esdras (durante o regime persa), em data posterior, conforme alguns intérpretes supõem, então seria extremamente difícil explicar como esse nome foi omitido da lista. A fonte

informativa chamada *P.* (*S.*) é datada pelos liberais como pós-exílica, e, presumivelmente, foi uma das fontes informativas usadas na confecção dessa relação. Por igual modo, a proeminência de Sidom, em Canaã, a par com a omissão de Tiro (ver Gên. 10:15,19), sugere um tempo antes de 1000 A.C., quando Tiro ainda não era cidade importante. Foi em 1000 A.C. que Hirão fez de Tiro a principal cidade fenícia. Hete (ver Gên. 10:15) aparece como a população mais nortista dentre o grupo sírio-cananeu, refletindo os meados do segundo milênio A.C., quando os heteus ou hititas controlavam grande parte da área desde a grande curva do rio Eufrates até às costas do mar Mediterrâneo.

Por igual modo, Albright salientou que quase todos os nomes dos descendentes tribais de Arã (Gên. 10:23) e de Joctã (Gên. 10:26-29) são arcaicos, sendo anteriores às informações dadas em inscrições do primeiro milênio A.C., que têm sido descobertas pelos arqueólogos na Assíria e no sul da Arábia. E alguns dos nomes também têm formas ortográficas que pertencem ao começo do segundo milênio A.C., mas que, mais tarde, sofreram modificações. Em certos manuscritos hebraicos encontramos revisões feitas por escribas, que adaptaram alguns nomes, grafando-os segundo a ortografia posterior.

3. *O Plano*. As principais divisões apresentadas na Tabela das Nações acompanham os descendentes dos três filhos de Noé: Sem (Mesopotâmia e Arábia); Cão (África e Egito); Jafé (o extremo norte e as terras em redor do mar Mediterrâneo). Como é claro, grandes massas de terras foram deixadas de lado. Alguns eruditos conservadores explicam que o resto do mundo foi ocupado mediante vastas *migrações*, que ocorreram após a torre de Babel; mas a geologia e a arqueologia têm mostrado que essa teoria é ilusória. Para exemplificar, a história chinesa pode ser traçada até um tempo bem anterior ao dilúvio, e também continuamente depois do mesmo, sem qualquer interrupção devida a algum cataclismo. Podemos somente concluir daí que o relato do livro de Gênesis não se aplica à China. A arqueologia também tem encontrado civilizações que antecedem em muito à época de 2500 A.C., o tempo do dilúvio; e, em várias regiões do mundo, até com suas próprias línguas (anteriores a Babel). E disso só nos resta concluir que o registro do livro de Gênesis nada tem a ver com esses povos. E, conseqüentemente, que o relato de Gênesis envolve somente a porção do mundo sobre o qual história. Em outras palavras, a narrativa do dilúvio é regional, e não universal. Nenhum problema é criado se aceitarmos a teoria do *dilúvio parcial*, que tem apoio geológico e arqueológico, embora a linguagem usada na narrativa de Gênesis pareça dar a entender o contrário.

4. *Identificação dos Povos Descendentes dos Filhos de Noé*. Essa questão é coberta, com detalhes, em três artigos separados, intitulados: *Cão, Jafé* e *Sem*. Assim sendo, tal material não é repetido aqui. E no artigo chamado *Jafé*, temos provido um gráfico que mostra, na medida do possível, os povos dele derivados.

IV. Fontes Informativas

A fonte original é o décimo capítulo de Gênesis reiterado, com pequenas variações, em I Crô. 1:5-23. Relatos subseqüentes sobre certos povos são comentados no resto do Antigo Testamento. Povos não mencionados na Bíblia são mencionados e estudados pela arqueologia. E esse estudo também tem contribuído em muito para iluminar nosso conhecimento dos povos envolvidos na Tabela das Nações. No tocante à *Mesopotâmia*, há evidências arqueológicas que remontam ao quarto milênio A.C. Na Mesopotâmia e circunvizinhanças houve uma espécie de antiga cultura comum, envolvendo diversos povos. E no terceiro milênio A.C. houve extensos contactos dessa cultura com outras, devido às campanhas militares e o intercâmbio comercial entre os povos. Assim, era intenso o comércio que se fazia entre a península arábica, a Anatólia (em termos gerais, o que é hoje a Turquia), o Irã e a Pérsia. Registros feitos em escrita cuneiforme descrevem condições prevalentes no terceiro milênio A.C. No que concerne ao *Egito*, não é menos abundante o material arqueológico e histórico. Quando Abraão apareceu em cena, talvez nada menos que dez dinastias já haviam governado o Egito. A história egípcia pode ser acompanhada, com algum detalhe, desde cerca de 3000 A.C., e Abraão surgiu no palco do mundo mais ou menos em 2000 A.C. Nos tempos pré-históricos, havia intenso comércio entre o Egito e certa variedade de lugares, como a região do mar Vermelho, a Núbia, a Líbia, e, talvez, a parte norte do imenso deserto do Saara. Dentro do terceiro milênio A.C., os egípcios enviaram expedições à península do Sinai e a Biblos, na costa mediterrânea da Síria. No segundo milênio A.C., os egípcios entraram em contacto com as ilhas de Chipre e Creta, bem como com a Cilícia, na Anatólia. Os textos de execração dos faraós fornecem-nos algumas informações sobre muitos povos com quem os egípcios tiveram algum tipo de relacionamento. No século XIV A.C., os arquivos de tabletes em escrita cuneiforme dão-nos muitas informações sobre a época. Esses arquivos têm sido descobertos pela arqueologia em *Tell el-Amarna* (vide).

É significativo que quase toda informação que a arqueologia nos dá ajusta-se bem dentro da cronologia bíblica. No entanto, há descobertas arqueológicas que retrocedem enormemente no tempo, em relação aos informes bíblicos. Talvez isso possa ser explicado com a suposição de que o tempo de Adão, e então o tempo de Noé, foram *novos começos*, e não começos absolutos da história da humanidade. Ao todo, parece que o nosso globo já sofreu pelo menos quatrocentos grandes cataclismos, com tremendas modificações na posição dos pólos da terra, com conseqüentes tremendas destruições. Há evidências que parecem favorecer a especulação de que a penúltima dessas grandes destruições corresponde, a grosso modo, com a cronologia bíblica relativa a Adão; e que a última delas corresponde mais ou menos à cronologia bíblica atinente a Noé. Quanto a períodos deveras remotos da pré-história, contudo, vemo-nos forçados a depender de algumas poucas mas significativas descobertas arqueológicas.

V. Tabela das Nações

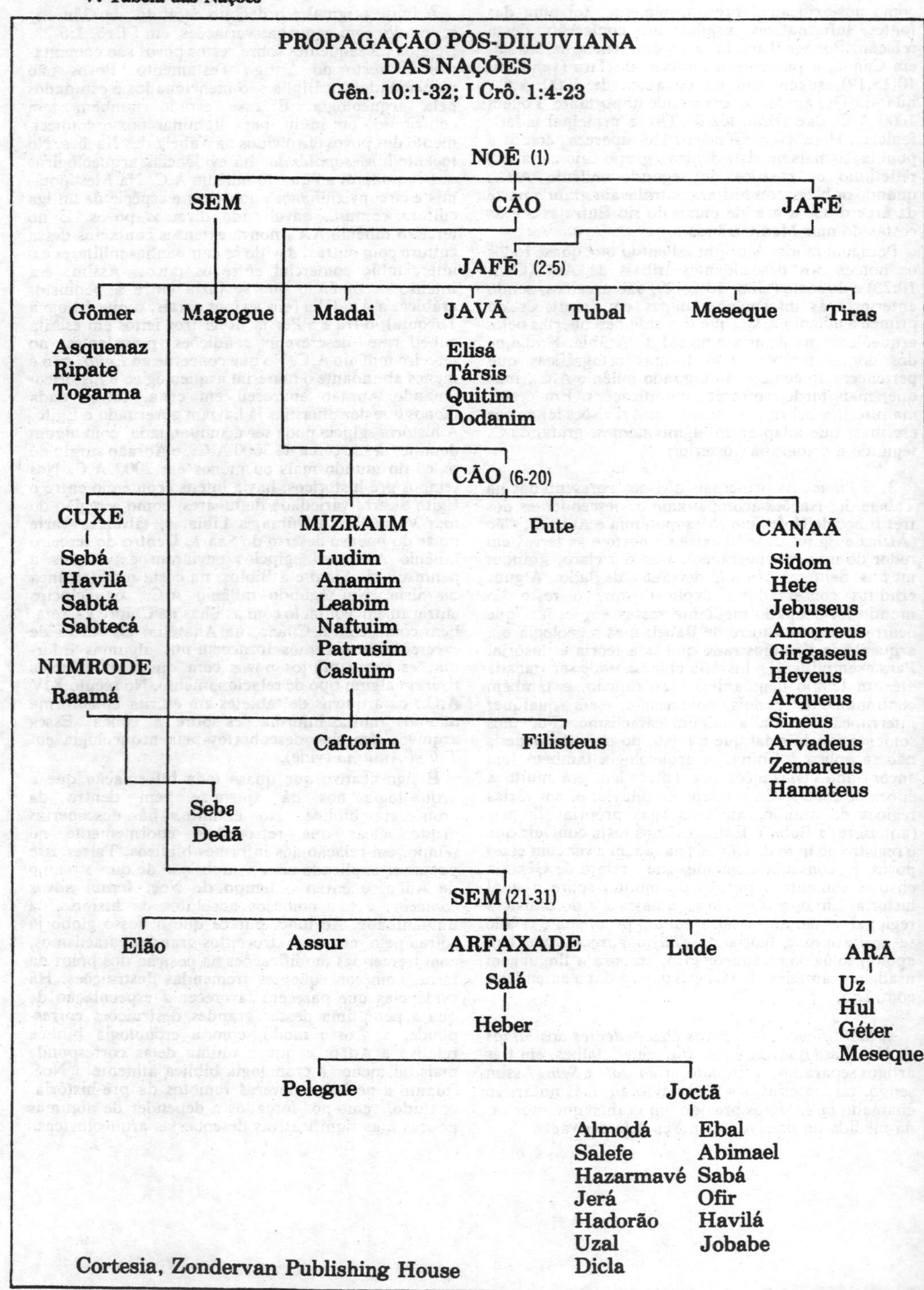

Cortesia, Zondervan Publishing House

VI. Declaração Sumária Sobre a Tabela das Nações

«A Tabela das Nações provê o pano de fundo da história do mundo para a chamada de Abraão (Gên. 12). *Vs. 1.* Essa lista, vinculada a Gên. 5:32 provavelmente foi extraída do livro das gerações (Gên. 5:1). A unidade original da humanidade é representada pela idéia de que todas as nações da terra originaram-se dos três filhos de Noé (Gên. 9:19). Embora as diversas *famílias* estivessem separadas por terras e idiomas (vss. 5,20,31), essa lista foi arranjada, primariamente, com base em considerações políticas, e não tanto étnicas. *Vs. 2-5.* Os filhos de *Jafé* (Gên. 9:27) tinham o seu centro político na Ásia Menor, o território anterior dos hititas (*Hete*, vs. 16). A propagação dos povos habitantes das *costas marítimas*, incluindo os filisteus (ver Gên. 9:27), reflete movimentos populacionais da área do mar Egeu, em cerca de 1200 A.C. *Vss. 6-20.* Os filhos de *Cão* viviam na órbita do Egito. *Canaã* é incluída porquanto, nominalmente, vivia sob o controle do Egito, entre 1500-1200 A.C. *Vss. 8-12.* Um antigo fragmento da tradição relata como Ninrode, um bem-sucedido guerreiro, erigiu um reino na terra de *Sinear* (Babilônia) e na Assíria. *Vss. 15-20.* Os *hititas* (Hete), que haviam estabelecido um poderoso império na Ásia Menor, desapareceram como uma potência mundial no século XII A.C. Nesse ponto, eles são mencionados juntamente com outros povos cananeus, como, por exemplo, os *jebuseus* (localizados em redor de Jerusalém), os *amorreus* (nativos da região montanhosa da Palestina), os *heveus* (talvez os mesmos horeus ou hurrianos; ver 34:2). *Vss. 21-31.* *Sem* aparece como o progenitor dos povos semíticos, os filhos de *Éber*, ou seja, todos os «hebreus», incluindo aqueles que, posteriormente, tornaram-se o povo de Israel. Durante o período de 1500-1200 A.C., ondas de hebreus entraram na Síria-Palestina, e, finalmente, estabeleceram ali estados como *Arã*, na Síria (vs. 23), Noabe, Edom e Israel». (Notas traduzidas da *Oxford Annotated Bible, The Revised Standard Version*, sobre Gên. 10:1).

VII. Atitudes dos Hebreus e dos Cristãos para com as Nações

O judaísmo terminou sendo uma religião exclusivista, que gerava intensa hostilidade para com as outras nações, que passaram a ser vistas como os *pagãos* ou *gentios*. Isso atingiu sua mais horrível expressão no farisaísmo, para o qual até o ato de entrar na casa de um gentio era um ato contaminador. O trecho de Gál. 2:12 ilustra graficamente o ponto. Paulo precisou repreender a Pedro por estar evitando a companhia de crentes gentios, quando certos representantes de Tiago criticaram-no por confraternizar com os gentios. E foi necessário que Pedro recebesse uma visão a fim de que entendesse que as atitudes exclusivistas dos judeus eram fundamentalmente erradas, porquanto até haviam sido ultrapassadas pela fé cristã. Ver o décimo capítulo do livro de Atos. Essa visão provocou da parte de Pedro uma observação que exibe sua surpresa: «Reconheço por verdade que Deus não faz acepção de pessoas; pelo contrário, em qualquer nação, aquele que o teme e faz o que é justo lhe é aceitável» (Atos 10:34,35). E Paulo enfocou claramente a questão, ao escrever:

«...porque todos quantos fostes batizados em Cristo, de Cristo vos revestistes. Destarte não pode haver judeu nem grego; nem escravo nem liberto; nem homem nem mulher; porque vós sois um em Cristo Jesus» (Gál. 3:27,28).

A Missão Tridimensional de Cristo. O amor de Deus, atuando em favor dos homens, por meio da pessoa de Jesus Cristo, requereu que o Cristo tivesse uma missão nas três esferas gerais da existência, a saber: sobre a terra (a narrativa geral dos evangelhos); no hades (ver I Ped. 3:18—4:6; Efé. 4:9,10); e nos céus (ver Efé. 4:9,10; I João 2:1; 9:24 *ss*; 12:12; e o décimo sétimo capítulo do evangelho de João). Essas missões de Cristo cooperam juntamente para a redenção dos eleitos e para a restauração dos perdidos. Ver Efé. 1:9,10. Vários artigos desta enciclopédia abordam essas questões. Ver os seguintes artigos: *Descida de Cristo ao Hades; Mistério da Vontade de Deus* e *Restauração*. É com essa nota otimista que convém terminar um artigo sobre as *Nações*.

NACOM

No hebraico, «preparado». Esse foi o nome de um homem, dono de uma propriedade perto de onde Uzá foi atingido e morto, por haver estendido a mão para não deixar desequilibrar-se a arca da aliança, que Davi estava fazendo transportar. Sua morte foi aparentemente considerada sem motivo justo (ver II Sam. 6:6). Ele era o proprietário da eira onde esse incidente teve lugar. Ele é chamado Quidom, em I Crô. 13:9. Ele viveu por volta de 1042 A.C. Há também estudiosos que pensam que seu nome significa, no hebraico, «golpe», formando isso um jogo de palavras: quem se chamava golpe, foi golpeado pela mão de Deus, devido a seu atrevido ato de pôr as mãos sobre a sagrada arca da aliança. Ver também o artigo intitulado *Quidom*.

NADA

No latim, **nihil**. No grego, **ouk on**, «nada em absoluto», e **me on**, «sem existência real», «sem par potencial». Os filósofos usam a expressão «não-ser» como sinônimo de nada. Os filósofos descrevem tipos e níveis de ser, e, então, concebem o não-ser, ou seja, o nada. Eles costumam dizer que é impossível falár sobre aquilo que não existe.

1. *Parmênides*. Ele fez a enigmática declaração de que o ser existe, mas o não-ser não existe. Mas, apesar disso parecer emprestar alguma espécie de realidade ao não-ser, não é provável que seja aquilo que ele tencionasse dizer. Em sua filosofia, ele não tinha lugar para algo que está vindo à existência. Para ele, as coisas existem e sempre existiram, embora possam derivar-se de outros seres, diferentes deles mesmos.

2. De acordo com os filósofos *atomistas*, o ser é o átomo e suas combinações. O nada seria o vazio onde os átomos se movimentam.

3. *Górgias*, em seu *nihilismo* (vide), negava, de forma peremptória, que qualquer coisa possa existir.

4. *Platão* concebia vários níveis do ser. O universal seria mais real que os particulares (itens deste mundo físico), que seriam meras imitações da realidade, embora continuem sendo reais. Porém, a realidade dos particulares seria de uma espécie inferior. O universal é mais real, por ser eterno e imutável. O *fluxo*, pois torna as coisas *menos reais*. Ele usava o termo «outro» a fim de exprimir opostos. Por exemplo, há o vermelho e há o outro que não vermelho. O não-ser poderia ser expresso desse modo, isto é, tachando-o de «outro»; mas Platão nunca mergulhou em uma discussão sobre o não-ser por si mesmo.

5. *Aristóteles* seguiu a direção imprimida por Platão, embora também tivesse concebido uma categoria de *privação*, que indica a ausência de alguma potencialidade em alguma coisa. A relativa não-existência de um ser em potencial é associada às

matérias-primas. Juntamente com a maioria dos pensadores gregos, Aristóteles não acreditava que a «criação» partiu do nada. Haveria mudanças, mas, segundo ele, coisa alguma jamais veio à existência partindo do vazio.

6. O *neoplatonismo* dava à humilde matéria bruta um estado de virtual não-existência, mais ou menos parecido à idéia aristotélica da matéria sem potencialidade. O mal também poderia ser descrito desse modo, isto é, como a privação do bem. Alguns dos pais posteriores da Igreja, como Agostinho, seguiram esse tipo de descrição, em suas elocuções.

7. O lema grego, «do nada nada vem», tem seu contrário na expressão latina, *creatio ex nihilo*, embora concorde com outra expressão latina, *ex nihilo nihil fit*, «do nada, nada se faz». O cristianismo, em sua decisão de evitar a idéia de emanações, e querendo fazer de Deus um ser único, afirma que houve tempo em que somente Deus existia. Em seguida, afirma que a criação inteira veio à existência por decreto divino. E assim surgiu a idéia da criação vinda do nada. Ver os artigos *Ex Nihilo* e *Ex Nihilo Nihil Fit*. Ver também o artigo intitulado *Criação*, segunda e terceira seções. Os teólogos modernos evitam o conceito da criação vinda do nada, e preferem falar em termos da energia divina ter-se transformada em matéria. Mas, isso parece voltar ao tema das emanações!

8. O *misticismo* (conforme expresso por Bernard de Clairvaux e Meister Eckhart) fala acerca da alma que se reduz a nada, a fim de, finalmente, poder ser iluminada e transformada.

9. A *dialética* dos idealistas, como Fichte, Schelling e Hegel, emprega o princípio da negação. Na tríada, a síntese reveste-se de potencialidade; mas, por enquanto, ela é nada. O processo de vir a tornar-se opera na tese; e a antítese produz a síntese, como último passo do processo.

10. *Bergson* rejeitava a idéia do nada como uma pseudo-idéia, criada pela nossa insatisfação diante das coisas como elas são.

11. *Berdyaev*, em contraste com isso, acreditava que todas as coisas partem de um nada eterno, e que o conceito da liberdade repousa sobre essa realidade, visto que os seres livres e os atos livres podem surgir sem qualquer tipo de causa.

12. Vários *filósofos existencialistas* (como Neidegger e Sartre) faziam do nada uma categoria fundamental. O temor do indivíduo de reduzir-se a nada cria o medo existencial, que é uma das emoções e experiências humanas básicas. Ao nada é dada uma espécie de condição ontológica; e esse medo acha-se à base das nossas ansiedades. Os existencialistas ateus crêem que nos estamos dirigindo para o nada, e que nos estamos reduzindo a nada. Os existencialistas teístas vêem livramento dessa redução na intervenção divina. Os existencialistas cristãos pensam que esse poder é o poder de Cristo.

13. As *religiões orientais* pensam que a «criação» é uma ilusão, visto que somente Deus seria real. Nesse caso, encontramos um tipo de nada que é apenas um epifenômeno do que é real, mas que não tem existência em si mesmo.

Uma bela citação sobre o «nada»:

«O nada é um conceito inspirador de admiração, embora essencialmente indigerível. É algo altamente valorizado por escritores de tendências místicas e existencialistas; mas, pela maioria dos outros, é considerado em meio à ansiedade, à náusea e ao pânico. Ninguém parece saber como manipular o nada, e as pessoas comuns geralmente, segundo se diz, têm pouca dificuldade em dizer, ver, ouvir e fazer nada. Os filósofos, entretanto, nunca se sentiram à vontade com essa questão. Desde que Parmênides estabeleceu a regra de que é impossível falar sobre aquilo que não existe (somente para violar à sua própria regra, ao fazer tal declaração), tem persistido a impressão de que a estreita vereda entre o bom senso e a falta de sentido, sobre esse assunto, é difícil de ser palmilhada, e que quanto menos se falar sobre a questão, melhor». (EP)

NADABATE

Nome de uma localidade mencionada em I Macabeus 9:37. João, irmão de Jônatas e Simão Macabeu, fora traiçoeiramente assassinado. A fim de se vingarem da morte do irmão, aqueles dois arquitetaram uma festa de noivado. A noiva estava sendo transportada de Nadabate para Medeba. Os dois irmãos mataram todos. Nadabate era uma cidade da Transjordânia, talvez devendo ser identificada com Nebo, chamada *Nabatha* por Josefo (*Anti*. 13:1,4). Entretanto, outros estudiosos identificam o local com a moderna Khirbet et-Teim, ao sul de Medeba.

NADABE

No hebraico, «liberal», «bem-disposto». Esse foi o nome de várias personagens masculinas do Antigo Testamento, a saber:

1. O filho mais velho de Aarão. Juntamente com seu irmão, Abiú, Nadabe perdeu a vida por haver oferecido fogo estranho ao Senhor (ver Êxo. 6:23). Ele havia sido ungido como sacerdote, juntamente com Abiú, Eleazar e Itamar (ver Êxo. 28:1). O *fogo estranho* que aqueles dois ofereceram, ao que parece foi assim denominado por não haver sido retirado daquelas chamas que queimavam perpetuamente sobre o altar, o único fogo que podia ser usado sobre o altar do Senhor (ver Lev. 6:13). Aarão e seus dois filhos sobreviventes foram então proibidos de celebrar as usuais cerimônias por seus mortos, imediatamente após o incidente, a fim de que suas mortes não fossem formalmente lamentadas, o que serviu para demonstrar a seriedade do pecado deles. Ver Lev. 10:9,10.

Alguns intérpretes pensam que os dois irmãos estavam embriagados (vss. 9,10) quando cometeram aquele erro, o que apenas serviu para complicar a questão, agravando seu atos, em meio ao culto divino. Todavia, outros eruditos pensam que não há como determinar a natureza exata do pecado deles. Talvez tanto o fogo quanto o horário da oferta estivessem envolvidos, sem falar na conduta deles. O incenso deveria ser oferecido somente pela manhã e à tarde (ver Êxo. 30:7,8). É possível que, estando eles alcoolizados, não tivessem consciência da hora do dia. Seja como for, o incidente ilustra a questão do culto divino prestado de maneira errada, que o Senhor rejeita.

2. Um rei de Israel, nação do norte, e que sucedeu a seu pai, Jeroboão, em cerca de 913 A.C., também atendia por esse nome. Ele governou somente durante dois anos (ver I Reis 15:25-31). Ver os artigos gerais sobre os reis de Israel, intitulados *Israel, Reino de* e *Rei, Realeza*. Ele foi um daqueles maus reis de Israel, a nação do norte (todos o foram), que agiu somente para perpetuar as práticas idólatras de seu pai (ver I Reis 12:30; 15:3). Ele começou mal e terminou mal. Por ocasião do cerco de Gibetom, rebentou uma revolta entre oficiais do exército, e Baasa, homem da tribo de Issacar, matou a Nadabe. Então, Baasa, tornando-se o rei de Israel, passou a exterminar a

inteira descendência de Jeroboão. Isso cumpriu certa predição feita por Aías, o profeta (ver I Reis 14:10,11). Nadabe viveu em torno de 954 A.C.

3. Um judaíta, filho de Samai. Esse Nadabe teve dois filhos; Selede e Apaim. Viveu por volta de 1410 A.C.

4. Um benjamita, filho de Jeiel e Maaca. Era parente de Quis, pai do rei Saul, o primeiro rei da unida nação de Israel (I Crô. 8:30-33; 9:35-39). Ele foi o fundador de Gibeom. Viveu em torno de 1180 A.C.

NAFIS

Nos hebraico, «refrigeração», nome do décimo primeiro filho de Ismael (Gên. 25:15; I Crô. 1:31). Esse nome passou à sua tribo, formada por seus descendentes. Os rubenitas, gaditas e a meia-tribo de Manassés subjugaram-nos, juntamente com vários outros, conforme o registro de I Crô. 5:19. Daí por diante, nada mais a Bíblia diz acerca dessa gente, e a história secular faz total silêncio a respeito deles. No entanto, alguns pensam que o trecho de Esd. 2:50 alude a esse povo, com o título de «filhos dos nefuseus». Ver também Nee. 7:52.

NAFTALI

No hebraico, «luta», «contenda». Esse foi o nome de um dos doze patriarcas do povo de Israel, da tribo que ele descendia, e de certo distrito montanhoso, na região norte de Israel.

1. *O Patriarca*. Naftali foi o sexto filho de Jacó, e o segundo de Bila, a criada de Raquel. Era irmão de Dã. Sabemos bem pouco acerca dele, como pessoa. De fato, até mesmo o seu nome só é mencionado algumas poucas vezes no livro de Gênesis (ver 30:8; 35:25; 46:24; 49:21). Todas as demais passagens bíblicas em que esse nome aparece, há menção à tribo ou distrito de Naftali. Na competição entre Lia e Raquel pelo afeto de Jacó, o que envolvia quem teria mais filhos dele, as duas irmãs entregaram a Jacó suas respectivas criadas, como concubinas. E os filhos tidos por essas concubinas eram considerados filhos daquela irmã que as entregara. Assim, o filhos de Bila eram considerados de Raquel; e os filhos de Zilpa eram considerados filhos de Lia. É verdade que isso não concorda com os costumes de hoje; mas era assim que as coisas funcionavam na antiguidade.

Diante do nascimento de Naftali, Raquel obteve ligeira vantagem sobre Lia. E talvez em face dessa circunstância foi que o menino foi chamado Naftali. Não foi um motivo muito nobre que impulsionou Raquel a dar tal nome à criança; mas, quem pode explicar o ciúme feminino? O vácuo de informações sobre Naftali não foi bem preenchido pelas tradições, como é usual. Mas, no Targum aramaico, *Pseudo-Jônatas*, somos informados que Naftali sabia correr ligeiro, e também que ele, juntamente com quatro de seus irmãos, foi selecionado para servir diante do faraó. E o Testamento dos Doze Patriarcas ajunta que Naftali faleceu aos cento e trinta e dois anos de idade. Mas, voltando às informações bíblicas, em seu leito de morte, José não disse muita coisa acerca de Naftali e seu futuro; e até o que foi dito reveste-se de caráter dúbio, tendo sido traduzido de várias maneiras. A nossa versão portuguesa diz, em Gên.49:21: «Naftali é uma gazela solta; ele profere palavras formosas». Isso pode aludir à sua proverbial velocidade na corrida, bem como aos rápidos e bons guerreiros que descenderiam dele. E «palavras formosas» pode referir-se a como essa tribo correspondeu à convocação feita por Débora e Baraque, para irem à guerra e livrar Israel. Em outras traduções, essas palavras são traduzidas como «belos filhotes». Nesse caso, estaria em pauta a prosperidade, a fertilidade, etc., daquela tribo.

2. *A Tribo de Naftali*. O território dos descendentes de Naftali ficava ao norte e ao ocidente do mar da Galiléia, estendendo-se desde as montanhas do Líbano até a extremidade sul daquele lago. Isso posto, incluía as áreas ricas e férteis adjacentes às cabeceiras do rio Jordão e a praia ocidental do mar da Galiléia. Ver Deu. 33:23; Jos. 19:32-39. Na qualidade de tribo de fronteira, o território de Naftali estava sujeito a muitas invasões vindas do norte e do leste. O antiqüíssimo cântico de Débora celebra os heróis de Naftali, que arriscaram a própria vida a fim de participarem do livramento de Israel. Nesse caso, o inimigo foi Jabim, o rei dos cananeus (ver Juí. 5:18).

Números. Quando Jacó desceu ao Egito, Naftali tinha quatro filhos (ver Gên. 46:24). Nos quatro séculos que eles ficaram no Egito, a tribo de Naftali multiplicou-se extraordinariamente, de tal maneira que, por ocasião do primeiro censo de Israel, essa tribo contava com 53.400 homens, sendo então a sexta mais numerosa das tribos de Israel (ver Núm. 1:43. E durante os quarenta anos de vagueação pelo deserto, esse número declinou um pouco, de tal modo que, por ocasião da segunda contagem, só havia 45.400 homens em Naftali, fazendo dela a oitava tribo mais numerosa (ver Núm. 26:50). Nas marchas organizadas de Israel, a tribo ocupava um lugar ao norte do tabernáculo (a tenda), sabendo-se que o tabernáculo ocupava o centro do acampamento de Israel. Mais tarde ainda, o trecho de Jos. 19:32-39 menciona que Naftali contava com dezenove cidades muradas.

Informes Históricos Posteriores. Encontrando-se em uma região fronteiriça, o território de Naftali foi freqüentemente vítima de ataques externos. O teste mais severo ocorreu nos dias de Baraque, o juiz que foi membro dessa tribo. Ver Juí. 4:6. E isso envolve a história de Débora. Quando Tiglate-Pileser III, da Assíria, assolou a Palestina, em 733 A.C., levou para o exílio a população de Naftali, naquele evento que se chama *cativeiro assírio* (vide). Foi assim que, como tribo, Naftali deixou de existir; sendo impossível dizer quantos membros dessa tribo (se algum) voltaram a Jerusalém, terminado o cativeiro babilônico, fazendo parte na continuação de Israel como uma nação. E o distrito que anteriormente fora conhecido como território de Naftali, passou a ser conhecido como «Galiléia dos gentios», onde também o Senhor Jesus passou a maior parte do seu ministério terreno (ver Mat. 4:15). A planície de Genezaré, e as cidades de Betesaida, Cafarnaum e Corazim são lugares de nomes que soam familiares para os leitores do Novo Testamento, e ficavam todas no antigo distrito de Naftali. Esse território também tornou-se um grande centro das atividades dos zelotes, os quais procuravam pôr fim ao domínio dos romanos sobre a Judéia; e um dos doze apóstolos de Jesus tinha antes pertencido a esse fanático grupo dos zelotes, isto é, Simão (ver Luc. 6:15 e Atos 1:13).

3. *O Distrito Montanhoso de Naftali*. Essa área, que formava a porção maior do território de Naftali, é mencionada em Jos. 20:7. Expressões paralelas são «monte Efraim» e «monte Judá». Mas, embora toda aquela região montanhosa fosse conhecida por esse nome de «monte de Naftali», não se tratava de um único monte, e, sim, de toda uma região montanhosa.

NAFTUIM

Não se sabe o significado dessa palavra, embora

todos reconheçam que é um vocábulo que está no plural, um nome próprio que se refere a uma das populações do Egito. Ver Gên. 10:13; I Crô. 1:11. Essa palavra é de origem egípcia, embora tendo passado pelo hebraico. Por isso, alguns estudiosos pensam que se trata apenas de uma referência à cidade egípcia de Nofe. Mas outros eruditos opinam que essa palavra alude à direção *norte*, pelo que poderia ser uma das «populações do norte», ou seja, daquelas que ocupavam o delta do rio Nilo, e a sua tradução poderia ser «aqueles do Delta». O livro de Gênesis indica que esse povo era de origem camita, o terceiro dentre sete povos camitas ali mencionados.

NAG HAMADE, MANUSCRITOS DE

Ver o artigo geral sobre o **Gnosticismo**. A antiga cidade de nome *Chenoboskion* (no cóptico, «pasto de gansos»), foi o local de um antigo mosteiro cristão, fundado por Pacômio (cerca de 320 D.C.). Essa cidade fica no Egito, na margem oriental do rio Nilo, cerca de quarenta e oito quilômetros ao norte de Luxor. Esse lugar obteve fama adicional quando importantes documentos gnósticos foram ali descobertos, por volta de 1945. Cerca de quarenta e nove desses documentos vieram à luz, quase todos traduções do grego para o cóptico. Esses documentos passaram a ser conhecidos como «de Nag Hamade», em face do nome de uma cidade moderna existente não longe dali, no lado ocidental do Nilo.

Esses documentos são importantes para o nosso conhecimento sobre a história eclesiástica, quanto às suas primeiras idéias, muitas das quais concordam ou conflitam com os ensinos dos livros canônicos do Novo Testamento. Quanto à história do gnosticismo, durante longos séculos tivemos de depender das declarações dos primeiros pais da Igreja, como Irineu. Mas, em face dessa e de outras descobertas (feitas anteriormente), agora sabemos muito mais a respeito, com base em fontes informativas originais.

Lista de Importantes Manuscritos de Nag Hamade. A Epístola do Bem-aventurado Eugnosto; o Diálogo do Salvador; dois Apocalipses de Tiago; o Evangelho da Verdade; a Epístola a Reginos Sobre a Ressurreição; um tratado sobre Três Naturezas; o Evangelho de Tomé; o Evangelho de Filipe; o Livro de Tomé; o Tríplice Discurso da Tríplice Protenoia; um Apocalipse com a forma de epístola; as Paráfrases de Sem (Setita); o Apocalipse de Pedro; o Apocalipse de Dositeu (também chamado de Três colunas de Sete); o Apocalipse de Paulo; o Apocalipse de Adão e seu Filho, Sete; o Apocalipse do Grande Sete; o Autêntico Discurso de Hermes a Tate. A maior parte desse material gnóstico pode ser datado, com segurança, como pertencente ao século II D. O *Evangelho de Tomé* é uma das mais importantes obras dentre esses documentos. Contém cento e catorze declarações de Jesus (isto é, atribuídas a Jesus), algumas das quais também foram encontradas entre os papiros de Oxyrhynchus. Ver o artigo intitulado *Oxyrhynchus, Declarações de Jesus de*. O artigo geral sobre o gnosticismo descreve seus principais documentos literários, no seu décimo terceiro ponto. Apesar de alguns exageros, os primeiros pais da Igreja brindaram-nos com algumas descrições bastante exatas das crenças gnósticas.

NAGAÍ

Essa é a forma grega do nome próprio hebraico No'gah, «brilhante». A forma hebraica do nome ocorre em I Crô. 3:7 e 14:6. E a forma grega em Luc. 3:25, onde figura como um dos antepassados de Jesus Cristo.

NAGARJUNA

Suas datas foram 100-200 D.C. Ele foi um dos maiores filósofos-teólogos da Índia. Foi um budista mahayana, e também o primeiro expositor sistemático da escola chamada Shunyavada. Essa escola ensinava a relatividade do pensamento e a não-dualidade do Absoluto. Essa escola também é conhecida como *Escola da Doutrina Intermediária*.

Idéias:

1. Ele arquitetou raciocínios similares aos de Zeno de Eléia, criando argumentos com grande habilidade, a fim de que as idéias de seus oponentes parecessem ridículas. Um de seus objetivos consistia em demonstrar que coisa alguma pode ser produzida do nada. Coisa alguma pode proceder do vácuo ou da não-existência. E também que quando alguma coisa é produzida a partir de alguma coisa já existente, então temos aí uma modificação de algo, e não uma criação.

2. Ele negava o conceito de causalidade. Se o efeito já existe em uma causa, então trata-se apenas de algo parecido com um fio que já existe em um pedaço de tecido, e os fios deveriam ser chamados tecido. Mas, se um efeito não existe em uma causa, então de onde esse efeito pode proceder? Daí ele concluía que a causalidade é ilusória. Outro tanto ele dizia acerca do movimento, o qual, para ele, é apenas uma ilusão. As mudanças também seriam impossíveis. Se não existe o que é imutável, então coisa alguma pode ser modificada. E, se existe, então não há mudança nenhuma.

3. A matéria é irreal. A matéria não-causada não é possível. Contudo, se ela existe, então não tem causa, porquanto já existe. De acordo com Buda, o universo não tem começo e nem fim. Ora, o que não existe no começo, também não existe no meio. A conclusão de Nagarjuna é que o chamado universo criado é apenas uma ilusão mental.

4. Nagarjuna também negava a realidade do *Nirvana* (vide). Para ele, este não pode deixar de existir, e também não existe, pois é apenas uma ilusão.

5. Nesse caso, qual a conclusão da questão? Ele sumariava seus pontos de vista em suas catorze antinomias. Não podemos dizer nada de certo acerca de muitas coisas: o mundo é finito ou infinito? o mundo é permanente ou não? a mente é idêntica à matéria ou não? existe ou não o Nirvana?

6. Nagarjuna concluía que a realidade transcende ao intelecto humano. Todas as distinções desaparecem na realidade, de tal modo que a realidade é apenas o Absoluto. Haveria uma certa verdade empírica, que atua como disfarce da realidade, e que opera na vida de todos os dias. Porém, no Absoluto, essa verdade empírica torna-se ilusória. O conhecimento sobre o Absoluto destrói o círculo das causas e efeitos. A identidade, conforme a conhecemos, é meramente relativa, não tendo qualquer significado exceto quanto ao fato de que está vinculada ao Absoluto, que é tudo em tudo. E a vereda da salvação consistiria em elevar-se o indivíduo acima das manipulações das categorias do intelecto, percebendo ele o Absoluto e sendo por ele absorvido.

Escritos. Twenty Verses on the Greta Vehicle; Treatise on the Middle Doctrine; Treatise on Relativity.

●●● ●●● ●●●

NAGEL, ERNEST

Ele nasceu em 1901. Minhas fontes informativas não fornecem a data de sua morte, se é que já faleceu. Ele foi um filósofo norte-americano naturalizado. Nasceu na Checoslováquia. Educou-se no City College e na Universidade de Columbia. Posteriormente, ensinou em ambas as instituições. Foi nomeado para a cadeira de John Dewey. Defendia as posições do naturalismo e do instrumentalismo. Envolveu-se profundamente na lógica e na filosofia da ciência.

Idéias:

1. *Naturalismo*. Todas as coisas e todos os eventos devem ser compreendidos dentro da categoria naturalista. Esse sistema seria fechado e absoluto. Não haveria tal coisa como o mero acaso. Tudo funcionaria à semelhança da matemática. Os chamados eventos ocasionais são mal-entendidos, por nossa falta de melhor entendimento sobre as coisas.

2. Ele repelia a idéia de que a *mecânica quantum* (vide) abre caminho para a noção de que os acontecimentos ao acaso são menos deterministas que aqueles da física clássica. Ver também o artigo intitulado *Mecânica*. O acaso parece ser real, porque as nossas leis ainda não se formaram totalmente. Mas somente a falta de melhor compreensão dá origem ao conceito da sorte ou acaso.

3. Nagel objetava às explicações teológicas das coisas, como se também estivessem alicerçadas sobre a falta de informação. Mas todas essas explicações, finalmente, um dia haverão de ceder lugar a explicações naturais. Quanto ao argumento que se baseia sobre o *reducionismo* (todas as categorias da física e da química deveriam ser entendidas por um prisma materialista) e sobre a *biologia organísmica* (as explicações mecanicistas finalmente fracassam), ele assumia a posição de que nenhum dos lados haverá de sair-se vencedor.

4. Ele se apegava à idéia do determinismo social, supondo que existem fatores determinantes que provocam todos os acontecimentos, de tal maneira que coisa alguma fica abandonada à sua própria sorte. As explicações dadas pelos historiadores dificilmente podem ser consideradas científicas, porquanto tendem para o subjetivismo.

5. Ele não era materialista no sentido reducionista. Porquanto defendia valores reais, no campo da estética, bem como determinações de valor de todas as variedades.

6. *Instrumentalismo*. Nagel respeitava e promovia o instrumentalismo de John Dewey, sem a interferência da ontologia. Ele interpretava contextualmente os princípios da lógica, sem compromissos ontológicos no tocante à situação de entidades e princípios lógicos.

7. Ele concordava com Peirce que a inquirição, quando honesta, corrige-se a si mesma. A conclusão de cada inquirição pode ser desafiada por novas construções teóricas, ou por novas experiências. A pesquisa levaria constantemente a conclusões das quais não podemos depender, e que exigem contínua modificação e aprimoramento.

8. Ele não fazia diferença entre a declaração de que uma teoria é verdadeira e a declaração de que uma teoria é satisfatória. Uma declaração seria verdadeira (pelo menos pelo momento), se fosse satisfatória; mas tudo estaria precisando de uma contínua redefinição. Nagel era instrumentalista e naturalista, e esses dois termos devem ser entendidos como tendo o mesmo sentido funcional.

Escritos. An Introduction to Logic and Scientific Method; Principles of the Theory of Probability; Sovereign Reason; Logic Without Metaphysics, Observation and Theory in Science.

NAIDO

A Septuaginta grafa esse nome como as formas de *Naeidos* (A) e de *Naaidos* (B). Esse era o nome de um homem que se casou com uma mulher estrangeira, durante o tempo do cativeiro babilônico, mas que foi forçado a divorciar-se, depois da volta do remanescente de Judá a Jerusalém. Os antigos votos foram renovados, e os elementos estrangeiros à cultura hebréia foram retirados. Esse nome, Naido, só aparece em I Esdras 9:31. Mas, talvez, ele tenha sido o mesmo indivíduo que é chamado Benaia, em Esd. 10:30.

NAIM

No hebraico, «deleite», «beleza». Esse era o nome de uma cidade à entrada da qual o Senhor Jesus ressuscitou o filho único da viúva, conforme se lê em Luc. 7:11 *ss*. Essa cidade não é mencionada em qualquer outro trecho das Escrituras. Porém tem sido identificada com *Naim*, uma aldeia cerca de dez quilômetros a suleste de Nazaré, e a quase cinco quilômetros a nordeste de Solém, o lugar onde tinha habitado a mulher sunamita, quando Eliseu lhe ressuscitou o filho. Nas proximidades desse local há um certo número de antigas cavernas, usadas como sepulcros, localizados no lado oriental da cidade. O caminho que conduz à localização geral, segundo crêem alguns arqueólogos, é o mesmo onde a multidão se encontrou com Jesus, quando o cortejo fúnebre prosseguia em direção ao local do sepultamento. Jesus ficou emocionado diante da triste cena de uma viúva que perdera seu filho único, interveio e ressuscitou o rapaz, para espanto da cidade inteira. Somente Lucas narra o incidente, sendo esse um dos treze textos onde Lucas usa o título «o Senhor», para indicar Jesus (ver o vs. 13).

A moderna aldeia de *Nain*, identificada como aquela do Novo Testamento, fica cerca de dezesseis quilômetros ao sul e ligeiramente a leste de Nazaré, perto de Kefar Yeledim e de Mahne Yisrael. Atualmente é um povoado islâmico. Os frades franciscanos erigiram ali uma pequena capela, a fim de comemorar aquele milagre feito por Jesus. Josefo (*Guerras* 4.9.4,5) menciona uma cidade com esse nome, que um certo revolucionário, de nome Simão, fortificou; mas esse lugar ficava na Iduméia, ao sul de Massada, e não pode ser o mesmo lugar mencionado por Lucas.

NAIOTE

No hebraico, «residências». Em algumas traduções portuguesas, «Naiote de Ramá». Nossa versão portuguesa diz «casa dos profetas, em Ramá». Foi ali que Samuel e Davi refugiaram-se, quando fugiam de Saul (I Sam. 19:18 *ss*). Saul chegou a persegui-los até ali; mas o Espírito de Deus interveio. E quando Saul chegou em Sucu, perto de Ramá, o espírito do Senhor apossou-se dele, e ele ficou profetizando, enquanto caminhava, até chegar em Ramá. Ali chegando, Saul despiu a túnica e ficou deitado por terra o dia e a noite inteiros (ver os vss. 20-24). Também era perto dali que Samuel residia, em companhia de seus discípulos (I Sam. 19:18,19,22,23; 20:1). Os escritores rabínicos informam-nos que Ramá era o nome de uma colina, e que Naiote era um ponto dessa colina, e não alguma aldeia. O fato é que esse incidente outorgou a Saul a falsa reputação de fazer parte do grupo dos profetas.

É muito difícil explicar os movimentos do Espírito de Deus; mas sabemos que Saul nunca foi um bom profeta, sob hipótese alguma.

Ramá tem sido identificada com a moderna *er-Ram*, que fica cerca de treze quilômetros ao norte de Jerusalém. Coisa alguma se sabe a respeito de Naiote, fora dos textos bíblicos.

NANAQUE

Suas datas foram 1469-1538. Nanaque foi o fundador da religião dos sikhs da Índia. Ver o artigo intitulado *Sikhs*. Ele nasceu em uma família islâmica, e assim a religião por ele fundada combina elementos do hinduísmo com elementos do islamismo. Foi notável poeta e compositor de hinos, tendo produzido inúmeros cânticos em honra a Hari (Deus). Muitos desses hinos foram incorporados no livro sagrado do movimento, chamado *Granth* (vide). Conforme em tantos outros casos similares, sua vida de profeta e líder religioso começou com uma experiência mística. Sua visão conferiu-lhe diretrizes para a substância e para a expressão de sua fé. Essa religião, apesar de preservar o conteúdo do islamismo e do hinduísmo, desfez-se de seu ritualismo e formalismo. Nanaque ensinava o monoteísmo e a tolerância para com outras religiões, paralelamente à necessidade de qualidades como o amor, o altruísmo, a sinceridade, a pureza e a sede pela verdade. O volume sagrado que daí resultou, parcialmente por causa dos hinos e dos ensinamentos de Nanaque, foi publicado em 1604.

NANAR

Esse era o nome que os sumérios davam para o deus-sol e que os caldeus davam para a divindade que chamavam de Sim. Essa palavra vem de *Nar-nar*, «doador da vida». Na Mesopotâmia, o deus-lua também tinha grande proeminência. Ver o artigo detalhado chamado *Deuses Falsos*.

NÃO-COGNITIVISMO

Essa palavra é usada no contexto ético, indicando que aos termos éticos falta um significado cognitivo. Com freqüência ela é usada em conexão com as teorias emotivistas, que supõem que os presumíveis *valores* são apenas reações emocionais das pessoas, embora sem terem, necessariamente, sentidos genuínos. O não-cognitivismo afirma que as declarações morais precisam ser entendidas em termos de atitudes dos sentimentos, e não como genuínas declarações cognitivas.

NÃO-FAVORECIDA

Um nome simbólico que Oséias, o profeta deu a sua segunda criança, uma menina. Isso simbolizava o fato de que Deus haveria de julgar em breve a seu povo, sem qualquer piedade, em virtude de seus muitos pecados. Ver Osé. 1:6. Está em foco o cativeiro assírio, que ocorreu em 722 A.C., e que acabou com o reino do norte, Israel.

NÃO-MEU-POVO

Esse foi o nome simbólico que o profeta Oséias deu ao seu terceiro filho. Esse apelativo indicava que, em breve, Deus visitaria seu povo com julgamento. Ver Osé. 1:9. Esse julgamento, conforme todos sabemos agora, seria a devastação e exílio do reino do norte, pelos assírios, o que ocorreu em 722 A.C.

NÃO-VIOLÊNCIA (NÃO-RESISTÊNCIA)

Temos aí a idéia de que os alvos colimados, na política, na religião ou na sociedade, são mais facilmente alcançados mediante a não-resistência aos opressores, não por meios violentos, e, sim, através de uma resistência passiva e pacífica, incluindo a desobediência civil, mas sem o concurso de atos de violência. Tolstoy preconizava o uso da resistência moral e da resistência passiva. Thoreau e Einstein estão vinculados a esse conceito. Mas, a figura mais exponencial dessa idéia, naturalmente, é *Gandhi* (vide), cuja biografia talvez seja o mais notável exemplo histórico desse princípio.

NAOR

No hebraico, «resfôlego», «respiração pesada». Esse é o nome de duas personagens e de uma cidade, que figuram nas páginas da Bíblia:

1. O filho de Serugue e pai de Terá, pai de Abraão (ver Gên. 11:22-25). Viveu pelo espaço de 148 anos, algum tempo antes de 2300 A.C. Também aparece na genealogia de Jesus, em Luc. 3:34.

2. Um filho de Terá e irmão de Abraão e Harã. Casou-se com sua sobrinha Milca, filha de Harã (ver Gên. 11:26,27,29). Aparentemente, viajou até Harã (o lugar), na companhia de Terá, Abrão e Ló, a despeito do fato de que isso não é especificamente mencionado em Gên. 11:31. Harã veio a tornar-se conhecida como «a cidade de Naor» (Gên. 24:10), e isso parece uma prova adequada daquela assertiva. Naturalmente, ele pode ter chegado ali posteriormente.

Naor foi o progenitor de doze tribos dos arameus, alistadas em Gên. 22:20-24, o que ilustra o parentesco próximo entre os arameus e os hebreus. Parece que Naor havia preservado as tradições religiosas (pré-hebréias) dos semitas, porquanto adorava um falso deus, honrado por seu pai, Terá (ver Gên. 31:53). É possível, igualmente, que o pacto firmado entre Jacó e Labão, em Mispa (ver Gên. 31:43 *ss*), tenha incluído vastos feitos tanto a Yahweh quanto ao deus de Terá, o que era tradicional na família, provavelmente desde gerações antes.

3. *A Cidade de Naor*. Harã veio a tornar-se conhecida como «cidade de Naor» (Gên. 24:10). E isso deveu-se ao fato de que Naor, irmão de Abraão, ali viveu, em companhia de seus filhos, onde veio a tornar-se o principal cidadão do lugar. Alguns estudiosos pensam que essa cidade, na verdade, não se chamava Naor, mas simplesmente que a Bíblia a designa como «cidade onde Naor vivia». Porém, em favor do fato de que essa cidade, deveras tinha o nome de *Naor*, é que os textos de Mari mencionam uma certa *Nahur* como cidade do norte da Mesopotâmia. E essa ou seria a própria Harã, com uma mudança de nome, ou, então, alguma cidade próxima de Harã. Ver Gên. 27:43; 28:10; 29:4,5.

No tempo em que foram escritas as *cartas de Mari* (vide), no século XVIII A.C., o lugar era governado por um príncipe amorreu. Parece que ficava situada abaixo de Harã, no vale do rio Balique, na Alta Mesopotâmia.

NARCISO

No grego, **Nárkissos**, «flor que causa letargia». Esse foi o nome de certo crente que residia em Roma, ao qual Paulo saúda, juntamente com outros dentre os familiares. — Talvez Narciso fosse certo liberto favorito do imperador Cláudio. O fato é que, na Bíblia, nada mais se sabe sobre ele, a não ser o que se lê em Rom. 16:11.

NARCÓTICOS

Ver o artigo geral sobre as **Drogas**.

NARDO

No hebraico, **nerd**. — Esse vocábulo hebraico provavelmente, de origem sânscrita, ocorre somente por três vezes, sempre no livro de Cantares, a saber Can. 1:12; 4:13,14. No grego, *nárdos pistiké*, «nardo genuíno». Essa expressão aparece por duas vezes, em Mar. 14:3 e em João 12:3.

O nardo era um ungüento muito fragrante, obtido de uma planta da parte oriental da Índia, a *Nardostachys jatamansi*. Essa planta faz parte da família das valerianas, e é dotada de raízes fibrosas perfumadas. O dicionário da Royal Horticultural Society (1951), chama essa planta de «nardo dos antigos».

No Antigo Testamento, o nardo é mencionado como um daqueles perfumes exóticos, usado pela noiva do livro de Cantares. No Novo Testamento, o «nardo puro», conforme diz a nossa versão portuguesa, sempre aparece usado na pessoa de Jesus, aplicado por alguma mulher. Em Marcos 14:3, quando Jesus estava reclinado na casa de Simão, por quem fora convidado, chegou uma mulher, trazendo um vaso de alabastro e, quebrando o vaso, derramou o bálsamo sobre a cabeça de Jesus. O trecho paralelo de Mat. 26:6-13 não especifica que o bálsamo era de nardo. Em João 12:3, Maria, irmã de Lázaro e de Marta, aparece como a mulher que derramou o bálsamo de nardo sobre a cabeça de Jesus. Portanto, essas três passagens devem ser combinadas entre si para que recolhamos todos os informes sobre o incidente. Marcos e Mateus dizem-nos que isso ocorreu na casa de Simão, o leproso. João nos diz que o ato foi praticado por Maria. Marcos e Mateus referem-se à objeção feita pelos discípulos como um «desperdício»; João ajunta o detalhe que Judas Iscariotes, o discípulo que haveria de trair a Jesus dentro de poucos dias, chegou a expressar sua indignação com um argumento. Mateus e Marcos dizem que o Senhor Jesus galardoou Maria imediatamente, revelando: «Onde for pregado em todo o mundo este evangelho, será também contado o que ela fez, para memória sua» (Mat. 26:13).

Em João lemos que o bálsamo tinha grande preço. Assim era porque precisava ser importado da Índia, em jarras de alabastro seladas, a fim de conservar o perfume. Somente quando algum ricaço proprietário recebia convidados especiais é que quebrava o selo da jarra de alabastro, e procedia a unção em quem quisesse, como demonstração de honraria toda especial. Tudo isso demonstra o amor que Maria tinha pelo Senhor Jesus. E esse amor era mútuo, porquanto lemos em João 11:8: «Ora, amava Jesus a Marta, e a sua irmã e a Lázaro».

NARIZ, VENTAS

1. Palavras e Usos

No hebraico, *uph*, cuja forma dual é *appayim*, ou seja, por onde se respira (ver Núm. 11:20). Essa mesma palavra hebraica também é usada para indicar «ira» (ver Pro. 22:24). Essa palavra ocorre por vinte e cinco vezes, no Antigo Testamento, com o sentido de «nariz», a saber: Gên. 2:7; 7:22; Êxo. 15:8; Núm. 11:20; II Sam. 22:9,16; II Reis 19:28; Jó 4:9; 27:3; 40:24; 41:2; Sal. 18:8,15; 115:6; Pro. 30:33; Can. 7:4,8; Isa. 2:22; 3:21; 37:29; 65:5; Lam. 4:20; Eze. 8:17; 23:25; Amós 4:10. Um bom número dessas referências tem um sentido metafórico. No entanto, a palavra «nariz» nunca ocorre no Novo Testamento.

2. Descrição

O nariz é aquela porção da face humana e do focinho dos animais que faz parte do mecanismo da respiração, contendo galerias para a passagem do ar até os pulmões. É no nariz, igualmente, que se acomoda o órgão do olfato. Na maioria dos animais, o nariz é a parte mais proeminente do focinho, tanto entre animais carnívoros quanto em animais herbívoros de cabeça longa. Em certos animais, como é o caso do porco, o nariz tem a função adicional de fuçar, para desarraigar plantas pequenas. No elefante, o nariz é um órgão de preensão.

O nariz compõe-se de um complexo de ossos, músculos e cartilagens. A pele que envolve o nariz é de caráter delicado e suave. Os pêlos do nariz são mais delicados que de outras partes do corpo. As glândulas da pele do nariz são bastante numerosas e possuem ductos curtos, e suas secreções são abundantes. O nariz é local onde se manifestam várias enfermidades, a mais freqüente delas é o resfriado comum. O nariz atua como filtro de ar, e também aquece ao mesmo. As pessoas que vivem em climas frios (ou aquelas cujos ancestrais viviam em zonas frias do mundo) tendem por ter narizes mais volumosos, mais eficazes no aquecimento do ar frio, como medida de proteção dos pulmões. É fato bem conhecido que o ser humano tem um olfato deficiente, em comparação com o de outros animais. Seus nervos olfativos são muito limitados, quando confrontados com o que sucede com cães, ovelhas, etc., além de muitos insetos.

3. Usos Metafóricos

a. O hálito da vida. Os hebreus não compreendiam muito sobre o sistema respiratório. Assim, falavam sobre o nariz como o órgão que contém a respiração que dá vida, em vez dos pulmões (ver Gên. 2:7; 7:22). b. A elevação do nariz indica arrogância ou orgulho, por parte dos homens (ver Sal. 10:4). c. Uma argola ou anzol, enfiado no nariz de alguém, é sinal da sujeição desse alguém a outrem (ver Jó 41:2); mas havia quem usasse argolas no nariz, para efeito de adorno (ver Gên. 24:22,3; Eze. 16:12). d. Colocar um raminho no nariz tinha algo a ver com as expectações mágicas, talvez sendo considerado um meio eficaz de espantar os demônios (ver Eze. 8:17). Mas alguns intérpretes têm visto nisso um gesto de ira. e. O ato de resfolegar, que requer o uso do nariz, indica ou ira (ver Jó 39:20) ou paixão (Jó 27:3). f. Fumaça saindo pelo nariz simboliza ira ou predisposição à violência (II Sam. 22:9). g. Nas visões e nos sonhos o nariz pode apontar para a faculdade da «intuição». Costumamos dizer: «Estou cheirando alguma coisa errada», cujo sentido nos é bem conhecido.

NASBAS

No grego da Septuaginta, **Nasbás** (em outros manuscritos, **Nabád**). Esse nome pessoal ocorre somente em Tobias 11:18, onde se lê: «E Aquiacaro, e Nasbas, filho de seu irmão». O trecho indica que esse homem fez-se presente ao casamento de Tobias. As opiniões dos estudiosos diferem quanto a ter sido Nasbas «filho do irmão» de Tobias ou de Aquiacaro.

Há traduções do livro de Tobias que tentam uma solução, proposta por Junius, que dizem, «Aquiacaro, também chamado Nasbas». E essa solução parece ser confirmada por Tobias 1:22, onde Aquiacaro é mencionado como «filho do irmão» de Tobias. Além dessa tentativa de solução, há outras, nas versões itálicas e siríacas. O que parece indiscutível é que Nasbas foi o mesmo homem chamado Amã, em Tobias 14:10.

NASCER DA ÁGUA Ver **Regeneração.**

Ver o artigo sobre **Nascer de Novo.**

NASCER DE NOVO

Diversas Interpretações

1. Do ponto de vista judaico, a água simboliza as *operações do Espírito Santo*. Assim sendo, o novo nascimento ocorre mediante a operação do Espírito. Naturalmente, nisso temos uma grande verdade, embora, mui provavelmente, isso não encerre toda a verdade da passagem que temos à frente.

2. O batismo cristão, em sentido de *regeneração batismal*. Estaria em foco a água do batismo, posto que o batismo foi ordenado por Cristo, sendo um mandamento que deve ser obedecido, dotado de valor místico; e somente aqueles que se submetessem ao batismo em água é que supostamente poderiam ser regenerados. Assim dizem o catolicismo romano, o luteranismo e outros grupos. Todavia, não é provável que esteja em vista o batismo cristão, posto que Nicodemos não poderia ter feito qualquer idéia a respeito, sendo instituição de data bem posterior. Acrescenta-se a isso o fato de que as passagens dogmáticas do apóstolo Paulo, que descrevem a salvação e a regeneração, nada têm a ver com o batismo em água, como se fizesse parte integrante das mesmas. Assumir essa posição, pois, é confundir o «sinal» com a coisa «simbolizada». A água do batismo não regenera, e nem o faz a submissão a esse ato. Porém, a água é um símbolo da regeneração, tanto no Antigo como no Novo Testamento, e Pedro usou a água como símbolo da própria salvação, segundo se observa em I Ped. 3:21, onde foi declarado que «...através da água, a qual, figurando o batismo, agora também vos salva...» Esse batismo é a mensagem e a experiência cristã *em sua totalidade*, que realmente salva, tal como poucas pessoas foram salvas na arca, é uma espécie de batismo aquático (em que a arca passou incólume pelas águas revoltas do dilúvio), sendo assim preservadas da destruição. Da mesma maneira, somos conservados em segurança nos braços de Cristo, e o batismo, que representa a união com Cristo, é contemplado como símbolo do agente salvação, e mesmo da experiência da salvação, em sua inteireza.

3. A água significaria o batismo de *João Batista*. Não é impossível que Nicodemos estivesse suficientemente familiarizado com o batismo de João, para que pudesse compreender uma alusão ao fato; porém, em parte alguma das Escrituras foi declarado que o batismo de João pudesse produzir a salvação ou o novo nascimento. Pelo contrário, era um rito inteiramente preparatório e simbólico, que tinha o intuito de despertar os homens para a necessidade do arrependimento, a fim de que viessem a receber corretamente ao Messias e ao seu reino.

4. Alguns estudiosos misturam os pontos de vista de números 2 e 3, explicação essa, entretanto, sujeita às mesmas críticas que temos feito contra esses citados pontos de vista.

5. Alguns acreditam que Jesus limitou-se àquilo que Nicodemos teria podido compreender como judeu, e que ele fizera alusão às diversas *cerimônias de purificação* e dedicação dos judeus, que também eram chamadas pelo nome de «batismos». Tais ritos significariam, para Nicodemos, a purificação dos pecados e a dedicação a Deus, embora não tivesse sido compreendido então qualquer espécie de novo nascimento, conforme agora entendemos. Pelo menos isso serviu de ponto de referência, à base do que Jesus pôde continuar ensinando. Encontramos tais referências nas págs. do A.T., como em Sal. 51:2: «Lava-me completamente da minha iniqüidade, e purifica-me do meu pecado»; Isa. 52:15: «...assim causará admiração às nações...»; Eze. 36:25: «Então aspergirei água pura sobre vós, e ficareis purificados; de todas as vossas imundícies e de todos os vossos ídolos vos purificarei». A esses trechos podemos acrescentar o vs. 26 dessa passagem de Ezequiel, que promete um novo espírito e um novo coração. (Ver também o trecho de Zac. 13:1). É extremamente difícil escaparmos das implicações da passagem de João 3:5, onde Jesus pelo menos fez alguma alusão a essas questões, tendo-as utilizado como símbolos da operação espiritual do Espírito Santo, ao realizar o novo nascimento.

6. Alguns intérpretes, especialmente alguns protestantes, procuram divorciar dessa passagem a idéia de batismo em água, — quer como agente eficaz da regeneração, quer até mesmo como mero símbolo; e fazem referência a versículos tais como o de Tito 3:5, que descreve a *lavagem da regeneração* e a «renovação do Espírito Santo». Entretanto, alguns revidam contra essa idéia, dizendo que a própria expressão, «lavagem da regeneração», é uma referência ao batismo. O texto de Efé. 5:26 também tem sido salientado nesse particular: «...para que a santificasse, tendo-a purificado por meio da lavagem de água, pela palavra...» Assim, pois, a «palavra» seria equivalente a «água».

7. Outros crêem que a *água* seja meramente uma referência ao *nascimento físico*, que é acompanhado de certa emissão de água. Porém, é uma insensatez afirmar que somente aqueles que tivessem nascido fisicamente poderiam ser reputados como candidatos ao novo nascimento. Isso pode ser uma verdade, mas tal assertiva é trivial.

8. Outros estudiosos, ainda, defendem a idéia de que a *água*, neste caso, é uma referência ao batismo e aos seus simbolismos, em sentido *muito geral*, sem que fiquem especificados o batismo judaico, o batismo de João ou o batismo cristão.

A Interpretação Assumida por esta Enciclopédia é a Seguinte:

1. *Não* precisamos supor haver qualquer ensino de regeneração batismal nesta passagem. O autor do quarto evangelho era por demais *místico*, por demais voltado para as coisas do outro mundo, em seus ensinos, para ensinar qualquer noção de que qualquer ato físico possa fazer parte daquele nascimento que se origina no alto.

2. Apesar disso expressar certa verdade, não há razão para supormos que Jesus não se referiu a *alguma* forma de batismo em água, *como símbolo* da operação do Espírito, que vem do alto. A água simbolizava justamente essa operação, no A.T., e Nicodemos, sem dúvida, teria podido compreender essa referência.

3. O fato de que as passagens dogmáticas de Paulo, sobre a salvação e a justificação, *nem ao menos mencionam* o batismo em água, demonstra que tal batismo não pode ser o agente real da regeneração, por melhor que o represente.

4. O trecho de Col. 2:11,12 vincula o batismo e a circuncisão como ilustração da mesma verdade espiritual (pelo menos de determinada verdade espiritual, a saber, a purificação e, em seguida, a participação na santidade); portanto, argumentar que o batismo salva é equivalente a argumentar que, nos tempos do A.T., a circuncisão salvava. No entanto, Paulo negou enfaticamente que a circuncisão física salvasse, conforme lemos em Rom. 2:28,29. A

circuncisão autêntica é *no íntimo*, e não é um sinal externo. A verdadeira realidade espiritual é a circuncisão do coração, a transformação interna, e o ato externo e físico não passa de um símbolo. Assim também se dá *com o batismo*.

5. Assim, pois, parece correto dizermos que a *água* faz alusão ao batismo, aos ritos judaicos, talvez com alguns indícios sobre o batismo de João, que teria incorporado esses mesmos símbolos; porém, não foi jamais dito e nem subentendido que esse *ato externo, por si só*, é um agente salvador, um agente regenerador. Pelo contrário, trata-se de um símbolo da operação do Espírito Santo, que transforma internamente os homens, até que, por fim, os transforma metafisicamente, na totalidade de sua personalidade, ou seja, transforma-os segundo a imagem de Cristo, e nisso consiste a regeneração total. O elemento real é a operação do Espírito. Um símbolo dessa operação, que Nicodemos poderia ter compreendido, é a «água» das palavras de Jesus. Tal símbolo envolvia os diversos ritos de batismo que subentendiam purificação e dedicação a uma ordem espiritual de coisas. O que esta interpretação assevera, por conseguinte, é que o trecho de João 3:3,5 ensina exatamente a mesma verdade que a passagem de Tito 3:5: «...não por obras de justiça praticadas por nós, mas segundo sua misericórdia, ele nos salvou mediante o lavar regenerador e renovador do Espírito Santo». Essa lavagem é de natureza inteiramente espiritual, e não pode ser realizada por meio do uso de água; porém, até mesmo aqui, pode haver, mui provavelmente, *uma alusão* ao batismo em água, como símbolo dessa regeneração.

Uma chave parcial, para melhor compreensão dessa passagem, se encontra nas próprias palavras de João Batista, em João 1:33, onde se lê: «...me enviou a batizar com água, me disse: Aquele sobre quem vires descer e pousar o Espírito, esse é o que batiza com o Espírito Santo». João Batista a ninguém salvou por meio do batismo; mas tão somente alertou suas consciências para aquele batismo espiritual que Jesus viria ministrar.

NASCIMENTO

No hebraico há três palavras envolvidas, e no grego, duas, a saber:

1. *Yalad*, «produzir», «dar à luz», usada por mais de quinhentas vezes (por exemplo: Gên. 4:1; 46:25; Êxo. 2:2; I Crô. 1:32; Osé. 1:3,6,8).

2. *Mekurah*, «nascimento», palavra usada por quatro vezes (Eze. 16:3; Eze. 21:30, para exemplificar).

3. *Mashber*, «rompimento». É palavra usada por três vezes (II Reis 19:3; Isa. 37:3; Osé. 13:13).

4. *Geneté*, «nascimento». Palavra grega usada por uma vez só (ver João 9:1).

5. *Génnesis*, «começo», «geração». Palavra grega usada por cinco vezes (ver Mat. 1:1,18; Luc. 1:14; Tia. 1:23 e 8:6).

Há vários pontos que precisamos considerar a respeito:

a. Nascimento natural. Lemos que as mulheres hebréias davam à luz a seus filhos com muito maior facilidade do que as mulheres egípcias, talvez porque os seus hábitos de vida tornavam as egípcias muito mais indolentes (Êxo. 1:19). Parece que a profissão de parteiras, entre os hebreus, teve começo no Egito, onde as parteiras eram utilizadas em casos difíceis.

b. O nascimento virginal de Cristo é o grande nascimento referido no Novo Testamento. Ver o artigo sobre esse assunto, quanto a plenos detalhes e acerca das controvérsias que cercam a questão.

c. A teologia que cerca as dores do parto. O trecho de Gênesis 3:16 indica que a queda do homem complicou o processo do nascimento natural, tornando-o mais doloroso do que seria, se o ser humano não fosse pecaminoso. Mas outros estudiosos pensam que o ato de dar à luz tornou-se *símbolo* dessa dor, e não que o processo tivesse se tornado mais doloroso.

d. Metaforicamente falando, encontramos menção às dores de parto de toda a criação, que aguarda sua restauração, o que sucederá após a redenção dos corpos dos eleitos, isto é, após a ressurreição dos salvos (Rom. 8:22).

e. O trabalho de parto comumente é usado como símbolo de sofrimentos, sobretudo aqueles vinculados à punição ou julgamento (Mat. 24:8; I Tes. 5:3). E isso em associação à «parousia» ou segunda vinda de Cristo.

f. Contudo, o trabalho de parto também pode simbolizar as tribulações e testes que uma pessoa pode experimentar, quando procura ajudar a outrem a nascer espiritualmente (Gál. 4:19 e Isa. 53:11).

g. O *novo nascimento* é uma das principais aplicações espirituais do processo de nascimento. Ver sobre a *regeneração*.

h. Nascer é *símbolo psicológico* do começo de alguma nova obra, como a produção de uma nova realização ou a renovação de esperanças ou ambições. Nos sonhos, também pode ter o sentido de regeneração espiritual, ou então o sentido de desejar aprimorar ou enobrecer a vida. O *embrião* pode simbolizar uma vida à qual faltam escopo e desenvolvimento, ou que ainda se encontra nos primeiros estágios de desenvolvimento. (CHE DE Z)

NASCIMENTO DE MARIA; EVANGELHO DO

Ver **Maria, Evangelho do Nascimento de.**

NASCIMENTO VIRGINAL DE JESUS

História e Profecia em Isaías 7:14 e Mateus 1:22,23

Esboço:

Introdução
I. Palavras Envolvidas
No hebraico: *almah*
No grego: *párthenos*
II. Várias Interpretações Sobre Isaías 7:14
III. Propósito de Mateus ao Usar o Texto de Isaías
IV. Nascimento Virginal em Luc. 1:27
V. A Controvérsia Liberal Conservadora Sobre o Nascimento Virginal de Jesus
Conclusão

Introdução

Isaías 7:14 é um texto controvertido. Textos desse naipe provocam uma curiosa atividade por parte dos intérpretes. Em primeiro lugar temos a tendência dos que são do lado oposto **do debate de ignorar** certos «fatos» que debilitam os seus respectivos argumentos. Em segundo lugar, mesmo quando abordam os mesmos fatos, os intérpretes conseguem ver diferentes coisas neles.

O propósito deste artigo é apresentar os fatos disponíveis em minhas fontes informativas, procurando fazer uma modesta análise crítica.

Ver o artigo separado sobre *Virgem*.

NASCIMENTO VIRGINAL DE JESUS

I. Palavras Envolvidas

1. No Hebraico: Almah

Essa palavra hebraica significa, necessariamente, «virgem», conforme alguns insistem? Essa pergunta desperta prontamente a segunda reação, mencionada na introdução. Nesse ponto, os intérpretes conseguem responder tanto com um «sim» quanto com um «não», ou então, com um «sim e não».

O que dizem as fontes informativas? As definições léxicas dão os seguintes sentidos possíveis: uma jovem, uma donzela, uma virgem. O significado básico da palavra parece ser «coberta», «velada», uma referência óbvia ao costume oriental das mulheres cobrirem o rosto com um véu. Ora, o sentido básico de «velada» nada tem a ver em favor ou contra a idéia de virgindade. Diz a Zondervan Encyclopedia: «Não há qualquer evidência definida de que esse termo indique especificamente virgem, nunca tocada por homem». Mas essa mesma obra insiste em que esse termo pode significar virgem, quando o contexto assim o exige.

Unger salienta que uma outra palavra hebraica, *bethulah* (ver Gên. 24:16; Lev. 21:13; Deu. 22:14,23, 28, além de outros trechos), é o vocábulo que significa «virgem», especificamente. Não obstante, a palavra hebraica *almah* também pode significar tal coisa, embora fosse, usualmente, empregada para indicar qualquer mulher jovem em idade de casamento. Contudo, para Unger, quando a palavra é usada no controvertido texto de Isaías 7:14, deve significar «virgem», visto que Mateus assim a interpretou. Unger acrescenta que o Espírito Santo selecionou a palavra *almah*, e não *bethulah*, porque o profeta precisava de uma palavra que significasse «virgem», mas que também tivesse o sentido de «donzela em idade de casamento».

Uma outra verdade que não devemos perder de vista nessa discussão é a seguinte:

Dentro da cultura hebréia, esperava-se que qualquer mulher jovem e solteira fosse virgem, pelo que também *almah* era palavra que podia ser usada largamente com esse sentido, embora esse não fosse o seu significado preciso. Por semelhante modo, no Brasil, a palavra portuguesa «moça», embora não signifique necessariamente «virgem», mas apenas «jovem», pode ser usada no sentido de «virgem», em contraste com a palavra «mulher». É evidente que o termo hebraico *almah* era usado nesse sentido. Mas, o que o próprio Isaías quis dizer? Isso será discutido sob o segundo ponto, *Várias Interpretações Sobre Isaías 7:14.*

Um fato significativo. Não nos deveríamos esquecer de que a Septuaginta (tradução do Antigo Testamento para o grego, feita por judeus) usa a palavra grega *párthenos*, na tradução de *almah*. Ora, no grego, *párthenos* é a palavra específica para «virgem». Isso mostra-nos que pelo menos alguns judeus, da época de antes de Cristo, pensavam que a palavra *almah*, em Isaías 7:14, significasse «virgem». Porém, para sermos justos, deve-se dizer que isso ainda não resolve a questão se o próprio Isaías tencionava dizer «virgem», naquele texto, conforme mostraremos no segundo ponto, mais abaixo.

2. No Grego: Párthenos

Quanto a isso, o problema é mais simples. Pois *párthenos* é a palavra grega padrão para «virgem». Todavia, o léxico grego clássico de Foilett mostra-nos que assim como *almah*, esse vocábulo não era usado exclusivamente no sentido de «virgem», porquanto também podia significar apenas «donzela» ou «mulher solteira». Mas, se alguém pesquisar no idioma grego, em busca de uma palavra que signifique, especificamente, «virgem», então encontrará *párthenos*.

É verdade que, ocasionalmente, a Septuaginta usa essa palavra para aludir a alguma jovem que não era mais virgem (por exemplo, em Gên. 34:3), porém, isso em nada detrata do uso geral do termo. Por outro lado, o Novo Testamento emprega essa palavra grega exclusivamente para indicar virgindade, normalmente de mulheres, embora também de homens (ver Apo. 14:4), embora nessa referência devamos compreender metaforicamente o termo, indicando «pureza moral».

Cabe aqui a cautela feita por Robertson, que disse que as palavras, por si mesmas, são muito plásticas, pelo que deveríamos dar atenção ao sentido que elas transmitem, e não tanto o que elas querem dizer isoladamente. Esse é um conselho digno de ser atendido, embora não devamos exagerar.

O sentido fundamental da palavra grega *párthenos* é «posta de lado», «separada», supostamente de qualquer contacto sexual com homens. E o uso feito por Mateus enfatizou ainda mais o caráter ímpar da virgindade de Maria, ao usar também o artigo definido, «*a* virgem», e não meramente alguma virgem. E os contextos dos evangelhos de Mateus e de Lucas salientam esse caráter ímpar, por estarmos então abordando a missão do Messias, o que inclui a sua origem singular como ser humano.

II. Várias Interpretações sobre Isaías 7:14

O mero estudo de vocábulos não resolve a questão, pois os próprios mestres judeus, para nada dizermos sobre intérpretes posteriores, viam certa variedade de sentidos possíveis em Isaías 7:14. Os parágrafos abaixo apresentam as idéias principais:

1. Alguns dizem que a interpretação de Isaías 7:14 deve ser restringida às suas circunstâncias históricas. O filho prometido era Ezequias, filho de Acaz e sua esposa (a mulher em questão). Nesse caso, *almah* teria o sentido de «mulher jovem». Ou então, se insistirmos que a tradução deveria ser «virgem», o que se deve presumir é que, quando houve a profecia, a mulher em questão ainda era virgem. Entretanto, essa interpretação tem sido rejeitada, especialmente se houver a insistência em traduzir *almah* como «virgem», visto que os cálculos históricos indicam que Ezequias já teria cerca de treze anos de idade quando essa passagem foi escrita.

2. Aferrando-se estritamente a interpretações históricas, alguns intérpretes judeus supunham que a alusão da passagem era a um filho do próprio Isaías, que em breve nasceria. Nesse caso, a mulher (uma jovem, e não uma virgem) seria a própria esposa de Isaías. Ou então, como uma variante, uma outra mulher (e essa uma virgem, na ocasião) estaria em pauta, que haveria de se casar no futuro com Isaías. Essa jovem mulher teria um filho, o que serviria de sinal para Acaz e sua corte.

3. Uma outra variação de interpretação histórica é aquela que diz que a mulher em foco seria uma jovem que fazia parte do harém de Acaz; e que um filho que nasceria dessa mulher seria o sinal oferecido pelo profeta. Esse filho, ao tornar-se homem, seria um testemunho contra a iniqüidade do povo de Israel e uma advertência de que o julgamento sobreviria.

Razões apresentadas pelos intérpretes em prol de uma estrita interpretação histórica, em qualquer de suas formas variantes:

a. A cidade de Jerusalém estava sob ataque. Acaz, em vez de confiar no Senhor quanto ao livramento, tendia por depositar confiança em alguma aliança com qualquer potência pagã estrangeira. Todavia, Deus tinha o poder de preservar a linhagem de Davi,

Não houve lugar para eles na hospedaria
(Lucas 2:7)

Adoração dos Pastores

pelo que daria um «sinal» acerca disso, a saber, nasceria um filho que, ao tornar-se homem, seria um grande poder espiritual. Tal nascimento podia ser chamado de *sinal* porque essa circunstância proveria os meios através do qual operaria a providência divina. E, visto que estavam sendo resolvidas circunstâncias locais, o *sinal* teria uma aplicação meramente local e imediata.

b. Não seria lógico supormos que o nascimento do Messias, muitos séculos ainda no futuro, poderia servir de «sinal» para Acaz, no tocante a algum perigo que ele e a nação de Israel estivessem enfrentando nos dias desse rei.

c. O nascimento virginal do Messias é idéia insuflada em Isaías 7:14, com base em Mateus 1:23, embora tal aplicação jamais tenha sido concebida pelo próprio Isaías. Se o próprio Isaías tivesse concebido tal noção, tão sui generis, a respeito do Messias, por certo que, em algum outro trecho, ele teria ao menos mencionado a mesma.

d. A interpretação miraculosa de Isaías 7:14 é tipicamente cristã. Não há quaisquer indícios, nos escritos rabínicos, de que essa interpretação tivesse sido antecipada. Outrossim, se essas idéias tivessem sido vinculadas a esse texto de Isaías, então foram esquecidas muito antes do primeiro século cristão.

e. O uso de *textos de prova*, por parte dos primitivos cristãos, era notoriamente lasso. Esses textos eram selecionados mais com base na conveniência das palavras do que com base em qualquer consideração sobre o sentido e uso originais dos textos. Isso significa que muitas profecias reputadas messiânicas na realidade não eram tais, originalmente. Os autores do Novo Testamento, porém, escolheram textos que se ajustavam convenientemente ao que queriam dizer, mas, com freqüência, ignorando o sentido e o contexto originais das passagens escolhidas. Autores como Robertson admitem tudo isso quando escrevem coisas como: «...não é mister concluir que o próprio Isaías tinha em mente o nascimento sobrenatural de Jesus. Não devemos dizer que a idéia do nascimento virginal procedeu de fontes judaicas».

4. Outros intérpretes insistem sobre um estrito sentido profético do trecho de Isaías 7:14, acreditando que o Messias haveria de preencher todos os requisitos da passagem. Em outras palavras, a preservação da linhagem davídica, por meio do Messias, era o sinal dado a Acaz, embora o cumprimento desse sinal ainda jazesse no futuro distante para aquele monarca. De acordo com essa interpretação, a profecia tinha pouca ou mesmo nenhuma aplicação imediata aos dias de Acaz.

Razões apresentadas em favor de uma estrita interpretação profética:

a. O livro de Isaías muito tem a dizer sobre o Messias. E a linguagem usada pelo profeta é tão elevada que dificilmente suas declarações podem ser aplicadas a qualquer personagem do Antigo Testamento. Como poderíamos pensar que a «profecia sobre o Emanuel», que temos diante de nós, não é messiânica? É verdade que os intérpretes judeus da Idade Média não viam esse texto como messiânico; mas isso em nada diminui o fato de que «Deus garantiu a perpetuidade do trono de Davi, na pessoa do Messias, o descendente de Davi (II Sam. 7:16; conferir os Salmos 89:35-37; 132:11)».

b. Outras profecias messiânicas, no livro de Isaías, como é óbvio, vão além do contexto histórico em que foram registradas, como Isa. 9:6 *ss* e 53:1 *ss*. Não é necessário supormos que o próprio Isaías tivesse consciência do longo tempo que se passaria até o cumprimento dessas profecias. Isso é assim porque os profetas operavam sob várias limitações impostas do alto, ao ponto deles inquirirem e investigarem o significado de suas declarações (ver I Ped. 1:10), porquanto havia o empecilho de um conhecimento parcial e de visões limitadas.

c. Nenhuma personagem histórica se levantou nos dias de Acaz que ao menos pudesse começar a cumprir o que Isaías esperava do Messias; pelo que ou a profecia é messiânica, ou então, falhou.

5. *O Meio-Termo*. Toda profecia bíblica tem um cumprimento a curto prazo e um cumprimento a longo prazo. Assim, Deus teria cumprido o seu propósito histórico no nascimento de algum filho (não identificado), mas que serviu de mero símbolo do Messias vindouro. Essa interpretação combina os **elementos históricos e proféticos.** Nos dias de Acaz, Jerusalém seria livrada das mãos do rei da Síria e de Israel, mediante a intervenção dos assírios. Mas a intervenção maior esperaria pelo nascimento do Messias.

III. Propósito de Mateus ao Usar o Texto de Isaías

1. A primeira coisa que Mateus fez em seu evangelho foi vincular Jesus, o Cristo, com Israel, em sua história passada e em suas aspirações, apresentando uma genealogia detalhada de Jesus Cristo. Com base nisso ele incorporou muitas profecias do Antigo Testamento em seu evangelho. Mateus estava demonstrando que Jesus era o Messias e o Libertador de Israel, que estava sendo esperado.

2. Mediante o relato sobre o nascimento virginal, Mateus estava demonstrando o caráter único e sem-par de Jesus. Isso prova que ele estava qualificado para ser o Messias.

3. Jesus veio através da linhagem de Davi. A sua genealogia mostra isso, o que era um dos requisitos que envolviam o Messias genuíno. Mas ele também ultrapassava a todos os demais membros da linhagem de Davi (conforme convinha ao Messias); e o seu nascimento virginal serviu de prova desse fato. Ele era «Emanuel», ou seja, «Deus conosco». Isso ensina-nos a encarnação. A encarnação fala sobre a preexistência. Esses conceitos criam uma teologia segundo a qual o nascimento virginal era algo esperado, porquanto o Messias seria uma personagem que não era apenas homem, e, sim, o Deus-homem.

4. Na antiga nação de Israel as virgens eram tratadas com profundo respeito. Elas vestiam, distintivamente, vestes longas (ver II Sam. 13:18,19), e mereciam consideração toda especial (Amós 8:13). A virgem simbolizava a inviolabilidade política de Israel (Isa. 37:22; contrastar com Jer. 14:17 e 31:4)... A virgindade também simboliza o povo de Deus, como aqueles que estavam sinceramente comprometidos com ele (Isa. 62:4,5; II Cor. 11:2; contrastar com Eze. 23:3,8; Jer. 18:13). Tudo isso nos faz lembrar da idéia de «singularidade», e o nascimento virginal de Jesus Cristo deve ser visto por esse ângulo.

IV. Nascimento Virginal em Lucas 1:27

Lucas 1:27: *a uma virgem desposada com um varão cujo nome era José, da casa de Davi; e o nome da virgem era Maria.*

A uma virgem desposada. O fato de que a doutrina do nascimento virginal de Jesus evidentemente não fazia parte do primitivo *kerygna* (pregação) de certos setores da igreja primitiva, especialmente aqueles representados nas epístolas de Paulo, nas epístolas universais, no livro de Atos e nos outros evangelhos, com exceção dos de Mateus e de Lucas, tem provocado sérias reflexões da parte de muitos eruditos. Entretanto, é um erro supor que tais passagens, como as de Luc. 2:27,33,41,43,48, se por um lado apresentam José como pai de Jesus, realmente estão em contradição com o ousado pronunciamento do nascimento virginal de Jesus, que a continuação da narrativa dá claramente a entender. Esse ensino fica implícito no comentário editorial sobre Luc. 3:23 (*como se cuidava*). Um antigo **ms latino, *b*, omite** o vs. 34; e alguns têm pensado que isso é que representa fielmente o evangelho original de Lucas, mas mesmo assim, o texto em geral apóia bem o ensino do nascimento virginal. Alguns também sustentam, sem qualquer evidência textual, que o vs. 23 do cap. 3 também foi uma interpolação muito antiga. Mas no tocante a isso somos forçados a dizer que faltam evidências textuais em apoio a essa asseveração, da maneira mais absoluta, e somente um preconceito arraigado pode tentar arrancar do evangelho de Lucas a narrativa do nascimento virginal de Jesus. A história do nascimento virginal certamente já circulava antes da escrita dos evangelhos de Mateus e de Lucas, e esses evangelhos meramente tiraram proveito de uma tradição verdadeira, incluindo-a entre os seus relatos.

A significação mais profunda dessa doutrina é de *natureza teológica*. Deus entrou na vida humana por intermédio de uma virgem pura, e o descendente dela é o Cristo. Lucas escreveu em contraste com o pano de fundo dos mestres cismáticos e heréticos do trecho de Atos 20:28-30. Os docetistas ensinavam contrariamente à autêntica humanidade de Cristo, e desde os tempos em que foram escritos os evangelhos de Mateus e Lucas, continuando até os dias de Inácio e os autores do Credo dos Apóstolos, a doutrina do — nascimento virginal — de Jesus vinha sendo usada como resposta aos hereges. E essa resposta é que Jesus foi verdadeiro homem, possuidor de humanidade autêntica e perfeita. Embora tendo nascido de uma virgem, convinha que Jesus «...em todas as cousas, se tornasse semelhante aos irmãos, para ser misericordioso e fiel sumo sacerdote nas cousas referentes a Deus, e para fazer propiciação pelos pecados do povo» (Heb. 2:17). Quanto aos pontos de vista diversos acerca dessa doutrina, ver a discussão abaixo.

A palavra grega *parthenos*, traduzida por «virgem», neste versículo, pela maioria das traduções, significa realmente «virgem», tanto no grego clássico como no grego helenístico. Outros salientam com razão, entretanto, que pode significar meramente uma donzela ou mulher jovem. Assim é que as traduções WM, GD e PH dizem «maiden», «girl». Não obstante, os contextos de Mat. 1:18-25 e de Lucas 1:27—2:7, ensinam inquestionavelmente a doutrina do nascimento virginal. Por conseguinte, quase todos os estudiosos, liberais ou conservadores, concordam em que o N.T., nessas passagens, ensina essa doutrina, embora nem por isso todos os eruditos creiam que essa tenha sido a verdade. Posto que se admite que os contextos nos evangelhos de Mateus e Lucas ensinam o nascimento virginal, todas as traduções teriam sido mais exatas se tivessem traduzido «virgem», em vez de «donzela» nesses trechos, sem importar o que a palavra possa significar em outros contextos.

Os argumentos referentes a essa doutrina são muitos e variegados, e preenchem muitas páginas de obras teológicas e outras, que tratam do N.T.

V. A Controvérsia Liberal-Conservadora Sobre o Nascimento Virginal de Jesus

Os estudiosos liberais dizem:

1. Os escritores do Novo Testamento e a teologia cristã posterior criaram um Jesus teológico que dificilmente pode ser identificado com o Jesus histórico. A lenda do nascimento virginal é um dos elementos das invenções cristãs.

2. Havia estórias similares, nos mitos gregos e latinos, sobre «heróis» que teriam nascido de mulheres mediante a intervenção direta de algum deus ou semideus. Esses mitos simbolizam as aspirações dos povos, pelo que são destituídos de qualquer base científica.

3. A vida incomum de Jesus tornou-se o *núcleo* em redor do qual muitas lendas foram inventadas. Como foi que Jesus viveu daquela maneira? Os antigos tentaram dar resposta a essa pergunta mediante suas estórias sobre o nascimento virginal de Jesus.

4. Nem mesmo na Igreja cristã primitiva a lenda do nascimento virginal era universalmente conhecida. Paulo nada disse a respeito, pelo que ele era um dos que desconheciam a estória. E nem pensava que fosse verdadeira, visto que nem se deu ao trabalho de mencioná-la. O evangelho de João também não contém a estória, a despeito do fato de que contém uma elevadíssima cristologia. E Marcos, o evangelho original, também não menciona essa doutrina o que também não aparece nos escritos de qualquer dos outros autores neotestamentários, excetuando Lucas e Mateus.

Os estudiosos conservadores declaram:

1. O Novo Testamento é ou não é uma revelação divina, e, em conseqüencia, é ou não é a nossa regra de fé e prática. Em caso positivo, os dois relatos evangélicos que narram claramente o nascimento virginal de Jesus devem ser aceitos como parte da revelação bíblica, tornando-se assim mandatórios.

2. Negar essa doutrina, claramente ensinada em dois livros bíblicos, mediante decisão arbitrária (subjetiva), permite a negação de qualquer outra doutrina que os homens não apreciem, de acordo com o capricho de cada um. Isso põe em perigo toda a autoridade das Sagradas Escrituras.

3. Na natureza há exemplos de «partenogênese» (nascimento virginal), em formas inferiores de vida. Contudo, esse é um argumento rejeitado por alguns eruditos conservadores. Seja como for, não podemos pensar que um nascimento miraculoso esteja fora do alcance do poder de Deus. A crença teísta requer a aceitação da possibilidade do nascimento virginal de Jesus, visto que isso é ensinado na Bíblia.

4. É verdade que somente dois livros do Novo Testamento contêm essa narrativa. Acerca disso, poderíamos tecer as seguintes considerações:

a. A unidade das Sagradas Escrituras, como revelação de Deus, não requer mais do que duas, ou mesmo mais do que uma clara menção a alguma doutrina, para que fique estabelecida a veracidade dessa doutrina.

b. É fato notável que os dois livros bíblicos que aludem ao nascimento virginal de Jesus Cristo sejam os mesmos que se referem à virgindade de Maria, quando ficou grávida. O evangelho de Marcos não fala sobre o nascimento de Jesus, pelo que ali também não se deve esperar qualquer menção a essa doutrina. O elevadíssimo conceito paulino de Cristo mui naturalmente envolve, potencialmente, a doutrina do seu nascimento virginal. E a doutrina paulina da encarnação, apesar de não exigir menção ao nascimento virginal, certamente não o contradiz, mas antes, leva-nos nessa direção.

c. Paulo conhecia pessoalmente a Lucas (foram companheiros de viagens missionárias), e certamente estava familiarizado com o seu evangelho, e, por conseguinte, com o seu relato do nascimento virginal de Cristo. Ele pode ter pensado que a explanação lucana a respeito era adequada, não precisando qualquer elaboração a respeito em suas epístolas. Podemos presumir que Paulo aceitava a doutrina do nascimento virginal de Jesus, em vista de sua associação histórica íntima com Lucas, além do fato de que jamais combateu essa doutrina, o que, sem dúvida, teria feito, se discordasse dela.

Conclusão

No tocante aos vocábulos originais envolvidos, coisa alguma pode ser provada com base no termo hebraico empregado por Isaías, *almah*. Porém, o uso que Mateus fez do termo grego correspondente, *párthenos*, mostra para nós o propósito da profecia de Isaías a longo prazo. Não é preciso supormos que Isaías tenha antecipado o pleno significado de sua própria profecia. Entre as várias interpretações de Isaías 7:14, a quinta parece ser a mais aceitável (ver acima).

A associação feita por Mateus entre Jesus Cristo e as profecias do Antigo Testamento é plenamente justificada, histórica e profeticamente. Apesar de desconhecermos por que motivo somente dois livros do Novo Testamento mencionam o nascimento virginal de Jesus Cristo, precisamos respeitar o conhecimento que os primitivos cristãos tinham acerca dessa realidade, o que explica as conclusões a que eles chegaram. Antes da Igreja cristã ter de abordar questões cristológicas debatidas ela não envidou qualquer grande esforço para promover o relato sobre o nascimento virginal, o que, sem dúvida, esclarece por que alguns elementos da Igreja primitiva não tinham conhecimento ou não manifestaram conhecer a história. Mas essa circunstância sob hipótese alguma pode provar que o nascimento virginal de Jesus Cristo seja uma falsificação. (B G I IB NTI RO UN VIN Z)

NASI

Dependendo dos manuscritos da Septuaginta, seu nome é grafado como *Naseí* ou *Nasíth*. Em I Esdras 5:32, ele figura como chefe de uma das famílias que voltaram da Babilônia para a Judéia, terminado o exílio, em companhia de Zorobabel. Nos trechos paralelos canônicos de Esd. 2:54 e Nee. 7:56, ele é chamado *Nezia* (vide).

NASTIKA

Esse vocábulo sânscrito significa «negador». Dentro do sistema hindu de crenças religiosas e de pensamentos filosóficos, esse termo é usado para indicar aqueles indivíduos ou sistemas que negam a autoridade dos *Vedas* (vide). Exemplos disso são a *Charvaka* (vide) e o *budismo* (vide). Em contraste com essa atitude negativa, os sistemas que aceitam aqueles documentos são denominados *Astika* (vide).

NATÃ

No hebraico, «presente», «dom». Há várias personagens com esse nome, nas páginas da Bíblia, a saber:

1. *Um Filho de Davi*. Ver II Sam. 5:14; I Crô. 3:5; 14:4. Ele era irmão de Salomão, um pouco mais velho que ele, e filho de Bate-Seba. Em Lucas 3:31, a genealogia de Jesus é traçada através dele, e não de Salomão. Quanto a isso há duas opiniões entre os estudiosos: 1. a genealogia lucana exibe a linhagem materna de Jesus, o que significa que Maria seria descendente de Davi por meio de Natã; e a genealogia mateana exibe a linhagem paterna de Jesus, o que quer dizer que José seria descendente de Davi por meio de Salomão. Nesse caso, embora José não fosse o pai biológico de Jesus (pois ele não teve pai terreno, visto que foi gerado por atuação do Espírito Santo; ver Mat. 1:18-21), ainda assim Jesus descendia de Davi, porquanto Maria descenderia do mavioso salmista de Israel. 2. Tanto Mateus quanto Lucas traçam a genealogia real de Jesus, embora baseados em dados genealógicos que desconhecemos. Nesse caso, visto que a genealogia de Maria não aparece, não se sabe dizer qual a sua linhagem, e, por conseqüência, também não se sabe qual a linhagem biológica de Jesus, mas tão-somente a linhagem de José. A primeira dessas posições já esteve muito em evidência. Ultimamente, porém, a segunda dessas posições vem conquistando a preferência dos eruditos. Em face de certas obscuridades no texto das próprias genealogias de Jesus, a questão talvez nunca seja resolvida a contento pelos estudiosos. Que cada leitor escolha a posição que lhe parece mais razoável!

Mas, voltando a Natã, há uma referência profética a ele, em Zac. 12:12, e que indica que ele terá descendência até os dias finais da presente dispensação, imediatamente antes do segundo advento de Cristo. Natã não parece ter tido qualquer papel ativo no governo de seu irmão, Salomão, porquanto coisa alguma nos é informado quanto a isso, nas páginas da Bíblia. Ele viveu em torno de 977 A.C.

2. *Natã, o Profeta*. Ele viveu nos dias dos governos de Davi e Salomão sobre Israel. A primeira vez em que ele é mencionado na Bíblia, é em conexão com o conselho dado a Davi, quanto à construção do templo, em Jerusalém (ver II Sam. 7:2,3). Mas, após uma visão que teve, Natã anunciou que Davi não haveria de concretizar pessoalmente o seu plano de ereção do templo, porquanto a tarefa seria realizada pelo seu sucessor, Salomão. Isso deve ter acontecido em cerca de 984 A.C. Então encontramo-nos novamente com Natã, nas páginas sagradas, quando ele foi enviado pelo Senhor a repreender a Davi, em face do duplo pecado deste de adultério e assassinato, no caso de Bate-Seba e seu marido, Urias. Ver II Sam. 12:1-15. É muito provável que o Salmo 51 tenha sido composto por Davi, tendo em vista esses eventos, depois que ele se arrependeu. O fato é que quando Salomão nasceu, Natã deu-lhe o nome de Jedidias, «por amor do Senhor» (II Sam. 12:24,25), o que era uma promessa de prosperidade para a linhagem real, que continuaria por meio de Salomão.

Quando Adonias, já na época da velhice de Davi, tentou usurpar-lhe o trono, Natã e Bate-Seba lembraram a Davi que este prometera coroar a Salomão. E Davi prontamente mandou proclamar Salomão como seu sucessor no trono de Israel (ver I Reis 1:10-45). Além desses vários eventos históricos, o profeta Natã é mencionado como quem teve parte ativa no estabelecimento dos músicos profissionais na adoração do templo (ver II Crô. 29:25), o que foi um desenvolvimento importante no culto público. Natã também foi o autor de uma crônica que ilustrava os atos pecaminosos de Davi (I Crô. 29:29); e, posteriormente, fez a mesma coisa no tocante a Salomão (II Crô. 9:29). Quanto de suas atividades terminou não sendo historiado, é algo que ninguém sabe dizer, mas parece que relatos preparados por Natã constituíram uma das várias fontes informativas sobre os reinados de Davi e Salomão. As tradições assinalam seu sepulcro em Halhul, perto de Hebrom.

3. Um habitante de Zobá, na Síria. Era pai de Igal, um dos principais guerreiros de Davi (II Sam. 23:36). Parece que era irmão de Joel (ver I Crô. 11:38). Viveu em cerca de 984 A.C.

4. Um descendente de Judá, filho de Atai, e pai de Zabade (I Crô. 2:36). Viveu em torno de 1400 A.C.

5. Um dos líderes dos judeus, que foi enviado por Esdras, de seu acampamento, às margens do rio Aava, aos judeus que tinham uma colônia em Casifia. Seu propósito era obter ministros para a casa de Deus, pertencentes à ordem sacerdotal, a fim de ajudarem a restabelecer a adoração a Yahweh, em Israel, terminado o cativeiro babilônico Esd. 8:16,17. Viveu em torno de 457 A.C.

6. Um homem que foi forçado a separar-se de sua mulher estrangeira, terminado o cativeiro babilônico, quando Israel renovou seus votos diante do Senhor, reiniciando a observância das antigas leis e costumes. É possível que esse homem seja o mesmo que aquele descrito no número cinco, acima.

7. O Natã referido em I Reis 4:5 provavelmente foi o segundo dos filhos de Davi e Bate-Seba, ou, então, o profeta desse nome (pontos primeiro ou segundo).

NATÃ-MELEQUE

No hebraico, «presente do rei». Esse foi o nome de um dos oficiais do rei Josias, de Judá. Esse rei removeu os cavalos do campo de Natã-Meleque, cavalos esses que tinham sido usados na adoração idólatra ao sol (ver II Reis 23:11). Essa providência fez parte das reformas religiosas descritas no texto.

NATAL

Esboço

I. Razões da Celebração a 25 de Dezembro
II. A Celebração, Uma Festividade, não um Jejum
III. Vários Costumes Típicos do Natal
IV. São Nicolau
V. A Noite Encantada
VI. Uma Moderna História de Natal

O Natal é a celebração do dia do nascimento de Cristo, atualmente observado no dia 25 de dezembro. Em Roma, desde o ano de 336 D.C., essa data foi escolhida como o dia da celebração do nascimento de Cristo. Há certa incerteza sobre quando e por quê essa data foi escolhida. Nas páginas do Novo Testamento não há informes que nos ajudem a determinar o tempo certo, embora os pastores e seus rebanhos no campo, à noite, não falem sobre o período do inverno. Historicamente falando, parece ter havido pouco interesse, entre os primeiros cristãos, pela celebração do nascimento de Cristo, através de alguma data separada com essa finalidade, embora, desde o começo, a sua ressurreição tenha sido celebrada semanalmente, ou seja, a cada primeiro dia da semana, que atualmente denominamos domingo.

A primeira evidência histórica de que dispomos para a celebração do dia do nascimento de Cristo nos chega da época de Hipólito, bispo de Roma, na primeira metade do século III D.C. A princípio, ele escolheu a data de 2 de janeiro como o dia dessa celebração. Outros escolheram datas como 20 de maio, 18 ou 19 de abril, e 25 ou 28 de março. Antes disso, por algum tempo, 6 de janeiro fora observado como a data do nascimento espiritual de Cristo, ou seja, como a data em que ele foi batizado por João Batista. Mas alguns também observavam essa data como aquela que assinalava o seu nascimento físico. O mundo pagão celebrava a festa de Dionísio nesse dia, uma celebração associada à duração maior dos dias. A noite de 5 para 6 de janeiro era devotada à festa do nascimento de Cristo, e o dia 6 de janeiro era devotado à celebração de seu batismo. Posteriormente, a *epifania* (que vide) passou a ser celebrada a 6 de janeiro, e veio a ocupar toda a atenção da Igreja daquela época; e, entre os anos de 325 a 354 D.C., a festa do Natal foi transferida para o dia 25 de dezembro.

I. Razões da Celebração a 25 de Dezembro

1. Alguns supõem que foi o imperador Constantino quem estabeleceu o dia do Natal a 25 de dezembro, para substituir a festa pagã em honra ao sol. Nesse caso, o Sol tomou o lugar do sol, o que se reveste de certa lógica, porquanto ele é a Luz do mundo espiritual. A festa pagã em foco tinha o propósito de celebrar o solstício de inverno, o renascimento do sol, quando, no hemisfério norte do globo terrestre, os dias começam a tornar-se mais longos. As Saturnálias romanas, uma festividade dedicada a Saturno, deus da agricultura, também tinha lugar nesse período do ano; alguns costumes próprios do Natal evidentemente foram tomados por empréstimo dessa festividade pagã. Quando o sol começa a prover mais calor, a agricultura torna-se possível. *Luz é vida*. Por conseguinte, talvez tenha sido próprio para o império romano substituir uma festa pagã por uma celebração que tinha mais sentido para os cristãos do que a celebração das meras forças da natureza.

2. Um método mitológico é capaz de calcular a data da criação a 25 de março. Assim Cristo, a nova criação, o Cordeiro pascal, o iniciador de uma ordem espiritual, também teria sido concebido naquela data. Isso nos forneceria a data de 25 de dezembro como a data do Natal.

3. Não há referências bíblicas que possam ser usadas para consubstanciar qualquer data; mas a narrativa sobre os pastores, e seus rebanhos, à noite, nos campos, tem sugerido que a época do ano seria a primavera. A única conclusão que se pode tirar desse relato é que o inverno seria a estação menos provável do ano, a despeito do fato de que certos hinos cristãos falem sobre a noite do nascimento de Jesus como «a fria noite de inverno que era *tão fria*».

A data de 25 de dezembro, para assinalar o nascimento de Jesus, não foi aceita pela cristandade oriental senão acerca de um século depois que o ocidente a adotara. Os cristãos armênios, porém, continuam a celebrá-la a 6 de janeiro.

II. A Celebração, uma Festividade, e não um Jejum

Os feriados pagãos que a celebração do nascimento de Jesus substituiu eram festividades, e não jejuns; e os povos antigos transportaram essa atitude para essa observância cristã posterior. Todavia, isso concorda com a natureza geral das narrativas dos evangelhos, de que houve intenso regozijo, entre alguns, em face do evento. Naturalmente, as pessoas exageram. Lemos que a celebração da Saturnália, na antiga Roma, era uma festividade com muitos excessos. Durante essa festividade, permitia-se que os escravos tivessem os mesmos direitos que os seus senhores. Contudo, há algo de apropriado nisso, porquanto, em Cristo, não há distinção entre escravos e livres, entre judeus e gentios, entre macho e fêmea, pois todos são *um* só em Cristo (Gál. 3:28).

III. Vários Costumes Típicos do Natal

As fogueiras de Natal são um costume tomado por empréstimo dos escandinavos, que costumavam acender imensas fogueiras em honra ao sol. O uso das árvores de Natal originou-se nos costumes das tribos celtas e teutônicas que honravam as sempre-vivas, quando do solstício de inverno, em suas festas que celebravam a *vida eterna*. Nos países do inverno rigoroso, somente as sempre-vivas não perdem as folhas no inverno, o que explica o simbolismo da árvore de Natal. Portanto, essas árvores eram adoradas entre aqueles povos como uma promessa do retorno do sol. Alguns supõem que a coroa de espinhos de Cristo foi feita com um ramo de sempre-viva. As lendas dizem-nos que as frutinhas dessa planta tornaram-se vermelhas, embora originalmente fossem brancas, quando a coroa de espinhos foi pressionada sobre a cabeça de Jesus, causando derramamento de sangue. As coroas de Natal, por sua vez, tiveram origem por analogia com a coroa de espinhos de Cristo.

A tradição da árvore de Natal diz que isso veio de um ato de Martinho Lutero. — Ao passar por um bosque, ele teria observado a beleza das estrelas, que rebrilhavam por entre os ramos de pinheiros. Então, ao chegar em casa, procurou duplicar essa beleza acendendo velas entre ramos de sempre-viva. Seja como for, em alguns lugares, a sempre-viva tornou-se um símbolo da vida eterna que há em Jesus Cristo.

IV. São Nicolau

O gordo, bonachão e barbado Papai-Noel deriva-se de São Nicolau, do século IV D.C. Bispo na Ásia Menor, Nicolau era, na realidade, um homem de aparência bastante austera, embora com reputação de homem que fazia o bem e era generoso. E essa foi a parte de seu caráter que inspirou o costume de distribuir presentes e brinquedos na época natalina. Detalhes como a gordura, a espontaneidade, a alegria, etc., podem ser atribuídos à história criada pelo escritor norte-ameicano Washington Irving, ou à narrativa de Clement Moore, *Visit From St. Nicholas* (1822), que começa com a famosa linha: «Era a véspera de Natal». A imagem do Papai-Noel em um traje com abas de couro, a guiar o seu trenó na neve, pousando-o sobre os topos dos telhados. capturou a imaginação do povo americano, nos desenhos do cartunista Thomas Nast, em 1863. Depois disso, o Natal tornou-se uma festividade jubilosa para as crianças, que chegavam a ouvir os guizos do trenó do Papai-Noel a bimbalhar, enquanto esperavam o momento certo para abrirem seus pacotes de presentes, quase sem dormir durante a noite inteira. Seus pais, entretanto, insistiam em dizer-lhes que o centro da festa era Jesus. Só não podemos olvidar de que o idoso Nicolau estava com a razão ao mostrar-se generoso, distribuindo presentes. Além disso, porventura os magos não trouxeram presentes a Jesus? Não precisamos de maior precedente do que esse!

Alguns evangélicos mostraram-se *amargos*. Os puritanos e os calvinistas chegaram a bradar contra os exageros da festa de Natal, não celebrando a mesma. De fato, quando os puritanos chegaram ao poder na Inglaterra, na época de Oliver Cromwell, em 1642, eles descontinuaram oficialmente a festa de Natal; e aqueles que tentaram celebrá-la *secretamente*, foram penalizados com uma multa. Essa influência passou para a América do Norte, pelo que foi somente em 1856 que o Natal tornou-se um feriado naquele país irmão. Desnecessário é dizer, porém, que, mesmo antes disso, muitos imigrantes, vindos de vários países, divertiam-se muito na época de Natal, pouco se importando com as fisionomias sérias dos puritanos (que vide).

V. A Noite Encantada

O autor desta enciclopédia nasceu e foi criado no estado norte-americano de Utah, na porção noroeste do país. Embora fôssemos evangélicos e minha mãe tivesse uma atitude bastante puritana, o Natal sempre foi um grande dia para nós. Nos Estados Unidos da América não há celebração de véspera de Natal, exceto para os católicos romanos e ortodoxos. Não há grande jantar e nem fica-se acordado até altas horas da noite. Nos fins de dezembro, o sol põe-se entre as 4:30 e as 5:00 horas da tarde. Um jantar comum é servido e uma noitinha normal é passada em casa. As crianças são mandadas cedo para a cama, pois Papai-Noel não demorará a fazer as suas visitas. Seria um desastre apanhá-lo descendo pela chaminé. Se a casa de uma família não tivesse chaminé, então os pais tinham o cuidado de deixar aberta a porta da entrada, pois nenhuma família queria ser a única das redondezas que não fora visitada pelo Papai-Noel. As crianças, naquela silenciosa noite de inverno, deixavam a imaginação voar, parecendo-lhes ouvir o momento mágico em que Papai-Noel estava se aproximando. Elas tinham certeza de que, na manhã seguinte, seriam capazes de descobrir os rastros deixados pelo trenó, ainda frescos na neve. As visões dos presentes por ele deixados dançavam em suas cabecinhas. Aquela era uma noite encantada.

E bem cedo pela manhã, antes mesmo do nascer do sol, as crianças começam a chamar por seus pais, querendo levantar-se para reunirem-se sob a árvore de Natal, debaixo da qual os presentes poderiam ser encontrados. No meu lar de infância, a árvore de Natal era decorada a 22 de dezembro, por ser esse o dia do meu aniversário natalício. E então, no dia 25, os presentes vinham enfeitar a base da árvore de Natal. Quando os pais cedem aos pedidos dos filhos para se levantarem (o que fazem com relutância, pois, na noite anterior, tinham estado até altas horas da noite embrulhando os presentes), toda a família reúne-se ao redor da árvore, e começa o ritual da abertura dos presentes. Meu pai era um simples empregado de estrada de ferro, e éramos uma família de baixa renda. Portanto, os presentes nunca foram grande coisa, quanto ao valor monetário. No entanto, posso lembrar, até hoje, os presentes simples mas muito queridos que eu recebia. Aqueles eram momentos de expectação e alegria. Terminado o ritual de entrega e recebimento de presentes, todos tomávamos um quebra-jejum especial de Natal. Então, mais tarde durante aquele dia, na refeição principal geralmente tínhamos peru com torta de maçã, além de outras guloseimas. Minha mãe sempre convidava uma ou duas viúvas da nossa igreja, para tomar uma refeição conosco. Não havia nada maior do que o dia de Natal, e a memória daqueles dias permanece comigo. Saudades. (AM B E)

Epifania

Hoje, o dia da Epifania,
Que alegria, que esperança,
Que mensagem nova ela traz?

Coros celestes, em alegre cântico,
Montes, vales ressoam, ecoando,
Os humildes habitantes da terra cantam alegres.

6 de janeiro, o dia certo? só por grande acaso;
Para mim, saber o dia, não aumentaria sua glória.

Sábios orientais, trouxeram-lhe ricos presentes,
E para eles, por sua vez, foi mostrado o Grande Rei.

Alguns julgam-os «reis»; outros dizem que eram «três»
Detalhes como esses, não me são importantes.

Sua importância, a aura que agora desce sobre [illegible] *u cérebro,*
É o sentido histórico, retratado naquela escolta no deserto:
Epifania,
Cristo, por muitos séculos cansativos, oculto,
Sua glória decifrada por sábios, nas estrelas,
Agora aos gentios humildes é revelada.

(Russell Champlin, ao meditar, a 6 de janeiro de 1973, sobre o sentido da epifania, isto é, *manifestação*).

VI. Uma Moderna História de Natal

Os camelos carregavam, soberbos, a carga preciosa de ouro, incenso e mirra, pois eram presentes para um *rei*. O mais jovem dos três magos fez o cortejo estacar, pois acabara de pensar em um presente que seria especialmente próprio, e não queria continuar sem ele. Nervosamente, os outros magos ficaram esperando, pois tinham pressa. — Até mesmo os guias, sentindo a importância da missão, desejaram continuar. Ficaram esperando por longo tempo pelo mais jovem mago, que não aparecia. A estrela que os guiava ainda brilhava lá no alto, e enquanto as horas da noite se passavam, todos iam perdendo a paciência. Finalmente, quando já estavam a ponto de perder o controle, apareceu o mais jovem dos magos. O que quer que trouxesse teria de ser pequeno, pois o trazia facilmente na palma de uma das mãos. Talvez fosse uma gema *raríssima* e preciosa, e, se assim fosse, teria valido a pena esperar tanto. O jovem mago ordenou que o guia fizesse o camelo ajoelhar-se para que pudesse pôr o pequeno objeto na sacola que havia nas costas do animal. Os dois magos mais idosos, e até mesmo os guias, olhavam com atenção, para ver qual seria o maravilhoso presente que provocara tanto adiamento na viagem para Belém. Lentamente, o mago mais jovem abriu a mão, e ali, para grande surpresa e *consternação* dos magos de mais idade, apareceu apenas um *pequeno cão*, com pintas pretas. Era um brinquedo antigo, porque aqui e ali faltavam pedacinhos de pintura. O jovem pôs o brinquedo no chão, o qual deu um salto no ar e caiu novamente sobre os pés. Os magos mais velhos, muito *indignados*, não conseguiram conter-se e proferiram palavras iradas. Mas o mago mais jovem apenas sorriu, pôs novamente o brinquedo no chão e viu-o dar a sua cambalhota. Uma criança pequena que estava por perto, riu-se gostosamente quando o cãozinho de brinquedo, posto no chão, deu um salto no ar e caiu novamente sobre os quatro pés. O mais idoso dos magos perguntou: «Foi este brinquedo sem valor que o fez adiar a marcha desta caravana de camelos, que leva presentes para o Rei dos reis?» O mais jovem dos magos retrucou solenemente: «Nossos camelos estão carregados de presentes apropriados para o rei—muito ouro, incenso e mirra. Estou levando este cãozinho de brinquedo para o menininho de Belém». (Uma história norte-americana de Natal).

NATANAEL

No hebraico, «presente de El (Deus)». Esse é o nome de nada menos de dez personagens que aparecem nas páginas do Antigo Testamento. Sua forma grega é *Nathanaél*, o nome de um dos apóstolos de Jesus, no Novo Testamento.

No Antigo Testamento

1. Um filho de Zuar. Zuar era um príncipe da tribo de Issacar, na época do êxodo (Núm. 1:8; 2:5; 7:18,23; 10:15). Ele viveu em torno de 1440 A.C.

2. Um irmão de Davi, e que foi o quarto filho de Jessé (I Crô. 2:14). Ele viveu por volta de 1026 A.C.

3. Um sacerdote que tocou a trombeta diante da arca da aliança, quando o rei Davi a trouxe de volta a Jerusalém (I Crô. 15:24). Viveu por volta de 1043 A.C.

4. Um levita que foi o pai do escriba Semaías (I Crô. 24:6). Ele deve ter vivido em algum tempo antes de 1014 A.C.

5. Um filho de Obede-Edom, que trabalhou como porteiro do templo de Jerusalém, nos dias de Davi (I Crô. 26:4). Ele viveu em torno de 1014 A.C.

6. Um dos cinco homens que Josafá enviou para instruírem o povo, nas cidades de Judá, quanto a questões da lei e do culto religioso (II Crô. 17:7). Ele viveu em cerca de 912 A.C.

7. Um dos chefes levitas, nos dias de Josias (II Crô. 35:9). Ele viveu em cerca de 628 A.C.

8. Um filho de Pasur, e que foi forçado a divorciar-se da mulher estrangeira que tomara, quando do cativeiro babilônico (cerca de 446 A.C.).

9. Um sacerdote que era cabeça de uma família sacerdotal, nos tempos de Joiaquim. Ver Neemias 12:21. Viveu em cerca de 445 A.C.

10. Um sacerdote, irmão de Zacarias, e que tocou a trombeta por ocasião da celebração da dedicação das muralhas restauradas de Jerusalém, após o retorno de Judá do exílio babilônico. Alguns estudiosos identificam-no com o mesmo Natanael anterior (número 9).

No Novo Testamento

Só há um homem com esse nome, em todo o Novo Testamento, mencionado por esse nome somente no quarto evangelho (ver João 1:45-49; 21:2). Acerca de Natanael têm aparecido as mais díspares opiniões, a saber:

1. Natanael seria o mesmo apóstolo de Jesus que, noutras porções do Novo Testamento, aparece com o nome de Bartolomeu. Os que assim pensam argumentam que o nome Bartolomeu é um patronímico, e que ele deveria ter um outro nome, nesse caso, Natanael. Em João 1:45, lemos que foi Filipe quem interessou Natanael na pessoa de Cristo; e nos evangelhos sinópticos, Bartolomeu aparece depois de Filipe, nas listas dos apóstolos de Cristo (ver Mat. 10:3; Mar. 3:18 e Luc. 6:14). Isso caracterizaria Natanael como Bartolomeu.

2. Com uma argumentação muito mais pobre, alguns estudiosos têm identificado Natanael com Mateus, com Matias, com João, com Simão, o cananeu. Algumas dessas identificações são simplesmente impossíveis, como aquelas com Mateus e com João.

3. Mais remota ainda é a opinião de outros, que pensam que Natanael e Estêvão (ver Atos 6:5) foram a mesma pessoa. Nesse caso, quem já era um apóstolo, precisou ir servir às mesas, quando a razão mesma da escolha dos sete diáconos foi impedir que os apóstolos tivessem de deixar a pregação para servir às mesas (ver Atos 6:2,3).

4. A opinião mais esdrúxula de todas é aquela que diz que Natanael simplesmente nunca existiu!

O quarto evangelho relata-nos que Natanael era de Canaã da Galiléia; que foi Filipe quem o conduziu a Jesus, embora Nataniel se tivesse mostrado cético diante da possibilidade do Messias ter vindo de Nazaré (na verdade, Jesus nasceu em Belém da Judéia; mas veio a tornar-se conhecido como Nazareno, entre outras coisas, por ter-se criado em Nazaré; ver Mat. 2:1,23).

Além disso, Natanael admirou-se profundamente de que Jesus já o conhecia, tendo-o visto debaixo da figueira. Muitos judeus costumavam orar debaixo de uma figueira, árvore comum na Palestina. Destarte, Jesus mostrou possuir poderes sobrenaturais. E Natanael, diante disso, confessou o messiado de Jesus, exclamando: «Mestre, tu és o Filho de Deus, tu és Rei de Israel!» (João 1:49).

A promessa que o Senhor Jesus fez então a Natanael e aos seus outros discípulos cumpriu-se, pelo menos em parte, por ocasião da ascensão do Senhor Jesus ao céu, pois Natanael (que era um dos doze discípulos remanescentes de Jesus) estava com os outros apóstolos na oportunidade. E mesmo antes disso, segundo o quarto evangelho testifica, Natanael foi testemunha de um milagre sobre a natureza (a da pesca milagrosa), feita pelo Cristo ressurrecto (ver João 21:2 *ss*). Se Natanael foi o mesmo Bartolomeu, então a última menção ao nome dele, nas páginas do Novo Testamento, aparece em Atos 1:13, onde Bartolomeu figura como um dos discípulos reunidos no cenáculo. Ver também o artigo intitulado *Bartolomeu*.

João 1:45: *Filipe achou a Natanael, e disse-lhe: Acabamos de achar aquele de quem escreveram Moisés na lei, e os profetas: Jesus de Nazaré, filho de José.*

Filipe encontrou a Natanael. Só encontramos uma menção direta a *Natanael* (nome esse que significa *dom de Deus*) no evangelho de João. (Ver também João 21:2, que é a única outra referência). Natanael era de Caná da Galiléia, que tentativamente tem sido identificada com *Khirbet Kana*, a treze quilômetros mais ao norte, ou então com *Kefr Kenna*, a pouco mais de seis quilômetros a nordeste de Nazaré. Assim sendo, vemos quão próxima ficava essa localidade de Nazaré, a aldeia de Jesus; e isto explica por que motivo Natanael se mostrou tão cético sobre a possibilidade do Messias residir em Nazaré, uma localidade tão diminuta que Josefo, ao preparar uma lista que contém inúmeras cidades e aldeias da Galiléia, nem chegou a mencionar Nazaré. Nas diversas listas dos nomes dos apóstolos, Filipe sempre aparece de parceria com Bartolomeu (ver Mar. 3:18; Mat. 10:3 e Luc. 6:14), ou então agrupado juntamente com Tomé, Bartolomeu e Mateus (ver Atos 1:13). Ora, isso tem levado muitos estudiosos à teoria de que Natanael era nome do discípulo cujo patronímico aramaico era *Filho de Tolmai* (que é idêntico a *Bar-Tolomeu*), motivo por que há muitos que acreditam que Natanael seja apenas outro nome do apóstolo Bartolomeu. Outros eruditos, embora com menos probabilidades, têm identificado Natanael com Mateus, com Matias, com João, com Simão o Cananeu, e até mesmo com Estêvão. Ainda outros, todavia, têm negado a sua própria existência. O que se sabe de certo é que ele era um israelita no qual não havia dolo ou engano, isto é, hipocrisia. (Ver o vs. 47 deste mesmo capítulo). Jesus prometeu-lhe uma visão maior da glória do Messias, o Filho do homem, como o elo entre o céu e a terra. Natanael figurou entre aqueles que viram a Cristo, depois que ressuscitou, ao aparecer às margens do mar da Galiléia. (Ver João 21:2).

NATURA NATURANS; NATURA NATURATA

Essas expressões latinas significam, respectivamente, «natureza natural» e «natureza naturada», estando em pauta Deus como o poder *criador*, e o universo e tudo quanto nele está contido como *criado*. Essas expressões também indicam o infinito em contraste com o finito. Deus é a primeira causa; e todas as demais coisas são causadas. O primeiro pensador a empregar juntas, essas duas expressões, foi *Vincente de Beauvais* (vide), embora, como é óbvio, os conceitos sejam muito antigos. Giordano Bruno, por sua vez, usava essas expressões para indicar a transcendência e a imanência de Deus, ambas as idéias características da divindade, porquanto ele ensinava certa forma de panteísmo. Mas foi Spinoza quem usou mais insistentemente essas expressões, de tal modo que acabaram vinculadas ao seu nome. Ele empregava as mesmas para referir-se aos princípios infinitos e eternos da natureza, em contraste com os temporais. Porém, ambas fariam parte de um único sistema, todo-inclusivo, que é o sistema divino. Esses dois aspectos seriam tipos de automanifestação desse sistema, não representando essências separadas. Ver o artigo intitulado *Natureza*, em seu nono ponto.

NATURALISMO

Esse termo pode ser usado como sinônimo de *mecanicismo* e de *materialismo* (ver os artigos), mas isso não corresponde a uma definição necessária. O naturalismo pode referir-se ao pensamento que o mundo e todas as coisas nele existentes devem ser explicados com base na ciência natural, sem apelos à teologia e a conceitos do sobrenatural. E quando as coisas transcendem ao presente conhecimento que possuímos, então somos convocados a ter fé no inexorável avanço da ciência, a qual, presumivelmente, poderá mostrar, afinal, que todas as coisas são naturais.

Há tipos de naturalismo que ultrapassam à variedade científica. O panteísmo de Spinoza, por exemplo, é uma forma de naturalismo, porquanto nada busca de transcendental além da natureza, mas pensa que a própria natureza é Deus manifesto. O naturalismo não é contrário à idéia da existência da alma, contanto que a alma seja considerada parte da natureza, seja a alma material ou imaterial, e não é feito qualquer apelo ao sobrenatural. A natureza pode ser material ou imaterial, sem ser transcendente. Presumivelmente, a natureza contém todas as coisas que conhecemos: temporais, espaciais, morais, religiosas, científicas e práticas. A natureza seria a nossa última palavra. Tudo quanto podemos chegar a experimentar faz parte da natureza e encontra-se na natureza.

Falácia Naturalista. O naturalismo, no campo da ética, assevera que aquilo que *deveria ser* é a mesma coisa que aquilo que *é*. Pelo menos é fato que alguns filósofos naturalistas têm assumido essa perspectiva das coisas. G.E. Moore objetava a essa idéia, chamando-a de falácia naturalista. Como é evidente, dificilmente poderíamos dizer que aquilo que *é* sempre será a mesma coisa que aquilo que *deveria ser*. Se isso correspondesse à realidade dos fatos, então não haveria qualquer necessidade da ética, e nós nos contentaríamos em conviver com qualquer situação, sem importar o quão terrível e errada seja. Nenhum erro seria errado; nenhum pecado seria pecado; coisa alguma teria necessidade de ser melhorada.

NATUREZA

Essa palavra portuguesa vem do vocábulo latino *natura*, que corresponde ao termo grego *phúsis*. Ambas essas palavras derivam-se de raízes que sugerem produção, crescimento, dar à luz. Em seu uso primitivo, a palavra era usada para indicar aquela parte da realidade que está sujeita a alterações, em contraste com outra realidade, que é eterna e imutável. Por sua vez, a palavra *física* veio a tornar-se o termo que designa o estudo da natureza sujeita a transformações. Em consonância com isso, uma definição moderna do termo é: o inteiro universo material e os seus fenômenos. Ou ainda: o sistema das existências, forças, eventos e transformações naturais considerado em distinção ao que é sobrenatural.

Na linguagem teológica, «natural» é o contrário do «sobrenatural», e sinônimo de «não-regenerado», apontando para aquilo que é natural dentro desse sistema de coisas, sem a intervenção da graça divina. Em sentido secundário, essa palavra significa algo que caracteriza uma pessoa ou coisa, sem importar se se trata de uma característica nativa ou adquirida.

Idéias na Filosofia da Natureza:

1. Os filósofos socráticos, como aqueles da *escola milesiana* (vide), procuravam determinar o elemento básico da natureza, se a terra, o ar, o fogo ou a água, ou então algum outro elemento indeterminado, do qual todos os demais elementos se derivariam. Ver o artigo chamado *Hilozoísmo*.

2. Platão associava a natureza com o seu mundo dos particulares (os objetos físicos), pensando que o mesmo acha-se em um constante estado de fluxo, sendo um mundo temporal, material, uma mera cópia do mundo real (o mundo dos universais). Em outras palavras, este mundo material é possuidor de um tipo inferior de realidade.

3. Aristóteles expunha seis características do mundo natural: ele não é um artifício; não é eterno; não é imutável; envolve matéria ou potência; acha-se em um imanente princípio de movimento; tem forma ou essência. E isso ele contrastava com a substância superior, o *Impulsionador que não é movido*.

4. O *panteísmo estóico* combinava todos os princípios dentro de um único sistema, com o Logos, como a força ativa que põe tudo em operação. A natureza seria tudo, nada havendo fora dela.

5. Erigena dividia a natureza naquilo que é criativo e naquilo que foi criado. Deus tanto é o criador quanto é o alvo final de toda a natureza, pois todas as coisas, finalmente, seriam absorvidas por ele.

6. Durante a Idade Média encontramos, no campo da filosofia, essencialmente uma adaptação das idéias aristotélicas, embora alguns novos termos e conceitos tenham sido trazidos a primeiro plano. A natureza poderia ser dividida em *entia naturae*, «coisas da natureza», e *entia rationis*, «coisas da razão». As primeiras seriam materiais, e as segundas seriam imateriais. Acresça-se a isso que, em harmonia com o pensamento cristão, havia o conceito daquilo que ultrapassa à natureza, o sobrenatural, os mundos eternos e seus seres, dos quais Deus é a fonte originadora de tudo, tal como o é também do mundo material. Dentro desse sistema, a *natureza* é o campo das causas secundárias. Os *milagres* (vide) são possíveis, nesta nossa dimensão, porque existem poderes que vão além das causas secundárias, ou mesmo as contradizem. Nos milagres, pois, entram em ação causas primárias, divinas.

7. Guilherme de Ockham preservava esse esquema geral das coisas, afirmando que a natureza é radicalmente dependente de Deus quanto à sua expressão e continuação.

8. Descartes encontrava vários usos para essa palavra, a saber: a. coisas naturais simples, com o que dava a entender idéias claras e distintas; b. um conjunto de corpos que têm extensão, ocupando assim espaço, controlados por considerações matemáticas; c. a natureza não inclui Deus e as almas, que já existem fora da natureza, pertencendo à sua própria dimensão.

9. Spinoza, à semelhança dos estóicos, encarava a natureza como algo todo-inclusivo, visto que ele ensinava certa forma de panteísmo. Esse sistema infinito, de acordo com ele, poderia ser chamado de *Deus* ou de *natureza*, como termos sinônimos. A natureza teria dois aspectos: *natura naturans* e *natura naturata*. Ver o artigo separado com esse título. Entretanto, não seriam entidades ou essências distintas.

10. Berkeley opinava que a natureza consiste somente em uma série de idéias, idéias essas impressas em nossas mentes por Deus, porquanto tudo consistiria em *idéia*.

11. Hume falava sobre a natureza como aquilo que jaz fora de nossas mentes. Nossas mentes indicam que a natureza é ordeira, dotada de leis, leis que sempre têm aplicação. Por conseguinte, não haveria coisas como os milagres, que quebram essas leis. Contudo, aceitamos a existência de coisas fora da mente, por meio da fé animal.

12. Kant referia-se à natureza como o mundo dos *fenômenos*, em contraste com o mundo *noumenal*, o mundo das idéias. O primeiro é conhecido através da percepção dos sentidos, que obedecem aos ditames das categorias da mente. E o segundo é conhecido através dos postulados da razão, da intuição e das experiências místicas. A natureza é o terreno da causalidade.

Ensinamentos Bíblicos Sobre a Natureza

1. *A Criação Física*

No cristianismo, a natureza significa o *mundo criado*, onde Deus faz imperar as suas leis e desenvolve os seus propósitos. É no mundo criado que a mortalidade convive com espíritos imortais, que se esforçam por transcender àquilo que é temporal, atingindo a eternidade. As almas imortais estão temporariamente presas ao pecado e à materialidade, embora sejam capazes de ter um destino transcendental. Acima e além deste mundo natural, há o mundo sobrenatural, as dimensões da luz, da imortalidade e da bem-aventurança.

A Bíblia nunca fala em termos da criação física como se esta equivalesse, em qualquer sentido, a Deus dentro da natureza ou do tempo. E nem existe na Bíblia uma cosmologia sistemática. Ver os artigos intitulados *Cosmologia* e *Cosmogonia*, que abordam os diversos problemas relativos à criação, além de examinarem as teorias a eles vinculados. No trecho de Gên. 2:1, a totalidade da criação, ou natureza, aparece como algo separado de Deus, chamada de «todo o seu exército», refere-se coletivamente, a tudo quanto existe nos céus e na terra. O primeiro e o segundo capítulos do livro de Gênesis estabelecem clara distinção entre o Deus criador e a criação. Deus é eterno; mas a criação teve começo dentro do tempo, pois nem sempre existiu, o que contraria a idéia comum grega, que atribuía eternidade à matéria. Paulo subentende, em Rom. 1:26, que a natureza, na qualidade de criação de Deus, refere-se à sua deidade e poder, bem como aponta para suas exigências morais. Isso posto, dos homens espera-se que sigam essas lições dadas pela natureza, mediante a razão e a intuição (leis naturais). No entanto, até essa revelação natural os homens têm pervertido, e assim têm perdido a própria consciência de Deus. Ver o artigo intitulado *Teologia Natural*. Em I Cor. 11:14, Paulo apela para o que «ensina a própria natureza».

Ademais, na Bíblia temos o ensino da completa dependência da criação física em Deus, quanto à sua origem e quanto à sua continuação. Ver Gên. 1; Isa. 44:24; Amós 4:13; Sal. 139:7-12; Col. 1:16; João 1:3; Heb. 1:10-12. Na sua capacidade de sustentador e preservador de tudo, Deus aparece obviamente como governante ou soberano, conforme também afirmam várias dessas referências bíblicas.

A criação provê uma notável lição objetiva que nos ensina a grandiosidade de Deus, a sua sabedoria, o seu poder e a sua majestade. Ver Jó 38:4—39:40; Sal. 8:10-12: 19:1-6; 104:1-31; 136:6-9; Pro. 8:22-31; Rom. 1:19,20. As provisões divinas em favor da natureza mostram-nos a sua preocupação providencial por nós (ver Mat. 6:25-34 e Luc. 12:22-31).

2. *Sentidos Negativos da Natureza*

Os termos *natureza* e *natural* denotam, algumas

vezes, condições negativas e pecaminosas que os homens herdam de seus antepassados, cultivando-as tão ansiosamente (ver Rom. 2:26,27; 11:21,24; Efé. 2:3; II Ped. 2:12). — No Novo Testamento grego, as palavras correspondentes são *phúsis* e *psuchikós*. Esta última, que é um adjetivo, pode indicar a vida própria deste mundo natural, e tudo quanto está envolvido nessa vida.

3. *A Natureza Humana*

Quanto a essa questão, ver os artigos separados cujos títulos são: *Homem Natural; Homem Carnal; Homem Espiritual; Humanidade (Natureza Humana); Homem Novo; Imortalidade; Alma.* A Bíblia contempla o homem como uma criatura caída, que desceu de um elevado grau de espiritualidade e precipitou-se a um baixo estado moral e espiritual. Por conseguinte, o homem é uma criatura que carece de redenção. A missão de Cristo teve exatamente esse propósito. Em última análise, portanto, a redenção indica que o homem, antes natural, pertencente a um nível de vida relativamente inferior, chega a participar da mais elevada forma de vida, a saber, a própria natureza divina (II Ped. 1:4), recebendo a natureza e os atributos de Deus (Efé. 3:19), a plenitude mesma de Deus (Col. 2:10). Isso tem lugar mediante o poder do Espírito Santo, e termina na glorificação, levando os remidos de um grau de glória a outro (II Cor. 3:18). Em sua natureza física, os homens são *mortais*, e, conseqüentemente, temporais. Mas, quando são espiritualizados, os homens tornam-se *espíritos eternos*, à semelhança do Deus eterno, isto é, dotados da vida necessária e independente, que não pode deixar de existir, a fonte de sua própria continuidade, mediante um dom divino (ver João 5:24,25). Isso ultrapassa à condição das almas que nunca morrem, porquanto ser eterno é mais do que ser imortal.

4. *A Natureza Divina*

Ver os artigos gerais intitulados *Deus* e *Atributos de Deus*.

NATUREZA DIVINA

NATUREZA HUMANA

Ver os artigos gerais intitulados: ***Homem Natural; Homem Carnal; Homem Espiritual; Humanidade (Natureza Humana)***; e ***Homem Novo***.

NATUREZA PARABÓLICA DO CONHECIMENTO

Ver Símbolos e o Conhecimento.

NAUM (LIVRO)

Esboço:

Introdução
I. Pano de Fundo Histórico
II. Autoria
III. Data
IV. Conteúdo
V. Propósito e Principais Ensinos Teológicos
VI. Características Literárias
VII. Gráfico Histórico

Introdução

Abraão, ao receber a promessa de que seria o genitor de uma grande nação, teria sofrido certo número de surpresas se lhe tivesse sido narrado o curso da história futura daquela nação. Ele teria reconhecido o cumprimento da promessa que lhe foi feita no estabelecimento da monarquia unida, sob Saul, Davi e Salomão. Porém, teria ficado perplexo ao saber que a monarquia haveria de separar-se em duas nações distintas, que, por muitas vezes, se hostilizaram, a começar pelos respectivos reinados de Reoboão (no sul) e Jeroboão (no norte). Porém, quem poderia ter medido a sua consternação se ele tivesse sido informado de antemão sobre a destruição de *ambas* essas nações, primeiramente a do norte (em 722 A.C.) e então a do sul (em 587 A.C.)? Bem, poderíamos, então, indagar: «Qual a utilidade da promessa?» Não obstante, o melhor ainda estaria por vir, porquanto a história do povo de Israel só poderia ter cumprimento no Messias, filho de Abraão e filho de Davi.

A *Assíria* provocaria algumas das mais amargas surpresas de Abraão; porquanto foi essa potência que fez o reino do norte, Israel, deixar de existir como organização política, e que deixou o sul esperando ser destruído, ao receber o golpe final da Babilônia. Mas, embora usada por Deus para punir a nação do norte, Israel, a Assíria não haveria de escapar às conseqüências de sua própria degradação. Isso posto, aprendemos que a vontade de Deus atua tanto através do processo histórico quanto transcende a esse processo, havendo uma lei da colheita segundo a semeadura, que não respeita nem indivíduos e nem nações, na precisão de suas operações. O livro do profeta Naum é uma predição profética que achou seu caminho garantido na história, porquanto os eventos que ali são preditos atualmente fazem parte da história mundial, no que concerne ao povo de Israel.

I. Pano de Fundo Histórico

Assíria. Esse é o nome do império que dominou todo o mundo bíblico antigo, entre os séculos IX e VII A.C. A Assíria, entretanto, teve começos bem humildes, porquanto o seu território era apenas uma pequena região em formato triangular, entre os rios Tigre e Zabe. Ao norte e a leste fazia limites com a Média e com as montanhas da Armênia. Não obstante, a história desse antiqüíssimo povo pode ser acompanhada desde antes de 1700 A.C. Os séculos XVII a XI A.C., no caso da Assíria, são chamados os séculos do reino antigo, caracterizado pelo desenvolvimento de várias cidades-estado fortificadas. Com Tiglate Pileser I (1114—1076 A.C.) começou o período do império assírio propriamente dito. Porém, antes mesmo disso, no século XIV A.C., a Assíria tinha um poder comparável ao do Egito. E, pelo tempo em que se tornou um império, suas fronteiras se haviam expandido consideravelmente. De qualquer modo, devemo-nos lembrar que as populações antigas, em comparação com os dados populacionais de hoje, eram pequenas, e que a força militar nem sempre podia ser aquilatada em termos de dimensões geográficas e de grande número de habitantes. A Assíria foi absorvendo várias populações com a passagem dos séculos, e assim suas fronteiras expandiram-se quase até às margens do rio Eufrates. **Mas, só atingiu uma posição de domínio mundial quando entrou em aliança com a Babilônia.** — No que concerne a áreas geográficas, a Assíria e a Babilônia representavam praticamente a mesma coisa. Os assírios eram semitas de raça. Eram vigorosos de corpo e de disposição alegre, a julgar por suas muitas festas e festivais. Mas a história também demonstra claramente que eles eram implacavelmente cruéis.

Nínive. Essa era a principal cidade e a última capital da Assíria. Foi fundada por Ninrode, depois que ele deixou a Babilônia. Escavações arqueológicas que se aprofundam no solo até 25 m mostram-nos que o sítio vinha sendo continuamente ocupado desde tão cedo quanto 4500 A.C. Em cerca de 1800 A.C. (nos tempos de Sansi-Hadade), a cidade entrou em contacto com uma colônia assíria chamada Canis. E foi então que a Assíria tornou-se uma entidade independente da Babilônia. Importantes fortificações e palácios foram construídos nos dias dos reinados de Salmaneser I (1260 A.C.) e Tiglate-Pileser I (1114—1076 A.C.). Assurbanipal (já em 669 A.C.) fez dessa cidade a sua principal residência. A cidade de Nínive foi destruída em 612 A.C., graças aos esforços combinados dos medos, babilônios e citas. Mas só **caiu por causa das brechas feitas em suas muralhas defensivas pelas águas de enchente (Naum** 2:6-8). Naum descreveu vívida e profeticamente a queda da cidade. No auge de sua prosperidade era cercada por uma muralha interior cuja circunferência era de cerca de doze quilômetros. E sua população era de mais de cento e setenta e cinco mil pessoas.

A Assíria e a Bíblia. Os livros bíblicos de Jonas e Naum formam um par. Jonas (em 862 A.C.) predisse a destruição de Nínive, a menos que seus habitantes se convertessem. Naum previu que o julgamento cairia cento e cinqüenta anos mais tarde, várias gerações depois da época de Jonas.

Em 745 A.C., Tiglate-Pileser III tornou-se rei da Assíria, e deu início a campanhas militares que, no espaço de vinte e cinco anos, puseram fim a Israel, o reino do norte. Essas aventuras militares, embora não tivessem significado a destruição de Judá, chegaram a pôr em sério perigo a sua independência. Oséias, o último rei do reino do norte, negou-se a pagar tributo aos assírios. Acabou aprisionado. Samaria, sua capital, foi invadida e arrasada até o rés do chão. Os registros assírios documentam que nada menos de 27.290 habitantes da cidade de Samaria foram deportados, e que estrangeiros foram enviados para vir habitar no lugar deles.

Senaqueribe invadiu Judá, em 701 A.C. Ezequias resistiu aos assírios, e foi somente devido à divina intervenção (ver Isa. 37:36) que Jerusalém foi salva da conquista e do saque. Apesar disso, quarenta e seis cidades de Judá foram capturadas. Judá, nos dias do rei Manassés, tornou-se um reino vassalo da Assíria. Porém, foi a partir desse tempo que o poder assírio começou a declinar. Faraó Neco, temendo a Babilônia, que cada vez mais avultava em potência, aliou-se à Assíria e obteve por consentimento, o controle de Judá e da Síria. Entretanto, os babilônios gradualmente obtiveram o predomínio. Faraó Neco e Assur-Ubalite foram totalmente derrotados pela Babilônia. Judá tornou-se reino vassalo da Babilônia, e foi então que tanto a Assíria quanto Judá, reino do sul, chegaram ao fim. Jerusalém caiu em 587 A.C., e, então, seguiu-se o cativeiro babilônico. Em um gráfico, na seção VI deste artigo, traço os eventos tão sucintamente mencionados aqui.

II. Autoria

Os intérpretes têm apresentado certo leque de idéias quanto à autoria do livro de Naum, a saber:

1. Alguns eruditos liberais têm sugerido que o autor foi um poeta historiador, e não um profeta, visto que, segundo eles pensam, falta ao livro a ética, a religião e o gênio típicos dos profetas. O nome *Naum* significa «consolo (de Deus)», o que pode ser entendido como uma tentativa metafórica de dizer: «Este livro, designado *consolo*, visa dar a Israel motivos para regozijar-se. Portanto, deixai-vos consolar, porque um antigo inimigo foi derrotado».

2. Apesar do livro dever ser considerado uma profecia genuína (fazendo contraste com a primeira posição, acima), o título «Naum» pode ser considerado como um *nom de plume*, o que é evidenciado pelo fato de que, nesse livro não dispomos de qualquer informação acerca do profeta Naum. Além disso, a cidade de onde, supostamente, ele veio, «Elcós», é totalmente desconhecida pelos estudiosos. O nome do autor, bem como sua origem, são meros artifícios literários, e não fatos históricos genuínos. Todavia, Jerônimo identificava Elcós com Elcesi, uma pequena aldeia da Galiléia, onde havia, em seu tempo, algumas antigas ruínas. Entretanto, não dispomos de meios para confirmar ou negar essa suposição de Jerônimo. Eusébio também identificava Elcós com Elcesi, presumível localização palestina, embora não tivesse fornecido qualquer informação que agora nos permita confirmar sua afirmação. Alguns antigos escritores sugeriram Alcus como a cidade natal de Naum; no entanto, essa era uma aldeia fora das fronteiras de Israel, e, portanto, muito improvável. Essa aldeia ficava a dois dias de jornada distante de Mosol (antiga Nínive), razão pela qual tal identificação começou a ser artificialmente feita, a partir do século XVI. Os turistas são encaminhados até o suposto túmulo de Naum, nesse lugar. Mas, a ausência de quaisquer informações geográficas e pessoais sólidas, no tocante a «Naum» sugerem-nos **que estamos tratando apenas com um pseudônimo, e não com o nome verdadeiro de uma pessoa real.**

3. *Outros estudiosos aceitam a autenticidade*, tanto do nome do autor quanto do fato de que ele escreveu seu livro como uma profecia. Embora esse nome não possa ser encontrado em todo o Antigo Testamento, senão no próprio livro, não há razão alguma para pormos de lado as informações ali providas. Tal nome tem sido achado inscrito em algumas ostraca (vide). Até o século XIX, ninguém se aventurara a lançar dúvidas sobre a autoria e a autenticidade do livro como uma profecia. Mas essas dúvidas são essencialmente destituídas de base, não passando de raciocínios subjetivos. O simples fato do nome *Naum* significar «consolo de Deus» dificilmente milita contra sua existência, a menos que insistamos, por razões particulares, de que esse uso deve ser metafórico. É verdade que nada conhecemos acerca de um profeta chamado «Naum», excetuando aquilo que se pode inferir por meio do próprio livro; mas nossa falta de conhecimento dificilmente poderia servir de prova de que o profeta Naum nunca existiu. Além disso, muitas cidades obscuras da Palestina devem ter existido, mas que nenhum historiador se importou em deixar registrado por escrito. Josefo, ao alistar muitas cidades e vilas da Galiléia, nunca mencionou Nazaré, embora ela tenha, realmente, existido.

4. *O Estilo do Autor*. O original hebraico do livro de Naum é muito «claro e vigoroso», e seu estilo é prenhe de animação, fantasia e originalidade. O livro tem uma certa suavidade e delicadeza, alternada por uma dicção rítmica, sonora e majestática, sempre que o assunto requer tal coisa. À semelhança de Isaías, ele usou paronomásias, ou seja, assonâncias verbais. É possível que Naum tenha sido um contemporâneo mais jovem de Isaías. Seu hebraico é puro e clássico, podendo ser atribuído ao tempo da segunda metade do governo de Ezequias. Vários autores têm-no mencionado como um brilhante poeta.

5. *Outras Idéias*. Pouquíssimo se sabe sobre o homem Naum, a quem a autoria do livro com seu nome é atribuído. Coisa alguma se sabe sobre esse profeta, a não ser aquilo que consta no livro com seu nome. A segunda parte do título, que atribui o livro a Naum, de acordo com alguns especialistas, como Smit e Goslinga, teria sido uma adição, com o propósito de preservar o nome do profeta.

Outros eruditos, entretanto, pensam que o nome Naum seja um pseudônimo, porque, visto que *Naum* significa «consolo (de Deus)», o seu livro haveria de consolar o povo de Israel.

Mais de um autor? Ainda outros estudiosos argumentam que o primeiro capítulo do livro de Naum não forma unidade com os dois capítulos finais. No entanto, até o ano de 1892, não surgira ainda qualquer dúvida de que o livro de Naum é uma unidade. Não obstante, Bickell asseverou que ele descobriu o que pensava ser os remanescentes de um Salmo alfabético em Naum 1:1-7, e tentou reconstruir todo o trecho de Naum 1:2,3, obtendo assim vinte e dois versículos que começam com as sucessivas letras do alfabeto hebraico. Com outra variedade de técnica de reconstituição, Gunkel, em 1892, seguindo o esquema proposto por Bickell, produziu uma reconstituição um tanto mais plausível. Gunkel acha que descobriu que Sobai (ou Sobi), era o nome provável do autor desse livro.

III. Data

Nosso raciocínio pode ser influenciado tanto por fatores históricos quanto por fatores psicológicos, a saber:

1. Com base em uma suposição *a priori*, alguns eruditos liberais têm dito que o livro de Naum é uma história poética, e não uma verdadeira profecia, insistindo então em uma data posterior a 612 A.C., o ano da queda de Nínive. Presumivelmente, a jubilosa explosão que há no livro, diante da queda de um poderoso inimigo, trai um poeta que *observou*, e não um profeta que previu. Entretanto, após exame do livro, vê-se que as qualidades éticas e religiosas do profeta Naum foram subestimadas por esses especialistas.

2. Alguns eruditos supõem que parte do livro de Naum consiste em profecia, e outra parte, em história; e, consoante a isso, sugerem datas imediatamente antes e depois de 612 A.C. Isso nos envolve em raciocínios subjetivos que não podem ser objetivamente comprovados. A questão é tremendamente controvertida, e todas as discussões que tem havido não têm servido para iluminar a questão da data da composição do livro.

3. *A maioria dos eruditos do Antigo Testamento* data o livro de Naum entre 664 e 612 A.C. Esse ponto de vista alicerça-se sobre o fato de que o trecho de Naum 3:8-12 menciona a destruição de Tebas (a No-Amom desse texto), durante os dias de Assurbanipal (664—663 A.C.), como um acontecimento que já teria tido lugar. Naum, pois, deve ter escrito seu livro após esse evento. E, no caso do livro ser uma profecia, deve ter sido escrito antes de 612 A.C., a data da queda de Nínive, um evento predito na obra. Todavia, não há como provar exatamente quando, entre essas duas datas, a composição foi escrita. Mas, a maioria dos intérpretes supõe que se deve pensar em uma data mais próxima da destruição de Nínive, do que uma data mais distante dessa destruição. Nada melhor do que isso alguém tem conseguido propor.

4. *Fausset*, insatisfeito com uma data imprecisa, apresentou uma série de comparações históricas entre as idéias de Naum e as idéias de outros profetas, relacionando esses dados com os livros de Reis e de Crônicas. Ele via Senaqueribe ainda assediando Jerusalém, em Naum 1:9-12. E supôs que Naum aludiu a isso em parte como história e em parte como profecia, naquele trecho. Com base em todas as suas conjecturas ele extraiu uma data, 713-710 A.C. como a data da escrita do livro de Naum. Mas tudo isso entra em conflito com a história descrita no terceiro ponto.

5. *Outras idéias*. O livro de Naum, segundo alguns eruditos, pode ser datado dentro de uma variação de meio século. A fixação da data de sua escrita tornar-se-ia possível por meio de dois eventos principais: a queda de Tebas, que ocorreu por volta do ano de 668 A.C., e a queda de Nínive, em 612 A.C. Por igual modo, no tocante à autoria do livro de Naum, há muitas posições diversas, quanto à data desse poema.

Para Robert Pfeiffer, a iminência da queda de Nínive parece argumentar em favor do livro de Naum ter sido escrito pouco antes da destruição dessa cidade.

Alguns estudiosos destacam Naum 3:13, afirmando, então, que a Assíria e Nínive se tinham sentido ameaçadas. Sabe-se que pouco depois da morte de Assurbanipal, que ocorreu por volta de 626 A.C., os assírios sentiram-se um tanto ameaçados, porquanto seu domínio sobre os territórios ocidentais era frouxo. De acordo com Heródoto, para piorar as coisas, Nínive fora cercada pelas tropas do medo Ciaxares, antes de haver sido convocado de volta à sua terra, porquanto estava invadindo a Assíria, por causa de uma invasão contra seu próprio país. Isso aconteceu por volta do ano de 625 A.C. Hitzig, Kuenen, Cornill e outros estudiosos advogam a posição de que o livro de Naum foi escrito não muito depois daquele citado assédio. De conformidade com eles, o livro deve ter sido escrito não muito depois desse episódio, porquanto a Assíria estava sob ameaça, e também porque Naum indicou que Judá continuava sob o jugo da Assíria.

De acordo com a opinião de J.M. P. Smith (*Expositor's Bible*), a iminência da queda de Nínive pode ser percebida no texto do livro de Naum; e ele também advoga a idéia de que as evidências internas indicam que a cidade de Nínive estava nadando em grandiosidade e poder militar. Talvez ele estivesse aludindo ao trecho de Naum 2:9. Segundo Smith isso não poderia ser dito como verdade no tocante ao período de tempo imediatamente após a morte de Assurbanipal, em 626 A.C.

Contudo, na realidade, se tivermos de determinar uma data definida, seja ela imediatamente após a queda de Tebas, ou pouco antes da destruição de Nínive, não é uma conclusão tão importante como aquela que diz que o livro de Naum foi escrito no período de tempo entre esses dois eventos históricos; porque, se alguém defende essa posição, conforme têm feito alguns estudiosos, dizendo que o poema foi escrito após a queda de Naum, então o homem Naum teria sido apenas um eloqüente poeta e um excelente historiador, mas não um profeta, pois o seu livro seria história, e não predição profética.

IV. Conteúdo

«A profecia de Naum tanto é um complemento quanto uma contraparte do livro de Jonas», disse Pusey. Os três capítulos do livro de Naum podem ser considerados um único poema; mas cada capítulo, mesmo considerado em separado, é digno de atenção.

O primeiro capítulo tem sido chamado, por alguns autores, de ode à Majestade de Deus. Pode ser dividido em três porções:

1. *Subtítulo* (1:1). O autor fala sobre a sua «sentença», que, ao mesmo tempo era a sua «visão». Isso revela o caráter sobrenatural do livro. Podemos supor algum tipo de inspiração que está por detrás de uma composição escrita em forma de poema. Aliás, largos segmentos do Antigo Testamento foram compostos como poemas, como os Salmos e muitas passagens de Isaías, de Jeremias, de Oséias, de Joel, etc.

2. *A descrição da majestade de Deus* (1:2-8). Nesses versículos, o poeta profeta enfatiza os poderes e a resolução de Deus, mediante o que ele efetua os seus desígnios. O autor usou descrições alicerçadas sobre a natureza, a fim de adornar suas palavras. A mensagem é: A majestade de Deus, sua exaltada posição requer que o mal seja julgado.

3. *A descrição da confusão da Assíria e a restauração de Judá* (1:9-11,14—3:19): Deus dirige-se aos assírios e promete que seu povo seria vingado com toda a certeza. Os vss. 12 e 13 incluem uma promessa de descanso e alívio futuro da opressão.

O *segundo capítulo* é homogêneo, descrevendo o cerco e o saque de Nínive. As qualidades do autor sagrado, como poeta, tornam-se neste trecho especialmente patentes.

O *terceiro capítulo* caracteriza longamente a maldade de Nínive, salientando certo número de causas de sua queda final. Fausset salienta que o trecho de Naum 3:19 serve de poderoso clímax, porquanto esse versículo afirma que não há cura para a ferida da Assíria.

Por todo o livro há um tema moral que se repete: Deus, por ser santo, deve julgar o pecado. Esse tema torna-se ainda mais solene quando consideramos que a cidade de Nínive, que finalmente caiu, gerações atrás entregara-se ao arrependimento.

Esboço:

Naum 1:1: Título do livro e uma breve referência ao autor.

Título: é duplo, a saber, o oráculo sobre Nínive e o livro da visão de Naum, o elcosita.

Autor: Naum, o elcosita.

I. 1:2-8. Esses versículos iniciais são uma introdução na qual o autor sagrado descreveu alguns dos atributos de Deus:

1. *Paciência* — Deus é descrito como um Ser lento em irar-se (1:5).

2. *Justiça* — Paralelamente à sua paciência, Deus também é descrito como um Ser dotado de justiça divina. Por um lado, a ira vingadora contra os ímpios (1:2); por outro lado, uma fortaleza onde os piedosos podem refugiar-se (1:7).

3. *Poder* — Tanto os homens quanto a natureza prostram-se diante do poder de Deus. Os rios ressecam-se (1:4), os rios extravasam (1:8). As montanhas estremecem diante de Deus (1:5), as rochas partem-se sob o furor de sua ira (1:6); mas, acima de tudo, quem pode resistir à sua indignação? (1:6).

II. *1:9-15. O retrato do opressor* de Judá e a promessa de que o jugo seria quebrado. Nessa seção é enfocada «a expedição malsucedida de Senaqueribe», como também é prometida a remoção da opressão de Judá.

III. 2:1-13. *Uma vívida descrição da queda de Nínive*.

2:1. Uma irônica conclamação para que os ninivitas se fortalecessem. Soldados e armamentos parecem ser descritos em Naum 2:3 como que se preparando para uma parada militar, e não para uma batalha. Logo a parada transformar-se-ia em um tropel de cavalos e carros de guerra (2:4).

O Senhor dos Exércitos julgou a cidade de Nínive, que foi inundada, saqueada e deixada em desolação. As servas da cidade gemem tristemente, pois o covil dos leões foi destruído (2:7-13).

IV. 3:1-19. *Nínive é comparada a Nô-Amom, ou seja, Tebas* (3:8), visto que a destruição foi completa. Látegos, pranto e rodas — os látegos para cortar, as rodas para trilhar. Mas, por que tanto choro? A sentença é anunciada: «És tu melhor do que Nô-Amom...?» (3:1-8).

Essas palavras foram proferidas como uma profecia pelo profeta de Yahweh. O povo assírio já havia provado um pouco o poder das nações opressoras (3:13); e, em breve, estas palavras também teriam cumprimento: «Tudo isso por causa da grande prostituição da bela e encantadora meretriz, da mestra de feitiçarias...»

V. Propósito e Principais Ensinos Teológicos

Propósito. O livro de Naum tem, basicamente, um duplo propósito. O primeiro é profetizar sobre o julgamento de Nínive mediante a providência vingadora de Deus; e o segundo é um poderoso alento consolador à nação de Judá, que seria tirada de sob o tacão assírio.

A razão desse julgamento aparece em Naum 3:4,5: «Tudo isso por causa da grande prostituição da bela e encantadora meretriz, da mestra de feitiçarias, que vendia os povos com a sua prostituição e as gentes com as suas feitiçarias. Eis que eu estou contra ti, diz o Senhor dos Exércitos...»

Por semelhante modo, da mesma maneira que Nínive seria destruída, assim também Judá seria liberada do domínio assírio. «Mas de sobre ti, Judá, quebrarei o jugo deles, e romperei os teus laços...» (1:13).

Principais Ensinos Teológicos. Se contemplarmos o mundo através do prisma formado por Naum, os acontecimentos históricos serão polarizados em uma antítese. Os poderes mundiais são todos representados pela Assíria e por Judá, emblemas dos inimigos de Deus e do seu reino, respectivamente.

Por igual modo, se olharmos através desse prisma de Naum, a teologia está distintamente dividida em duas facções adversárias: os bons e os maus. Os bons serão eternamente consolados; e os maus serão devidamente julgados na perdição eterna. Os bons são retratados como quem não tem qualquer mácula. Contudo, em seu livro, o autor não reflete as características da história interior ou os méritos de sua própria geração.

E o ensino que recolhemos do retrato sobre a nação de Judá não é o do julgamento do povo de Deus, e, sim, de refúgio para aqueles que se valem da fortaleza que é o Senhor (1:7).

Através do profeta Jonas, Deus havia revelado a sua longanimidade; mas Naum foi usado para anunciar um outro tipo de ensino sobre as atitudes de Deus. Naum nos fala sobre o poder de Deus, um poder capaz de controlar a natureza e os homens, um poder que libertaria a nação de Judá (1:13). Mediante o exemplo de Nínive, aprendemos um lado espantoso dos atributos de Deus. Acima de tudo, aprendemos que aquele que blasfema contra Deus não deixa de receber a sua paga.

VI. Características Literárias

Os eruditos de todas as especialidades bíblicas concordam quanto à excelente qualidade dos poemas de Naum. Se se trata de uma profecia genuína, conforme opina a maioria dos estudiosos (o que não foi lançado em dúvida até o século XIX), então trata-se de uma profecia vazada em tom altamente poético. Alguns críticos têm proposto que o livro se compõe de cinco poemas. Essa idéia pode incluir a variação de que o trecho de Naum 1:2-10 era um antigo poema acróstico, prefixado à composição original. No entanto, somente por meio de emendas violentas é possível trazer à existência um poema acróstico ali. Para outros, o trecho de Naum 1:11—2:22 não fazia parte original do livro; mas foi apenas um acréscimo editorial, inserido tão tarde quanto 300 A.C. Unger, um erudito de nossos dias, rejeita essa idéia como um exemplo do subjetivismo usado por muitos críticos. Outros estudiosos pensam que o livro de Naum consiste em um único poema, embora possa ser dividido em várias porções, de acordo com conteúdos específicos.

Qualidade teológica e moral do livro. A qualidade poética destacada dessa obra não deveria obscurecer o fato de que Naum também se reveste de uma excelente qualidade profética. Aqueles que querem ver o livro como se fosse apenas uma obra poética e histórica exibem a tendência de degradar o conteúdo espiritual do mesmo. Como é óbvio, o autor sagrado entusiasmou-se diante da queda prevista da Assíria, mas esse entusiasmo não é o único conteúdo do livro. Podemos discernir em Naum os seguintes elementos morais e teológicos:

1. O caráter de Deus, mormente a sua santidade, requer a justiça (1:2,8).
2. Teísmo: Deus faz-se presente no mundo. Ele julga e galardoa (1:9-15).
3. O amor de Deus fá-Lo ser paciente, embora com limites (1:2,3).
4. Uma potência mundial, a despeito de toda a sua glória, pode constituir-se em inimiga de Deus. Essa é a mensagem central do livro.
5. Todo julgamento divino tem uma causa. O terceiro capítulo de Naum esboça várias razões do julgamento de Nínive.
6. Nínive serviria de exemplo para outras comunidades. Rejubilemo-nos diante do juízo divino. Mediante o juízo, Deus faz coisas que não poderia fazer por outros meios (3:19).

VII. Gráfico Histórico do Israel

	Assíria-Babilônia
Abraão (1900 A.C.)	
Jacó (1750 A.C.)	Estado assírio independente (1800 A.C.)
	Reino Antigo (1700—1100 A.C.)
	Expansão dos limites (1700 A.C.)
Êxodo do Egito (1490 A.C.)	
Entrada na Palestina (1425 A.C.)	
Instituição dos Juízes (1425 A.C.)	Soerguimento de Nínive (1260 A.C.)
	Cidades estado fortificadas (1114—1076 A.C.)
Samuel, último juiz (1035 A.C.)	
Monarquia unida (1050—930 A.C.)	
Divisão em duas Nações (931 A.C.)	
Profecia de Jonas (862 A.C.)	Nínive é poupada (862 A.C.)
Israel sob cerco (745 A.C.)	Senaqueribe devasta Judá (701 A.C.)
Queda de Samaria (722 A.C.)	
Judá, vassalo da Assíria (700 A.C.)	Declínio da Assíria (687 A.C.)
Profecia de Naum (664—612 A.C.)	Queda de Nínive (612 A.C.)
Judá, vassalo da Babilônia (609 A.C.)	Fim da Assíria (**609 A.C.**)
Queda e **exílio de Judá** (597—587 A.C.)	Babilônia torna-se senhora do mundo (609 A.C.)

Bibliografia: AM E EX ED FA HALD HALL I LAN PU UN Z

NAUM (Pessoas)

Esse nome significa «compassivo», no hebraico. Há duas personagens com esse nome, nas páginas do Antigo Testamento:

1. Um dos antepassados de Jesus, na genealogia de Lucas (Luc. 3:25). Ele aparece como o nono antes de José, marido de Maria, mãe de Jesus.

2. O profeta *Naum*, o sétimo dos profetas menores, de acordo com o arranjo do Antigo Testamento no hebraico e no grego, embora tivesse sido o sexto, cronologicamente falando. Ele era nativo de Elcós, uma aldeia da Galiléia (conforme Jerônimo comentou em seu prefácio ao livro de Naum).

Ele profetizou em Judá, após a deportação das dez tribos do norte, já nos fins no reinado de Ezequias (Naum 1:11-13; 2:1,14). Quanto a detalhes completos, ver o artigo sobre a profecia de *Naum*. Seu livro pertence à classe dos livros proféticos que têm sido chamados *prophetiae contra gentes*, porquanto voltam-se, especificamente, contra os povos. Seu objetivo era a cidade de Nínive, capital do império assírio.

NAVALHA

Um instrumento cortante muito afiado, para aparar os cabelos e a barba. É referido no A.T. sobretudo em conexão com o voto dos nazireus (Núm. 6:5; 8:7; Juí. 13:5; 16:17; I Sam. 1:11; Isa. 7:20; Eze. 5:1). A palavra também é usada metaforicamente para indicar a língua ferina (Sal. 52:2). As navalhas eram feitas de metal, e eram simples ou elaboradas. **Muitos espécimes, pertencentes à antiguidade, têm sobrevivido.**

NAVALHA DE OCKHAM

Essa expressão é sinônima da lei da parcimônia. Ockham não afirmou especificamente, mas ele quis que soubéssemos que não devemos «multiplicar entidades além do necessário, a fim de explicar algo». Isso foi originalmente dito no contexto de discussões metafísicas, acerca dos universais; mas acabou sendo aplicado a qualquer campo do conhecimento. A navalha de Ockham, pois, corta fora todas as explicações desnecessárias, procurando preservar a maneira mais simples de explicar alguma coisa. A hipótese mais simples, presumivelmente, é aquela que melhor explica uma idéia qualquer. Mas, apesar disso exprimir uma verdade em muitos casos, nem sempre a verdade é simples e evidente. Ver o artigo intitulado *Ockham*.

NAVIOS

Ver Barcos (Navios).

NAYA

Vocábulo sânscrito que significa «aspecto», «ponto de vista». No *jainismo* (vide) há sete *nayas*, a partir dos quais uma pessoa pode encarar a realidade que a circunda.

NAZARÉ

Esboço:

1. Declarações Introdutórias
2. O Nome
3. Localização
4. Informes Dados pelo Novo Testamento
5. História Subseqüente

1. Declarações Introdutórias

No Novo Testamento há vinte e nove menções à cidade de Nazaré, embora ela nunca seja mencionada no Antigo Testamento. E embora *Josefo* (vide) tivesse mencionado quarenta e cinco cidades da Galiléia, não mencionou a pequena aldeia de Nazaré, mostrando o quão pequena e obscura ela era. A vida de Jesus, naquela localidade, é que a tornou famosa. Ver o artigo separado sobre *Nazareno*. É provável que muitas das ilustrações usadas por Jesus, em seus sermões e lições, fossem baseadas em sua vida naquela pequena cidade da área rural. A arqueologia muito tem feito para dar-nos melhor conhecimento sobre essa localidade e suas redondezas.

2. Nome

Os eruditos não têm certeza quanto à raiz dessa palavra, embora duas suposições pareçam as mais razoáveis: 1. Poderia ser a palavra hebraica *nazir*, que está vinculada à idéia de «separação». 2. Ou poderia provir de *neser*, que significa «ramo», «renovo». Essa é a posição preferida pelos especialistas. O nome da vila atual é *en-Nazirah*.

3. Localização

Nazaré ficava a trinta e dois quilômetros das margens do mar Mediterrâneo, em linha reta; a vinte e quatro quilômetros do mar da Galiléia; a quase cento e treze quilômetros ao norte de Belém; cerca de dezesseis quilômetros da planície de Esdrelom; e mais ou menos meio caminho entre o monte Carmelo e a extremidade sul do lago da Galiléia. A moderna Nazaré conta somente com uma fonte natural. Está situada nas colinas ao norte da planície de Esdrelom, e dali tem-se uma boa visão de antigos campos de batalha. Também pode ser avistado o monte Hermon, ao norte; pode ser visto o mar Mediterrâneo, a oeste, e Basã, a leste. Não há que duvidar que a antiga cidade de Nazaré ocupava basicamente a mesma área que a moderna vila desse nome. As águas da fonte que manam perto da moderna igreja de São Gabriel são canalizadas até o poço de Maria, em uma praça aberta, onde, sem dúvida, Maria costumava vir buscar água, para as necessidades de sua família.

4. Informes Dados pelo Novo Testamento

Conforme foi dito acima, Nazaré nunca é mencionada no Antigo Testamento, razão por que temos de ir buscar no Novo Testamento todas as referências à mesma, no tocante à vida de Jesus ali.

Nazaré é chamada de «cidade» de José e Maria (ver Luc. 2:39), e, naturalmente, do menino Jesus. Foi ali que o anjo anunciou a Maria o nascimento do Messias (Luc. 1:26-28). Após a sagrada família ter passado algum tempo no Egito, eles voltaram a Nazaré (Luc. 4:14). Posteriormente, Jesus ensinou na sinagoga de Nazaré (Mat. 13:54; Luc. 4:15). A associação de Jesus com a localidade fê-Lo ser conhecido como «o Nazareno». Ver o artigo intitulado *Nazareno*. Nazaré não era lugar muito respeitado (ver João 1:47). E parece que, finalmente, Jesus foi rejeitado em Nazaré, tendo-se mudado para Cafarnaum, à beira do mar da Galiléia, que passou a ser o centro de suas atividades (ver Luc. 4:16-30). Mateus via essa mudança como cumprimento de certa predição profética (ver Mat. 4:13-16). Com base na rejeição de Jesus em Nazaré foi que surgiu a famosa declaração de Jesus, por tantas vezes aplicada no decurso da história: «Não há profeta sem honra senão na sua terra, entre os seus parentes, e na sua casa» (Mar. 6:4). Talvez seja melhor dizermos que Jesus empregou essa declaração já proverbial, e não que foi o seu autor. José, marido de Maria, e, posteriormente, Jesus, provavelmente eram os únicos carpinteiros daquela minúscula aldeia.

5. História Subseqüente

Conforme já vimos, Nazaré nunca é mencionada no Antigo Testamento, e nem parece haver algures alguma informação a respeito dela, *se* é que ela existia em tempos antigos. Nosso conhecimento acerca de Nazaré começa no Novo Testamento. Apesar de todos os incidentes mencionados acerca de Nazaré serem interesssantes no que diz respeito à vida de Jesus, talvez o que mais nos admira seja o fato de que *Ele foi rejeitado em Nazaré*. E isso simbolizou a rejeição de seu próprio Messias por parte de Israel (ver João 1:11). Não obstante, permaneceu o título «Jesus de Nazaré», que se tornou comum tanto em seus próprios dias quanto por diversos séculos depois e até hoje. Na época era comum um homem ser chamado pelo nome de sua própria terra de origem, como Judas Iscariotes, Paulo de Tarso, João Damasceno, Tomás de Aquino e Tomás à Kempis, para darmos alguns poucos exemplos bem conhecidos.

Helena, mãe do imperador Constantino, mandou edificar um santuário cristão em Nazaré, no século IV D.C. E outros monumentos religiosos têm ali sido erigidos, destruídos e renovados. O suposto lugar do nascimento de Jesus é ali indicado (embora saiba-se bem que Jesus nasceu em Belém, e não em Nazaré) para os turistas. Quando os muçulmanos tomaram conta de Nazaré, aos cristãos ficou vedado visitar a cidade, durante algum tempo. Então, em 1099, os cruzados tornaram a ocupar a cidade. Porém, em 1187, prevaleceram novamente os islamitas. Em 1229, a cidade voltou às mãos dos cristãos que a ornamentaram. — Frades franciscanos levantaram ali um templo e um mosteiro, no ano de 1300, somente para dali serem outra vez expulsos, em 1362. E voltaram em 1468, mas de lá foram outra vez desalojados em 1542. Mas os cristãos tomaram conta novamente do lugar em 1620. Essas marchas e contramarchas foram criadas pelo variegado sucesso das armas. Entretanto, a partir de 1620, os franciscanos tornaram-se os guardiães dos lugares santos, por toda a Terra Santa. Os britânicos capturaram Nazaré, então sob poder dos turcos e dos alemães, em 1918. Trinta anos mais tarde, em 1948, os israelitas tomaram Nazaré, então em mãos dos árabes. A população de Nazaré, atualmente, é predominantemente cristã, quase todos ortodoxos gregos. Em seguida, no tocante a números, há islamitas e judeus. Em 1966, a população de Nazaré era de cerca de trinta mil habitantes. A população relativamente grande da localidade tem impedido que se façam escavações arqueológicas na região.

NAZARÉ, DECRETO DE

Esse documento é atualmente guardado no Cabinet de Méddailles, no museu do Louvre, em Paris, França. Foi descoberto pelo historiador Michel Rostovtzeff, em 1930, e foi publicado pelo abade Cumont, em 1932. Daí passou para a coleção do antiquário alemão Froehner, — e depois para o lugar onde atualmente é guardado.

Esse documento foi escrito em grego, em cerca de 50 D.C. Se os historiadores estão com a razão, essa inscrição foi o primeiro comentário secular sobre a história da páscoa. Seu propósito era proibir que fossem perturbadas as sepulturas, ao que parece, iniciadas devido às estórias conflitantes de cristãos e judeus sobre a ressurreição de Cristo. Os primeiros diziam que Jesus realmente ressuscitou dentre os mortos; e os últimos afirmavam que os discípulos de Jesus abriram o túmulo e furtaram o corpo de Jesus. Suetônio informa-nos acerca dessas dificuldades em torno de «certo Crestos» (corruptela de Cristo). O imperador Cláudio investigou as perturbações entre judeus e cristãos, e ficou irritado com ambos os lados da pendência. E expulsou todos os judeus da cidade de Roma (ver Atos 18:2). Ao que tudo indica, foi ele quem mandou colocar aquele decreto em Nazaré. Eis o texto do decreto:

«Ordenança de César. É de meu agrado que sepulcros e túmulos permaneçam intactos perpetuamente, em benefício daqueles que fazem deles lugares onde cultuam seus antepassados, ou filhos, ou membros de suas casas. Se, porém, alguém tiver informação de que outrem demoliu um túmulo, ou, de alguma maneira extraiu a pessoa ali sepultada, ou transferiu-a maliciosamente para outro lugar, a fim de tirar disso alguma vantagem, ou tirou os selos ou outras pedras, ordeno que seja instituída investigação contra tal pessoa, tanto devido ao respeito pelos deuses como devido ao culto aos mortais. Pois será muito mais obrigatório honrar aos sepultados. Fica, pois, absolutamente proibido a qualquer pessoa perturbá-los. No caso de contravenção, ordeno que o ofensor seja sentenciado à pena capital, sob a acusação de ter violado um sepulcro».

NAZARENO

Esse adjetivo significa «natural de Nazaré». Essa palavra é usada no Novo Testamento referindo-se somente a Jesus, o qual tanto assim se chamou quanto foi chamado por outros. Ver Mat. 2:23, onde se lê que havia uma predição que dizia que Jesus seria chamado Nazareno. Mas a palavra também é usada no plural, em Atos 24:5, onde está em foco a seita dos «nazarenos», isto é, os seguidores de Jesus. Isso mostra que Jesus foi chamado de «o nazareno» por parte de outras pessoas, amigas e inimigas, igualmente. Visto que o Antigo Testamento não menciona em parte alguma a cidade de *Nazaré*, ali também não se lê qualquer coisa sobre os possíveis nazarenos. Acresça-se a isso que alguns intérpretes têm confundido o significado de nazareno com o significado de *nazireu* (ver Núm. 6:1-21). No entanto, é possível que esteja em vista o termo hebraico *netser*, «ramo», pois Jesus, em diversos trechos bíblicos é chamado de «renovo de Jessé», ou seja, alguém pertencente à linhagem de Davi.

As palavras de Mat. 2:23, «Ele será chamado Nazareno», não constituem alguma citação verbatim dos profetas. Mas, possivelmente, vem da idéia do texto de Isa. 11:1, que inclui a palavra ramo (da qual vem o termo *Nazaré*), referindo-se ao Messias. E é provável que esse texto estivesse na mente do escritor sagrado, ao fazer aquela «citação». Além disso, outras predições bíblicas, embora sem usar essa palavra exata, mas expressando a mesma idéia, provavelmente formaram a base dessa «citação» (ver Jer. 23:5; 33:14; Zac. 3:8; 6:12). Assim, pois, o Messias seria o *ramo* ou *renovo* da família de Davi.

O título *Nazareno*, ainda que para nós seja um título famoso, por causa de Jesus Cristo, nos dias dele geralmente era usado como termo de menoscabo (ver João 1:46; 7:52). No plano terreno, Jesus não foi alguma árvore grandiosa, um filho reconhecido da casa real de Davi; mas tão-somente um renovo de Jessé. No entanto, sua grande estatura espiritual finalmente propagou a sua fama pela terra inteira. Conforme dissemos acima, alguns comentadores relacionam a palavra «nazareno» aos indivíduos que, no Antigo Testamento, são chamados «nazireus» (ver Núm. 6:2,13,18-20), os quais faziam certos votos difíceis de serem cumpridos, votos de consagração a Deus. Tais comentadores, pois, aplicam essa idéia a Cristo, imaginando que, na qualidade de nazareno, ele teria o mesmo propósito que tinham os nazireus. Assim interpretaram Tertuliano, Jerônimo, Erasmo, Calvino e outros intérpretes modernos. Mas, a despeito dessa interpretação envolver uma *aplicação* útil, não parece que Mateus quisesse destacar tal coisa, em 2:23 de seu evangelho. Acrescente-se a isso que, tanto no hebraico quanto no grego, *nazareno* e *nazireu* têm grafia diferente. Também há alguma razão na interpretação que diz que Jesus seria desprezado, como habitante da obscura cidade de Nazaré. Todavia, não parece ser isso o que o autor sagrado quis destacar nessa passagem. O que ele realmente queria era mostrar que Jesus pertencia à família de Jessé, como o *Renovo* de Davi, e, secundariamente, que o lugar onde Jesus residiu como criança, e onde também deu início ao seu ministério, fora escolhido por Deus, apesar das diversas circunstâncias que poderiam ter servido de obstáculo a esse ministério.

Quanto à expressão «Jesus de Nazaré», ver Mar. 10:47; Luc. 24:19. Os espíritos imundos assim chamaram a Jesus (Mar. 1:24; Luc. 4:34), tal como o fizeram os anjos que anunciaram a sua ressurreição (Mar. 16:6). E os trechos de Mat. 26:71 e Mar. 14:67 mostram que essa expressão foi usada pejorativamente pelos inimigos de Jesus. E acabou sendo dada, como apelido de menosprezo à comunidade cristã (Atos 24:5). E Jesus continuou a ser vinculado a Nazaré, mesmo após a sua ressurreição, pelos seus discípulos (ver Atos 2:22; 3:6; 10:38).

NAZARENOS, EVANGELHO DOS

Esse foi um dos muitos evangelhos não-canônicos que circularam no século II D.C. Foi escrito originalmente em aramaico, sendo diferente dos evangelhos canônicos; mas aparentemente não era herético. Foi empregado por uma seita de judeus cristãos da Síria. Essa era a seita dos nazarenos. Talvez esse evangelho tenha sido uma das principais fontes informativas do evangelho canônico de Mateus. Jerônimo é quem melhor nos presta informações sobre essa peça literária, tendo ele dado a entender que esse foi o original aramaico que serviu de base ao evangelho grego de Mateus. Mas, as citações providas por Jerônimo, mostram que ele não estava manuseando o evangelho canônico de Mateus. Além disso, Jerônimo confundiu o quadro, chamando essa obra de «Evangelho Segundo aos Hebreus», que é o título de uma outra obra escrita. Apolinário havia usado o evangelho dos Nazarenos em seus comentários, e parece que foi com base nisso que Jerônimo tomou conhecimento da existência desse livro. Também é provável que as muitas citações feitas por Jerônimo, supostamente extraídas do evangelho dos Nazarenos, na verdade tenham sido tiradas dos comentários de Apolinário. E Jerônimo confundiu ainda mais as coisas, pelo fato de que muitas das citações feitas por Orígenes, do Evangelho Segundo aos Hebreus, foram identificadas como se tivessem sido extraídas do Evangelho dos Nazarenos.

O Evangelho dos Nazarenos era uma obra volumosa, tendo apenas cerca de trezentas linhas menos do que o evangelho canônico de Mateus, de acordo com certa informação dada por Nicéforo. E alguns eruditos supõem que as Declarações de Oxyrhynchus (vide), atribuídas a Jesus, também foram extraídas dessa obra. Nesse caso, o Evangelho dos Nazarenos diferia consideravelmente de nosso evangelho canônico de Mateus. Mas adiciona alguns detalhes interessantes, sendo possível que alguns deles sejam autênticos. Para exemplificar, esse evangelho diz que foi a verga da entrada do templo de Jerusalém que caiu, em vez do véu do templo ter-se rasgado de alto a baixo, por ocasião da crucificação e morte de Jesus. E também ajunta que foi Maria, mãe de Jesus, quem instou com ele para que fosse batizado por João Batista.

Não dispomos do Evangelho dos Nazarenos, salvo por meio de citações preservadas em outros livros antigos, conforme foi sugerido acima. Alguns manuscritos do século V D.C., provenientes de Jerusalém, conhecidos como *Manuscritos de Sião*, têm notas marginais que, supostamente, foram extraídas desse evangelho. M.R. James fez uma coletânea de citações dos pais da Igreja que, supostamente, teriam sido feitas com base nessa obra. Essas citações aparecem em seu livro, *The Apocryphal New Testament*.

NAZARENOS (Igreja dos)

Ver sobre **Igreja dos Nazarenos.**

NAZARENOS (SEITA PRIMITIVA)

Houve uma antiga seita judeu-cristã, conhecida por «os nazarenos», — no século IV D.C. Epifânio e Jerônimo disseram que os nazarenos viviam em redor da cidade de Pela, na Palestina. Eles consideravam-se judeus, mas aceitavam doutrinas execradas pelos outros judeus, como a da plena divindade de Cristo e a de seu nascimento virginal. Têm sido erroneamente identificados, por alguns estudiosos, com os *ebionitas* (vide); mas as doutrinas desses dois grupos eram bastante divergentes. Os *mandeanos* (vide), também se chamavam *nazorave*.

NAZIREADO (VOTO DO)

Esboço:

1. O Nome
2. Caracterização Geral
3. Origem do Nazireado
4. Provisões do Voto
5. Problemas e Modificações

1. O Nome

A forma mais correta da palavra é «nazireado», «nazireu», embora alguns grafem, em outras línguas, nazarita». A palavra portuguesa vem do hebraico *nazir*, derivada de *nazar*, «separar», «consagrar», «abster-se». Além disso, há a considerar o termo *nezer*, «diadema», «coroa de Deus», termo algumas vezes aplicado à cabeleira não-tosquiada dos nazireus, cabeleira essa considerada sua coroa e adorno. É dessa outra palavra hebraica que alguns pensam que se deriva a forma «nazarita». Comparar isso com I Cor. 11:15. O voto do nazireado envolve a consagração especial de pessoas ou coisas a Deus (ver Gên. 49:26; Deu. 33:16). Está especificamente em pauta o caso dos *nazireus*, cujos cabelos compridos serviram de emblema de sua separação ao serviço do Senhor, cabelos esses que eram reputados a coroa de glória deles. Ver Núm. 6:7. Comparar com II Sam. 14:25,26.

2. Caracterização Geral

Os nazireus formavam grupos ascéticos no judaísmo. Eles tomavam vários votos, como abster-se de vinho, não entrar em contacto com qualquer coisa imunda, ou não aparar os cabelos. Entre os antigos hebreus, esses votos eram vitalícios (ver a história de Sansão). E o trecho de Amós 2:12 sugere que os nazireus eram muito prestigiados em Israel. A legislação posterior, entretanto, permitia que tais votos fossem limitados quanto ao tempo (ver Josefo, *Guerras* 2:15,1). Mas, um elemento que nunca foi abandonado foi o de um severo *ascetismo* (vide). O voto do nazireado aparece em Núm. 6:1-20. Ninguém podia fazer tais votos por um período inferior ao de trinta dias. Sansão, Samuel e João Batista (de acordo com muitos eruditos), foram nazireus vitalícios. A instituição do nazireado tinha por intuito tipificar a separação e um modo de viver santificado e restrito. A cabeleira crescida simbolizava a virilidade e virtudes heróicas. As madeixas de cabelos simbolizavam uma simplicidade infantil, poder, beleza e liberdade. Maimônides, um sábio judeu sefardi (falecido em 1204), referiu-se à dignidade dos nazireus como equivalente à de um sumo sacerdote. E antes dele, Eusébio, o grande historiador eclesiástico da Igreja antiga, asseverou, em termos enfáticos, que os nazireus tinham acesso ao Santo dos Santos, em Israel (*História Eclesiástica* 2,23). Os pais podiam dedicar seus filhos homens a esse grupo religioso separatista. Entretanto, os nazireus não viviam em comunidades separadas, e nem lhes era vedada a associação com outras pessoas, ou de se ocuparem em atividades comuns. Viviam na comunidade de Israel como símbolos de dedicação especial a Yahweh. Essa era a principal função dos nazireus. E eles mostravam-se ativos no serviço religioso e nas práticas ritualistas.

3. Origem do Nazireado

O sexto capítulo do livro de Números fornece-nos as regras acerca da questão, embora alguns estudiosos suponham que temos ali uma confirmação e regularização da prática, e não um começo absoluto da mesma. É possível que, a certa altura dos acontecimentos, a prática tenha penetrado no corpo da legislação mosaica. E os argumentos que dizem que a prática do nazireado foi tomada por empréstimo de povos pagãos, como os egípcios, não convencem e nem têm sido acolhidos pela maioria dos eruditos.

4. Provisões do Voto

O leitor deve examinar o sexto capítulo do livro de Números. Esse voto podia variar quanto à sua duração. Podia ser imposto às crianças, por seus pais, que as dedicavam à vida do nazireado, como foi o caso de Sansão (ver Juí. 13:5,14), e talvez de Samuel (ver I Sam. 1:11) e de João Batista (Luc. 1:15). A Mishna afirma que esses votos eram tomados por um mínimo de trinta dias, e que o período de sessenta dias era o mais comum. O voto tomado por Paulo, conforme está registrado em Atos 18:18, provavelmente foi um voto temporário de nazireu. E ao terminar o período determinado, raspou a cabeça em Cencréia, embora, de acordo com a legislação mosaica original, isso tivesse de ser feito à entrada do templo de Jerusalém.

Proibições. Os nazireus precisavam abster-se de vinho, de todas as bebidas alcoólicas, de vinagre, e até de uvas e passas de uvas. A experiência humana exibe claramente os debilitantes efeitos espirituais das bebidas alcoólicas. Além disso, esses votos provavelmente eram um protesto contra as práticas pagãs, onde as bebidas alcoólicas eram usadas para agitar aos adoradores, levando-os a cometerem toda sorte de excessos. Mas os nazireus também não podiam tocar em coisas imundas, como um cadáver, mesmo que se tratasse de um parente próximo. E cumpre-nos observar que os sumos sacerdotes de Israel também não se podiam contaminar desse modo.

Requisitos. Um nazireu não podia cortar os cabelos durante todo o tempo em que perdurasse a sua consagração. As referências literárias mostram que os cabelos de uma pessoa eram considerados a sede da vida, e até mesmo a habitação de espíritos e de influências mágicas. Talvez por essa razão é que, terminado o voto do nazireado, a pessoa precisava raspar seus cabelos e queimá-los, como medida eficaz para anular quaisquer poderes que os cabelos fossem tidos como possuidores.

Violação. Se os votos do nazireado fossem violados em qualquer sentido (até mesmo por acidente, como quando um nazireu entrava em contacto com um cadáver), ele precisava renovar todo o conjunto de ritos purificadores, e começar de novo os seus votos.

Término. Ao fim do tempo marcado, um nazireu precisava oferecer vários sacrifícios, cortando rente os seus cabelos e queimando-os no altar. Em seguida, o sacerdote oficiante efetuava certos ritos determinados, e o homem estava desobrigado de seu voto ao Senhor.

5. Problemas e Modificações

Alguns estudiosos pensam que o sexto capítulo de Números pertence à fonte informativa *P.*(*S.*), o código sacerdotal, que pertenceria aos tempos exílicos, ou mesmo depois. Essa legislação posterior, conforme eles supõem, permitia votos específicos relativamente breves. Mas, mais antigamente, conforme ainda argumentam, um voto era feito por toda a vida. Sansão e Samuel foram exemplos da prática mais antiga. Ver o artigo sobre as fontes informativas *J.E.D.P.*(*S.*). É possível que Absalão tivesse sido posto sob esse voto, o que explicaria sua vasta cabeleira. Entretanto, Jesus não foi um nazireu, e, sim, um *nazareno* (ver Mat. 2:23), embora isso não concorde com o que dizem alguns intérpretes. Ver o artigo intitulado *Nazareno*, que aborda o problema. João Batista, em contraste com Jesus, pode ter sido um nazireu verdadeiro, o que explicaria certos aspectos ascéticos de sua vida (ver Luc. 1:15). A prática posterior entre os judeus fez com que esse voto envolvesse apenas atividades religiosas ritualistas, conforme se via, para exemplificar, no farisaísmo; mas isso já representava uma perversão religiosa, que o Senhor Jesus combateu. Interessante é observar que o judaísmo moderno está completamente alicerçado sobre o farisaísmo, embora com certas evoluções medievais e modernas.

O nazireado era um voto feito por pessoas que procuravam alívio para as suas enfermidades ou aflições, conforme nos informa Josefo (*Guerras*, II.15,1). Até mesmo Berenice, a incestuosa esposa-irmã do rei Herodes Agripa, fez tal voto, segundo Josefo menciona naquele trecho de sua famosa obra. A Mishna, *Nazir* V. 5, demonstra como a questão acabou se desintegrando. De acordo com esse comentário judaico, era possível alguém tomar voto até em relação a uma dívida assumida em uma aposta. As informações dadas por Josefo mostram-nos que os nazireus constituíam uma característica comum na vida judaica de seus dias.

NAZIREADO E O APÓSTOLO PAULO

Atos 18:18: *Paulo, tendo ficado ali ainda muitos dias, despediu-se dos irmãos e navegou para a Síria, e com ele Priscila e Áquila, havendo rapado a cabeça em Cencréia, porque tinha voto.*

Mui provavelmente este voto foi feito pelo próprio Paulo, embora, gramaticalmente interpretada, essa sentença poderia indicar Áquila, o que estaria de acordo com o ponto de vista religioso um tanto mais judaico deste último. Isso significaria, por sua vez, que Áquila, e não Paulo, é quem teria feito o voto. Mas essa possibilidade é mais remota do que a sua alternativa. Josefo, grande historiador judeu do tempo apostólico, informa-nos de que o voto do nazireado se completava quando os cabelos eram raspados. (Ver também Núm. 6:5,18). Assim diz Josefo (ver *Guerras dos Judeus*, II. 15:1): «Aqueles que sofrem de alguma enfermidade, ou que de alguma outra maneira caem em infortúnio, costumeiramente fazem um voto de que, por trinta dias, antes de oferecerem algum sacrifício, abster-se-ão de vinho, e de rasparem a própria cabeça».

Ora, se essa norma foi seguida por Paulo, isso significaria que o apóstolo estava então completando um voto; mas, apesar disso, alguns estudiosos têm conjecturado que o ato de cortar os cabelos assinalou o início de um período de trinta dias, durante o qual Paulo não tornaria a cortar os cabelos. Mais tarde o apóstolo remiria o seu voto, oferecendo o sacrifício apropriado, no templo de Jerusalém, no desenrolar da festa da páscoa. É bem provável que essa pequena informação nos seja dada a fim de explicar por que razão Paulo tanto se apressava por chegar em Jerusalém. (Ver Atos 18:21). Outros intérpretes, todavia, supõem que esse incidente na realidade é o mesmo que foi registrado em Atos 21:20-26, onde Paulo, uma vez mais, se viu envolvido em um episódio semelhante, mas que, no presente trecho, teria sido erroneamente registrado, por antecipação. Entretanto, parece-nos mais aconselhável supormos que houve dois incidentes similares.

Alguns eruditos insistem em que não poderia estar em foco o voto do nazireado porquanto esse só poderia ser absolvido em Jerusalém. No entanto, a explanação oferecida acima mostra-nos que não podemos desconsiderar essa possibilidade. A palavra portuguesa *nazireu* se deriva do vocábulo hebraico «nazir», que vem de «nazar» e significa «separado», «consagrado», «abstinente». A origem da prática do voto do nazireado é *anterior* aos tempos de Moisés, e para nós é obscura. Sabemos, entretanto, que os semitas e outros povos antigos não cortavam os próprios cabelos e nem faziam a barba quando tinham de ocupar-se de alguma questão importante, o que servia de sinal de que solicitavam a ajuda divina. Posteriormente ao período de voto, porém, os cabelos eram raspados, sendo queimados em algum lugar sagrado, como uma oferta a Deus ou aos deuses. Entre as tribos árabes até hoje há reflexos desse antiqüíssimo costume. (Ver A. Lods, *Israel*, 1932, pág. 305. Examinar também o trecho de Juí. 5:2).

Séculos mais tarde, esse voto veio a significar alguma consagração especial a Deus, o que, evidentemente, podia perdurar por muitos anos, embora também pudesse envolver um período mais curto de tempo, dependendo da intenção com que um voto fosse feito. Alguns indivíduos se tornavam nazireus por toda a vida, como se deu no caso de Sansão, que foi consagrado como tal desde o berço. (Ver Juí. 13:5,6). Samuel, mais ou menos da mesma maneira, ainda que seu voto não envolvesse a abstinência de vinho, ocupava a mesma posição de nazireu. (Ver I Sam. 1:11). João Batista também cumpriu o espírito desse voto, posto que, aparentemente, o seu compromisso não envolvia a necessidade de deixar os cabelos crescerem perpetuamente, sem cortá-los. Ver Luc. 1:15.

Três condições específicas eram requeridas quando do voto do nazireado, se porventura esse fosse observado segundo todas as exigências, a saber:

1. Abstinência de vinho ou de qualquer outra bebida forte, isto é, fermentada ou alcoólica. (Ver Lev. 10:9).

2. Deixar os cabelos crescerem sem cortá-los, simbolizava a força física e a virilidade jovem, o que, por sua vez, indicava que o nazireu dedicava todas as suas forças em consagração total e serviço a Deus. Os cabelos do nazireu eram a sua *coroa* (no hebraico, *neetzer*) da unção do azeite de seu Deus. (Ver Lev. 21:12).

3. Não ter qualquer contacto com um cadáver, nem mesmo dos parentes mais próximos. (Ver Lev. 21:11,12). Os sumos sacerdotes também compartilhavam desse requisito.

Os nazireus não se uniam formando qualquer **fraternidade ascética;** pelo contrário, como indivíduos, seguiam um ascetismo estrito, na qualidade de indivíduos completamente consagrados a Deus, à sua adoração e ao seu serviço. De fato, eles representavam simbolicamente aquilo que é exigido, em termos espirituais, de todos os crentes (excetuando os símbolos físicos), visto que todos os crentes no Senhor Jesus devem apresentar-se como um *sacrifício vivo, santo e agradável a Deus* (Rom. 12:1). Quando da conclusão do voto do nazireado, contanto que esse não fosse fixado para a vida terrena inteira, os devotos ofereciam um sacrifício pelo pecado, uma oferta queimada (o que subentendia a sua autodedicação) e uma oferta pacífica, juntamente com pães asmos. (Este último aspecto fala de ação de graças por parte do ofertante). Os cabelos do nazireu eram cortados, às portas do tabernáculo e postos sobre o fogo do altar (sempre no próprio templo de Jerusalém), como uma representação simbólica de que ele oferecia toda a sua força a Deus.

No trecho de Atos 21:24-27 vemos uma alusão a um voto de nazireado estrito. Paulo, por ser caridoso, resolveu arcar ele mesmo com as despesas das ofertas, a fim de mostrar o seu respeito pela lei mosaica. No entanto, o voto que encontramos no trecho presente, Atos 18:18, provavelmente foi um voto de nazireado um tanto ou quanto modificado, ainda que alguns intérpretes opinem que talvez tivesse pertencido a outro tipo de voto, talvez uma espécie de oferta de ação de graças pelo que Deus realizara por seu intermédio, em *Corinto*, pelo sucesso da obra evangelizadora naquela cidade e pela proteção com que Deus o resguardara em segurança, fora do alcance de todos os seus adversários. Bem poderíamos imaginar que Paulo reiterou sua dedicação a Cristo mediante essa ação, esperando que lhe fossem conferidas outras oportunidades de trabalhar com êxito na causa do Senhor.

Este versículo tem causado muitas dores de cabeça a alguns intérpretes, os quais mostram-se incapazes de entender como o autor de passagens como Rom. 6:14; II Cor. 3:7-14 e Gál. 3:23-28, poderia ter-se rebaixado a um ato tipicamente judaico em sua essência, não passando de um mero rito simbólico, o que serviria de prova de alguma forma de lapso da parte de Paulo. Mas isso é encarar a questão de um ponto de vista do cristianismo do século XX, e não da perspectiva de um cristão do primeiro século de nossa era, que sempre realizara a sua adoração a Deus sob formas tipicamente judaicas. Nem mesmo durante o *concílio de Jerusalém* se tomou qualquer providência de proibir aos judeus de expressarem a sua adoração sob formas judaicas; meramente os crentes gentílicos foram liberados de tais obrigações religiosas, não lhes tendo sido imposta essa carga que pesava sobre os ombros dos judeus. Por sua vez, nada existe de mais evidente, em todo o livro de Atos, do que o fato de que até mesmo os apóstolos de Cristo continuaram observando os ritos judaicos, bem como as cerimônias e os costumes próprios do judaísmo. Não se há de duvidar que a maior parte de todos os primitivos cristãos judeus assim fazia. Aqueles eram os costumes religiosos consagrados pelo tempo, e foi mister passarem-se muitos e muitos anos, até que tais práticas fossem descontinuadas pelos cristãos.

Portanto, não há razão alguma em supormos que Paulo fez qualquer coisa errada neste ponto; antes, fez aquilo em um espírito autêntico de adoração e de consagração, numa atitude de suprema dedicação a Cristo, ainda que seguisse algumas formas externas antigas para expressar esse zelo. (Ver as notas expositivas acerca do *caráter judaico* da primitiva igreja cristã, em Atos 2:46 e 3:1 no NTI).

Alguns estudiosos têm procurado inocentar Paulo de seu suposto «lapso» ou «culpa», afirmando que Áquila, e não Paulo, é quem teria feito o voto. Mas isso não passa de uma tentativa desnecessária de evitar a realidade. Pelo contrário, a verdade é conforme diz Robertson (*in loc.*): «Paulo, sendo um judeu, guardou essa observância da lei cerimonial judaica, embora se recusasse a impô-la aos gentios».

Naturalmente isso não quer dizer que o apóstolo Paulo tenha continuado a observar a grande multidão de observâncias e requisitos cerimoniais do judaísmo de seus dias; pois é óbvio que ele não agia dessa maneira. Mas antes, ocasionalmente, ele fazia algo dessa natureza, visando algum propósito específico.

NAZIREU Ver **Nazireado (Voto do)**

NEÁ

No hebraico, «abalo» ou «instalação». Nome de uma cidade do território de Zebulom, localizada na parte sul da fronteira de Rimom (Jos. 19:13). Ficava perto de Rimom, e talvez possa ser identificada com a moderna localidade de Ninrim, ligeiramente a oeste de Kurn Hattin.

NEÁPOLIS

No grego, «cidade nova». Esse era o nome de um porto de mar próximo da cidade de Filipos, no norte da Grécia. Ficava próxima da fronteira com a antiga Trácia, e atualmente é chamada Nápoles (não confundir com a Nápolis da Itália, cujo nome também vem da mesma raiz, porquanto é uma antiga colônia grega). Paulo desembarcou em Neápolis, em sua primeira viagem missionária em que entrou no continente europeu (ver Atos 16:11). Ficava situada em uma eminência rochosa, cujo objeto mais conspícuo era o templo de Diana, no alto de uma colina. A famosa estrada romana, *Via Inácia*, que ligava a Macedônia à Trácia, passava por essa cidade, que ficava cerca de quinze quilômetros de Filipos, da qual servia de porto. Filipos é a atual Cavala. A arqueologia tem descoberto ali significativas ruínas. Contava com um aqueduto de consideráveis dimensões.

Pouco se sabe acerca da fundação de Neápolis, embora, ao que pareça, fosse antes uma colônia de Tassos. A princípio, fazia parte da Trácia; mas depois veio a tornar-se parte da primeira e da segunda confederações atenienses. Finalmente, ficou fazendo parte da província romana da Macedônia. Seu porto

serviu de refúgio à frota de Bruto e de Cássio, quando da batalha de Filipos, em 42 A.C.

Esse foi o primeiro lugar onde Paulo tocou, ao partir de Trôade e iniciar a sua missão evangelizadora da Europa. E foi de Neápolis que ele partiu para Filipos. E pode ter passado novamente por Neápolis quando tornou a visitar a Macedônia (ver Atos 20:1). E ao retornar a Trôade (ver Atos 20:6), provavelmente embarcou no porto de Neápolis.

NEARIAS

No hebraico, «servo de Yahweh». Nome de duas personagens que figuram nas páginas do Antigo Testamento:

1. Um filho de Isi, capitão de quinhentos homens armados de Simeão, ao tempo do rei Ezequias (I Crô. 4:42). Ele viveu em torno de 715 A.C.

2. Um filho de Semaías, descendente de Davi (I Crô. 3:22,23). Ele viveu após o cativeiro babilônico. Talvez seja o mesmo Nogá referido em I Crô. 3:7, e o mesmo Nagai, referido em Luc. 3:25, um ancestral de Jesus.

NEBAI

No hebraico, «frutífero». Nome de um homem que assinou o pacto estabelecido por Esdras, quando um remanescente de Judá voltou do cativeiro babilônico (ver Nee. 10:19). Ele viveu em torno de 445 A.C.

NEBAIOTE

No hebraico, «frutificação», «fertilidade». Nome do filho primogênito de Ismael (ver Gên. 25:13 e I Crô. 1:29). Ele foi um príncipe ou xeque, chamado por Jerônimo de *phúlarchos*, de uma das doze tribos ismaelitas. Eles continuaram a ser conhecidos por esse nome, nas gerações que se seguiram (ver Gên. 25:16; 17:20). Uma das esposas de Esaú, Maalate (também chamada Basemate), era irmã de Nebaiote (ver Gên. 28:9; 36:3). Uma curiosidade histórica é o fato de que a terra de Esaú, ou Edom, finalmente caiu sob o controle da posteridade de Nebaiote. Esse clã árabe era vizinho do povo de Quedar. Ambos os nomes aparecem nos registros de Assurbanipal, rei da Assíria (669-626 A.C.). Ao que parece, eles foram os antepassados dos *nabateus* (vide). Todavia, alguns eruditos rejeitam essa teoria sobre bases filológicas.

NEBALATE

No hebraico, «duro», «firme», ou «iniqüidade secreta». Nome de uma cidade do território de Dã, embora ocupada por descendentes de Benjamim, terminado o cativeiro babilônico (ver Nee. 1:34). Dava frente para a planície de Sarom. Tem sido identificada com Beit Nabala, perto de Lida.

NEBATE

No hebraico, «consideração», embora outros pensem em «cultivo» ou «aparência», ou mesmo «olhar». Esse foi o nome de um descendente de Efraim, pai de Jeroboão, o primeiro rei do reino do norte, Israel, formado pelas dez tribos, quando se dividiu o reino unido de Davi e Salomão, nos dias de Reoboão (ver I Reis 11:26; II Crô. 9:29). Ele viveu por volta de 1000 A.C.

NEBO

No hebraico, «alto». Nome de várias localidades e pessoas, que figuram no Antigo Testamento:

1. Monte Nebo, o lugar de onde Moisés avistou a Terra Prometida, pouco antes de morrer (ver Deu. 32:49; 34:1), e também a ravina onde ele foi sepultado (ver Gên. 32:50 e 34:5). Ver o artigo separado intitulado *Monte Nebo*.

2. Nebo também foi o nome de uma cidade de Moabe, localizada perto do monte do mesmo nome. Foi conquistada pelos homens das tribos de Rúben e Gade. Ver Núm. 32:3. No versículo 38 do mesmo capítulo lemos que os homens de Rúbens a reconstruíram. No entanto, não aparece no catálogo das cidades alocadas aos rubenitas, em Jos. 13:15-22, talvez porque então o seu nome foi alterado. Mais tarde, a cidade foi reconquistada por Mesa, rei de Moabe, uma vitória que ficou registrada na famosa *pedra moabita* (vide). O local também é mencionado em Isa. 15:2 e Jer. 48:1,22. Eusébio afirmou que a mesma ficava cerca de treze quilômetros ao sul de Hesbom.

3. Uma cidade de Judá, mencionada juntamente com Betel e Ai (ver Esd. 2:29; Nee. 7:33). Tem sido identificada com a moderna Nuba, a vinte e quatro quilômetros a sudoeste de Jerusalém.

4. Um antepassado de certos judeus que se casaram com mulheres estrangeiras, na época do cativeiro babilônico, mas que foram obrigados a divorciar-se delas quando o remanescente de Judá retornou a Jerusalém, tendo renovado o pacto com Yahweh. Ver Esd. 10:43.

5. Nome de uma divindade babilônica mencionada por Isaías, em seu sarcástico hino sobre a queda de Babilônia (ver Isa. 46:1). Nebo era tido como deus da sabedoria e da arte de escrever, e também era o deus-protetor dos governantes babilônicos. O centro desse culto ficava em Borsipa. Tal como sucede a todas as divindades imaginárias, seu culto foi-se desenvolvendo. No começo parece que era concebido como uma divindade controladora das águas. Na astrologia, era associado ao planeta Mercúrio. Mais tarde, obteve grande preeminência, ao tornar-se o patrono dos reis da Babilônia. O culto a Nebo prosseguiu até o fim do período neobabilônico (612—538 A.C.). Ver o artigo geral intitulado *Deuses Falsos*.

NEBO, MONTE

Ver sobre **Monte Nebo.**

NEBUSAZBÃ

Ver Jer. 39:13. Ele era um dos principais oficiais do exército babilônico. Foi um dos chefes babilônicos que ofereceu proteção e segurança a Jeremias, depois que Nabucodonosor conquistou Jerusalém. Jeremias havia perdido a simpatia do povo de Judá, por causa de sua mortífera e exata descrição do incansável poder babilônico, ao ponto de alguns príncipes de Judá imaginarem que ele estava em ligação com aquela potência estrangeira. Nebusazbã viveu em torno de 600 A.C. Os especialistas dizem que esse nome, no babilônio (acádico) significa «Nebo livra-me», e que a raiz do nome é assíria, *Nabusezib-Anni*.

NEBUZARADÃ

No babilônio (acádico), «Nebo deu prole». Ele foi um oficial militar de Nabucodonosor. — Foi encarregado da destruição de Jerusalém, depois de sua captura. Cumpriu sua incumbência com zelosa precisão, incendiando e destruindo tudo, incluindo o templo. Cerca de um mês mais tarde, dirigiu a deportação dos judeus para a Babilônia (o cativeiro babilônico), e para ali enviou os principais oficiais judeus, a fim de que fossem executados. Ver II Reis 25:11,18-21; Jer. 39:9; 52:15,24-27,30. Jeremias, entretanto, não somente foi poupado, como também foi tratado bondosamente, sem dúvida porque, durante todo o tempo, avisara acerca do inevitável sucesso da campanha militar dos babilônios, tendo ajudado Judá a não oferecer resistência. Foi por esse motivo que os judeus chegaram a considerá-lo traidor, enquanto que, na verdade, ele amava ternamente ao seu povo. Jeremias foi deixado aos cuidados de Gedalias, que fora nomeado governador ou vice-rei, pelos babilônios (ver Jer. 39:13,14; 41:10; 43:6). Em II Reis 25:8, Nebuzaradã é chamado *rab tabbahim*, um título honorífico dado aos governantes, mas cujo sentido perdeu-se para nós. Ver também Gên. 37:36 e Dan. 2:14.

Quando da primeira deportação de Judá, os amonitas e moabitas da área oriental do rio Jordão haviam escapado. Posteriormente, porém, esses lugares também foram destruídos; e, em seguida, Nabucodonosor invadiu o Egito. Ou buscando aos judeus no Egito, ou encontrado-os em algum outro lugar, Nabucodonosor deportou para a Babilônia outro grupo de setecentos e quarenta e cinco judeus. E, ao que parece, Nebuzaradã foi seu fiel assessor o tempo todo. Ver Jer. 52:30.

NECESSIDADE

Essa palavra portuguesa vem do latin **ne**, «não», e **cedere**, «ceder», ou seja, algo que não cede, que não cessa de existir, algo que não cede diante das mudanças, ao ponto de ser reduzido a nada ou perder os seus poderes. Aquilo que é necessário não pode sair da existência, mas antes, reveste-se da qualidade de ser inevitável. Esse adjetivo é aplicado a Deus, às coisas e até às proposições verbais.

Idéias de Filósofos e Teólogos a Respeito:

1. Nas proposições verbais, essas são tidas como necessárias quando, de acordo com as regras da lógica, elas não podem ser negadas.

2. Nos escritos de Aristóteles, o que é contingente é aquilo que pode ser diferente do que é, ao passo que o não-contingente é necessário. Porém, o contrário de uma contingência é outra contingência; e o contrário do que é necessário é o impossível.

3. Nos escritos de Leibnitz, o necessário absoluto, quando negado, leva a uma contradição. Porém, a contradição de uma necessidade hipotética não dá no mesmo resultado. Uma necessidade absoluta origina-se de verdades da razão, sendo analítica, conforme o são as proposições matemáticas.

4. Os juízos analíticos de Emanuel Kant envolvem a necessidade, tal como o fazem os juízos sintéticos *a priori*. Esses últimos são, ao mesmo tempo, necessários e não-triviais.

5. Os filósofos atomistas atribuíam a necessidade aos movimentos dos átomos, uma vez que estes tenham adquirido o seu impulso inicial. No começo, esse impulso seria adquirido por movimentos ao acaso.

6. Os estóicos formulavam um sistema de necessidade metafísica. Todas as coisas, na opinião deles, sucederiam mediante leis fixas pelo Logos, em consonância com a razão suprema. Ver o artigo sobre o *Determinismo*.

7. No panteísmo de Spinoza, todas as coisas sucederiam por determinação de Deus. Dentro do *Problema Corpo-Mente* (vide), ele supunha que o princípio divino programa toda interação entre a mente e o corpo. Ver o artigo intitulado *Paralelismo*.

8. Para David Hume, a necessidade, na verdade, é uma espécie de expectação comum que todos temos a respeito das coisas, e que nos leva a pressupor que resultados similares sempre resultarão de circunstâncias similares.

9. Holbach encarava o mundo como algo constituído por partículas que são governadas por uma absoluta necessidade.

10. Laplace acreditava em um total determinismo, que poderia ser expresso através de uma única fórmula, contanto que houvesse a inteligência disponível para fazer tal formulação.

11. No tocante ao Ser divino, ou a algo parecido com esse conceito, Aristóteles postulava o ser necessário que seria composto de pura forma real, fazendo contraste com todos os seres ordinários, que são naturalmente contingentes, visto serem compostos de matéria e potência (capacidade de mutação), o que é capaz de reduzi-los a nada.

12. Avicena pensava que tanto Deus quanto a criação são necessários. Deus é necessário em seu próprio Ser; e o mundo seria necessário por haver sido determinado por causas externas e divinas.

13. Tomás de Aquino aceitava a idéia aristotélica do ser necessário, aplicando-a ao Deus concebido em termos cristãos. Porém, a sua maneira de chegar a essa noção, de forma lógica, consistia em supor que a necessidade de Deus reside no fato de que, Nele, essência e existência são idênticas. E todos os seres contingentes seriam continuamente preservados pelo poder de Deus.

14. Uma idéia de Leibnitz é que o melhor de todos os mundos possíveis foi trazido à existência, com base em decretos feitos por um Deus todo-sábio e todo-poderoso.

15. O *argumento ontológico* (vide) supõe que Deus, na qualidade de Ser necessário, pode ser inferido por nós a partir da proposição de suas perfeições. Se Deus é perfeito, então deve existir, necessariamente, pois, sem isso, dificilmente ele poderia ser considerado perfeito.

16. O conceito cristão de Deus, estribado sobre as idéias judaicas, declara que Deus é um Ser necessário, por ser ele o criador. Ver os artigos *Ser Necessário* e *Ser Independente*. Todas as coisas foram criadas por ele, e são dependentes dele.

17. Dentro da doutrina cristã da eternidade da alma, o Ser necessário de Deus é concebido como infuso nas almas humanas remidas, de tal modo que elas deixam de ser meramente perenes para serem eternas, dotadas da fonte da vida em si mesmas, tal como Deus é assim dotado. Nisso consiste a autêntica imortalidade, que nos é dada por meio da participação na natureza divina (ver I Ped. 1:4), da participação na imagem do Filho de Deus (ver Rom. 8:29), e mediante o poder transformador do Espírito Santo (ver II Cor. 3:18).

NECESSIDADE UNIVERSAL DE CRISTO

Rom. 3:23: *Porque todos pecaram e destituídos estão da glória de Deus*;

Todos os Homens Necessitam Igualmente de Cristo

1. Os gentios haviam falhado miseravelmente. Eles tinham suas religiões e havia caracteres nobres entre eles. Porém, Deus não se deixava impressionar por qualquer bem que neles porventura houvesse. Desse ponto de vista, mereciam apenas o juízo condenatório (primeiro capítulo de Romanos).

2. Os judeus, que se julgavam tão bons que nada mereciam senão o louvor de Deus, realmente eram passíveis da mais severa condenação, e isso por duas razões: a. A despeito das vantagens que tinham, praticavam os mesmos vícios que os gentios, embora, sem dúvida, de forma menos radical, com menor freqüência, e não com tanto empenho. A lei, pelo menos, fazia-os diminuir um pouco o ritmo. b. Admitindo-se que eram «melhores», continua sendo verdade que a idéia inteira de se obter a vida através da observância da lei era um ludíbrio (ver Rom. 7:11). Portanto, a despeito de quaisquer vantagens que tivessem, ficavam aquém das exigências de Deus e recebiam maior condenação, por terem maior luz e oportunidade.

3. Paulo demonstra a absoluta *necessidade* da missão de Cristo, em parceria com a não menor necessidade da reação humana favorável à mesma.

4. Notemos o aoristo: «pecaram». Isso indica um fato consumado. Nenhum debate poderia alterar o fato e seu resultado.

5. O que significa esse *aoristo*, além disso? Alguns opinam que «todos os homens pecaram em Adão», não estando em mira os pecados individuais, mas antes, a participação na transgressão de Adão. Isso é verdade apenas em parte; pois os pecados individuais dos homens também os condenam, embora se admita, resultarem da participação naquela primeira transgressão. O princípio bíblico é que os homens são julgados de acordo com as suas obras (ver Rom. 2:6). Os atos, positivos e negativos, entram na natureza do julgamento de cada um. Ver Rom. 5:12 no NTI a respeito do problema, onde se apresentam mais detalhes.

Carecem da, são palavras que podem ser traduzidas, mais exatamente ainda, por *ficam aquém da*, isto é, não conseguem atingir a alvo colimado. São encontrados em falta nessa busca. Desistiram da corrida. Devemos também dar atenção ao tempo presente do verbo carecer, o que, no original grego, dá a idéia de «continuam ficando aquém». E isso quer dizer que embora pensem os homens que continuam se esforçando apropriadamente para avançarem em direção a Deus, na verdade, como corredores, já estão desqualificados da corrida, embora ainda não saibam que o foram. No fato de que «pecaram», desqualificaram-se a si mesmos, e mediante a prática contínua do pecado, continuam ficando aquém da glória de Deus, de sua aprovação.

«Quão triste e horrenda, portanto, é a condição do homem! Suponhamos que eu me dirigisse a uma audiência da cidade de Nova Iorque, e dissesse: 'Vamos descer para o bairro de Bateria (à beira-mar), saltando dali até Londres'. Alguns jovens vigorosos saltariam uma distância de mais de três metros, mas isso ainda estaria '*aquém*', muito aquém de Londres. Algumas idosas matronas talvez não saltassem nem um metro. Mas, não importa, pois o fato é que todos teriam ficado muito aquém da costa inglesa. E o pior é que aquele que saltar mais longe se encontrará em águas mais fundas! Paulo, o principal dos pecadores, saltou a distância mais longa na corrida da justiça própria, somente para exclamar: 'Desventurado homem que sou!' (Rom. 7:24), tendo tido de descobrir que era mister depositar a sua confiança exclusivamente em Cristo!» (Newell, *in loc.*).

O homem foi criado a fim de trazer a imagem da glória de Deus, para ser uma criatura moralmente perfeita, não somente no sentido de não dedicar-se ao mal, mas também no sentido de participar da natureza moral positiva de Deus, isto é, possuidora do amor, da bondade, da justiça, da benignidade e do perfeito altruísmo do criador. Por causa dos efeitos maculadores do pecado, porém, o homem vive continuamente «ficando aquém» dessa glória.

E assim se cumpre sempre aquela afirmação filosófica que diz:

Semeai um pensamento e colhei um ato,
Semeai um ato e colhei um hábito,
Semeai um hábito e colhei um caráter,
Semeai um caráter, e colhei um destino.
(Professor Huston Smith)

É verdade que os homens geralmente se ufanam de serem menos maus do que outros, e é sempre essa ilusão dos homens que fica sujeita ao juízo divino. Pelo contrário, o padrão do juízo é a santidade absoluta, e não a mera comparação entre indivíduo e indivíduo. E sem essa santidade absoluta ninguém permanecerá na presença de Deus.

Por mau homem não me tenho.
Grandes males nunca os fiz.
Todavia não convenho
No que este ditado diz:

Há companheiro algum
Pior e mais inimigo
Do que é cada um
Quando conversa consigo?
(Augusto Gil, Porto, Portugal, 1878-1929)

NECESSITARIANISMO

Essa é a idéia que diz que todas as coisas sucedem por imposição da necessidade. Ver o artigo *Determinismo*.

NECO (FARAÓ)

Lê-se em II Reis 23:29,33-35 a respeito do Faraó Neco. Em outras passagens, como II Crô. 35:20,22 e 36:4, menciona-se apenas um certo *Neco*. Ele foi o segundo rei da XXVI dinastia, chamada *Saíta*. Reinou de 610 a 595 A.C. Era filho e sucessor de Psamético I, que foi o fundador dessa dinastia.

1. *Campanhas Militares Bem-Sucedidas*. As guerras eram uma das principais atividades dos reis da antiguidade, pelo que, inevitavelmente, para que alguém conte a história deles, terá de abordar as questões de a quem derrotaram e por quem foram derrotados. Neco não foi exceção à regra. Uma vez que recebeu o trono de seu pai, Neco tentou controlar a região da Síria-Palestina. Em 609 A.C., pois, ele conquistou Gaza e Asquelom (ver Jer. 47:1,5; Heródoto II.159). Então procurou ajudar o cambaleante império assírio, que estava sucumbindo diante dos babilônios (ver II Reis 23:29; II Crô. 35:20). Os medos e babilônios, aliados, já haviam capturado a capital assíria, Nínive, em 612 A.C. Josias, rei de Judá, resolveu imiscuir-se na questão, julgando que a independência de Judá corria perigo, apesar da garantia dada por Neco de que o seu alvo eram os babilônios, e não Judá (ver II Crô. 35:21). Josias procurava impedir que Neco atravessasse o passo de Megido, mas foi derrotado e mortalmente ferido (ver II Reis 23:29; II Crô. 35:22-24). Neco obteve o triunfo em sua campanha, tendo podido controlar a Síria, até às margens do rio Eufrates. Entrementes, Judá coroava precipitadamente a Jeoacaz, filho de Josias, que era conhecido por sua postura antiegípcia. Por essa razão, — Neco o depôs e o aprisionou, no Egito, onde ficou pelo resto de seus dias (ver II Reis 23:30,33,34; II Crô. 36:1,3,4). Eliaquim foi posto no trono de Judá, quando então seu nome foi mudado para Joaquim, a fim de mostrar que ele governava como títere dos egípcios. Além disso, os judaítas

tiveram de pagar um pesado tributo ao Egito (ver II Reis 23:33,35; II Crô. 36:3).

2. *Derrotas*. Agora o Egito controlava a região da Síria-Palestina. O império assírio havia desaparecido. Porém, a Babilônia mostrava-se incansável. Por ocasião da batalha de Carquêmis, em maio/junho de 605 A.C., Nabucodonosor derrotou aos egípcios, tendo perseguido aos vencidos por toda a Síria, enquanto estes retrocediam para o Egito. Foi desse modo que Judá caiu sob o poder dos babilônios, os quais dessa maneira, substituíram aos egípcios como o poder controlador da Palestina. A batalha de Carquêmis foi a razão do oráculo poético de Jeremias, no qual ele predizia a derrota dos egípcios (ver Jer. 46:3-12). Joaquim precisou transferir o pagamento de seu tributo de Neco para Nabucodonosor (ver II Reis 24:1). O profeta Jeremias havia advertido acerca dos juízos divinos que sobreviriam ao Egito (ver II Reis 23:29; Jer. 46:2), e havia chamado Neco pelo curioso apelido de «Espalhafatoso», ou, mais literalmente ainda, «Barulhento-que-deixa-escapar-a-oportunidade» (ver Jer. 46:17).

Entretanto, o Egito ainda não estava esmagado, pelo que, quando as tropas de Nabucodonosor invadiram o Egito, os egípcios, lutando para escapar com vida, conseguiram obter uma vitória temporária, e os babilônios retiraram-se por algum tempo. Joaquim sentiu-se encorajado, diante disso, a revoltar-se contra os babilônios (ver II Reis 24:1), pedindo a ajuda dos egípcios. Mas não veio qualquer ajuda daquela direção, e o cativeiro babilônico não tardou a *pôr fim* à nação de Judá.

3. *Realizações Pacíficas*. Neco não fez apenas guerras. Heródoto narra algumas de suas obras. Ele construiu um canal que ia do rio Nilo ao mar Vermelho (II.158), mas que não chegou a ser completado. Quem completou a obra foi Dario, o persa. Neco também enviou uma frota de navios mercantes, tripulada por fenícios, que deu a volta em torno da África (IV.42). Neco conseguiu para o Egito considerável prosperidade material e um senso de harmonia interna.

NECODA

No hebraico, «distinguido», ou «sarapintado», embora haja quem pense no sentido «criador de gado». Seja como for, esse foi o nome de um indivíduo e de um clã, que aparecem nas páginas do Antigo Testamento:

1. Um netinim ou servo do templo, cujos descendentes retornaram a Jerusalém, terminado o cativeiro babilônico, em cerca de 536 A.C. Ver Esd. 2:48; Nee. 7:50.

2. Os descendentes de Necoda encontravam-se entre aqueles que, após o exílio babilônico, ao subirem a Jerusalém, não puderam provar que eram descendentes de Israel (ver Esd. 2:60; Nee. 7:32; I Esdras 5:37).

NECROLÓGIO

No grego, temos, literalmente, «estudo dos mortos», Essa palavra refere-se a uma lista de falecidos, empregada com o propósito de serem oferecidas preces em favor deles, no *Dia de Todos os Santos* (vide), ou em alguma oportunidade semelhante.

NECROMANCIA

Essa palavra vem do grego, *nákros*, «morto», e *mantéia*, «adivinhação». A expressão hebraica correspondente é *doresh 'el-hammethim*, «aquele que indaga dos mortos». A necromancia consiste na comunicação com os mortos, com o propósito de adivinhar, de obter ajuda, de prever o futuro, de obter conselhos, etc. Ver o artigo geral intitulado *Adivinhação* I.4.

NECROMANTES

Ver sobre *Adivinhação*.

NEDABIAS

No hebraico, «dom de Yah (Yahweh)». Esse foi o nome de um dos filhos de Jeconias (Jeoaquim) (I Crô. 3:18). Ele viveu por volta de 590 A.C. Outros interpretam ligeiramente diferente o sentido de seu nome, «Yah é liberal».

NEELAMITA

No hebraico, «residente em Neelã», um adjetivo aplicado a Semaías, um profeta falso que fez oposição a Jeremias, e recebeu a reprimenda que merecia (ver Jer. 29:24,31,32). Algumas traduções, em vez desse adjetivo, dizem «de Neelã», embora nenhuma localidade com esse nome tenha sido identificada até hoje. Por essa razão, há estudiosos que pensam estar envolvido um nome de família ou clã, e não o nome de alguma localidade específica. Ou então, esse nome poderia apontar para alguma característica desse homem. Parece que essa palavra, no hebraico, deriva-se de uma raiz que significa «sonhador», e isso poderia estar relacionado ao fato de que o homem se dizia profeta, sem sê-lo. Talvez o próprio Jeremias tenha apodado assim aquele homem, formando um jogo de palavras, chamando-o de «sonhador», a fim de fazer contraste com a idéia de um autêntico profeta.

Há um Targum que inclui o nome de Helã, localizada entre os rios Jordão e Eufrates, localidade essa mencionada na Bíblia em II Sam. 10:16,17. Por sua vez, alguns eruditos identificam esse local com a *Alamata* de Ptolomeu, a oeste do rio Eufrates, não muito longe de Nicefórium e Tapsaco. Isso é o máximo que podemos dizer a respeito, mas não há como determinar se o nome poderia ter essas variações, o que significa que a referência permanece obscura.

NEEMIAS (AUTOR DO LIVRO)

Ver *Neemias* (*Livro*), primeira seção.

NEEMIAS (LIVRO)

Esboço:

I. Neemias, o Autor
II. Data e Autoria
III. Pano de Fundo Histórico
IV. Propósito do Livro
V. Problemas Especiais do Livro
VI. Esboço do Conteúdo

1. Neemias, o Autor

Tudo quanto sabemos acerca de Neemias, cujo nome, em hebraico, significa «Yahweh consola», pode ser derivado do livro que tem o seu nome, bem como de algumas tradições que circundam a sua carreira. Não é dada a sua genealogia, mas é dito que ele era filho de Hacalias (Nee. 1:1), e também que tinha um irmão de nome Hanani (Nee. 7:2). Também ficamos sabendo que, durante o cativeiro babilônico, ele ocupava a honrosa incumbência de ser o copeiro do rei Artaxerxes Longimano, em Susã (ver Nee. 2:1). Isso ocorria por volta de 446 A.C. Tendo ouvido falar sobre as deploráveis condições de vida que prevaleciam na Judéia, ele foi a Jerusalém procurar melhorar tais condições. Para tanto, ele tivera de apresentar uma petição ao monarca, a fim de que lhe fosse dada permissão de ir a Jerusalém para reconstruí-la. Esse pedido lhe foi concedido e do rei recebeu o título persa de **tirshatha**, «governador», que era sua carta branca para agir. E Neemias foi enviado com uma escolta de cavalaria e munido de cartas, da parte do rei, endereçadas a diversos sátrapas das províncias pelas quais ele teria de passar. Uma dessas missivas era para Asafe, que cuidava das florestas do rei, e que recebeu ordens para suprir a madeira necessária para Neemias, em sua tarefa de reconstrução. E Neemias prometeu ao rei que voltaria, terminada a sua tarefa (ver Nee. 2:1-10).

Chegando em Jerusalém, Neemias realizou a notável tarefa de restaurar as muralhas de Jerusalém no breve espaço de cinqüenta e dois dias (Nee. 6:15). Naturalmente, Neemias encontrou quem lhe fizesse oposição, aqueles que não queriam que Judá se reerguesse. Os principais adversários foram Sambalate e Tobias. Esses dois chegaram a planejar apelar para a violência, se necessário fosse, para impedir a reconstrução, e assim os que reconstruíam a cidade tiveram de fazê-lo armados, a fim de afastar a ameaça (ver Nee. 4).

Além das reedificações feitas, Neemias tomou medidas que visavam à reforma, tendo introduzido a lei e a boa ordem, e restaurando a adoração a Yahweh, em consonância com as antigas tradições judaicas (ver Nee. 7 e 8). Mas seus adversários, ao insinuarem que Neemias queria tornar-se um monarca independente em Judá, conseguiram fazer cessar temporariamente o trabalho de reconstrução e de reformas (ver Esd. 4:2). Todavia, contornada essa dificuldade, o trabalho teve prosseguimento, contando com a cooperação de Esdras, o sacerdote, que havia chegado antes dele em Jerusalém, e que se tornara uma importante figura política e religiosa em Jerusalém (ver Nee. 8:1,9,13 e 12:36).

Após doze anos de trabalho profícuo em Jerusalém, Neemias retornou à corte de Artaxerxes (Nee. 5:14; 13:6), em cerca de 434 A.C. Não nos é informado por quanto tempo ele permaneceu ali; mas, após algum tempo, ele voltou a Jerusalém. Isso posto, podemos apresentar a seguinte cronologia:

Neemias foi nomeado governador em 445 A.C. (Nee. 2:1). Voltou à corte de Artaxerxes em 433 A.C. (Nee. 5:14). Então voltou a Jerusalém, «ao cabo de certo tempo» (Nee. 13:6). Seu retorno a Jerusalém foi assinalado por novas reformas, incluindo a questão da rejeição às mulheres estrangeiras com quem os judeus se tinham casado, durante o tempo do cativeiro babilônico. Além disso, o amonita Tobias foi expulso do templo, onde estava residindo, foi restaurada a observância do sábado, e, de modo geral, as coisas foram postas em ordem (ver Nee. 13).

É provável que Neemias tenha permanecido em Jerusalém até cerca de 405 A.C., que teria sido o fim do reinado de Dario Noto (Nee. 12:22). Contudo, não temos qualquer informação certa sobre o tempo e a maneira da morte de Neemias.

O Livro de Neemias, de acordo com os estudiosos conservadores, foi escrito pessoalmente por ele, embora muitos eruditos suponham que suas tradições foram incorporadas no livro, por algum autor posterior. O trecho de Nee. 1:1 afirma que o livro é de autoria de Neemias; mas isso poderia significar que os pontos essenciais de sua história foram ali incorporados. O que é seguro é que a autobiografia de Neemias foi a fonte informativa principal do livro, mesmo que ele não o tenha composto pessoalmente. Alguns dentre os especialistas que pensam que o autor que compilou a obra viveu após o tempo de Neemias, crêem que o autor do livro também escreveu I e II Crônicas e Esdras, e que viveu ou no século IV ou no século III A.C. Seja como for, a autobiografia de Neemias acha-se principalmente nos seguintes trechos: Nee. 1—7; 12:27-43; 13:4-31. E, se essa teoria de uma outra autoria está com a razão, então outras porções do livro foram compiladas com base em outras fontes informativas.

Na Bíblia hebraica, os livros de Neemias e Esdras compõem um único volume. E o livro de Esdras também não envolve reivindicação de autoria. É provável que um único autor-editor tenha escrito a unidade inteira, e que, na porção que alude a Neemias, aquele autor-editor tenha vinculado esse nome, porque, na realidade, estava ali incorporando a autobiografia de Neemias. No entanto, apesar de Esdras ter sido a personagem principal daquilo que, atualmente, é chamado de livro de *Esdras*, este não deixou a sua autobiografia, pelo que o seu nome não aparece vinculado à unidade. Mas, de fato, Esdras e Neemias compõem um único livro, que foi preparado como suplemento de I e II Crônicas. E assim, a idéia de um autor-editor haver trabalhado com essa coletânea, como um todo, não é destituída de razão. Na Septuaginta, os livros de Esdras-Neemias ainda aparecem unidos; mas, nas modernas Bíblias hebraicas os dois livros são separados, a partir da edição chamada de Bomberg, de 1525 D.C. Essa edição seguiu o arranjo alemão, onde os dois livros apareciam separados. Eusébio de Cesaréia tinha conhecimento de apenas um livro, «Esdras-Neemias», que era chamado de *livro de Esdras*, que, sem dúvida, incluía aquela porção que hoje foi separada como o livro de Neemias. No entanto, nos dias de Orígenes, pelo menos em algumas coletâneas dos livros sagrados, esses dois livros apareciam distintos um do outro. A unidade Esdras-Neemias pertence à terceira divisão da Bíblia hebraica, a divisão chamada *Escritos* ou *Hagiógrafos* (vide).

II. Data e Autoria

Se aceitarmos a idéia de que Neemias escreveu, pessoalmente, o livro inteiro de Neemias, ou, pelo menos, a porção essencial do mesmo, então teremos de pensar em uma data posterior a 433 A.C. Mas, se algum autor-editor (cronista) esteve envolvido, então essa data poderia ser esticada até cerca de cem anos depois disso. Alguns eruditos do hebraico afirmam que o tipo de hebraico envolvido na obra é posterior, pertencendo a talvez cem anos após a época de Neemias, período durante o qual houve algumas significativas mudanças de linguagem. Um dos argumentos em favor de uma data posterior é a suposta confusão que teria ocorrido com a incorporação de material do livro de Esdras, na parte da unidade que veio a ser conhecida, mais tarde, como livro de Neemias. A ordem dos eventos parece ter sido perturbada nesse material. Fica pressuposto que uma pessoa que tivesse vivido mais perto dos acontecimentos, que tivesse tido a vantagem de poder consultar testemunhas oculares, não teria feito tais deslocamentos de material. Ver a quinta seção, *Problemas Especiais do Livro*, quanto a uma discussão a respeito.

A despeito do problema de autoria (ou de editoração), o livro de Neemias sempre desfrutou do caráter de canonicidade, entre os judeus palestinos e alexandrinos. Alguns críticos têm pensado que, pelo menos quanto a certas porções da narrativa, o editor dependeu de informes fictícios, os quais passaram a ser reputados autênticos. E quanto ao material canônico, ele teria dependido de I e II Crônicas, embora também haja quem diga que ele deixou correr solta a imaginação. Todas as investigações nesse campo deixam a questão no ar, visto que os argumentos que têm sido apresentados, contra e a favor, não são conclusivos. A grande verdade é que a unidade literária de Esdras-Neemias é praticamente a única fonte informativa autorizada de que dispomos quanto àquele período histórico que envolve a restauração de Judá à cidade de Jerusalém. Isso posto, é impossível a averiguação da exatidão histórica dessa narrativa, exceto por meio da arqueologia, que ainda não apresentou coisa alguma obviamente contrária a ela. E, apesar de talvez ser verdade que certas porções desse material pareçam estar deslocadas do lugar certo, isso não milita contra a exatidão geral do relato bíblico. Sabemos que os hebreus sempre foram historiadores cuidadosos; e, apesar do adjetivo «cuidadoso» não ser idêntico a «perfeito», isso não envolve qualquer inexatidão essencial. Outrossim, o período histórico ali coberto reveste-se de importância especial. Aquela foi a ressurreição histórica da nação hebréia, em sua cultura e em sua fé. É difícil acreditar que qualquer judeu piedoso tivesse manuseado desonestamente essa ressurreição histórica, e que outros judeus, da Palestina ou de outro lugar qualquer, tivessem aceito sem protestar as supostas distorções históricas.

III. Pano de Fundo Histórico

Quanto a isso, ver os três seguintes artigos: *Cativeiro Babilônico; Esdras (Livro)*, I. *Pano de Fundo Histórico*, e a primeira seção do presente artigo, que trata especialmente sobre Neemias, no tocante a essas questões.

IV. Propósito do Livro

A teologia ensina-nos que Deus está interessado no destino dos indivíduos e das nações. Os cativeiros assírio e babilônico, como é óbvio, tiveram razões meramente humanas, com base na ganância e na violência dos homens, ou na desumanidade dos homens contra os homens. Porém, ambos esses cativeiros também foram castigos bem merecidos que receberam as nações de Israel (do norte) e de Judá (do sul), em face de seus pecados e apostasias, «que formavam multidão». Os juízos divinos sempre são também remediais e restauradores, e não meramente vindicativos. O propósito de Deus, pois, operou através de nações como a Assíria, a Babilônia e a Pérsia. Mas também operou por meio dos restauradores da nação de Israel, como Esdras, Neemias, Zorobabel, Josué, Ageu e Zacarias, sem falarmos em outros profetas, que haviam advertido e instruído as nações de Israel e de Judá em tempos críticos, como Jeremias, Isaías e os profetas menores, como uma classe. Ora, a unidade literária Esdras-Neemias faz parte desse quadro maior, relatando-nos os anos críticos durante os quais Judá teve um novo início histórico em Jerusalém, tendo sido assim preservados a identidade e o destino do povo hebreu. As catástrofes posteriores, como as dos tempos dos Macabeus, da dominação romana e da grande dispersão mundial, não foram capazes de anular os propósitos de Deus. As profecias bíblicas falam acerca de significativos eventos futuros que porão Israel à testa das nações da terra. Neemias faz parte da caudal do grandioso propósito divino, que tem prosseguimento, apesar dos obstáculos que, ocasionalmente, parecem diminuir o ímpeto ou mesmo desviar a direção do seu fluxo.

V. Problemas Especiais do Livro

1. *Autoria*. Essa questão já foi discutida, na segunda seção, acima.

2. *A Presença de Esdras no Livro*. *Problemas Cronológicos*. Esdras chegou em Jerusalém no sétimo ano do governo de Artaxerxes II (ver Esd. 7:7), e Neemias ali chegou no vigésimo ano do governo do mesmo rei (ver Nee. 2:1), isto é, em cerca de 445 A.C. Portanto, tanto Esdras quanto Neemias estiveram envolvidos nos acontecimentos do período. O problema que envolve Esdras, — no livro de Neemias —, é o da ordem dos acontecimentos, que as inserções daquele material parecem criar. O ponto nevrálgico do argumento dos críticos é que Esdras deve ter chegado em Jerusalém *após* Neemias, e não antes, ou seja, no vigésimo sétimo ano de Artaxerxes, e não no seu sétimo ano, ou seja, 428 A.C., e não 408 A.C. Três passagens bíblicas estão envolvidas nessa questão:

a. Esdras 10:1. Temos ali a afirmação de que houve grande ajuntamento em Jerusalém; mas, na época de Neemias (7:4), presumivelmente a cidade estava esparsamente habitada. Contra isso, afirma-se que a multidão que se reuniu a Esdras proveio de fora da cidade, de outras partes do território de Judá, pelo que a própria cidade de Jerusalém teria poucos habitantes, ao passo que no território de Judá, em geral, já haveria bastante gente.

b. Esdras 9:9. Esse trecho apresenta-nos Esdras a agradecer pelos muros reconstruídos de Jerusalém. No entanto, esses muros só teriam sido reerguidos mais tarde, nos dias de Neemias. Em resposta a essa crítica, alguns aceitam a palavra «muro» de forma metafórica, traduzindo-a por «segurança», removendo assim a dificuldade. Nossa versão portuguesa encontra um ponto de compromisso, traduzindo por «muro de segurança». No entanto, a verdade é que Esd. 4:12 é trecho que mostra que a reconstrução das *muralhas* de Jerusalém havia começado antes mesmo da chegada de Neemias, pelo que uma interpretação metafórica da palavra «muro» torna-se desnecessária.

c. Esdras 10:6. Esse versículo menciona Joanã como contemporâneo de Esdras, chamando-o de «filho de Eliasibe». Mas, Eliasibe foi sumo sacerdote nos dias de Neemias (ver Nee. 3:1). Contudo, o trecho de Nee. 12:10,11 faz de Eliasibe avô de Jônatas, e os papiros de Elefantina mostram que esse neto de Eliasibe foi sumo sacerdote em 408 A.C. Para que Esdras tivesse conhecido esse homem como sumo sacerdote, ele teria de ter chegado em Jerusalém em data bem posterior. Em resposta a isso, tem sido mostrado que Joanã não foi a mesma pessoa que Jônatas, apesar da semelhança de nomes, sem falar no fato de que Eliasibe pode ter tido um filho que nunca se tornou sumo sacerdote, embora tivesse tido um neto que chegou a sê-lo, e que nomes comuns podem ter estado em jogo. Um reforço a esse argumento é que esse sumo sacerdote, Jônatas, foi culpado de ter assassinado a seu próprio irmão, no templo de Jerusalém (ver Josefo, *Anti*. 11:7,1), não sendo provável que Esdras tivesse querido associar-se a um homem assassino.

3. *O Problema dos Casamentos Mistos*. Tanto Esdras quanto Neemias (em diferentes períodos de tempo) tentaram solucionar o problema dos casamentos mistos, forçando os judeus a se divorciarem de suas mulheres estrangeiras, com quem eles se tinham casado durante o cativeiro babilônico? Isso significaria que houve duas reformas, e não uma só. Ou, de fato, a questão só sucedeu uma vez, mas foi

mencionada por duas vezes, uma em relação a Esdras e outra em relação a Neemias? Ver Esd. 9:1,2 e 10:2 em comparação com Nee. 13:23 *ss*. Quanto a esse terceiro problema, não há como solucioná-lo, a menos que se diga que tanto Esdras quanto Neemias tiveram de enfrentar o problema, que não ficou resolvido na tentativa feita por Esdras. Ou então, temos de confessar que houve deslocamento de material, por parte de um editor. Porém, mesmo em face dessa última possibilidade, o problema não é de natureza gravemente insuperável, não sendo atingido a exatidão histórica geral.

4. *Quando foi Lida a Lei Diante do Povo?* Esdras tinha a incumbência de ensinar a lei ao povo (ver Esd. 7:14,25,26), o que requeria que a mesma fosse lida aos ouvidos do povo. No entanto, o oitavo capítulo do livro de Neemias mostra que essa leitura foi feita treze anos depois da presumível leitura feita por Esdras. É significativo que o livro não-canônico de I Esdras vincula esse relato à leitura da lei, diante do povo, no fim do livro de Esdras, ou seja, faz retroceder o acontecimento a um tempo anterior. Os críticos, pois, acreditam que essa é a verdadeira ordem cronológica do relato, e que o oitavo capítulo do livro de Neemias constitui um deslocamento de material, que faz a leitura da lei ter sido feita mais de um decênio mais tarde. Apesar disso, há eruditos que pensam que o livro de Neemias é que está certo. Na verdade, não há como solucionar esse quarto problema, porque todas as soluções propostas são influenciadas por preferências subjetivas. E nem a questão se reveste de maior significação, a não ser para aqueles que dão valor a questões assim, tendo em vista satisfazer seu gosto pela controvérsia.

VI. Esboço do Conteúdo

1. Notícias de adversas condições em Jerusalém impelem Neemias a voltar a Jerusalém, para prestar ajuda (1:1-11).

2. A permissão para tanto lhe é dada pelo rei; isso incluiu o direito de reconstruir a cidade de Jerusalém (2:1-12).

3. Lista dos construtores e de suas áreas de trabalho (3:1-32).

4. Adversários tentam fazer parar a obra, mediante o ridículo e a violência (4:1-23).

5. Problemas entre ricos e pobres, que ameaçavam a estabilidade dos restaurados (4:1-23).

6. Neemias é acusado de querer tornar-se rei, em mais uma tentativa de fazer cessar o trabalho de reconstrução (6:1-14).

7. As muralhas da cidade são terminadas em cinqüenta e dois dias (6:15—7:4).

8. Registro dos exilados que retornaram (7:5-73).

9. A lei de Moisés é lida diante do povo (8:1-18).

10. Arrependimento nacional e estabelecimento de um novo pacto (9:1—10:39).

11. Registro dos habitantes de Jerusalém e das circunvizinhanças (11:1-36).

12. São relacionados os sacerdotes e os levitas, incorporando o tempo desde o retorno da Babilônia a Jerusalém até o fim do império persa (12:1-26).

13. Dedicação das muralhas de Jerusalém e regras acerca da adoração pública (12:27—13:3).

14. Outras reformas, incluindo a questão dos casamentos mistos (13:4-31).

Bibliografia. Ver a Bibliografia sobre *Esdras*.

NEFEGUE

No hebraico, «rebento». Esse foi o nome de duas personagens do Antigo Testamento:

1. Um filho de Izar, filho de Coate (Êxo. 6:21). Ele viveu em torno de 1491 A.C.

2. O nono dos filhos de Davi, que nasceu em Jerusalém, em cerca de 1000 A.C. (II Sam. 5:15; I Crô. 3:7; 14:6).

NÉFES

No hebraico, «sombra», «alma». Trata-se do princípio espiritual no ser humano. Esse princípio espiritual era distinguido dos espíritos angelicais, bons ou maus, dos demônios, e até mesmo de Yahweh, como um espírito. Esses outros espíritos eram considerados imortais, mas não seriam a mesma coisa que uma *néfes*, que é capaz de experimentar a morte. A julgar pelos trechos bíblicos que dizem respeito à questão, a *néfes* indica a vitalidade que anima o corpo físico, enquanto há vida biológica. Todavia, por ocasião da morte física, a *néfes* não deixa de existir, conforme alguns têm ensinado erroneamente. Prova disso é o trecho de Gên. 35:18, que diz: «Ao sair-lhe a alma (porque morreu)...», e onde temos a palavra hebraica, *nephesh*. Se a alma deixasse de existir por ocasião da morte, então como a alma de Raquel saiu de seu corpo, quando ela morreu?

Após o século VI A.C., o pensamento hebreu incluiu a idéia ou conceito de *ruah*, «espírito», que foi confundido, até certo ponto, com o de *néfes*. Isso porque a terminologia dos hebreus a respeito da porção espiritual do homem não era precisa. Não nos podemos olvidar que até à época dos Salmos e dos profetas não havia clara doutrina da imortalidade da alma, pelo que não é bem no Antigo Testamento que essa doutrina pode ser aprendida com clareza, e, sim, no Novo Testamento. É interessante observar que a evolução do pensamento, entre os árabes, foi similar. A *nafs* dos árabes finalmente tornou-se o *ruh*, que já aponta para o espírito verdadeiramente imortal. No islamismo, isso começou no século VII D.C.

Se acompanharmos essa evolução no pensamento religioso dos hebreus, verificaremos o seguinte:

1. Há uma referência física que cobre vários estados de consciência:

a. A *néfes* aparece como a sede de apetites físicos (ver Núm. 21:5; Deu. 12:15,20,21; 23:24; Jó 33:20; Sal. 78:18; 107:18; Ecl. 2:24; Miq. 7:1).

b. A *néfes* é a sede das emoções (ver Jó 30:25; Sal. 86:4; 107:27; Can. 1:7; Isa. 1:14).

c. A *néfes* aparece associada à vontade e às ações morais (ver Gên. 49:6; Deu. 4:29; Jó 7:15; Sal. 24:4; 25:1; 119:129,167).

2. Há porções bíblicas onde a *néfes* indica um indivíduo (ver, por exemplo, Lev. 7:21; 17:12; Eze. 18:4). Também pode estar em foco o próprio «eu» (por exemplo, ver Juí. 16:16; Sal. 120:6; Eze. 4:14). E uma extensão desse último sentido é a aplicação (bastante inesperada) da palavra *néfes* a um cadáver (por exemplo, ver Lev. 19:28; Núm. 6:6; Ageu 2:13), onde, portanto, cessou toda a vitalidade, incluindo a respiração.

3. As palavras hebraicas *nephesh*, «alma», *leb*, «coração», e *ruah*, «espírito», são usadas com sentidos que se justapõem. Ver os artigos sobre *Coração* e *Espírito*.

A palavra grega *psuché* corresponde ao termo hebraico *nephesh*, nas páginas do Novo Testamento. Um dado interessante, que serve de comparação, é que por onze vezes, nos evangelhos sinópticos, a palavra grega *psuché* indica a continuação da existência consciente, após a morte física. Ver, por exemplo, Mat. 10:28; Luc. 12:20. E isso repete-se em outros livros do Novo Testamento, conforme se vê em Apo. 6:9 e 20:4. Citamos a primeira dessas passagens do Apocalipse: «Quando ele abriu o quinto selo, vi debaixo do altar as almas daqueles que tinham sido mortos por causa da palavra de Deus e por causa do testemunho que sustentavam. Clamaram em grande voz, dizendo: Até quando, ó Soberano Senhor, santo e verdadeiro, não julgas nem vingas o nosso sangue dos que habitam sobre a terra?» (Apo. 6:9,10).

NEFILINS

Ver o artigo sobre **Gigantes**, especialmente em seus dois primeiros parágrafos. As passagens onde esse termo transliterado do hebraico aparece são Gên. 6:4 e Núm. 13:33.

NEFTOA, ÁGUAS DE

No hebraico essa palavra significa «aberto». Esse era o nome de um lugar onde havia uma fonte e um riacho, localizado na fronteira entre Judá e Benjamim, a oeste de Jerusalém (Jos. 15:9; 18:15).

Alguns eruditos modernos pensam em *Ain Lifta*, uma fonte situada ligeiramente acima da aldeia do mesmo nome. Mas vários outros estudiosos propõem, como identificação, a fonte de São Filipe (Ain Haniyeh), localizada no wadi el Werd; ou, então, a *ain Yalo*, ou fonte da Virgem; ou mesmo o *wady Aly*, a fonte de Jó. Porém, o local mais provável é mesmo o primeiro, *Ain Lifta*, que fica cerca de cinco quilômetros a noroeste de Jerusalém.

NEFUSSIM

Esse era o nome de uma família de servidores do templo, que retornaram a Jerusalém, onde fixaram residência, terminado o cativeiro babilônico (Nee. 7:52). Alguns eruditos vinculam esse nome aos «nefuseus» de Esd. 2:50 (ver também I Esdras 5:31).

NEGAÇÃO

Há três palavras hebraicas envolvidas e três palavras gregas, neste verbete:

1. *Kachash*, «mentir», «fingir». Essa palavra hebraica ocorre por dezessete vezes, com esse sentido, como, por exemplo, em Gên. 18:15; Jos. 24:27; Jó 8:18; 31:28; Pro. 30:9.

2. *Mana*, «reter», «negar». Palavra hebraica que aparece por vinte e sete vezes, como em I Reis 20:7; Pro. 30:7; Gên. 30:2; I Sam. 25:26; Jó 22:7; Sal. 21:2; 84:11; Ecl. 2:10; Jer. 2:25; Amós 4:7.

3. *Shub panim*, «virar o rosto». Expressão hebraica que ocorre somente em I Reis 2:16.

4. *Antilégo*, «falar contra». Palavra grega que ocorre por nove vezes: Luc. 2:34; 20:27; João 19:12; Atos 13:45; 28:19,22; Rom. 10:21 (citando Isa. 65:2); Tito 1:9; 2:9.

5. *Arnéomai*, «negar». Palavra grega usada por trinta e duas vezes: Mat. 10:33; 26:70,72; Mar. 14:68,70; Luc. 8:45; 9:23; 12:9; 22:57; João 1:20; 13:38; 18:25,27; Atos 3:13,14; 4:16; 7:35; Tito 5:8; II Tim. 2:12,13; 3:5; Tito 1:16; 2:12; Heb. 11:24; II Ped. 2:1; I João 2:22,23; Jud. 4; Apo. 2:13; 3:8.

6. *Aparnéomai*, «negar peremptoriamente». Vocábulo grego usado por doze vezes: Mat. 16:24; 26:34,35,75; Mar. 8:34; 14:30,31,72; Luc. 9:23; 12:9; 22:34,61.

No Antigo Testamento há palavras hebraicas que têm a idéia de iludir ou mentir (Gên. 18:15; Lev. 6:3), ou reter e recusar (I Reis 20:7; Pro. 30:7). No Novo Testamento temos, além da idéia comum de negar ou «dizer não», como em Mat. 10:33; Atos 3:13, a idéia de negar a si mesmo, como em Mar. 8:34 *ss*, bem como a mentira radical de negar a realidade da encarnação. Em I Timóteo 5:8 há a negação da fé cristã.

Importantes Aspectos Teológicos. 1. O discipulado cristão requer a *autonegação* absoluta, se tivermos de antecipar o sucesso. 2. A fé cristã requer a aceitação da doutrina de Cristo, incluindo a sua encarnação e caráter messiânico. 3. Negar a Cristo é o contrário de aceitá-lo, e a própria salvação da alma está envolvida nessa aceitação (João 1:12). Muitos judeus negaram a Jesus, assim rejeitando-o como o Messias prometido aos judeus (João 1:11; Atos 3:13). Josué estabeleceu um monumento para lembrar o povo de que eles não podiam rejeitar a Deus, o qual os guiara até à Terra Prometida (Jos. 24:26). Jó concluiu que se arriscava a negar a Deus se pusesse sua confiança nas coisas materiais, como o ouro (Jó 31:28). Sérias negações e fracassos espirituais podem ser revertidos, conforme se vê ilustrado no caso de Pedro (Mat. 26:34 *ss*).

NEGAÇÃO DE PEDRO

Mat. 26:26-75. — Reputamos Pedro como *fonte informativa* dessa narrativa, o que sem dúvida se dá no caso de grande parte do material do evangelho de Marcos. «Tem-se argumentado que somente ele teria contado esse lance vergonhoso de como ele negara a seu Senhor; e esse ponto tem algum peso. Ao mesmo tempo, o centro moral da narrativa é a riqueza da graça de Deus. O discípulo que se mostrara tão poltrão, apesar disso foi a primeira testemunha da ressurreição (I Cor. 15:5 e Luc. 24:34), tendo-se tornado um apóstolo rochoso e uma coluna da igreja (Gál. 2:9)». (Sherman Johnson, *in loc.*). Cf. Mar. 14:66-72; Luc. 22:55-62 e João 18:15-18,25-27. A fonte informativa sobre a qual se baseia Mateus é o protomarcos, porém, mais de uma tradição pode ter preservado a narrativa.

Mat. 26:69: *Ora, Pedro estava sentado fora, no pátio; e aproximou-se dele uma criada, que disse: Tu também estavas com Jesus, o galileu.*

A harmonia entre as diversas narrativas tem causado muitas *dores de cabeça* e sofrimentos aos intérpretes, especialmente no caso daqueles que insistem em harmonias exatas entre todas as narrativas. Isso é impossível nesta seção, conforme a simples leitura das várias narrativas demonstra de imediato. Bruce (*in loc.*) afirma: «Os esforços harmonizadores são um desperdício de tempo». E diz um pouco antes: «Seria difícil, para qualquer pessoa presente naquela multidão confusa, reunida dentro dos portões do palácio, naquela noite, relatar exatamente o que aconteceu. O próprio Pedro, herói da narrativa, provavelmente tinha lembranças mal delineadas de algumas particularidades, e talvez nunca tivesse podido relatar o incidente da mesma maneira». Não obstante, não há que duvidar que ali está registrada a realidade e a importância do acontecimento, bem como a sua exatidão geral, a despeito de alguns pormenores que diferem em elementos secundários. A comparação abaixo apresenta ao leitor as várias narrativas:

1. Embora as quatro narrativas não tivessem sido escritas de maneira totalmente independentes umas das outras (certamente os evangelhos sinópticos não o foram), contudo, cada autor simplesmente não tinha em mente a idéia de harmonizar com as narrativas dos outros, segundo alguns intérpretes modernos desejam

que tivessem feito. Pequenos e secundários detalhes, certamente não lhes pareciam importantes, pelo que discrepâncias de pouco vulto surgem nessas narrativas.

2. Não deveríamos ficar surpreendidos ou desanimados ante esses elementos em choque nas narrativas, porque, se essas coisas não foram importantes para os autores originais dos evangelhos, por que motivo deveriam sê-lo para nós?

3. É melhor sermos honestos e admitirmos diferenças nas narrativas e pequenas discrepâncias, do que forçar uma harmonia ridícula e impossível entre essas narrativas.

4. Nenhum leitor ou intérprete, que não esteja inteiramente preso à inspiração de cada letra, haverá de exigir que as palavras reais, em cada particular, proferidas por Pedro, em cada instância sejam registradas exatamente do mesmo modo.

5. De maneira alguma deveríamos pensar que o que aconteceu deve, necessariamente, ser limitado a três sentenças saídas dos lábios de Pedro, cada qual expressando uma negação, sem possibilidade alguma dele ter dito outra coisa.

6. Em todos os elementos importantes, as narrativas concordam entre si. Algumas diferenças são suplementares, enquanto que outras apresentam minúsculas discrepâncias; mas estas se originam do fato de que muitos acontecimentos tiveram lugar, que nenhum dos escritores sagrados registrou a todos eles, e que a seqüência cronológica e o número de declarações, etc., não são importantes para a veracidade do incidente. Aqueles que esperam conseguir pormenores mais exatos, neste ponto, ficarão desapontados.

MATEUS

1ª *negação*

Sentado no pátio externo, é acusado por uma serva de ter estado com Jesus, o galileu. «Não sei o que dizes».

2ª *negação*

Pedro saíra ao pórtico, e outra serva o viu. «Este também estava com Jesus, o Nazareno. E ele negou outra vez, com juramento: «Não conheço tal homem».

3ª *negação*

Logo depois, aproximando-se os que ali estavam, disseram a Pedro: Verdadeiramente és também um deles, porque o teu modo de falar o denuncia. Então começou ele a praguejar e a jurar; «Não conheço esse homem!»

E imediatamente cantou o galo. Então Pedro se lembrou da palavra que Jesus lhe dissera... E, saindo dali, chorou amargamente.

MARCOS

1ª *negação*

Aquecia-se no pátio, etc., como em Mateus. Sai ao alpendre. O galo canta. «Não o conheço, nem compreendo o que dizes».

2ª *negação*

A mesma criada (como é possível) o vê novamente e diz: «Este é um deles». Mas Pedro torna a negar.

3ª *negação*

Tal como Mateus. «Verdadeiramente és um deles, porque também tu és galileu».

Pela segunda vez o galo cantou. Pedro lembrou e chorou amargamente, etc.

LUCAS

1ª *negação*

Sentado «perto do fogo», Pedro é reconhecido pela criada e acusado. Replica: «Mulher, não o conheço».

2ª *negação*

Um servo lhe diz: «Também tu és dos tais». Pedro retruca: «Homem, não sou».

3ª *negação*

Tendo passado cerca de uma hora, outro dizia: «Também este, verdadeiramente, estava com ele, porque também é galileu». E Pedro insistia: «Homem, não compreendo o que dizes».

E logo, estando ele ainda a falar, cantou o galo. Voltando-se o Senhor, fixou os olhos em Pedro. Pedro se lembrou...saindo dali, chorou amargamente.

JOÃO

1ª *negação*

Pedro é reconhecido pela recepcionista, ao entrar com o outro discípulo: «Não és tu também um dos discípulos deste homem!» E ele respondeu: «Não sou».

2ª *negação*

Pedro se aquecia perto do fogo. E disseram-lhe: «És tu, porventura, um dos discípulos dele?» «Não sou», respondeu Pedro.

3ª *negação*

Um dos servos do sumo sacerdote, parente daquele a quem Pedro tinha decepado a orelha, perguntou: «Não te vi eu no jardim com ele?» De novo Pedro o negou. E no mesmo instante cantou o galo.

As Lições da Negação de Pedro

Seria ridículo, no meio do problema de harmonia da história, perder de vista as lições importantes ensinadas. Algumas são:

1. Até os mais fortes e privilegiados podem falhar numa hora de provação. Portanto, o orgulho humano não tem lugar algum na espiritualidade.

2. Os instintos básicos, como aquele de autopreservação, às vezes controlam absolutamente a pessoa, assim que ela faz coisas duvidosas e erradas.

3. O amigo da verdade tão facilmente se torna um inimigo, se associa com a companhia errada, e procura o conforto da fogueira da maldade.

4. O herói da fé torna-se um covarde, até ante a pergunta de uma escrava, porque na hora de crise, sua preparação espiritual falhou.

5. Pedro falou uma série de mentiras, procurando fazer uma história convincente, para comprovar uma mentira vergonhosa que começou a série. A mentira de palavras, ou da própria vida, sempre vem desta maneira. Contra este tipo de conduta, Paulo falou: «Rejeitamos as coisas ocultas que são vergonhosas, não andando com astúcia, nem adulterando a palavra de Deus; mas, pela manifestação da verdade, nós nos recomendamos à consciência de todos os homens diante de Deus».

6. Até os homens mais espirituais podem cair nos pecados mais terríveis. Foi um erro espantoso que Pedro, depois de tanto tempo com o Senhor, o negou.

7. Todos os pecados, até o mais vis, podem ser perdoados. Pedro recebeu o perdão do Senhor, e ficou uma poderosa força na Igreja, sofrendo no fim, a morte de mártir.

NEGLIGÊNCIA

Essa palavra vem do latim negligere, «negligenciar», «ignorar», «desconsiderar». A palavra tem importância dentro do contexto ético. Desde os dias da Escola Dominical aprendemos que uma pessoa pode pecar nada fazendo, tanto quanto fazendo algo de errado. A vida inteira ensina-nos que é um erro negligenciar ao trabalho, às coisas, às pessoas. A negligência pode ser inspirada por vários motivos,

como a ignorância, o descuido, a falta de amor ou a preguiça. As pessoas podem mostrar-se descuidadas quanto às suas obrigações, descobrindo muitas «razões» para não as cumprirem. Se, nessa negligência, nenhuma lei está sendo desobedecida, então ainda assim a pessoa é moralmente culpada, embora não possa ser punida pelo Estado. Entretanto, certos aspectos da negligência são puníveis por lei, como o não pagamento dos impostos, por exemplo.

Para o crente, a negligência religiosa é um erro grave. Os deveres relacionados à Igreja, ao evangelismo, ao serviço e à participação no culto público são comumente negligenciados. Acresça-se a isso que nada é mais comum do que a negligência ao próprio desenvolvimento espiritual, o que se consegue facilmente, bastando para isso ao crente não aplicar os meios de desenvolvimento espiritual. Ver o artigo *Caminhos do Desenvolvimento Espiritual*. A mais séria negligência de todas é aquela que pouca ou nenhuma importância dá à própria salvação (Heb. 2:3). As obrigações espirituais são ignoradas (I Tim. 4:14; II Ped. 1:12). O indivíduo pode mostrar-se preguiçoso demais para buscar o que é excelente, perdendo assim o destino superior que lhe foi oferecido. Nisso, ele deixa de servir tanto a si mesmo quanto a outras pessoas. Em certo sentido, a própria Bíblia é uma prolongada advertência contra a negligência. Seus muitos mandamentos, e até sugestões, mostram-nos que é de nosso dever e privilégio ser e fazer certas coisas. De fato, a negligência consiste em um *fracasso do descuido*. Se muitas pessoas mostram-se zelosas quanto ao dinheiro e quanto a coisas materiais, tendem por não dar o devido valor às questões espirituais. Aquelas filosofias e religiões que ressaltam as coisas materiais, esquecendo-se dos valores da alma, forçam os seus aderentes ao fracasso do descuido, no tocante aos valores eternos. Para exemplificar, a chamada *Teologia da Libertação* (vide) dá grande destaque àquilo que chamam de evangelho social (a preocupação com os problemas econômicos), mas praticamente faz silêncio quanto à salvação da alma. Reduzir a teologia a uma sociologia econômica, na tentativa de evitar a probreza, certamente é uma forma de negligência do descuido, sem importar quais contribuições esteja fazendo ou venha a fazer, dentro do âmbito de uma melhor distribuição das riquezas materiais.

NEGOCIAÇÕES COLETIVAS

Quando há disputas em torno de salários ou condições de trabalho, as organizações trabalhistas e os industriais têm a obrigação moral e legal de se reunirem, sem qualquer intervenção do governo, para encontrarem terreno comum e os acordos apropriados. Nesse ato, ambos os lados envolvidos devem representar-se devidamente. Usualmente reconhece-se que ambos os lados têm a liberdade de experimentar métodos coercivos para que se chegue a um acordo. Isso faz parte das regras do jogo.

Assim, as uniões trabalhistas ou sindicatos podem ameaçar com greves; e a classe patronal pode ameaçar com demissões. A maioria das corporações consegue sobreviver por causa dessas forças antagônicas, visto que amoldam as companhias em uma organização viável, assegurando a produção. Se não houvesse atritos, as modificações tenderiam por tornar-se lentas demais. Os antagonistas, em última análise, têm interesses comuns. Ambos os lados dependem da empresa para a obtenção da prosperidade, e todo o esforço de empregadores e empregados visa encontrar a melhor maneira de ajudar a empresa a obter bom êxito. O poder dos sindicatos pode entravar a cobiça dos proprietários. As medidas tomadas pelos empregadores pode evitar a preguiça ou a improdutividade dos operários.

Apesar de que o ideal cristão levaria os homens a chegarem calmamente a acordos, mediante o espírito de amor e de partilha, estamos muito longe de conseguir acordos sobre essa base. Até mesmo a maioria das famílias cristãs ainda não encontraram uma maneira de pôr em prática o ideal cristão, quando questões de interesse próprio afetam os membros das famílias. Portanto, é esperar demais, da parte das uniões e sindicatos, ou dos industriais, que venham a seguir, em qualquer época breve, o ideal cristão distintivo. E essa situação agrava-se ainda mais em períodos de recessão econômica e de inflação galopante, porquanto tais condições requerem ajustamentos constantes de salários e de preços. Mas, enquanto não chegarmos a ver em atuação o ideal cristão, a barganha coletiva parece ser o melhor método para resolver os problemas da indústria e do comércio, tanto aos da classe patronal como, mais especialmente, aos das classes trabalhadoras.

NEGRO

No hebraico, temos três palavras, e no grego uma só, a saber:

1. *Ishon*, «meio». Palavra que figura por quatro vezes (Pro. 7:9; e também em Deu. 32:10; Pro. 7:2 e Sal. 17:8, com o sentido de córnea do olho, talvez porque a maioria dos israelitas tinha olhos negros).

2. *Shachor*, «moreno», «trigueiro». Palavra usada por seis vezes (Lev. 13:31,37; Can. 1:5; 5:11; Zac. 6:2,6).

3. *Shecharchoreth*, «queimado», *marrom*. Palavra usada exclusivamente em Cantares 1:6.

4. *Mélas*, «negro». Palavra grega usada por seis vezes. (Mat. 5:36; II Cor. 3:3; II João 12; III João 13; Apo. 6:5,12).

Os israelitas não tinham um sistema de cores tão definido como possuímos em nossa época de química. Os termos por eles usados eram aproximações. Mas o estudo das cores e seu simbolismo, nas Escrituras, é muito proveitoso. Ver *cores*.

Vários usos da cor negra. 1. A ausência de pêlos pretos, na cabeça ou na barba (visto que a lepra embranquece os pêlos), indicava um estado enfermiço (Lev. 13:31,37). 2. Uma jovem queimada de sol é referida em Cantares 1:6. 3. Em sua condição doentia, o aspecto enegrecido da pele de Jó é comentado (Jó 30:30). 4. Nuvens ameaçadoras são chamadas negras (Jer. 4:28). 5. Uma expressão idiomática para indicar lamento é «estou de negro» (Jer. 8:21; mas nossa tradução portuguesa diz: «estou de luto»). 6. Essa cor também descreve os amigos molestos de Jó (Jó 6:16). 7. A cor também indica a cor dos cabelos (Mat. 5:36). 8. Também o obscurecimento do sol (Apo. 6:12). 9. A cor da tinta de escrever (II Cor. 3:3). 10. Negrume e trevas (Heb. 12:18). 11. Temor (Joel 2:6). 12. Um rio lamacento (Jó 6:16). 13. A morte e a fome (Zac. 6:2,6; Apo. 6:5, 6). Portanto, de modo geral, a cor indicava o que era ruim, sujo e triste.

Costumes. Os antigos orientais, incluindo os hebreus, não usavam vestes negras quando de luto, embora a própria cor estivesse associada a esse estado de perda, e também aos sentimentos de aflição, privação e desastre sofridos, tal como nos tempos modernos. A figura de linguagem que incorpora essas idéias pode ser vista nos trechos de Jó 30:30; Jer. 14:2 e Lam. 4:8; 5:10.

NEGUEBE

Esboço:

1. O Nome
2. A Região
3. Estradas do Neguebe
4. Economia da Região
5. Povos e Informes Históricos

1. O Nome

No hebraico, essa palavra significa «região seca». Mas, na Bíblia, o termo sempre é usado para designar «sul». Ver Gên. 12:9; 13:14; 24:62; Núm. 13:17. Está em pauta a região sul da Palestina.

2. A Região

O Neguebe cobre uma área de cerca de 117 quilômetros quadrados, uma região da Palestina, ao sul do território alocado a Judá. Ali era muito escasso o regime das chuvas, com poucas águas freáticas. Seu limite norte era a planície de Berseba; mas, nas páginas da Bíblia, as porções do sul dos montes de Hebrom eram incluídas nessa designação. A oeste, seu limite eram as dunas costeiras do Mediterrâneo oriental; a leste ficava a *Arabá* (vide). O Neguebe ampliava-se na direção dos desertos de Parã, Sin, Sur e o Nilo, mais ao sul. Quase todo esse território é montanhoso. As serras envolvidas estendem-se para o suleste e para o noroeste. Caracteriza-se por canhões estreitos, por um território agreste e seco. Nenhuma rota comercial atravessava o Neguebe na direção norte-sul. Importantes nomes bíblicos associados ao Neguebe são locativos, Cades-Barnéia e Berseba. Esse território do Neguebe representa quase metade da área da moderna nação de Israel.

Distritos e Cidades do Neguebe. Cinco distritos podem ser distinguidos no Neguebe: 1. o de Judá; 2. o dos jeremeelitas; 3. o dos queneus (I Sam. 27:10); 4. o dos quereteus; e 5. o de Calebe (I Sam. 30:15). Vinte e nove cidades do Neguebe, mencionadas em Jos. 15:21-32, são desconhecidas hodiernamente. As únicas cidades do Neguebe que têm sido identificadas são Berseba (Gên. 21:30), Arade Khirbet Ar'arete ou Aroer (I Sam. 30:28), Punom (Núm. 33:42) e Tell el-Kheleifeh, ou Eziom-Geber.

3. Estradas do Neguebe

O Egito e a Palestina estavam ligados por via marítima. Mas aqueles que habitavam no norte e no nordeste da Palestina usavam o «caminho real», que seguia ao longo do platô da Transjordânia. Somente aquelas rotas que vinham de Hebrom, no sul da Judéia, passavam pela região montanhosa do Neguebe. Isso posto, essa região era essencialmente isolada das outras, formando uma fronteira natural sul da Judéia. Portanto, o Neguebe era uma espécie de proteção natural contra invasores vindos do sul. Duas importantes estradas são mencionadas na Bíblia, existentes no Neguebe; uma delas levava de Cades-Barnéia à Arabá, ao sul, o que talvez corresponda ao «caminho da região montanhosa dos amorreus», mencionado em Deu. 1:19. E também havia uma estrada que descia de Arade para a porção sul dos montes de Sodoma, e que era chamada «caminho de Edom» (II Reis 3:20). E talvez ainda houvesse uma terceira estrada, conectando Gaza. Gerar, Berseba, Hormá e Arade.

4. Economia da Região

No Neguebe havia a criação de ovelhas e cabras (ver I Sam. 25:2 *ss*; I Crô. 4:38-41; II Crô. 26:10). Ao que parece, jumentos e camelos, em pequeno número, também eram criados ali para exportação, a fim de serem usados nas caravanas e como animais de carga. Havia um intercâmbio comercial com o sul da Arábia, com a África Oriental e com o oceano Índico, o que rendia lucros financeiros. Os trechos de I Reis 22:29 e II Reis 14:22 mostram que Judá controlava esse comércio, nos dias de Josafá e Uzias. Os arqueólogos têm confirmado tais atividades. Também havia minas de cobre nas montanhas a noroeste do golfo de Elate. Ver o artigo chamado *Minas do Rei Salomão*. Parece que essa mineração antecedeu à época de Salomão por não menos de dois séculos, embora esse rei de Israel é quem a tenha transformado em um negócio extremamente lucrativo.

5. Povos e Informes Históricos

A arqueologia tem podido demonstrar que, no Neguebe, só houve uma ocupação humana permanente no período calcolítico. Na época, Berseba era a cidade mais populosa da região. O período de Bronze Médio I viu grande expansão da ocupação humana, que se espalhou até às montanhas centrais da região. O Neguebe é mencionado na lista de Tutmés III, do Egito, durante o período da era do Bronze. Foi durante o período da era do Bronze Médio que Abraão chegou a Gerar, Cades e Sur (ver Gên. 12:9; 13:1-3; 20:1). Outro tanto pode ser dito acerca de Isaque (ver Gên. 24:62; 26:15) e de Jacó (ver Gên. 37:1; 46:5). Quando o povo de Israel conquistou a Terra Prometida, essa região passou a fazer parte das possessões da tribo de Judá, ainda que, a princípio, tenha sido conferida a Simeão (ver Jos. 19:1-9; I Crô. 4:28-33). No tempo do reino unido, sob Saul, Davi e Salomão, a região era conhecida pelo nome de «sul de Judá» ou «Neguebe de Judá» (ver I Sam. 27:19 e II Sam. 24:7). Judá expandiu sua ocupação naquela área, estabelecendo ali atividades como criação de animais, um certo comércio e fortalezas militares defensivas. A arqueologia tem demonstrado a existência de rotas comerciais entre Arade e Hormá e daí a Cades-Barnéia.

Sisaque, rei do Egito, organizou uma campanha militar contra Israel (ver I Reis 14:25-28; II Crô. 12:1-12), e, durante algum tempo, obteve o controle sobre aquela área. Porém, nos dias de Josafá, o Neguebe voltou às mãos de Judá (I Reis 22:49,50; II Crô. 20:35-37). E foram construídas novas fortalezas e novos postos-avançados de ocupação perto de Berseba.

Edom e Israel entraram em conflito, desejando controlar o comércio e os recursos da região do Neguebe. Uzias, filho de Amazias, dominou Edom e construiu o porto de Elate (ver II Reis 14:22; II Crô. 26:2). Ele construiu fortalezas, a fim de cristalizar ainda mais o seu controle. A grande fortaleza de Cades-Barnéia (identificada como o moderno Tell Qudeirat), foi erigida durante aquele período. Os assírios, em sua expansão para oeste, tomaram a região e Eziom-Geber foi conquistada pelos edomitas (ver II Reis 16:6; II Crô. 20:17). Nunca mais a Judéia obteve controle sobre o Neguebe. Ao que tudo indica, nos séculos que se seguiram, não foram estabelecidos pontos permanentes de ocupação humana na região. No entanto, já no século III A.C., isso começou a ser feito. Artefatos de vários tipos têm sido encontrados pela arqueologia em Nessana, Oboda e Elusa, no centro do Neguebe, sendo provável que fossem povoados nabateus, um clã árabe. Eles tinham uma rota de caravanas nessa região, no século II A.C. Mas, finalmente, os nabateus abandonaram o Neguebe. E os romanos vieram e ocuparam o mesmo, tendo estabelecido novos pontos de ocupação humana.

••• ••• •••

NEGUEBE (ADAMI-NEGUEBE)

No hebraico, «túnel», «passagem estreita». Esse foi o nome de uma cidade, ou, mais provavelmente ainda, de parte de um lugar ou território. Aparece como um lugar nas fronteiras de Naftali (Jos. 19:33), a meio caminho entre Tiberíades e o monte Tabor.

NEIEL

No hebraico, **habitação de El (Deus)**. Nome de uma aldeia do território de Aser, perto de sua fronteira suleste (Jos. 19:27). Tem sido tentativamente identificada com a moderna Khirbet Ya'nin, na fronteira leste da planície do Aco.

NEMÉSIO

Um eclesiástico cristão do século IV D.C., conhecido por sua antologia. Essa obra reunia as obras e idéias da escola alexandrina, do neoplatonismo, de Porfírio, de Amônio, do estoicismo e do aristotelianismo. Nemésio nasceu na Grécia e tornou-se bispo de Emesa. Sua principal obra chamava-se *Sobre a Natureza do Homem*.

NÊMESIS

Essa palavra deriva-se do grego, onde significa uma «justa ou merecida indignação», ou aquilo que causa uma justa indignação, ou o remorso que o indivíduo sente por seus erros e pecados. Como nome próprio, Nêmesis era o nome da deusa da retribuição, concebida como filha da noite. A função dela era perseguir e punir aos orgulhosos, aos insolentes e aos criminosos que escapassem ao julgamento dos homens, mediante sua astúcia, mas que terminavam mal, afinal de contas.

Na literatura posterior, essa palavra passou a ser usada para exprimir a idéia da inevitabilidade da retribuição, ou, então, a idéia da perseguição pessoal sem justificativa. Nêmesis permitia que o indivíduo a ser castigado obtivesse uma exagerada fortuna pessoal, como maneira de permitir que as coisas atingissem um estado crítico, punindo assim a arrogância e empáfia daquele.

NEOCATÓLICO

Esse termo é usado para aludir ao movimento, dentro da comunidade anglicana, que pende para o catolicismo. Esse movimento também é chamado anglo-catolicismo. Inclui o reavivamento do interesse nas cerimônias e práticas tradicionais do catolicismo, além de posturas doutrinárias. O mesmo nome aplica-se a atitudes similares dentro do luteranismo, como é o caso da Sociedade de São James. Esses grupos não são católicos romanos, mas apenas católicos. Não obstante, aproximam-se do catolicismo romano quanto a questões importantes, fazendo nítido contraste com a postura típica dos grupos evangélicos.

NEOCRITICISMO

Esse foi o nome dado por **Renouvier** (vide) à sua própria filosofia.

NEO-ESCOLASTICISMO

Ver os artigos separados chamados **Escolasticismo** e **Tomismo**. O neo-escolasticismo (vem do grego, *neós*, «novo», e do latim, *scholasticus*, «conferencista») foi um reavivamento do escolasticismo, em meados do século XIX. Isso ocorreu na Itália tendo-se tornado proeminentes, no movimento, nomes como os de Sanseverino, Cornoldi, Zigliara, Lorenzelli e Matussi (na Itália); Kleutgen, Stockl, Grabmann, Schneid e Ehrle (na Alemanha); Farges, Dormet de Vorges (na França); e Dupont e Lepidi (na Bélgica). O movimento tinha por finalidade reafirmar a filosofia básica de Tomás de Aquino, como pensamento que teria uma aplicação vital ao pensamento e à sociedade contemporâneos.

A inspiração dos seus mentores foi o fato de que o materialismo e o positivismo haviam feito grandes incursões, capturando a imaginação dos filósofos e dos cientistas, tornando-se necessário reagir contra esse estado de coisas. O papa Leão XIII reconheceu essa tendência negativa em sua encíclica *Aeterni Patris*, de 4 de agosto de 1879; e então convidou eruditos católicos romanos a redescobrirem e reaplicarem as verdades imutáveis dos mestres escolásticos. Em resultado disso, foi organizado o *Institute Superieur de Philosophie*, em Louvain, na Bélgica, com o propósito de promover o novo movimento. As ciências continuaram a ser estudadas, foram promovidas pesquisas em muitos campos do saber, e a erudição, de modo geral, foi promovida, embora não sem o contrabalanço dos princípios tradicionais e religiosos tomistas.

NEO-ESPIRITUALISMO

Ver o artigo sobre **Lachelier**. Assim foi chamado o movimento iniciado por ele, na França, no século XIX.

NEO-ESTOICISMO

Justo Lipsius (1547-1606), um humanista e filósofo belga, interessou-se especialmente por Sêneca, Tácito e outros autores latinos, tendo promovido o neo-estoicismo como um ideal a ser seguido. Ele deixou a Igreja Católica Romana, posto que mais tarde reconciliou-se com ela; mas ele defendia o que chamava de *constância* como o mais elevado dentre os valores morais. Para ele, isso era apenas um outro nome para a apatia estóica, o controle das emoções, de conformidade com a qual as circunstâncias externas não têm permissão de perturbar a tranqüilidade interior do indivíduo. Mediante a reflexão e a disciplina espiritual, o indivíduo seria capaz de atingir esse estado. Lipsius defendia a doutrina do livre-arbítrio humano (contra o estoicismo tradicional), e também enfatizava o controle de Deus sobre o destino dos homens, em consonância com o todo-poderoso controle do *Logos* sobre todas as coisas que existem.

NEO-EVANGELICALISMO

Alguns usam o termo **neofundamentalismo** como um sinônimo para esta designação. O termo *novo* tem inerente nele a idéia da rejeição de alguns aspectos do *velho* evangelicalismo. Ver os artigos sobre *Evangelicalismo* e *Protestantismo*.

Neo-evangélicos são caracterizados pela modificação ou abandono de certas doutrinas fundamentais. Um importante exemplo é a doutrina da inspiração das Escrituras. A inerrância da Bíblia foi ou totalmente abandonada, ou reinterpretada. Assim, o que seria inerrante? Não cada palavra, e nem cada idéia, e, sim, a *mensagem* da redenção, contida na Bíblia. Os neo-evangélicos aceitam muitas conclusões da *alta-crítica* (vide). Mas eles mesmos consideram-se seguidores de Cristo e promotores dos principais temas do evangelicalismo, como a ênfase sobre a Bíblia, a necessidade de pregar o evangelho, a redenção em Cristo, etc. Em outras palavras, os neo-evangélicos estão a meio-caminho entre os pontos extremos de um rígido fundamentalismo e do liberalismo. Naturalmente, eles ocupam várias posições intermediárias entre esses extremos, de maneira que é impossível alguém dizer: «Os neo-evangélicos crêem nisto ou naquilo». Mas, de modo geral, podemos caracterizá-los afirmando que se afastam do fundamentalismo e se aproximam mais ou menos do liberalismo, ainda que sustentem ser evangélicos.

Os neo-evangélicos usualmente não simpatizam com os movimentos separatistas, e procuram cooperar com as denominações em geral. Poderíamos dizer, pois, que o fundamentalismo é a ala direita do movimento evangélico mais amplo, enquanto que o neo-evangelismo é a ala esquerda desse mesmo movimento. Os fundamentalistas e os evangélicos compartilham de crenças similares, mas estes últimos são mais tolerantes para com as diferenças de opinião. Por outra parte, os neo-evangélicos incorporam algumas dessas diferenças, pelo que os fundamentalistas consideram-nos semiliberais. Todavia, essa classificação só se aplica de forma muito generalizada, não podendo ser aplicada a casos específicos.

NEÓFITO

As duas palavras gregas formadoras desse vocábulo significam «recém-plantado». Encontra-se no Novo Testamento somente em I Tim. 3:6, onde é traduzido, em nossa versão portuguesa por «neófito», ou seja, «novo convertido». Na antiga Igreja cristã, essa palavra era usada para indicar recém-convertidos e batizados, que usavam a veste branca batismal. Nas *religiões misteriosas* (vide), os neófitos eram pessoas recém-iniciadas naqueles cultos. No catolicismo romano, o termo tem sido usado para designar novos convertidos e recém-ordenados padres e monges.

NEO-HEGELIANISMO

Esse termo é usualmente aplicado a filósofos britânicos, escoceses e norte-americanos que se deixaram influenciar pela filosofia de *Hegel* (vide). O neo-hegelianismo surgiu em meados do século XIX. Alguns neo-hegelianos ingleses foram: J.H. Stirling, John e Edward Caird, T.H. Green, F.H. Gradley, B. Bosanquet J.M.E. McTaggart. O neo-hegelianismo norte-americano é representado por W.T. Harris, H.C. Brokmeyer, John Dewey (em seus primeiros escritos), J. Royce e M.W. Calsins. Esse movimento é especialmente assinalado por sua filosofia idealista da religião e por sua tendência de reconciliar o absolutismo com o personalismo.

NEOKANTIANISMO

Esse foi um movimento filosófico alemão, dentro do qual a principal influência foi exercida pelas idéias de *Emanuel Kant* (vide). Nomes vinculados a esse movimento foram Otto Liebmann, Albert Lange e Albert Ritschl. Houve três ramos distintos: 1. *A escola de Marburgo*, fundada por Hermann Cohen, sucessor de A. Lange. Seus principais aderentes foram P. Natorp e E. Cassier, que ensinaram na Universidade de Yale. 2. *A escola de Berlim*, fundada por Riehl, e cujo principal seguidor foi R. Honigswald. 3. *A escola Sudoeste Alemã*, encabeçada por W. Windelbrand, H. Rickert e Emil Lask. A diferença principal entre essas três escolas é que a de Marburgo era racionalista, a de Berlim era empirista, e a do sudoeste Alemã procurava reconciliar as revindicações apresentadas pelo racionalismo e pelo empirismo (com base nas experiências).

NEOLUTERANISMO

As igrejas luteranas haviam perdido muito de sua mensagem e de seu caráter distintivos, no século XVIII. As interpretações racionalistas e pietistas tinham tomado conta do luteranismo. Porém, na primeira metade do século XIX, segundo podemos dizer, a mensagem de Lutero foi redescoberta, com uma nova ênfase sobre a justificação pela fé, sobre o uso regular das ordenanças e com uma vida comunitária regenerada. Nomes associados a essa renovação foram Klaus Harms, Louis Harms e Volkening.

Em seguida houve um despertamento do confessionalismo luterano, que lutava contra a unificação do luteranismo com o presbiterianismo, e em favor de doutrinas e práticas luteranas distintas. Nomes associados a esse despertamento são K.F. Philipp Spitta, L.A. Petri, Hengstenberg, Stahl e Luthardt.

Os aspectos históricos do luteranismo tornaram-se assuntos importantes, nas pesquisas e nos debates, nos escritos de H.R. von Frank, A. von Harless e Theodosius Harnack. A idéia de Lutero sobre a Igreja tornou-se um assunto especificamente debatido. O racionalismo foi combatido. À exegese bíblica conferiu-se um lugar proeminente, embora também se tenha feito muito trabalho nos campos da cristologia, da escatologia, das ordenanças e dos princípios éticos. Esse movimento atingiu seu ponto culminante entre 1869 e 1870; e o interesse pelas idéias de Lutero novamente arrefeceu. No entanto, o século XX viu uma nova abordagem quanto a Lutero e suas contribuições. A tendência tem sido deixar de considerar Lutero primariamente como um mestre teólogo, para considerá-lo um gênio religioso e pensador (essa é a ênfase de homens como Karl Muller, Otto Schell, Karl Holl, Carl Strange, Seeberg, Aulén, e vários outros).

Kierkegaard afastou-se da correnteza principal do luteranismo, tendo interpretado Lutero à luz de experiências pietistas; e isso tem influenciado em muito o luteranismo norueguês, bem como a renascença luterana alemã.

NEO-ORTODOXIA

Esboço:

I. Caracterização Geral
II. Perspectiva Histórica e Nomes Importantes
III. Sobre a Autoridade Religiosa
IV. O Método Existencial
V. Sobre a Queda do Homem
VI. Sobre o Batismo Infantil
VII. Sobre a Expiação
VIII. Sobre a Teoria Social
IX. Sobre a Escatologia
X. Sobre a Ética

I. Caracterização Geral

O termo **neo-ortodoxia** significa uma «nova ortodoxia», em contraste com a variedade rígida e mais antiga de ortodoxia, que se opunha ao liberalismo. Designa aquele movimento, dentro da teologia contemporânea, que reenfatiza as doutrinas protestantes clássicas da transcendência de Deus, do pecado humano e da justificação pela fé, em contraposição aos conceitos liberais da imanência de Deus, da bondade do homem e de seu aprimoramento gradual. As raízes do movimento retrocedem às ênfases que aparecem nos escritos de Paulo, de Agostinho e dos reformadores protestantes, nos labores teológicos de Karl Barth e no pietismo de Kierkegaard. Naturalmente, o movimento incorpora uma larga variedade de idéias.

II. Perspectiva Histórica e Nomes Importantes

O artigo separado sobre Karl Barth oferece o pano de fundo para esse movimento. O liberalismo mostrou-se exagerado quanto ao seu ponto de vista otimista do homem (o que duas sangrentas guerras mundiais encarregaram-se de contradizer), e por haver abandonado as raízes históricas e tradicionais do cristianismo. O homem Jesus de Nazaré perdeu-se em meio às especulações sobre o Jesus teológico; e vários pensadores liberais inventaram seus próprios evangelhos, alicerçados sobre o subjetivismo.

Essa atmosfera criou revolta em pensadores como Karl Barth, pelo que houve uma espécie de renascença teológica, que alguns têm apodado de *barthianismo*. De fato, esse apodo algumas vezes é usado para designar o movimento inteiro, visto que houve um irrompimento no pensamento e na abordagem teológicos, resultante principalmente das idéias de Karl Barth. Ele começou sua carreira como jovem pastor suíço. Por muitos é considerado o mais importante teólogo do século XX. Ele havia sido bem treinado no liberalismo alemão. A primeira coisa que ele publicou foi uma abordagem intelectual acerca do problema do *relativismo* (vide). A preocupação dele é que o homem moderno, inclusive em sua teologia, tem um conceito tão inadequado de autoridade que ele se torna a sua própria autoridade. Em certos sentidos, a histórica obra de Barth, *Comentário Sobre Romanos*, foi um ataque contra o liberalismo. Esse livro foi publicado em 1919, no qual Barth procurou restaurar a autoridade da Palavra de Deus. É verdade que ele avançou demais, aceitando cegamente textos de prova, não tendo dado o devido valor à racionalidade, além de ter sucumbido diante do *voluntarismo* (vide); porém, não restam dúvidas quanto ao impacto de sua fé renovada.

Alguns pensadores, como *Paul Tillich* (vide), são mais apreciadores de novidades do que mesmo ortodoxos. Porém, *Barth* e *Reinhold Niebuhr* (vide) podem ser tidos como mais ortodoxos. Niebuhr defendia a natureza inteiramente «outra» de Deus. Também salientava o pecado original, que alienou o homem do seu Criador. Uma das tragédias do homem é que, se ele pode conceber a perfeição, na verdade é incapaz de atingí-la. E, se o homem é verdadeiramente livre, contudo é entravado por um certo elemento demoníaco, que veio fazer parte de sua natureza. Por esse motivo, o processo moral, tão valorizado pelo homem, não pode ser um mero produto do processo histórico. Para que esse processo moral se torne uma realidade, faz-se mister a intervenção divina. Brunner, um outro pensador, ocupa posição intermediária entre o protestantismo liberal e a teologia de crise, preconizada por Barth. De acordo com Brunner, o homem não pode prover a sua própria salvação, embora possuidor de certos poderes naturais para reagir positivamente a Deus. Além disso, para ele, a revelação eleva o homem a um ponto onde ele não poderia chegar por suas habilidades naturais, e nisso ele estava com toda a razão. Ver sobre *Kierkegaard*.

III. Sobre a Autoridade Religiosa

Ver o artigo separado, intitulado **Autoridade**, onde apresento meus pontos de vista sobre a questão. Quase todos os eruditos liberais são *teístas*. Em outras palavras, eles crêem na existência de Deus e aceitam que ele intervém na história humana. Ver sobre o *Teísmo*. Todavia, os neo-ortodoxos teístas frisam mais a natureza transcendental de Deus. Kierkegaard ensinava que há uma grande diferença qualitativa entre Deus e o homem, de tal modo que o homem só pode achar a Deus por meio da revelação. Essa revelação surgiu entre os homens na pessoa de Jesus Cristo.

Karl Barth também salientou a necessidade da revelação, afirmando que aquilo que sabemos acerca de Jesus Cristo nos veio através da revelação. Conseqüentemente, é fútil tentarmos explicá-Lo e nos envolvermos em argumentos sobre o Jesus histórico e o Jesus teológico. Dentro do processo histórico e da experiência humana não podemos encontrar definições adequadas para Deus, para Jesus Cristo, para a salvação, para a teologia, etc. A teologia é divina, divinamente revelada. Em Jesus, o Ser infinito irrompeu em nossa dimensão finita. Isso posto, temos um *Cristo, conhecido pela fé*, que é a nossa principal consideração; e não um Jesus histórico em contraste com um Jesus teológico. O Cristo conhecido pela fé não é o mesmo Jesus histórico dos pensadores liberais. Pelo contrário, é o *Filho do Deus vivo*, que os apóstolos reconheceram e confessaram.

Por uma parte, os estudiosos liberais laboram em erro, fazendo da Bíblia apenas uma literatura humana grandiosa, por meio da qual Deus falaria aqui e acolá. Por outra parte, os eruditos conservadores laboram em erro, ao identificarem, de modo absoluto, a Palavra de Deus com as Escrituras Sagradas. A Palavra de Deus é maior que a Bíblia—porquanto até incorpora à pessoa do Filho encarnado de Deus—embora, certamente, envolva a Bíblia, a revelação escrita. A pregação acerca de Jesus (a *kérugma* dos apóstolos) é um testemunho prestado à Palavra de Deus. No dizer dos estudiosos liberais, a Bíblia, apesar de fazer parte integrante da Palavra de Deus, nos veio através da instrumentalidade humana, pelo que contém erros tipicamente humanos. Ignorar esse fato é cair em vários tipos de interpretação desonesta. O método histórico de interpretação tem o seu devido valor; a pesquisa histórica é útil; a crítica textual e o estudo dos idiomas originais têm o seu valor. E todos esses estudos têm destacado o elemento humano das Escrituras, com os seus erros de várias naturezas. E, mediante esses reparos, a neo-ortodoxia tem aceitado a perspectiva da alta crítica sobre as Escrituras Sagradas. Mas, para eles, isso não tem parecido fatal à fé na autoridade da Palavra de Deus, a qual nos foi dada por revelação, apesar de inegáveis erros existentes nos registros sagrados. Devemos confessar a existência de tais erros tipicamente humanos. Voltando a Karl Barth, ele acusou Bultmann de ter ido longe demais em sua demitização porquanto Barth respeitava grandemente as Escrituras, e não podia admitir as manipulações de Bultmann. Por outra parte, Barth não se envolvia nos obscurantismos fundamentalistas, que procuram defender textos problemáticos e indefensáveis.

Naturalmente, a neo-ortodoxia também não resolveu o problema do subjetivismo. Pois, se as Escrituras não são perfeitas, sendo apenas um reflexo parcial da Palavra de Deus, até que ponto podemos confiar nelas, e sobre que bases? Entretanto, *toda crença* vê-se envolvida no subjetivismo. E precisamos relembrar que a regra que insiste nas «Escrituras somente», na realidade reduz-se a como eu e minha denominação *interpretamos* as Escrituras. Portanto, essa regra fundamental do protestantismo também está maculada pelo subjetivismo. O problema com o qual se defrontam todos os cristãos é a natureza básica da autoridade; e procuro esclarecer a questão em meu artigo sobre o assunto.

IV. O Método Existencial

Kierkegaard revoltou-se contra a ortodoxia morta, tendo conclamado os homens a dedicarem-se pessoal e apaixonadamente a Deus. Para ele, há uma verdade *existencial* que pode transformar o indivíduo, sendo esse o alvo que devemos buscar. Deus é um ser transcendental, mas podemos atingí-Lo mediante a revelação e a experiência pessoal. A fé cristã precisa ser mais do que a *fides historica*, a aceitação intelectual das verdades do cristianismo. É vão tentar dissolver os paradoxos da teologia, conforme tentam fazer os fundamentalistas. A experiência cristã incorpora verdades sem encontrar modos racionais de defini-las. A ortodoxia pode tornar-se uma queda d'água cristalizada em gelo. Encontra-se ali, bela e impressionante, mas sem qualquer movimento, cristalizada. Essa ortodoxia faz Deus estagnar. Em vez disso, a base da experiência cristã precisa ser a experiência de encontros pessoais com Deus, ou, conforme dizia Brunner, «o encontro divino-humano», e não meramente nossa admiração pelo Livro Sagrado e seu conteúdo. Deus tem existência pessoal, e nós também temos existência pessoal. É mister pôr Aquele em contacto com estes. Nisso consiste a *verdadeira* espiritualidade, nisso consiste o método existencial (não confundir com o existencialismo de Sartre). Jesus é a Palavra viva de Deus, e, se eu quiser ter conhecimento da Palavra de Deus, terei de ter meu encontro pessoal com ele. A mera teologia acadêmica reduz-se à análise dos conceitos ensinados na Bíblia. A espiritualidade consiste na experiência pessoal com Cristo.

V. Sobre a Queda do Homem

A neo-ortodoxia abandanou o ponto de vista otimista acerca do homem, adotado pelo liberalismo teológico. Não nos enganemos quanto a isso: o homem caiu no pecado. A restauração do homem requer a intervenção divina. A Primeira Grande Guerra (1914-1918) muito contribuiu para debilitar as idéias liberais acerca do homem. Os estudiosos liberais diziam que o homem é basicamente bom, e que ele está ficando cada vez melhor. Mas, na década de 1920, Niebuhr começou a escrever tratados advogando o retorno à posição bíblica do pecado original e da depravação da natureza humana. E ainda que nem todos possam aceitar literalmente a narrativa de Gênesis sobre *como* o homem caiu, o fato inegável é que o homem *caiu*, em algum ponto, de alguma maneira. Quanto a isso, podemos aplicar a interpretação alegórica, descobrindo importantes verdades dentro da narrativa do livro de Gênesis, no tocante à queda do homem no pecado, sem nos envolvermos na literalidade. Quando Deus perguntou a Adão: «Onde estás?», ela se tornou a indagação crítica que deve ser dirigida à humanidade inteira, visto que Adão não estava onde deveria, e carecia de uma crítica necessidade de restauração diante do Deus santo e justo.

VI. Sobre o Batismo Infantil

Vários líderes neo-ortodoxos (contrariamente às suas associações históricas) rejeitaram definitivamente o batismo infantil. A teologia corretamente situa-nos bem na «encruzilhada» do tempo e da eternidade, conforme dizia Kierkegaard; e uma apaixonada dedicação à espiritualidade só pode fazer-se presente na pessoa que tenha idade suficiente para saber o que está fazendo e que possa ter experiências religiosas pessoais. Assim, a rejeição do batismo infantil harmoniza-se com o *método existencial* (ver a seção IV, acima). O batismo infantil alicerça-se sobre o conceito da espiritualidade por procuração, e esse conceito é inaceitável aos olhos de muitos líderes do movimento da neo-ortodoxia. Karl Barth desafiou abertamente o sacramentalismo, embora ele não tenha iniciado nenhuma campanha para as igrejas deixarem de batizar infantes. Mas, desnecessário é dizer que ele sofreu amarga e violenta oposição da parte de muitos, por seu anti-sacramentalismo.

VII. Sobre a Expiação

A neo-ortodoxia leva a sério a necessidade da missão interventora de Jesus Cristo, incluindo a questão da expiação por seu sangue. Jesus não foi apenas um mártir de uma causa boa. Não foi apenas um bom mestre. Não foi apenas um profeta. Foi mais do que Sócrates, a beber sua forma de cicuta. Na cruz do Calvário, Deus triunfou sobre o pecado, e ofereceu os benefícios de sua missão encarnada a todos os homens. Na neo-ortodoxia, as muitas teorias da expiação são consideradas, quando muito, como esforços humanos por explicar o que não tem explicação. Pode haver alguma verdade nessas teorias; mas é perfeitamente inútil a análise que podemos fazer sobre a questão. Na neo-ortodoxia, vários autores refletem teorias diferentes; mas o sistema não se prende a definições. Dentro da neo-ortodoxia, pois, não existe tal coisa como *a* teoria da expiação. Deus irrompeu em nossa dimensão terrestre na pessoa de Jesus Cristo. E a sua morte, como nosso substituto, nos é suficiente; e aí cessa o nosso conhecimento a respeito.

VIII. Sobre a Teoria Social

Se os teólogos dessa escola assumem um ponto de vista pessimista da natureza humana, isso não significa que eles não estejam interessados em reformas sociais. Homens como Brunner e Niebuhur acreditavam que o homem, criado à imagem de Deus, ainda assim retém algumas boas características. Outrossim, a intervenção divina na cruz pode dar aos homens uma nova natureza, quando eles se arrependem e crêem. Portanto, é bom os cristãos envolverem-se na tentativa de melhorar as condições de vida neste mundo físico. Discernimentos derivados da filosofia, da antropologia, da psicologia, da sociologia, da história e de outras disciplinas são úteis para ajudar-nos a equacionar e solucionar aqueles problemas sociais. Todavia, a obra social e política não irá muito longe sem um encontro pessoal do homem com Deus, mediante a regeneração e as demais operações do Espírito. Brunner promovia um capitalismo reconstituído, controlado, como o melhor meio econômico para os homens chegarem a uma boa situação social e econômica. Niebuhr, em suas teorias, pendeu para a esquerda. Entretanto, ambos esses pensadores defendiam uma política econômica democrática, e ambos acreditavam no *agapé* (amor) cristão, como essencial para o funcionamento apropriado do Estado. Também rejeitavam o pacifismo como um ideal utópico, belo para contemplar-se, mas impraticável em um mundo como o nosso.

IX. Sobre a Escatologia

Para a neo-ortodoxia é impossível encontrar-se o significado da história somente dentro dos limites da própria história. Os neo-ortodoxos repelem os pontos de vista otimistas e evolutivos, de acordo com os quais todas as coisas acabarão bem, finalmente, através de algum processo inerente e contínuo. Por outra parte, aqueles teólogos não exibem grandes simpatias com os esquemas fundamentalistas de interpretação bíblica que nos tentam dizer, com grandes pormenores, o que acontecerá dentro de «alguns poucos anos». Nos livros de Daniel e do Apocalipse eles não vêem eventos não-distantes, quase contemporâneos. De fato, eles têm afirmado que a fé não está muito interessada por tais atividades, e nem aguarda, ansiosamente, pelo *fim da história*. Antes, para eles, a fé estaria interessada por um estado transcendental, que venha a tomar o lugar do que é meramente finito e humano.

X. Sobre a Ética

Cada teólogo-filósofo tem suas próprias idéias sobre as questões éticas, e os neo-ortodoxos não fazem exceção a isso. Assim sendo, é impossível generalizar o que a neo-ortodoxia diz sobre a ética. Não obstante, podemos frisar alguns temas ou tendências principais:

1. O homem, como um ser decaído, é depravado e precisa da intervenção divina, se tiver de ser restaurado.

2. O homem não é um tipo de ser que, através de um gradual aprimoramento evolutivo, seja capaz de ter um encontro com o Ser divino.

3. O homem prestará contas a Deus, quanto àquilo que faz.

4. Um ato correto é aquele que concorda com os princípios da Palavra de Deus.

5. Apesar dos mandamentos e preceitos bíblicos revelarem a vontade de Deus, não podemos interpretá-los segundo um molde legalista, no tocante ao Antigo e ao Novo Testamentos. Os atos éticos não se alicerçam sobre preceitos legais, quando se trata de cumprir o nosso dever. A ética precisa ser mais profunda do que isso. Não podemos fazer *a priori*, seguindo textos de prova, com que um homem mau se torne um homem bom. Em outras palavras, não basta instruir ao homem, quanto à ética, para que ele se torne um ser bom.

6. O grande princípio do evangelho é a liberdade, e a liberdade opera melhor através do *amor*. O amor é o único absoluto moral. Esse é o imperativo divino. O amor só pode desenvolver-se de modo respeitável mediante o encontro do homem com o Ser divino.

7. A ética seguida por qualquer Estado é, necessariamente, defeituosa, porque não está fundamentada sobre o código do amor, e, sim, sobre questões de expediente e praticalidade. As leis humanas abordam problemas de economia, de distribuição de riquezas e de justiça retributiva contra os ofensores. A nossa ética precisa ser muito mais profunda do que isso. O amor penetra onde nenhuma lei pode chegar. O amor transforma onde a lei fracassa. O amor põe o homem em contacto com o Ser divino, ao passo que a economia meramente trata daquilo que torna mais confortável a vida do homem-animal. Aqueles que buscam realmente a Deus estão interessados em algo mais profundo do que viver em uma boa casa e ganhar um polpudo salário. Os neo-ortodoxos não aceitariam, portanto, a chamada *teologia da libertação* (vide). Por conseguinte, todos os sistemas políticos e toda ética governamental que possam ser propostos são necessariamente inadequados. As questões econômicas em pouco ou nada contribuem para transformar para melhor ao homem real, o homem interior. Somente o Espírito de Deus, com base na intervenção de Cristo, é capaz disso. (AM B E H)

●●● ●●● ●●●

NEOPITAGOREANISMO

Ver o artigo separado sobre **Pitágoras**. Cícero reviveu essa filosofia em seu sistema eclético, embora também muito se tivesse alicerçado sobre *Apolônio de Tiana* (vide), do século I A.C. Esse reavivamento foi eclético, contando com noções de Platão, de Aristóteles, do estoicismo, do epicureanismo, além dos elementos de Pitágoras, que a tudo dominavam. Esse sistema apresentava uma hierarquia de seres, mas com o *Um Supremo*, que estaria por detrás de tudo. Esse Um Supremo não deveria ser chamado por qualquer nome, sendo apreendido exclusivamente pela razão. Os números eram considerados sagrados, especialmente os dez primeiros; e, naturalmente, Deus seria o *Um*. Ele seria o princípio da razão, da forma e da bondade. — O *dois* é o número da desigualdade e das mudanças, especificamente da matéria e do mal. A identidade do Um divino, com suas emanações, uma idéia tão generalizada posteriormente no *neoplatonismo* (vide), provavelmente foi tomada por empréstimo do pitagoreanismo, embora isso já fosse um desenvolvimento natural dentro do próprio pensamento de Platão. Entretanto, não devemos esquecer de que Pitágoras exerceu influência sobre Platão.

NEOPLATONISMO

Esboço:

I. Caracterização Geral

II. Esboço Histórico; o Processo e as Crenças

I. Caracterização Geral

Embora seja uma mescla de quase todas as principais linhas do pensamento filosófico, o neoplatonismo deve mais a Platão, conforme o próprio termo sugere. Essa foi uma das mais notáveis tentativas, na história, de entretecer todas as tendências dos sistemas até então existentes, formando um único tecido filosófico. Seu maior intérprete foi Plotino, que nasceu perto de Alexandria, no Egito, em 205 D.C., e que faleceu em Roma, em 270 D.C. Ele era discípulo de Amônio Caccas, o real fundador do sistema. Plotino era discípulo entusiasta de Platão, embora também não hesitasse em usar idéias de Aristóteles e do estoicismo. A obra intitulada *A Teologia de Aristóteles*, pelos eruditos medievais, na verdade era uma espécie de paráfrase da filosofia de Plotino. Foi notável a sua influência sobre a teologia cristã, especialmente no caso de vultos como Agostinho, o pseudo-Dionísio, João Scoto Erígena e Tomás de Aquino.

Interpretando e Adaptando Idéias de Platão. O *Um* de Platão, ou seja, o princípio da unidade, nas formas ou idéias mais elevadas (como aquelas da bondade, da beleza e da justiça), acabou equivalente a único Deus transcendental. Esse Deus transcendental relacionar-se-ia com o mundo mediante uma série de intermediários, os quais derivar-se-iam do Um através do princípio da *emanação* (vide). Isso posto, a realidade seria uma espécie de série gradativa de seres que, partindo do Um imaterial terminaria na matéria. O homem participaria, até certo grau, do divino, embora esteja preso à matéria. Mas, dotado dessa centelha de divindade, o homem tem um pendor natural pelo divino, e, mediante a iluminação, ascende ao Um e acaba por experimentar unidade com o mesmo. A salvação consistiria na libertação do homem da matéria e em sua união final com Deus.

Plotino expôs seus pensamentos em sua obra, *Eneida*, que, no grego, dá a entender nove capítulos. O Um, a deidade, o Bem Absoluto, a Fonte de tudo, transcende à percepção dos sentidos humanos e dos seus pensamentos; mas podemos encontrá-lo mediante as experiências místicas. —Deus desceria até o homem por meio das emanações. A primeira dessas emanações seria a *Nous*, isto é, a Mente ou Espírito, que se irradiaria do centro de emanação. Essa Nous seria a mente suprema do universo, o mundo das idéias, formas ou universais (vide). Todas as coisas que existem emanariam dessa Nous ou mente suprema (o mundo das idéias, concebido por Platão). Naturalmente, tudo participaria da Nous e nela teria seu ser e realidade. E, se chamarmos a Nous de *Logos*, então teremos chegado à maneira cristã de compreender as idéias de Plotino. Esse é o princípio que governaria toda forma de vida e todos os processos, desde os mais elevados até os mais inferiores. É a Vida de toda vida; é a fonte de onde emanam todas as almas, e onde elas encontram seu ser e sua existência. Ela emana e perfaz o mundo concreto que conhecemos através da percepção de nossos sentidos. A matéria, considerada por si mesma, é irreal. Ela é apenas uma espécie de epifenômeno do real. A matéria é o limite e a barreira contra a qual a Alma que emana se estilhaça em grande multiplicidade e diferenciações. A alma seria anfíbia, podendo viver para baixo, nos mundos inferiores da matéria, antes de, finalmente, tornar-se material; ou, então, pode viver para cima, retornando à sua Fonte originária. As emanações processam-se de cima para baixo, mas a restauração conduz à Fonte, ao Absoluto, à deidade. A alma humana é apanhada pela materialidade e se perde no emaranhado da individualização. Porém, lá no seu mais interior, a alma anela pela unidade perdida. A alma nada chega a conhecer através da percepção dos sentidos, embora chegue a conhecer certas coisas por meio da razão e da intuição. A vereda mais curta e melhor do conhecimento é aquela das experiências místicas, de acordo com a qual a alma pode recuperar, pelo menos até certo ponto, a sua unidade perdida, levando-a a desejar ainda mais dessa unidade. O processo da salvação ou restauração começaria pela rejeição do que é mundano e material. Primeiramente, a alma busca obter a unidade com a Nous. Dali ela retorna à Fonte originária. Mas esse último alvo só pode ser atingido através de um imenso salto de experiências místicas extáticas, e mesmo assim só depois que a alma conseguiu libertar-se do corpo físico.

Muitas reencarnações supririam o teatro de ações onde os homens debatem-se. Pode-se dizer, pois, que Plotino foi o pai do misticismo ocidental, calcado em muito sobre idéias orientais. Mas, visto que Plotino tanto se estribava em Platão, talvez seja correto dizer que Platão é que foi o verdadeiro pai do misticismo ocidental. Seja como for, foi imensa a influência de Plotino sobre antigos pensadores cristãos, como Agostinho e Dionísio; e os seus pensamentos, através dessas figuras cristãs, acabaram penetrando na corrente principal do pensamento cristão. Porfírio (vide), cujas datas foram 232—304 D.C., foi discípulo e biógrafo de Plotino. Outros membros dessa mesma escola foram Jamblico, o sírio (falecido em 330 D.C.) e Proclo (441-485 D.C.), o mais ilustre dos herdeiros filosóficos de Plotino.

II. Esboço Histórico; o Processo e as Crenças

O neoplatonismo, primariamente metafísico, dando ênfase teológica que favorece o misticismo, começou como uma síntese do pitagoreanismo, do platonismo, do aristotelianismo e do estoicismo (oferecemos artigos separados sobre cada uma dessas posições filosóficas). O neoplatonismo adotou elementos judaicos e das religiões orientais em seu sistema; e, através de alguns dos primeiros dos chamados pais da Igreja, entrou na corrente principal do pensamento cristão. Seu auge ocorreu entre os anos 200 e 550 D.C., quando era a principal filosofia do paganismo clássico.

Estágios de seu Desenvolvimento:

1. *Preparação*. Do século I A.C. ao século V D.C. suas idéias estiveram presentes, de várias maneiras, nos escritos de Platão, de Aristóteles, do estoicismo e de outras antigas filosofias. Porém, antes mesmo disso, devemos levar em conta as religiões misteriosas, especialmente os mistérios órficos, que tanto influenciaram Platão. Vários elementos desses mistérios terminaram por fazer parte do neoplatonismo.

Ainda dentro desse estágio preparatório, não podemos esquecer *Espeusipo*, que sucedeu a Plotino como chefe da academia. Ele tinha uma doutrina de um processo divino que chegaria até o Bem (o mais elevado dos universais). Também devemos lembrar *Xenócrates*, o sucessor de Espeusipo, que identificava Deus com a Unidade primária. Ou o *pitagoreanismo*, que contava com elementos que vieram a fazer parte desse desenvolvimento. Para exemplificar: a finalidade da vida consiste em obter relacionamento com o Ser divino; a salvação processa-se mediante a transmigração das almas; o indivíduo deve estar interessado em escapar da materialidade, a fim de ser absorvido pela espiritualidade. Finalmente, devemos pensar em *Filo Judeu*, que foi influenciado por Aristóteles, mas, acima de tudo, por Platão. O pensamento de Filo, no século I D.C., antecipou o neoplatonismo de várias maneiras, incluindo noções como: um Deus totalmente transcendental; uma hierarquia de níveis de existência entre Deus e o mundo; a subida da alma através desses níveis; a final absorção da alma pelo divino. *Numênio de Apaméia* criou um sistema muito parecido com o neoplatônico, ao ponto de alguns referirem-se a ele como o fundador do neoplatonismo, e não Plotino ou Amônio Saccas. *Orígenes* (185-254 D.C.) foi um pai neoplatônico da Igreja, cujos escritos exerceram enorme influência sobre a teologia cristã.

2. *Amônio Saccas* (faleceu em cerca de 242 D.C.) pode ser considerado o fundador formal do neoplatonismo. Seu principal discípulo, Plotino (ver acima), foi o primeiro expositor sistemático dessa filosofia. Seus escritos, destacando-se as Eneidas, proveram ao movimento o seu compêndio. Esse livro foi o mais completo manual de princípios filosóficos a existir desde Aristóteles (384-322 A.C.) até Tomás de Aquino (1225-1274 D.C.). Porfírio, por sua vez, foi o mais brilhante dos discípulos de Plotino. Suas datas foram, aproximadamente, 232-304 D.C. É possível que Orígenes tenha estudado com Amônio Saccas.

3. *Plotino* (205-270 D.C.), talvez na opinião da maioria dos estudiosos, é considerado o pai do neoplatonismo, principalmente porque seus escritos serviram de guia e ponto de referência para o sistema. Damos suas idéias essenciais na seção I; e também oferecemos um artigo separado sobre ele e sobre todos os nomes a que nos temos reportado até este ponto. Plotino concebia três grandes níveis de ser: o *Um;* a *Nous*; e a *Mente Suprema*, da qual todas as coisas teriam emanado.

4. *Amélio, Porfírio* e *Jamblico* são outros vultos do neoplatonismo. Eles apenas repetiam as idéias de seu mestre. Jamblico adicionou alguma elaboração de sua lavra. Seu discípulo, Edésio, fundou uma escola em Pérgamo, que propagava essa doutrina filosófica. O século IV D.C. foi um tempo de propagação dessas idéias, e Jamblico foi um dos seus maiores propagandistas. Ele introduziu elementos mágicos e teosóficos no sistema. *Salústio* (que floresceu em

torno de 363 D.C.) foi um escritor sistemático que propagou essa filosofia. *Teodósio Macróbio* (floresceu em torno de 400 D.C.) escreveu um comentário sobre a obra de Cícero, *Somnium Scipionis*, onde incorporou elementos do neoplatonismo. E isso, por sua vez, influenciou os escolásticos medievais.

5. A *escola de Atenas* foi uma entidade neoplatônica que floresceu entre 380 e 529 D.C. Ali procurava-se combinar as idéias de Platão, de Aristóteles e do estoicismo a fim de formar um único sistema filosófico. Plutarco de Atenas, Proclo, Damáscio, Siriano e Simplício foram os principais filósofos dessa escola. Ela era hóstil ao cristianismo, e foi fechada pelo imperador Justino, em 529 D.C.

6. A *escola Alexandrina* (entre 430 D.C. e a conquista maometana de Alexandria, em 642 D.C.) mostrou-se influente, dentro e fora do cristianismo. Contou com vários representantes cristãos. *Hiérocles, Hermias, Amônio, Asclépio* e *Olimpiodoro* (ver os artigos a respeito deles), foram nomes importantes dessa escola.

7. Os *neoplatonistas latinos* (relacionados a Roma) foram Macróbio (500 D.C.), Mário Vitorino (século IV D.C.), e Boécio (480-525 D.C.), um cristão latino que procurou sintetizar o pensamento cristão com a filosofia grega.

8. A *escola de Bagdá*. A começar pelo ano de 832 D.C., várias obras básicas da filosofia grega foram traduzidas para o árabe. Partes da obra de Proclo, e seis porções das *Eneidas* de Plotino, foram assim traduzidas. A primeira dessas partes tornou-se conhecida como *Liber de Causis*, e a segunda como *Teologia de Aristóteles*. Ambas as obras circulavam como obras de Aristóteles, embora ambas fossem expressões do neoplatonismo. Filósofos islamitas, como Al-Kindi, Al-Farabi, Avicena, Avicebron e Averróis foram influenciados por esse material.

9. *Erígena* (810-877) foi muito influenciado por essa filosofia.

10. *Meister Eckhart*. Seu sistema místico ficou muito endividado ao neoplatonismo.

11. *Paracelso*, do século XVI, muito devia a essa filosofia.

12. *Os platonistas de Cambridge* (século XVII) enfocaram sua atenção sobre os escritos de Platão, Proclo e Plotino. Cudworth e Henry More foram expoentes dessa escola.

13. *Hegel* e *Shelling*, do século XIX, também mostraram sofrer influência do neoplatonismo.

NEOTOMISMO

Ver sobre **Tomismo** e **Neo-Escolasticismo**. O neotomismo é considerado um ramo do neo-escolasticismo, o qual, mais especificamente, enfatiza a filosofia de Tomás de Aquino.

NER

No hebraico, «luz», «lâmpada». Esse era o nome de um homem benjamita, pai de Quis e de Abner, e, portanto, avô do rei Saul (I Sam. 14:50; 26:5; II Sam. 2:8; I Crô. 8:33). Ele viveu em torno de 1100 A.C. A aparente contradição envolvida no fato de que, em I Crô. 9:36, Quis e Ner são chamados filhos de Jeiel, pode ser resolvida mediante a suposição de que existia um outro homem com o mesmo nome de Quis, e que foi o avô de Ner. Têm sido propostas várias outras explicações ou emendas. Hiatos nas genealogias e nomes similares sempre foram causa de consternação para os harmonistas a qualquer preço, que ficam horrorizados diante de aparentes contradições no texto bíblico.

O trecho de I Sam. 14:50 complica ainda mais a questão, ao chamar Ner de tio de Saul. Josefo (*Anti.* 6:6,6) fornece-nos a explicação que é seguida por alguns eruditos. Diz ele: «...o comandante do exército dele (de Saul)... era Abner, o filho de seu tio. Esse tio chamava-se Ner; e Ner e Quis, o pai de Saul, eram irmãos, filhos de Abelios». Na verdade, porém, não existem informações suficientes para a questão ser definitivamente resolvida; e nem ela é importante. Existe sempre a possibilidade de algum erro primitivo nos textos envolvidos, o que é capaz de causar confusões dessa natureza.

NEREIDAS

No grego, **nereides**, nome derivado de **Nereus**, figura lendária, filho de Oceano e de Tétis. As nereidas eram ninfas do mar, em contraste com as *naiadas*, que seriam ninfas das fontes de águas. As mais famosas nereidas eram *Tétis*, a mãe de Aquiles, e *Anfitrite*, esposa de Poseidon, e *Galatéia*.

NEREU

Crente de Roma (ou da Ásia Menor) saudado por Paulo, sobre quem nada sabemos. Nem a tradição inventou coisa alguma sobre ele. Ver Rom. 16:15 no **NTI** onde ofereço alguns poucos detalhes.

NERGAL

No hebraico **neregal**. Uma divindade pagã a quem os antigos sumérios davam o nome de *U-gur*. Entre os babilônios e assírios era conhecido como *Ne-iri-gal*, «Senhor da grande morada». Originariamente, era uma divindade solar. Desde os tempos de Hamurabi passou a ser identificada com Irra, um deus da peste, venerado em Cuta (moderno Tell-Ibrahim, a nordeste da antiga cidade de Babilônia). Várias outras atribuições lhe foram sendo dadas, com a passagem do tempo. Assim, ele passou a ser concebido como o deus das regiões infernais, juntamente com sua esposa, Eresquigal. Foi assumindo ares cada vez mais sinistros, além daqueles de que já se falou, como seja, o deus da guerra, das inundações, das destruições caóticas. Por isso mesmo, com o tempo, passou a ser identificado com *Marte*, o deus da guerra (vide), e, naturalmente, com esse planeta.

Em cidades como Larsa, Isim e Assur havia santuários dedicados a essa divindade. De acordo com o trecho de II Reis 17:30, única passagem da Bíblia onde há menção a Nergal, foram colonos assírios que introduziram esse culto no território do antigo reino do norte, Israel, após o cativeiro assírio. Assim, colonos de Cuta continuaram a adorá-lo, exilados em Samaria. Mas, embora Nergal também fosse considerado um deus da caça, aqueles colonos temeram aos leões que o Senhor enviara contra eles, não sabendo como controlá-los (ver II Reis 17:26). Daí foi sentida a necessidade de que se ensinasse aos exilados em Samaria como se deveria adorar e servir ao «Deus da terra» (Yahweh). E foi dessa maneira que surgiu a seita samaritana, um misto de judaísmo com paganismo.

O nome Nergal aparece freqüentemente em nomes pessoais, como o elemento divino dos mesmos. Nas páginas da Bíblia temos um desses casos, o de *Nergal-Sarezer* (vide).

NERGAL-SAREZER

Temos aí a transliteração do nome hebraico equivalente ao nome babilônico *Nergal-sar-usur*, que significa «ó Nergal, protege o rei». A forma grega desse nome é *Neriglissar*. Nergal era uma das principais divindades da Babilônia. Ver o artigo intitulado *Deuses Falsos*. Esse foi o nome de dois príncipes mencionados na Bíblia, um assírio e o outro babilônio.

1. *O Nergal-Sarezer Assírio*. Ver II Reis 19:37 e Isa. 37:38 (onde ele é chamado Sarezer). Ele e um seu irmão, Adrameleque, assassinaram a seu próprio pai, Senaqueribe. O nome Sarezer é a última parte da forma mais extensa do nome, usada como abreviação. Abidemo grafa seu nome como *Nergilos*, preservando assim a primeira parte do nome completo. Os assírios, em suas crônicas históricas, também preservaram uma versão mais breve desse assassinato, onde não aparecem os nomes dos parricidas, e onde somente um filho de Senaqueribe aparece como culpado, talvez referindo-se àquele que realmente praticou o crime; ou então, por alguma razão desconhecida, a narrativa varia ali, ou foi abreviada.

2. *O Nergal-Sarezer Babilônico*. Esse foi um príncipe babilônio, um dos oficiais do exército de Nabucodonosor (Jer. 39:3,13). A forma grega de seu nome era *Neriglissar*. Ele se casou com uma das filhas de Nabucodonosor. Assassinou a seu cunhado, Evil-Merodaque, e assenhoreou-se do trono, tendo governado entre 560 e 556 A.C.

Alguns eruditos, entretanto, pensam que o trecho de Jer. 39:3 contém dois homens com o mesmo nome: Nergal-Sarezer (segundo se vê em nossa versão portuguesa, além de outras). Nesse caso, o que tinha o título de «Rabe-Mague» (o segundo deles, por ordem de menção), talvez ocupasse uma patente inferior, e não chegou a ser um rei da Babilônia. O título «Rabe-Mague» parece significar «chefe dos *mahhu*», ou seja, «chefe dos oficiais». Porém, outros estudiosos pensam no hebraico, *rab mungu*, um título dado a altos oficiais babilônicos, embora seja desconhecido o seu significado. E, se pensarmos no caldaico *rabu emga*, como a raiz daquele título, então o seu sentido será «nobre e sábio», parecendo ser um título honorífico conferido a oficiais seculares (não-sacerdotais) da Babilônia.

NERI

Esse era o nome de um filho de Melqui, e pai de Salatiel, que aparece na genealogia do Senhor Jesus Cristo, em Luc. 3:27,28. Mui provavelmente, esse nome é abreviação de Nerias, que significa *Yah é luz*. O homem que figura no Antigo Testamento, com esse nome (ver Jer. 32:14; 36:4; 51:59) é considerado por muitos estudiosos como o mesmo Neri do texto lucano.

NERIAS

No hebraico, «Yah é luz», ou mesmo «lâmpada de Yahweh». Ele era filho de Maaséias e pai de Baruque, que atuava como amanuense do profeta Jeremias (ver Jer. 32:12,16; 36:4,8,14,32; 43:3,6; 45:1; 51:59). Nerias viveu em cerca de 620 A.C., e pode ter sido o mesmo Neri de Luc. 3:27, um dos antepassados de Jesus, o Cristo.

NERO

Seu nome original era **Lucius Domitus Ahenobarbus**. Mais tarde em vida, o seu nome foi mudado para Nero Claudius Caesar Drusus Germanicus. Nero foi o quinto imperador romano, o César da época do encarceramento de Paulo. Reinou de 54 a 68 D.C. Ver o artigo geral sobre *César*.

Esboço dos Eventos da Vida de Nero:

O descortinamento dos principais acontecimentos da vida de Nero é, praticamente, a mesma coisa que preparar uma relação de suas atrocidades.

1. Lucius Ahenobarbus nasceu em Antium, na Itália, provavelmente a 15 de dezembro de 37 D.C. Era filho de Gneius Domitius Ahenobarbus e Agripina, esta irmã de Calígula.

2. Quando ele estava com doze anos de idade, sua mãe casou-se com o seu próprio tio, o imperador Cláudio. Quatro anos mais tarde, Cláudio deu a mão de Otávia, sua filha, a Lucius Ahenobarbus. Foi nessa ocasião que também o adotou formalmente como filho, e lhe mudou o nome. E foi assim que Nero se tornou forte candidato à sucessão ao trono romano.

Poderíamos meditar nas razões dos povos latinos darem às pessoas nomes tão longos. Isso pode ser contrastado com o costume dos hebreus, de darem às pessoas apenas um nome. E, ocasionalmente, para efeito de distinção, eles adicionavam algo como «filho de», ou, então, davam o nome da localidade onde aquela pessoa havia nascido.

3. Nero sucedeu a Cláudio, no trono do império romano, em 54 D.C., com a ajuda criminosa de sua mãe Agripina, que mandou envenenar o próprio tio e marido, a fim de garantir o trono para Nero. Tendo sido pupilo do famoso *Sêneca* (vide), ele foi favoravelmente acolhido pelos romanos como o novo imperador. E chegou mesmo a ser popular, enquanto o lado mais negro de seu caráter ainda jazia oculto. De fato, até seu nome, Nero («negro») poderia ser considerado um mau presságio para o futuro. É verdade que sua vida foi extremamente licenciosa, durante seus primeiros anos de governo; mas ele exercia clemência e justiça, nessa primeira fase como imperador.

4. Não se sabe por que houve uma mudança tão radical em seu caráter e em suas ações. Mas essa transformação para pior foi tão drástica que sugere que ele foi afetado por alguma forma de insanidade. Daí por diante, as atrocidades de Nero se foram tornando proverbiais, e ele se tornou cada vez mais repulsivo.

5. Nero consolidou sua posição no trono, mandando matar a Britânico, filho e herdeiro de Cláudio.

6. No ano de 59 D.C., conseguiu do senado uma ordem para executar à sua própria mãe, Agripina, a fim de agradar à amante dele, Popéia, que era esposa de Oto. Não muito depois, Nero casou-se com essa mulher, tendo-se divorciado de sua esposa, Otávia. Enquanto isso, mediante intrigas na corte, várias cabeças romanas rolaram, aguçando ainda mais o gosto dele por sangue.

7. Em 64 D.C., Nero deliciou-se contemplando o incêndio da cidade de Roma. Os historiadores suspeitam, com muito boas razões, que ele mesmo mandara tocar fogo na cidade. E, enquanto contemplava as chamas, como um incendiário louco, ele tocava a lira e compunha versos, que falavam sobre a destruição da cidade de Tróia. A lenda que diz que ele tocou um violino, nessa ocasião, não está baseada em fatos, pois o violino ainda não havia sido inventado. O que é certo é que ele lançou a culpa pelo incêndio sobre os cristãos de Roma. E isso serviu-lhe de pretexto para iniciar a perseguição e a matança dos cristãos. Embora alguns estudiosos duvidem da autenticidade do relato, outros consideram-no o primeiro dos imperadores romanos a perseguir aos cristãos. Essas perseguições imperiais, embora intermitentes, continuaram pelo espaço de nada menos de três séculos e meio, até à época de *Constantino* (vide).

8. Quando Popéia, sua nova esposa, estava grávida, Nero matou-a com um pontapé no ventre. Aliás, de

vez em quando algum monarca ficou repetindo o gesto violento daquele tresloucado. Infelizmente, nosso primeiro imperador, em um momento de fúria, matou sua própria esposa com um chute no ventre.

9. Nero então pretendeu casar-se com Antônia, sua própria irmã adotiva. E quando ela se recusou ao incesto, ele mandou matá-la.

10. Então Nero casou-se com Estatília Messalina, cujo marido, Vestino, Nero mandara matar. A razão do assassinato é que Vestino ousara casar-se com Messalina depois que ele (Nero) tivera relações sexuais com ela, antes do casamento dela com Vestino.

11. Morreram muitas figuras romanas, por perseguições políticas ou por pura mania de suspeitas de Nero. O jurista Longino foi exilado, e muitos cidadãos romanos virtuosos e inocentes foram sacrificados.

12. Foi Nero quem promoveu a brutal diversão dos circos de gladiadores, em Roma. Ninguém apreciava mais o espetáculo do que o próprio Nero. Daí por diante foi mister os sucessivos imperadores romanos aplacarem os desocupados famintos de Roma com o proverbial «pão e circo» gratuitos. É evidente que um costume selvagem desses só embrutecia cada vez mais a população. Alguns dos imperadores romanos depois de Nero especializaram-se em apresentar espetáculos de circo cada vez mais sangrentos, conforme qualquer leitor da história de Roma sabe.

13. Nero foi à Grécia participar dos jogos Olímpicos. Ali, exibiu sua habilidade como músico e cocheiro de biga. Os prêmios que ali obteve, e que ele mostrava com tanta ostentação daí por diante, ao que tudo indica foram merecidos.

14. Houve tentativas de conspiração contra Nero, que muito o chocaram, fazendo-o reagir violentamente. Uma insurreição irrompeu na Gália. Cada vez mais acuado, Nero mandou executar, entre vários outros, a seu próprio preceptor, Sêneca. Porém, cada vez menos ele tinha apoio, ao ponto da guarda pretoriana abandoná-lo. Então o senado condenou-o à morte, e ele acabou suicidando-se, quando ouviu que cavalarianos aproximavam-se a fim de levá-lo à execução decretada pelo senado, que também já havia aclamado Galba como o novo imperador. Ferindo-se na garganta com uma espada, ele exclamou suas últimas palavras: «Que grande artista o mundo vai perder!» O senado declarou-o *inimigo público!*

15. Foi ainda durante o seu reinado que teve início o conflito entre os judeus e os romanos. Nero suicidou-se dois anos antes dessa guerra terminar. E foi Tito, que chegaria mais tarde a ser imperador romano, quem destruiu a cidade de Jerusalém, no ano 70 D.C.

O imperador Nero, «...para César...» Atos 25:4. O *César* do tempo do aprisionamento do apóstolo Paulo era Nero, que foi imperador de 54 a 68 D.C. (Ver sobre *César*, onde há informações gerais a respeito).

Nero era o trineto de Augusto, por meio de sua mãe. Fora adotado por Cláudio, o imperador anterior, como seu herdeiro. Nero era filho de uma distinta família da antiga aristocracia romana, os *Domitti*. Foi o último «César» por hereditariedade, porquanto os imperadores que houve depois de Nero não eram membros dessa família. «César» era o sobrenome de Júlio César. E mais tarde esse nome foi aplicado como título aos outros membros dessa família que governou o gigantesco império romano, título esse que também foi adotado pelos subseqüentes imperadores romanos, ainda que não pertencessem a essa dinastia.

Nero fez chegar ao ponto final a hegemonia de sua família devido às suas inúmeras atrocidades, que destruíram o prestígio da família. Ele mesmo terminou por suicidar-se, em 68 D.C., por causa das revoltas que estouraram em Roma, por sua causa. Após a sua morte prematura, surgiram lendas em várias localidades a seu respeito, incluindo a idéia de diversas reencarnações. Alguns cristãos primitivos emitiram a opinião de que o futuro *anticristo* seria uma reencarnação de Nero, idéia essa que tem reaparecido nos tempos mais recentes, como nos escritos de um escritor como William R. Newell, autor de vários comentários sobre livros canônicos do Antigo e do Novo Testamentos. (Outros, porém, têm pensado que o anticristo será uma reencarnação de *Judas Iscariotes*, suposição essa que tem sido apoiada por uma autoridade não menor que a do Dr. M.R. Dehaan).

As conexões do imperador Nero ao cristianismo são as seguintes:

1. Nero foi o *César* para quem o apóstolo Paulo apelou, e cuja autoridade, juntamente com outros governantes terrenos, o apóstolo havia apoiado (ver o décimo terceiro capítulo da epístola aos Romanos). Há uma trágica ironia na declaração de Paulo, em Rom. 13:4 «...não é sem motivo que ela traz a espada...», porque foi exatamente essa a espada que decapitou ao apóstolo, além de ter morto a tantos vultos ilustres do cristianismo, tanto na cidade de Roma como por tantos outros lugares do império romano, antes que a loucura de Nero fosse impedida de continuar, com o seu suicídio.

2. Todos sabem que Nero foi o imperador que governava o império, em 64 D.C., quando grande parte da cidade de Roma foi destruída por um incêndio. Nessa ocasião, a fim de afastar as suspeitas populares de sua pessoa, como provocador da catástrofe, que ele realmente iniciara com a finalidade exclusiva de divertir-se, lançou a culpa sobre os cristãos. Nero ordenou aprisionamentos em massa, e muitos cristãos foram queimados vivos em público. (Ver Tácito, *Anais* xv.44). Por essa altura dos acontecimentos, os cristãos já eram perfeitamente distinguidos dos judeus, e foram os cristãos os que mais sofreram. Tácito mostra claramente que as acusações contra os cristãos foram fabricadas, ainda que ele também tivesse as suas suspeitas sobre os princípios morais dos cristãos, porquanto todas as formas de acusações tinham sido lançadas contra eles. A esposa de Nero, Popéia, era favorável aos judeus, e isso talvez explique alguns horrores que os cristãos tiveram de sofrer durante o reinado de Nero. Suetônio também menciona as perseguições movidas contra os cristãos, aludindo também à questão de sua moral envilecida, segundo se dizia. (Ver *Nero* xvi.2). A primeira epístola de Pedro reflete a agonia dos cristãos durante esse tempo.

3. Nos últimos anos do reinado de Nero, seus comandantes militares que estavam na Palestina estavam atarefados na guerra contra os judeus, a qual, finalmente, terminou com a generalizada destruição de Jerusalém e a matança do povo israelita, hecatombe essa que culminou no ano 70 D.C., já nos tempos do reinado de Vespasiano, sob as ordens do general Tito, filho de Vespasiano, que mais tarde se tornou imperador. Todavia, não parece que Nero tomou parte muito ativa nessas campanhas contra os judeus. Esse acontecimento—a destruição de Jerusalém, e, naturalmente, de seu templo—separou, como nada poderia ter feito igual, a Igreja cristã do judaísmo, porquanto então desaparecera o templo, o símbolo e fulcro da fé judaica.

Ver sobre **César**, que inclui informações sobre **Nero**.

NESTOR (NESTÓRIANISMO)

Nestor foi patriarca de Constantinopla entre 428 e 431 D.C. Seu propósito era banir as heresias da área sob seu controle. Mas ele mesmo achou-se em dificuldades ao apresentar o que a outros parecia ser uma duvidosa *cristologia* (vide). Em primeiro lugar, ele objetava aos excessos que tinham surgido com base na expressão grega *theótokos*, «mãe de Deus», aplicada à Virgem Maria. Em segundo lugar, ele procurou modificar a cristologia hipostática da escola alexandrina. Em lugar de «mãe de Deus», ele preferia «mãe de Cristo» (*christótokos*). Mas isso só ofendeu a piedade contemporânea. E, em terceiro lugar, em vez da união hipostática das naturezas divina e humana na pessoa de Cristo Jesus, ele propôs uma nova expressão, «união prosópica». Esta última palavra vem de *prósopon*, palavra grega que significa «face» Ele expunha a questão como segue: «A humanidade estava na face da deidade, e, a deidade na face da humanidade». Mas, para outros líderes eclesiásticos, isso parecia sugerir, antes de tudo, que Jesus, como homem, não podia ser adorado (pois «mãe de Deus» era idéia eliminada); e, além disso, parecia que aquela fórmula não indicava uma autêntica unidade da natureza divina com a humana, na pessoa de Cristo, porque tal união incluía somente a questão de vontades harmônicas.

Nestor foi vigorosamente atacado por Cirilo, patriarca de Alexandria, o qual acusou aquele de ensinar uma dupla personalidade em Cristo. Foi essa caracterização da doutrina de Nestor, apresentada por Cirilo, que foi condenada pelo Terceiro Concílio de Éfeso (431 D.C.). Como resultado, Nestor foi deposto, e foi sendo expulso de um lugar para outro, à boa maneira «cristã». E ele terminou morrendo na obscuridade, em 440 D.C. Entretanto, a controvérsia não morreu juntamente com ele; mas prosseguiu por mais dois séculos, devido à insistência de discípulos de Nestor, que continuavam frisando o que ele enfatizara. Ver sobre os *Nestorianos*.

Não se tem certeza sobre o que Nestor estava procurando ensinar. Os seus contemporâneos, ao que parece, não sabiam exatamente o que ele tencionava dizer com sua «união prosópica», em contraste com a união hipostática. Esta última expressão indicava a união das naturezas divina e humana, na única pessoa (*upóstasis*) de Cristo. Ela foi usada como sinônimo de *ousía*, «substância», «essência», quando foi criada. Mais tarde, passou a indicar a substância divina dos modos pessoais da Trindade. Isso posto, cada membro da Trindade veio a ser considerado uma *hipóstase*, uma eterna distinção dentro da unidade divina. A unidade hipostática, pois, afirma que as naturezas divina e humana de Jesus Cristo, embora distintas, ficaram inseparavelmente unidas em sua pessoa. Na realidade, teríamos de falar pessoalmente com Nestor para sabermos com certeza por que razão ele queria modificar esse conceito. Talvez, conforme alguns afirmam, ele quisesse mesmo dizer que essa unidade se dava no âmbito das vontades—a divina e a humana—sem que houvesse qualquer união genuína da natureza divina com a natureza humana, na pessoa de Jesus Cristo.

NESTORIANOS

Ver sobre **Nestor (Nestorianos)**. Essa seita, cujo santo e herói foi Nestor, prosseguiu ainda durante dois séculos após a sua morte. Manteve uma saudável existência, especialmente na Pérsia, e dispunha de um ativo movimento missionário, que fez ir aumentando continuamente o número dos seus adeptos. Os nestorianos levaram o evangelho à Arábia, à Índia, ao Turquestão e à China. Os seguidores de Nestor organizaram a sua própria denominação e se refugiaram na Síria, devido às perseguições promovidas pela Igreja Ortodoxa na Pérsia, na Mesopotâmia e na Arábia. Eles adotaram o título de cristãos caldeus. Por ocasião do concílio de Selêucia (498 D.C.), a igreja persa aceitou claramente a cristologia nestoriana, em contraste com a posição da Igreja Católica. Centros nestorianos em Antioquia, Edessa e Nísibis tornaram-se lugares de erudição teológica, de conhecimentos médicos e filosóficos; e muitos elementos nestorianos tornaram-se figuras de proa em muitas ocupações, incluindo altos postos governamentais.

Os islamitas tratavam os nestorianos com tolerância, talvez anelando promover a divisão nas fileiras cristãs; ou, então, simplesmente eram mais tolerantes para com os nestorianos do que os seus irmãos cristãos!

O nestorianismo atingiu sua expressão culminante no século XIII, quando dispunha de vinte e cinco arcebispos e de cerca de duzentos bispos. Isso posto, a Igreja Nestoriana tornou-se uma importante rival de Roma. Porém, por ocasião da queda de Bagdá, em 1258, modificou-se a boa sorte política, e o nestorianismo viu-se seriamente perturbado. E, então, no século XIV, Tamerlão virtualmente destruiu o nestorianismo, de tal modo que somente um pequeno remanescente foi capaz de sobreviver nas montanhas do Curdistão.

Nos séculos XII e XIII foram feitas tentativas para trazer de volta o nestorianismo ao redil da Igreja Católica, nos pontificados de Alexandre III, Inocente IV e Nicolau IV. Daí emergiu a Igreja Nestoriana Unida, que reconhecia o primado de Roma, mas continuou a usar a liturgia grega e a adotar o casamento dos membros de seu clero. Atualmente chamam-se Caldeus Uniatos. A Igreja Nestoriana Não-Unida, na Mesopotâmia, na Pérsia e na Síria celebra os sacramentos do batismo e da Ceia do Senhor, mas não ensina a transubstanciação. Na Índia, os nestorianos são conhecidos como cristãos de São Tomé, o que envolve a antiga tradição de que o apóstolo Tomé evangelizou a Índia. Cerca de metade do número deles reconhece o primado da sé romana.

Os nestorianos ortodoxos puseram-se ao lado dos aliados, contra os turcos, em 1914 durante a Primeira Grande Guerra. Mas, nos anos que se seguiram aos tratados de Sevres (1920) e Lausanne (1923), os interesses deles foram declinando severamente, ao ponto de atualmente estarem quase extintos.

NETAIM

No hebraico, «plantações». Nome de uma localidade, aparentemente nas terras baixas de Judá, onde viviam alguns oleiros que trabalhavam para o rei (I Crô. 4:23).

NETANIAS

No hebraico, «Yahweh concede», ou «dom de Yahweh». Nome de quatro personagens do Antigo Testamento:

1. Um filho de Elisama, pai de Ismael. Ele assassinou a Gadalias (II Reis 25:23,25; Jer. 40:8,14,15; 41:1 *ss*). Pertencia à família real de Judá, e viveu em torno de 586 A.C. Gedalias fora feito governador do remanescente de Judá, por Nabucodonosor, que havia conquistado o território e exilado seus habitantes. A família real exilada vingou-se daqueles que permaneceram, que tinham dado

ouvidos a Jeremias, ao qual consideravam traidor, porquanto falara sobre a inevitabilidade da conquista de Judá pelos babilônios.

2. Um dos quatro filhos de Asafe, que foi um músico religioso (I Crô. 25:2). Ele era o cabeça da quinta divisão dos músicos do templo. Viveu por volta de 961 A.C.

3. Um levita que foi enviado em companhia de vários príncipes a fim de ensinar a lei e o correto culto religioso ao povo, nas cidades de Judá, em cerca de 769 A.C. Seu nome é mencionado somente em II Crô. 17:8.

4. O pai de Jeudi. Este foi enviado pelos príncipes para pedir a Baruque que lesse para eles o rolo escrito com as profecias de Jeremias. Baruque era o amanuense de Jeremias (Jer. 36:14). Viveu em torno de 625 A.C.

NETI NETI

No sânscrito, «não isso, não isso». Essa expressão é usada nas Upanishadas Brhadaranyaka e por *Shankara* (vide), como a única definição apropriada de Brahman, o princípio da divindade. A expressão ensina que Deus é de natureza inteiramente diversa da nossa, não podendo ser descrito em termos antropomórficos, e, na verdade, nem em quaisquer outros termos.

NETINIM (SERVOS DO TEMPLO)

Esboço:

1. O Nome
2. Origem e Deveres do Netinim
3. Número e Posição Social dos Netinim

1. O Nome

No hebraico, «dedicados», com o sentido de «dedicados ao serviço no templo de Jerusalém». Josefo (*Anti*. 11:5,1) chamou-os de «escravos do templo». Eles trabalhavam sob a orientação dos levitas.

2. Origem e Deveres dos Netinim

Os levitas encarregaram os **gibeonitas** (vide) de trabalhos manuais pesados como carregar água e rachar madeira, etc. Esse relato aparece em Jos. 9:2-27, pelo que eles podem ser chamados de os primeiros *netinim*. Nos tempos do rei Davi esses trabalhadores aumentaram em seu nome, não estando mais restritos aos descendentes dos gibeonitas. E, então, surgiu, especificamente, a designação *netinim*, que ocorre por dezoito vezes nas páginas do Antigo Testamento; I Crô. 9:2; Esd. 2:43,58,70; 7:7,24; 8:17,20; Nee. 3:26,31; 7:46,60,73; 10:28; 11:3.21. O fato de que os *netinim* incluíam outros, além dos gibeonitas, foi causado, pelo menos em parte, pelo fato de que eles foram quase inteiramente massacrados em Nobe (ver I Sam. 22:1-19), e que aqueles que restaram eram em número insuficiente para as tarefas necessárias. Daí por diante, provavelmente foram incluídos nessa classe os prisioneiros de guerra e pessoas que, de outro modo qualquer, tinham sido reduzidos à servidão. Continuaram a ser chamados *netinim* (em nossa versão portuguesa, «servos do templo»; ver I Crô. 9:2; Esd. 2:43; 7:7; Nee. 7:46). Nenhuma lista de deveres é dada além daqueles que já foram mencionados; — mas podemos ter a certeza de que eles faziam coisas que ninguém queria fazer. Alguns deles voltaram a ocupar-se de seus deveres, sob o decreto de Ciro, tendo sido instalados nas cidades, juntamente com os levitas, preparados para tarefas manuais necessárias.

3. Número e Posição Social dos Netinim

Talvez os primeiros **netinim** ou servos do templo fossem levitas que foram dados para servir a Aarão quanto a tarefas no tabernáculo (ver Núm. 3:9; 8:19). Porém, isso ainda não envolvia escravidão. Quando os gibeonitas foram forçados a trabalhos pesados, aqueles levitas foram aliviados de serviços mais pesados. Os servos do templo eram sustentados mediante doações do povo, da mesma maneira que o eram os levitas. Não há dados estatísticos quanto ao número deles, senão depois do retorno da Babilônia, ao fim do exílio babilônico. Cerca de seiscentos deles voltaram com o remanescente de Judá, se incluirmos aqueles que regressaram à Terra Prometida em companhia de Zorobabel (Esd. 2:58; Nee. 7:69) em companhia de Esdras (Esd. 8:20) e sob a liderança de Zia e Gispa (Nee. 11:21). Alguns deles ficaram instalados em cidades levíticas, e outros ficaram servindo no templo de Jerusalém.

Tal como no caso de outros serviçais, a despeito de sua humilde condição, os servidores do templo estavam isentos de pagar impostos aos sátrapas persas (Esd. 7:24); eram sustentados com base no tesouro do templo; e ajustavam-se à fé judaica (Êxo. 12:48; Deu. 29:11; Jos. 9:21; Nee. 10:28). As condições sociais dos *netinim* eram tão baixas que ainda ficavam abaixo da condição dos *mamzerim*, os filhos ilegais, segundo se sabe pelos comentários na Mishna, *Kiddushin* (3:12; 4:1) e *Jebamoth* (2:4). Eles precisavam casar-se com pessoas de sua própria casta (reverberações do hinduísmo!). E quando se casavam, não eram dispensados do serviço militar, como sucedia a todos os outros israelitas. Se uma mulher tivesse uma criança e não pudesse provar quem era o pai, essa criança passava a ser classificada entre os *netinim*. Tais pessoas não podiam servir de juízes. Visto não haver referência a eles no tocante a uma casta, no livros apócrifos, nos livros do período intertestamentário e no Novo Testamento, muitos crêem que eles se misturaram por casamento com a população israelita em geral, e a classe desapareceu. Paulo escreve com um discernimento divino sobre o amor de Deus, ao dizer: «em Cristo... não pode haver judeu nem grego; nem escravo nem liberto; nem homem nem mulher; porque todos vós sois um em Cristo Jesus» (Gál. 3:27,28).

NETOFA (NETOFATITAS)

No hebraico, «distilação», «gotejar». Nome de uma localidade do território de Judá, localizada perto de Belém. Era lugar ocupado desde tempos antigos. Dois dos heróicos guerreiros de Davi vieram desse lugar, Maarai e Heldai. Ver I Crô. 27:13,15. Ali também residiam levitas. Ver I Crô. 9:16. O trecho de Nee. 12:28 menciona especialistas em música como quem teve origem naquele lugar. O nome mesmo do lugar ocorre somente nas listas dos remanescentes de Judá que regressaram a Jerusalém, terminado o cativeiro babilônico (Esd. 2:22; Nee. 7:26; ver também, I Esdras 5:18). Na maioria das vezes, porém, é usado o adjetivo gentílico, «netofatitas». Os habitantes de Netofa e de Belém descendiam do patriarca Judá através de Perez, Hezrom (I Crô. 2:4,5), Calebe (vs. 9; onde é chamado Quelubai) e Salma (vss. 51,54).

Não se conhece o lugar exato de Netofa, hoje em dia; mas em Esd. 2:22 aparece como uma cidade localizada entre Belém e Anatote. Talvez ficasse no local da forteleza de Ramat Rahel, imediatamente ao sul de Jerusalém; ou então, em Khirbet Bedd Faluh, cerca de cinco quilômetros a suleste de Belém, onde aquele nome bíblico é preservado na fonte *'Ain en-Natuf*, que talvez ficasse perto da cidade.

NETUNO

Essa palavra vem do latim, **Neptunus**, talvez um nome derivado de outro termo latino, *nimbus*, «chuva». Esse era o nome de uma antiga divindade da água dos romanos, e que tem sido identificada com o deus *Poseidon* (vide), do panteão grego.

Em Roma, a festa que cercava esse deus chamava-se Neptunalia (celebrada a 23 de julho). Era considerado o deus do mar, marido de *Salácia*, a deusa da água salgada. A identificação com o Poseidon dos gregos começou em cerca de 399 A.C. Ele contava com um templo no Circo Flamínio. Posteriormente, — o rei Agripa mandou construir um templo e um pórtico em sua honra, no campo de Marte, em comemoração à sua vitória naval sobre Sexto Pompeu e Antônio.

NEUM

No hebraico, «consolado». Esse era o nome de um dos doze chefes da comunidade hebréia que retornou, em companhia de Zorobabel, terminado o cativeiro babilônico (ver Nee. 7:7), em cerca de 445 A.C. No trecho paralelo de I Esdras 5:8, seu nome aparece com as formas de *Reimus* ou *Reum*.

NEUROSE

Esse nome se dá a uma das principais classes de desordens mentais, aquelas que não envolvem lesões físicas, mas que, segundo os especialistas acreditam, devem-se a conflitos internos e tensões. O principal sintoma das neuroses é o estado de ansiedade. A questão assume tonalidades éticas quando o conflito interior é criado pela violação da própria consciência ou das crenças morais. Quase sempre, há a presença de alguma auto-ilusão nos neuróticos, ou como causa da condição, ou como a condição real, ou como ambas as coisas.

Sigmund Freud acreditava que o *ego*, sob pressão do *superego*, reprime impulsos instintivos inaceitáveis, e que a tensão assim criada manifesta-se sob a forma de várias ansiedades. Por outra parte, o que pode estar sendo reprimido é a consciência do indivíduo, e não desejos instintivos. E, então o conflito torna-se ético ou moral, em sua natureza.

Freud também pensava que os neuróticos podem ser aliviados de sua condição por meio do autoconhecimento e da demolição gradual do superego hostil, que impõe a eles demandas ilógicas, socialmente condicionadas. Entretanto, a neurose pode ser uma enfermidade da consciência, uma violação dos padrões que foram ensinados a uma pessoa, padrões esses aceitos como corretos, embora a pessoa possa racionalizar situações, procurando desvencilhar-se de suas próprias normas aceitas. As neuroses podem surgir porque forças morais interiores foram debilitadas e violadas. A psicoterapia é útil para definição dos problemas; mas, quando a psicoterapia segue linhas materialistas, recomenda soluções falsas, que envolvem a anulação da consciência, e não a correção da conduta, para que esta se harmonize com os padrões morais.

Os conselheiros biblicamente orientados prescrevem a mudança nas atitudes e na conduta. Quando tais conselhos são seguidos, os resultados podem ser dramáticos em termos de saúde mental, embora, com freqüência, isso envolva sacrifícios pessoais que muitos não estão dispostos a fazer. Não há razão na idéia de que as neuroses sempre têm um fundo pecaminoso; mas, nos casos de fundo pecaminoso, o aconselhamento pode ser útil, porquanto remove as auto-ilusões acerca do que é certo e do que é errado. E então fica ao encargo da pessoa afligida modificar a sua conduta, de modo a concordar com as suas próprias convicções morais. Se o paciente assim fizer, então poderá ser curado.

NEUSTA

No hebraico, «bronze», nome de uma filha de Elnatã, de Jerusalém. Ela tornou-se esposa de Jeoaquim, e mãe de Joaquim, ambos reis de Judá, este sucedendo àquele. Ver II Reis 24:8. Ela viveu em torno de 616 A.C. Foi deportada para a Babilônia, juntamente com outros cidadãos liderantes de Judá, como parte do cativeiro babilônico, em cerca de 597 A.C.

NEUSTÃ

Transliteração do termo hebraico que significa «de bronze», referindo-se à Serpente de Metal (vide), feita por Moisés. Ver II Reis 18:4. Essa serpente de metal foi despedaçada por Ezequias, rei de Judá, porque estava servindo de objeto idólatra para muitos judeus, embora não tivesse sido essa a finalidade pela qual fora feita (ver Núm. 21:9).

NEUTRALIDADE

O termo latino, **neuter**, «nenhum dos dois», é a raiz dessa palavra. Isso posto, a neutralidade é o estado de não ser nem uma coisa e nem outra. Trata-se da atitude que não toma partidos, que procura manter-se no meio de dois extremos, que percebe que certas coisas, moralmente falando, nem são boas e nem são más. Ser neutro pode significar mostrar-se indiferente diante de uma questão ou situação, recusar-se a dar importância a uma questão ou situação.

Há casos em que a neutralidade é demonstração de bom senso, de boa norma a ser seguida, como quando há uma luta de poder entre duas facções, motivada pelo espírito de partidarismo, que tenta fazer as pessoas defenderem um ou outro lado de alguma questão. Mas, em outros casos, a neutralidade pode ser criminosa ou imoral. Sartre asseverou: «Se Deus não existe, então tudo é mutável, tudo é permissível». A existência de Deus, porém, significa que existem questões morais diante das quais não podemos assumir neutralidade. A Bíblia é um compêndio que descreve aquelas coisas diante das quais não podemos ser indiferentes. Quando Moisés entregou a lei ao povo de Israel, como que disse: «Estas são as coisas sobre as quais não podeis manter neutralidade».

A última coisa sobre a qual um homem pode manter neutralidade é o seu próprio destino espiritual, juntamente com a missão que lhe cumpre realizar nesta vida. Não obstante, as pessoas descobrem toda variedade de desculpas para não enfrentar essa questão. Além disso, convém-nos considerar que existem valores morais finais e fixos, que só podemos debilitar ou modificar para nosso próprio detrimento. Há coisas que, realmente, são certas ou são erradas. As religiões e as filosofias, em suas considerações éticas, têm procurado definir essas coisas.

NEVE

Há um termo hebraico e um termo grego envolvidos neste verbete:

1. *Sheleq*, «neve». Essa palavra aparece por vinte vezes, como em Êxo. 4:6; Núm. 12:10; II Sam. 23:20;

II Reis 5:27; I Crô. 11:22; Jó. 6:16; 9:30; Sal. 51:7; Pro. 25:13; Isa. 1:18; 55:10; Jer. 18:14; Lam. 4:7.

2. *Chión*, «neve». Palavra grega que figura por duas vezes: Mat. 28:3 e Apo. 1:14, sempre referindo-se a algum detalhe das vestes ou dos cabelos do Senhor Jesus, quando de sua transfiguração, ou quando apareceu a João, já glorificado, estando aquele apóstolo na ilha de Patmos.

Embora, freqüentemente, mencionada como um símbolo de pureza e de refrigério, nas páginas da Bíblia, a neve só é mencionada literalmente apenas por uma vez, por ocasião do encontro que Benaia teve com um leão, em II Sam. 23:20: «Desceu numa cova e nela matou um leão no tempo de neve». A menção à neve, dentro desse contexto, segundo pensam os estudiosos, indica que o evento foi excepcional, não somente devido ao ato de valentia de Benaia, que entrou no covil de um leão e o matou, mas também porque embora haja neve, de tempos em tempos, nas colinas da Judéia, o covil do leão deveria estar no vale do Jordão, onde a queda de neve é um fenômeno desconhecido. Provavelmente, o leão foi apanhado em uma tempestade de neve, fora do seu habitat comum.

A neve não é desconhecida na Judéia. Mas as duas áreas onde a neve cai pesada e regularmente, são: 1. nas montanhas do Líbano, no extremo norte da Terra Prometida, onde o monte Hermom atinge 2.775 m de altura, havendo uma capa de neve no alto do mesmo, durante todo o ano. Foi a visão distante desse monte, visto da quente Galiléia, que inspirou tantos símbolos bíblicos, comuns para os leitores das Escrituras. 2. Nos montes de Edom, a leste do rio Jordão, onde o terreno se eleva a mais de 3.500 m acima do nível do mar. Portanto, para muitos israelitas, a neve era mais uma cena distante do que uma realidade presente, embora ela não lhes fosse desconhecida.

NÉVOA

No hebraico temos uma palavra, **'ed**; e no grego dois termos: **omichlai; achlus**. A névoa é causada pelo vapor d'água que é retido na atmosfera, e que obscurece a visão. Na Palestina e na Síria, quase todos os dias há névoa nos vales entre os montes, começando à noite e desaparecendo ao esquentar o sol, na manhã seguinte. Ver Sabedoria de Salomão 2:4. A palavra «névoa» era usada para descrever a atmosfera úmida e quente do período anterior ao dilúvio (ver Gên. 2:6). A palavra grega usada para indicar isso, na tradução da Septuaginta, é *pegê*, o que pode apontar para fontes subterrâneas de água, visto que essa palavra grega significa «fonte».

O livro de Atos (13:11) usa a palavra grega *achlus* em sentido metafórico, referindo-se à «cegueira» que foi infligida a Elimas, o mágico que se opôs ao apóstolo Paulo. Em II Ped. 2:17, os falsos profetas são comparados à «névoa» (no grego, *omichlai*). Os falsos profetas confundem as mentes dos homens, como se fossem uma *névoa* que os impedem de pensar corretamente.

NEWMAN, JOHN HENRY

Suas datas foram 1801-1890. Ele foi um prelado da Igreja anglicana. Nasceu em Londres e formou-se em Oxford, tendo participado do chamado Movimento de Oxford. Converteu-se ao catolicismo romano. Serviu como reitor da nova Universidade Católica da Irlanda; foi nomeado cardeal em 1879.

Newman foi homem de letras, com escritos volumosos, importantes tanto no campo da teologia quanto no da filosofia. Sua mudança do anglicanismo para o catolicismo foi iniciada pelo seu Panfleto XC (1841), no qual procurou demonstrar que os Trinta e Novo Artigos do Anglicanismo são compatíveis com o catolicismo romano. Isso provocou grande comoção; e desde então ele começou a assumir cada vez mais uma franca posição católica romana.

Idéias:

1. Um grande respeito pelo conteúdo e pelo poder da mensagem cristã, a qual se sai vitoriosa sobre todos os testes de autenticidade e praticalidade; essa mensagem tem continuidade e uma permanente aplicação a todos os séculos; ela pode organizar complexos processos sociais; pode antecipar o futuro; pode conservar o passado e pode reter um contínuo vigor.

2. As universidades são a principal força determinante da nossa civilização. Elas preparam aqueles que produzem mudanças, e ensinam àqueles que preservam os valores do passado. Sua tarefa consiste em propagar os valores básicos das disciplinas de estudo, nos campos das humanidades, das ciências e da teologia.

3. Sua obra, *Apologia pro Vita Sua*, foi uma defesa de sua conversão ao catolicismo romano. Naturalmente, inclui muita bagagem teológica interessante, para consternação da comunidade anglicana, como é óbvio. O principal propósito dessa obra foi o de mostrar que, como cristão, o indivíduo conta com uma base razoável para a sua fé.

4. O raciocínio formal e o informal. O raciocínio formal é geral e abstrato, como se dá no terreno da matemática. O raciocínio informal é concreto e individualista. A variedade formal tem por seu alvo a *segurança*. E a variedade informal tem por seu alvo a *certeza*. Essa distinção é feita no que diz respeito à lógica e ao senso psicológico. O raciocínio formal tem um senso lógico; o raciocínio informal tem um senso psicológico. A inquirição espiritual do homem consiste em encontrar a certeza, por meio do raciocínio informal. Ver o sexto ponto, abaixo, quanto a maiores esclarecimentos.

5. O raciocínio concreto, informal, deriva-se da mente individual. O homem possui uma faculdade natural do *senso ilativo*, ou seja, a capacidade de chegar a conclusões corretas e lógicas. As decisões religiosas podem ser tomadas através dessa capacidade. Nisso abordamos uma questão similar à das idéias inatas, embora idéias trabalhadas por meio do processo de raciocínio, em consonância com as capacidades naturais que todo ser humano tem de chegar a conclusões corretas.

6. O raciocínio informal, por sua vez, repousa sobre as taxas de probabilidade. Contudo, ao usarmos essa expressão, «taxas de probabilidade», não queremos dar a entender aquelas inferências que ficam aquém da certeza, e, sim, as relações entre um indivíduo e alguma situação concreta. Então, apesar de estarmos envolvidos em meras probabilidades, ainda assim podemos chegar à certeza, mediante uma disciplina mental apropriada.

Escritos. *An Essay on the Development of Christian Doctrine; The Idea of a University; Apologia pro Vita Sua; Essay in Aid of a Grammar of Ascent; Verses on Various Occasions*. Dentre seus escritos finais emergiu um belo e muito usado hino, «Guia, Bondosa Luz». Eis uma porção do mesmo:

Guia, Bondosa Luz

Guia, bondosa luz, em meio à nossa tristeza;
Continua sempre a guiar-me.
A noite é escura, e estou longe de casa;
Continua sempre a guiar-me.

Guia-me os pés; não peço para ver a praia distante;
Basta-me um passo a cada vez.
Até agora teu poder me tem abençoado,
E o continuará, por sobre cercas, abismos e torrentes,
Até passar a noite, e ao amanhecer
Verei aqueles rostos de anjos, a quem amei por tanto tempo,
Mas que perdera por algum tempo.

NEWTON, SIR ISAAC

Suas datas foram 1642-1727. Newton foi um físico e filósofo natural inglês. Ele combinava com a sua ciência e filosofia importantes idéias teológicas. Nasceu em Woolsthorpe. Estudou e ensinou em Cambridge. Foi membro da Real Sociedade Britânica. Serviu como parlamentar. Recebeu muitas honrarias em virtude de seu trabalho e de suas idéias. Assim, foi admitido à Academia Francesa de Ciências, como membro; foi presidente da Real Sociedade Britânica. Foi nomeado cavaleiro em 1705.

Era amigo chegado de John Locke; mas rivalizava com Leibnitz. Newton e Leibnitz inventaram o cálculo diferencial independentemente. Voltaire defendeu e popularizou a obra de Newton. Foi Voltaire quem contou, pela primeira vez, a história da maçã caída, o que sugeriu a Newton a idéia da lei universal da gravidade.

Idéias e Realizações

1. Em sua obra, **Principia**, ele estudou a mecânica do movimento, tanto celeste quanto terrestre, e também elaborou sobre a lei da gravidade. Essas idéias vieram a tornar-se a base da física clássica. A *nova astronomia* também surgiu em resultado desses esforços.

2. Ele postulou as três leis do movimento, as quais têm sido consideravelmente revisadas desde então, mas que, em sua época, eram noções avançadas, que também se tornaram parte integrante da física clássica.

3. Ele ensinava a doutrina do espaço e do tempo absolutos, como o arcabouço do movimento dos corpos.

4. Quanto a seu método, ele foi essencialmente um positivista. Suas quatro regras eram as seguintes: a. Não admitir mais causas, para as coisas naturais, do que aquelas que são verdadeiras e suficientes para explicar seu aparecimento e seus fenômenos. b. Para os mesmos efeitos atribuir as mesmas causas, tanto quanto possível. c. As qualidades dos corpos ao alcance de nossa experiência devem ser consideradas as qualidades universais de todos os corpos. d. As proposições estabelecidas por meio da indução geral devem ser tidas como verdadeiras, ou aproximadamente verdadeiras, até que essas proposições sejam corrigidas por evidências indutivas adicionais.

5. Ele não provia explicação para *causas*, quando não havia evidências em favor das mesmas. E respondia às críticas acerca desse particular: «Hypotheses non fingo», que significa «Não invento hipóteses». Em outras palavras, Newton não ia além das evidências possíveis, e não entrava em especulações.

6. Ele dava à sua mecânica um caráter teísta. Atribuía a Deus três funções na natureza: a. A idéia divina é necessária para explicar a criação, em seu começo e em sua manutenção. b. A manutenção apropriada da natureza, conforme se vê no caso da posição relativa mantida pelas estrelas (elas não se juntam, formando uma única massa), requer a idéia divina. c. O sistema solar é perturbado, mas a boa ordem sempre prevalece; e precisamos postular Deus para explicar como essa ordem é preservada. Newton também escreveu tratados teológicos, e não meramente científicos. Entretanto, suas obras teológicas são maculadas por um pronunciado caráter ariano. Ver sobre o *Arianismo*.

Escritos: Mathematical Principles of Natural Philosophy; Optics.

NEZIÁ

No hebraico, «ilustre», «preeminente». Esse homem era cabeça de uma família de servidores do templo, ou **netinim** (vide), que retornou do cativeiro babilônico a fim de fixar residência em Jerusalém (ver Esd. 2:54; Nee. 7:56; I Esdras 5:32). Viveu por volta de 536 A.C.

NEZIBE

No hebraico, «estátua», «ídolo», embora outros interpretem como «plantação». Nome de uma cidade nas terras baixas do território de Judá, localizada entre Asná e Queila (Jos. 15:43). Os estudiosos identificam-na com a atual Khirbet Beit Nesib, que fica a pouco mais de três quilômetros ao sul de Khirbet Kila, a leste de Laquis.

NIBAZ

Alguns estudiosos têm vinculado essa palavra a uma raiz que significa «ladrar», pelo que têm inferido que o ídolo desse nome tinha a semelhança de um cão. Contudo, a maioria dos eruditos duvida dessa etimologia. Seja como for, está em foco um ídolo dos aveus sírios, o qual, juntamente com outra divindade, Tartaque, foi introduzido em Samaria (ver II Reis 17:31). Sargão deslocou os aveus para Samaria, depois de 722 A.C.

Outros estudiosos associam o nome Nibaz à palavra «altar», supondo que, na realidade, esse ídolo tivesse a forma de um altar deificado, tal como um templo também podia ser deificado. Nos papiros de Elefantina, escritos em aramaico, ficamos sabendo que essa prática existia na antiguidade. Ver o artigo geral intitulado *Deuses Falsos*.

NIBSÃ

Essa palavra significa «fértil», «solo leve e macio», embora alguns pensem no sentido «fornalha». Era uma cidade da região desértica de Judá, estando localizada entre Secacá e a Cidade do Sal (Jos. 15:62). Tem sido identificada com a Khirbet el-Magari, em el-Buge'ah, a sudoeste de Jericó.

NICANOR

Há um Nicanor que aparece nos livros apócrifos do Antigo Testamento e um outro homem com esse nome, no Novo Testamento, a saber:

1. *Um general sírio* do período selêucida, entre os dois Testamentos. Serviu sob as ordens de Antíoco Epifânio e foi seu amigo pessoal. Em 166-165 A.C., juntamente com outros dois generais, recebeu, da parte daquele rei, a incumbência de destruir Judá e Jerusalém (I Macabeus 3:32-42). Estabeleceram seu quartel-general em Emaús, a poucos quilômetros de Jerusalém; mas, um inspirado e aguerrido Judas Macabeu derrotou-os fragorosamente, e os pôs em fuga. E eles refugiaram-se em cidades filistéias das proximidades.

Antíoco Epifânio morreu; o jovem Antíoco V e Lísias, seu tutor, foram assassinados, e Demétrio I subiu ao trono selêucida. Demétrio enviou novamente Nicanor contra Judas Macabeu, em 162-161 A.C. E Nicanor veio a tornar-se governador dos judeus. O trecho de I Macabeus 7:26,27 descreve o quanto ele odiava aos judeus. Ele esperava poder assassinar Judas, para o que o convidou a fazer-se presente a uma conferência; mas o estratagema falhou, pois Judas foi avisado acerca dos planos de Nicanor. Seguiram-se dois confrontos militares. O primeiro deu-se em Cafarsalama, quando Judas obteve uma decisiva vitória sobre os sírios. O segundo foi perto de Adasa e Bete-Horom. Judas ganhou novamente. Nicanor foi morto, seu corpo foi mutilado e então exibido em Jerusalém. O décimo terceiro dia do mês de Adar foi escolhido como feriado, para celebrar o evento (ver I Macabeus 7:38,49; II Macabeus 15:36). Há detalhes a respeito, em I e II Macabeus, que não concordam entre si, sendo provável que houvesse mais de uma fonte de informações, com algumas discrepâncias no relato; mas quase todos os estudiosos pensam que o relato de I Macabeus é o mais exato. O trecho de II Macabeus 14:24 fala sobre como Judas e Nicanor foram amigos, durante algum tempo; mas os eruditos acham que isso não corresponde aos fatos.

2. *O Nicanor do Novo Testamento*. Um dos sete diáconos originais da Igreja primitiva tinha esse nome (ver Atos 6:5). Há uma tradição que diz que ele foi martirizado na mesma ocasião em que Estêvão foi apedrejado; mas não há nenhum apoio histórico para essa tradição. Portanto, nada mais se sabe sobre ele.

NICÉIA (CONCÍLIOS DE)

A cidade de Nicéia ficava na Bitínia, Ásia Menor. Ver o artigo *Concílios Ecumênicos*. Foi o imperador Constantino quem convocou esse concílio, em 325 D.C., na tentativa de fazer o cristianismo falar a uma só voz acerca de certas questões de fé, mormente a natureza de Cristo e suas relações para com Deus Pai. Foi composta uma fórmula trinitariana, além de ter sido adotada a posição cristológica de Atanásio, que liderava o partido dos alexandrinos. Ele defendia a idéia do *homoousius* (vide), que diz que o Filho é da mesma substância do Pai, compartilhando com ele da mesma natureza. A posição contrária, defendida por *Ário* (vide), era que teria havido um tempo em que o Filho ainda não existia; mas essa posição foi rejeitada pelo concílio. O arianismo foi condenado, e o próprio Ário foi anatematizado. Ele e outros dois bispos recusaram-se a subscrever ao *Credo Niceno* (ver abaixo), pelo que foram condenados por aquele concílio.

Foi o primeiro concílio a ser convocado, após aquele de Jerusalém, da época de Paulo (Atos 15). Os historiadores consideram-no o primeiro concílio ecumênico, isto é, representado por cristãos de todos os lugares. Foi presidido por Hósio, bispo de Córdoba, na Espanha. Baixou vinte cânones concernentes a questões como disciplina eclesiástica, jurisdição episcopal, ordenação, exclusão, etc.

Não obstante essas decisões, a controvérsia cristológica teve prosseguimento. Ver sobre *Cristologia*. O credo desse concílio foi reforçado por ocasião do *Concuio de Constantinopla* (vide), efetuado em 381 D.C.

Segundo Concílio de Nicéia. Esse foi o sétimo concílio ecumênico, e teve lugar no ano de 787. Foi convocado pela imperatriz Irene, do Império Romano do Oriente, em favor de seu filho, Constantino VI. A questão central foi se é legítimo ou não venerar imagens. Três imperadores orientais anteriores tinham proibido tal ato, Leão III, Constantino V e Leão IV; mas a idolatria recusava-se a morrer nas fileiras cristãs. Entre trezentos e trinta e trezentos e sessenta e sete bispos fizeram-se presentes, quase todos provenientes do Oriente. Esse concílio foi presidido por Tarásio, patriarca de Constantinopla. Esse concílio restaurou a veneração a imagens. Também compôs vinte e dois cânones sobre questões de administração e disciplina eclesiástica, simonia, relíquias, alienação de propriedades eclesiásticas, vida monástica e conversões do judaísmo.

Foi uma estranha distorção da história eclesiástica o fato de que o primeiro concílio de Nicéia tenha estabelecido o dogma da Trindade, bem como a vera divindade de Jesus Cristo, mas que o segundo concílio de Nicéia tenha decretado que a Igreja «venerasse» ídolos. Uma importante lição emerge dessa circunstância, a saber, que os concílios sob hipótese alguma são infalíveis, contrariamente ao dogma que se tem desenvolvido em torno dos mesmos.

NICÉIA, CREDO DE

Ver **Nicéia, Concílios de**, quanto ao pano de fundo histórico desse credo. Ver também o artigo geral sobre *Credos*. Entre os anos de 313 e 590 D.C., isto é, de Constantino a Gregório I, a Igreja Católica obteve a supremacia no mundo romano. E foi durante esse tempo que ela formulou os seus principais credos. Por ocasião do concílio de Nicéia, em 325 D.C., foi formulado o chamado Credo Niceno. Em seguida, houve os concílios de Constantinopla I (381); de Éfeso (431); de Calcedônia (451) e de Constantinopla II (553). Ver o artigo geral sobre os *Concílios Ecumênicos*.

Vinte cânones foram baixados por ocasião do concílio de Nicéia. Mas esse concílio é melhor lembrado devido ao credo cristológico que dali emergiu. A principal distinção do credo niceno foi o seu ensinamento sobre a relação entre Deus Pai e Deus Filho. Esse ensino foi especificamente formulado para derrotar o arianismo. Atanásio, que encabeçava o partido alexandrino, foi a figura principal por detrás dessa formulação. Esse credo declarava enfaticamente: «Cremos em um Senhor, Jesus Cristo, o unigênito Filho de Deus; gerado do Pai antes de todos os mundos... Luz de luz, o vero Deus do vero Deus; gerado, não criado; pertencente à mesma substância que o Pai». Essa declaração promove a doutrina da eterna geração de Cristo, onde a palavra *gerado* não indica começo, e, sim, *posição* no seio da Trindade. Ficava negada a doutrina da *adoção*, no tocante a Cristo. Ver os dois artigos separados intitulados *Adopcionismo* e *Adoção em Relação ao Filho*, onde o ensino de Rom. 1:4 é examinado.

O credo niceno foi endossado pelo concílio de Constantinopla (381 D.C.), e pelo concílio de Calcedônia (451 D.C.). A versão constantinopolitana desse credo tornou-se o credo da capital bizantina, e não demorou a ser usado como o credo batismal padrão da Igreja Ortodoxa Oriental. Por volta de 518, sua recitação, por ocasião da eucaristia, tornara-se costumeira no Oriente. Historicamente falando, seu uso no Ocidente pode ser datado do concílio de Toledo (589 D.C.), que ordenou que o mesmo fosse entoado em voz alta, antes da oração do Pai Nosso, em todas as igrejas da Espanha e da Gália. Lançou tão profundas raízes na Igreja cristã que a Igreja Católica Romana, a Igreja Ortodoxa Oriental, a Igreja Anglicana e algumas igrejas reformadas o têm adotado em suas liturgias.

Filioque. Esse credo tornou-se motivo de controvérsia quando o concílio de Toledo (589 D.C.) adotou-o, no tocante à processão do Espírito: *e do Filho* (*filioque*). Isso fez o credo declarar que o Espírito Santo procede tanto do Pai quanto do Filho. Agostinho era um forte defensor da idéia do *filioque*, e esse veio a ser o ponto de vista predominante no Ocidente. No entanto, no Oriente, houve resistência tenaz à idéia, como se fosse prejudicial ao poder e ao ofício únicos do Pai. A declaração a que os cristãos orientais objetavam era: *procedit a patre filioque*. Os líderes da Igreja Oriental sentiam tão fortemente a questão que essa se tornou uma das razões pelas quais, em 1054, a Igreja Oriental separou-se da Igreja Ocidental (a Igreja Católica Romana). Ver o artigo geral sobre o título de *Filioque*. Uma das coisas que toda essa questão ilustrou foi a *fragilidade* do dogma da infalibilidade dos concílios. Sem importar se a idéia do *filioque* é doutrina boa ou não, o fato é que dividiu o catolicismo em duas grandes facções, a romana e a ortodoxa. Naturalmente, os cristãos orientais precisam negar o conceito da infalibilidade, ou, então, declarar como não-ecumênicos aqueles que promoveram essa adição, e, portanto, não-autoritários. E os cristãos orientais optaram por essa segunda posição. Os cristãos orientais usavam o trecho de João 15:26 em favor da processão do Espírito somente da parte do Pai; porém, há bons argumentos bíblicos em favor da dupla processão do Espírito Santo—do Pai e do Filho—os quais exponho naquele artigo citado.

Credo Niceno

Creio em um Deus, o Pai Todo-Poderoso, Criador dos céus e da terra, e de todas as coisas visíveis e invisíveis. E no Senhor Jesus Cristo, o Filho Unigênito de Deus, Luz de Luz, verdadeiro Deus do verdadeiro Deus, gerado, não-feito; sendo de uma substância com o Pai, por Quem todas as coisas foram feitas; Que por nós homens e nossa salvação veio dos céus e foi encarnado pelo Espírito Santo da Virgem Maria, e foi feito homem; foi crucificado por nós sob Pôncio Pilatos. Ele sofreu e foi enterrado; e no terceiro dia ressuscitou, segundo as Escrituras, e ascendeu aos céus, e está sentado à direita do Pai. E voltará de novo, com glória, para julgar tantos os vivos como os mortos, cujo reino não terá fim.

E creio no Espírito Santo, o Senhor e Doador da vida, Que procede do Pai e do Filho, Que com o Pai e o Filho é adorado e glorificado; Que falou pelos profetas.

E creio na única Igreja, cristã e apostólica. Reconheço um batismo pela remissão dos pecados, e aguardo a ressurreição dos mortos, e a vida do mundo que vem. Amém.

NICHOS

Essa é a tradução da palavra grega **naós**, «santuário», no trecho de Atos 19:24, segundo a nossa versão portuguesa. Essa palavra grega ocorre por quarenta e quatro vezes, de Mat. 23:16 a Apo. 21:22, mas somente naquela referência do livro de Atos é usada a tradução «nichos». Essa tradução é mais harmônica com a índole da língua portuguesa, porquanto «santuários» daria a impressão de um edifício inteiro, ao passo que «nicho» pode dar a entender um trabalho de ourivesaria antiga, como era o caso, que, em Éfeso, Demétrio e seus artífices fabricavam, com uma figurinha representando a deusa Diana (Ártemis). Evidentemente, Demétrio encabeçava um negócio lucrativo, que não queria perder. Isso explica a sua oposição à pregação do evangelho, instingando um levante popular, nos dias em que Paulo pregava naquela cidade. O episódio inteiro aparece em Atos 19:23-40.

NICODEMOS

Nicodemos. O apelativo é um vocábulo grego que significa *conquistador do povo*. Mas, nas páginas do N.T., no que se relaciona a esse homem, não nos cabe procurar qualquer sentido em seu nome, quer simbólico ou literal. Essa pessoa é mencionada somente no evangelho de João. Em João 3:1 ficamos sabendo que ele era fariseu, um dos líderes dos judeus, o que, sem dúvida, se refere ao fato de que ele era um dos membros do *sinédrio*, o mais alto tribunal eclesiástico e civil de Israel. O trecho de João 7:50-52 mostra-nos, novamente, que ele mantinha essa elevada posição. Evidentemente era um homem sincero e foi atraído para Jesus por causa de seus milagres e ensinamentos, bem como por causa de sua conexão com o grupo que então proclamava a breve inauguração do reino de Deus. João Batista despertara grande interesse e intensas controvérsias sobre o assunto e Jesus dera prosseguimento a essa mesma mensagem. No trecho aludido, pois, Nicodemos é exposto como homem corajoso, que protestou contra a condenação de Jesus, sem que ele tivesse tido a oportunidade de fazer-se ouvir. A referência final a Nicodemos, uma vez mais, mostra-o em uma atitude de desassombro, porquanto veio cuidar do sepultamento de Jesus, e para esse propósito trouxera presentes abundantes, na forma de especiarias, a fim de ungir o seu corpo. Por esse motivo ele poderia ter sido severamente perseguido pelos seus compatriotas, e, de acordo com certas lendas que circundam o seu nome, finalmente sofreu enormemente por ter-se tornado discípulo do Senhor Jesus. (Ver o trecho de João 19:40).

Muitos eruditos têm identificado esse Nicodemos do N.T. com o *Nicodemos ben Gorion*, irmão de Josefo ben Gorion, o famoso escritor das guerras e antiguidades dos judeus. Essa outra personagem (se realmente é outra) viveu durante o mesmo tempo que o Nicodemos das páginas do N.T., fato esse que sabemos simplesmente por ter sido irmão de Josefo, que, conforme se sabe, viveu durante essa mesma época. A história apresenta essa família como riquíssima, e alguns acreditam que isso se devia ao fato de que eram proprietários de cerca de dez por cento da indústria de estanho do império romano. Nicodemos ben Gorion é descrito, por semelhante modo, como *conselheiro* dos judeus, subentendendo que ele pertencia ao corpo do sinédrio (ver *Echa Rabbati*, fol. 46.3 e *Midrash Kohelet*, fol. 75.1) e, por isso mesmo, a identificação dos nomes parece assumir alguma validade.

Tal como no caso de muitas personagens bíblicas, diversas lendas foram criadas em torno desse homem, incluindo a realização de milagres, bem como o feito extraordinário de ter feito parar o sol em seu curso, o que também é dito acerca de Moisés e Josué. Assim se diz que três homens fizeram esse milagre. (Ver Targuns Bab. Avoda Zara, fol. 25.1). Entretanto, tais histórias são evidentemente lendárias.

Outras lendas indicam que a família se tornou essencialmente cristã, e que por esse motivo foi intensamente *perseguida e despojada* de suas posses, até que, finalmente, foi reduzida à pobreza. A pobreza extrema da família é ilustrada na história de como um certo R. Jochanan ben Zaccai viu a filha de Nicodemos a juntar espigas de cevada de debaixo dos cascos dos cavalos, em Aco, e, em outra oportunidade, realmente coava tais espigas do esterco dos animais dos árabes. (Ver *Targuns Bab. Cetubot*, fol. 66.2). Esse estado de miséria abjeta talvez não tenha tido ligação alguma com a cristianização da família; mas alguns estudiosos fazem tais conexões. Muitas lendas preservam algum âmago de verdade, e é dificílimo sabermos o quanto devemos reter e o quanto devemos rejeitar de tais lendas.

Nos livros apócrifos do N.T., encontramos um *Evangelho de Nicodemos*, que chegou até nós mediante várias coletâneas em grego, latim e cóptico, e das quais os principais elementos são os *Atos de Pilatos*, supostamente um relatório oficial do julgamento, da crucificação e do sepultamento de Jesus, um extrato dos debates e investigações subseqüentes, feitos pelo sinédrio, e uma narrativa altamente colorida da «Descida ao Inferno», por parte de Cristo. Diversos apêndices dessa obra ainda subsistem, incluindo uma espístola de Pilatos ao imperador Cláudio. Apologistas, a exemplo de Justino Mártir (*Apologia* 35.48), apelaram com plena confiança para os registros do julgamento de Jesus. O *Evangelho de Nicodemos* para todos os efeitos práticos justifica Pilatos e, à medida que essas lendas passaram para os registros bizantinos, Pilatos foi sendo reputado como um santo. Seu martírio até hoje é celebrado pela igreja cóptica. Todo esse material, entretanto, é de autenticidade muito duvidosa, excetuando alguns toques possivelmente autênticos, aqui e ali, apesar que, o Evangelho de Nicodemos exalta a Cristo e à sua divindade, sendo material de boa leitura, razão pela qual também não deve ser considerado inteiramente destituído de valor. Virtualmente nenhum erudito de nota aceita a autoria de Nicodemos, porquanto se trata do produto de uma outra geração, não tendo sido produzida pela geração contemporânea a Jesus. (Ver sobre *Livros Apócrifos do N.T.*).

Nicodemos e o Novo Nascimento: João 3:1-21

Este terceiro capítulo do evangelho de João, que é o mais bem conhecido de todos os capítulos da Bíblia inteira, na realidade consiste na continuação do tema iniciado no segundo capítulo desse evangelho, onde Jesus aparece como alguém que operou muitos *sinais*, os quais tiveram a virtude de convencer os seus próprios discípulos sobre a autenticidade das reivindicações messiânicas de Jesus e que obtiveram considerável número de seguidores entre a população de Jerusalém. (Ver os vss. 22 e 23).

Neste ponto o autor sagrado relata um incidente que mostra que a fama de Jesus já havia penetrado fundo na cidade eclesiástica da hierarquia dos judeus, porquanto *Nicodemos* era membro do augusto *Sinédrio* (conforme se depreende do trecho de João 7:50). A influência de Jesus em Jerusalém, pois, era universal; e apesar do Sinédrio não ter enviado Nicodemos como representante oficial para entrevistar Jesus, sua entrevista com ele se torna ainda mais convincente como consubstanciação da autoridade espiritual de Jesus, posto que foi como um furtivo interessado, na calada da noite, um homem convencido da autoridade de Jesus, embora conservasse secretamente, para si mesmo, esses pontos de vista.

Nicodemos em parte alguma é mencionado na narrativa dos evangelhos sinópticos, mas, neste quarto evangelho, depreendemos que ele era fariseu e membro do Sinédrio (João 7:50). E embora, neste incidente, ele procurasse informações de Jesus, nas duas outras vezes em que ele figura na narrativa do quarto evangelho (João 7:45-52 e 19:38-40), demonstra considerável coragem moral, em suas vinculações com o Senhor Jesus. Nicodemos dirige-se a Jesus alicerçado no poder de seus *sinais* (ver João 2:23), que atestavam sua missão divina e a presença de Deus com ele.

Existe certo comentário judaico acerca da passagem de Deut. 18:19, que prescreve: «Se um profeta que começa a profetizar (isto é, que ainda não recebera credenciais das escolas judaicas) dá um sinal e um milagre, deve ser ouvido; de outro modo, que não se lhe dê ouvidos». (Strack e Billerback, *Kommentar zum N.T. aus Talmud e Midrasch*, II, p. 480). João Batista surgira em cena pregando o reino de Deus e a nação judaica, em sua inteireza, fora vigorosamente abalada. Nicodemos, pois, desejava obter mais informação sobre o assunto; e, por esse motivo, aproximou-se de Jesus.

Nicodemos dirigiu-se a Jesus chamando-o de *Rabi*, título que Jesus evidentemente aceitou, ao dar resposta às perguntas de Nicodemos. Ver os diversos artigos; *Rabi; Reino de Deus* e *Reino dos Céus; Fariseus; Sinédrio*.

João capítulo três introduz o grande tema do novo nascimento, que, na realidade, quando é corretamente compreendido (e existem muitas interpretações errôneas sobre essa questão), é então encarado como o mais excelso tema do evangelho, e a esperança da humanidade inteira. Todos os demais temas do evangelho dependem deste majestoso ápice de informação espiritual, e são edificados em torno dele. Este quarto evangelho, que é o evangelho *espiritual*, apresenta o tema de uma forma que os evangelhos sinópticos não conseguem fazê-lo; e, nas páginas do N.T., somente os escritos de Paulo se lhe igualam. «Esta é uma das mais ricas e importantes partes da Bíblia. O versículo décimo sexto, por si só, contém o evangelho todo em seu bojo, pois é a *Bíblia em miniatura*, e tem mais valor que toda a sabedoria do mundo. O amor infinito do Pai, a missão de seu Filho, a obra realizada pelo Espírito Santo, a condição de perdição dos homens, a necessidade do novo nascimento, vindo do alto, a fé em Cristo como condição da salvação, o reino de Deus e a vida eterna—são todas doutrinas fundamentais estabelecidas pelos lábios inerrantes de nosso Senhor, nesta entrevista com um tímido, mas ansioso e intenso inquiridor pela verdade. A idéia central da passagem é o novo nascimento, que deixa entendida a total depravação do homem, bem como a obra da graça divina. Essa grande doutrina firma-se no seu lugar apropriado, desde o princípio do ministério de Cristo...» (Philip Schaff, *in loc.*, no Lange's Commentary).

Nicodemos veio falar com Jesus na calada da noite, o que tem recebido diversas interpretações, a saber:

1. Alguns têm chegado à conclusão de que Nicodemos era um *hipócrita*, que viera com más intenções, fingindo simplicidade; e veio à noite a fim de parecer vir às ocultas, embora querendo dar a entender que era inquiridor sincero. Contudo, o resto do comentário sobre o evangelho de João não consubstancia esse ponto de vista acerca de sua personalidade.

2. É possível que ele simplesmente *desejasse evitar* qualquer comentário por parte de seus pares, os outros membros do sinédrio, posto que ainda não sabia exatamente quem era Jesus, e nem de que autoridade estava ele investido. Assim, pois, estaria sendo meramente cauteloso.

3. Outros trechos bíblicos, entretanto, parecem definir a questão, como o trecho de João 12:42, o qual, apesar de não mencionar Nicodemos diretamente, menciona aqueles entre os *principais líderes* que

criam em Jesus, mas que, por causa dos fariseus, não o confessavam; e isso dá a entender *o receio* que tais líderes tinham dos fariseus. O trecho de João 19:38 assevera que José de Arimatéia (aparentemente outro membro do sinédrio, e que também cria em Jesus), mantinha a sua fé em segredo, por «temor aos judeus». Assim sendo, sob a cobertura das trevas da noite, Nicodemos buscou e encontrou luz para a sua alma. Suas próprias convicções são expressas pelas palavras que ele proferiu: «...sabemos que és Mestre vindo da parte de Deus...», como também pelo fato de que ele veio a Jesus, arriscando-se a ser visto com quem foi, desde o princípio, reputado como adversário do governo autorizado civil e eclesiástico.

«**Conforme o vejo, Nicodemos** *foi uma grande alma*, possuidora de invejáveis qualidades, que transpunha dificuldades ante as quais a maioria de nós ter-se-ia mansamente rendido. Criado nas escolas, em uma atmosfera enfadonha em que, geralmente falando, o convencional era considerado como algo dado por Deus, e onde qualquer novidade tinha de abrir caminho para ser aceita em meio a uma suspeita instintiva, vigilante e injusta, Nicodemos, de alguma maneira, conseguiu preservar uma atitude aberta, que escancarou as suas janelas para a sabedoria e para o ar fresco de Deus. Por isso, enquanto os seus colegas já murmuravam em seu irritado ressentimento contra aquele que reputavam como um imprudente intruso, que avançava pela província deles, contra aquele ignorante aventureiro vindo do norte, com seus métodos estranhos e com seus ensinamentos extremamente duvidosos, bem como com sua total desconsideração para com a autoridade, Nicodemos, por sua parte, sentia que em Jesus havia algo que ele não podia desprezar e levianar facilmente, como aqueles outros faziam, mas antes, que se tratava de algo que devia ser investigado com diligência e cuidado, em primeira mão. Para Nicodemos, Deus não ficaria mudo, mas continuava falando aos homens; e para os seus ouvidos havia algo, naquele novo ensinamento, que era augusto e verdadeiro, que bem poderia ser a própria voz de Deus. Toda aquela questão teria que ser humildemente considerada». (Arthur John Gossip, *in loc.*)

Na história antiga lemos que Euclides de Megara visitou Sócrates, à noite, quando Atenas foi fechada para os megarianos, porquanto ansiava por ver, pessoalmente, a sabedoria e a graça de Sócrates. Por semelhante modo, Nicodemos, insatisfeito com a opinião e com os pronunciamentos de seus colegas líderes, a respeito de Jesus, não pôde ser sofreado por algum edito oficial ou não oficial contrário a Jesus.

NICODEMOS, EVANGELHO DE

Ver o artigo geral **Livros Apócrifos do Novo Testamento**. Esse evangelho divide-se em duas partes: Atos de Pilatos e Descida de Cristo ao Hades. O título atual só foi dado a essa obra no século XIII, embora o próprio documento tenha sido escrito em meados do século IV D.C. Fabricações foram adicionadas à obra como a carta de Pilatos ao imperador Tibério; o relatório oficial de Pilatos, e coisas dessa natureza, que Pilatos teria dito ou feito. A primeira parte desse evangelho reitera muito dos evangelhos canônicos, mas também acrescenta pormenores fictícios acerca do julgamento e crucificação de Jesus. Pilatos é apresentado como quem não tinha culpa de nada. A segunda porção do livro repete o motivo universal, encontrado em muitas religiões e mitos, de uma descida de Cristo ao hades. Nesse caso, está em foco aquela descida retratada no Novo Testamento, em I Ped. 3:18-4:6 e Efé. 4:7,8.

O relato do evangelho de Nicodemos é altamente dramático, resultando no esvaziamento do hades. A mensagem da descida de Cristo ao hades, no Novo Testamento, irradia grande esperança, visto que I Ped. 4:6 assegura-nos que o *evangelho* foi pregado no hades, com o propósito de que os homens vivam como Deus vive, no Espírito, embora sejam julgados como homens na carne. Ver o artigo detalhado sobre *Descida de Cristo ao Hades*.

A consciência humana debate-se diante da tragédia de um outro mundo cujas horrendas condições capturam as almas humanas. Essa contemplação tem levado à idéia da inclusão de missões misericordiosas ao hades, em muitas religiões e mitos. Assim, I Enoque e outras obras pseudepígrafas incluem histórias de descidas ao hades. Minha opinião pessoal é que a consciência humana intui o fato de que Deus providenciou para sua graça chegar também àquele lugar. A missão de Cristo é tríplice: na terra, no hades e nos céus. E esse tríplice aspecto da missão de Cristo, considerado em sua totalidade, ensina uma provisão universal que garante o sucesso de sua missão salvatícia.

Evidências patrísticas

Justino Mártir fez referências a *Atos* que registraram a provação de Jesus ante Pilatos, e alguns intérpretes acham que ele aludiu aos *Atos de Pilatos*, mas não existe nenhuma prova em favor ou contra esta suposição. Existem evidências, todavia, que Justino podia ter conhecido esta obra, como a história de *Panthera* que ele conheceu numa forma mais antiga do que aquela apresentada nos *Atos de Pilatos*. Tertuliano falou de uma mensagem que foi mandada de Pilatos para Tibério, que podia ter sido parte dos *Atos de Pilatos*, mas provas não existem. Eusébio não mencionou esta obra, embora falasse de certos *atos espúrios* que não falaram bem do Senhor (*Hist*. I.9; IX.5). Alguns acham que os *Atos de Pilatos*, com sua doutrina ortodoxa, foi um ataque contra tais atos, mas isto fica na dúvida. Epifânio foi o primeiro pai (375 D.C.) que fez uma referência indiscutível a esta obra (*Her*. 50.1).

NICOLAÏTAS

Apo. 2:6: *Tens, porém, isto, que aborreces as obras dos nicolaítas, as quais eu também aborreço.*

Não há certeza absoluta quanto a identidade dessa seita, embora abaixo apresentemos as idéias centrais a respeito:

1. O próprio vocábulo, no grego, significa «dominadores do povo». Na opinião de alguns, o povo seriam os «leigos». E daí tiram a suposição que está em foco a manifestação inicial das «ordens sacerdotais» ou «clero». Nesse caso, seria aqui combatida a formação de um clero profissional; e, no décimo quinto versículo deste mesmo capítulo, estão em foco vários desvios da doutrina, em associação a essa circunstância. Mas essa interpretação dificilmente se adapta à situação histórica em que as heresias sérias surgiram. Essa «seita» era de natureza libertina, que procurava solapar o imperativo moral do evangelho. Dificilmente poderíamos dizer que esteja em foco o *clero*, em seus primeiros passos.

2. Alguns estudiosos associam essa seita a Nicolau, prosélito de Antioquia, um dos sete discípulos originais de Jerusalém (ver Atos 6:5). Isso supõe que assim como os doze tiveram um apóstata dentre seu número, que outro tanto sucedeu aos sete. Em favor dessa interpretação há passagens em Ireneu i.26 e III.11.1 e em Hipólito (*Philos*. vii.36). Mas este último dependeu de Ireneu. Outros eruditos pensam

que o Nicolau original foi meramente indiscreto, pois, possuindo uma bela esposa, e sentindo que outros lhe tinham inveja por essa razão, chamou os apóstolos e outros líderes e ofereceu-a a qualquer deles que a quisesse. No entanto, a maioria dos estudiosos o tem como um apóstata franco. Apesar de ser possível que Nicolau tenha estado associado à Ásia Menor, e com Éfeso em particular, também é possível que o próprio Irineu estava «esclarecendo» este versículo mediante uma conjectura, não havendo, portanto, qualquer confirmação histórica para tal idéia. O apóstolo Nicolau, conforme diz a própria narrativa, tornou-se líder de uma seita gnóstica antinomiana. Parece terem participado de festas idólatras, incorporando imoralidade e sensualidade em suas práticas, no que seguiam à tradição gnóstica comum.

3. Em época posterior, houve uma seita gnóstica conhecida por «os nicolaítas», a qual é mencionada por Tertuliano (ver *Praesc. Haer*. 33; *Adv. Marc*. i.29 e *De Pudicitia*, 19), que também era de índole gnóstica. Clemente de Alexandria ii.20.118; iii.4.25 e as Constituições Apostólicas vi.8, juntamente com Vitorisino, tentaram mostrar que essas duas seitas não tinham nenhuma vinculação entre isso, e essa posição quase certamente é a correta, ainda que alguns intérpretes tenham imaginado a identificação das duas. O livro de Apocalipse foi escrito muito antes desse tempo, para referir-se à segunda dessas seitas do mesmo nome.

4. Ou, então, poderíamos pensar que o *Nicolau* em foco foi um personagem histórico, que residia em Éfeso ou naquela área em geral, embora não deva ser identificado com o homem do mesmo nome, que era de Jerusalém. Nesse caso, quase certamente, ele foi líder de uma forma de seita gnóstica, de tendências libertinas, embora ele mesmo não seja conhecido na atualidade, fora do presente contexto.

5. Finalmente, há aqueles que supõem que não devemos imaginar que «Nicolau» fosse o nome de alguma pessoa real e viva, mas que tudo não passa de um título—«dominador do povo» ou «destruidor do povo»—escolhido para representar a heresia que havia em Éfeso e que ameaçava à Igreja cristã dali. Até mesmo nesse caso, é quase certo que alguma forma de gnosticismo esteja sob consideração.

Muitos intérpretes identificam os nicolaítas com os seguidores de Balaão, aludidos no décimo quarto versículo deste capítulo, ou supõem que ambos os grupos eram apenas representantes locais de uma mesma heresia gnóstica. Provavelmente essa posição é a correta. E algo que é quase fora de dúvida é que a heresia da Ásia Menor, quando foi escrito o livro de Apocalipse, e que era uma praga para as igrejas locais, era uma forma de gnosticismo, sem importar o que devemos pensar acerca dos títulos específicos dados a seus ramos. O segundo versículo explica alguns aspectos do gnosticismo. Nada menos de oito livros do N.T. foram escritos para combater ao gnosticismo, a saber: Colossenses, as três epístolas pastorais, as três epístolas joaninas e Judas. Os gnósticos criam que a matéria é o princípio mesmo do mal, e que o «sistema deste mundo» visa destruir finalmente à matéria. Poderíamos ajudar nesse processo, mediante o abuso contra o corpo, efetuado através do ascetismo (o tipo de gnosticismo combatido na epístola aos Colossenses), ou através da licenciosidade extrema (o tipo combatido nos outros sete livros mencionados, e que também é a variedade aqui focalizada). Os gnósticos removeram do evangelho o «imperativo moral», não vendo no mesmo nenhuma função «santificadora». Em sua suposta elevada «sabedoria» (mediada pelas artes mágicas, pelo cerimonialismo e por um falso misticismo), imaginavam-se «isentos» das exigências morais. Não há que duvidar que muitos deles usavam passagens de escritos paulinos, como o décimo quarto capítulo da epístola aos Romanos ou o oitavo capítulo da primeira epístola aos Coríntios, para ensinarem que tudo era questão «indiferente», e não meramente a observância externa de dias santificados, carnes, bebidas, etc., conforme Paulo ensinara. Portanto, tinham tendências «antinomianas» extremas. Em outras palavras, não havia lei moral no evangelho deles. Os gnósticos levaram a tal extremo as suas perversões que chegaram a declarar que os anjos vinham assisti-los e influenciá-los a que participassem de todas as formas de deboche, a fim de ganharem «experiência», mediante a qual obteriam «conhecimento». O termo grego *gnosis* significa «conhecimento»; e desse termo é que o nome deles se derivava.

O evangelho autêntico, naturalmente, se caracteriza por exigências morais mui rígidas. De fato, sem a santificação «...ninguém verá o Senhor» (Heb. 12:14). E a «santificação» é uma necessidade imprescindível para a salvação (ver II Tes. 2:13). O gnosticismo contava com muitos erros doutrinários, além de erros morais. Ver sobre *Gnosticismo*, acerca desse falso sistema religioso. Se porventura o gnosticismo houvesse ganho a batalha, o cristianismo ter-se-ia tornado apenas em uma outra religião misteriosa, greco-romana oriental.

Odeias as obras dos nicolaítas. Essas «obras» eram suas ações pervertidas e imorais. (Ver Apo. 2:14,20), Provavelmente, também devemos compreender aqui o fato de que procuravam *solapar* a unidade da Igreja, sendo essa uma das obras abominadas. A verdade é que essa heresia continuou solapando à igreja por cento e cinqüenta anos. Eles semearam a contenda e a confusão na igreja. (Quanto a evidências acerca disso, na era apostólica, ver I João 2:18 *ss*).

Notemos a atitude correta para com o pecado. Os verdadeiros crentes «odeiam» a imoralidade, conforme aqueles crentes odiavam os ataques da citada seita. Portanto, em Apo. 2:2, lemos que os efésios não podiam *suportar homens maus*. Quando somos fiéis a alguém, precisamos repreender seus pecados e erros, mas isso deve ser feito com o intuito de conquistar tal pessoa, e não de afastá-la, pelo que não se pode usar de espírito orgulhoso e altivo, conforme, com freqüência, se verifica.

«Vós, que amais o Senhor, detestai o mal...» (Sal. 97:10).

«Por meio dos teus preceitos consigo entendimento; por isso detesto todo caminho de falsidade». (Sal. 119:104).

«Seis coisas o Senhor aborrece, e a sétima a sua alma abomina... o que semeia contendas entre irmãos» (Pro. 6:16-19).

Outras idéias sobre Apo. 2:6

1. Dizem alguns que os nicolaítas eram idênticos aos seguidores de Balaão, porque Nicolau seria a tradução de Balaão, para o grego. Vários eruditos têm mantido esse ponto de vista, mas a maioria dos estudiosos modernos rejeita o mesmo. Contudo, não pode haver dúvidas razoáveis que tanto os seguidores de Balaão como os nicolaítas eram ramos representativos do gnosticismo. Não há motivo para duvidarmos da historicidade de tais seitas. Não são mencionadas neste capítulo meramente como símbolos com propósitos didáticos. A história mostra-nos a realidade histórica de variegadas seitas gnósticas.

2. «É possível que um mesmo ramo antinominiano se tenha dividido em três formas: a. uma forma

doutrinária (os nicolaítas); b. uma forma mundanizada (os seguidores de Balaão); e c. uma forma espiritualista (os seguidores de Jezabel)». (Comentário de Lange). Embora talvez não tenhamos motivo para fazer tal divisão, é provável que os vários problemas enfrentados pelas igrejas da Ásia Menor tenham tido uma raiz comum.

3. A identificação de Nicolau, aludido em Atos 6:6, com a seita aqui mencionada, pode ter sido meramente uma conjectura, da parte de alguns dos primeiros pais da Igreja. Por outro lado, poder-se-ia argumentar, logicamente, que não era do interesse da tradição posterior destruir a reputação de qualquer crente neotestamentário revestido de autoridade na Igreja. É possível que o próprio Nicolau não fosse culpado de sensualidade, mas apenas indiscreto, porque seu oferecimento de sua própria esposa, a qualquer que quisesse possuí-la, pode ter sido interpretado como uma tentativa de estabelecer uma «comunidade de esposas». (Ver Clemente de Alexandria, *Strom*. 1:3, pár. 436 e Eusébio, *História Eclesiástica* 1.3 cap. 29; quanto à narrativa do ato indiscreto de Nicolau). Algumas seitas gnósticas, na realidade, tinham esposas em comum.

NICOLAU

Nome próprio formado por dois termos gregos que dão a entender «vencedor do povo». Ele se converteu em Antioquia ao cristianismo, e foi um dos sete diáconos originais (ver Atos 6:5).

Nicolau, prosélito de Antioquia, Atos 6:5. É bem possível que se faça menção aqui ao fato de que era «prosélito», a fim de mostrar que era gentio puro. O mais certo é que primeiramente se tenha tornado prosélito do judaísmo, e depois se converteu ao cristianismo. Tradicionalmente, esse homem é o fundador da seita herética dos *nicolaitas*, que podia ser encontrada em Éfeso e em Pérgamo, além de outras localidades, condenada em Apo. 2:6,15. Tem sido dito acerca dele que ensinava os homens a «abusar da carne» (ver Clemente de Alexandria, Strom. iii.4; Eusébio, *História Eclesiástica* iii.29). No entanto, Clemente de Alexandria descreveu Nicolau como homem bom, embora houvesse nessa época uma seita que praticava a troca de esposas, escudando-se sobre a suposta autoridade de Nicolau. É evidente que os nicolaitas procuravam obter uma posição de transigência com o paganismo, a fim de permitir aos cristãos participarem de vários costumes e tradições locais, sem qualquer embaraço. Alguns estudiosos têm procurado identificar os nicolaítas com os indivíduos atacados nos trechos de II Ped. 2:15 e Jud. 11, supondo que sua principal heresia consistia na defesa à lassidão sexual. Existem referências, nos escritos de Irineu, Clemente e Tertuliano, que indicam que essa seita gradualmente se foi identificando como uma organização *gnóstica*, cujas origens remontavam ao ano 200 D.C. Todavia, outros intérpretes têm negado haver qualquer conexão entre a seita dos nicolaítas e Nicolau, afirmando que o termo *nicolaíta* se deriva da forma helenizada do apelativo hebraico Balaão. Por conseguinte, essa seita não teria tido existência real, mas apenas *alegórica*, pelo que também não teria tido relação alguma com o diácono Nicolau. Tal termo—*nicolaitas*, portanto, podia ser usado de forma lata, por diversos grupos de expressão religiosa duvidosa. Alguns eruditos chegam mesmo a crer que as tradições que identificam o diácono Nicolau com qualquer culto herético primitivo são tão indignas de confiança como aquelas outras que dizem respeito aos Atos apócrifos escritos supostamente por Prócoro. Ver *Nicolaítas*.

Prosélito de Antioquia. (Ver sobre a cidade de *Antioquia*). Isso não indica que os outros diáconos não pudessem ter sido prosélitos, primeiramente do judaísmo e então do cristianismo. O mais provável é que tal epíteto significava que Nicolau foi a primeira pessoa a alcançar projeção, na Igreja cristã primitiva, a não pertencer à descendência de Abraão; e através desse fato o rápido avanço da Igreja cristã por território não-judaico é aqui introduzido. Toda essa seção quase certamente se deriva de uma fonte informativa antioqueana. Agora a Igreja cristã se afastava paulatinamente de sua expressão judaica; e esses homens representavam essa expansão.

NICOLAU DE CUSA (NICOLAU CUSANO)

Suas datas foram 1401-1464. Ele foi um filósofo alemão, nascido em Cusa. Estudou em Heidelberg Pádua e Colônia. Foi teólogo e filósofo de nomeada. Escreveu sobre filosofia, teologia, leis e ciência. Sua principal obra, *De Docta Ignorantia*, salientava as limitações da intelecção humana. Foi emissário papal, e esteve muito engajado em reformas eclesiásticas. Foi nomeado bispo em 1448 e cardeal em 1450.

Idéias:

1. Todo alegado conhecimento não passa de conjectura, pelo que o homem que reconhece seu conhecimento como *docta ignorantia*, «ignorância aprendida», é que é verdadeiramente sábio.

2. *Coincidentia oppositorum*, ou seja, «coincidência dos opostos». Quando alguém amplia de modo suficiente o seu conhecimento, surpreende-se ao descobrir que topa com opostos a proposições e termina tropeçando em paradoxos. Desse modo, ele viu a necessidade da idéia de *polaridade* (vide), em nossa maneira de pensar.

3. Embora o mundo não seja infinito, é infinito relativamente, de acordo com aquilo que Nicolau chamava de «máximo relativo». No entanto, seria ilimitado em sua extensão, e não teria centro. O globo terrestre nem ocupa posição central e nem está parado no espaço. Isso é óbvio para nós, embora não fosse reconhecido facilmente nos dias de Nicolau de Cusa.

4. Deus é infinito e é o «máximo absoluto». No entanto, Deus também é o «mínimo absoluto». E isso nos põe frente a frente com o princípio da coincidência dos opostos, proposto por Nicolau de Cusa. A conseqüência natural dessa idéia é o ensino da transcendência e da imanência de Deus: Deus está além de todas as coisas, mas também está em todas as coisas.

5. Cada porção do universo faz-se presente nas demais partes. O homem tanto é imagem de Deus quanto é um microcosmo que reflete o macrocosmo.

Escritos: On Learned Ignorance; On Catholic Harmony; On The Hidden God; Apology for Learned Ignorance; The Idiot; The Vision of God; On the Peace of Faith.

NICOLAU DE DAMASCO

Ele viveu no século I A.C. Foi um filósofo helenista, membro da escola aristotélica de Alexandrina, juntamente com *Andrônico de Rodes* (vide). Foi homem dotado de grande erudição, e escreveu sobre quase todos os campos de conhecimento de sua época, além de muito ter escrito acerca de Aristóteles. Serviu como conselheiro de Herodes, o Grande. Seus livros mais bem conhecidos intitulam-se *Sobre as Plantas* e

Sobre Aristóteles. Existem fragmentos de seus outros escritos.

NICOLAU DE MIRA (SANTO)

Não se sabe quando ele nasceu, embora tenha morrido a 6 de dezembro de 345 ou 352 D.C. Foi um santo popular nas igrejas grega e latina. Esse foi o Nicolau que veio a ser vinculado ao Natal, e que, no Brasil aparece como o Papai Noel. É o santo patrono da Rússia e da Grécia, como também de certas regiões e cidades da Europa ocidental. Tradições e lendas cercam sua vida, com o resultado de que é difícil determinar o que é real e o que é ficção.

As tradições afirmam que ele nasceu em Patara, na Lícia, Ásia Menor. Era devoto desde a juventude; tornou-se abade, e, posteriormente, bispo de Mira. Foi perseguido, torturado, encarcerado; mas, finalmente, foi libertado por Constantino. É de presumir que ele tenha estado presente ao Concílio de Nicéia. A sua casa, em Mira (Bari), tornou-se objeto de peregrinações. Ele é considerado como o guardião especial das donzelas, das crianças, dos negociantes, dos marinheiros, dos estudiosos, e até mesmo dos ladrões, aos quais compeliria a devolver coisas roubadas.

Lendas Associadas ao Natal. Certo nobre empobrecera a tal ponto que não conseguia prover um dote às suas três filhas, a fim de que elas se casassem. Ele estava prestes a permitir que elas se tornassem prostitutas quando Nicolau ouviu falar a respeito, e resolveu intervir secretamente. Primeiramente, ele foi até defronte da casa daquele nobre, à noite, e jogou para dentro da casa uma peça de ouro, que, mui convenientemente, caiu aos pés do nobre. E este usou o ouro para equipar sua primeira filha para o casamento. Na noite seguinte, Nicolau repetiu a dose; e assim a segunda filha do nobre ficou preparada para casar-se. Na terceira noite, Nicolau fez a mesma coisa. Mas, dessa vez, o nobre conseguiu apanhá-lo. Porém, Nicolau fez o homem prometer que não diria coisa alguma a ninguém. Dessa prática é que se teria originado o antiqüíssimo costume dos membros mais idosos de uma família porem presentes sobre os sapatos ou meias dos membros mais jovens. Naturalmente, Nicolau (o Papai Noel) é quem obtém o crédito por esses atos de benevolênica.

Embora, a princípio, sua festa fosse celebrada a 5 de dezembro, os costumes acabaram amalgamados com os costumes do Natal; e foi daí que surgiu a figura do Papai Noel. Ele foi imortalizado no poema de Clement C. Moore, *Véspera de Natal*, que se tornou uma peça clássica da literatura. E ao Papai Noel começaram a ser atribuídos poderes miraculosos, inclusive aquele de descer pelas chaminés a fim de deixar no interior das casas os seus presentes. Com a passagem do tempo, o cavalo em que ele era concebido a montar, foi trocado pelo trenó puxado por renas, talvez devido ao poema que acabamos de mencionar. Além disso, suas *vestes* também são dotadas de poderes mágicos, permitindo-lhe viajar instantâneamente para qualquer lugar que queira.

Apesar dessas excrescências lendárias, não há que duvidar que houve algo de extraordinário na pessoa de Nicolau de Mira. Parece que sua característica distintiva era a generosidade. Desse modo, ele deixou sua contribuição para os encantos do *Natal* (vide).

NICOLAUS (PAPAS)

Um total de cinco papas têm sido assim chamados, a saber:

1. *Nicolau I*. Ele foi chamado de *Grande*, e é tido como um dos santos da Igreja Católica Romana. Suas datas foram 800 (?) — 867. Era conhecido como homem piedoso, eloqüente e generoso. Seu pontificado foi de 858 a 867. Ele defendia a unidade cristã, fazendo oposição a Fótio, patriarca de Constantinopla. Houve uma disputa sobre terras na controvérsia, além de outras questões, incluindo o fato de que Fótio rejeitava a supremacia romana.

Nicolau I obteve a reputação de ser trabalhador incansável e imparcial defensor da justiça. Depôs os arcebispos de Colônia e Trier por terem sancionado o adúltero casamento do irmão do imperador; restaurou o patriarca Inácio, no Oriente; excomungou Fótio; aumentou a fortuna e os poderes da Sé de Roma. O rei Bóris I, da Bulgária, que se convertera ao catolicismo romano, solicitou do papa que respondesse a cento e seis perguntas relacionadas a problemas acerca da conversão de seu país ao cristianismo. Essas indagações foram respondidas na bem conhecida obra *Responsa Nicolai ad consulta Bulgarorum*.

2. *Nicolau II*. O nome original desse papa foi Gerard de Burgundy. Suas datas foram 980 (?) — 1061. Pontificou entre 1050 e 1061. Nasceu em Chevron, na França. Seu antecessor, Estêvão I, morrera em meio à violência e à corrupção. Um antipapa, João Míncius (bispo de Velletri), foi nomeado então, tendo assumido o título de Benedito X, na ocasião, Hildebrando, que se achava em missão na Alemanha, e que chegou a ser papa, conseguiu exercer influência sobre três papas. Ao retornar da Alemanha, Hildebrando reuniu os cardeais em Siena e elegeu Gerard, bispo de Florença, como o novo pontífice; e o antipapa foi deposto. E Gerard escolheu o título pontifical de *Nicolau II*.

Nicolau II promoveu a disciplina eclesiástica, por ocasião do sínodo de Milão; e convocou o Concílio Laterano, de 1059, que promulgou regras para a eleição dos papas, além de ter reduzido os poderes civis quanto a essa questão. A Alemanha sentiu-se ofendida diante disso, e recusou-se a acolher ao legado papal. Um sínodo efetuado na Alemanha não tardou a anular todas as regras estabelecidas por Nicolau II, e este foi declarado deposto. Porém, ele continuou sendo papa, e impôs várias reformas. Em 1059 ele legalizou o casamento de Guilherme, o Conquistador, com Matilda de Flandres.

3. *Nicolau III*. Seu nome primitivo era Giovanni Gaetano Orsini. Nasceu em Roma, em cerca de 1216, e morreu em Soriano, em 1280. Governou como papa entre 1277 e 1280. A família Orsini era da nobreza, tendo influenciado a Igreja e o Estado. Antes de ser nomeado papa, foi cardeal. Em diversas ocasiões fora encarregado de importantes missões, por papas antecessores. Foi bom diplomata, e realizou sua tarefa com sabedoria e imparcialidade. João XXI fê-lo arcebispo de São Pedro. Ao tornar-se papa, procurou diminuir a influência estrangeira sobre Roma, e também agiu como intermediário para aquietar perturbações políticas entre governantes estrangeiros. Enviou missionários à Pérsia e à China, a pedido do xá da Pérsia, Abaga. Foi ele quem fez do Vaticano a residência permanente dos papas. Ampliou e embelezou o lugar, com essa finalidade.

4. *Nicolau IV*. Seu nome era Girolano Masi. Foi papa entre 1288 e 1292. Seus pais eram humildes. Entrou na ordem dos frades franciscanos; sucedeu a Boaventura como chefe dessa ordem. Tornou-se o primeiro papa franciscano. Seu pontificado foi perturbado pela famosa família Colonna, de Roma. Também teve dificuldades com poderes estrangeiros.

Não conseguiu levantar uma cruzada contra os islamitas. Mas teve sucesso em seus esforços missionários, tendo enviado missionários à China, à Bulgária, à Etiópia e aos tátaros. Seu médico, Simão Januense, começou a usar cientificamente o ópio como mitigador da dor, e publicou o primeiro importante dicionário de medicina, encorajado por esse papa.

5. *Nicolau V*. Seu nome era Tommaso Parentucelli. Foi papa de 1447 a 1455. Era homem erudito e humilde, tendo sido apodado de «grande humanista». Como tutor de importantes famílias florentinas, entrou em contato com homens de erudição. Por vinte anos ajudou ao bispo de Bolonha, quando se revelou um grande bibliófilo, tendo ganho a reputação de grande erudição. Eugênio IV o enviou em várias missões importantes. Este nomeou-o cardeal; e veio a ser o sucessor de Eugênio IV. Continuou, porém, interessado pelas artes e pela literatura. Fortificou Roma, restaurou seus marcos, construiu e restaurou templos, renovou o Vaticano e começou a reconstruir a Basílica de São Pedro. Foi bom político e estadista, como também promotor das artes. Mediante a concordata de Viena (1448), obteve o reconhecimento dos direitos papais sobre os bispados e os benefícios; reconciliou o antipapa Félix V; dissolveu o concílio de Basiléia; enviou delegados em várias missões, um dos quais foi *Nicolau de Cusa* (vide). Expediu uma bula, fundando a Universidade de Glasgow, na Escócia. Condenou à morte a Estêvão Porcaro, após suas três tentativas de estabelecer uma república em Roma. Não foi feliz com bispos gregos perturbadores, nem conseguiu abater aos turcos mediante uma cruzada.

NICOMACO DE GERASA

Ele viveu no século II D.C. Foi um filósofo helenista que nasceu na Arábia; combinava idéias de Platão, de Filo e de Pitágoras, embora fosse, acima de tudo, um neopitagoreano. Dava grande valor a números místicos, que, segundo dizia, existiriam de antemão na mente de Deus. O *Um* é a unidade, é o princípio da unidade e é divino. O *dois* é o número da matéria. *Boécio* (vide) traduziu seus escritos de natureza matemática. Foram escritos comentários sobre as suas obras que continuaram em uso até o tempo da *renascença* (vide). Seus principais escritos foram: *Introdução à Aritmética; Manual de Harmonia* e *Vida de Pitágoras*.

NICÓPOLIS

No grego, «cidade da vitória». Várias cidades da antiguidade foram assim denominadas. Uma delas talvez tenha servido de quartel-general da evangelização apostólica, o lugar onde Paulo quis encontrar-se com Tito, e onde também esperava passar o inverno. Ver Tito 3:12. Esse lugar dispunha de um ativo comércio, e ali a pesca era intensa. Foi escolhida por Augusto e construída como a sua capital do Épiro. Ele havia edificado originalmente a cidade a fim de comemorar a sua vitória sobre Marco Antônio. Ficava localizada nas costas ocidentais da Grécia, no golfo de Arta. Ali foi estabelecida uma colônia romana. Mais tarde, foi destruída pelos godos, quando invadiram a península; mas foi reconstruída por Justiniano, imperador do Império Romano do Oriente, somente para ser suplantada pela cidade de Preveza, um pouco mais para o sul.

Ali existem muitas ruínas, mas, surpreendentemente, ainda não foi investigada pela arqueologia. Os historiadores bíblicos acreditam que o empreendimento missionário de Paulo, que foi planejado para centralizar-se nessa cidade, acabou não ocorrendo. Também crêem que Paulo ficou detido nesse lugar, e enviado dali de volta a Roma, em seu segundo período de encarceramento. Foi em Nicópolis, igualmente, que o famoso filósofo estóico romano, Epicteto, estabeleceu o seu centro de erudição e de discussões filosóficas.

NICOTRASTO

Ele viveu no século II D.C., na época da quarta academia de Platão. Na época havia forte tendência para sintetizar as idéias de Platão e de Aristóteles. Nicotrasto, um filósofo platônico ortodoxo, resistiu a essa tendência, embora tivesse ele produzido um comentário sobre as *categorias* de Aristóteles, demonstrando que ele se interessava por ambos os pontos de vista. Porfiro e Plotino utilizaram-se de suas obras. Seus principais escritos foram *Categorias*, uma obra que existe na íntegra, e *Comentário*, do qual só há fragmentos.

NIEBUHR, H. RICHARD

Foi irmão do mais bem conhecido Reinhold Niebuhr. Suas datas foram 1894-1962. Foi ministro da Igreja Reformada Evangélica. Professor Sterling da Universidade Teológica de Yale. Sua principal contribuição deu-se no campo da ética. A base de sua filosofia era a soberania de Deus e a contingência humana, com seus juízos morais limitados.

Suas descrições do homem foram convenientemente divididas em três categorias: o homem — realizador; o homem—cidadão; o homem—respondedor. Essas categorias são julgadas de forma específica: a primeira, teleologicamente; a segunda, deontologicamente; a terceira, por meio de situações. Ele usava a metáfora do motorista. Um motorista não é julgado meramente pelo critério se chega ou não ao seu destino. É mister que também obedeça às regras de trânsito. Porém, além das meras regras, há muitas circunstâncias que alteram nosso julgamento, como as condições da estrada; a capacidade do veículo que o motorista dirige; as condições do tempo; as ações dos demais motoristas, etc. Isso posto, os juízos morais requerem grande complexidade nos exames. O que não se pode olvidar é que os juízos morais precisam *adaptar-se* às situações, a fim de que sejam adequados. Como é óbvio, neste ponto entra a questão da relatividade, embora essa teoria seja por demais complexa para ser caracterizada por qualquer palavra isolada. A crença de Niebuhr em Deus emprestava à sua teoria certos elementos de absolutismo.

NIEBUHR, REINHOLD

Suas datas foram 1892-1971. Nasceu em Wright City, estado do Missouri, nos Estados Unidos da América do Norte. Educou-se no Elmhurst College, no Seminário Teológico Éden e na Escola de Divindades de Yale. Foi ordenado pelo Sínodo Evangélico da América do Norte. Seu ministério pastoral foi notável; e, então, veio a fazer parte da faculdade do Seminário Teológico União. Tornou-se conhecido por seu pensamento original no campo da ética, da apologética e por sua participação em atividades públicas.

Idéias:

1. Ele era adepto da escola da **neo-ortodoxia** (vide). Referia-se a Deus como o inteiramente outro; frisava

o pecado original e a trágica posição do ser humano; essa tragédia caracteriza-se pelo fato de que percebe o ideal da perfeição, embora não consiga realizar o feito.

2. O homem é livre e responsável, embora afetado por um elemento demoníaco que arruína a tudo. Assim sendo, o conflito interno e externo de um homem vai além do simples processo histórico.

3. Niebuhr tem sido criticado, e com razão, por não ter frisado adequadamente a doutrina do Espírito, que é a força do homem que pode levá-lo à perfeição.

4. Ele falava sobre Jesus como «a chave» do mistério da existência humana, «o símbolo» de um poder e um amor constantes. Como é óbvio, para os mestres conservadores, não parece que isso faça justiça a Jesus, o Cristo, além de enfraquecer as considerações éticas de Niebuhr.

5. Na política, ele evitava as teorias utópicas, mas promovia uma espécie de realismo liberal, capaz de reconhecer as irracionalidades do homem, a fim de dar-lhes uma nova direção, racional. Ele cria que as mudanças institucionais são essenciais e mais importantes do que as transformações do coração humano. Ele acreditava que o capitalismo norte-americano é adequado para a cena política, podendo servir de arcabouço para as modificações sociais necessárias.

6. Ele rejeitava o liberalismo religioso como demasiadamente ingênuo, no tocante ao verdadeiro estado ético do homem. Quanto a isso, ele aplicava o seu «realismo cristão», que presumivelmente reconhece a real natureza depravada do homem. Ele empregava uma estimativa agostiniana da natureza humana, embora combatendo a doutrina da *total* depravação do homem. Durante algum tempo, favoreceu ao marxismo e ao pacifismo; mas acabou rejeitando a ambas as posições, por faltar-lhes uma verdadeira visão da pecaminosidade do homem, o que significa que ignoram uma importante área da questão de como o homem pode e deve ser aprimorado.

7. Ele via uma *dramática* apresentação da verdade na Bíblia, e não uma apresentação metafísica. E alicerçava sua descrição sobre o drama das Escrituras.

Escritos. Moral Man and Immortal Society; An Interpretation of Christian Ethics; Beyond Tragedy; Christianity and Power Politics; The Nature and Destiny of Man; The Children of Light and the Children of Darkness; Christian Realism and Political Problems; Pious and Secular America.

NIETZSCHE, FRIEDRICH

Suas datas foram 1844-1900. Nasceu em Rocken, na Prússia. Foi estudante brilhante em Leipzig. Tornou-se professor da Universidade de Basiléia, na Suíça. Porém, sua saúde periclitante forçou-o a abandonar o ensino. Vagava entre a Itália e a Suíça. vivendo solitário. Perdeu os sentidos em uma das ruas de Turim; e faleceu em 1900, após onze anos de insanidade. Mui curiosamente, foi apelidado de «Profeta de uma religião não-religiosa e de uma filosofia não-filosófica».

Idéias:

1. Ele rebelava-se contra todas as pretensões filosóficas e teológicas de se chegar à *verdade*. Por esse motivo, grande parte de seus escritos veio a ser uma série de ataques e negações de idéias, em vez de uma tentativa de chegar à verdade.

2. Ele afirmava que o indivíduo não deve aceitar passivamente idéias e situações que vêm ao seu encontro; antes, deve forçar sua vontade contra elas, de modo a conseguir modificações em consonância com os seus desejos.

3. Revoltava-se contra o cristianismo por causa da ênfase deste sobre *virtudes suaves*, como a misericórdia, o amor, etc. No entanto, ele também era revoltado contra o nacionalismo, o comercialismo, a democracia, o espírito científico e os ideais do século XIX em geral.

4. Influenciado por Schopenhauer, ele desenvolveu a doutrina do *poder da vontade*, mediante o qual o indivíduo nutre uma revolta apropriada e consegue impor as mudanças necessárias.

5. Ele argumentava em favor do *imoralismo*, que levaria o homem a endurecer seu ânimo, a viver perigosamente, a tentar o impossível, a adotar uma *moralidade-dominante*, a do super-homem que faz o que quer, impondo sua vontade aos seus semelhantes. O homem haverá de ser ultrapassado pelo super-homem.

6. Ele opunha-se à metafísica, embora tenha promovido traços da mesma em sua doutrina de *recorrência eterna*, que teria até mesmo ciclos intermináveis de reencarnação. Schopenhauer dissera algo similar, fazendo a existência inteira parecer pessimista, sem qualquer propósito bom ou razoável. Nietzsche admitiu sua própria incoerência ao adotar essas idéias metafísicas, ao mesmo tempo em que dizia que elas demonstram que, verdadeiramente, há um conflito em todas as coisas, incluindo em seu próprio sistema filosófico. Os mestres estóicos haviam falado sobre grandes ciclos que, inevitavelmente, trazem de volta tudo quanto já existiu.

7. Seu livro, **Beyond Good and Evil**,declara as suas idéias essenciais sobre questões éticas. Ele reduziu os sistemas morais a dois tipos: aquele que produz uma moralidade e uma mentalidade próprias de escravo; e aquele que produz uma atitude e uma moralidade de senhor. O senhor é aquele que se impõe e faz os outros aceitarem a sua vontade. Os escravos são os que se submetem aos padrões de todas as variedades de sistemas, e não se impõem. As regras desses sistemas alicerçam-se sobre o ressentimento, o desejo pelas recompensas, o temor e o desejo de vingança. No entanto, ambos os sistemas são parciais, requerendo a existência um do outro.

8. O impulso fundamental do homem é o *poder da vontade*. Isso é bom, porque faz o potencial humano chegar à plena fruição. Os escravos nunca chegam a lugar nenhum. A moralidade própria de escravo transforma fraquezas em virtudes. Desse modo é morta a inquirição pela excelência, e o homem permanece em sua mediocridade.

9. A moralidade própria de escravo enfermou a Europa, como enferma a qualquer indivíduo. A moralidade de rebanho agrada às massas, mas nenhuma grandeza emerge daí. A excelência perde-se com a democratização. A democracia é um sistema doente; o cristianismo também é um sistema doente, pois ambos promovem uma moralidade de rebanho e o poder dos fracos. Outrossim, o cristianismo faz o sexo tornar-se sujo, e assim deprecia erroneamente os valores do corpo e do único prazer decente do ser humano. Os valores de um mundo fictício são exaltados, ao passo que os valores reais deste mundo são anulados pelo cristianismo.

10. *Deus está morto*. Os homens inventaram um deus ridículo e fictício. Mas, à medida que aumenta o conhecimento do homem, mais ele nota que esse deus não passa de uma invenção. Os homens investem em seus deuses (ou seu Deus) as suas próprias qualidades

Nietzshe

Friedrich Nietzshe — 1844-1900

Friedrich Nietzshe

••• ••• •••

Nietzshe era o filósofo que mais enfatizou a vontade para exercer poder. Embora criado como um luterano tradicional, ele foi longe de suas bases e perpetuou um sistema sem valores metafísicos. Ele inventou o *super-homem*, o ponto mais alto de seu sistema ateísta. A força deve triunfar sobre toda fraqueza, humildade e misericórdia. A ética para ele era simplesmente um estudo como o super-homem poder melhor exercer seus poderes loucos. Auto-afirmação toma o lugar de amor pelos outros. O cristianismo, estupidamente, glorifica as qualidades dos fracos, como humildade, sacrifício pelos outros, e pobreza, literal e metafórica. O *homem ideal* é aquele que domina os outros, é arrogante e orgulhoso e que procura com todas as suas forças a dominância. Todos os sistemas políticos, como socialismo, comunismo e democracia, que enfatizam os direitos e bem-estar das massas, são inúteis. O princípio da igualdade é a maior mentira de todas.

••• ••• •••

••• •••

humanas. O homem tem uma consciência má, e isso leva-o a querer ser punido. O homem chega mesmo a querer ser torturado. E assim, o homem concebe um Deus que anela por torturar aos pecadores. Visto que Deus não existe, e que nosso conceito de Deus está morto, precisamos voltar-nos para outras preocupações, para outras alternativas filosóficas.

11. *A maça filosófica*. Nietzsche sentia que fazia bem em usar a sua maça para despedaçar antigos sistemas, para destruir antigas idéias ultrapassadas. Achamo-nos em um estado de transição do mau para melhor. A maça ajuda-nos a libertar-nos do que é ruim.

12. *O super-homem*. Substituímos Deus por um super-homem. O super-homem é aquele que, mediante seu poder da vontade, atinge a excelência e abandona a estupidez do seu passado. O super-homem é o único homem autêntico. Ele é o homem dotado de elevada integridade, sem preconceitos, sem orgulho, espiritual, dotado de grande alma, que tem consideração por seus inferiores, mas que se impacienta quando vê fraquezas transmutadas em virtudes. Apesar de Nietzsche não ter inventado um sistema ou ideal utópico, ele usou o conceito de super-homem como o ideal na direção do qual devemos esforçar-nos.

Os historiadores têm observado o evidente fato de que Hitler pareceu incorporar, em alguns pontos essenciais, o ideal do super-homem de Nietzsche. Mas esse super-homem mostrou ser apenas um monstro.

Escritos. The Birth of Tragedy; Human, All too Human; The Gya Science; Beyond Good and Evil; Toward a Genealogy of Morals; Thus Spake Zarathustra.

NÍGER

No latim, «negro». Sobrenome de Simeão, um dos profetas e mestres da igreja em Antioquia. Ver Atos 13:1. Alguns têm-no identificado com Simão, o cireneu, que ajudou a carregar a cruz de Cristo. Ver Mar. 15:21. Contra isso temos a ausência total de qualquer comentário, por parte de Lucas, quanto a esse detalhe, o que, sem dúvida, ele teria salientado, se fosse verdade. Seja como for, esse homem deveria ser racialmente identificado com a África, pois o termo *Níger* foi usado para identificá-lo, visto que Simeão era um nome bastante comum. Os hebreus costumavam dar a seus filhos um único nome. Se fosse necessária alguma outra identificação, então «filho de», ou coisa semelhante, era adicionado àquele nome.

NIGÍDIO FÍGULO

Ele viveu no século I A.C. De acordo com Cícero, Fígulo foi o mais importante neopitagoreano de seus dias. Ele fundiu esse sistema com o misticismo, com a astrologia e com o platonismo. Seu principal escrito foi *Sobre os Deuses*.

NIHILIANISMO

Essa palavra vem do latim, **nihil**, «nada». Esse termo alude a certo ponto de vista que assevera que a natureza humana de Cristo não era real, não tinha verdadeira subsistência, conforme se via no *docetismo* (vide). Esse ponto de vista tem sido erroneamente atribuído a *Pedro Lombardo* (vide), tendo sido formalmente condenado pelo papa Alexandre III, em 1179.

●●● ●●● ●●●

NIHIL IN INTELLECTU NISI PRIUS IN SENSU

Expressão latina que significa «nada (está) no intelecto que não tenha estado antes nos sentidos», noção típica do empirismo, que supõe que o homem não pode adquirir conhecimento que não comece pela percepção dos sentidos. Porém, a verdade é que a experiência humana prova a validade de outros meios de conhecimento, como a razão, a intuição e as experiências místicas.

NIHIL OBSTAT

No latim, «nada impede». Essa expressão é usada para indicar as publicações que podem ser impressas com a aprovação da Igreja Católica Romana. Expressão sinônima é *Imprimatur*, que significa «Seja impresso». Essas expressões abordam as censuras eclesiásticas.

Na antiguidade, qualquer livro podia ser embargado. Agora, visto que a liberalização e a democracia predominam, os livros só podem ser embargados se forem publicados por membros da Igreja Católica Romana que se envolvam em publicações que possam ser consideradas heréticas ou prejudiciais ao catolicismo romano. Se, porém, alguém quiser publicar algo em seu próprio nome, não precisa dessa licença do *nihil obstat*. Porém, se quiser a bênção paternal da Igreja Católica Romana para seu livro, precisará obter essas palavras aprovadoras.

NIHILISMO

Essa palavra também vem do latim, **nihil**, «nada». Esse vocábulo tem sido largamente usado em vários campos e com vários sentidos. Foi cunhado por Turgeniev, em sua novela, *Pais e Filhos* (1862). Ali, o termo tinha um significado político. Certo movimento russo do último quartel do século XIX foi acusado de empregar esse termo, em uma tentativa de destruição, mas sem qualquer plano construtivo, digno do nome, que substituísse o que eles pretendiam eliminar. Muitos oficiais russos foram mortos; imperou o caos; mas nada se fez de construtivo.

1. *Na Metafísica e na Epistemologia*. *Górgias* (vide) negava a própria existência, e supunha que se alguma coisa realmente existisse, ela não poderia ser conhecida e explicada. E, ainda que pudesse ser conhecida, não poderia ser comunicada.

2. O nihilismo é a manifestação mais extrema do *ceticismo*. Começamos por negar o conhecimento, e acabamos negando que haja algo para ser conhecido. No tocante ao conhecimento, a assertiva de que coisa nenhuma pode ser conhecida recebe o nome de *nihilismo*, ainda que não se chegue à posição extremada de negar a própria existência.

3. O *nihilismo ético* afirma que não existem valores genuínos; a moralidade e os valores seriam artificiais, servindo a pessoas e a classes, mas nada tendo a ver com a verdade. O *pessimismo* (vide) é uma forma de nihilismo ético. Schopenhauer (o principal filósofo pessimista), contudo, preservava alguns valores, ensinando que a renúncia e a simpatia têm algum valor. Mas *Nietzsche* declarava que a Europa estava enferma, por promover a fraqueza e a falta de busca pelo que é excelente, através do poder da vontade. Ele encontrou um nihilismo ao seu derredor, e ocupou-se em criar mais algum nihilismo.

4. O *nihilismo político* chega ao extremo de afirmar que a destruição da ordem social herdada é, por si mesma, um ato bom e positivo, mesmo que nada seja apresentado para tomar o lugar das coisas e instituições destruídas. *Bakunin* (vide) era defensor

dessa posição extremada; mas *Camus* (vide), contrariamente, dizia que o nihilismo está fora de um comportamento admissível.

5. O *nihilismo teológico* pode ser visto nos escritos de Nietzsche, que declarou que «Deus está morto». Ver o décimo item do artigo acerca dele. Esse tema, desafortunadamente, foi aceito por alguns teólogos posteriores. *Sartre* (vide) e aqueles que promoviam o que veio a ser chamado de Teologia Radical, como *Thomas Altizer* (vide), ou como *William Hamilton* (vide), também empregaram esse tema em suas discussões. Esse termo pode tornar-se absolutamente ateísta: Deus não existe. Ou, então, pode indicar que nossos conceitos de Deus são obsoletos. Temos uma representação morta de Deus, visto ser uma representação falsa. Ver o artigo detalhado intitulado *Morte de Deus, A*.

NIHONGI

Também chamado **Nihon Shoki**. Esse livro consiste nas «Crônicas do Japão», cujo propósito é contar a história do Japão, desde a criação até 697 A.C. Foi escrito em 720 D.C.

NILO (RIO)

Esboço:

1. Caracterização Geral
2. Cabeceiras
3. Nome
4. Curso
5. A Grandiosidade do Nilo
6. O Nilo e as Referências Bíblicas a Respeito
7. O Calendário Egípcio

1. Caracterização Geral

Até bem pouco tempo, o Nilo era considerado o mais longo rio do mundo, com cerca de 6.690 km. Agora perdeu essa posição para o rio Amazonas, quando exploradores descobriram as verdadeiras nascentes desse rio sul-americano, conferindo-lhe mais de 6.700 km. Seja como for, é o segundo maior rio em extensão. Sua bacia hidrográfica é a terceira maior do mundo, cobrindo uma área de cerca de 3.348.870 km(2). O Amazonas continua tendo a maior bacia hidrográfica do mundo, com 7.050.000 km(2). A bacia do Nilo, contudo, envolve alguns grandes lagos, incluindo o lago Vitória, o segundo maior do mundo. O Nilo é formado por dois ramos formadores, chamados Nilo Branco e Nilo Azul, que se unem defronte da cidade de Khartoum. O Nilo Branco começa no lago Vitória, embora a verdadeira fonte desse rio seja o rio Cagera, um tributário do lago Vitória, que tem origem a cerca de 648 km de distancia desse lago. O Nilo começa na África equatorial, e prossegue na direção geral norte, até desaguar no seu delta, no mar Mediterrâneo. O Nilo fomentou uma das maiores e mais duradouras civilizações do mundo, a egípcia-sudanesa. E a cultura ocidental tem muitas raízes importantes nessa civilização.

2. Cabeceiras

O rio Nilo tem início em uma região montanhosa, começando em lagos e águas pluviais dos meses chuvosos. O Nilo Branco, como já dissemos, começa no lago Vitória, o único rio que verte desse lago. Do lado Vitória, o Nilo Branco desce 5 m de nível e deságua em outro grande lago, de nome Kioga. E, então, a 2.658 km do lago Vitória, o Nilo Branco une suas águas ao Nilo Azul. O Nilo Azul desce das montanhas da Etiópia. Tem apenas 1.368 km de extensão, mas seu volume, no tempo da cheia, é quatro vezes maior que o do Nilo Branco. O Nilo Azul começa em duas fontes, que o padre português, Jerônimo Lobo, descreveu em 1625. Ligeiramente mais do que 320 km abaixo da junção daqueles dois rios, um outro rio deságua no Nilo, o rio Atbara. Ali há um povoado com esse nome. Esse rio desce das terras altas da Etiópia.

3. Nome

Os antigos egípcios chamavam o Nilo de **Hapi**, que era o nome de uma divindade do rio. Era também usado um outro nome egípcio, *itrw*, que significa «rio». Os hebreus chamavam esse rio com base nesse nome egípcio, razão por que ele é chamado, no Antigo Testamento, de «o rio». Desconhece-se, porém, a origem do nome moderno, *Nilo*. Há quem pense que esse nome significa «azul escuro».

4. Curso

Já pudemos descrever o curso geral do rio Nilo. As águas do Nilo começam abundantes; mas, ao atravessar o deserto, o rio Nilo vê diminuído o volume de suas águas. O Baixo Nilo perde muito de seu volume original, ao passar por uma área de vegetação densa; em seguida, chegam os céus sem nuvens e o intenso calor do deserto de Saara, que rouba ainda mais água do rio. Em seu curso, o rio Nilo forma um gigantesco «S», antes de entrar em território egípcio. Então desce e passa por seis grandes cataratas, que são enumeradas de baixo para cima. Ali o rio Nilo escavou uma profunda e estreita garganta, e as paredes quase verticais dessa garganta atravessam escarpas de arenito. É a partir desse vale e no delta, mais abaixo, que habitam os egípcios. Em ambas as margens começa o deserto estéril, a pouca distância do rio. Porém, ao longo do rio o terreno é fértil e pulsa de vida. Mediante a irrigação, a agricultura não se ressente de falta de água. O vale inferior do Nilo ficou muito sedimentado, embora, em tempos remotos, houvesse um grande golfo no mar Mediterrâneo. Essa sedimentação fez o mar recuar, aparecendo novas terras onde antes era só mar. Essa área já era chamada de «o Delta», pelos gregos, porquanto tem a forma da quarta letra do alfabeto grego, «delta», ou seja, tem formato triangular. O Nilo deságua no mar Mediterrâneo por meio de sete saídas principais, que se espalham como dedos retorcidos, partindo de um único rio, a começar abaixo da cidade do Cairo, a pouco menos de trezentos e vinte quilômetros do mar. Cinco desses braços terminam em meras lagoas; mas dois deles, Rosetta e Damietta, mantêm uma profundidade de cerca de 7 m.

5. A Grandiosidade do Nilo

Sem as águas do Nilo, o deserto teria tomado conta de tudo, e os homens teriam de vaguear na região como pequenos grupos nômades. Mas, devido às águas do Nilo, conforme disse Heródoto, o Egito possui «mais maravilhas do que qualquer outro país, e exibe obras maiores do que é possível descrever». As grandes cidades da antiguidade, às margens do Nilo, Mênfis e Tebas, atualmente são pouco mais do que memórias. Alexandria, fundada por Alexandre, o Grande, veio a tornar-se a segunda maior cidade do império romano, perdendo somente para a própria cidade de Roma. Alexandria tinha uma biblioteca de nada menos que setecentos mil volumes. Ver sobre *Alexandria, Biblioteca de*. A cidade do Cairo, perto de onde o rio deságua, é atualmente a maior metrópole do continente africano, com uma população de cerca de quatro milhões de habitantes. Khartoum, na junção dos rios Nilo Branco e Nilo Azul, é atualmente a capital do Sudão. Três grandes cidades, Cairo, Alexandria e Port Said, marcam, mais ou menos, os limites do delta do Nilo, que se vai abrindo em leque.

O rio Nilo sempre foi uma grande artéria fluvial de cultura e de comércio. Pinturas murais em túmulos antigos, ilustram pitorescas embarcações nativas, dotadas de velas triangulares, um tipo de embarcação que até hoje pode ser visto a singrar as águas do Nilo. Heródoto declarou que o próprio Egito é um presente do Nilo, afirmação essa que não pode ser contradita. O reconhecimento de quanto os egípcios dependem desse rio, levou-o a ser deificado e chamado pelo nome de *Hapi*. Essa divindade era representada como um homem gordo, com peitos pendurados, trazendo oferendas como se fossem presentes do rio. As inundações anuais regulares do rio servem ao duplo propósito de prover uma irrigação natural e a fertilização do solo adjacente, além de servir de calendário bastante exato. A coincidência entre o surgimento helíaco da Estrela do Cão, chamada *Sírio* (Sotis), com o começo da inundação do Nilo, deu origem à unidade cronológica de 1.460 anos, chamado de ciclo Sótico. A palavra *helíaco*, quando é aplicada às estrelas, indica que elas surgem e desaparecem no horizonte, o mais perto que podem ser observadas do disco solar.

6. O Nilo e as Referências Bíblicas a Respeito

Muitas dessas referências acham-se no Pentateuco, mormente no tocante à história de José, filho de Jacó. Contudo, as referências proféticas a esse rio também são freqüentes. a. No sonho do Faraó (Gên. 41:1-4, 17-21). As vacas gordas saíam do *rio* (o Nilo), seguidas pelas vacas magras. b. Foi dada ordem para que todos os meninos hebreus fossem lançados no Nilo, para morrerem afogados (Êxo. 1:22). c. Joquebede pôs o menino Moisés em uma cestinha, que ficou a flutuar à superfície do rio Nilo; então a filha do Faraó retirou das águas a cestinha, com Moisés (Êxo. 2:3,5). d. Uma das pragas contra o Egito foi a transformação das águas do Nilo em sangue (Êxo. 4:9). e. No rio, Moisés confrontou Faraó com seu ultimato sobre o êxodo de Israel (Êxo. 7:15; 8:20,21). f. A praga das rãs também esteve vinculada ao rio Nilo (Êxo. 8:3,5,9,11). g. Amós falou sobre as enchentes e secas do Nilo (8:8; 9:5). h. Isaías fez várias referências ao Nilo, em suas predições proféticas (ver Isa. 7:18; 19:6-8; 10:23). i. Jeremias referiu-se também às enchentes e secas do Nilo (Jer. 46:7,8). j. Ezequiel profetizou contra o rei do Egito, usando uma linguagem simbólica sobre o Nilo. Faraó aparece ali como um «crocodilo enorme», deitado em seus rios e dizendo: «O meu rio é meu, e eu o fiz para mim mesmo» (Eze. 29:3). Ver também os vss. 4,5 e 9. l. Zacarias falou (provavelmente de modo figurado) sobre a seca do rio Nilo (Zac. 10:11). O Nilo era tão importante para o Egito que seu nome era virtual sinônimo do próprio país.

7. O Calendário Egípcio

Como é óbvio, os regimes de enchente e vazante do rio Nilo dominavam a agricultura egípcia. As inundações proviam fertilização e irrigação para as áreas circunvizinhas. As áreas alagadiças eram excelentes como pasto. Ver Gên. 41:1-3,17,18. O rio Nilo é muito piscoso, e seus peixes podem ser apanhados tanto com anzol quanto por redes (ver Isa. 19:8). O rio determina a divisão do ano em três estações, cada uma das quais com quatro meses de trinta dias cada. Isso exclui cinco dias. Essas estações eram chamadas, em egípcio, *akhet* (inundação), *peret* (saída), que falavam sobre a recessão das águas; e *shomu* (seca), que aludia à estação do verão. Tudo, incluindo a agricultura, era sincronizado a essas divisões anuais e às condições por elas produzidas no Egito.

NIMBUS

No latim, **nimbus** significa «nuvem»; mas acabou designando o halo de luz e de glória que, nas gravuras artísticas, circunda a cabeça de Cristo, da Virgem Maria e dos santos. Deve ser contrastado com a *auréola*, que é a aura que circunda o corpo inteiro. Esses campos de luz apareceram na arte cristã a partir do século V D.C., embora já fizessem parte das pinturas e desenhos da Índia e do Egito, bem como dos gregos e romanos. — Essa representação, sem dúvida, reflete o fato científico de que o corpo humano realmente conta com uma aura. Certas pessoas, dotadas de um largo espectro de visão, são capazes de ver essa aura, ou o tempo todo, ou então, sob condições especiais. Lentes que filtram as cores mais brilhantes têm sido usadas com sucesso, por pessoas comuns, para enxergarem essas manifestações luminosas. Talvez a aura esteja relacionada ao corpo vital, ou mesmo ao espírito. Estudos científicos têm confirmado o antigo ponto de vista filosófico-teológico de que o homem não consiste apenas no seu corpo físico. Ver o artigo separado sobre *Aura Humana* (*Campo de Vida*).

Certos psíquicos e místicos podem ver e *interpretar* a aura, e, com base nela, podem julgar o caráter essencial das pessoas, e até mesmo problemas de saúde, antes que as enfermidades cheguem a manifestar-se no corpo físico.

A distinção entre o campo de luz chamado *nimbus* e o campo de luz chamado *auréola* também tem razão de ser, visto que a luz em torno da cabeça do indivíduo é mais acentuada que no resto do corpo. Seja como for, esse campo de luz, que pode ser detectado por voltímetros muito sensíveis, pode estender-se até três metros de onde se acha a pessoa. Varia de pessoa para pessoa, dependendo de seus poderes intelectuais e vitais. De grande interesse, nessa conexão, é o estudo científico geral da natureza humana, o que nos envolve na questão da porção imaterial do homem e na questão da imortalidade da alma. Ver vários artigos desta enciclopédia acerca da *Imortalidade*, dois dos quais estão relacionados a estudos científicos modernos. Ver também o artigo *Experiências Perto da Morte*.

A palavra *nimbus* está ligada ao termo *nubo*, «cobrir», devido à idéia da ação de uma nuvem que cobre algo. Curiosamente, essa palavra também veio indicar o matrimônio, talvez porque a noiva se cobre com seus véus, e que, no casamento, o homem a cobre literalmente. — Daí veio o termo *nuptus*, «casado», como também *nupta*, «esposa», e até a palavra portuguesa *núpcias*.

Formas de Arte. Nas representações artísticas o nimbus foi assumindo diferentes formatos. Usualmente é circular, embora possa ser triangular, ao indicar a divina Trindade. Um nimbus com três raios indica a Trindade. A Virgem Maria é retratada com um único círculo acima de sua cabeça, às vezes associada a uma coroa. Ou, então, o nimbus pode apoiar uma cruz. Também há o nimbus difuso, que parece dissolver-se juntamente com a figura. Esse tipo de ornamentação artística era usado na Índia, no Egito, na Etrúria, na Grécia e em Roma, a fim de caracterizar as divindades.

NINFA

Esse nome pessoal vem do grego, onde significa «dada pelas ninfas». Ver o artigo intitulado *Ninfas*. Esse foi o nome de uma cristã de Laodicéia ou de Colossos, a quem Paulo enviou saudações (Col. 4:15). Supõe-se que uma congregação de crentes reunia-se em sua casa. Não há certeza, porém, se esse nome é feminino ou masculino, pelo menos de acordo com muitos comentadores. No entanto, o original grego vem em nosso socorro. Se o nome é masculino, então sua forma, no nominativo, no grego, é *Numphás*; se é feminino, *Númpha*. Em Col. 4:15, a palavra aparece no acusativo, como *Numphân*, dando a entender que o nominativo da mesma é *Numphás*, ou seja, um nome masculino. Isso posto, nossa versão portuguesa poderia ser emendada para: «Saudai aos irmãos de Laodicéia, e a Ninfas e à igreja que ele hospeda em sua casa» (Col. 4:15).

NINFAS

Esse é o nome dado, no grego, e no latim, a elásticas, graciosas divindades femininas secundárias, que seriam alegres, amigáveis, esportivas, ainda que, ocasionalmente, se mostrassem destrutivas. Cria-se que elas residiam em lugares da natureza como os mananciais, os rios, os prados, os lagos, o mar, as montanhas, as árvores, etc. Elas seriam possuidoras de certos dons, como o da profecia, viviam muito tempo, embora não fossem consideradas imortais. Porém, entre elas havia outras, chamadas dríadas e hamadríadas, que não viveriam por tanto tempo como as outras, porquanto morreriam juntamente com as árvores onde residiam. No vocabulário popular, uma donzela bonita veio a ser chamada de ninfa.

NINHO

No hebraico, **gen**, palavra que se deriva de **ganan**, «construir». Essa palavra ocorre por doze vezes no Antigo Testamento (Núm. 24:21; Deu. 22:6; 32:11; Jó 29:18; 39:27; Sal. 84:3; Pro. 27:8; Isa. 10:14; 16:2; Jer. 49:16; Oba. 4: Hab. 2:9). No grego, *kataskénosis*, vocábulo que ocorre por duas vezes no Novo Testamento: Mat. 8:20 e Luc. 9:58. Essa palavra grega significa «poleiro». No seu sentido literal, a palavra hebraica ocorre por seis vezes: Deu. 22:6; 32:11; Jó 39:27; Sal. 104:17; Pro. 27:8 e Isa. 16:2.

A lei de Moisés (ver Deu. 22:5,7) protegia as aves, não permitindo que uma ave fêmea no choco fosse tirada do seu ninho e morta. Esta podia ser espantada do ninho para voar, e os filhotes podiam ser apanhados. É uma das curiosidades do Antigo Testamento que foi prometida longa vida aos que assim agissem. Longa vida também foi prometida aos que respeitassem e honrassem a seus pais. Provavelmente estava em foco a preservação de espécies. Os hebreus tinham consciência de que dependiam da natureza.

A águia, que não aprecia a presença humana, faz seus ninhos em lugares elevados e de difícil acesso (ver Jó 39:27). No Novo Testamento, Jesus referiu-se às aves, que são tão afortunadas que têm os seus ninhos (ao mesmo tempo em que as raposas tem os seus covis), enquanto que o Filho do Homem não tinha residência fixa. Isso demonstra a extrema pobreza em que Jesus, sem dúvida, vivia. Ver Mat. 8:20 e Luc. 9:58.

Usos Metafóricos:

1. A altura em que são feitos os ninhos das aves tornou-se emblema de lugares elevados e inacessíveis (Oba. 4).

2. Expirar no próprio ninho aparentemente aponta para a presença de familiares e amigos na hora do falecimento de alguém, com filhos que levem avante o nome da família e a herança (Jó 29:18).

3. Armar um ninho, «como a águia», alude às arrogantes ambições dos homens (Jó 49:16; Hab. 2:9).

4. Como uma perdiz que choca os ovos «que não pôs», assim é o caso de quem enriquece desonesta e ilegalmente (Jer. 17:11).

5. Furtar um ninho, na ausência das aves genitoras, simbolizava uma vitória fácil (Isa. 10:14).

6. Um reino que exerce domínio sobre muitos e diferentes povos (como no caso do império assírio), assemelha-se a um grande cedro do Líbano, cujos ramos fornecem lugar para muitos ninhos (Eze. 31:3-6; Dan. 4:21; ver também Mat. 13:31,32, onde parece que Jesus aplica o mesmo simbolismo ao reino de Deus, indicando que o mesmo incluiria pessoas das mais diferentes nacionalidades).

7. Nos sonhos e nas visões, um *ninho* refere-se à segurança de um lar, de um bom emprego, etc. O útero materno é o ninho inicial de todo ser humano. E as economias de uma pessoa são como os ovos que uma ave guarda em seu ninho. Por extensão, o ninho refere-se às idéias de conforto, prazer e bem-estar. Nesse sentido, a vagina feminina também pode ser simbolizada como um ninho, nos sonhos e nas visões.

NINHO DE AVE

A expressão aparece em Deu. 22:6, dentro de instruções relativas ao aproveitamento de aves encontradas no seu ninho. Os filhotes ou os ovos podiam ficar com quem os achasse; mas a mãe tinha de ser deixada em liberdade. Isso era uma antiga maneira de preservar as espécies da fauna, e talvez incluísse um toque humanitário. A esse preceito é adicionada a promessa de longa vida, para aqueles que tiverem os devidos cuidados com as aves. As culturas que não demonstram respeito pela vida animal, e nem impedem atos de crueldade para com os irracionais, não podem figurar entre as mais avançadas. As sociedades primitivas, antigas e modernas, deleitam-se em torturar os animais. Durante a Inquisição (ver o artigo), animais domésticos eram, às vezes, mortos como requintes de sadismo. Até mesmo galinhas foram vítimas daquela horrenda perseguição! (G IB)

NÍNIVE

Esboço:

1. O Nome
2. Localização e Fundação
3. Esboço Histórico
4. Arqueologia
5. A Biblioteca Real de Nínive
6. A História de Jonas

1. O Nome

Essa é a transliteração hebraica do nome assírio *Ninus*, um dos nomes da deusa Istar. O sinal cuneiforme consistia em um peixe dentro de um cercado. O termo hebraico *nun* significa «peixe», embora não haja conexão real entre esses dois vocábulos. O termo grego *Nínos*, como designação dessa cidade, ocorreu por assimilação ao nome de um herói grego. Essa palavra era comum nos antigos registros em escrita cuneiforme, na época do reinado de Gudea (século XXI A.C.) e de Hamurabi (cerca de 1700 A.C.). Após o século XII A.C., Nínive tornou-se uma das residências reais da Assíria. O antigo título da cidade, conforme já afirmamos, era Ninus.

2. Localização e Fundação

Os cômoros que assinalam o antigo local de Nínive ficam situados à margem oriental do rio Tigre, diante da moderna cidade de Mosul, no norte do Iraque (Mesopotâmia superior). A Bíblia informa-nos de que foi *Ninrode* (vide) quem fundou essa cidade, após ter fundado o mais antigo império babilônico sobre o qual se tem conhecimento. Ver Gên. 10:8-10.

3. Esboço Histórico

a. 4500 A.C. Evidências arqueológicas mostram-nos que já havia ocupação humana do local antes da fundação tradicional de Nínive, por Ninrode.

b. 2450 A.C. Os eruditos pensam que Nínive foi fundada por Ninrode, por volta dessa data. As datas remotas são inseguras, mas é certo que não podemos ampliar as datas de Ninrode para antes de 4500 A.C. Assim, supõe-se que a fundação da cidade ocorreu em algum ponto mais tarde que o tempo em que a área começou a ser ocupada, o que ocorreu, de fato, nada menos que dois mil anos depois.

c. 2300 A.C. Nínive era um lugar florescente, ao tempo de Sargão e seus filhos. Essa família restaurou o templo de Istar (Inana), em Nínive.

d. 2200 A.C. Gudea, de Lagase, — encetou campanhas militares na área.

e. 1800 A.C. Nínive tornou-se um centro de culto religioso e de comércio, na época de reis assírios, como Sańsi-Adade I. Ele restaurou o templo de Istar, tal como o fez Hamurabi, de Babilônia. Hamurabi conseguiu predominar sobre a Assíria cerca de vinte anos após Sandi-Adade I. Foi por essa época que ele publicou seu famoso código legal, «que glorificou o nome de Istar».

f. 1400 A.C. Os reis de Mitani exerciam pelo menos alguma forma de controle sobre Nínive, nessa época. Dusrata enviou uma estátua de Istar, de Nínive, ao Egito, com o propósito de curar o enfermo Faraó. Dessa época é que se originou o famoso hino a Istar, no idioma hurriano.

g. 1300 A.C. Nínive voltou ao poder assírio. Assur-Ubalite I reconstruiu o templo de Israel. Salmaneser I e Tuculti-Ninurta I ampliaram e fortificaram a cidade.

h. 1100 A.C. Tiglate-Pileser I construiu seu palácio em Nínive.

i. 800 A.C. Assurnasirpal II construiu seu palácio em Nínive.

j. 860 A.C. O profeta Jonas evangeliza Nínive com sucesso. Jonas é o João 3:16 do Antigo Testamento.

l. 722 A.C. Sargão II construiu seu palácio em Nínive. Menaém, rei de Israel (744 A.C.), paga tributo à Assíria (ver II Reis 15:20). Teve lugar, nessa data, o cativeiro do reino do norte, Israel. Em Nínive houve cortejos celebrando a vitória (ver Isa. 8:3).

m. 704-681 A.C. Nesse período, Nínive tornou-se a capital do império assírio, por instigação de Senaqueribe. Como capital do império assírio, Nínive tornou-se a mais importante cidade do mundo oriental da época. Senaqueribe adornou Nínive a um estado de magnificência. A arqueologia tem descoberto provas sobre isso, e também há muitos informes históricos que o confirmam. O palácio de Senaqueribe tinha 9.178 m(2), com paredes que tinham relevos retratando as suas vitórias, incluindo o cerco de Laquis e a cobrança de tributos a Judá. Ele construiu ou ampliou muralhas na cidade; introduziu um novo sistema de suprimento de água, com canais que vinham desde o rio Gomel, em Baviã. Nínive dispunha de quinze portões principais (cinco dos quais os arqueólogos têm escavado com sucesso). Cada um desses portões era guardado por um touro gigantesco. Senaqueribe também construiu parques, jardins botânicos e um jardim zoológico, além de haver edificado a muitos edifícios. O trecho de II Reis 18:15 revela-nos que ele cobrou tributo de Ezequias, rei de Judá.

n. 681 A.C. Senaqueribe foi assassinado, e seu filho caçula e sucessor, Esar-Hadom, subiu ao trono, após ter derrotado aos rebeldes, que haviam conseguido controlar por algum tempo a coroa. Esar-Hadom construiu em Nínive um palácio, embora preferisse passar a maior parte de seu tempo em Calá.

o. 669-627 A.C. Durante os governos dos filhos de Esar-Hadom, Assur-Etil-Ilani e Sin-Sar-Iscum, a economia da nação declinou, e a nobreza assíria revoltou-se.

p. 612 A.C. Uma força combinada de medos e babilônios atacou e capturou a cidade de Nínive, e assim desapareceu para sempre o cruel império assírio. Esse acontecimento foi eloqüentemente referido pelos profetas Naum e Sofonias (ver especialmente Sof. 2:13-15). O local foi subseqüentemente habitado, mas nunca mais adquiriu qualquer significação especial.

Na época do profeta Jonas, Nínive contava com uma população de cerca de cento e vinte mil habitantes; Calá (Nonrude) tinha cerca de setenta mil habitantes. Ver Jonas 1:2 e 3:2 quanto a descrições.

4. Arqueologia

Nínive tem sido intermitentemente escavada por expedições arqueológicas inglesas, através de um período de mais de cem anos. As principais descobertas têm sido magníficas esculturas, porções da cidade antiga, muralhas, templos, palácios e residências; mas, acima de tudo, a maior biblioteca de tabletes em escrita cuneiforme que jamais foi descoberta, pertencente aos tempos antigos. As muralhas da cidade, claramente vistas em esboço, estendem-se por quase treze quilômetros em redor, encerrando dois importantes cômoros. Um desses cômoros chama-se Nebi Yunus. De acordo com as lendas locais (provavelmente incorretas), esse cômoro contém o túmulo do profeta Jonas. No local há uma moderna aldeia, com um cemitério e uma mesquita, razão pela qual não é possível fazerem-se ali muitas escavações. Porém, o cômoro da parte norte é um dos maiores da Mesopotâmia. Mais de catorze milhões de toneladas de terra já foram removidas da área. Três palácios reais foram desenterrados, além de dois templos. Os palácios de Senaqueribe e de Assurbanipal II, o templo de Istar e o templo de Nabu. Porções de várias outras edificações têm sido, igualmente, trazidas à luz.

Além dessas ruínas relativamente recentes, uma prospecção profunda mostrou que o homem vem habitando naquele lugar desde tempos pré-históricos. Desde o ano de 1966, o Departamento de Antiguidades do Iraque reabriu o palácio de Senaqueribe, tendo aberto áreas adicionais para a investigação arqueológica. Um trabalho de alargamento de estradas, em Nebi Yunus, descobriu estátuas egípcias, trazidas por Assurbanipal, após ter capturado a cidade egípcia de Mênfis, em duas campanhas militares no Egito.

5. A Biblioteca Real de Nínive

Mais de dezesseis mil tabletes de argila, inteiros ou em fragmentos, representando dez mil textos diferentes, foram encontrados em Quyunjiq. Por esse motivo, a coleção recebeu o nome de *Coleção Quyunjiq*. Esses tabletes estão ligados, principalmente a Assurbanipal, que pode ser considerado um dos poucos monarcas literatos do mundo antigo. A maior parte desse material representa originais trazidos da Babilônia, ou, então, cópias de textos encontrados na Babilônia, mas que receberam nova forma, por parte de escribas aptos, em Nínive. Uma grande variedade de gêneros literários está ali representada; épicos bem conhecidos, como aqueles da criação e do dilúvio (Gilgamés), e versões do mesmo; lendas, explicações de ritos religiosos e literatura religiosa, hinos, orações, listas de divindades a serem honradas, cartas pessoais, textos históricos, documentos bilíngües que mostra o uso tanto do acádico quanto do sumério. Esses textos têm servido de prestimoso auxílio lingüístico e histórico, lançando alguma luz sobre as narrativas bíblicas da criação e do dilúvio. Essa biblioteca tornou a literatura assíria melhor conhecida que a de qualquer outro antigo povo semita, excetuando, naturalmente, os hebreus, cuja Bíblia (o Antigo Testamento), destaca-se como uma obra incomparável nesse sentido.

6. A História de Jonas

Nenhuma descoberta histórica secular tem confirmado o registro bíblico a respeito da missão bem-sucedida do profeta Jonas em Nínive. Não obstante, esse livro é a melhor evidência de que dispomos, no Antigo Testamento, acerca do amor de Deus pelos povos de todas as nações. O livro de Jonas é o João 3:16 do Antigo Testamento. (AM ND PAR(1955) TH THU Z)

NINRIM, ÁGUAS DE

No hebraico, «bacias de águas claras». A Bíblia fala nas «águas de Ninrim» somente em Isa. 15:6 e em Jer. 48:34 (nesta última referência, «águas do Ninrim»). Provavelmente estava em pauta um local na parte sul de Moabe, visto que as profecias que mencionam essas águas estão associadas àquela nação. A identificação comum, hoje em dia é o wadi en-Numeirah, a dezesseis quilômetros da extremidade sul do mar Morto. É mister distinguir esse lugar de outro, de nome *Ninra* (Núm. 32:3), e de um outro, Bete-Nimra (Núm. 32:36). Este último ficava a dezesseis quilômetros ao norte do mar Morto. A região é uma espécie de oásis que assinala o extremo norte das planícies de Moabe. Os profetas amaldiçoaram essas águas em suas profecias de condenação.

NINRODE

1. Nome e Família

São disputados tanto a origem desse nome quanto se o mesmo é semítico ou não. Talvez venha do egípcio, *mrd*, «rebelde». Ele era filho de Cuxe, um guerreiro e caçador. Ninrode fundou o reino da Babilônia, que, com o tempo, chegou a incluir a Assíria (ver Gên. 10:6-8). Sendo filho de Cuxe (I Crô. 10:10), Ninrode estava relacionado ao Cuxe camítico de Gên. 10:6.

2. Descrições e Identificação

Em Gên. 10:8,9, Ninrode é chamado **gibbor,** «guerreiro». Ele era habilidoso como lutador, matador e caçador, três coisas nas quais os homens encontram muita glória, desde a antiguidade até hoje. Os estudiosos comparam-no com Sargão, de Agade (cerca de 2330 A.C.), que também foi grande guerreiro e caçador, e que veio a tornar-se um dos remotos líderes assírios. Não há que duvidar que homens da estirpe de Ninrode e Sargão deixaram muitas lendas, que se desenvolveram em torno de suas pessoas. À semelhança de certos heróis gregos, foram reputados semideuses ou «heróis», no sentido grego desse vocábulo.

Divindades como Ninurta (Nimurda), e outros deuses babilônios e assírios da guerra e da caça, eram incensados da mesma maneira que Ninrode o foi. Por essa razão, os eruditos supõem que Ninrode represente alguma antiga mitologia que mais fazia parte da religião do que da história. E outros vêem em Ninrode o protótipo de Nino, o fundador clássico da cidade de Nínive. Ou, talvez, ele tenha sido o mesmo Gilgamés, um rei-heróico épico de Ereque (cerca de 2700 A.C.). Havia um antiqüíssimo provérbio aplicado a ele: «como Ninrode, poderoso caçador diante do Senhor» (Gên. 10:9). Ainda outros estudiosos procuram encontrar alguma ligação entre Ninrode e Marduque, uma das principais divindades babilônicas.

Os estudiosos conservadores, naturalmente, contentam-se somente com a interpretação que vê Ninrode como uma personagem histórica, sem importar se lendas e mitos vieram a vincular-se mais tarde a seu nome, incluindo noções de divindade. É curioso, para dizer o mínimo, que muitos nomes locativos, na Babilônia, reflitam esse nome, como Birs Ninrud, Tell Nimrud (perto de Bagdá) e o cômoro de Ninrode (antiga Calá). — Essa circunstância ilustra o fato de que havia uma rica tradição em torno de sua pessoa.

3. Reino de Ninrode

O reino ou «terra de Ninrode» (Miq. 5:6), refere-se à região adjacente à Assíria, a qual incluía as grandes cidades de Babel, Ereque (Warka), Acade (Agade), além de várias outras, na «terra de Sinear» (Gên. 10:20; 11:2). O trecho de Gên. 10:11 relata como Ninrode fundou Nínive, Reobote-Ir, Calá e Resen. Se, realmente, ele foi uma personagem histórica, então floresceu em cerca de 2450 A.C. Os muitos nomes de lugares que incorporam o seu nome emprestam crença à sua historicidade, embora saibamos tão pouco a seu respeito. Poderia ter-se seguido a sua deificação, fazendo com que seu nome se misturasse com religiões subseqüentes. Se o Cuxe babilônico tiver de ser identificado com Quis (conforme alguns estudiosos supõem), então já teremos um pouco mais de informações sobre o reino fundado por Ninrode. A dinastia de Quis teve vinte e três reis que representaram a primeira dinastia mesopotâmica, e que governou pouco tempo depois do dilúvio de Noé.

4. Caráter

A Bíblia fornece-nos algum relato relativo a Ninrode. Mas o significado do seu nome, «rebelde», parece fazer dele uma espécie de anti-herói indesejável. Ele era o tipo de rei que Deus jamais aprovaria, um caçador e matador. em contraste com a idéia de um rei-pastor (ver II Sam. 5:2; 7:7; Apo. 2:27; 19:15). Um caçador satisfaz-se às custas de suas vítimas. Mas um pastor preocupa-se em proteger seus animais e cuidar deles. Por outro lado, a declaração de que ele foi «poderoso caçador diante do Senhor» (Gên. 10:9), poderia ter a intenção de ser um elogio. Coisa alguma era e continua sendo mais comum do que a glorificação da força bruta, por parte dos homens; e nada é mais comum do que dar pouca importância ao sofrimento humano.

NINSI

No hebraico, «salvo». Ele foi o avô de Jeú (II Reis 9:2,14). No entanto, em trechos como I Reis 9:15; II Reis 9:20 e II Crô. 22:7, ele é chamado de «pai» de Jeú, pois, entre os hebreus, essa palavra podia indicar um ancestral próximo ou mesmo remoto, e não apenas o pai de alguém, propriamente dito. Ele viveu em cerca de 950 A.C.

NINURTA

Esse era o nome de um deus babilônio-assírio da guerra e das tempestades. Era tido como protetor dos limites dos campos, patrono dos médicos. Era considerado filho de *Enlil* (vide), que era o deus de Nipur. Ver o artigo geral intitulado *Deuses Falsos*.

NIPUR

Essa cidade da antiga Mesopotâmia não figura nas páginas da Bíblia. No entanto, foi uma das mais importantes cidades da Babilônia. Ficava cerca de cento e sessenta quilômetros ao sul de Bagdá, e a oitenta quilômetros a suleste da cidade de Babilônia. Foi fundada pelo povo Ubaide, em cerca de 4000 A.C. Era uma cidade religiosa, e não militar. A partir do século XXX A.C., e daí por diante, durante bastante tempo, exerceu forte influência sobre as instituições religiosas e culturais das terras circunvizinhas. Nos tempos do famoso Hamurabi, foi um indisputado centro de cultura e fé, e continuou tendo alguma importância até os tempos dos partas.

O deus *Enlil* (vide), tinha nessa cidade o seu centro principal. No século VII A.C., Assurbanipal restaurou ali o templo dessa divindade. Ali também havia uma academia que produziu uma significativa literatura relacionada às divindades populares. Enlil, sua esposa e um filho do casal formavam o centro desse panteão.

Entre trinta mil e quarenta mil tabletes em escrita cuneiforme foram encontrados, dentre os quais quatro mil escritos com obras sumérias. As escavações arqueológicas tiveram início ali desde 1890, tendo continuado, com pequenos intervalos de descanso, até 1958. Assim, várias construções de interesse foram achadas, como Ekur (Casa da Montanha), o templo de Enlil e de Ninlil, sua esposa, etc. Um espaçoso templo, ali descoberto pelos arqueólogos, fora dedicado a Inana; e um outro, de menores proporções, era consagrado a uma divindade desconhecida. Uma casa de escribas também foi achada. W.C. Crawford escreveu um artigo sobre essa questão, intitulado «Nippur, the Holy City» (*Archaeology* 12, 1959, págs. 74-83).

NIRGUNA BRAHMAN

Essa palavra vem do sânscrito, **nir**, «fora», e **guna**, «atributos», ou seja, aquela forma de *Brahman* (vide) que não pode ser descrita por quaisquer termos humanos, em conseqüência do que ela é referida sem que se nomeiem atributos e qualidades. O conceito equivale ao *Mysterium Tremendum* (vide) do cristianismo, de acordo com o qual Deus é tido como acima da intelecção humana.

NIRVANA

Essa palavra vem do sâncrito, «soprado para fora», referindo-se à extinção de todos os desejos, estados e descrições mundanos, dentro do eqüivalente budista do céu. Buda acertou ao tentar explicar esse conceito, ao afirmar que sem importar o que os homens digam, na tentativa de descrevê-lo, inevitavelmente falharão. Isso significa que aquele estado ultrapassa à intelecção humana. No *budismo hinayana* (vide), porém, Nirvana significa «extinção». Quando eu me especializava em filosofia, um colega *escreveu* uma pesquisa sobre Nirvana. Entregou ao professor dez páginas totalmente em branco. O professor deu-lhe nota máxima por seu «não-esforço». Talvez ele merecesse a nota se o assunto se limitasse ao budismo hinayana; mas as várias escolas hindus e budistas não usam esse termo com esse sentido, pelo que uma folha em branco não pode descrevê-lo como é devido.

Brahman pode ser aludido com o uso da expressão *Nirguna Brahman* (vide), mas, nesse caso, deve-se simplesmente admitir que coisa alguma pode ser dita a respeito que seja significativo, pois equivale ao *Mysterium Tremendum* do cristianismo. Por igual modo, o «céu» do hinduísmo e do budismo pode ser concebido como indescritível, por meio de termos humanos. No *budismo mahayana* (vide), o Nirvana é equiparado ao estado de bem-aventurança absoluta. Porém, a escola intermediária mahayana refere-se ao Nirvana como algo ilusório, como seria ilusório o mundo da percepção dos sentidos.

O termo *Nirvana* originou-se nos escritos vedânticos, e também se acha na *Bhagavad-Gita* (vide), e em outros trechos dos *Vedas*. No *hinduísmo*, a idéia da «extinção da chama da vida» é usada em conexão com o Nirvana; mas permanece em dúvida se isso significa que somente Deus vive, ou se a vida humana é absorvida pelo ser divino, com ou sem a continuidade da consciência individual. Ali terminariam os ciclos da reencarnação. Mas, nem todos os hindus concordam sobre o que isso significa, exatamente, no tocante à continuação da vida em uma forma totalmente diferente. Eles dizem que, com certeza, a tríplice chama de *raga, dosa* e *moha* (ou seja, «paixão», «ódio» e «ilusão») é apagada, havendo então uma completa emancipação; porém, não concordam entre si quanto ao tipo de vida que então se seguirá. Mas, se o Nirvana importa em bem-aventurança, então temos um paralelo do misticismo cristão, que fala de uma felicidade imensa e indescritível, de união com Deus, a Fonte originária da vida. Haveria também a participação extática na mente divina, envolvendo a onisciência e onipotência divinas, bem como o amor divino. O *Summum Bonum* (vide) do budismo é o Nirvana. Uma experiência parcial do Nirvana seria possível desde agora, embora somente a eternidade futura possa trazer aos homens a sua plena fruição.

O próprio Buda não especulou sobre a natureza de Deus e da alma humana, e concentrou sua atenção essencialmente, sobre questões éticas. Escolas budistas posteriores aproveitaram a idéia do Nirvana temporário da experiência humana presente, e transformaram-na ou no conceito de extinção ou no conceito de uma indescritível participação na natureza divina.

NISÃ

Esse é o nome do primeiro mês do calendário dos hebreus. Ver o artigo intitulado *Calendário*.

NISROQUE

Esse era o nome de uma divindade assíria, adorada em *Nínive* (vide). Uma curiosidade ligada a esse deus pagão é que Senaqueribe foi morto por dois de seus próprios filhos, quando cultuava a essa divindade (ver Isa. 37:36-38). Parece que o parricídio foi executado por meio das estátuas desse deus, como arma contundente, embora a espada, provavelmente, tenha terminado o trabalho (II Reis 19:37).

O nome *Nisroque* é desconhecido na literatura profana dos assírios e de outros povos mesopotâmicos, pelo que muitos crêem que na Bíblia houve alguma corrupção na forma do nome dessa divindade, ou que o nome é uma variante do nome de alguma outra divindade. Ver o artigo geral sobre *Deuses Falsos*. As opiniões sobre a identidade de Nisroque são: uma corruptela do nome *Marduque*; uma forma composta com *Assur*, ou com *Nusku*, estando em foco alguma variante textual inexplicável, ou alguma adaptação desses nomes.

●●● ●●● ●●●

NIYAMA

Chama-se assim o segundo estado de meditação da ioga, que produziria uma preparação ética positiva. Ver sobre a *Ioga*, quarto ponto.

NO (NO-AMOM)

Esse nome significa «casa de Amom», ou «porção de Amom». Esse é o antigo nome da cidade de Tebas, a principal cidade egípcia onde se adorava ao deus Amom, que foi denunciado pelo profeta Jeremias (ver Jer. 46:25). Ver o artigo geral *Tebas*.

NÓ

Essa palavra não ocorre nem no Antigo e nem no Novo Testamentos. Todavia, por causa de sua significação religiosa, incluímos um verbete a respeito, nesta enciclopédia. Um nó pode simbolizar o ato de amarrar, de forçar, de impedir, de restringir. Pode simbolizar o caráter de permanência do matrimônio. Em inglês, a expressão «to tie the knot», «amarrar o nó», significa «contrair matrimônio». Os nós usados imaginariamente por Brahman, para amarrar seu cinto sagrado, indica as idéias de fidelidade e de finalidade. As *filactérias* (que vide) dos judeus eram enroladas em torno da testa e do pulso, para simbolizar a natureza obrigatória da lei mosaica. Na Índia, na Saxônia e na Lapônia havia o interessante costume de serem desatados todos os nós quando um bebê estava prestes a nascer, a fim de que não houvesse qualquer impedimento ao nascimento da criança. Os ascetas da Índia e da Síria evitam nós nas roupas, quando estão em peregrinação, pensando que isso poderia servir de impedimentos. Nas sociedades primitivas, nós eram cortados ou desatados a fim de livrar as pessoas das enfermidades, das maldições, ou para desobrigar as pessoas dos juramentos que tivessem feito.

Cortando o Nó Górdio. Górdio foi um antigo rei da Frígia. Ele teria atado um nó que, de acordo com certo oráculo, só poderia ser desatado pelo homem que haveria de governar a Ásia. Ninguém foi capaz de desatar o tal nó. Alexandre, o Grande tentou, mas fracassou. Portanto, ele cortou o tal nó em dois, com a sua espada. Destarte, a expressão «cortar o nó górdio» veio a significar a solução de um problema mediante um método falso e insatisfatório. Na interpretação, indica uma explicação que resolve um problema qualquer apenas na aparência, porque, de fato, tal explicação é deficiente.

NÓ GÓRDIO

Ver o artigo intitulado **Nó**, em seu último parágrafo, que explica o simbolismo religioso dessa expressão.

NOA

No hebraico, «lisonja». Noa era uma das cinco filhas de Zelofeada, da tribo de Manassés (ver Núm. 26:33). Ela viveu em torno de 1435 A.C. Seu pai morrera sem deixar filho como seu herdeiro. Destarte, suas filhas buscaram direito de herança para si mesmas. E Moisés concordou com a petição delas (ver Núm. 27:1 *ss*), com a condição única que se casassem com homens da tribo de Manassés, a fim de que as terras envolvidas não viessem a tornar-se possessão, finalmente, de alguma outra das tribos de Israel (ver Núm. 36:1-12). Posteriormente, Josué garantiu o cumprimento dessa regra social (ver Jos. 17:3-6).

NOÁ

No hebraico, «descanso». Nome de um clã e de uma localidade, a saber:

1. Um clã da tribo de Benjamim (I Crô. 8:2), que descendia do quarto filho de Benjamim, que assim se chamava.

2. O trecho de Juí. 20:43 menciona uma localidade com esse nome, que talvez estivesse associada ao clã benjamita desse mesmo nome. Interessante é que a nossa versão portuguesa, em vez de transliterar o nome para o português, como nome de uma localidade, preferiu traduzir essa palavra hebraica pelo verbo *descansar*, dizendo: «...seguiram-no, e onde repousava, ali o alcançaram...», ao passo que outras tradições dizem algo como: «...seguiram-no até Noá, ali o alcançaram...»

NOADIAS, NOADIA

No hebraico, «Yahweh convoca», ou «encontro com Yah». Com leve variação, esse é o nome de um homem e de uma mulher, no Antigo Testamento:

1. Um levita, filho de Binui. Ele foi um dos quatro homens (dois sacerdotes e dois levitas) que foram nomeados como encarregados finais do tesouro que Esdras trouxe de volta a Jerusalém, após o cativeiro babilônico. Os tesouros públicos eram guardados no templo, e parece que esse era um costume no antigo Oriente Próximo e Médio. Ver Esd. 8:33. Ele viveu em torno de 457 A.C. A forma de seu nome, em nossa Bíblia portuguesa, é Noadias.

2. Noadia era uma falsa profetisa que se aliou a Tobias e a Sambalá em sua oposição a Neemias, quando ele procurava reerguer as muralhas de Jerusalém, após o cativeiro babilônico. É curioso que o *texto massorético* (vide) e a *Septuaginta* (vide) dão um sentido diferente ao texto de Nee. 6:14, onde essa mulher é mencionada. Assim, o texto massorético a condena; mas a Septuaginta chega a elogiar Noadia entre as pessoas que teriam advertido a Neemias. Seja como for, ela viveu por volta de 445 A.C.

NOBA

No hebraico, «latido». Esse foi o nome de um indivíduo e de uma cidade, que aparecem nas páginas do Antigo Testamento:

1. Um guerreiro, provavelmente pertencente à tribo de Manassés. Entre suas diversas vitórias militares, houve aquela sobre a cidade de Quenate, com suas aldeias circunvizinhas. Então, ele deu a Quenate o seu próprio nome. Ver Núm. 32:42. Noba viveu em cerca de 1617 A.C.

2. O trecho de Juí. 8:11 refere-se a Noba como localidade situada em uma rota de caravana, a leste de Sucote e perto de Jogbeá. O versículo anterior diz que a cidade de Carcor ficava um tanto mais para leste. Foi nesse último lugar que Zalmuna manteve o seu exército estacionado, na época de Gideão. Mas Gideão foi além de Noba e Jogbeá, ao longo da rota de caravanas e conseguiu derrotar o exército midianita e capturar os líderes inimigos, Zeba e Zalmuna. No ponto um, acima, foi dito como Noba chegou a ser nome vinculado a essa cidade. A localização exata dessas duas cidades mencionadas ainda não foi determinada.

NOBE

Não há certeza quanto ao significado desse nome no hebraico, embora os eruditos falem sobre «lisonja» ou «elevação». Esse era o nome de uma cidade

Noé

A volta da pomba para a arca (Gên. 8:11)

O dia chegou

sacerdotal do território de Benjamim, localizada em uma colina próxima de Jerusalém. Ficava à margem de uma estrada que chegava até Jerusalém, vinda do norte, e que passava bastante perto de Nobe, ao ponto de poder ser avistada (ver Isa. 10:28-32). Foi ali que Davi pediu pães da proposição, da parte de Abimeleque, quando fugia de Saul (I Sam. 21:1 *ss*).

Antes da arca da aliança ter sido trazida a Jerusalém, ficou temporariamente em Nobe, segundo parece (II Sam. 6:1 *ss*). Após o cativeiro babilônico, alguns benjamitas estabeleceram-se ali (Nee. 11:32). Porém, o evento que realmente notabilizou Nobe foi o ato de crueldade de Saul. Irado pelo apoio que os habitantes do local haviam dado a Davi, Saul, em sua insanidade destrutiva mandou matar a oitenta e cinco sacerdotes do Senhor, e quase destruiu a cidade inteira, passando ao fio da espada à maioria de seus habitantes (I Sam. 22:11-19).

Desapareceram, hoje em dia, todos os traços de sua localização. Até mesmo nos dias de Jerônimo nada mais restava ali. Sua localização exata ainda não foi determinada, embora a opinião mais provável seja Ras Umm et-Olivet, onde uma pequena elevação talvez marque o local.

NOBRE SELVAGEM

Essa é a idealização romântica do homem primitivo, antes que o mesmo, segundo alguns alegam, ficasse corrompido pela civilização e sua mecanização. Ao que esses estudiosos entendam, a civilização seduziu ao homem primitivo, enchendo-o de preconceitos e levando-o a escravizar seus semelhantes, etc. Rousseau, em seu livro *Discour sur l'origine de l'inéqualitee*, usou essa expressão, onde também concebeu esse selvagem primitivo como o único possuidor não-corrompido de verdadeiras virtudes humanas.

O comunismo também deixou-se arrastar por esse tolo conceito. Presumivelmente, antes da primeira tríada de Hegel ter lugar, o homem era um nobre selvagem. Então alguns homens começaram a escravizar a outros, e, finalmente, a escravidão produziu o feudalismo, onde se acha a primeira tríada: nobre selvageria/escravidão/feudalismo.

NOÇÃO

Essa palavra portuguesa vem do latim, *notio* (*onis*), ligado a *noscere*, «conhecer». Uma noção é uma idéia ou apreensão mental. Contudo, o termo com freqüência é usado para indicar alguma idéia vaga ou ainda não provada, em contraste com alguma proposição que já conta com alguma espécie de evidência em seu favor.

NOÇÕES COMUNS

A expressão deriva-se do latim, *notiones communes*, conforme Cícero traduziu a expressão grega *koinai ennoiai*. A expressão indica a idéia de que todos os seres humanos possuem certas idéias básicas em comum, que servem de ponto de partida para todo o conhecimento. Essas noções podem ser consideradas inatas; uma espécie de herança comum que uma pessoa possui, simplesmente por ser um ser humano. Sócrates opinava que os homens possuem um conhecimento ético básico, o qual pode ser sondado mediante indagações apropriadas. Isso explica o uso que ele tanto fez dos diálogos. O *racionalismo*, de modo geral, apega-se à verdade que há nessa idéia. Todos os sistemas que admitem a reencarnação têm razões para reconhecer a verdade fundamental dessa noção. Teologicamente, poderíamos dar apoio à noção, mesmo em face do *criacionismo* (que vide), supondo que tal conhecimento nos é dado como um depósito, mediante a graça divina, para que usemos apropriadamente a consciência (P)

NODABE

No hebraico, «nobreza». Nome de uma tribo beduína, mencionada em I Crô. 5:19, onde se relata uma guerra dos rubenitas, gaditas e a meia-tribo de Manassés contra os agarenos. A tribo de Nodabe aliou-se aos adversários de Israel. Mas essa tribo, juntamente com as outras, foi derrotada, e suas terras foram tomadas pelos israelitas. Os agarenos são novamente mencionados como inimigos de Saul, em I Crô. 5:10. Inscrições assírias mencionam esse povo, presumivelmente descendentes de Agar, mãe de Ismael, e, provavelmente, racialmente aparentados da tribo de Nodabe. É provável que eles habitassem no deserto da Síria, embora nada se saiba a respeito de Nodabe, exceto aquilo que pode ser deduzido das informações bíblicas sobre os agarenos.

NODE

No hebraico, «exílio», «vagueação». Nome de um local mencionado no trecho de Gên. 4:16, vinculado ao jardim do *Éden* (vide). Alguns estudiosos afirmam que esse local ficava situado entre as cidades de Bussorá e Busire, a nordeste do golfo Pérsico. Seja como for, ficava a leste do jardim do Éden. Foi para ali que Caim se retirou, onde fixou residência, após ter matado Abel. Não há como se fazer uma identificação exata.

NOÉ

Esboço:

1. Nome e Família
2. Noé e os Críticos
3. Indicações Cronológicas
4. Noé e o Propósito Redentor
5. Descendentes de Noé
6. Caráter de Noé

Temos preparado um artigo bem detalhado intitulado *Dilúvio de Noé* pelo que, no presente artigo, não abordamos mais profundamente essa questão. Muito do que poderia ser dito sobre Noé, neste artigo, não foi repetido, pelo que o leitor precisa examinar aquele outro artigo, como suplemento do que aqui se diz.

1. Nome e Família

A Bíblia trata Noé como uma personagem histórica, embora muitos eruditos estejam convencidos de que o relato inteiro não passa de um antigo mito, que recebeu vinculações históricas com o resto da Bíblia. O trecho de Gên. 5:28,29 diz-nos que ele era filho de Lameque, o décimo descendente linear de Adão. O nome *Noé* vem de um termo hebraico que indica «descanso», «alívio», «consolo». Talvez o nome seja um composto de *nhm* e *el*, que significaria «Deus aliviou». A forma do nome, na Septuaginta, é *Noe*, que passou para alguns idiomas modernos, como o português. A passagem de Gên. 5:29 revela por que razão Lameque deu esse nome a seu filho. Deus havia amaldiçoado o solo; mas agora nascera alguém que faria os homens descansarem de sua labuta. Mas alguns sugerem que Lameque simplesmente queria alguém para ajudá-lo no plantio. Outros crêem que Noé estava destinado a inventar instrumentos agrícolas, que aliviariam o labor envolvido na agricultura. Ou, então, haveria alguma predição escatológica no nome, dando a entender que Noé produziria um novo começo da humanidade, quando a iniqüidade acumulada dos homens fosse julgada por Deus (mediante o dilúvio); e isso, por sua vez, serviria de uma espécie de descanso e alívio. Outros intérpretes vêem no nome de Noé uma referência messiânica, indicando que a descida do Messias ao mundo ficava assim garantida, apesar das destruições causadas pelo dilúvio. Noé, pois, é apresentado como pregoeiro da justiça, e isso pode estar envolvido nesse conceito. Ver Gên. 6:1-9; I Ped. 3:20; II Ped. 2:5.

2. Noé e os Críticos

Os mais radicais dentre aqueles que negam a historicidade da pessoa de Noé, supondo que ele não é mais histórico que seu paralelo babilônico, Gilgamés, negam-no como personalidade histórica. *Gilgamés* (vide) também foi um herói de um relato sobre dilúvio, que tem muitas similaridades notáveis com a história de Noé.

Fontes Informativas. Além da questão da historicidade de Noé, o complexo literário de Gên. 6:5—9:29, segundo alguns estudiosos, deriva-se de duas fontes informativas distintas, que foram alinhavadas uma à outra por algum editor posterior. Nesse material estariam envolvidas as alegadas fontes literárias *J* e *S*. Ver sobre *J. E. D. P.(S.)*. As diferenças encontradas por aqueles eruditos são as seguintes: na versão *J*, *sete* pares de cada animal limpo foram deixados a bordo da arca (Gên. 7:2); mas em *S*, apenas um par sobreviveu de cada espécie (Gên. 6:19). Na fonte *J*, o dilúvio dura quarenta dias e noites (Gên. 7:12,17); mas na fonte *S*, dura cento e cinqüenta dias (Gên. 7:24). A fonte *J* menciona o oferecimento de holocaustos (Gên. 8:20-22); mas na fonte *S*, os sacrifícios só aparecem no começo da história do povo de Israel. Ambas as fontes prometem que Deus nunca mais destruiria o mundo mediante um dilúvio generalizado (em *J*, em Gên. 8:21; em *S*, em Gên. 8:12-27), o que escudaria a tradição acerca do arco-íris.

Outras diferenças podem ser observadas no relato: na história do dilúvio (Gên. 6:5-9:17), os filhos de Noé estão casados; mas, no outro relato (Gên. 9:18-27), estão solteiros. Em um desses relatos, Noé tem um nobre caráter (Gên. 6:9); mas no outro, Noé não passa de um desavergonhado bêbado (Gên. 9:21). A segunda história parece ter tido três razões em sua composição: 1. narrar como as raças humanas vieram a existência; 2. contar como surgiram a agricultura e o cultivo da videira; 3. explicar *por que motivo* os cananeus posteriores ficaram sujeitos a Israel (Gên. 9:25-27). Como *apologia*, o segundo relato também parece apresentar diferenças, em comparação com a primeira versão da história.

Respostas a Essas Observações. Apesar do relato sobre Noé ser similar à história de Gilgamés, quanto a vários particulares, também é superior em seus conceitos teológicos. Não há razão para duvidarmos que os povos semitas tinham narrativas variantes do dilúvio, embora interdependentes. Isso não anula a historicidade do evento e nem das pessoas envolvidas.

É possível que o autor do relato de Noé e do dilúvio tenha combinado mais de uma fonte informativa, pelo que se confundiu em alguns pontos. E isso, mesmo que admitido, não anularia a exatidão geral do relato. Outrossim, alguns itens específicos mencionados não são contraditórios. As diferenças entre os sete e os dois casais de animais podem ser explicadas dizendo-se que havia sete pares de animais limpos, e dois pares de animais imundos (impróprios para a alimentação humana). Apesar de Gên. 6:19 não fazer tal distinção, isso pode ter sido um descuido do autor sagrado. Os quarenta dias do dilúvio podem indicar o tempo em que as águas ficaram subindo, ao passo que os cento e cinqüenta dias seria o tempo que foi necessário para aparecer qualquer porção de terra, conforme Gên. 8:3 também parece indicar. Quanto a dois alegados Noés, a resposta é que até um homem bom pode cair em uma falha. Seja como for, questões dessa ordem nada têm a ver com a espiritualidade, e somente os estudiosos ultraconservadores ou ultraliberais dão muita atenção a tais pormenores.

3. Indicações Cronológicas

Os estudiosos acham muito difícil datar o dilúvio e Noé. O método de cálculo por meio de genealogias tem sido abandonado pela maioria, visto que, geralmente, as genealogias de Gênesis são meros esboços, e não relatos detalhados de sucessivas gerações. Se nos basearmos nessas genealogias não recuaremos mais do que até cerca de 2400 A.C. O dilúvio não pode ter ocorrido por muito tempo antes disso. É-nos revelado que Noé tinha quinhentos anos de idade quando seu primeiro filho nasceu (ver Gên. 5:32 e 6:10); e, então, o dilúvio ocorreu cerca de cem anos depois disso. Talvez tão tarde quanto um ano depois do início do dilúvio (Gên. 7:11; 8:13) Noé deixou a arca. Holocaustos foram oferecidos, e houve a promessa divina de que nunca mais haveria dilúvio destruidor na terra. Pouco se sabe acerca dos trezentos e cinqüenta anos que Noé ainda viveu, após o dilúvio.

4. Noé e o Propósito Redentor

Noé foi um tipo de salvador, tipo **do Salvador** que viria, Jesus Cristo. Noé também representou um novo começo, como aquele que se experimenta no batismo cristão (símbolo da regeneração). O trecho de I Ped. 3:18—4:6 usa Noé como tipo simbólico, inter-relacionando sua prédica com o ensino sobre a *Descida de Cristo ao Hades* (vide). A mensagem de esperança é que até mesmo aos desobedientes do tempo de Noé foi dada a oportunidade de ouvirem o evangelho de Cristo. E, se eles foram assim privilegiados, não se pode duvidar que a todos os homens será oferecida idêntica oportunidade, sem importar se eles tiveram tal oportunidade ou não na terra. Esse ministério de Cristo no hades foi remidor, conforme aprendemos em I Ped. 4:6, dando-nos a esperança de uma renovada oportunidade de salvação, depois da morte biológica. Cristo teve uma missão tridimensional: na terra, no hades e nos céus. Somente assim o propósito do amor de Deus pode ter ampla aplicação, cumprindo os seus propósitos. A questão do próprio dilúvio é abordada em um artigo separado detalhado: *Dilúvio de Noé*. Esse artigo inclui uma discussão sobre a similaridade entre os relatos sumério e babilônico, por um lado, e o relato de Gênesis, por outro lado.

5. Descendentes de Noé

Lemos no livro de Gênesis que Noé teve três filhos: Sem, Cão e Jafé (Gên. 5:32; 9:18,19; 10:1). Presume-se que deles descende toda a população atual da terra (Gên. 9:19). Daí é que temos a Tabela das Nações, registrada no décimo capítulo de Gênesis. Quanto a uma completa discussão sobre a questão, com as muitas controvérsias que circundam a mesma, ver o artigo *Nações*.

6. Caráter de Noé

Noé foi um homem justo (Gên. 6:19). Era dotado de fé autêntica e dos resultados espirituais de tal fé (Heb. 11:7). Ele andava com Deus (Gên. 6:9). Ele era pregador da justiça (II Ped. 2:5). No entanto, terminado o dilúvio, ao tornar-se cultivador da vinha

(Gên. 10), ele acabou alcoolizado, sem conhecer a força do suco fermentado da uva. Daí desenvolveu-se uma circunstância desagradável, resultante da qual um dos descendentes de Cão foi amaldiçoado, devido à participação dele nesse incidente (Gên. 9:20-27). Ver o artigo sobre *Cão*, quanto a detalhes sobre a questão. Temos em Noé a antiga lição do homem bom que escorrega e perde momentaneamente uma merecida boa reputação. A humildade é necessária na vida humana. Nenhum ser humano está isento do pecado e de atos tolos.

NOÉ, LIVRO DE

A obra pseudepígrafa de Jubileus menciona o Livro de Noé (Jubileus 10:13; 21:10), e os eruditos acreditam que I Enoque incorporou parte do mesmo (caps. 6—11; 54; 55:2; 60; 65; 69:25; 106 e 107). Porém, nem todos os estudiosos concordam sobre exatamente o que se deve crer sobre a questão. Visto que os capítulos 83—90 de I Enoque não datam de mais tarde do que 161 A.C., então, como é óbvio, o Livro de Noé foi escrito um pouco antes disso. Ao que parece, o autor do livro era um fariseu (um dos chasidim), a julgar pelo conteúdo da obra. Não se dispõe de nenhum manuscrito do Livro de Noé. Sua importância reside no fato de que foi uma das fontes de I Enoque, o livro pseudepígrafo mais importante. Ver sobre os *Pseudepígrafos*. Ver também sobre *I Enoque*.

NOEMI

No hebraico, **naomi**, «deleite». Uma mulher israelita que residia em Belém ao tempo dos juízes (cerca de 1320 A.C.). O que sabemos sobre ela deve-se ao seu relacionamento com Rute (vide). O nome do marido dela era Elimeleque, e os dois filhos homens do casal eram Malom e Quiliom. Em certo período de escassez de produtos agrícolas, a família de Elimeleque retirou-se para Moabe. Ali, os rapazes casaram-se com donzelas moabitas, de nomes Orfa e Rute (ver Rute 1:4). Passados dez anos, os filhos do casal estavam mortos, como também Elimeleque. Daí resultou que Noemi e Rute resolveram voltar a Judá, embora, tecnicamente, só Noemi estivesse voltando. Orfa preferiu ficar com sua gente, os moabitas. Também é verdade que Noemi muito insistiu para que Rute ficasse entre sua gente; mas Rute preferiu ficar em companhia de sua sogra, as duas mulheres viúvas. Em tudo isso havia a mão providencial de Deus, pois além do apego de Rute à sua sogra, ela também tinha um destino a cumprir em Belém. Com base nessa circunstância é que achamos aqueles famosos versículos de Rute 1:16,17:

> «Não me instes para que te deixe, e me obrigues a não seguir-te; porque aonde quer que fores, irei eu, e onde quer que pousares, ali pousarei eu; o teu povo é o meu povo, o teu Deus é o meu Deus. Onde quer que morreres, morrerei eu, e aí serei sepultada; faça-me o Senhor o que bem lhe aprouver, se outra coisa que não seja a morte me separar de ti».

Noemi chegou em Belém muito desencorajada, e até queria mudar seu nome de Noemi, «deleite», para Mara, «amargura». É que a vida lhe pregara muitas peças, que ela supunha serem golpes da vontade divina adversa (Rute 1:20). Não obstante, não tardariam as coisas começarem a melhorar. Noemi sugeriu a Rute que ela procurasse trabalhar para um certo parente dela, de nome Boaz. Foi daí que floresceu um romance entre Boaz e Rute, quando então Boaz resolveu tornar-se o parente remidor. Ver o artigo sobre Parente Remidor. Ver também Rute 4:5. Boaz, pois, adquiriu para si tanto a propriedade de Noemi quanto Rute. Tornando-se esposa de Boaz, com o tempo, ela deu a luz a Obede, que foi avô do rei Davi. Assim sendo, Rute, a moabita, entrou na linhagem que produziu o Senhor Jesus, o Cristo. E a própria Noemi tornou-se a sogra de uma antepassada do Messias.

NOÉTICO

Ver sobre **Nous**. Em sentido geral, esse adjetivo significa «cognitivo». Mas também é usado para contrastar com o que é empírico e sensual, indicando aquilo que só pode ser apreendido pela razão.

NOFÁ

No hebraico, «rajada de vento», «lugar ventilado». Nome de uma cidade de Moabe, ocupada pelos amorreus (Núm. 21:30), talvez a mesma cidade que é chamada Noba, em Juí. 8:11. Nesse caso, Nofá ficava próxima de Jogbeá, não muito distante do deserto oriental da Terra Prometida. Tem sido identificada com as ruínas chamadas Nowakis, a noroeste da cidade de Amã.

NOFE

Esse era o antigo nome que os hebreus davam à cidade egípcia de *Mênfis* (vide). Se essa palavra, no hebraico, não era mera transliteração, é de sentido desconhecido. *Memphis* era sua forma grega e latina.

NOGÁ

No hebraico, «brilho», «lustre». Esse foi o nome de um dos filhos de Davi, que nasceu em Jerusalém, de uma mãe cujo nome não é fornecido, mais uma das esposas de Davi (embora não Bate-Seba) (I Crô. 3:7; 14:6). O paralelo de II Sam. 5:14 não contém esse nome. Nogá deve ter vivido em torno de 1000 A.C.

NOITE

No hebraico, **lahyil**, palavra muito comum no Antigo Testamento, onde é usada por mais de duzentas e vinte vezes, desde Gên. 1:5 até Zac. 14:7. No grego, *núks*, palavra que ocorre por sessenta e uma vezes: Mat. 2:14; 4:2; 12:40; 14:25; 25:6; 26:31,34; 28:13; Mar. 4:27; 5:5; 6:48; 14:30; Luc. 2:8,36; 5:5; 12:20; 17:34; 18:7; 21:37; João 3:2; 9:4; 11:10; 13:30; 19:39; 31:3; Atos 5:19; 9:24,25; 12:6; 16:9,33; 17:10; 18:9; 20:31; 23:11,23,31; 26:7; 27:23,27; Rom. 13:12; I Cor. 11:23; I Tes. 2:9; 3:10; 5:2,5,7; II Tes. 3:8; I Tim. 5:5; II Tim. 1:3; Apo. 4:8; 7:15; 8:12; 12:10; 14:11; 20:10; 21:25; 22:5. Expressões alternativas são trevas (Jó 26:10); manhã (Isa. 5:11); tarde (Gên. 49:27); meia-noite (Mar. 13:35; Luc. 11:5; Atos 16:25). Quase todas as referências à noite, nas páginas da Bíblia, são literais, não se revestindo de grande interesse especial. Entretanto, quando o vocábulo é usado metaforicamente, reveste-se de algum interesse.

1. *No relato do livro de Gênesis* vemos, quase no primeiro versículo, a divisão entre a noite e o dia (Gên. 1:3-5), embora nada seja dito sobre a presença do sol. Temos aqui uma metáfora de como o poder de Deus põe as coisas em sua devida ordem, cada item com sua função e finalidade específicas.

2. *As Vigílias*. Nos tempos do Antigo Testamento, a noite era dividida em três vigílias. A primeira ia do

pôr-do-sol às 22:00 horas (Lam. 2:19); a segunda vigília ia das 22:00 horas às 2:00 horas da madrugada (Juí. 7:19); e a terceira vigília (também chamada vigília matutina) ia das 2:00 horas da madrugada ao raiar do sol (Êxo. 14:24; I Sam. 11:11). Já o Novo Testamento fala em quatro vigílias, de acordo com o costume romano (ver Mat. 14:25; Mar. 6:48; 13:35; Luc. 12:38). Essas quatro vigílias começavam, respectivamente, às 18:00, às 21:00, às 24:00 e às 3:00 horas.

3. *Usos Metafóricos*

a. A luz e as trevas são emblemas, respectivamente, do bem e do mal, bem como do reino do bem e do reino do mal. Temos preparado dois artigos elaborados sobre a luz e as trevas, em seus sentidos metafóricos. Ver *Trevas, Metáfora das; Luz, Metáfora da.*

b. A regeneração liberta o crente das trevas mentais (Miq. 3:6; João 11:10), bem como da noite da degeneração da qual ele antes participara (I Tes. 5:4-8).

c. A presente época má é como uma *noite espiritual*, que será dissipada por ocasião do retorno de Cristo ao mundo (I Tes. 5:2; II Ped. 3:10). Isso infunde-nos esperança e consolo (Rom. 13:12). No estado eterno, não mais haverá noite (Apo. 21:25; 22:5).

d. Os juízos de Deus são como uma noite que desce e deixa as coisas sombrias, lúgubres (Isa. 15:1; 21:11,12).

e. Os períodos de dor e tristeza assemelham-se à noite (Jó 7:4; Sal.30:5); mas a alegria volta ao amanhecer (Sal. 30:5). Até mesmo em períodos de noite espiritual, Deus faz-se presente e cuida de nós (Sal. 130:11,12). Por essa razão, temos um cântico que entoamos em plenas trevas da noite (Jó 35:10; Sal. 42:8).

f. A noite pode simbolizar a ignorância e impotência espirituais (Miq. 3:6).

NOITE ESCURA DA ALMA

Ver o artigo sobre *São João da Cruz*. A *noite escura* é uma experiência espiritual e mental pela qual a alma passa em tempo de temor, de dúvida ou de incerteza, o que pode envolver a entrada em lugares de juízo e desespero acerca da própria existência. Em sua forma mais extrema, essa experiência é a morte, na qual a pessoa enfrenta a total extinção. Embora nossa doutrina cristã assegure-nos a vida eterna, naquele instante com freqüência a pessoa perde a esperança e a fé. Alguns supõem que tal experiência seja um arquétipo da experiência humana em consonância com os principais princípios do ser, descritos por Jung. Alguns pensadores supõem que esse tipo de experiência, em algum ponto da vida, é necessário ao progresso da alma, para que atinja um maior desenvolvimento. Em outras palavras, temos de enfrentar as questões da vida e da morte, da alegria e do terror, contrastando as experiências do ser, a fim de atingirmos as mais elevadas expressões espirituais. Não há que duvidar que a experiência de Jesus, na cruz, quando perguntou do Pai por qual motivo havia sido abandonado, foi uma experiência análoga à da noite escura da alma, de que falam os místicos. Nos tempos modernos, alguns psiquiatras têm empregado várias drogas com vistas à sondagem e terapia da mente; e, ao assim fazerem, têm provocado, em alguns pacientes, essa noite escura. Eles afirmam que tal experiência tem um efeito terapêutico que envolve a purificação. As drogas sempre foram usadas pela medicina, e devemos ter cuidado para não condenarmos tal uso por parte dos médicos. No entanto, é evidente que os indivíduos erram quando apelam para o uso de drogas que distorcem as capacidades mentais e emocionais, a fim de passarem por qualquer tipo de experiência mística, positiva ou negativa. O uso que os médicos fazem dessas drogas é um assunto que precisa ser investigado e considerado do ponto de vista moral. A menos que haja uma razão terapêutica, é óbvio que tal prática é imoral. Para mim é claro que os místicos que dependem de drogas não são pessoas realmente espirituais, e nem estão fazendo qualquer progresso espiritual, ainda que o uso que fazem de drogas ocasionalmente provoque alguma experiência mística genuína. Devemos nos lembrar que as artes mágicas com grande insistência têm lançado mão das drogas. E isso indica que há muitos abusos que o homem espiritual precisa evitar.

NOIVA, NOIVO e NOIVA DE CRISTO

No hebraico temos as palavras *kallah*, e *chathan*, respectivamente, «noiva» e «noivo». A primeira figura por trinta e quatro vezes (por exemplo: Isa. 49:18; 61:10; 62:5; Jer. 2:32; Joel 2:16). Essa palavra significa «completa» ou «perfeita». A segunda, que significa «contratador de afinidade», aparece por dezoito vezes, algumas das quais também com o sentido de «genro» (por exemplo: Sal. 19:5; Isa. 61:10; Jer. 7:34; 33:11; Joel 2:16). No grego temos, para a noiva, *númfe*, palavra que aparece por oito vezes: Mat. 10:35; 25:1; Luc. 12:53; João 3:29; Apo. 18:23; 21,2,9; 22:17; para noivo, numfíos, palavra que ocorre por dezesseis vezes: Mat. 9:15; 25:1,5,6, 10; Mar. 2:19,20; Luc. 5:34,35; João 2:9; 8:29 e Apo. 18:23.

Nos tempos patriarcais de Israel, a noiva era comumente escolhida não pelo noivo, mas por seus pais ou amigos. O homem não era necessariamente consultado. Assim, encontramos o relato de Abraão, que enviou um amigo de confiança para encontrar a noiva certa para Isaque (Gên. 24:4). A mesma coisa sucedeu nos casos de Tamar (Gên. 38:6) e Jacó (Gên. 28:2). Hagar, na ausência de Abraão, pai de Ismael, escolheu para este uma noiva (Gên. 21:21). E, mesmo quando o noivo é quem fazia a escolha, a proposta de casamento era feita por seus pais, como se vê nos casos de Siquém (Gên. 34:4,8) e de Sansão (Juí. 14:2,10). Quanto aos costumes relativos ao casamento, ver o artigo sobre *Matrimônio*.

Usos Figurados. 1. No Antigo Testamento, temos a figura simbólica de Yahweh e de Israel, dentro da qual Israel atua como noiva e esposa (Isa. 62:6; 54:5; Osé. 2:19,20; Eze. 16). Portanto, a infidelidade de Israel, quanto às questões religiosas, era tratada como adultério (Êxo. 34:15), assim, o abandono das idéias religiosas erradas era como se a nação deixasse seus amantes e tornasse a casar-se com o Senhor (Isa. 49:18; 69:10). No terceiro capítulo de Oséias encontramos uma ex-esposa, que se vendera à servidão, devido à sua queda na iniqüidade, e foi resgatada de volta, tornando a casar-se com o seu ex-marido. 2. O livro de Cantares de Salomão apresenta-nos um vívido quadro do namoro e do amor nupcial, o qual, provavelmente, foi originalmente escrito como uma espécie de hino que exalta essa modalidade de amor, tal como certas porções dos escritos de Homero, mormente a Odisséia, dedicam-se a esse tema. Porém, esse livro canônico também tem recebido uma interpretação alegórica da parte de estudiosos judeus e cristãos, igualmente. No caso dos comentários judaicos, encontramos o mesmo tipo de tratamento que é mencionado sob o primeiro ponto, acima. Os autores cristãos vêem Cristo e a Igreja, no livro de Cantares. 3. No Novo Testamento, achamos João Batista referindo-se a Jesus como o Noivo, ao passo que ele mesmo seria o seu amigo. De acordo com essa antecipação, feita por João Batista, Cristo é o novo marido de Israel; mas os intérpretes cristãos, nesse caso, preferem pensar na Igreja; e certas interpretações cristãs fantasiosas, fazem João Batista apresentar Israel como um amigo, mas não como a Noiva de Cristo. Interpretações ainda mais descabidas fazem o amigo simbolizar as denominações cristãs que não seriam verdadeiras igrejas, em contraste com igrejas verdadeiras (como as igrejas Batistas!), mas apenas amigos da Igreja. Presumivelmente, os membros dessas outras igrejas atingirão alguma forma secundária de salvação, similar à dada a Israel, mas que não se equipararia aos privilégios da verdadeira Igreja! Interpretações assim precisam ser rejeitadas, pois tais distinções são alheias à Bíblia. 4. Jesus aludiu a si mesmo como o *Noivo* divino, quando explicou por qual razão seus discípulos não precisavam jejuar. Eles faziam parte de uma festa de casamento, e como tal, deveriam estar festejando, e não jejuando (Mat. 9:13,14). Nessa explicação de Jesus encontramos os primórdios da doutrina de Cristo como o Noivo, e da Igreja como a Noiva de Cristo. 5. A figura simbólica de Cristo como o Noivo, e da Igreja como a Noiva, aparece em II Coríntios 11:2, onde Paulo, em seus afãs evangelísticos, prepara a Igreja para ser apresentada ao Noivo. Por essa mesma razão, o batismo serve de símbolo do banho ou ablução da noiva (Efé. 5:26). Essa última passagem desenvolve a metáfora, mostrando a necessidade do marido amar à sua mulher. 6. Por essa altura da exposição bíblica, a metáfora atinge a estatura de um *mistério*, um grande segredo divino, antes oculto, mas agora revelado. Ver os comentários sobre Efé. 5:32, no NTI, quanto a completos esclarecimentos a respeito. Uma das principais lições que dali derivamos é que a lei do amor deveria governar as relações matrimoniais, da mesma maneira que o amor caracteriza as relações entre Cristo e a sua Igreja. 7. No livro de Apocalipse, encontramos a Igreja como a Noiva, a qual é então identificada com a Jerusalém celestial. O casamento do Cordeiro está então em foco (Apo. 19:7 *ss*), celebrado em meio a um grandioso banquete espiritual. Ver também Apo. 21:2,9. Ali lemos que a Jerusalém celestial preparou-se e adornou-se como Noiva, para receber o seu Noivo. Portanto, temos ali a Noiva equipada, metaforicamente, a cidade celestial de Jerusalém. Ver esses versículos no NTI, quanto a explanações mais completas. (B CHAV HA ID NTI)

NOIVO

Ver os artigos **Noiva, Noivo e Noiva de Cristo** e também **Matrimônio.**

NÔMADES

Esboço:

1. Definição
2. Tipos de Nômades
3. Princípios de Vida dos Nômades
4. Nômades na Bíblia
5. Lições Espirituais do Nomadismo

1. Definição

A base dessa palavra é o termo grego **nomas**, «pasto». A forma verbal é *nomein*. A forma latina, *nomas* (*adis*), significa «pastagem». Com o tempo, esse vocábulo veio a indicar aqueles povos que preferem um tipo de vida pastoril, daqueles que vagueiam sem qualquer residência fixa. Os rebanhos de gado vacum, ovino e caprino são a base da economia dos povos nômades. Onde eles encontram alimentos, para ali se dirigem. Muitos povos se têm acostumado a essa modalidade de vida, e a história demonstra que eles só desistem quando forçados a fazê-lo por tribos circunvizinhas.

2. Tipos de Nômadas

Apesar do nomadismo pastoril ser o mais comum, também há outros dois tipos de nomadismo: os caçadores e os plantadores. Os nômades caçadores sobrevivem daquilo que conseguem caçar, e, em segundo lugar, do que conseguem negociar. Nesse caso, as peles dos animais que caçam tornam-se importantes produtos de comércio. Os nômades plantadores plantam e permanecem em um local apenas pelo tempo necessário de fazerem a colheita. Então mudam-se para outro lugar, a fim de começaram tudo de novo. Entre os indígenas brasileiros havia ambos os tipos de nomadismo. O segundo tipo de nomadismo também se chama transumância.

3. Princípios da Vida dos Nômades

Entre os nômades, as riquezas não consistem em propriedades, mas em animais de criação ou em colheitas. A interdependência é uma necessidade absoluta entre os povos nômades. Descendência comum, crenças, costumes, etc., são algumas das características mais importantes. O isolacionismo é um subproduto necessário nesse tipo de vida. Pequenas comunidades também são imperiosas, como medida de sobrevivência. São essenciais as moradias móveis, como as tendas. Produtos animais prestam-se bem para a ereção de tendas, pelo que a criação de gado é imprescindível, ou, pelo menos, a caça de animais. Por necessidade, os nômades tornam-se predadores das populações fixas; e, pela força do hábito, isso torna-se uma das características constantes entre os nômades, razão pela qual são temidos, e, com freqüência, são atacados, antes que ataquem.

4. Nômadas na Bíblia

Talvez possamos afirmar que o primeiro nômade do mundo foi Caim. Ao ser banido, adotou esse tipo de vida (ver Gên. 4). A Tabela das Nações, no décimo capítulo de Gênesis, menciona vários grupos nômades. Alguns dos descendentes de Jafé tornaram-se nômades, a saber, aqueles chamados descendentes de Gomer (os cimérios), de Madai (os medos), de Meseque (talvez os frígios) e de Asquenaz (os citas). Parece que esses povos acabaram descendo das terras altas do norte (Hete, os heteus). Dentre os descendentes de Cão, os hititas (Hete) da Ásia Menor também adotaram esse estilo de vida. E, dentre os semitas, os arameus (descendentes de Arã), adotaram o nomadismo, além de diversas tribos árabes.

Os eruditos têm mostrado que os primeiros hebreus também eram nômades. De fato, o período patriarcal foi, acima de tudo, um período de nomadismo e transumância. Abraão adotou um estilo nômade de vida, quando partiu de Ur, em direção ao Ocidente. Mas, não se sabe que forma de vida ele levara em Ur. Essa vida de nomadismo prosseguiu por mais duas gerações (Isaque e Jacó), antes de Israel estabelecer-se voluntariamente no Egito. Mas, ao deixar o Egito, Israel novamente adotou a vida nomádica, pelo espaço de quarenta anos. Quando da conquista da Terra Prometida, desapossados os seus primitivos habitantes, Israel viu anulado quase inteiramente o seu nomadismo. Apesar do labor forçado que sofrera no Egito, o povo de Israel descobriu os muitos benefícios da residência fixa. Certamente uma das maravilhas do Egito é que os egípcios ensinaram isso aos israelitas. Heródoto disse que havia mais maravilhas do Egito que era possível descrever, mais atrativas que rebanhos e tendas. Os povos nômades dificilmente podem desenvolver grande cultura, e a cultura dos egípcios deve ter impressionado aos filhos de Israel, embora estes nunca se tenham destacado muito, exceto como historiadores.

Mesmo quando o nomadismo havia cessado em Israel, as metáforas usadas em sua literatura continuavam relembrando o passado. Assim é que a residência de um homem é chamada de sua «tenda» (ver Juí. 19:9; 20:8; I Sam. 4:10; II Sam. 18:17), e apesar de alguns israelitas ainda viverem em tendas, esse uso geralmente era metafórico. Por igual modo, a palavra que significava, literalmente, «carregar os animais de carga», veio a significar «levantar-se cedo», visto que, na antiguidade, as duas coisas estavam ligadas uma à outra. Além disso, temos várias metáforas poéticas que relembram o nomadismo, como em Jó 4:21, onde o ato de cortar a corda de uma tenda representa a morte. O arrebentar dessas mesmas cordas aponta para a desolação; uma tenda firme simboliza segurança (ver Isa. 33:20). Pessoas prósperas têm «tendas espaçosas», e muito espaço para espalhar suas tendas (ver Isa. 54:2).

Nômades Não-Hebreus na Bíblia. Já vimos que várias das mais antigas nações alistadas no décimo capítulo de Gênesis eram nômades. Na história subseqüente de Israel, esse povo entrou em contato com vários povos nômades. Os arameus, um povo originalmente nômade, finalmente estabeleceu-se e formou cidades-estado na Síria. Porém, a leste e ao sul dos territórios de Israel continuou havendo povos nômades. Os filhos do Oriente (ver Eze. 25:4), como também bolsões dos midianitas, dos amalequitas, dos moabitas, dos edomitas, dos amonitas e dos quedaritas, viviam pelo menos em regime de transumância. A expansão do império de Salomão, naturalmente, entrou em contato com outros nômades, mormente na Arábia. Nômades costumavam infestar as rotas de caravanas, atacando-as; porém, em represália, também eram atacados. Josafá, rei de Judá, conseguiu cobrar tributo de algumas tribos árabes (II Crô. 17:11). Nômades árabes são referidos e descritos em textos como Isa. 8:20; 21:13; Jer. 3:2; 25:23,24 e Eze. 27:21.

Após o exílio babilônico, o remanescente de Judá voltou e entrou em contato com nômades que vagueavam na região fronteiriça oriental da Síria-Palestina, como o árabe Gesém (ver Nee. 2:9; 6:7), que fez oposição a Neemias, quanto a seus planos de reconstrução. Nos tempos neotestamentários, os nômades de maior proeminência eram os *nabateus* (vide).

5. Lições Espirituais do Nomadismo

A vida nas cidades corrompe; as riquezas materiais corrompem; a política corrompe. Não é para admirar, pois, que algumas vezes, os profetas evocassem a vida mais simples de tempos primitivos, quando havia condições morais mais equilibradas. Amós (3:15; 6:8) condenou a vida citadina luxuosa. Oséias relembrou as condições nômades com certa saudade (Osé. 2:14,15; 12:9). Os homens sempre sentiram a atração da «chamada do deserto», onde podem ser evitadas as ansiedades e as corrupções da vida mais civilizada. Sem dúvida, esses sentimentos tiveram algo a ver com o aparecimento de comunidades religiosas isoladas, como aquelas de Qumran, bem como com o surgimento das ordens monásticas cristãs. Acresça-se a isso o ideal espiritual de ser peregrino e estrangeiro neste mundo (ver Heb. 11:13; I Ped. 2:11), visto que estamos procurando uma pátria celestial (Heb. 11:16), visto que nossa cidadania está nos céus (Fil. 3:20).

NOME

Esboço:

I. Terminologia
II. Classes de Nomes
III. Significados e Usos dos Nomes
IV. Nomes Divinos
V. Usos Figurados dos Nomes
VI. Sumário das Características dos Nomes Próprios Bíblicos

I. Terminologia

A palavra portuguesa «nome» ocorre no Antigo Testamento por cerca de setecentas e setenta vezes. A palavra hebraica correspondente é *sem*. Já no Novo Testamento temos o termo grego *ónoma*, que ocorre por oitenta e quatro vezes, começando em Mat. 1:21 e terminando em Apo. 22:4. No Antigo Testamento também há outros termos hebraicos, usados como sinônimos, mas que podem ser traduzidos por «memória», «mencionar», e também por «varão», porquanto supunha-se que o sexo masculino é o gênero por meio do qual a memória dos pais deve ser continuada. Originalmente, o termo hebraico *sem* significava «sinal» ou «senha», de tal modo que o nome era um meio de identificação de uma pessoa ou coisa. Assim, um nome era um sinal da linguagem que embojava em si mesmo o sentido específico da pessoa ou coisa nomeada, ou seja, o nome servia de *comentário* breve sobre o indivíduo, na esperança de que ele viveria à altura das expectações envolvidas no seu nome. Por exemplo, alguma característica física de um nascituro poderia sugerir o seu nome. Ou um determinado nome era conferido a uma criança na esperança de que esse nome fosse um fator formativo de seu caráter e de sua conduta. Ver a seção III, quanto a um desenvolvimento melhor dessa idéia.

II. Classes de Nomes

As duas principais classes de nomes são: 1. os nomes próprios, como de Deus, dos deuses pagãos, dos seres humanos, de países, províncias, cidades, etc. 2. Os nomes comuns, como de animais, festividades, dias, coisas, etc. O uso de nomes envolve-nos no problema da própria origem da linguagem. Discutimos o ponto no artigo intitulado *Língua*. A origem da língua é um dos grandes mistérios da humanidade. Os lingüistas supõem que os substantivos, os *nomes* das coisas, são a base mesma da linguagem, e que os verbos desenvolveram-se mais tarde, para indicar as ações e estados. No entanto, no estudo de qualquer idioma, dá-se mais importância ao estudo dos verbos, porquanto em torno deles é que gira a formação das sentenças. E isso inverte toda a situação, pois ali o verbo é fundamental e dos verbos é que se teriam derivado os nomes ou substantivos. Deixemos os lingüistas e gramáticos debaterem a esse respeito.

III. Significados e Usos dos Nomes

Em relação às coisas, poderíamos supor que as características físicas das mesmas são salientadas pelos nomes que os homens dão aos objetos e aos animais, etc. Esse aspecto torna-se mais patente no caso dos nomes geográficos. Assim, dizemos que um certo trecho é uma *planície*, por ser plano; e que um outro terreno é um *tabuleiro*, exatamente devido à sua conformação, e assim por diante. E quando chegamos aos nomes dos animais, aves, etc., podemos dizer que nossas palavras portuguesas derivaram-se do latim ou do grego; porém, quando indagamos como os romanos ou os gregos obtiveram essas palavras, e o que elas significam, na maioria das vezes não descobrimos qualquer resposta. Algumas vezes, algum ato característico ou algum aspecto físico de um animal é que deu origem ao seu nome; mas, percentualmente, somente alguns poucos nomes de animais foram assim obviamente derivados. O exame dos léxicos, no tocante aos nomes dos animais, geralmente não nos fornece qualquer indicação sobre como eles se originaram.

Os nomes dos poderes divinos e dos seres humanos são mais fáceis de entender quanto ao modo como surgiram. Assim, *El* é o nome de Deus que destaca o seu «poder»; Yahweh é o nome do Deus que existe eternamente; *Adão* significa «homem»; *Hodes* nasceu na época da «lua nova»; *Benoni* quer dizer «filho da minha dor», um nome que lhe foi dado quando o dava à luz; *Lia* significa «cansada»; *Edom* quer dizer «vermelho»; *Coré* indica «calvo». Às meninas davam-se nomes de flores ou de animais. Assim, *Raquel* quer dizer «ovelha»; e *Susana* significa «lírio». Motivos religiosos também foram usados na outorga de nomes às crianças, como *Maalalel*, «louvor a El»; *Elioenai*, «meus olhos voltam-se para Yahweh»; *Israel* significa «príncipe de El»; *Josué*, «Yahweh é salvação». Nomes assim eram dados a pessoas piedosas, na esperança de que as pessoas assim chamadas deixar-se-iam influenciar pelos mesmos, e que suas vidas fossem espiritualizadas. Certos nomes pessoais exprimiam esperanças secundárias, como *José*, que parece significar «Deus me dê outro filho!» Nomes como *Nabal* são mais difíceis de explicar. Pois qual pai daria a seu filho um nome que significa «estúpido»? Mais compreensível é um nome como *João*, cuja forma original, em hebraico, *Johanan*, significa «Yah é gracioso». É provável que certos nomes próprios sejam dados completamente à revelia de seus significados originais. Quantos pais chamariam uma filha de *Margarida*, se soubessem que esse nome quer dizer «pérola»? ou um filho de *Lucas*, que significa «luz»? ou *Mateus*, «presente de Deus»? ou *Pedro*, «pedregulho»? ou *Ciro*, «sol»? ou *Marta*, «senhora»? ou *Hortência*, «jardim»? Os nomes de família também têm seus respectivos sentidos. Damos alguns poucos exemplos: *Melo*, «plenitude»; *Peres*, «rompimento»; *Almeida*, «unitário»; *Silva*, «silvestre»; *Valverde*, «vale verde»; *Castro*, «fortaleza»; *Bentes*, «vento», *Souza*, «de Susã (Pérsia)».

No antigo Israel, muitos pais davam a seus filhos nomes alicerçados sobre os apelativos de divindades, como Baal-Hanã, Isabaal, Zorobabel, etc. Todavia, nesses casos, não é muito provável que houvesse a tentativa consciente de honrar as divindades estrangeiras. Simplesmente os pais israelitas apreciavam o som de tais nomes, tal e qual sucede entre todos os demais povos do mundo.

IV. Nomes Divinos

Neste ponto, já encontramos maiores cuidados. As pessoas dão, às suas divindades, nomes que significam algo para elas, que expressem sua admiração; que falem sobre a vida e a continuidade da existência; que indiquem a idéia de eternidade; que traduzam proteção; que falem sobre senhorio. Assim, *Gaal* aponta para a idéia de «redenção»; *Safate* indica «juiz»; *Maor*, «doador da luz». No Antigo Testamento há três nomes básicos dados a Deus, sem falarmos em suas combinações. *El*, «forte»; *Adonai*, «senhor de escravos»; *Yahweh*, «auto-existente eterno». Quanto às combinações desses nomes, ver o artigo separado intitulado *Deus, Nomes Bíblicos de*.

Segundo alguns estudiosos, a palavra portuguesa *Deus* vem do latim (palavra *igual*), originalmente cognata com o sânscrito *dyáuh*, «céu». Já o termo *Senhor*, quando usado no Novo Testamento, vem de *kúrios*, «senhor da casa». Esse epíteto é aplicado ao Pai, ao Filho e ao Espírito Santo. O sentido dessa palavra fica mais claro se dissermos que os gramáticos gregos posteriores ensinavam que um proprietário é um «despota» em relação aos seus escravos, mas um «senhor» (no grego, *kúrios*) em relação à sua esposa e a seus filhos (ver Trench, *Synonyms of the New Testament*, pág. 96). O mesmo autor explica ainda que um *kúrios* exercia a sua autoridade dentro de certos limites morais, visando ao bem de seus familiares; mas um *despótes* exercia a sua autoridade de forma irrestrita, indicando a submissão que lhe deviam os que estavam sob a sua autoridade. Todavia, no Novo Testamento, mormente nos escritos de Paulo, essa cuidadosa distinção feita pelos gramáticos seculares, quase desaparecera dentro do uso dessas duas palavras gregas.

V. Usos Figurados

Um nome representa ou simboliza uma pessoa, uma coisa, uma divindade; e, algumas vezes, é manipulado de tal modo que indica um sentido figurado. Assim, um nome pode ser emblema de atributos ou aspirações, — algo que já vimos nas seções anteriores. Assim, quando o Senhor Jesus disse acerca de Deus Pai: «Manifestei o teu *nome* aos homens que me deste do mundo...» (João 17:6), quis dar a entender o que a pessoa de Deus deve significar para os remidos: seu senhorio; seu caráter de Salvador; seus santos requisitos, com base em sua natureza santa; sua paternidade, seus cuidados pelos que lhe pertencem, etc. O *nome* de Deus, pois, apontava para todas essas idéias. Os diversos nomes aplicados a Deus revelam diferentes aspectos do Ser e da personalidade de Deus, razão pela qual são autênticos símbolos teológicos. A própria presença de Deus é anunciada por uma expressão como aquela que se vê em Salmos 75:1: «...invocamos o teu nome...»

Em sentido geral, podemos dizer que os nomes de Deus indicavam sua pessoa e seu caráter (ver Sal. 29:2; 34:3; 61:4), seus títulos (Êxo. 3:13,14; 6:3), seus atributos (Êxo. 33:19; 34:6,7), sua palavra (Sal. 5:11), a adoração e o culto que lhe prestamos (I Reis 5:5; Mal. 1:6), suas graças e misericórdia na salvação e em sentido geral (Sal. 22:22; João 17:6,26), seu poder, ajuda e favor (I Sam. 17:45; Sal. 20:1,7), sua sabedoria, poder e bondade, exibidos na criação e na providência (Sal. 8:1,9), sua autoridade (Miq. 5:4), sua honra, glória e fama (Sal. 76:1). Os nomes de Cristo, similarmente, indicam a sua divindade, a sua magnificência e a sua presença conosco (Isa. 7:14; 9:6). Os seus muitos títulos, como Salvador, Profeta, Sacerdote, Rei, indicam, cada um deles, algum ofício ou função especiais (Mat. 1:21; Apo. 19:16), a autoridade e a comissão por ele recebidas da parte do Pai (Mat. 7:22; Atos 4:7), a sua exaltação, honra, poder e glória (Fil. 2:9,10).

O nome de Deus, «em Cristo», simboliza a sua missão especial como Redentor (Êxo. 23:21). Ser alguém batizado em nome do Pai, e do Filho e do Espírito Santo indica que esse alguém assumiu plena responsabilidade como um discípulo cristão, o que redunda na honra de Deus (Mat. 28:19; Atos 19:5). Confiar no nome do Senhor é confiar em sua palavra e agir de acordo com ela na vida diária (João 3:18). Professar o nome de Cristo é evidenciar, diante dos olhos do mundo, que o crente foi espiritual e moralmente transformado, e que é um discípulo sério de Jesus (Mat. 28:19,20). Nomear o nome de Cristo é viver à altura das expectações cristãs (II Tim. 2:19). O novo nome de Cristo, conferido aos crentes vencedores, será uma nova revelação, uma promoção na ordem do ser e no grau de entendimento (Apo. 3:12). Esse novo nome também indicará a natureza ímpar de cada crente; com essa sua natureza distintiva, cada crente tornar-se-á um instrumento inigualável de serviço. O «novo nome», referido em Apo. 2:17, enfatiza essa mensagem do caráter único de cada crente. Quando alguém faz todas as coisas «em nome de Cristo», isso significa que esse alguém age em consonância com tudo quanto Cristo requer, não permitindo que qualquer aspecto de sua vida se secularize (ver João 14:13; Col. 3:17).

VI. Sumário das Características dos Nomes Bíblicos

No Antigo Testamento há cerca de mil e quatrocentos nomes diferentes, conferidos a cerca de duas mil e quatrocentas pessoas. Os hebreus eram um povo monônimo, isto é, davam um único nome a seus filhos. Não havia entre os antigos hebreus o costume de dar um prenome ou nome pessoal, então o nome de família da mãe, e então o nome de família do pai, conforme é costumeiro entre nós. Mas, se aquele único nome causasse confusão, então acrescentava-se o nome do pai, talvez como uma adição como «filho de» (no hebraico, *ben*). Outras vezes, o nome de algum antepassado era adicionado, em vez do nome do pai.

A. Tipos de Nomes Próprios Dados às Pessoas

1. *Nomes Tomados por Empréstimo da Natureza*. Nomes de animais, plantas ou indicações meteorológicas. Daí temos Raquel, «ovelha», Calebe, «cão», Débora, «abelha», Hulda, «doninha», Acbor, «rato», Safã, «texugo», Jonas «pomba», Tola, «verme». Também houve nomes derivados de outras línguas, pertencentes a essa categoria, como Zeebe, «lobo», Eglá, «novilha», Naás, «serpente», Zípora, «pardoca». Nomes extraídos do reino vegetal, entre outros: Elom, «carvalho», Tamar, «palmeira», Susana, «lírio», Zeitã, «azeitona». Nomes baseados em dados meteorológicos incluem apelativos como Baraque, «relâmpago», Sansão, «solzinho», Nogá, «alvorecer». O nome primitivo dos antepassados deste co-autor e tradutor pertence a essa categoria, pois *ruah* significa «vento». Em algum ponto do passado, esse nome foi mudado para o latino, *Bentes*, «vento».

2. *Características Físicas*. Esses nomes têm algo a ver com coisas como cor, dimensões, defeitos, sexo, etc., conforme se vê em nomes como Labão, «branco», Zoar, «avermelhado», Haruz, «amarelo», Hacatã, «pequeno», Heres, «surdo», Iques, «torto», Garebe, «sarnento», Gideão, «aleijado», Paseá, «manco», Geber, «macho».

3. *Circunstâncias do Nascimento*. Podia ser a época do nascimento, o local, a ordem (primeiro, segundo, etc.), ou eventos ocorridos durante o parto. Daí é que se derivam nomes próprios como Ageu, «festivo» (nascido durante alguma festa ou celebração religiosa), Sabetai, «nascido no sábado», Judite, «de Judá», Bequer, «primogênito», Iatom, «órfão», Azuba, «esquecido (talvez pela mãe)», Tomé, «gêmeo».

4. *Miscelâneos*. Aí estão nomes sem uma certa classificação, como Nabal, «estúpido», Noemi, «agradável», Rebeca, «corda de atar ovelhas», Rispa, «variegada», Baquebuque, «cântaro», Gera, «hóspede», Naassom, «serpente».

5. *Com Base nos Nomes Divinos*. Temos aí nomes como Joaquim, «Yahweh salva», Oséias, «salva!», Josué, «Yahweh é salvação», Daniel, «juiz de Deus», Mateus, «dom de Deus», etc.

6. *Nomes Baseados nas Relações Humanas*. Abi, «pai». Aí, «irmão», Ami, «parente», Ben-, «filho de». Muitos desses nomes aparecem em combinações. Assim, para exemplificar, *Abi* aparece em trinta e um nomes do Antigo Testamento; e *Ai* em vinte e seis nomes. Exemplificamos com Abiúde, Aiúde, Aminadabe e Benjamim.

7. *Nomes Baseados em Termos de Autoridade*. Esses nomes de autoridade podem ser apelativos como Adoni, «Senhor», Baal, «proprietário», Meleque, «rei». Podemos citar nomes como Abimeleque, Adonirão, Jerubaal, etc.

B. Tipos de Nomes Próprios Locativos

1. *Descrições Geográficas e Topográficas*. Ramá, Ramote, «altura»; Pisga, «cume»; Geba, Gibeá, Gibetom, «colina»; Siquém, «serra»; Selá, «penhasco»; Sarom, «planície»; Mispa, «torre de vigia»; Adumim, «vermelho»; Líbano, «branco»; Cedrom, «negro»; Jarcão, «amarelo»; Sefer, «belo»; Argobe, «solo rico»; Arabá, «deserto»; Boscate, «platô», «pedra vulcânica»; Jabes, «seco».

2. *Nomes com Base na Natureza*. Arade, «jumento selvagem», Bete-Car, «cordeiro», Eglom, «novilho», Efrom, «gazela», Zorá, «vespa», Luz, «amendoeira», Abel-Sitim, «bosque de acácias», Bete-Tapuá, «casa da maçã», Dilã, «pepino».

C. Nomes Divinos

Essa questão foi abordada na seção IV, acima.

NOMINALISMO

Essa palavra é usada na filosofia em conexão com o problema dos *Universais* (vide). O termo vem do latim, *nomen*, «nome». Mas, que é o universal? O que entendemos por termos gerais como «bondade», «justiça»? ou mesmo quando aludimos a certos objetos físicos, como um «triângulo»? Consideremos, para exemplificar, a *bondade*. A bondade é apenas uma palavra da linguagem, ou é algo real, ou é uma entidade? O *realismo* (no campo da metafísica) faz da bondade uma entidade, como se fosse uma divindade no céu platônico. Segundo essa posição, a *bondade* é uma essência real, e não apenas um termo da linguagem humana. Ou seria a bondade um conceito da mente divina (ou da mente humana)? Nesse caso, entra em cena o *conceptualismo* (vide). Ou seria a *bondade* um mero termo da linguagem, um *nome* que a linguagem manipula? Nesse caso, já estamos no terreno do *nominalismo*.

Há uma certa confusão entre conceptualismo e nominalismo, razão pela qual há listas que podem não ser absolutamente precisas, se se espera distinguir aqueles filósofos que são nominalistas ou conceptualistas. Roselin chamava o universal de mero sopro da voz (*flatus vocis*). Outros nominalistas foram Pedro de Aureol, William de Ockham, Durando de Stain Pourcain, Jean Buridan, Thomas Hobbes, John Locke, Hume, Condillac, Reid, Nelson Goodman, e Quine. Os cientistas, via de regra, são nominalistas. O artigo sobre os *Universais* oferece uma descrição mais detalhada a respeito.

NON-CONFORMISTAS (NÃO-CONFORMIDADE)

Esses termos são usados para referir a certos protestantes ingleses do século XVII (especialmente os puritanos), que não se adaptavam às doutrinas da Igreja Anglicana. Certos grupos episcopais e presbiterianos também foram assim chamados; e, por extensão, a palavra veio a indicar qualquer indivíduo ou grupo de pessoas que não se conforma a padrões específicos.

NON-SEQUITUR

No Latim, «não se segue daí». Na lógica, essa expressão indica uma conclusão que não se deriva de suas premissas. Outrossim, todas as falácias pertencem a essa categoria, principalmente aquelas em que uma conseqüente é afirmada, ao mesmo tempo em que a premissa antecedente é negada. Dentro do uso popular do termo, um *non-sequitur*, é qualquer coisa que é ilógica diante de uma situação, ou, então, que é contrária àquilo que se poderia esperar como resultante de qualquer ato ou idéia.

NOOSFERA

Um termo usado por *Teilhard de Chardin, Pierre* (vide), em sua teoria especial da evolução. O artigo sobre ele explica esse conceito.

NORA

No hebaico, **kallah**, palavra usada por trinta e quatro vezes, como, por exemplo, em Gên. 11:31; 38:11,16,24; Lev. 18:15; Rute 1:6-8,22; I Sam. 4:19; I Crô. 2:4; Eze. 22:11; Miq. 7:6. No grego, *numphe*, que significa «noiva», mas também palavra usada para indicar a noiva do filho de quem fala. Essa palavra grega é usada por oito vezes: Mat. 10:35; 25:1; Luc. 12:53; João 3:29; Apo. 18:23; 21:2,9; 22:17.

No Antigo Testamento, essa palavra aparece na legislação concernente ao pecado de incesto, no código levítico. As mesmas proibições referentes às filhas envolvem as noras. Ver Lev. 18:15; 20:12. Uma nora, em contraste com uma concubina, era removida da casa de seu pai assim que o preço pela noiva (o reembolso dado ao sogro, por seus serviços econômicos) fosse pago, conforme se vê em Gên. 29:21-30. O termo grego *numphe* usualmente significa *noiva*, conforme se vê em Apocalipse 21:9, por exemplo; mas, em Mateus 10:35, indica «nora».

NORMATIVA, ÉTICA

Temos aí um sistema que se guia por normas, presumivelmente autoritárias e fixas, ou, pelo menos, dignas de respeito. A tarefa dos filósofos, entre outras coisas, seria buscar e descrever normas legítimas. Muitos cristãos utilizam-se da Bíblia como um manual de onde podem ser extraídas normas, pelo que a ética cristã usualmente é uma forma de ética normativa. A *ética normativa*, com freqüência, é distintiva da *ética empírica*, pelo fato de que esta última dá a entender que estabelecemos nossas próprias regras, em vez de descobri-las. E a ética normativa, por sua vez, é distinguida da *meta-ética*, a qual tem o propósito de discutir os significados dos termos éticos, sem chegar, necessariamente, às normas.

NORRIS, JOHN

Suas datas foram 1657-1711. Ele foi um filósofo inglês. Nasceu em Collingbourne-Kingston. Educou-se em Oxford; tornou-se membro diretor do All Souls' College. Foi ordenado ao ministério anglicano. Começou como filósofo platônico, mas acabou sendo conhecido como o *Malebranche* (vide) inglês, porquanto criticava acerbamente os filósofos de sua época, bem como filósofos como Locke, Toland e outros.

Idéias:

1. Como filósofo platônico, ele defendia a idéia de que a felicidade suprema é conseguida em contemplação do amor de Deus; a verdade é eterna; as idéias são externas e reais; as idéias estão localizadas na Mente divina (e é daí que obtemos uma prova racional da existência de Deus).

2. Incorporando a idéia de Malebranche sobre o amor, Norris começou a falar sobre duas formas de amor: aquela que busca união com o objeto amado; e o amor como benevolência, sob a forma de atos bondosos em favor do próximo.

3. Norris atacava os argumentos de Locke contra as *idéias inatas* (vide), conforme o fez em seu apêndice ao livro *Practical Discourses*.

4. No seu sentido mais estrito, o amor só é apropriado quando seu alvo é Deus; mas as relações humanas provêem a oportunidade de experimentarmos felicidade pessoal.

5. Ele rejeitava a idéia de Tolando, de que a mente humana é o padrão da verdade. Antes, dizia que esse padrão é a Mente divina, que difere da mente humana quanto ao grau, embora não quanto à categoria.

6. Através de dois volumes, Norris reafirmou as idéias de Malebranche. Norris inclinou-se mais para os conceitos de Descartes, e rompeu com os filósofos platônicos de Cambridge. O mundo físico caracteriza-se por um mecanismo destituído de mente, ao passo que o homem é composto de corpo material e de alma imaterial.

7. Henry Dodwell havia ensinado a mortalidade da alma. Norris contra-atacou, apresentando uma defesa tipo platônica da imortalidade da alma humana, em sua derradeira publicação.

Escritos. An Idea of Happiness; Poems and Discourses; The Theory and Regulation of Love; Reason and Religion; Reflections on the Conduct of Human Life; Pratical Discourses; An Account of Reason and Faith; An Essay Towards the Theory of the Ideal of Intelligible World; A Philosophical Discourse Concerning the Natural Immortality of the Soul.

NORTE

No hebraico, **saphon**. Essa palavra vem de um raiz que, segundo alguns estudiosos, significa «ocultar-se», referindo-se àquilo que é oculto, obscuro, não-compreendido, ameaçador. Ou, conforme outros dizem, a raiz vem de um termo fenício que significa «vigiar», um lugar de onde se observa. Ainda uma outra raiz possível significa «semear» ou «espalhar», uma referência a como o vento do norte se espalhava. Essa palavra, *mazareh* (ver Jó 37:9), indicava como o vento do norte dispersa as nuvens e trás temperaturas mais baixas.

Entre os hebreus, os pontos cardeias eram considerados em alusão ao oriente. Eles orientavam-se dando frente para o nascer do sol, pelo que o norte ficava à sua *esquerda* (ver Gên. 14:14; Jó 23:9). Para quem vivia na Palestina, as terras que jaziam mais para o norte eram consideradas de nível mais elevado, razão por que, seguir na direção norte era «subir» (ver Gên. 45:25; Osé. 8:9; Atos 18:22). Dava-se o oposto quando alguém seguia para o sul, que então era chamado «descer» (ver Gên. 12:10; 26:2; I Sam. 30:15).

O termo hebraico *saphon*, «ocultar-se», aludia às misteriosas regiões norte do firmamento. O norte, associado como estava ao inverno, estava relacionado a idéias como trevas e melancolia, ao passo que o sul estava vinculado a idéias como calor e dias bem iluminados. Era dito que a Babilônia, a Caldéia, a Assíria e a Média ficavam ao norte de Israel, porquanto seus exércitos invasores sempre atacavam Israel vindos do norte, através de Damasco, a fim de evitarem os desertos a leste da Palestina. Em Eze. 38 e 39, o norte refere-se aos tradicionais inimigos de Israel, embora alguns intérpretes vejam, nesse texto, uma referência remota ao extremo norte, a saber, à Rússia. «Todas as tribos do norte» (Jer. 25:9) talvez aluda aos reis e países que dependiam da Babilônia. E o «rei do norte» (Síria) é contrastado com o «rei do sul» (ver Dan. 11:6-15,40). Nos trechos de Pro. 27:16 e Can. 4:16 o vocábulo hebraico *saphon* alude ao vento norte, e não exatamente ao ponto cardeal norte.

No Novo Testamento, encontramos o termo grego *borrás* para indicar «norte», embora apenas por duas vezes: Luc. 13:29 e Apo. 21:13.

Os *reinos do norte* é uma alusão geral a invasores vindos do norte, porque, conforme já dissemos, usualmente era daquela direção que aqueles invasores se acercavam de Israel. Ver Isa. 41:25; Jer. 1:14,15; Eze. 26:7; 38:6,15; 39:2.

Em Joel 2:20, no original hebraico, encontramos o termo *tsephoni*, «nortista», para descrever uma praga de gafanhotos. Nossa versão portuguesa diz «o exército que vem do norte». Interessante é que essas pragas geralmente provinham da direção sul, pelo que alguns intérpretes têm-se sentido perplexos diante da alusão ao norte. A mais provável solução é que essa praga não seria literal, e, sim, metafórica, apontando para inimigos vindos do norte, a direção de onde os invasores usualmente vinham.

NOTRE DAME

Essa é a expressão francesa para «nossa Senhora», título dado pelos católicos romanos à Virgem Maria. Esse título tem-se tornado nome de muitos templos, catedrais e escolas católicas romanas. E também há a ordem religiosa das Irmãs de Notre Dame. Ver os artigos sobre *Maria*, mãe de Jesus, *Mariologia* e *Mariolatria*.

NOTURNO

Originalmente, essa palavra referia-se a certo culto monástico, recitado ou cantado à noite. No entanto, com o tempo veio a designar uma das divisões (usualmente em número de três) do *Breviário* (vide) da Igreja Católica Romana, no ofício chamado *Matinas* (vide), cujo propósito é ser recitado, e que, quase invariavelmente, é usado à tarde ou à noite.

NOUMENON (Plural: NOUMENA); NOUMENAL

O termo grego **noumenon** quer dizer «é percebido», «o que é conhecido». Platão usava essa palavra no segundo sentido, referindo-se às coisas do *pensamento*, e não aos objetos sujeitos à percepção dos sentidos. Assim, as *noumena*, para ele eram as idéias, formas ou *universais* (vide). Kant referia-se às *noumena* como «coisas em si mesmas», indicando a natureza verdadeira de alguma coisa. E contrastava essa palavra com uma outra, *phenomenon*, ou seja, aquilo que está sujeito à percepção dos sentidos, cuja natureza não podemos declarar por esse modo. O *mundo noumenal*, não sujeito à percepção dos sentidos, pode ser conhecido através da intuição e das experiências místicas, podendo ser descrito por nosso senso moral, ou seja, por meio de postulados morais. Dessa idéia é que se originaram as provas da existência de Deus e da alma, sobre bases morais. Ver sobre *Argumento Moral*. Nos escritos de Platão, o mundo noumenal pode ser conhecido, pelo menos parcialmente, através da razão; um tanto mais através da intuição; e mais ainda através das experiências místicas, como na contemplação do Real. Ver o artigo sobre *Kant*, que oferece um gráfico sobre os três mundos que ele concebia, no seu sétimo ponto.

NOUS

Essa palavra é grega e significa «mente», «razão». Os filósofos pré-socráticos usavam a palavra para indicar conhecimento ou razão. Platão utilizou-se dela para designar a parte racional da alma. Aristóteles usava o termo como sinônimo de *intelecto*.

Sumário de Usos:

1. *Anaxágoras* (vide) utilizou-se da idéia de *nous* como o princípio de ordem e animação. Para ele, a *nous* está por detrás da ordem e do desígnio que podemos perceber no universo. Sem a *nous*, teríamos o caos. Isso é um equivalente um tanto cru do conceito do *Logos* (vide).

2. *Platão* usava o termo para referir-se ao conhecimento mais elevado, ou à faculdade que obtém tal conhecimento. No homem, a *nous* residiria na parte racional da alma, conferindo à alma um conhecimento natural e poderoso das coisas, inteiramente à parte de qualquer experiência dos sentidos.

3. *Aristóteles* fazia da *nous* o princípio do intelecto. Nessas expressões haveria um aspecto ativo e um aspecto passivo. A *nous* ativa é o princípio da imortalidade, sendo eterna. A *nous* ativa e a *nous* passiva complementar-se-iam, mais ou menos como fazem matéria e forma. Aristóteles também aplicava o vocábulo ao seu conceito de Deus. Para ele, Deus é a *noesis noeseos*, ou seja, «o pensamento que pensa sobre si mesmo», a mais elevada forma de *Intelecto*. Deus é Intelecto, e o homem é intelecto. O intelecto é imaterial. O Intelecto divino é a forma mais alta de substância, é o impulsionador primário de todas as coisas. Foi a partir desse conceito que os escolásticos desenvolveram uma prova, sob a forma de argumento, da existência de Deus. Ver sobre os *Cinco Caminhos de Tomás de Aquino*.

4. *Os filósofos neoplatônicos* usavam o termo *nous* em alusão ao mundo inteligível. Plotino fazia da *nous* a primeira emanação do Ser divino. Seria uma das *hipóstases* de Deus. As duas outras *hipóstases* seriam o Um e a Alma do Mundo. Ver os artigos gerais sobre *Neoplatonismo* e *Plotino*.

NOVACIANO (NOVACIANISMO)

Novaciano foi um presbítero romano liderante, um notável teólogo cujos escritos exerceram considerável influência sobre a controvérsia em torno da divina Trindade da Igreja cristã antiga. Ele faleceu em Roma, em cerca de 258 D.C. Do estoicismo, converteu-se ao cristianismo; foi ordenado sacerdote em 250 D.C. Além de seus escritos trinitarianos, ele é melhor lembrado devido às suas rígidas idéias sobre disciplina eclesiástica e à sua oposição à restauração dos *lapsi*, isto é, pessoas que tinham caído em lapso e abandonado temporariamente a Igreja. Visto que ele atuou durante a perseguição instituída pelo imperador Décio (249-253 D.C.), o que, naturalmente, criou muitos *lapsi*, a questão era importantíssima na época. Contrário a Novaciano, o papa Cornélio (pontificou de 251 a 253 D.C.) adotou uma atitude leniente para com os *lapsi*. Em protesto, Novaciano foi eleito por seus seguidores como um antipapa, tendo-se tornado o segundo dessa classe, na história do cristianismo. Isso provocou um cisma na Igreja. Os novacionistas passaram a distanciar-se da corrente principal da

Igreja, negando a absolvição não meramente aos *lapsi*, mas também a todas as pessoas que tivessem cometido pecados sérios.

Novaciano foi morto durante as perseguições de Valério (253-260 D.C.), mas o novacianismo prosseguiu. Seus sucessores foram rigorosos e puritanos, e demonstravam pouca simpatia para com os irmãos que não podiam imitá-los, considerados, por isso mesmo, de segunda classe. Alguns apodaram-nos de *cátaros*, que quer dizer «puros»; mas não devem ser confundidos com os *cátaros* posteriores, também chamados *Albigenses* (vide). Apesar de condenados e excomungados, os novacianos prosseguiram. Porém, aí pelos fins do século V D.C., o movimento estava praticamente extinto. Eles defendiam a disciplina férrea, mas seus abusos contradiziam a mesma. A lei do amor pode perder-se em meio ao fanatismo; e isso é o que parece ter acontecido naquele caso. Além disso, os cátaros primitivos parece terem fomentado considerável hipocrisia e arrogância em suas fileiras, durante todos os séculos em que eles existiram.

***Escritos de Novaciano*. Ele foi o primeiro teólogo romano a publicar tratados em latim. Dentre seus muitos escritos, restaram quatro: *De trinitate* (Sobre a Trindade); *De cibis iudaicus* (Sobre os Alimentos Judaicos); *De spectaculis* (Sobre os Espetáculos) e *De bono pudictiae* (Sobre as Vantagens da Modéstia). O primeiro desses escritos foi o mais importante trabalho teológico de Novaciano. Exibia uma precisão terminológica e dogmática que exerceu duradoura influência sobre a Igreja cristã, elevando a teologia ocidental ao mesmo nível da expressão cristológica oriental.**

NOVA CRIAÇÃO Ver também Nova Criatura. Ver sobre Criação Espiritual.

A Nova Criação e o Estado Eterno, Apo. 21:1-8

Somente quando a nova criação substituir à antiga é que poderemos dizer que a influência e a obra de Satanás foram totalmente apagadas da existência, pelo que esta sétima visão relata como a criação inteira será libertada dos últimos vestígios do pecado, para sempre. Essa descrição é uma das mais belas de toda a Bíblia, apresentada com simplicidade e dignidade, sem os exageros retóricos e sem verbosidade.

Na escatologia iraniana (Bunsahish 30:32) e nos apocalipses judaicos, juntamente com idéias similares do A.T., temos uma tradição que fala da nova criação, como se fora uma «renovação» do mundo antigo. (Ver Isa. 65:17 e 17:22 e contextos. Ver também II Baruque 32:6; 44:12; 48:50; 51:3 e I Enoque 45:4,5). Mas também há a tradição de uma criação inteiramente nova, e não de mera renovação da antiga. (Ver I Enoque 72:1; 91:16 e II Esdras 7:30,75). Assim sendo, nos documentos cristãos às vezes há a idéia de «renovação», e às vezes há a idéia de uma «criação inteiramente nova». (Ver Mat. 19:28 quanto à idéia da «renovação»; e ver II Ped. 3:10,13, no tocante à idéia de uma *criação inteiramente nova*). Essa última passagem obviamente fala da total aniquilação da antiga criação por meio do fogo. Cientificamente, com base naquilo que sabemos, isso é totalmente possível. A matéria da criação poderia ser reduzida a mera energia mediante o mesmo processo que causa as explosões atômicas. Quanto ao ponto de vista do Apocalipse, é perfeitamente evidente que esse livro antecipa o total aniquilamento da antiga criação, havendo então um ato criador totalmente novo. Já vimos isso em Apo. 20:11, e esse pensamento é reiterado agora, neste primeiro versículo do capítulo vinte e um.

«Da fumaça, da dor e das chamas, é um alívio passar para a atmosfera clara e limpa da manhã eterna, onde o ar celeste é puro e a vasta cidade de Deus fulgura como um diamante na irradiação de sua presença. A idéia dominante da passagem é que o meio ambiente deve ser de acordo com o caráter e a antecipação; conseqüentemente, assim como o antigo universo estava inevitavelmente maculado pelo pecado, uma nova ordem de coisas deve ser formada, uma vez que a antiga cena de prova e fracasso seja posta de lado... A expectação (ver Rom. 8:28 e *ss*) de que a perda ocorrida por ocasião da queda de Adão seria revertida, dificilmente é a mesma coisa que essa transformação escatológica; esta última prevalece sempre que as inflexíveis exigências da era parecem exigir uma limpeza total do universo, e a atitude apocalíptica para com a natureza raramente tem algo a ver com a ternura e a paixão, por exemplo, de IV Esdras 8:42-48. A seqüência de Apo. 20:11 e *ss* e 21:1 e *ss*, pois, segue o programa escatológico geral, como se vê, por exemplo, em Apocalipse de Baruque 21:23 e *ss.*, onde, após terminada a morte, o novo mundo prometido por Deus aparece como habitação dos santos (comparar com Apo. 21:1 e *ss*). A Jerusalém terrestre é suficientemente boa para o milênio, mas não para a bem-aventurança final». (Moffatt, *in loc.*).

«A palavra característica que atravessa a descrição é o termo 'novo'. Todas as coisas se tornarão 'novas'. Existem dois vocábulos traduzidos por 'novo' ...um deles ('neos') diz respeito ao tempo; o outro ('kainos') diz respeito à qualidade. O primeiro se aplica ao que recentemente veio à existência; o outro ao que demonstra características novas». (Carpenter, *in loc.*).

«Agora que todo o mal foi destruído para sempre, e que todos os agentes do mal foram lançados no lago do fogo, e que desapareceram os antigos céus e terra, e o juízo final é levado a bom termo, e a morte e o hades são destruídos, então Deus cria novos céus e nova terra, convocando à existência a Nova Jerusalém. Nessa cidade, que nunca conhecerá lágrimas, nem tristeza, nem choro, nem dor e nem maldição, Deus habitará com os homens em seu trono, que é também o do Cordeiro; e seus servos, cujo caráter, como possessão mesma de Deus, dali por diante serão marcados na fronte e o servirão, e eles o verão face a face. E Deus fará a luz de seu rosto brilhar sobre eles em bênção perpétua, e reinarão para todo o sempre». (Charles, *in loc.*).

NOVA CRIATURA Ver também Criação Espiritual.

II Cor. 5:17: *Pelo que se alguém está em Cristo, nova criatura é; as coisas velhas já passaram; eis que tudo se fez novo.*

Temos aqui um versículo citadíssimo, e que é famoso com razão. Fala sobre a nossa transformação moral e metafísica segundo a imagem de Cristo. Esse é um tema paulino central, bem como a mais profunda doutrina do evangelho. Esse tema é amplamente comentado, havendo um sumário de versículos que o ensinam, nas notas expositivas sobre Rom. 8:29 no NTI. (Ver também os trechos de Efé. 1:23 e II Cor. 3:18). A capacidade de nos vermos a nós mesmos e a nossos semelhantes, como também o próprio Cristo, de conformidade com uma correta perspectiva espiritual, se deriva dessa transformação operada pelo Espírito de Deus. Então percebemos quão grandioso é Cristo, quão grandes coisas ele está fazendo nos homens, dentro da redenção humana, e compreendemos o elevadíssimo destino de todos os seres humanos que nele confiam, e assim abandonamos todas as formas caprichosas e carnais de **julgarmos tanto a nós mesmos como também a nossos semelhantes.**

«...*se alguém está em Cristo*... Notemos aqui a expressão mística *em Cristo*. Trata-se de uma frase paulina que exprime a relação mística que nós gozamos com Cristo. Há uma união e um companheirismo dados no nível da alma crente, por meio do Espírito de Deus. Há uma comunhão de nosso ser com o ser de Cristo; e é através dessa comunhão que se processa a transformação de nosso ser, na substância da natureza essencial de Jesus Cristo. Ver o artigo sobre *Cristo-Misticismo* que é indicado nesse termo, *em Cristo*. (Ver o trecho de I Cor. 1:4 e as notas expositivas ali existentes no NTI). A fé cristã não consiste da mera fé em um credo, mas antes, de uma relação vital com Cristo, da transformação operada através do Espírito de Deus, do revestimento e participação final em tudo quanto Cristo é e tem.

«'Um homem em Cristo' é a definição paulina do que é um crente. Nada menos do que isso é adequado, porquanto subentende uma transmutação íntima que equivale a uma nova criação. Um crente não é meramente melhorado, reformado ou modificado em qualquer sentido que não entenda mais do que mera modificação externa, por maior que seja essa transformação; antes, é alguém que foi refeito. Torna-se diferente até mesmo daquilo que ele possuía de melhor. A modificação é radical; atinge ao próprio âmago do seu ser». (James Reid, *in loc.*).

Nova criatura. A verdadeira conversão e a verdadeira regeneração são encaradas aqui como uma espécie de nova criação, mediante a instrumentalidade divina, tal como a criação original precisou da intervenção divina. As traduções variam entre «nova criatura» e «nova criação»; mas isso não faz qualquer diferença real, porquanto aquele que se torna uma nova criatura deve experimentar a força do ato criativo do Espírito Santo. O termo grego «*ktisis*», traduzido aqui por «criatura», tem três usos diversos nas páginas do N.T., a saber: 1. O «ato de criar», em Rom. 1:20; 2. a «súmula das coisas criadas», em Apo. 3:14 e Mar. 13:19; e 3. uma «coisa ou criatura criada», em Rom. 8:39. Dentro da literatura rabínica, a expressão é usada para indicar um homem convertido da idolatria. «Aquele que traz um estrangeiro e o torna um prosélito é como se o tivesse criado». (*Rabino Eliezer*). Essa é igualmente a idéia aqui expressa por Paulo, embora mediante expressões místicas, indicada por «em Cristo».

Shoottgen (i. pág. 704) mostra-nos que as palavras «nova criatura» (ou *nova criação*) faziam parte da linguagem rabínica comum, para indicar algum gentio que fosse levado ao conhecimento de Deus. No cristianismo, entretanto, o seu sentido é *muito* mais profundo, porquanto estamos tratando de mais do que conhecimento e alianças terrenos. Essa «nova criação» consiste na formação da natureza essencial de Cristo no ser do homem, de tal modo que um indivíduo venha a participar da verdadeira natureza de Cristo, e, por conseguinte, da divindade. (Ver Col. 2:10). Trata-se de uma autêntica *nova criação*, sendo esse o mais elevado conceito do evangelho.

«O novo nascimento é referido nos trechos de Tito 3:5; João 3:3 e Tia. 1:18. 'Ktisis' é palavra que designa não somente um ato divino (a criação), mas também o produto de tal ato (a criatura). Este último sentido é — o **significado comum** dessa palavra no N.T. (comparar com Rom. 1:25, 8:18 e *ss*)». (Kling, *in loc.*).

Quando nossa alma guiada subir aos céus,
Então todas essas grosserias terrenas abandonará
E vestidos das estrelas nos sentaremos para sempre,
Triunfando sobre a morte, o caso e tu, ó tempo.
(John Milton, 1608—1674).

Podemos observar as expressões de Paulo nesses vários versículos. No décimo quarto versículo, temos morrido com Cristo. No décimo quinto versículo, já vivemos com Cristo. E isso resulta então em uma nova criação, como um ato de Deus, dando-nos a entender que o produto é um filho de Deus que está sendo conduzido à glória, que compartilha da própria natureza do Filho de Deus.

«Mediante essa expressão, Paulo condena toda a forma de excelência que pende por ser bem conceituada entre os homens, mas em que a renovação do coração se faz ausente. É verdade que a erudição, a eloqüência e outras habilidades são valiosas, bem como são dignas de serem honradas; porém, onde o temor ao Senhor e uma consciência reta se fazem ausentes, toda a honra a essas coisas se reduz a nada. Que ninguém se glorie em qualquer distinção dessa ordem, portanto, sobretudo em face do fato de que o principal louvor dos crentes é a **auto-renúncia**». (Calvino, *in loc.*).

As cousas antigas já passaram. Encontramos aqui breve descrição sobre os efeitos e evidências da nova criação de Deus, o que produz «novas criaturas» em Cristo. As *coisas antigas*, isto é, aquelas associadas à vida física, — sem importar se são más por si mesmas ou não, não mais distinguem o crente, e nem mais o caracterizam. As coisas más foram por ele definitivamente repelidas, e as realidades boas ou moralmente indiferentes, mas que sejam apenas materiais, ele subjugou aos valores verdadeiros do Espírito de Deus. Tal crente começa a praticar o «desligamento» do mundo e o «apego» às realidades celestiais e pertencentes à alma. Não mais será um cidadão deste mundo, mas antes, transferirá a sua cidadania para os lugares celestiais.

Antes, aquele que agora é um crente estava centralizado em si mesmo; mas agora o centro de sua vida é ocupado por Cristo; e isso é evidenciado pela **sua preocupação verdadeiramente cristã pelo bem-estar alheio.**

A menção das coisas novas é introduzida pela palavra enfática *eis*, que soa aqui com um tom de exultação. Não foi nenhuma coisa corriqueira que produziu isso, e nem aponta para algum destino sem importância. Paulo exprime aqui uma esperança escatológica paralela àquela que figura em Apo. 21:5, onde lemos: «Eis que faço novas todas as coisas». Mas Paulo pôde regozijar-se que o começo da transformação de sua alma já era uma realidade presente. Em certo sentido, por conseguinte, o que era novo já tinha chegado, embora não haja maneira de calcularmos a vastidão do que isso significa. João Batista foi grande profeta; mas, se ele tivesse permanecido nessa grandeza terrena, seria o mínimo em todo o reino dos céus. Isso serve de pequena indicação da grande estatura daqueles que se encontram nos lugares celestiais. Outra indicação dessas é que eles são superiores aos próprios anjos. Ainda outra poderosa indicação é que eles são a plenitude de Cristo, aquele que preenche a tudo em todos (ver Efé. 1:23).

Os termos utilizados por Paulo são gerais e têm uma lata aplicação. Naturalmente, é verdade, conforme também Crisóstomo comentou sobre este versículo, que a lei mosaica cedeu lugar ao evangelho, a circuncisão ao batismo, Jerusalém aos céus; mas a verdade envolvida neste versículo ainda é mais profunda do que isso, porquanto fala sobre tudo quanto Deus faz de um homem, na redenção e na glorificação final. Ver Heb. 2:3 sobre «salvação».

«Eis... como se estivesse ele a contemplar uma cena que se modificava rapidamente. Como que num relâmpago, todas as coisas antigas se dissipam, e surgem novas todas as coisas». (Vincent, *in loc.*).

«O aoristo, *parelthen*, indica que as coisas antigas passaram em um momento particular, ao passo que o perfeito 'gegone', descreve o estado que teve então lugar e ainda continua». (Philip Schaff, no Comentário de Lange).

«As palavras do apóstolo Paulo mostram quão completamente ele considerava 'a morte de Cristo', como uma nova época na história da raça humana. Se porventura tivesse podido prever distintamente que uma nova era seria datada a partir daquele tempo, que uma nova sociedade, uma nova filosofia, uma nova literatura, um novo código moral, haveriam de se desenvolver daquilo, pelos continentes que ele sabia então existirem, nem assim poderia ter expresso mais vigorosamente o que queria dizer sobre a grandeza desse acontecimento». (Stanley, *in loc.*).

NOVA ERA

Esboço:

1. Declaração Geral
2. Crenças Comuns
3. Método
4. Seres Canalizadores
5. Informações e Curas Incomuns
6. Uma Definição da Nova Era
7. Avaliação

1. Declaração Geral

Esse é o título que tem sido atribuído a um movimento que começou no início da década de 1970, especialmente nos Estados Unidos da América, mas com ramificações e associações internacionais. Esse movimento não é uma denominação religiosa, e, sim, certo tipo de consenso acerca de certas crenças e atitudes fundamentais, que não respeitam as fronteiras das crenças e denominações religiosas. Quando esse tipo de unificações de idéias e atitudes começou, pôde encontrar uma numerosa e receptiva audiência, espalhada por muitas seitas religiosas que tinham começado a surgir em cena desde os fins do século XIX. Além disso, muitos asiáticos e pessoas de países orientais começaram a imigrar para os Estados Unidos da América; e, visto que algumas idéias da Nova Era podem ser reputadas como «orientais», isso aumentou o número de elementos simpáticos. Pode-se dizer que muitas seitas participam das idéias da Nova Era, o que significa que há uma espécie de vínculo comum entre toda essa gente.

2. Crenças Comuns

Visto que o movimento da Nova Era não consiste em uma única seita, é difícil abstrair do movimento qualquer coisa como uma declaração doutrinária do mesmo. Mas, abaixo, damos alguns princípios comuns de muitos desses grupos, embora não exatamente de todos:

a. O *livre-arbítrio* e os *poderes criativos* do homem. Cada qual cria as circunstâncias de sua vida. Agora o homem chegou a um estágio de sua evolução em que ele é capaz de tomar as coisas em suas próprias mãos. Isso refere-se aos pioneiros, mas não às massas; mas há esperança para as massas populares.

b. A herança do homem é um *conhecimento grande*, embora *não completo*, e ele pode tirar proveito do mesmo mediante experiências místicas, incluindo a canalização (ver mais abaixo). O indivíduo sonda o conhecimento que já é propriedade de sua alma, a qual pode participar ativamente da mente universal.

c. *Desígnio*. Não há acidentes. Todas as coisas fazem parte de um intrincado plano que se está desdobrando em favor do indivíduo e das massas.

d. *Não existe tal coisa como a morte*. Existem mudanças, as quais se manifestam sob a forma de morte biológica. Mas isso não exerce efeito algum sobre a alma.

e. *Cada átomo* tem sua própria consciência e memória.

f. *A realidade física é ilusória*. A realidade é encontrada no estado dos sonhos, no nível astral e nos níveis de consciência das realidades superiores.

g. *A reencarnação* é uma realidade, conferindo à alma a oportunidade de aprender neste mundo de ilusões. Isso faz parte necessária da evolução espiritual do homem.

h. *A alegada realidade física é de nossa própria criação*, tendo por finalidade o nosso crescimento espiritual.

i. *O bem e o mal* não são termos absolutos, e deveriam ser substituídos pela palavra *experiência*, que envolve o que poderíamos chamar de bem e de mal. Nesse ponto, o problema do pecado, o certo e o errado, etc., não recebem uma sã explicação teológica, e a pecaminosidade é disfarçada quanto à sua gravidade. De acordo com a Nova Era, as pessoas fazem erros, mas o mal pode até mesmo fazer parte vital da experiência humana.

j. *A suprema importância do amor*. A vida caracterizada pelo amor é a maior de todas as experiências humanas, bem como a maneira vital de se obter uma rápida evolução.

l. *O controle* sobre a vida e a experiência só é obtido quando o indivíduo ama total e incondicionalmente. O maior mestre do indivíduo é o seu próprio «eu» superior, e esse «eu» sabe tudo sobre o amor. O ódio ocorre na área perturbada do mundo das ilusões.

m. *Várias idéias orientais típicas*, de mistura com noções próprias do espiritismo, como a realidade das sete «chakras», na interação entre a mente e o corpo; a disponibilidade de guias espirituais; a realidade da comunicação com os espíritos e a ajuda recebida da parte do mundo invisível. A alma de grupo é um alvo intermediário, e, finalmente, a participação na Unidade, que é Deus, o que é o alvo final de tudo.

n. *Conspicuamente ausentes* são aquelas doutrinas cristãs relacionadas à expiação, bem como as doutrinas tradicionais sobre céu e inferno. Cristo aparece na Nova Era apenas como um dos grandes mestres da humanidade.

3. Método

Informações vem através da **canalização**, o que envolve a mediunidade tradicional, comunicações de seres extra-terrenos, e de almas-em-grupo (ver ponto 4.), e artifícios de adivinhação. Existe também uma espécie de prática mediúnica que não envolve transe. Isso tem progredido a um ponto em que havido materialização de entidades em plena luz do dia. Essas entidades sentam-se e conversam com as pessoas, sem a atuação de qualquer médium. Os métodos usados incluem o uso da música, da pintura, da dança, da escrita automática, e até de computadores.

4. Seres Canalizadores. Os seres que se têm identificado incluem nomes como Lazaris, Ramtha, Sete, Soli, Torá, Miguel, Matu, Dr. Peebles, Obidias,

Amigo, Besar e Lia. Algumas dessas entidades afirmam ser «almas de grupo», ou seja, almas individuais, ou *fragmentos*, que foram independentes em suas experiências terrenas, mas que agora estão além dos ciclos da reencarnação, e reuniram-se, formando uma consciência comum, que seria um dos estágios do retorno à plena Consciência Divina e à Unidade de todas as coisas em Deus.

5. Informações e Curas Incomuns

Apesar de grande parte dessas informações serem uma adaptação e mescla de idéias que têm circulado no mundo durante séculos, algumas novas configurações têm vindo à tona, mormente no que diz respeito à complexidade da evolução espiritual humana e às reuniões de almas *em grupo*. Algumas curas produzidas têm sido realmente extraordinárias. Isso requer o uso de métodos espiritistas. Por outro lado, médicos que se especializam em curas são chamados para ajudar. Alguns desses médicos chegam a ser especialistas quanto a certas enfermidades. Li acerca de um caso, recentemente, da cura de câncer. O médico, no caso, chamava-se *André*, especialista na cura de câncer. Ele apresentou um diagnóstico completo, dizendo até onde as células cancerosas avançaram. Ele usa raios curadores de várias cores, dependendo da necessidade. Os raios vermelhos são especialmente poderosos, mas deixam o médium exausto. Quanto ao caso de câncer que estou descrevendo, André precisou usar o raio vermelho. Ele livrou uma mulher de um câncer generalizado, em fase terminal, em uma única sessão curadora. Em ocasião posterior, à mulher teria sido dito, pelo arcanjo Rafael, que ela estava completa e permanentemente curada, não precisando mais preocupar-se com a questão. Porém, ela precisava descontinuar o seu *ressentimento*, a principal *causa* de câncer. Diagnósticos e testes médicos, feitos antes e depois, demonstraram a realidade da enfermidade e sua cura subseqüente.

6. Uma Definição da Nova Era

«A Antiga Era foi um tempo quando havia um senso mais profundo do destino, um tempo em que os indivíduos psíquicos podiam predizer com exatidão o que iria acontecer, um tempo em que a pirâmide de Quéops podia delinear o futuro, quando os calendários dos maias e das Índias Orientais podiam predizer eventos. A *Nova Era* é quando as pessoas têm retomado o poder» (Pursel, canalizador de *Lazaris*).

7. Avaliação

Quase todas as crenças da Nova Era são comuns às antigas e modernas religiões e sistemas filosóficos. Mas as tendências orientais mostram-se ali mais nítidas que nas típicas seitas orientais. A definição de bem e mal é muito deficiente. As idéias sobre a natureza do mundo espiritual e sobre o destino humano talvez contenham algo palpável, mas, por enquanto, não dispomos de meios para submetê-las à prova. Os fenômenos são reais, mas também tem havido muitas fraudes e ludíbrios, e as vidas tremendamente imorais de *alguns* canalizadores têm prejudicado muito ao movimento, aos olhos de muitas pessoas. A concepção acerca de Cristo fica muito abaixo daquilo que a Bíblia nos oferece. Idéias tradicionais sobre desenvolvimento espiritual são ali ultrapassadas, e novas idéias têm vindo à tona. O tipo de comunicação espiritista ali adotado tem produzido as mesmas críticas que têm sido feitas, com razão, ao espiritismo. Contudo, é simplificação exagerada lançar toda a culpa sobre os demônios. Porém, ainda resta ser definido quanto é meramente demoníaco; quanto procede de entidades espirituais positivas; quanto vem de guias e guardiães espirituais; quanto não passa de truques fraudulentos; quanto é mera frivolidade; quanto é útil; quanto é natural; quanto é sobrenatural. Livros como aquele intitulado *Out on a Limb* (que o cinema se encarregou de popularizar), de Shirley MacLaine, têm ajudado a propalar o movimento.

Algumas pessoas cortam o nó górdio, em suas críticas, principalmente no caso de dois grupos: alguns estudiosos fundamentalistas, que categorizam o movimento inteiro como «adoração a demônios» ou «comunicações de demônios»; e também alguns psiquiatras, que asseveram que estamos testemunhando uma mera «ativação esquizofrênica».

NOVA JERUSALÉM

Esboço:

I. Sua Aparência
II. Suas Dimensões
III. Sua Composição
IV. Sua Glória
V. É o Novo Jardim do Éden

I. Sua Aparência

Apo. 21:2: *E vi a santa cidade, a nova Jerusalém, que descia do céu da parte de Deus, adereçada como uma noiva ataviada para o seu noivo.*

A cidade santa, a nova Jerusalém. Assim como a antiga Jerusalém se tornara a capital da terra durante o milênio, assim também agora, no estado eterno, haverá uma capital, lar da Noiva, a igreja. A palavra «cidade» talvez aluda aos «ocupantes» de um determinado lugar, ou então à própria cidade física. Portanto, presumimos que a «nova Jerusalém» é tanto a «noiva» (os habitantes) como também a cidade literal. Pelo menos parece ser esse o ponto de vista do autor. Se se trata de uma cidade literal, ela é apresentada como um imenso cubo, tão vasto que João teve de ser postado em uma altíssima montanha para poder contemplá-la. Calcula-se suas dimensões em duzentos e quarenta quilômetros de comprimento, outro tanto de largura, e outro tanto de altura! Presumivelmente seria uma cidade de muitos níveis, com ruas superpostas umas às outras. João prossegue a fim de descrever seu «material». Os estudiosos dividem-se em literalistas e simbolistas. Alguns vêem nisso uma cidade e materiais literais. Outros enxergam em cada item o símbolo de alguma realidade espiritual que nada tem a ver com a substância física.

Uma Jerusalém restaurada com seu templo, etc., era uma expectação messiânica e judaica (ver Isa. 54—55; Eze. 40—48; *Oráculos Sibilinos* 5:423-426; II Baruque 6:9). O Testamento de Daniel 5:12 prediz a restauração tanto do jardim do Éden como da cidade de Jerusalém. Alguns judeus supunham que haveria uma Jerusalém celestial e preexistente, que desceria dos céus no dia do Messias (ver II Esdras 13:36 e II Baruque 4:2-7). Em II Esdras há uma espécie de parábola de ensinamento místico, na qual uma mulher lamenta por seu filho morto. Ela é a antiga Jerusalém, a chorar seu filho (os habitantes de Jerusalém), destruído pelos romanos. Subitamente, a mulher é tomada de alegria triunfante, resplandecendo de luz; a terra estremece e ela desaparece, deixando em seu lugar a Jerusalém celestial. A literatura apocalíptica, por igual modo, desenvolve uma doutrina da Nova Jerusalém; e em alguns pontos, tal como se vê neste livro, trata-se de algo celestial, pertencente à era eterna, e não ao antigo sistema mundano. A antiga Jerusalém será suficientemente boa para o milênio; mas, para o estado eterno, terá de haver uma *nova* e celestial Jerusalém, o lar dos justos.

Os trechos de I Enoque 90:28,29; II Esdras 7:26 e 8:52 contam a história dessa expectação. Assim, no **neo-hebraico Apocalipse de Elias, tanto um novo Éden como uma Nova Jerusalém caracterizão a bem-aventurança da nova era. Ambos descerão dos céus, tal** como no Apocalipse. Lembremo-nos de que os rabinos compartilhavam da noção platônica de como as esferas celestiais ou espirituais são os «arquétipos» de tudo quanto existe na terra, como paralelos celestes, e segundo o molde dos quais as coisas terrenas foram criadas como imitações. Assim, todas as coisas terrenas têm seus paralelos celestiais. Desse modo, a Jerusalém terrestre seria pequeno quadro de uma outra cidade, seu paralelo eterno. O estado eterno será a realidade, e não uma mera imitação.

Ataviada como noiva. A Nova Jerusalém também é a «noiva» de Cristo. (Ver Apo. 19:7-10 quanto às «bodas do Cordeiro». Ver Efé. 5:23 acerca do manuseio teológico desse símbolo). Ali há comunhão, amor e partilha íntima. Em Gál. 4:26, o apóstolo Paulo personifica a cidade celestial como mãe do verdadeiro Israel. Isso pode ser contrastado com a personificação de Roma como a «meretriz». Agora, Jerusalém, a pura, a santa e a eterna, toma conta da cena, da qual desaparecera Roma, a prostituta.

A promessa feita aos mártires. Lembremo-nos que o Apocalipse foi escrito para consolar e fortalecer aos mártires cristãos. O fato de que eles estarão e habitarão na Nova Jerusalém, talvez seja a promessa e o consolo finais deste livro. A própria morte será extinta, e os santos, ainda que tenham sido mortos violentamente, às mãos de homens ímpios e desvairados, triunfarão finalmente. Quão grande será o triunfo dos santos!

A Noiva foi *ataviada* e agora é *digna* do Noivo. Está adornada com a santidade de Deus, a qual foi duplicada nela (ver Mat. 5:48); também está adornada com a natureza divina (ver II Ped. 1:4), pelo que é digna de ser a Noiva de Cristo; e está adornada com toda a plenitude de Deus, participando de seus atributos (ver Efé. 3:19 e Col. 2:10). A própria cidade está adornada (o que é frisado aqui); mas seus habitantes também estão adornados (o que é enfatizado em Apo. 21:9 e *ss*).

II. Suas Dimensões (Apo. 21:15-17).

A seção à nossa frente pode ser comparada com o trecho de Apo. 11:1-2, onde João recebe uma vara para medir o templo. Ali, é bem possível que o símbolo tencionado seja a «medição dos mártires» quem são e o que sofrerão. Assim também agora a «noiva» será revelada em suas qualidades, mediante a mediação celeste. Rist (*in loc.*) sugere: «...os mártires estão agora sendo 'medidos' para sua eterna segurança, paz e bênção na Nova Jerusalém». Seja como for, o simbolismo de ambos os textos parece haver sido influenciado por Eze. 40:3 e *ss*. Na realidade, a Nova Jerusalém será um imenso cubo, com cerca de dois mil e quatrocentos quilômetros de lado. Suas dimensões gigantescas são paralelas ao tamanho do novo templo edificado por Deus, conforme dizem os Oráculos Sibilinos 5:418-427, no qual haveria uma torre tão imensa que chegaria às nuvens. No Apocalipse hebraico de Elias, a cidade santa é vista com três mil torres, algumas delas a quinhentos quilômetros de distância uma da outra. Talvez a cidade santa seja apresentada como um cubo devido ao fato de que o Santo dos Santos, no templo antigo, era um cubo (ver I Reis 6:20); e era a habitação anterior e inferior de Deus, o lugar onde ele manifestava a sua presença.

Pode-se perceber, com base nesses comentários, que o simbolismo usado por João, tanto aqui como por todo o Apocalipse, é extraído em grande parte da tradição apocalíptica judaica, parcialmente bíblica e parcialmente dos livros pseudepígrafes, os quais, de fato, provêem rico material para representações figuradas.

III. Súa Composição (Apo. 21:18-21).

Contrastemos essa seção com a descrição da «meretriz», no décimo sétimo capítulo. A meretriz estava adornada de modo coruscante, mas segundo os moldes mundanos. Em contraste com isso, temos o decoro da Noiva, a Nova Jerusalém, cuja magnificência e imponência pintam a **pureza e o bem-estar de sua** pessoa. Essa «cidade» se compunha de ouro e de todas as espécies de pedras preciosas. Nela nada haveria de «comum» ou inferior. O autor sagrado procura expressar grande excelência com seus símbolos, exaltando em nossas mentes a glória que aguarda aos remidos. Há algo similar em Isa. 54:11,12, onde Yahweh promete a glorificação futura dos judeus; «Eis que eu assentarei as tuas pedras com argamassa colorida, e te fundarei sobre safiras. Farei os teus baluartes de rubis, as tuas portas de carbúnculos, e toda a tua muralha de pedras preciosas». Por igual modo se lê em Tobias 13:16,17: «Pois Jerusalém será edificada com safiras, esmeraldas e pedras preciosas. Tuas muralhas, torres e baluartes com ouro puro, e as ruas de Jerusalém serão pavimentadas com berilo, carbúnculo e pedras de Ofir». Esses símbolos também predominam no Apocalipse hebraico de Elias, onde a cidade aparece composta de esmeraldas e todas as formas de pedras preciosas, pérolas, etc. É óbvio, pois, conforme temos notado antes com freqüência, que João toma seu simbolismo por empréstimo do A.T. e da literatura apócrifa dos judeus.

IV. Sua Glória (Apo. 21:22-27).

A glória da cidade celeste será a presença de Deus e do Cordeiro. Nesta vida buscamos essa presença por vários meios, todos os quais são imperfeitos e parcialmente inadequados. Buscamos a Deus em oração, na meditação sobre Cristo, no estudo das verdades espirituais, na busca pelos dons do Espírito Santo e no cultivo da santidade. Chegaremos a certo nível de santidade aqui, e nessa manifestação da presença de Deus ficamos conhecendo algo de sua glória. Mas na vida futura todas essas limitações serão removidas. Isso não significa que não haverá progresso eterno. A passagem de Efé. 3:18 mostra-nos que não haverá ponto final em nossa inquirição por uma espiritualidade superior, porquanto Deus é o grande alvo e, sendo ele infinito, também terá de haver um progresso infinito em sua direção, na mesma proporção em que formos compartilhando de «toda a plenitude de Deus». Não obstante, na outra existência serão eliminados muitos empecilhos, e Deus habitará em seu templo de modo voluntário e pleno. Nós é que somos esse templo (ver Efé. 2:19 e *ss*); e também somos essa cidade, a habitação de Deus e do Cordeiro, como se lê em Apo. 21:10.

V. É o Novo Jardim do Éden (Apo. 22:15).

Já seria de esperar que a narrativa sobre o jardim do Éden, no livro de Gênesis, com seu rio dividido em quatro braços, e suas duas árvores, particularmente a árvore da vida (ver Gên. 2:8-13 e 3:22) formasse a base das expectações proféticas e apocalípticas. De acordo com isso, não ficamos surpreendidos por achar predições de que o jardim do Éden viria a ser reconstituído ou durante o período messiânico dos profetas, ou na nova era das expectações apocalípticas. Tudo foi peculiarmente adaptado para este último caso, pois a tradição apocalíptica, ao situar a nova era, com freqüência ensina que reproduziria o começo da criação. Há ocasiões em que a idéia do novo Éden se mescla com a idéia da nova Jerusalém (como em Apo. 21:2 *ss*), mas, em outras fontes, isso é apresentado por si mesmo, conforme se vê no Apocalipse de Abraão 21; em II Enoque 8:1-8; no Testamento de Levi 18:11; no Apocalipse de Pedro 16 e em II Esdras 2:12». (Rist, *in loc.*).

Isso pode ser comparado a Eze. 47:1-12, onde o autor usa alusões do Éden e de Jerusalém a fim de falar do reino vindouro e da era imortal. Comparar com Zac. 14:8,9, que descreve os «rios do santuário», certamente restaurados, — mas inclui alusões do antigo jardim do Éden, dando a entender que a Jerusalém restaurada também será um novo Éden. O vidente João segue esses passos, e agora nos fornece alguns detalhes do simbolismo do jardim do Éden.

NOVA LUA

Ver sobre **Lua Nova**.

NOVA MORALIDADE

Esse é outro nome dado à ética relativa ou ética da situação. O adjetivo *nova* é usado para contrastar com os *antigos* valores tradicionais de acordo com os quais certas coisas são tidas como certas ou erradas, sem atenção às circunstâncias envolventes. Nada há de novidade quanto a essa maneira de pensar. Os sofistas, muito antes da era cristã, já contavam com um sistema de valores relativos, onde considerações pragmáticas determinavam tudo, sem qualquer respeito para com as tradições. Ver o artigo separado intitulado *Ética da Situação*. Ver também o artigo geral sobre a *Ética*, seção I, ponto 7.b, e seção VII. Ver também sobre *Pragmatismo*.

NOVA TERRA E NOVOS CÉUS

Ver sobre *Nova Criação*.

NOVENA

Essa palavra vem da palavra latina que significa «nono». Refere-se aos nove dias de devoção separados para algum propósito especial, como as honras prestadas a algum «santo». Tais devoções não fazem parte oficial do culto público católico romano, mas a prática é generalizada. A *novena* é usada para obtenção de certas graças, privilégios, vantagens espirituais, ou para oferecer graças.

Uma novena pode ser pública ou privada. Algumas novenas são efetuadas como preparação espiritual para observâncias religiosas de maior vulto, como o Natal ou a festa de Pentecoste. Indulgências podem ser obtidas pela participação em novenas. Também existem novenas de missas e de oferecimento de rezas pelos mortos. Após a morte de um papa, uma novena é efetuada em benefício de sua alma, como parte oficial do processo de luto.

NOVIÇO, NOVICIADO

Essa palavra vem do latim, **novicus**, «novo». De modo geral, a palavra refere-se a um principiante em algum negócio, empreendimento, ocupação, etc. No Novo Testamento, encontramos essa palavra em algumas traduções, em I Tim. 3:6. O termo grego correspondente é *neóphutos*, «recém-plantado», referindo-se a algum indivíduo recém-convertido à fé cristã. Nossa versão portuguesa diz ali «neófito».

Paulo proibiu Timóteo de ordenar como ministro do evangelho a algum noviço. Um homem precisa passar por certo período de crescimento antes que possa ser eleito para alguma função eclesiástica, sem importar quais sejam as suas habilidades naturais. Doutro modo, Paulo advertiu que tal homem, se recebesse um ofício eclesiástico, ficaria inchado de orgulho, e cairia nas armadilhas de Satanás.

De acordo com a terminologia eclesiástica católica romana, um *noviço* é alguém (de ambos os sexos) que apenas recentemente foi admitido a uma ordem religiosa qualquer, e precisa enfrentar um período de prova. Um noviço, quando, finalmente, é aprovado, recebe uma situação livre de impedimentos e aceita o hábito, submetendo-se à disciplina formal da ordem a que pertence. O noviço está sujeito a ser despedido, enquanto estiver no seu período de noviciado ou provação; e também pode abandonar a ordem a qualquer tempo, sem qualquer formalidade anterior. Pois um noviço está em período de provação, um período de liberalidades, quando pode tomar decisão contrária a que tomara, ao ingressar na ordem. Ou os superiores daquela ordem religiosa podem tomar a decisão de desligá-lo.

NOVILHOS

No Antigo Testamento temos uma palavra hebraica usada por cento e trinta e uma vezes (por exemplo, Êxo. 29:3,10,11,12,14,36; Lev. 4:4,5,7,8,11,12,15, 16,20,21; 8:2,14,17; Núm. 7:87,88; Juí. 6:25,26,28; I Sam. 1:24,25; I Reis 18:23,25,26,33; I Crô. 15:26; 29:21; Sal. 50:9; Isa. 1:11; Jer. 50:27; Eze. 46:11). O sentido é um touro ainda jovem.

NOVO ANO

Ver os artigos gerais chamados *Calendário Judaico* (*Bíblico*) e *Festas* (*Festividades*), seção II.4e. *Dia do Ano Novo*, e 4.f. *Dia das Trombetas*.

NOVO CASAMENTO

Ver o artigo sobre **Matrimônio**. Ver também sobre o **Divórcio**.

1. *Novos Casamentos Populares*

Há homens e mulheres tão ciumentos que proíbem seus cônjuges de casarem-se novamente, mesmo depois de terem eles morrido. Isso é ridículo. Conta-se a história de uma esposa ciumenta que, em seu leito de morte, tentou convencer seu esposo a não se casar novamente. Ele retrucou: «Isso eu não lhe posso prometer. Mas posso prometer-lhe que farei melhor a próxima vez». E também há histórias de fantasmas em que uma falecida esposa volta para perseguir a nova esposa de seu ex-marido. Ao que parece, espíritos masculinos não se dão ao trabalho de voltar para assombrar outros homens.

2. *Novos Casamentos Eclesiásticos*

Na Igreja Católica Romana, o clero não se casa, pelo que, nessa organização religiosa, não existe o problema de novos casamentos. No clero inferior da Igreja Ortodoxa Oriental (os padres, mas não os bispos) é permitido o casamento, mas não um segundo casamento. Assim, é porque estaria envolvido o ideal de um-homem-uma-mulher, tanto no matrimônio literal quanto no noivado espiritual entre Cristo e sua Igreja. Para que esse ideal não seja violado, — o clero ortodoxo não torna a casar-se.

3. *Novos Casamentos, no Novo Testamento*

Podemos alistar três casos, a saber:

a. *Quando o outro cônjuge morre*. Os trechos de Rom. 7:1-3 e I Cor. 7:39 deixam claro que um novo

casamento por parte de um crente, depois da morte de seu cônjuge, é espiritualmente legítimo e permissível, contanto que se faça «no Senhor», ou seja, com outro crente em Cristo.

b. *Quando um dos cônjuges divorcia-se* do outro por motivo de adultério do outro (ver Mat. 5:31,32; 19:3-9). O cônjuge inocente, pois, pode casar-se novamente. No entanto, se uma parte da Igreja aprova isso com um *sim*, outra parte reprova com um *não*. Concordo com aqueles que dizem «sim». Por outra parte, de acordo com I Tito 3:2 e I Tim. 1:6 (segundo alguns estudiosos), uma pessoa divorciada e novamente casada não deveria assumir posto de liderança na Igreja, a menos que extraordinariamente qualificada (conforme alguns dizem). Também concordo com isso, embora a maioria discorde.

c. *A exceção paulina*. Um crente pode divorciar-se legal e espiritualmente de seu cônjuge, se este é incrédulo, e *se* esse cônjuge incrédulo é que quer o divórcio (I Cor. 7:10-15). Diante de tal conjuntura, o crente pode casar-se de novo, tendo sido abandonado por seu cônjuge. Essa é a interpretação de alguns (incluindo eu mesmo), embora outros neguem tal direito. Se não é possível um novo casamento, nesse caso, então é difícil perceber como é que tais crentes não ficam sujeitos à «escravidão». Em minha estimativa, tais crentes também podem exercer autoridade na Igreja, embora isso também seja negado por outros intérpretes, que aplicam, rigorosamente, os textos de Tito 3:2 e I Tim. 1:6.

4. *Pontos de Vista Mais Liberais*

Muitos intérpretes insistem em que as regras neotestamentárias sobre o divórcio e um novo casamento são parciais, porquanto existem razões ainda mais fortes para o divórcio do que o adultério, incluindo a insanidade e a criminalidade, os maus tratos, as perseguições, os abusos físicos, etc. Ver o artigo geral sobre o *Divórcio*, onde essas questões são ventiladas.

NOVO MANDAMENTO

Ver sobre *Mandamento Novo*.

NOVO NASCIMENTO (REGENERAÇÃO)

Esboço:

I. O Termo *De Novo*
II. Diversas Interpretações
III. Elementos de Conversão
IV. Natureza da Regeneração

I. O Termo «De Novo»

O termo grego pode significar aqui uma dentre duas coisas, a saber: 1. *Novamente*, isto é, *espiritualmente*. 2. Nascer *do alto*. Ambas são traduções possíveis, e ambas têm sido defendidas pelos eruditos. Tais significados, como «do alto» (quando se refere a questões dimensionais), se encontram no vs. 31 de João cap. 3, onde se lê: «Quem vem das alturas certamente está acima de todos...» (Ver também os trechos de João 19:11; Tia. 1:17 e 3:15,17). Espacialmente falando, pode significar *do topo*, conforme vemos nas passagens de Mat. 27:51; Mar. 15:38 e João 19:23. Contudo, também pode significar «do princípio», conforme se lê em Luc. 1:3 e Atos 26:5. *Novamente*, pois, é tradução definidamente correta, no trecho de Gál. 4:9. Essencialmente, nesta passagem, os sentidos podem ser estreitados a apenas dois: 1. «novamente»; 2. «do alto».

Em favor da tradução *do alto*, podemos dizer que isso corresponderia ao método usual de João ao descrever a obra da regeneração espiritual como nascimento vindo de Deus (como em João 1:13; I João 3:9; 4:7 e 5:1,4,8). Em favor da tradução *novamente*, podemos dizer que «do alto» não descreve o fato, mas antes, a natureza do novo nascimento. Isso significa que o novo nascimento necessariamente tem sua origem em Deus, no Espírito Santo, no outro mundo, que é o mundo celestial. O fato de que se impõe, porém, é que o indivíduo nasce «novamente».

Essa idéia é *consubstanciada* pela observação de que o vs. 4 indica, mui definidamente, que *Nicodemos compreendeu* desse modo as palavras de Jesus. Ficou preocupado ante a idéia de um segundo nascimento, um homem a entrar no ventre materno, para nascer de novo. Nicodemos não deveria ter ficado surpreendido ante um nascimento que importasse em regeneração espiritual, que tivesse sua origem no céu. Outrossim, a versão siríaca, que tem raízes no século II de nossa era (o siríaco era o idioma falado por Cristo e seus apóstolos), traduz essa palavra como *de novo*, e não como «do alto». Além disso, o vs. 5, que descreve o novo nascimento, subentende que se trata de uma espécie distinta de nascimento, ou seja, um segundo nascimento. Essas considerações, devidamente levadas em conta, especialmente a idéia de que o vs. 4 fala definidamente do segundo nascimento, ou de «nascer de novo», parece tornar quase certa a idéia aqui tencionada — *nascer de novo*. Entretanto, a outra idéia não é contraditória, e sem dúvida identifica corretamente a fonte do novo nascimento, que o vs. 5 também faz, ao mencionar o Espírito Santo. Assim sendo, esse nascimento vem «do alto». Não existe outra proposição mais fácil de ser demonstrada, quer no evangelho de João, quer nos escritos de Paulo, que a regeneração ou novo nascimento é uma modificação das condições e do estado metafísico do ser humano, partindo da agência divina, isto é, «do alto». Ambas as idéias, pois, são verdadeiras, embora o vs. 3 fale particularmente da necessidade do indivíduo «nascer de novo», ao passo que o vs. 5 declara definidamente a mesma coisa, ainda que não tenha usado essa terminologia exata.

II. Diversas Interpretações

1. Há certo ponto de vista que pode ser chamado *institucional*. Os judeus criam que pelo fato de serem filhos de Abraão, isto é, da aliança, e pelo fato de pertencerem àquela *organização religiosa* que era reputada de origem divina, já haviam cumprido quaisquer exigências de natureza religiosa que lhes fosse solicitada, quanto às questões espirituais. A teologia rabínica tinha um conceito extremamente superficial da regeneração, e o confinava essencialmente a uma modificação da posição social externa, de um gentio para um prosélito do judaísmo. Assim sendo, podemos entender a ignorância de Nicodemos sobre o ponto. No entanto, a igreja cristã de hoje ainda tem em seu meio elementos fortemente representativos dessa posição institucional. Para muitos, ser filho de Deus é a mesma coisa que pertencer a certa denominação, ou ser batizado com o seu batismo. Quer tenha havido ou não contacto com qualquer presença ou princípio divino, e quer tenha havido ou não qualquer transformação espiritual verdadeira no indivíduo, essas são questões que a tais pessoas não parecem dignas de consideração.

2. Há aquele ponto de vista que mistura a idéia institucional com a explicação adicional de que, além dessas *conexões certas* com alguma instituição terrena, é mister que o indivíduo *também experimente* alguma espécie de renovação espiritual. Tais intérpretes argumentam que o elemento «institucional» serve de meio para realizar a renovação espiritual, e que não podemos ter esta sem aquele. Por

esse motivo, esperam que o estar unido a alguma denominação *particular*, tendo recebido o seu batismo, juntamente com outros ritos, e por ser membro ativo dessa organização, seja algo que produz a esperada transformação espiritual. Tal crença repousa na suposição de que Deus preferiu operar através de alguma organização particular, a fim de realizar os seus propósitos remidores entre os homens. Um judeu dotado de mente mais espiritual talvez pudesse ter entendido o renascimento mais ou menos dessa maneira. Nicodemos, sem dúvida, teria compreendido bem uma declaração mais ou menos vazada nestes termos: «Todo gentio precisa nascer de novo», o que, para ele, significava que lhe seria necessário tornar-se prosélito do judaísmo, e que, uma vez que se tornasse tal, mediante os ritos e os ensinamentos recebidos no templo e nas sinagogas, — tal gentio passasse pelo menos por alguma modalidade de reforma moral; então isso poderia ser reputado como uma espécie de regeneração. Os judeus têm um ditado freqüente que diz: «Quem se torna prosélito, é como uma criança recém-nascida». (Targuns *Bab. Yebamot*, fol. 22:1.48; 2:62.1 e 97.2). E isso expõe o caso do ponto de vista institucional (segundo foi esclarecido em «1» acima) ou do ponto de vista aqui em consideração.

«Os judeus tinham certas noções gerais acerca do novo nascimento; mas, tal como acontece entre muitos cristãos, eles colocam os atos de proselitismo, batismo, etc., no lugar do Espírito Santo e de sua influência. Reconheciam que um homem precisa nascer de novo; porém, pensavam que o novo nascimento consistisse em profissão, confissão e lavagens externas». (Adam Clark, *in loc.*, ao expressar a idéia dada na primeira destas interpretações, e por alguma extensão de idéia, a interpretação seguinte).

3. *Conversão*. Outros encaram o novo nascimento ou regeneração como conversão, mas isso é muito *inadequado*. A conversão, por si só, não é ainda regeneração, mas é tão somente *parte* da regeneração. A conversão consiste em uma meia volta na vida, em que a alma se volta para Deus. Nas páginas do N.T., a palavra *epistrepho* é utilizada para expressar essa idéia, e é aplicada tanto para os desviados, que retornam à sua anterior comunhão com Deus, como para os incrédulos, ao se voltarem para Deus. (Ver os trechos de Luc. 22:32; Apo. 2:5,16; Mat. 18:3; Atos 3:19 e 26:18). A conversão é descrita como um voltar-se das trevas da idolatria, do pecado e do domínio de Satanás, para a adoração e o serviço ao verdadeiro Deus (conforme se vê nas passagens de Atos 14:15; 26:18; I Tes. 1:9) e ao seu Filho, Jesus Cristo (como se vê em I Ped. 2:25).

A conversão consiste no exercício do *arrependimento e da fé*, elementos esses que tanto o Senhor Jesus como o Apóstolo Paulo vinculam como sumários das exigências morais do evangelho. (Ver Mar. 1:15 e Atos 20:21). O arrependimento é uma mudança de mente e de coração para com Deus; a fé significa a confiança na Palavra de Deus e em seu Cristo. A conversão, pois, encerra ambas essas idéias.

III. Elementos da Conversão

1. A conversão é inspirada pela força das Escrituras, Sal. 19:7.

2. É operada pelo Espírito, Sal. 51:12.

3. Grava no coração a lei moral de Deus (ver II Cor. 3:3), e isso pelo poder do Espírito.

4. Ela é absolutamente necessária para a salvação, Mat. 18:3.

5. Prepara o caminho para o serviço espiritual, Luc. 22:32.

6. A tarefa da igreja é conduzir todos os homens à conversão, Tia. 5:19,20.

7. Ela é a base do perdão dos pecados, Atos 3:19.

8. Ela consiste da *fé* (vide) e do *arrependimento* (vide). (Ver Atos 20:21 e Mat. 21:29).

9. Ela prepara a alma para a união espiritual com Cristo, Rom. 6:3.

10. A conversão pode ser gradual (como no caso da maioria das pessoas), ou dramática (como no caso de Saulo). A iluminação pode ser parcial e levar aos poucos à conversão. Muitas pessoas são parcialmente iluminadas (e assim, melhoradas), embora nunca cheguem a se converter.

11. A conversão é um ato divino, mas requer a cooperação do livre arbítrio do homem. Portanto, é um ato divino e humano, ao mesmo tempo.

12. A conversão necessariamente resulta na santificação, pois, do contrário, não seria real.

Algumas vezes, a *regeneração* é considerada como equivalente aos vocábulos *santificação* ou *justificação*. Tal como no caso da «conversão», pode-se afirmar que a regeneração *inclui* essas coisas, mas, por si mesma, não é equivalente nem a uma e nem a outra. A regeneração é contínua, em certo sentido, porquanto ninguém é completamente regenerado por ocasião da conversão, e essa regeneração contínua pode ser vista como equivalente à *santificação* (vide). Ainda com menos razão, a regeneração pode ser considerada equivalente à «justificação», embora o homem regenerado esteja necessariamente *justificado* (vide).

Interpretação desta Enciclopédia sobre o Novo Nascimento ou Regeneração:

O próprio termo «regeneração» se encontra apenas por *duas vezes* em todo o N.T. (Mat. 19:28 e Tito 3:5). Na referência do evangelho de Mateus, tem um sentido *escatológico*, referindo-se à *restauração* de todas as coisas. Certamente, a renovação do indivíduo faz parte da restauração universal. Na referência da epístola a Tito, tem um sentido *individual* e fala da renovação de cada pessoa, bem como da *transformação* da personalidade humana; e o agente dessa transformação, segundo é ali declarado, é o Espírito Santo.

Em outros trechos bíblicos, a idéia da regeneração é expressa por palavras que significam «gerar» ou *dar nascimento a*, como se vê em João 1:13; 3:3-8; I João 2:29; 3:9; 4:7; 5:1,4,18 e I Ped. 3:23. Nesta última referência é empregado um termo que significa «gerar novamente». Outras palavras que expressam essencialmente a mesma idéia também são usadas como «renovação», segundo se vê em Rom. 12:2 e Tito 3:5. Em sua forma verbal, essa palavra também pode ser encontrada nos trechos de II Cor. 4:16 e Col. 3:10. A *nova criação*, que novamente expressa a idéia de regeneração, pode ser vista nas passagens de II Cor. 5:17 e Gál. 6:15. E a expressão «novo homem», que tem exatamente o mesmo sentido, aparece em Efé. 2:15 e 4:24. A passagem de Efé. 2:5 fala em «dar vida». E a passagem de Col. 2:13 fala de uma transformação que não somente é tão dramática como o novo nascimento, mas que também inclui a própria ressurreição.

Os meios empregados por Deus para efetivar o novo nascimento são o Espírito Santo (João 3:3,5,6,8) e a Palavra de Deus (I Ped. 1:23 e Tia. 1:18). O novo nascimento gera uma fé especial e uma *nova espiritualidade*, levando os convertidos a uma consciência muito mais profunda da presença de Cristo. Fazemos objeção à idéia de que o rito do batismo pode realizar parte ou a totalidade da regeneração, e isso é um ponto esclarecido no artigo *Nascer de Novo* nas suas explicações sobre o significado da *água* focalizado em João 3:5, bem como no sumário de idéias sob o título, «Interpretação assumida por esta enciclopédia», que forma as observações finais sobre a questão. O batismo serve antes de um *vívido símbolo* da regeneração, tanto do ponto de vista da purificação dos pecados passados, como do ponto de vista da condução a uma união especial com Cristo, que culmina na participação da natureza divina (II Ped. 1:4) à medida que Cristo vai participando da mesma. (Ver os artigos separados sobre *Batismo* e *Batismo do Espírito Santo*).

Na regeneração, a *iniciativa* é atribuída a Deus (ver João 1:13), proveniente do alto (ver João 3:3,7), efetuada pelo Espírito Santo (ver João 3:5,8). (Ver também outras referências que deixam subentendidas essas verdades, como Efé. 2:4,5; I João 2:29 e 4:7, além de Tito 3:5). A passagem de João 3:8 nos adverte de que há muitos elementos inescrutáveis nesse assunto, pelo menos para nosso estado presente de conhecimento.

Podemos definir a regeneração como uma *atuação drástica* do Espírito Santo, sobre a natureza humana caída no pecado, que conduz o indivíduo, não somente a uma nova perspectiva e a uma nova natureza psicológica, mas, finalmente, à santidade perfeita, à *participação na natureza divina*, conforme Cristo participa dessa natureza. O regenerado, final e perfeitamente, nasce de novo nos lugares celestiais e recebe assim a natureza metafísica real de Cristo — e dessa maneira um filho é conduzido à glória, totalmente transformado em um novo tipo de ser, extremamente exaltado.

John Gill (*in loc.*) diz: «...nascido de novo, regenerado ou revivificado pelo Espírito de Deus; renovado no espírito de sua mente; tem Cristo formado no seu coração; *tornar-se participante da natureza divina*; em tudo foi feito uma nova criatura; foi dotado de outro coração, em princípio na prática e na sua conduta, *nascida do alto* (conforme a palavra é traduzida no vs. 31), isto é, mediante um poder sobrenatural, tendo sido impresso com a imagem celestial; e tendo sido chamado com a vocação celestial, com a alta chamada de Deus, em Cristo Jesus».

Adam Clarke (*in loc*): «O novo nascimento, que é aqui referido, compreende não somente aquilo que se chama de justificação ou perdão, mas também aquilo que se chama de santificação e consagração. Portanto, o pecado deve ter sido perdoado, e a impureza desse coração deve ter sido lavada, antes que a alma possa entrar no reino de Deus. Posto que o novo nascimento subentende a renovação da alma inteira, em retidão e santidade autêntica, não se trata de uma questão que possamos desprezar facilmente: o céu é um lugar de santidade, e nada que lhe seja diferente poderá jamais entrar ali».

IV. Natureza da Regeneração

1. Ela começa na conversão (arrependimento e fé).
2. Encontra fruição na santificação.
3. É um nascimento espiritual que ocorre neste mundo.
4. Mas também é um nascimento espiritual no mundo eterno, quando os homens chegam a participar da própria natureza do Logos (compartilhando da forma de vida do próprio Pai), (ver Col. 2:9,10, Rom. 8:29 e II Ped. 1:4).
5. Visto que a glorificação é um processo eterno, que vai aumentando sempre em poder e glória, é impossível imaginar-se qualquer estagnação no desenvolvimento espiritual da alma que obteve a imagem de Cristo. Os regenerados passarão de um estágio de glória para outro, por toda a eternidade, II Cor. 3:18.

Assim sendo, os homens podem «nascer de novo» *agora*, como convertidos e santificados; mas isso é meramente o *começo* da grande experiência do novo nascimento. A santificação *contínua* faz parte integral do novo nascimento. A ressurreição também faz parte integral do mesmo. E, finalmente, a *glorificação total* também é parte integral do novo nascimento. Da mesma maneira que temos nascimento na família humana, mediante o nascimento natural, assim também, por meio do nascimento *sobrenatural*, nascemos na família celestial. E isso ocorre no sentido mais elevado de transformação total segundo a imagem perfeita de Cristo, na essência de sua natureza metafísica. Na qualidade de tais criaturas, seremos habitantes preparados para os lugares celestiais, onde Deus habita, e assim nasceremos em um novo mundo e em uma nova família — *a família divina* (ver Heb. 2:10,11).

NOVO NOME E PEDRA BRANCA

Caráter ímpar de cada indivíduo, agora e para sempre:

Apo. 2:17: ***Quem tem ouvidos, ouça o que o Espírito diz às igrejas. Ao que vencer darei do maná escondido, e lhe darei uma pedra branca, e na pedra um novo nome escrito, o qual ninguém conhece senão aquele que o recebe.***

O trecho de Apo. 2:17 encerra a importante doutrina do *caráter ímpar* de cada indivíduo, quando entra em união espiritual com o Filho de Deus, e, conseqüentemente, é transformado segundo a sua imagem (ver Rom. 8:29; II Cor. 3:18). Isso importa na participação na natureza divina, os filhos de Deus que estão sendo conduzidos à glória (ver II Ped. 1:4; Col. 2:10; Heb. 2:10). Dentro desse programa de transformação espiritual interior, que afeta a toda a grande família de Deus, em Cristo, há espaço e oportunidade para especializações. Nessa especialização, cada remido tornar-se-á único de sua espécie, dotado de missões sem-par, de missões sem-par, visando ao bem da comunidade remida inteira. A linguagem simbólica de Apo. 2:17, que alude ao «novo nome» e à «pedra branca», ensina-nos essa preciosa verdade, que é um de nossos mais elevados conceitos religiosos.

Pedrinha branca. Já que há alguma forma de obscura referência, nestas palavras, os intérpretes não concordam com o seu sentido. Abaixo expomos as idéias principais:

1. Alguns pensam haver alusão ao diamante dentro do peitoral do sumo sacerdote, no qual estava gravado o nome intransmissível de *Yahweh*. Até hoje, os judeus piedosos não proferem esse nome, mas substituem-no por outro. Daí é que surgiu «Jeová», como corrupção do nome inefável, mediante a combinação das consoantes de «Yahweh» com as vogais de «Adonai». Muitos judeus piedosos também não pronunciam *Elohim*, mas o corrompem para algo diferente, como *Elokim*, para não se tornarem culpados de usar o nome de Deus injusta, profana e desnecessariamente. O diamante evidentemente era usado como ajuda para entrar em transe, em cujo estado eram dadas revelações e profecias. Isso se faria mediante a concentração da atenção sobre a pedra, talvez para provocar um estado de auto-hipnose no outro estado de transe. A concentração, naturalmen-

te, seria sobre o nome «Yahweh», por ser esse o nome gravado na pedra. Alguns intérpretes supõem que em tudo isso está envolvido o Urim e o Tumim. Ver Êxo. 28:30 e Lev. 8:8). Supõe-se que eram «gemas», talvez diamantes.

Se o diamante de predições está em foco, então sem duvida, o nome aqui aludido seria o **de Cristo**, que é nosso Senhor e Deus, mediante quem a vontade de Deus nos é revelada. Nesse caso, isso significaria que todo o «vencedor» receberá uma revelação especial de Cristo, que o transforma e o torna uma pessoa sem-igual, para realização da vontade de Deus. Uma vez que Cristo se fizer conhecido dele, de maneira especial, tornar-se-á tal crente um instrumento ímpar para glória do Senhor Jesus.

2. Outros intérpretes pensam que a alusão é a alguma espécie de filactéria, uma forma de caixinha, usada pelos judeus piedosos, segura à testa, onde havia escritas orações e votos, ou partes da lei mosaica. Nesse caso, a caixinha conteria ou um novo nome do crente, assinalando sua natureza ímpar, ou, então, conteria um novo nome de Cristo, em que haveria uma nova revelação dada a cada crente, tornando-o um indivíduo sem-par. (Ver sobre as *Filactérias*). Essa interpretação, naturalmente, é muito duvidosa, pois as filactérias de modo algum eram pedras.

3. Outros pensam estar aqui em foco o amuleto da boa sorte (com uma aplicação cristã). Os crentes, todos eles mártires em potencial, precisam da proteção de Cristo. Portanto, ter-lhes-ia sido dado um amuleto, com seu nome de proteção gravado, assegurando-lhe a bênção e a imortalidade no mundo vindouro. Isso é possível; mas não há como confirmar sua veracidade, além de qualquer dúvida.

4. Nos tempos antigos, os juízes, ao lançarem seus votos, davam um pedregulho preto a quem era julgado, se o reputavam culpado; ou davam-lhe um pedregulho branco, se o reputavam inocente. (Ver Ovídio, *Metam*. lib.xv., vs. 41, acerca desse costume). Se essa é a referência, então ao crente é prometido um completo perdão, que lhe dará o direito de entrar nas glórias celestes. Porém, é difícil perceber por que haveria aquela pedra de ter um novo «nome» gravado, se tudo quanto está envolvido no simbolismo é a declaração de culpa ou de inocência.

5. O simbolismo pode envolver os jogos públicos, em que os vencedores recebiam uma pedra branca, com seus nomes gravados na mesma, como símbolo da glória da vitória obtida. Isso concorda com a idéia do galardão dado ao *vencedor*. A pedrinha branca, pois, simbolizaria a obtenção da vitória, a vida eterna em sua glória, o *prêmio* da corrida (ver Fil. 3:10 e *ss*). (Quanto a certa alusão a isso, na literatura clássica, ver Píndaro, *Olymp*. vii.159). Os romanos chamavam essas pedras *tesserae*. Algumas dessas pedras eram dadas a pessoas especialmente notáveis, as quais daí por diante, tinham o direito ao sustento público vitaliciamente. As *tesserae* eram de vários tipos. Por exemplo, algumas delas eram sinais de amizade ou compromissos de favor. Algumas dessas pedrinhas tinham tal valor que eram preservadas e passadas de pai para filho; em alguns casos, agiam quase como «cartões de crédito». Não eram feitas apenas de rocha, mas de muitos materiais, como madeira, osso ou marfim. Tais objetos traziam os nomes das pessoas a quem eram dadas; e, se porventura isso é o que está em foco aqui, então o «novo nome» não é o de Cristo, e, sim, o nome do próprio «vencedor». Nesse caso, seu caráter «ímpar», é ilustrado pelo fato de que tem um nome que fala de seu ser «glorificado» e de suas capacidades especiais de dar glória a seu Senhor.

6. *A pedra de amizade*. Dois amigos poderiam, como sinal de amizade, partir uma pedra pelo meio, e cada um ficava com a metade. Ao se encontrarem, a pedra era refeita, e a amizade continuaria. Apesar de ser essa uma idéia interessante, podendo ser usada para falar sobre a nossa «amizade» com Cristo, e sobre como o nosso encontro com ele aprofundará tal amizade, não há como confirmar que essa é a alusão, neste ponto, do mesmo modo como não temos meio de asseverar com confiança qual o exato símbolo que o vidente João tinha em mente.

Branca. Talvez não por ser de cor «branca», mas por «rebrilhar», como se fosse um diamante coruscante. O branco pode simbolizar a pureza, a bondade, etc.; mas, tal como no caso da natureza da própria pedra, não podemos afirmar com certeza coisa alguma sobre sua cor «branca», como se isso tivesse alguma significação especial.

Novo Nome. Consideremos os pontos seguintes. 1. Seria o nome de Deus, o nome inefável, que seria transmitido à pessoa, conferindo-lhe bênçãos divinas eternas, a vida eterna e tudo quanto nela está envolvido. 2. Mas outros preferem imaginar o nome de Cristo, com o sentido de uma revelação especial de sua pessoa para cada vencedor, o que equivale a uma visão transformadora que tem o efeito de fazer de cada qual um ser sem paralelo, podendo ser usado de maneira ímpar como instrumento da graça de Deus, por toda a eternidade. (Ver Apo. 3:12). 3. Ou esse nome seria do «recebedor» da pedrinha, aludindo a seu novo e ímpar caráter, para uso e glória de Deus por toda a eternidade. As várias alusões possíveis da «pedrinha branca», conforme acabamos de ver, poderiam indicar qualquer dessas três idéias. Vários intérpretes têm decidido de um modo ou de outro, mas sem que se possa ter qualquer certeza. A maioria dos estudiosos prefere pensar no próprio nome de Cristo, dando a entender que Cristo se revelará a cada crente de modo especial, tornando-o sem igual. Seja como for, a grandeza do crente individual é um princípio ensinado por todo o N.T. (Comparar com Mar. 8:35-37).

«Queres saber que tipo de *novo nome* obterás? Torna-te vencedor! Antes disso, indagarás em vão, mas, imediatamente depois, poderás tê-lo inscrito sobre a pedrinha branca». (Bengel, em Apo. 2:17).

«A glória secreta da vida individual. Quando o cristianismo é interpretado como uma experiência coletiva, é fácil esquecer a sua significação, como uma experiência individual. Quando pensamos na vitória cristã, nas relações sociais, podemos olvidar sua profunda e poderosa vitória na vida individual. A passagem clássica do N.T., acerca do indivíduo, é a promessa da 'pedrinha branca, com um novo nome escrito, o qual ninguém conhece, exceto aquele que o recebe'. Cada crente vitorioso haverá de entrar em um segredo eterno com Deus. Há uma cidadela central em cada personalidade, da qual somente Deus partilha. Deus limpa completamente a vida de um homem. Por isso, a pedra que ele lhe dá é uma *pedrinha branca*. O 'novo nome' representa a personalidade individual, obtida exclusivamente mediante a graça de Cristo. Ele é um novo homem; mas não é novo homem apenas como qualquer outro homem novo. Eternamente, será algo individual e diferente, eternamente valorizado por Deus. Naturalmente, não se pode ilustrar um segredo guardado. Mas um escrito como aquele grande livro 'Devoções Particulares de Lancelot Andrewes', sugere o que aqui se entende. Andrewes foi um grande personagem tribunício; teve notável amizade com eruditos, mas sua vida mais profunda era vivida sozinha com Deus» (Hough, em Apo. 2:17).

Outras idéias sobre Apo. 2:17.

1. O maná tem sido variegadamente interpretado, como se fora a Ceia do Senhor, refrigérios espirituais, a justificação, etc. Mas o próprio Cristo certamente é o maná escondido, conforme a interpretação acima indica claramente.

2. Este é o versículo neotestamentário central sobre o *caráter ímpar* de cada indivíduo. Notemos que esse caráter espiritual depende de Cristo e é a *glorificação* que torna o crente um vencedor espiritualmente ímpar, pois *recebe o novo nome*.

3. A imortalidade consiste de muito mais do que a sobrevivência da alma em face da morte biológica. Antes, trata-se de uma *forma de vida* completamente diferente, que será vivida por seres extremamente exaltados, a saber, os *filhos de Deus*, que virão a compartilhar de sua natureza divina (II Ped. 1:4; II Cor. 3:18). Consiste isso de ser «cheio de toda a plenitude de Deus». Cada crente, em sua própria experiência, possuirá algo de único, nesse enchimento. Ver Efé. 3:19 e o artigo sobre a *Imortalidade*.

4. «Caros amigos, ainda não é evidente o que seremos. A luz é por demais rebrilhante e ofuscante para a contemplarmos e penetrarmos em suas maravilhas transcendentais. Porém, é privilégio de todos serem filhos de Deus, certos de que, quando ele aparecer, seremos semelhantes a ele, porquanto vê-lo-emos tal como ele é». (Seiss, em Apo. 2:17).

NOVO PACTO Ver Novo Testamento (Pacto).

NOVO REALISMO

Dentro do contexto da metafísica, o **realismo** (vide) dá a entender que os *universais* (vide) são reais, e que, usualmente, os mesmos têm uma existência separada dos particulares (ou seja, os objetos físicos da nossa experiência, a matéria e suas manifestações). Dentro do contexto da epistemologia, o *realismo* indica que algo é real, mesmo que não seja conhecido; e isso contrasta com o *idealismo*, que ensina que algo só existe como produto do fato de ser conhecido. As coisas que existem, de acordo com o idealismo, ou são minhas idéias, ou são nossas idéias, ou são idéias de Deus. A ilustração mui usada é a de uma árvore que tomba no meio da floresta. Porventura existe a árvore que cai em uma floresta, se não há uma pessoa que seja testemunha de sua queda e que ouça o som de seu impacto no solo? O idealismo responde na negativa, *não*, pelo menos até onde somos capazes de determinar. Mas o realismo responde com um *sim*; a árvore existe inteiramente à parte de minha mente, de qualquer mente, até da mente de Deus.

Além disso, o realismo é dividido em duas categorias diversas: o realismo *ingênuo*, que diz que as coisas são exatamente o que parecem ser aos nossos sentidos físicos; o realismo *crítico*, que diz que apesar das coisas existirem à parte das mentes, nossa percepção sensorial não é adequada para dizer-nos qual a verdadeira natureza delas. Assim, os instrumentos científicos podem ajudar-nos a definir melhor as coisas; mas, mesmo assim, temos de confessar a nossa ignorância quanto à natureza das *coisas propriamente ditas*, ou seja, a natureza real das coisas, incluindo da matéria. Mas o *novo realismo* é aquele que busca encontrar uma espécie de posição intermediária entre esses dois extremos. Quanto ao realismo dos vários tipos, dentro da teoria da verdade, ver o artigo intitulado *Conhecimento e a Fé Religiosa*, II. *Teorias da Verdade — Critérios*.

1. *O Objetivo do Novo Realismo*. O escopo dessa posição é evitar os extremos tanto do *idealismo* (vide) quanto do *materialismo* (vide). Uma das reações a esses extremos foi o desenvolvimento do *monismo neutro* (vide). O *monismo neutro* postula uma espécie de realidade básica neutra, que não seria nem matéria e nem idéia, mas da qual emergem tanto uma quanto outra.

2. Os principais expositores foram seis filósofos norte-americanos: E.B. Holt; W.T. Marvin; W.P. Montague; R.B. Perry; W.B. Pitkin e E.G. Spaulding. Um volume foi impresso pelo grupo, chamado *The New Realism*; e eles também chegaram a publicar um jornal filosófico, cujo título era *Journal of Philosophy*. O filósofo britânico, Bertrand Russell, durante algum tempo, advogou tanto o novo realismo quanto o monismo neutro. Esse movimento foi, essencialmente, uma tentativa para dar resposta ao idealismo, que havia avançado a largos passos nos círculos filosóficos, nos fins do século XVIII e nos primórdios do século XIX. Além disso, o materialismo crasso parecia repelente para muitos, e isso foi modificado através da noção que estamos discutindo.

3. William James (vide) criou uma idéia chamada *experiência pura*, similar à do *monismo neutro*, e que deu origem a esta última. Ele supunha que existe algo, de natureza fundamental e neutra, alguma forma de realidade que se interpõe entre a matéria e os fenômenos mentais. A experiência pura, algumas vezes, funcionaria como pensamento, e outras vezes, como coisas materiais, detectadas pela percepção de nossos sentidos. Como já dissemos, foi essa sua idéia que deu origem à formalização do pensamento que resultou no *monismo neutro*, como uma idéia filosófica.

4. E.B. Holt desenvolveu a idéia do monismo neutro. Assim, as entidades neutras estariam localizadas em alguma dimensão fora do tempo, embora possuidoras de *ser*. Ele atribuía o ser às qualidades secundárias, como também o fazia T.P. Nunn.

5. E.G. Spaulding e W.P. Montague desenvolveram a idéia de *subsistência*, dentro desse movimento. As coisas existiriam e subsistiriam. O primeiro desses termos falaria sobre os chamados objetos materiais. E o segundo, sobre as idéias da mente. Porém, a subsistência consistia em existência real. O vocábulo *subsistência*, por sua vez, envolve certa variedade de idéias filosóficas, discutidas no artigo com esse título. Ver o sexto ponto desse artigo.

6. Bertrand Russell e R.B. Perry promoveram o monismo neutro. Perry contribuiu no ataque contra o idealismo acusando essa filosofia de cometer uma falácia, à qual ele chamou de *transe egocêntrico*. Naturalmente, não podemos conhecer coisa alguma sem a ajuda do pensamento; mas isso não quer dizer que não existam objetos reais, distintos do pensamento. Através do pensamento é que conhecemos os objetos materiais, objetivos; mas isso não significa que esses objetos sejam meros pensamentos.

NOVO TESTAMENTO (ALIANÇA)

Ver o artigo separado sobre o *Novo Testamento* como uma coleção de *livros*.

NOVO TESTAMENTO (Coletânea de Livros do)

Esboço:

I. Artigos Separados a Consultar
II. Comentários sobre a Coletânea de Livros
III. Autoridade do Novo Testamento

O esboço acima é simples, mas o presente artigo incorpora uma grande massa de material, mediante suas referências a outros artigos que abordam diretamente o Novo Testamento, ou abordam assuntos de grande importância para o estudo e a compreensão dessa coletânea. A primeira seção oferece uma lista, em ordem alfabética, dos artigos a serem consultados. A segunda seção expõe uma explicação geral sobre o Novo Testamento como uma coletânea de livros, tratados e epístolas.

I. Artigos Separados a Consultar

1. *Autoridade*. Visto que o Novo Testamento é nosso principal escrito religioso autoritário, importa que compreendamos algo sobre a questão geral da autoridade.

2. *Bíblia*. Esse artigo apresenta uma lista de muitos artigos de interesse para o estudo da Bíblia, e, portanto, do Novo Testamento.

3. *Cada Livro do Novo Testamento* recebe um tratamento distinto.

4. *Cânon do Novo Testamento*. Esse artigo acompanha a história e os princípios que trouxeram à realidade a coletânea de livros que chamamos de Novo Testamento.

5. *Escrituras*. Esse artigo examina os diversos aspectos e os problemas relacionados às Escrituras, incluindo questões como inspiração, autoridade e usos.

6. *Ética*. Ver o artigo geral sobre a *Ética*, seção nona, *Ética Teísta*.

7. *Jesus*. Damos um artigo detalhado que expõe a história e os ensinamentos de Jesus, o Cristo.

8. *Língua do Novo Testamento*. Esse artigo explica como o grego «koiné» se tornou o veículo mediante o qual o Novo Testamento foi entregue ao mundo, a natureza do grego usado pelos vários autores neotestamentários.

9. *Livros Apócrifos do Novo Testamento e Outra Literatura Cristã Antiga*.

10. *Manuscritos do Novo Testamento*. O Novo Testamento dispõe, dentre todos os documentos antigos, do mais rico e abundante testemunho na forma de manuscritos.

11. *Paulo*. Esse apóstolo de Cristo foi o principal revelador das distintivas doutrinas cristãs; e esse artigo detalhado ilumina sua pessoa e sua doutrina.

12. *Período Intertestamental*. Esse artigo comenta sobre os acontecimentos e as condições que antecederam e então caracterizaram o mundo dentro do qual surgiu a Igreja cristã.

13. *Problema Sinóptico*. Os três evangelhos de Mateus, Marcos e Lucas estão inter-relacionados historicamente e quanto às suas origens. Esse artigo procura descrever essas questões.

14. *Profecias Messiânicas Cumpridas em Jesus*. O elo principal entre o Antigo e o Novo Testamentos é a pessoa de Jesus Cristo, previsto no Antigo e manifestado no Novo.

15. *Profecia: a Tradição Profética e a Nossa Época*. Apesar do Novo Testamento contar com apenas um livro profético—o Apocalipse—há muitas profecias preditivas dispersas pela coletânea inteira. Esse artigo apresenta ao leitor a essência da profecia bíblica, além de comentários sobre profecias extrabíblicas.

16. *Teologia Bíblica*. Essa é a teologia calcada sobre a Bíblia, em contraste com a teologia em geral.

17. *Teologia do Novo Testamento*. Artigos detalhados são apresentados sobre a teologia paulina e sobre a teologia joanina. Esse artigo refere-se àqueles artigos, e também apresenta importantes idéias de outros autores, importantes à teologia do Novo Testamento.

II. Comentários Sobre a Coletânea de Livros

Declaração Introdutória:

O prólogo do evangelho de Lucas diz-nos claramente que ele usou outros livros em sua produção, além de relatos de testemunhas oculares, retrocedendo até os começos do ministério de Jesus. Isso significa que os livros ainda mais antigos relacionados ao Novo Testamento se perderam; mas isso não quer dizer que houve qualquer perda real no terreno da historicidade. Ver o artigo separado sobre *Historicidade do Evangelho*. Mediante declarações do próprio Paulo, sabemos que ele escreveu epístolas de que não dispomos e que talvez elas até fossem em um bom número (ver Col. 4:16). Contudo, não há razão para supormos que a coletânea de suas epístolas que temos não represente o seu pensamento essencial, até com algum detalhe. O processo de canonização realmente precisou de bastante tempo para resolver a questão de quais livros deveriam fazer parte da coletânea do Novo Testamento, o que é descrito no artigo chamado *Cânon*. Apesar de ser verdade que alguns livros poderiam ter sido incluídos, mas não o foram, não há razão para pensarmos que essa omissão fez com que o pensamento cristão primitivo não fosse bem representado pelo nosso Novo Testamento.

Considerando a coletânea do Novo Testamento conforme ela atualmente se encontra, sabemos que certos escritos de Paulo foram produzidos antes de quaisquer outros. A epístola aos Gálatas ou a primeira epístola aos Tessalonicenses foi a primeira obra escrita do Novo Testamento. Na discussão sobre a *data*, nos artigos sobre aqueles dois livros, essa questão é ventilada. Seja como for, a coletânea do Novo Testamento não foi escrita durante um período longo demais, e representa bem a era apostólica, até mesmo nos casos em que apóstolos não foram os autores.

O Nome: Novo Testamento

Na Bíblia, encontramos dois testamentos ou pactos. Ver o artigo intitulado *Pactos*, onde essa questão é explicada. O termo grego *diathéke* envolve tanto a idéia de testamento quanto a idéia de pacto. De fato, o Novo Testamento representa ambas essas noções. O Novo Testamento é uma nova aliança de Deus com os homens; mas, dentro do tema da nossa *herança* de Deus, como co-herdeiros com Cristo (ver Rom. 8:17), torna-se evidente que esse pacto é, ao mesmo tempo, um testamento, mediante o qual os filhos de Deus estão sendo conduzidos à glória, em virtude da obra e da herança do Testador, Jesus Cristo. A grosso modo, podemos afirmar que o primeiro pacto veio através de Moisés, e que o segundo veio através de Jesus, o Cristo (João 1:17). O primeiro desses pactos caracterizava-se principalmente pela *lei*; mas o segundo, pela *graça* e pela *verdade*. Essas duas alianças também representam duas distintas dispensações religiosas, ou seja, diferentes períodos de tempo governados por determinadas condições históricas e espirituais. O grande elo entre esses dois pactos é a pessoa de Jesus Cristo: predito no Antigo Testamento; revelado no Novo Testamento.

O Desenvolvimento do Novo Testamento:

No artigo intitulado *Livros Apócrifos e Outra Literatura Cristã Antiga*, apresentamos uma lista dos livros apócrifos do Novo Testamento, em sua presumível ordem cronológica, e isso posto em comparação com a história geral e com a história do Novo Testamento. Damos ali um gráfico que serve de sumário do desenvolvimento da coletânea do Novo

Rockefeller-McCormick Manuscrito 965, manuscrito ricamente ilustrado. Esta fotografia mostra a capa da frente, trabalhada em bronze. —Cortesia, University of Chicago Library

Rockefeller-McCormick Manuscrito 965, capa detrás, trabalhada em bronze, O Cristo Ressurrecto, Triunfo, — Cortesia, University of Chicago Library

Testamento, dentro do tempo. Esse desenvolvimento foi governado por diversos fatores. Antes de tudo, havia a urgente necessidade de explicar como Jesus viveu a vida que viveu. Uma pessoa extremamente incomum entrou na história, e os evangelhos procuram explicar como isso sucedeu, e por quê. O evangelho de João expõe, essencialmente, uma explicação teológica, suplementando os registros históricos dos evangelhos sinópticos. Naturalmente, antes da produção cronológica desses livros (o evangelho de Marcos, o mais antigo, foi produzido em cerca de 68 D.C.), temos a considerar a porção maior das obras paulinas, escritas, aproximadamente, entre os anos 50 e 62 ou 64 D.C. Poderíamos descrever os escritos de Paulo como literatura «ocasional», ou seja, foram escritos para enfrentar situações especiais. Nesse caso, a motivação era as necessidades variegadas da primitiva Igreja cristã. Naturalmente, Paulo também ensinou coisas que não exigiram esclarecimentos específicos. A narrativa de Lucas-Atos, preparada após as epístolas paulinas, também pode ser considerada como ocasionada pela esperança que seu autor tinha de obter para o cristianismo uma posição legal dentro do império romano, pondo fim, dessa maneira, à oposição e às perseguições contra os cristãos. Naturalmente, Lucas não estava interessado somente em ser um apologista, mas também em ser um historiador. O tratado que chamamos de epístola aos Hebreus é um estudo teológico sobre como Cristo e seu pacto, por serem superiores, substituíram ao Antigo Testamento. As epístolas pastorais procuram satisfazer às necessidades de jovens ministros cristãos. As chamadas epístolas católicas ou gerais, tal como aquelas de Paulo, foram escritas tendo em vista ocasiões especiais, embora também sejam didáticas. O livro de Apocalipse foi escrito para mostrar como Roma haveria finalmente de cair, devido à sua grande iniqüidade, mormente em face de ter perseguido a primitiva Igreja cristã. Os intérpretes futuristas do Apocalipse transferem quase todo o seu conteúdo para o final da presente dispensação; mas o próprio autor sagrado não esperava um cumprimento postergado. Seja como for, no Apocalipse temos uma profecia para atender a uma necessidade de momento (a da Igreja dos tempos de João), mas também um esboço profético acerca do fim desta dispensação, que não foi motivado por ocorrências de quando João recebeu suas visões.

Quatro Tipos de Literatura no Novo Testamento:

A coletânea intitulada Novo Testamento incorpora, essencialmente, quatro tipos de literatura, a saber:

1. *Os Evangelhos*. Os registros sobre a vida e os ensinamentos de Jesus, o Cristo, com adições, feitas pela Igreja, interpretando essa vida e esses ensinamentos. Os evangelhos são quatro: Mateus, Marcos, Lucas (que são essencialmente históricos, embora não sejam biografias de Jesus) e João (que contém alguma história, mas é mais uma exposição teológica, que procura relacionar o Messias cristão ao conceito do Logos, pelo que afirma fortemente a deidade de Cristo, bem como o conceito de que esse *Logos-Cristo* é o *revelador* primário do propósito remidor de Deus).

2. *História Eclesiástica*. A narrativa Lucas-Atos fornece-nos o mais completo registro histórico sobre a Igreja apostólica, cobrindo um breve período, realmente, embora um período crítico. Essa narrativa (se considerarmos somente o livro de Atos) cobre pouco mais de trinta anos. Daí por diante, até o tempo de Eusébio, o grande historiador eclesiástico da Igreja antiga, ficamos sabendo da história da Igreja, terminado o período neotestamentário, principalmente através dos escritos dos chamados pais da Igreja, escritos esses que, apesar de abundantes, estão longe de ser sistemáticos.

3. *As Epístolas*. Há ali escritos de Paulo, de João, de Pedro, de Tiago e de Judas, totalizando vinte e um volumes. Dentre esses escritos, a epístola aos Hebreus é mais um tratado teológico, que forma uma espécie de literatura separada e distinta no Novo Testamento. Estritamente falando, pois, temos cinco tipos de literatura nas páginas do Novo Testamento.

4. *O Apocalipse*. Esse é o único livro realmente profético do Novo Testamento. Até que ponto o mesmo atinge o futuro é algo disputado pelos eruditos, e o artigo que damos sobre o *Apocalipse* expõe as teorias que circundam a questão, ventilando o problema do tipo de profecia que o mesmo representa.

A Coletânea Intitulada Novo Testamento

A partir de agora, oferecemos breve descrição sobre cada livro de que se compõe o Novo Testamento:

Primeiro Tipo Literário: os Evangelhos (as boas novas da redenção)

1. **Mateus**. Esse livro aparece em primeiro lugar, na arrumação dos livros do Novo Testamento, ainda que cronologicamente, ocupe o décimo nono lugar. Mateus é o mais judaico dos quatro evangelhos: a genealogia de Jesus retrocede até Abraão, e Jesus é apresentado como verdadeiro filho e herdeiro espiritual de Abraão, tendo sido ele aquele que nos trouxe o novo pacto. Esse livro é rico quanto à história e às declarações de Jesus. Ao que parece, seu autor valeu-se de fontes informativas (e, portanto, conta com material) que não foram usadas nem por Marcos e nem por Lucas. — Mas, quanto à ordem de apresentação, segue essencialmente o esboço de Marcos, que os eruditos chamam de fonte M. Talvez a característica mais distintiva do evangelho de Mateus seja sua apresentação da pessoa de Jesus como o Novo Moisés, o Novo Legislador, mormente nos seus capítulos quinto a sétimo. Temos ali não somente matéria nova, mas também novas interpretações de material antigo, da lei mosaica, que assinalam Jesus Cristo como um intérprete sem-par. Outra característica importante é o seu ensino sobre o reino dos céus, transmitido através de uma série de parábolas (principalmente em seu décimo terceiro capítulo). Não há que duvidar que isso tenciona ensinar-nos que Jesus é o Rei desse reino. Grande parte desse material foi adaptado para uso pela Igreja primitiva e antiga, como instruções quanto aos primeiros estágios do cristianismo.

De forma harmônica com os outros evangelhos, uma porção desproporcional de seu material (caps. 21-28) dedica-se à descrição da semana da paixão e da ressurreição de Cristo. Alguns estudiosos já observaram que os evangelhos são relatos ampliados da paixão de Cristo. Nesse contexto, *paixão* indica «sofrimentos». A semana da paixão, pois, é aquela semana durante a qual o Senhor Jesus sofreu e morreu, ao fim da qual, ressuscitou dentre os mortos. Todos os quatro evangelhos ensinam enfaticamente a doutrina da ressurreição de Cristo, a pedra fundamental da fé cristã. E todos os quatro evangelhos também ensinam com destaque o ofício de Jesus Cristo como nosso Redentor. Os três primeiros evangelhos—Mateus, Marcos e Lucas—são chamados «sinópticos» por «verem juntos» o esboço histórico da vida de Jesus (original de Marcos, e seguido pelos outros dois). Fazem contraste com o quarto evangelho, o de João, que já segue um esquema de apresentação bastante diferente.

2. **Marcos**. Esse é o mais breve dos quatro evangelhos, embora, cronologicamente falando, foi o

primeiro deles a ser composto. Aparece em segundo lugar, na arrumação dos livros do Novo Testamento, ainda que, em ordem cronológica deva ocupar o terceiro ou quarto lugar (escrito depois das epístolas aos Gálatas, a I Tessalonicenses, e, talvez, a I Coríntios). Marcos provê um esboço histórico da vida de Jesus, mas não é muito rico quanto às declarações de Jesus. Se Mateus enfatiza Jesus como o Rei-Messias, Marcos salienta Jesus como o Servo de Deus. Jesus veio para buscar e salvar os perdidos (Mar. 10:45). É verdade que Jesus também é o Filho de Deus (ver Mar. 1:1). Embora esse texto seja disputado pelos estudiosos, o fato de que Jesus é o Servo de Deus não elimina e nem contradiz o fato de que ele é o Filho de Deus. O poder das *obras* de Jesus (uma especialidade da apresentação de Marcos) representa esse ensino. A idéia de «Servo de Deus» transparece, com freqüência, conforme pode ser visto em 8:31,38; 9:31; 10:45; 13:26; 14:62, etc. E a idéia de «Filho de Deus» também aparece, segundo se vê em 3:11; 5:7; 15:39, etc. Tal como em todos os quatro evangelhos, o evangelho de Marcos frisa o elemento miraculoso (ver o artigo *Milagres*). E um volume desproporcional é consagrado ao relato sobre a semana da paixão (caps. 11-16). Nos manuscritos mais antigos, o evangelho de Marcos termina abruptamente em 16:8, registrando a ressurreição de Jesus, mas não a sua ascensão. O material que aparece em manuscritos posteriores representa uma espécie de sumário, coligido com base nos outros evangelhos sinópticos.

3. **Lucas**. Esse é o terceiro livro que aparece no Novo Testamento, mas talvez só tenha sido escrito depois de dezesseis outros livros do mesmo. Esse é o único evangelho a ser dirigido a um indivíduo específico, Teófilo, que parece ter sido alguma autoridade romana. O relato de Lucas (Lucas-Atos) é uma apologia do cristianismo, que procurava condição legal para o mesmo, do que o judaísmo já desfrutava. É mais universal em seu apelo, dirigido a todos os povos. O evangelho de Lucas empregou o esboço histórico de Marcos, mas adicionou muito material (chamado *L*, pelos eruditos), que não aparece nem em Mateus e nem em Marcos. Também há uma boa quantidade de material compartilhada com Mateus, mas não com Marcos, que os eruditos chamam de fonte *Q*. O relato lucano é mais completo que o de Mateus e de Marcos. Ele incluiu o relato sobre a ascensão de Jesus por duas vezes, uma no evangelho e outra no livro de Atos. Ele traça a genealogia de Jesus de volta a Adão, e não somente até Abraão, porquanto ele se mostrou fiel à sua tese: Jesus é o Homem ideal, um autêntico descendente de Adão, e não apenas um descendente de Abraão. Ele deixa claro que o evangelho deve ser universalmente pregado (24:47). O livro de Atos, em seu primeiro capítulo, reitera essa mensagem. No evangelho de Lucas (19:10), Jesus aparece como o Salvador dos homens, o que também aparece em todos os evangelhos. Jesus é ali retratado como uma figura altamente humanitária, protetor dos desprotegidos e das mulheres (Luc. 1:53). Isso transparece nas várias narrativas onde aparecem mulheres como personagens. Tal como sucede aos demais três evangelhos, há um espaço desproporcional dedicado a relatar a semana da paixão (caps. 19-24), e o elemento miraculoso do ministério de Jesus nunca é esquecido.

4. **João**. Esse evangelho aparece em quarto lugar no volume do Novo Testamento, mas foi escrito somente antes de I, II e III João, Judas e o Apocalipse. Foi publicado em um tempo em que a Igreja primitiva estava começando a formular a sua *cristologia* (vide). Destaca-se por seu esforço por identificar a Jesus, o Cristo, com o *Logos* encarnado, uma característica joanina distintiva, um aspecto teológico que exerceu imorredoura influência dali por diante. Ver o artigo sobre o *Logos*. Há pontos interessantes a observar no quarto evangelho: em vez de palavras, há discursos, em vez de localizar o ministério de Jesus principalmente na Galiléia (como fazem os evangelhos sinópticos), destaca mais o que Jesus ministrou em Jerusalém e cercanias. Não usou Marcos como fonte informativa, e nem segue o seu esboço histórico, embora haja algum material paralelo. O elemento miraculoso é conspícuo, destacando incidentes com um propósito nitidamente polêmico, demonstrando tanto a deidade quanto o messiado de Jesus (20:31). E esse mesmo versículo frisa o intuito evangelizador, visto que crer em Jesus equivale a ter vida em seu nome. João, em contraste com os evangelhos sinópticos (Mateus, Marcos e Lucas), ensina claramente a salvação como *filiação* (1:12), um tema que Paulo aproveitou e desenvolveu. O terceiro capítulo do evangelho de João é um escrito imortal, que ressalta a absoluta universalidade do evangelho e seu intuito salvatício. Talvez o trecho de João 3:16 seja o versículo melhor conhecido, mais memorizado e mais pregado, da fé cristã. Lemos ali: «Porque Deus amou ao mundo de tal maneira que deu o seu Filho unigênito, para que todo o que nele crê não pereça, mas tenha a vida eterna».

Dos quatro evangelhos, João é o que tem menos importância como fonte histórica, o que não significa que não contenha crônicas válidas sobre Jesus e suas atividades. Por outro lado, é o mais teologicamente expressivo. Seus discursos sobre Jesus como o bom pastor, a porta, a água da vida, o pão da vida, etc., definem importantíssimos conceitos cristãos. Acresça-se a isso a sua ênfase sem igual sobre o Espírito Santo, com os dizeres de Jesus sobre o divino Paracleto: 14:16,17,26; 15:26; 16:7. E o ensino sobre a morte de Jesus Cristo é apresentado com maior precisão teológica. Assim, ele era o Cordeiro de Deus (1:29); na qualidade de Bom Pastor, deu a sua vida pelas suas ovelhas (10:14 *ss*); foi o grão de trigo que caiu no solo e morreu, mas reviveu para produzir fruto (12:24). A declaração de Jesus: «Está consumado!», que aparece em João 19:30, dificilmente pode ser compreendida a menos que se entenda que a missão salvatícia do Filho de Deus estava cumprida, e não meramente o seu ato de morrer. As cenas que envolvem vários dos apóstolos de Jesus, como Tomé, Pedro e João, nos capítulos finais do evangelho de João, não têm paralelo nos outros evangelhos. E é exatamente dentro desse contexto que encontramos a difícil e profunda declaração de Jesus sobre a autoridade e a missão apostólica, em João 20:23.

Segundo Tipo Literário: História Eclesiástica (a Igreja em seus primórios)

5. **O Livro de Atos**. Esse livro histórico forma uma unidade com o evangelho de Lucas, tendo sido escrito imediatamente após o mesmo. Seu tom é polêmico, procurando ganhar para o cristianismo posição legal dentro do império romano. Até então, ser cristão era tido como um ato de traição, o que provocou as perseguições gerais contra o cristianismo. No livro, os romanos sempre são vistos sob uma luz favorável, como protetores dos cristãos, no começo da Igreja; e os judeus incrédulos são vistos sob uma luz desfavorável. A execução de Paulo, em Roma, não foi mencionada, embora o autor sagrado certamente tivesse conhecimento do fato. O autor evitou antagonismos e polêmicas desnecessárias, pelo que não tentou mostrar como essa execução tivera lugar. Além disso, o livro expõe um relato histórico veraz de

cerca de trinta anos, retratando os primeiros passos da Igreja cristã. De fato, esse é o único relato histórico formal que possuímos acerca desse estágio inicial do cristianismo, até que *Eusébio* (vide) brindou-nos com a sua *História Eclesiástica*, já em cerca de 300 D.C. O longo hiato entre o livro de Atos e Eusébio é preenchido de forma muito imperfeita por informações derivadas dos pais da Igreja; mas esse processo deixa muito a desejar. Todavia, a narrativa do livro de Atos é importante porquanto relata como a Igreja cristã ganhou para si mesma um lugar debaixo do sol, dentro do cada vez mais caótico império romano. Todavia, os incidentes históricos ali narrados não são dogmáticos, pelo que é uma falácia dizer-se: «Os cristãos primitivos agiram deste modo, que agora serve de regra fixa para fazermos as coisas». Podemos extrair diretrizes, princípios gerais, mas não dogmas, com base no livro de Atos, visto tratar-se de um livro de começos, e não um livro de texto que reflita uma situação já estabilizada e fixa.

A primeira porção do livro repete a história da ascensão de Cristo, e fornece uma outra versão da Grande Comissão. Ao longo do livro é descrita a propagação do cristianismo em consonância com aquela comissão: primeiro em Jerusalém, então na Judéia e na Samaria, e, então, a todas as partes do mundo (Atos 1:8). O relato do livro de Atos é seletivo, e jamais pretendeu ser completo. Uma comparação com as epístolas paulinas mostra-nos que Paulo fez muitas coisas acerca das quais Lucas nada sabia, ou, então, deixou de mencionar. O livro preserva vários sermões que devemos aceitar como historicamente acurados, embora tenhamos ali apenas esboços do que foi dito, com *algumas* citações diretas, enquanto que o resto é apenas um sumário de idéias principais. A posição de Lucas como contemporâneo das personagens principais do livro garantiu uma exatidão essencial quanto a essas particularidades. Há muitas coisas, dentro da exposição de Lucas, que não têm sido confirmadas pela história secular ou pela arqueologia; porém, existem paralelos onde a exatidão histórica de Lucas tem sido confirmada, o que nos permite confiar que todo o material do livro é historicamente preciso.

O décimo quinto capítulo do livro aborda o vexoso problema de como a multiplicação dos cristãos gentios criou problemas diante do antigo judaísmo e seu legalismo, uma força que não morreu facilmente nas fileiras cristãs. A liberdade cristã, finalmente, obteve a palma da vitória; mas isso não pôs fim definitivo à questão, refletida nos escritos de Tiago e de Paulo (como opostos), um conflito que até hoje persiste, nas várias denominações cristãs.

A carreira do apóstolo Paulo é descrita através de três viagens missionárias, mediante as quais vemos como um único homem, quase sozinho, fez desfraldar a bandeira do cristianismo no mundo pagão. Contudo, a carreira do apóstolo dos gentios só é contada até o seu aprisionamento em Roma. Através de várias das epístolas de Paulo, pode ser reconstituída sua quarta e última viagem missionária. Essa reconstituição pode ser feita com base nos seguintes dados: a. Paulo mesmo declarou sua intenção de visitar a Espanha (Rom. 15:24,28); b. Eusébio, o grande historiador eclesiástico da Igreja antiga, deixou entendido que Paulo foi solto após seu primeiro período de encarceramento em Roma—o ponto onde o relato do livro de Atos termina—(*História Eclesiástica* 2.22,2-3); c. na literatura patrística há afirmações de que Paulo, realmente, chegou a pregar na Espanha (Clemente de Roma, *Epístola aos Coríntios* 5; *Actus Petri Cercellenses*, caps. 1-3; *Cânon Muratoriano*, linhas 34-39). E então, mediante as intenções declaradas por Paulo, em suas várias epístolas, e através de declarações posteriores, feitas pôr ele nas suas epístolas pastorais (escritas no final dessa quarta reconstituída viagem missionária de Paulo), permitem-nos traçar um itinerário tentativo dessa quarta viagem missionária: a. partida de Roma (depois que Paulo foi solto de seu primeiro encarceramento, em 62 D.C.); b. chegada na Espanha (Rom. 15:24,28), onde teria permanecido entre 62 e 64 D.C.; c. chegada em Creta (Tito 1:5), onde ficou em 64 e 65 D.C.; d. Colossos (Filemom 22), em 66 D.C.; e. Éfeso (I Tim. 1:3), ainda em 66 D.C.; f. Filipos (Fil. 2:23,24; I Tim. 1:3), ainda no mesmo ano de 66 D.C.; g. Nicópolis (Tito 3:12), em 66-67 D.C.; daí, ao que tudo indica, ele voltou a Roma, em 67 D.C., tendo sido ali martirizado, em 67 ou 68 D.C., de acordo com uma antiga tradição romana. Essa tradição afirma que Paulo foi decapitado, por ordem do imperador Nero, fora da cidade de Roma, no lugarejo de Aquas Salvias (hoje Três Fontes), e então, foi sepultado em uma propriedade particular, à beira da estrada para Óstia. É claro que temos aí uma mera reconstituição, havendo estudiosos que têm encontrado subsídios históricos para fornecer ainda maiores detalhes sobre a quarta viagem missionária de Paulo; mas temos apresentado aqueles que nos parecem mais razoáveis, que não requerem muita imaginação. Quanto à execução de Paulo, há uma outra, propalada pela Igreja Católica Romana, a interesse do primado da sé de Roma, que diz que tanto Pedro quanto Paulo foram executados por crucificação. Seja como for, parece certo que a carreira apostólica de Paulo terminou mesmo em Roma, onde morreu.

Embora a ordem dos livros do Novo Testamento esteja longe de ser cronológica, há razões *lógicas* para a arrumação em que eles aparecem nessa coletânea. Assim, primeiramente temos os evangelhos, que lançam os fundamentos do cristianismo; em seguida, no livro de Atos, encontramos a história da fase inicial da Igreja cristã; depois, as epístolas que abordam problemas coletivos e pessoais dos cristãos, e onde também são descortinadas as esperanças cristãs quanto ao seu destino; e, finalmente, temos o Apocalipse, o único livro acentuadamente profético do Novo Testamento, que fala sobre como se desenrolará a última (septuagésima) semana de Daniel (ver Dan. 9:20 *ss*), isto é, no «tempo do fim», imediatamente antes da *parousia* (vide) de Cristo, o que haverá depois, e, daí até ser inaugurado o estado eterno, quando o plano de Deus para os séculos ter-se-á cumprido cabalmente, e haverá uma nova criação, fazendo com que todo o passado seja lançado no esquecimento. E, naturalmente, o livro de Atos forma uma espécie de ponte natural entre os evangelhos e as epístolas.

Terceiro Tipo Literário: as Epístolas (problemas e aspirações cristãs)

Introdução. As epístolas de Paulo, embora uma categoria à parte das outras, também fazem parte dessa classe de literatura neotestamentária distintiva. As epístolas formam uma literatura de *ocasião*, segundo já dissemos, ou seja, escrita para equacionar certas necessidades específicas que foram surgindo entre os primitivos cristãos. Naturalmente, também é forte ali o elemento didático, envolvendo conceitos teológicos, éticos e práticos, ainda que isso não forme, sob hipótese alguma, uma teologia sistemática. Um dos erros dos intérpretes conservadores e fundamentalistas é fazer das epístolas a única declaração oficial da doutrina cristã. Os que assim pensam dizem que os evangelhos e o livro de Atos meramente refletem um período formativo, e que o Apocalipse fala sobre os futuros sofrimentos dos judeus, às mãos do anticristo, quando a Igreja já tiver sido arrebatada. Restaria aos cristãos, pois, seguir as epístolas. E alguns deles chegam mesmo a argumentar que visto que Paulo era o apóstolo dos gentios, e que as igrejas evangélicas de hoje são formadas por uma esmagadora maioria gentílica, então devemos aceitar somente as epístolas paulinas como nossa regra de fé e prática. Mas até mesmo essas epístolas eles decepam, dizendo que nas epístolas de Paulo há coisas que não têm aplicação para nós. Enfim, seguem o que querem seguir, e eliminam o que preferem eliminar! Um outro erro consiste em óbvias distorções de versículos e passagens, forçando essas epístolas a expressar uma teologia sistemática sem qualquer problema. Na verdade, as epístolas dos apóstolos não são tão homogêneas, do ponto de vista da teologia sistemática, como aqueles mestres querem fazer-nos acreditar. Não obstante, as epístolas expõem um precioso corpo de ensinos que lança luz sobre as doutrinas centrais da fé cristã.

6. **Romanos**. Em face de sua extensão e grandiosidade, essa epístola aparece como a primeira das epístolas do Novo Testamento, embora não tenha sido a primeira das epístolas de Paulo a ser escrita. Não há que duvidar que epístolas como Gálatas, I e II Tessalonicenses, I e II Coríntios foram escritas antes da epístola aos Romanos. A coletânea de escritos paulinos, de treze epístolas (entre as quais as chamadas epístolas pastorais—Tito e I e II Timóteo—são mais disputadas, quanto à autoria), tem na epístola aos Romanos a mais completa exposição do evangelho feita por aquele homem de Deus. Os artigos sobre cada uma dessas epístolas em particular abordam tais problemas.

Muitos estudiosos dizem que o corpo paulino se compõe de catorze epístolas—pois incluem a epístola aos Hebreus como de autoria paulina. Mas, essa epístola, embora com alguns reflexos paulinos, é totalmente não-paulina quanto à sua gramática, estilo e vocabulário. Paulo escrevia em bom grego literário *koiné* (vide), e sempre apunha sua assinatura às suas epístolas. Mas o autor da epístola aos Hebreus não apôs o seu nome e escreveu em um grego quase clássico, inteiramente diferente do grego de Paulo. Em contraste com a epístola aos Hebreus, que é muito mais um *tratado teológico* sobre a superioridade de Cristo e do novo pacto em relação à lei e ao antigo pacto, a epístola aos Romanos é uma autêntica epístola histórica. Não obstante, a epístola aos Romanos também é nitidamente teológica, inspirada por controvérsias legalistas. É dessa circunstância que emergiram as doutrinas básicas da fé cristã, como: a total depravação do ser humano (o que explica a universal necessidade da intervenção graciosa de Deus, anunciada pelo evangelho); a expiação pelo sangue de Cristo; o princípio fundamental da justificação pela fé; a necessidade do ministério do Espírito Santo para que a conversão e a santificação se tornem realidades; a salvação vista como uma filiação (somos herdeiros de Deus e co-herdeiros com Cristo); a transformação dos filhos de Deus segundo a imagem do Filho de Deus, levando-os a participar da natureza divina, que é o verdadeiro significado e o grande alvo da mensagem cristã.

É precisamente nessas últimas idéias que encontramos um grande avanço na mensagem cristã, exposto especialmente pelos apóstolos Paulo e Pedro em suas epístolas, embora já antecipado no evangelho de João—mas acerca do que os evangelhos sinópticos fazem total silêncio. Não há que duvidar que a visão de Paulo, acerca dos resultados do evangelho, ia muito além da visão dos evangelhos sinópticos. No entanto, essa visão menor é que domina a teologia popular das igrejas evangélicas e dos sermões pregados semana após semana. Porém, o evangelho de Cristo envolve muito mais do que o perdão dos pecados e a futura residência dos salvos nas dimensões celestes, quando estarão livres dos vexames da mortalidade. O evangelho de Cristo, em sua mensagem total, ensina que estamos sendo paulatinamente transformados segundo o grande modelo que é o Filho de Deus, Cristo, e isso nos aspectos moral e metafísico; que haverá uma glorificação interminável, sem qualquer estagnação; que nossa finitude irá sendo perenemente preenchida pela infinitude de Deus, em um processo eterno. O oitavo capítulo de Romanos oferece-nos uma clara afirmação dessa teologia, o que é expandido e enfatizado em outras epístolas paulinas (ver II Cor. 3:18; Efé. 3:19 e Col. 2:9,10, para exemplificar).

Os capítulos nono a décimo primeiro de Romanos tratam do passado, do presente e do futuro de Israel, indicando como Israel relaciona-se à Igreja, ou seja, o tronco em relação aos ramos da árvore plantada por Deus. Paulo assevera a final e completa restauração do povo de Israel, no tempo certo, quando a Igreja tiver terminado o seu curso, ou, melhor ainda, quando a Igreja cristã estiver terminando o seu curso no palco da história, imediatamente antes da volta do Senhor Jesus a este mundo. É óbvio que isso já nos remete a questões escatológicas, acerca das quais o povo cristão está longe de ter encontrado uma posição comum. Ver artigos como *Escatologia* e *Parousia*.

O décimo segundo capítulo de Romanos dá início à seção prática dessa epístola. Paulo tinha o hábito de dividir suas epístolas em duas seções básicas: uma doutrinária e outra prática ou exortativa, embora nem sempre seja fácil dizermos onde termina uma seção e começa a outra.

A epístola aos Romanos (juntamente com a epístola aos Gálatas) é considerada a *Declaração de Independência* da Igreja de Cristo.

7 e 8. **Correspondência Paulina com Corinto**. É provável que tenha havido um total de quatro cartas de Paulo aos crentes de Corinto, mas que acabaram fundidas nas nossas *I e II Coríntios*. Quanto à ordem cronológica, essa correspondência veio depois das epístolas aos Gálatas, I e II Tessalonicenses e o evangelho de Marcos. Apesar de haver ali instruções não-provocadas por problemas controvertidos, essas duas epístolas consistem essencialmente em instruções que procuravam resolver problemas locais. Esses problemas versavam sobre os inimigos figadais de Paulo, os judaizantes; sobre as divisões da igreja em partidos (primórdios do denominacionalismo); os abusos contra os dons espirituais, que arrancaram de Paulo preciosas informações sobre o assunto; filósofos que negavam a realidade da ressurreição, o que levou Paulo a apresentar um estudo muito significativo a respeito. E dentre tudo, destaca-se o notável capítulo treze de I Coríntios—o hino ao amor—provocado pelas contenções entre os crentes e pelos abusos acerca dos dons espirituais. Paulo sentiu-se impelido a mostrar onde jaz a espiritualidade autêntica. Não em grandiosas palavras de ejaculações proféticas, e nem na algaravia incompreensível das línguas sem interpretação. Antes, a espiritualidade está presa a algo muito íntimo e vital: a vida vivida de acordo com a lei do amor!

A segunda epístola aos Coríntios retorna a problemas que não tinham sido inteiramente resolvidos ainda. Tito havia dado a Paulo um bom relatório sobre as condições reinantes na Igreja cristã de Corinto. Entretanto, o trecho de II Coríntios 10-13 é especialmente amargo e severo, razão pela qual alguns estudiosos pensam que o mesmo representa uma epístola separada, que acabou fundida com a nossa II Coríntios. E o resto da epístola é suave, um tanto fora de harmonia com o tom daqueles quatro citados capítulos. É lógica a suposição de que II Coríntios 10-13 foi escrito antes de II Coríntios 1-9, apesar da enumeração desses capítulos.

9. **Gálatas**. Essa epístola, uma diatribe contra o legalismo e, portanto, uma fortíssima afirmação da justificação pela fé, mui provavelmente é o mais antigo dos livros do Novo Testamento, embora apareça em nono lugar, segundo o arranjo atual dos livros.

É incrível como os judaizantes eram capazes de cativar comunidades cristãs inteiras, até mesmo em áreas essencialmente gentílicas. Só podemos supor que as sinagogas existentes nesses lugares (o judaísmo era presente quase universalmente) supriram alguns dos convertidos ao cristianismo; e esses retiveram suas ênfases tipicamente judaicas. Em certo sentido, essa epístola mostra um pior aspecto da personalidade de Paulo, pois suas palavras são amargas e cortantes, quase desesperadas. Grandes homens, grandes vícios. Assim, quando Paulo chamou o partido da circuncisão de «a mutilação» (ver Fil. 3:2), ele não se mostrou especialmente diplomático. E quando desejou que os judaizantes se «emasculassem» (5:12), em um jogo de palavras óbvio que envolve a circuncisão, ele não estava sendo exatamente caridoso. Porém, à exceção desses toques amargos, a epístola aos Gálatas representa uma grande obra literária cristã, apesar de sua brevidade. O trecho de Gál. 4:2 *ss* é ímpar entre os escritos paulinos, pois apresenta-nos uma interpretação alegórica, pouco usada por ele. O terceiro capítulo é uma declaração tão clara sobre a justificação pela fé como qualquer outra pessoa poderia apresentar. O quinto capítulo contém uma notável lista de vícios da carne, fazendo contraste com o fruto do Espírito. O sexto capítulo contém a famosa passagem da colheita segundo a semeadura. Além disso, Paulo fornece-nos detalhes de sua vida, que não conhecemos através de qualquer outra fonte informativa (primeiro capítulo). Isso nos dá compreensão sobre o início do problema do legalismo. — É muito provável que a epístola aos Gálatas tenha sido escrita antes do concílio ecumênico de Jerusalém (Atos 15). Se ela tivesse sido escrita depois do mesmo, então Paulo teria, sem dúvida, usado as decisões daquele concílio como seu argumento mais definitivo. O fato de que não o fez labora em favor da idéia de que a epístola aos Gálatas foi escrita antes daquelas decisões terem sido tomadas pelos apóstolos. E isso, por sua vez, é fortíssimo argumento de uma grande antiguidade da epístola aos Gálatas, candidatando-a assim à posição de primeira das epístolas de Paulo, cronologicamente falando, lado a lado com I e II Tessalonicenses.

10. **Efésios**. Dentro do tempo, essa epístola foi escrita já perto do fim da carreira de Paulo, anterior somente às epístolas pastorais (Tito, I e II Timóteo). Essa epístola é um dos escritos cristãos mais sublimes de todos os tempos. Concentra a sua atenção sobre a Igreja, em seu aspecto de organismo espiritual. E, além disso, revisa a questão da eleição divina e aborda a questão esperançosa e ainda distante da *restauração* de tudo (vide) (ver Efé. 1:9,10). Essa esperança é vista dentro do contexto do mistério da vontade de Deus, que envolve aquilo que, finalmente, Deus haverá de realizar. Abre para nós uma perspectiva inteiramente inédita acerca dos resultados finais do evangelho de Cristo, olhando para além dos demais pronunciamentos do Novo Testamento, embora uma certa passagem petrina (I Ped. 3:18-4:6), que ensina sobre a descida de Cristo ao hades, faça parte do quadro. Destarte, vemos que Cristo tem tido um tríplice ministério: na terra, no hades e nos céus. Sem dúvida esse ministério prossegue, em seus efeitos, nesses três aspectos, e, por causa de sua extensão e poder, podemos esperar um resultado final otimista da presença do evangelho entre as almas humanas, *onde quer que* elas existam, antes e após a morte biológica.

Vários dos pais da Igreja deixaram escrita a sua crença no ministério de Jesus no hades, e como, sob a condição, de arrependimento e fé no evangelho, as almas ali retidas podem ser salvas. Todavia, para os cristãos ocidentais (com raras exceções, como a Igreja Anglicana), a descida de Cristo ao hades não faz parte de sua teologia, trucando assim o ensino bíblico a respeito, com todas as suas conseqüências. Mas, firmados sobre esse ensino bíblico, admitimos a possibilidade da salvação da alma, antes e depois da morte biológica.

O trecho de Efé. 4:9,10 mostra-nos que a descida de Cristo ao hades, tanto quanto a sua ascensão aos céus, tiveram o mesmo propósito: fazer de Cristo tudo para todos; e isso se harmoniza com a mensagem geral do mistério da vontade de Deus e da restauração. Ver o artigo intitulado *Mistério da Vontade de Deus*. Temos aí uma das mais cativantes páginas da teologia cristã, que poupa o cristianismo de um inevitável pessimismo quanto ao alcance da expiação de Cristo. Muitos cristãos do passado e pelo menos alguns do presente sentem que se o único campo missionário é este mundo, então muitas almas se perdem sem terem tido oportunidade de ouvir o evangelho.

Mas, voltando àquela mensagem mais ampla e mais otimista, acerca dos resultados finais do evangelho, contemplada pelo prisma do mistério da vontade de Deus, temos a dizer que devemos despertar para o fato de que o Novo Testamento não apresenta sempre um mesmo nível de revelação. Antes, essa revelação foi dada gradualmente. Após ter muito ensinado aos Seus apóstolos, Cristo mostrou que o ministério do Espírito Santo teria começo, entre outras coisas, para conduzir os discípulos de Cristo a maiores discernimentos sobre a verdade de Deus. Lemos em João 14:26: «Mas aquele Consolador, o Espírito Santo que o Pai enviará em meu nome, esse vos ensinará todas as cousas, e vos fará lembrar de tudo quanto vos tenho dito». Certamente alguns autores sagrados puderam ver mais longe do que outros. Certamente Paulo recebeu revelações inéditas (os seus «mistérios»). Assim, da mesma forma que o Novo Testamento ultrapassa ao Antigo, no tocante à amplitude e profundeza de suas revelações assim também certas porções do Novo Testamento sobem a alturas não atingidas por outras porções. Pedro reconheceu isso quanto aos escritos de Paulo, ao dizer: «...tende por salvação a longanimidade de nosso Senhor, como igualmente o nosso amado irmão Paulo vos escreveu, segundo a sabedoria que lhe foi dada, ao falar acerca destes assuntos, como de fato costuma fazer em todas as suas epístolas, nas quais há certas cousas difíceis de entender...» (II Ped. 3:15,16). Por outra parte, não há necessidade de tentarmos harmonizar esses discernimentos mais profundos com a mensagem cristã mais comum, da mesma forma que não devemos harmonizar legalismo do Antigo Testamento com o sistema da fé e da graça divina, ensinado no Novo Testamento. A verdade pode dar saltos para a frente, pode sondar mais profundamente a vontade de Deus, pode enveredar por novas veredas, sem precisar limitar-se a discernimentos anteriores; pois a verdade de Deus jamais pode ser estagnada.

O jovem apóstolo Paulo viu-se em um conflito mortal com o antigo judaísmo tradicional. O idoso apóstolo Paulo tornou-se o recebedor de grandes mistérios cristãos. Foi então que a luz da esperança brilhou até o fim dos corredores do tempo, iluminando a vereda inteira da existência humana. Paulo como que recebeu a mensagem que diz: «Deus está sentado em seu trono, e tudo irá bem no mundo por Ele criado, *finalmente*». A eleição não falhará. Paulo referiu-se aos eleitos de Deus primária e supremamente. Mas, além dos eleitos, haverá a restauração dos demais, o que ocorrerá com a passagem das grandes *eras* ou ciclos da eternidade. Assim, nessas eras futuras da eternidade, a vontade de Deus contida em seu «mistério», finalmente haverá de beneficiar àqueles outros (os não-eleitos), embora sem levá-los à salvação que importa na filiação a Deus, mas levando-os a fazer parte da bendita *unidade* que haverá de caracterizar a provisão final do plano de Deus para todos os séculos.

A epístola aos Efésios dá-nos um profundo discernimento quanto à natureza da salvação, ao dizer que os remidos participarão, finalmente, de «toda a plenitude de Deus» (Efé. 3:19). O termo grego *pléroma* (em português, «plenitude»), que também foi usado pelas religiões misteriosas do passado, só pode significar a natureza divina com todos os seus atributos. Isso posto, visto que há uma infinitude com a qual seremos cheios, também haverá um enchimento infinito, que se estenderá por todas as eras da eternidade. O alvo do evangelho, pois, é uma participação finita, mas sempre crescente, dos remidos, na natureza divina e seus atributos. E esse, sem a menor sombra de dúvida, é o mais elevado conceito do evangelho de Cristo.

A epístola aos Efésios é uma das chamadas «epístolas da prisão», por haver sido redigida por Paulo quando ele era prisioneiro. As epístolas aos Filipenses, aos Colossenses e a Filemom também fazem parte dessas epístolas «da prisão». Alguns estudiosos cristãos têm errado, procurando apoio para as idéias paulinas da epístola aos Efésios, naquelas outras epístolas; mas outros têm tido a sabedoria de entender que há algo de ímpar na mensagem das epístolas aos Efésios e aos Colossenses.

A passagem de Efé. 2:8-10 é uma das declarações mais nítidas que há na Bíblia sobre a justificação mediante a graça divina e a fé, e sobre como esses conceitos relacionam-se às obras. A epístola aos Efésios faz soar uma grande trombeta em favor do progresso da revelação, em contraposição à estagnação dos dogmas; em favor de uma esperança a longo prazo, e não somente a curto prazo; em favor de uma teologia mais otimista; em favor do sucesso mais amplo do evangelho; em favor do amor de Deus.

11. **Filipenses**. Paulo precisou enfrentar dificuldades com os legalistas cristãos, e precisou repreendê-los nessa epístola (3:1 *ss*). Apesar de Paulo estar aprisionado, ao escrever essa epístola, a sua nota-chave é a *alegria* (1:4; 4:4). O fundamento do júbilo de Paulo pode ser achado em suas palavras em Fil. 1:21: «...para mim o viver é Cristo, e o morrer é lucro».

Doutrinamente, a passagem mais notável dessa epístola de Paulo é a sua descrição sobre a *encarnação* de Cristo (2:5 *ss*). Isso enfoca a difícil questão da «humilhação» de Cristo, quando a sua deidade, por assim dizer, ficou em segundo plano, transparecendo mais claramente a sua humanidade. Em segundo lugar, temos a passagem muito citada sobre a carreira apostólica de Paulo, onde ele se retrata como um atleta corredor, que avança celeremente na direção da meta final, onde o aguarda o prêmio do alto chamamento de Deus ao crente, na pessoa de Jesus Cristo (3:10-14). Finalmente, devemos destacar as expressões de gratidão de Paulo aos crentes de Filipos, por se terem associado a ele em suas aflições (4:10 *ss*). É nessa seção que ele emitiu sua famosa declaração: «...tudo posso naquele que me fortalece» (4:13).

12. **Colossenses**. Essa epístola foi escrita na mesma época da epístola aos Efésios, pelo que lhe é paralela em muitos aspectos. Todavia, na epístola aos Colossenses, Paulo combate a heresia gnóstica, razão pela qual tão enfaticamente destaca a doutrina da deidade de Cristo, em contraste com a opinião gnóstica que dizia que Cristo é apenas um dos *aeons* (mediadores angelicais) emanados de Deus. Ver o trecho de Fil. 2:9, onde se lê que Cristo tem, em Si mesmo, *toda* a plenitude (no grego, *pléroma*) de Deus, e não apenas algum fragmento dessa plenitude, o que faria dele apenas um entre muitos mediadores. Idéias errôneas dessa natureza, sobre a cristologia, sempre as houve no meio cristão, e vários dos concílios eclesiásticos da Igreja antiga tiveram de manifestar-se a esse respeito, combatendo as heresias cristológicas. E isso tem seu reflexo até os nossos próprios dias, como é o caso das chamadas Testemunhas de Jeová, que ensinam uma divindade apenas secundária de Jesus, e não a sua plena divindade. É claro que esse grupo moderno precisa dar mais atenção à epístola paulina aos Colossenses (sem falarmos noutros escritos neotestamentários, como, por exemplo, a primeira epístola de João).

O trecho de Col. 2:10 surpreende-nos ao afirmar que também teremos essa mesma plenitude, por meio de Cristo, o que concorda com o trecho de Efé. 3:19. O primeiro capítulo dessa epístola consiste em um exaltado estudo sobre a pessoa de Cristo, fazendo contraste com a aviltada cristologia dos gnósticos. Paulo também fornece-nos uma visão cristocêntrica do mundo; e, se usarmos o termo *Logos*, em vez de Cristo, então veremos aí um dos ensinamentos centrais do cristianismo, reverberando conceitos joaninos (ver João 1:1-14). Os trechos de Efé. 1:9,10,19 *ss* enfatizam a mesma coisa, ao referirem-se ao mistério da vontade de Deus e à restauração. A seção ética inclui uma das melhores passagens de que dispomos sobre a questão da *mentalidade celeste* (3:1 *ss*), que precisamos cultivar. De fato, essa seção ética segue bem de perto a epístola aos Efésios, também quanto a outros pormenores.

13 e 14. **I e II Tessalonicenses**. Essas duas epístolas acham-se entre as mais antigas composições do Novo Testamento. De fato, há quem pense que I Tessalonicenses é o primeiro de todos os livros do novo pacto. Também foram epístolas de «ocasião», ou seja, para enfrentar problemas específicos. Nesse caso, o principal problema era a questão do retorno de Cristo ao mundo. Certos crentes tinham deixado de trabalhar e estavam perturbando aos irmãos, por julgarem inútil continuar trabalhando, visto que, para eles, parecia que Cristo voltaria imediatamente. Essa controvérsia provocou a discussão do final do quarto capítulo de I Tessalonicenses, uma das mais inspiradoras passagens sobre a *parousia* (vide). Além dessa questão, a epístola aborda toda espécie de problema secundário, de mescla com muitas instru-

ções éticas. O terceiro e o quarto capítulos enfatizam a santificação do crente. A Igreja cristã nem sempre conseguiu vencer o paganismo de certos de seus membros. Pecados e erros crassos abundavam nas fileiras cristãs. O capítulo quinto mostra-nos qual deve ser a conduta do crente na *parousia*, em cujo tom termina essa epístola.

A segunda epístola aos Tessalonicenses volta a abordar o tema da *parousia*. Se alguém ler somente a primeira epístola aos Tessalonicenses, poderia extrair a conclusão apressada de que a volta de Cristo será iminente. Porém, o segundo capítulo de II Tessalonicenses mostra claramente que certos sinais antecederão à parousia, incluindo a apostasia e a vinda do anticristo. Isso posto, explicar I Tessalonicenses como se a mesma aludisse ao arrebatamento da Igreja, e II Tessalonicenses como se a mesma falasse à segunda vinda de Cristo para julgar o mundo (após o arrebatamento da Igreja), é uma maneira artificial e falsa de explicar as diferenças entre as duas epístolas. Pois o trecho de II Tes. 2:1 refere-se à «nossa união» com nosso Senhor Jesus Cristo, o que, sem dúvida nenhuma, refere-se ao arrebatamento. Seja como for, Paulo havia apresentado a questão da volta de Cristo em termos mais gerais, na primeira epístola aos Tessalonicenses, ao passo que entra em detalhes na segunda dessas duas epístolas, lançando maior luz sobre a ordem de acontecimentos que antecederão e acompanharão a *parousia*. Seja como for, a questão não fora bem entendida pelos crentes de Tessalônica, tendo-se tornado necessário que Paulo voltasse a instruí-los sobre a questão, com detalhes que ele não incluíra na sua primeira epístola àqueles crentes. É nessa segunda epístola aos Tessalonicenses que encontramos as mais completas descrições sobre o *anticristo* (vide), fora do livro de Apocalipse. Ver o segundo capítulo de II Tessalonicenses.

15,16 e 17. **As Epístolas Pastorais**. Essas epístolas são I e II Timóteo. e Tito. Essas cartas tradicionalmente formam uma unidade dentro da coletânea paulina. Encontramos ali as instruções para os ministros cristãos, homens e mulheres (profetisas, diaconisas); as regras a serem seguidas pelos líderes da Igreja; os ideais que supostamente devem prevalecer entre os cristãos; os modos de operação que devem prevalecer entre os crentes. Paulo apresenta as qualificações necessárias dos ministros do evangelho, além de tecer recomendações atinentes à dedicação dos crentes. Perturbações gnósticas formam parte do pano de fundo desses livros (ver Tim. 4:1 *ss*). O trecho de I Tim. 4:12 *ss* encerra uma das melhores exortações que há a um jovem ministro do evangelho, em todo o Novo Testamento. Para consternação de certos intérpretes, o trecho de I Tim. 2:4 tem uma declaração enfática sobre o *intuito universal* do evangelho, o que, logicamente, também envolve a idéia do *livre-arbítrio* (vide).

O trecho de II Tim. 4:7 *ss* contém uma das mais vívidas declarações de Paulo sobre como ele havia completado sua carreira, combatera o bom combate da fé e como agora esperava sua merecida coroa da imortalidade. O trecho de II Tim. 3:16 contém a melhor declaração bíblica sobre a inspiração das Escrituras.

Como um conjunto, as epístolas pastorais refletem claramente um período em que os bispos ou pastores exerciam autoridade sobre áreas geográficas, e não meramente sobre igrejas locais, e que tinham a autoridade para ordenar ministros naquelas áreas. Esse foi o começo de um governo eclesiástico um tanto mais complexo, e que acabou sofrendo muitos abusos, nos séculos que se seguiram, resultando esses abusos na criação de hierarquias eclesiásticas que culminaram no papado católico romano.

Há estudiosos que chamam as epístolas pastorais de *deuteropaulinas*, com o que dão a entender que algum discípulo de Paulo (ou mesmo algum autor posterior) incorporou nelas dados das atividades e dos ensinamentos de Paulo, para servirem de guia para jovens ministros. Essa questão é discutida, em seus detalhes nos artigos que abordam essas epístolas, sob o título *Autoria*.

18. **Filemom**. Paulo escreveu essa epístola com grande tato, procurando persuadir Filemom a restaurar a Onésimo, seu escravo fugido. Sentimo-nos desapontados diante do fato de que o cristianismo primitivo não tomou uma atitude mais firme contra a escravatura; mas também reconhecemos que, se o tivesse feito, isso poderia ter aumentado perigosamente as perseguições contra os cristãos, ameaçando o movimento inteiro com a extinção. Seja como for, o princípio do amor cristão, uma vez aplicado, finalmente destruiu o sistema escravisista, embora tenham sido necessários séculos e séculos nesse processo. Muitos cristãos deram liberdade espontânea a seus escravos, o que estavam no direito de fazer; mas muitos outros os retiveram. É incrível pensar quanto tempo foi preciso para os homens descontinuarem de vez esse sistema. Naturalmente, a escravidão continua até hoje, disfarçada, como a exploração do homem pelo homem. Há pessoas, em nossos próprios dias que, em face de seus salários ridiculamente baixos, estão em pior situação do que os antigos escravos, na média, os quais, pelo menos, recebiam de seus senhores um sustento que incluía as questões básicas da vida. Assim, a escravidão econômica pode ser considerada, quanto a certos aspectos, pior do que a escravidão literal.

19. **Hebreus**. Conforme declarou Orígenes: «Só Deus sabe quem escreveu a epístola ao Hebreus». Certamente não foi o apóstolo Paulo. Essa epístola foi escrita em um grego nativo e eloqüente, quase clássico. É provável que um judeu cristão de Alexandria a tenha composto, e não o missionário itinerante, Paulo. Seja como for, trata-se de um hábil estudo que coteja o antigo sistema da lei com o novo sistema da graça divina, que se acha em Cristo, o cumprimento de todos os tipos simbólicos e do sacerdócio do Antigo Testamento. Cristo é a oferenda final e definitiva, oferecida de uma vez por todas, que obviou a Moisés e aos profetas. A adoração a Deus, na pessoa de Cristo, eliminou a necessidade de um templo terreno, com seus ritos e cerimônias; e a legislação mosaica teve cabal cumprimento na sua pessoa e missão. Cristo, pois, ultrapassou a toda a concepção que se tinha de acordo com o antigo sistema. O *acesso* a Deus que apenas se buscava mediante a lei, as cerimônias e o sacerdócio do antigo pacto, foi plenamente obtido em Cristo. Assim sendo, agora aproximamo-nos do trono de Deus, desde que nosso Pioneiro, Cristo, abriu para nós o caminho, como nosso grande *Desbravador*. Em certo sentido, a mensagem central da epístola aos Hebreus é o *acesso* que agora nos foi franqueado até Deus, por meio de Jesus Cristo (10:19 *ss*). Em consonância com um dos grandes temas paulinos, esse acesso se dá através de nossa filiação (2:10). Muitos filhos de Deus estão sendo conduzidos à glória eterna. Quanto ao aspecto polêmico, o autor dessa epístola, quem quer que ele tenha sido, exorta a seus leitores a abandonarem sua tendência a apostatarem e retornarem ao reto caminho cristão. Isso foi feito mediante ameaças diretas (caps. 6 e 10), mas, principalmente, mostrando-se-lhes a superioridade da nova ordem em

relação à antiga ordem, assim removendo qualquer motivação para o retorno ao judaísmo. Em suma, o que a legislação mosaica não conseguira, devido às suas debilidades inerentes, isso fez Cristo, pois «...com uma única oferta aperfeiçoou para sempre quantos estão sendo santificados». (Heb. 10:14).

Notável, nessa epístola, é a sua relação dos heróis da fé (11:1 *ss*). E, embora pudéssemos dizer muitas coisas elogiosas acerca dessa epístola, basta-nos lembrar que esse escrito cristão frisa que, sem os heróis da fé do Novo Testamento, os heróis do Antigo Testamento jamais poderiam chegar à perfeição. Ver Heb. 11:39,40.

20. **Tiago.** Poucos estudiosos, hoje em dia, pensam que Tiago, um dos irmãos de Jesus, realmente escreveu essa epístola. Se assim tivesse sido, seria muito difícil explicar por que esse escrito não obteve posição canônica senão já vários séculos dentro da era cristã. Os que assim pensam argumentam que qualquer obra escrita por *aquele* Tiago certamente teria sido adotada no cânon das Escrituras Sagradas, desde o princípio, juntamente com os evangelhos e as epístolas de Paulo. Por isso, há quem pense que o livro foi escrito por algum cristão para quem Tiago, o irmão do Senhor, era um herói espiritual. Esse livro é o menos «cristão» de toda a coletânea do Novo Testamento, assemelhando-se muito mais com o tipo de material que se ouviria aos sábados, nas sinagogas judaicas. Não obstante, envolve elementos genuinamente cristãos, e o seu segundo capítulo encerra um tratamento da doutrina da justificação que parece refletir conhecimento das epístolas paulinas, com o intuito de contradizê-las. Para muitos intérpretes modernos, a epístola de Tiago é mais um reflexo do partido legalista da Igreja primitiva, em consonância com as informações que nos são dadas em Atos 15, em Romanos 3-5 e em Gálatas.

A impressão que se tem é que o autor da epístola simplesmente não tinha a mesma iluminação que Paulo tinha, acerca da *radical mudança* trazida pela mensagem cristã, e que ele continuava pensando como um fariseu convertido, conforme foi o caso de muitos judeus que se converteram ao cristianismo. Foi mister um longo tempo para a Igreja separar-se de antigas idéias; e a epístola de Tiago reflete um estágio ainda inicial da controvérsia. Não obstante, esse livro é muito expressivo como literatura cristã, prenhe de boas idéias e de passagens dignas de serem citadas, a despeito de sua posição deficiente sobre a justificação. Pois, se Paulo insiste que a justificação se dá exclusivamente pela fé, independentemente de obras (ver Rom. 3:28), Tiago afiança que o homem é «justificado por obras, e não por fé somente» (ver Tia. 2:24).

Não se deve pensar, porém, que a igreja tenha desistido de procurar harmonizar Paulo com Tiago. De fato, muitos estudiosos encontram solução para o aparente conflito entre esses dois luminares cristãos salientando que Paulo referia-se à justificação do ímpio, do pecador penitente, até aquele momento morto em seus delitos e pecados, cujas obras, por isso mesmo, Deus não pode levar em conta como razão de sua justificação; ao passo que o tema de Tiago é outro, a verdadeira justificação é aquela que, começando pela fé, no momento da conversão, daí por diante é confirmada por «obras da fé» (ver Tia. 2:22) da parte dos verdadeiros convertidos. O ponto de ataque de Tiago era o *antinomianismo* (vide) em que tinham afundado alguns de seus leitores originais, ou seja, aqueles que diziam ter fé, mas não a secundavam com suas obras produzidas pela fé. Para esses outros intérpretes não há nenhum conflito real entre Paulo e Tiago. Paulo referia-se à justificação a começar do momento da fé para trás; e Tiago referia-se à justificação a começar do momento da fé para diante. Daí suas fórmulas parecerem diferentes: Paulo = fé + nada; Tiago = fé + obras de fé.

Em outras passagens suas, Paulo concorda com a exposição de Tiago, porque ele também defendeu a tese que a fé deve ser positivamente produtiva, sob pena de ser inválida. Isso posto, Paulo concordava com a essência da mensagem de Tiago, visto que a graça e a fé são, naturalmente, produtivas. Em outras palavras, em vários trechos de suas epístolas, Paulo também usa a fórmula de Tiago, ou seja, um crente só pode considerar-se justificado se sua vida puder ser equacionada como caracterizada por «fé + obras de fé». Mais do que isso, ainda, essa produtividade espiritual da verdadeira justificação é uma obra do Espírito, que produz em nós as obras do Espírito. Todavia, para alguns, Tiago apresentou essa fórmula em termos definidamente *legalistas*, pois continuaria a incluir as obras da lei, em sua mente, ao pensar sobre a justificação. Vários reformadores da Igreja, como Lutero, reconheceram isso, embora outros, como já foi dito, continuem achando possível a harmonização entre Paulo e Tiago. Mas, há crentes igualmente sinceros que pensam que a *harmonização* não é sempre a chave que nos abre a porta da verdade.

21 e 22. **I e II Pedro**. O autor de I Pedro tinha uma visão bastante paulina da verdade cristã, e vários versículos dessa epístola parecem depender diretamente de idéias paulinas. O propósito básico dessa epístola foi o de fortalecer aos crentes que estavam enfrentando uma severa perseguição. Aos cristãos, pois, Pedro recomendou que continuassem obedientes a oficiais civis perseguidores, e isso como parte do dever cristão (ver 2:13 *ss*). A expiação pelo sangue de Cristo é cêntrica, sendo bem apresentada (ver 1:18 *ss*). Há uma seção pastoral nessa epístola, no começo de seu terceiro capítulo, — que alista os deveres de vários membros da família cristã. A dura prova que os cristãos primitivos estavam enfrentando é aliviada mediante a invocação à *parousia* (vide), em 4:7 *ss*. Esse tema pastoral prossegue no quinto capítulo, onde Pedro, como um dos pastores do rebanho, exorta a outros pastores, ele mesmo e estes debaixo das ordens do *Supremo Pastor*, Cristo.

Essa epístola foi escrita em bom grego, naturalmente difícil para aquele pescador da Galiléia. É possível que Silvano, que agiu como amanuense de Pedro (ver 5:12), fosse burilando as frases do apóstolo. Um importante tema dessa primeira epístola de Pedro é a questão da descida de Cristo ao hades (3:18-4:6), que usa um fraseado muito semelhante ao do livro pseudepígrafo de I Enoque. Seja como for, o motivo da descida de heróis e de deuses ao hades é praticamente universal. Esse motivo penetrou nos livros pseudepígrafos, e até no Novo Testamento, especialmente em Efé. 4:7 *ss*, e nessa passagem de I Pedro. O que fica demonstrado nesses trechos bíblicos é a *tridimensional* missão de Jesus Cristo: na terra, no hades e nos céus. Destarte, ele recebeu autoridade sobre todas essas dimensões da existência, podendo salvar almas humanas onde quer que elas se encontrem. O trecho de I Ped. 4:6 mostra que a descida de Cristo ao hades teve um caráter redentor, dando a entender que a oportunidade de salvação das almas humanas não cessa à beira do sepulcro. Essa é uma grande mensagem de esperança, de que precisa toda a humanidade. Ver o artigo intitulado *Descida de Cristo ao Hades*, quanto a maiores detalhes.

II Pedro, por sua vez, já foi epístola escrita em um grego um tanto artificial (como aquele que se aprenderia por meio de livros). Talvez Pedro não tivesse contado com a ajuda de um amanuense, e tivesse escrito, ele mesmo, essa epístola. Todavia, seu segundo capítulo assemelha-se muito com a epístola de Judas. Alguns têm perguntado se um apóstolo teria copiado de um escrito cujo autor não foi um apóstolo. Mas, é possível que exatamente o contrário tenha sucedido, isto é, que Judas tenha-se valido da segunda epístola de Pedro.

O propósito da segunda epístola de Pedro foi o de lembrar a proximidade da *parousia* (vide), a cristãos que muito sofriam sob perseguições, a fim de que robustecessem sua firmeza e fidelidade. Os mestres falsos são vigorosamente atacados. Talvez esses mestres falsos fossem os mestres gnósticos (cap. 2), visto que a doutrina que ensinavam ameaçava debilitar a fidelidade dos cristãos.

Um trecho significativo dessa epístola é II Ped. 3:15,16, onde as epístolas de Paulo são mencionadas como «Escrituras». Essa é a única passagem neotestamentária deste tipo, embora o trecho de Apo. 22:18 mostre que então já havia um cânon do Novo Testamento, em forma primitiva, e que o autor de Apocalipse queria que seu livro fosse incluído nesse cânon. O terceiro capítulo dessa epístola de Pedro dá atenção ao problema, agora já milenar, do adiamento da *parousia*, ou segundo advento de Cristo, porquanto, em quase dois mil anos (agora), essas predições bíblicas e neotestamentárias ainda não tiveram cumprimento. E, se por acaso esse livro foi escrito em meados do século II D.C. (conforme alguns estudiosos acreditam, ficando assim eliminada a autoria petrina), então isso refletiria o amortecimento da esperança da *parousia*, como também estaria havendo um ataque direto à eficácia e exatidão das predições bíblicas. Mas, a resposta dada pelo autor sagrado foi que o modo de Deus calcular o tempo não é como o nosso, — e nem Deus faz as coisas às pressas. Acresça-se a isso a idéia de que esse adiamento visa ao benefício dos homens. Pois Deus não quer que «nenhum pereça» (II Ped. 3:9). Esse versículo tem-se tornado o fulcro de uma já centenária discussão em torno do determinismo (eleição divina) versus livre-arbítrio humano. Parece claro que o versículo favorece a idéia de um intuito *universal* do evangelho, juntamente com a idéia do *inerente poder* do homem aceitar o evangelho.

23,24 e 25. **I, II e III João.** A literatura joanina inclui, além dessas três epístolas, o evangelho de João e o Apocalipse. A grande variedade de qualidade do grego, entre esses livros joaninos tem levado alguns intérpretes a julgar que não se deve pensar em um único autor para esses cinco livros, embora o evangelho de João e a primeira epístola de João muito se assemelhem entre si. Esses intérpretes, pois, preferem falar sobre a escola joanina, da qual fariam parte discípulos de João, que então preservaram suas idéias, declarações e parte de sua correspondência. O grego do evangelho de João é superior ao que poderia ser produzido por um pescador da Galiléia, embora pudesse ter sido burilado por um amanuense. O grego do Apocalipse é o de um não-nativo, e contém muitos erros gramaticais. O idioma nativo do seu autor era o aramaico, enquanto que o grego era uma língua adquirida. Por isso, os eruditos postularam a existência de um João, o vidente (membro da escola joanina), que seria diferente do apóstolo João. A literatura joanina conta com vários elos de ligação, sob a forma de temas, idéias e vocabulário.

Em suas epístolas, João combate o *docetismo* (vide), que era ensinado por primitivos mestres gnósticos. Ver o artigo chamado *Gnosticismo*. O autor delas não revela seu nome, mas a similaridade entre o evangelho de João e, pelo menos a primeira epístola de João, é muito evidente. Além disso, I João 1:1, sem qualquer dúvida, foi escrito por uma testemunha ocular da manifestação do Logos encarnado.

O principal tema espiritual e prático de I João é o *amor* de Deus. Aprendemos, em 4:7 *ss* dessa epístola que o amor é a prova mesma da espiritualidade, e não algo que nós, os crentes, podemos ter ou não, segundo nossos caprichos e conveniências. A idéia do anticristo é outro tema; mas essa epístola não descreve um único anticristo pessoal. Antes, o gnosticismo, para o autor, incorporava as idéias do anticristo. Mas, quanto ao futuro *anticristo* (a primeira besta do Apocalipse), esse autor parece que não tinha qualquer idéia (2:18 *ss*). O trecho de I João 3:2,3 contém uma notável declaração sobre a *parousia* (vide) de Cristo, e o que ela deve significar para nós. Quando da manifestação visível e futura de Cristo, haveremos de assumir a sua própria imagem, e então «seremos semelhantes a ele», Por sua vez, isso insufla em nós uma esperança purificadora. Ver o artigo intitulado *Transformação Segundo a Imagem de Cristo*. A passagem de I João 5:3 constitui um versículo muito usado acerca da segurança que o crente deve ter sobre a sua salvação pessoal. A oração eficaz está alicerçada sobre esse senso de segurança do crente. Essa epístola também tem algumas significativas declarações acerca do pecado. I João 1:8 elimina, no caso do crente, a perfeição como uma experiência presente. O versículo seguinte, porém, garante-nos o perdão dos pecados, com base na confissão dos mesmos, ou seja, com base no fato de que o crente os reconheça e abandone. I João 5:18 mostra que uma pessoa que nasceu de Deus não vive no âmbito do pecado, não vive viciado no pecado. I João 5:16 fala sobre «pecados para morte», ou seja, pecados que, devido à sua gravidade, levam à morte física, ou mesmo à morte espiritual (segundo certos intérpretes). I João 5:17 fornece-nos uma breve e prática definição do pecado. «Toda injustiça é pecado». Uma definição igualmente sucinta, mas muito esclarecedora, é a de I João 3:4: «o pecado é a transgressão da lei». O trecho de I João 5:19 fala sobre o imenso poder de Satanás, visto que a humanidade inteira «jaz no maligno». E I João 5:20 encerra poderosíssima afirmação da plena deidade de Cristo: «...estamos no verdadeiro, em seu Filho Jesus Cristo. Este é o verdadeiro Deus e a vida eterna». E a epístola é encerrada com um apelo para que os cristãos mantenham-se isentos de qualquer forma de idolatria.

II João é uma pequena epístola pessoal (enviada a uma senhora cristã). Essa epístola recomenda que não se dê hospitalidade a certos evangelistas itinerantes, provavelmente *gnósticos* em sua natureza, que estavam corrompendo à Igreja primitiva. O versículo oitavo (essa epístola não é dividida em capítulos, devido à sua pequena extensão) adverte-nos contra a possibilidade de perdermos os galardões já conquistados, o que, incidentalmente, mostra a *solenidade* dos desvios para longe da doutrina cristã.

III João é uma breve epístola de apenas quinze versículos, o menor de todos os vinte e sete livros do Novo Testamento. Foi endereçada a Gaio, um ancião ou pastor cristão, acerca de um certo Demétrio, perturbador dos crentes. Mui provavelmente, esse homem era um mestre gnóstico. Parece que certos líderes do gnosticismo já se tinham assenhoreado de igrejas cristãs locais.

26. **Judas**. Essa epístola de um único capítulo (vinte e cinco versículos) é uma diatribe contra falsos mestres que estavam procurando corromper aos primitivos cristãos em vários sentidos. Provavelmente eram mestres gnósticos. A segunda epístola de Pedro incorpora quase tudo quanto Judas disse, em seu segundo capítulo. A doxologia da epístola (vss. 24,25), é uma forte afirmação de que Deus prosseguirá em nós a obra já iniciada por ele, levando-a a bom termo. Isso reflete a mesma confiança de Paulo, expressa, por exemplo, em Fil. 1:6. *Quarto Tipo Literário: o Apocalipse* (o cumprimento do plano de Deus)

Quarto Tipo Literário: o Apocalipse (o cumprimento do plano de Deus)

27. **Apocalipse**. Embora apareça como último livro do Novo Testamento, é provável que esse livro tenha sido escrito antes de alguns poucos outros da coletânea neotestamentária, como as três epístolas joaninas, Judas, II Pedro, e, talvez, até o evangelho de João. Trata-se do único volume inteiramente profético preditivo do Novo Testamento, escrito com a idéia central de que a *parousia*, a volta de Cristo ao mundo, está próxima, e que o império romano em breve seria destruído. O autor sagrado não aguardava uma longa era da Igreja. A mando de Cristo, ele dirigiu o livro a sete igrejas cristãs da Ásia Menor (atualmente, parte ocidental da Turquia), dando a cada uma delas uma mensagem especial, uma pequena missiva em separado. O restante do livro fala elaboradamente sobre o julgamento vindouro que provocaria a queda de Roma. Esses juízos divinos têm sido aplicados pelos intérpretes futuristas ao tempo do fim (quando se estiver cumprindo a septuagésima semana de Daniel; ver Dan. 9:20 *ss*), e também têm sido universalizados (ou seja, recairiam sobre o mundo inteiro, e não somente sobre o império romano do passado).

O Apocalipse também fala sobre o reino milenar de Cristo (cap. 20), após o qual virá o estado eterno. A doutrina do milênio já aparecera nos livros pseudepígrafos (mil anos no livro de Jubileus; trezentos anos em I Enoque). Ao estado eterno não é reservada uma longa descrição, embora o que é dito seja muito eloqüente. O Cordeiro de Deus, sacrificado pelos pecados do mundo (ver João 1:29), é o mesmo Cordeiro *entronizado* do Apocalipse. O triunfo final de Cristo, sobre todos os seus inimigos, é o tema dominante desse último livro da Bíblia. Entre os livros apócrifos do Novo Testamento, apareceram vários apocalipses. E assim, ele não foi o último desse gênero. Mas também não foi o primeiro, porque já havia apocalipses entre os livros pseudepígrafos do Antigo Testamento. Porém, esse é o maior de todos os escritos semelhantes da herança hebreu-cristã, e o único que mereceu posição canônica.

A coletânea do Novo Testamento não é tão homogênea como os teólogos sistemáticos gostariam que crêssemos. Mas, embora incorporando certa variedade de idéias e tipos literários, trata-se de uma unidade que tem por tema dominante a pessoa de Jesus, o Cristo, a sua missão, o seu propósito e a sua realização, no campo da redenção humana. A advertência do Apocalipse contra aqueles que quiseram alterar em qualquer sentido a sua mensagem (22:18) não teve por intuito encerrar a revelação divina, e nem pôr fim ao cânon neotestamentário. Seguiram-se ao Apocalipse vários livros que vieram a fazer parte do cânon do Novo Testamento. Ademais, nunca poderemos assinalar um tempo em que poderemos dizer: «Não, não pode revelar mais do que isso». Não obstante, quanto a outros escritos sagrados, precisamos de provas e demonstrações que os tornem dignos de consideração universal pelos fiéis. É o dogma que encerra caprichosamente a revelação; e também é o dogma que determina que revelações isoladas e provinciais se revistam da autoridade.

III. Autoridade do Novo Testamento

1. *Inspiração*. A declaração de II Tim. 3:16, de que «toda Escritura é inspirada» por Deus não tinha aplicação à coletânea do Novo Testamento, senão indiretamente. Todavia, lógica e espiritualmente aplica-se mesmo ao Novo Testamento, posto que não dogmaticamente. Isso é verdade porque o Novo Testamento, afinal de contas, é mais importante que o Antigo, levando avante, até às suas últimas conseqüências, a mensagem espiritual iniciada no Antigo Testamento. Se os *preliminares* foram inspirados por Deus, então o *cumprimento* do plano também deve ser inspirado.

O Novo Testamento é a sua própria autenticação. Aqueles que não sentem sua força são precisamente aqueles que não o lêem o bastante. Cada livro do Novo Testamento tem o seu poder especial, e a coletânea, como um todo, ressalta como nossa principal autoridade e diretriz. Quanto a comentários sobre a *inspiração* das Escrituras, ver o artigo geral intitulado *Escrituras*, em sua segunda seção, *Inspiração das Escrituras*; em sua terceira seção, *A Autoridade das Escrituras*; e em sua quinta seção, *Níveis e Tipos de Inspiração*.

2. *Historicidade*. O Novo Testamento, embora seja uma obra de cunho teológico, repousa sobre certos eventos históricos extraordinários, que demonstraram o poder e a autoridade do Senhor Jesus, o Cristo. Ver o artigo separado *Historicidade dos Evangelhos*.

3. *Jesus* é o poder por detrás do Novo Testamento; e o quanto ele está investido de autoridade, assim também se dá com a coletânea de livros sagrados que fala acerca dele. Foi ele mesmo quem disse: «Toda a autoridade me foi dada no céu e na terra...» (Mat. 28:18). Ver o artigo intitulado *Jesus*.

4. *Paulo* foi um homem de incomum intelecto e de profundas experiências místicas. Ele foi o principal porta-voz do Senhor Jesus. Foi instrumento da revelação divina, e as suas epístolas, embora nelas não se ache qualquer declaração de que tudo ali era inspirado, nem por isso elas não são inspiradas em sua íntegra, não havendo motivo algum para duvidarmos que Paulo foi um instrumento especial de mensagem espiritual de Deus. Os *mistérios* revelados a Paulo levam-nos além de outros autores humanos, tanto do Antigo quanto do Novo Testamentos.

5. A *autoridade apostólica* (vide) foi uma importante realidade nos primórdios do cristianismo. A mensagem do evangelho foi anunciada primeiramente pelos apóstolos. E, assim como eles estavam investidos de uma especial autoridade espiritual, outro tanto deve ser dito acerca de seus escritos, e até acerca daqueles escritos que contêm suas idéias e instruções.

6. *O Cânon*. Dificilmente poder-se-ia acreditar que o cânon do Novo Testamento foi formado por puro acidente. Apesar de ser verdade que outros livros poderiam ser incluídos, e que alguns deles poderiam ser omitidos, o impacto geral do cânon, conforme o conhecemos, dificilmente pode ser ignorado. Realmente, existe algo de *incomum* quanto ao cânon do Novo Testamento. O cânon do Novo Testamento reúne uma importante mensagem divina. Nunca houve coletânea mais influente do que o Novo Testamento, sobre as idéias religiosas e espirituais dos homens. Isso não pode ter sucedido por acaso. Ver o

artigo *Cânon do Novo Testamento*.

7. A *experiência humana*, embora sempre sujeita a variegadas interpretações, não pode ser ignorada quanto a essa questão da autoridade. Só pode ter poder aquilo que leva os homens a agirem e continuarem agindo, a esperarem e continuarem esperando, a mudarem suas ações e continuarem mudando-as. Nenhum documento tem exercido maior poder sobre a maneira como os homens agem do que o Novo Testamento. O Novo Testamento já foi traduzido para mais de mil idiomas diferentes. Esse fenômeno que é o Novo Testamento não pode ter vindo à existência por mero acidente.

8. *Autoridade*. Ver o artigo geral com esse título.

Bibliografia. AM E EN GUN H MICH NAI TI Z

NOVO TESTAMENTO (PACTO)

Esboço:

I. Definição
II. O Maior de Todos os Pactos
III. Nova Aliança
IV. Promessas do Novo Testamento
V. O Novo Testamento: Seus Propósitos

I. Definição

O vocábulo grego **diatheke**, embora fosse a palavra comum para indicar um «testamento», também podia ser usado com o sentido de «aliança», sem qualquer pensamento sobre a necessidade de morte para que as condições da mesma fossem válidas. No A.T., os «pactos» de Deus, firmados com os patriarcas, na versão da Septuaginta (tradução do A.T. hebraico para o grego, completada cerca de duzentos anos antes da era cristã), são expressos por essa palavra.

II. O Maior de Todos os Pactos

1. Esse é o **pacto universal**, que também é um testamento, razão pela qual garante a nossa herança (ver as notas no NTI em Rom. 8:17).

2. Serve de confirmação do pacto abraâmico. (Ver o artigo sobre *Pactos*).

3. Esse pacto garante a salvação dos eleitos. (Ver os artigos sobre *Eleição* e *Salvação*).

4. Esse pacto também tem aplicação universal. (Ver o artigo sobre a *Missão Universal do Logos 'Cristo'*). É impossível que exista algo fora do alcance da missão transformadora de Cristo. Pois, finalmente, Cristo reunirá todas as coisas em volta de sua pessoa. A restauração dos perdidos, entretanto, não é a mesma coisa que a salvação dos eleitos. Ver o artigo sobre *Restauração*.

Nas Escrituras, um «pacto» é alguma espécie de acordo solene entre Deus e o homem, quase sempre condicionado a alguma obrigação da parte do homem, para que receba a bênção prometida. Até o «novo pacto» requer fé e diligência da parte do homem, segundo a epístola aos Hebreus no-lo demonstra abundantemente, com suas muitas advertências contra a indiferença e o desvio, que conduzem à apostasia. As provisões centrais de Deus, como a fé, o arrependimento, a conversão e a santificação, são todas estradas de duas pistas — a divina e a humana. A pista divina apresenta a provisão para o despertamento e para o desenvolvimento espirituais; mas a pista humana deve aceitar e aplicar resolutamente essa provisão. Assim também sucede com as alianças. A Abraão foi prometida muita terra e muitos descendentes; e esse bem-estar espiritual seria dado a seus descendentes; no entanto, «muitos dos descendentes de Abraão» não receberam tal bênção, mas antes, caíram na desaprovação divina, porquanto creram, erroneamente, que o pacto nada exigia da parte deles.

III. Nova Aliança

Assim chamada em contraste com a **antiga aliança** do A.T. Ver I Cor. 11:25. A *Nova Aliança* é um *pacto* de Deus com os homens, os detalhes do qual são dados no livro, *O Novo Testamento*, mesmo como o *antigo* pacto é descrito no livro, o *Antigo Testamento*. A palavra *nova* é autêntica neste ponto, embora não figure na tradição dos evangelhos sinópticos. No trecho de Luc. 22:20 essa palavra aparece na maioria dos manuscritos e traduções; mas isso pode ter sido feito para obtenção de harmonia com a presente passagem, podendo não ter feito parte original do evangelho de Lucas. É provável que a palavra «nova» seja uma adição feita pelas igrejas, embora se trate de uma verdade bíblica. E também é possível que tenha sido uma adição lucana à tradição sinóptica, e não uma adição escribal. Quanto à passagem que ora comentamos, Paulo provavelmente tinha em mente o trecho de Jer. 31:31-34, embora não haja qualquer indício, nessa passagem, da necessidade de um sacrifício para ratificar a aliança, conforme é inerente na citada passagem. A «nova aliança», que seria estabelecida com Israel, através do Messias, tomaria o lugar da antiga aliança. Outrossim, seria uma aliança de âmbito universal, firmado com a humanidade inteira. E Israel haverá de aceitar, finalmente, a nova aliança, conforme nos ensina o décimo primeiro capítulo da epístola aos Romanos. E com isso concordam as previsões feitas por místicos modernos, os quais afirmam que Israel, finalmente, tornar-se-á uma nação «cristã».

Essa aliança é *nova* em contraste com a «antiga», que fora firmada com a nação de Israel e com os patriarcas; mas também é nova para a humanidade. Está envolvida uma nova forma de salvação, com dimensões que nem ao menos podem ser contempladas na antiga aliança, a saber, a própria participação na natureza divina. (Ver o artigo sobre a *Salvação*).

Superior aliança, Heb. 8:6. Esse pacto é «superior» porque confere aos homens um melhor acesso a Deus, conferindo-lhes a plena salvação envolvida na filiação (ver o artigo sobre a *Salvação*). O antigo pacto cuidava, essencialmente, de questões terrenas, e até mesmo quando as transcendia, falava apenas vagamente das realidades celestiais. Mas o novo pacto nos transmite a própria natureza de Cristo, (II Cor. 3:18). Basta um momento de reflexo sobre esses tópicos, para ficar amplamente ilustrado em que sentido a nova aliança é «superior» a qualquer coisa que tivesse sido contemplada na mensagem do A.T.

Um pacto é um «acordo» entre duas partes, normalmente sob certas condições, tendo em mente um alvo comum de bem-estar. Alguns aspectos dos pactos bíblicos são «incondicionais»; mas em todos eles há certas condições impostas aos homens. Até mesmo no caso do novo pacto o indivíduo precisa crer, entregando sua própria alma a Cristo, a fim de que possa ser transformado em sua imagem moral e metafísica. Nessa transformação é dada a «salvação» prometida pelo pacto. Isso não pode ser feito se não tivermos suas leis espirituais escritas em nossos corações (conforme fica demonstrado no restante do capítulo); e isso é outra maneira de dizer que a glorificação vem mediante a santificação, segundo somos ensinados em II Tes. 2:13.

IV. Promessas do Novo Testamento

Com base em promessas superiores, Heb. 8:6. Os antigos pactos tinham certo valor espiritual; mas este era compreendido imperfeitamente, sendo transmitido apenas parcialmente, ou mesmo em nenhum sentido, em todos eles. Os altos **níveis do bem-estar** espiritual, o acesso a Deus, mediante a participação em sua natureza e perfeições, não eram temas dos pactos mais antigos, mas tais conceitos, relativos à salvação, vieram até nós mediante as revelações neotestamentárias. As melhores promessas incluem a «nova lei», que é a do coração, espiritual e misticamente ministrada através das operações do Espírito Santo, que garantem a santificação, o que é necessário para a nossa glorificação final. (Ver o artigo sobre a *Santificação*). As melhores promessas incluem a mensagem dos versículos décimo e décimo primeiro deste capítulo. A *nova lei* santifica; há um conhecimento mais pleno de Deus, mediante o que nos vem **o total bem-estar;** tudo isso é aplicado universalmente, pois não se trata de alguma operação de pequena monta. (Esse conceito pode ser comparado com Rom. 11:32). O primeiro capítulo da epístola aos Efé. é a descrição de como tudo isso se realizará.

«As promessas do A.T. envolviam primariamente bênçãos terrenas; o N.T. tem promessas de bênçãos celestiais. O cumprimento exato das promessas terrenas foi dado em garantia do cumprimento das promessas celestiais. 'Tal como um médico que prescreve uma certa dieta, para então, quando o paciente começa a se recuperar, a modifica, permitindo aquilo que antes proibira; ou então como um mestre que dá a seu aluno uma lição elementar, que o prepara para um **estágio superior**', assim disse o rabino Albo, em *Ikkarim*. O trecho de Jer. 7:21,22 mostra-nos que o desígnio de Deus, no ritual do antigo pacto, era que este era pedagógico, como um **mestre-escola** que prepara para a recepção de Cristo» (Faucett, *in loc.*). (Ver também Gál. 3:24 quanto a esse conceito).

Moisés foi o mediador do antigo pacto (ver Gál. 3:19 e Êxo. 20:19). Cristo absorveu o mesmo, ultrapassando-o em sua obra; e assim se tornou o mediador do pacto superior. O trecho de Heb. 10:19 dá início ao longo desenvolvimento de como o novo pacto é «melhor». A superioridade de Cristo em relação a Moisés, tanto em sua natureza como em sua missão, subentende que o pacto que vem por meio dele deve ser maior, pois maior é o seu mediador.

Foi o «mais excelente ministério» de Cristo que possibilitou tudo isso. O sacerdócio aarônico jamais poderia ter obtido tão gigantescas realizações espirituais.

V. O Novo Testamento: Seus Propósitos

1. É óbvio que no novo pacto encontramos os meios da salvação, pois através desse novo pacto, é que os homens podem obter a redenção. (Ver o artigo sobre a *Salvação*). A epístola aos Hebreus é um manual sobre «como foi provida a salvação pelo nosso Sumo Sacerdote».

2. O N.T. foi estabelecido a fim de cumprir os objetivos de todos os demais pactos. (Ver o artigo sobre «Pactos»).

3. O novo pacto encerra certo número de *realidades melhores* (quando postas em contraste com o pacto da lei). (Ver Heb. 4:14 e 8:8).

4. Jesus, na qualidade de Sumo Sacerdote do novo pacto, é superior aos antigos sacerdotes levíticos em cinco aspectos. (Ver Heb. 8:1).

5. Esse pacto conduz os homens a Deus, na posição de filhos (ver Heb. 2:10). Isso já havia sido contemplado pelos pactos mais antigos, mas não havia sido concretizado.

6. O novo pacto opera por intermédio da fé (ver Heb. 11:1). Por conseguinte, é eficaz, em contraste com o caminho legal.

«...o que está aqui em pauta pode ser chamado tanto de testamento como de pacto; um testamento, porque se funda sobre a boa vontade e o beneplácito de Deus que envolve uma herança conferida por Deus Pai a seus filhos, a qual foi confirmada e chega até eles pela morte de Cristo, o Testador; e um pacto, por ser um acordo feito entre Deus Pai e Cristo, sendo este último o Representante de todos os eleitos» (John Gill).

Em Heb. 9:22 Jesus é chamado de «fiador» do pacto, em outras passagens, ele recebe o título de «Mediador». (Ver Heb. 8:6; 9:15 e 12:24). O termo grego *diatheke* ocorre por trinta e três vezes nas páginas do N.T., dezessete das quais na epístola aos Hebreus. (Ver Heb. 7:22; 8:6,8,9 (duas vezes), 10; 9:4 (duas vezes), 10,15 (duas vezes), 17,20; 10:16,29; 12:4 e 13:20). Talvez somente em Heb. 9:16 e*ss* é que o termo deva ser compreendido, claramente, como um «testamento»; mas a mensagem do próprio N.T. com freqüência expressa os benefícios que chegam aos homens através da morte de um testador e sua herança, ou seja, através de um «testamento», embora a própria palavra grega nem sempre seja usada com esse significado. Nenhuma expressão mais doce foi jamais proferida que «Novo Testamento».

NOVO TESTAMENTO, CÂNON DE

Ver *Cânon do Novo Testamento*.

NOVO TESTAMENTO, ÉTICA DO

Ver sobre *Ética*, seção IX. *Ética Teísta*.

NOVO TESTAMENTO, LÍNGUA DO

Ver *Língua do Novo Testamento*.

NOVO TESTAMENTO, LIVROS APÓCRIFOS DO

Ver *Livros Apócrifos do Novo Testamento*.

NOVO TESTAMENTO, MANUSCRITOS DO

Ver sobre *Manuscritos do Novo Testamento*.

NOVO TESTAMENTO, TEOLOGIA DO

Ver *Teologia do Novo Testamento*.

NOVO TESTAMENTO, TEXTO DO

Ver sobre *Manuscritos do Novo Testamento*.

NOVOS CÉUS E NOVA TERRA

Ver sobre *Nova Criação*.

NU, NUDEZ

Ver **Nudismo**, que é uma exibição pública e formalizada da nudez, inspirada por certa complexidade de motivos psicológicos.

No hebraico, precisamos considerar sete palavras; e no grego, duas:

1. *Maarummim*, «nus». Essa palavra hebraica ocorre por apenas uma vez, em II Crô. 28:15.

2. *Erom*, «*nu*». Esse termo hebraico aparece por dez vezes: Gên. 3:7,10,11; Deu. 28:48; Eze. 16:7,22,39; 18:7,16; 23:29.

3. *Arom*, «nu». Esse vocábulo hebraico figura por dezesseis vezes: Gên. 2:25; I Sam. 19:24; Jó 1:21;

22:6; 24:7,10; 26:6; Ecl. 5:15; Isa. 20:2-4; 58:7; Osé. 2:3; Amós 2:16; Miq. 1:8.

4. *Eryah*, «nudez». Palavra hebraica que aparece por cinco vezes: Miq. 1:11; Eze. 16:7,22,39; 23:29.

5. *Arah*, «desnudar-se». Palavra hebraica que ocorre por apenas uma vez com esse sentido, em Lam. 4:21.

6. *Maor*, «nudez». Esse termo hebraico foi usado por apenas uma vez, em Hab. 2:15.

7. *Ervah*, «nudez». Palavra hebraica que aparece por cinqüenta e duas vezes, começando em Gên. 9:22 e terminando em Osé. 2:9.

8. *Gumnós*, «nu». Adjetivo grego que ocorre por quinze vezes: Mat. 25:36,38,43,44; Mar. 14:51,52; João 21:7; Atos 19:16; I Cor. 15:37; II Cor. 5:3; Heb. 4:13; Tia. 2:15; Apo. 3:17; 16:15 e 17:16.

9. *Gumnótes*, «nudez». Substantivo grego que figura por três vezes: Rom. 8:35; II Cor. 11:27; Apo. 3:18.

Nas Escrituras Sagradas, essa palavra é usada em dois sentidos: a. no sentido de nudez absoluta, conforme se vê, por exemplo, em Gên. 3:25; Jó 1:21; Ecl. 5:15; Amós 2:16; Miq. 1:8. b. No sentido de estar inadequado ou pobremente vestido, segundo se verifica, por exemplo, em Isa. 58:7; Mat. 25:36; Tia. 2:15. Em João 21:7, onde se lê que o apóstolo Pedro «se havia despido», está em foco apenas o fato de que ele tirara as vestes externas, não implicando em nudez absoluta.

O relato bíblico sobre Adão e Eva, que procuraram fazer para si mesmos aventais com folhas de figueira, após terem caído ambos no pecado, ilustra o fato de que a criatura humana caída fica melhor vestida. O trecho de Gên. 2:25 indica que antes da queda, ambos estavam despidos, mas não se envergonhavam disso. Não parece estar em foco que não tinham então consciência de sua nudez, e, sim, que antes do pecado, a nudez não envolvia qualquer malignidade em pensamento ou ação. Porém, após eles terem adquirido o conhecimento do bem e do mal, tornou-se aconselhável e quase imperioso usar vestes, sem dúvida, em face de implicações sexuais.

A narrativa sobre como Noé embebedou-se e desnudou-se no interior de sua tenda, sendo assim surpreendido por seus filhos (ver Gên. 9:20-23), demonstra o senso de vergonha envolvido na nudez, inteiramente à parte do pecado de Cão, que parece ter zombado de seu pai, naquele estado de embriaguez e nudez, e, por esse motivo, sofreu justo juízo, em face de sua atitude desrespeitosa.

As tribos selvagens, internadas nas florestas tropicais, não parecem sentir pejo por andarem despidas ou quase inteiramente despidas. Entre certas tribos indígenas brasileiras, seus membros têm o cuidado de ocultar suas partes pudendas, pelo menos. As donzelas fazem-no com um mero fio, e sentem-se horrendamente envergonhadas se perdem aquele fio. Assim, muitos sociólogos e outros pensadores pensam que tudo é uma questão convencional. Porém, parece melhor pensarmos que há razões psicológicas autênticas por detrás da necessidade do vestuário, embora obscuras.

Em nossa época de cada vez maior permissividade, a grande maioria das pessoas ainda assim envergonha-se de sua nudez, sob certas circunstâncias, pelo menos. Mas, noutras circunstâncias, como na praia ou nos festejos carnavalescos, talvez devido a uma atitude de multidão, quando o comportamento humano realmente muda, conforme os psicólogos nos mostram, as pessoas perdem a vergonha e se expõem aos olhares de todos, de forma cada vez mais atrevida. É difícil entender essa duplicidade de atitudes no tocante à nudez. Acresça-se a isso que as mulheres é que estão sempre mais prontas a exporem seus corpos nus ou seminus, naquelas e em outras circunstâncias. Possivelmente isso se deva a uma inclinação feminina para o *exibicionismo*, uma característica genética herdada, que se torna um chamariz para os homens, tendo em vista garantir a propagação da espécie humana, ou mesmo dar provas da beleza plástica das pessoas que assim fazem. Muitas mulheres parecem não ter perfeita consciência dos poderosos efeitos que o corpo feminino exerce sobre os homens; mas, sem importar até que ponto elas têm *consciência* disso, o fato é que as mulheres sabem assegurar aos homens a excitação necessária. Por isso mesmo é que as Escrituras recomendam insistentemente a necessidade da *modéstia* (vide) às mulheres que têm confiado no Senhor Jesus Cristo. Ver I Tim. 2:9,10; I Ped. 3:1,2.

Usos Figurados:

1. Destituído de retidão, ou seja, coberto de vergonha e miséria (Apo. 3:17,18). A passagem envolve uma das igrejas locais da Ásia Menor, bem como todas as comunidades cristãs que caírem em idêntico defeito.

2. Privação do favor e da proteção divinos, tornando as pessoas envolvidas presas fáceis de seus adversários (Êxo. 35:25; II Crô. 28:19).

3. A vergonha envolvida no estado de pecaminosidade (Gên. 3:7,10,11).

4. A alma pecaminosa está nua aos olhos de Deus, ou seja, ele conhece tudo a respeito dela, e nada lhe é oculto (Apo. 3:18).

5. Uma terra nua é aquela que jaz em ruínas, na pobreza e na iniqüidade (Eze. 16:8).

6. O adjetivo «nu» pode ser usado para falar sobre o caráter transitório das possessões materiais ou da glória das mesmas (Jó 1:21).

7. A bancarrota espiritual (Apo. 3:17). Um indivíduo pode estar esplendidamente vestido, ao passo que sua alma está nua e destituída.

8. A nudez também é emblema de aflições e privações (Isa. 20:3; Miq. 1:8).

A Nudez nos Sonhos e nas Visões

1. De acordo com os arquétipos postulados por Jung (vide), a nudez pode apontar para o desejo de remover a própria máscara, a falsa impressão que o indivíduo tem dado propositalmente a seus semelhantes. O sonhador quer remover tal ludíbrio e tornar-se mais sincero e honesto. E esse desejo pode ser simbolizado pelo ato de tirar as roupas, em um sonho.

2. Ser desnudado indica ser descoberto, ser pilhado quanto aos maus propósitos; ou, então, ser humilhado; ou, então, ter liberados os desejos reprimidos.

3. Freud afirmava que a maioria dos sonhos que envolve nudez corresponde ao desejo íntimo, por parte do sonhador, de expor-se, sem importar qual situação esteja em pauta.

4. Um sonho desses pode apontar para o desejo de atrair a atenção, por parte de alguém que se sente negligenciado por outrem.

5. Mas esse tipo de sonho também pode exprimir o temor de ter os motivos e ações descobertos, sobre qualquer questão.

6. Também pode estar em foco o desejo de voltar à infância, libertando-se assim das inibições da vida adulta, visto que a criança anda nua à vontade, sem qualquer pejo.

7. Finalmente, também pode estar em evidência a atitude exibicionista, de qualquer tipo que seja, físico, mental ou mesmo espiritual.

NUDISMO

Ver o artigo geral sobre **Nu, Nudez**. Esse artigo dá os termos bíblicos relativos ao assunto, além de observações históricas e usos figurados daqueles termos.

Nudismo é um vocábulo de sentido bastante lato, indicando qualquer prática que envolva o ato de ficar despido, em público ou em particular, ou mesmo de fazer isso apenas ocasionalmente. Porém, no seu sentido mais restrito, refere-se à nudez organizada. Com base no desejo de um nudismo organizado, colônias de nudistas vieram à existência.

Antes da Primeira Grande Guerra, na Alemanha, homens como Henrich Pudor e Paul Zimmerman recrutaram pessoas para formar comunidades nudistas. As primeiras colônias nudistas, em contraste com o conceito popular sobre as mesmas, tinham regras severíssimas: não se podia ingerir bebidas alcoólicas; exigia-se a participação de todos em exercícios de ginástica; era proibido o fumo; e requeria-se uma dieta vegetariana.

Kurt Barthel trouxe esse tipo de nudismo aos Estados Unidos da América, e estabeleceu um colônia de nudismo perto de Peekskill, estado de Nova Iorque. No entanto, sua colônia relaxou quanto a certos aspectos atléticos do nudismo alemão, promovendo esportes com propósitos recreacionais. Dali, várias colônias espalharam-se para outros estados norte-americanos. Historicamente falando, o nudismo nesses moldes iniciais, formalizados, não tinha propósitos sexuais como base. Sua motivação era a convicção de que uma melhor saúde, atitudes psicológicas menos tensas, melhor condicionamento atlético e uma vida mais próxima da natureza podem ser promovidos mediante a ausência de roupas, consideradas desnaturais e restringidoras. Por isso mesmo, as primeiras colônias de nudismo eram atividades essencialmente de famílias, com bem poucas pessoas solteiras. Não havia o intuito de promover atividades sexuais. Não havia danças, nem mesmo em sentido social, para que não houvesse contatos tácteis. — A ereção masculina era motivo suficiente para expulção. Isso significava que cada homem tinha que manter sob estrito controle os seus sentimentos e impulsos básicos, sem importar a visão de tantos corpos femininos, o que não era tarefa fácil!

Não obstante, essa equivocada busca pela felicidade de uma família *despida* e saudável, com freqüência tem degenerado, como costuma suceder em quase todos os empreendimentos humanos. Atualmente, vários *grupos sensíveis* têm substituído os antigos campos de nudistas, e o sexo em grupo tornou-se ali uma característica generalizada, contradizendo os ideais e as práticas mais antigas.

Combatendo o nudismo, os intérpretes conservadores da Bíblia usam o terceiro capítulo do livro de Gênesis, que narra como o primeiro casal caiu no pecado de desobediência. Antes da queda no pecado, o homem estava nu, mas não tinha «consciência» disso, provavelmente dando a entender que não percebia qualquer coisa de diferente ou errado em sua condição. Alguns têm conjecturado que Adão e Eva estavam envolvidos em um halo de luz, mas isso não passa de especulação. Mas, após a queda, o homem «reconheceu» que estava nu, envergonhou-se disso e coseu folhas de figueira à guisa de aventais. Essa cena é carregada de sentimentos de culpa sexual, pois o homem e a mulher sentiram que era impróprio andarem despidos, mesmo sem a presença de outros seres humanos que os vissem. Seja como for, o fato é que Adão e Eva foram expulsos do jardim do Éden, e, daí por diante, usar vestes tornou-se uma prática comum entre os seres humanos. De fato, alguns têm chegado a dizer que as roupas são um dom de Deus. É claro que isso envolve um exagero; mas, de algum modo, sentimos que não é próprio andarmos despidos, de tal modo que o vestuário faz parte essencial de nossa vida diária, de nossa conduta exterior. O resto que podemos dizer sobre o assunto está contido no artigo chamado *Nu, Nudez*.

NUM (LETRA)

Esse é nome da décima quarta letra do alfabeto hebraico. Ver o artigo intitulado *Hebraico*. Em algumas traduções, aparece no começo de cada um dos versos da décima quarta seção de Salmos 119.

NUM (PESSOA)

No hebraico, essa palavra significa **peixe**. Esse era o nome do pai de Josué. Ele era descendente de Efraim. É mencionado por dez vezes no Antigo Testamento: Êxo. 33:11; Núm. 11:28; 13:8,16; Deu. 1:38; 32:44; Jos. 1:1; Juí. 2:8; I Reis 16:34; Nee. 8:17. Nada se sabe sobre ele, além de seu nome. Viveu em cerca de 1210 A.C. Há quem pense que esse nome significa «continuação».

NUMEN

Na religião romana, um poder divino ou um espírito, mas anônimo; um ser cujo poder pode ser sentido, mas acerca do qual coisa alguma pode ser dita, quanto à sua natureza e às suas características. Basicamente, essa palavra significa «aceno», dando a entender um sinal de comando ou exercício da vontade.

NUMÊNIO DE APAMÉIA

Não há certeza quanto às datas de seu nascimento e morte. Mas sabe-se que ele foi um filósofo neopitagoreano, helênico, do século II D.C. Nasceu na Síria, e tem sido considerado, por alguns, fundador do *neoplatonismo* (vide). As principais fontes inspiradoras de seu pensamento. que ele combinou em uma salada filosófica foram Pitágoras, Platão e noções dos mistérios egípcios.

Idéias:

1. Haveria três deuses. O primeiro é a Unidade absoluta, transcendental, o próprio princípio do *ser*. Associados a ele haveria os ideais ou universais, de Platão, reduzidos a números pitagoreanos. Ver o artigo sobre *Número*, quarta seção, *Números na Filosofia*, que traça várias idéias filosóficas sobre o assunto.

2. O segundo deus seria o princípio do *tornar-se*. Ele teria criado o mundo em harmonia com os números-formas, isto é, o conteúdo inerente aos universais de Platão, compreendido em termos numéricos. Naturalmente, a ciência tem podido demonstrar que a base da natureza é o número, a característica básica dos átomos. Filósofos como Pitágoras, Platão e Numênio parecem ter recebido algum discernimento quanto a essa questão, ainda que suas idéias fossem cruas, primitivas.

3. O terceiro deus de Numênio de Apaméia teria criado este mundo. Parece que Numênio propunha uma espécie de panteísmo em três níveis.

4. Em seguida, de acordo com sua hierarquia dos seres, haveria uma série de seres divinos e demoníacos. E abaixo desses viria o homem, que se

compõe de corpo físico e alma, levando-o assim a participar, ao mesmo tempo, da materialidade e da espiritualidade.

5. Finalmente, baixando mais nessa hierarquia, chegamos à matéria bruta, associada de perto com o não-ser.

6. O alvo da existência humana seria obter experiências místicas de elevada ordem, capacitando o homem a elevar-se de sua materialidade e retornar à plena espiritualidade. O corpo seria a prisão da alma, embora a iluminação espiritual possa libertar o espírito. A união com o primeiro dos três deuses é o alvo de toda a existência. O *ascetismo* (vide) ajudaria nesse processo de liberação, porquanto quanto mais nos desvencilharmos da materialidade e suas distrações, tanto menos tempo e esforço teremos de fazer para efetuar a nossa libertação.

NUMÊNIO (PESSOA)

Numênio era filho de Antíoco IV (ver I Macabeus 12:16). Foi enviado em missão especial a Roma, por Jônatas e Simão Macabeu. Essa missão ocorreu após a vitória dos Macabeus sobre Demétrio, na Alta Galiléia. Numênio fez-se acompanhar por Antípater, filho de Jason. Eles foram a Roma confirmar e renovar as relações amistosas com os romanos, os quais reagiram favoravelmente. Foi uma ocasião de diplomacia frutífera. Os Macabeus também foram capazes de obter as graças dos espartanos (I Macabeus 12:5-23). Simão sucedeu a seu irmão, Jônatas, e reverteu as derrotas sofridas por este. E suas vitórias foram aplaudidas pelos romanos e espartanos, igualmente. Os judeus declararam Simão como seu sumo sacerdote, pelo que seus sucessores não tiveram limites quanto à sua autoridade.

Numênio foi enviado em outra missão a Roma, por parte de Simão, levando consigo um escudo de ouro, como sinal da aliança que fora firmada (I Macabeus 14:24). E retornou com cartas que garantiam a soberania do povo judeu e a integridade de seu território. Uma cópia dessa carta ficou registrada em I Macabeus 15:16-21; e Josefo (*Anti.* 13:5,8) fez alusão a esse fato. Por meio dessas ocorrências, Numênio obteve a reputação de habilidoso negociador. Finalmente, os Macabeus sucumbiram diante de conflitos internos e assassinatos; e Roma, para pôr um paradeiro na grande confusão reinante em território judeu, ocupou o mesmo. Não muito depois disso, Jesus Cristo entrou em cena, e teve início a era do Novo Testamento.

NÚMERO (NUMERAL, NUMEROLOGIA)

Esboço:

I. Os Números e a Matemática na Cultura Hebréia
II. Sistemas Numéricos
III. Os Números e seus Alegados Significados
IV. Os Números na Filosofia
V. Numerologia

I. Os Números e a Matemática na Cultura Hebréia

Os hebreus, tal como sucedia na maioria das culturas orientais, como também os gregos e os romanos, usavam letras de seus alfabetos para expressarem os números. Porém, no Antigo Testamento não achamos letras para representar números, mas antes, expressões numéricas escritas por extenso. Somente após a cativeiro babilônico passaram a ser usadas letras para indicar números, um sistema que aparece nas moedas cunhadas pelos Macabeus. Todavia, alguns eruditos opinam que isso começou antes mesmo do cativeiro babilônico, embora não existam evidências escritas nesse sentido. Essa idéia, contudo, pode ser deduzida das variantes, no texto hebraico, no tocante a quantidades numéricas, que podem ter surgido quando uma letra qualquer foi confundida com outra, o que não poderia ter sucedido se as expressões numéricas sempre fossem escritas por extenso.

Números escritos por extenso aparecem na Pedra Moabita e na inscrição do poço de Siloé; e isso, por sua vez, demonstra que os hebreus não eram os únicos que assim registravam as quantidades numéricas, Israel também compartilhava, com a maioria de seus vizinhos mediterrâneos e do Oriente Próximo e Médio (Assíria, Egito, Grécia, Fenícia e Roma), o sistema decimal.

Em hebraico, o número «um» é um adjetivo; mas uma série de substantivos designa os números de «dois» a «dez». E, então, combinações desses números produzem de «onze» a «dezenove». Após o «vinte», as dezenas são formadas em um padrão similar àquele usado nos idiomas modernos. No hebraico, trinta e três era dito: três trinta. Porém, uma palavra separada era usada para indicar «cem». Duzentos era a forma dual da palavra hebraica correspondente. De trezentos a novecentos, os hebreus voltavam ao sistema comum em português. O mais elevado número dos hebreus antigos era vinte mil, que é a forma dual de dez mil. Além disso, havia sinais numéricos que não se acham no Antigo Testamento, embora apareçam em algumas ostracas do período do Antigo Testamento (século VI a IV A.C.). Papiros escritos em aramaico, provenientes do Egito, exibem as mesmas formas. Traços verticais eram usados para indicar dígitos (unidades), ao passo que traços horizontais (escritos uns acima dos outros), indicavam dezenas. Uma letra estilizada *men* era usada em lugar de «cem», com traços verticais, para indicar centenas adicionais. Uma forma abreviada da palavra que significa «mil» era empregada para indicar esse número. Uma letra parecida com a letra grega *lambda* era usada para indicar «cinco»; e uma letra similar a *gímel* representava «quatro».

Evidências de Processos Matemáticos. Em Núm. 1:26, temos menção à adição; em Lev. 27:18, à subtração; em Lev. 27:16, à multiplicação; e em Lev. 25:50, à divisão. E em Gên. 27:24; Lev. 5:16; 6:5 e Núm. 15:4, há menções a frações. Proporções das medições, na descrição do templo visionário de Ezequiel, exibem uma certa sofisticação matemática. No entanto, isso era primitivo, quando cotejado com o uso que os gregos faziam dos números. Na época de Platão (400 A.C.), os gregos já tinham uma matemática comparável com o que agora se ensina no primeiro grau. A cultura dos hebreus, que começou como nômade e terminou como agrícola, não precisava de qualquer sistema numérico especialmente sofisticado.

Uso Aproximado. Números como dois, três e quatro, em combinações com dois ou três, três ou quatro, indicavam «mais ou menos» ou «poucos» (ver I Reis 17:12; Amós 1:3 *ss*; Pro. 30:15 *ss*). *Dez* era usado para indicar «muitas vezes» (ver Gên. 31:7). O número *quarenta* era usado como uma aproximação padrão para indicar uma geração, sem requerer que pensemos exatamente em uma geração (ver Juí. 3:11; 5:31; 8:28). *cem* era um número usado para indicar muitas coisas, — sem qualquer idéia de precisão. (ver Ecl. 6:3); e os números *mil* e *dez mil* indicavam grande número, também sem qualquer tentativa de exatidão (ver Deu. 32:30; Lev. 26:8). *Quarenta mil* podia indicar um número aproximado ainda maior (ver Juí. 5:8).

Após o Cativeiro Babilônico. Foi a partir dessa época que se iniciou o uso de letras isoladas ou combinadas, para expressar números, ou, para exemplificar:

1 ℵ 2 ℶ 10 ℷ 100 ℸ 1000 ℵ

II. Sistemas Numéricos

Apresentamos abaixo alguns poucos sistemas numéricos representativos:

1. *Egípcio*

Antigo: 1900 A.C.

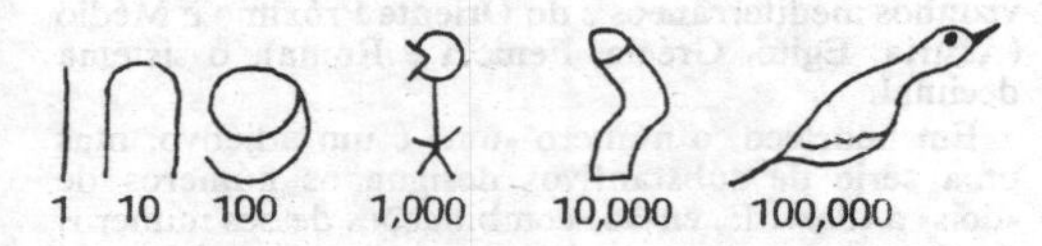

Posterior: 1400 A.C.

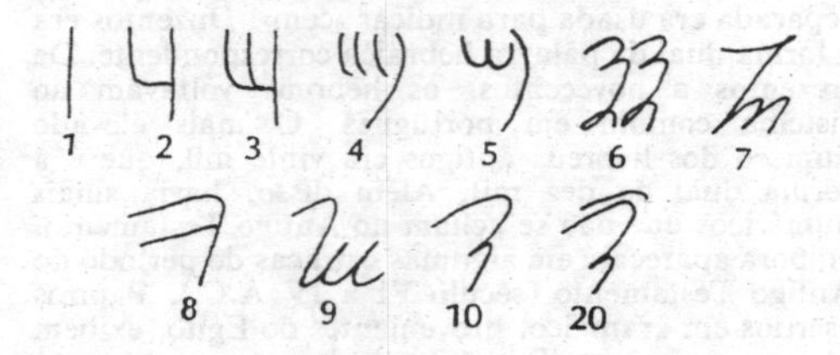

2. *Cuneiforme Assírio e Acádico:* 1900—1300 A.C.

1 2 3 7 10 64 (60+4) 81 (60+21)

3. *Hebraico Antigo e Cananeu*

Esse sistema acha-se em anotações de lugares (capítulos), nos manuscritos do Antigo Testamento e em antigas inscrições, embora não no texto do Antigo Testamento propriamente dito.

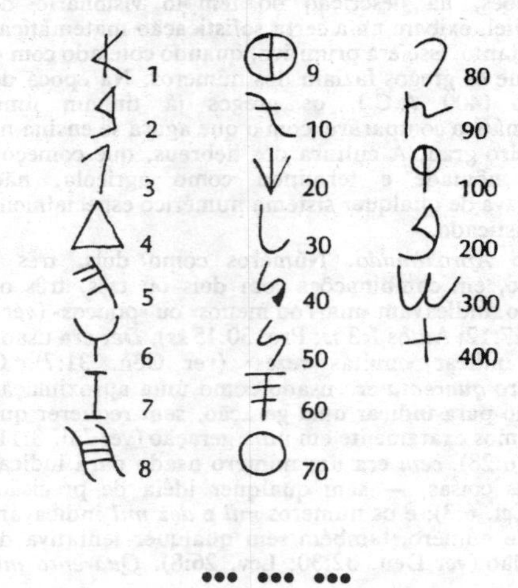

1 2 3 4 5 6 7 8
9 10 20 30 40 50 60 70
80 90 100 200 300 400

• • • • • • • • •

4. *Fenício*: (900—800 A.C.)

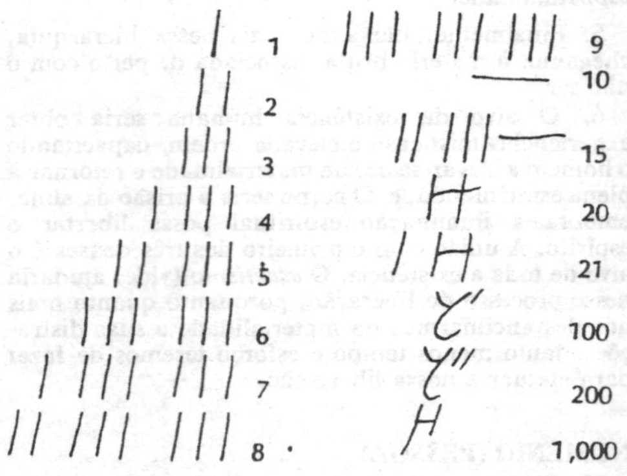

1 2 3 4 5 6 7 8
9 10 15 20 21 100 200 1,000

5. *Grego*

1 α	10 ι	100 ρ	1000 ,α
2 β	20 κ	200 σ	2000 ,β
3 γ	30 λ	300 τ	. . .
4 δ	40 μ	400 υ	λζ = 37
5 ε	50 ν	500 φ	τμθ = 349
6 ϛ	60 ξ	600 χ	,απ = 1080
7 ζ	70 ο	700 ψ	ϛ *bau*
8 η	80 π	800 ω	ϙ *koppa*
9 θ	90 ϙ	900 ϡ	ϡ *sampi*

6. *Romano*

O sistema romano nos é bem conhecido, visto ter sido sempre empregado nos livros como uma forma alternativa de expressar divisões (como nos esboços e referências), e também porque as datas (em séculos) em livros e monumentos empregam esse sistema.

Unidades: I II III IV V VI VII VIII IX (números de 1 a 9)

Dezenas: X XX XXX XL L LX LXX LXXX XC (números de 10 a 90)

Centenas: C CC CCC CD D DC DCC DCCC CM (números de 100 a 900)

Milhares: M MM MMM, etc. (números 1000, 2000, 3000, etc.)

Assim: 1988 = MCMLXXXVIII (um sistema laborioso, mas viável).

7. *Arábico*

O sistema numérico que usamos tem raízes nos algarismos dos hindus e dos árabes. Esses algarismos foram adaptados na Europa, formando um sistema moderno e eficiente, muito menos trabalhoso do que os antigos sistemas. Assim, em vez de se escrever I II II III IIII, por exemplo, escrevemos 1, 2, 3, 4, 5. Em combinação com o sistema decimal, isso produz as dezenas, as centenas, os milhares, etc. ou seja: 1 10 100 1000; 2 20 200 2000; 3 30 300 3000, etc. No idioma português, a vírgula é usada para indicar casas decimais. Para exemplificar: 2,7 (dois inteiros e sete décimos), 3,85 (três inteiros e oitenta e cinco centésimos), etc. Isso segue o sistema europeu. Nos Estados Unidos, a única diferença é que se usa o ponto, em vez da vírgula. O desenvolvimento desse sistema foi, «...talvez, um dos mais importantes passos que já se deu no campo da matemática, honrando ao seu criador como se dá em qualquer outro ramo, na história da ciência» (Peter Barlow, *New Mathematical and Philosophical Dictionary*).

III. Os Números e seus Alegados Significados

Algo indiscutível é que certos números assumem na Bíblia um significado especial. Outra coisa certa é que alguns intérpretes, antigos e modernos, têm exagerado a questão da maneira mais absurda. Os cabalistas, por exemplo, sentiam-se capazes de descobrir sentidos misteriosos em letras e números. Em anos recentes, Ivã Panin encontrou sentidos numéricos ocultos em cada palavra e até em cada letra da Bíblia. O número de pessoas que estava no navio que naufragou em Melita ou Malta era de duzentas e setenta e seis (ver Atos 27:37,44), mas é ridículo tentar achar algum sentido místico nesse número, conforme alguns têm tentado fazer. Várias figuras antigas deixaram um mau exemplo quanto a isso. Pitágoras e seus discípulos deram um número específico a todas as entidades. As Tábuas da Criação da Babilônia registram cinqüenta nomes diversos do deus Marduque, dando uma importância especial a cada nome. Sargão disse que o número de seu nome era igual ao do circuito das paredes de seu palácio, isto é, 16.283; e ele dava grande significação a isso. Piazzi Smyth (1867) pensou que a grande pirâmide Gizé contém um misterioso e elaborado sistema de números, com sentidos ocultos. E então E.W. Bullinger, no livro *How to Enjoy the Bible*, tentou convencer seus leitores que os números são importantes na Bíblia, e que seu sentido pode ser descoberto observando-se o primeiro uso de cada um. Assim, Gên. 17:25 tem o número «treze»; e o contexto dessa passagen fala em ***rebelião***. Para ele, pois, o número «treze» sempre indicaria rebelião, apostasia e desintegração (págs. 311 *ss*), mas quase ninguém se deixa convencer da força desse tolo argumento. Além disso, temos a moderna numerologia (ver a quinta seção deste artigo), a versão secular dessa superstição. Nossas críticas, porém, não devem ser interpretadas como se crêssemos que os números não têm qualquer sentido, tão-somente queremos declarar que muitos exageros têm penetrado na questão. O único número na Bíblia sobre o qual é especificamente declarado como de valor simbólico e de sentido oculto é o «666» do anticristo (ver Apo. 13:18). Outros números adquirem significação mediante sua repetitiva associação com certas condições. Eis alguns exemplos:

1. Números da Bíblia com Alegadas Significações

Um. Unidade e caráter ímpar. O Senhor Deus é o único Senhor (Deu. 6:4); a raça humana provém de um único progenitor, donde se deriva a unidade da raça (Atos 17:25); o pecado entrou no mundo por um homem, como também a justiça (Rom. 5:12, 15); o sacrifício único de Cristo é suficiente para todos e para todas as épocas (Heb. 7:27); o Pai e o Filho são um (João 10:30); o homem e a mulher, dentro do casamento, tornam-se uma só carne (Mat. 19:6).

Dois. Unidade e divisão. Homem e mulher são um só (Gên. 1:27; Mat. 19:6); duas pessoas trabalham juntas em cooperação (Jos. 2:1); os apóstolos foram enviados de dois em dois (Mar. 6:7), como também os setenta discípulos (Luc. 10:1). No Sinai, foram dadas as duas tábuas da lei. Porém, dois também pode indicar alguma força separadora (I Reis 18:21), como duas opiniões que apresentam um dilema, ou como duas maneiras diferentes de decidir algo (Mat. 7:13,14).

Três. Unidade na multiplicidade. Esse é o número de Trindade: três pessoas, mas uma só substância (Mat. 28:19; João 14:26; 15:26; II Cor. 13:14; I Ped. 1:2). Três dias marcam um ponto terminal, pois Jesus ressuscitou ao terceiro dia (I Cor. 15:4). Três discípulos especiais eram íntimos do Senhor Jesus (Mar. 9:2); o «Santo, Santo, Santo» de Isa. 6:3 indica a perfeita santidade de Deus; em Núm. 6:23-26 vemos uma bênção três vezes repetida.

Quatro. O mundo considerado como completo. O tetragrama divino, Yahweh (ou seja, YHWH); quatro rios fluíam do jardim do Éden (Gên. 2:10); os quatro cantos da terra (Apo. 7:1); os quatro ventos (Jer. 49:36; Eze. 37:9); as quatro criaturas viventes do céu (Eze. 1; Apo. 4:6).

Cinco. Tábuas de exigências e punições (Êxo. 22:1; Lev. 5:16); as cinco virgens prudentes e as cinco insensatas (Mat. 25:2).

Seis. O número que exprime algo incompleto. O número do homem, que fica aquém do número sete, o número divino. O homem foi criado no sexto dia da criação (Gên. 1:27); o homem deve trabalhar por seis dias (Êxo. 20:9). O homem terrível, o anticristo, é representado por um tríplice «seis»: 666 (Apo. 13:18).

Sete. Número da perfeição e da divindade. Também assinala coisas divinas. Deus descansou ao sétimo dia, terminada a sua obra criativa (Gên. 2:2); o homem deve imitar isso, honrando a Deus no sétimo dia (Êxo. 20:10). Havia um ano sabático (Lev. 25:2-6); e também um ano do jubileu, após sete vezes sete anos (Lev. 25:8). Algumas festas judaicas duravam sete dias (Êxo. 12:15,19; Núm. 19:12). O dia da expiação era no sétimo mês do ano (Lev. 16:29); ritos estavam ligados ao número sete (Lev. 4:6; Núm. 28:11). O candeeiro de ouro tinha sete ramos (Êxo. 25:32); o salmista louvava a Deus sete vezes por dia (Sal. 119:164). A tribulação final perdurará sete anos (Apo. 11:2,3; 13:5). Sete demônios foram expelidos de Maria Madalena (Luc. 8:2). O dragão e a besta têm sete cabeças cada um (Apo. 13:1; 17:7).

Oito. O equivalente numérico do nome «Jesus» é oito, tal como o do anticristo é seis. Oito pessoas foram salvas do dilúvio, na arca de Noé (I Ped. 3:20). Um menino israelita era circuncidado ao oitavo dia de vida (Gên. 17:12). Ezequiel viu sacerdotes fazerem suas oferendas no oitavo dia, em sua visão sobre o templo ideal (Eze. 43:27). Se tivermos de vincular algum sentido a esse número, então parece que o mesmo tem algo a ver com a eficácia da salvação ou com atos divinos, com a participação nos pactos firmados por Deus e com a segurança que esses pactos divinos conferem à alma humana.

Dez. Harmonia e algo completo, como no decálogo e nos dez dedos do homem, cinco em cada mão. A mulher tinha dez moedas (Luc. 15:8); outra parábola menciona dez minas, empregadas na determinação dos destinos humanos (Luc. 19:11-27). Dez forças negativas não conseguem separar o crente de seu Salvador (Rom. 8:38 *ss*). Dez pecados excluem o indivíduo do reino dos céus (I Cor. 6:10). Dez anciãos formavam uma companhia (Rute 4:2). Dez virgens ilustram boas e más escolhas (Mat. 25:2). Dez reinos entregarão sua autoridade ao anticristo (Apo. 17:12 *ss*).

Doze. Número do governo mundial, como também do governo divino e seus arranjos. Há doze meses no ano; o dia está dividido em doze horas (João 11:9). Israel compõe-se de doze tribos (Gên. 35:22-27; 49:28). Jesus selecionou doze discípulos para perpetuação de seus propósitos (Mat. 10:1 *ss*). Doze pedras preciosas foram engastadas no peitoral do sumo sacerdote (Êxo. 28:21). A Nova Jerusalém terá doze fundamentos e doze portões (Apo. 21:12,14).

Quarenta. Número de provas e testes, mas também do desenvolvimento de significativos atos divinos. O dilúvio ocorreu devido a quarenta dias de chuvas (Gên. 7:4,12,17). Moisés esteve quarenta anos no Egito, esteve quarenta anos em Midiã, e então, completou seu ciclo após quarenta anos no deserto (Atos 7:23,30; ver também Núm. 14:34 e Deu. 31:2). Moisés esteve no monte Sinai por quarenta dias, recebendo a lei (Êxo. 24:18). Israel ficou vagueando pelo deserto durante quarenta anos (Núm. 14:34). Os espiões exploraram a terra de Canaã por quarenta dias (Núm. 13:25). Golias ficou desafiando Israel por quarenta dias (I Sam. 17:16). Elias pôde caminhar durante quarenta dias após comer por duas vezes (I Reis 19:8). Jonas advertiu Nínive durante quarenta dias (Jon. 3:4). Jesus jejuou por quarenta dias, e, então, foi tentado (Mat. 4:2). Especulo que a Grande Tribulação final perdurará por um total de quarenta anos, dos quais sete anos revestir-se-ão de importância especial para o povo de Israel.

Setenta. Um número administrativo e organizacional. Após o dilúvio, o mundo foi repovoado mediante setenta descendentes de Noé (Gên. 10). Setenta pessoas, da família de Jacó, desceram ao Egito (Gên. 46:27). Setenta anciãos foram nomeados para ajudar Moisés no governo de Israel (Núm. 11:16). Setenta semanas de anos foram determinadas para a história profética de Israel (Dan. 9:24). Jesus enviou setenta discípulos especiais como missionários (Luc. 10). Devemos perdoar a nossos ofensores até setenta vezes sete (Mat. 18:22).

Seiscentos e Sessenta e Seis. O sentido desse número é esclarecido no artigo *Anticristo*, *Suas Características*, décimo quinto ponto, e no artigo *Seiscentos e Sessenta e Seis*. É possível que esse seja o cálculo numérico do nome *Nero Caesar*, que os primitivos cristãos esperavam que se reencarnasse, voltando a este mundo para cumprir outra missão diabólica (ver Apo. 17:10,11). Esse é o único número na Bíblia que é especificamente declarado como dotado de significado simbólico (ver Apo. 13:18). Veio a significar aquilo que é sinistro, diabólico e incansavelmente poderoso e maligno.

Cento e Quarenta e Quatro Mil. Temos aí o número de israelitas selados (doze mil de cada tribo), que cumprirão positivamente a vontade de Deus, durante o período da Grande Tribulação. Alguns pensam que se trata do número dos eleitos. Mas essa interpretação não tem razão, pois logo em seguida lê-se acerca de uma incontável multidão proveniente de todas as nações (ver Apo. 7:4-14). Ver o detalhado artigo chamado *Cento e Quarenta e Quatro Mil*, onde apresentamos os muitos sentidos simbólicos e explicações que têm sido dados a esse número.

2. Os Números nos Sonhos e nas Visões

Muitas pessoas continuam tentando acertar na loteria mediante números recebidos em sonhos. algumas vezes, acertam, mas, usualmente, os números que aparecem nos sonhos não servem para esse propósito. No entanto, os números, nos sonhos, podem revestir-se de sentido, mesmo que isso não resulte em dinheiro de loteria. A mente inconsciente tem uma maneira curiosa e misteriosa de manipular números. Nos sonhos, eles podem aludir a datas significativas. É um tanto assustador quando à pessoa é revelada a data de sua morte, como se deu com *Swedenborg* (vide); mas isso não acontece muito freqüentemente. É chocante quando alguém sonha com uma data escrita sobre a própria lápide, no cemitério; mas, geralmente, isso é apenas um sonho assustador. Nos sonhos, é melhor não olhar para as datas sobre as lápides, se alguém tiver o infortúnio de sonhar que está percorrendo um cemitério. A mente inconsciente sabe tudo sobre o destino e sobre datas, mas essa informação ludibria a mente consciente. Algumas vezes, os místicos podem escavar informações, mais ou menos como quem tira água de um poço profundo.

Li acerca de um sonho em que o sonhador viu uma *data*; e, pouco tempo depois, recebeu um polpudo cheque com aquela data. Isso não foi pura coincidência. Precisamos de mais sonhos dessa natureza. Mas, conforme Freud insistia, a maioria dos sonhos com cheques são meros cumprimentos de desejo. Porém, seja como for, os números que aparecem nos sonhos, referentes a datas, dinheiro, quilômetros, dias, etc., são todos intercambiáveis. Uma data pode indicar o número de certa importância em dinheiro, ou vice-versa. E uma data pode indicar certo número de anos. Usualmente, não reconhecemos o significado desses sonhos senão posteriormente, quando os mesmos se cumprem. De certa feita, sonhei que perdia dinheiro para um editor desonesto; e o que perdi combinava bem com o sonho. Mas só reconheci isso quando sofri a perda.

Um sonho pode falar sobre um número para referir-se a algum acontecimento específico. Se esse número repetir-se, então o sonhador estará sendo informado; isso sucederá novamente. Também haverá certa conexão lógica entre um número sonhado e o acontecimento que ele simboliza. Por exemplo, sucedeu no sétimo dia da semana; sucedeu cinco anos atrás, etc. Um número pode referir-se a uma pessoa qualquer, como meu segundo filho, que então seria representado pelo número «dois». Os números pares, segundo alguns insistem, são números femininos; e os ímpares são masculinos, ou mesmo algo moralmente errado.

A série de *um a nove* pode aludir aos estágios da vida, ou a algum desenvolvimento da mesma, visto que percorre a gama inteira dos alargismo.

Ligação Entre a Vida e os Números. Certos números tornam-se significativos para certas pessoas, desempenhando um importante papel em suas vidas. Paulo Maluf, um político brasileiro, gostava do número «101», porque traduzia sucesso para ele; mas, quando procurou ser eleito pela segunda vez como governador do estado de São Paulo, no Brasil, não obteve a vitória. No entanto, os místicos dizem-nos que números assim podem ter certo significado. Se uma pessoa atribui alguma importância a um determinado número, sem importar com quais associações, acabará sonhando com esse número, como um modo de informação ou orientação.

Os números e seus sentidos possíveis, derivados do estudo dos sonhos:

Um. Isolamento; símbolo fálico (devido a seu formato); um homem; o próprio «eu», que é o número um. Unidade; algo de suprema importância, em contraste com coisas de menor valia.

Dois. Dualidade e divisão; os dois lados de uma questão ou problema; o lado masculino e o lado feminino; harmonia entre dois elementos, pessoas ou coisas; uma controvérsia formada por dois lados; uma desarmonia ou falta de compasso interior. Duas estradas paralelas indicam alternativas. Se o sonhador é casado, heterossexual ou homossexual. Compartilhar de algo com alguém. O princípio feminino.

Três. A Trindade; uma família composta de pai, mãe e filho; o aparelho genital masculino.

Três ou Quatro. A mente dispõe de quatro faculdades. E sonhar com três e quatro juntos pode significar que uma dessas faculdades está sendo negligenciada, tornando-se o ponto mais vulnerável da pessoa. As quatro faculdades da mente são o intelecto; as sensações; a intuição e as emoções. É curioso que certas pessoas religiosas carregam em demasia uma dessas faculdades, em detrimento das outras, ou mesmo eliminando uma delas. Mas, as pessoas sensatas sabem que a religião não pode ser somente emoção, ou somente intelecto, ou somente intuição. Precisamos saber equilibrar entre si todas as quatro faculdades da mente.

Quatro. Algo completo e são; todas as faculdades mentais. Quatro pessoas, a família ideal; o alcance inteiro de alguma coisa; a deidade (três) mais a matéria (o resto).

Cinco. A natureza, o corpo humano, formado do tronco com cinco projeções: a cabeça, as pernas e os braços, da mesma maneira que cada mão tem cinco dedos.

Quatro e Cinco. Alvos espirituais ideais, em contraste e em competição com os desejos naturais do corpo físico e seus alvos (quatro, espirituais; cinco, corporais).

Seis. O sexo (visto que as duas palavras são similares; e também porque $3 \times 2 = 6$, ou seja, dois = feminino, e três = masculino). Também está em foco a geração, a evolução. Se o número seis aparece de cabeça para baixo, então há transtornos sexuais ou emocionais.

Sete. O número sagrado. O número de Deus; ou dos arcanjos (de acordo com a enumeração judaica). O número dos deuses-planetas das antigas culturas pagãs. O dia consagrado à adoração a Deus.

Oito. Sem sentido, exceto para os cristãos, que sabem que, numericamente, oito é o número de Jesus. Mas também pode-se pensar em $2 \times 4 = 8$, combinando os sentidos dados acima, do dois e do quatro.

Nove. Fruição, como nos nove meses de gravidez da mulher; o ponto culminante das realizações, visto que nove é o dígito mais elevado.

Dez. Macho e fêmea; intercurso sexual; casamento. Os Dez Mandamentos, a gama inteira dos princípios espirituais.

Doze. O tempo. As doze horas do dia; os doze meses do ano; os doze signos do zodíaco; um clímax ou ponto culminante qualquer.

Vinte e Quatro. As horas do dia; um breve ciclo.

Setenta. A duração média da vida humana.

Zero. Um símbolo feminino; a perfeição; algo sem começo e sem fim; os ciclos do tempo e da evolução. O zero é como um *círculo*, envolvendo os sentidos vinculados ao mesmo, como algo repetitivo, ou como algo que se completa.

Frações. A quarta parte pode simbolizar o lar, pois compõe-se de «quartas»; a metade significa o meio de qualquer coisa.

IV. Os Números na Filosofia

1. *Pitágoras* (vide) deu ao mundo uma grande descoberta. Ele relacionou a realidade aos números. Isso foi exemplificado pela relação entre as proporções matemáticas e a progressão de tons, mediante o alongamento ou encurtamento de cordas vibrantes. Daí emergem duas suposições: primeira, os números têm a chave para a explicação da realidade; segunda, os números são a própria essência da realidade. Parece que Pitágoras defendia ambas essas idéias. Seja como for, ele dava a cada coisa um número, embora de maneira crua, não-científica. Ele não tinha qualquer visão atômica da realidade, embora sua idéia fundamental se tenha tornado básica na moderna teoria científica. Ele chamava o ponto de *um*; a linha de *dois*; o plano de *três*; e o sólido de *quatro*. A soma dos números críticos é o *dez*, que é o número perfeito. Até termos que indicam valores foram associados a números. Assim, a opinião seria dois; a saúde, sete; o amor, oito; e a justiça seria um número elevado ao quadrado.

Esse sistema numérico de Pitágoras entrou na astronomia. Surgiu a unidade primária, o grande Um; então haveria *dez* esferas girando umas dentro das outras, visto que a *perfeição* dos céus requer tal número. Partindo do fogo central, o grande Um, passamos pela terra, pela lua, pelo sol, por Mercúrio, Vênus, Marte, Júpiter, Saturno, e, finalmente, as estrelas fixas na sua própria esfera. Os intervalos entre os planetas estariam associados às notas da escala musical. Ali é produzida a divina *música das esferas* (vide), por demais sutil para os ouvidos humanos perceberem.

2. *Platão*. Tomando por empréstimo noções básicas de Pitágoras, Platão identificava o seu sistema de idéias ou *universais* (vide) aos números. Ele trabalhou com os conceitos de limitado, não-limitado, determinado, não-determinado. Platão era matemático, e, naturalmente, deixava-se atrair por uma teoria que se relacionasse à própria realidade. Por isso, procurou desenvolver implicações matemáticas das idéias, em seu diálogo, *Filebo*. De alguma maneira inexplicável, as forma (idéias) seriam formas-números, que não podem ser adicionadas e nem podem ser matematicamente manipuladas. Entre as formas-números e o mundo palpável há um terceiro mundo, o mundo das entidades matemáticas. Os nossos números, para ele, são idéias tomadas por empréstimo dos mundos-números celestes e intermediários.

Alguns eruditos vêem em Platão uma antecipação das modernas teorias dos números. Assim, a **água**, para exemplificar, pode ser explicada por uma fórmula numérica: H(2)O. Platão não sabia disso, mas antecipou que as coisas, de alguma maneira, poderiam ser explicadas numericamente. Visto que todos os particulares (os objetos físicos) originam-se nas idéias, então também devem incluir, de alguma forma misteriosa, o conceito de número. Os conceptualistas diriam que os números são conceitos da Mente divina, mas Platão fazia de suas idéias entidades metafísicas. Ademais, a teoria matemática é uma espécie de mundo intermediário que nem se encontra nos céus, e nem se identifica com a matemática aplicada. Antes, é uma dimensão de teoria, de idéia. Assim, teríamos conceitos sobre dualidades, trindades, divisões, adições, subtrações, multiplicações, etc.

3. *Numênio de Apaméia* identificava os números pitagoreanos com os universais de Platão. Ver o artigo sobre ele, quanto a maiores detalhes. E outros pensadores neoplatônicos seguiram essa diretriz.

4. *O conceptualismo*. Para essa posição filosófica, os números, como todos os demais conceitos, surgem primeiramente na Mente divina. Deus é o grande Matemático, e o universo é o grande campo da matemática aplicada. Quanto mais os homens aprenderem sobre a natureza, mas aprenderão sobre a aplicação dos números. O universo ou criação poderia ser encarado como obra de um grande Artista, de um grande Matemático, mas jamais como resultante do puro acaso.

5. *O Mundo a Priori*. Certos conceitos nós conhecemos *a priori*, sem qualquer investigação empírica. Entre esses conceitos há os conceitos matemáticos. Suas proposições e máximas são todas recebidas como verdades *a priori*. Com base nisso,

alguns filósofos têm suposto que a própria verdade pode ser apreendida pela mente, sem o uso da percepção dos sentidos. A verdade, de acordo com essa teoria, vem mediante a intuição e a razão, e não através da percepção dos sentidos. De acordo com essa teoria, a verdade nos chega mediante a razão e a intuição, e não através da percepção dos sentidos. Ela nos chega *a priori*, e não *a posteriori*. Emanuel Kant pensava que essas verdades fazem parte das categorias inatas da mente, as quais são apreendidas *a priori*, mas que são comprovadas pela experiência humana. Por essa razão, as proposições podem ser, ao mesmo tempo, *a priori* e *sintéticas*.

6. *John Stuart Mill* e outros filósofos empíricos não conferiam à matemática qualquer condição ontológica. Para eles, os números são meras generalizações da experiência humana com as coisas, e a matemática mental é tautológica, repetitiva.

7. *Bertrand Russell* proveu uma teoria moderna dos números, ao procurar demonstrar que os números repousam sobre a lógica. Quanto à sua definição de *número*, ver o segundo ponto do artigo sobre ele.

8. O *atomismo*, começando pelos gregos, depende dos números. Ver o artigo geral sobre esse assunto.

V. Numerologia

Talvez Pitágoras possa ser considerado o pai dessa atividade. E, então, Platão atiçou mais a fogueira, ao misturar os números com seu conceito dos universais; e isso chegou a labaredas altas com o conceptualismo, que faz dos números conceitos da Mente divina. E a ciência tem feito a questão tornar-se uma floresta incendiada ao mostrar que, de fato, o número é a própria base de nossa realidade física. A partir daí, não é preciso nenhum grande salto de fé para alguém chegar à suposição que os números são importantíssimos na vida e no destino dos homens. A fé religiosa adicionou tempero à fórmula, mostrando que, na Bíblia, os números são importantes. Naturalmente, porém, grande parte da numerologia é pura invenção. Para começar, valores numéricos são atribuídos às letras do alfabeto. A letra A valeria «1», e a letra Z valeria «26». Há duas funções básicas: a primeira consiste em calcular o valor numérico do nome de uma pessoa; e a segunda consiste em calcular o valor numérico da data do nascimento daquela pessoa. Por exemplo, Jesus é: J (10), E (5), S (19), U (21), S (19). A adição desses valores dá 74. Esse número é então reduzido, adicionando-se $7 + 4 = 11$ e $1 + 1 = 2$. Mas no grego o valor do nome *Iesous* é 8. Alguns números não são reduzidos; mas os números maiores são redutíveis, adicionando-se as séries. Exemplificando: 556 é igual a $5 + 5 + 6 = 16$; 16 é igual a $1 + 6 = 7$. Isso posto, numerologicamente, 556 equivale a 7. Os números relativos às datas dos nascimentos são manuseados da mesma maneira. Digamos 2 de julho de 1932 seria: 2 + 7 (pois julho é o sétimo mês) $+ 1 + 9 + 3 + 2 = 24$ e esse resultado, por sua vez, seria reduzido como segue: $2 + 4 = 6$. Assim, para quem nasceu nessa data, seu número de nascimento é 6. E aí o significado desse número depende dos conceitos e valores atribuídos aos números de 1 a 9, além de certos números duplos, que não são reduzidos mediante o processo acima demonstrado. É precisamente nessa altura que surgem todos os processos *imaginários*, fazendo o sistema cair no descrédito.

Seja como for, é quase certo que o número «666», associado ao anticristo, foi obtido mediante o cálculo do valor numérico das letras do nome Nero Caesar. Os arqueólogos têm descoberto os nomes de namoradas inscritos em paredes, por seus namorados, em números, e não em letras. Esse sistema, como é óbvio, é antiqüíssimo. Quanta verdade há no mesmo, já é outra questão. Certos místicos que merecem a nossa atenção, têm declarado que há alguma verdade na questão. Uma mulher mística tem tido experiências com esse fato, pois suas visões são mais freqüentes, e também mais claras, em certos dias, que podem ser identificados com certos números. Há também a possibilidade de que sonhos bons e instrutivos que são tipos de visões, tenham alguma forma de associação numérica, e, se isso corresponde à verdade, então, algum dia, os estudos sobre os sonhos poderão incluir esse aspecto.

Ante o exposto, pode-se dizer que há *alguma* verdade na numerologia, embora, provavelmente, apenas em uma pequena porcentagem daquilo que se tem dito em seu favor. Qualquer verdade que haja na numerologia dependeria do destino do indivíduo, vinculado a importantes números associados àquela pessoa, incluindo tanto o seu nome quanto a data de seu nascimento. Para que isso corresponda à realidade dos fatos, teremos de supor que, verdadeiramente, há um desígnio, em grande escala, associado à vida humana e às influências que cercam a data do nascimento de uma pessoa e o nome que lhe é conferido. E além dos números ligados ao nome e à data do nascimento de uma pessoa, outros números também podem ser importantes para certas pessoas. Mas, quais sejam esses números, é algo que terá de ser descoberto no processo de anos, mediante a observação. (AM B EP MM ND Z)

NUMEROLOGIA

Ver o artigo *Número* (*Numeral, Numerologia*).

NÚMEROS (LIVRO)

Introdução

Números é o quarto livro da Bíblia. Seu título provém da Vulgata Latina *Numeri*, que por sua vez é uma tradução do título da Septuaginta *Arithmoi*. O livro é assim designado porque nele há referência a dois recenseamentos do povo judeu — capítulos 1—3 e capítulo 26. Os judeus, como de costume, intitularam o livro com a palavra inicial do mesmo — *Wayyedabber* — («e ele (Jeová) disse»), ou mais freqüentemente com a quinta palavra — *Bemidbar* — («no deserto»). Esse segundo título hebraico é mais apropriado do que o título em português, pois somente uma pequena porção do livro é de natureza estatística, enquanto que toda a ação se dá no deserto.

Esboço:

I. Composição
  1. Autoria
  2. Estrutura
  3. Texto
II. Propósito e Conteúdo
III. Esboço de Conteúdo
IV. Teologia
V. Problemas Especiais
Bibliografia

I. Composição

1. *Autoria. Ponto de Vista Conservantista.* Apóia a opinião tradicional de que o livro de Números é de caráter histórico e foi composto por Moisés. Eles observam que não há nas Escrituras uma declaração direta de que Moisés escreveu o Pentateuco, mas há numerosas passagens que indicam que ele escreveu pelo menos parte desse material (ver Núm.

33:2). Eles admitem também que em Números, assim como em Êxodo e Levítico, Moisés é referido na terceira pessoa, exceto em citações diretas. Logicamente esse fato não sugere composição mosaica, dizem eles. Outras passagens, tais como Números 21:14 e ss e 32:34-42, também indicam a existência de um editor, contudo, declaram os conservantistas, a autoria mosaica, segundo a Bíblia, não requer que toda palavra seja de Moisés.

b. *Ponto de Vista Crítico*. Um dos primeiros estudiosos a questionar a opinião tradicional da autoria do Pentateuco foi Jerônimo, tradutor da Vulgata Latina no séc. V D.C. Jerônimo estava convicto do fato de que Esdras foi o responsável pela revisão final do Pentateuco, embora Moisés estivesse bastante associado às origens do material. Os críticos do séc. XIX concordam com Jerônimo até certo ponto. Eles duvidam seriamente que Moisés tenha contribuído com mais do que uma pequena parcela do material. Segundo os críticos, Números é o resultado da compilação dos documentos J.E.D. e P(S) os quais servem de base também para o resto do Pentateuco. Ver o artigo detalhado sobre J.E.D.P(S). O documento J é constituído de narrativas judias antigas e seu autor revela um interesse no reino judeu e seus heróis (850 A.C.). A palavra Yahweh (Jeová) é usada neste documento para referir-se a Deus. O documento E contém as antigas narrativas efraimitas originadas por volta de 750 A.C. O escritor de E demonstra um interesse no reino do norte de Israel e em seus heróis. Ele emprega o vocábulo *Eloim*, em vez de *Yahweh* (Jeová) para referir-se a Deus. O documento D, também chamado Código Deuteronômico, foi encontrado no templo no ano 621 A.C. Há alguma probabilidade de que o autor desse documento seja o sacerdote Hilkiah. D ressalta o fato de que o amor é a razão mesma do servir. A doutrina de um único altar é também acentuada neste documento. O Código Sacerdotal, ou documento P, originou-se por volta do ano 500 A.C., contudo, sua redação prorrogou-se até o IV séc. A.C. Esse documento evidencia uma preferência por números e genealogias.

Essas fontes estão muito misturadas no livro de Números. Acredita-se que por volta do séc. V. A.C. um editor, talvez Esdras, combinou esse material com histórias da tradição oral, e deu origem ao livro.

2. *Estrutura*. Em se tratando de estrutura, este livro é de natureza mais diversa do que qualquer outro do Pentateuco. Embora o princípio fundamental de organização seja cronológico (o livro inicia-se no Sinai e termina nas proximidades da Terra Prometida, 38 anos mais tarde), muito do material parece estar em ordem de assunto. Por exemplo, Êxodo termina com o **Shekinah** habitando no tabernáculo que fora construído. Esse evento é recapitulado em Números 9:15-21, sugerindo o início de uma nova seção de narrativa. Em face desse fato levanta-se uma dúvida: os eventos dos capítulos de 1-8 ocorreram antes ou depois da construção do tabernáculo?

Esse exemplo e vários outros conduziram os críticos a acreditarem que Números não constitui uma unidade literária. i.e., a matéria do livro não foi rigidamente organizada de acordo com um princípio. Examinando a forma de Números, os críticos têm concluído que o livro é uma coleção de relatos referentes à vida no deserto combinados com materiais diversos tais como legislação, genealogia e narrativas de viagem. Uma observação das transições entre os episódios, ora bruscas ora suaves, reforça a conclusão dos críticos. A teoria documentária discutida anteriormente neste artigo também está em favor dessa conclusão. Segundo essa teoria, Números pode ser dividido da seguinte maneira: J e E, 10:29-12:15; 20:14-21; 21:2-32; 22:2-25:5. P inclui o resto do conteúdo do livro exceto 21:33-35, que pertence a D. (Em Números os nomes divinos Jeová e Eloim são usados alternadamente, fato que dificulta a distinção entre os documentos J e E). (Z págs. 462, 463 vol. IV).

Outro aspecto importante que se deve observar quando examinando a estrutura de Números é a *poesia* contida nesse livro. Os críticos sugerem que a maioria, senão todos os poemas e fragmentos dos mesmos contidos em Números, existiram também independentemente desse contexto. Por exemplo, o cântico do Poço em 21:17 *ss* tem sido comparado a cânticos similares noutras literaturas. Outras ocorrências de poemas ou fragmentos de poemas são encontrados nas seguintes passagens de Números: 6:24-26; 10:35; 12:6-8; 18:24; 21:14-17 e ss; 21:27 e ss; 23:7-10; 24:3-9,15-19.

Os fragmentos que ocorrem em 12:6-8 (glorificações a Moisés como profeta) e em 6:24-26 (bênção sacerdotal), são considerados mais recentes do que os outros e pertencem possivelmente ao documento E (séc. VIII A.C.), ou a um período posterior. Esses dois documentos revelam influências das classes proféticas e sacerdotais. Do ponto de vista literário os outros poemas são mais rústicos, datando provavelmente do período de estabelecimento na Palestina. A preservação de tais poemas através dos séculos se deu por meio da tradição oral, um processo de transmissão bastante eficaz em se tratando de poesia — o ritmo auxilia a memória. (AM, pág. 537, vol. XX).

3. *Texto*. O texto de Números parece ser bastante estável. O criticismo textual fundamenta-se nos textos da Revisão Samaritana, (RS) da Septuaginta, (LXX) e do Texto Massorético (MT). Os textos da RS e da LXX distinguem-se do MT — esse último é mais sintético, os outros dois são mais desenvolvidos. O texto massorético foi preservado num clima mais sacerdotal na Babilônia, sendo reintroduzido na Palestina somente no séc. II e I A.C.

Entre os achados de Qumran (1947-1953), foram encontradas porções de um rolo de pergaminho de Números (4Q Num(b)), que exibem um caráter textual bastante interessante: o texto apresenta uma posição intermediária entre o da RS e o da LXX, e, freqüentemente, concorda com as variantes da RS em oposição ao TM. Contudo, em casos onde TM e RS concordam com a LXX, esse texto segue a LXX. F. Cross sugere que este tipo de texto era o usado na Palestina nos séculos V-II A.C. Ver o artigo sobre *Manuscritos do Antigo Testamento*.

II. Propósito e Conteúdo

O propósito aparente do livro foi registrar o início do efeito exterior que o pacto exerceu na vida dos israelitas. Números registra as modificações e os ajustamentos na estrutura das estipulações pactuais, bem como a reação do povo israelita a tais estipulações. Os temas de fé e obediência são centrais neste livro, que é considerado «o livro do servir e do caminhar do povo redimido de Deus» (UBD, 799).

Números continua a narração da jornada iniciada no livro de Êxodo, começando com os eventos do segundo mês do segundo ano (Núm. 10:11) e terminando com o décimo primeiro mês do quadragésimo ano (Deut. 1:3). Os 38 anos de perambulação no deserto procedem do fracasso do povo de Israel em face da provisão divina para seu sucesso.

III. Esboço de Conteúdo

A. PARTIDA DO MONTE SINAI (1:1—10:10)

Preparação no Sinai (1:1—9:14)

a. Enumeração das tribos (1:1—1:54)
b. Organização do acampamento (2:1—4:49)
c. Regulamentações especiais (5:1—7:27)
d. Enumeração das ofertas dos príncipes (7:1-89)
e. As lâmpadas do tabernáculo (8:1-4)
f. A consagração dos levitas (8:5-26)
g. A Páscoa (9:1-14)
h. A nuvem guia a marcha dos israelitas (9:15-23)
i. As duas trombetas de prata (10:1-9)

B. VIAGEM DO SINAI A MOABE (10:11-21:35)

1. *Do Sinai a Cades-Barnéia* (10:11—14:45)

a. A partida (10:11-36)
b. As murmurações dos israelitas (11:1-35)
c. A sedição de Miriã e Arão (12:1-16)
d. Os espias (13:1-36)
e. Os israelitas querem voltar para o Egito (14:1-45)

2. *A Permanência no Deserto* (15:1—21:35)

a. A repetição das diversas leis (15:1-41)
b. A rebelião de Coré, Datã, e Abirão (16:1-50)
c. A vara de Arão floresce (17:1-13)
d. Deveres e direitos dos sacerdotes (18:1-32)
e. Rito da purificação (19:1-22)
f. Incidentes no deserto (20:1—21:35)

C. NAS PLANÍCIES DE MOABE (22:1—36:13)

1. *Eventos Importantes* (22:1—36:13)

a. Balaão (22:1—24:25)
b. Apostasia no Peor (25:1-18)
c. Recenseamento (26:1-51)
d. A lei acerca da divisão da terra (26:52-65)
e. A lei acerca das heranças (27:1-11)
f. Nomeação de Josué (27:12-23)
g. Regulamentações sobre festivais, votos e oferendas (28:1—30:17)
h. A vitória sobre os midianitas (31:1-54)
i. As tribos de Rúben e Gade pedem a terra de Gileade (32:1-42)

2. *Apêndice* (33:1—36:13)

a. Itinerário (33:1-56)
b. Instruções antes de entrar na terra (34:1—36:13)

IV. Teologia

Fundamentando-se nos resultados do pacto entre Deus e Israel, o livro de Números exprime um ponto de vista a respeito da natureza do Criador e de sua criação. Segundo o acordo estipulado detalhadamente em Êxodo e Levítico o povo deveria servir a Deus somente, sem idolatria. Em retorno Deus lhes protegeria e abençoaria dando-lhes uma nova terra. Disso consistia o pacto, entretanto o alvo era nobre demais para a natureza humana e houve uma grande lacuna entre a profissão e a realização desse acordo. O livro expressa a natureza extremamente pecaminosa do homem, o qual não se inclina para Deus a despeito de todas as evidências (no tabernáculo) e de seu poder (nas diversas intervenções). Em face de tudo que Deus tinha provado ser, o povo não confiou nele mas permaneceu apreensivo, orgulhoso e egoísta.

Em relação à natureza de Deus, o livro revela três aspectos principais: seu caráter fiel, punitivo e santo.

a. *Fiel*. A fidelidade divina é claramente demonstrada em Números, pois o pacto foi repetidamente quebrado, e apesar de Deus ter todo direito de abandonar os israelitas ou de destruí-los, ele cumpriu até o fim seu propósito de fazer o bem à nação de Israel e ao mundo através dela.

b. *Punitivo*. Entretanto, isso não implica que Deus possua uma natureza impassível. Ao contrário, o capítulo 14 retrata a ira de Deus e revela seu caráter pessoal dinâmico e impetuoso.

c. *Santo*. A santidade de Deus é especialmente acentuada nesse livro. Para aproximar-se de Deus o homem precisa livrar-se de toda impureza, pois o impuro não pode existir na presença do puro. Em se tratando de santidade há um abismo entre Deus e os homens, entretanto, em sua graça, Deus providenciou um caminho de acesso à sua santa presença: a purificação.

V. Problemas Especiais

1. *Narrativas sobre Balaão*. Uma das passagens mais poéticas de Números encontra-se nos capítulos 23 e 24. Esta passagem narra a história de como Balaão foi chamado pelo rei de Moabe para assolar os perigosos guerreiros que ameaçavam seu território. A narrativa é estranhamente contraditória, pois Deus ordena a Balaão que vá, e em seguida censura-o por ter ido. Em 31:16, Balaão é acusado de ter conduzido Israel ao pecado. Isto está em desacordo com a história narrada anteriormente, e parece indicar que várias fontes foram alinhadas juntas de uma maneira um tanto frouxa. Exegetas tradicionais têm tentado harmonizar essas referências. Críticos mais recentes consideram 31:16 uma inserção posterior.

2. *Autenticidade do Recenseamento*. Números 1:46 e 26:51 declaram que os hebreus possuíam um exército de 600.000 homens, número que indicaria uma comunidade total de 2 a 3 milhões de pessoas. Embora não totalmente fora de consideração, esse número não é muito provável, pois nem mesmo os grandes exércitos daquele período (Egito e Assíria) ultrapassavam o número de 100.000 homens. Além disso, investigações arqueológicas indicam que a população total de Canaã naquele período era menor do que três milhões de pessoas, fato que dificulta a explicação de como os cananeus foram capazes de restringir a conquista dos hebreus às terras altas centrais. A dificuldade em alimentar três milhões de pessoas no deserto deve também ser considerada. Os que acreditam na plena inspiração da Bíblia têm refutado estes argumentos e feito tentativas para provar a autenticidade de tais estatísticas baseando-se em estudos de palavras. Não obstante as soluções sugeridas apresentam numerosos problemas impossibilitando uma conclusão final.

3. *Avaliação Bíblica do Período*. Há certa discrepância entre a avaliação profética e a avaliação pentatêutica desse período da história de Israel. Amós 5:25; Oséias 2:15; 9:10; 11:1-4 e Jeremias 2:2,3; 31:2, são passagens que mostram que os profetas consideraram esse período um tempo idílico em que Israel manteve um saudável e constante relacionamento com Deus. Por outro lado, acredita-se que o ponto de vista pentatêutico fora forçado pelos escritores do documento P, que impressionados com o castigo do exílio imposto por Deus, acreditaram que Israel jamais serviria a Deus fielmente. Tentando solucionar esse problema alguns têm sugerido que a discrepância é apenas aparente, pois o ponto de vista otimista dos profetas deve ser considerado à luz do período apóstata em que viveram.

4. *O Itinerário da Viagem no Deserto*. As dificuldades em harmonizar os dados bíblicos e em identificar os locais mencionados nas narrativas têm sido obstáculos na reconstrução da viagem através do deserto.

Números 33 sugere que a viagem foi realizada em quatro estágios: do Egito ao Sinai (Núm. 33:3-15); do Sinai a Eziom-Geber (33:16-35); do Eziom-Geber a Cades (33:36); de Cades a Moabe (33:36-37). A despeito dessa reconstrução corresponder com Deut. 1:46 e 2:1, há nela algumas dificuldades que devem ser consideradas. 1. Segundo a reconstrução acima, o povo hebreu passou 38 anos perambulando no deserto na área de Cades (cf. 13:26 e 20:1). Números 33 não menciona nenhum acampamento durante os anos na área de Cades, fato que tem conduzido os críticos a pensar que não houve tal perambulação. Eles afirmam que Números 20:1 retoma a narrativa dentro de alguns dias de onde fora deixada em 14:45. Derrotados na tentativa de penetrar na terra pelo sul, os hebreus simplesmente mudaram de rumo e entraram pelo leste. 2. Outra dificuldade é o grande número de acampamentos entre o Sinai e o Eziom-Geber, enquanto 11:34 e 12:16 inferem apenas duas paradas numa rota mais direta a Cades. 3. Outra dificuldade é a ordem para mudar de rumo e «...caminhar para o deserto pelo caminho do Mar Vermelho» (Núm. 14:25). O capítulo 33 do livro não reflete esse movimento. (Z págs. 465-466).

J.N. Oswalt, tentando uma reconstrução do trajeto coerente com os dados bíblicos sugere o seguinte: «Talvez Ritmá (33:18,19) refira-se ao Wadi Abu Retemat, que está ao sul de Cades. Assim Ritmá seria o local do acampamento no tempo em que os espias foram enviados (KD,III, 243). Se isso for correto, então os 17 lugares mencionados nos versículos de 19 a 36 se refeririam aos 38 anos de perambulação. Isto significa que os hebreus iniciaram sua permanência no Cades (13:26; 33:36,37), vaguearam na área sul e leste e de lá para o Eziom-Geber (33:20-35), terminando em Cades novamente (20:1; 33:36). Frustrados na tentativa de se dirigirem ao nordeste através de Edom para o Mar Vermelho, eles retornaram ao sul novamente (21:4), entraram em Arabá, ao norte de Eziom-Geber, e de lá prosseguiram para Moabe». (Z p. 466)

Bibliografia. ALB AM ANET E I IB LOT WES YO

NÚMEROS NA BÍBLIA

Ver o artigo *Número* (*Numeral, Numerologia*).

NUMINOSO

Essa palavra foi cunhada por **Rudolph Otto** (vide), com base no termo latino *numem* (vide), referindo-se à qualidade misteriosa, terrível, santa, aterrorizadora e sagrada da deidade. Ele associava esse termo ao *Mysterium Tremendum et Fascinans*. E, mediante o uso de tais termos, procurava enfatizar quão pouco realmente sabemos sobre a natureza de Deus. Em adição a isso, ele ansiava para que os homens reverenciassem a Deus e dessem menos destaque às suas alegadas fórmulas intelectuais que, de forma tão bem arrumada (mas falsa), categorizam e explicam a pessoa de Deus. O termo *numinoso* tem por propósito transmitir a idéia da Presença do Espírito Divino, que nos deixa admirados; e, dessa maneira, chegamos a conhecer a Deus, conforme é possível ao homem conhecê-Lo. E seria assim que podemos chegar a saber algo acerca do Deus misterioso e transcendental. Deus é um Ser «inteiramente outro», fora de nossa dimensão, mas a sua presença pode ser sentida.

Alguns teólogos supõem que esse conceito ajusta-se melhor dentro da religião natural ou dentro da antropologia religiosa, e não dentro da religião revelada. Porém, existem muitas passagens da Bíblia que enfatizam a transcendência e o caráter espantoso de Deus, a despeito do fato de que, ali, há muita descrição antropomórfica. Seja como for, o Deus que é «inteiramente outro» revelou-se ao ponto em que podemos conhecê-Lo, por meio de Jesus Cristo, o *Logos*. Não obstante, o próprio *Logos* é um Ser inteiramente outro, e temos bem pouco conhecimento acerca dele. Por conseguinte, convém que nos humilhemos quando falamos a respeito de Deus, não imaginando que nossas teologias sistemáticas têm contribuído em muito para descrevê-lo e aclarar os seus mistérios. Ver sobre o *Mysterium Tremendum*.

NUNC DIMITTIS

Esse é o título que tem sido dado ao cântico de Simeão, em Luc. 2:29-32. Esse título alicerça-se sobre a versão latina da passagem, que começa com essas duas palavras. Elas significam: «Agora despedes...»

Simeão era homem justo e devoto, que esperava pelo cumprimento das profecias messiânicas. Recebera a revelação de que não morreria antes de ver o Messias prometido pelo Senhor. Impulsionado pelo Espírito, foi ao templo em expectação; e, quando os pais de Jesus trouxeram-No ao templo, Simeão tomou o menino nos braços e proferiu o seu *nunc dimittis*: «Agora, Senhor, despedes em paz o teu servo, segundo a tua palavra; porque os meus olhos já viram a tua salvação, a qual preparaste diante de todos os povos: luz para revelação aos gentios, e para glória do teu povo de Israel».

Potencialmente, a experiência de Simeão é a experiência de todos os seres humanos. Os escravos do pecado são libertados quando vêem o Cristo de Deus. O vs. 33 interrompe o cântico, para dizer que José e Maria ficaram «admirados» diante do que ouviam. Simeão abençoou-os e então proferiu o resto de seu cântico (uma profecia), dirigido a Maria, a mãe de Jesus: «Eis que este menino está destinado tanto para ruína como para levantamento de muitos em Israel, e para ser alvo de contradição (também uma espada transpassará a tua própria alma), para que se manifestem os pensamentos de muitos corações» (vss. 34,35).

Com essas palavras, Simeão previu os sofrimentos de Maria, como mãe, como parte da rejeição do Messias por parte do povo de Israel. O destino mesmo de Israel seria glorioso, mas o próprio Messias seria, para muitos, uma pedra de tropeço, o que haverá de continuar até que se cumpram os tempos dos gentios e a Igreja tenha sido chamada dentre a humanidade. Cristo veio lançar a divisão entre os homens, pois alguns são atraídos por ele, mas a maioria sente-se repelida—tudo dependendo das condições espirituais de cada alma.

A profecia de Simeão compõe uma bela peça de literatura: tão breve, mas tão poderosa declaração; tão fiel à experiência humana; tão humana em sua força comovedora. Tem todos os sinais autenticadores de uma verdadeira profecia.

Na Liturgia. Foi apenas natural que essa predição de Simeão tivesse sido incorporada na liturgia da Igreja cristã. Foi associada às *completas* da Igreja ocidental, e também é usada nas *vésperas*, na Igreja Ortodoxa Oriental. As *completas* são as horas tarde da noite, do ofício divino, assim chamadas porque completam o circuito de orações do dia. O ofício divino é o culto diário de oração. Juntamente com a *eucaristia* (vide) constitui, para a Igreja Católica Romana, o dever de louvor a Deus, por parte da Igreja.

●●● ●●● ●●●

NUVEM

Há várias palavras hebraicas e gregas envolvidas neste verbete:

1. *Nasi*, «exaltada». Com o sentido de nuvem aparece somente em Jó 36:32.

2. *Ab*, «grossura», «espessura». Com o sentido de nuvem, figura por trinta vezes (por exemplo, Juí. 5:4; II Sam. 23:4; I Reis 18:44,45; Jó 20:6; 30:15; Sal. 77:17; Pro. 16:15; Ecl. 11:3,4; Isa. 5:6; 60:8).

3. *Anan*, «nuvem». Palavra que aparece por noventa e nove vezes. Para exemplificar: Gên. 9:13-16; Êxo. 13:21,22; 40:38; Lev. 16:2,13; Núm. 9:15-22; 16:42; Deu. 1:33; 4:11; I Reis 8:10,11; II Crô. 5:13,14; Ne. 9:9; Jó 7:9; 38:9; Sal. 78:14; 105:39; Isa. 4:5; 44:22; Jer. 4:13; Eze. 1:4,28; 38:9,16; Osé. 6:4; Joel 2:2; Sof. 1:15.

4. *Shachaq*, «nuvem (tênue)». Palavra que ocorre por onze vezes com esse sentido (por exemplo: Jó 35:5; 36:28; Sal. 36:5; 57:10; Pro. 3:20; 8:28).

5. *Ananah*, «nuvem (espessa)». Palavra que, com esse sentido, aparece somente em Jó 3:5.

6. *Nephéle*, «nuvem». Termo grego que é usado por vinte e seis vezes: Mat. 17:5; 24:30; 26:64; Mar. 9:7; 18:26; 14:62; Luc. 9:34,35; 12:55; 21:27; Atos 1:9; I Cor. 10:1,2; I Tes. 4:17; Jud. 12; Apo. 1:7; 10:1; 11:12; 14:14,15,16.

7. *Néphos*, «nuvem». Palavra que ocorre somente em Heb. 12:1.

Além de serem usados vários vocábulos para indicar «nuvem», nas Escrituras também há vários tipos de nuvem. Há palavras traduzidas por nuvem, vapor, névoa, poeira, nuvem de chuva, etc. Ver Jó 3:5; Dan. 7:13; Pro. 25:14; Êxo. 19:9 e Sal. 77:17. As nuvens tênues são aquelas leves e espalhadas, conforme se vê em Jó 36:28. O termo grego *nephéle* descreve qualquer tipo de nuvem (Heb. 12:1; Luc. 12:54; Jud. 12).

A regularidade das estações na área do mar Mediterrâneo empresta grande significação às estações e climas, no que concerne à aparência das nuvens. Mas, excetuando a direção do evento que influencia as condições atmosféricas, bem como a cor do firmamento ao fim do dia, há poucas evidências de que os antigos hebreus tivessem qualquer conhecimento meteorológico sério. Desde o começo de maio até o fim de setembro, as chuvas são escassas, e as nuvens são raras na Palestina. Portanto, na narrativa de I Reis 18:44, o aparecimento de uma pequena nuvem no ocidente foi considerado um fenômeno notável. A ignorância básica dos homens, naquela época, no tocante às nuvens, era algo reconhecido. Os homens não sabiam enumerar as nuvens (Jó 38:37), nem explicar como elas se espalham (Jó 36:29), nem sabiam explicar suas variegadas ações (Jó 37:15,16), nem sabiam fazer as nuvens produzirem chuvas (Jó 38:34), e nem eram capazes de fazê-las cessar em seus movimentos (Jó 38:37).

Usos Espirituais e Metafóricos:

1. **As nuvens são usadas em várias descrições** poéticas, que envolvem metáforas, como as nuvens do céu (Dan. 7:13; Mat. 24:30); as janelas do céu (Gên. 7:11); os odres do céu (Jó 38:37); a morada de Deus (Sal. 104:13), ou a poeira dos pés de Deus (Naum 1:3).

2. As nuvens simbolizam o poder e a sabedoria de Deus, mediante a formação delas (Sal. 135:6,7; Pro. 8:28).

3. As nuvens podem simbolizar multidões ou exércitos (Isa. 60:8; Jer. 4:13; Heb. 12:1).

4. O súbito desaparecimento de nuvens ameaçadoras simboliza o apagar das nossas transgressões (Isa. 44:22). Naturalmente, o súbito juntar das nuvens é um símbolo psíquico de ameaças de qualquer tipo, como a aproximação de alguma tribulação, ao mesmo tempo em que a dispersão das nuvens simboliza a remoção das ameaças.

5. Um dia de nuvens simboliza um período de calamidade e tribulação, incluindo os temíveis efeitos dos juízos divinos (Lam. 2:1; Eze. 30:3; 34:12; Joel 2:2).

6. Uma nuvem sem chuvas simboliza, proverbialmente, uma promessa que nunca se cumpre (Isa. 18:4; Jud. 12). Os falsos mestres são comparados a esse tipo de nuvem.

7. As nuvens das últimas chuvas dão vida nova, pelo que simbolizam as bênçãos divinas e a prosperidade daí resultante (Pro. 16:15).

8. As nuvens que retornam após a chuva simbolizam as debilidades da idade avançada. Uma enfermidade vai dando lugar a outra, e a mesma figura simbólica ilustra qualquer tribulação que se repete, deixando o indivíduo sem um momento de trégua ou descanso (Ecl. 12:1 *ss*).

9. As nuvens tapam os raios da luz do sol. Isso posto, as nuvens podem simbolizar o ocultamento da glória divina (Êxo. 16:10; 33:9; Núm. 11:25; Jó 22:14 e Sal. 18:11).

10. A nuvem que guiou o povo de Israel, durante as vagueações pelo deserto, conferindo-lhes sombra durante o dia, simboliza o contínuo cuidado e a proteção constante de Deus, em meio às dificuldades por que passamos. Ver o artigo separado sobre a *Coluna de Fogo e de Nuvem*.

11. A divina presença, misteriosa como é, manifestou-se no Sinai como uma névoa (Êxo. 19:9), o que também ocorreu no átrio do tabernáculo (Êxo. 40:34,35), no templo de Jerusalém (II Crô. 5:13; I Reis 8:10).

12. O caráter ilusório do amor falso pode ser ilustrado pela nuvem matinal, que promete refrigério mas não produz o que prometeu (Osé. 6:4).

13. As visitações de Deus, em seus juízos contra os homens, assemelham-se ao ajuntamento das nuvens (Êxo. 30:3; Joel 2:1; Sof. 1:15).

14. Há muitos seres espirituais que estão interessados naquilo que fazemos, especialmente quanto às questões espirituais, e nos vigiam e nos encorajam. Esses seres são assemelhados a uma *nuvem de testemunhas*, em Heb. 12:1. Essas testemunhas também são formadas por todos os crentes do passado que viveram uma vida de fé e que, mediante o seu exemplo, conferem-nos um alvo e um propósito a seguir.

15. Jesus, em sua ascensão, foi tomado em nuvens (Atos 1:9,11), e assim, igualmente, haverá de retornar (Apo. 1:7). O arrebatamento dos salvos também estará associado a nuvens (I Tes. 4:17). Nesses casos, não devemos pensar em nuvens formadas por vapor-d'água, mas em nuvens de manifestação mística, de energias que ainda não conhecemos. (BAL ID LAN SMI)

NUVEM, COLUNA DE

Ver **Coluna de Fogo e de Nuvem.**

NUZI

1. Referências

Essa cidade hurriana não é mencionada na Bíblia, embora esteja ligada a assuntos bíblicos. Seu nome tem sido encontrado em tabletes em escrita cuneifor-

me como Nuzi, uma forma genitiva, a única forma com que o nome dessa cidade tem aparecido nos documentos antigos. A arqueologia tem demonstrado que essa cidade existiu no II milênio A.C.

2. Localização

Nuzi ficava na parte nordeste da Mesopotâmia, diretamente ao norte da cidade de Babilônia, cerca de 370 km dali. As ruínas de Nuzi têm sido identificadas como o cômoro de Yorghan Tepe, cerca de catorze quilômetros e meio a oeste da moderna cidade de Kirjut. Foi escavada pela primeira vez em 1925—1931, pelas American Schools of Oriental Research, em cooperação com o Museu da Universidade de Harvard.

3. Importância

Cerca de quatro mil tabletes de argila foram encontrados em Nuzi, fornecendo muitas informações sobre a vida da época, incluindo o modo de viver do povo comum, embora quase todos esses tabletes versem sobre a vida da família real e sobre a política pertinente. Muitos costumes são ali mencionados, iluminando os tempos patriarcais bíblicos. Esses informações ajudam-nos a compreender melhor o relato do livro de Gênesis, oferecendo confirmação para muitas declarações contidas naquele livro canônico.

4. Pontos de Interesse Comparados com o Livro de Gênesis.

a. *Relacionamento com Harã*. Embora distantes uma da outra, essas duas cidades faziam parte do território dos hurrianos, no segundo milênio A.C. Assim sendo, elas tinham uma cultura comum, incluindo muitos costumes, leis, etc. Abraão viveu em Harã por muitos anos, antes de migrar para a terra de Canaã. E muitos de seus parentes ficaram em Harã. Rebeca foi trazida dali, a fim de casar-se com Isaque. Jacó fugiu para ali, por causa de seu irmão, Esaú, e permaneceu por duas décadas com seu tio, Labão, irmão de Rebeca.

b. *Documentos Escritos*. Os tabletes achados em Nuzi demonstram a antiguidade da arte da escrita e sua preservação, muito antes dos dias de Moisés. Alguns estudiosos mais antigos pensavam que Moisés teria sido analfabeto, pelo que não poderia ter sido o escritor original do Pentateuco.

c. *Adoção*. O próprio Antigo Testamento dá informações sobre a adoção formal, e os tabletes de Nuzi comprovam a existência desse costume. Um homem adotava uma criança para que levasse avante seu nome e fosse seu herdeiro, se, porventura, não tivesse um filho seu mesmo. Abraão pensou em adotar Eliezer como filho, antes do nascimento de Isaque (Gên. 15:2).

d. *Terafins*. Esses eram os deuses domésticos. Raquel furtou os deuses domésticos de seu pai, não meramente a fim de adorá-los, mas porque o possuidor dos mesmos tornava-se o herdeiro principal. Os tabletes de Nuzi mostram que um homem podia adotar um genro como seu principal herdeiro, e, nesse caso, os terafins ficavam com esse genro, como sinal de sua partilha maior. Esses terrafins eram provas legais, e os tribunais aceitavam os mesmos se fossem apresentados. Torna-se assim claro por qual motivo Raquel rebaixou-se a ser uma ladra, e também porque, dias depois, protegeu as estatuetas sob sua sela, com mentiras. O dinheiro sempre foi importante, e com freqüência era mais valorizado que a moralidade, tal como se verifica hoje em dia. É patente que Labão queria que seus próprios filhos homens ficassem com os terafins, o que exibe a importância da questão. O relato acha-se em Gên. 31.

e. *O Enterro dos Terafins*. Alguns eruditos supõem que Jacó, secundando o ato de Raquel, sepultou os terafins, a fim de escondê-los. Assim, mais tarde, ele poderia desenterrá-los, apresentá-los em tribunal, e reivindicar a herança de Labão. Ver Gên. 35:2-4. No entanto, o contexto da passagem parece indicar que Jacó enterrou aquelas imagens a fim de livrar-se delas para sempre. Não há indício de que ele tenha voltado para desenterrar os terafins.

f. *Sara, Irmã de Abraão*. Por qual razão Abraão disse que Sara era sua irmã (de fato, ela era sua meia-irmã; Gên. 20:12), ao mesmo tempo em que ocultou o fato de que era sua esposa (Gên. 12:11-20). Além de ter feito isso no incidente que envolveu o Faraó, rei do Egito, houve reiteração do caso, no incidente que envolveu Abimeleque (Gên. 20:1-18). Os tabletes de Nuzi mostram que, naquela época, a posição de uma irmã, com freqüência, era mais importante que a posição de uma esposa. É possível que Abraão (como também, mais tarde, Isaque, que fez a mesma coisa; Gên. 26:6-16) tivesse querido conferir à sua esposa uma posição mais respeitável, chamando-a de sua «irmã». É verdade que o contexto que envolve a história de Abraão e o Faraó retrata este último como indignado com Abraão, devido ao ato de ludíbrio deste. Contudo, em sua mente, Abraão pode ter pensado que ele estava protegendo sua esposa, daquela maneira. Porém, contra essa interpretação levantam-se os vss. 11 e 12 do mesmo capítulo. Ali aprendemos que Abraão temia que os egípcios o matassem, se pensassem que Sara era sua esposa, a fim de livrarem-se dele e ficarem com ela. Isso posto, ele estava mais interessado em poupar a própria vida do que em exaltar Sara.

g. *Mães Substitutas*. Atualmente vemos o espetáculo das mães de aluguel, contratadas por homens cujas esposas são incapazes de engravidar. Embora com algumas diferenças, essa atividade não é recente. Os tabletes de Nuzi mostram que um homem que não tinha filho e herdeiro, poderia tomar uma outra mulher a fim de gerar com ela um filho. Foi precisamente o que ocorreu no caso de Hagar, criada de Sara (ver Gên. 16:2). Uma mulher assim poderia ser uma espécie de esposa-escrava (ou concubina); e não há que duvidar que Hagar era escrava de Sara. O código de Hamurabi contém disposição similar, com a diferença de que ali somente uma sacerdotisa podia obter um filho dessa maneira, e não uma mulher comum. Além disso, na Babilônia uma mulher não podia reivindicar para si mesma os filhos de uma concubina de seu marido, pelo que não exercia autoridade sobre eles, como sucedeu a Ismael, que tinha de obedecer a Sara.

h. *Esposas Extras e Filhos Extras*. Lia e Raquel deram suas respectivas criadas a Jacó, na competição entre as duas irmãs para terem mais filhos. Essa era outra antiga maneira de uma mulher ser mãe substituta. Alguns eruditos têm pensado que isso representa um costume posterior, que foi inserido, de forma anacrônica, em um registro antigo. Porém, os registros de Nuzi confirmam a antiguidade de tal costume.

i. *Os Habiru*. Os tabletes de Nuzi projetam luz sobre a origem da palavra *hebreu*. O trecho de Gên. 14:13 fala em «Abraão, o hebreu». E os tabletes de Nuzi estampam a palavra *Ha-bi-ru*, que parece referir-se a povos nômades que vagueavam sem lugar fixo, que não possuíam terras. Portanto, é possível que desse termo, *Ha-bi-ru*, é que tenha provindo o nome hebreu, dando a entender um povo nômade.

j. *Outras Questões*. Costumes referentes a testamentos, contratos, etc., além de costumes e atitudes próprios da época patriarcal, transparecem nos tabletes de Nuzi, com paralelos ao menos parciais no livro de Gênesis. A passagem dos séculos anulou muitos desses costumes; mas o relato do Gênesis reflete um período bem remoto, que concorda em muito com as informações dadas pelos tabletes de Nuzi. A impressão geral que se tem, após o cotejo entre o Gênesis e esses tabletes é de que a historicidade do livro de Gênesis é fortemente confirmada. (CS GCH Z)

NYAYA

Esse é nome de um dos seis sistemas tradicionais do pensamento hindu, que surgiram no período após a era védica e a formação do Bhagavad-Gita. A obra mais antiga desse sistema intitula-se *Nyayasutras*, escrita por Aksapada Gautama (século I D.C.), o reputado fundador dessa escola. Essa obra contém as regras da lógica e dos debates. Metafisicamente, incorpora o sistema Vaisesika, que promovia o pluralismo atômico e o realismo lógico. Mas a diferença é que a escola Vaisesika salienta a metafísica e a ontologia, ao passo que a escola Nyaya frisa a lógica e os problemas epistemológicos. Desse modo, ficou provida uma base epistemológica para outros sistemas do hinduísmo.

Obras posteriores, que adicionaram algo à extensão e flexibilidade de materiais foram os comentários sobre as *sutras*, por Paksilasvami, do século V D.C.; a Uddyotakara, do século VII D.C.; e a exposição independente, feita por Jayanta Bhatta, chamada Nyayamanjari, do século IX D.C. Essa obra é bastante extensa e aborda, principalmente, a lógica formal.

Os sistemas mais antigos abordavam mais a filosofia da natureza. Fica entendido ali (em consonância com o *realismo*; vide) que todo conhecimento correto aponta para alguma realidade externa, dentro do processo de pensamento. Além da lógica em geral, a escola Nyaya desenvolveu um complexo silogismo que labora com cinco passos, e não com os três passos tradicionais do silogismo aristotélico, de premissa maior, premissa menor e conclusão. De acordo com a escola Nyaya, o silogismo envolve os seguintes passos: 1. a proposição a ser estabelecida; 2. a razão afirmativa ou negativa, que estabelece a proposição; 3. uma ilustração afirmativa ou negativa, que fortalece a proposição e subentende a conclusão; 4. uma aplicação da ilustração; 5. a conclusão, que reitera a proposição, em acordo com as evidências oferecidas.

Também são abordadas várias formas de proposições e falácias, dentro desse sistema. Daí emergem argumentos lógicos em prol da existência de Deus, argumentos esses declarados válidos.

NYGREN, ANDERS

Ele nasceu em 1890, mas minhas fontes informativas não dão o ano de seu falecimento. Ele foi um teólogo dialético sueco. Ver os artigos intitulados *Teologia Dialética* e *Barth, Karl*. Nygren foi um bispo e teólogo cuja obra, *Agape e Eros*, provocou muita controvérsia entre os teólogos. Ele propôs ali que há dois tipos de amor: *agapé* e *éros*. O primeiro é teocêntrico, desinteressado, sendo o amor especial ensinado pelo cristianismo, em contraste com os outros sistemas religiosos. Mas *éros*, por sua vez, é caracterizado pelo egocentrismo, pelo desejo sensual, embora, a algumas vezes, apareça como um amor espiritual, segundo se vê na filosofia platônica.

••• ••• •••

1. Formas Antigas

fenício (semítico), 1000 A.C. — grego ocidental, 800 A.C. — latino, 50 D.C.

2. Nos Manuscritos Gregos do Novo Testamento

3. Formas Modernas

O *O* o *o*   O *O* o *o*   **O O o o**   *O o*

4. História

O é a décima quinta letra do alfabeto português (ou décima quarta, se deixarmos de lado o K). Historicamente, deriva-se da letra semítica *'ayin*, «olho». Sua forma mais antiga se parecia com um olho humano, mas isso acabou simplificado como «o». Originalmente era uma consoante de som gutural e aspirado; mas os gregos deram-lhe um valor de *o* breve, preservando o som de *o* longo para a sua letra ômega. Os gregos chamavam esta letra de *ómikron*. O latim teve seu som de «o», de onde passou para muitos idiomas modernos.

5. Usos e Simbolos

O é uma abreviação para «organização». Nos nomes próprios irlandeses é usada com o sentido de «descendente de», como em O'Reilly, por exemplo. Em inglês pode significar «de», na expressão «o'clock», (of the clock), referindo-se às *horas diversas*. Também pode significar «zero» ou «nada». *O* e usado como símbolo do *Codex Sinopenses*, descrito no artigo separado *O*.

Caligrafia de Darrell Steven Champlin

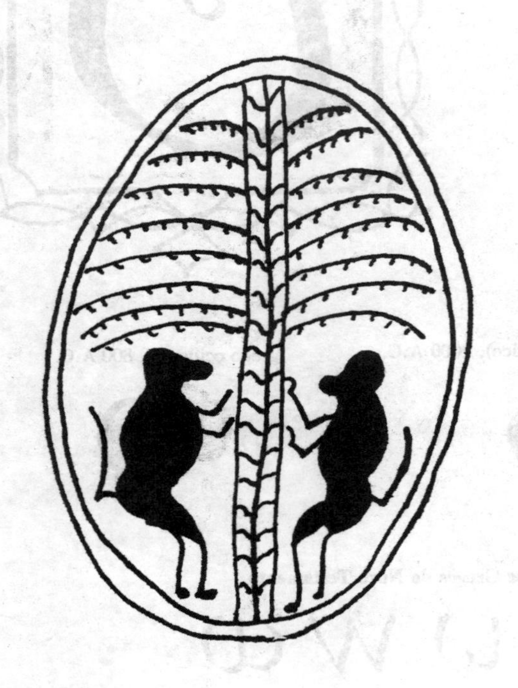

Arte egípcia — babuínos e a palmeira de tâmaras

Reprodução Artística de
Darrell Steven Champlin

O

O

Essa é a letra usada para designar o Códex Sinopensis, um manuscrito que contem parte do evangelho de Mateus. Existem apenas quarenta e três folhas do mesmo, cobrindo principalmente os caps. 13—24 desse livro.

Esse manuscrito foi adquirido em Sinope, na Ásia Menor, por um oficial francês, em 1899. O local onde foi adquirido explica o nome desse manuscrito, o qual acabou ficando na Bibliothèque Nationale, em Paris, França. Tal manuscrito é um representante deficiente do texto tipo Cesareano. Mas, o que mais distingue esse manuscrito *O* é a sua produção artística. Foi escrito em velum púrpura com letras douradas, e somente na parte restante há cinco miniaturas. Data do século VI D.C.

OADE

No hebraico, «unidade». Ele era filho de Simeão, um dos doze patriarcas de Israel (Gên. 46:10). Veio a ser o cabeça de um dos clãs de Israel. Seu nome não se acha nas listas paralelas de Núm. 26:12-14 e I Crô. 4:24,25. Viveu em torno de 1700 A.C. Também há quem interprete seu nome com o sentido de «poderoso».

OBADIAS (LIVRO)

Esboço:

I. Pano de Fundo e Caracterização Geral
II. Autoria e Data
III. Problema de Unidade
IV. Propósito do Livro
V. Relação com o Livro de Jeremias
VI. Teologia
VII. Esboço do Conteúdo

I. Pano de Fundo e Caracterização Geral

Obadias é o mais curto livro do Antigo Testamento, pois consiste em apenas vinte e um versículos. Nada se sabe sobre o profeta Obadias, e as poucas tradições que falam sobre ele não são dignas de confiança. Mas, embora o seu livro seja tão minúsculo, muitos eruditos crêem que não foi um único autor que o produziu por inteiro, e que partes do livro vieram de diferentes épocas. De acordo com eles, alguns dos oráculos do livro foram proferidos ou escritos pouco depois da queda de Jerusalém frente aos babilônios, o que deu início ao cativeiro babilônico (587—586 A.C.). Talvez Obadias tenha-se valido das coleções de declarações que haviam sido oralmente transmitidas pelas escolas dos profetas. Isso poderia explicar as incríveis similaridades entre os vss. 1-9 e Jer. 49:7-22. Mesmo nesse caso, porém, aquelas declarações refletem bem o ponto de vista de Obadias.

Obadias foi, primariamente, um poeta que exprimiu algumas questões proféticas. Edom havia-se aliado a outras nações a fim de derrubar Menaém e despojar Judá, o que constituiu um ato inacreditável e imperdoável, que foi denunciado por Obadias (vss. 10—14). À semelhança de Joel, Obadias passou a descrever, profeticamente, o julgamento dessas nações. Ademais, em visão profética, ele previu a volta de Judá à sua terra, o domínio de Judá sobre Edom, e o triunfo universal de Yahweh. Alguns estudiosos acreditam que o livro de Obadias foi escrito às vésperas do avanço árabe-nabateu (cerca de 312 A.C.), que haveria de conquistar os edomitas, e que Obadias estava clamando por vingança pelo que Edom havia feito contra Judá. O trecho de Sal.137:7 refere-se à alegria maliciosa expressa por Edom, diante da destruição de Jerusalém e dos subseqüentes sofrimentos causados pelo cativeiro babilônico. Foi isso que fez Obadias sentir-se tão ultrajado, o que também foi a principal inspiração dessa profecia de condenação contra Edom.

II. Autoria e Data

A tradição atribuiu esse livro a um homem de nome *Obadias*; mas essa mesma tradição mostra-se errônea, ao prestar certas outras informações. Ver o artigo *Obadias (Pessoas)*, no oitavo ponto, que dá a pouca informação que se sabe a respeito desse homem. O nome Obadias era extremamente comum na sociedade hebréia. Ainda assim, não há razão para duvidarmos que houve um profeta com esse nome, e que a essência do livro foi escrita por ele, embora ele possa ter incorporado declarações que não eram de sua lavra original. A data do livro é um ponto disputado, e as sugestões variam muito umas das outras. O nome Obadias significa «adorador de Yahweh»; as poucas indicações que temos acerca dele apontam para um homem piedoso, que seguia a ortodoxia judaica e era impelido por um fervoroso nacionalismo.

Data. O livro de Obadias tem sido datado desde 887 A.C. até tão tarde quanto 312 A.C., ou ligeiramente antes. Se a data mais antiga é que está correta, então o livro foi escrito durante o reinado da sangüinária rainha Atalia (II Reis 8:16-26). Se essa opinião está com a razão, então Obadias foi o primeiro de todos os profetas escritores. No entanto, a maioria dos estudiosos não encontra boas evidências em favor dessa data tão antiga. Mas, se o livro foi escrito pouco antes do avanço árabe-nabateu, que arrasou com Edom, devido a seu pecado de ter ajudado aos inimigos de Judá, então, esse livro foi escrito algum tempo antes de 312 A.C. E se os vss. 1-9 de Obadias foram tomados por empréstimo de Jer. 49:7-22, então esse livro deve ter sido escrito depois do de Jeremias, talvez em cerca de 570 A.C., ou pouco mais tarde. Entretanto, esse material poderia fazer parte das declarações dos profetas, de cujo material Jeremias também tirou proveito, o que significa que nenhuma data certa pode ser fixada para a sua utilização.

As evidências acerca de uma data mais recuada incluem a observação de que Edom foi hostil com Israel não apenas posteriormente, mas desde muito tempo. Assim, durante o reinado de Jeorão (848-841 A.C.), os filisteus e os árabes avassalaram Judá e saquearam Jerusalém (II Crô. 21:16,17). Na ocasião, os edomitas mostraram-se muito hostis a Judá (II Reis 8:20-22; II Crô. 21:8-20). Mas, contra isso, argumenta-se que os vss. 1-9 de Obadias (tomados por empréstimo de Jer. 49:7-22) associaria a profecia com as dificuldades posteriores que envolveram o cativeiro babilônico. E a posição do livro de Obadias, dentro do cânon do Antigo Testamento, pode indicar uma data mais antiga, visto que está agrupado com Oséias, com Miquéias e com Amós (havendo algum paralelismo verbal com este último). Entretanto, temos aprendido que essas posições, dentro do cânon, com freqüência não são cronológicas. Por outra parte, em favor de uma data posterior, conforme já foi mencionado, temos a associação do livro com Jeremias, em cujo caso a invasão babilônica provê o pano de fundo histórico; a amarga hostilidade de Edom, na ocasião; e a destruição de Edom pelos árabes, o cerne mesmo da predição de Obadias. Essa hostilidade dos edomitas também transparece em Lam. 4:21; Eze.

25:12-14; 35:1-15; Sal. 137:7. Acresça-se a isso que a invasão filistéia, nos dias de Jeorão, não foi um grande evento histórico, não sendo provável que a mesma estivesse na mira de Obadias. Apesar de não haver como solucionar o problema, o peso maior parece favorecer uma data posterior.

III. Problema de Unidade

Alguns críticos vêem no livro de Obadias uma colcha de retalhos, e não uma unidade literária. As teorias a respeito diferem tanto que o resultado é a confusão. O pequeno livro de Obadias tem sido dividido de várias maneiras, com seções que refletiriam diferentes períodos de tempo. Uma dessas teorias fala acerca de quatro seções, a saber: 1. vss. 1-4 (pré-exílica); 2. vss. 5-15b. (após 450 A.C.); 3. vss. 15a,16-18 (após 350 A.C.), quando os árabes invadiram Edom através do Neguebe; 4. vss. 19-21 (período dos Macabeus). Mas, uma outra teoria divide o livro em sete oráculos, que teriam sido proferidos entre os séculos VI e IV A.C. Em ambos os casos, fica entendido que um editor bastante posterior compilou o livro com base em fontes que datavam de tempos muito díspares. Porém, a divisão mais simples é aquela que fala em duas porções do livro, ou seja: 1. vss. 15a,16-21 (que formaria um apêndice); 2. o começo do livro formaria uma unidade literária. Uma outra divisão dupla é como segue: 1. vss. 1-9,16a, 16a,18-20a (pré-exílica); 2. vss. 10-14 e alguns fragmentos (pós-exílica). A posição conservadora em geral é que algum autor único escreveu o livro, embora tenha inserido algum material proveniente de tempos anteriores. Um oráculo mais antigo parece despontar nos vss. 1-4, onde o autor afirma: «Temos ouvido as novas do Senhor». Ali é que encontramos a predição sobre a ruína de Edom, o que pode ter sido uma antiga profecia que teve vários cumprimentos históricos parciais. Talvez o resto do livro seja, essencialmente, a obra de um único autor, enquanto que seus paralelos com o livro de Jeremias poderiam ter provindo do mesmo fundo comum de declarações proféticas, usado tanto por Jeremias quanto por Obadias.

IV. Propósito do Livro

Arrogantemente, os edomitas rejubilaram-se diante das derrotas de Judá (e isso sem importar se mais cedo ou mais tarde na história), chegando a prestar ajuda aos saqueadores. Eles detinham judeus que fugiam e os maltratavam, ou mesmo vendiam como escravos. Isso foi um ultraje entre aparentados, racial e historicamente falando. Desse modo, Obadias esboçou como seria tomada vingança contra Edom, e então ocorreria a vitória final de Judá, por meio do temível Dia do Senhor.

V. Relação com o Livro de Jeremias

É patente que os vss. 1-9 de Obadias estão relacionados com o trecho de Jer. 49:7-16, o que tem influenciado a teoria de uma data posterior, conforme foi dito acima, na segunda seção. Há três teorias atinentes a esse paralelismo, a saber: 1. tanto Jeremias quanto Obadias tomaram por empréstimo declarações proféticas de alguma fonte mais antiga, pelo que um deles não depende do outro no tocante a material ou data. 2. Jeremias é quem tomou por empréstimo de Obadias, o que significa que primeiramente foi escrito o livro de Obadias. 3. Obadias tomou emprestado de Jeremias. Aqueles que defendem a teoria de um *oráculo antigo*, supõem que a versão de Obadias assemelha-se mais ao original, e que a versão de Jeremias contém algumas modificações feitas por ele mesmo. Ou então, se Jeremias foi quem tirou proveito de Obadias, então ele modificou esse material para ajustar-se aos seus propósitos. Mas, se Obadias realmente tomou emprestado de Jeremias, então, verdadeiramente, o livro de Obadias é posterior, referindo-se ao cativeiro babilônico; e, nesse caso, as diferenças teriam sido produzidas por Obadias, de acordo com os seus próprios propósitos. Não há como solucionar esse problema. Os eruditos manuseiam a questão essencialmente de acordo com aquilo que acreditam acerca da data do livro.

VI. Teologia

1. É um crime tratar parentes conforme Edom fez com Judá. Que o amor fraternal tenha livre curso.

2. O julgamento divino haverá de recair sobre os ofensores com estrita retribuição (vss. 10,15).

3. As nações que se opõem a Yahweh e a seu povo, finalmente ficarão arruinadas. Aproximam-se tanto o Dia do Senhor (juízo) quanto uma Era Áurea. E os homens participarão ou de uma coisa ou de outra, em consonância com os seus feitos (vs. 17; comparar com Isa. 2:6-22; Eze. 7; Joel 1:15-2:11; Amós 5:18-20; Sof. 1:7,14-18).

4. O livro de Obadias condena as atitudes de traição, ridículo, orgulho e materialismo.

VII. Esboço de Conteúdo

1. A temível Sorte de Edom (vss. 1-9)
   a. O título do livro (1a)
   b. Advertências de condenação (1b-4)
   c. A destruição vindoura (5-9)
2. A Desprezível Conduta de Edom (vss. 10-14)
3. O Julgamento das Nações (vss. 15-21)
   a. Como as situações reverter-se-ão (15-18)
   b. Restauração futura (19-21).

Bibliografia. AM BEW E EA UN Z

OBADIAS (PESSOAS)

No hebraico, «adorador de Yahweh». Esse era um nome bastante comum na antiga cultura dos hebreus. Nas páginas da Bíblia há doze ou treze homens com esse nome, a saber:

1. Um descendente de Issacar (I Crô. 7:3). Ele pertencia à casa de Uzi, e viveu em cerca de 1014 A.C.

2. Um líder da tribo de Gade, que se aliou a Davi, em Ziclague, quando este fugia de Saul (I Crô. 12:9). Foi um dos trinta heróicos guerreiros de Davi. Viveu em torno de 1000 A.C.

3. Um descendente de Saul e Jônatas (I Crô. 8:38; 9:44). Viveu em cerca de 720 A.C.

4. O pai de Ismaías, ao qual Davi nomeou sobre a tribo de Zebulom (I Crô. 27:19). Viveu em torno de 1014 A.C.

5. Um oficial de alta patente, camareiro ou mordomo do palácio, durante o governo de Acabe (I Reis 18:3). Isso sucedeu entre 870 e 850 A.C. Embora estivesse tão intimamente associado a Acabe, foi homem de alguma espiritualidade, e assim, quando Jezabel perseguia e matava aos profetas de Israel, ele ocultou a cem deles em uma caverna, suprindo-lhes alimentos. Sobreveio a fome sobre Samaria e Acabe e Obadias dividiram a terra entre si a fim de buscarem pasto para o gado. Obadias então encontrou-se com o profeta Elias, que o instruiu a dizer ao rei que Elias estava próximo. Obadias temeu obedecer a Elias, temendo morrer às mãos de Acabe, mas acabou anuindo. As tradições judaicas fazem dele o profeta *Obadias*, cujo nome está vinculado ao livro veterotestamentário desse nome (ver *Talmude Babilônico, San*. 39b), mas trata-se de um equívoco claro.

6. Um ministro de Estado do tempo do rei Josafá, cuja tarefa foi a de ensinar a lei no território de Judá

(II Crô. 17:7). Ele viveu em cerca de 870 A.C.

7. O profeta Obadias. Praticamente nada se sabe a seu respeito. O Talmude Babilônico identifica-o com o camareiro de Acabe; mas sem dúvida essa opinião está equivocada. Ver o quinto ponto, acima. Outras tradições fazem dele o terceiro capitão que Acazias enviou contra Eliseu (ver II Reis 1:13), mas isso também não encontra respaldo bíblico. Ver a seção II, *autoria*, do artigo sobre *Obadias* (*Livro*).

8. Um descendente de Davi e Jeoaquim, que viveu após o cativeiro babilônico (I Crô. 3:21). Talvez ele seja o mesmo Jodá de Luc. 3:26, pelo que faria parte da ascendência de Jesus, o Messias. E talvez o Abiúde de Mat. 1:13 seja outro nome do mesmo homem. O texto parece corrupto, pois a *Septuaginta* e a *Vulgata Latina* (vide) não concordam com o texto hebraico.

9. Um levita que viveu após o cativeiro babilônico (I Crô. 9:16). Ele tem sido identificado com o Abda de Nee. 11:17. Viveu em cerca de 445 A.C.

10. O chefe de uma família que retornou do cativeiro babilônico, e fixou residência em Jerusalém (Nee. 10:5). Viveu em torno de 445 A.C.

11. Um sacerdote que assinou o pacto encabeçado por Neemias, terminado o cativeiro babilônico, quando Judá se instalou novamente em Jerusalém (Nee. 10:5). Viveu em torno de 445 A.C.

12. Um levita que foi porteiro encarregado dos depósitos, terminado o cativeiro babilônico, na época de Neemias (Nee. 12:25). Viveu em torno de 445 A.C.

OBAL

Ver sobre **Ebal**.

OBEDE

No hebraico, «reiteração». Esse foi o nome de duas personagens bíblicas do Antigo Testamento, a saber:

1. O pai de Azarias. Azarias foi um profeta da época do rei Asa, de Judá (II Crô. 15:1). Porém, o vs. 8 daquele mesmo capítulo dá a impressão de que o próprio Odede era o profeta, embora não em nossa versão portuguesa, que traduz o versículo de modo a não se ter essa confusão, dizendo: «...e a profecia do profeta, filho de Odede...» Os eruditos acreditam que o texto massorético, nessa passagem, esteja corrompido, e que não devemos apelar para o recurso de explicar que tanto o pai quanto o filho foram profetas do Senhor.

2. Um profeta de Samaria que viveu no tempo em que Peca, rei de Israel, invadiu Judá, em cerca de 735 A.C. Ele era um homem corajoso, que saiu ao encontro do exército vitorioso que retornava da matança que havia provocado. Odede repreendeu-os pela crueldade deles e exortou-os a que soltassem os prisioneiros que haviam capturado, cerca de dois mil homens. Ver II Crô. 28:9. Os soldados de Israel ficaram tão impressionados, ante a repreensão de Odede, que libertaram os prisioneiros, e, tendo-os vestido, alimentado e ungido, enviaram-nos de volta a Jericó. Realmente, não era correto que a nação do norte, Israel, escravizasse a seus irmãos do sul, Judá. Mas a guerra geralmente provoca todo tipo de irracionalidade.

Ver o artigo seguinte sobre o mesmo nome em português, mas diferente no hebraico.

OBEDE

No hebraico «serviçal», «escravo de» ou «adorador de». Era esse um nome bastante comum nos dias do Antigo Testamento. Ao que parece era forma abreviada de Obadias, também um nome comum na época. Cinco personagens do Antigo Testamento são assim designadas:

1. Um filho de Boaz e Rute, e pai de Jessé, pai de Davi. Ver Rute 4:17; I Crô. 2:12. Ele viveu em cerca de 1070 A.C. Seu nome ocorre nas genealogias de Rute 4:21,22; I Crô. 2:12; Mat. 1:5 e Luc. 3:32, onde ele aparece como um antepassado de Jesus Cristo.

2. Um filho de Eflal, descendente de Jeremaeel (I Crô. 2:25,37). Ele viveu em torno de 1014 A.C.

3. Um dos trinta heróicos guerreiros de Davi, que o ajudou no exílio, quando fugia do perseguidor Saul (I Crô. 11:47). Viveu em cerca de 1015 A.C.

4. Um filho de Samías e neto de Obede-Edom, um coratita que era porteiro no templo de Jerusalém (I Crô. 26:7). Viveu em torno de 960 A.C.

5. O pai de Azarias, um dos capitães do exército de Israel que ajudou Joiada a depor Atalia (II Crô. 23:1). Isso ocorreu em cerca de 842 A.C.

OBEDE-EDOM

No hebraico, «servo de Edom». Talvez haja nesse nome uma referência a alguma divindade ou forma de idolatria em Edom. Esse é o nome de três personagens que aparecem no Antigo Testamento:

1. Um levita que ficou cuidando da arca da aliança, quando a morte de Uzá fez Davi temer pela segurança da mesma. Sua casa não ficava longe de Quiriate-Jearim, onde a arca da aliança ficou por três meses (ver II Sam. 6:10,11). Dali, a mesma foi levada a Jerusalém. E Obede-Edom, em face do serviço que prestara, tornou-se um dos guardiães especiais da arca. Ver I Crô. 15:18,14.

Alguns estudiosos têm pensado que ele teria de ser um filisteu, por causa do lugar onde residia. Mas não é nada provável que Davi tivesse dado a tarefa de guardar a arca a um filisteu. Havia uma localidade de nome Gitaim (II Sam. 4:3; Nee. 11:33), provavelmente não longe de Quiriate-Jearim, e um homem dali poderia ser chamado «geteu», conforme o foi Obede-Edom, sem que isso significasse que ele não era israelita. O mais provável é que ele tenha sido levita, o que o qualificava para a tarefa de que foi incumbido.

2. Um filho de Jedutum, guarda do templo (I Crô. 16:38), que viveu em cerca de 1043 A.C.

3. Um dos que estavam encarregados de cuidar dos vasos sagrados, na época de Amazias (II Crô. 25:24). Ele viveu em torno de 835 A.C.

OBEDIÊNCIA

Ver sobre **Dever e Dever do Cristão.**

Esboço

1. Referências e Idéias Bíblicas
2. Exemplos Bíblicos de Obediência
3. Uma Característica dos Crentes
4. A Obediência de Cristo
5. Implicações Teológicas e Eclesiásticas

1. Referências e Ideias Bíblicas

A obediência é imposta por Deus (Deu. 13;4), é essencial à fé (Heb. 11:6); resultado para quem dá ouvidos à voz de Deus (Êxo. 19:5); é um dever que temos diante de Cristo (II Cor. 10:5); o evangelho requer obediência (Rom. 1:5); consiste em observar os mandamentos de Deus (Ecl. 12:13); manifesta-se através da submissão (Rom. 13:1); a justificação nos é conferida mediante a obediência de Cristo em nosso lugar (Rom. 5:19); Cristo é o supremo exemplo de obediência (Mat. 3:15; Fil. 2:5-8); deve ser uma das características dos santos (I Ped. 1:14); é uma característica dos anjos (Sal. 103:20); deve proceder do próprio coração (Deu. 11:13; Rom. 6:17); deve ser prestada voluntariamente (Sal. 18:44); não deve ter reservas (Jos. 22:2,3); deve ser constante (Fil. 2:12); finalmente será universal (Dan. 7:27); envolve bem-aventurança (Deu. 11:27; Tia. 1:25); os desobedientes são punidos (Deu. 1:28; Isa. 1:20).

2. Exemplos Bíblicos de Obediência

Noé (Gên. 6:22); Abraão (Gên. 12:1-4); os israelitas (Êxo. 12:28; 24:7); Calebe (Núm. 32:12; I Reis 15:11); Elias (I Reis 17:5); Ezequias (II Reis 18:6); Josias (II Reis 22:2); Davi (Sal. 119:106); Zorobabel (Ageu 1:12), José (Mat. 1:24); os magos (Mat. 2:12); Zacarias (Luc. 1:6); Paulo (Atos 26:19); Jesus, o Cristo (ver sob o quarto ponto).

3. Uma Característica dos Crentes

Há uma «obediência à fé (Atos 6:7; Rom. 1:5). A comunhão dos santos requer que a santidade faça parte do quadro geral. Ver o artigo separado intitulado *Santificação*. Esse é precisamente um dos meios de crescimento espiritual. A obediência ao evangelho é obediência a Cristo, o que resulta do companheirismo espiritual com Ele (II Cor. 10:5). Dessa maneira, os homens mostram-se obedientes à justiça (Rom. 6:16). A obediência não será duradoura, a menos que proceda de um coração transformado (Eze. 36:26,27; Mat. 7:18; Gál. 1:16; I Tim. 1:5; Heb. 9:14). A obediência precisa ser sincera (Sal. 51:6; I Tim. 1:5). Não será eficaz a menos que esteja alicerçada sobre o amor (I João 4:19; I João 2:5; II Cor. 5:14). Eventualmente, será universal (II Ped. 1:5,10) e perpétua (Rom. 2:7; Gál. 6:9). A obediência é a precursora e a evidência da glória eterna (Rom. 6:22; Apo. 22:14).

Jesus repreendeu àqueles que tinham um tipo de obediência apenas externo, jactancioso, cujo propósito era atrair elogios da parte dos homens, mas que nada tem a ver com a verdadeira espiritualidade (Mat. 6:2,5,16; 23:25-25). Tiago mostrou que não existe tal coisa como justificação sem obediência (Tia. 2). A obediência é superior ao rito religioso, por mais exata e fielmente que esse rito seja observado (I Sam. 15:22). A obediência está intimamente relacionada à fé (Rom. 15:17,18; 16:19; I Ped. 1:2). «A obediência torna-se, virtualmente, uma expressão técnica para indicar a aceitação da fé cristã» (A. Richardson, em sua *Introduction to the Theology of the New Testament*).

4. A Obediência de Cristo

Essa questão tem-se tornado um importante aspecto da teologia cristã, e não meramente como um exemplo que Cristo nos tenha deixado. Os elementos bíblicos da obediência de Cristo são os seguintes:

a. Ele mostrou a sua obediência ao Pai em seu nascimento e infância, cumprindo o plano divino de acordo com o qual deixou de lado a sua glória celeste, que sempre tivera na qualidade de o *Logos* de Deus (João 1:1,14,18 *ss*; Luc. 1:38).

b. Em sua meninice, Jesus obedeceu a Maria e a José, seu pai adotivo (Luc. 2:51), mas, supremamente, a seu Pai celeste (Luc. 2:49).

c. *A encarnação* foi um ato de obediência do Filho (Fil. 2:7,8), da qual fluíram os valores essenciais do evangelho cristão.

d. O ministério público de Jesus fez parte de sua obediência ao Pai, em favor da humanidade. Ele veio a fim de cumprir toda a justiça (Mat. 3:15; Luc. 7:30). Obedecendo aos requisitos do Pai e de sua missão, Cristo prevaleceu na tentação que sofreu às mãos de Satanás (Mat. 4:1-11; Luc. 4:1-13). O evangelho de João enfatiza a missão celestial de Cristo, e como ele a cumpriu, em íntima comunhão com o Pai. Ele foi obediente à vontade do Pai, no jardim do Getsêmani (Mat. 26:39). A morte de Cristo, em Jerusalém. Também ocorreu em um ato de obediência à vontade do Pai (Luc. 13:33). Para isso mesmo ele havia sido enviado ao mundo pelo Pai (João 7:28; 8:42).

e. Cristo obedeceu exprimindo os ensinamentos do Pai. Seu ensino não era propriamente seu, mas do Pai; e esses ensinos ele transmitiu fielmente (João 7:16; 12:4; 14:10,24).

f. Os feitos de Cristo eram feitos do Pai, que o Filho cumpria obedientemente (João 6:38; 8:28).

g. Cristo foi galardoado por sua obediência, tendo sido exaltado acima de todos os seus companheiros (Heb. 1:9). A obediência foi o trampolim para a sua exaltação, e isso serve de exemplo a ser seguido por todos os crentes. O *homem Jesus* ensinou-nos essa lição. Na qualidade de o *Logos* de Deus, ele já era exaltado juntamente com o Pai. Sua morte obediente foi galardoada (Fil. 2:9).

h. Como homem, ele aprendeu a obediência por meio das coisas que sofreu (Heb. 5:7-10). E isso envolve uma importante questão teológica, no tocante à natureza de sua encarnação e missão. Ele deu o exemplo, como homem, de como os homens devem obedecer. Se Cristo teve de aprender a obedecer, quanto mais nós! A obediência foi a escola freqüentada por Cristo! E deve ser a nossa!

5. Implicações Teológicas e Eclesiásticas

a. *A cruz* não foi um acidente, e, sim, a manifestação do cumprimento dos propósitos e das promessas de Deus relativos à salvação dos homens. Sem a obediência de Cristo, tal salvação seria simplesmente impossível. A *teologia do pacto* (vide) salientava vigorosamente esse ponto, em objeção às especulações dos céticos e daqueles que divorciavam a graça de Deus da realização redentora de Cristo.

b. *A teologia calvinista radical* restringe a obediência de Cristo, da qual resultou a realização de sua missão, somente àqueles que se beneficiam dela, a saber, os eleitos, aos quais se aplica a expiação. Segundo eles, não há expiação disponível para os demais. Combatendo isso, a *teologia da Nova Inglaterra* (vide) tentou preservar a atividade soberana de Deus, sem limitar, correspondentemente, a expiação aos eleitos. Os universalistas, por sua vez, ensinam que a realização remidora de Cristo beneficiará a todos, finalmente, o que significa que todos os seres humanos foram eleitos por Deus para a salvação. A doutrina da redenção-restauração (redenção para os eleitos e restauração para os não-eleitos) também ensina que a realização de Cristo é eficaz no caso de ambos os grupos, embora operando em diferentes níveis e de diferentes maneiras. Ver o artigo *Restauração* quanto a notas completas sobre esse conceito.

c. *Obediência Ativa e Obediência Passiva*. Os grupos protestantes têm caído no erro de pensar que a obediência de Cristo manifestou-se em sua «guarda da lei por nós». Essa é uma doutrina legalista, que de maneira nenhuma combina com os ensinos bíblicos da graça e da substituição do sistema de obras pelo sistema da graça-fé. Esse cumprimento da lei, por parte de Cristo, é chamado de *obediência ativa*. E sua morte na cruz é designada de *obediência passiva*. Porém, essa distinção não faz sentido.

d. O *catolicismo medieval* imaginava, tolamente,

que a obediência de Cristo e a obediência dos santos teria criado um fundo meritório, do qual as almas menos desenvolvidas poderiam fazer empréstimos, capaz de levá-las ao estado da justificação diante de Deus.

e. *Cristo Debaixo da Lei*. Alguns têm ensinado que Cristo estava acima da lei, razão pela qual sua obediência não estava associada à lei, pelo que também não envolve qualquer mérito de que nos possamos valer. Mas outros, bem ao contrário, pensam que Cristo estava debaixo da lei, motivo pelo qual a sua obediência à lei não pode ser transferida para nós, mas apenas pode provar sua própria perfeição e santidade. Mas a verdade dos fatos é que a obediência de Cristo à lei nada tem a ver com a nossa justificação, porquanto a lei não está envolvida nessa questão, em nenhum sentido. A graça é uma coisa; e a lei é outra. Somente um Cristo impecável e obediente podia fazer expiação por nós; e a lei frisava no que consiste o pecado. Não obstante, a obediência de Cristo à lei nada tem a ver com a nossa justificação.

f. *A Permanente Obediência de Cristo*. Cristo teve uma missão tridimensional: sobre a terra, no hades, no céu. Em todas as três dimensões Cristo obedeceu e está obedecendo à vontade do Pai. Assim, nossa salvação foi iniciada, tem prosseguimento, e, finalmente, será aperfeiçoada. O primeiro Adão desobedeceu. Mas o segundo ou último Adão obedeceu, e assim cumpriu o propósito de Deus. Lemos em Rom. 5:19: «Porque, como pela desobediência de um só homem muitos se tornaram pecadores, assim também por meio da obediência de um só muitos se tornarão justos». Ver também Rom. 5:12 *ss* e I Cor. 15:22,45.

OBELISCO

No grego, **obeliskos**, forma diminutiva de **obelós**, uma figura alongada que termina em ponta aguda. Um obelisco é uma coluna monumental de pedra, com freqüência associada, na antiguidade, à adoração ao sol, pois apontava para o céu. Um obelisco é uma coluna com quatro lados, que termina em ponto, e que acompanha, de longe, o formato de uma pirâmide, pois vai afinando de baixo para cima.

Esses monumentos eram comuns na religião egípcia, pois obeliscos de vários tamanhos e formatos têm sido encontrados no Egito pela arqueologia. O mais antigo obelisco, que continua no seu local, é o de Senuserte I, em Heliópolis, e que data do século XII A.C. O maior de todos os obeliscos que já foram achados é o de Tutmés III, atualmente localizado em Roma, em São João Latrão. Tem 32,25 m de altura e pesa 455 toneladas. Quase todos os obeliscos antigos eram feitos de granito vermelho ou sienita, mas alguns eram feitos de arenito duro. A cor vermelha sugeria o disco solar. A cidade de On (no grego, Heliópolis) era a mais envolvida na adoração ao sol, motivo porque vários obeliscos têm sido encontrados ali. Jeremias predisse a destruição dos obeliscos com finalidades idólatras (Jer. 43:13).

OBIL

No hebraico, «cameleiro». Esse foi o nome de um ismaelita que chefiava os cuidados pelos camelos, na corte do rei Davi (I Crô. 27:30). Ele viveu na época geral de Davi.

OBJEÇÃO CONSCIENCIOSA

É correto uma nação enviar homens armados contra outra nação, com o propósito de matar e impor a sua vontade? Haverá aquilo que se tem chamado de *guerra justa*? As respostas a essas indagações não surgem com facilidade. Alguns objetam à guerra do ponto de vista religioso. Outros rejeitam qualquer tipo de guerra sobre bases puramente humanitárias. Portanto há objetores conscienciosos de natureza espiritual (religiosa) e de natureza humanitária. Isso significa que tais pessoas recusam-se a participar de qualquer tipo de matança, não querendo pegar em armas. Ver o artigo sobre o *Pacifismo*.

Alguns grupos evangélicos, como os menonitas, fazem do pacifismo uma porção integrante de seu credo. Também podemos mencionar os Irmãos e os quacres. Nesses grupos, fazem-se presentes razões religiosas e humanitárias. Como é óbvio, os objetores conscienciosos entram em um conflito entre aquilo que sentem ser seu dever a Deus e aquilo que sentem ser seu dever para com a pátria. Se a denominação cristã dessas pessoas também é pacifista, e elas unem-se ao exército de seu país, são rejeitadas por sua igreja. Mas se observarem as convicções de sua denominação religiosa, sofrerão perseguições por parte da sociedade. Em alguns países, essas sanções podem incluir multas ou mesmo aprisionamento. Nos Estados Unidos da América, onde as leis dão margem legal às objeções conscienciosas, visto que, naquele país as convicções pessoais são muito respeitadas, muitos objetores conscienciosos servem ao exército, mas sem pegarem em armamentos, ocupando-se de funções burocráticas e outras. Muitos têm servido em equipes médicas e outros corpos auxiliares. E muitos deles têm sido condecorados por motivo de bravura em batalha. Mas nunca pegaram em armas com a finalidade de matar.

Razões Religiosas da Objeção Conscienciosa. A injunção bíblica que recomenda o amor cristão, o respeito pelo próximo, o voltar da outra face aos nossos ofensores e a não-resistência aos perversos, está envolvida. Além disso, o mandamento do decálogo, que proíbe o homicídio, é considerado moralmente obrigatório para o crente, em todas as situações. Os objetores conscienciosos sentem que é melhor obedecer a Deus do que aos homens (Atos 5:29), em todos os casos que envolvam violência. Talvez alguns grupos tolerem somente a defesa própria; mas é duvidoso que os grupos mais extremamente pacifistas considerem a defesa própria como legítima aos seus membros. Tudo isso tem produzido intenso debate nos meios evangélicos, com argumentos pró e contra o pacifismo.

Argumentos Contrários à Objeção Conscienciosa. O mandamento para não matar é especializado, e não geral. O Deus do Antigo Testamento é retratado como um promotor de guerras. Na lei levítica há provisões para a autodefesa, e todos os povos reconhecem que é legítimo matar a alguém que nos ameace a vida. Isso posto, quando a segurança de um país e a vida de seus habitantes estão sendo ameaçadas, é legítimo defender-se e até reduzir o inimigo. De outras vezes, surgem grandes males, como o nazismo; e, em tais casos, a guerra torna-se necessária, pois só a guerra pode eliminar o mal. Essas guerras podem ser chamadas de guerras justas. A tradição profética assegura-nos de que somente a guerra poderá pôr fim ao comunismo internacional e à tirania futura do anticristo. Então terá início um novo ciclo histórico, dentro do qual Israel será cabeça das nações. Tudo isso é muito terrível, mas inevitável, porquanto os homens, em seu estado não-regenerado, precisam passar por essas duas experiências. Os homens haverão de aprender muitas lições valiosas nesse processo, pois somente assim conseguirão deixar de ser os guerreiros tribais que têm sido.

Precisamos reconhecer que o homem continua ocupando uma posição espiritual muito inferior. Está apenas no começo de sua evolução moral e espiritual. Os homens farão guerra contra outros homens, e os atacados só poderão livrar-se da pressão se estiverem dispostos a batalhar em defesa própria. O décimo terceiro capítulo da epístola aos Romanos requer obediência ao Estado, e, algumas vezes, essa obediência nos envolve em partir para a guerra. O *pacifismo* é um belo ideal, que pode ser considerado com respeito; mas é impraticável. Não foram os pacifistas que derrotaram Hitler. E nem o pacifismo será capaz de eliminar os perversos poderes gentílicos que haverão de caracterizar a história humana, até à inauguração do próximo ciclo histórico, o milênio (que vide). Somente então haverá um tipo de homem que terá ultrapassado o estágio do guerreiro tribal. E, mesmo assim, porque o mal será refreado pelo governo férreo de Cristo, e não porque os homens terão perdido a sua beligerância e tendências destruidoras.

É legítimo tirar a vida de outrem que nos ameace a vida. É legítimo matar quem ameaça a vida de outras pessoas, que devemos defender. É legítimo matar quando a segurança e a existência de nosso país estão sendo ameaçadas. Neste mundo moderno, a nação que não se defende está convidando a submissão ou o suicídio. Esses são fatos que os pacifistas não gostam de encarar. Pode-se fazer a pergunta: os pacifistas têm o direito de ser protegidos pelos resultados das medidas militares, se eles não se envolvem nessas medidas? Se, hoje em dia, vivo em um país livre, porque os exércitos de meu país preservaram essa liberdade, devo rejeitar a minha responsabilidade de continuar preservando essa liberdade, internando-me, idealisticamente, na vereda do pacifismo?

Conclusão. Não há solução fácil para um problema como o do pacifismo e das objeções conscienciosas. Do ponto de vista do *idealismo*, o pacifismo está com a razão. Mas, do ponto de vista *prático*, ele nada realiza; pois o empecilho é a própria natureza humana pervertida. Ademais, nem sempre podemos escolher entre o bem e o mal. Há ocasiões em que somos forçados a escolher entre dois males, quando então devemos preferir o mal menor. Quando a Alemanha nazista invadiu a França, no começo da Segunda Guerra Mundial, em 1939, o exército francês praticamente desistiu de lutar, permitindo a ocupação de cerca da metade do território francês. Então foi necessário que *outros países* viessem libertar a França. Quando os exércitos de Hitler invadiram a Rússia, tiveram de enfrentar uma encarniçada resistência, que perdurou durante todo o prolongado período e agonia do inverno severíssimo da região. Não foi mister a ajuda de exércitos estrangeiros para libertar a União Soviética dos nazistas. Ela obteve a sua própria vitória, embora com a ajuda de armamentos e alimentos norte-americanos. Outro tanto pode ser dito no tocante à Grã-Bretanha. A nação norte-americana perdeu milhões de jovens, envolvendo-se em uma guerra que nunca chegou às suas praias, e então reconstruiu a Europa, terminada a guerra. Esses triunfos não foram arquitetados e executados pelo pacifismo.

Nos países onde o pacifismo e a objeção conscienciosa têm a permissão da lei, as pessoas podem fazer sua opção. Se me fosse dado ter de tomar a decisão nestes nossos dias, penso que eu pediria para fazer parte do exército, sem pegar em armas, sem ter de matar pessoalmente aos soldados inimigos, embora disposto a servir na zona de batalha, em alguma outra capacidade. Não sei se essa é a atitude que outros crentes tomariam, mas é a minha. Este tradutor, por exemplo, em caso de necessidade não se negaria até mesmo a pegar em armas. Penso que o Novo Testamento proíbe a truculência desnecessária, mas não vejo ali nenhuma inclinação para o pacifismo. No tocante à propagação do reino de Deus, sabemos que este não se amplia mediante esquemas humanos, mas pela atuação do Espírito de Deus; mas, no que diz respeito à vida comum, a Bíblia não condena incondicionalmente a luta armada. Recomendou Jesus aos seus discípulos: «Agora, porém... o que não tem espada, venda a sua capa e compre uma» (Luc. 22:36). E os discípulos apresentaram-lhe duas espadas: e o Senhor não disse para eles desfazerem-se delas. Pedro chegou a decepar a orelha de Malco, no entrevero que houve por ocasião da detenção de Jesus. Cristo curou o ferimento do servo do sumo sacerdote; e, se houve reprimenda de parte de Jesus, contra Pedro, esta limitou-se às palavras: «Deixai, basta» (Luc. 22:51). Sem dúvida, todo o episódio ocorreu para que, nos séculos futuros, ninguém dissese: «Prenderam injustamente a Jesus, e seus discípulos acovardaram-se!»

Nos países onde a lei permite a objeção conscienciosa, a decisão é difícil para os crentes, temos de admitir. Cada qual siga sua consciência, dispondo-se a enfrentar as conseqüências de seu ato. (AM H)

OBJETIVISMO

Essa é a posição que pensa que há certas verdades morais que continuam verdadeiras, sem importar o que as mentes individuais pensem, e cujas verdades não dependem dos gostos de cada pessoa. O imperativo moral de Kant é um bom exemplo: Faze aos outros somente aquilo que queres que se torne uma lei universal. Assim como existem proposições matemáticas que não estão sujeitas a interpretações individuais (5 + 7 = 12), assim também há proposições morais que são fixas por sua própria natureza. É nesse ponto que achamos o alicerce da ética formal, rigorista. O problema com que se defronta esse objetivismo é como determinar quais são as regras fixas. As pessoas que se deixam orientar pela Bíblia acham ali as suas regras, com base na revelação divina. Existem verdades auto-evidentes que permanecem de pé, inteiramente à parte de preferências e gostos individuais. Se isso não fosse uma verdade, todos nós nos perderíamos no abismo do individualismo, e seria impossível constituir um código lógico de conduta. Os juízos morais são mais do que preferências pessoais. Existem coisas que, verdadeiramente, são certas ou são erradas.

Tipos de Objetivismo

1. *Na Epistemologia*. Existem objetos e entidades reais que existem de maneira totalmente independente de minha percepção dos mesmos (essa é a tese do *realismo*, vide). O conhecimento que eu tiver sobre esses objetos pode ter sido adquirido pela percepção dos sentidos, pela razão, pela intuição ou pelas experiências místicas; mas a realidade dos mesmos independe da minha percepção deles.

2. *Na Metafísica*. Eu existo; mas tu também existes, bem como outras coisas que podemos ver (pluralismo). Existem realidades fora da mente e suas percepções. O idealismo objetivo, porém, é um objetivismo autêntico. Embora a natureza de todas as coisas seja mental, contudo, as coisas existem fora de minha mente individual.

3. *Na Estética*. Nas belas-artes existem valores que

são independentes de meus gostos particulares e de minha avaliação individual.

4. *Na Ética*. Esse particular já foi abordado no parágrafo que introduz o objetivismo.

OBJETIVISMO; SUBJETIVISMO

Esses são termos éticos com significados opostos:

Subjetivismo

As atitudes e os padrões morais são questões de escolha e gosto pessoal, e não uma questão de valores eternos e de padrões fixos. O *subjetivismo simples* é inteiramente relativista e individualista. Minhas idéias são os meus padrões; meus gostos é que determinam para mim o que é certo ou errado. Os padrões e gostos de outras pessoas podem ser diferentes dos meus, pelo que a verdade de outrem é diferente da minha. Contudo, também haveria um subjetivismo comunal, que aceita que as pessoas que pertencem a uma mesma sociedade naturalmente terão um mundo de idéias comuns, embora sejam subjetivas para cada indivíduo. Os desejos naturais dos homens podem ser compartilhados, de tal modo que, apesar de serem subjetivos, não são isolados. Existem gostos coletivos que provêem normas de ação. O subjetivismo individualista é passivo das mesmas objeções que são feitas contra o *relativismo* (vide).

Tipos de Subjetivismo

1. *Na Epistemologia*. O conhecimento limitar-se-ia à consciência que a mente tem de seus próprios estados.

2. *Na Metafísica*. Ali, o *solipsismo* (vide; e que diz: «Só eu existo»), bem como o idealismo subjetivo (o mundo é minha idéia), são formas de subjetivismo. O idealismo objetivo expande a idéia a uma comunidade inteira, e, apesar de reter a idéia de que «o mundo é minha idéia», faz disso uma idéia de Deus ou da comunidade de mentes, ficando assim eliminado o subjetivismo.

3. *Na Estética*. O que uma pessoa pensa sobre o significado das belas-artes é somente a sua própria idéia, que reflete o seu gosto particular. Esse gosto é o valor dessa pessoa. Por isso, cada indivíduo tem seu próprio gosto e avaliação sobre as coisas.

4. *Na Ética*. Isso foi ventilado no parágrafo introdutório deste artigo.

OBJETO

Essa palavra deriva-se do latim, **ob**, «contra», e *jacere*, «lançar». O sentido popular da palavra é de algo que jaz dentro da percepção de nossos sentidos, algo visível, tangível e material. Metaforicamente, trata-se de algo sobre o que a mente se fixa ou sobre o que ela pensa; ou um propósito a ser atingido. Na filosofia, porém, esse vocábulo tem assumido vários significados distintivos, a saber:

1. Algo que existe por seu próprio direito, sem importar se é percebido ou não pela mente humana, segundo se vê no *realismo* (vide).

2. Algo que serve de ponto de referência, podendo ser algo material ou não, como uma referência cognitiva, volitiva, emotiva ou espiritual.

3. Para Duns Scotus, um objeto era algo que fazia parte do pensamento; um item dentro da mente. O objeto está na mente; a existência de algo no mundo é subjetiva de acordo com sua filosofia.

4. No *idealismo* (vide), ficou perpetuada a idéia de Duns Scotus. Um objeto sempre é algo mental, pois nada existe, ou pode ser provado que existe, exceto as idéias que se aninham em nossa mente.

5. Kant falava sobre o objetivo como algo fora do sujeito; subjetivo, para ele, significava aquilo que está dentro de um sujeito. Porém, de acordo com as suas categorias *a priori* da mente, a mente projeta para os objetos externos a natureza que eles têm.

6. Meinong e Husserl voltaram ao significado original dessa palavra, ao asseverarem que o objeto é o sujeito de um juízo mental.

7. Whitehead falava sobre vários tipos de objeto: objetos do sentido; objetos percebidos; objetos físicos; objetos científicos.

OBLAÇÃO

Ver o artigo geral sobre *Sacrifícios e Ofertas*. Essa palavra deriva-se do latim, *oblatus*, «algo oferecido». No seu sentido moderno, o termo é geral, aludindo a qualquer tipo de oferta, embora, especificamente, refira-se à eucaristia.

Usos Bíblicos:

1. Uma oferenda apresentada (no hebraico, *gorban*, «aproximado»), usualmente indicando alguma oferta de manjares (Lev. 2:4 *ss*; 7:9,10).

2. Uma oferta movida (no hebraico, *terumah*, «mover»). Algo elevado ou tirado da propriedade ou das possessões de alguém e oferecido a Deus, usualmente para manutenção do santuário e seus ministros. Ver Isa. 40:20; Eze. 44:30; 45:1. Essas coisas eram *movidas* na presença de Yahweh, no aguardo de sua aprovação e aceitação. Essas oferendas só podiam ser aproveitadas pelos sacerdotes e seus filhos (Núm. 18:19; Lev. 22:10).

3. Um presente (no hebraico, *minhah*, «doação»), usualmente referente a ofertas cruentas (Isa. 19:21; 66:3; Dan. 9:21,27).

4. Uma libação (no hebraico, *massekah*, «derramamento»). Líquidos como azeite, leite, água, mel, e, especialmente, vinho, eram derramados como ofertas. Os gregos e os romanos tinham isso como algo essencial aos seus ritos; e, em menor escala, os hebreus também usavam de libações. O trecho de Dan. 2:46 tem a palavra no sentido geral de oferenda. Ver também Êxo. 30:9 e Núm. 15:7,10.

OBOTE

No hebraico, «oedres». Um lugar no deserto, por onde os israelitas vaguearam, e que continha alguma água. Essa foi a quadragésima sexta parada dos israelitas no deserto. Ficava perto do território de Moabe. Ver Núm. 21:10,11; 33:43,44. Tem sido tentativamente identificado com o oásis chamado *el-Weiba*, que fica ao sul do mar Morto.

OBRA DE ARTISTA

Essa e algumas outras expressões cognatas aparecem como tradução da palavra hebraica *chashab*, «perito», «habilidoso», «pensar», «planejar», etc. Há ocorrências desse termo que apontam para a habilidade de certos homens executarem trabalhos artísticos. Ver Êxo. 26:1,31; 28:6,15; 35:35; 36:8,35; 38:23; 39:3,8; II Crô. 26:15.

Pode estar em vista a habilidade desenvolvida por artífices em suas respectivas artes ou ofícios, ou qualquer aprendizado que requeira planejamento e habilidade inata. Na construção do tabernáculo, foi mister encontrar homens de grande habilidade, verdadeiros artistas em seus respectivos campos, fossem eles o bordado, o engaste de pedras preciosas, instalações militares, etc.

OBRA DE FIEIRA

Essa expressão é tradução do vocábulo hebraico, *aboth*, «corda», nos trechos de Êxodo 28:14,22,24,25. Entretanto, em Êxodo 39:15,17,18, onde aparece a mesma palavra hebraica, a nossa versão portuguesa já a traduz por «correntes como cordas». Isso ilustra duas coisas no tocante às traduções em geral e, particularmente, no que diz respeito à tradução da Bíblia em particular. Primeiro, há muitos termos hebraicos obscuros, para os quais os tradutores e revisores têm procurado traduções correspondentes nos idiomas modernos, sem grande sucesso. De fato, se no Novo Testamento grego não há mais nenhum vocábulo de sentido desconhecido, outro tanto não se dá com o Antigo Testamento. Em segundo lugar, apesar de ser conveniente traduzir os termos de uma maneira uniforme, nem sempre isso é possível, ou mesmo mais certo.

OBRA DE REDE

A idéia de «rede», de «trançado» era aplicada a certa variedade de coisas:

1. A grade do altar dos holocaustos (no hebraico, *resheth*) era assim chamada. Ver Êxo. 27:4; 38:4.

2. Um trabalho trançado, em redor das duas colunas do átrio do templo, formado por sete cordas entretecidas, com o formato de grinaldas decorativas, também recebeu esse nome. Ver I Reis 7:18,20,42; Jer. 52:22,23. A palavra hebraica correspondente é *sebakah*.

3. Fios de algodão eram tecidos formando uma espécie de obra de rede. A nossa versão portuguesa chama a esse trabalho de «pano de algodão». No hebraico temos a palavra *hor*, «branco». Ver Isa. 19:9.

4. As grades de um quarto do primeiro andar, de onde Acazias caiu, também são chamados por «obra de rede», em algumas traduções, em II Reis 1:2. Nossa versão portuguesa, dá-lhes o nome mais apropriado, «grades». Ver também o artigo intitulado *Rede*.

OBRAS

Ver os artigos chamados *Boas Obras* e *Obras de Deus*.

OBRAS DA LEI

Rom. 3:20: *porquanto pelas obras da lei nenhum homem será justificado diante dele; pois o que vem pela lei é o pleno conhecimento do pecado.*

Uma outra função da lei mosaica é aqui especificada. Seu propósito jamais foi de servir de meio de justificação, mas antes, de meio que revela a verdadeira natureza do pecado.

Do que Consiste a Lei Aqui Aludida?

1. Alguns dizem que se trata de lei cerimonial, e não da lei moral (os dez mandamentos). Vários intérpretes têm assumido essa posição, a fim de evitar a doutrina paulina da eliminação da lei como meio de salvação.

2. Outros supõem que esteja especificamente em foco a lei moral, o decálogo. Mas é óbvio que essa é uma limitação por demais restrita. A circuncisão, por exemplo, era tida como essencial à salvação pelos judeus, e, no entanto, não fazia parte do decálogo.

3. Provavelmente a lei judaica inteira está em pauta, a legislação mosaica, em seus aspectos moral e cerimonial. Os judeus não dividiam a lei nesses dois aspectos, conforme fazem os teólogos modernos. Para eles, a lei inteira envolvia obrigações morais e alguns dos estatutos cerimoniais eram reputados como os requisitos mais importantes (por exemplo, a lavagem de mãos e copos, ou o uso das filactérias).

4. Alguns intérpretes emprestam um sentido lato ao versículo — qualquer lei, a mosaica ou a voz da consciência. Em face de Rom. 2:14, essa idéia parece estar correta.

Do que Consistem essas Obras?

1. Alguns afirmam que as obras humanas meritórias (aquelas produzidas pelo esforço humano) são as que de nada valem diante de Deus.

2. Não se pode duvidar, entretanto, que as obras aqui referidas são aquelas envolvidas na obediência à legislação mosaica. Tais obras não podem justificar.

3. O que dizer sobre as obras realizadas no poder do Espírito? Mesmo as obras espirituais não podem justificar o homem, apesar de seguirem-se obrigatoriamente à fé.

Relação Entre as Obras e a Justificação e a Graça

1. É claro que as boas obras devem vir após a conversão. (Ver o artigo acerca disso). O princípio da fé é um princípio vivo que, naturalmente, produz boas obras, pois, do contrário, **nem existiria fé.**

2. Porém, as boas obras envolvem mais que esse fator. Se definirmos essas obras como «aquilo que o Espírito faz em nós e através de nós», então tais obras tornar-se-ão sinônimas da graça. (Isso é comentado em Efé. 2:8 no NTI). O Espírito opera em nós tanto o querer como o realizar, segundo a boa vontade de Deus (ver Fil. 2:13). Essa espécie de obras é um cultivo do Espírito (ver Gál. 5:22) e não é mero resultado da salvação, pois é a própria salvação em operação.

3. Além disso, as obras determinam o nível dos galardões ou posição na glória futura. Posto ser a glorificação o estágio final da salvação, então temos de afirmar que as obras espirituais fazem parte da salvação. Porém, isso nada tem a ver com o princípio legal mediante o qual os homens, através do esforço humano, adquirem algo. É atuação do Espírito, mas nós as realizamos!

4. Visto que a justificação envolve mais em Paulo que a declaração forense da correta situação perante Deus, a fim de incluir tanto a santificação quanto a glorificação (vide), então as obras espirituais fazem parte da questão, embora no sentido acima explicado.

OBRAS DE DEUS

Uma expressão bíblica comum, tanto no Antigo quanto no Novo Testamento, é «as obras de Deus», ou, então, «as obras de Jesus». Essa expressão denota tanto aquilo que foi criado por Deus quanto os atos de Deus, no decorrer da história humana. As palavras particularmente empregadas, nessa conexão, são os vocábulos gregos relacionados abaixo:

***Érgon*, «trabalho» (por exemplo, Mat. 11:2; João 3:36); *megaleîa*, «atos poderosos» (Atos 2:11); *poíema*, «realização», «obra» (Rom. 1:20; Efé. 2:10); e, finalmente, *enérgeia*, «operação», «energia» (por exemplo, Efé. 1:19; Col. 2:12 e II Tes. 2:11).**

***Esboço*:**

I. No Antigo Testamento

A. As Obras Divinas

B. A Reação Humana

II. No Novo Testamento
A. Na Criação
B. Na Salvação

I. No Antigo Testamento

A. As Obras Divinas

1. *Na Criação*. Quando expõe sua vigorosa doutrina da criação, a Bíblia, mui naturalmente, usa o vocábulo *érgon* para descrever a totalidade da obra criativa de Deus. E faz isso em um sentido ativo, para indicar as realizações reais de Deus, conforme se vê, por exemplo, em Gênesis 2:2,3: «E havendo Deus terminado no dia sétimo a sua obra, que fizera, descansou nesse dia de toda a sua obra que tinha feito. E abençoou Deus o dia sétimo, e o santificou; porque nele descansou de toda a obra que, como Criador, fizera». E, no Novo Testamento, em Heb. 4:4: «Porque em certo lugar assim disse, no tocante ao sétimo dia: E descansou Deus, no sétimo dia, de todas as obras que fizera». Contudo, no Antigo Testamento, conforme se vê na Septuaginta, também se vê um sentido passivo desse termo (cf. Sal. 8:6). Na verdade, o sentido passivo mescla-se com o sentido ativo, pois a obra criativa de Deus resultou na obra da criação.

A voz passiva é muito mais comum e clara, no plural, aludindo aos fenômenos individuais da natureza. Assim, os céus são obras dos dedos de Deus (ver Sal. 8:3). Todas as criaturas são obras de suas mãos, mormente no caso dos seres humanos. E é com base nesse fato que os crentes buscam a proteção e a misericórdia divinas (Sal. 138:8, etc.). Os descendentes de Jacó, tal como os crentes em Jesus, são especialmente descritos como obras das mãos de Deus (ver Sal. 90:16, na Septuaginta; Isa. 29:23). E as realizações históricas de Deus também poderiam ser classificadas como obras divinas.

2. *Na História*. O Antigo Testamento também alude aos atos divinos na história da humanidade. Esses atos divinos históricos são, acima de tudo, atos de intervenção libertadora. Os acontecimentos registrados no livro de Êxodo são os atos divinos libertadores, realizados especialmente em favor do povo de Israel. Tais obras, com freqüência, são de natureza miraculosa, ou seja, atos poderosos, que transcendem ao curso normal da história. Para exemplificar: «Disse o Senhor a Moisés: Agora verás o que hei de fazer a Faraó; pois por mão poderosa os deixará ir, e por mão poderosa os lançará fora da sua terra» (Êxo. 6:1). E foi daí que sobrevieram as dez pragas do Egito.

Não se deve pensar, entretanto, que essas intervenções divinas em favor de seu povo antigo, cessaram quando eles entraram na terra de Canaã. Os atos básicos de redenção servem de uma garantia constante acerca de novas obras interventoriais de Deus. Assim, de certa feita, o Senhor livrou Judá e Jerusalém dos assírios, e, mais tarde, restaurou o povo de Israel à sua própria terra, quando estavam exilados na Babilônia há setenta anos.

Por outra parte, se as obras de Deus eram, predominantemente, intervenções libertadoras, também há um lado reverso. Pois o livramento de Israel, às margens do mar Vermelho, significou a ruína dos egípcios. E o mesmo povo judaico que, por diversas vezes foi libertado de seus opressores, por intermédio dos juízes, em outras oportunidades foi entregue às mãos de seus adversários, quando pecou. Os profetas de Israel, em particular, por muitas vezes anunciaram o julgamento divino, mediante obras de Deus, no tocante a um povo rebelde e de duro coração: «Porque o Senhor se levantará como no monte Perazim, e se irará, como no vale de Gibeom, para realizar a sua obra, a sua obra estranha, e para executar o seu ato, o seu ato inaudito. Agora, pois, não mais escarneçais, para que os vossos grilhões não se façam mais fortes; porque já ao Senhor, Deus dos Exércitos, ouvi falar duma destruição, e essa já está determinada sobre toda a terra» (Isa. 28:21,22). Os crentes individuais podem conhecer, experimentalmente, as poderosas obras de intervenção de Deus, — conforme transparece, por tantas vezes, nos Salmos. — Em último lugar, mas não de somenos importância, devemos pensar nas obras escatológicas de Deus. «Todos os do teu povo serão justos, para sempre herdarão a terra; serão renovos por mim plantados, obra das minhas mãos, para que eu seja glorificado» (Isa. 60:21).

B. A Reação Humana

1. *A Meditação*. As realizações portentosas de Deus, na criação e nas intervenções divinas na história humana, requerem que os homens reajam favoravelmente a elas. Em primeiro lugar, o homem deve considerar essas obras. Várias palavras são usadas nessa conexão. O homem não deveria esquecer as grandes coisas realizadas por Deus (ver Sal. 77:11), além do que, cumpre-lhe meditar sobre elas, conforme se aprende em Salmos 77:12: «Considero também nas tuas obras todas, e cogito dos teus prodígios». Essa meditação prepara o crente para enfrentar melhor as tribulações, quando estas chegarem.

2. *Ação de Graças e Louvor*. Em segundo lugar, o homem deve se mostrar agradecido a Deus, por suas obras. «Rendam graças ao Senhor por sua bondade e por suas maravilhas para com os filhos dos homens!» prorrompe o salmista (Sal. 107:15; ver também os vss. 21 e 31). O homem está na obrigação moral de louvar e de bendizer a Deus, autor de tantas coisas boas para os homens (Salmos 145). Esses atos divinos são poderosos e terríveis (Sal. 66:3). Deus os realiza, movido pela sua fidelidade (Sal. 33:4). Essas obras manifestam o governo controlador de Deus (Sal. 90:16). Mas, embora possam ser percebidas, essas realizações são, realmente, insondáveis (Ecl. 8:17). São atentamente examinadas por todos aqueles que têm prazer nas obras de Deus (Sal. 111:2). Finalmente, as próprias obras divinas aliam-se ao louvor Àquele que as criou, segundo se vê em Salmos 145:10: «Todas as tuas obras te renderão graças, Senhor; e os teus santos te bendirão».

3. *Proclamação*. Em último lugar, cabe-nos considerar que o homem deve declarar as poderosas obras de Deus. Ele deve ensinar tais coisas aos seus filhos (Sal. 78:4), como também deve anunciá-las a seus semelhantes. Tornar conhecidos, aos filhos dos homens, os poderosos atos divinos, é a tarefa básica que confere unidade à vida inteira do ministério e da adoração. «Falarão da glória do teu reino, e confessarão o teu poder, para que aos filhos dos homens se façam notórios os teus poderosos feitos, e a glória da majestade do teu reino» (Sal. 145:11,12).

II. No Novo Testamento

A. *Na Criação*. O que o Novo Testamento tem a dizer acerca das obras do Senhor Deus é, essencialmente, a mesma coisa que se acha no Antigo Testamento. A única referência é que, no Novo Testamento, essas obras são atribuídas, igualmente, a Jesus Cristo, por intermédio de Quem todas as coisas foram feitas. «Todas as cousas foram feitas por intermédio dele, e sem ele nada do que foi feito se fez» (João 1:3). Destarte, as obras de Deus, em um sentido perfeitamente literal, são as obras de Jesus. Deus Pai faz tudo através do Filho. «Meu Pai trabalha até agora, e eu trabalho também» (João 5:17).

No Novo Testamento, essa intermediação de Cristo, nas obras da criação, pode ser vista desde a criação. Todas as coisas foram criadas por meio de Cristo, «nos céus e sobre a terra, as visíveis e as invisíveis... Tudo foi criado por meio dele e para ele» (Col. 1:16). Deus criou os mundos por meio do Filho (ver Heb. 1:2). Por isso mesmo, as obras da criação são obras de Jesus Cristo. Tudo gira em torno dele.

B. Na Salvação

1. *No Livro de Atos*. Entretanto, a ênfase principal do Novo Testamento, recai sobre a obra salvatícia de Deus, realizada em Jesus Cristo. E não deveria ser de estranhar que os evangelhos sinópticos pouco declarem diretamente sobre isso. Esses evangelhos meramente registram as obras de Cristo, que atingiram o seu ponto culminante na crucificação e na ressurreição. Todavia, essas realizações testificam, com tremenda eloqüência, o papel de Jesus como Salvador. Nos evangelhos sinópticos, a menção às obras de Cristo é posta nos lábios de João Batista: «Quando João ouviu, no cárcere, falar das obras de Cristo, mandou por seus discípulos perguntar-lhe: «És tu aquele que estava para vir, ou havemos de esperar outro?» (Mat. 11:2,3).

Todavia, na pregação da Igreja primitiva, historiada no livro de Atos, o quadro descritivo altera-se drasticamente. Uma vez dotados de poder pelo Espírito Santo, os apóstolos declararam abertamente as admiráveis obras de Deus, na pessoa de Cristo. «...como os ouvimos falar, em nossas próprias línguas, as grandezas de Deus?» (Atos 2:11). E, já no primeiro dia da vida da Igreja, dirigida pelo Espírito de Cristo, o dia de Pentecoste, as obras de Cristo foram destacadas na prédica apostólica: «Varões israelitas, atendei a estas palavras: Jesus, o Nazareno, varão aprovado por Deus diante de vós, com milagres, prodígios e sinais, os quais o próprio Deus realizou por intermédio dele entre vós, como vós mesmos sabeis; sendo este entregue pelo determinado desígnio e presciência de Deus, vós o matastes, crucificando-o por mãos de iníquos; ao qual, porém, Deus ressuscitou, rompendo os grilhões da morte...» (Atos 2:22-24). Essa citação do âmago da pregação de Pedro, naquele dia, mostra-nos que o coroamento das realizações salvatícias de Deus, em Jesus Cristo, foi a crucificação e a ressurreição de Jesus Cristo.

E, no decorrer do ministério dos apóstolos originais, como também durante o ministério do apóstolo dos gentios, chamado bem mais tarde, eram efetuadas grandes maravilhas, notáveis prodígios, provenientes de Jesus Cristo. «...enquanto estendes a mão para fazer curas, sinais e prodígios, por intermédio do nome do teu santo Servo Jesus. Tendo eles orado, tremeu o lugar onde estavam reunidos; todos ficaram cheios do Espírito Santo e com intrepidez, anunciavam a palavra de Deus» (Atos 4:30,31).

E, se as curas e ressurreições eram obras prodigiosas de Deus, outro tanto se pode dizer no tocante à atividade dos missionários cristãos. Poderíamos exemplificar com o ministério de Paulo e Barnabé. «Entretanto, demoraram-se ali muito tempo, falando ousadamente no Senhor, o qual confirmava a palavra da sua graça, concedendo que por mão deles se fizessem sinais e prodígios» (Atos 14:3). Isso posto, o Senhor Jesus continuou operando miraculosamente no mundo, por intermédio do Espírito Santo, o seu *alter ego*.

2. *João*. No quarto evangelho, as obras realizadas por Cristo figuram com destaque. Antes de tudo, essas obras prestam testemunho acerca de sua verdadeira identidade: «Mas eu tenho maior testemunho do que o de João; porque as obras que o Pai me confiou para que eu as realizasse, essas que eu faço, testemunham a meu respeito, de que o Pai me enviou» (João 5:36). Essas obras de Jesus eram boas (João 10:32). Eram as próprias obras de Deus (João 9:3). Foram dadas pelo Pai, para que Cristo as realizasse (João 5:37). E, para nós, que vivemos às vésperas do século XXI, ou mesmo já dentro dele, não está vedado ter maravilhosas experiências com as realizações de Cristo, conforme ele mesmo esclareceu, falando a Tomé: «Não crês que eu estou no Pai e que o Pai está em mim? As palavras que eu vos digo não as digo por mim mesmo; mas o Pai que permanece em mim, faz as suas obras. Crede-me que eu estou no Pai, e o Pai em mim; crede ao menos por causa das mesmas obras. Em verdade, em verdade vos digo que aquele que crê em mim, fará também as obras que eu faço, e outras maiores fará, porque eu vou para junto do Pai» (João 14:10-12).

No tocante à maior realização de Cristo, a salvação das almas, é usado o termo «obra», no singular, conforme se vê em João 6:29, para exemplificar: «Respondeu-lhes Jesus: A obra de Deus é esta, que creiais naquele que por ele foi enviado». Os judeus haviam indagado como realizariam as obras de Deus, e essa foi a resposta dada pelo Senhor Jesus. Assim, os homens participam das obras de Deus confiando em Jesus como Salvador, porquanto essa é a grande obra de Deus. Essa grandiosa realização de Deus está separando os homens em duas classes distintas: os salvos, que são aqueles que chegam a confiar em Jesus; e os perdidos, que são aqueles que rejeitam o testemunho dado pelo Senhor Jesus.

3. *Paulo*. O apóstolo dos gentios também não se descuidou em enfatizar as obras de Deus. Entretanto, de modo um tanto diferente do que fez o apóstolo João, Paulo se preocupava, primariamente, com essa obra divina, como o atual ministério do evangelho no mundo, sob a orientação do Espírito de Cristo. Assim, os crentes de Corinto eram uma realização de Paulo, no Senhor. «...acaso não sois fruto do meu trabalho no Senhor?» (I Cor. 9:1b). Para Paulo, uma das realizações dos crentes consiste em procurar edificar aos irmãos, segundo se vê em Romanos 15:2. E todos os crentes podem e devem participar dessa realização (I Cor. 15:58). Apesar disso, contrariamente à opinião de alguns, não há um real *sinergismo* (vide), porquanto é Deus quem opera tudo nos crentes, desde o impulso inicial até à concretização final, segundo vemos em Filipenses 1:6: «Estou plenamente certo de que aquele que começou boa obra em vós há de completá-la até ao dia de Cristo Jesus» (Fil. 1:6). Os crentes, que assim cooperam com o Espírito de Cristo, são, eles mesmos, uma realização de Deus, criados com vistas às boas obras. «...somos feitura dele, criados em Cristo Jesus para boas obras...» (Efé. 2:10). Dessa forma, as realizações de Cristo continuam sendo realizações de Deus, em Jesus Cristo, redundando em sua glória e louvor.

De tudo quanto foi exposto, conclui-se que as obras de Deus, em Jesus Cristo, são tão importantes quanto a doutrina que Cristo ensinou. Lucas frisa essa verdade, ao escrever a Teófilo: «Escrevi o primeiro livro (o evangelho de Lucas), ó Teófilo, relatando todas as cousas que Jesus fez e ensinou...» (Atos 1:1).

OBRAS, NATUREZA E UTILIDADE

Ver o artigo detalhado sobre **Obras Relacionadas à Fé.**

Como as Obras se Relacionam Com a Graça?

1. Resultados inevitáveis.

2. Frutos inerentes do sistema da «graça-fé».

3. Expressões da nova natureza, da nova criação, expressões «necessárias», e não apenas aquilo que se poderia esperar normalmente.

4. *Partes necessárias* do destino dos indivíduos transformados, tal como a missão de Cristo Jesus, nos céus e na terra, exigiu ações de altruísmo de sua parte, pelo que também é dito que fomos «preparados», nesse feito de Deus, a fim de andarmos nas boas obras, já que a metáfora do «andar» fala da expressão coerente e constante da vida, fala de certa «maneira de viver».

5. A criação se verifica «em Cristo Jesus», produzida pela comunhão mística com ele, o que leva os homens a compartilharem de sua natureza e a expressarem a sua bondade. (Ver I Cor. 1:4, acerca do conceito da comunhão mística com o Senhor Jesus, que é tema constantemente enfatizado nos escritos paulinos).

As boas obras se revestem de uma importância suprema. Conforme disse Alford: «Tal como uma árvore é criada por causa dos seus frutos», assim também um crente foi transformado em nova criatura para que pudesse expressar-se como tal. Não há como **escapar disso** — as boas obras são a expressão do crente. Uma vez mais, entretanto, o texto transcende a meras «obras humanas», a «méritos humanos», ainda que as obras assim realizadas sejam humanas, visto que são feitas por seres humanos. Além disso, cumpre-nos observar que a vontade humana pervertida pode contrabalançar esse tipo de vida, tornando tal pessoa infrutífera.

A Realização Divina é Contínua e Eterna

1. As obras são uma conseqüência da graça divina, mas também são muito mais que isso.

2. São produtos divinos, que compõem nosso caráter e nossa missão especiais, razão pela qual determinam nosso nível de glória, que será declarado quando do tribunal de Cristo (ver as notas a respeito em II Cor. 5:10 no NTI).

3. As obras também determinam nossos galardões e nossas coroas (ver as notas sobre isso em II Tim. 4:8 no NTI), pelo que, igualmente, determinam nosso caráter e poder nos lugares celestiais.

4. Esse processo, entretanto, será eterno, pois Deus continuará perenemente a operar em nós tanto o querer como o realizar, segundo a sua boa vontade. A glorificação, pois, será um processo eterno (ver II Cor. 3:18). Ele tem operado em nós; ele está operando em nós; ele sempre operará em nós. Somos criação sua, e viveremos sempre em contínuo progresso, tal como a criação física também jamais fica estagnada, pois mundos vêm e vão, nascem e perecem. Os céus de Deus jamais poderão conhecer estagnação.

5. Graça e obras como sinônimos. (Ver o artigo sobre *Graça III. 8*).

No topo das grandes pirâmides do Egito, uma pessoa pode lançar a vista pela amplidão do deserto que a tudo predomina; mas também verá o rio Nilo, serpeando em seu caminho através do deserto. Às margens do rio ela verá fertilidade e vida. Por semelhante modo, a graça divina é o grande rio da vida, que flui através de um deserto; mas, às suas margens, inevitavelmente surge vida em abundância, porquanto onde se manifesta a graça, se manifesta a vida. Por sua vez, onde há vida no Espírito, há uma nova criação, uma «alma humana transformada», há «Cristo à face da terra», porquanto todo o crente é Cristo em formação, e onde Cristo estiver em formação, aparece a vida de Cristo, pois ele «...andou por toda a parte, fazendo o bem...» (Atos 10:38).

6. *De antemão preparou*, Efé. 2:10. No grego temos «*proetoimadzo*», que significa «preparar de antemão», «nomear de antemão». (Ver Rom. 9:23, acerca dos vasos de misericórdia, preparados por Deus como tais, antes de virem à existência terrena; ver Efé. 2:10, acerca das boas obras, que fazem parte inevitável do destino dos remidos, e isso por divina determinação). Visto que as boas obras foram preparadas por Deus, para o destino dos crentes, de «antemão», até mesmo essas boas obras são de Deus, pois seu preparo se deu antes da existência terrena dos crentes, talvez até mesmo antes da existência absoluta deles; pelo que também não podem ser de origem humana, como de origem humana não são as obras espirituais dos crentes. Dentro do tempo, porém, é evidente que a vontade humana precisa cooperar com o plano divino.

As boas obras fazem parte do nosso destino eterno. Elas são expressão da missão do crente. Como foi que Deus preparou essas boas obras, enquanto as próprias almas dos remidos ainda não existiam? Em resposta a isso, consideremos os pontos abaixo discriminados.

1. Deus *preparou* essas boas obras em seu plano, em seus conselhos eternos.

2. Como parte do destino pessoal de cada crente. Cada crente é um ser sem-par, dotado de uma missão especial. E as boas obras é que emprestam substância a essa missão, sem importar se visamos seu aspecto terreno ou seu aspecto celeste, ou melhor, ambos os aspectos.

3. As boas obras foram adaptadas ao destino dos crentes, porquanto tudo isso faz parte do plano de Deus. (Ver Apo. 2:17, quanto ao fato de que cada crente em particular é um ser sem igual). As boas obras, pois, são mais do que os pequenos atos de bondade e gentileza, considerados abstratamente, antes, são a substância da nossa própria missão, aquilo que faz dessa missão o que ela é. E isso ilustra, uma vez mais, a importância suprema das boas obras. Do que consiste a minha missão terrena? Devo curar, devo ensinar, devo consolar, devo ser especialmente dotado de bens materiais e de realidades espirituais para aliviar as necessidades físicas e espirituais dos outros? Qual é o meu *dom* ou os meus *dons* do Espírito? Certo padrão de expressão, no tocante aos meus dons espirituais, foi determinado de antemão por Deus, como campo no qual me convém operar. Esse «padrão de expressão» será a esfera onde cumprirei a minha missão; e isso equivale a dizer que Deus preparou de antemão as boas obras da minha missão.

4. Há algumas símiles homiléticas, quanto a esse particular. Crisóstomo falava da preparação do «caminho» das boas obras. Em seguida um homem caminha por essa estrada. Abbott comenta como segue: «Uma símile mais verdadeira seria a de uma vereda que atravesse o mar. Talvez pudéssemos dizer que as palavras *preparou de antemão* foram escolhidas, não por serem logicamente exatas, mas a fim de expressarem, de maneira mais notável, a verdade que as boas obras não procedem de nós mesmos; antes, como que são recebidas da parte do Criador, como que tiradas de um depósito, o que é assim figuradamente concebido como preparadas de antemão».

Para que andássemos nelas. A metáfora do ato de andar é freqüente tanto na literatura profana como na literatura sagrada, para indicar «maneira de viver», «padrão de vida»; «natureza geral». (Quanto a notas expositivas completas a respeito, com alusões a outros trechos onde a idéia também se encontra nas páginas do NT. Ver os trechos de Gál. 5:16,25; Rom. 13:13, no NTI. Ver também I Cor. 3:3, 7:17; 6:16; Efé. 4:1-17; 5:2,8,15; Cól. 1:10—2:6; 4:5; II Ped. 2:10; I João 1:7; Apo. 3:4; 9:20; 16:15 e 21:24). Esse termo, conforme se pode ver nessas referências, pode assumir um aspecto positivo ou um aspecto negativo, indicando uma boa ou uma má conduta na vida.

OBRAS, RELACIONADAS À FÉ

Fé e as Obras Opostas e Unificadas (Tiago 2:14-26).

Paulo e Tiago

É apropriado alistarmos agora os vários modos como os escritos e as idéias de Paulo têm sido tentativamente reconciliadas com esta epístola a Tiago:

1. Obviamente *as palavras* de um e de outro se contradizem. (Ver Rom. 4:1-5 em comparação com Tia. 2:15,21 e *ss*). Pouca dúvida pode haver que Tiago foi escrito para refutar especificamente as idéias paulinas, contidas no quarto capítulo da epístola aos Romanos, sem importar se essa epístola era conhecida ou desconhecida para o autor sagrado. Não admira que os dois escritores sagrados tenham entrado em conflito um com o outro, em seus escritos. Os intérpretes que se recusam a reconhecer isso, supõem que Paulo e Tiago exibem duas definições diferentes das idéias de «justificação», das «obras» ou da «fé», ou mesmo que tinham mais de uma definição para cada um desses vocábulos.

2. «Justificação», na epístola de Tiago, segundo nos dizem, inclui o processo inteiro da salvação, ao passo que, em Paulo, envolve apenas a justiça *inicialmente imputada*. (As notas expositivas no NTI sobre Rom. 3:24-28 mostram que o uso que o apóstolo Paulo fazia do termo «justificação» é exatamente igual ao de Tiago, tão amplo como a idéia deste último). A justificação é «de vida» (ver Rom. 5:18), o que certamente envolve mais do que a mera declaração forense de retidão. Tanto Tiago quanto Paulo se preocupam com a «posição correta» diante de Deus, o que resulta na salvação. A justificação é a «declaração» de correta posição, em Cristo; mas também envolve a outorga daquela santidade que ratifica tal posição, tornando-a eternamente válida. Seja como for, o fato de que alguém é «justificado pelas obras», não indica, na epístola de Tiago, que «a fé deve produzir obras em resultado», conforme a questão é popularmente explanada. Mas significa para ele o que é claramente afirmado no texto, que a combinação de «fé e obras» é algo necessário para a justificação, e que a fé não pode ficar de pé sozinha, nesse processo. A fé é «aperfeiçoada» pelas obras (ver Tia. 2:22). Assim também o indivíduo é justificado «por obras, e não somente pela fé» (ver Tia. 2:26). E disso se conclui que a fé «sem obras, é morta» (ver Tia. 2:26).

Afirmar que, na epístola de Tiago, a justificação é vista como *diante dos homens*, mas que, nos escritos paulinos, é *diante de Deus*, é tomar um ponto de vista extremamente superficial do segundo capítulo da epístola de Tiago, que não passa de uma esquiva popular, a fim de obter uma «harmonia teológica» a «qualquer preço», mesmo que esse preço seja a honestidade de interpretação. Notemos que o décimo quarto versículo desse segundo capítulo fala sobre a «salvação». Poderia uma mera fé infrutífera «salvar» a alguém? Notemos, por igual modo, que no vigésimo terceiro versículo deste mesmo capítulo, lemos que a retidão pela qual buscamos é imputada por Deus, e não meramente algo a ser visto pelos homens. Mediante obras de fé, Abraão se tornou o amigo de Deus, e não meramente foi aprovado aos olhos dos homens.

3. Conforme dizem outros, a *fé* é um termo que significa coisas diferentes para os dois autores sagrados. Para Tiago seria o *monoteísmo*, implícito em Tia. 2:19. Mas os intérpretes que dizem isso não observam que o resto do estudo acerca da «fé», mesmo em Tiago, não se limita a isso. A fé é um princípio ativo, copulado às obras que produzem a justificação. «Abraão creu em Deus», e essa «fé» lhe foi «imputada» como justiça (ver o vigésimo terceiro versículo). Certamente isso não pode ser a mera fé de que existe «um só Deus». No judaísmo helenista não havia qualquer conflito entre as obras e a fé, como se as duas idéias tivessem sido postas em oposição uma à outra. Não temos razão de supor que Tiago vai além do contexto judaico helenista, que via tanto a fé como as obras como aspectos necessários à obtenção do favor divino; e, para os judeus, a fé nunca foi a mera aceitação do conceito monoteísta. É verdade, porém, que Tiago nunca aborda a fé como a contemplação da fé na expiação de Cristo, ou da fé como dádiva divina, mediante o Espírito Santo (ver Rom.5:11; Gál. 5:22; Efé. 2:8, quanto a esse elemento, nos escritos de Paulo). Paulo tinha uma visão mais ampla da «fé» do que Tiago; mas a fé, no parecer de Tiago, também consistia na outorga ativa a Deus, um princípio espiritual (como no caso de Abraão), e nunca mera crença de qualquer sorte. Portanto, apesar de haver algumas diferenças acerca do que um e outro pensavam sobre a fé, tais considerações não solucionam a controvérsia, porquanto a idéia central sobre a fé, em ambos, é a mesma coisa. Tiago meramente ensina que a fé deve ser ligada às obras, e assim ele entende que a mesma consiste na lealdade e na obediência à lei mosaica. Ver Tia. 2:8 (Lev. 19:18), 2:9 (Lev. 19:15) e 2:11 (Êxo. 20:13-14). A posição de Tiago **é a do judaísmo comum,** que nunca pensou em uma doutrina que fala em «basta a fé somente». A história da teologia deles é prova clara disso. Por que se pensaria ser estranho que Tiago se colocou na posição judaica normal sobre a questão? É claro que os pontos de vista teológicos comuns do judaísmo não concordavam com a teologia paulina; e por que se pensaria ser estranho que Tiago tenha entrado em contradição com Paulo? Se o judaísmo contradizia a Paulo (e quem pode duvidar disso?), então igualmente o fazia Tiago.

4. As *obras* significariam diferentes coisas para Paulo e para Tiago, segundo alguns afirmam. Uma vez mais, Paulo tinha um discernimento mais profundo sobre a natureza das «obras», corretamente consideradas, do que Tiago; mas ambos usavam o termo, normalmente, com o sentido de obediência à lei mosaica e suas implicações. Tiago insiste que isso faz parte da salvação; Paulo diz que não faz parte. Tiago toma a posição judaica normal de «obras meritórias»; Paulo abandonou tal posição quando recebeu suas revelações superiores da parte de Cristo; mas ambos usaram o termo do mesmo modo. No trecho de Fil. 2:12, Paulo usa a definição «espiritual» da idéia das «obras», o que dá a entender «aquilo que o Espírito Santo realiza em nós»; e na presente instância, a palavra se torna um simples sinônimo da «graça ativa». Esse conceito é explanado em Efé. 2:8, bem como na referência que acabamos de dar. Porém, se Paulo tinha ponto de vista mais elevado sobre o que sejam as verdadeiras «obras espirituais», não é esse o termo que ele aplica nas seções polêmicas de Romanos e de Gálatas. Antes, ele fala ali sobre os «méritos» da obediência legalista, e é exatamente assim que Tiago usa o termo em sua epístola. Esse era o ponto de vista normal sobre as obras, entre os

judeus; eles criam, sinceramente, que um homem obtém o favor divino através da obediência à sua lei. E Tiago compartilha dessa crença. Faltava-lhe revelações cristãs mais elevadas, que poderiam ter modificado sua maneira de pensar. A definição espiritual de Paulo acerca das «obras», que faz delas um sinônimo da «graça» reflete um discernimento acerca do qual não há qualquer traço na epístola de Tiago. Portanto, Tiago nunca quis dizer que «pela operação íntima do poder do Espírito, é formada em vós a natureza moral de Cristo, o que, ato contínuo, expressais a outros homens. Antes, ele falava sobre os méritos produzidos pela obediência à lei. Para Tiago, portanto, as «obras» que justificam são as «obras da observância da lei», que importam em mérito, e não as operações místicas do Espírito no íntimo, e que a passagem de Gál. 5:22,23 denomina de aspectos do «fruto do Espírito».

5. A *contradição* entre Paulo e Tiago seria apenas «aparente», conforme dizem alguns, supondo que isso se devia ao fato de que Tiago não compreendeu corretamente a Paulo. Isso faz supor que Paulo aceitava a posição de Tiago de que a obediência à lei obtém o favor divino, o que é um absurdo. O certo, porém, é que essa é a posição de Tiago na presente epístola. Supostamente incorporada na fé de Paulo havia o princípio das obras; e isso é verdade se estivermos falando acerca das obras místicas do Espírito; mas é algo totalmente falso se falarmos de como a fé se expressa, levando a pessoa a agradar a Deus mediante obras legalistas, que é a posição de Tiago.

6. Antes, a contradição é *real*, entre Paulo e Tiago, porque as posições teológicas dos dois são diferentes, tal como Paulo diferia da posição comum do judaísmo. E isso não pode ser explicado à base da idéia de que Tiago ataca uma *perversão* de idéias paulinas, uma espécie de liberalismo ou antinomianismo extremado, e não a doutrina paulina. É bem possível que muitos tivessem pervertido os ensinamentos paulinos, conforme faziam os gnósticos, que pensavam que aquilo que fizessem com seus corpos não fazia qualquer diferença, pois o espírito continuaria livre de toda a mácula, «por causa da expiação de Cristo». Certamente, Tiago ataca esses extremistas, mas não há evidências de que ele tivesse atacado *somente* a eles. Antes, ele atacava a todos quantos supunham que *basta a fé* para a salvação, sem qualquer alusão à obediência à lei de Moisés como algo necessário. Se ao menos pudermos perceber que Tiago foi apenas um representante do judaísmo, no tocante à fé e às obras ao mesmo tempo, bem como uma expressão do cristianismo legalista, então todos os misteriosos problemas de reconciliação e todas as dificuldades de interpretação se solucionam como que por milagre. Por que suporíamos que quando Tiago escreveu sobre tais questões, e disse a mesma coisa que encontramos nos documentos judaicos, que ele quis dizer algo diferente do que eles diziam? Ora, se ele quis dizer a mesma coisa que eles disseram, então ele discorda de Paulo, que abandonara a teologia judaica, neste ponto. O maior problema de todos, e no qual afundam muitos intérpretes, ao tentarem reconciliar Paulo com Tiago, é que se Tiago e Paulo concordam entre si, então Tiago discordava da teologia judaica. Mas, como poderíamos dizer que Tiago discordava da teologia judaica, quando diz a mesma coisa que disseram vários escritores judeus? Poderia ele dizer as mesmas coisas que eles disseram, sem concordar com eles, entretanto? Tiago disse a mesma coisa que eles simplesmente porque defendia a mesma teologia. E, sustentando a mesma teologia, ele automaticamente contradisse ao apóstolo Paulo. De fato, ele escreveu para deixar bem clara essa contradição.

7. A questão está claramente traçada. Ou Paulo estava com a razão, ou Tiago era quem estava. A salvação ou inclui ou não inclui a observação legalista dos preceitos mosaicos. Em torno disso girava toda a disputa. (Ver Atos 10:9, quanto ao «problema legalista na igreja cristã primitiva»).

8. O ponto de vista do *paradoxo*. De algum modo, tanto Tiago como Paulo estão certos. A salvação vem exclusivamente pela fé, mediante a graça de Deus, demonstrada em Cristo. Contudo, as obras são essenciais a ela. Mas, como esses pensamentos podem ser reconciliados, não sabemos dizer. As grandes tradições religiosas têm defendido ambos esses lados, e fazemos bem em respeitá-los.

9. *Não há qualquer contradição final*. Podemos afirmar que Tiago levanta uma questão vital: sabemos, intuitiva e racionalmente, bem como através da revelação, que devemos «ser alguma coisa» e que devemos «fazer alguma coisa». Sabemos que a fé religiosa deve ser ativa, produtiva e frutífera. Sabemos que a fé deve ser a fonte de um caráter e de ações justas pois, de outro modo, nem será autêntica tal fé, pois a fé consiste na outorga da alma aos cuidados de Cristo, para que primeiramente sejamos transformados segundo sua imagem moral, e então segundo sua imagem metafísica (ver Rom. 8:29 e II Cor. 3:18) mediante o que chegamos a compartilhar de toda a plenitude de Deus (Efé. 3:19) e da natureza divina (ver II Ped. 1:4). Assim, se Tiago de fato contradiz a Paulo, por lhe faltarem as revelações maiores que Paulo recebera, Tiago ainda não fora desmamado de Moisés e do legalismo judaico comum; mas, intuitivamente, como todos nós, sabia que deve haver «obras» de alguma espécie, uma revolução e uma renovação morais e espirituais, pois, do contrário, não terá havido salvação. Todavia, Tiago expressou sem habilidade essa «intuição», porquanto ele seguia, naturalmente, expressões legalistas da mesma, devido a seus muitos anos de treinamento no judaísmo.

As obras, se forem consideradas como obras do Espírito no íntimo, como o fruto do Espírito (ver Gál. 5:22,23), são necessárias à salvação; e assim as «obras se confundem com a graça», pois tais obras são meramente expressões da graça ativa. Porém, se são expressões também são a alma mesma do princípio da graça no íntimo; portanto, são obras de natureza espiritual, e não meramente «resultados» da fé, conforme popularmente é dito. São a «natureza inerente» da graça, que tem por objetivo a transformação do ser humano segundo a natureza moral de Cristo, para que os remidos venham a participar da mesma santidade e das mesmas perfeições que tem o próprio Pai (ver Rom. 3:21; Heb. 12:14 e Mat. 5:48). Podemos dizer, por conseguinte, que Tiago contradiz a Paulo por ter um ponto de vista legalista sobre as obras, e não um ponto de vista «místico». Faltava-lhe aquele discernimento que encontramos em Fil. 2:12,13, por exemplo. Contudo, se lhe faltava tal «discernimento», não lhe faltava a «intuição» que as obras, sob certo prisma, são necessárias à justificação e à salvação. Podemos desculpá-lo por sua maneira desajeitada de expressar essa intuição, porquanto ele levantou uma questão vital, de que muito precisamos na igreja, em nossa época de *crença fácil*. Devemos aprender de Tiago, mesmo que não possamos concordar com sua maneira de exprimir as coisas, que um homem deve revestir-se da imagem de Cristo, duplicando em sua vida a vida de Cristo; é mister que Cristo viva por seu intermédio; é preciso que obtenha a vitória moral; é necessário que seja transformado, pois, de outra maneira, nem mesmo ter-se-á convertido. Não basta alguém aceitar um credo, para em seguida imaginar totalmente que isso obriga a Deus a aceitá-lo, por causa da «correta opinião» defendida por tal pessoa. Antes, é necessário que a fé nos transforme a vida inteira, espiritualizando-a na direção da imagem de Cristo, formando em nós a vida de Cristo (ver João 5:25,26 e 6:57). «As corretas opiniões nunca podem salvar a quem quer que seja». Tiago diz isso, em efeito, em Tia. 2:19, e em tons sarcásticos. Somente a vida transformada pode conduzir alguém à salvação. (Ver II Tes. 2:13).

10. *Paulo, Tiago e Jesus*. Talvez o problema mais vexatório de todo o N.T., seja o que indaga: «Onde ficaria Jesus, nesta controvérsia?» Visto que ele viveu na terra antes do surgimento do problema, não temos passagens diretas explicando a opinião de Jesus. Apesar de que nas citações que temos da parte dele, parece que Jesus toma a posição judaica ordinária acerca dos meios da salvação, precisamos supor que a Cristo não faltava o discernimento dado a Paulo sobre a questão das «obras espirituais», em contraste com as obras legalistas. Portanto, apesar de que talvez não tivesse usado a mesma terminologia usada por Paulo, podemos ter a confiança de que ele concordaria com a abordagem paulina. O fato de que Paulo pôde afirmar que os demais apóstolos concordavam com ele, acerca da natureza do evangelho (ver Gál. 2:2 e *ss*), capacita-nos a asseverar que Pedro e os demais apóstolos não viam qualquer base de contradição entre o que Paulo ensinava e o que Jesus ensinara. Não há que duvidar que se Paulo tivesse entrado em contradição com Jesus, em qualquer conceito básico, Pedro e os demais apóstolos teriam tomado o lado de Cristo e contra Paulo. Portanto, Cristo deve ter ensinado a seus discípulos qual a natureza real das obras espirituais, contradizendo o ordinário «sistema de méritos» do judaísmo.

Sendo essa a verdade, o fato é que Paulo salientou vários conceitos da verdade espiritual sobre o que Jesus nunca falou a seus discípulos originais (pelo menos de acordo com os registros dos evangelhos). Esses conceitos aumentam grandemente nossa compreensão sobre o destino dos homens em Cristo, sobre a glória que lhes pertence, sobre a magnitude do poder e do desenvolvimento espirituais que existem no cristianismo. Nas revelações de Paulo, o cristianismo deu um prodigioso salto para a frente, em comparação com o pensamento e com a experiência espiritual entre os judeus.

A graça é uma dádiva gratuita que Deus nos confere por intermédio de Cristo. Quando olhamos para a salvação como dom de Deus, falamos em «graça». Mas a graça, quando opera em nós através do poder íntimo do Espírito, pode ser chamada de «obras». Portanto, a graça, vista de dois ângulos diferentes, pode ser chamada de «graça» ou de «obras»; mas, seja como for, tudo vem de Deus, embora deva haver a reação favorável do homem. O legalismo vê um dos lados da questão com plena clareza: sabe que a espiritualidade deve produzir algo. Essa é a contribuição do legalismo. Defronta a «crença fácil», chamando-a de simulacro. No entanto, é míope e tende para a superficialidade, pois normalmente diz que precisamos obedecer aos mandamentos da lei para que se obtenha o «favor» diante de Deus. Esse é o erro do legalismo; e contra isso é que Paulo se opunha amargamente. O legalismo exibe a tendência de apoiar-se no braço da carne, fazendo da salvação uma questão de conta corrente de méritos e deméritos, em vez de reconhecer a espiritualidade do processo da salvação, que envolve a transformação da alma, e não meramente os atos bondosos que uma pessoa pode acumular, através da observância minuciosa dos preceitos mosaicos.

Assim sendo, se podemos fazer com razão objeção à expressão de Tiago cap. 2 que se segue, e que é definidamente *legalista*, paralelo a muito que dizia o judaísmo, não podendo mesmo a passagem ser entendida de outro modo, contudo, seu discernimento não deveria ser ignorado. Ninguém pode ser salvo apenas porque profere com os lábios: «Aceito a Jesus como Salvador», a menos que isso assinale realmente o começo da conversão, o seu primeiro passo, que conduz à santificação autêntica e à transformação moral. A salvação consiste na formação da pessoa de Cristo em nós, e não meramente em dizer: «Eu creio». O Espírito Santo tem de fazer sua obra, de produzir seu fruto, de revolucionar o indivíduo, tornando-o um digno instrumento de seu poder. Notemos que, na passagem de II Tes. 2:13, a santificação é o «próprio meio» da salvação, porquanto, da conversão nos conduz à glorificação. Dizer alguém, *Eu creio*, e então defender um credo ortodoxo, para que seja válido, é necessário que frutifique na forma de verdadeira santificação, o que leva a pessoa a participar de todos os atributos morais de Cristo, incluindo seu amor (ver Gál. 5:22,23). De outra maneira, será mera confissão verbal, mas sem vida, estéril.

OBRIGAÇÃO

Essa palavra portuguesa vem do latim, *obligare*, que é formado por *ob*, «para», e *ligare*, «ligar». A palavra «religião» também está alicerçada sobre essa palavra latina, derivada de *religo*, «amarrar apertado», ou, mais literalmente, «amarrar atrás». Assim, a religião é aquilo que amarra ou prende a consciência. Obrigação é um termo ético que indica que existem certos deveres que o indivíduo precisa cumprir. Dentro da ética, a teoria da obrigação se chama *deontologia* (vide), que vem do grego, *deon*, «obrigação», «necessário». Ver os artigos gerais sobre *Obediência* e *Dever*. As obrigações nós as devemos a Deus, à comunidade dos homens, e a nós mesmos. Há obrigações absolutas e divinas, embora também as haja de natureza pragmática.

OBRIGAÇÃO MORAL

Essa expressão fala sobre os deveres impostos aos homens, que são sentidos como ordens necessárias que levam a atitudes ou atos específicos. Não há que duvidar que a maioria dos homens tem esse sentimento, mas os filósofos e os teólogos não concordam entre si quanto à origem do mesmo. Entre as várias fontes originárias identificadas, temos: os costumes sociais; os estados evolutivos; a voz da consciência; os mandamentos de Deus, através da consciência ou da revelação; as pressões da sociedade; a compulsão dos instintos biológicos, geneticamente controlados; e a busca pela sobrevivência e pelos prazeres.

Quando falamos em obrigação moral, estamos aludindo a um dos mais importantes princípios éticos, o que explica por que esse conceito é tão abrangente e tão variegado quanto a própria ética. Ver o artigo geral intitulado *Ética*. Ver a sua primeira seção, sétimo ponto, quanto a um sumário das principais abordagens.

••• •••

OBSCENIDADE

Essa palavra vem da combinação de duas palavras latinas: *ob*, «para», e *caenum*, «imundícia», portanto, aquilo que tende para a indecência em pensamento, palavras, atos ou representações, como em livros, propaganda, produções teatrais e cinematográficas, etc. Obsceno é aquilo que é ofensivo para os padrões morais das pessoas. Por essa mesma razão, sua definição difere muito de pessoa para pessoa. Aqueles que defendem a idéia falaz de que *o que é deve ser*, dificilmente consideram qualquer coisa obscena. Ver os artigos separados sobre *Censura* e *Pornografia*.

Até bem poucas décadas, a censura não permitia que se exibissem cenas sexuais explícitas, de forma impressa ou em filmes, para nada dizer sobre as produções teatrais. Mas, nestes nossos dias de liberalidade, toda essa censura foi retirada. Assim, o que as pessoas atualmente assistem abertamente nos programas de televisão, sem qualquer objeção da consciência, há poucos anos atrás seria rotulado de obsceno. Isso permite-nos ver que os padrões humanos flutuam; mas os crentes conservadores não vêem razão para supor que a moralidade autêntica exista em estado de fluxo. De fato, indivíduos maus podem ir piorando; as atitudes e definições dos homens podem ir-se modificando; mas não podemos imaginar que outro tanto sucede com os padrões morais divinos. A tolerância para com a corrupção moral não é a mesma coisa que a inocência. Sexo e obscenidade, naturalmente, não são sinônimos, embora muitas pessoas estejam pensando assim. Todavia, o sexo exibido publicamente é ofensivo. O sexo torna-se obsceno quando seres humanos agem como animais. A obscenidade é aquilo que excita indevidamente a concupiscência.

Uma de minhas fontes informativas observa que se uma jovem (há cinqüenta anos atrás) aparecesse em uma praia vestida com um biquini, seria detida. Isso foi escrito antes que as mulheres começassem a aparecer nas praias e em outros lugares públicos, com nenhuma roupa «para cima» e pouca «para baixo». Parece que a única coisa que levaria uma mulher a ser detida, hoje em dia, por atentado ao pudor, seria ela andar pelas ruas inteiramente despida. No entanto, em muitos países, durante o carnaval, isso é o que sucede hoje em dia; mas em vez de serem detidas, as mulheres aproveitam para se exibirem à vontade. Em 1916, no estado norte-americano de Nova Iorque, uma jovem cujo nome era Annette Kellerman, apareceu em uma praia vestida com um maiô de uma peça, que as autoridades de então decidiram que era por demais sumário. E ela foi presa e condenada. No mesmo estado e no mesmo ano, um negociante de obras de arte foi preso por ter exibido a pintura de um nu. Algumas vezes, até hoje, algumas pessoas sentem-se indignadas por verem tais pinturas em lugares públicos; mas isso já não acontece com freqüência. De fato, a nudez, por si mesma, não é obscena; mas a nudez é geralmente calculada para criar a concupiscência; e a moda feminina depende muito desse princípio.

A melhor defesa contra a obscenidade consiste no crente treinar sua mente e consciência com a leitura das Escrituras e com o desenvolvimento espiritual. O indivíduo espiritual haverá de reconhecer a obscenidade, mesmo nos casos em que outras pessoas parecem ter imposto a si mesmas a cegueira.

OBSCURANTISMO

Essa palavra vem do Latim, **obscurus**, «encoberto». Aquilo que é obscuro é o que é oculto, escuro, melancólico, difícil de discernir, indefinido. Na linguagem teológica, o termo é usado para referir-se aos atos que desejam impedir o avanço e propagação do conhecimento, a fim de preservar antigas crenças que fazem as pessoas sentirem um certo conforto mental.

Há muitos métodos obscurecedores. Assim, as pessoas ocultam-se por detrás dos conceitos da ortodoxia e do literalismo; elas armam argumentos inadequados a qualquer custo, até mesmo ao custo da honestidade, a fim de obscurecerem o fato de que suas crenças envolvem problemas. Pelo menos durante algum tempo, as tradições mostram-se mais fortes que a verdade.

OBSESSÃO

Esta palavra vem do latim, **ob**, «contra», e **sedere**, «sentar-se». Assim, está em foco a idéia de atacar, de assediar. Mas, na linguagem popular, uma obsessão é algum desejo poderoso, constante e dominador, de alguém ser ou fazer alguma coisa. É possível uma pessoa ter boas ou más obsessões, tudo dependendo das motivações, métodos e alvos. Em tempos passados, o vocábulo **obsessão** era usado como virtual sinônimo de possessão demoníaca, algumas vezes da variedade menos grave, em contraste com a possessão. Na psiquiatria, a obsessão é uma compulsão que não pode ser controlada pela racionalidade. As obsessões, de acordo com os psiquiatras, são impulsos internos que foram reprimidos, mas que agora contra-atacam vigorosamente. Apesar da maioria das obsessões consistir em impulsos puramente psicológicos, a *possessão demoníaca* (vide) é uma temível realidade. E isso significa que certas obsessões são causadas por poderes externos ao indivíduo afetado.

OCASIONALISMO

Ver o artigo separado sobre o *Problema Corpo-Mente*, seção V, onde oferecemos uma completa discussão a respeito do ocasionalismo.

OCINA

O trecho de Judite 2:28 (um livro não-canônico do Antigo Testamento) menciona essa localidade em conexão com a campanha de Holofernes na Síria. Ocina seria uma cidade costeira, um tanto ao sul de Tiro. Tem sido tentativamente identificada com as modernas cidades de Sandálio (Tsakanderum) e Aco; mas essas identificações estão longe de ser comprovadas.

ÓCIO (OCIOSIDADE)

Ver o artigo separado, **Ócio (Usos Legítimos do)**.

Ver também sobre *Preguiça*. Provérbios 19:15 é trecho que se insurge contra esse vício. «A preguiça faz cair em profundo sono; e o ocioso padecerá fome». O termo grego *argos* tem um uso variegado, referindo-se àquilo que é fútil ou à palavra vazia, da qual devemos prestar contas (Mat. 12:36). Também alude àqueles que não trabalham, ou por causa de preguiça ou por falta de oportunidade (Mat. 20:6). O trecho de I Tim. 5:13 mostra-nos que a preguiça leva a outros pecados, como o da maledicência.

«A ociosidade é o refúgio das mentes fracas, o feriado dos insensatos» (Lord Chesterfield, *Cartas*).

«A ausência de ocupação não importa em descanso, e uma mente vazia é uma mente oprimida» (William

Cooper, *Retirement*).

«Na civilização não há lugar para o ocioso» (Henry Ford).

«Dentre todas as nossas faltas, aquela que desculpamos mais facilmente é o ócio» (François de la Rochefoucauld, *Máximas*).

«Pois Satanás ainda encontra malefícios para serem feitos pelas mãos ociosas» (Isaque Watts, *Divine Songs*).

«Vai com a formiga, ó preguiçoso, considera os seus caminhos, e sê sábio» (Pro. 6:6).

«É característica do homem superior que ele não se entrega ao lazer prejudicial». (Confúcio, *Livro de História*, 551 — 478 A.C.).

«Ser capaz de preencher inteligentemente o lazer é o último produto da civilização». (Vertrand Russell, *Conquest of Happiness*).

«A preguiça anda tão devagar que a pobreza não demora a alcançar o preguiçoso». (Benjamim Franklin, *Poor Richard's Almanac*).

••• ••• •••

«O homem sem ambição é como a mulher sem beleza». (Frank Harris).

«O homem bem qualificado em seu ofício jamais sente falta de trabalho». (Thomas Jefferson).

Mas onde gastaríamos o excesso de tempo
No ócio, enquanto a batalha ruge ao redor?
Repreender é pouco. No lazer lançamos
Escárnios uns contra os outros, até que um navio que precisa
De cem remos para operar, afunde sob o peso da carga.
A língua do homem é volúvel, tem palavras
Para todo o tema, não lhe falta longo e espaçoso campo;
Mas, conforme ele falar, assim também ouvirá.
(Homero, *Ilíada*, xx.5.244-250).

O trabalho mais duro é o de não fazer nada. Assim como a glória de uma mulher é a sua beleza, assim a glória de um homem é o seu trabalho. Sentimos instintivamente que podemos pecar simplesmente fazendo coisas erradas, mas também não fazendo nada. O tempo é uma possessão muito valiosa, e somos obrigados a usá-lo corretamente. Isso deve começar com a preparação para alguma espécie de missão na vida. Tendo atingido as condições necessárias para trabalhar, devemos cumprir nossas missões, com todas as nossas forças.

Referências Bíblicas. — Ver os textos bíblicos seguintes, sobre o assunto da preguiça: Juí. 18:9; Pro. 12:24,27; 15:15,19; 18:9; 19:24; 21:25; 22:13; 24:30; 26:13-15; Mat. 25:26; Rom. 12:11; Heb. 6:12.

Escreveu Paulo: «Não sejais remissos» (Rom. 12:11), referindo-se, especialmente, à maneira como conduzimos a nossa fé religiosa. Não devemos ser lerdos, indiferentes, preguiçosos, hesitantes ou atrasados no cumprimento de nossos deveres, conforme indica a palavra grega por detrás da tradução «remissos». «Não podemos ser preguiçosos em nossas atividades e em nosso desenvolvimento espiritual, e nem podemos ser tardios em nossa atenção para com as coisas espirituais». Paulo recomenda que tenhamos um espírito fervoroso, e não preguiçoso, o que resultará em bom serviço prestado ao Senhor. Apolo foi chamado de homem «fervoroso de espírito» (Atos 18:25), por causa de seus enérgicos esforços em prol do evangelho de Cristo.

«O zelo, em nossos deveres cristãos, é o resultado natural de nosso amor cristão, que, no devido tempo, fomenta o zelo» (Sandley e Headlam, comentando sobre Rom. 12:11).

ÓCIO (USOS LEGÍTIMOS DO)

Ver os artigos separados *Ócio, Ociosidade* e *Preguiça*, os quais descrevem o lado negativo da questão.

As pessoas comuns, em nossa época, têm mais tempo vago do que nas gerações passadas. A revolução industrial e o poder das uniões trabalhistas têm conseguido reduzir o tempo em que as pessoas trabalham semanalmente. Além disso, em vários países, recebem a remuneração correspondente ao fim de semana. Já faz tempo que o regime de quarenta horas semanais de trabalho foi estabelecido nos Estados Unidos da América do Norte; mas há países em que só se trabalham quatro dias por semana. Ora, à medida que aumenta o tempo livre, torna-se uma questão moral como esse lazer é utilizado. Isaque Watts advertiu nestes termos:

«Satanás sempre acha alguma maldade
Para ser feita por mãos ociosas».
(Cânticos Divinos).

A Bíblia fornece-nos muitas sugestões quanto ao uso apropriado do tempo, incluindo o lazer.

1. *A regra geral* diz: «E tudo o que fizerdes, seja em palavra, seja em ação, fazei-o em nome do Senhor Jesus, dando por ele graças a Deus Pai» (Col. 3:17).

2. No âmago de qualquer questão que afeta a um crente, está o fato de que *Jesus é o Senhor*. Esse fator deveria governar todas as nossas atividades, incluindo aquelas que envolvem nosso tempo livre.

3. A *adoração* é uma excelente atividade para usarmos em nosso tempo livre.

4. O *descanso* é necessário para restaurar corpos e mentes cansados (ver Êxo. 20:8-11; 31:12-17).

5. *Serviço*. Um homem benévolo sempre descobrirá atos de caridade que poderá realizar. Ele mostrar-se-á liberal com seu tempo e dinheiro. O sexto capítulo do livro de Atos provê um exemplo sobre isso. Ver também I Ped. 4:9.

6. O *evangelismo* é uma atividade individual e coletiva, que pode ocupar uma boa parte de nosso tempo livre. Ver Mat. 28:18-20.

7. *Saúde*. O trecho de I Tim. 4:7-9 mostra-nos que o exercício físico, embora inferior às atividades espirituais, é algo bom e proveitoso. O ideal grego de mente sã em corpo são nunca foi lançado no descrédito.

8. *Vocações criativas*. As pessoas podem aprender música, artes, uma grande variedade de assuntos, ou habilidades que tornam a vida mais interessante. O rei Davi inventava instrumentos musicais (Amós 6:5).

9. As *diversões*, com freqüência, levam-nos a práticas pecaminosas, embora existam diversões positivas e úteis. Jesus veio «comendo e bebendo», pelo que não era um homem dado ao ascetismo. Ver o artigo separado intitulado *Diversões*, que descreve a utilidade das diversões e os vícios que podem acompanhá-los.

O egoísmo, o enfado e a falta de visão podem fazer as pessoas usarem o seu tempo vago de maneiras erradas. No primeiro capítulo do livro de Ageu aprendemos que pessoas que tinham muito tempo vago e dinheiro estavam construindo residências luxuosas, ao mesmo tempo que o templo jazia arruinado. A sabedoria humana, os prazeres, o dinheiro e o galhofa podem produzir somente o enfado e a frustração, se, paralelamente a isso, as coisas espirituais não forem respeitadas e promovidas, conforme somos ensinados em Ecl. 12:1: «Lembra-te do teu Criador nos dias da tua mocidade, antes que venham os dias maus, e cheguem os anos dos quais dirás: Não tenho neles prazer...»

OCKHAM, NAVALHA DE

Ver sobre *Navalha de Ockham*.

OCKHAM, WILLIAM DE

Suas datas foram 1280-1349. Ele foi um filósofo escolástico inglês. Nasceu em Ockham, Surrey. Educou-se em Oxford. Tornou-se membro da ordem dos franciscanos. Apresentou preleções em Oxford e em outros lugares; tornou-se o chanceler de Oxford. Mostrava-se poderoso e popular em suas conferências. Foi acusado de heresia quanto a vários pontos. Foi a Avignon a fim de ser julgado pelas autoridades eclesiásticas, mas, embora esses julgamentos se arrastassem por vários anos, não produziram resultados contra ele. Então, surgiu uma segunda questão. O papa João XXII desafiou a doutrina franciscana da pobreza apostólica. Ockham opôs-se ao papa quanto a esse particular, e foi forçado a fugir para escapar com vida. O imperador da Bavária, Louis, acolheu-o e protegeu-o. Posteriormente, porém, ele foi excomungado. Estabeleceu-se em Munique, na Alemanha, de onde atacou o papa, afirmando que não mais merecia o pontificado. E mesmo após a morte de João XXII, Ockham continuou atacando papas, sediados em Avignon. Aparentemente, Ockham morreu da peste negra.

No campo da filosofia, Ockham é lembrado principalmente como um campeão do *nominalismo* (vide). Ver o artigo geral sobre os *Universais*, nessa conexão.

Idéias:

1. Muito da obra de Ockham girou em torno do campo da lógica. Ele escreveu comentários sobre a lógica e a física de Aristóteles. Por essa razão, o escopo da filosofia dele ultrapassa ao escopo da presente enciclopédia. Isso posto, limito-me àquelas idéias que têm algo a ver com a fé religiosa.

2. Seu desejo de simplificar a filosofia escolástica fê-lo pender na direção do ceticismo. Ele negava a existência de espécies intencionais; a distinção entre essência e existência; e as doutrinas de Tomás de Aquino de intelecto ativo e intelecto passivo.

3. No terreno da ética ele era um voluntarista. Ver sobre o *Voluntarismo*. O certo e o errado dependem da *vontade* de Deus. O que racionalizamos como certo e errado talvez seja inútil. Todavia, os poderes racionais humanos normalmente concordam com os ditames da vontade de Deus.

4. Ele negava a validade das provas racionalistas da existência de Deus, embora aceitasse a existência de Deus mediante a fé.

5. *Nominalismo*. Essa é a idéia que mais nos lembra acerca de Ockham. Ele abandonou os universais (idéias, formas) de Platão como entidades, preferindo falar em termos como bondade, justiça, etc., como termos da linguagem. Mas isso removeu um bom discernimento filosófico que tem sido usado para expressar a fé cristã, e, de fato, tem preparado o caminho para uma abordagem mais científica do conhecimento.

6. *A Navalha de Ockham*. Ver o artigo com esse nome. Ockham recomendava que não devemos multiplicar entidades a fim de chegar a definições e de expressar conhecimentos. Mas isso deixava de lado as idéias complexas dos *universais* (vide) como entidades. Mas preparou o caminho para o conceito de que a explicação de alguma coisa, quanto mais simples, melhor. Contudo, nem sempre a verdade é assim tão simples. Ockham, pois, promoveu uma antiga versão do princípio da parcimônia.

7. O uso dessa navalha metafórica, aplicada aos princípios da metafísica e do conhecimento: «Ockham usava constantemente esse princípio. Contra aqueles que se apegavam à analogia do ser, Ockham argumentava que o conceito de ser é unívoco, podendo ser predicado a Deus e à criação, no mesmo sentido, embora as duas coisas possam ser ou substancialmente semelhantes ou acidentalmente semelhantes. Ele compreendia o termo *substância* no sentido da substância primária de Aristóteles, ou seja, o sujeito individual de qualidades, de tal modo que uma substância corpórea é o sujeito individual de qualidades sensíveis. Ele encarava a matéria não como pura potencialidade (conforme dizia Aristóteles), e, sim, como corpo dotado de partes especialmente distingüíveis. Ele via a forma como a estrutura das partes materiais. Ele achava que a causa eficiente é a mais útil das causas postuladas por Aristóteles, e pensava que a causa final é apenas uma metáfora. Ele não achava razão compelidora para aceitar a existência de um intelecto ativo; esse não seria necessário para explicar a formação dos conceitos universais; mas, nesse caso, conforme ele dizia, ele aceitava tal idéia com base na autoridade dos santos e dos filósofos. O esforço em direção à simplificação levou-o na direção de uma abordagem positivista» (P). Ver o artigo separado intitulado *Intelecto*, quanto a explicações necessárias sobre certas declarações acima.

8. *A Intuição*. Ockham acreditava na realidade e confiabilidade das funções intuitivas humanas, mediante as quais uma pessoa pode ter um conhecimento imediato, sem o concurso dos sentidos e da razão. Certas proposições são auto-evidentes e não precisam de qualquer investigação, como as proposições da matemática, da lógica e das ciências naturais. Essas proposições são chamadas *per se nota*. Mas outras proposições são categorizadas como *nota per experientiam*, isto é, tornam-se evidentes através da experimentação. Nesse caso, lançamos mão da indução, para chegar ao conhecimento. Porém, a indução repousa sobre a aceitação intuitiva da *constância* das leis naturais. As experiências sempre produzirão os mesmos resultados. A intuição também fornece-nos a Idéia Divina, isto é, Deus existe.

9. Ockham criticava os argumentos tradicionais em favor da existência de Deus, preferindo abordar a questão mediante a teologia revelada (isto é, revelação e fé na revelação). Ele percebia algum valor no argumento com base na idéia de *conservação*. A fim de que as coisas sejam conservadas (como no caso do mundo criado), é mister a existência de um *Conservador*. É impossível concebermos em uma infinita série de conservadores, pelo que, logicamente, temos de idealizar um Único. Todavia, nesse raciocínio podemos encontrar falhas. Pois não podemos ter a certeza se nosso Conservador é o Deus supremo, sobre o qual falamos por meio da fé.

10. *As Duas Ordens*. Deus estabeleceu duas ordens de coisas: a ordem da natureza e a ordem da graça. O conhecimento da primeira ordem vem através da observação e da experimentação. E o conhecimento da segunda ordem de coisas vem por meio da fé naquilo que nos foi revelado. Desse modo, Ockham preservava a independência da teologia, em relação à ciência e à filosofia. Mas, todas as coisas dependem da vontade de Deus, segundo ele argumentava.

11. *A União do Intelecto com a Vontade*. Ockham não distinguia esses dois atributos de Deus e dos homens. Ele chamava o homem de *suppositum intellectuale*, isto é, um ser completo racional, um ser completo dotado de intelecto-vontade, como uma capacidade única, e não como duas capacidades, o intelecto e a vontade.

12. *A Liberdade da Vontade*. O homem é um ser independente e criativo, que verdadeiramente arma circunstâncias, em vez de meramente ser vítima das circunstâncias. A vontade humana é poderosa, e pode tanto seguir quanto contradizer a razão, levando o homem a alvos que ele sinta ser desejáveis.

13. *O Futuro é Contingente*. Ockham acreditava tanto no livre-arbítrio humano que pensava que o futuro é contingente. Assim, para ele, Deus conhece os eventos futuros, que são contingentes de acordo com a vontade humana; mas esse conhecimento de Deus não atua como um poder coercivo. Deus sabe que os homens agirão livremente. Contudo, Ockham não pretendeu dizer-nos como isso pode suceder. Mas Agostinho supôs corretamente que se Deus prevê que agiremos de modo livre, então temos vontade, e o livre-arbítrio humano não é contradito pela presciência divina.

14. *A lei moral* repousa sobre a vontade de Deus, e a vontade que raciocina normalmente concorda com os princípios envolvidos; mas a vontade de Deus é suprema em qualquer caso.

15. *Governo*. O livre-arbítrio requer que os homens possam escolher seus dirigentes de forma democrática. Todos os governantes, civis ou eclesiásticos (incluindo os papas), deveriam ser eleitos. Quanto ao governo eclesiástico, ele propunha uma democracia representativa.

OCKHANISMO

Esse é o nome da filosofia e do movimento de pensamento iniciado por *William de Ockham* (vide). Os elementos dessa posição eram: crítica ao escolasticismo tradicional, ênfase sobre o empirismo, a fé religiosa com base na revelação, independente tanto da filosofia quanto da ciência. Os principais filósofos-teólogos desse movimento foram Nicolas de Autrecort, Jean Buridan, Gregório de Rímini e Jean Gérson. Seus maiores centros eram Oxford e Paris, no século XIV.

OCRÃ

No hebraico, «criador de confusões». Esse era o nome do pai de Pagiel, o qual foi um dos líderes da tribo de Aser, quando Israel vagueava pelo deserto. Ver Núm. 1:13; 2:27; 7:72,77; 10:26. Ele viveu em torno de 1438 A.C.

OCULTISMO

Essa palavra deriva-se do latim, **occultus**, «encoberto», de *occulere*, «cobrir», «ocultar». Uma *definição mais lata* inclui muitas coisas: misticismo, artes mágicas, adivinhação, espiritismo, doutrinas esotéricas das religiões místicas, e até mesmo doutrinas difíceis de entender, do judaísmo e do cristianismo. Uma *definição mais estreita* aplica esse vocábulo somente a questões não-cristãs, mas que envolvam o que é místico, psíquico, mágico ou mesmo demoníaco. De acordo com as crenças de certas pessoas, a alquimia e a astrologia são incluídas nessa definição mais estreita. Ver o artigo separado intitulado *Adivinhação*.

Algumas pessoas temem qualquer coisa desconhecida, ou que tenha a ver com fenômenos psíquicos. Assim, a própria *parapsicologia* (vide) tem sido ridiculamente classificada como um ocultismo no sentido negativo, como se houvesse algo de ruim nos fenômenos psíquicos. Mas a ciência tem podido demonstrar adequadamente que todas as pessoas possuem habilidades psíquicas. De fato, sem a psicocinese (a capacidade da mente manipular a matéria), seria impossível à alma humana, imaterial como é, habitar em um corpo e manipulá-lo como seu veículo de manifestação. Os estudos sobre os sonhos mostram que todas as pessoas são capazes de prever o futuro, até mesmo quanto a pequenos detalhes. As provas em favor da telepatia são avassaladoras. Portanto, faremos bem em não ser por demais bitolados em nossa maneira de pensar, classificando as coisas como pertinentes ao ocultismo, quando, na realidade, fazem parte da natureza humana.

Por outra parte, há um ocultismo genuinamente maligno, conforme fica demonstrado em artigos desta enciclopédia como *Possessão Demoníaca* e *Demônios*.

OCUPAÇÕES, PROFISSÕES

Ver sobre *Artes e Ofícios*.

ODEDE

No hebraico, **reiteração**. Talvez uma referência à idéia de «mais um filho». Há duas pessoas com esse nome, nas páginas do Antigo Testamento:

1. O pai de Azarias, o profeta que saiu ao encontro de Asa, quando ele voltou da sua vitória sobre os etíopes (ver II Crô. 15:1). O oitavo versículo desse capítulo atribui o discurso a «Odede», sendo esse um erro primitivo (ou original), ou um erro escribal. A tradução inglesa RSV (bem como a nossa versão portuguesa) corrige isso, dizendo «a profecia do profeta, filho de Odede». O *texto massorético* (vide) sem dúvida labora em erro neste ponto.

2. Um profeta que protestou, com êxito, contra o fato de que Peca escravizara a certos judaítas, no tempo de Acaz, rei de Judá (II Crô. 28:8-15). Os cativos foram então alimentados, vestidos, ungidos e devolvidos a Jericó; e assim a justiça foi servida, o que é raramente feito em tempos de guerra. Isso aconteceu por volta de 735 A.C.

ODIN

Uma divindade adorada na antiga Suécia. que fazia parte de uma tríada de deuses. É incrível quantas tríades divinas existem nas teorias religiosas das culturas mais variadas. Ver sobre *Tríades Divinas*.

ÓDIO

Esboço:

I. Palavras Empregadas: Significação
II. Coisas Odiadas com Razão
III. O Caráter e as Obras do Ódio
IV. O Ódio em I João 4:20
V. O Ódio Exemplificado em Personagens da Bíblia
VI. O Ódio Divino
VII. O Ódio e a Possessão Demoníaca

●●● ●●● ●●●

I. Palavras Empregadas: Significação

A palavra hebraica mais comum para indicar o **ódio**

é *sane*, que ocorre no Antigo Testamento por cerca de cento e quarenta vezes, desde Gên. 24:60 até Mal. 2:16. E o termo grego é *miseo*, «odiar», que aparece por trinta e nove vezes no Novo Testamento: Mat. 5:43; 6:24; 10:22; 24:9,10; Mar. 13:13; Luc. 1:71; 6:22,27; 14:26; 16:13; 19:14; 21:17; João 3:20; 7:7; 12:25; 15:18,19,23,24; 15:25 (citando Sal. 69:5); 17:14; Rom. 7:15; 9:13 (citando Mal. 1:2,3); Efé. 5:29; Tito 3:3; Heb. 1:9 (citando Sal. 45:8); I João 2:9,11; 3:13,15; 4:20; Jud. 23; Apo. 2:6; 17:16; 18:2.

Essas palavras projetam idéias como aversão, hostilidade, desdém, malignidade, malquerença, etc. O ódio é uma das emoções básicas, sendo verdadeiramente universal. Para o crente, especialmente, há alguns objetos que podem ser legitimamente odiados, como a idolatria, o pecado, em todas as suas manifestações, a adoração insincera e distorcida, etc. Usualmente, porém, o ódio faz parte da natureza carnal e corrupta do homem, embora, por muitas vezes, seja apresentado como se fosse um nobre sentimento. O ódio, normalmente é uma forma maligna de má vontade, algumas vezes vinculado ao temor de que o objeto odiado seja capaz de prejudicar a quem o odeia. A ira quase sempre é um elemento que faz parte do ódio.

II. Coisas Odiadas com Razão

Lemos que Deus odeia ao mal (Pro. 6:6); e os justos fazem bem em fazer a mesma coisa (Sal. 97:10). Davi declarou que obtinha entendimento por meio dos preceitos divinos, e assim ele odiava a todo caminho falso (Sal. 119:104). Quase todos nós somos muito seletivos sobre as formas de mal que abominamos. Amamos a certos males; e a outros, odiamos, dependendo do estágio de desenvolvimento espiritual a que já tenhamos chegado. Devemos odiar a idolatria (Deu. 12:31), como também a adoração sem sinceridade (Amós 5:21-23). Devemos odiar àquelas coisas que ameaçam a integridade espiritual da comunidade espiritual (Mal. 2:16), como a mentira (Sal. 119:163) e o desvio (Sal. 101:3). Os malfeitores são odiados (Sal. 5:5). Tudo isso reflete a atitude do Antigo Testamento. As próprias pessoas não devem ser odiadas, mas as coisas que elas fazem, quando são más, devem sê-lo (Judas 3; Apo. 2:6).

III. O Caráter e as Obras do Ódio

O ódio já é homicídio, e leva à prática do mesmo (Mat. 5:21,22; I João 3:15). O ódio é uma das obras da carne, pelo que é contrário às virtudes cultivadas pelo Espírito, principalmente ao amor, que é o seu oposto (Gál. 5:20). Com freqüência, o ódio oculta-se por detrás de uma capa de engano (Pro. 10:18; 26:26). O ódio provoca a contenda (Pro. 10:12); amargura a vida do indivíduo (Pro. 10:12); não é coerente com o conhecimento de Deus (Rom. 1:30); é contrário ao amor divino (I João 4:20), e, assim sendo, caracteriza aos incrédulos, da mesma forma que o amor é o principal sinal dos remidos (I João 4:7 ss.). O ódio milita contra Deus (Rom. 1:20), contra Cristo (João 15:26), contra o Pai e contra o Filho (João 15:23,24). O povo de Deus é odiado pelos que não são de Cristo (João 15:18). Aqueles que perseverarem no ódio, serão fatalmente castigados (I Cor. 15:25; Heb. 10:28-31).

IV. O Ódio em I João 4:20

I João 4:20: *Se alguém diz: Eu amo a Deus, e odeia a seu irmão, é mentiroso. Pois quem não ama a seu irmão, ao qual viu, não pode amar a Deus, a quem não viu.*

(Ver o artigo sobre *Mandamento, o Novo*). O amor fraternal nos é aqui recomendado, aquele que odeia a seu irmão acha-se em «trevas», isto é, pertence à «maldade cósmica», sendo participante da rebelião geral ou universal. Encontra-se espiritualmente «cego» (ver I João 2:11). Caim odiou a seu irmão, Abel, e terminou por matá-lo (ver I João 3:12 e *ss*). Ele nos mostrou o que é o ódio, e para onde o mesmo nos conduz. Por outro lado, o indivíduo que «passou da morte para a vida» ama a seus irmãos, não o fazendo, contudo, os que permanecem na «morte espiritual», porquanto ainda não nasceram de Deus em qualquer sentido. (Ver I João 3:14). Sabemos quando temos começado a participar do amor divino, quando começamos a amar aos irmãos, porquanto o Espírito se movimenta em nós a fim de nos inspirar nesse caminho (ver I João 3:14). O ódio é assassínio, do ponto de vista espiritual (ver I João 3:15 e Mat. 5:21,22). O amor, por outro lado, está associado à outorga de uma vida superior e desde agora nos podemos ocupar do mesmo.

E odiar a seu irmão, é mentiroso. Tal indivíduo não pode amar a Deus, que está distante, se odeia ao homem, criatura de Deus, criada segundo a sua imagem, sobretudo se tratar-se de um crente, que já começou a participar da própria vida de Deus, trazendo a imagem do Filho, que nos está bem próxima. Tal indivíduo não pode amar ao Criador, se odeia à sua criatura. Aquele que odeia, portanto, é um «mentiroso», se disser que ama a Deus. Amamos a Deus amando ao próximo (ver Mat. 25:35 e *ss*). Somente através da ascensão mística exaltada da alma (que ultrapassa a capacidade da maioria dos homens) é que alguém pode amar diretamente a Deus. Normalmente, Deus é amado por ser amado através de suas criaturas, porque são amados aqueles que estão sendo transformados segundo sua imagem. Esse tipo de amor é possível a todos os homens. Se alguém compartilha da natureza moral de Deus, mediante o novo nascimento, não pode odiar à criação de Deus.

Aquele que *odeia* tem as seguintes características:

1. Está envolvido pelas «trevas» e cativado pela malignidade cósmica (ver I João 2:11).

2. Está cercado de armadilhas e tropeços, por ter uma personalidade corrompida (ver I João 2:11), que é prejudicial a outros, e não benéfica.

3. Está cego (ver I João 2:11).

4. Seus pecados não estão perdoados; não é pessoa convertida (ver I João 2:12).

5. Não tem comunhão com a luz de Deus (ver I João 2:10).

6. A obra de transformação segundo a imagem de Cristo ainda não obteve nele qualquer fruto, o amor não está nele aperfeiçoado (ver I João 4:12).

7. Por conseguinte, tal indivíduo não desfruta da presença habitadora do Espírito Santo (ver I João 4:13).

8. Não desfruta de comunhão mística com Deus, Deus não permanece nele (ver I João 4:16).

9. Vive assaltado de temores, e com toda a razão, porquanto anseia devido ao juízo vindouro (ver I João 4:17,18).

10. Finalmente, conforme nos diz o apóstolo, esse indivíduo é um «mentiroso». Por conseguinte, pertence a Satanás, que lhe é pai, pois Satanás foi mentiroso desde o princípio (ver João 8:44, que afirma: «porque é mentiroso e pai da mentira»).

A polêmica. Tal como antes, esta passagem ataca os falsos mestres gnósticos, os cismáticos que não sabiam o que é amar, que prejudicavam ao cristianismo com suas doutrinas e práticas imorais. Odiavam aos irmãos e provocavam dissensões, divisões e ódio no seio da igreja. Punham violentamente de lado o «novo mandamento» do amor fraternal.

Não ama... a quem vê, não pode amar a Deus, a quem não vê... É fato bem conhecido e universalmente demonstrado todos os dias que amamos aqueles que nos são mais íntimos, que fazem parte de nossa vida.

«*Senhor, disse eu*,
Eu nunca poderia matar a outro homem;
Crime tão grande que é próprio das feras,
é uma excrescência repelente de uma mente maldita,
um ato ultrajante do tipo mais vil.
Senhor, disse eu,
Eu nunca poderia matar a outro homem;
Um ato desprezível de ira sem misericórdia,
um golpe irreversível de inclinação perversa,
um ato inconcebível de ímpio desígnio.
Diz-me o Senhor,
Uma palavra ferina, lançada contra a vítima que desdenhas,
É um dardo que inflige uma dor sem misericórdia.
A *maledicência* ataca um homem pelas costas,
um ato covarde do qual não te poderás retratar.
O ódio em teu coração, ou a inveja a levantar a feia cabeça,
É o desejo secreto de ver alguém morto».
(Russell Champlin).

Católicos mataram protestantes, e protestantes tiraram a vida de católicos, e ambos se têm voltado contra os judeus e os têm assassinado, todo o tempo atribuindo ao Deus dos cristãos a inspiração de tão grande malícia. Tão profunda é a cegueira e a perversidade do homem!

Quiçá o pior de tudo quanto sucede na questão que ora debatemos é que as diversas culturas, ao imaginarem seus *deuses* de conformidade com a sua impiedade, registram tais conceitos permanentemente em seus livros sagrados, fixando-os nessas culturas. O resultado é que as gerações sucessivas, lendo e estudando esses registros, e considerando-os livros inspirados e sem erro, atribuem o caráter mais horrendo e bestial aos seus «deuses». Tudo isso tem servido de grave injúria contra a *busca espiritual* autêntica.

V. O Ódio Exemplificado em Personagens da Bíblia

Caim tinha ódio no coração (Gên. 4:5); também Esaú (Gên. 27:41) e os irmãos de José (Gên. 37:4); os habitantes de Gileade (Juí. 11:7); Saul (I Sam. 18:8,9); Acabe (I Reis 22:8); Hamã (Est. 3:5,6); os inimigos dos judeus (Est. 9:1,5; Eze. 35:5); os adversários de Daniel (Dan. 6:4-15); Herodias (Mat. 14:3,8); os judeus (Atos 23:12,14); o mundo inteiro (João 7:7).

VI. O Ódio Divino

Como é óbvio, Deus odeia o mal (Pro. 6:6). Porém, quando lemos na Bíblia que ele aborreceu a Esaú e que amou a seu irmão, Jacó (Mal. 1:3; Rom. 8:12,13), então já entramos naquele problema que circunda a questão do determinismo versus o livre-arbítrio. Os intérpretes muito se têm esforçado para fazer esses trechos bíblicos amoldarem-se àquilo que eles já compreendem sobre a natureza e o amor de Deus. Daí surgem idéias como aquelas que enumeramos abaixo:

1. O termo «ódio» é *antropomórfico*, que devemos entender metaforicamente, e não em termos reais do ódio humano. Penso que essa é a resposta certa. Os homens aplicam às palavras de Deus sentidos que lhes são significativos, por causa de suas próprias naturezas emocionais; porque é difícil imaginarmos Deus sujeito ao mesmo tipo de natureza emocional que os homens têm. Porém, penso que os autores que aplicaram o termo *ódio* a Deus, no tocante, por exemplo, a Esaú, estavam pensando em termos de simples ódio, sem qualquer alusão a idéias antropomórficas. Visto que os intérpretes insistem em aplicar emoções humanas a Deus, em sua forma humanizada de teologia, ainda outras interpretações têm aparecido, segundo se vê nos dois outros pontos, abaixo:

2. Esse «ódio» seria simples rejeição, ou não eleição.

3. Esse «ódio» deveria ser entendido comparativamente, como um *amor inferior*, ou como menor interesse, ou mesmo como total ausência de interesse pelos odiados.

Minha opinião pessoal é que esses versículos têm uma visão míope do amor de Deus, deixando de perceber que esse amor tem uma aplicação universal, de tal modo que haverá uma *restauração* geral (vide). Meu artigo sobre esse assunto mostra que o *amor* de Deus, finalmente, haverá de prevalecer, ainda que comparativamente poucos terminem *remidos*. Estou convencido de que a antiga idéia do *ódio a Esaú* foi ultrapassada, na própria revelação bíblica, por um novo e mais amplo evangelho, uma mensagem que não foi antecipada no Antigo Testamento, e nem mesmo nos primeiros livros do Novo Testamento. Na verdade, o ódio divino, visto ser ativo e visto que impõe *juízo*, exprime o seu amor, já que o próprio julgamento tenciona trazer uma grande bênção aos perdidos (ver I Ped. 4:6). Sem dúvida os atos de Deus, em *todas* as suas formas, incluindo o seu ódio no julgamento contra o mal, fazem parte do mistério de sua vontade (Efé. 1:9,10), o que criará uma unidade universal, em torno da pessoa do Logos (Cristo), em última análise. Ver o artigo separado sobre os *Vícios*. Ver também sobre o *Amor*.

VII. O Ódio e a Possessão Demoníaca

O amor é a prova da verdadeira espiritualidade. Contrariamente, o ódio facilita a possessão demoníaca. Sem o ódio, ela praticamente não pode existir.

ODIUM THEOLOGICUM

Tanto é o ódio gerado pelas controvérsias teológicas (contrário ao maior dos conceitos teológicos, o *amor*) que foi cunhada essa expressão latina, a qual significa «ódio teológico», a fim de caracterizar esse fenômeno.

Ó Deus... que carne e sangue fossem tão baratos!
Que os homens viessem a odiar e matar,
Que os homens viessem a silvar e decepar a outros
Com línguas de vileza,
...por causa de...
«Teologia».
(Russell Champlin).

Da covardia que teme novas verdades,
Da preguiça que aceita meias-verdades,
Da arrogância que pensa saber toda a verdade,
Ó Senhor, *livra-nos!*
(Arthur Ford).

ODOMERA

Esse era o nome de um líder beduíno que foi derrotado por Jônatas Macabeu, em uma batalha descrita no livro apócrifo de I Macabeus 9:66. Ele deve ter vivido em cerca de 156 A.C.

ODOR

1. No Antigo Testamento

No hebraico, **nihoah**, «repousaste». Ver Lev. 26:31; Dan. 2:46. A referência é ao incenso, o qual, presumivelmente, confere ·àquele que o usa, uma atitude pacífica ou descansada. Vários odores são mencionados nas páginas do Antigo Testamento. Assim, uma palavra hebraica genérica é *raiach*, que dá a entender qualquer odor ou aroma. Ver Gên. 27:27; Êxo. 30:38; Sal. 45:8; Can. 1:12; 2:13; 4:10; 7:8; Isa. 3:24; Dan. 3:27. Nessas referências há menção a vários tipos de cheiros. Outra palavra hebraica, *ruach*, significa, basicamente, «respiração», «refrigério». Ver, por exemplo, Gên. 8:21; 27:27; Êxo. 39:38; Lev. 26:31; Deu. 4:28; Jó 39:25; Sal. 115:6; Amós 5:21. No livro de Gênesis, conforme pensam alguns intérpretes, o sentido dessa palavra é o de «aplacamento». Uma antiga idéia era que os deuses eram aplacados quando sentiam o odor dos sacrifícios que estavam sendo cozidos ou consumidos nas chamas, em sua honra. Ver Êxo. 29:18,25,41; Lev. 1:9,13; 2:2,9 quanto a essa idéia. Ao que tudo indica, o incenso era usado com a mesma finalidade. Além do incenso e dos holocaustos, havia o aroma agradável dos cedros do Líbano (Osé. 14:7; Can. 4:11). Também havia extratos preparados com base em vários óleos odoríferos, os quais, algumas vezes, eram misturados com água, e então aspergidos nas vestes, nos móveis, nos leitos, etc. Ver Pro. 7:17.

2. No Novo Testamento

Há várias palavras gregas envolvidas:

a. *Thumíama*, «odor de incenso». Esse substantivo é usado por seis vezes: Luc. 1:10,11; Apo. 8:3,4 (para indicar o odor do incenso); Apo. 5:8 e 18:13 (o próprio incenso). A forma verbal dessa palavra, *thumiáo*, significa «queimar incenso». É usada somente em Luc. 1:9.

b. *Osmé*, «fragrância (de um ungüento)». Essa palavra é usada por cinco vezes: João 12:3; II Cor. 2:14,16; Efé. 5:2 e Fil. 4:18. Esse substantivo é usado de forma figurada em II Cor. 2:14,16, para indicar a fragrância do conhecimento de Cristo, e a mensagem do evangelho como um perfume de vida, para alguns, embora odor de morte para aqueles que a rejeitam.

b. *Úsphresis*, «olfato». Essa palavra grega é usada somente em I Cor. 12:17. Esse trecho ilustra a variedade de dons espirituais e seu uso, através da variedade de órgãos e potencialidades do corpo humano.

3. Sumário dos Usos Figurados

a. Há a idéia de aplacar a Deus com o odor das oferendas, que os intérpretes modernos consideram um ensino figurado, embora possamos ter a certeza de que os hebreus tomavam a questão a sério, de modo literal, tal como sucedia a outros povos antigos.

b. O conhecimento de Cristo é um suave odor, e o seu evangelho é um aroma agradável para aqueles que lhe dão ouvidos, embora seja um cheiro de morte para os desatentos, conforme foi dito acima.

c. Há muitos dons espirituais que correspondem às funções e órgãos do corpo humano, que trabalham em harmonia tendo em vista o bem do ser total. O senso do olfato é uma daquelas funções; e, junto com essas funções, o olfato ilustra a questão, conforme foi mencionado acima.

d. As nossas orações são comparadas com o aroma do incenso que se eleva até o trono de Deus (Apo. 5:8).

e. Os presentes que os crentes de Filipos ofereceram a Paulo foram considerados por ele como um suave aroma, aceitável e agradável ao Senhor (Fil. 4:18).

4. Nos Sonhos e nas Visões

Os cinco sentidos representam as quatro qualidades da mente, a saber: a visão (o intelecto); o olfato (a intuição); a audição (as emoções); o paladar e o tato (as sensações).

5. Na Filosofia

O **empirismo** (vide) considera que os cinco sentidos são os canais pelos quais o homem aprende. O *racionalismo* (vide), por sua vez, acredita que a razão pode ultrapassar às informações providas pelos nossos sentidos. Os intuicionistas crêem que os homens podem receber conhecimento imediato (dispensando os sentidos e a razão). E o misticismo ensina que o conhecimento pode chegar até o homem através de poderes espirituais. O empirismo tem dominado a ciência moderna. O misticismo tem dominado a fé religiosa.

ODRES

Ver sobre *Vinho e Bebidas Fortes*.

Heródoto (ii.121) mostra-nos que os egípcios usavam odres, feitos de peles de animais. Um odre era formado costurando-se a pele e deixando a projeção da perna e do pé para servir de gargalo. A abertura era então fechada com um tampão ou com um cordão. De outras vezes, o pescoço do animal era usado para formar o gargalo. A arqueologia tem descoberto gravuras de tais odres, no Egito. Gregos, romanos e hebreus usavam esses odres de couro (Jos. 9:4,13; Jó. 32:19). Mas também havia recipientes feitos de pedra, de alabastro, de vidro, de marfim, de ossos, de porcelana, de bronze, de prata e de ouro. Já desde os dias de Tutmés III, que talvez tenha sido o Faraó do êxodo, em cerca de 1490 A.C., havia vasos elegantes e elaborados, autênticas obras de arte. Muitos vasos de bronze têm sido recuperados pela arqueologia, principalmente no Egito.

Usos Metafóricos. 1. Dentro do ensino de Jesus (Mat. 9:17), acima mencionado. Os antigos sistemas de pensamento enrijecem, como se fossem odres de couro. E os novos sistemas doutrinários, com suas idéias expansivas, não podem ser contidos pelos antigos sistemas, pelo que são incompatíveis uns com os outros. Isso resulta na formação de algum novo sistema, religioso ou apenas denominacional. 2. Os odres do céu, de onde procede a chuva (Jó. 38:37). 3. As lágrimas de tristeza que são preservadas em odres, ou seja, são relembradas pelo Senhor, como algo precioso (Sal. 66:8). 4. Um odre na fumaça de uma fogueira, simboliza uma pessoa desgastada pela tristeza e pela aflição (Sal. 119:83). 5. Os habitantes de Jerusalém seriam como odres cheios de vinho, quando o Senhor derramasse sobre eles a sua ira, de tal modo que estourassem e ficassem arruinados (Jer. 13:12). (G HA ID S UN)

OECOLAMPADIUS, JOHANNES

Suas datas foram 1482-1531. No grego, seu nome significa «candeeiro». O seu nome original de família, porém, era Heusagen. Nasceu em Wurtenberg; ajudou Erasmo de Roterdã na compilação do primeiro Novo Testamento grego a ser impresso (o *Textus Receptus*, conforme veio a ser chamado). Foi influenciado pela doutrina de Lutero, e, subseqüentemente, pela de Zwinglio. Tornou-se o principal reformador em Basiléia, na Suíça.

OEL

No hebraico, «tenda», «família», «raça». Esse era o nome do quinto filho de Zorobabel, da casa de Davi (I Crô. 3:20). Viveu depois de 500 A.C.

OESTE

Para qualquer dos povos que ocupava a região da Palestina, a designação «oeste», ou «ocidente» revestia-se de uma tríplice significação, a saber: 1. essa era a direção, na rosa dos ventos, onde o sol se punha. Por esse motivo, a palavra hebraica *mabo*, traduzida por «oeste» ou «ocidente», mais literalmente significa «pôr do sol». Isso corresponde ao termo grego *dusmé*. Ver Mat. 8:11; 24:27; Luc. 12:54; 13:29 e Apo. 21:13. 2. Essa era a direção para onde ficava o mar Mediterrâneo. Por isso, o termo hebraico *yam*, «mar», também tinha o sentido de oeste. 3. Em conseqüência disso, era também dessa direção que vinham os ventos que traziam as nuvens cúmulos, carregadas de vapor d'água, condensando-se davam a chuva. Lemos em Lucas 12:54: «Quando vedes aparecer uma nuvem no poente, logo dizeis que vem chuva, e assim acontece...» É que as nuvens que vinham dali prenunciavam chuva; cf. a experiência de Elias, no monte Carmelo, segundo se vê em I Reis 18:44: «Eis que se levanta do mar uma nuvem pequena como a palma da mão de um homem».

Cerimonial ou religiosamente falando a direção oeste não era nem mais e nem menos importante do que outros pontos da bússola ou rosa dos ventos, na vida do povo de Israel. Quase todos os planos esquematizados para as disposições de localização, em Israel, de acordo com a Bíblia, alicerçavam-se sobre o «quadrado», e as estruturas arquitetônicas ou o povo ficavam assim arrumados, nos quatro lados desse quadrado.

OFEL

No hebraico, essa palavra (temos aqui uma transliteração) significa «cômoro», «colina» ou «torre». Esse vocábulo tem dois sentidos distintos nas páginas do Antigo Testamento.

1. Uma localidade fortificada de Jerusalém, no lado oriental, perto das muralhas (ver II Crô. 27:3 e 33:14). Ofel era ocupada pelos netinins, após a reconstrução da cidade, quando um remanescente de Judá retornou, terminado o cativeiro babilônico (Nee. 3:26; 11:21). Josefo (*Guerras* 2.17,9; 5.6,1) informa-nos que esse lugar ficava contíguo ao vale do Cedrom e do monte do templo. Por isso mesmo, é provável que a muralha de Ofel fizesse parte das muralhas de Jerusalém nos dias de Herodes. É possível que os arqueólogos tenham descoberto essas fortificações, em escavações que descobriram muralhas profundamente enterradas, no ângulo suleste da antiga muralha de Jerusalém. Essas profundas muralhas tinham cerca de 4,30 m de espessura, sendo óbvio que foram levantadas para efeito de fortificação.

Sabe-se que as muralhas de Jerusalém foram fortificadas vez por outra, por diversos monarcas judeus, como Jotão (II Crô. 27:3) e Manassés (II Crô. 33:14), nos séculos VIII e VII A.C., respectivamente. O profeta Isaías, entretanto, predisse a destruição dessas fortificações (ver Isa. 32:14). E Miquéias referiu-se, metaforicamente, a como o reino de Deus haveria de ser estabelecido no «monte da filha de Simão» (Miq. 4:8).

2. Um local na Palestina central, onde havia a casa onde Geazi depositou os presentes que recebera (com desonestidade) da parte de Naamã. Ver II Reis 5:24. Algumas traduções dizem ali «outeiro» (como se lê em nossa tradução portuguesa) ou «colina». Esse local mui provavelmente ficava perto da cidade de Samaria.

••• •••

OFENSA

Essa é uma das muitas palavras que a Bíblia, em sua tradução portuguesa, usa para indicar algum pecado. Entretanto, existem outros usos do vocábulo, segundo fica ilustrado nos comentários abaixo:

1. *Definição*. «Ofender» é afrontar, ultrajar; é dar desprazer; é traspassar um limite, é violar; é cometer um erro, um crime; é fazer tropeçar; é pôr obstáculo no caminho de alguém, procurando entravá-lo, enredá-lo.

2. *No Antigo Testamento*

a. *Mikshol*, «obstáculo», «chamariz» (I Sam. 25:31; Isa. 8:14).

b. *Chet*, «crime», ou a penalidade resultante de um crime (Ecl. 10:4).

c. *Ashem*, «reconhecer-se culpado» (Osé. 5:15; Jer. 2:3; 50:7; Eze. 25:12; Osé. 4:15; 13:1; Hab. 1:11).

d. *Chata*, «errar o alvo» (Gên. 20:9; 40:1; II Reis 18:14; Jer. 37:18).

3. *No Novo Testamento*

a. *Próskoma*, «pedra de escândalo», «pedra de tropeço» (Rom. 9:32,33 (citando Isa. 8:14; cf. 28:16); 14:13,20; I Cor. 8:9; I Ped. 2:8). *Proskopé* é forma variante (II Cor. 6:3). O verbo, *proskópto*, «tropeçar» (Mat. 4:5 (citando 91:12); 7:27; Luc. 4:11; João 11:9,10; Rom. 9:32; 14:21; I Ped. 2:8).

f. *Paráptoma*, «desvio para um lado» (Mat. 6:14,15; Mar. 11:25,26; Rom. 4:25; 5:15-18,20; 11:11,12; II Cor. 5:19; Gál. 6:1; Efé. 1:7; 2:1,5; Col. 2:13). Está em foco um desvio na conduta ou em relação à verdade, algo feito como não deve ser feito.

c. *Skândalon*, «armadilha», «tropeço». Ver Mat. 13:41; 16:23; 18:7; Luc. 17:1; Rom. 9:33 (citando Isa. 8:14; cf. 28:16); 11:9 (citando Sal. 69:23); 14:13; 16:17; I Cor. 1:23; Gál. 5:11; I Ped. 2:8; I João 2:10; Apo. 2:14. O verbo, *skandalízo*, ainda é mais freqüente: Mat. 5:29,30; 11:6; 13:21,57; 15:12; 17:27; 18:6,8,9; 24:10; 26:31,33; Mar. 4:17; 6:3; 9:42,43,45,47; 14:27,29; Luc. 7:23; 17:2; João 6:61; 16:1; Rom. 14:21; I Cor. 8:13; II Cor. 11:29.

O ministério de Jesus foi um tropeço para os seus contemporâneos religiosos (Mar. 6:3), mormente os fariseus (Mat. 15:12), e, ocasionalmente, até para os seus discípulos (Mar. 14:27). Declarou Jesus: «E bem-aventurado é aquele que não achar em mim motivo de tropeço» (Mat. 11:6). Os pioneiros da fé sempre fazem os irmãos menores e os céticos se ofenderem, tornando-se, assim, impedimentos. Há impedimentos que são pecaminosos, pois atuam como armadilhas, que apanham suas vítimas. Mas também existe a ofensa da *cruz* (Gál. 5:11. Uma espiritualidade séria requer a remoção de impedimentos que ofendem. Se nosso olho direito nos ofende, que o arranquemos (Mat. 5:29). Outro tanto foi dito, metaforicamente, acerca da mão e do pé (Mar. 9:43-47). Isso ilustra a seriedade do discipulado cristão. Há uma advertência feita àqueles que causam escândalo ou levam os crentes recém-convertidos a se ofenderem (Mat. 18:6). O ministério de Cristo, que foi um gênio criativo, necessariamente criava reações contrárias, por parte de muitos. Alguns se sentiam ofendidos ou eram levados a tropeçar, segundo também Isaías predisse que sucederia. E os trechos neotestamentários de I Ped. 2:8 e Rom. 9:33 reiteram a idéia, aplicando-a ao contexto histórico.

A liberdade cristã ocupa posição importante nessa questão das ofensas. O apóstolo Paulo recomendou que os crentes usassem de amor fraternal e de sacrifício pessoal. Aquele que não tem escrúpulos precisa respeitar as opiniões dos outros e não causar ofensa ou escândalo (Rom. 14; 15:1,2).

OFERECIMENTO NO FOGO

Ver sobre **Sacrifícios e Ofertas**.

OFERTA PELO PECADO

Ver **Sacrifícios e Ofertas**.

OFERTA VOTIVA

Esse adjetivo, **votiva**, vem do verbo latino, **vovere**, «prometer». Essa é a designação dada a coisas prometidas ou dedicadas a Deus, coisas santificadas ao Senhor com alguma razão especial. Há duas classificações gerais de ofertas votivas:

1. Coisas votadas ou consagradas a Deus, que lhe serão dadas se a pessoa que fez a promessa for ajudada em alguma hora de necessidade.

2. Coisas realmente apresentadas ou dedicadas a Deus (ou a algum «santo», conforme uma prática católica romana), quando aquilo que foi pedido foi outorgado. Uma variante é algo dado em gratidão por alguma bênção recebida, embora nada tenha sido especificamente prometido de antemão.

OFERTAS

Ver sobre **Sacrifícios e Ofertas**.

OFERTAS DE AÇÃO DE GRAÇAS

Ver sobre **Sacrifícios e Ofertas**.

OFERTAS DE CULPA

Ver sobre **Sacrifícios e Ofertas**.

OFERTAS DE MANJARES

Ver o artigo geral sobre **Sacrifícios e Ofertas**.

OFERTAS MOVIDAS

Ver sobre *Sacrifícios e Ofertas*.

OFERTAS QUEIMADAS

No hebraico, **olah** ou **alah**, «aquilo que sobe». É vocábulo que aparece por muitas vezes, cerca de duzentas e oitenta vezes, desde Gên. 8:20 até Miq. 6:6. No grego temos a palavra *olokaútoma* apenas em Mar. 12:33; Heb. 10:6 (citando Sal. 40:7) e Heb. 10:8.

Ver o artigo geral sobre *Sacrifícios e Ofertas*. As «ofertas queimadas», da mesma maneira que as ofertas de manjares e as ofertas pacíficas, eram ofertas voluntárias, em contraste com as ofertas pelo pecado e pela culpa, que eram compulsórias. As três primeiras representam, de modo geral, a idéia de homenagem, de autodedicação e de agradecimento, ao passo que as duas últimas representam a idéia de «expiação». As ofertas queimadas envolviam animais inteiramente consumidos no altar, no que contrastavam com as ofertas de manjares e outros sacrifícios, onde somente o sangue era usado no rito, ao passo que a carne dos animais era cozida e comida pelos sacerdotes e adoradores. Ver Deu. 33:10; I Sam. 7:9; Sal. 51:16.

1. *Origem*. As ofertas queimadas já eram comuns no período patriarcal. Alguns eruditos pensam, embora sem provas, que o sacrifício oferecido por Abel (Gên. 4:4), foi uma oferta queimada. Noé ofereceu sobre o altar, terminado o dilúvio, uma oferta queimada (Gên. 8:20).

2. *Material*. Eram usados somente touros, carneiros, bodes, pombos e rolinhas. E todos os animais ou aves usados precisavam ser isentos de qualquer defeito físico.

3. *Cerimônias*. O ofertante impunha as mãos sobre a vítima, confessava os seus pecados e dedicava a oferenda a Deus. Então o animal era abatido; o sangue do mesmo era aspergido em redor do altar, na sua parte mais inferior, e não diretamente sobre o mesmo, a fim de que a chama não fosse extinta (Lev. 3:2; Deu. 7:27). Tirava-se o couro do animal (Lev. 7:8). O animal era então cortado em doze pedaços. O sacerdote tomava o ombro direito, o peito e as entranhas, punha as mãos debaixo das mãos do ofertante, e, juntos, eles balançavam o sacrifício para cima e para baixo (ver *Ofertas Alçadas*), por diversas vezes, em reconhecimento da presença do Deus Todo-poderoso. O material a ser queimado era posto sobre o altar, e o fogo era aceso. Os pobres podiam substituir qualquer desses animais por um pombo ou uma rolinha.

4. *Vezes*. As ofertas queimadas eram oferecidas diariamente, de manhã e à tardinha (Núm. 28:3; Êxo. 29:38), bem como nas três grandes festas judaicas (Lev. 23:37; Núm. 28:11-27), e em ocasiões especiais, como quando as mulheres se recuperavam do parto (Lev. 12:6), ou pessoas eram curadas da lepra (Lev. 14:19-22), ou os nazireus tornavam-se imundos, por terem entrado em contacto com algum cadáver (Núm. 6:9), e após os dias de sua separação terem-se cumprido (Lev. 6:14). Em ocasiões miscelâneas de celebração e de solenidades, particulares ou públicas, também eram oferecidos esses sacrifícios (Juí. 20:26; I Sam. 7:9; Esd. 6:17 e 8:35). Ver os artigos sobre *Expiação* e *Expiação pelo Sangue*. Quanto aos sacrifícios como prefigurações do sacrifício expiatório de Cristo, e que por Ele foram substituídos, ver Heb. 10:5 *ss*. (E G LAN NTI S)

OFERTAS VOTIVAS

Ver sobre *Sacrifícios e Ofertas*.

OFERTÓRIO

Esse é o nome dado à apresentação do pão e do vinho, antes de sua consagração, no rito eucarístico. Hipólito (*Tradição Apostólica*) diz-nos que, nos empos antigos, outros artigos também eram apresentados, nessa ocasião, para Deus abençoar; mas, posteriormente, o termo veio a ser restringido aos elementos da eucaristia. Esse rito, na Igreja Católica Romana, é acompanhado pela leitura de algum trecho dos Salmos (ou, então, esse trecho é entoado).

Em certos grupos protestantes, o termo é usado para indicar o recolhimento de ofertas, em dinheiro, durante o culto, e, algumas vezes, isso é acompanhado por uma apresentação musical, pelo coro ou por algum instrumento musical.

OFICIAIS DE JUSTIÇA

No grego, *rabdoúchoi*, «portadores da vara». A palavra aparece somente em Atos 16:35 e 38, para indicar os lictores dos pretores da cidade de Filipos. Filipos era uma colônia romana, cujos magistrados, sujeitos ao governo romano, tinham o título romano honorário de pretores. Os lictores eram assessores pessoais, guardacostas e oficiais executivos para cumprimento de pequenos deveres, como aqueles que são descritos nesse trecho do livro de Atos. Eles brandiam um feixe de varas como símbolo de sua autoridade. A tradução «oficiais de justiça», empregada em nossa versão portuguesa, em vista do exposto, parece ser das mais felizes. Traduções menos próprias são «guardas» ou «policiais», que são usadas em versões estrangeiras.

OFICIAL

Esse é um termo genérico, usado nas traduções, para referir-se a certa variedade de posições de autoridade. Visto que essas palavras, no original, são bastante latas em seu sentido, as traduções dão um bom número de alternativas.

1. No Antigo Testamento

a. *Saris*. Essa palavra vem do verbo «castrar», pelo que se refere a um eunuco, nomeado para cuidar do harém real, e que com freqüência recebia importantes deveres na corte de um monarca. Ver Gên. 37:36; 39:1; 40:2. O oficial-eunuco era muito importante na Babilônia, no Egito e na Pérsia, mas aos hebreus estava vedada essa prática. Alguns estudiosos têm proposto que essa palavra hebraica era usada para indicar algum oficial, inteiramente à parte da idéia de emasculação, podendo referir-se a qualquer príncipe ou dirigente. O significado desse vocábulo hebraico, pois, tem suscitado debates entre os filólogos.

b. *Shatar*, «escritor». Não obstante esse sentido, a palavra podia designar vários ofícios, alguns dos quais nada tinham a ver com o ato de escrever. Assim, os magistrados que lideravam o povo de Israel, no Egito, foram assim chamados (Êxo. 5:6-19); como também os que ajudavam administrativamente aos anciãos (Núm. 11:16; Deu. 20:5,8,9; 29:29), e até mesmo chefes militares (II Crô. 26:11). Os escribas eram oficiais públicos, que registravam acontecimentos históricos, casos legais, etc. (Êxo. 5:6-8).

c. *Natsab, netsib*, «nomeado», «fixado». Nome dado a vários oficiais que recebiam os impostos, as taxas, etc. Ver I Reis 4:5; 4:19; 5:16; 9:33.

d. *Paqid, paqad*, «inspetor», «superintendente». Palavras aplicadas a oficiais militares e civis. Ver Gên. 41:34; Juí. 9:38; Est. 2:3. No acádico, esses vocábulos eram usados para indicar muitos tipos de oficiais. Comparar as referências dadas com II Reis 18:17 e Jer. 39:3. O sentido básico dessas palavras é «grande».

2. No Novo Testamento

a. *Uperétes*, palavra grega que designava certa variedade de oficiais inferiores. É palavra usada por vinte vezes: Mat. 5:25; 26:58; Mar. 14:54,65; Luc. 1:2; 4:20; João 7:32,45,46; 18:3,12,18,22,36; Atos 5:22,26; 13:5; 26:16; I Cor. 4:1. O verbo, *uperetéo*, ocorre por três vezes: Atos 13:36; 30:34; 24:23.

b. *Práktor*, «coletor». Esse termo grego, que ocorre somente por duas vezes, em Luc. 12:58, indicava, nos tempos antigos, em Atenas, alguém cujo dever era registrar e coletar multas impostas pelos tribunais ou governantes. Assim eram designados, nos tempos romanos, tanto os coletores de impostos quanto outros oficiais secundários, que tinham algo a ver com a lei. Nesse trecho bíblico de Lucas, está em foco um funcionário de tribunal, que tinha autoridade para determinar a detenção de alguém. Ele agia em consonância com a ordem baixada por um juiz, atuando mais ou menos como hoje faria um policial.

OFÍCIO, SAGRADA CONGREGAÇÃO DO SANTO

Esse é um ramo administrativo da Igreja Católica Romana, e que substituiu, com o tempo, a Inquisição Romana Universal. Ver o artigo *Inquisição*. Essa organização foi formada em 1942. Seu propósito é proteger a fé e a moral de alterações heréticas e imorais. Julga casos de heresia e promove o ensino relacionado aos sacramentos, às indulgências, aos impedimentos ao casamento com pessoas não-católicas, à censura de publicações, etc. O papa reinante é o prefeito dessa congregação. Suas decisões não são consideradas infalíveis, e podem ser revertidas com as ações apropriadas.

OFÍCIO DIVINO

Originalmente, os **ofícios divinos** eram os cultos diários de oração, ligados à eucaristia. Havia a antiga *vigília*, observada antes do domingo (ver Atos 20:7), e que veio a ser praticada também em outras ocasiões, de tal modo que as orações noturnas tornaram-se um costume. Então começaram a ser feitas orações particulares nas horas terceira, sexta e nona, de forma regular, na comunidade religiosa cristã. Isso firmou-se por volta do século IV D.C. Na Igreja grega, desde o século VIII D.C., hinos bem ritmados têm sido uma característica proeminente do ofício. No Ocidente, porém, até hoje o ofício consiste principalmente em elementos bíblicos, salmos, cânticos e lições.

O processo de desenvolvimento continuou, de tal modo que, no século XV D.C., o ofício tendia a ser longo, complexo e monótono. Por volta do século XIII D.C. o ofício era registrado em um livro, cuja abreviação deu origem ao chamado *Breviário*. A versão católica romana tem passado por diversas revisões. A recitação desse material é obrigatória para todas as santas ordens. Na Inglaterra, dois ofícios diários eram extraídos do Breviário (que vide), o que tem sido uma importante porção da adoração anglicana, fora da eucaristia.

OFÍCIO PELOS MORTOS

Esse é o título dado a lições especiais da Igreja Católica Romana, modeladas de acordo com as vésperas, matinas e hinos religiosos. São usados trechos dos Salmos como parte dos serviços fúnebres, ou em atos comemorativos em favor dos mortos. Esse ofício vem sendo usado no rito romanista desde cerca do ano 800, razão pela qual é também a base do Ofício Anglicano de Sepultamentos.

OFÍCIO VOTIVO

Esse nome é aplicado a orações litúrgicas que não estão inclusas no calendário geral e na prática oficial, mas que eram empregadas em ocasiões de necessidade especial, pela Igreja Católica Romana. Ali as recitações eram opcionais. Todos os ofícios votivos foram abolidos a 1º de novembro de 1911; pela Constituição Apostólica do papa Pio X, a fim de evitar os abusos que tinham surgido em torno de tal prática.

OFÍCIOS DE CRISTO

Ver o artigo geral sobre **Cristologia**.

Esboço:

I. Considerações Preliminares
II. O Tríplice Ofício de Cristo
  1. Profeta
  2. Sacerdote
  3. Rei
III. O Tríplice Ministério de Cristo
IV. A Tríplice Natureza de Deus

I. Considerações Preliminares

1. *O Princípio das Tríades*. É admirável observar quantas religiões têm visto significação nas tríades, a começar pelos três deuses de algum panteão pagão, e terminando pelo conceito da *Trindade Divina* (vide).

2. A própria cristologia tem sido tradicionalmente dividida em três partes: a. a pessoa de Cristo (considerações sobre sua deidade e humanidade, em única pessoa); b. os estados de Cristo (sua humilhação e exaltação); 3. a obra de Cristo (sua realização remidora).

3. A obra de Cristo também tem sido descrita como cumprida por meio de seus três ofícios: profeta, sacerdote, rei. Temos aqui o assunto principal do presente verbete, descrito na seção segunda, abaixo.

4. É digno de menção que essas três tríades concordam com a Grande Tríade, a Trindade divina, dentro da qual o Filho é aquela hipóstase que tem um tríplice ofício e uma tríplice missão.

5. *A Tríplice Missão de Cristo*. Essa missão é descrita na terceira seção, abaixo. É lamentável que a Igreja Ocidental (a Igreja Católica Romana e suas filhas protestantes e evangélicas) tenha negligenciado o ministério de Cristo no hades, o que faz parte de sua expressão de um tríplice ministério.

II. O Tríplice Ofício de Cristo

O próprio Novo Testamento usa esses três termos, profeta, sacerdote e rei, a fim de descrever os ofícios de Cristo. *Profeta:* Mat. 13:57; 21:11; Luc. 7:16,28; 24:19; João 6:14; Atos 7:37. *Sacerdote:* Heb. 3:1; 4:14,15; 5:10; 6:20; 7; 8:1; 9:11; 10:21. *Rei:* Indicações de seu ofício real aparecem em sua genealogia real, como Filho de Davi (Mat. 1:1,6); a visita dos magos (Mat. 2:2); a sua entrada triunfal em Jerusalém (Mat. 21:5-9); o título aposto em sua cruz (Mat. 27:37); a declaração sobre seu reinado escatológico (Apo. 19:16).

Descrições Desses Três Ofícios:

1. Profeta. O levantamento de Cristo como profeta semelhante a Moisés foi previsto: Deu. 18:15; Isa. 49:7; 53, onde é descrito o seu ofício messiânico em geral, incluindo o fato de que ele é quem revela a Deus Pai. A doutrina do *Logos* (João 1:1; vide) retrata-O em seu ofício profético, visto ser ele o revelador da pessoa e da mensagem de Deus. Na qualidade de Logos encarnado, Jesus Cristo foi o mais eficaz de todos os profetas. O trecho de Heb. 1:1,2 encerra uma das melhores declarações acerca da obra profética de Cristo. No passado, Deus falou aos nossos antepassados por meio dos profetas, mas, nestes últimos dias, tem falado por meio do seu próprio Filho, o qual, como é óbvio, é o maior e mais eficaz dos profetas. Sua mensagem veio em último lugar, mas é a mais completa. Pedro salientou como Cristo cumpriu de modo perfeito esse ofício profético, satisfazendo às exigências das Escrituras (ver Atos 3:22-24), e Estêvão disse algo equivalente (Atos 7:37). Cristo trouxe as palavras da vida eterna, as quais também transmitiu aos homens (João 3:34). O próprio Jesus intitulou-se profeta (ver Mat. 13:57; Mar. 6:4; Luc. 4:24; 13:13; João 4:44), e asseverou que a sua mensagem procedia do Pai (João 8:26-28, 40; 12:49,50). Na qualidade de maior dos profetas, Cristo é a *Luz* do mundo (ver João 8:12; 9:5) e a *Verdade* (João 14:6). O Pai deu testemunho acerca dele (Mat. 17:5; Mar. 9:7; Luc. 9:35; João 5:37; 8:18). O livro de Apocalipse foi o testemunho de Jesus, um testemunho que é o espírito da profecia (Apo. 19:10). Cristo manifestou o seu ofício profético por meio de três métodos: a. *instrução* (Mat. 4:17; 11:1; Luc. 11:1; Atos 1:1). Ele ensinava com autoridade (Mat. 7:29). Ele foi o novo Moisés, que reinterpretou a Lei e adicionou suas próprias idéias distintivas (Mat. 5-7; o *Sermão da Montanha*, vide). b. *Exemplo.* Cristo veio para cumprir a vontade do Pai, tendo mostrado aos homens como eles devem viver (João 4:34; 12:44; 14:9; 1:18; Mat. 11:27; I Cor. 11:1). c. *Atividade Miraculosa*. Os milagres de Cristo demonstraram a sua autoridade (Mat. 11:4,5,20-24; Mar. 2:9-11; João 5:36; 10:25,28; 20:30).

2. Sacerdote. A epístola aos Hebreus é um extenso tratado que prova que Jesus era o Messias ou Cristo prometido, que também cumpriu todos os aspectos do sacerdócio, do qual o sacerdócio levítico era apenas uma sombra, e que Cristo é o nosso grande Sumo Sacerdote. Um sacerdote exercia uma função medianeira, e a mediação de Cristo leva-nos à presença mesma de Deus, o que é o alvo do evangelho (Heb. 10:19 *ss*). A característica ímpar do sacerdócio de Jesus Cristo é que ele mesmo é o sacrifício que foi oferecido a Deus, por ser ele o Cordeiro de Deus (João 1:29). Ver os artigos separados intitulados *Sumo Sacerdote*; *Sumo Sacerdote, Cristo Como; Sacrifício de Cristo* e *Cordeiro de Deus*.

Cristo é o imaculado Cordeiro de Deus, impecavel e perfeitamente qualificado (João 8:29; II Cor. 5:21; Heb. 4:15; 7:26; I Ped. 2:22; I João 3:5). Formas anteriores de sacerdócio, ocupadas por homens pecaminosos, eram, naturalmente, maculadas por causa do pecado e das imperfeições humanas; mas Cristo pôs um ponto final nisso (Heb. 7:26; 9:14). Através de seus sofrimentos, Cristo ficou plenamente qualificado para o seu ofício sumo sacerdotal (Heb. 2:10; 5:7-9). Outros sacrifícios eram temporários, simbólicos e imperfeitos; mas o sacrifício de Cristo é permanente, real e eterno (Heb. 5:9; 7:25; 9:12,15). O ofício sumo sacerdotal de Cristo é assinalado pela majestade e pela perfeição (Heb. 4:14; 6:20; 8:2; 9:11,24). Esse ofício sumo sacerdotal também inclui uma função intercessória (Rom. 8:34; Heb. 7:25; ver especialmente I João 2:1).

Cristo também é o nosso *parákletos* (advogado, ajudador, representante). E enviou-nos o Espírito Santo, o seu alter ego, o divino Paracleto, para continuar a sua realização em nós. Ver sobre o *Paracleto*; e também os trechos de João 14:16,26; 15:26; 16:7. O ministério de *curas*, efetuado por Jesus, fez parte de suas funções sacerdotais, da mesma maneira que os sacerdotes do Antigo Testamento estavam envolvidos em curas (Lev. 13 e 14; ver Mat. 8:4; Luc. 17:14). Ver o artigo intitulado *Milagres*.

3. Rei. Cristo descendia, segundo a carne, da linhagem real de Davi, conforme mostra-nos a genealogia do primeiro capítulo de Mateus. Ele foi chamado de «Filho de Davi» (Mat. 1:1,20; 9:27; 15:22; João 7:42; Rom. 1:3; II Tim. 2:8; Apo. 22:16). Seu reinado estava previsto nas profecias bíblicas (Isa. 9:6 *ss*; Sal. 24:7 *ss*). Por ocasião de seu nascimento, foi visitado pelos magos, que O tinham procurado como o recém-nascido «Rei de Israel» (Mat. 2:2 e contexto). E o povo comum também O reconheceu como rei (Luc. 19:38). O título afixado ao madeiro proclamava o fato (Mat. 27:37). Nas epístolas paulinas, Cristo aparece como quem tem um reino, o que significa que ele é Rei do reino espiritual, e não de algum reino terrestre (Col. 1:13; I Tes. 2:12; Efé. 5:5; ver também Apo. 1:9). Ele é declarado como Rei dos Reis e Senhor dos Senhores (Apo. 19:16). Ele veio para restaurar o reino a Israel (Atos 1:6), o que, finalmente, ele realizará de forma cabal e literal (Rom. 11). Ademais, o seu reinado celeste e universal será inaugurado por meio de acontecimentos cataclísmicos (Mat. 24:1; I Tes. 5:3; II Ped. 3:10-12). Seu reino é eterno (Sal. 45:6; Isa. 9:7; Dan. 2:44; Luc. 1:33; II Ped. 1:11; Apo. 11:15; 22:5); mas, em algum sentido, será coordenado com o reino universal de Deus Pai (I Cor. 15:24-28; Apo. 20:1-7). O *milênio* (vide) é um aspecto integrante desse reinado e reino de Cristo.

O Ofício de Messias. Esse ofício abrange e subentende os três ofícios que temos acabado de examinar. Ver os artigos intitulados *Messias* e *Profecias Messiânicas Cumpridas em Jesus*.

Tratamento Histórico. A apresentação tríplice dos ofícios de Cristo, conforme vimos acima, começou pelo menos tão cedo quanto Eusébio (ver *Eccl. Hist.* I.3.8,9). Cirilo de Jerusalém e Agostinho também falaram nesses termos, e, igualmente o maior dos filósofos escolásticos, Tomás de Aquino. Calvino popularizou esse modo de expressão, por meio da influência de sua obra monumental, *Institutas* (II.xv).

III. O Tríplice Ministério de Cristo

Cumprindo cabalmente os aspectos necessários de sua missão, Cristo teve e tem três missões distintas: sua missão sobre a *terra* (que ele continua por meio do ministério do Espírito Santo); sua missão no *hades* (que ele continua por intermédio de seus ministros imortalizados; ver o artigo sobre *Descida de Cristo*); sua missão no *céu* (onde sua presença é poderosa para salvar e para dirigir as atividades de sua Igreja). Todas essas missões são remidoras e restauradoras, exatamente o que poderíamos esperar da parte do Filho de Deus. Seu poder alcança as almas humanas onde quer que elas se encontrem. É isso que garante seu reino universal e seu caráter de Salvador.

IV. A Tríplice Natureza de Deus

Ver o artigo sobre a **Trindade**. O filho de Deus, o segundo membor da Trindade, expressa-se de três maneiras diversas, segundo foi mostrado acima. Talvez haja alguma conexão significativa entre as três hipóstases, dentro da divina Trindade, e o tríplice ofício e realização de Cristo, embora isso não seja explicitamente declarado na Bíblia.

OFÍCIOS ECLESIÁSTICOS

1. *O Papado*

De acordo com a Igreja Católica Romana, esse é o mais elevado ofício da Igreja Ocidental. Ele é reputado representante ou mesmo *vigário* (substituto) de Cristo, infalível em seus pronunciamentos oficiais, o padre dos padres. O papa é eleito pelo colégio dos cardeais, recebendo um ofício vitalício, sob circunstâncias normais. Ver o artigo separado sob o título *Papa*. Essa palavra deriva-se diretamente do grego (*papas*) e do latim (*papa*), que significa «papai».

2. *Bispo; arcebispo*. Um *arcebispo* é um *bispo* (vide) que superintende a outros que atuam em uma província ou região, incluindo certo número de dioceses agrupadas para efeitos administrativos. Essa palavra vem do grego, *arché*, «chefe», e *epískopos*, «supervisor» (transliteração *bispo*). A Igreja Católica Romana e a Igreja Anglicana têm arcebispos.

3. *Arquidiácono*. Um clérigo que exerce autoridade administrativa delegada, e que atua sob a orientação de um bispo. Ele tem deveres que incluem a disciplina e o cuidado por propriedades. Quando o cargo apareceu, um arquidiácono era um líder de diáconos, que ajudava a um bispo (chamado *oculus et manus episcopi*, «o olho e a mão do bispo»); e, historicamente, algumas vezes eles têm ocupado o cargo por direito de sucessão.

4. *Arcipreste*

Esse é um sacerdote que obteve uma posição superior a de outros, em alguma cidade, devido ao tempo em que já servira, ou devido a alguma distinção. Na Igreja antiga, um prelado dessa posição tomava a posição de um bispo, na ausência deste. Os arciprestes posteriores ocupavam funções sacerdotais especiais, enquanto que os arquidiáconos (ver acima) ocupavam funções administrativas especiais. Algumas vezes, na Igreja Católica Romana e nas Igrejas Ortodoxas Orientais, o título é meramente honorífico, não envolvendo qualquer função especial.

5. *Cônego*

Membro do Capítulo de uma catedral. Sua nomeação pode ser feita por eleição ou por determinação de um ministro superior. Os cônegos residentes têm um salário e fazem parte do pessoal de uma catedral, recebendo certa variedade de deveres. Os cônegos não-residentes (honorários) não recebem salário, mas cumprem certos deveres que lhes são designados. Esse título surgiu da circunstância que os capítulos, durante a Idade Média, usualmente compunham-se do clero que vivia sob as ordens de um cônego, vivendo segundo as normas de alguma ordem religiosa.

6. *Cardeal*

Na Igreja Católica Romana essa ordem hierárquica aparece imediatamente abaixo do papa. Atuam como seus conselheiros imediatos. A eleição de um papa é a mais elevada de suas responsabilidades. No ofício cardinalício há três níveis: a. os cardeais-sacerdotes; b. os cardeais-diáconos; e c. os cardeais-bispos. De 1586-1958, o número dos cardeais era de setenta; mas, a começar de 1958, sob a direção do papa João XXIII, esse número foi aumentado para setenta e cinco.

7. *Cura*

Essa palavra vem da idéia da *cura* de almas. Originalmente, era um título geral dado a um clérigo. Atualmente, esse título é dado a algum *assistente*, o qual pode ser um padre ou um diácono, subordinado a outro clérigo.

8. *Deão*

Esse é o título do chefe de uma igreja catedral. Sua posição é imediatamente abaixo da de um bispo. Ele preside o capítulo e encabeça o governo geral de uma catedral. Esse título também é usado para designar o deão de uma faculdade.

9. *Metropolita*.

Um bispo que exerce autoridade sobre uma província, e não meramente sobre uma diocese. Esse título apareceu pela primeira vez quando do concílio de Nicéia (325 D.C.), em seu quarto cânon. Os metropolitas com freqüência são chamados arcebispos, visto que as funções são idênticas. Um *primaz* é outro título paralelo.

10. *Moderador*

Esse é o título de um ministro da Igreja Presbiteriana que preside um presbitério, sínodo ou assembléia geral. Esse ministro é *primus inter pares*, e ocupa o seu ofício por um tempo limitado, usualmente por um ano.

11. *Patriarca*

Esses são os bispos das cinco sedes principais: Roma, Alexandria, Antioquia, Constantinopla e Jerusalém. Esse título foi dado, inicialmente, àqueles bispos, no século VI D.C.

12. *Prebendário*

Título dado ao ocupante de uma prebenda, em uma catedral. Durante a Idade Média, esse oficial recolhia os rendimentos de várias propriedades de uma catedral. Esse título, porém, acabou sendo praticamente substituído pelo título de cônego, pois os deveres deles são praticamente idênticos.

13. *Reitor*

Esse ofício tem sido historicamente distinguido do de um vigário, porque um reitor não recebe dízimos para o seu sustento, ao passo que um vigário tem acesso a esses fundos. Todavia, a distinção praticamente inexiste hoje em dia. Ambos tomam conta de uma paróquia, subordinados às ordens de um padre ou bispo. O termo *reitor* também é usado na Europa, além de outros lugares, para indicar o chefe de uma escola, ou o cabeça de uma casa jesuítica.

14. *Deão Rural*

Título de um clérigo nomeado por um bispo que chefia um agrupamento de paróquias. Ele age como intermediário entre aquele bispo e o clero. Os arquidiáconos cada vez mais foram assumindo os deveres antes cumpridos pelos deões rurais.

15. *Bispo Sufragâneo*

Esse título vem do latim, *suffragor*, «votar», «sustentar», sendo aplicado a bispos em dois sentidos. Todos os bispos diocesanos são chamados *sufragâneos* quando se associam a um arcebispo ou metropolita em um sínodo, lançando os seus votos. Ademais, os assessores dos bispos diocesanos são chamados sufragâneos. Esse termo vem sendo usado desde a Idade Média, porém, no período da contra-reforma romanista, muitos *assessores* foram criados e dotados de títulos especiais, entre os quais os sufragâneos.

16. *Superintendente*

Em alguns círculos protestantes, esse título mais ou menos equivale ao título do bispo. Os superintendentes são nomeados para supervisionar distritos, embora sujeitos ao controle e à censura de outros ministros, de tal modo que não estão investidos de plenos poderes, como se dá com os bispos católicos romanos e ortodoxos orientais. Nas igrejas protestantes da Escandinávia, como também em grupos metodistas, o título que se dá a eles é «bispos».

17. *Vigário*

Durante a Idade Média, quando uma igreja era posta sob a direção de um mosteiro, a um monge permitia-se atuar como o padre daquela igreja; e ele recebia sustento do fundo geral do mosteiro. Mais tarde, essa tarefa foi entregue a um padre secular, também intitulado «vigário» (do latim, *vicarius*, «substituto»). Atualmente, um vigário é apenas o encarregado de uma paróquia, com a mesma posição hierárquica de um *reitor* (ver acima).

18. *Sacerdote*. Ver *Sacerdote* (*Elesiástico*).

OFIR

No hebraico, «rico» ou «gordo». Esse foi o nome de uma pessoa e também de uma região geográfica, mencionadas nas páginas do Antigo Testamento:

1. Assim era chamado um dos treze filhos de Joctã, filho de Éber (ver Gên. 10:29 e I Crô. 1:23). Esse nome veio a designar uma das tribos árabes. As tradições islâmicas equiparam Joctã com Qahtan, filho de Ismael e pai de todos os árabes. Ver *Tabelas das Nações*, em Gên. 10:26-29.

2. Ofir também era o nome de uma região muito produtiva de ouro, possivelmente localizada na parte sudoeste da Arábia, onde hoje é o Iêmen. Talvez incluísse parte das costas marítimas africanas adjacentes. Seja como for, o fato é que Ofir foi famosa por suas minas de ouro, que ali foram descobertas no século IX A.C.

Os eruditos não têm certeza quanto à localização exata de Ofir, pelo que há várias teorias a respeito: parte sudoeste da Arábia; parte suleste da Arábia; nordeste das costas africanas; Supara, a quase cem quilômetros ao norte de Bombaim, na Índia. Jerônimo pensava que Ofir ficava na Índia; e, de fato, há alguma evidência em favor dessa opinião, devido aos produtos de comércio associados a Ofir. Várias referências bíblicas enfatizam sua produção de ouro. Ver II Crô. 8:18; Jó 22:24; 28:16; Sal. 45:9; Isa. 13:12. Mas outros itens, como o sândalo (I Reis 10:11), a prata, o marfim e duas variedades de bugios (macacos) (I Reis 10:22), além de pedras preciosas (II Crô. 9:10) também aparecem como riquezas e artigos de comércio associados a Ofir.

Ofir era visitada pela frota de navios comerciais de Salomão, como também pelos fenícios, grandes navegadores do passado. Salomão trocava seu precioso cobre, extraído da Arabá, a fim de adquirir produtos de Ofir (ver I Reis 9:26-28; 22:48; I Crô. 8:17,18; 19:10). Salomão apreciava itens exóticos, e tinha dinheiro para comerciar com essas coisas. Por isso ele importava pavões e bugios, juntamente com muitos outros artigos (I Reis 10:22). Ele usava o ouro proveniente de Ofir a fim de adornar seu trono, o templo de Jerusalém e a casa da floresta do Líbano (ver I Reis 10:14-19). Josefo (*Anti*. 8:6,4) referiu-se ao alegado comércio de Salomão com a Índia; e Jerônimo muito contribuiu para propalar essas tradições, embora seja difícil julgar a validade delas.

OFITAS

Os *ofitas* foram uma das mais estranhas seitas gnósticas. O nome deles estava alicerçado sobre a palavra grega *ophiánoi*, «seguidores da serpente», com base na palavra grega *óphis*, «serpente». Essa seita originou-se na Síria; seus adeptos viam na serpente um símbolo da suprema emanação de Deus. Ver o artigo geral sobre o *Gnosticismo*.

OFNI

No hebraico, «bolorenta». Esse era o nome de uma cidade existente no território de Benjamim, segundo se lê em Jos. 18:24, e que alguns estudiosos pensam ser a mesma Gofni ou Gofna, atualmente chamada Jiffa ou Jufnah, cerca de cinco quilômetros a noroeste de Betel. Josefo alude a Gofna em *Guerras* (3.3,5). A moderna cidade de *Jiffa* parece reter o nome, mas os estudiosos não têm certeza de que se trata daquela mesma antiga localidade.

OFRA

No hebraico, «corço». Esse é o nome de uma pessoa e de duas antigas cidades de Israel, nas páginas do Antigo Testamento:

1. Um homem da tribo de Judá, um dos filhos de Menotai (I Crô. 4:14). Ele viveu por volta de 1450 A.C.

2. Uma cidade do território de Benjamim era assim chamada. Aparece no trecho de Jos. 18:23, juntamente com outras cidades situadas a nordeste de Jerusalém. Talvez seja a mesma cidade de Efraim, em II Crô. 13:19 e de João 11:54; mas outros pensam na Aferama de I Macabeus 11:34. Tem sido identificada com a moderna *et-Tayibeh*, que domina o alto de uma colina, cerca de dez quilômetros a nordeste de Micmás. Jerônimo identificava Ofra com Efraim, localizando-a a cinco milhas romanas a leste de Betel. O termo Taiybeh é uma regular substituição árabe para Ofra ou Efrom. Todavia, contra essa identificação temos a considerar que et-Taiybeh fica muito para o norte para ter pertencido ao território de Benjamim. Por essa razão, a questão permanece em dúvida.

3. Uma cidade do território de Manassés, cidade natal de Gideão (Jos. 17:2; Juí. 6:11,15,24,34; 8:32; I

Crô. 7:18). Gideão combateu contra os midianitas perto dessa cidade. Essa cidade ficava cerca de dez quilômetros a sudoeste de Siquém. Nesse mesmo lugar, Gideão, posteriormente, edificou um altar dedicado a *Yahweh-shalom* (ver Juí. 6:24; em nossa versão portuguesa, «o Senhor é paz»).

O local não foi identificado ainda com qualquer grau de certeza. Talvez um outro lugar, chamado de et-Taiybeh (ver acima, no segundo ponto), seja o lugar. Fica localizado a quase treze quilômetros a noroeste de Bete-Seã. Ainda outras sugestões são *Fer'ata*, a oeste de Gerizim, *Tell el-Far'ah*, a onze quilômetros a noroeste de Siquém, e *Silet ed-Dahr*, a vinte e um quilômetros ao norte de Siquém. Porém, nenhuma dessas identificações tem podido satisfazer a todos os eruditos.

OGUE

Esse foi o nome de um rei dos amorreus. Não se sabe ao certo o significado desse nome. Alguns arriscam o sentido «pescoço longo» ou «gigante». Ver Núm. 21:33; 32:33; Deu. 4:47; 31:4. De acordo com o trecho de Jos. 13:31, ele dominava seis cidades dentre as quais as principais eram Astarote e Edrei. Seu nome é mencionado na Bíblia por ser ele um dos adversários de Israel, ao tempo da conquista da terra de Canaã (cerca de 1400 A.C.). Ogue foi derrotado pelos israelitas em Edrei, e ele e seu povo foram exterminados, conforme era costume fazer na época. Algumas vezes, faziam-se prisioneiros de guerra, reduzidos à escravidão, e, outras vezes, eram poupadas as mulheres, por razões óbvias. Porém, é surpreendente ver quantos povos antigos pensavam que seus deuses ordenavam a destruição total de povos vencidos. Ver Núm. 21:33; Deu. 1:4; 3:1-13; 29:7; Jos. 2:10. O trecho de Deuteronômio diz-nos que Ogue contava com muitas cidades muradas; mas isso não fez parar os hebreus, em seu avanço.

Ogue mesmo foi uma notável figura, dotado de gigantesca estatura. Ele tinha um leito de ferro, com cerca de 3,70 m × 1,85 m, de comprimento e largura, bem maior que as chamadas camas-gigantes de hoje em dia! Ele foi um dos últimos representantes de uma raça de gigantes da antiguidade, os *refains* (vide). Seu território foi entregue à meia-tribo de Manassés. A arqueologia não tem podido aumentar nosso conhecimento acerca deles. Quanto a outras referências bíblicas a esse rei, ver Nee. 9:2; Sal. 135:11 e 136:20.

OITO ELEMENTOS, CAMINHO DE

Ver **Caminho de Oito Elementos.**

OLAMUS

O nome desse homem, dentro do cânon palestino, é Mesulão (ver Esd. 10:29), mas no livro apócrifo de I Esdras 9:30 é Olamus. Ele estava entre aqueles que se tinham casado com mulheres estrangeiras, durante o cativeiro babilônico, e que foram obrigados a divorciar-se delas, depois que o remanescente de Judá retornou a Jerusalém.

OLEIRO (OLARIA)

Ver o artigo *Artes e Ofícios*, 4. a. Ver também sobre *Argila*.

A palavra hebraica para «oleiro» é *yatsar*, que se deriva da idéia básica de «moldar». O termo grego correspondente é *kerameús*, que vem da idéia básica de «misturar». A profissão dos oleiros é uma das mais antigas do mundo. E a cerâmica é uma das técnicas mais significativas, quando se trata das investigações arqueológicas. De fato, a cerâmica é uma espécie de pedra sintética que permite o oleiro moldar artefatos de grande duração. Os fragmentos de cerâmica também foram o mais barato material de escrita da antiguidade.

Esboço:

I. Informes Históricos
II. A Massa dos Oleiros
III. A Profissão dos Oleiros
IV. O Processo da Olaria
V. Tipos de Vasos Produzidos

I. Informes Históricos

Até onde é possível determinar, a Idade da Pedra cedeu lugar à Idade da Cerâmica, em cerca de 6500 A.C. Há provas de um uso liberal de objetos de cerâmica em Jericó; em wadi Fallah, no monte Carmelo; em Buda, perto de Petra; e em Biblos, na Síria, desde esse período tão remoto. Os eruditos conjecturam que essa habilidade veio à existência mediante a inventividade de povos do planalto da Anatólia, na porção ocidental da Ásia Menor (atual Turquia). Dali, esse conhecimento espalhou-se para inúmeros outros lugares. A cerâmica é superior à pedra, porquanto pode ser adaptada a muitíssimas formas; é superior a cestas de vime, por ser mais forte, além de poder conter líquidos, o que é impossível às cestas de vime e de materiais parecidos. Ademais, a cerâmica é mais duradoura que o couro, que também era usado no fabrico de recipientes para líquidos.

1. *Nos Tempos de Abraão*. Já nessa época eram usadas jarras tanto de pedra quanto de cerâmica, juntamente com vasos de cobre e de bronze, que eram artigos muito mais caros. A cerâmica, devido ao seu baixo preço e à sua versatilidade, até hoje tem permanecido como um dos principais materiais no fabrico dos mais variegados vasos. O vaso de Hagar (ver Gên. 21:14,15), provavelmente era um odre, feito de couro de animal. Já o «cântaro» de Rebeca, sem dúvida, era feito de cerâmica (ver Gên. 24:14,15).

2. *Nos Tempos de José*. Sendo ele bisneto de Abraão, José viveu em uma época em que, na Palestina, faziam-se vasos de cerâmica de grande qualidade, e bem decorados. A cerâmica palestina foi consideravelmente influenciada pela cerâmica egípcia. Houve, um pouco mais tarde, uma cerâmica de baixa qualidade na Palestina, na época dos juízes de Israel, talvez devido ao fato de que os israelitas então já estavam longe do Egito fazia alguns séculos. Mas, além da influência egípcia, também devemos pensar na influência das culturas grega, miceniana e cipriota sobre a cerâmica da Palestina. Características distintivas marcaram cada período histórico, de tal maneira que o material usado no fabrico de vasos e os estilos desses vasos provêem um método razoável para datarmos os mesmos. Naturalmente, essas distinções também dependiam de diferentes povos e civilizações, entre outras coisas, pois esses fatores também pesam, devendo pensarmos até em fatores como o inter-relacionamento de culturas.

Algumas Características da Cerâmica Palestina

Essas características seguem uma ordem cronológica:

1. *Vasos Neolíticos*. Esses vasos eram crus e simples. A cerâmica era grosseira, feita de massa misturada com palha cortada. Alguns dos vasos eram pintados, havendo certa variedade de cores. Nesse período eram fabricados muitos vasos com formato de barril, com uma asa em forma de laço e um gargalo a certa altura. Provavelmente, esses vasos eram

OLEIRO (OLARIA)

Vasos de alabastro

Cântaros de pedra

Potes diversos:
1, 2. de ouro 3. de vidro 4. de barro
5,7, de porcelana 6. de pedra
8. de ouro com correias 9. de pedra
10. de alabastro, com tampa

Garrafas assírias

OLEIRO (OLARIA)

Egípcios fabricando olaria

USOS METAFÓRICOS

Quero ser um vaso de benção
Um vaso escolhido de Deus
...
Para ser um vaso de benção
É mister uma vida real.
Uma vida de fé e pureza
Revestida do amor divinal.
Faze-me vaso de benção, Senhor!
Vaso que leva a mensagem de amor.
Eis-me submisso pra teu serviço.
Tudo consagro-Te agora, Senhor.
William E. Entzminger

...e quebre o cântaro junto à fonte.
(Ecle. 12:6)

Alude à fragilidade da vida humana, tema constantemente repetido nas Escrituras. Ver I Ped. 1:24,25.

batedeiras, imitando odres (vasos feitos de couro), que também eram usados com esse propósito. Cerca de 6500 A.C.

2. *Idade do Bronze Antiga*. A cerâmica desse período começou a produzir jarras em formato globular, com linhas paralelas de pintura vermelha, como decoração. Em seguida, apareceram vasos de cor cinza, polidos, provavelmente introduzidos por migrantes de outras culturas. Cântaros com uma única asa e pratos polidos, de cor vermelha, têm sido encontrados em túmulos egípcios. Migrantes vindos da Anatólia, através da Síria, trouxeram uma cerâmica distinta, de cor vermelha ou negra, que tem sido achada em diversos lugares, ilustrando o comércio e o escambo da época; cerca de 3000 A.C.

3. *Idade do Bronze Média*. Apareceram nesse período outras formas de vasos. Jarras com gargalos curtos e estreitos, com bases chatas e grandes, são típicas do período. Também surgiram vasos com bicas, a pontinha virada para baixo para facilitar o ato de derramar. Foi nesse período que surgiram as primeiras lâmpadas alimentadas a azeite. Pequenos jarros de material negro, decorados com pequenos pontos brancos, aplicados, eram bem comuns, provavelmente de origem hicsa. Cerca de 2500 A.C.

4. *Idade do Bronze Moderna*. Jarras e tigelas adornadas com desenhos geométricos em branco e vermelho, ou com figuras de animais, apareceram então. Provavelmente, esses tipos foram originalmente importados da Cilícia e da ilha de Chipre. A cerâmica miceniana também era importada pela Palestina, nesse período. A cerâmica dos filisteus era de boa qualidade, com desenhos geométricos e figuras de pássaros estilizados. Cerca de 1500 A.C.

5. *Idade do Ferro*. Diferentes tipos e estilos de cerâmica assinalaram a transição da era do Bronze para a era do Ferro. A cerâmica filistéia era bastante distintiva e feita com habilidade. Eram comuns as tigelas e as jarras grandes, dotadas de duas asas; esses artigos eram de várias cores e a decoração incluía figuras de pássaros e desenhos geométricos. Jarras cilíndricas, com bases arredondadas e bocas largas eram típicas desse período. O tempo da monarquia israelense fez parte da Idade do Ferro. Vasos de formato angular surgiram durante esse período. Têm sido encontradas peças de excelente qualidade, em Samaria. Grandes jarras armazenadoras têm sido encontradas em Hebrom, Zife e Socó. De 1200 A.C. em diante.

6. *Período Persa e Helenista*. Aumentaram então, consideravelmente, as técnicas no campo da cerâmica. Peças de cerâmica ateniense, nas cores preto e vermelho, eram exportadas para toda parte. Frascos com gargalos alongados têm sido achados em túmulos. Eram usados vasos com asas colocadas nas mais diversas posições, uma ou duas dessas asas, e dos mais variegados formatos. Os desenhos, então, usados eram realmente artísticos. Pintura duradoura também era empregada, cerca de 580 D.C. em diante.

7. *O Período Romano*. Peças de cerâmica de alta qualidade eram importadas pelos romanos, de tal modo que no império romano havia vasos os mais variados. Os centros nabateus, na Transjordânia, produziam peças delicadas e decorativas, com desenhos florais e outros. De 63 A.C. em diante.

II. A Massa dos Oleiros

Ver o artigo separado chamado *Argila*.

III. A Profissão dos Oleiros

Ver o artigo separado sobre *Artes e Ofícios*, 4. a.

IV. O Processo da Olaria

1. O barro era misturado com água. Então era aplicado calor para extrair parte da água, até que a massa adquirisse uma consistência plástica duradoura. As impurezas eram então removidas.

2. Eram dados os formatos desejados à massa. Na remota antiguidade, isso era feito à mão livre, mas com esse método não se obtinham simetria perfeita e nem detalhes claros. A *roda do oleiro* (vide) foi uma invenção que veio melhorar em muito essas particularidades. Também havia peças feitas em moldes e prensas, uma técnica que prossegue até os nossos dias.

3. Uma cobertura de cerâmica mais fina era usada, no caso de vasos mais dispendiosos.

4. Várias cores eram empapadas no barro, ou eram pintadas sobre o mesmo. O trecho de I Crô. 4:23 alude àqueles que tinham essa profissão. O artigo intitulado *Oleiro*, mencionado acima, supre referências bíblicas. As *cores* eram derivadas de diversos óxidos metálicos, como ferro, cobre, cobalto, cromo, manganês, níquel, urânio, ouro, prata, platina, etc. Também havia essências vegetais úteis no colorido. Apareceram peças *esmaltadas*, o que aumentava a resistência e a beleza dos artigos. Isso era feito mediante a aplicação de uma mistura de pederneira, argila, pedra calcária em pó, chumbo, bórax e outros minerais. Esses materiais eram reduzidos a pó, misturados com vários líquidos e então aplicados mediante pintura ou imersão.

5. O ato de pisar o barro, para misturar bem a massa, era comum. Assim era possível usar a massa no fabrico de vasos ou de tijolos (ver Naum 3:14; Isa. 41:25). A casa do oleiro, referida em Jer. 18:1-16, provavelmente alude à sua residência, onde ele também preparava vasos e os armazenava para futura venda. Quanto ao uso da roda do oleiro, ver o artigo *Artes e Ofícios*, mencionado acima.

6. *Cozimento das Peças*. Um oleiro precisava exercer boa técnica quando cozia suas peças de cerâmica, em um forno apropriado. No cozimento, uma peça podia adquirir uma qualidade duradoura, ou podia ser destruída. A Torre dos Fornos, aludida em Nee. 3:11 e 12:38, talvez aluda a fornos usados pelos oleiros. A cerâmica destruída no cozimento, ou quebrada posteriormente, podia ser reduzida a pó, misturada com água até adquirir uma consistência plástica, e, então, ser usada como vedante dos fundos e das paredes laterais de instalações para armazenamento de água.

V. Tipos de Vasos Produzidos

A variedade de vasos era quase interminável, pelo que a lista abaixo é apenas parcial e sugestiva:

No Hebraico: 'aggan, grandes tigelas ou receptáculos. *'asuk*, grandes jarras com bicas, para azeite (II Reis 4:2). *Baqbuq*, jarras de gargalo estreito (I Reis 14:3; Jer. 19:1,10). *Gabia*, um cântaro com boca larga (I Sam. 2:14; Jó 41:20). *Kad*, pires de barro, em forma de anel, com bases arredondadas, onde se apoiavam jarras (Lev. 11:35). *Mahebat*, discos e grelhas para cozer panquecas (Lev. 2:5). *Marheset*, panelas de todos os formatos, para cozinhar (Lev. 2:7). *Masret*, panelas com cabos ou não (II Sam. 13:9). *Miseret*, gamelas. *Nebel*, jarras de vinho (Isa. 30:14). *Sir*, grandes caldeirões (II Reis 4:38). *Sap*, toda espécie de tigela. *Pak*, pequenas jarras, algumas usadas para aquecer líquidos (Juí. 6:19). *Samid*, taças rasas, para líquidos (Núm. 19:14). *Sappahat*, frascos (I Sam. 26:11 *ss*). *Qallahat*, panelas para cozinhar (I Sam. 2:14; Miq. 3:3).

No Grego: *Módios*, um vaso de medir (Mat. 5:15). *Nipter*, uma bacia (João 13:5). *Potérion*, um copo (Mat. 10:42). *Trúblion*, uma tigela larga (Mat.

26:23). *Philale*, uma taça para ungüentos (Apo. 5:8).

Também havia receptáculos para queimar carvão (Zac. 12:6); vasos para sal e produtos similares (II Reis 2:20); potes para perfumes (II Reis 9:1 *ss*); lâmpadas (Jer. 25:10). No Novo Testamento também aparecem as *udría*, «jarras de água» (João 2:6,7). No Antigo Testamento há um total de trinta e quatro palavras hebraicas ou aramaicas que indicam tipos diferentes de vasos.

Bibliografia. AM ANI KE (1970) ND UN Z

OLEIRO, CAMPO DE

Ver **Aceldama.**

ÓLEO

Ver sobre **Azeite (Óleo).**

ÓLEO, ÁRVORE DE

Ver sobre a **Oliveira**. Em algumas traduções, no trecho de Isa. 41:19, há menção à «árvore de óleo», onde nossa versão portuguesa (e outras) diz «oliveira». «Árvore de óleo» é uma tradução literal. A identificação dessa espécie vegetal continua em debate. Em I Reis 6:23,31-33, temos menção à «madeira de oliveira». Alguns especialistas têm pensado que a referência em Isa. 41:19 é à árvore cujo nome científico é *Balanites aegyptiaca*, que produz um óleo que não parece nativo do vale do rio Jordão. E os jordanianos dizem que a árvore que eles denominam *zackum*, também conhecida como árvore balanita, produz um óleo vegetal de valor. Assim, permanece a dúvida sobre a espécie referida no trecho de Isa. 41:19.

OLHO

No Antigo Testamento é usada uma palavra e, no Novo Testamento, duas, a saber.

1. *'Ayin*, «olho». Esse vocábulo aparece por um pouco mais de setecentas vezes, com esse sentido, pois também pode significar idéias como «cor», «face», «fonte», «aparência», «presença», etc. Sua primeira menção fica em Gên. 3:5; e a última em Mal. 2:17.

2. *Ophthalmós*, «olho». Palavra grega usada por noventa e cinco vezes. Para exemplificar: Mat. 5:29,38 (citando Êxo. 21:24); 6:22,23; 7:3-5; 9:29,30; 13:15 (citando Isa. 6:10); 13:16; 17:8; 18:9; 20:15,33; 21:42 (citando Sal. 118:23); Mar. 7:22; Luc. 2:30; João 4:35; Rom. 3:18 (citando Sal. 36:2); 11:8 (citando Isa. 29:19); 11:10 (citando Sal. 69:24); I Cor. 2:9 (citando Isa. 64:3); I Ped. 3:12 (citando Sal. 34:16); II Ped. 2:14; I João 1:1; Apo. 17:14.

3. *Ómma*, «vista», termo grego empregado por apenas duas vezes: Mat. 20:34 e Mar. 8:23.

Usos Literais. O uso literal é o mais freqüente. O sentido da percepção visual é considerado dotado de extremo valor. Um ferimento devastador contra um inimigo consistia em cegar-lhe os olhos (Juí. 16:21; I Sam. 11:2), o que serve de horrenda ilustração da ilimitada degradação humana. Os olhos são os órgãos da visão do homem (Gên. 3:6) e dos animais (Gên. 30:41); e, antropomorficamente, até de Deus (Sal. 33:18) e, simbolicamente de objetos físicos (Eze. 1:18 e Apo. 4:5).

Usos Metafóricos. Esses são os mais variegados: 1. Como símbolo do orgulho, como no caso dos olhares altivos (Isa. 5:15); 2. da piedade (Deu. 7:16); 3. do sono (Gên. 31:40); 4. dos desejos (Eze. 24:16); 5. da constante vigilância de Deus (Sal. 1:6); 6. da medida de juízo e retribuição absoluta, como na expressão «olho por olho», em Lev. 24:20; 7. de um encontro face a face («olho com olho», no original hebraico) (Núm. 14:14); 8. da visão completa (Gên. 42:24); 9. da iluminação espiritual (Sal. 19:8; Luc. 11:34; Efé. 1:18); 10. do cansaço, «amortecidos» (Sal. 6:7; Jó 17:17); 11. da generosidade, como em «olhos bons», em Luc. 11:34; 12. dos olhos maus, que representam a inveja e o desejo de prejudicar (Deu. 28:54; Pro. 28:22; Mar. 7:22). Ver o artigo separado sobre esse assunto, sob o título *Inveja*. 13. Da facilidade com que as tentações assaltam a um homem, por meio de seus olhos e demais sentidos (Gên. 3:6; I João 2:16); 14. os olhos altivos indicam a arrogância e o orgulho (Sal. 18:27; Isa. 10:12); 15. o olho bom (Mat. 6:22), representa simplicidade e sinceridade. 16. A concupiscência, como no caso dos olhos cheios de adultério (II Ped. 2:14); 17. aquilo que é motivo de profundo deleite, a pupila do olho (Deu. 32:10; Zac. 2:8); 18. a fixação da atenção sobre as coisas apropriadas, os olhos do sábio estão em suas cabeças (Ecl. 2:14); em contraste com isso, os olhos dos tolos vagueiam pelos confins da terra (Pro. 17:24); 19. abrir os olhos é dar toda a atenção a alguma coisa (Núm. 24:3); 20. ter olhos que não vêem é mostrar-se insensível para com as realidades espirituais (Isa. 6:10; Rom. 11:8); 21. arrancas os próprios olhos e dá-los a outrem indica grande amor e sacrifício pessoal (Gál. 4:15); 22. o olho insatisfeito é a ganância que jamais se satisfaz (Ecl. 4:8); 23. ciscos ou traves no olho indicam pecados menores ou maiores, que obstruem a visão espiritual e nos impedem de tratar outras pessoas com a devida justiça (Mat. 7:3).

OLHO, CEGUEIRA DO

Ver sobre **Crimes e Castigos.**

OLHO MAU (MAU OLHADO)

Esse é um assunto comumente ventilado, nas religiões primitivas, havendo algum reflexo da idéia na Bíblia. Ao falar em «religiões primitivas», não queremos dizer que não exista tal coisa como o olho mau, ou que a noção não faça parte das religiões modernas. O *olho mau* é o suposto poder que uma pessoa tem para prejudicar ou mesmo matar, mediante um olhar carregado de maldade e de maldição. Fica entendido que o indivíduo que lança tal olhar seja uma pessoa dotada de poderes psíquicos, impulsionada por algum espírito, de tal modo que seu intuito, ao olhar para alguém ou para alguma coisa, se cumpra. Meu irmão, quando trabalhava como missionário evangélico na África, encontrou casos dessa natureza e mais de um de seus evangelistas foi alvo das maldições lançadas por algum bruxo africano. Coisa alguma lhes aconteceu, nesses casos; mas há evidências suficientes para provar que, em alguns casos, algum tipo de poder maligno entra em operação, nos maus olhados, que pode prejudicar ou mesmo matar.

Proteção. Há quem use encantamentos; outros proferem orações; também são aplicadas contramaldições. Alguns estudiosos vêem algo assim, envolvido no trecho de Juízes 8:21. Também há juramentos feitos, solicitando a proteção de forças divinas. Alguns pensam que a inveja é a grande força por detrás do mau olhado. Isso tem levado ao costume, de algumas pessoas que, ao olharem para outras pessoas, animais, crianças, ou seja o que for, com olhar de admiração, também dizem: «Deus te abençoe», para que as outras pessoas entendam que elas são impulsionadas por bons desejos, e não por qualquer sentimento de inveja, que produziria o malfadado «mau olhado». Tudo isso envolve o mais puro egoísmo. Ver também trechos como Deu. 28:54,56 e Pro. 28:22, que também têm em mira o simples egoísmo. A inveja ou o egoísmo também figura em Mat. 20:5. Ver, igualmente, Mat. 6:22,23 e Luc. 11:34, quanto a outras possíveis referências à questão.

OLHOS, COBERTURA DOS

Essa expressão não aparece na nossa versão portuguesa, mas é o que se lê no original hebraico, em Gên. 20:16, bem como em algumas versões estrangeiras. A expressão tem sido variegadamente interpretada. No hebraico é *kesuth ayin*, «cobertura do olho». Alguns intérpretes pensam que Abimeleque aconselhou Sara e suas mulheres, enquanto estivessem na cidade ou nas proximidades, a conformarem-se no costume do uso do véu, visto que nos países do Oriente, o véu não cobria apenas os cabelos, mas também a maior parte do rosto, ao passo que virtualmente apenas os olhos eram deixados de fora. Ver o artigo sobre o *Véu*. No entanto, outros estudiosos pensam que está em foco alguma espécie de dádiva, à guisa de compensação pela vergonha que ela sofrera na corte real. Esta última é a interpretação adotada por nossa versão, onde se lê: «...será isto compensação por tudo quanto se deu contigo; e perante todos estás justificada» (Gên. 20:16).

OLHOS, DOENÇAS DOS

Ver o artigo sobre as **Doenças da Bíblia**.

OLHOS, PINTURA DOS

A pintura das pálpebras, dos cílios e das áreas ao redor dos olhos tem sido um costume dos povos, desde os tempos mais remotos. Os hebreus costumavam fazer isso e, aparentemente, muito antes deles, era algo costumeiro no Egito. A arqueologia tem demonstrado que desde cerca de 4000 A.C., os bedarianos, do Egito, costumavam reduzir a pó a malaquita verde, compactando-a em tabletes, para ser então usada como material de pintura dos olhos, a qual era aplicada com o auxílio de um pincelzinho. É possível que o preparado atuasse como germicida; mas podemos estar certos de que a vaidade feminina estava à raiz desse costume. Um bastãozinho de pintura foi encontrado em Heracômpolis, da época dos reis da primeira dinastia do Egito, cerca de 2900 A.C. Encontrava-se entre as coisas que tinham pertencido ao rei Narmer e era bastante grande. Sabe-se que os fenícios e vários povos mesopotâmicos, também praticavam esse costume. Jezabel pintava seus olhos (II Reis 9:30). O trecho de Jer. 4:30 fala em aumentar o tamanho dos olhos com pintura. Presumivelmente isso aumentava a beleza do rosto feminino. O profeta Ezequiel referiu-se, consternado, a essa prática, juntamente com outras de idêntica natureza, quando denunciou a vaidade e os pecados de Israel (Jer. 23:40). A terceira filha de Jó chamava-se Quéren-Hapuque, «chifre de pintura» (Jó 42:14), uma evidente referência à pintura de olhos. Essa referência em sentido algum deve ser entendida em sentido depreciador. O pó usado como pintura dos olhos era guardado em um chifre, de onde era retirado em pequenas quantidades para ser misturado com água, antes de ser aplicado aos olhos. Também havia um pó feito de antimônio (que vede).

Materiais Usados. Minerais reduzidos a pó, minério de chumbo, sulfito de chumbo, de várias cores, além de substâncias vegetais variadas. O mineral, estíbio, ou antimônio (que vede) -que era usado com esse propósito, aparece alistado como parte do tributo pago por Ezequias a Senaquerib, da Assíria, nos *anais* deste último.

Decoração Feminina. As mulheres sempre se sentiram inclinadas por decorar os seus corpos, de uma maneira ou de outra -- usualmente de vários modos, ao mesmo tempo, para grande consternação dos profetas e pregadores. Quando eu era jovem, o costume geralmente era muito condenado nas igrejas evangélicas, embora algumas poucas mulheres ousassem quebrar a regra. Mas, quando Billy Graham foi à Europa, sua esposa usou um pouco de batom nos lábios, isso escandalizou a muitos crentes dali. Mas, desde então, o uso do batom começou a crescer no seio das igrejas evangélicas. Certo pregador chegou a dizer: «A porta de qualquer celeiro parece melhor quando está pintada». Isso é verdade, naturalmente, e a lógica nisso envolvida é difícil de derrotar. Mas, visto que o impulso para enfeitar-se passa, nos genes femininos, de mãe para filha, nenhuma pregação conseguirá eliminar totalmente o costume. A grande regra a ser aplicada nesse caso é aquela já bem testada e aprovada, que os gregos louvavam tanto: a *moderação*. Pessoalmente, já deixei de acreditar (como o fazia, quando era adolescente) que um pouco de enfeite seja capaz de prejudicar espiritualmente uma mulher. Além disso, algumas jóias são capazes de fazê-la parecer melhor, e também não lhe traz qualquer dano espiritual. O que prejudica a espiritualidade de uma pessoa, homem ou mulher, é o pecado: matar, roubar, adulterar, mentir, entregar-se à idolatria, usar de hipocrisia, a maledicência, a inveja, o ódio, a falta de caridade com o próximo e coisas semelhantes, que realmente são condenadas na Bíblia. Se uma mulher crente não tem segundas intenções, quando se enfeita, nada há de errado nisso. Muitas mulheres de Deus, cujas vidas nos são retratadas com certo detalhe, enfeitavam-se. Mas, naturalmente, o ponto também envolve uma questão de consciência pessoal, que cada pessoa crente precisa resolver diante de si mesma e do Senhor. Uma boa diretriz a ser observada é a que diz: «...e tudo o que não provém de fé é pecado» (Rom. 14:23).

OLIGARQUIA

Essa palavra vem do grego, **oligoi**, «poucos», e **arche**, «governo», ou seja, o governo dirigido por poucos. Muitas chamadas democracias são, na realidade, oligarquias, visto que o poder é controlado por alguns poucos que governam por decreto ou por domínio econômico. Usualmente, o governo de poucos é determinado por alguma forma de poder econômico ou militar, ou mesmo por ambos esses poderes.

1. *Platão*, em sua obra, *República*, via a oligarquia como uma forma de timocracia que havia degenerado. Na timocracia, «domínio dos honrados», a honradez é o critério do governo. A palavra grega para «honra» é *tímos*. Mas até mesmo as timocracias com freqüência são governos daqueles cuja honra depende do dinheiro e não tanto do valor pessoal.

2. *Aristóteles* considerava a oligarquia como uma forma degenerada de aristocracia, esta última sendo (idealmente) o governo daqueles que são verdadeiramente os melhores e mais bem qualificados, com base no termo grego *áristos*, «melhor».

3. *Hobbes* afirmava, curiosamente, que a *oligarquia* na verdade não é um tipo diferente do governo, e sim, o nome que os homens dão às aristocracias quando elas não lhes parecem agradáveis. Contra essa

opinião, pode-se observar que aqueles que são *melhores* no tocante ao poder e ao dinheiro, por muitas vezes são os *piores* no tocante à moralidade e à integridade pessoal.

OLIMPAS

Ver Rom. 16:15. Esse era o nome de um cristão que Paulo saudou naquela sua epístola. Ele residia em Roma ou na Ásia Menor, dependendo do décimo sexto capítulo da epístola aos Romanos fazer parte original dessa epístola ou ser uma minúscula epístola de introdução que saudava os cristãos da Ásia Menor. Quanto a esse problema, ver o artigo sobre *Romanos*, oitava seção. Esse nome é uma forma abreviada de Olimpiodoro, ou de algum outro nome próprio composto com a raiz *Olimp*. O *Olimpo* era uma montanha situada na Tessália, cujo cume chegava aos 3.000 m. De acordo com a mitologia grega, era ali que residiam os principais deuses do panteão helênico. Daí desenvolveu-se a idéia de um céu olímpico (não um monte literal), com seus deuses olímpicos. No pico mais alto, o deus supremo dos deuses, Zeus (no latim, Júpiter) tinha o seu trono, onde também reunia-se o conselho dos deuses. Foi apenas natural que vários nomes próprios gregos se tivessem formado, tendo Olimpo como ponto de partida. Deve-se notar que a forma grega do nome Olimpas é masculina, e não feminina; a forma feminina seria Olimpa.

OLIMPO

Ver sobre *Olimpas*.

OLIVEIRA (AZEITONA)

A palavra hebraica correspondente é *zayit*; e o termo grego que lhe corresponde é *elaía*. Em Rom. 11:24, são usadas palavras compostas: *kallielaíos*, para a boa oliveria; e *agrielaíos*, para indicar a oliveira brava. Ver o artigo separado intitulado *Azeite* (*Óleos*), quanto a uma completa descrição do valor desse produto da oliveira e de outras espécies vegetais. Apesar de não ser o óleo mais exótico, o azeite de oliveira é, em muito, o mais valioso e mais comumente empregado dos óleos vegetais, pelo menos assim pensavam os antigos. A primeira menção à oliveira acha-se em Gên. 8:11, em relação à pomba que retornou à arca de Noé, trazendo um raminho de oliveira no bico, como que mostrando que as águas do dilúvio estavam baixando de nível. O trecho de Deu. 6:11 mostra-nos que essa árvore era nativa na Palestina, e muito comum ali, quando o povo de Israel entrou para tomar posse da Terra Prometida. As passagens de I Sam. 8:14 e II Reis 5:26 falam sobre o valor da oliveira e seus produtos. O nome científico da oliveira é *Olea europaea*, embora essa espécie seja tida como nativa da Ásia ocidental. Os orientais tinham um respeito especial pela oliveira, considerando-a símbolo da beleza, da força e da prosperidade. Seus ramos acabaram associados às idéias de amizade e paz. Ver Sal. 52:8.

Há várias espécies de oliveira. No Oriente Próximo e Médio há quatro variedades; e, em certas áreas, como em torno de Hebrom e de Belém, essa árvore é abundante, podendo ser a única árvore de certa envergadura, nas circunvizinhanças. As oliveiras cultivadas atingem cerca de 6 m de altura, com um tronco contorcido e numerosos galhos. É uma das poucas árvores que pode atingir séculos de vida. Embora nenhuma oliveria conhecida na Palestina remonte ao século I de nossa era, algumas delas, na verdade, têm várias centenas de anos. Se a oliveira for decepada, novos rebentos nascem das raízes, ao ponto de nada menos de cinco novos troncos aparecerem onde antes havia um só. O azeite é o produto mais valorizado da oliveira, embora ela também seja uma árvore que produz boa sombra, importante nos lugares de sol tórrido.

Na antiguidade, a oliveira era mais larga e intensamente distribuída do que em nossos dias. Havia grandes bosques de oliveiras à beira da planície da Fenícia, como também na planície de Esdrelom, no vale de Siquém, em Belém, Hebrom, Gileade, Laquis e Basã. A oliveira medra bem à beira-mar, e resiste bem à atmosfera salina que ali domina. O trecho de Deu. 28:40 sugere que deveriam ser plantadas oliveiras beirando as costas marítimas.

Os ocidentais, tão acostumados com as árvores perenemente verdes, não percebem muita beleza na oliveira; mas no Oriente quase não há espécies vegetais perenemente verdes, pelo que a folhagem da oliveira apresenta uma visão atrativa. A oliveira é dotada de grande resistência, podendo sobreviver onde poucas outras espécies podem fazê-lo. A produção de azeitonas é profusa, até mesmo quando há condições aparentemente adversas; e um mínimo de cuidados pode conseguir isso.

A colheita das azeitonas, que ocorre perto dos fins do mês de novembro, geralmente é abundante. Uma única árvore pode produzir tanto quanto 75 litros de azeite. Os ramos são sacudidos ou batidos com varas, a fim de que as azeitonas se desprendam e caiam no chão. Essa maneira de colher as azeitonas, primitiva e, por muitas vezes, prejudicial, é mencionada em Deu. 24:20, e continua sendo usada, embora o método de colher uma por uma seja atualmente mais empregado. O azeite era extraído das azeitonas pondo-se as mesmas em uma cisterna rasa, para então serem esmagadas por uma grande pedra vertical de moinho. O trecho de Deu. 33:24 mostra-nos que, algumas vezes, as azeitonas eram esmagadas com os pés, à maneira das uvas. Se deixado em descanso por algum tempo, o azeite separa-se de outro material das azeitonas. Na antiguidade, o azeite era armazenado em jarras ou cisternas cavadas na rocha.

Na oliveira, somente uma flor de cada cem produz fruto; mas a inflorescência é tão densa que isso não apresenta qualquer problema de produtividade. E quando as pétalas caem, sopradas pelo vento, elas são tão numerosas que parece estar nevando.

O principal produto da oliveira é o azeite, descrito com abundância de detalhes no artigo intitulado *Azeite*. Também há outros usos, mencionados no Antigo Testamento. Os querubins do templo de Salomão foram esculpidos em madeira de oliveira (I Reis 6:23). A madeira da oliveira até hoje é usada no fabrico de móveis de qualidade. Essa madeira pode adquirir um alto polimento. Ramos de oliveiras eram usados para construir cabanas, por ocasião da festa dos Tabernáculos (Nee. 8:15). Azeitonas frescas ou preparadas em salmoura eram comidas com pão.

O fruto da oliveira brava é pequeno e sem valor, pelo que é mister enxertá-la na boa oliveira para que se obtenha boa produtividade. Paulo usou essa circunstância para apresentar uma metáfora espiritual, em Rom. 9:17.

Usos Figurados:

1. A paz reconciliadora de Deus (Gên. 8:11).

2. Alguns estudiosos pensam que os querubins do templo, feitos de madeira de oliveira, representam acesso ao Senhor (ver I Reis 6:23).

3. As duas oliveiras ungidas (ver Juí. 9:8,9; Sal.

52:8; Apo. 11:4) provavelmente tinham algum simbolismo que não é claro em nossos dias. Alguns estudiosos têm cristianizado isso, como se essas oliveiras falassem sobre as duas naturezas de Cristo, ou, então, seus ofícios de sacerdote e profeta. Já em Apo. 11:4 o simbolismo é mais claro. As duas testemunhas que aparecerão nos últimos dias são comparadas a duas oliveiras e dois candeeiros. O simbolismo é tomado por empréstimo de Zac. 4:1-14. As oliveiras falam sobre as testemunhas ungidas, estando essas árvores associadas ao azeite da unção. O azeite de oliveira era o combustível das lâmpadas do candeeiro do tabernáculo e do templo. O fato de que aquelas testemunhas são duas tem sugerido as pessoas de Moisés (representante da lei) e de Elias (representante dos profetas), como quem era símbolo de Jesus Cristo, embora talvez isso já seja levar longe demais essa metáfora.

4. As oliveiras cultivadas representam o povo de Deus, estando em destaque a utilidade, a beleza e o vigor espiritual deles. Ver Jer. 11:16 e Osé. 14:6.

5. Em contraste com isso, os gentios são comparados com oliveiras bravas, para nada servindo, segundo a estimativa dos judeus. Os ramos de oliveira brava precisam ser enxertados no tronco de uma oliveira cultivada, se tiverem de tornar-se produtivos. Israel, que é nação tipificada pelos ramos da boa oliveira, foi cortada por motivo de apostasia; e então, os ramos da oliveira brava, uma vez enxertados no tronco da boa oliveira, passaram a ser produtivos (ver Rom. 11:17,24). Não é cientificamente verdadeiro que um ramo de oliveira brava, uma vez enxertado em uma boa oliveira, passa a produzir bons frutos, de modo «contrário à natureza»; mas tal processo serviu ao propósito que Paulo tinha em mente.

6. Os ímpios parecem-se com oliveiras que deixam cair suas folhas antes da estação própria, e, por isso mesmo, permanecem estéreis (ver Jó 15:33).

7. As crianças são comparadas com oliveiras que se reúnem em torno da mesa de seus pais. Não demora muito para que cresçam e se tornem pessoas independentes, passando a ser adultos úteis e possuidoras de beleza toda própria, da mesma maneira que uma oliveira cresce e produz azeitonas no tempo certo (Sal. 128:3).

OLIVEIRAS, MONTE DAS

Ver *Monte das Oliveiras*.

OLSHAUSEN, JUSTUS

Suas datas foram 1800-1882. Ele foi um orientalista alemão e professor de idiomas orientais em Kiel e Konigsberg. Era evangélico. Devotou parte do seu tempo ao estudo e à crítica do Antigo Testamento, tendo produzido alguns comentários de valor. Seus estudos nos Salmos constituíram uma obra importante, que inspirou ainda maiores estudos. Suas críticas textuais e históricas apontaram o caminho para investigações mais sérias sobre essas questões. Ele também atuou como pioneiro no estudo moderno da gramática hebraica.

OM

Essa é uma palavra sânscrita que dá a idéia de «consentimento». Originalmente era escrita *aum*, e essas três letras representavam, respectivamente, o absoluto, o relativo e a relação entre o absoluto e o relativo. A tríade, *Brahma* (criador), *Vishnu* (preservador) e *Siva* (destruidor), também era simbolizada por esse vocábulo. A exclamação *Om!* é usada até hoje por todas as escolas hindus de meditação. Usualmente é pronunciada no começo da recitação das *mantras* (vide). Alguns místicos têm grande respeito pelo poder da vibração de certas palavras, em busca de estados espirituais certos ou de estados alterados da consciência, ou mesmo de iluminação potencial. Muitos estudiosos pensam que isso é apenas superstição e mágica, mas a questão merece maior investigação. Algumas vezes há coisas estranhas que têm um fundo de verdade, ou, pelo menos, de verdade parcial. No misticismo moderno, o termo *om* veio a indicar a *essência espiritual* das coisas. Pode indicar a totalidade do mundo, com suas partes, ou, então, o passado, o presente e o futuro, e também *Atman*, o «eu» de todas as coisas.

OM (CIDADE)

No hebraico, essa palavra significa «força». Deriva-se do nome egípcio, *'Iwnw*, «cidade da coluna». Esse era o nome de uma cidade egípcia onde vivia Potífera, que veio a tornar-se sogro de José, filho de Jacó. Potífera era um sacerdote egípcio cuja filha, Asenate, veio a ser a esposa de José (Gên. 41:45,50; 46:20). A antiga cidade de Om era a capital da décima terceira província do Baixo Egito. Ficava localizada cerca de dez quilômetros a nordeste da moderna cidade de Cairo, e cerca de cinco quilômetros ao norte da moderna cidade de *Heliópolis* (vide). O local conta com ruínas espalhadas hoje em dia, recebendo o nome de *Tell Hisn*. A Septuaginta chama Om de Heliópolis, em Gên. 41:45,50 e Isa. 45:20. O trecho de Êxo. 1:11 informa-nos que Om era uma das cidades edificadas pelo trabalho escravo dos israelitas. Heliópolis, por sua vez, significa «cidade do sol». Em Jer. 43:13, lemos: «...Bete-Semes na terra do Egito...», para distingui-la de uma cidade do mesmo nome, existente no território da Palestina.

Heliópolis era a cidade dedicada ao deus-sol, Rá. Além de ser ela distinguida como o centro dessa adoração idólatra, também era uma cidade-santuário do Egito, sendo uma das quatro mais distinguidas cidades egípcias, devido às suas elaboradas festas religiosas em honra ao sol. Quanto a maiores comentários sobre essa cidade, ver o artigo intitulado *Heliópolis*.

OM (PESSOA)

No hebraico, «força». O manuscrito A da Septuaginta grafa o seu nome como *Aunan*, que corresponde a *Onã*; mas, no texto massorético, essa forma do nome já aponta para um homem diferente. Seja como for, parece que esses nomes próprios tinham alguma ligação um com o outro. Talvez Om fosse uma forma abreviada daquele nome. Om foi um líder da tribo de Rúben, e era filho de Pelete. Ele notabilizou-se porque, juntamente com Coré, fez oposição a Moisés, quando Israel estava no deserto (ver Núm. 16:1). Ele viveu em torno de 1470 A.C.

OMAN, JOHN WOOD

Suas datas foram 1860-1939. Ele foi professor de teologia do colégio Westminster, em Cambridge, e também um líder da teologia liberal britânica. Escreveu vários livros úteis. Ele é melhor lembrado por causa de certos argumentos em favor da filosofia geral do liberalismo teológico, em contraste com o *fundamentalismo* (vide). Ele afirmava que as teorias fundamentalistas de revelação infalível, com a manipulação e obscurecimento de textos de prova, são debilitadoras para a fé e a honestidade dos intérpretes. Em contraste com isso, ele procurava mostrar que a essência da fé religiosa é a nossa reação positiva ao Ser divino, sem tais atividades que obscurecem a fé real. Ele acreditava na realidade do contato com a Presença divina e criticava aqueles que costumam transformar a religião em meras psicologias. Para ele, as experiências religiosas podem ser razoavelmente explicadas, pelo menos em certos casos, como reações genuínas às realidades espirituais. A capacidade de corresponder à divina Presença é inerente ao homem, sendo uma de suas mais elevadas capacidades. Mas, aqueles que enfatizam a letra e sua rigidez, correm o perigo de perder a melhor parte. A capacidade natural do homem, de buscar o Ser divino, pode conduzi-lo aos valores absolutos e a uma mais ampla compreensão da natureza e da vida. Dessa atividade emergem verdadeiros ideais e valores humanos.

Oman dava valor ao *discernimento pessoal*, produzido pelas experiências religiosas pessoais, *mais* do que a sistemas teológicos de justificação pela fé, que seriam capazes de esterilizar a experiência espiritual. Existem valores sagrados, é verdade, mas só podemos tomar conhecimento deles mediante as experiências pessoais, e não confiando em sistemas cuidadosamente traçados, com seus perenes conflitos, cujas armas consistem na manipulação de textos de prova.

É claro que a visão de Oman, apesar de ser um protesto legítimo contra abusos da ortodoxia, era incompleta, pois toda legítima experiência com o Ser divino precisa estar em acordo com o espírito das Santas Escrituras, o roteiro que não nos deixa desviar para longe da verdade revelada, mediante o nosso subjetivismo.

OMAR

No hebraico, «falador». Era filho de Elifaz, filho de Esaú (Gên. 36:15; I Crô. 1:36). Ele era o cabeça de um clã edomita. Viveu em torno de 1900 A.C.

OMBREIRA

Uma das três partes formadoras de uma porta, havendo o limiar, as ombreiras laterais, onde havia os soquetes onde os pivôs eram postos, e a verga da porta, ou peça horizontal, na parte superior da entrada. Moisés ordenou os israelitas que escrevessem mandamentos divinos, ou sentenças das Escrituras, nas ombreiras das portas, parcialmente como um ato de piedade e também como proteção para as casas. O contexto é o sexto capítulo de Deuteronômio, onde essa ordem aparece (vs. 9), especialmente a fim de fazer as palavras do Senhor serem vitais para os israelitas. Eles deveriam guardar no coração os mandamentos de Deus, ensinando-os a seus filhos, atando-os às suas mãos e em chapas postas sobre a testa, além de escrevê-los nas ombreiras das portas. Desse modo, não se esqueceriam de sua herança espiritual. Ver o artigo sobre *Portas*.

OMBRO

No hebraico há dois vocábulos envolvidos; no grego, um:

1. *Katheph*, «ombro». Palavra hebraica usada por vinte e duas vezes. Para exemplificar: Êxo. 28:7,12, 25; Núm. 7:9; Deu. 33:12; Isa. 11:14; 30:6; Eze. 12:6,7,12; 34:21; Zac. 7:11.

2. *Shekem*, «ombro». Palavra hebraica usada por dezessete vezes. Por exemplo: Gên. 9:23; 21:14; 24:15,45; Êxo. 12:34; Jos. 4:5; Jui. 9:4; I Sam. 9:2; 10:23; Sal. 81:6; Isa. 9:4,6; 22:22.

3. *Ômos*, «ombro». Vocábulo grego usado por duas vezes: Mat. 23:4 e Luc. 15:5.

Essa palavra é usada na Bíblia tanto em sentido literal quanto em sentido figurado. Em ambos os casos, o ombro usualmente aparece como aquela parte do corpo humano onde algum peso é transportado. Isso é apenas natural, porquanto é a única porção do corpo humano com uma área horizontal apreciável. A outra porção conveniente é o alto da cabeça. Muitos povos se acostumaram a levar também cargas sobre a cabeça. No interior de muitos estados nordestinos, no Brasil, há pessoas dotadas de uma incrível capacidade de equilíbrio sobre a cabeça, onde carregam as mais variadas cargas.

Os antigos transportavam objetos pesados sobre os ombros (Gên. 21:14). O pastor que encontrou a sua ovelha perdida (Luc. 15:5) é retratado a transportá-la nos ombros. Há nisso um reflexo do lindo relacionamento entre Deus e os seus filhos, segundo se percebe em Deuteronômio 33:12. Ambos os trechos bíblicos (Deu. 33:12 e Luc. 15:5) ilustram o estado humano de dependência a Deus, sobretudo no aspecto de como resolver o seu pecado pessoal.

Figuradamente, os ombros usualmente indicam a atitude de submissão, sem importar se diante de uma carga inesperada ou diante de uma responsabilidade assumida voluntariamente. Mateus, ao referir-se às leis desnecessárias, impostas pelos fariseus sobre os judeus em geral, em vez de entregarem a questão aos cuidados de Deus, diz que Jesus comentou: «Atam fardos pesados e difíceis de carregar e os põem sobre os ombros dos homens; entretanto, eles mesmos nem com o dedo querem movê-los» (Mat. 23:4). Isaías relaciona a promessa do Senhor de que o jugo assírio seria quebrado com a idéia de que esse jugo seria tirado de cima dos ombros de seu povo (Isa. 14:25). Os primeiros sacerdotes de Israel foram instruídos a usar, entre outras peças de seu vestuário especial, uma estola sacerdotal sobre os ombros na qual havia duas pedras gravadas com os nomes de seis tribos em cada uma. Uma pedra ficava sobre o ombro esquerdo, e a outra sobre o ombro direito (Êxo. 28:1-12). Isso significava que os sumos sacerdotes eram os responsáveis pela vida espiritual do povo de Israel. Finalmente, falando em termos proféticos acerca do Messias, Jesus de Nazaré, Isaías referiu-se à responsabilidade que ele teria de julgar, quando escreveu: «...o governo está sobre os seus ombros...» (Isa. 9:6).

OMEGA

Esse é o nome da última letra do alfabeto grego, que representava um fonema como um *o* longo, mais ou menos como escreveríamos, em português, *ô*. Algumas vezes, essa letra grega é usada nas Escrituras como o contraste com Alfa, a primeira letra do alfabeto grego, tornando-se assim um dos títulos de Cristo (ver Apo. 1:8; 21:6; 22:13). Quanto a descrições completas, ver o artigo intitulado *Alfa e o Ômega, O*.

ÔMER

Ver sobre **Pesos e Medidas**.

••• •••

OMISSÃO, PECADOS DE

Na verdade, há algo de consternador no fato de que, se por um lado, fazemos muitas coisas que laboram em erro, o nada fazer, a inatividade, também pode constituir um pecado. Tiago fez disso um princípio do evangelho, ao afirmar: «Portanto, aquele que sabe que deve fazer o bem e não o faz, nisso está pecando» (Tia. 4:17). Nisso rebrilha uma certa lógica. Não basta saber o que é certo. A fim de que esse conhecimento seja espiritualmente valioso, é mister que o indivíduo *ponha em prática* aquilo que ele sabe ser direito. Acima de tudo destaca-se a lei do amor, que nos diz que devemos servir ao próximo. Jesus ensinou que aqueles que servem são maiores do que aqueles que são servidos. Isso posto, há um galardão para a prática do bem. São e devem ser considerados verdadeiramente grandes aqueles que praticam a lei do amor. Além disso, usualmente é o egoísmo (sem dúvida, um pecado!) que nos leva a não fazer o bem em favor de nossos semelhantes. Com base nesse fato, podemos ajuizar que os pecados de omissão, com freqüência, se não mesmo sempre, estão baseados em alguma forma de egoísmo. E assim, se podemos fazer coisas que não se ajustam aos mandamentos contra atos pecaminosos, assim também podemos deixar de fazer aquelas coisas que se ajustam ao maior dos mandamentos, o «amor», mediante o qual podemos cumprir a lei, em sua inteireza (ver Rom. 13:10).

Não basta a alguém ser bom; esse alguém também deve pôr o bem em prática. É conforme afirma a Breve Confissão de Westminster: «Pecado é qualquer falta de conformidade para com a lei de Deus ou transgressão contra a mesma» (Q.13). A lei de Deus tanto é negativa quanto é positiva. Proíbe certos atos, mas também ordena a prática de outros atos. Podemos falhar quanto a um lado ou quanto a outro dessa questão. O padrão divino, expresso na lei mosaica, é elevadíssimo. E o Novo Testamento estipula: «...sede vós perfeitos como perfeito é o vosso Pai celeste» (Mat. 5:48). Cumpre-nos compartilhar da natureza de Deus (ver II Ped. 1:4), mediante a nossa transformação segundo a imagem do Filho de Deus (ver II Cor. 3:18; Rom. 8:29). Somente um longo período de vivência e desenvolvimento espirituais pode livrar-nos dos pecados de omissão. De fato, é perfeitamente possível que, em nosso desenvolvimento espiritual, cheguemos a deixar de cometer atos pecaminosos muito tempo antes de começarmos a aprender a verdadeiramente obedecer a lei do amor. O Espírito Santo cultiva em nós os próprios valores e atributos morais de Deus (Gál. 5:22,23), e esse cultivo, pelo menos nesta existência terrena, não vê o fim dessa atividade do Espírito. Sempre haverá espaço para o nosso aprimoramento; e, por conseguinte, a possibilidade de deixarmos de fazer aquilo que deveríamos fazer.

ONÃ

No hebraico, «vigoroso». Com alguma variação na grafia, esse foi o nome de três personagens que figuram no Antigo Testamento, a saber:

Com um *men* (letra hebraica correspondente ao nosso «m») no fim:

1. Um neto de Seir ou Edom, irmão de Jacó. Seu pai chamava-se Sobal (Gên. 36:23; I Crô. 1:40). Ele viveu em cerca de 1700 A.C.

2. Um filho de Jerameel (I Crô. 2:26;28). Ele fundou um dos clãs da tribo de Judá. Viveu em torno de 1490 A.C.

Com um *nun* (letra hebraica correspondente ao nosso «n») no fim:

3. O segundo filho de Judá, cuja mãe era cananéia (Gên. 38:4; 51:12; Núm. 26:19; I Crô. 2:3). Ele se tornou mais conhecido devido a uma curiosa circunstância, que envolve *o casamento levirato* (vide). Tendo morrido seu irmão mais velho, Er, Onã desposou a viúva daquele, Tamar. Ele tinha sexo com ela, mas evitava engravidá-la, derramando o sêmen no chão, naquela prática que, mais educadamente chama-se *coitus interruptus*. Dessa circunstância é que se deriva a expressão «onanismo» ou «pecado de Onã», ou seja, a masturbação. Apesar do pecado de Onã não ser exatamente esse, podemos entender como as duas coisas vieram a ser associadas. O episódio é narrado em Gên. 38:1-11. Apesar de talvez sorrirmos diante do que nos pode parecer uma ridícula circunstância, o trecho de Gên. 38:10 diz-nos que o Senhor tirou a vida de Onã por causa disso. Todavia, não sabemos quais as circunstâncias da morte dele, embora o caso nos admire. Atualmente, a poligamia é proibida por lei. Mas, naquele tempo, se não fosse levada a termo, pelo menos no caso do casamento levirato, era considerada uma ofensa grave.

ONESÍCRITO

Ele floreceu em cerca de 330 A.C. Onesícrito foi um filósofo grego que seguia o cinismo. Era discípulo de *Diógenes de Sínope* (vide). Acompanhou a Alexandre, o Grande, em sua expedição à Índia. Ali ele conheceu os gimnosofistas hindus, uma seita de filósofos ascetas que usavam pouca ou nenhuma vestimenta (o que explica o nome deles, «sábios despidos»). Onesícrito ficou impressionado com as idéias e com o modo de vida deles, e pensou que eles eram o confirmação dos principais conceitos da filosofia cínica.

ONESÍFORO

Esse foi o nome de um crente de Éfeso (ver II Tim. 1:16-18 e 4:19), e que, destemidamente, serviu a Paulo quando este se achava encarcerado em Roma, pela segunda vez. Na ocasião, a própria vida de Onesíforo correu perigo. Sua bravura contrastou com a tibieza e deserção de Fígelo e Hermógenes (II Tim. 1:15). O nome Onesíforo significa «portador de benefícios», o que se tornou verdadeiro no caso de Paulo, quando este sofria severo período de necessidade de ajuda alheia e de crise, pois estava sendo injustiçado pelo próprio governo imperial de Roma.

Orações Pelos Mortos?

O trecho de II Tim. 1:18 registra a oração de Paulo por Onesíforo (que parece já ter morrido), e onde Paulo exprimiu o desejo que ele fosse favorecido pelo Senhor no dia do julgamento. Alguns têm visto nesse versículo um texto de prova da eficácia das orações dos vivos pelos mortos, e têm ampliado a questão ao purgatório, onde, presumivelmente, tais orações exerceriam um efeito benéfico sobre as almas ali retidas. Mas, combatendo a idéia, outros eruditos observam que está em pauta o dia do Senhor (o julgamento), e não o estado intermediário dos crentes. Outros, embora não tomando este versículo como texto de prova, ainda assim recomendam as orações pelos mortos, com base na doutrina da comunhão de todos os santos. O trecho de I Ped. 4:6 diz que o estado dos mortos ainda não foi fixado (sê-lo-ia—dizem alguns—a partir do julgamento do trono branco; ver Apo. 20:11 *ss*), pelo que orações pelos crentes mortos ajudariam aos mesmos. Muitas igrejas cristãs orientais, e também as anglicanas, crêem na eficácia das orações pelos mortos em geral, e não somente pelos crentes que já morreram. E, naturalmente, acreditam que os fiéis que já faleceram podem ser ajudados por nossas orações. Mas a maioria dos grupos protestantes e evangélicos rejeita peremptoriamente ambas as idéias. Pessoalmente, inclino-me para a posição oriental, quanto a essa doutrina, embora eu mesmo não costumo orar pelos mortos. No entanto, creio em um ativo ministério de Cristo em favor deles. Ver o artigo sobre *Descida de Cristo ao Hades*.

Todos abandonaram o apóstolo Paulo, II Tim. 1:15.

A fim de aliviar a grande seriedade desta declaração, alguns eruditos supõem que a palavra «todos» não indica aqueles que realmente residiam na Ásia, isto é, as igrejas dali, mas antes, a. certos líderes de seitas; ou b. certos indivíduos a quem Paulo solicitara que o defendessem em Roma, alguns dos quais de fato tinham partido para Roma com esse propósito, mas dentre os quais alguns se cansaram da viagem e voltaram atrás, ao passo que outros, mesmo depois de chegarem a Roma, ficaram desencorajados antes ou depois do julgamento, tendo decidido que o caso estava perdido, e assim retornaram à sua terra, deixando Paulo sem o menor apoio. Se esse realmente foi o caso, então há uma alusão histórica genuína, preservada nestas epístolas, embora talvez não tivessem elas sido escritos pelo próprio Paulo. Ver o artigo sobre — *Epístolas Pastorais*, seção I, que explica o problema da autoria dessas epístolas. Por outro lado, existem estudiosos que pensam que a expressão *os da Ásia* seria um hebraísmo com o sentido de «aqueles provenientes da Ásia». E isso poderia indicar crentes residentes em Roma, mas que anteriormente viviam na Ásia Menor, que tinham sido solicitados a ajudar o apóstolo dos gentios. Ou, então, poderia indicar viajantes vindos da Ásia, os quais, embora solicitados a ajudarem a Paulo, declinaram de fazê-lo. Essa falta de testemunhas de defesa poderia ter sido causada por medo, mais do que pela disposição de não ajudar; pois qualquer ajuda prestada poderia ter sido fatal para quem a desse, considerando-se aqueles tempos tão agitados e o furor da perseguição.

Se examinarmos II Tim. 1:16, veremos que essas interpretações são plausíveis, porquanto é dito acerca de Onesíforo que ele não se envergonhara das cadeias de Paulo, pois, com freqüência, refrigerara e encorajara ao apóstolo, tendo até mesmo suprido suas necessidades, tanto físicas quanto espirituais. É possível que foi exatamente nessa questão que Paulo foi abandonado pelos *provenientes da Asia*. Portanto, parece que aqui nos é permitido ver a situação interna de Paulo, a tribulação pela qual ele passou, já que os outros crentes temiam ajudá-lo, embora ele tivesse buscado tal ajuda. E isso pode ser comparado com o trecho de II Tim. 4:16, que diz: «Na minha primeira defesa ninguém foi a meu favor; antes, todos me abandonaram. Que isto não lhes seja posto em conta». Essa é a interpretação que apresenta menor número de dificuldades; a qual também, mui provavelmente, é a interpretação correta, embora não disponhamos de meios positivos para confirmá-la.

Esta seção frisa o eterno bem-estar daqueles que, a despeito do perigo e das pressões de um mundo hostil, se puseram ao lado de Paulo, ainda que o número desses, como é óbvio, fosse bem diminuto. O trecho de II Tim. 1:18, conforme têm pensado alguns intérpretes, seria uma oração feita por Paulo em favor de algum crente já falecido, que seria a única oração dessa classe, em todo o N.T., embora as orações pelos mortos fossem comuns no judaísmo e em muitos segmentos da Igreja cristã primitiva. Em certas seções da cristandade ainda se pratica isso; e este versículo serve de um dos «textos de prova» usados por aqueles que acreditam que tal prática tenha valor.

II Tim. 1:16: O Senhor conceda misericórdia à casa de Onesíforo, porque muitas vezes ele me recreou, e não se envergonhou das minhas cadeias.

Há uma lealdade singular que não pode ser esquecida em meio ao negro quadro de covardia e deserção. Três versículos foram devotados a um caso isolado mas notável de lealdade, em contraste com o único versículo que descreve a atitude de deserção. E isso exibe boa atitude da parte de Paulo, a prontidão por observar o bem, diminuindo ao máximo o mal por ele recebido, o que não é muito comum entre os homens.

Misericórdia. No grego é *elos*, que significa «misericórdia», «compaixão», «dó», mas que também é palavra usada quase como sinônimo de «graça» ou «favor». A bênção de Deus é invocada não apenas sobre aquele homem fiel, mas igualmente sobre a sua família; pois a verdade é que aquilo que um homem faz afeta os que lhe são próximos, para o bem ou para o mal, e isso se dá até mesmo no campo espiritual, e não apenas neste mundo físico.

Casa de Onesíforo. Por duas vezes a sua «família» é mencionada, isto é, aqui e em II Tim. 4:19. Isso pode significar ou não que Onesífero estava vivo; mas a maioria dos intérpretes pensa que essa expressão indica que ele já havia falecido, pelo que a bênção foi invocada em favor de sua família, embora no versículo décimo oitavo haja oração em favor dele, o que, nesse caso, seria uma oração pelos mortos. É possível que a família de Onesíforo tenha compartilhado, de algum modo, da ajuda prestada a Paulo, e não haja aqui a invocação de uma bênção meramente em conexão com o cabeça da família; antes, mereceriam uma bênção do Pai eterno.

Onesíforo certamente não estava mais vivo quando o pastor escreveu.

Me deu ânimo. A despeito do perigo, Onesíforo cuidou de Paulo na prisão, visitando-o e dando-lhe o consolo do companheirismo, bem como o necessário para as suas necessidades físicas. O original grego diz aqui *anapsucho*, que significa «reviver», «refrigerar», «animar», derivado da idéia primitiva de «reviver mediante ar fresco». Onesíforo tornou o meio ambiente suportável para Paulo, em um momento de grande tensão. O N.T. imortalizou o seu nome por causa disso.

Nunca se envergonhou das minhas algemas. Isso subentende que aqueles que tinham abandonado a Paulo, tinham-no feito por esse motivo, talvez por não quererem ser presos também. Ver II Tim. 1:8, onde Timóteo é exortado a não se envergonhar do testemunho do Senhor e nem de Paulo, seu prisioneiro. Onesíforo mostrou-lhe um bom exemplo.

O que sabemos sobre Onesíforo nos é mostrado aqui, pois ele não é mencionado em nenhuma outra porção do N.T. Porém, é mencionado no livro apócrifo Atos de Paulo e Tecla (160-190 D.C.), onde se lê que ele se converteu por meio de Paulo, em Icônio, tendo-lhe oferecido hospitalidade quando de sua primeira viagem missionária. Porém, Tertuliano diz-nos que isso foi idéia criada por um presbítero da Ásia, que foi deposto devido a essa invenção. Portanto, boa parte daquele livro apócrifo deve estar baseada na imaginação desse presbítero. Ver o artigo sobre os *Livros Apócrifos do N.T.*

ONÉSIMO

O sentido desse nome, derivado do grego, é «proveitoso». Era um nome comumente dado a escravos, expressivo de sua utilidade e serviço, a exemplo de muitos outros nomes gregos, como Crésimo (útil); Cresto (útil); Onesíforo (proveitoso); Sínforo (benéfico); Carpo (frutífero). Paulo armou um jogo de palavras envolvendo o nome *Onésimo* (File. 11), mostrando como aquele homem primeiramente havia sido *útil* a Filemom, e agora estava sendo *útil* ao apóstolo.

A epístola inteira de Filemom foi escrita a fim de solicitar clemência para Onésimo, o escravo fugido de Filemom. Onésimo tornara-se um mau exemplo de uma classe desacreditada, a dos escravos, e poderia ser executado como escravo fugido. Em face de sua sujeição a práticas desumanas, os escravos tornaram-se conhecidos como uma classe degenerada, pendendo para o furto, para a traição, para a preguiça—em tudo tornando-se odiosos. Podemos imaginar que Onésimo se tornara algumas dessas coisas, e que talvez tivesse fugido com algum dinheiro ou com alguma propriedade de Filemom. Ver o artigo sobre *Filemom*, terceira seção; e também *Filemom e Onésimo*, onde apresentamos completos comentários sobre ambos os homens. Portanto, não repetimos aqui aquele material. Em sua breve carta a Filemom, Paulo apresentou catorze argumentos em favor de Onésimo, o que pode ser visto no NTI, no comentário sobre o vs. 11 da epístola a Filemom. Essa carta é considerada uma obra-prima de tato e de amor cristãos, demonstrando a extraordinária habilidade literária do apóstolo dos gentios, certamente um autor poderosamente dotado, incomum. Eis aí uma das razões pelas quais o Espírito de Deus escolheu-o para ser um dos principais autores do Novo Testamento. É grandioso quando o Espírito Santo é capaz de usar aquilo que é poderoso e bom em um homem, destinado a realizar alguma tarefa especial.

ONIAS

Esse foi o nome de três sumos sacerdotes que atuaram durante o período dos Macabeus; e também do filho do terceiro deles, mas que nunca foi sumo sacerdote, mas foi quem edificou o templo judaico de Leontópolis, no Egito.

1. *Onias I*. Ele foi sumo sacerdote judeu entre 320 e 290 A.C., contemporâneo do rei espartano Ário. O trecho de I Macabeus 12:1-23 informa-nos que esse monarca enviou uma missiva a Onias, protestando-lhe amizade. Josefo (*Anti*. 11:8,7; 12:4,1) informa-nos que Simão I, apodado de «o Justo», sucedeu a Onias no ofício sumo sacerdotal.

2. *Onias II*. Ele era filho de Simão I, e tornou-se sumo sacerdote depois de Eleazar e Manassés. Recusou-se a entregar a Ptolomeu III Evergetes o tributo exigido por este. Em face disso, Ptolomeu preparou uma expedição militar contra a Judéia, o que José, sobrinho de Onias, foi capaz de evitar por sua diplomacia e por ter relações amistosas com o Egito (Josefo, *Anti*. 12:4,1 *ss*). Foi sucedido no sumo sacerdócio por Simão II, seu filho.

3. *Onias III*. Era filho de Simão II. Assumiu o posto de sumo sacerdote em 198 A.C., cargo que ocupou durante o reinado de Seleuco IV, da Síria (187-175 A.C.). Esse Onias tornou-se conhecido por sua profunda piedade e senso de justiça, tendo inspirado a admiração de pessoas importantes. O trecho de II Macabeus 3:1-3 informa-nos que o próprio Seleuco contribuiu com dinheiro para apoiar o culto no templo de Jerusalém. Mas esse respeito acabou sendo abafado pela cobiça, afinal de contas. Segundo rumores, o dinheiro guardado naquele templo era muito; e assim Seleuco comissionou Heliodoro a confiscar o tesouro do templo. O trecho de II Macabeus 3:8 narra que uma manifestação de Deus repeliu Heliodoro. Posteriormente, Seleuco foi assassinado; e Antíoco IV Epifânio, tendo-o sucedido no trono da Síria, depôs a Onias, nomeando Jasom em seu lugar. E Onias terminou nas mãos de um assassino, posteriormente. Ver II Macabeus 4:33 *ss*.

4. *Onias IV*. Ele era filho de Onias III, e bem poderia ter sido seu sucessor. Porém, as condições em Jerusalém tornaram-se insuportáveis, e ele teve de fugir para o Egito, onde foi acolhido por Ptolomeu Filomentor. Então, com a ajuda desse rei, Onias IV estabeleceu o culto judaico em um templo erguido em Leontópolis, no Egito. Esse templo tornou-se rival do templo de Jerusalém. E assim veio à existência uma forma de judaísmo helenizado. Ver Josefo (*Anti*. 12:9,7; 13:3,1-3; 20:10,1).

ONICHA

No hebraico, **shecheleth**. Ocorre somente por uma vez em toda a Bíblia, em Êxo. 30:34. Ali aparece como um dos ingredientes do santo incenso. Segundo vários autores, provavelmente uma substância extraída de certos tipos de moluscos, talvez o *Strombus*, o qual, juntamente com outras espécies, emite um aroma forte e penetrante, quando queimado. O mar Vermelho exibe várias espécies desse molusco.

ONIPOTÊNCIA

Esboço:

1. Discussão Geral e Usos do Termo
2. Considerações Filosóficas
3. Considerações Teológicas
4. Considerações Bíblicas

1. Discussão Geral e Uso do Termo

Ver o artigo geral onde é discutido esse atributo de Deus, *Atributos de Deus*. Essa palavra portuguesa vem do latim, *omnis* e *potens*, ou seja, «todo poder». Podemos definir essa palavra dizendo que ela fala sobre um poder universal e ilimitado. Vinculada ao monoteísmo, essa noção leva-nos à idéia da concentração de todo o poder em um único Ser, embora reconhecendo que outros seres são dotados de certa medida de poder. A onipotência consiste no poder sobre todas as coisas, bem como na capacidade de fazer todas as coisas. Platão definia o *ser* como «poder», o que indicava que o Ser Supremo também é Poder Supremo. O termo implica, primariamente, em uma Causa Primária e em causas secundárias. O ocasionalismo (ver o Problema Corpo-Mente, seção quinta) faz de Deus a única causa, o que é reiterado por algumas religiões orientais, de acordo com as quais só Deus é real, e tudo o mais é ilusório.

A idéia de onipotência subentende que há uma influência absoluta que mantém sob controle todas as coisas em todo o tempo e em todos os lugares. Essa é a influência que garante a imortalidade humana, porquanto podemos esperar que Deus continue exercendo sua influência e controle universais em todas as dimensões da existência. Essa é outra maneira de aludir ao fato de que Deus é o Sustentador de todas as coisas. Ele é tanto o Criador quanto o Sustentador; e ambas essas coisas requerem o exercício de sua onipotência.

A onipotência está ligada à própria existência, e não meramente ao que Deus possa querer fazer. Trata-se de uma ramificação existencial da compreensão de Deus como Ser Todo-Poderoso. Ser é Poder; e Deus é esse Poder. E esse poder manifesta-se também através de poderes secundários, cuja existência é garantida pelo Poder divino.

A onipotência implica em um outro atributo divino, a *independência*. Deus é vivo e é a substância mesma da vida, sendo um Ser auto-existente. Todos os outros seres dependem dele para vir à existência e continuar existindo. Os poderes secundários, pois, são dependentes.

2. Considerações Filosóficas

A palavra *onipotência* é um termo negativo, pois que, realmente, procura ocultar um vácuo em nosso conhecimento. Quando dizemos que Deus é «onipotente», queremos indicar «muitíssimo poderoso», porque não temos nem qualquer conhecimento teórico do que significa «muitíssimo poderoso» e nem temos qualquer experiência pessoal com a onipotência divina. Quanto a outra discussão filosófica a respeito, ver o artigo *Onipotência, Paradoxos da*.

3. Considerações Teológicas

A maioria dos ramos da cristandade tem permanecido fiel ao conceito tradicional da onipotência de Deus. O mormonismo é uma das exceções. Visto que aquele grupo religioso supõe que Deus evoluiu até ser o que é, é apenas natural supormos que Deus está em estado de fluxo, não tendo ainda chegado a um estado absoluto. Assim, se o seu poder é muito grande, ele não é Todo-Poderoso. Ademais, visto que existiriam outros deuses (sem importar que estejam distantes de nós), sempre torna-se possível que os nossos deuses (o Pai, o Filho e o Espírito Santo, conforme a concepção do mormonismo) não sejam os deuses mais poderosos que existem. Um Deus em evolução não pode ser considerado onipotente! Acresça-se a isso que nenhuma religião politeísta jamais foi suficientemente corajosa para asseverar a onipotência de qualquer deus em particular. Nos sistemas politeístas, o poder fica distribuído entre as suas divindades, nunca aparecendo depositado, em sua inteireza, em qualquer ser ou em qualquer lugar.

Alguns teólogos cristãos têm concebido um Deus limitado, tanto por sua própria natureza quanto por autolimitação. Para exemplificar, a encarnação foi a mais conspícua das autolimitações divinas, embora difícil imaginar um Deus todo-poderoso, mas que permite que todo tipo de coisa errada aconteça no mundo. Para esses, Deus não estaria controlando tudo, razão pela qual o mal e a tragédia teriam entrado na criação, lançando sua perturbação. Mas, mesmo para esses estudiosos, Deus é poderoso bastante de modo que podemos esperar o triunfo final do bem sobre o mal.

Considerações Negativas. É verdade que Deus não pode praticar o erro; e isso poderia parecer uma limitação em seu poder. Por outra parte, devemos considerar que a prática do mal é uma fraqueza, e não uma fortaleza; e, assim sendo, a prática do mal nada tem a ver com a onipotência de Deus.

4. Considerações Bíblicas

O Antigo Testamento não contém qualquer argumento direto em prol da onipotência de Deus, apesar de descrevê-Lo como muito poderoso. Mas, no Novo Testamento grego, *pantokrátor*, «todo-poderoso», é um dos títulos dados a Deus. Ver II Cor. 6:18; Apo. 1:8; 4:8; 11:17; 15:3; 16:7,14; 19:6,15; 21:22. Quase sempre, contudo, podemos deduzir um conceito da onipotência divina mediante as obras de Deus. Deus realiza maravilhas sobre a natureza, inconcebíveis para o homem ou para qualquer coisa que o homem conheça como poderoso (ver Gên. 1:1-3; Isa. 44:24; Heb. 1:1). Deus pode criar coisas a qualquer tempo (Mat. 3:9; Rom. 4:17). Coisa alguma é impossível para Deus (Gên. 18:14). Coisa alguma está fora do alcance de seu poder (Dan. 4:35; Amós 9:2,3). Deus observa e cuida das menores coisas, como a queda de um pardal ou o número de cabelos em nossa cabeça (Mat. 10:13; Luc. 12:7), pelo que o seu poder envolve até mesmo as coisas mais triviais. Isso exprime um *teísmo* puro (vide). Em Deus há um poder todo-poderoso, do qual podemos tirar proveito. O homem espiritual é capaz disso.

A onipotência de Deus não impõe restrições à sua autolimitação. Usualmente, o problema do mal esconde-se por detrás dessa doutrina. Para alguns, é necessária para o cumprimento do plano de redenção dos homens. Deus exerce pleno controle sobre o *modus operandi* de Seu poder. Além disso, a existência do livre-arbítrio serve de evidência da autolimitação de Deus. Deus prevê que o homem agirá livremente, e permite que o homem atue com liberdade, para que possa experimentar um genuíno desenvolvimento espiritual, sem ser reduzido a um escravo, pela divina compulsão. A graça é *irresistível*, conforme ensina o calvinismo, mas isso *dentro* de um contexto mais abrangente, mais amplo do que aquele sistema tem imaginado. Em primeiro lugar, o poder de Deus é inspirado pelo seu *amor*, o que significa que se mostra remidor para com os eleitos, e restaurador para com os não-eleitos. O poder de Deus está por detrás tanto da redenção quanto da restauração, pelo que ambos esses atos divinos são certos e irresistíveis. Ver o artigo sobre *Restauração*. Se não nos esquecermos que o amor de Deus está por detrás do seu poder, então não teremos dificuldades ante doutrinas negativas que destroem a missão universal de Cristo. A missão de Cristo é tríplice: na terra, no hades e nos céus. Foi e continua sendo. E o seu amor, que inspira ao poder de Deus, tornará eficaz a cada um desses aspectos da missão de Cristo, ainda que, de acordo com os padrões humanos, um longo tempo seja necessário para que tudo se complete.

Alguns nomes de Deus sugerem a sua onipotência, como é o caso de *El* («poderoso»). Sua forma plural de intensificação, *Elohim*, enfatiza a plenitude do poder de Deus. O título *El Shaddai* salienta o poder de Deus. *'Abhir* significa «o forte». E no Novo Testamento grego temos o título *pantokrátor*, «todo-poderoso». Deus é a base mesma da existência; e, conforme Platão declarou, Ser é Poder. A própria existência aponta para um grande poder; e esse poder, em sua manifestação mais alta, é o Poder Divino.

ONIPOTÊNCIA, PARADOXOS DA

Vários paradoxos são sugeridos mediante a doutrina que ensina que Deus é o Todo-Poderoso, a saber:

1. *O problema do mal* (vide). É difícil reconciliar a onipotência de Deus com a presença do mal no mundo. Se Deus é o Todo-Poderoso, como ele permitiu a entrada do mal em sua criação, de uma maneira tão evidente e generalizada? Diante desse dilema, alguns teólogos têm sacrificado erroneamente a onipotência de Deus; e têm imaginado que, a despeito de ser muito poderoso, Deus foi incapaz de impedir o aparecimento de todos os problemas. Sendo muito poderoso, é de esperar-se que Deus fará o bem, finalmente, triunfar sobre o mal; mas isso através de um conflito real, que terá de invadir a eternidade para poder chegar a bom termo. O artigo sobre o *Problema do Mal* tenta explicar como Deus pode ser o todo-poderoso, e isso paralelamente ao fato da existência do mal no mundo.

2. *O problema da liberdade*. Deus conferiu ao homem uma liberdade genuína, ainda que sabendo que o homem abusaria dele e que daí resultaria o mal. Essa liberdade do homem limitou o poder de Deus, embora possamos dizer que se trata de uma autolimitação. O resultado dessa autolimitação foi a entrada do mal no mundo. Surge, pois, a pergunta: Pode Deus criar algo que, subseqüentemente, ele não consiga mais controlar? Nesse caso, Deus não seria onipotente. Alguns teólogos, em busca de uma solução, têm sacrificado a onisciência de Deus, para impedir que esse paradoxo faça parte da teologia. E alguns teólogos têm visto a solução para o dilema na idéia de que o *objetivo primário* de Deus não era impedir a presença do mal na sua criação, e, sim, outorgar ao homem um plano genuíno de desenvolvimento espiritual, dentro de cujo plano o homem *tivesse* de fazer escolhas entre o bem e o mal, com as conseqüências advindas dessa escolha.

3. *Deus não pode praticar o mal*. Isso, de acordo com alguns, mostra que o poder de Deus é limitado. Porém, temos aí um pseudoproblema, porquanto praticar o mal é uma debilidade, e não um ponto forte.

4. Um outro pseudoproblema é aquele que indaga: «Pode Deus criar um peso tão grande que ele não possa erguê-lo?» Se o poder de Deus, por um lado, é ilimitado, então Deus deve ser capaz de fazer isso. Mas, por outro lado, se Deus assim fizesse, o seu poder não seria ilimitado. Temos aqui, portanto, apenas um sofisma de ignorância de causa.

ONIPRESENÇA

Ver o artigo geral intitulado **Atributos de Deus**. Ver também **Onipresença, Paradoxos da.**

Esboço:

1. Definições e Usos
2. Onipresença e Onipotência
3. A Imaterialidade
4. Os milagres e a Presença Interior do Espírito
5. Imanência e Transcendência
6. Indícios Bíblicos

1. Definições e Usos

Esse termo vem do latim, *omnis*, «toda», e *praesens*, «presença». Indica aquela qualidade ou capacidade de estar presente em todos os lugares ao mesmo tempo. Essa qualidade é um dos tradicionais principais atributos de Deus. Nem todos os teólogos cristãos têm-se aferrado a esse dogma. Assim, o mormonismo apresenta um Deus limitado, embora poderosíssimo. Joseph Smith, fundador do mormonismo, saiu-se com esta: «Aquilo que está em toda parte, mas não está em parte nenhuma, nada é». A doutrina cristã não ensina que Deus não está em parte nenhuma; antes, ensina que Deus está imanente em tudo. A mente divina é toda-penetrante, toda-presente, estando presente em todos os lugares ao mesmo tempo.

2. Onipresença e Onipotência

Falamos sobre a *imensidade* de Deus. É preciso um Deus imenso para ser todo-presente. Naturalmente, do ponto de vista filosófico, todos esses «ominis» (de onipotente, onipresente, onisciente) são termos negativos, no sentido que não dispomos de qualquer explicação lógica ou experiência pessoal com qualquer ser que seja *ilimitado*. Com esses termos entendemos «imensidade», «muitíssimo», etc., mas não podemos conceber o que é infinito. O conceito da onipresença de Deus se aclara um tanto quando afirmamos que a mente divina está em toda parte. Os estudos no campo da *parapsicologia* (vide) têm demonstrado o poder da mente humana para estar em lugares onde o corpo não se encontra. Apesar de não entendermos isso, podemos supor que alguma forma de energia imensa e muito penetrante está em operação, e isso fornece-nos uma analogia que nos ajuda a compreender a onipresença de Deus. Newton dizia que o espaço é «o sensório de Deus». A presença de Deus tanto atua quanto recebe influências. Deus influi e é influenciado por sua presença em toda parte. Apesar de pouquíssimo entendermos essas realidades, isso não é fácil, porquanto podemos ter alguma noção sobre elas, mesmo sem uma completa descrição.

3. A Imaterialidade

A onipresença parece requerer o conceito de imaterialidade. É impossível imaginarmos um Ser material que não seja limitado no espaço. Naturalmente, não sabemos muita coisa sobre a imaterialidade (pois nem sabemos muita coisa sobre a matéria); mas o termo fornece-nos uma maneira de pensar sobre o assunto. Podemos pensar sobre uma energia material que penetra em todas as coisas, em todos os lugares.

4. Os Milagres e a Presença Interior do Espírito

O ensino sobre a onipresença de Deus tem muitos corolários. Um deles é a realidade dos milagres. A presença de Deus garante a viabilidade dos milagres. Ver o artigo separado sobre os *Milagres*. Um outro corolário é a presença habitadora do Espírito de Deus, atuante nos homens, que requer algum tipo de noção que se aproxima do conceito da onipresença divina.

5. Imanência e Transcendência

O conceito da onipresença de Deus não o concebe somente como imanente. Também garante a transcendência de Deus. Deus pode localizar-se no espaço, à sua vontade; mas não está limitado a essa localização. Não há necessidade alguma de optarmos entre as duas idéias. O conceito de Deus incorpora tanto a sua presença em todas as coisas quanto o fato de que ele não pode ser confundido com nenhuma coisa, conforme pensa, erroneamente, o panteísmo.

6. Indícios Bíblicos

Deus vive livre das restrições do tempo e do espaço. Várias passagens escriturísticas nos fundamentam nessa idéia. Não há lugar para onde o ser humano possa ir, a fim de escapar de Deus Espírito (Sal. 139:7). Deus preenche os céus e a terra (Jer. 23:24). Quanto a outras declarações similares, ver também Heb. 1:3; Atos 17:27,28.

ONIPRESENÇA, PARADOXOS DA

Qualquer idéia que envolva um **omni** (onipresença, onisciência, onipotência) na verdade não é entendida pela mente humana, sendo inevitável o aparecimento de paradoxos.

1. Não estar localizado em algum ponto do espaço e estar em toda parte, é um conceito que não podemos sondar. E mesmo quando Deus resolve localizar-se em algum ponto do espaço, ele não pode ser identificado com o espaço.

2. Um poder ilimitado torna-se mister para que haja onipresença, e, no entanto, na verdade não podemos conceber um poder sem limites.

3. *A dificuldade ontológica*. Que tipo de Ser é esse que está em todos os lugares ao mesmo tempo? Não dispomos de resposta para isso. Contudo, temos alguns argumentos e vocábulos que podem ajudar-nos, mediante analogias imperfeitas, que ficam longe de ser verdadeiras demonstrações.

4. *A dificuldade verbal*. Dispomos de palavras que usamos para aludir a algo dotado de grau infinito, como onipotente, onisciente e onipresente; mas não dispomos de experiências pessoais correspondentes e nem de explicações lógicas para esses termos. Naturalmente, tateamos na direção desses conceitos, e temos fé que eles dizem coisas significativas. Isso é o melhor que podemos fazer quando estamos tratando com o *Mysterium Tremendum* (vide), que é Deus. Todas as grandes doutrinas cristãs desembocam em algum paradoxo; e isso serve somente para demonstrar a vastidão da verdade e a natureza limitada de nosso conhecimento, e não que não exista uma verdade que nos compete tomar conhecimento dela.

ONISCIÊNCIA

Ver o artigo geral sobre os *Atributos de Deus*. Ver também *Onisciência, Paradoxos da*.

Esboço:

1. Definições e Usos
2. Presciência Determinadora
3. A Onisciência Divina e o Livre-Arbítrio Humano
4. O Eterno Agora
5. O Conhecimento e o Mal
6. Evidências Bíblicas da Onisciência Divina

1. Definições e Usos

Essa palavra vem do latim, **ominis**, «toda» e **scire**, «saber», isto é, aquela qualidade da natureza de Deus que garante que ele sabe todas as coisas. Tradicionalmente, a onisciência é um dos principais atributos de Deus. A mente divina é o depósito do conhecimento, e no conhecimento de Deus não há falhas, nem fraquezas e nem limitações.

2. Presciência Determinadora

Alguns teólogos vinculam o conhecimento e a presciência de Deus em geral ao seu poder. Eles pensam que a razão pela qual Deus sabe de tudo é que ele determinou tudo, de tal modo que tudo quanto existe e acontece é desdobramento de seu poder determinador. Ver o artigo intitulado *Determinismo*. Logo, essa teoria da onisciência divina está maculada pelos mesmos problemas que afetam o determinismo. E esses problemas são discutidos no artigo mencionado, bem como em um outro, intitulado *Livre-Arbítrio*.

3. A Onisciência Divina e o Livre-Arbítrio Humano

Esse é um problema vexatório na filosofia e na teologia. Parece que se Deus conhece de antemão a todas as coisas, então elas terão de acontecer *necessariamente*. Doutra sorte, parece que a presciência de Deus é defeituosa, incompleta. Há mesmo teólogos que têm desistido da tentativa de dar lugar a um genuíno livre-arbítrio humano, em face da onisciência de Deus, escorregando então para o determinismo. Ainda outros teólogos pensam que a questão envolve um paradoxo. Agostinho, porém, forneceu-nos um argumento adequado e filosoficamente hígido para crermos que são compatíveis entre si a presciência divina e o livre-arbítrio humano. Deus disse simplesmente: «Deus previu que todos os homens agirão livremente». E, assim sendo, a presciência divina garante a liberdade humana. A onisciência pressupõe a certeza, mas essa certeza reside agora nos atos livres dos homens, porquanto o próprio Deus garantiu que o homem precisa agir livremente.

4. O Eterno Agora

O conhecimento humano necessariamente acompanha a sucessão dos eventos, seguindo as relações entre as causas e seus efeitos. Deus, porém, vive fora do tempo e pode ver qualquer coisa do começo ao fim. Deus vive no «eterno agora»; e isso quer dizer que, no sentido estrito, para ele não há passado, nem presente e nem futuro. A mente divina abrange a tudo. As religiões orientais pensam que o tempo é uma ilusão, uma distorção finita da realidade, e não um verdadeiro componente da realidade. E, visto que Deus vive acima do que é ilusório, naturalmente ele conhece todas as coisas.

5. O Conhecimento e o Mal

Quem conhece todos os fatos, sem dúvida, também conhece o mal. Significaria isso que o mal faz parte de Deus? Presumivelmente, ter conhecimento do sofrimento torna o conhecedor alguém que participa do sofrimento. Mas, é claro que nem sempre uma coisa puxa a outra. Os teólogos, por sua vez, tentam evitar esses problemas afirmando que Deus «conhece acerca» das coisas, embora sem «participar» delas. — Isso posto, ter conhecimento sobre o pecado não é a mesma coisa que participar do pecado. Tal conhecimento, porém, pode levar um indivíduo a fazer algo sobre a questão, e isso faz parte da inspiração que aponta para a redenção humana.

6. Evidências Bíblicas da Onisciência Divina

Certo número de passagens bíblicas subentende um conhecimento ilimitado por parte de Deus, embora a palavra «onisciência» não ocorra nenhuma vez sequer na Bíblia; mas ali existe o conceito. O trecho de Rom. 11:33,34 certamente exprime o fato de que Deus conhece todas as coisas. Os caminhos de Deus são insondáveis e inexcrutáveis. Deus tem a seu dispor vastas profundezas de conhecimento e sabedoria. A mente divina não é perscrutada pelo homem. O trecho de Sal. 147:5 garante que «o seu (de Deus) entendimento não se pode medir». A sabedoria de Deus é multiforme (Efé. 3:10). O conhecimento do Senhor é incompreensível para nós, abarcando o passado, o presente e o futuro (ver Jó 14:17; Sal. 56:8; Isa. 41:22-24; 44:6-8; Jer. 1:5; Osé. 13:12; Mal. 3:16). Quanto a outras significativas referências a esse respeito, ver Mat. 10:29; Sal. 13:13-15; 139:2,12; Isa. 46:9,10.

O trecho de I Ped. 1:4 faz a eleição depender da presciência de Deus. A teologia popular, por sua vez, diz que essa presciência é da «fé» do indivíduo, tornando a presciência divina dependente do homem, e então, de acordo com essas noções superficiais, essa fé seria uma condição para a eleição. Entretanto, nem aquela e nem qualquer outra passagem bíblica fala em «fé prevista». Antes, estão em vista «pessoas» que Deus conheceu de antemão, o que subentende muito mais um amor anterior do que um conhecimento anterior da fé que, eventualmente, viria a ser exercida. O vs. 20 do mesmo capítulo diz que o próprio Cristo foi conhecido de antemão, e dificilmente isso significa que Deus previu o que Cristo faria. Antes, Cristo foi amado de antemão, e seus labores foram determinados pela graça divina. Diz o trecho de Amós 3:2: «De todas as famílias da terra somente a vós outros vos *escolhi* (no original hebraico, *yada, conhecer*) ...» E parece claro que esse é o tipo de conhecimento envolvido em I Ped. 1:2.

O trecho de Heb. 4:13 é uma boa passagem com que terminarmos a presente discussão: «E não há criatura que não seja manifesta na sua presença; pelo contrário, todas as cousas estão descobertas e patentes aos olhos daquele a quem temos de prestar contas». Esse texto fornece-nos uma aplicação moral prática da doutrina da onisciência de Deus. Fala sobre a nossa responsabilidade e sobre o juízo final, de acordo com aquilo que Deus conhece e sabe a nosso respeito, em todas as nossas atitudes e ações.

ONISCIÊNCIA, PARADOXOS DA

Consideremos os três pontos abaixo:

1. No que concerne ao livre-arbítrio humano. Porventura, a presciência de Deus elimina o livre-arbítrio humano? Ver o segundo e o terceiro pontos do artigo intitulado *Onisciência*.

2. A presciência de Deus (se é que ela dá margem ao livre-arbítrio humano, ou mesmo garante-o, conforme foi sugerido no artigo *Onisciência*) por acaso é contrária à onipotência de Deus? Deus mesmo não se autolimitou? É verdade—a única resposta certa é a afirmativa. Porém, a autolimitação de Deus também é um ato do poder divino. Deus tem poder sobre o seu próprio poder.

3. Se Deus previu o mal, e, no entanto, nada fez para impedi-lo, isso não limita o conceito de sua santidade? Esse é o mais sério de todos os paradoxos da onisciência. Se eu puder prever que será cometido um ato errado e prejudicial, e se eu tiver poder de impedi-lo (conforme dizemos que Deus faz), e, não obstante, nada faço para impedir o mal previsto, terei agido erradamente? Podemos apenas supor que Deus não impede o mal que ele prevê (pelo menos não impediu a entrada do mal em sua criação), porque seu plano inclui coisas mais importantes do que meramente impedir a manifestação do mal. O homem, por exemplo, precisa ser um agente livre para agir, se tiver de evoluir espiritualmente, e, não ser um mero autômato nas mãos de um irresistível poder divino. Assim, era mais importane para Deus que o homem fosse dotado dessa capacidade de desenvolvimento espiritual do que a prevenção do mal. Ver o artigo geral sobre o *Problema do Mal*, que aborda, com detalhes, essa questão.

ÔNIX

Ver o artigo geral sobre **Jóias e Pedras Preciosas**. O *ônix* é uma variedade de calcedônia, uma sílica (dióxido de sílica) de grão extremamente fino. Também está relacionado à cornalina. Os intérpretes pensam que essa pedra está em foco em Êxo. 28:20 e Jó 28:16. O ônix consiste em camadas minerais de diferentes cores, como se fosse uma unha grossa em várias camadas. Essa pedra tem sido usada na joalheria, especialmente para a formação de camafeus.

Os romanos aplicavam esse termo a certa variedade de mármore, formado em camadas, chamado «mármore ônix». Essa rocha era usada para o fabrico de potes e jarras de ungüento (ver Mat. 26:7; Miq. 14:3). Uma outra variedade de mármore, que também era formado por camadas, era empregado na construção de edifícios, especialmente em Cartago e em Roma. O mármore ônix é muito suave; o verdadeiro ônix é um mineral bastante duro.

A palavra portuguesa desse mineral vem do grego, *onuks*. O termo hebraico correspondente é *shoham*. Essa palavra é variegadamente traduzida na Septuaginta, o que reflete certa dúvida quanto à pedra específica em questão. Josefo afirma que o ônix era uma pedra usada no peitoral do sumo sacerdote de Israel (ver Êxo. 28:20). Para alguns intérpretes isso fixa a identificação entre o vocábulo grego *onuks* e o termo hebraico, *shoham*. Porém, Josefo viveu em um tempo muito posterior à época da confecção das vestes sumos sacerdotais originais para que o seu testemunho seja absoluto.

ONO

No hebraico, «forte». Era uma cidade do território de Benjamin que Semede originou ou restaurou (ver I Crô. 8:12). Semede era um dos filhos de Elpaal. Um total de setecentos e vinte e cinco exilados judeus, que retornaram do cativeiro babilônico, espalharam-se entre Ono, Lode e Hadide (ver Esd. 2:33; Nee. 7:37; I Esdras 5:22).

Ono ficava localizada em um vale conhecido por «Vale dos Artífices» (Nee. 11:35). Neemias (6:2) refere-se a aldeias na planície de Ono. O local moderno chama-se Kefr 'Ana, a onze quilômetros a suleste de Jope. Os registros egípcios do tempo de Tutmés III (1490 A.C.) trazem o nome desse local como Unu. Nos dias de Josué era uma cidade murada e fortificada, um dos muitos obstáculos que os israelitas tiveram de enfrentar ao invadir a Palestina.

ONRI

No hebraico, «Deus ensinou». Esse foi o nome de várias personagens que figuram nas páginas do Antigo Testamento:

1. O sétimo rei de Israel. Ele havia sido comandante do exército de Elá, rei de Israel, o reino do norte, após a divisão do império de Davi e Salomão em dois (Israel, ao norte; Judá, ao sul). Ele estava envolvido no cerco de Gibetom quando recebeu notícias da morte do rei. *Zinri* (vide) havia assassinado ao rei e havia usurpado o trono (ver I Reis 16:16 *ss*). Porém, o exército resolveu que o próximo monarca seria Onri. Onri partiu de Tirza, e Zinri reconheceu que chegara o seu fim, pelo que incendiou o palácio e pereceu nas chamas. Isso, todavia, apenas iniciara as dificuldades de Onri. Um grupo liderado por Tibni (e a Septuaginta menciona o fato de que seu irmão, Jorão, participou) opôs-se a Onri, tendo sido necessários quatro anos para que ele pudesse recuperar o controle total da situação. Isso ocorreu por volta de 876 A.C.

Mas, uma vez que a guerra civil terminou, Onri conseguiu consolidar a sua autoridade, e reinou sobre Israel por seis anos em Tirza. Em seguida, ele mudou a sede do governo para Samaria (I Reis 16:24), a qual, doravante, passou a ser a capital do reino do norte, Israel. Samaria era cidade edificada no alto de uma colina, e fortificações tornaram a cidade ainda mais defensável. Onri assim sendo, foi capaz de repelir vários cercos sírios e assírios, mas, finalmente, em 722 A.C., Sargão I conseguiu capturar a cidade, embora tivessem sido necessários três anos para realizar o feito.

Apesar de sua bem defendida capital, Onri não foi bem-sucedido em todas as batalhas em que se viu envolvido. Assim, ele foi compelido a entregar várias cidades aos sírios (ver I Reis 20:34). Também entrou em aliança com os tírios, tendo feito casar seu filho, Acabe, com uma filha de Etbaal, que era sumo sacerdote de Tiro. Naturalmente, como é sabido por todo leitor do Antigo Testamento, isso foi a porta de entrada para a introdução da adoração a Baal, em Israel. O trecho de I Reis 20:25,26 informa-nos que Onri foi o pior rei de Israel, até aquele ponto da história. Antes de tudo, ele foi um típico tirano cruel. Em segundo lugar, ele corrompeu o povo do reino do norte, Israel, com a idolatria fenícia, da qual a nação nunca se recuperou. O profeta Miquéias (6:6) denunciou esse estado de coisas.

Um dos maiores sucessos militares de Onri foi a total derrota dos moabitas. E somente quando Mesa interveio é que isso foi revertido. Parece, entretanto, que, após doze anos de reinado, ele foi capaz de deixar para seu filho e sucessor, Acabe, um reino próspero e pacífico, embora moralmente corrompido.

Onri morreu em cerca de 874 A.C.

A Arqueologia e Onri. A Pedra Moabita exibe o valor militar de Onri. As linhas 4 a 10 da mesma contam-nos como ele derrotou aos moabitas. Os registros assírios prestam-nos algumas informações sobre os feitos políticos e militares de Onri. Tão grande foi a impressão causada por ele sobre os assírios que, cerca de um século mais tarde, os registros assírios referiam-se à nação do norte, Israel, como «a terra da casa de Onri». E Jeú, que subiu ao trono de Israel um pouco mais tarde, aparece naqueles anais assírios como *Mar Humri*, ou seja, «filho de Onri», indicando que ele era o sucessor daquele, em algum ponto da linhagem. E a idolatria de Onri também tem sido confirmada pela arqueologia. Ostraca descobertas em Samaria falam de Yahweh e de Baal como divindades adoradas naquela cidade. Isso confirma a descrição do culto religioso sincretista que é denunciado em II Reis 16:25 *ss*.

2. Um outro Onri era filho de Bequer, filho de Benjamim (I Crô. 7:8). Ele viveu em torno de 1600 A.C.

3. Um descendente de Perez, filho de Judá (I Crô. 9:4). Viveu em cerca de 640 A.C.

4. Um filho de Micael, chefe da tribo de Issacar, durante o reinado de Davi (I Crô. 27:18). Viveu em cerca de 1015 A.C.

ÔNTICO

Um adjetico cunhado com base no termo grego para «ser», *on, ontos*. Significa «pertinente ao ser», «pertinente à realidade». Vários sentidos são dados a esse adjetivo, por diferentes autores. R. Rultmann referia-se a coisas *ônticas* como aquelas que o homem pode conhecer, coisas dentro da potencialidade humana, e isso por meio da *fé*, que pode penetrar mais fundo que a percepção dos sentidos, a razão e a intuição. Esse uso foi aproveitado pelo existencialista Heidegger. A noção dele é que, por meio de suas idéias inatas e de suas habilidades naturais, o homem pode tomar conhecimento de coisas, mediante a fé, que não podem ser conhecidas de outra maneira qualquer. Os filósofos da linguagem disputam sobre essa idéia. A linguagem religiosa apresenta somente uma espécie de cumprimento de desejos, dependente de atitudes humanas que nada têm a ver com a realidade, ou as palavras refletem um conhecimento íntimo e válido da realidade, fazendo parte ativa e poderosa da intuição humana? Os filósofos empíricos usualmente preferem a primeira dessas alternativas; mas aqueles que são dotados de pendor religioso, preferem a segunda delas.

ONTOLOGIA

Esboço:

1. A Palavra e sua Definição Básica
2. Considerações Fundamentais sobre a Ontologia
3. Idéias de Vários Filósofos
4. O Cristianismo e a Ontologia

1. A Palavra e sua Definição Básica

Ver o artigo separado intitulado *Argumento Ontológico*.

A palavra ontologia deriva-se de dois termos gregos, *ontos*, «ser», e *logia*, «conhecimento». Uma divisão da filosofia e da teologia emprega esse vocábulo para indicar o estudo geral e o conhecimento do *ser*, o que, por sua vez, é uma divisão da metafísica. Esse termo foi usado pela primeira vez no século XVII, quando foi cunhado por Clauberg, em 1647. Pelo fim daquele século, tinha-se tornado o termo padrão para indicar o estudo do ser.

2. Considerações Fundamentais Sobre a Ontologia

Essas considerações são onze, a saber: a. natureza do ser; b. a questão da qualidade e quantidade das essências, aquilo que é caracteristicamente verdadeiro no tocante à existência *real* ou fundamental (temos aqui o monismo, o dualismo e o pluralismo metafísicos); c. as questões do materialismo, do idealismo e do espiritualismo; d. o neutralismo metafísico, a asserção que diz que a realidade não consiste nem em idéia e nem em matéria, mas em alguma coisa neutra, de onde se originam tanto o espírito quanto a matéria; e. o dinamismo metafísico, aquela realidade que é energia pura, não sendo nem mental e nem física; f. o atomismo, que usualmente é materialista; g. o hilomorfismo, a idéia de Aristóteles que postula a íntima união de forma e matéria, e que faz do Movimentador Inabalável (o Deus de Aristóteles) a origem de todo ser e de toda atividade, sendo ele mesmo imaterial, energia pura, incorpóreo, indivisível, perfeito, etc. h. o hilozoísmo, a noção defendida por filósofos pré-socráticos de que a realidade pode ser interpretada em termos materialistas ou em termos pampsiquistas; i. o naturalismo, que pode envolver o materialismo ou alguma forma de neutralismo (segundo se vê no novo realismo; para Pitágoras, a realidade é uma questão numérica; para James é «experiência pura»; para B. Russell é eventos co-presentes; para Bergson é o *ímpeto vital*; para Boodin é a atividade e os sistemas); j. o ceticismo, que pensa que a realidade não pode ser conhecida; 1. o positivismo, que diz que procurar a essência mesma da realidade é algo acima de nossa capacidade, sendo assim uma busca estéril e destituída de sentido. Quanto a maiores detalhes ver abaixo, sobre as idéias de vários filósofos.

3. Idéias de Vários Filósofos

a. *Clauberg*. Para ele, a ontologia é a *primeira* das ciências, aplicável a todas as entidades, a Deus e aos seres criados, sublinhando a física e a teologia. A ontologia cobre itens como causa, ordem, relação, verdade e perfeição. Clauberg usava o termo *ontosofia*, «conhecimento sobre o ser», como um termo alternativo, e acabou dando-lhe a preferência.

b. *Wolff*. Para ele, a ontologia é a ciência do ser em geral, sendo a «primeira filosofia». Ela busca a verdade necessária. Essa busca lança mão dos princípios da não-contradição e da razão suficiente.

c. *Baumgarten*. Em seu entender, a ontologia é o estudo dos predicados mais gerais e abstratos, que dizem respeito a todas as coisas. Ele usava vários sinônimos, como ontosofia, metafísica universal e primeira filosofia.

d. *O escolasticismo*. Ali o termo aponta para a metafísica geral, o estudo das propriedades do ser.

e. *Herbart*. A ontologia seria um método de entender a realidade verdadeira, não-contraditória. Em contraste, a metodologia aborda a questão da redução de contradições envolvidas nas proposições.

f. *Rosmini-Serbati*. Ele contrastava o termo à teologia e à cosmologia: a ontologia seria a doutrina universal do ser; a teologia seria a doutrina do ser absoluto; e a cosmologia seria a doutrina do ser finito e relativo.

g. *Husserl*. Ele distinguia entre a ontologia formal e a ontologia material. Contudo, ambas abordariam a análise das essências. A ontologia formal estudaria a essência formal ou universal, a base de toda ciência; e a ontologia material estudaria as essências materiais, a base das ciências factuais. Contudo, esta última forma de ontologia tem sua base na primeira, a formal ou universal.

h. *Heidegger*. Para ele a ontologia é a análise da existência. Ela preocupa-se com o que torna possível a existência, e com a sua finitude.

i. *Carnap e os positivistas*. Quando procuramos pela verdadeira essência da realidade, estamos abordando coisas que estão além do escopo de nossa ciência e conhecimento. Isso posto, a ontologia é um estudo impossível, apresentando somente proposições estéreis e sem significado. Isso posto, a ontologia trataria de falsas questões, porquanto, na verdade, elas não estão sujeitas à investigação humana. Seus pronunciamentos são despidos de sentido, e não representam usos legítimos da linguagem humana.

j. *Bergmann e Heidegger*. A linguagem humana tem um certo discernimento no que concerne à realidade, porquanto deriva-se da mesma. A linguagem utiliza-se de símbolos, na tentativa de obter controle sobre os discernimentos acerca da realidade.

l. *Quine*. Ele pensava que a linguagem ontológica é apenas um reflexo daquilo em que uma pessoa resolveu acreditar, e não um reflexo da realidade.

4. O Cristianismo e a Ontologia

A fé cristã parte do pressuposto de que Deus é a grande realidade ontológica, auto-existente, eterna, perfeita e toda-poderosa. Dele é que procederam todas as demais realidades, por meio de um ato de criação, ou melhor, por muitos e contínuos atos criativos. A criação é sustentada por ele. O cristianismo concebe um dualismo: existem seres e objetos materiais e imateriais. E, assim como a criação procedeu de Deus, assim também deverá retornar a ele (Col. 1:16; Efé. 1:9,10); e isso por meio de seu Filho, o Logos, que é o seu intermediário. Assim também, a salvação tem um significado ontológico, porquanto aquilo que é realizado por meio da salvação é *existencial*. Em outras palavras, a salvação envolve a transformação do ser, de tal modo que os remidos chegam a participar da própria natureza divina (ver II Ped. 1:4; Col. 2:9,10). No *Logos*, além disso, há um desvendamento da natureza e do propósito do ser (ver João 1:1-3,18); e esse desvendamento é, primeiramente, *externo* (através dos profetas e das Escrituras Sagradas, e da natureza), e em seguida é *interno*, mediante um conhecimento intuitivo interior. As experiências místicas tornam possível a comunicação da natureza da vida divina aos remidos. A própria história, bem como nossas vidas e nossas experiências religiosas operam como desvendamentos da natureza da realidade. A teologia da Bíblia é um registro escrito, e contém muitos itens desse desvendamento da realidade.

ONTOLOGISMO

Esse é o conceito que diz que podemos ter um conhecimento direto de Deus, através de nossas habilidades inatas, ou seja, da intuição da alma. Essa doutrina é conhecida por meio de vários nomes, como «luz interior», «fagulha divina», etc. O pressuposto básico (ver sobre o *Misticismo*) é exatamente esse, embora também aceite que poderes externos podem iluminar ao homem, e que a alma humana é passível de tais experiências.

Alguns protestantes e evangélicos têm exagerado o ofício e a exclusividade das Sagradas Escrituras, eliminando assim toda e qualquer experiência mística. Mas a Bíblia é um virtual manual de tipos de experiências místicas, a começar pela regeneração, quando o Espírito de Deus vem ao encontro da alma arrependida e crente e lhe proporciona o novo nascimento. O profetismo do Antigo Testamento está quadradamente assentado sobre as experiências místicas; e as revelações em geral são uma subcategoria do misticismo. A presença habitadora do Espírito no crente, e todo o seu ministério estão alicerçados sobre a realidade das experiências místicas. Entende-se por experiência mística o contato do espírito humano com o Espírito de Deus, com os anjos, com os demônios, etc. E isso indica que há experiências místicas positivas e negativas. Todo crente tem experiências místicas positivas, em diversos níveis, dependendo do que o Senhor, o Espírito, quiser fazer dele e por meio dele.

ONTOSOFIA

Em miúdos, «sabedoria sobre o conhecimento». Ver sobre *Ontologia* 3. a. e b. Esse termo tem sido geralmente usado como sinônimo de *ontologia*.

OOLÁ (E OOLIBÁ)

Esses dois nomes significam em hebraico, respectivamente, *sua própria tenda* e *minha tenda*. (Ver Eze. 23:4). Foram dois nomes fictícios usados por Ezequiel para denotar os dois reinos de Samaria (Israel) e Judá. Há uma força mui significativa nesses nomes, que precisamos observar. Oolá era aquela cuja tenda ou templo estava nela mesma, ou seja, uma invenção humana. Oolibá era aquela a quem Yahweh dera um templo e um culto religioso. O primeiro nome visava criticar as condições vigentes no reino do norte (Israel). Ambos os reinos são comparados a mulheres sensuais, que cometeram adultério contra Yahweh, marido delas, mediante suas alianças e contorções políticas voluntárias, com nações pagãs. Essas associações eram consideradas, *ipso facto*, alianças com os deuses pagãos dessas nações. O crime de Oolibá era considerado um pecado mais grave que o de sua irmã, porquanto ela tinha mais privilégios e se recusava a deixar-se instruir pelo mau exemplo da ruína de sua irmã. Essa alegoria foi uma epítome da história da vida religiosa dos judeus. (ND S UN)

OOLIBÁ

Ver sobre **Oolá e Oolibá**.

OOLIBAMA

No hebraico, **tenda da altura**. Há duas pessoas no Antigo Testamento com esse nome:

1. Provavelmente a segunda das três esposas de Esaú (ver Gên. 36:2,25), em cerca de 1964 A.C. Na narrativa anterior ela é chamada Judite, em Gên. 26:34. Era neta de Zibeom, o heveu. É provável que o seu nome original fosse Judite, e que após casar-se tenha recebido outro, um costume bastante comum na época. Foi a fundadora de três tribos de descendentes de Esaú.

2. Um dos príncipes ou chefes de clã, descendente de Esaú (ver Gên. 36:41; I Crô. 1:52). É bem provável que essa lista de nomes refira-se a lugares, e não a indivíduos, o que parece evidente com base nas expressões que aparecem no início da mesma. No vs. 40 temos: «segundo as famílias, os seus lugares e os seus nomes», em contraste com o vs. 43, onde lemos: «segundo as suas habitações na terra da sua possessão». (S UN)

OPINIÃO

Muita alegada certeza, nos campos da religião e da filosofia, não passa de opinião, incluindo algumas doutrinas pregadas com todo o respeito. O termo grego por detrás desse termo é *doxa*, que significa «opinião». Esse vocábulo grego, por sua vez, deriva-se do verbo *dokéo*, «parecer», «supor». È significativo que nossa palavra *ortodoxia* signifique «opinião correta»; porém, em muitos casos, os sistematizadores têm meramente organizado as suas opiniões. As regras ditadas pela ortodoxia com freqüência são subjetivas, visto que, na prática, essas regras determinam «como minha denominação e eu interpretamos as Escrituras». Seja como for, ortodoxia nem sempre é sinônimo de verdade doutrinária. As heterodoxias têm um jeito muito especial de se tornarem ortodoxias, como a miúde se verifica no próprio cristianismo evangélico. Então, novas ortodoxias são formadas eliminando heterodoxias opostas; e o processo continua. Isso nos ensina o quão cautelosos devemos ser, ao criticar a outras pessoas, por causa de suas opiniões.

Idéias sobre as Opiniões:

1. *Parmênides*. Ele contrastava a verdade e a opinião. Para ele, as opiniões estribam-se sobre a percepção dos sentidos, que é bastante ilusória; e a verdade, seria descoberta e sondada pela razão.

2. *Platão*. Ele situava a opinião entre *ágnoia*, «ignorância», e a *epistemé*, «conhecimento». As opiniões nunca podem ser mais do que meras probabilidades, visto que as mesmas dependem, essencialmente, da percepção dos sentidos, a qual é tão ilusória. Reina no mundo dos objetos físicos, um mundo em estado de fluxo, menos real do que o mundo das Idéias, e apenas uma imitação deste último. A razão, a intuição e as experiências místicas (por essa ordem crescente) são válidas para quem quer avançar das meras opiniões para a verdade das coisas. O conhecimento envolve muito mais do que opiniões acompanhadas de cuidadosas e completas descrições.

3. *Aristóteles*. A opinião, para ele, representa apenas o começo de nossas inquirições. Há então a necessidade de descrições completas. Se essas descrições forem, realmente, completas, então teremos chegado a um conhecimento científico; no entanto, somente a um conhecimento de nosso mundo físico, que é real, por detrás do qual se oculta uma realidade mais profunda.

OPORTUNIDADE UNIVERSAL

Para ouvir e aceitar o evangelho.

Ver os artigos: *Restauração; Descida de Cristo ao Hades; Missão Universal do Logos* (*Cristo*); *Infantes, Morte e Salvação Dos*.

OPOSTOS

A filosofia e a teologia apresentam-nos uma série de opostos. Alguns desses opostos são basicamente contraditórios; — mas há outros que são apenas os pólos contrários de conceitos sobre a realidade ou o conhecimento. Ver o artigo intitulado *Polaridade*.

1. *Os Pitagoreanos*. Aqueles antigos filósofos imaginavam uma dualidade básica na realidade, bem como nos meios de que dispomos para conhecer a realidade.

2. *Platão*. Ele nos forneceu uma dualidade clássica em sua doutrina das Idéias e dos Particulares. As idéias representariam a autêntica realidade, e os particulares seriam uma realidade imitativa apenas. Quanto ao conhecimento, ele também concebia certa dualidade, dizendo que a percepção dos sentidos percebe o mundo dos particulares, mas que a razão, a intuição e as experiências místicas experimentam o mundo real das idéias.

3. *Heráclito*. Ele imaginava que todas as coisas acham-se em tensão constante, por parte de opostos, de onde se origina o fluxo em que se acham todas as coisas.

4. *O Taoísmo*. Temos aqui a doutrina do Yang e do Yin, isto é, as forças positivas e negativas da realidade, mediante o que todas as coisas operariam.

5. *Nicolau de Cusa*. Ele pensava em Deus como a própria coincidência dos opostos.

6. *Hegel*. Seu agora famoso sistema de tese, antítese e síntese assevera que todas as coisas e condições operam através da tensão de opostos, representados pela tese e pela antítese. O comunismo adotou essa teoria e a materializou. Nos escritos de Hegel, é o Espírito Absoluto que cria esses opostos. Mas, no comunismo, forças econômicas é que fariam oposição umas às outras.

7. *No Cristianismo*. Temos ali os *paradoxos* (vide), que podem ser melhor entendidos mediante a aplicação da doutrina da *polaridade* (vide).

O PRIMEIRO E O ÚLTIMO

Essa expressão aparece por três vezes no Novo Testamento, somente no livro de Apocalipse (1:17; 2:8 e 22:13). Evidentemente a idéia é tomada por empréstimo de certas passagens do livro de Isaías (41:4; 44:6 e 48:12). Ali, a expressão refere-se ao eterno Deus de Israel, que é o começo e o fim de todas as coisas. No Novo Testamento, porém, precisamente a mesma idéia é aplicada ao Filho de Deus, Jesus Cristo. Isso sugere fortemente a **divindade** de Cristo. Ver sobre **Alfa e Ômega**.

OPUS DEI

Literalmente, «obra de Deus». Essa expressão designa as formas litúrgicas de adoração prescritas para o uso diário, em horas fixas. As ordens monásticas, as catedrais, etc., observam tais ritos, como também indivíduos devotos, tanto prelados quanto leigos. São Benedito deu esse título ao seu arranjo dos «ofícios» (no latim, *officium*, «serviço», «funções», «dever»). A inspiração para essa questão foi a observância judaica, em horas fixas, de orações, jejuns e outros exercícios religiosos.

OPUS OPERATUM

O sentido dessa frase latina é «em virtude do trabalho feito». Mas chegou a ser virtualmente substituída por *ex opere operato*, a expressão usada por ocasião do *Concílio de Trento* (vide). A frase original apareceu em obras teológico-filosóficas no *Glosário das Sentenças*, que foi falsamente atribuído a Pedro de Poitiers, que foi discípulo de Pedro Lombardo. Parece que seu uso começou no século XII. Essas expressões eram usadas para aludir à eficácia dos sacramentos, por si mesmos, à parte daqueles que os administrassem e daqueles que os recebessem. De acordo com essa doutrina, a eficácia dos sacramentos não depende de fatores subjetivos, por parte do administrador ou do receptor; mas essa eficácia está nos próprios sacramentos, conferindo graça «em virtude do trabalho feito», contando que os participantes não ponham algum obstáculo no caminho.

A doutrina católica romana diz que o Espírito opera sempre que os sacramentos são utilizados, e que os mesmos são uma medida de graça, sem importar os méritos pessoais do administrador ou receptor. Essa doutrina também faz parte daquela outra que diz que os sacramentos são necessários à atuação do Espírito, e que eles sempre devem ser administrados por meio da hierarquia eclesiástica. Se os sacramentos fizerem-se ausentes, assim também a graça far-se-á ausente. A teologia popular faz tudo isso reduzir-se a atos de mágica, algo automático, sem importar o estado ou condição espiritual do participante. A teologia mais sofisticada, entretanto, requer que aquele que participa dos sacramentos tenha fé e esteja arrependido, sob pena dos sacramentos não se mostrarem eficazes. Na história da teologia, ambos os pontos de vista têm sido esposados por homens importantes. A eficácia mecânica é uma parte bem definida da questão, embora as outras idéias também entrem em cena. Os luteranos têm preservado o caráter sacramental do batismo, mas a maioria dos grupos protestantes chegou ao ponto de rejeitar essa noção, com todas as demais formas do *sacramentalismo* (vide). Antes, preferem enfatizar a eficácia da operação do Espírito Santo através da pregação da Palavra, quando esta é crida. Nesses casos, os sacramentos, que alguns grupos preferem chamar de «ordenanças», tornam-se símbolos das operações do Espírito, mas não meios de graça divina, conforme ensina o catolicismo romano e a ortodoxia oriental.

De acordo com a doutrina romanista, os homens podem criar obstáculos à graça que seria transmitida por meio dos sacramentos, excetuando no caso do batismo de infantes; pois nesse caso, como é óbvio, a graça divina opera à parte da fé ou da receptividade do batizando. A falha fundamental do sacramentalismo, até onde podemos ver as coisas, é que encoraja uma falsa espiritualidade, por meio de procuração ou substituição, em vez de encorajar a alma individual a corresponder pessoalmente ao Espírito de Deus. Ademais, deixa muita coisa nas mãos dos prelados, ao passo que a real responsabilidade depende do indivíduo. Além disso, consideremos os fatos da experiência humana. Quantos milhões de criancinhas têm sido batizadas no Brasil e têm tomado a chamada primeira comunhão, mas não demonstram a mínima espiritualidade! As massas populares de países católicos permanecem na ignorância da Bíblia e de seus ensinamentos. As crianças tornam-se adolescentes e adultos, sem evidência séria de que o Espírito de Deus tem operado de forma transformadora em suas vidas, como resultado do batismo infantil e da primeira comunhão. Todas as evidências salientam a ineficácia dos sacramentos.

Sempre que um indivíduo é transformado pelo Espírito, ali podemos perceber sinais de que o Senhor tem operado naquele coração. Como é claro, tais operações do Espírito requerem que a pessoa seja capaz de interação pessoal com Deus. Talvez alguém se impressione com a declaração de que a graça de Deus opera através dos sacramentos. Mas, quando examinamos os *resultados* desse método de aplicação em massa dos sacramentos, como se vê em qualquer país de maioria católica romana, não ficamos impressionados. É então que somos forçados a confessar: a espiritualidade não é conferida dessa maneira ao homem!

E mesmo entre as fileiras evangélicas, podemos dizer a mesma coisa, quando observamos a maneira trivial com que as pessoas são convidadas a levantar a mão, vir até à frente e dizer uma oração. Esse é o substituto evangélico do sacramentalismo católico romano; e, na prática, com freqüência é tão trivial e superficial como o sacramentalismo, não tendo efeitos mais duradouros que os dos sacramentos.

O QUE LHE É DEVIDO

Expressão que aparece em I Cor. 7:3, na frase: «O marido conceda à esposa o que lhe é devido, e também semelhantemente a esposa a seu marido». Trata se de um eufemismo usado por Paulo para indicar os direitos conjugais. O grego diz, literalmente, «o afeto que um deve», ou «um pague a dívida ao outro», embora a alusão seja às relações sexuais. Isso ensina que, no casamento, ambos os cônjuges têm direito ao prazer sexual, que não deve ser suspenso por nenhum motivo, exceto quando marido e mulher concordarem em sacrificar o mesmo por um tempo limitado, a fim de ocuparem-se em exercícios piedosos, como o jejum e a oração. (ID UN Z)

Esse ensino paulino é contradito pela doutrina católica romana de que as relações sexuais, mesmo entre pessoas legitimamente casadas, só são lícitas se estiver em foco a procriação. Uma das conseqüências mais lastimáveis dessa doutrina é que os bons católicos romanos se vêem às voltas com muitos problemas graves de consciência. Por exemplo, se a mulher não mais pode gerar filhos, pode ou não manter relações sexuais com o marido? Muitos padres, ao se converterem ao evangelho, testificam sobre o dilema que então se vê no confessionário, para tentar aconselhar as pessoas, inconformadas com a situação de terem de negar-se a seus legítimos cônjuges, forçando estes últimos a buscar outros parceiros.

O que a Bíblia condena não é o ato sexual em si, e, sim, o abuso do ato, ou seja, fora das relações do matrimônio. O primeiro casal recebeu ordens nesse sentido: «E Deus os abençoou, e lhes disse: Sede fecundos, multiplicai-vos...» (Gên. 1:28). A legislação mosaica mostrava alguns dos principais abusos contra o sexo. O livro de Cantares de Salomão exalta o amor conjugal, como representação simbólica do amor mútuo entre Cristo e sua Igreja. Todos os apóstolos de Jesus, com a única exceção de Paulo, por motivo de dom divino, eram homens casados, e Jesus não os rejeitou por isso. E Paulo adverte que uma atitude ascética em relação ao sexo, haveria de caracterizar aos apóstatas da fé, em I Tim. 4:1 *ss:* «Ora, o Espírito afirma expressamente que, nos últimos tempos, alguns apostatarão da fé, por obedecerem a espíritos enganadores e a ensinos de demônios, pela hipocrisia dos que falam mentiras, e que têm cauterizada a própria consciência, que proíbem o casamento...»

ORAÇÃO

Esboço:

1. Oração como Submissão
2. Oração como Ato de Adoração
3. Oração como Ato Criador
4. Oração nas Páginas do Antigo Testamento
5. Ensinamentos de Jesus sobre a Oração
6. Ensinamentos de Paulo sobre a Oração
7. Outros Conceitos Neotestamentários sobre a Oração
8. Orar sem Cessar
9. Intercessão Mútua

••• •••

1. Oração como Submissão

O soldado cristão está empenhado em uma luta que lhe defende a própria vida. Nada há de insignificante acerca da vida que o crente leva. Os perigos são graves e muitos. Mas seu grande Comandante lhe oferece a sua ajuda. Essa ajuda pode ser solicitada por intermédio da oração, mas só é possível recebê-la quando a alma crente se encontra em estado de submissão a Cristo. E tal ajuda vem da parte de Deus. A fé consiste na «entrega de alma» (ver as notas expositivas sobre Heb. 11:1 no NTI). Portanto, toda a oração deve estar alicerçada sobre a fé. Por isso é que devemos pedir «crendo», já que essa atitude, por isso só, é um ato de submissão a Cristo, na certeza de que ele é capaz de fazer aquilo que lhe solicitamos (ver Mat. 21:22). A oração é um ato da alma, mediante o qual nos pomos sob os cuidados de Deus, pois reconhecemos, em qualquer ocasião em que orarmos, que dependemos de Deus e que temos limitações que só podem ser contrabalançadas por ele. A oração consiste em «pedir e receber»; mas consiste ainda em muito mais do que isso. Pois basicamente consiste na entrega da alma a Deus, a expectação do favor divino, e suas muitas solicitações são apenas resultados disso. A oração ocasionalmente é respondida com um *Não*, porque, nesse estado de submissão, a alma quer mais que se faça a vontade de Deus que o cumprimento de seus próprios desejos. Portanto, a oração é um campo de provas, onde podemos aprender sobre Deus, não servindo meramente de instrumentos pelo qual obtemos as coisas que queremos, embora nos seja assegurado que assim é, e que as vantagens recebidas serão importantes.

2. Oração como Ato de Adoração

A oração faz parte da liturgia, a qual faz parte da adoração coletiva. Mas a oração também faz parte da adoração individual. No trecho de Efé. 6:18, lemos que a oração do crente deve ser feita «no Espírito», e é nessa expressão que vemos tanto a atitude de adoração como a submissão ao Senhor. A oração incorpora em si as atitudes essenciais da adoração, como a confiança em Deus, a submissão à sua vontade, a adoração à sua pessoa, o louvor devido às obras divinas entre os homens. Quando a oração transcende ao mero ato de pedir, torna-se um ato de adoração, em sua própria essência. Sendo esse um ato de adoração, a oração é um estado no qual muito aprendemos de Deus; e assim a sua vontade pode cumprir-se em nós, transformando-nos conforme a imagem de Cristo.

3. Oração como Ato Criador

A oração vale-se do poder criador de Deus, pelo que também se diz: «A oração modifica as coisas». Essa modificação não vem da parte do homem, pois depende da ajuda dada pelo Criador. Na oração, pois, entregamos nas mãos de Deus na ordem presente de coisas, para que elas sejam «modificadas». Essa modificação talvez exija, antes de tudo, a nossa própria transformação moral. Mas uma vez que nos tornemos seres transformados, podemos ser, nós mesmos, instrumentos modificadores. Todavia, a oração também pode criar novas situações nas circunstâncias externas, ou diferenças de atitude em outras pessoas, — as quais *podem* modificar os acontecimentos. Quando a oração é um genuíno exercício da alma, isso nos põe sob o controle do poder criador de Deus. Isso também nos torna mais sensíveis para com a vontade de Deus, para com as necessidades alheias e para com as nossas próprias necessidades, diminuindo nossos desejos por coisas meramente físicas. Por conseguinte, em seu poder criador, a oração eleva o inteiro tom espiritual de nossas vidas. Quando a oração é devidamente usada, ela se torna uma maneira de adorar ao Senhor, se o servirmos com nossas vidas. A oração cria grande receptividade entre as pessoas, e é dessa maneira que, com grande freqüência, nossas orações são respondidas, sem a necessidade de qualquer milagre.

4. Oração nas Páginas do A.T.

a. A oração reconhece a personalidade e o poder de Deus, bem como o seu interesse pelos homens (*teísmo*, em contraste com *deísmo*). O teísmo ensina que Deus continua interessado pelos homens, fazendo intervenção na história humana, recompensando e punindo. Já o deísmo afiança que Deus não tem interesse pelos homens ou pelo mundo, mas estabeleceu leis impessoais que governam tudo. De acordo com essa segunda posição, Deus não dá atenção aos homens e nem faz intervenção em sua história, não querendo puni-los ou recompensá-los. Mas a Bíblia inteira mostra-se altamente teísta, e não deísta, e a ênfase posta sobre a oração demonstra isso. (Quanto a conceitos filosóficos e teológicos de Deus, sua natureza e relação para com os homens, ver sobre *Deus*. b. A oração é um meio de comunhão entre Deus e o homem; e isso pode ser pessoal, conforme temos nas narrativas dos patriarcas e suas intercessões. c. A oração é uma *intercessão* em benefício próprio e em benefício de outros, em que o crente busca melhoria espiritual e material. Abraão intercedeu por Sodoma (ver o décimo oitavo capítulo de Gênesis); Moisés intercedeu por Israel (ver Êxo. 32:10-12); Jó, pelos seus amigos (Jó 42:8-10). Petições individuais são comuns nos salmos (ver Sal. 31:86, 123 e 142). d. A oração é um meio de louvarmos ao Senhor, como é muito evidente nos Salmos (ver Sal. 113 — 118). Há orações pedindo perdão (ver Sal. 51), solicitando comunhão (ver Sal. 63), pedindo proteção (ver Sal. 57), pedindo cura (ver Sal. 6), pedindo reivindicação (ver Sal. 119), louvando ao Senhor (ver Sal. 103). e. As orações fazem parte da liturgia. Isso transparece nos Salmos Halel, na forma de oração e louvor, que vieram a ser incorporados à liturgia (ver Sal. 113-118), e formas específicas foram estabelecidas para efetuar as orações diárias (ver Atos 3:1 no NTI quanto as notas expositivas sobre essa questão). f. A oração é um ato de *devoção* (ver Esd. 7:27; 8:22 e *ss*; Nee. 2:4; 4:4,9 e Dan. 9:4-19).

5. Ensinamentos de Jesus sobre a Oração:

a. Jesus enfatizou a paternidade de Deus, o qual é retratado como generoso para com os seus filhos (ver Mat. 7:7-11). b. O indivíduo se reveste de grande valor perante Deus, pelo que também pode esperar a resposta para as suas orações (ver Mat. 10:30; 6:25 e *ss*, e 7:7-11). c. A verdadeira oração é espiritual, e não formal (ver Mat. 6:5-8). d. Há grande poder na oração, pelo que também deve ser usada perseverantemente. (Ver Mar. 11:23 e Mat. 7:20). e. A oração deve ser feita com fé (ver Mat. 17:20). f. A oração deve ser perseverante (ver Luc. 18:1-8). g. A oração precisa ser governada com uma disposição amorosa e perdoadora (ver Mat. 18:21-35). h. A oração pode envolver coisas práticas e terrenas (ver Mat. 7:6-11 e 6:11). i. A oração visa também elevadas realidades espirituais (ver o décimo sétimo capítulo do evangelho de João). j. A oração pode solicitar força espiritual (ver Mat. 6:13). 1. A oração tem por escopo o avanço na direção do reino de Deus sobre a terra e sua — final inauguração (ver Mat. 6:10,13). m. O próprio Jesus nos deixou o exemplo mais elevado de uma vida de oração (ver Luc. 5:15; 6:12; João 12:20-28 e 17:6-19).

6. Ensinamentos de Paulo sobre a Oração

a. Tal como Jesus, Paulo nos deixou grande exemplo de orações práticas (ver Col. 1:3; 4:12; Fil. 1:4; I Tes. 1:2; Rom. 1:9 e File. 4). b. A oração consiste em adoração (ver Efé. 5:19; Col. 3:16), particular e coletiva. c. Faz intercessão em prol de todos os homens (ver I Tim. 2:1), como também é intercessão do Espírito Santo em favor dos homens (ver Rom. 8:26) e de Cristo em favor dos homens (ver Rom. 8:34). Portanto, envolve toda a trindade, porquanto o Filho e o Espírito de Deus intercedem juntamente com Deus Pai. d. A oração é exigente, pois requer perseverança (ver Rom. 15:30; Col. 4:12; Efé. 6:18 e I Tes. 5:17). e. A oração é uma expressão de ação de graças (ver Rom. 1:8 e *ss*). f. A oração aprofunda nossa comunhão com Deus (ver II Cor. 12:7 e *ss*). g. A oração visa ao benefício e ao crescimento espiritual de outros crentes (Efé. 1:18 e *ss*; e 3:13 e *ss*). h. A oração solicita a salvação dos perdidos (ver I Tim. 2:4). i. A oração é feita «no Espírito», como exercício espiritual, que se vale do poder divino (ver Efé. 6:18). j. A oração chega mesmo a ser um dom do Espírito Santo (ver I Cor. 14:14-16).

7. Outros Conceitos Neotestamentários sobre a Oração:

a. O livro de Atos frisa a natureza coletiva da oração, como também o faz o trecho de Tia. 5:13-18. Paulo enfatiza a mesma verdade em Efé. 6:18. A igreja cristã nasceu dentro da atmosfera da oração (ver Atos 1:4), pois em resposta à oração é que o Espírito Santo veio sobre a comunidade da igreja (ver Atos 1:4 e 2:4). Em períodos de crise, a igreja apelou para a oração (ver Atos 4:21 e *ss*). b. A igreja cristã, mediante os seus líderes, sempre se dedicou à oração (ver Atos 9:40; 10:9; 16:25 e 28:8). A oração deve ser praticada em benefício da comunidade cristã (ver Atos 20:28,36 e 21:5). c. A oração é possível por causa do nosso Sumo Sacerdote, divino humano, o qual garante o cumprimento do desejo sincero de corações crentes (ver Heb. 4:14-16. Ver também Heb. 5:7-10, que ilustra a necessidade de oração, dentro da vida de oração do Senhor Jesus, porquanto nos ensina a necessidade de submissão e obediência). d. A oração é um meio de entrarmos em nossos privilégios espirituais em Cristo (ver Heb. 10:19 e *ss*), pois procura apelar para o poder de Deus, a fim de termos forças na vida. A oração penetra para além do véu, chegando ao próprio Santo dos Santos, até à presença de Deus (ver Heb. 6:19). e. A oração nos confere sabedoria espiritual (ver Tia. 1:5-8). f. A oração deve ser oferecida com base nas motivações certas, pois não pode servir ao egoísmo e ao pecado (ver Tia. 4:1-3). g. A oração pode curar o corpo, e deve ser usada com essa finalidade (Tia. 5:13-18). h. A oração deve ser ousada, e assim será eficaz (ver I João 3:21 e *ss*). i. A oração sempre deve estar sujeita à vontade de Deus, sendo limitada por ela (ver I João 5:14-16).

8. Orar Sem Cessar (I tes. 5:17)

1. Isso não pode significar, naturalmente, uma oração constante e sem a mínima interrupção, em que as cordas vocais físicas sejam permanentemente usadas.

2. Mas pode indicar uma espécie de espírito dedicado à oração, sem qualquer hiato, e que se expressa em um constante «hábito de oração».

3. Também pode estar subentendida a obra intercessória do Espírito Santo, mediante o que ele intercede ininterruptamente por nós, contanto que nossas vidas sejam corretas de modo a serem uma oração viva.

O mais provável é que esteja em foco o *hábito constante* de orar. Conforme diz Coleridge ('notes on the Book of Commom Prayer', iii.11, vs. 23): «Orai sempre, diz o apóstolo. Em outras palavras, formai o hábito da oração, transformando vossos pensamentos em ações, vinculando-as à idéia do Deus redentor».

«O caminho da alegria constante, em meio às perseguições é a oração constante, expressa ou não em palavras. A exortação visa a constância na oração (ver Rom. 12:12 e Col. 4:2), para que oremos com 'toda a alegria' (ver Efé. 6:18). Isso caracterizava os ensinamentos e a prática diária de Paulo (ver I Tes. 3:10 e II Tes. 1:11). Que os crentes podem orar como devem, se explica pela presença habitadora de Cristo (ver Rom. 8:26 e Efé. 6:18)». (Frame, *in loc.*).

9. Intercessão Mútua

Paulo recomenda a intercessão mútua entre os crentes. Quando dois ou três fizerem algum pedido coletivo, isso lhes será outorgado (ver Mat. 18:19). Além disso, nenhum santo de Deus é tão perfeito ou tão forte que não necessite da ajuda de outros. No dizer de Wedel (*in loc.*): «Assim como um soldado, na linha de batalha, se desanimaria se não tivesse o conhecimento que seus camaradas lutam ao seu lado, assim também o crente individual vive com base na fé e na confiança inspiradas pelo Espírito de Deus acerca da fraternidade de Cristo. Quão desesperadamente, na qualidade de soldados cristãos, precisamos da comunhão do Espírito Santo, conforme nossa era conturbada o demonstra!»

Ninguém se encontra isolado, na batalha espiritual. Cumpre-se assim o ditado popular que diz: «Ninguém é uma ilha». A batalha é ganha pelo corpo inteiro de Cristo, coletivamente considerado. Nenhum crente poderá obter a vitória total sem compartilhar da mesma com outros, participando igualmente das vitórias dos demais. A plena glorificação, tanto do Cabeça como do corpo, ocorre coletivamente (ver Efé. 1:23 e 2:6). O desenvolvimento espiritual envolve todo o corpo místico de Cristo, considerado juntamente os seus muitos membros, e não algum membro isoladamente (ver Efé. 4:16). Portanto, a oração deve envolver o corpo inteiro de Cristo, e não apenas o próprio crente individual; e isso é útil, tanto para os outros crentes como para cada crente que assim ora.

Que é Orar?

A oração é o desejo sincero da alma,
Que fica mudo ou é expresso,
É o movimento de uma chama oculta
Que tremula no peito:

A oração é o enunciado de um suspiro,
O cair de uma lágrima,
O volver os olhos úmidos para cima,
Quando ninguém, senão Deus, está perto.

A oração é a linguagem mais simples
Que lábios infantis podem experimentar;
A oração é o clamor mais sublime que atinge
A Majestade nas alturas:

A oração é o hábito vital do crente,
E a sua atmosfera nativa,
É o seu lema às portas da morte,
Pois ele entra no céu pela oração.

A oração é a voz contrita do pecador,
Que retorna de seus maus caminhos,
Quando anjos se regozijam em cânticos,
E dizem: Eis que ele ora!

Os santos, na oração, aparecem como um só,
Na palavra, nos feitos, na mente,
Quando, com o Pai e o Filho,
Encontram seu companheirismo.

Nenhuma oração é feita só no mundo:
Pois o Espírito Santo intercede;
E Jesus, no trono eterno,
Intercede pelos pecadores.

O Tu, por meio de quem chegamos a Deus!
Vida, Verdade e Caminho,
Tu mesmo palmilhaste o caminho da oração,
Senhor, ensina-nos como orar!
(Montgomery)

ORAÇÃO (DOMINICAL) Ver **Oração do Senhor.**

ORAÇÃO (LUGAR DE)
Ver sobre *Lugar de Oração.*

ORAÇÃO DE MANASSÉS
Ver *Manassés, Oração de.*

ORAÇÃO DE PEDIDOS

Nos livros de cultos anglicanos, uma série de petições e intercessões, entremeadas com a oração do Pai Nosso. A prática deriva-se de costumes galicanos. Fazia parte da adoração popular, antes da Reforma protestante. (E)

ORAÇÃO DO SENHOR

Mat. 6:9: Portanto, orai vós deste modo: Pai nosso que estás nos céus, santificado seja o teu nome;

(Luc. 11:1-4). A oração do Senhor.

Um artista, ao tentar retratar com o pincel as cataratas de Niágara, que há na fronteira do estado de Nova Iorque, E.U.A., com o Canadá, e que se assemelha um tanto às cataratas do Iguaçu, ainda que um pouco menores do que estas, segundo se conta, *jogou* fora o seu pincel, na mais total frustração. Quem pode retratar algo tão grande, com algumas poucas pinceladas em uma tela? Assim são todas as tentativas para se tecer comentário sobre essa grande oração de Jesus. «Há trovões e poderes e uma neblina espectral nessa oração: ela desafia nossa inteligência, e, no entanto, é nossa salvação. *É breve*. As dezoito petições, feitas três vezes ao dia nas orações dos judeus piedosos, eram dez vezes mais longas. Esta oração, devido à sua franqueza, penetra na mente e é facilmente memorizada. É infantil em sua simplicidade: estadistas e homens de rua, filósofos e homens rústicos, bispos e os mais jovens catecúmenos se reúnem em volta dela» (Buttrick *in loc.*).

COMPARAÇÃO DE MATEUS COM LUCAS

MATEUS	LUCAS
Pai nosso que estás nos céus	Pai
Santificado seja o teu nome	Santificado seja o teu nome
Venha o teu reino	Venha o teu reino
Faça-se a tua vontade assim na terra como no céu	(Omitido por Lucas)
O pão nosso de cada dia dá-nos hoje	O pão nosso cotidiano dá-nos de dia em dia
E perdoa-nos nossas dívidas	Perdoa-nos os nossos pecados
Assim como nós temos perdoado aos nossos devedores	Pois também nós perdoamos a todos os que nos devem
E não nos deixes cair em tentação; mas livra-nos do mal	E não nos deixes cair em tentação.
(Porque teu é o reino, e o poder e a glória para sempre). Essa frase não é parte da oração original.	(Omitido em todos os manuscritos de Lucas).

Com respeito ao problema da *harmonia* entre Mat. e Lucas, nota-se, primeiramente, que a oração é apresentada em Lucas em ocasião diferente. Em Lucas a ocasião é posterior (após o regresso dos setenta, ou seja, depois da segunda viagem pela Galiléia), ao passo que em Mateus a ocasião é antes da chamada dos doze. A chamada dos doze ocorreu antes da nomeação dos setenta, pelo menos com a diferença de alguns meses. Outrossim, é claro que a oração, em Lucas, é abreviada e contém algumas diferenças nas palavras e frases. Esses fatos ilustram diversas coisas: 1. Provavelmente Lucas não usou Mateus como base, mas os dois contavam com algum material em comum, que não se acha em Marcos. Essa fonte (da oração e de alguns outros assuntos) se chama *Q*. 2. Assim sendo, Mateus não é uma versão adaptada de Lucas, e nem Lucas uma versão adaptada de Mateus. — Ambos dão versões individuais de *Q*. 3. Se persistir a pergunta: *Qual das duas é a oração original de Jesus?*, pode-se dizer que é impossível ter certeza quanto a esse problema, mas provavelmente a mais curta (oração de Lucas), é a mais próxima, porque usualmente é comum ao escriba aumentar e embelezar, e não abreviar. As pequenas diferenças de palavras e frases talvez indiquem que ambos os autores modificaram a fonte *Q* em alguns detalhes. 4. *Finalmente*, essa seção ilustra o fato de que os autores dos evangelhos não tiveram grande cuidado sobre minúcias geográficas e cronológicas e quanto ao emprego de certas palavras (em lugar do possível uso de outras palavras), como algumas autoridades religiosas ensinam hoje em dia. É óbvio que essas autoridades têm mais cuidado e dão maior importância a essas coisas que os autores dos evangelhos. Essa seção exemplifica como os autores manusearam suas fontes; e outras seções também contribuem para isso. Ver também as notas em Mat. 8:1,2 no NTI que ilustram o mesmo fenômeno.

A idéia de que Jesus se aproveitou de porções das orações dos judeus, e que ele não foi seu originador, jamais foi provada. Não há paralelo a essa oração na literatura judaica ou de outros povos. Não foi dada por Jesus para ser usada como liturgia, mas para ilustrar o *simples caminho* pelo qual nos devemos aproximar de Deus, em contraste com as vãs repetições pagãs. As petições (*sete*) refletem as necessidades básicas dos homens, quer espirituais ou físicas: 1. Santificado seja o teu nome: a alma se eleva à presença de Deus, reconhece que Deus é santo, e isso é o alicerce da oração e de nossas relações com Deus. 2. Venha o teu reino: desejo de aplicação universal dos atributos e poderes de Deus. 3. Assim na terra: aplicação direta da influência divina sobre a terra, aplicação essa pessoal, aqui onde habitamos. 4. Dá-nos pão: o discípulo do reino tem necessidades físicas. Deus se interessa por essas coisas também. O ensino contrasta o teísmo com o deísmo. Ver notas sobre as diversas idéias sobre Deus, em Atos 17:26 no NTI. 5. Perdoa os nossos pecados: neste mundo topamos com obstáculos, especialmente com a nossa própria natureza. Para que obtenhamos a condição de espiritualidade e sintamos a presença de Deus em nossas vidas, precisamos remover os obstáculos. 6. Não nos deixes cair: a vitória sobre o mundo é algo necessário para aquele que anda no caminho de Deus. 7. Livra-nos do mal: concede-nos, finalmente, a vitória completa nesta esfera.

Nota-se que essa oração de Jesus segue a forma geral do decálogo. Há duas divisões principais: 1. *As três primeiras* petições se relacionam diretamente com Deus. 2. *As outras quatro* se relacionam com os nossos semelhantes.

«Pai nosso». Ver nota em Mat. 5:16 no NTI sobre *Deus Pai*. Essa idéia forma a base da oração. O Deus verdadeiro é contrastado com os *caprichosos* deuses falsos dos pagãos que precisam ficar cansados com as petições de seus seguidores antes de responder. No grego, a palavra *vos* é enfática, e contrasta os discípulos com os pagãos, cujos deuses não eram seus pais. Jesus abordou uma nota universal também, porque quem pode dizer que ele se referiu a Deus somente como Pai dos judeus? Ele é o Deus dos céus e da terra. Paulo disse outro tanto *«de quem* toma o nome toda a família, tanto no céu como sobre a terra» (Efé. 3:15).

«Teu nome». O nome de Deus equivale à pessoa de Deus, segundo ele se tem revelado. A idéia é que sabemos algo de Deus, algo de sua natureza, algo de seu interesse pela humanidade. Quando proferimos o nome de *Deus Pai*, lembramos essas coisas.

«Santificado» quer dizer *Seja venerado* ou *honrado*. Está em foco a honra de Deus entre os homens. Que sejam reconhecidas a sua bondade e santidade entre os homens. **A primeira petição** é que o caráter santo e bondoso de Deus seja reconhecido e respeitado entre os homens, conforme já sucede nos céus, onde Deus apresenta suas principais manifestações. Tudo quanto sabemos sobre Deus deve ser venerado. A primeira petição não alude às necessidades da vida física do homem, mas à principal necessidade, que é o reconhecimento do caráter de Deus por parte dos homens e da sua relação, como Pai, para com a humanidade.

«Estás nos céus». Parece que essa expressão tem os seguintes significados: 1. A onipresença de Deus, na vasta amplidão dos lugares celestiais, os céus (I Reis 8:27). 2. O poder e a majestade de Deus, na forma de domínio sobre toda a criação (II Crô. 20:6). 3. A onipotência de Deus, o seu poder manifestado nos céus dos céus, os lugares mais elevados (II Crô. 20:6; Sal. 115:3). 4. A onisciência de Deus, porque daquele lugar tão elevado ele vê tudo quanto ocorre em todas as partes da criação (Sal. 11:4). 5. A santidade e a pureza de Deus, porque ele habita na mais santa montanha (Deut. 26:15; Is. 57:15).

Temos — um grande Pai — nos céus, e isso aumenta extraordinariamente o nosso *valor*. Esse fato empresta à oração o seu maior impacto. Justifica Marc Antoine Muret em sua famosa resposta. Os cirurgiões, que estavam prestes a operá-lo, julgaram-no tão ignorante quanto era pobre, e disseram antes do início da operação, em latim: *Faciamos experimentum in anima vili* («Façamos uma experiência neste indivíduo sem valor»). Para grande surpresa deles, Muret respondeu em latim igualmente bom: *Vilem animam appellas pro qua Christus non dedignatus est mori* («Chamais indigno àquele por quem Cristo não se recusou a morrer») (Marc Antoine Muret, Paris; Ernest Thorin, 1881, pág. 60). Posto que Deus é o pai da humanidade, ninguém pode ser reputado indigno. Sendo crentes, nossas orações sobem até ele, pelo que essas orações são importantes.

A oração demonstra grande *reverência* pelo nome de Deus. Jesus só se satisfazia quando o nome de Deus era santificado na conduta diária dos homens, e não por motivo de meras palavras e orações. Os islamitas, em suas cinco orações diárias, dizem: *«Deus é grande»*. Não temos tal costume, embora fosse sábio que pontuássemos nossas vidas diárias com períodos de oração. Mas Jesus ainda se interessaria mais na demonstração, mediante nossas ações, do respeito que votamos ao santo nome de Deus.

Mat. 6:10: venha o teu reino, seja feita a tua vontade, assim na terra como no céu;

Venha o teu reino. **A segunda petição** fala do reino dos céus ou de Deus. Ver nota sobre esse reino em Mat. 3:2 no NTI. Jesus queria estabelecer seu reino literal sobre a terra, o que seria a manifestação de Deus no mundo. Essa petição alude principalmente ao estabelecimento desse reino. Na literatura judaica há muitas repetições dessa petição. Por exemplo: «O homem que não menciona o reino de Deus em suas orações, nem ao menos ora». Jesus, mais do que qualquer judeu comum, desejou que chegasse esse reino (ver Dan. 7:14-27; Isa. 9:7; 11:1-6). Jesus deu início ao seu ministério com o fito de trazer esse reino: ele mesmo seria seu rei.

Há outras interpretações sobre o *reino*, como 1. A expansão da influência dos ensinos de Jesus. 2. O desenvolvimento da *igreja* cristã. 3. A expansão da influência e do *poder* da igreja. 4. O esforço da igreja em *atrair* o reino à terra, quer total ou parcialmente. Mas nenhuma dessas idéias tem justificação neste texto. Por expansão, o termo «reino de Deus» pode incluir essas idéias, e é verdade que alguns usam o termo com esse sentido, mas Cristo não se referiu a essas questões nesse ponto. Até hoje alguns oram pela chegada literal do reino de Cristo, o que só sucederá no milênio. Ver notas em Apo. 20:1-6 no NTI.

Faça-se a tua vontade. **Essa terceira petição**, obviamente, refere-se à obediência dos anjos a Deus, o que fazem com perfeição. Ver Sal. 103. Jesus queria que a vontade de Deus fosse totalmente cumprida nesta terra, a fim de que assim fosse elevada a vida terrena, e os homens fossem transformados. Alguns interpretam as palavras *assim na terra como no céu*, como se elas tivessem aplicação a todas as três petições: santificado seja o teu nome, conforme já o é nos céus, assim também aconteça na terra. Faça-se a tua vontade, conforme já o é nos céus, assim também suceda sobre a terra. «No céu» significa a perfeição ou ideal mais elevado daquilo que deve ser feito. No céu é que está o exemplo perfeito, o padrão perfeito daquilo que precisa ser feito.

Mat. 6:11: o pão nosso de cada dia nos dá hoje.

De cada dia. **Quarta petição:** Tem sido *variegadamente* interpretada, porque a expressão é rara e há dúvidas quanto ao seu sentido. Mas a expressão também tem sido encontrada fora do N.T. Estas são as interpretações: 1. «Necessário à existência»; 2. «para este dia»; 3. «para o dia seguinte»; 4. «para o futuro». Provavelmente «para este dia» é a interpretação correta. Dificilmente Cristo ensinaria que se deve orar pela alimentação de um dia futuro, ao mesmo tempo que advertia às multidões que não se preocupassem com essas coisas (ver 6:25-34).

Pão. Jesus ora aqui pelo pão *literal* (alimentos) ou pelo pão *espiritual?* Os pais gostavam de interpretar essa palavra no sentido espiritual, e essa interpretação originou, na Vulgata, o uso do termo *supersubstantialem*, em vez do simples *quotidiannum*, que aparecia nas versões latinas antigas. Alguns até o aplicam à eucaristia, mas é claro que Jesus não se referiu a isso. É verdade que em outras oportunidades ele falou sobre o pão espiritual, sendo ele mesmo o pão da vida (João 6:22-40), mas aqui parece que ele fala do pão no sentido literal, como símbolo das necessidades físicas. Muitos, nas multidões que o seguiam, tinham razão em fazer tal petição.

Um manuscrito *irlandês* do século XI diz: «Panem verbum Dei celestem da nobis hodie» («Dá-nos hoje, como pão, a Palavra divina do céu»). Isso reflete o sentido simbólico do suprimento de pão, que fala da bondade de Deus, ao dar-nos aquilo de que carecemos. Esse pão deve ser suprido diariamente, pois o maná que vinha do céu se estragava a menos que recolhido diariamente. Disse Emerson: «O homem não vive só de pão, mas pela fé, pela admiração e pela simpatia». Poderia ter acrescentado: «e por toda a palavra que procede da boca de Deus». Quem está emocionalmente perturbado pode empurrar seu prato para um lado e exclamar: «Não tenho fome!» Seu estômago pode estar vazio, mas não sente fome porque o seu espírito está aflito. A própria vida seria uma aflição se não tivéssemos **contato com** o *pão espiritual* de Deus. «Senhor, dá-nos sempre desse pão» (João 6:34).

Mat. 6:12: Perdoa-nos as nossas dívidas. No lugar de pecados, Lucas 11:4 tem dívidas. — Os pecados podem ser reputados dívidas a Deus. Esta **quinta petição** trata de nosso dever moral para com Deus. A palavra, no grego clássico, visava as dívidas no sentido literal, e a mesma palavra é aqui usada para indicar as dívidas morais e a necessidade que temos do perdão de Deus e da dependência à sua misericórdia. O homem — nada tem — para pagar a Deus, em troca do perdão e, assim sendo, deve depender do perdão gratuito de Deus. Portanto, o homem não pode depender de si mesmo, mas de Deus. Mas, que significa essa dependência? Significa a necessidade de nos desenvolvermos, sempre participando do Espírito de Deus, mediante quem somos transformados à imagem de Cristo. O resultado final será a liberdade perfeita, a posição de filhos adultos de Deus, santos, não menos santo do que Deus. Os que chegarem a esse ponto terão vida em si mesmos, como têm o Pai e o Filho (ver João 5:25-28).

Como nós temos perdoado. O sentido é: 1. Que Deus não nos perdoará se nós também não perdoarmos (embora os vss. 14 e 15 ensinem isso); 2. A medida ou extensão do perdão. O verdadeiro sentido é a maneira do perdão. Os homens devem perdoar gratuitamente, sem esperar coisa alguma em recompensa. O perdão deve ser unilateral. Notar o tempo do verbo *temos perdoado*. No grego está em vista uma ação terminada antes do perdão recebido da parte de Deus. Outrossim, esse uso, por si só, não significa que temos de perdoar antes de receber o perdão, mas é focalizada a atitude dos discípulos de Cristo, que sempre têm perdoado as dívidas alheias, e assim sendo, sempre poderão esperar pela misericórdia de Deus. Era máxima bem comum entre os judeus que ninguém deveria deitar-se, à noite, sem primeiro perdoar a todos que lhe tivessem causado sofrimento. Aqui a palavra «nós» é enfática, mostrando o caráter dos discípulos de Jesus, pessoas inclinadas a conceder o perdão, ficando assim na condição em que Deus pode perdoar os seus pecados.

Temos perdoado. É tradução do aoristo, no grego, segundo os mss Aleph BZ 1 e alguns outros, no que são seguidos pelas traduções mais modernas, como AA,IB, e outras.

Perdoamos. Aparece nas traduções KJ AC e outras. Esta leitura vem dos mss Aleph DEGKLMSU Delta E Fam Pi. *Temos perdoado* representa o original. Provavelmente algum escriba efetuou a modificação, pensando em melhorar o estilo, mas assim também mudou um pouco o sentido da declaração. Ver nota acima, no parágrafo anterior.

George Bernard Shaw faz Cusins, no livro *Major Bárbara*, dizer: «O perdão é o refúgio do esmoler... devemos pagar as nossas dívidas». Mas ele não nos diz como, e *como* é a grande dificuldade. Um homem pode ser honesto hoje, mas como pode cancelar a desonestidade de ontem? «Quem pode limpar a história? Quem pode purificar a memória? Ninguém pode nem ao menos regressar ao passado, quanto menos redimi-lo». (Buttrick, *in loc.*). No entanto, a *cruz de Cristo* é a garantia do perdão de Deus e a purificação do passado, das memórias das desonras de ontem. Precisamos perdoar tal como somos perdoados, e isso também faz parte da grande ética cristã. O general Oglethorpe disse a João Wesley: «Eu nunca perdôo». Ao que Wesley retrucou: «Então, senhor, espero que nunca peque». Em uma das lendas que cercam a vida de *da Vinci*, lemos que de certa feita pintou o rosto de um inimigo pessoal no corpo de um homem que representava Judas Iscariotes, em uma de suas pinturas. Depois, ao tentar pintar o rosto de Cristo, sua mente não conseguia realizar tal desejo. Então *da Vinci* perdoou seu inimigo e apagou o rosto do homem do corpo do Iscariotes. Naquela mesma noite, em um sonho, viu o rosto de Cristo, que veio a ser a imagem por ele pintada para representar a Jesus.

Mat. 6:13: e não nos deixes entrar em tentação; mas livra-nos do mal. (Porque teu é o reino e o poder, e a glória, para sempre. Amém).

Tentação. **Sexta petição:** Há várias interpretações sobre essa idéia: 1. A tentação seria o apelo para cometer pecado. Em Tia. 1:13 ficamos sabendo que Deus não tenta ninguém ao pecado. Portanto, Jesus certamente queria dizer: «Não nos dirijas de tal modo que nos vejamos em situações nas quais sejamos tentados». Assim sendo, a própria tentação não viria de Deus, mas as circunstâncias que conduzem à tentação poderiam vir da parte dele. Alguns ilustram essa tentação com a tentação de Adão e Eva. Deus teria criado as circunstâncias da tentação, ao mesmo tempo que advertira sobre a mesma. Essa tentação, por conseguinte, seria uma espécie de prova. 2. Aqui, a tentação tem o sentido de «*teste*», e não de solicitação ao pecado. Esta interpretação concorda com as palavras de Paulo: «Não vos sobreveio tentação que não fosse humana; mas Deus é fiel, e não permitirá que sejais tentados além das vossas forças; pelo contrário, juntamente com a tentação vos proverá livramento, de sorte que a possais suportar» (I Cor. 10:13). O texto fala das tentações de Israel no deserto, e o versículo alude, principalmente, às tentações destituídas de elemento moral (ainda que possam incluir esse elemento). 3. Há outra interpretação vinculada à idéia anterior — o senso de culpa, devido às *dívidas*. A petição, portanto, seria: «Não nos deixes cair em tentações intensas (ou seja, no sentimento de culpa), causadas pelos pecados que temos cometido». Essa interpretação evita os problemas, mas dificilmente indica o que Jesus ensina aqui. Embora as interpretações 1 e 2 tenham bons advogados, a primeira parece ter mais razão. Foi exatamente essa petição que Pedro deveria ter feito antes de negar a Cristo; porém, entrou nas circunstâncias sem orar, o que provocou a sua queda. Mais tarde, Cristo aconselhou seus discípulos a orar, nos seguintes termos: «Vigiai e orai, para que não entreis em tentação» (Mat. 26:41). Naquela ocasião, a tentação deveria ter sido a de abandonar a Cristo no momento em que ele mais carecia de companhia, e esse abandono seria considerado um pecado.

Livra-nos do mal. Alguns consideram essa expressão como extensão da anterior (ver Mat. 6:12); e para esses existiriam somente seis petições. Embora a gramática grega possa sustentar essa idéia, aqui a expressão pode ser reputada como outra petição, embora como extensão da outra. Contudo, isso não se reveste de muita importância.

«*Do mal*». Pode ser masculino ou neutro, no grego, e por isso pode significar o mal de modo geral (tentações de diversos tipos, más condições 'de vida, sofrimentos vários', etc.), ou pode ser o ser mau, isto é, Satanás. Tais referências são comuns na literatura oriental, e é possível que os judeus compreendessem assim esta petição. Apesar disso, podemos considerar que seu sentido é geral, porque a crença na doutrina de Satanás insistiria em que ele fosse o agente do mal. O trecho de II Tim. 4:10 parece ser memória dessa petição: «O Senhor me livrará também de toda obra maligna, e me levará salvo para o seu reino celestial...» Provavelmente, pois, essa petição resulta do desejo do discípulo de obter a redenção final, a redenção que será outorgada aos filhos de Deus, como vemos em Rom. 8:23. Pode-se ver que essa petição constitui a conclusão lógica apropriada da oração, tendo culminado na esperança de ver o reino de Deus no mundo, de entrar nesse reino, ou de deixar esta vida terrena para entrar no reino dos céus. Quando trocarmos de mundos experimentaremos a realidade dessa petição — «livra-nos do mal».

Pois teu é o reino, o poder e a glória para sempre. Amém. Essas palavras aparecem nos mss LW Fam Pi Fam 13 e nas versões latinas g k e na maior parte dos mss de datas mais recentes. As traduções KJ AC AA (tidas como duvidosas) têm essa doxologia. As palavras são omitidas em Aleph BDZ Fam 1, em diversas versões latinas e na maioria dos pais gregos e latinos, como também nas traduções ASV RSV PH WM WY BR GD e IB. Essa bela doxologia não é autêntica (é omitida pelos melhores e mais antigos mss e por quase todos os pais da igreja), mas parece ser antiga inserção litúrgica, sendo, talvez, uma espécie de paráfrase de I Crô. 29:11-13. A versão paralela, em Luc. 11, também a omite. Embora não faça parte da oração original de Jesus, expressa uma verdade, e assim podemos continuar a usá-la em nossas orações e em nossos hinos.

ORAÇÃO DO SENHOR DO ISLAMISMO

Ver o artigo separado sobre o *Alcorão*. Esse documento contém uma notável oração que veio a ser conhecida como «Senhor do Pai Nosso dos Islâmicos». Chama-se *alfatiha*, por ser usada como oração inicial. Diz:

> **«Em nome de Deus, o compassivo cheio de compaixão. Louvores a Deus, o Senhor dos mundos, o compassivo cheio de compaixão, o soberano do dia do julgamento. A Ti adoramos e a Ti pedimos ajuda. Dirige-nos no reto caminho; no caminho daqueles com quem Tu tens demonstrado graça, contra quem não há ira, e que não se desviam».**

ORAÇÃO SUMO SACERDOTAL

Ver João 17:1-26.

Este capítulo constitui a parte final dos discursos de despedida, feitas pelo Senhor Jesus, iniciados em João 13:31, e interrompem a narrativa joanina sobre as últimas horas da vida terrena do Senhor Jesus. Terminado este décimo sétimo capítulo a narrativa histórica tem reinício, então descemos do pico das palavras celestiais proferidas pelo Senhor Jesus e pousamos no vale crasso e cruel do ódio humano, pois os homens, naquele exato momento, já se aproximavam com soldados armados, bandoleiros munidos de tochas e cacetes, na esperança de removerem do mundo, se possível fora, a própria memória de Jesus, o manso profeta de Nazaré.

— No tocante ao décimo sétimo capítulo deste quarto evangelho, que encerra a oração sumo sacerdotal do Senhor Jesus, ordinariamente os estudiosos pensam que essas palavras foram proferidas no jardim do *Getsêmani*, embora outros estudiosos façam objeção a essa posição, salientando, com base nos evangelhos sinópticos, que a oração feita pelo Senhor, no jardim do Getsêmani, foi oferecida ao Pai em profunda agonia de alma, quando ele rogou que o cálice de seus sofrimentos fosse removido se possível e que fosse ele mesmo poupado de passar por tão amarga experiência. Pensam ainda que seria impossível que ele houvesse proferido, ao mesmo tempo, palavras de sentido tão diverso, que refletem um estado de alma tão diferente, como são as palavras da oração aflita no horto e as palavras de jubiloso e místico triunfo neste décimo sétimo capítulo do evangelho de João.

Porém, um terceiro grupo de intérpretes assevera que a personalidade humana é capaz de expressões emocionais extremamente *divergentes* em um curto período de tempo, e que não há motivo algum para supormos que Jesus Cristo não pudesse haver passado, em breve período, da agonia para o êxtase, ou do êxtase para a agonia, quando ainda se encontrava no horto do Getsêmani. Mas eis que um quarto grupo de intérpretes, de inclinações racionalistas ou modernistas, conforme o termo é preferencialmente utilizado hodiernamente, acredita que todos os discursos do Senhor Jesus, na realidade, foram uma composição arquitetada pelo autor do quarto evangelho, e não palavras verdadeiramente saídas dos lábios de Cristo. E que isso, por sua vez, explicaria a ausência de tais discursos nos evangelhos sinópticos (Mateus, Marcos e Lucas), como, por semelhante modo, a extrema dificuldade para que se obtenha a harmonia entre os discursos de Jesus e a narrativa histórica, visto que o evangelho de João teria criado uma situação artificial, que realmente jamais teria ocorrido.

A maioria dos intérpretes, no entanto, deixa de lado essas idéias e passa por cima delas, sem mencioná-las ou negá-las, mas usualmente frisando a particularidade de que esses discursos tão exaltados do Senhor Jesus, mui provavelmente, resultaram da tremenda energia mental e espiritual do Senhor Jesus, não de qualquer dos seus discípulos e, muito menos ainda, de algum autor de tempos posteriores, o qual, utilizando-se supostamente de fontes informativas apostólicas, teria feito a composição deste quarto evangelho, entremeando a narrativa histórica com as suas próprias idéias acerca de palavras que teriam sido proferidas ou não por Jesus Cristo.

Na realidade, esse problema não está confinado exclusivamente a esta seção, porque este quarto evangelho consiste em menos de dez por cento do material histórico dos evangelhos sinópticos, e, portanto, muita especulação se tem centralizado em torno das fontes informativas e do caráter fidedigno ou não dessas mesmas fontes. Em anos mais recentes, todavia, a tendência dos estudiosos tem sido a de encarar de modo mais favorável a historicidade do evangelho de João, especialmente por parte daqueles que estão convencidos de que o evangelho de João, em seus capítulos finais (que falam sobre a parte final do ministério terreno de Jesus) é mais correto do que os evangelhos sinópticos quanto à historicidade, porquanto o quarto evangelho dá a entender que o ministério final de Jesus ocupou diversos meses, ao passo que os demais evangelhos tendem por condensar o material informativo, dando a impressão de que tudo ocorreu dentro do espaço de alguns poucos dias. Alguns bons eruditos, observando essa e outras circunstâncias similares, têm chegado a crer que este evangelho de João se alicerça em fontes diferentes, embora igualmente dignas de confiança, daquelas fontes que foram usadas pelos autores dos evangelhos sinópticos.

O autor não criou uma nova forma literária quando registrou essa notável oração de Cristo, embora tenha ultrapassado a toda e qualquer outra literatura no que diz respeito à exaltação de expressões, e é exatamente por esse motivo que esta *oração sumo sacerdotal* de Jesus ocupa uma posição tão singular na literatura mundial. Se o evangelho de João não contasse com qualquer outro sinal distintivo, além desta extraordinária seção, bastaria este capítulo para assegurar-lhe um lugar garantido entre as maiores e mais profundas peças literárias de todos os tempos.

Nos quatro evangelhos, diversas são as orações feitas pelo Senhor Jesus a merecer um registro sagrado, a saber: a oração modelo ou Pai Nosso, em Mat. 6:13; a oração de ações de graças, em Mat. 11:25,26; João 6:11 e 11:41,42; as petições feitas no jardim do Getsêmani, em Mat. 26:39, e outra similar, em João 12:2; as diversas exclamações feitas na cruz, em forma de oração, como «Pai, perdoa-lhes...», «...em tuas mãos entrego o meu espírito...», etc., em Luc. 23:34,46, etc. E esta oração é a expressão do ofício sumo sacerdotal de Cristo, conforme o mesmo é iluminado em Rom. 8:34 e Heb. 7:25.

***A fim de ilustrar a grandeza da oração sumo sacerdotal de Cristo, transcrevemos as seguintes opiniões de vultos famosos no mundo evangélico*:**

«Estas palavras são tão claras e serenas como um espelho, mas os sentimentos são tão profundos e radiosos como o insondável amor de Deus pelos homens, e todos os esforços para exauri-las são vãos». (*Philip Schaff*).

Bengel referia-se a essa oração como a mais simples em suas palavras, mas a mais profunda de toda a Bíblia, quanto aos pensamentos expostos.

«Realmente é uma oração profundamente fervorosa, feita de todo o coração; uma oração em que ele 'Cristo' desvenda, tanto para nós como ante o Pai, os abismos de seu coração, derramando os seus tesouros... Simples e chã em suas palavras, contudo é tão profunda, rica e lata que ninguém conseguiu sondá-la». (*Martinho Lutero*).

«Provavelmente é a mais sublime composição que se pode encontrar em qualquer lugar». (*Barnes*).

«Se, em qualquer linguagem humana, se manifesta a divindade, e se a sublimidade têm sido reunida a uma humildade condescendente, fê-lo nesta oração» (*Tholuck*).

«Aqui todos os discursos de despedida são sumariados e elevados a um novo e alto timbre de pensamento e sentimento. Sem a menor sombra de dúvida é uma parte das mais sublimes da tradição evangélica, a pura expressão da soberana consciência de Cristo e da paz de Deus». (*De Wette*).

«Nem nas próprias Escrituras e nem na literatura de qualquer nação poderíamos encontrar uma composição que, em sua simplicidade e profundeza, em sua grandiosidade e fervor, possa ser comparada com esta oração». (*Luthardt*).

«Uma oração tal como o mundo jamais ouviu e nem poderia ouvir... Para ele mesmo pouco tinha a pedir (ver os vss. 1-5), mas, assim que sua palavra assume o caráter de uma intercessão em favor dos que lhe pertenciam (ver os vss. 6-26), tornou-se uma corrente irresistível do mais fervente amor... As sentenças se multiplicam com admirável poder, embora a sua calma nunca tenha sido perturbada». (*Ewald*).

»...a mais nobre e pura pérola de devoção de todo o Novo Testamento». (Meyer).

«Se considerássemos a obra de Cristo como uma árvore que se eleva altaneira para o céu e faz sombra a todo o mundo, então diríamos que a vida de oração de Jesus é a raiz dessa árvore. A sua vitória sobre o mundo repousa sobre a profundeza infinita de sua **auto-apresentação perante Deus,** sua própria certeza e poder derivados de Deus. Em sua vida de oração a verdade perfeita de sua natureza humana também aprovou a si mesma. A mesma pessoa que, na qualidade de Filho de Deus, é a revelação completa, é também, na qualidade de Filho do homem, a religião completa» (*Lange*).

João Knox, em seus dias finais de vida, durante a enfermidade que lhe trouxe a morte, orientou sua esposa e seu secretário para que «...um deles lesse todos os dias, com voz distinta, o décimo sétimo capítulo do evangelho segundo João, o capítulo cinqüenta e três de Isaías e um capítulo da epístola aos Efésios. E isso foi pontualmente cumprido, durante todo o período de sua doença». (Th. M'Crie, *Life of John Knox*, 1845, pág. 332).

Spener, segundo somos informados por Canstein, em *Spener's Leben*, p. 146, jamais pregava com base nessa seção do décimo sétimo capítulo do evangelho de João porque, segundo ele dizia, a verdadeira compreensão da mesma *ultrapassa* o grau de fé e de sabedoria que o Senhor está acostumado a transmitir ao seu povo, durante esta peregrinação terrena. Na noite antes de sua morte, entretanto, solicitou que o trecho fosse lido aos seus ouvidos por nada menos de três vezes sucessivamente.

O material dessa extraordinária oração de Jesus se divide mui naturalmente em *quatro seções*.

1. Cristo ora pela sua própria glorificação — vss. 1-5.

2. Cristo ora em favor de seus discípulos especiais, sobretudo para que fossem preservados na graça divina — vss. 6-9.

3. Cristo ora em prol da *igreja universal*, que resultaria dos labores de seus discípulos especiais (os apóstolos), destacando a unidade dos crentes, a perfeição deles, a permanência final deles, em sua companhia, na glória do Pai e, finalmente, que o mundo viesse a dar crédito ao testemunho dado pelos crentes, vss. 20-24.

4. A conclusão da oração repete o tema do amor mútuo que impera na família divina, com uma

solicitação de que o amor de Cristo habite nos seus discípulos, o que, na realidade, é o amor de Deus Pai neles, e que esse amor possa florescer na comunhão mística que os discípulos autênticos gozam com Cristo, e, portanto, com o Pai — vss. 25, 26.

ORAÇÕES PELOS MORTOS

Esboço:

1. Motivação
2. Pano de Fundo Judaico
3. No Cristianismo Antigo
4. No Cristianismo Atual
5. Avaliação

1. Motivação

Não é fácil alguém pensar em um ente amado ou amigo que, por meio da morte física, desapareceu da cena terrestre, e agora não pode ser ajudado e nem podemos ter comunhão com ele. Além disso, todos têm medo do desconhecido. Esses infundados temores são agravados pelos dogmas que afirmam que, para a maioria das pessoas, espera-as um estado muito lamentável, quando morrerem. Visto que sempre nos voltamos para a oração, a fim de resolver problemas, é apenas natural apelarmos para a mesma prática, na esperança de que nossas orações exerçam algum poder benéfico em favor dos mortos. E, visto que neste mundo chegamos a conhecer o consolo da comunhão dos santos, sentimos que, de algum modo, essa comunhão conseguirá transpor o abismo que nos separa dos mortos, beneficiando-os de alguma forma. Até mesmo no caso de pessoas que nos são totalmente desconhecidas, somos levados a desejar o bem-estar delas, no outro lado da existência. E esse sentimento pode ser expresso através de orações pelos mortos. A Igreja cristã, contudo, está dividida quanto à desejabilidade e eficácia dessas orações.

Um outro importante fator de motivação é o fato de que a revelação bíblica, especificamente aquela que alude à descida de Cristo ao hades, infunde-nos esperança de que o estado dos mortos não é fixo, em resultado dessa idéia as orações pelos mortos podem revestir-se de algum valor. Desse ponto de vista doutrinário, ainda podemos pensar em uma outra motivação, a fé na *comunhão dos santos* (vide). É lógico pensarmos que visto que essa comunhão não respeita as fronteiras da materialidade, e nem a suposta barreira imposta pela morte, que é possível que nossas orações também possam transpor aquele abismo.

2. Pano de Fundo Judaico

Sabemos que o conceito de uma alma humana imaterial e imortal só passou a fazer parte das noções religiosas dos judeus na época dos Salmos e dos Profetas. Porém, quando Judá entrou no período helenista, essas noções eram doutrina comum entre os judeus, ainda que, na época, nem todos os rabinos as aceitassem. Assim, o partido dos saduceus nunca chegou a aceitar a existência de espíritos, anjos, etc. Eles alicerçavam seus pontos de vista sobre o Pentateuco, onde a existência da alma humana é obscura, embora seja bem clara a existência de anjos. Seja como for, o trecho de II Macabeus 39:44 mostra-nos, de modo bem definido, que pelo menos alguns judeus faziam orações pelos mortos, com base no pressuposto que isso lhes era vantajoso.

3. No Cristianismo Antigo

Inscrições nas paredes das catacumbas e referências em várias obras dos antigos pais da Igreja mostram-nos que pelo menos alguns cristãos tinham por prática orar pelos mortos. Várias referências aparecem no Novo Testamento que parecem refletir essa prática. Ver I Cor. 15:29; II Sam. 1:16-18 e 4:19. Porém, essas passagens são obscuras e não nos conferem certeza quanto à questão. Agostinho (*Conf.* 9) fornece-nos evidências em favor dessa prática, que envolvia tanto a liturgia cristã quanto orações privadas. A questão do perdão de pecados é um dos itens que aparece nessas orações. E, no tempo da Idade Média, as orações pelos mortos justos do purgatório tinham-se tornado prática comum na Igreja ocidental. Tais orações acabaram fazendo parte do chamado *ofício pelos mortos*. Infelizmente, a Igreja de Roma exagerou a questão inteira das *indulgências* (vide), misturando-a com a questão das orações em favor dos mortos.

O próprio Lutero parece ter visto com bons olhos a questão simples das orações pelos mortos, pois ele mantinha a idéia de que o destino dos homens pode ser alterado mesmo após a morte biológica, com a restrição única que tal alteração só pode ser efetuada *em Cristo* (ver João 14:6). Porém, outros reformadores, em seus ataques contra os abusos do clero romanista, como as indulgências e as missas pagas, chegaram a repelir inteiramente a prática. E assim foi que a maioria dos protestantes, aplicando à doutrina a sua regra de «somente as Escrituras», e rejeitando o cânon alexandrino (que inclui o livro de II Macabeus), interpretara o silêncio das Escrituras sobre a questão como indicação de que tal doutrina não deve ser ensinada.

Em contraste com isso, a Igreja Oriental, sempre manteve uma atitude favorável para com a idéia da descida de Cristo ao hades, daí passando a pensar que ali há salvação em potencial para seus internos, isto é, para além da morte biológica. Acresça-se a isso que o respeito daqueles cristãos pela doutrina da comunhão dos santos lhes fornece uma base para orarem pelos justos que tiveram feito a transição para o outro lado da existência.

4. No Cristianismo Atual

As linhas divisórias traçadas no tempo do antigo cristianismo continuam nítidas. A Igreja Católica Romana encoraja orações pelos mortos justos, com a finalidade deles saírem do *purgatório* (vide). Mas não adota orar pelos mortos injustos, cujo estado é considerado fixo. A maioria dos grupos protestantes continua a rejeitar orações tanto pelos mortos justos (negando que o purgatório tenha existência real) quanto pelos mortos injustos (negando o poder remidor da descida de Cristo ao hades). No entanto, a Igreja Anglicana prossegue em suas orações tanto pelos mortos justos quanto pelos mortos injustos, preferindo pensar que não é fixa a situação quer de um grupo quer de outro. Nas reformas litúrgicas dessa comunidade, tem havido provisões recentes em prol dessa prática. A Igreja Oriental, em consonância com os pais gregos da Igreja, opina que as almas que ainda não estão preparadas para o céu podem ser ajudadas pelas nossas orações, o que eles enfatizam na eucaristia.

5. Avaliação

a. A descida de Cristo ao hades parece ter aberto a porta para a redenção para além da sepultura, e *talvez* tenha conferido às nossas orações de homens mortais uma eficácia que beneficie aos injustos que já morreram. Digo *talvez* porque não tenho certeza quanto à eficácia dessas orações. Ver o artigo *Descida de Cristo ao Hades*.

b. A doutrina da comunhão dos santos talvez tenha aberto caminho para a eficácia de orações em favor dos mortos justos. Ver o artigo chamado *Comunhão dos Santos*.

c. O ensino de que as Escrituras são a *única* regra de

fé e prática não é uma doutrina da própria Bíblia, mas um *dogma* que se desenvolveu no tempo da Reforma Protestante, a fim de combater abusos. Sendo esse um dogma, e não uma doutrina bíblica propriamente dita, não temos obrigação de aceitar essa regra como absoluta. Ver o artigo sobre *Autoridade*, quanto a uma detalhada discussão acerca do problema. Conseqüentemente, o silêncio da Bíblia sobre as orações em favor dos mortos, além de outros assuntos, não serve de limitação à crença. Se as Escrituras fazem silêncio sobre alguma questão, isso pode não representar uma proibição, precisando ser testado por *outros meios*, dos quais derivamos autoridade.

d. Concluo que não podemos eliminar a eficácia das orações pelos mortos, sejam eles justos ou injustos; mas também não penso que temos evidências suficientes para dizer se essas orações são necessárias e eficazes, ou não.

e. A missão tridimensional de Cristo, na terra, no hades e nos céus, indica que seu poder reside em todos os lugares, um poder que pode ser redentor ou restaurador. Não há que duvidar que ele tem seus ministros em todas essas três dimensões, ministros poderosos para cumprir ali a sua vontade. É perfeitamente possível, pois, que ele não precise de nossas orações para prestar sua ajuda eficaz em favor dos mortos.

f. Visto que a questão ainda não ficou decidida por meio de qualquer evidência absoluta, penso que os cristãos que quiserem orar pelos mortos não deveriam ser impedidos ou criticados. E que aqueles que não quiserem fazê-lo estão na sua liberdade de não aceitar essa prática.

ORÁCULO

Essa palavra vem do latim, **oraculum**, derivado de *oro*, «orar». Esse vocábulo era usado para indicar um assento de oração; a mensagem dada; uma pessoa, divina ou humana que apresentasse uma mensagem; uma predição; uma ordem ou comunicação divina; um templo; um santuário.

Comentários sobre os Oráculos:

1. *Métodos*. As mensagens são dadas através de meios mágicos; vários tipos de portentos ou augúrios; declarações extáticas, usualmente provocadas por estados de transe; sonhos; revelações divinas, ou dadas por intermédio de profetas; inspiração intuitiva, etc.

2. *Os Oráculos da Grécia*. Havia os oráculos de Zeus em Dodona, no Épiro; de Apolo, em Delfos, e também outros menos importantes. O oráculo de Apolo tornou-se internacionalmente famoso, e era muito consultado. Foi ali que a Sócrates foi recomendado que «fizesse música», que ele interpretou como *filosofar*, pois, para ele, a filosofia era «a mais bela de todas as músicas».

3. *Os Oráculos de Roma*. A Itália não tinha santuários como na Grécia, mas a caverna de Sibila, em Cumae, sob o templo de Apolo, servia ao mesmo propósito. E também havia o templo de Fortuna, em Praeneste. Ver sobre os *Oráculos Sibilinos*.

4. *Oráculos Caldeus*. Esse é o título de um poema filosófico do século II D.C., descrevendo a descida da alma à dimensão da matéria, referindo-se a como isso ocorria, mediante métodos de purificação. A alma termina voltando ao seu lar eterno. Esse poema contém idéias platônicas, neoplatônicos e neopitagoreanas, escrito para servir de instrumento de uma religião misteriosa neopitagoreana.

5. *Uso Bíblico*. O vocábulo hebraico assim traduzido significa «carga», referindo-se a alguma mensagem pesada, que um profeta anunciava aos homens, mediante inspiração do Espírito de Deus. Ver II Sam. 16:23. Ver também Rom. 3:2; Heb. 5:12; I Ped. 4:11. As Escrituras contêm a essência de muitos oráculos. Um uso secundário do termo significa uma declaração sábia (Pro. 31:1). O Santo dos Santos, no templo de Jerusalém, era o lugar onde eram dados oráculos, razão pela qual aquele lugar também era chamado de oráculo. I Reis 6:5; 7:49; 8:6,8; Sal. 28:2.

ORÁCULO DE DELFOS

Esse era um oráculo de Apolo, localizado em Delfos, na Grécia. Por volta do século VI A.C., tornou-se famoso pelos conselhos crípticos sobre toda espécie de questão, pessoal, política ou religiosa, que ali eram dados. As sacerdotisas respondiam às perguntas em estado de transe, mais ou menos equivalente a médiuns espíritas, embora nem todas as pessoas que entram em transe sejam médiuns. Na história da filosofia, esse oráculo ocupa lugar de alguma importância no tocante a Sócrates. Em primeiro lugar, a sacerdotisa, em seus pronunciamentos, declarou que Sócrates era o homem mais sábio da Grécia. Em segundo lugar, ele recebeu uma mensagem pessoal exortando-o a «fazer música». Isso ele interpretou simbolicamente, pois, conforme ele dizia, «a filosofia é a mais bela música de todas». Em conseqüência, ele tornou-se um filósofo. Em terceiro lugar, o lema do oráculo de Delfos, «conhece-te a ti mesmo», tornou-se parte importante da filosofia socrática.

Delfos. Essa era uma cidade-estado dos gregos, situada em Focis, no sopé sul e inferior do monte Parnasso, cerca de 160 metros acima do golfo de Corinto. Era a sede do mais antigo e mais sagrado santuário, local do mais famoso oráculo da antiga Grécia. A primeira referência que há sobre um oráculo ali acha-se na Odisséia de Homero, livro oitavo, linhas 79-81. Esse oráculo sobreviveu até 390 D.C.

A Técnica Oracular. Os historiadores não têm certeza sobre o que sucedia, e as descrições variam acerca de como operavam as sacerdotisas. Porém, algo como o que dizemos abaixo é sugestivo: a *pythia* (sacerdotisa) entrava em seu santuário, um templo dedicado a Apolo, onde havia uma estátua de ouro de Apolo, bem como o suposto túmulo de Dionísio (chamado *Omphalos*). Ela sentava-se em uma banqueta de três pés, bebia água de uma fonte sagrada e mascava folhas de louro, então sacudia no ar algum ramo de louro; inalava vapores de um abismo vulcânico próximo, e caía em estado de transe, talvez com a ajuda desses vapores. Contorcia-se de vários modos, seus cabelos se despenteavam, seus lábios espumavam e, em um frenesi verbal, ela proferia seus conselhos e predições.

Mas outros estudiosos pensam que a sacerdotisa mostrava-se calma o tempo todo, e que toda a descrição sobre uma mulher frenética era de cristãos que desejavam lançar no descrédito o oráculo, sugerindo a atuação de demônios. Todavia, visto que Platão falou sobre o *entusiasmo* profético irracional, provavelmente a sacerdotisa não se mantinha tão calma. Os arqueólogos não têm conseguido encontrar qualquer abismo vulcânico nas proximidades, pelo que essa porção da história deve ter sido inventada para maior dramaticidade. Também há referências literárias a sacerdotisas tranqüilas. É possível, pois, que algumas fossem agitadas, e outras fossem calmas.

Seja como for, quando os persas atacaram a

Delfos, Teatro de Apolo — Cortesia, Matson Photo Service

Codex D, séc. V, Grego-Latim, Lucas 5:19 *ss*,
Cortesia, Cambridge University

Grécia, Atenas foi salva por um conselho dado naquele oráculo. A cidade foi totalmente abandonada ante a aproximação dos persas, conforme o oráculo disse que deveria ser feito. Os habitantes foram para beira-mar, habitando temporariamente em ilhas. Então os gregos derrotaram os persas em batalhas marítimas. (AM P)

ORÁCULOS SIBILINOS

Esses oráculos consistem em quinze livros de predições ou oráculos, contendo elementos judaicos, pagãos e cristãos, escritos para imitar os oráculos pagãos. *Sibila* era uma profetisa de Cumae, cerca de dezenove quilômetros de Nápoles, na Itália. Os supostos oráculos sibilinos originais ter-se-iam perdido em Roma, no incêndio de 82 A.C. Então, já no período cristão, houve a tentativa de substituir os mesmos, o que se estendeu de cerca de 150 até cerca de 300 D.C., e, talvez, até mais tarde. Vários dos pais da Igreja mencionam esses livros, como Justino, Teófilo de Antioquia, Clemente de Alexandria, etc.

Esses livros falam muito sobre uma *era áurea*, estabelecida pela supremacia romana no Oriente, mais ou menos em meados do século II A.C. Mas há oráculos babilônicos e persas. Há menção a uma lendária fuga de Nero para a Pártia, bem como à destruição de Jerusalém, no ano 70 D.C. O quinto livro contém uma versão mais estilizada do mito do *Nero redivivus* (ver Apo. 17:10,11), com um panegírico a seu respeito. A maior parte da obra, porém, parece ter tido origem cristã herética, pertencendo, principalmente, aos séculos II e III D.C. Nas porções escatológicas, escritas do ponto de vista cristão, aparecem tópicos como grandes impérios mundiais, e um expurgo final. Os oráculos diferem das obras tipicamente apocalípticas porque eles se assemelham mais com tratados missionários do que com doutrinas esotéricas.

ORADOR

No grego, **rétor**, «orador», um **hápax legómenon**, que aparece em Atos 24:1, onde se lê: «...desceu o sumo sacerdote, Ananias, com alguns anciãos e com certo orador, chamado Tértulo...» Esse homem foi contratado pelos judeus a fim de ajudá-los nas suas acusações contra o apóstolo dos gentios. Tértulo pode ter sido um advogado-orador pagão, embora também possa ter sido um judeu dotado de grande eloqüência.

Se o sentido primário do vocábulo grego é «orador», sabe-se que também podia indicar um advogado que trabalhava em um tribunal (Dio Chry. 59.76; Papyrus Oxy. 37:1.4). As referências que aparecem nos escritos de Filo e de Josefo também envolvem esse último sentido.

O Ato de Discursar. Lemos em Atos 12:21 que Herodes, «...vestido de trajo real, assentado no trono, dirigiu-lhes a palavra». Foi uma fala retórica que esse monarca dirigiu ao povo, procurando obter maior popularidade. Para ele, a tentativa teve resultados desastrosos. Nesse caso, a palavra grega usada nesse trecho bíblico é *demegoréo*, «discursar».

ORATORIANOS (Oratório de São Filipe Neri)

A Congregação do Oratório foi fundada por São Filipe Neri, em San Girolamo, uma igreja paroquiana da cidade de Roma. Gregório XIII conferiu-lhe posição canônica em 1575. É dirigida por uma regra, mas não há votos monásticos. O seu principal objetivo é a salvação de almas por meio da oração, do evangelismo e dos sacramentos. O cardeal anglicano Newman (que veio a tornar-se um padre católico romano) fundou a ordem na Inglaterra, em 1847. Pedro de Bérulle fez outro tanto na França, em 1611, embora essa organização seja uma unidade separada, com seu próprio superior geral.

ORATÓRIO

Cultos musicados efetuados pela ordem dos oratorianos, fundada por Filipe Neri (ver sobre *Oratorianos*). Com base nessa circunstância, as produções musicais sacras, quando elaboradas, receberam o nome de *oratórios*. Tais apresentações usualmente contam com solistas, coros e orquestras. A essa forma de música se deu uma expressão suprema, que foi popularizada, no *Messias*, de Handel. Alguns pensam ser esse o maior de todos os oratórios. Sem dúvida é o mais usado em nossos dias.

ORDEM

Vários Usos Bíblicos. Esse termo é usado, em nossa versão portuguesa, para aludir aos levitas da «segunda ordem» (I Crô. 15:18). Mas o original hebraico não usa essa palavra, dizendo apenas «segunda». O sentido tencionado é o de *ordem* de enumeração, relativa aos turnos dos sacerdotes que ministravam. Em Lucas 1:8, onde está em foco a idéia de «turno», em algumas versões encontra-se a palavra «ordem» para exprimir a idéia. Há oficiais e governantes da mais elevada ordem. Mas também há o irmão humilde, o homem pobre, de «condição humilde» (Tia. 1:9). Em algumas traduções, a transformação do crente, de um *estágio* de glória para o próximo, mencionada em II Coríntios 3:18, é traduzida como ordem. O grego diz, literalmente, «glória a glória», mas devemos compreender a passagem de um estágio de glória para o próximo, uma ordem crescente de glorificação.

ORDEM CÓSMICA; ORDEM INTERNACIONAL

O *microcosmo* (o mundo dos átomos), de acordo com o ponto de vista bíblico e teísta, deriva-se de Deus. Os autores bíblicos não tinham conhecimento científico sobre os átomos. Contudo, eles sabiam que a matéria é apenas uma forma de energia. «Pela fé entendemos que foi o Universo formado pela palavra de Deus, de maneira que o visível veio a existir das cousas que não aparecem» (Heb. 11:3). Os filósofos gregos, desde o século V A.C. haviam desenvolvido uma teoria atômica que antecipava, em certos sentidos, aspectos do atomismo moderno. Mas os cientistas ainda não têm certeza no que o átomo consiste, e a pesquisa continua. Sem embargo, sem importar o que possa constituir a matéria e a própria vida, incluindo as coisas não materiais do mundo criado, tudo deve ser atribuído a um ato da mente de Deus. Ver Gênesis 1 e Colossenses 1:16.

O *macrocosmo* (a criação inteira, em todas as suas relações, incluindo as relações entre os povos) também deriva-se de Deus. Os trechos de Atos 17:24 *ss* e Romanos 13 ensinam essa verdade. O fato de que as profecias bíblicas mostram em que se tornará o mundo criado, subentende que Deus interessa-se pelos negócios humanos e os controla. Coisa alguma escapa ao governo de Deus. As leis da natureza são extensões da mente divina.

A *filosofia da história* (vide) inclui interpretações teístas, como aquelas do Antigo e do Novo Testamentos, e também a de filósofos cristãos como

Agostinho, em sua obra monumental, *A Cidade de Deus*. Quando dizemos que o Logos (Cristo) é o Rei dos reis e Senhor dos senhores (ver Aço. 19.16), estamos exprimindo a fé de que a ordem internacional deriva-se de Deus e está envolvida na missão messiânica.

O mundo material é composto de cento e quatro elementos químicos, aos quais os cientistas acrescentam cerca de cinqüenta outros, que são elementos extremamente instáveis. Por curiosa coincidência existem cerca de cento e cinqüenta nações no mundo, das quais cento e trinta e duas constituem as Nações Unidas. Assim como existem nações, mediante a aceitação de um código internacional de leis, em cooperação com um código externo, que governa o relacionamento entre as nações, assim também o conceito teísta diz que a lei de Deus, finalmente, é que cria, constitui e dissolve nações.

Fatores que Unificam. Sem alguma forma de lei internacional, as nações existiriam em constante conflito, até mesmo sobre pontos secundários. *Grótio* (vide) muito contribuiu para definir a natureza de leis desejáveis que governem a todos os povos e que regulamentem as relações entre eles. Nos tempos modernos, a organização das Nações Unidas tem estabelecido leis internacionais que, segundo muitos esperam, serão respeitadas pelas nações. Sua Declaração representa uma jurisprudência acumulada cujo intuito é garantir uma certa medida de ordem e paz. O que está faltando são meios adequados e aceitáveis para reforçar essas idéias. Além da legislação, há relacionamentos *culturais*, que unificam ou dividem. Também existem filosofias que unem ou dividem, incluindo pontos de vista políticos. Mas, sem dúvida, o maior unificador e divisor é a religião. Em certo sentido, o mundo parece constituir uma unidade, mas, em outro sentido, o mundo é constituído por inúmeras rivalidades e contradições. Uma das grandes doutrinas bíblicas, é a promessa de que, finalmente, em Cristo, todas as coisas tornar-se-ão uma só. Ver Efé. 1:9,10 e o artigo sobre a *Restauração*.

ORDEM DE SALVAÇÃO (ORDO SALUTIS)

Essa expressão aponta para a ordem lógica dos atos efetuados pelo Espírito de Deus, mediante os quais ocorre a salvação eterna do indivíduo. Para começar, diremos que, segundo a Igreja Católica Romana, a ordem é: batismo, confirmação, eucaristia, penitência, extrema-unção, visão beatífica.

Em sua expressão mais simples possível, essa ordem é: conversão, justificação, santificação. Porém, forçoso é reconhecer que essa ordem é incompleta. Alguns estudiosos têm adotado uma ordem mais completa, composta de: iluminação, regeneração, conversão e união mística com Cristo. Entretanto, a mais completa ordem de salvação é aquela que inclui o seguinte: chamada, iluminação, justificação, regeneração, conversão (arrependimento e fé), santificação, transformação gradual à imagem de Cristo, união mística (que culminará na glorificação) e visão beatífica. Mas até mesmo isso é potencialmente parcial, a menos que entendamos que a transformação segundo a imagem de Cristo é um processo eterno. Visto que há uma infinitude com que nos cumpre ser enchidos, também deverá haver um enchimento infinito.

O próprio Novo Testamento não nos fornece uma ordem bem-arrumada, e versículos sobre a santificação algumas vezes se justapõem àqueles sobre a justificação. O Espírito Santo não opera seguindo uma sucessão cronológica na vida do indivíduo, mas apenas uma sucessão lógica. Por isso, essa questão de ordem de salvação pertence muito mais à teologia sistemática do que à teologia bíblica. É um tanto artificial rotular os vários estágios lógicos da ordem de salvação. A essência da salvação é a infusão da natureza e dos atributos divinos nos filhos de Deus, em consonância com os requisitos da natureza do Filho de Deus. Isso posto, a salvação consiste, supremamente, em filiação, e aqueles estágios da ordem da salvação são apenas termos lógicos que usamos para descrever as operações do Espírito para que alguém seja levado a participar da natureza divina e seus atributos (ver Efé. 3:19 e II Ped. 1:4). Ver os artigos separados intitulados *Salvação* e *Transformação Segundo a Imagem de Cristo*.

ORDEM DOMINICANA

Ver o artigo sobre **Domingos, São**. A ordem dominicana foi fundada no começo do século XIII D.C., por Domingos. Era uma ordem de frades mendicantes, e seu objetivo original era ajudar na reforma da vida cristã, conforme a mesma caracterizava-se na época. A ordem tem mantido a sua finalidade de pregar e ensinar, e tem se ocupado em muitas esferas de atividade. Tomás de Aquino era dominicano e é o vulto mais bem conhecido. A ordem procura combinar o evangelismo e o ensino com a vida contemplativa. No Brasil, essa ordem é uma das mais ativas no estudo bíblico e na produção de livros de estudos bíblicos. Seu nome alternativo é *Ordem de Pregadores*. No século XX, essa ordem tem diversificado suas atividades para as comunicações, para os estudos e atividades sociais, e tem trabalhado em universidades, buscando promover a vida espiritual dos estudantes. (AM E P)

ORDEM E CAOS

Especulações filosóficas e teológicas sobre questões cosmológicas e cosmonológicas muito naturalmente têm entrado no problema da ordem original. As coisas sempre existiram conforme as conhecemos? A ordem das coisas é eterna, ou houve algum poder ou pessoa divina que pôs as coisas em boa ordem?

1. *Hesíodo*. O poder divino, *Eros*, pôs em boa ordem o já existente caos. Talvez haja algo de significativo na suposição de que o deus do amor foi o poder por detrás dessa atividade. Isso dá margem para o otimismo.

2. *Platão*. Segundo ele, uma ordem eterna e perfeita existia e existe no mundo transcendental das Idéias ou Formas. No mundo em fluxo, o mundo dos particulares (entidades e objetos físicos), prevalece o caos. Qualquer ordem que se imponha neste mundo físico é apenas a aplicação do poder do mundo das Idéias. Todas as coisas que existem em nosso mundo físico são meras cópias daquele mundo superior. A ordem é parcialmente determinada através do princípio do *número* (vide, mormente no tocante ao estudo de Platão sobre o assunto).

3. *Atomismo*. A busca pela compreensão acerca da ordem estava por detrás das especulações dos filósofos a respeito dos átomos. A ciência moderna tem dado continuidade a essa inquirição, e muita coisa tem sido feita para mostrar a ordem existente em todas as coisas, através dos átomos e dos números. O *hilozoísmo* (vide) foi outra tentativa para descobrir a ordem no mundo e em suas operações. Os filósofos estóicos descobriram a fonte da ordem no *Logos*, a mente divina e eterna.

4. *Aristóteles*. Ele desenvolveu o importante conceito de como um todo está relacionado às suas partes, por algum tipo de ordem e lógica recíprocas. A sua discussão sobre as *causas* estava envolvida nesse problema. O artigo a seu respeito entra detalhadamente sobre essa questão.

5. *Whitehead e Russell* falavam em vários elementos da ordem, como: relações, transitividade, irreflexividade, conexão e assimetria.

6. *O Cristianismo*. Em contraste com a filosofia grega, a tradição hebreu-cristã vê a origem da criação em um ato criativo do Ser Supremo. O primeiro capítulo do livro de Gênesis dá-nos a entender que houve um caos primevo, sobre o qual Deus atuou, pondo as coisas em boa ordem. Mas essa ordenação das coisas seguiu-se a um ato original de criação. A ordem é produzida pela Inteligência divina, e não por alguma vaga força cósmica. A boa ordem espiritual, por sua vez, é obtida através do ministério do *Logos*, a Razão divina e universal. Os mórmons, entretanto, têm adotado a noção grega da eternidade da matéria e que o ato de criação de fato foi um ato reformador, no qual Deus pôs o caos em boa ordem.

ORDENAÇÃO DE MULHERES

Ver também o artigo geral chamado *Ordenação*; e, mais especificamente, aquele intitulado *Mulheres, Ordenação de*. Ver também sobre *Diaconisas*.

ORDENANÇA

1. *Definições*. Essa palavra não tem um único uso, pelo que suas definições são diversas. A raiz latina é *ordo*(*inis*), «ordem», relativa a *ordinare*, «ordenar». Dessas raízes é que emerge a palavra *ordinans*(*antis*), «ordenança». Seu sentido pode ser uma regra autoritária, um decreto, uma lei, um rito religioso, uma disposição ou posição, um desígnio.

2. *Usos no Antigo Testamento*. As principais ordenanças desse documento são os *Dez Mandamentos* (vide). As leis levíticas têm muitas ordenanças subordinadas e litúrgicas. No livro da aliança (ver Êxo. 20:22—23:33), os termos juízos e ordenanças falam acerca de leis civis e religiosas. O vigésimo primeiro capítulo de Êxodo continua dando muitas leis que governavam a vida dos israelitas, e, em algumas traduções, essas leis são chamadas «ordenanças». As leis de Israel tanto eram civis quanto religiosas; mas, em uma teocracia, essa distinção não pode ser feita claramente, porquanto tudo é expressão religiosa naquele sistema. Naturalmente, o decálogo é o supremo exemplo das leis religiosas mais profundas. O trecho de Núm. 15:15,16 mostra que as leis de Israel vigoravam tanto para os cidadãos como para os estrangeiros residentes.

Fica pressuposto no Antigo Testamento que as ordenanças estavam alicerçadas sobre instruções e mandatos divinos (Deu. 4:5,11; 5:31 *ss*); 6:1,2,24,25), com apoio na graciosa atividade de Deus (ver Deu. 4:32-40; 6:20; 7:6-8; 29:2-9). Todas as leis estão sumariadas no maior dos mandamentos da lei: «Amarás, pois, o Senhor teu Deus de todo o teu coração, de toda a tua alma, e de toda a tua força». Desse modo, a lei atuava como reivindicação de Deus, no sentido de que ele tinha o direito de senhorio sobre as vidas dos homens. Nos sistemas voluntaristas, antigos e modernos, a lei aparece como subordinada à vontade de Deus. Ali, as coisas são certas porque Deus é que as determina. Ver sobre o *Voluntarismo*. Porém, também devemos dizer que a lógica espiritual requer, igualmente, a declaração que Deus ordena as coisas porque elas são *corretas* em si mesmas.

3. *Usos no Novo Testamento*. — O cristianismo primitivo viu-se a braços com o problema do legalismo. Ver os artigos chamados *Legalismo* e *Partido da Circuncisão*. Ver também sobre *Jesus e a Lei*, no tocante a uma discussão sobre como o Senhor Jesus relacionou-se com o Antigo Testamento. Além disso, temos a controvérsia entre Paulo e Tiago, a confrontação entre Rom. 3—5 e Tia. 2. Essa questão é coberta no artigo intitulado *Legalismo*. Ver especialmente o artigo detalhado *Lei no Novo Testamento*.

4. *Ordenanças e Sacramentos*. Ver o artigo separado sobre os *Sacramentos*. As igrejas que rejeitam o conceito de sacramento (a transmissão da graça divina através de ritos religiosos, como o único canal dessa graça) preferem usar o termo *ordenanças* para apontar para os seus ritos. Nesse caso, não se entende que essas cerimônias sejam canais da graça, mas apenas símbolos da variegada graça divina recebida. Assim, as ordenanças aludem a alguma realidade espiritual, mas não são veículos que produzam essa realidade. As ordenanças comuns das igrejas evangélicas são o *batismo* (vide) e a *Ceia do Senhor*, também chamada *eucaristia* (vide). A primeira dessas ordenanças é realizada em obediência ao mandamento de Cristo (ver Mat. 28:19,20), e simboliza a nossa união com Cristo, em sua morte e ressurreição. Também há outros símbolos, discutidos no artigo sobre esse assunto. A Ceia do Senhor é um memorial, e não um sacramento. Faz-nos lembrar o sacrifício de Jesus, por um lado, e sua segunda vinda, por outro lado, diariamente antecipada. Alguns grupos evangélicos acrescentam a isso uma terceira ordenança: o *lava-pés* (vide). Damos um detalhado artigo sobre esse assunto, que inclui uma discussão da controvérsia que a circunda.

ORDENANÇAS DA IGREJA

Ver **Ordenança**, quarto ponto.

ORDENAR (ORDENAÇÃO)

Esboço:

1. Definições
2. No Antigo Testamento
3. No Novo Testamento
4. Considerações Modernas

1. Definições

Em um sentido geral, não-eclesiástico, essa palavra significa «decretar», «instalar», «consagrar». A raiz latina é *ordinare*, «ordenar», de *ordo*(*inis*), «ordem». O seu sentido eclesiástico é «investir com uma função ou ofício religioso», ou, então, «admitir a funções ministeriais ou sacerdotais».

2. No Antigo Testamento

Os sacerdotes, os levitas, os profetas e os reis, entre os hebreus, eram ordenados para suas respectivas funções, através de um certo número de ritos e declarações. Moisés nomeou Josué como seu sucessor, impondo-lhe as mãos (ver Núm. 27:18; Deu. 34:9). Os profetas, os sacerdotes e os reis eram ungidos como parte do ritual de sua consagração. Ver sobre *Ungüento*, ponto quinto. Ver também sobre *Unção*, onde damos mais detalhes.

Usos não-eclesiásticos incluem significados como arranjar, por em ordem (Sal. 132:17); planejar, estabelecer celebrações, ritos e oferendas (Núm. 28:6;

I Reis 12:32; Sal. 8:2,3; Isa. 26:12). Também há o sentido de ordem autoritária (Est. 9:27; I Esdras 6:34; 8:14).

3. No Novo Testamento

Os doze apóstolos foram ordenados por Cristo (João 15:16), tendo sido investidos em seu ofício e autoridade como discípulos especiais de Jesus e como seus instrumentos espirituais. Paulo veio a participar dessa alta vocação algum tempo mais tarde (ver Gál. 1:1). Não sabemos se houve alguma cerimônia (ou qual cerimônia) nessa ocasião. Talvez tenha havido a imposição de mãos com unção com azeite, segundo as práticas veterotestamentárias de iniciação. Os *setenta* discípulos especiais de Jesus (ver Luc. 10) foram «nomeados» por ele. — A palavra grega ali usada é ***anadeiknumi***, «mostrar claramente», «nomear», «comissionar». E podemos imaginar que houve alguma ordenação formal, envolvida nessa nomeação. O sexto capítulo do livro de Atos registra o ordenação dos primeiros diáconos, em número de sete. Em Atos 6:6 lemos que os apóstolos oraram e impuseram sobre eles as mãos. O trecho de Atos 14:23 narra a nomeação (presumivelmente, «ordenação») de *anciãos*. Timóteo recebeu essa ordenação mediante a imposição de mãos. É de presumir que lhe foram conferidos então dons espirituais, mediante os quais ele poderia cumprir o seu ministério. Ver I Tim. 4:14.

Três coisas deveriam ser observadas. O processo de ordenação envolve: a. o dom espiritual a ser conferido (o *chárisma*). b. Esse dom espiritual se transmite por meio (*diá*) de profecia. Talvez tenhamos aqui um discernimento especial de Paulo através do que ele sabia que era preciso ordenar a Timóteo; ou, então, outros crentes, tomados pelo espírito de profecia, sabiam que Timóteo estava capacitado ao ofício que recebeu, seguindo-se então a sua ordenação. c. A imposição de mãos seguiu-se, confirmando e intensificando o processo espiritual; ou, então, conforme outros estudiosos pensam, a profecia foi o meio através do qual o *chárisma* de Timóteo lhe foi outorgado.

Um Supervisor (*Bispo*) *Ordena Ministros*. Tito era ministro do evangelho, ordenado aos moldes de Timóteo. Em Tito 1:5, Paulo mostra que Tito tinha autoridade para ordenar a outros crentes, em vários lugares. Isso parece indicar que ele tinha poder sobre alguma região, e não meramente sobre uma igreja local. Isso posto, segundo alguns, temos aqui um equivalente primitivo das funções posteriores dos bispos. Desenvolvimentos posteriores trouxeram à tona uma hierarquia que não é nativa ao Novo Testamento; mas, pelo menos, precisamos admitir que agora todos os anciãos (também chamados pastores e bispos) estão em pé de igualdade. Os apóstolos, como é óbvio, estavam acima dos anciãos locais. E outro tanto se dava com homens como Timóteo e Tito, que tinham poderes sobre áreas geográficas, e não apenas sobre igrejas locais. O termo grego envolvido aí é ***kathisthemi***, «nomear», «ordenar», «encarregar».

Ordenava-se a um Ofício Sacerdotal? Tem sido motivo de debate e divisão, no seio da cristandade, durante séculos, se a ordenação de ministros, no Novo Testamento, consiste em uma investidura sacerdotal ou não. A parte mais numerosa da Igreja, católicos romanos, ortodoxos orientais e anglicanos, respondem a essa questão com um «sim». Os luteranos preservam alguma função sacramental do ministro, por ocasião do batismo. Mas outros grupos protestantes e os grupos evangélicos asseveram que a ordenação neotestamentária é funcional, e não sacramental.

Solenidade. Paulo advertiu contra a ordenação precipitada de ministros, em I Tim. 5:22. E as epístolas pastorais nos dão muitas regras acerca das qualificações dos diversos ministros. Ver Tito 1:6 *ss*, como um exemplo. Dons espirituais e ministeriais eram uma exigência no caso de ministros, pois o que então se esperava deles era que dessem provas de espiritualidade, e não de profissionalismo, conforme muitas vezes sucede hoje em dia.

4. Considerações Modernas

Em alguns segmentos da cristandade, a ordenação é uma outorga formal de ofícios ministeriais (ver o artigo chamado *Ordens, Santas*). Essas ordens são tidas como confirmações e suplementos da *vocatio* ou «vocação» do Espírito, no caso de certos indivíduos. Mas a cristandade está dividida quanto à natureza exata da ordenação. Nas Igrejas católica romana e ortodoxa oriental, a ordenação (o sacramento da ordem) é efetuada a fim de conferir graça e um caráter indelével, que não pode ser repetido e nem anulado. Muitos anglicanos compartilham desse ponto de vista. Os atos mediante os quais os prelados são ordenados estão restringidos aos bispos ou aos oficiais superiores, conforme era a regra universal entre os séculos II e XVI de nossa era. Porém, quase todos os grupos protestantes e evangélicos rejeitam o aspecto sacramental da ordenação, e preferem frisar o caráter funcional desses atos. Usualmente, uma junta de ministros ordena outros ministros, e essa junta pode contar ou não com alguém do nível de um bispo. Todavia, há grupos cristãos que chegaram a rejeitar totalmente qualquer rito de ordenação, pois pregam a doutrina da igualdade de todos os irmãos, com o direito de qualquer um administrar as *ordenanças* (não sacramentos) da Igreja. Até onde podemos ver, essa norma aberta e frouxa é contrária ao espírito e exemplo do Novo Testamento, conforme se vê na autoridade apostólica e em ministros subseqüentemente ordenados por eles, como Timóteo e Tito.

O Rito de Ordenação. Esse rito varia desde uma simples oração com imposição de mãos (entre os grupos evangélicos) até os ritos muito complexos da Igreja Católica Romana. A expressão medieval da Igreja Católica Romana fez a fusão dos ritos romanos e anglicanos, do que resultou a sua complexidade. Além da imposição de mãos e de orações, há a apresentação dos símbolos apropriados do ofício, as vestimentas aparatosas apropriadas, a unção com azeite, as declarações imperativas, etc. Na ortodoxia oriental há um processo um tanto mais simples, que inclui a imposição de mãos, a oração e a outorga do símbolo apropriado ao ofício que se estiver conferindo.

Os Discípulos de Cristo, os Irmãos de Plymouth e os Quacres não reconhecem qualquer rito de ordenação e dependem da orientação do Espírito para separar os seus líderes, os quais continuam sendo apenas irmãos, sem qualquer ofício eclesiástico reconhecido.

ORDENS, MAIORES E MENORES

Ver sobre **Ordens, Santas**.

ORDENS, SANTAS

O termo **Santas Ordens** é aplicado a vários ofícios ou posições dentro da hierarquia eclesiástica. Continuam debates quanto ao número, à necessidade e à diferenciação desses ofícios. Há segmentos da Igreja que têm uma lista mais complexa de ordens santas, ao passo que outros virtualmente ignoram quaisquer distinções dentro do ministério, exceto que ali «irmãos» trabalham juntos visando ao bem-estar da coletividade cristã. A esses «irmãos» eles chamam de *anciãos*. As igrejas orientais ortodoxas e os anglicanos reconhecem três *ordens principais*: bispos, padres e diáconos. A Igreja Católica Romana, desde os dias de Inocente III (1207), adicionou os subdiáconos às suas ordens principais. Mas os católicos romanos também contam com as ordens inferiores: porteiros, exorcistas e acólitos (assistentes). No Oriente, desde o concílio de Trulão, em 692 D.C., as ordens menores têm incluído os leitores, os cantores, ao mesmo tempo em que os porteiros, os exorcistas e os acólitos foram absorvidos no subdiaconato.

Bispos e Padres. Ambos compartilham do sacerdócio, mas o bispo é *primum sacerdotium*, enquanto que o padre é *secundum sacerdotium*. O primeiro tem uma jurisdição territorial; o segundo, local. Historicamente, o diácano é a mão direita do bispo, encarregado de deveres administrativos e litúrgicos. Nas igrejas evangélicas, muitas vezes o diácono é paralelo do ancião, mas cuida das questões materiais da igreja local, embora usualmente sirva na junta administrativa da igreja e seu voto tenha o mesmo peso que o voto de um ancião, quanto a determinadas questões. Há mesmo igrejas em que as funções de um diácono igualam em tudo às funções de um ancião, excetuando no nome, o que é uma incoerência.

A Bíblia é explícita quanto ao seguinte ministério neotestamentário:

a. *Ministério da Palavra — Apóstolos, profetas, evangelistas e pastores* (alguns dos quais são *mestres*). Ver Efé. 4:11.

A maior confusão, no conceito popular diz respeito ao ministério pastoral. Em primeiro lugar, eles pensam que o «pastor» e o «mestre» são ministérios distintos, quando, na verdade, todo mestre é um pastor. Alguns pastores são apenas pastores, e outros são pastores-mestres (ver I Tim. 5:17). Além disso, no Novo Testamento, os pastores também são chamados «bispos» (supervisores) e «presbíteros» (anciãos), pois esses títulos enfocam sobre outros aspectos desse ministério (ver Atos 20:17,28). Assim, há igrejas evangélicas que dividem o ministério em pastores e presbíteros, mas não têm bispos. Mas, isso é outra incoerência. Nas Escrituras, um pastor é um presbítero (ou ancião) e é um bispo (ou supervisor). A prova disso é que as qualificações são idênticas.

b. *Ministério da Ação — Diáconos. Nota:* Os dons carismáticos não são ministérios.

Validade das Ordens. As divisões entre os cristãos têm incluído a negação da legitimidade dos ministros de uma denominação por outra denominação. Exclusivismo de vários tipos continuam a dividir os cristãos, servindo para atiçar as chamas da hostilidade. Assim, os católicos romanos aceitam as ordens e os sacramentos da Igreja Ortodoxa Oriental, onde, segundo os primeiros supõem, foi mantida a *sucessão apostólica* (vide). Mas, como uma entidade, a Igreja Ortodoxa Oriental é considerada fora de comunhão com a «verdadeira Igreja», por ter-se separado dela, em 1054 D.C. Outrossim, a Igreja Católica Romana nega a validade das santas ordens da comunidade anglicana, supondo que ali a sucessão apostólica foi interrompida ante as venetas do *arcebispo Cranmer* (vide). Além disso, a comunidade anglicana é acusada do que se chama *defeito de intenção*. Assim, de acordo com o romanismo, os sacramentos devem ser administrados com o propósito de fazer o que a Igreja faz. Mas, visto que a comunidade anglicana separou-se da Igreja Católica Romana, ela não retém as intenções desta última. O concílio de Trento exigiu uma correta intenção, sendo essa uma das razões pelas quais o papa Leão XIII (1896) condenou as ordenações anglicanas. Desnecessário é dizer que idênticas acusações (além de outras) são feitas contra todos os grupos protestantes e evangélicos.

Dentro dos grupos protestantes, infelizmente, há todo tipo de exclusivismo e de hostilidade. Alguns grupos batistas falam sobre a ilegitimidade do batismo efetuado por outros grupos, mesmo quando realizado por imersão, naquilo que aqueles batistas chamam de «imersão estranha». E o que esses batistas dizem sobre o batismo, eles e outros grupos dizem sobre os ofícios ou ministérios de outras denominações. E assim a guerra santa prossegue.

ORDENS RELIGIOSAS

Pessoas religiosas que têm tido propósitos e ideais específicos têm organizado ordens religiosas, tendo em vista a propagação de suas idéias. Por isso mesmo, um grande número de ordens religiosas tem vindo à existência, sobre as quais tenho preparado artigos separados. Ver sobre as seguintes: *Agostinianos; Beneditinos; Capuchinhos; Carmelitas; Dominicanos; Franciscanos; Sociedades Católicas; Ordens Mendicantes; Monasticismo*. Ver também sobre *Ordens, Santas*. Um equivalente protestante distante são as missões evangélicas, pátrias ou ao estrangeiro.

As ordens religiosas são sociedades ou fraternidades cujos membros vivem todos sob as mesmas regras. Essas ordens originaram-se, historicamente, nos movimentos monásticos. Um ideal básico era a mortificação da carne (ascetismo) e a busca por uma santificação mais profunda. A ênfase sobre a virgindade sempre foi uma constante; mas alvos e labores específicos também sempre foram motivações básicas das ordens religiosas. O caráter eremítico primitivo das ordens religiosas foi modificado graças aos esforços de Pacômio (300 D.C.). Foi mantido o estilo de vida asceta, embora também de mescla com uma vida caracterizada pelo serviço prestado ao próximo. Quase todas as ordens têm votos de pobreza, de castidade e de obediência. Algumas ordens religiosas têm enfatizado atos de caridade; outras têm frisado o evangelismo; outras a vida contemplativa; outras os serviços especiais à Igreja e à comunidade, como a dedicação à educação; e, finalmente, outras ocupam-se na manutenção de hospitais, orfanatos e outras instituições de beneficência.

ORDO ROMANUS

Esse é o nome do texto que prescreve as cerimônias usadas na Igreja Católica Romana. Esse texto surgiu entre os séculos VIII e XVI, e que terminou por fixar o número daquelas cerimônias, ou *ordines*, que são quinze. A *Ordo Primus* descreve a maneira do papa celebrar missas públicas em ocasiões importantes.

OREBE E ZEEBE

Esses nomes próprios, no hebraico, significam, respectivamente, «corvo» e «lobo». Esses eram os nomes de dois líderes dos midianitas, que saíram a guerrear contra Gideão e foram mortos pelos efraimitas, que os interceptaram quando estavam recuando (ver Juí. 7:25 e 8:3). O evento teve lugar em cerca de 1200 A.C. O trecho de Isa. 10:26 informa-nos a terrível matança que então ocorreu. A batalha principal teve lugar no vale de Jezreel, entre

'Ain Harod e a colina de Moré (ver Juí. 7:1). Os trezentos homens de Gideão puseram em debandada os cento e trinta e cinco mil midianitas. Quando estes retrocederam em confusão, os efraimitas (conforme Gideão determinara) interceptaram-nos e aumentaram ainda mais o número dos midianitas mortos. Em toda a história da nação de Israel, talvez somente a invasão assíria, na época do rei Ezequias, tenha produzido uma matança maior. Orebe foi morto diante da «penha de Orebe»; e Zeebe foi executado no «lagar de Zeebe». Ambos esses locais foram assim chamados posteriormente, por causa dos nomes daqueles líderes envolvidos. Mas ninguém sabe, atualmente, onde ficam esses locais. Provavelmente ficavam no lado ocidental do rio Jordão, visto que a tarefa dos efraimitas consistia em confinar os midianitas naquela área, não permitindo que eles atravessassem o Jordão.

ORÉM

No hebraico, «figueira». Esse era o nome de um dos filhos de Jerameel, da tribo de Judá (I Crô. 2:25). Ele viveu em torno de 1190 A.C.

ORFA

Essa palavra hebraica é de significado incerto. Entre as possibilidades temos «pescoço», «gazela» e «frescor juvenil». Esse era o nome de uma das noras de Noemi. Foi esposa de Quiliom, um dos filhos de Elimeleque e Noemi (ver Rute 1:1-4). A morte privou, com a passagem do tempo, a Noemi, de seu marido e de seus dois filhos. Todos conhecemos a história de Rute, a outra nora de Noemi, que se recusou a abandonar a sua sogra, tendo-a acompanhado em sua viagem de volta à Palestina, uma decisão feliz que a levou a uma nova e bem-aventurada vida.

Mas Orfa, em contraste com Rute, retornou aos moabitas, ao seu próprio povo, bem como à adoração de Camos, deus moabita (ver Rute 1:15; Juí. 11:24). Orfa despediu-se de sua sogra com um beijo, sendo essa a última menção a ela, no Antigo Testamento.

ORFANATOS

Essas são instituições cujo propósito é o recolhimento e a criação e educação de órfãos. Devido à perda dos pais, à catástrofes naturais, à pestilências e à guerra, muitas crianças ficam destituídas. Sabe-se que a Igreja cristã, pelo menos desde 316 D.C., contou com orfanatos, segundo se aprende em uma citação feita por Juliano. Na Idade Média também havia orfanatos. Apesar de que existem orfanatos seculares, quase todos eles têm sido promovidos pelos ideais religiosos. No século XX, os orfanatos constituem um dos modos mais populares de benevolência. Só nos Estados Unidos da América do Norte, foram organizados mais de mil e quinhentos orfanatos, no ano de 1930. Dentre esses, somente cerca de uma décima parte consistia em instituições públicas.

Os orfanatos têm causado muitos debates, devido às classes de crianças que os mesmos acolhem. Antes de tudo, crianças desprivilegiadas deveriam ser recolhidas pelos orfanatos, ou elas deveriam permanecer com seus pais, mesmo quando são de uma pobreza extrema? A idéia da *dependência* tem sido atacada como uma razão válida para que crianças sejam consideradas «órfãs». Para evitar isso, outros meios têm sido propostos, como a adoção, o uso de lares receptivos, etc. Em segundo lugar, muitos têm questionado a sabedoria da ereção de orfanatos para crianças delinqüentes, especialmente quando tais instituições não estão equipadas, com pessoal treinado e outras coisas, para cuidar de tais crianças problemáticas. Seja como for, um orfanato funciona como se fosse um lar e uma escola, ao mesmo tempo. Ali ministram-se às crianças a nutrição e a educação básicas; ali se ensina a elas o respeito e o amor às autoridades, e ali se dá às crianças algum treinamento vocacional. O que é claro é que um orfanato não deve ser um lugar de punição.

A história do cristianismo está envolvida no funcionamento de orfanatos. Devemos dar crédito ao vasto trabalho desenvolvido pela Igreja Católica Romana (especializada em obras de caridade), quanto a esse campo. Porém, antes mesmo dessa denominação ter vindo à existência, a Igreja cristã, desde o século II D.C., vinha cuidando dos órfãos. Quando o filósofo ateniense, Aristides, foi convocado a defender seus companheiros cristãos, diante do imperador Adriano (125 D.C.), entre outras coisas ele afirmou: «Eles amam-se mutuamente. As necessidades das viúvas não são ignoradas, e eles livram os órfãos de pessoas que são violentas contra eles...» (*A Recém-Recuperada Apologia de Aristides*, 1893). Apesar de Aristides não se estar referindo a orfanatos formais, ele aludia a um básico ideal cristão de amor e cordialidade humanas, com base no que os orfanatos foram fundados.

Foi o próprio Senhor Jesus quem deu exemplo de preocupação com os órfãos, segundo se vê em Mar. 10:14. No século V D.C., as leis romanas proveram proteção leal aos órfãos, devido, principalmente, à influência cristã. Já pudemos mencionar os orfanatos da Idade Média, os quais, como é óbvio, foram promovidos pela Igreja Católica Romana. Iniciada a Reforma Protestante, quando, em alguns lugares, mosteiros foram abandonados, Zwínglio adaptou-se para se tornarem orfanatos. As missões cristãs, tanto católicas romanas quanto protestantes, mostram grande interesse por esse tipo de atividade. Em sua epístola, Tiago (1:27) dá-nos uma definição de religiosidade pura que inclui o cuidado pelos órfãos e pelas viúvas. Há muitas maneiras dos crentes observarem a lei do amor, — e essa é uma das mais vitais. Muitas freiras se têm tornado mães de muitos órfãos, mediante o funcionamento de orfanatos, e que merecem o nosso respeito. Outro tanto se deve dizer acerca de todos quantos estão atarefados nessa obra de amor.

ÓRFÃO

Essa palavra portuguesa vem do grego, **orphanós** cujo sentido liberal é «destituído». Corresponde ao vocábulo hebraico *yathom*, «solitário», «sem pai». Ver Lam. 5:3. Estritamente falando, um órfão é alguém, de menor idade, que perdeu ambos os pais, mediante a morte; mas o abandono de uma criança, por parte de seus genitores, também a transforma em órfã.

De acordo com a perspectiva do Antigo Testamento, um órfão era alguém também privado de situação legal, sem qualquer parente remidor. A legislação veterotestamentária tinha provisões em favor de tais pessoas. Os órfãos e as viúvas, para exemplificar, podiam rabiscar os campos plantados (ver Deu. 14:29). E a passagem de Êxo. 22:22 mostra-nos a atenção que era dada aos órfãos. Visto que a herança passava do pai a algum filho homem, uma viúva sem filhos ficava destituída de bens sob a forma de terras. Todavia, houve o precedente da herança transmitida a filhas, conforme se vê em Núm. 27:7-11.

O trecho de João 14:18 envolve um uso figurado do termo para indicar *orfandade espiritual* (apontando para os discípulos de Jesus, quando O perderam de sua presença física). Mas a situação privilegiada deles lhes seria restaurada, mediante o ministério do Espírito Santo, o alter ego de Jesus. Paulo chama a si mesmo de «orfanado», isto é, «destituído», quando não mais contava com o companheirismo dos crentes de Tessalônica (I Tes. 2:17).

Nos sonhos e nas visões, o estado de orfandade indica «perda», literal ou figurada, material ou espiritual, ou, então, abandono; ou uma mudança de ambiente e moradia, com algum isolamento temporário de membros da família ou amigos. E a adoção de órfãos pode indicar que a felicidade está a caminho da pessoa.

Nas Escrituras Sagradas há um distinto ensinamento sobre os órfãos. Eles não contam com um pai terreno, que lhes supra as necessidades materiais, incluindo a necessidade do amor paterno. Portanto, Deus cumpre essas necessidades em relação às suas almas. O Antigo Testamento considera os órfãos como as pessoas mais dependentes que há. Embora, **naquele documento sagrado, — não tenhamos nenhuma menção às instituições que foram estabelecidas** para cuidar dos órfãos (segundo a Igreja cristã moderna já vem fazendo há algum tempo), a lei mosaica provia para os órfãos certas proteções e regalias. Ver Deu. 14:29; 24:19-21; 26:12; 27:19. Deus é o Pai dos órfãos, em um sentido todo especial (Sal. 68:5). Deus é o defensor das viúvas e dos órfãos; e aqueles que os oprimem são ameaçados pelo julgamento divino (Deu. 16:14; 24:17,19,21; 26:12, 13). O Talmude recomendava que se cuidasse devidamente dos órfãos, fazendo disso uma das virtudes mais dignas de elogio, capaz de atrair grandes bênçãos divinas. Ver o artigo especial sobre *Órfãos e Viúvas*. O trecho de Tiago 1:27 assevera que um dos sinais de uma religião pura e sincera é aquela que presta ajuda (visita) aos órfãos e às viúvas, em suas dificuldades.

ORFEU

Ver sobre *Religiões Misteriosas* (*dos Mistérios*), primeira seção.

ORFISMO

Ver sobre *Religiões Misteriosas* (*dos Mistérios*), terceiro ponto da primeira seção.

ORGANISMO, FILOSOFIA DO

Os *materialistas* têm encontrado a chave da metafísica no átomo e seus movimentos (realidade material). O *idealismo* encontra essa chave em suas especulações a respeito da mente e seus epifenômenos, dentro do chamado mundo material. E a chamada *filosofia do organismo* tem achado a chave da metafísica no conceito dos motivos e das estruturas orgânicas. Os sistemas organizados exprimem-se através de sistemas integrados. Daí foi que emergiu a filosofia do organismo, também conhecida como *organicismo*.

1. *Platão*. Em sua obra *Timaeus*, ele considerou o mundo um «organismo vivo». Ele supunha que o mundo das Idéias é um poder organizacional, podendo ser visto em operação nos universos físicos.

2. *Aristóteles*. Em sua doutrina das *quatro causas*, encontramos a base de uma filosofia organística, onde poderes organizadores começam como potencialidade e terminam como essência.

3. *Paracelso*. Ele descrevia o mundo em termos de um vasto organismo, enquanto que o homem seria um microcosmo do macrocosmo.

4. *Fechner*. Deus é a alma do universo, e suas partes constituintes são as almas inferiores. Estas manifestar-se-iam em hierarquias de almas, em um estado inferior. Mas o todo funcionaria como uma unidade, como um organismo.

5. *Lossky*. O mundo é uma totalidade orgânica.

6. *Whitehead*. Ele salientava os sentimentos, o movimento dinâmico e o avanço criativo em um mundo que tem essas características como suas essências e atributos.

7. *Biologia Organísmica*. Essa é uma interpretação da biologia que frisa a natureza não-reducionista de entidades e suas estruturas. O todo não pode meramente ser equiparado com a soma de suas partes constituintes. O universo tem uma natureza *holística*, onde cada parte opera de acordo com o princípio de desígnio e propósito. Isso é contrastado com a visão mecanista da evolução. A mente destaca-se como o poder supremo, aquilo que confere ao todo os seus poderes organísticos. J.H. Woodger é um dos principais representantes dessa posição. Outras posições são representadas pelo *Vitalismo* (vide) e pelo *Reducionismo* (vide).

ORGANON

Esse nome vem do termo grego **érgon**, «trabalho».

1. Essa palavra foi usada como título de tratados de lógica. Foi inicialmente aplicada às obras de Aristóteles, por Alexandre de Afrodísio (cerca de 200 D.C.).

2. Francisco Bacon chamou suas próprias obras de lógica de *Novo Organon*, em contraste com as *antigas* formas de lógica. Sua abordagem distinguia-se por sua dependência à indução, e não à dedução.

3. Outros usaram esse termo para suas respectivas obras, como Whewell, o qual chamou seu livro de *Novum Organum Renovatum*.

ÓRGÃO

Ver *Música e Instrumentos Musicais*.

ÓRGÃOS, TRANSPLANTE DE

Ver sobre *Transplante de Órgãos*.

ÓRGÃOS VITAIS

1. O Cérebro

a. *Desígnio; epifenomenalismo; teorias a respeito; o cérebro como um veículo*. O fato de que não há referências bíblicas ao *cérebro*, o mais admirável dos nossos órgãos físicos, reflete a ignorância dos antigos quanto à verdadeira e admirável função desse órgão do corpo. Em contraste com isso, muitos filósofos, querendo ilustrar o princípio do *desígnio*, a fim de chegarem a Deus como o grande *Planejador*, têm usado o cérebro. Mas os filósofos materialistas pensam ser capazes de encontrar no cérebro todas as funções psíquicas humanas, e assim negam a porção imaterial do homem. Ver os artigos *Problema Corpo-Mente* e *Epifenomenalismo*. Em contraste, aqueles que crêem no *dualismo* (vide) têm apresentado boas evidências que mostram que as funções psíquicas são primárias, e que o cérebro atua como veículo dessas funções, em vez de ser o produtor das mesmas. As chamadas *experiências perto da morte* (vide) têm mostrado que quando o cérebro não está funcionando, estando a pessoa separada do corpo, ainda assim essa pessoa é plenamente consciente. Os poderes da razão prosseguem, como, por exemplo, a memória, embora *sem* o concurso do cérebro. Verdadeiramente, o cérebro é o veículo da inteligência, quando os homens estão presos aos seus corpos físicos; mas esse corpo é perfeitamente dispensável, quando o espírito (o verdadeiro *intelecto*) é liberado do corpo físico.

b. *Descrição; idéias platônicas; dualismo; o contracérebro*. O cérebro é a porção modificada e aumentada do sistema nervoso central, contido dentro do crânio e da coluna vertebral. Suas funções são divididas entre seus dois hemisférios, o direito e o esquerdo, como também entre o cerebelo e a medula oblongata, porções essas muito desenvolvidas nos mamíferos superiores e, sobretudo, no homem. O cérebro controla quase todas as funções do corpo e é a sede da razão. As teorias platônicas declaram que todos os elementos físicos têm por detrás deles o arquétipo ou *idéia* (forma) daquele órgão ou entidade. Assim, de acordo com essa teoria, o cérebro é a duplicação de uma idéia divina, dependente dessa idéia. A idéia persiste, sem sua contraparte física, sendo mesmo possível que o corpo humano vital seja equipado com um equivalente não material, ou semimaterial, equivalente ao cérebro. Seja como for, o cérebro físico é o grande instrumento da razão e do conhecimento, dotado de um sistema de arquivamento que continua sendo um mistério para a ciência. Porém, a experiência com a morte mostra que o cérebro não é o armazém primário do conhecimento, e nem do raciocínio, e nem da consciência. O cérebro, quanto a isso, é apenas um armazém físico e transmissor do que ali é armazenado, e não a essência dessas coisas. Ver o artigo separado sobre *Dicotomia-Tricotomia*.

c. *Hemisférios esquerdo e direito do cérebro*. Sólidas evidências têm mostrado que os dois hemisférios do cérebro ocupam-se de diferentes funções. O hemisfério esquerdo controla os modos de pensar racional, dedutivo e linear, que empregamos na matemática e nas ciências, como no método empírico. Mas o *hemisfério direito* controla as funções intuitivas, criativas e estéticas. Provavelmente, os fenômenos psíquicos e os sonhos estão mais associados ao hemisfério direito. E assim, como um veículo, o cérebro, em seu hemisfério direito, está mais associado aos tipos místicos e intuitivos de experiências. É possível que a disposição de uma pessoa quanto a essas coisas seja facilitada por um hemisfério direito do cérebro melhor desenvolvido, ao passo que os cientistas e matemáticos tenham melhor desenvolvimento no seu hemisfério esquerdo do cérebro. Também é possível que o código genético (os genes dão ao homem cerca de mil e oitocentas características específicas) da pessoa determine qual hemisfério do cérebro é mais importante. Se assim for o caso, então não admira que os cientistas tenham tanta dificuldade em entender os místicos, e vice-versa. Cada um deles tem uma missão específica a cumprir no mundo, cada qual com o seu equipamento cerebral correspondente. Seja como for, todas as coisas pertencem a Deus, e nele todas as coisas são reconciliadas, embora os homens continuem a disputar as suas diferenças.

d. *Referências bíblicas à cabeça*. Quanto a um completo estudo a esse respeito, ver o artigo sobre a *Cabeça*. Os antigos reconheciam que a cabeça é a sede da inteligência, embora também pensassem que o coração está envolvido nisso. Na Bíblia, a palavra «cabeça» pode indicar a pessoa inteira (conforme se vê em Gên. 49:26 e Pro. 10:6). Há um certo número de usos metafóricos da «cabeça», onde estão em foco funções tipicamente cerebrais. Assim, o fato de que Cristo é o Cabeça da Igreja indica que ele controla, nutre e inspira a Igreja, da mesma maneira que o cérebro controla todos os membros do corpo. Temos apresentado um detalhado artigo sobre a questão, intitulado *Cabeça* (*Cristo*) *e Corpo* (*Igreja*). Com base nessa linha geral de pensamento, temos governantes ou líderes intitulados *cabeças* (ver I Sam. 15:17; Dan. 2:38). Assim também, a cidade principal de um reino pode ser assim chamada (ver Isa. 7:8).

2. Coração

Nesta enciclopédia há um detalhado artigo separado sobre esse assunto.

3. Rins

Ver o artigo sobre os **Rins**.

4. Fígado

No hebraico, **kabed**, que significa «pesado», mostrando que o fígado seria a víscera mais volumosa e pesada do organismo. Há um bom número de referências ao fígado no seu sentido natural, não metafórico, em Êxo. 29:13,22; Lev. 3:5,10,15; 4:9 e muitas outras. Nessas passagens estão em foco fígados de animais abatidos como sacrifício. Entre os pagãos, o fígado dos animais era usado nas adivinhações, mais ou menos da mesma maneira que as quiromantes pretendem ler as mãos das pessoas. Essa forma de adivinhação chama-se *hepatoscopia*, havendo alusão a essa prática em Eze. 21:21. Pensava-se que eram significativas as marcas e reentrâncias das vísceras dos animais, incluindo o fígado. Ver o artigo separado sobre a *Adivinhação*, segundo ponto. Algumas vezes, falava-se sobre o figado mais ou menos como nós falamos sobre o *coração*, ou seja, como o centro da vida e da emoção (Pro. 7:23; Lam. 2:11). A arqueologia tem mostrado a importância do fígado para os antigos, no sentido religioso. Muitos fígados artificiais têm sido desenterrados. Sem dúvida, esses objetos eram usados em algumas formas de adivinhação. Sabemos que existia tal prática na cultura romana. A palavra latina para os adivinhos por meio do fígado dos animais era *arúspices*. Há treze referências ao fígado no Antigo Testamento, mas nenhuma no Novo Testamento.

5. Estômago

Ver o artigo separado sobre esse assunto.

6. Vente: Útero

O termo hebraico mais comum para esse órgão feminino é *beten*, embora apareça um outro termo hebraico para o mesmo, *me'im*, somente em Rute 1:11. Esse órgão também é denominado *rehem* (ou *raham*), no hebraico. No grego temos os vocábulos sinônimos *gastêr, koilía* e *mêtra*. Tanto no hebraico quanto no grego, os dois primeiros termos também podem indicar a *barriga*, o que mostra quão inexato era o conhecimento anatômico entre os antigos. Em Jó 1:21 e Isa. 49:1, a alusão é ao *começo da vida biológica*. Figuradamente, o começo de qualquer coisa pode ser dado a entender com essa palavra. Ver Jó 38:29. Como o bebê é formado no ventre materno era motivo de admiração para os antigos, devido ao seu mistério, o que continua constituindo um mistério, apesar de todo o nosso avanço científico. A Bíblia atribui coisas assim a atos diretos de Deus (Jó 31:15; Ecl. 11:5). Há evidências, em nossos dias, de que a aura ou campo de vida que circunda o feto é o fator controlador em seu desenvolvimento; mas, em última análise, todas essas maravilhosas funções devem ser atribuídas, ou a leis naturais que foram estabelecidas por Deus, ou à direta inteligência atuante de Deus. Ver o artigo separado sobre a *Aura Humana* (*Campo de Vida*). A esterilidade feminina era um problema sério, para os antigos hebreus, e algumas vezes era atribuída ao desprazer divino (ver I Sam. 1:5). Os filhos *primogênitos* supostamente eram uma especial oferenda viva a Deus, por serem as primícias de suprema importância (ver Êxo. 13:2; Luc. 2:23).

Nos Sonhos e nas Visões. Um sonho sobre o retorno ao ventre materno (usualmente sob forma simbólica) indica o desejo pelo conforto e segurança que a figura materna oferece, sem as complicações envolvidas na vida neste mundo. O ventre materno também pode simbolizar a Grande Mãe, a fonte de toda vida e a inspiração de todos os ideais. Ou pode estar em foco a própria terra. Além disso, a terra, lugar onde se faz o plantio e o cultivo, pode simbolizar o ventre materno. Algumas vezes, o ventre materno é simbolizado por um misterioso e expandido lodaçal. O retorno mental ao ventre materno pode indicar um período de renovação, com base na fonte de energia, em que o indivíduo convoca todos os seus recursos, da fonte originária de toda vida. Nesse sentido, o ventre materno pode simbolizar a alma ou a mente inconsciente, onde se encontra a verdadeira vida. Em última análise, a Mente Divina, a Divina Entidade é o útero formador de toda existência, bem como o sustentador de toda a vida.

ORGIA

No grego, **kraipále**, «abuso», «tolerância demasiada». Essa palavra grega aparece somente por uma vez, em Luc. 21:34.

O vocábulo ocorre dentro das advertências feitas pelo Senhor acerca da atitude correta dos crentes, nos últimos dias. Entre outras coisas, os crentes não devem ser demasiadamente indulgentes consigo mesmo, entregando-se a excessos e à falta de disciplina própria. A tradução «orgia», adotada pela nossa versão portuguesa, destaca apenas um desses abusos possíveis, ao passo que o vocábulo grego encara as atitudes indulgentes em geral, em todas as suas possibilidades viciosas. Aqueles que forem indulgentes consigo mesmos, no dizer do Senhor Jesus, serão surpreendidos ante os acontecimentos dos últimos dias, que os apanharão e prenderão como que em um laço, para o que não haverá qualquer aviso prévio. Uma boa tradução é aquela usada pela versão inglesa Revised Standard Version, que emprega a palavra inglesa correspondente ao português «dissipação», «devassidão», «libertinagem».

ORGULHO

Esboço:

1. Definição nos Léxicos
2. Referências e Idéias Bíblicas
3. Notáveis Exemplos Bíblicos de Espírito Orgulhoso
4. Na Literatura de Sabedoria do Antigo Testamento
5. O Homem Esquece-se de seu Legítimo Lugar
6. Opinião de Aristóteles a Respeito
7. O Orgulho e sua Detecção

1. *Definição nos Léxicos*

«Um exagerado senso de superioridade pessoal, uma auto-estima desordenada, arrogância e altivez de espírito, presunção». Temos aí uma definição negativa. Mas a palavra «orgulho» também tem conotações positivas, como «um devido senso de dignidade e valor, auto-respeito honroso, uma justa causa de exultação». Isso posto, os sinônimos podem ser negativos: ostentação, presunção, vaidade. Ou podem ser positivos: auto-estima, admiração, espírito de exultação, ufania.

2. *Referências e Idéias Bíblicas*

O orgulho é um pecado (Pro. 21:4); é abominável diante de Deus (Pro. 6:16); é uma expressão de justiça própria (Luc. 18:11,12); procede de privilégios religiosos (Sof. 3:11); vem de um conhecimento não-santificado (I Cor. 8:1); procede da inexperiência (I Tim. 3:6); origina-se na possessão de poder e autoridade (Lev. 26:19); é contaminador (Mar. 7:20,22); endurece a mente (Dan. 5:20); deve ser rejeitado pelos santos (Sal. 131:1); serve de obstáculo às operações de Deus (Sal. 10:4; Osé. 7:10); é um empecilho ao aprimoramento pessoal (Pro. 26:12); caracteriza supremamente ao diabo (I Tim. 3:6); foi o principal fator na queda de Lúcifer ou Satanás (Isa. 14:12 *ss*); é uma atitude comum da humanidade, em sua hostilidade contra Deus (I João 2:16); é característica dos falsos mestres (I Tim. 6:3,4); origina-se na própria alma humana (Mar. 7:21 *ss*); leva à atitude contenciosa (Pro. 13:10; 16:18); será uma das características dos ímpios nos últimos dias (II Tim. 3:2). Além disso, os orgulhosos serão humilhados (Sal. 18:27; Isa. 2:12); e o castigo divino aguarda aos orgulhosos (Sof. 2:10,11; Mal. 4:1).

3. *Notáveis Exemplos Bíblicos de Espírito Orgulhoso*

Aitofel (II Sam. 17:23); Ezequias (II Crô. 32:25); o próprio Satanás (Isa. 14:12 *ss*); Hamã (Est. 3:5); Moabe (Isa. 16:6); Tiro (Isa. 23:9); Israel (Isa. 28:1); Judá (Jer. 13:9); Babilônia (Jer. 50:28,32); Assíria (Eze. 31:3,10); Nabucodonosor (Dan. 4:30); Belsazar (Dan. 5:22,23); Edom (Oba. 3); os escribas dos dias de Jesus (Mar. 12:38,39); os crentes de Laodicéia (Apo. 3:17).

4. *Na Literatura de Sabedoria do Antigo Testamento*

Esse material concentra-se em torno do pecado que é o orgulho, em consonância com os provérbios canônicos (ver Pro. 16:18). O espírito religioso reconhece a inutilidade da pretensão e da vaidade humanas.

5. *O Homem Esquece-se de seu Legítimo Lugar*

Os pagãos olvidam-se de Deus, embora exaltando porções da criação divina; e assim terminam em uma insensata idolatria (ver Rom. 1:21,25). Talvez a pior modalidade de idolatria seja a auto-exaltação. Há ocasiões em que a jactância é apenas um mecanismo psicológico, que busca reconhecimento e apoio da parte de outras pessoas. Mas, com freqüência, a jactância é apenas uma avaliação exagerada do indivíduo acerca de si mesmo.

6. *Opinião de Aristóteles a Respeito*

Esse antigo filósofo grego fazia do orgulho uma virtude. Porém, ele tinha em mente o meio-termo entre a humildade excessiva e a vaidade, ou seja, os extremos negativo e positivo do orgulho. Para ele, um homem não deve humilhar-se e autodegradar-se, o que é uma insensatez. Mas também não deve ser jactancioso e inchado. Antes, deve ufanar-se no bom senso de ter uma adequada auto-estima, de fazer uma correta avaliação de suas potencialidades e de seu valor. Falando dentro do contexto cristão, podemos dizer que a vida caracterizada por um orgulho negativo é incompatível com a vida em Cristo, onde «viver é Cristo». Todavia, esse fato de vivermos «em Cristo» empresta-nos um grande valor; e podemos ter uma dignidade própria da autêntica humanidade, o que é impossível à parte de Cristo, o qual empresta aos homens o valor que eles têm.

7. *O Orgulho e sua Detecção*

Sempre será mais fácil vermos o orgulho manifesto em nossos semelhantes, e não em nós mesmos. Algumas pessoas arrogantes chamam de orgulhosas a outras pessoas. É que o orgulho é uma atitude muito sutil. Podemos ter o orgulho de sermos mais espirituais que outras pessoas, conforme os fariseus se imaginavam. Podemos até ter orgulho de nossa humildade, de nossa suposta bondade. Todavia, há formas de orgulho justificáveis e até desejáveis (ver I Cor. 1:29-31; Gál. 6:14; Fil. 3:3); e a essas formas damos o nome de «ufania». Alguns falam em um «orgulho justo» acerca de alguma coisa, o que é perfeitamente possível. Por outra parte, o orgulho pecaminoso constitui um grande mal. Agostinho e Tomás de Aquino viam no orgulho a essência própria do pecado, um vício cardeal.

ORIENTAÇÃO ESPIRITUAL

Essa expressão indica aquela busca mediante a qual procuramos descobrir a vontade de Deus, em momentos de dúvida, perplexidade e indecisão. Para isso, existem as seguintes sugestões:

1. *As Escrituras Sagradas*. apesar de não cobrirem todas as possibilidades, na verdade abordam diretamente muitas questões essenciais. Por analogia, uma multidão de outras circunstâncias podem ser incluídas. A maioria das questões morais é esclarecida; os princípios básicos de orientação ali são óbvios; quase todos os problemas espirituais são elucidados; as exigências de nossas missões espirituais respectivas são ilustradas. As Escrituras, dadas pela direta inspiração divina, são proveitosas para o ensino, para a repreensão, para a correção e para o treinamento dos crentes na retidão (ver II Tim. 3:16). Portanto, é na Bíblia que encontramos riquíssimo manancial de princípios orientadores.

2. *A Liderança do Espírito Santo*. O Espírito de Deus nos foi enviado tanto para guiar-nos como para interceder em nosso favor — (ver João 16:13; Rom. 8:26 *ss*). O homem espiritual desfrutará dessa forma de orientação divina.

3. *Guias Angelicais*. Geralmente damos pouca importância ao ministério dos anjos em nosso favor. Ver o artigo geral a respeito, onde o tema é desenvolvido. Uma das tarefas desses seres espirituais consiste em ajudar-nos a realizar a nossa missão terrena, e, conforme suponho, ajudam-nos também em uma multidão de outras coisas. O homem espiritual, que se mantém próximo de seu guia espiritual, haverá de usufruir de uma ajuda especial. A espiritualidade é a chave dessa forma de orientação.

4. *O Oração*. Orar consiste em pedir e receber. Deus prometeu conferir-nos sabedoria, se Lha pedíssemos (ver Tia. 1:5). Naturalmente, Deus responde segundo a sua infinita sabedoria, de acordo com a sua graça.

5. *A Razão*. Partindo da premissa que Deus nos deu poderes de raciocínio, os quais são capazes de conferir-nos orientação, devemos ter confiança nas decisões tomadas após deliberação cuidadosa. Todavia, surge um problema quando as emoções empanam o caminho e nos obscurecem a razão.

6. *A Intuição*. O homem também é um ser intuitivo, podendo saber diretamente de certas coisas, sem as evidências da percepção dos sentidos e sem o emprego do raciocínio. Um homem espiritual pode desenvolver poderes intuitivos que o ajudem em momentos de necessidade.

7. *Sonhos, Visões e Outras Experiências Místicas*. Os *sonhos* (vide) servem de orientação para o homem que aprende a interpretá-los corretamente. Podemos até aprender a provocar sonhos orientadores. Sonhar é uma herança da raça. Uma outra forma de orientação são as visões e outras experiências místicas, entre as quais não nos podemos esquecer das profecias, uma realidade desconhecida para muitos cristãos, mas que requer grande avanço espiritual para que funcione devidamente. É nessas experiências místicas que a orientação do Espírito transcende à razão e à intuição.

8. *A Meditação*. Períodos de meditação deveriam ser seguidos por períodos de oração. Na oração, pedimos; na meditação, aguardamos pela resposta dada por Deus.

9. *A Adivinhação*. Ver o artigo sobre esse assunto. Por incrível que pareça, até os apóstolos lançaram mão de certa forma de adivinhação, quando da escolha de Matias, em substituição a Judas Iscariotes (ver Atos 1:15-26). Todavia, praticamente todas as formas de adivinhação não servem para dar orientação, e, por muitas vezes, os que apelam para esse método acabam vendo-se envolvidos com forças espirituais negativas, muito difíceis de identificar. Portanto, toda a cautela é pouca, razão pela qual muitos proíbem o uso de adivinhações como método seguro de se buscar orientação. O mínimo que se pode dizer a respeito é que, dentre todos os métodos, esse é o mais duvidoso. Houve exemplo apostólico, mas não há qualquer instrução apostólica a respeito.

10. *O Desenvolvimento Espiritual em Geral*. Quanto maior for a espiritualidade de uma pessoa, tanto mais abrangente será o leque de modos de orientação de que ela disporá. Essa é a *chave* dessa questão da orientação espiritual.

ORIENTE

Essa é a direção referida no Antigo Testamento como lugar do nascimento do sol (no hebraico, *mizrah-semes*; Núm. 21:11; Juí. 11:18; ou então meramente como *mizrah*, «surgimento») onde a idéia do surgimento do sol fica entendida (Jos 4:19). Em Sal. 26:6 temos o hebraico *mosa*, «saída», dando a entender a saída ou aparecimento do sol. No Novo Testamento, encontramos o termo grego *anatolē*, que também significa «surgimento». Essa palavra grega ocorre por dez vezes: Mat. 2:1,2,9; 8:11; 24:27; Luc. 1:78; 13:29; Apo. 7:2; 16:12; 21:13.

Os grandes luminares celestiais davam aos antigos, pontos referenciais pelos quais podiam orientar-se. Assim a palavra «frente» (o lugar para onde uma pessoa olhava, para determinar qualquer direção) era usada para indicar o oriente. Essa palavra antiga, *qdm*, tem sido confirmada desde cerca de 2000 A.C. É palavra tomada por empréstimo da *Estória de Sinuhe*, do Egito. Também pode ser achada nos textos ugaríticos do século XIV A.C. Uma pessoa que quisesse determinar os quatro pontos cardeais volta-se de frente para o nascer do sol. Isso dava-lhe o *leste*. O sul ficava à sua direita; o norte, à sua esquerda; e o oeste às suas costas. Portanto, «direita» era um dos nomes dados ao sul; e «esquerda» era outro nome para o norte. As «costas» era a mesma coisa que o oeste. Os indianos chamam o leste de «defronte»; o oeste de «detrás»; o sul de «direita»; e o norte de «esquerda». Quedem (*qdm*) também era palavra usada para designar as terras que ficavam ao oriente. Ver sobre

Oriente, Filhos do.

Simbolismos. O sol surge no horizonte e transmite vida. Portanto, a própria vida é simbolizada pelo oriente. O oriente também simboliza a sabedoria. Ali tiveram início todas as principais religiões do mundo. O *sul*, por sua vez, simboliza o calor e as paixões terrenas. O *ocidente*, ou ocaso, simboliza o fim de alguma coisa, bem como o fim de todas as coisas, a morte. Também pode indicar declínio e desintegração. Porém, também pode significar renascimento, visto que, após o pôr do sol (o fim de alguma coisa) segue-se necessariamente um nascer de sol (um novo começo). O norte simboliza as trevas e o desconhecido. Os quatro pontos cardeais, *juntos*, simbolizam as faculdades da mente: o intelecto, as emoções, a intuição e as sensações.

ORIENTE, FILHOS DO

No hebraico, **benequedem**, uma expressão vaga que, evidentemente, refere-se a nações localizadas a leste da Palestina, incluindo povos como os midianitas, os amalequitas, os moabitas, os amonitas e os quedaritas. Ver Juí. 6:3; Eze. 25:10; Jer. 49:9 e Gên. 29:1. Aparentemente, a referência também incluía vários povos nômades (Eze. 25:4), e até mesmo os habitantes da Mesopotâmia (I Reis 4:30). Jó é referido como um dos *benequedem* (Jó 1:3). A palavra hebraica para «oriente» é *quedem*, o que explica o nome. No *Romance de Sinhee*, do Egito, a expressão refere-se à terra perto de Canaã, onde viviam os beduínos. Alguns estudiosos supõem que a Arábia, de modo geral, seria como a terra dos filhos do Oriente. Esses povos orientais eram famosos por sua sabedoria. A sabedoria viria do Oriente; a tecnologia viria do Ocidente. Os *magos* que vieram visitar o menino Jesus, eram do Oriente (Mat. 2:1-12).

ORIGEM, DEPENDENTE, LEI DA

No budismo, essa lei refere-se ao fato de que todo o sofrimento está envolvido em causas kármicas. Se essas causas forem removidas, o sofrimento correspondente cessará. Essa lei parte do pressuposto que nada ocorre por acaso, e que as origens estão envolvidas em uma dependência a certas condições e atos, pelo que poderiam ser alteradas, uma vez que as causas fossem devidamente tratadas. Ver os artigos sobre *Karma* e *Buda*.

ORIGEM DO MAL

Neste artigo está incluído o meu comentário sobre a *Queda do Homem*. O artigo separado sobre o *Problema do Mal*, oferece detalhes adicionais acerca do assunto deste artigo.

Esboço:

I. Tipos de Mal
II. Teorias sobre a Origem do Mal
III. A Queda do Homem
IV. Quando o Homem Caiu?
V. Restauração e Redenção

I. Tipos de Mal

A tentativa para explicar a **origem** do mal obriga-nos a levar em conta o fato de que existem dois tipos de mal. Em primeiro lugar, há o *mal moral*. Em outras palavras, há coisas que existem e são praticadas por causa da vontade pervertida do homem, ou por causa da malignidade de outros seres inteligentes, maiores ou menores que o espírito humano. Em segundo lugar, há o *mal natural*, ou seja, o descontrole da natureza, que provoca catástrofes as mais diversas, como inundações, incêndios, terremotos, tempestades, enfermidades e, finalmente, a morte física. Para muitos pensadores, a morte é o pior de todos os males terrenos.

Então indagamos: «Por que essas coisas têm de acontecer? Como foi que elas começaram!» Nosso artigo sobre o *Problema do Mal* fornece várias respostas, que não são desenvolvidas neste artigo.

II. Teorias sobre a Origem do Mal

Neste ponto, envolvemo-nos nos estudos da *teodicéia* (que vede), que consiste na tentativa para justificar a conduta, o planejamento e o raciocínio de Deus, à luz do fato de que sua criação, realmente, apresenta defeitos e está prenhe de sofrimentos e males. Se Deus é bom, se ele é todo poderoso, e se ele sabe de todas as coisas, antes mesmo de acontecerem, por qual razão Deus não impediu que o mal tivesse início? E, uma vez que o mal teve início, por que não providenciou para eliminá-lo? Quanto às origens do mal, oferecemos as seguintes sugestões:

1. *Dualismo Absoluto*. Essa idéia se vê no zoroastrismo. Essa é a idéia que diz que o mal não teve princípio, mas sempre existiu, juntamente com o bem. Além disso, o mal pertenceria a um reino distinto do reino do bem. Algo não teria ocorrido de errado com o bem, para que o mal viesse à existência. Pelo contrário, o mal sempre teria existido, lado a lado com o bem. Haveria um reino maligno, com seres espirituais, que sempre existiu e sempre existirá. O problema teria aparecido somente quando os reinos do bem e do mal começaram a *misturar-se*. A solução é vê-los separarem-se novamente, e não pôr fim ao reino do mal, o que seria uma façanha impossível. O zoroastrismo promete o triunfo do bem, no sentido de que o princípio do mal será derrotado e separado do princípio do bem; mas o mal continuará existindo em sua própria esfera. E também pensa que em algum futuro distante, após essa separação, o reino do mal tornará a atacar e as atuais agonias terão repetição, em um processo que pode reiterar-se por muitas e muitas vezes.

2. O *Maniqueísmo* (que vede) também adotava uma posição dualista. Este sistema era uma variedade de gnosticismo (que vede). O judaísmo e o cristianismo ensinam o que poderíamos chamar de uma forma suavizada de dualismo, porquanto supõem que o mal não somente será separado do bem, mas também será completamente eliminado.

3. *Monismo Absoluto*. O *bramanismo* (que vede) pensa que o mundo é a emanação de Brâmane. O mundo dos fenômenos, onde o mal existe, seria, realmente, uma ilusão. Portanto, o próprio mal seria ilusório. É como se fosse um pesadelo, do qual, algum dia, o espírito verdadeiro se acordará. Só haveria uma verdadeira vida, a saber, a vida de Deus, não havendo nela qualquer mal ou defeito. **Platão**, no contraste que estabelecia entre os universais (que vede) e os particulares (que vede), aproximava-se da posição monista, ao supor que este mundo físico é apenas uma realidade secundária, imitativa, que terminará por deixar de existir. *Leibniz* (que vede) pensava que o nosso mundo é o melhor mundo possível, e que o mal é apenas uma interpretação equivocada, por parte de mentes finitas, que não podem perceber que o mal é necessário, como parte integrante do bem.

4. *Monismo Cristão*. Filósofos teólogos como Agostinho e Tomás de Aquino, em sua *teodicéia* (que vede), explicavam que o mal não é, realmente, uma entidade. Seria apenas a ausência do bem, da mesma maneira que as trevas são a ausência da luz.

5. *Naturalismo*. Não haveria nenhum Deus criador.

O que existe, somente, é a *matéria* e o *movimento*. A matéria em movimento entrava em dificuldades e começava a operar erroneamente. O mal seria uma parte natural das vicissitudes da matéria em movimento, e não teve começo. A teologia não tem como manifestar-se a esse respeito. Tudo não passaria de um mero caos mecânico. O *tiquismo* (que vede), nome derivado de grego *tuche*, «chance», «acaso», seria o verdadeiro deus da criação. Naturalmente, as coisas correm erradas, mas isso faria parte da própria natureza da existência (*pessimismo*; que vede). Mas, haveria um *tiquismo vencido*, quando usamos a nossa vontade para estabelecer um sentido em meio ao caos, injetando no mesmo algum valor ou utilidade, posto que, em si mesmo, não haja utilidade alguma no mal.

6. O *Deismo* (que vede). Essa posição filosófica cética diz que talvez um Deus ou força cósmica criou ou organizou a criação, mas, tendo feito isso, abandonou seu universo, deixando-o para ser governado pelas leis naturais. Essas leis seriam deveras impressionantes, a julgar por todas as muitas formas de vida que foram trazidas à existência. No entanto, também seriam defeituosas, o que explicaria o mal que vemos ao nosso redor. Nesse caso, precisamos imaginar que Deus, ou alguma força cósmica, ou era finito em si mesmo — de tal maneira que vieram a surgir problemas que ele não conseguia controlar — ou então, que ele nem estava muito interessado em sua criação — pelo que não tomou **qualquer medida que garantisse a sua integridade.**

7. O *Pessimismo* (que vede). Deus ou alguma força cósmica seria um poder maligno (de acordo com as definições humanas normais). Logo, este mundo seria o pior de todos os mundos possíveis. O mal seria a essência mesma da existência e somente o aniquilamento total da existência poderia ser classificado como algo bom.

8. O *Cristianismo com Algumas Leves Distorções*. Alguns teólogos cristãos têm postulado algumas respostas duvidosas acerca da origem do mal:

a. O próprio Deus seria *finito*, pelo que tem os seus próprios problemas, não tendo sido capaz de impedir a entrada do mal em seu sistema.

b. Deus seria *limitado* em sua presciência, pelo que a penetração do mal no mundo o teria tomado inteiramente de surpresa. Mas, uma vez que o mal se manifestou, Deus teria começado a tomar medidas para corrigir o curso da malignidade e curar os seus maus efeitos.

c. O *monismo cristão* (ver o terceiro ponto, acima) é a posição daqueles que dizem que o mal é apenas a ausência do bem, e não alguma entidade que exista por seus próprios direitos. Em nossa opinião, essa é uma daquelas leves distorções teológicas da cristandade.

d. O *determinismo violento*, conforme é visto no calvinismo radical (que vede), promovido por Paulo, no nono capítulo da epístola aos Romanos, faz Deus ser a causa até mesmo do mal, por ser ele a única causa de tudo. Essa teologia deixa de lado a possibilidade da existência de causas secundárias, que explicariam a presença do mal. Essa posição era comum no judaísmo e foi transferida para o cristianismo. Ver o artigo separado sobre o *Determinismo*. De acordo com o determinismo absoluto (predestinação; que vede), Deus é a grande causa do mal, porquanto ele é a única causa que existe. Assim pensando, estamos olvidando o amor de Deus. Deus amaria somente aos seus eleitos e ou odiaria ou desprezaria os demais, com toda a indiferença. Isso é o que nos ensina o nono capítulo da epístola aos Romanos, queiramos ou não queiramos. Isso é uma má teologia, admitamos ou não. Felizmente, há outras porções que apresentam o outro lado da questão. Não podemos limitar Paulo ao nono capítulo de Romanos. Há trechos bíblicos que equilibram outros.

9. O *Cristianismo Racional*. Deus seria a causa do mal, mas apenas em um sentido secundário e não maligno. Em primeiro lugar, ele poderia ter evitado a entrada do mal no mundo, mas não o fez porque há coisas mais importantes a serem promovidas do que resguardar a criação de todo o mal. Portanto, ele *permitiu* a entrada do caos natural, e resultados perversos do livre-arbítrio de seres inteligentes (como os anjos e os homens). Ele sabia que se essas criaturas inteligentes pudessem ter livre escolha, em algum ponto, em algum tempo, haveriam de preferir o mal. Porém, se ele não tivesse conferido genuíno livre arbítrio a elas, então esses seres nem seriam verdadeiramente *inteligentes* (pois desconheceriam a diferença entre o bem e o mal), e nem seriam seres *autênticos*. Tais criaturas seriam meros autômatos, com reações apenas mecânicas.

O Grande Propósito. O propósito da criação era levar seres inteligentes a participarem da natureza divina. Essa participação só é possível a seres que sejam genuinamente inteligentes e autênticos. A missão do Filho teve a finalidade de fazer tais seres tornarem-se filhos de Deus. Deus não deixou de impedir o mal, porque este é um subproduto necessário, embora não permanente, dentro do Seu processo remidor.

III. A Queda do Homem

1. *Contexto Literário*. Em primeiro lugar, deveríamos compreender que o relato bíblico sobre a queda do homem (Gênesis 3) é uma versão da atividade literária da Mesopotâmia. Ver os artigos sobre *Jardim do Éden, Eva* e *Criação*, quanto a uma demonstração desse fato. Se não levarmos em conta esse fato, estaremos limitando nosso entendimento, só para obter conforto mental. Não deveríamos tomar a narrativa bíblica como uma declaração absoluta sobre a questão; mas deveríamos interpretá-la com o intuito de obter o maior discernimento possível, sem fechar as portas da investigação e do raciocínio, que nos podem dar outras informações, melhorando aquilo que oferecemos aqui. Outrossim, seria um equívoco supor que já solucionamos o problema. Muitos mistérios circundam o mesmo, há muitas opções, que deveriam ser consideradas, sem importar o seu grau de valor. Ver a segunda seção deste artigo, quanto a certa variedade de idéias a respeito.

2. *Elementos da Narrativa Bíblica*. O terceiro capítulo de Gênesis busca explicar três aspectos principais da condição humana: a morte universal; por qual motivo o homem tem que trabalhar arduamente, e por que a mulher deve estar sujeita ao homem, tendo uma gravidez difícil e um parto doloroso. Apesar da narrativa não ensinar diretamente a doutrina do pecado original (quanto a isso ver IV Esdras 3:7,8 e Rom. 5:12), deixa implícito que os seres humanos, por ocasião da queda, adquiriram a faculdade da prática do mal, como um subproduto do discernimento entre o bem e o mal.

Elementos do Relato de Gênesis:

a. Houve tempo em que o homem era inocente e, presumivelmente, imortal, embora dotado de um corpo físico. Muitos intérpretes pensam que esse tipo de imortalidade contradiz o próprio princípio da matéria, e, por causa disso, acham nisso um elemento parcial ou defeituoso no relato. Lembremos, porém, que ninguém sabe como eram as coisas, antes da queda. Os pais alexandrinos supunham que a queda original envolveu os anjos, e que o homem participou da mesma, visto que, segundo a doutrina deles, o homem seria uma forma espiritual preexistente e caiu quando ainda era um ser apenas espiritual. Assim, quando o homem **entrou em contato** com a matéria, já era um espírito caído e, nesse próprio ato, tomou sobre si a *mortalidade* física. Assim, o relato de Gênesis nos diria como a maldade foi transferida para o estado incorporado do homem, e não como o pecado começou, no tocante ao homem. A encarnação teria sido um meio para o homem aprender como tratar com o mal e eliminá-lo, embora não tivesse sido o seu início absoluto, no que concerne ao espírito humano.

b. Houve um *tentador não humano* (um poder satânico), que provocou a queda; e isso contra as expressas ordens de Deus, que havia feito certas proibições. Esse elemento do relato introduz (parabolicamente, segundo penso, através da figura da *serpente*) o princípio do mal, em contraste com o princípio do bem. Há escolhas genuínas que precisam ser feitas.

c. *O livre-arbítrio é um fato*. O homem era genuinamente livre para optar e ele foi reprovado no teste. Apresentamos razões na segunda seção, oitavo ponto, sobre por que o homem tinha de ser livre. Os teólogos discutem sobre quanta liberdade o homem teria retido, desde a queda. E, quanto a isso, entramos na disputa entre o calvinismo e o arminianismo, sobre os quais há artigos separados.

d. *O pecado alia-se ao reino do mal*. Paulo deixou isso claro, em seus ensinamentos sobre a queda, no quinto capítulo de Romanos. Isso já fica claro desde a narrativa de Gênesis. O homem não pecou isolado. O homem aliou-se ao poder de Satanás. E a redenção não consiste meramente na transformação do espírito humano, revertendo-o à sua anterior situação. Também envolve o livramento do poder escravizador do reino do mal. O trecho de Colossenses 1:13 diz como segue : «...ele nos libertou do império das trevas e nos transportou para o reino do Filho do seu amor».

e. *O pecado original*. Ver o artigo separado sobre esse assunto. A narrativa do livro de Gênesis não ensina essa doutrina, embora a deixe entendida, como o fazem muitos relatos que se seguem, porquanto os filhos de Adão são vistos envolvidos em muitos tipos de males, presumivelmente por serem herdeiros da maldade de seus progenitores. Os trechos de Salmos 51:5 e Romanos 5:12 *ss* são textos comuns de provas usados para defender essa doutrina. É quase certo que Paulo advogava essa posição. Os homens já nascem pecadores e isso começou por ocasião da queda de Adão e Eva no pecado, cujos efeitos foram transferidos para todos os seres humanos, como uma espécie de herança genética. Muitos teólogos modernos, porém, sentem-se insatisfeitos diante dessa explicação, por uma razão ou outra. Os estudiosos liberais supõem que isso em nada contribui para explicar as verdadeiras razões da maldade humana, pensando que seria apenas uma explicação conveniente e popular. Porém, nesse relato bíblico há uma grande realidade, por mais difícil que seja explicar como e por que as coisas sucederam assim. Mui definidamente, o homem já nasce com um defeito moral. Ele, meramente, não vem a tornar-se defeituoso. Toda a experiência humana serve para demonstrar o fato. E, se apelarmos para a reencarnação (que vede), como tentativa de explicar o pecado, a única coisa que estaremos fazendo é transferir a maldade de volta a uma interminável sucessão de vidas. Eu seria pecador agora porque fui pecador em alguma outra vida anterior; e, na vida anterior, fui pecador por causa de alguma vida ainda anterior. Porém, isso só adia indefinidamente o ponto em que me tornei pecador. Pessoalmente, penso que a teologia dos pais alexandrinos da Igreja nos põe de novo na trilha certa, embora a explanação deles também deixe sem explicação muitos mistérios.

f. *A morte e a alienação*. O homem tornou-se um ser mortal, e então foi expulso do jardim do Éden. A Bíblia, como um livro, refere-se à profunda alienação do homem. De fato, a maioria das religiões defende a tese de que o homem é um ser alienado. Mas, a missão de Cristo pode reverter essa alienação, conforme se aprende em Colossenses 1:20 *ss*. O homem encontra-se atualmente, em uma peregrinação; e a maioria dos seres humanos continua sujeita ao alienado reino das trevas. Mas, quando o homem é espiritualizado mediante a missão de Cristo, então também é reconciliado com Deus; e assim termina a sua alienação de Deus.

g. *A doutrina dos dois homens*. Ver o artigo separado sobre *Dois Homens, Metáfora dos*. Ver também Rom. 5:12 *ss*. Adão foi o cabeça federal do homem caído; e Cristo é o cabeça federal do homem redimido. Dois reinos, portanto, são assim formados. Há duas condições humanas gerais. O estado da perdição envolve toda uma coletividade. O estado da salvação também é condição de uma raça nova, e não apenas de indivíduos isolados.

IV. Quando o Homem Caiu?

Damos indicações a esse respeito, na segunda seção deste artigo. Alguns estudiosos supõem que o mal é eterno, e que não teve começo. Os trechos de Isaías 14:12 *ss*. e Apo. 12:4 dão a entender que houve uma rebelião e então a queda no pecado, em algum passado remoto, na eternidade, por parte de seres angelicais, inteligentes. Os pais alexandrinos da Igreja pensavam que ali é que teria tido lugar a queda do homem, pois supunham que o homem é um espírito preexistente, não muito diferente dos anjos, excetuando a extensão da degradação por causa da queda no pecado.

Porém, não há razão em supormos que houve apenas uma queda, mesmo que limitemos isso ao nosso presente ciclo. Pode ter havido muitos ciclos da existência, com suas respectivas quedas e redenções. Se falarmos em termos de apenas um ciclo da existência, pode ter havido muitas quedas, em várias ocasiões, envolvendo diferentes tipos de seres, ou então, várias quedas, no que concerne a uma única espécie de ser. Tudo quanto estamos afirmando aqui, porém, não passa de especulação; mas parece improvável que uma única queda, envolvendo os anjos e os homens, possa explicar a complexidade da operação do mal, na criação. Também tomo a posição que todas as nossas informações, bíblicas e extrabíblicas, são parciais no que concerne a esse problema. Assim, postular apenas uma queda, em uma única dada ocasião, é precário. Mas, seja como for, as lições que nos são ministradas, mediante as condições criadas pela queda no pecado são perfeitamente claras.

V. Restauração e Redenção

Também nada existe de mais claro, em todo este vasto mundo, do que a necessidade da *redenção* humana (que vede). Ver o artigo geral sobre a *Restauração*, que é o remédio divino para a queda, em escala universal. O mistério da vontade de Deus consiste em restaurar todas as coisas, unificando-as em redor do *Logos* (Efé. 1:9,10), o qual se chamou Jesus Cristo, em sua encarnação. Fazemos a diferença entre a restauração de todos e a redenção somente de alguns. A redenção leva o homem a participar na natureza divina (II Ped. 1:4; Col. 2:10). A redenção outorga aos remidos a plena imagem de Deus, a real participação na natureza divina e a crescente participação (como um processo eterno) em seus atributos.

A restauração, por sua vez, é uma questão de importância secundária, em que a imagem de Deus é imitada em um nível (ou níveis) inferior de existência, sem dar aos restaurados a natureza e os atributos divinos essenciais. O homem foi criado segundo a imagem de Deus. Não era um ser divino, embora fosse um ser muito elevado. Porém, a queda fê-lo decair dessa posição. Na redenção, todavia, a verdadeira imagem de Deus é outorgada aos homens. Portanto, a redenção não é a mera restauração do que se perdeu. Antes, é um grande avanço, na direção de uma forma de vida metafísica. (B C E H NTI)

ORÍGENES

Ver o artigo separado intitulado *Alexandria, Teologia de*.

Esboço:

1. Vida
2. Contribuições Específicas
3. Escritos
4. Idéias Distintivas
5. O Origenismo e os Séculos que se Seguiram
6. A Teologia Alexandrina

1. Vida

Orígenes Adamânico provavelmente nasceu em Alexandria, no Egito, em cerca de 185 D.C., e morreu em Tiro, em cerca de 254 D.C. Seu primeiro mestre na fé cristã foi seu próprio pai. Na escola, seus mestres foram Clemente de Alexandria, e, provavelmente, Amônio Saccas, o qual também foi o mestre do famoso filósofo-teólogo neoplatônico, *Plotino* (vide). Essa proximidade com as raízes do *neoplatonismo* (vide) tem feito alguns suporem que Orígenes, o teólogo cristão, e *Orígenes*, o filósofo neoplatônico (vide), na verdade foram a mesma pessoa.

Desde seus primeiros anos, Orígenes evidenciou seu brilhante intelecto e sua grandeza de alma. Seu pai foi aprisionado durante as perseguições iniciadas pelo imperador romano Severo. Orígenes exortou seu pai a morrer, e não a apostatar; e, de fato, seu pai foi martirizado em 202 D.C., quando Orígenes teria cerca de dezessete anos de idade. Após a morte de seu pai, Orígenes tomou a si o encargo de sustentar sua mãe e sua irmã, ensinando gramática. Aos dezoito anos de idade, foi nomeado para instruir aos crentes, em Alexandria, e muitas pessoas reuniam-se para ouvir suas eloqüentes e poderosas conferências. Como a sua posição forçava-o a uma íntima associação com muitas mulheres, algumas das quais novas convertidas, e sentindo as tentações naturais de natureza sexual, ele fez-se castrar, para resolver definitivamente o problema. Apesar dessa providência tê-lo libertado de certas tentações, estava destinada a criar problemas para ele, em outros sentidos. No fim, ele acabou lamentando que assim tivesse agido; porém, podemos dizer que isso não teve qualquer grande efeito negativo quanto ao cumprimento de sua missão.

Severo morreu em 211 D.C., e isso deixou Orígenes livre para dirigir-se a Roma. Ali, Orígenes fez muitos amigos, propagou o poder de sua palavra e tornou-se uma importante figura religiosa. O bispo Demétrio interessou-se por ele, e isso lhe permitiu continuar sua instrução em Alexandria. Houve dificuldades, e Orígenes foi forçado a partir de Alexandria, e, durante algum tempo, esteve na Palestina. Mais tarde, porém, voltou a Alexandria. A caminho de volta para o Egito, ele esteve por algum tempo em Cesaréia, na Palestina (227 D.C.), e os bispos, ali reunidos, ordenaram-no presbítero. Mas Demétrio não gostou disso, afirmando que só ele tinha o direito de fazê-lo. Em estúpida retaliação, Demétrio privou Orígenes de seu ofício, trouxe à tona a questão de ser ele eunuco (o que, até aquele ponto não era problema), e proibiu-o de pregar em Alexandria. Temos novamente, aqui, uma prova da veracidade daqueles antigos adágios: «Grandes homens, grandes vícios»; e: «Alguns grandes pregadores são pequenos cristãos». Demétrio chegou ao extremo de excluir a Orígenes, mas outros cristãos lamentaram deveras esse ataque de ciúmes. As igrejas cristãs da Grécia e da Ásia Menor apoiaram a Orígenes. Naturalmente, Orígenes estava inocente, não havendo cometido qualquer erro. Finalmente, Demétrio morreu em 231 D.C., e Orígenes pôde desfrutar de paz, durante algum tempo. Mas a perseguição iniciada pelo imperador Maximiniano forçou-o a permanecer oculto durante dois anos. Posteriormente, Orígenes visitou Atenas, e, então, a Arábia. Foi nesse último lugar que ele refutou o bispo Berilo, que negava que a natureza divina de Cristo Jesus tivesse existido antes de sua natureza humana. Berilo retratou-se de seu erro, e a estatura de Orígenes como teólogo aumentou. Durante as perseguições efetuadas pelo imperador Décio, Orígenes foi aprisionado e torturado. E foi em resultado disso que veio, finalmente, a falecer.

A Glória e a Dor. Orígenes foi o mais poderoso escritor e mestre cristão daquele período que vai do fim da época apostólica até Agostinho. Foi um escritor prolífico e um erudito à toda prova. Poucos homens têm escrito tanto, têm sido tão admirados por muitos, mas têm sido desprezados e amargamente atacados por outros.

2. Contribuições Específicas

Além de seus escritos (comentados abaixo, no terceiro ponto), Orígenes é relembrado em face de vários feitos significativos. *Primeiro*, ele virtualmente pôs fim à ameaça feita contra a Igreja pelo *gnosticismo* (vide). Em *segundo lugar*, ele conseguiu uma profunda harmonia entre os escritos de Platão e as doutrinas cristãs. Em minha opinião, isso enriqueceu consideravelmente a teologia cristã (a despeito de alguns abusos). Platão tinha muita coisa digna a dizer sobre o que Moisés nunca havia pensado, e as bases teológicas do cristianismo ficaram melhor constituídas, por não se restringirem exclusivamente ao judaísmo. Em *terceiro lugar*, a teologia de Orígenes serviu como uma das principais inspirações para o desenvolvimento teológico da Igreja, especialmente *no Oriente*, pois a teologia oriental, quanto a certos particulares, era nitidamente superior ao desenvolvimento teológico do Ocidente. A Igreja Ortodoxa Oriental, baseando-se em idéias de Orígenes, quanto a certas questões tem uma teologia superior à da Igreja Católica Romana, e à de algumas de suas filhas protestantes e evangélicas. Protestantes e evangélicos têm adotado uma típica teologia *ocidental*, extraindo-se daí alguns de seus abusos históricos. Ver sob o terceiro ponto deste artigo, intitulado *Escritos*. Em *quarto lugar*, as atividades literárias e a influência pessoal de Orígenes conferiram à filosofia um lugar reconhecido dentro da cristandade, e, em minha opinião, esse foi um bom desenvolvimento, porquanto essa disciplina muito tem a oferecer-nos. Um homem que conhece filosofia, compreende teologia muito melhor do que aquele que não tem treinamento filosófico. Além disso, em nossa ousca pela verdade, fazemos bem em aplicar vários recursos, métodos e disciplinas. A ignorância de nada vale. Podemos cuidar dos abusos que uma ampla abordagem à verdade pode, naturalmente, gerar. Porém, é melhor ter de tratar com abusos do que ficarmos restritos às raízes próprias do conhecimento. Ver o artigo sobre *Autoridade*. quanto às minhas opiniões sobre a questão. Ver também sobre o *Antiintelectualismo*.

3. Escritos

Orígenes era erudito do hebraico ultrapassado somente por Jerônimo, na antiga Igreja cristã. Ele produziu uma obra comparativa sobre o Antigo Testamento grego, chamada *Hexapla*. Essa obra apresenta o Antigo Testamento hebraico com uma tradução para o grego; as versões da Septuaginta, de Áquila, de Símaco e de Teodócio, uma obra sêxtupla, conforme o título o indica. Uma obra similar foi a *Tetrapala*. Sua obra intitulada *De Principiis* (Primeiros Princípios) foi a primeira tentativa para dar uma base filosófica ao cristianismo. O filósofo pensava sobre a fé cristã e mesclou as idéias de Moisés com as idéias de Platão, e fez isso entrar em conformidade e harmonia com as idéias cristãs. O *Logos* serve como conceito básico, para conseguir essa harmonização de idéias. Essa obra constitui uma grande obra filosófica-teológica que se mostrou extremamente influente na história subseqüente do cristianismo. Foi obra utilizada e elogiada por alguns, mas amargamente criticada por outros.

A obra *Contra Celsum* foi uma excelente apologia da fé cristã, assinalada pelo brilho do pensamento e da argumentação. Trata-se da mais completa obra apologética da Igreja antiga, devastadora para o gnosticismo. Orígenes produziu muitos comentários bíblicos, de ambos os Testamentos, embora não constituíssem um comentário completo. As suas obras melhor conhecidas são as sobre os livros de Jeremias, Cantares, Mateus, Romanos, e uma obra homilética sobre Lucas. Esse material tornou-se a base subseqüente de interpretações ascéticas e místicas, mas também de estudo bíblico sério para milhares de pessoas. Orígenes também escreveu certo número de obras menores, como um livro de orações e um martirológio. Sua exegese escriturística caracteriza-se pelo método alegórico, porquanto ele com freqüência via sentidos místicos e simbólicos, porque, apesar de respeitar uma interpretação literal do Antigo Testamento, isso punha Deus sob uma luz má segundo ele pensava.

4. Idéias Distintivas

Sua aventura nas idéias era um deleite para alguns, embora também tenha despertado muita controvérsia, que se vem prolongando até os nossos dias, em várias denominações cristãs. Sua diretriz era que aquilo que as Escrituras *não abordam* torna-se objeto de pesquisa especulativa. O fato é que ele enriqueceu a teologia por meio da especulação. Mas outros pensam que Orígenes originou muito pensamento que não se casa com a doutrina bíblica da Igreja primitiva.

a. *Uma queda pré-mundana*. Orígenes acreditava na pré-existência da alma humana e cria que a queda original do homem deu-se em conjunto com a queda dos anjos que se desviaram. Então isso foi transferido para o homem terreno. A queda no pecado teria disparado o drama sagrado da alma, em que se busca a redenção do estado de queda, o que é inevitavelmente obtido.

b. *A grandeza do espírito humano*. Para Orígenes, a alma humana é da mesma essência que a dos espíritos angelicais, embora tenha-se distinguido deles devido à queda.

c. *A presença do homem na materialidade*. Essa circunstância é sinal da humilhação do homem, em face do pecado. O homem teria usado a liberdade que lhe fora dada por Deus, mas de uma maneira errada. Todavia, retém sua liberdade, a base mesma da moralidade, o que se coaduna com o fato de que foi criado à imagem de Deus. Entretanto, o pecado entrava o homem. Mas Cristo interveio e garantiu a redenção do homem.

d. *O Logos*. Essa doutrina é uma das principais pedras fundamentais da teologia de Orígenes. Em sua encarnação, o Logos uniu-se à alma humana. Na redenção, ele conduz a alma humana até à essência do Logos.

e. *A eficácia universal e final do ministério do Logos*. Orígenes não somente acreditava que a missão do Logos pode alcançar os espíritos humanos onde quer que eles se encontrem (na terra, no hades, etc.), mas também que esse alcance chega até às eras da eternidade futura. Para ele, isso significava que, finalmente, uma redenção universal absoluta faz parte da vontade de Deus. Na *apokatástasis*, «restauração», tudo será levado de volta à comunhão com o Logos e participará da essência do Logos. Ver sobre o *Universalismo*. Essas idéias, em maior ou menor grau, exerceram grande influência sobre a teologia da Igreja Ortodoxa Oriental. Isso contrasta com a posição da Igreja Ocidental (catolicismo romano, protestantismo e grupos evangélicos). Apesar de que a Igreja Ortodoxa Oriental não concordou em tudo com o universalismo de Orígenes, ela tem aceitado em grande escala a idéia da salvação para além da morte biológica, além de uma ilimitada oportunidade de salvação. E os anglicanos também têm admitido ambas as idéias. Ver os artigos intitulados *Restauração* e *Descida de Cristo ao Hades*. Faremos bem em respeitar a missão tridimensional de Cristo: na terra, no hades e nos céus. O plano de redenção engloba todas essas três dimensões.

f. *Trinitarianismo*. Orígenes introduziu na Igreja a doutrina da eterna geração de Cristo, o que permitiu a formulação mais exata da fórmula trinitariana. Para Orígenes, o Filho tanto é o *Logos* quanto é o Redentor; e, juntamente com o Espírito Santo, é o Mediador entre Deus e os homens.

g. *O mundo material é uma escola*. Os mundos materiais foram criados como lugares de provas que necessariamente acompanham a redenção.

— *Os mundos espirituais continuam a testar e a redimir*. A alma, uma vez tendo-se transferido deste mundo físico para os mundos espirituais, se não estiver remida e não tiver chegado ao céu, continua em sua busca nos mundos espirituais. Orígenes acreditava em casos especiais de reencarnação (conforme também se vê no Novo Testamento), mas não parece que Orígenes concebia nosso mundo físico como lugar onde tem continuação o processo de teste e aprendizado para as massas. Em outras palavras, as almas não se reencarnariam senão em casos especialíssimos.

h. *Reencarnação*. Orígenes era um escritor prolífico, e nem sempre coerente consigo mesmo. Há citações suas que favorecem a reencarnação das massas. Tenho diante de mim as obras dele, *Contra Celsum* e *De Principiis*, onde ele se manifesta nesse sentido. Não obstante, parece que o ímpeto geral de sua teologia era que nos mundos espirituais é que as almas têm oportunidade de continuar aprendendo e tendo oportunidade de salvação, e não em nosso mundo físico. Ver o artigo geral sobre a *Reencarnação*, quanto a uma ampla discussão sobre a questão.

i. *Orígenes tinha forte respeito pela autoridade da Bíblia e da Igreja*, mas via coisas no Antigo Testamento que não conseguia reconciliar com a fé cristã. Por esse motivo, ele empregava a interpretação alegórica. Por esse meio, ele sentia-se capaz de vindicar o Antigo Testamento contra os ataques dos gnósticos àquele documento. Ver sobre *Interpretação Alegórica*.

j. *O problema do pecado*. O problema do pecado é universal. Começou no estado preexistente e persiste no mundo material. E prossegue nos mundos espirituais. Nosso cativeiro em corpos físicos foi um dos castigos contra a alma, por ter-se ela envolvido com o pecado. No entanto, esse estado oferece uma chance de redenção. Além disso, onde quer que esteja o pecado, a redenção também é oferecida. Uma coisa é tão universal quanto a outra, e Deus não está com pressa. Os recursos divinos são grandes e sua obra será absoluta e completamente aperfeiçoada. Onde estiver a enfermidade, ali está o remédio do Logos, e esse remédio será eficaz para todos, finalmente.

l. *A liberdade da vontade humana*. O homem foi criado como um ser livre; o homem caiu por haver usado erroneamente a sua liberdade, mas permanece livre. Isso confere uma base moral para o julgamento. As operações de Deus, mediante a missão de Cristo, o Logos, e mediante o ministério do Espírito Santo, respeitam a liberdade humana. Finalmente, essa liberdade humana será posta em harmonia com a razão do Logos, um resultado final. Deus nunca desiste.

5. O Origenismo e os Séculos que se Seguiram

Vários teólogos do passado levaram avante as idéias de Orígenes, como Evágrio Pôntico e muitos outros elementos da Igreja Ortodoxa Oriental, onde a influência de Orígenes fez-se sentir mais forte. No entanto, outras figuras cristãs de nomeada opuseram-se a ele, como Epifânio, Jerônimo e Teófilo de Alexandria. Porém, a oposição mais virulenta contra Orígenes veio do Ocidente. O ataque foi intensificado no século VI, pelo imperador Justiniano, que condenou diversas doutrinas de Orígenes, em sua *Carta a Mennas*, patriarca de Constantinopla. Um concílio efetuado em Constantinopla, em 543 D.C. condenou vários dos ensinos de Orígenes. Isso foi reforçado pelo segundo concílio de Constantinopla, em 553 D.C. Mas, a despeito dessas condenações, as idéias de Orígenes, no todo ou em parte, sempre exerceram grande influência no Oriente. E o mesmo pode ser dito acerca de Clemente de Alexandria e de outros pais gregos da Igreja. Poderíamos dizer que Orígenes e Agostinho foram as influências mais fundamentais, respectivamente, sobre as teologias oriental e ocidental.

6. A Teologia Alexandrina

Esse título refere-se ao tipo de interpretação platônica-cristã e ao corpo de idéias que caracterizaram os ensinos de Orígenes e de Clemente de Alexandria. Um dos principais elementos dessa interpretação era uma visão simbólica do universo físico. O intelectualismo mostra-se ali proeminente, com freqüência de mistura com a interpretação alegórica. Esse mesmo termo aplica-se aos pontos de vista cristológicos de mestres cristãos alexandrinos posteriores, como Teófilo, Cirilo e Dióscuro. Ver o artigo geral intitulado *Alexandria, Teologia de*.

Bibliografia. AM B C E EP F MM P

••• •••

ORÍGENES (NEOPLATÔNICO)

Muitos eruditos crêem que Orígenes, o neoplatônico, na verdade foi o mesmo Orígenes, o famoso pai da Igreja. Ver o artigo detalhado sobre ele. Se está em pauta uma pessoa distinta, então as associações dos dois Orígenes devem ter sido extremamente similares. Pois Orígenes, o neoplatônico, esteve associado a Plotino e foi estudante de *Amônio Saccas* (vide). Ele escreveu duas obras: *Acerca dos Demônios* e *Somente o Rei é Poeta*, e também especulou sobre a relação entre o Deus transcendental e o criador do mundo, pois, evidentemente, para ele, um não seria o outro.

ORIGENS, TEORIAS DAS

Um dos grandes mistérios e um dos assuntos favoritos de controvérsia é a questão da origem da vida, do universo, do homem, etc. Quanto a essa questão, a ciência mecanística toma o *ponto de vista cético*, afirmando que esse é um daqueles assuntos sobre os quais nada podemos dizer de significativo. Para o positivismo lógico, temos aí um fragmento da metafísica, e, portanto, «sem significado», porquanto faltam-nos os meios de investigação da questão.

Algumas vezes, os filósofos supõem que podemos entrar em uma regressão infinita a fim de contemplar uma série infinita de causas e efeitos, sem jamais chegarmos a uma Primeira Causa, a verdadeira origem de todas as coisas. Outros pensadores têm sentido que devemos postular uma *Primeira Causa*, e, com base nesse postulado, têm arquitetado um argumento em favor da existência de Deus.

Aqueles que pensam que algo de significativo pode ser dito sobre o assunto têm dado suas sugestões. Abaixo expomos um sumário de idéias:

Heb. *11:3: Pela fé entendemos que os mundos foram criados pela palavra de Deus; de modo que o visível não foi feito daquilo que se vê.*

Idéias sobre as origens.

1. O elemento ou substância original, do que tudo o mais proveio, é indefinido e desconhecido. Desse elemento indefinido surgiram os quatro elementos principais: a terra, o ar, o fogo e a água. Toda a vida se originou da água, ao ser esta evaporada pelo sol. A vida humana começou no mar, entre os peixes. Esta, conforme é conhecida agora, — veio por um processo evolutivo que começou com as primitivas formas de peixes. Assim pensava o antigo filósofo grego, Anaximandro, em 546 A.C., pelo que se pode dizer que foi ele o progenitor da teoria evolucionista.

2. *A eternidade da matéria*. A maioria dos filósofos gregos, até os tempos cristãos, ensinava a eternidade da matéria, isto é, que nunca houve tempo em que a matéria não existiu. Para os estóicos (como Zeno), o elemento original teria sido o fogo, e, através de várias modificações, todos os outros elementos foram criados. A vida humana começou na forma de «alma», e uma outra emanação do *fogo* também criou as formas materiais ou corpóreas.

3. Haveria a eternidade de alguma substância sobrenatural, chamada *universal*. Essa substância eterna teria sido usada por uma força cósmica, denominada «demiurgo», a fim de criar tudo quanto se conhece no mundo físico, e este tipo de existência é inferior à outra forma. Assim ensinava Platão (450 A.C.). Essa teoria não difere muito da doutrina cristã de uma criação feita por Deus, o poder sobrenatural que produziu nosso mundo físico.

4. Criação como *ato eterno* de Deus. Não podemos imaginar um tempo em que não existia a criação, pois

então o que fazia Deus, quando somente ele existia? Assim pensava Orígenes, um dos pais da Igreja (cerca de 225 D.A.) que ensinava que a criação e toda a vida agora existente, fazem parte de um *ato criativo eterno* e *contínuo* de Deus, a fonte de toda a existência. A vida humana não começou, portanto, com a vida física, mas começou com a existência da alma ou espírito, antes de qualquer forma humana animal vir à existência. A forma humana animal foi uma criação especial de Deus, que veio a ser possuída pela alma já existente.

5. Criação como *pensamento eterno* de Deus. Nunca houve um tempo em que a criação não existiu, embora houvesse tempo em que tudo se resumia a um pensamento na mente de Deus. Com o tempo, mediante um ato criador especial, Deus trouxe sua idéia à concretização. Assim pensava Clemente, um dos primeiros pais da Igreja (cerca de 250 D.C.).

6. Criação *ex-nihilo*, ou seja, tirada do nada. Houve um tempo quando somente Deus existia. Quando ele resolveu criar os mundos, meramente proferiu a palavra e tudo veio à existência. A vida humana foi criada do já existente pó da terra, por um *ato especial* de Deus.

7. Criação *ex-nihilo*, mas entendida como feita através da *energia divina*. Deus transformou sua própria energia em matéria, e a criação física veio à existência. Agora o homem pode transformar a energia em matéria, ou a matéria em energia, em imitação a Deus, mas não pode fazer a existência física assumir vida. A sexta e a sétima posições têm sido as idéias mais comumente defendidas pela Igreja cristã através dos séculos.

8. *Panteísmo*. Tudo quanto existe é Deus ou energia divina. Os mundos, segundo os conhecemos, são meras modificações dessa energia, pelo que todas as coisas trazem, em si mesmas, a natureza de Deus. Deus seria o cabeça do mundo, e o mundo seria o corpo de Deus. Tudo quanto se conhece é apenas uma «emanação» de Deus, e não uma criação. Deus emana a sua criação, tal como o sol emana os seus raios, e estes fazem parte daquele. O panteísmo moderno tem certo caráter evolutivo, isto é, envolve um processo evolutivo que, segundo pensam, produziria as várias modificações na substância divina que forma os mundos. Assim pensava Baruque Spinoza, em termos gerais.

9. A eternidade da matéria e sua *organização* por parte de um Deus inteligente: A matéria seria eterna, mas a vida feita dessa matéria foi um ato de um Ser inteligente ao qual chamamos Deus. Assim ensina a igreja Mórmon. A «matéria não-criada» existia no estado de «caos». O ato de Deus não teria sido «criador», mas antes, organizacional.

ORIGINAL, JUSTIÇA

Três significados têm sido atrelados a essa expressão, Justiça Original, a saber:

1. O presumível estado original de inocência do homem, antes da queda no pecado, um estado maculado pela tentação, queda e degradação conseqüente. As teologias muito se têm esforçado por tentar descrever esse estado. Alguns têm chegado mesmo a supor que o homem, se não tivesse pecado, teria continuado a existir com uma natureza *física imortal*. Ademais, muitas perfeições têm sido atribuídas a Adão e Eva, quando ainda estavam na inocência. Uma distorção dessa idéia é aquela que diz que eles eram seres angelicais, que vieram residir na terra, onde adquiriram corpos físicos, os quais, subseqüentemente, tornaram-se mortais.

2. Diante do surgimento do liberalismo teológico e da teoria da evolução, alguns eruditos começaram a falar sobre o relato de Adão e Eva como uma lenda. Naturalmente, esses abandonam a teologia que, alegadamente, descreve os poderes e as perfeições do primeiro casal humano. Então alguns estudiosos liberais substituíram toda essa teologia com o conceito do «nobre selvagem», o que foi exemplificado por Rousseau. Ele supunha que a civilização fez piorar o nobre selvagem, tendo-o transformado em um guerreiro tribal. O comunismo, seguindo a idéia das tríades, adotou essa idéia do «nobre selvagem».

3. Outra idéia é aquela que diz que o homem, embora obviamente um pecador, por natureza e prática, também é um ser justo. Essa doutrina assume muitas variantes. A evolução poderia ter produzido esse caráter paradoxal, conforme alguns dizem, ou, então, a imagem de Deus conferiu ao homem uma justiça original, que continuou embutida nele, mesmo depois de seu pecado e de sua queda. Essa terceira idéia distingue-se da primeira por não precisar de qualquer teoria da criação, à qual seja aplicada. Em outras palavras, poderíamos esquecer a história de Adão e Eva, e ainda assim pensar no homem como um ser paradoxal: pecaminoso mas justo, e vivendo em constante estado de tensão, por causa disso.

ÓRION

Ver sobre **Astronomia** e sobre **Astrologia**. O Órion (ver Jó. 9:9; 38:31; Amós 5:8), nome que significa «caçador», é a constelação mais proeminente do sul do hemisfério norte. Essa constelação contém Betelguese, estrela de primeira magnitude, como também Rigel. A Bíblia menciona outras constelações, como a Ursa e as Plêiades (Jó 9:9; 38:31,32; Amós 5:8). A Septuaginta, em Jó 38:31, ao traduzir a palavra hebraica para o grego *Orionos* (nome de um poderoso caçador) deu um tom grego à questão. A vastidão do firmamento sempre infundiu um senso de respeito nos homens. Esse respeito ou contribui para a iluminação mental (ver Sal. 19:1), ou descamba para uma forma de idolatria (ver Deu. 4:19; 17:3). E o povo de Israel algumas vezes entregou-se a essa forma de idolatria (ver II Reis 23:5,11; Jer. 8:2).

ÓRIX (ANTÍLOPE)

No hebraico, **dishon** (Deu. 14:5) e **to** (Isa. 51:20). Sob a hipótese de que esses dois nomes, no hebraico, designam somente uma espécie animal, foi escrito este verbete. Na primeira dessas passagens, o animal é descrito como «limpo», isto é, próprio para consumo dos israelitas. E a segunda passagem refere-se a como esse animal era apanhado por meio de redes, sendo esse o método de apanhar caça grossa, ou seja, animais de grande porte. Parece estar em foco certo tipo de antílope, segundo a qual hipótese temos a palavra «antílope», em nossa versão portuguesa, em ambas essas passagens. Outras traduções são mais precisas, dizendo estar em foco o «órix», um tipo de antílope dotado de longos chifres pontiagudos, atualmente circunscrito às savanas africanas, e que consegue sobreviver em lugares quase desérticos.

Há diversos tipos de gazelas que poderiam ser identificados com as palavras hebraicas em questão. Há cinco espécies de antílopes, naturais da África e de outros lugares. Os modernos métodos de caça com armas de fogo têm reduzido drasticamente o número desses animais; mas, nos tempos antigos, eles eram abundantes. No sul da Arábia sobrevivem atualmente apenas duas espécies de *órixes*, e isso em pequeno número.

ORLA

No hebraico, **shul**, **«orla»**, **«borda»**. **Essa palavra** aparece por onze vezes no Antigo Testamento: Êxo. 28:33,34; 39:24-26; Jer. 13:22,26; Lam. 1:9; Naum 3:5 e Isa. 6:1. Essa palavra vem do verbo que significa «pendurar».

No grego, *kráspedon*, «beira», «orla». Esse vocábulo é usado por cinco vezes: Mat. 9:20; 14:36; 23:5; Mar. 6:56 e Luc. 8:44.

A orla é a extremidade inferior de uma veste, sua fímbria ou borda. — Entre os fariseus dava-se um extraordinário valor à orla das vestes. Essa doutrina deles estava baseada sobre o trecho de Êxodo 28:33,34. Essa fímbria ou orla resultava do fato de que as extremidades dos fios de lã eram deixados sem entretecido, a fim de impedir que o tecido se desfiasse.

Os israelitas foram instruídos a usar fímbrias nos quatro cantos de suas vestes. A isso conferia-se uma certa significação espiritual. Servia para relembrar-lhes os mandamentos da lei. A sobrepeliz de Aarão (Êxo. 28) deveria ter sinetas de ouro e romãs na sua orla, o que emprestava àquelas vestes um sentido altamente simbólico. Os fariseus exibiam sua superioridade usando longas *franjas*, uma das palavras portuguesas usadas para traduzir o termo grego *kráspedon*. É claro que o faziam por orgulho espiritual. A mulher hemorrágica pensou que se ao menos pudesse tocar na orla das vestes de Jesus, seria curada de sua enfermidade. O relato bíblico informa-nos que isso funcionou, mas não podemos atribuir a cura ao fato de que ela tocou em uma peça de tecido e, sim, ao fato de que teve confiança no Senhor (ver Luc. 8:43-48).

Os fariseus desenvolveram regras elaboradas que regulamentavam o uso das orlas em suas vestes. Isso deveria consistir em oito fios, um dos quais deveria ser enrolado em torno dos demais. Outros regulamentos foram baixados sobre quantas vezes esse fio deveria ser enrolado: primeiramente, sete vezes, com um nó duplo; então oito vezes, com outro nó duplo. Isso era feito segundo os valores numéricos dos caracteres hebraicos que formavam as palavras *Yahweh Um*. O exagero sobre essa questão atingiu ao absurdo de certos rabinos asseverarem que todos os mandamentos da lei dependiam da observância quanto às orlas (ver Maimônides, *Hilch. Tzitzith*, c. terceiro, seção 12). O espírito de ostentação religiosa dos homens vai aumentando, à medida que sua espiritualidade vai diminuindo. Todas as pessoas religiosas são hipócritas, em certo grau, e isso porque o homem sempre é pior do que parece ser para os seus semelhantes. Todavia, isso não deveria impedir de procurarmos melhorar, a despeito dos nossos problemas.

ORNÃ

Ver I Crô. 20:25; 21:15,18; II Crô. 3:1. Essa é uma forma alternativa do nome *Araúna* (vide).

ORNAMENTOS

A arqueologia tem encontrado uma grande variedade de ornamentos, principalmente sob a forma de jóias variegadas. Ver o artigo geral *Jóias e Pedras Preciosas*.

Certos ornamentos de uso pessoal, referidos na Bíblia, têm paralelos no uso moderno. Podemos falar sobre os *anéis* (ver sobre *Anel*) ou argolas, alguns usadas nas orelhas, outros no nariz, e ainda outros pendentes de cordões; os *braceletes* (usados perto do pulso, feitos de vários metais, de osso ou de madeira; Gên. 24:22; Núm. 31:50; Eze. 16:11; 23:42; Isa. 3:19; II Sam. 2:10; Êxo. 35:22;; — as *presilhas de tornozelo*, feitas de bronze ou outros metais, etc. O profeta Isaías lamentava que as mulheres hebréias usassem correntes que as forçavam a caminhar com passos curtos, a fim de se mostrarem mais femininas. Essas presilhas ou correntinhas também faziam certo ruído que chamava a atenção das pessoas. Ver o artigo separado intitulado *Passos Curtos* (Isa. 3:16). Além disso havia ornamentos usados no pescoço, por mulheres, homens e até animais (ver Juí. 8:26; Pro. 1:9; Can. 4:9; Isa. 3:18; Eze. 16:11). Havia alguns com a forma de correntes, feitos de vários metais; outros eram cordões com contas ou conchas. Também havia os *broches*, alguns dotados de pino (ver I Macabeus 10:89; 11:58).

Os Excessos Egípcios. Os monumentos do Egito exibem ricas damas carregadas com toda forma de ornamentos. Os habitantes da Palestina eram igualmente useiros a essas decorações pessoais. Os midianitas parecem ter sido tão exibidos quanto os egípcios (ver Núm. 31:50,52; Juí. 8:26). Em várias culturas antigas havia ornamentos masculinos. Os homens israelitas mostravam-se um tanto comedidos quanto a isso (ver Êxo. 32:2), mas não as mulheres israelitas. Os persas, os medos e os egípcios, além de outros povos antigos, adornavam suas principais autoridades, como os seus monarcas, com correntes de ouro em torno do pescoço, como emblemas de ofício, embora isso não se repetisse na cultura hebréia. Ver Gên. 41:42 e Dan. 5:7.

Proibições Bíblicas. Textos bíblicos como Isa. 3:18; I Tim. 2:9 e I Ped. 3:4 proíbem o excesso no uso de ornamentos pessoais. O trecho de Tia. 2:1-4 menciona as correntes de ouro, usadas pelos ricos. Estes eram favorecidos em detrimento dos pobres, que não podiam dispor de tais ornamentos. E essa prática de acepção de pessoas é ali condenada, embora não tanto o uso dos próprios ornamentos.

Uma Ornamentação Artística. Os comentários acima abordam a questão dos ornamentos pessoais. Havia outros enfeites que consistiam em esforços artísticos para embelezar objetos, como as decorações de vasos de cerâmica, ferramentas, armas, caixas, espelhos, jarras, tapetes, etc. Nisso estavam envolvidos metais preciosos, pinturas coloridas, gravações, entalhes em osso e marfim, etc. Os móveis da corte real eram ricamente ornamentados (I Reis 10:18: II Crô. 9:17; Amós 6:5). Palácios e relevos tumulares eram ornamentados com arte pelos egípcios, assírios e babilônios. O tabernáculo e o templo de Jerusalém também foram rica e elaboradamente ornamentados, um trabalho quase sempre efetuado por artífices estrangeiros, ou, pelo menos, seguindo modelos estrangeiros. E também não nos podemos esquecer, nesse relacionamento, dos sarcófagos de pedra, ricamente cinzelados, especialmente do Egito e da Fenícia.

Ornamentos Arquiteturais. Tanto os edifícios públicos quanto as residências dos abastados eram ornamentados externa e internamente. Os palácios dos reis assírios, em Nínive e Corsabade, eram decorados com baixos-relevos. As entradas de seus edifícios mais importantes eram guardadas por animais cinzelados de forma mais intricada e estilizada, e também eram empregadas tintas de várias cores, destacando a ornamentação.

A arte egípcia tornou-se melhor conhecida através de suas pinturas murais, embora outras culturas também lançassem mão desse artifício. Pinturas murais egípcias têm sido encontradas em túmulos, palácios e edifícios públicos. Os templos de Carnaque e Luxor eram assim decorados. Fachadas com tijolos coloridos e esmaltados, representando animais, plantas, figuras humanas, etc., enfeitavam muitos edifícios. Os persas, por sua vez, importavam artífices de todas as direções do mundo antigo, a fim de decorarem seus edifícios. Várias modalidades de colunas e capitéis foram usadas a fim de aumentar a sensação de grandiosidade.

Apesar dos israelitas antigos não se equipararem a várias outras nações no tocante a esse tipo de arte e tecnologia, os reis israelitas mais ricos, como Salomão e Acabe, decoraram seus lares e palácios com a ajuda do labor estrangeiro.

ORNAMENTOS DOS PÉS

Ornamento mencionado na descrição sobre as vestes e enfeites femininos (ver Isa. 3:16,18). Tal enfeite normalmente era feito de ouro, de prata ou de marfim. Os ornamentos dos pés eram largamente usados pelas mulheres de várias raças, na antiguidade. Os monumentos egípcios mostram que esses ornamentos eram usados por pessoas de ambos os sexos. O Alcorão (24:31) proíbe o uso desse tipo de ornamento, embora pareça estar em foco o tipo que possuía sinetas, que eram usados por dançarinas. Não há que duvidar que as mulheres usavam o tal ornamento para chamar a atenção dos homens. O costume tem persistido nos países do oriente. Isaías (3:16,81) objetou à *maneira* das mulheres andarem, fazendo ruído a cada passo dado. Naturalmente, isso chamava a atenção masculina. As mulheres não têm mudado muito na passagem dos séculos. Novos modos de atração (segundo os câmbios da moda e do capricho) vão sendo inventados. Os estudos relativos às estruturas do corpo humano demonstram que nada existe na estrutura de um corpo de mulher que a obrigue a andar de modo diferente da maneira de andar dos homens. Mas o radar pode detectar oscilações e requebros em uma pessoa que se aproxima, identificando-a como um homem ou uma mulher. O olho desarmado também detecta essas coisas. Penso que esses movimentos, cujo intuito é atrair os homens (consciente ou inconscientemente) são *psicologicamente* herdados pelas mulheres, mediante a transmissão de genes. Dessa maneira, as meninas inconscientemente andam à maneira tipificamente feminina, ao passo que as mulheres, da adolescência para cima, fazem-no conscientemente. A preservação da raça está envolvida em tudo isso. Porém, o profeta Isaías viu algo de errado nos trejeitos femininos. De fato, com todas as suas exigências, o corpo humano pode ser um estorvo para o desenvolvimento espiritual.

A arqueologia tem descoberto muitos ornamentos dos pés, sobretudo na Palestina. São feitos de ouro, de prata, de bronze e de outros metais. Seu propósito era produzir um ruído de sinetas, acompanhando os passos. Evidentemente eram usados nos tornozelos, com uma correntinha ligando um ornamento a outro, para forçar a mulher a dar passos mais curtos. Livingstone, na África, encontrou nativas usando enfeites similares! (FA S)

ORNAMENTOS TORCIDOS

Temos aí a tradução da palavra hebraica *gedilim*, «fímbrias», «beiradas». Essa palavra só ocorre por duas vezes em todo o Antigo Testamento, isto é, I Reis 7:17 e Deuteronômio 22:12. Na primeira dessas passagens lemos: «Havia obra de rede, e ornamentos torcidos em forma de cadeia para os capitéis que estavam sobre o alto das colunas; sete para um capitel e sete para o outro». Eram enfeites que havia nos capitéis das duas colunas do templo (vide). Outros estudiosos pensam que o sentido básico dessa palavra hebraica é «cordas», «cadeias».

Em Deuteronômio 22:12, lemos: «Farás borlas nos quatro cantos do teu manto, com que te cobrires», onde «borlas» é a tradução de *gedilim*. Em vista disso, parece que está em vista uma espécie de beirada, em forma de cadeia, tanto neste caso como no caso dos capitéis das duas colunas do templo.

ORONTES

Esse é o nome de um rio da Síria, que se tornou famoso na história secular. Esse rio não é mencionado na Bíblia, mas a cidade de Antioquia, um dos primeiros centros da cultura cristã, ficava à beira do rio Orontes. Ver Atos 11:20-26; 13:1-3. Esse rio tem seus mananciais no elevado vale de Becá. Percorre parte da Síria na direção norte, e, então, volta-se para O Ocidente, desaguando no mar Mediterrâneo no porto de Antioquia. Esta cidade é chamada de Antioquia do Orontes a fim de distingui-la da outra Antioquia. Há, nesta enciclopédia, artigos sobre ambas as cidades. Outros importantes centros, às margens desse rio, eram Ribla, mencionada em associação com Jeremias, Zedequias e Nabucodonosor (II Reis 25:20,21; Jer. 39:5,6 e 52:9-11); Hamate, uma fortaleza hitita, que ficava perto desse rio, e *Cades* (vide).

Atualmente, esse rio chama-se *Nah el-Assi*. Esse rio flui para o norte, atravessando o vale de Becá, o vale entre os montes do Líbano e do Antilíbano. Então entra no lago Homs, um lago artificial, criado pelo represamento do rio. Perto de Hamate (moderna Hama), passa a correr na direção noroeste, onde forma terras alagadiças. Atualmente, essa região está sendo drenada. Em seguida, o Orontes atravessa uma região de pedras calcárias, o *Jisr esh-Shughur*, e, então, atravessa o vale de Amque, na direção oeste, até desaguar no mar Mediterrâneo. A certo ponto de seu trajeto, banha Antioquia (que os sírios chamam de Antakya).

Como sucede à maioria dos grandes rios, o Orontes teve e tem sua importância histórica e comercial. Na antiguidade, era um rota comercial natural, na direção norte-sul, como também um caminho seguido por exércitos em avanço. Suas águas davam vida e verdura a povoados ao longo do caminho. Os impérios hitita, hebreu e assírio incluíram o vale desse rio.

ORTEGA Y GASSET, JOSÉ

Suas datas foram 1883—1955. Nasceu em Madri, na Espanha. Estudou com Hermann Cohen, um filósofo neokantiano. Mas, apesar do sistema de Ortega y Gasset ter atravessado uma transição de idéias, ele nunca aderiu ao neokantianismo. Esteve ligado de perto com os jornais *El Espectador* e *Revista de Occidente*, através dos quais ele publicava as suas idéias. Foi professor de metafísica da Universidade Central. Ativava-se como filósofo, ensaísta, publicador, editor e jornalista.

Idéias:

1. A razão abstrata pode constituir sistemas; mas, para a vivência diária carecemos da *razão vital*, que é concreta, variegada, multiforme e eficaz.

2. Uma idéia qualquer é abstrata; mas a crença é concreta. E precisamos de ambos os aspectos como o alicerce da vida. Idéias tomam vulto quando crenças são anuladas e falham. Por outra parte, as idéias

estão alicerçadas sobre crenças e estão continuamente sujeitas à revisão. Todas as perspectivas têm alguma validade, e a marcha do conhecimento melhora essas perspectivas. A *razão vital* é uma força que combina crenças e idéias, conferindo-nos conhecimento.

3. Na vida, precisamos ter conhecimentos dos quais possamos depender. A vida é a realidade fundamental, e essa realidade é uma contínua autoformação, que busca autenticidade. Muitas pessoas evitam a tarefa envolvida no viver real, e, dessa maneira, sacrificam a autenticidade.

4. *Teoria do Conhecimento*. A essa teoria ele denominava *perspectivismo*. Segundo ele, o mundo pode ser interpretado por sistemas alternativos de conceitos, que seriam igualmente verdadeiros, embora parciais. Mas a única realidade final é a vida de cada indivíduo. Isso ele exprimia ao dizer: «Eu sou eu e as minhas circunstâncias». Portanto, o verdadeiro conhecimento seria uma realização existencial, e não um mero conjunto de conceitos teóricos.

5. Aproximamo-nos de um destino autêntico quanto mais nos aproximamos de nossa verdadeira forma de vida. Isso quer dizer que há graus de autenticidade. Ortega y Gasset rejeitava a idéia de transcendência. A transcendência de cada indivíduo é a sua autêntica existência humana.

6. Tanto o indivíduo como a sociedade como um todo precisam ser abordados através da razão vital. O homem não tem natureza, mas tem história. A autenticidade, pois, torna-se a natureza do homem.

7. O naufrágio na inquirição de cada um pode ser evitado se desenvolvermos e nos apropriarmos das formas certas de cultura, como a ciência, a religião, a filosofia e as artes. Essas são variedades de construções poéticas da realidade. Todas essas são construções que os homens enfrentam, em uma realidade problemática.

Escritos: *Meditations on Quijote; Persons, Works, Things; The Dehumanization of Art; The Spirit of the Letter; The Revolt of the Masses; Goethe from Within; Youthful Excesses; Man and People; What is Philosophy?; The Principle Idea in Leibniz*. Além desses e de outros livros, ele escreveu muitos ensaios.

ORTODOXA (IGREJA)

Ver o artigo chamado *Ortodoxa Oriental, Igreja*.

ORTODOXO ORIENTAL, IGREJA

Esse título fala sobre a comunhão das denominações cristãs orientais cuja ortodoxia é determinada pelos sete primeiros concílios ecumênicos (que vide). A separação delas das Igrejas ocidentais ocorreu, oficial e finalmente, em 1054. Ver o artigo sobre o *Cisma*. Essa comunhão é formada por quinze grupos, cada qual com seu próprio bispo e sua hierarquia. Mas não há qualquer hierarquia central para unificar o corpo inteiro. Esses grupos são as igrejas de Constantinopla, Alexandria, Antioquia, Jerusalém, Rússia, Geórgia, Grécia, Albânia, Polônia, Checoslováquia e das Américas. Os membros totais dos grupos combinados atingem cerca de cento e cinqüenta milhões de adeptos. Originalmente, a comunhão compunha-se dos patriarcados orientais (que vide) de Constantinopla, Alexandria, Antioquia e Jerusalém, mas o número desses grupos foi aumentando gradualmente, através da obra missionária. As Igrejas Ortodoxas formam uma confederação frouxa, vinculada pela lealdade a uma fé comum, e não por qualquer autoridade central. O patriarca ecumênico de Constantinopla não desfruta de qualquer jurisdição ou prerrogativa especial, mas ocupa seu lugar por uma honra que lhe é conferida voluntariamente por todos. Cada igreja *autocéfala* se autogoverna e é independente das outras, politicamente falando. Não há qualquer base doutrinária ou credo autoritário como se verifica no caso do credo tridentino (que vide), que é a base doutrinária da Igreja Católica Romana. As decisões dos sete primeiros concílios ecumênicos servem de diretrizes, mas, dentro das mesmas há latitude de crenças, embora, tradicionalmente, essas crenças mostrem-se bastante uniformes. Cada igreja autocéfala tem autoridade para definir os ensinos não dogmáticos para si mesma, ainda que respeitando as idéias básicas dos sete concílios.

Um certo aspecto da doutrina desses grupos, que pode ser contrastado com o que diz a Igreja ocidental, é a maior dependência às opiniões dos chamados pais gregos da Igreja. Dentro dessa questão está a oportunidade e o destino do homem, o que é afortunado, pois muitos representantes da comunidade cristã oriental acreditam que a oportunidade de salvação estende-se para além da morte biológica, e muitos deles têm crido na preexistência da alma. Isso confere-nos uma história bem maior e um drama bem mais amplo da alma, e uma visão bem superior sobre seu potencial do que acontece dentro da teologia cristã ocidental.

O ponto de vista ocidental é linear. Segundo ele, a alma começa a existir juntamente com o corpo físico; um homem vive alguns poucos anos; pode entrar ou não em contato significativo com o evangelho, e então morre, e isso fixa o seu destino. Já no Oriente, a alma recebe uma longa história, antes de seu destino ser, finalmente, fixado. Uma alma vem fixar residência no corpo físico; pode entrar ou não em contacto significativo com o evangelho, e seu destino não é fixado por ocasião da morte biológica; antes, sua oportunidade de salvação prossegue, mesmo no outro lado da existência. O ponto de vista ocidental é linear porque pensa que a carreira espiritual do ser humano segue a sua carreira biológica, ao longo de uma linha, entrecortada por vários acontecimentos, com um ponto de partida e um ponto de chegada. Já o ponto de vista oriental é *circular*. Nenhum ponto desse círculo pode ser assinalado como o começo da existência da alma, e nem pode ser marcado o tempo em que cessa a oportunidade de salvação da alma. A teologia anglicana concorda com esse modo particular de encarar a questão; e, até onde estou informado, é a única denominação cristã ocidental que se declara em favor dessa posição. Não obstante, esse ponto de vista é pesadamente representado no cristianismo oriental, embora não faça parte dos credos oficiais. Até onde posso ver as coisas, essa é uma posição muito mais sábia, que representa bem melhor a verdade que o ponto de vista comum, ocidental. Nesse particular, os pais gregos da Igreja mostraram-se mais sábios do que os pais latinos.

A lição a ser Aprendida. Essa circunstância ensina-nos uma importante lição. Podemos aprender da teologia de outras pessoas, mesmo quando elas não fazem parte da nossa tradição particular. Nenhuma tradição, na realidade, tem autoridade sobre a verdade. A seleção de idéias mais provável, com freqüência, pode ser feita de modo mais sábio por meio da comparação entre as religiões. Cada denominação tem um ponto de vista parcial da verdade, e não uma visão abrangente e total da verdade. Subsídios importantes à verdade podem ser encontrados nos lugares onde menos suspeitaríamos.

O Grande Cisma. Ver o artigo geral chamado

Grandes Cismas, que descrevem os três grandes cismas que a cristandade tem sofrido. A *ortodoxia oriental* significava o cristianismo conforme fora originalmente recebido e entendido nos países de língua grega da parte oriental do Império Romano. O imperador bizantino, no entanto, continuou intitulando-se de «príncipe dos romanos». Na realidade, porém, desde que o império fora dividido em dois, por obra de Constantino, o Grande, cada vez mais se manifestavam as rivalidades, de ordem política e religiosa, entre essas duas metades do Império Romano. Por volta de 864 D.C., missionários ocidentais e orientais competiam pela lealdade dos convertidos búlgaros. Além dessas competições em níveis institucionais e quanto a certas atividades, a Igreja oriental, como era apenas natural, seguia certas diretrizes dos pais gregos da Igreja, em contraste com os pais latinos. Isso havia criado uma divisão natural quanto à maneira de pensar e quanto a algumas doutrinas. Os pais gregos da Igreja, por exemplo, viam a alma como preexistente, e sua oportunidade para obter a salvação estendendo além da morte física. Tornou-se idéia comum no Oriente, pois, que o mundo espiritual, para onde as almas desencarnadas partem por ocasião da morte física, é um lugar de preparação para a salvação. A crença no intuito salvatício da *descida de Cristo ao hades* (vide) sempre foi forte no Oriente. Isso produziu um ponto de vista mais amplo da missão de Cristo no Oriente, visto que Cristo teria três missões ao todo: 1. a missão terrena; 2. a missão no hades; e 3. a missão celeste. E todas essas missões cooperariam juntamente, com vistas à salvação das almas dos homens.

No Ocidente, por outro lado, tornou-se doutrina comum que, por ocasião da morte biológica do indivíduo, termina toda e qualquer oportunidade de salvação. Mas, além disso, também há outras diferenças. Assim, as Igrejas orientais sempre se mostraram menos estritas quanto aos seus credos, e mais liberais em suas organizações e associações. Por outro lado, as Igrejas Ocidentais foram-se centralizando em torno de uma única autoridade, a do bispo de Roma, o qual finalmente, tornou-se na figura do papa.

Também surgiram diferenças políticas e raciais. O Oriente rivalizava com o Ocidente quanto a questões políticas, e, visto que as igrejas sempre se deixaram envolver tão pesadamente nas questões políticas, esse fator separava as regiões. Por isso, em 1054, a controvérsia se o Espírito Santo procede apenas do Pai, ou também do Filho, não foi a causa real do cisma que teve lugar, mas apenas uma espécie de gota d' água que fez extravasar o balde de uma situação explosiva que vinha reunindo força desde há muito. Ver o artigo sobre o *Filioque*, onde essa questão é amplamente esclarecida. Naturalmente, essa questão doutrinária não era a única diferença em jogo. Roma crescia mais e mais em importância, ao passo que Constantinopla ia caindo. O papa Leão IX sentiu-se ofendido diante de uma encíclica lançada pelo patriarca de Constantinopla e quando este se recusou a submeter-se ao parecer do papa, o patriarca foi anatematizado. O patriarca de Constantinopla, como reação, anatematizou o papa de Roma. Portanto, a questão do *filioque* não passou de um frontispício; o que realmente importava eram as questões políticas e financeiras envolvidas, amarguradas ainda mais por causa de rivalidades regionais.

Os quatro patriarcas orientais, os de Constantinópla, de Alexandria, de Antioquia e de Jerusalém, separaram-se, portanto, de Roma. Roma, desde então, continuou a reconhecer a legitimidade dos sacramentos e da sucessão apostólica da Igreja Ortodoxa Oriental, embora não reconheça a própria organização eclesiástica oriental, que é considerada cismática pelos católicos romanos. Até o tempo desse cisma, o primado do bispo de Roma era reconhecido, embora não a sua jurisdição sobre os outros. Ora, esse primado era apenas uma *honraria* (o papa era reputado apenas *primus inter pares* = primeiro entre iguais), nada tendo a ver com algum direito de dominar os patriarcados orientais. Esse tipo de atitude prevaleceu no Oriente, de tal maneira que um patriarca não pode ditar ordens a outro patriarca. Eles são considerados apenas irmãos em Cristo, que se respeitam mutuamente, sem qualquer interferência direta nos negócios dos outros.

Portanto, em vista do exposto, para o Ocidente, a Igreja oriental, apesar de cismática, não é herética. No entanto, os grupos protestantes são considerados tanto cismáticos quanto heréticos pela Igreja ocidental. De acordo com a definição católica romana, um cismático é quem *não se submete* à autoridade do papado. Por outro lado, deve-se notar que estar separado de Roma também é considerado uma heresia, visto que tal ato nega a doutrina da supremacia do bispo de Roma (o papa) sobre os outros bispos. Nesse sentido, contudo, a Igreja Ortodoxa Oriental também deveria ser considerada herética, do ponto de vista do catolicismo romano.

Antes do Grande Cisma de 1054, houve um cisma de menor envergadura, quando os donatistas se separaram do resto da Igreja, por motivos de disciplina ou ordem eclesiástica. No século IV A.C., Agostinho escreveu, vigorosamente, — contra os donatistas. Eles insistiam em rebatizar os católicos, como uma condição de comunhão com eles. Os donatistas eram estreitos e intolerantes, conforme o são a esmagadora maioria dos grupos cismáticos. Ver sobre o *Donatismo*.

O Ocidente Aceita o Oriente Parcialmente. A Igreja ocidental aceita os ritos e os sacramentos do oriente, declarando-se válidos, mas não reconhe as Igrejas Ortodoxas como organizações religiosas legítimas, como se fossem filhas que se tivessem separado de sua mãe e cuja única preocupação deveria ser retornar à grei a que pertencem. A Igreja Católica Romana reconhece que continuou a sucessão apostólica nas igrejas cristãs do Oriente, mas nega esse direito à Comunhão Anglicana, por haver rejeitado o arcebispo Cranmer (que vide). (AM E P)

ORTODOXIA

Esboço:

1. Definições e Manipulações
2. Forças Moldadoras das Ortodoxias
3. A Regra das Escrituras Somente
4. Definição Resultante da Ortodoxia
5. Na Direção de uma Verdadeira Ortodoxia
6. Uma Útil Citação

1. Definições e Manipulações

Ortodoxia é uma palavra que vem do grego **orthós**, «reto» e **dóxa**, «opinião». Daí essa palavra veio a indicar «crença correta». Os vícios de várias ortodoxias (e há muitas) é que elas equiparam a crença certa (conforme elas a julgam) com a verdade. Entretanto, a história tem freqüentemente demonstrado, nos campos da ciência, da filosofia e da religião, que a ortodoxia de uma geração é contradita por alguma heterodoxia, e que esta última, ao obter poder, torna-se uma nova ortodoxia. Pode-se ver isso de geração em geração, até mesmo nas ciências, quando novas idéias substituem antigas idéias. Consideremos o caso do judaísmo ortodoxo. Este foi substituído, no caso de muitos milhões de pessoas, por uma grande heterodoxia e heresia, a fé cristã. O judaísmo considerou Jesus e Paulo os arqui-hereges; mas não demorou para que eles fossem considerados os campeões da nova ortodoxia.

2. Forças Moldadoras da Ortodoxia

«Ortodoxia» não é um termo bíblico. Começou a ser usado, porém, na antiga Igreja cristã. A luta por uma definição de ortodoxia, na Igreja, ocorreu devido a duas influências maiores: a oposição ao judaísmo e o conflito contra as heresias, mormente o *gnosticismo* (vide). Os cristãos valiam-se de textos de prova do Antigo Testamento no esforço para mostrar que o cristianismo estava levando avante os melhores elementos do judaísmo, a verdadeira essência dessa fé, em combinação com as novas revelações trazidas por Jesus, por Paulo e pelos demais apóstolos. Mas esse esforço foi saudado amargamente, como herético e apóstata. E, paralelamente a isso, surgiu outra força, a do gnosticismo, que misturava idéias judaicas com a filosofia grega, com as religiões e mitologias orientais, sobretudo aquelas das religiões misteriosas. O gnóstico Márcion aceitava somente algumas epístolas paulinas e uma forma mutilada do evangelho de Lucas, como seu cânon sagrado, mas ele rejeitava o Antigo Testamento em sua inteireza. Então a Igreja cristã precisou manifestar-se acerca do cânon das Escrituras Sagradas. Ao fazê-lo, a Igreja aceitou o Antigo Testamento, mas sob uma forma adaptada, de acordo com a qual várias antigas interpretações foram rejeitadas, e novas interpretações tomaram o seu lugar. Foi com base nessas circunstâncias, que surgiu uma forma de ortodoxia cristã.

O Novo Testamento forma a base dessa ortodoxia cristã, e os pronunciamentos dos concílios definiram e delinearam crenças. Porém, deve ficar entendido desde o princípio que nem todas as idéias foram igualmente aceitas. Antes de tudo, devemos considerar o cisma, quanto a algumas questões importantes, entre as igrejas cristãs Oriental e Ocidental. Posteriormente, a Igreja Ocidental fragmentou-se, durante a Reforma Protestante; e vem-se fragmentando cada vez mais, desde então. E foi assim que muitas ortodoxias arrogantes surgiram, do seio dessa Igreja fragmentada.

Os estudiosos liberais pensam que qualquer busca pela ortodoxia é tempo perdido, além de ser uma atividade amortecedora e estagnadora, pois nada teria a ver com a verdade, ainda que posta a serviço do mero conforto mental. É que a mente humana insiste em obter sistemas fechados, completos, que solucionem todos os problemas, liberando o indivíduo da necessidade de continuar buscando e crescendo. Assim sendo, a verdadeira busca pela verdade deve evitar a estagnação, e, no entanto, à base mesma da formulação de qualquer sistema ortodoxo temos uma grande dose de estagnação.

3. A Regra das Escrituras Somente

É infantil a atitude que pensa que todos os problemas concernentes à verdade e à crença (e, portanto, da alegada ortodoxia) podem ser resolvidos mediante um apelo às Sagradas Escrituras. Em primeiro lugar, se tivermos de ter qualquer forma de cristianismo, teremos de rejeitar boas porções do Antigo Testamento, se não como teoria, pelo menos de fato, a fim de que o cristianismo se possa libertar de seu genitor primitivo e dominante, o *judaísmo*. Em segundo lugar, o próprio Novo Testamento não é totalmente homogêneo. Assim sendo, mediante o uso de textos de prova selecionados e devidamente manipulados, o Novo Testamento pode ser usado como base de vários sistemas. O que não se ajustar a algum sistema, poderá ser convenientemente negligenciado, mediante interpretação. E é por isso que a regra das «Escrituras somente» pode tornar-se naquilo que «eu e minha denominação pensamos», ou seja, a maneira peculiar como *interpretamos as Escrituras*. A prova do que acabo de dizer é o fato de que *muitos* grupos cristãos (embora divergindo muito quanto a certas questões, e declarando-se os melhores representantes do Novo Testamento) apresentam diferentes ortodoxias. Acresça-se a isso que a idéia das «Escrituras somente», como base de nossa inquirição da verdade é um dogma, e não um ensino neotestamentário. Ver o artigo sobre *Autoridade*, quanto a uma discussão sobre as presumíveis bases da determinação da verdade.

O catolicismo romano oferece uma base complexa para a ortodoxia: as Escrituras, conforme elas foram definidas pela Igreja; os pareceres dos chamados pais da Igreja; as decisões dos concílios; os credos; as declarações *ex-catedráticas* dos papas. Os grupos protestantes, por sua vez, cortam o nó górdio (dando uma solução falsa), oferecendo uma exagerada simplificação. Rejeitando certas idéias católicas romanas, eles oferecem as «Escrituras somente». Mas a simplificação nem sempre nos conduz à verdade, embora possa simplificar as nossas vidas, facilitando a busca pela verdade (embora nem sempre chegando à realidade dos fatos).

4. Definição Resultante da Ortodoxia

Após termos examinado o que realmente sucede nas tentativas da Igreja Universal por definir a ortodoxia (para nada dizermos sobre outras fés religiosas e sistemas filosóficos), chegamos à seguinte conclusão:

A ortodoxia consiste na *conformidade* a formulações oficiais da verdade. A não-conformidade forma a heterodoxia ou heresia. Às vezes, um homem que é rigidamente ortodoxo quando freqüenta uma igreja, em um dos lados de uma rua, imediatamente é considerado herege, quando atravessa a rua e entra em outra igreja, de outra denominação, embora ambas se intitulem cristãs.

5. Na direção de uma Verdadeira Ortodoxia

A busca por uma verdadeira ortodoxia é a mesma coisa que a busca pela verdade e pela autoridade. O artigo intitulado *Autoridade* procura descrever essa inquirição. Em primeiro lugar, existem certas verdades fundamentais, nas Sagradas Escrituras, que nos orientam nessa busca. Um verdadeiro cristão vê em Jesus tanto o Logos encarnado quanto o Senhor Deus. Essas são verdades fatuais do Novo Testamento, segundo pode-se ver em vários trechos bíblicos: I Cor. 15:1-11; Gál. 1:6-9; I Tim. 6:3; II Tim. 4:3,4; I João 4:1-3; II João 7:11. Porém, é mister que entendamos que a verdade é vastíssima, e que a nossa busca para conhecê-la melhor está em estado de fluxo. A estagnação sempre é amortecedora, não tendo utilidade na busca real pela verdade. A Palavra de Deus é maior do que a Bíblia, a qual é um reflexo escrito da Palavra. A Palavra Viva é mais vasta que a palavra escrita; o Logos é maior do que qualquer livro ou coletânea de livros. Isso posto, qualquer busca pela verdade deve ser caracterizada por um crescimento contínuo. Os homens estacionam o trem de sua verdade em alguma estação; mas a verdade real prossegue caminho.

6. Uma Útil Citação

«Os elementos essenciais do cristianismo não jazem nas palavras das fórmulas dogmáticas, mas na realidade imutável, somente parcialmente compreendida pelo intelecto e somente parcialmente capaz de ser expressa por meio de palavras, que frases transitórias, presas ao tempo e a formas de pensamento, procuram exprimir. Não obstante, isso não significa que o conceito de ortodoxia é algo sem sentido e evanescente. Há uma tradição central e coerente de doutrina e prática cristãs que em muito pouco é afetada pelos extremos das variações denominacionais e faccionais. Essa tradição gira em torno das doutrinas gerais da Trindade, da encarnação, da expiação e do uso das ordenanças, o batismo e a eucaristia. Desviar-se desse âmago não é próprio do cristão autêntico; e a heresia consiste na recusa, baseada na opinião pessoal, de crer e adorar juntamente com a Igreja» (C).

Essa declaração pode ser criticada quanto ao seu conteúdo, e também quanto ao que ela não inclui; mas expressa uma *atitude* útil. (B C E F EP P).

ORVALHO

No hebraico, **tal**, palavra que ocorre por trina e quatro vezes no Antigo Testamento, por exemplo: Gên. 27:28,39; Núm. 11:9; Deu. 32:2; Juí. 6:38-49; I Reis 17:1; Jó 29:29; Sal. 110:3; Pro. 3:20; Can. 5:2; Osé. 6:4; 13:3; 14:5; Miq. 5:7; Ag. 1:10; Zac. 8:12.

Vários trechos bíblicos onde é mencionado o orvalho parecem indicar, para o leitor casual, que na Palestina o orvalho era copioso à noite, mesmo durante os meses de verão. Porém, o fato é que, nesses meses, escassamente se formava qualquer orvalho, o qual dificilmente poderia substituir a chuva, conforme poderíamos entender o trecho de Juízes 6:37-40. Um ar seco, como é óbvio, não pode produzir orvalho. Quando as condições atmosféricas aliviavam o calor e a sequidão, então o orvalho começava a cair à noite, na Palestina. O refrigério adicional que isso representava era um benefício a mais nos países quentes e secos. O orvalho pode ser pesado nos meses de maio a outubro. À par com as chuvas, o orvalho tornava-se um motivo de fertilidade (Gên. 27:28; Deu. 33:13; Zac. 8:12), ao passo que a ausência de orvalho era considerada uma maldição (II Sam. 1:21; I Reis 17:1; Hab. 1:10). A condenação proferida por Elias incluiu o fato de que não haveria nem chuva e nem orvalho (I Reis 17:1).

1. Cristo e Deus Pai são comparados com o agradável orvalho para quem recebe a sua palavra, e a quem o Espírito refrigera (Rom. 14:4; Isa. 26:19).

2. Os santos são comparados ao orvalho, por causa de sua agradabilidade inerente e de sua influência refrigeradora sobre as outras pessoas (Sal. 110:3; Miq. 5:7).

3. Um exército que avança assemelha-se ao orvalho, por causa da natureza copiosa de seus elementos formativos, e por causa do fato de que cai sobre tudo, em seu trajeto (II Sam. 17:12).

4. As aflições e os sofrimentos parecem-se com o orvalho da noite, porquanto são muitos e se fazem presentes em toda parte. Entretanto, as aflições e os sofrimentos podem produzir fruto (Can. 5:2; Dan. 4:25; Osé. 6:4).

5. A verdade de Deus é similar ao orvalho, por cair gradualmente, e, algumas vezes, de maneira imperceptível nos corações humanos, tornando os homens dóceis e frutíferos (Deu. 32:2).

6. Qualquer coisa deleitável e revigorante pode ser comparada com o orvalho (Pro. 19:12).

7. A harmonia entre os irmãos é como o orvalho do monte Hermom, isto é, deleitosa, revigorante e encorajadora de boas obras (Sal. 133:3).

8. Quando a alma prospera sob a influência da Palavra e do Espírito do Senhor, isso é como o orvalho que refrigera as plantas e as árvores (Jó 29:19).

OSÉIAS

No hebraico, «que Yahweh salve». Além do profeta desse nome (ver o artigo intitulado *Oséias* (*Profeta*), o único cujos escritos chegaram até nós, vindo do reino do norte, Israel, **há mais quatro** homens com esse nome, nas páginas do Antigo Testamento, a saber:

1. Um filho de Num (isto é, Josué) (Deu. 32:44). Em Núm. 13:8, algumas traduções dizem Oséias (como é o caso da nossa versão portuguesa). Esse era o nome original de Josué, antes que Moisés o tivesse mudado (Núm. 13:8,16). Mas parece que o trecho de Deut. 32:44 indica que, durante algum tempo, ele foi conhecido por ambos os nomes. *Oséias* era o seu nome original; a isso foi acrescentado o nome *Yah*, o que produziu *Josué*. Viveu por volta de 1450 A.C.

2. Um filho de Azazias, um dos oficiais de Davi, representante da tribo de Efraim. Ver I Crô. 27:20. Viveu por volta de 1015 A.C.

3. Um dos líderes do povo, que assinou o pacto com Neemias, quando um remanescente de Judá voltou a Jerusalém, após o cativeiro babilônico. Ver Nee. 10:23. Ele viveu por volta de 410 A.C.

4. O décimo nono rei de Israel, filho de Elá. Foi o último dos reis do reino do norte, Israel. Juntamente com o povo de Israel, foi para o cativeiro assírio (vide). Tornou-se famoso pelos males que praticou. Conspirou contra Peca, seu antecessor, e o assassinou (II Reis 15:30), em parte porque esse homem não resistira aos avanços dos assírios. Durante algum tempo pagou tributo a Tiglate-Pileser III, mas logo se revoltou. Aliou-se a So, rei do Egito, na esperança de se libertar da ameaça e do jugo assírios. Mas isso fez somente Salmaneser, rei da Assíria, marchar contra Israel com um poderoso exército. Foram necessários três anos para reduzir Samaria (a capital do reino do norte, Israel), capital das dez tribos. Samaria foi destruída e uma parcela considerável das dez tribos de Israel foi levada para o cativeiro, por Sargão II, que havia usurpado o trono da Assíria, para nunca mais retornar. Isso sucedeu em 720 A.C. Ver também II Reis 17:1,3,4,6; 18:1,9,10. Não dispomos de qualquer informação sobre o que sucedeu a esse homem, no cativeiro assírio.

OSÉIAS (PROFETA E LIVRO)

Esboço:

I. Oséias, o Profeta
II. Caracterização Geral
III. Data
IV. Proveniência e Destino
V. Pano de Fundo Histórico
VI. Problemas de Unidade e Integridade
VII. Mensagem e Conceitos Principais
VIII. Esboço do Conteúdo
IX. Canonicidade
X. Oséias Ilustra o Princípio da Restauração
XI. Bibliografia

I. Oséias, O Profeta

Não se sabe muita coisa sobre o profeta Oséias. O trecho de Oséias 1.1 nos fornece o nome de seu pai, Beeri, mas sem qualquer genealogia. Esse mesmo versículo nos fornece o tempo, declarando que ele viveu «...nos dias de Uzias, Jotão, Acaz e Ezequias, reis de Judá, e nos dias de Jeroboão, filho de Joás, rei de Israel». Todavia, o lugar de seu nascimento não é mencionado. Não temos qualquer registro sobre sua chamada divina como profeta. Informes existentes no livro nos permitem saber algo sobre seu caráter e suas tendências. Ele era terno, sensível e misericordioso, um tanto parecido com Jeremias, e não era severo como alguns outros profetas, a exemplo de Elias. Sua abordagem à mensagem profética que tinha de entregar baseava-se em sua relação de marido. Isso representava o fato de que Yahweh havia sido ofendido por sua esposa infiel, a nação de Israel. A fim de que essa mensagem fosse sentida e entregue, com eficácia, era mister que Oséias passasse por uma situação real de traição sofrida. — Para que isso acontecesse realmente, como é óbvio, ele teria de ter um profundo amor por sua esposa. Somente então ele poderia sentir a ferroada da infidelidade, compreendendo, metaforicamente, a ofensa de Israel contra o Senhor, em sua infidelidade, que consistia na idolatria e corrupção moral.

Oséias era o único profeta do reino do norte, Israel, cujos escritos sobreviveram até nós. Ninguém sabe qual era a ocupação de Oséias, mas, visto que há uma referência ao «padeiro» e ao ato de sovar «a massa», em Osé. 7:4*ss*, alguns têm pensado que essa era a sua atividade. No entanto, o domínio que ele tinha sobre assuntos históricos e religiosos mostra que ele deve ter recebido uma excelente educação, não podendo ser algum aldeão ou interiorano. E, visto que estava tratando com a íntima relação entre Deus e o povo de Israel, ele não se interessava em fazer previsões sobre outras nações, em contraste com outros profetas, como Amós, Jonas ou Daniel.

Tal como no caso de muitas outras personagens bíblicas obscuras, as tradições preenchem os espaços em branco, embora tais tradições raramente sejam exatas. Há especulações acerca de sua parentela. Seu pai tem sido confundido com um príncipe rubenita (ver I Crô. 5:6). Ele também tem sido considerado profeta, embora sem qualquer prova quanto a isso. Alguns rabinos supunham que um pai, mencionado na introdução do livro de algum profeta, também teria de ter sido profeta. O pseudo Epifânio e Doroteu, de Tiro, dizem que Oséias nasceu em Belemote, na tribo de Issacar (Epifânio, *De Vitis Prophet.* 11; Doroteu, *De Proph.* 1). Drúsio (*Critici Sacri*, tomo 5), citou informações dadas por Jerônimo, que dizem: «Oséias, da tribo de Issacar, nasceu em Bete-Semes». Mas outros intérpretes opinam que, na realidade, ele pertencia à tribo de Judá, embora tenha labutado em Israel, conforme o subtítulo do livro de Amós, e que aparece em algumas traduções, mostra que poderia ter acontecido. Todavia, não há qualquer razão para duvidarmos que ele nasceu no reino do norte, Israel. Ver o artigo sobre *Bete-Semes*, quanto a informações sobre sua presumível terra natal. Todavia, não há qualquer evidência para confiarmos nessa informação meramente tradicional.

O Nome. Oséias significa «libertador», ou então «salvação». Esse nome tem sido variegadamente interpretado. Jerônimo interpretava-o como «salvador»; mas outros preferiam pensar no imperativo, «salva!», como se fosse um apelo dirigido a Yahweh.

II. Caracterização Geral

Oséias aparece em primeiro lugar, entre os profetas menores, de acordo com a arrumação ocidental dos livros do Antigo Testamento, talvez por causa de seu volume, ou da vívida intensidade de profeta, paralelamente ao seu patriotismo e estilo parecido com o dos profetas maiores. Cronologicamente, Jonas atuou antes dele (cerca de 862 A.C.), mas Joel (810 A.C.), Amós (cerca de 790 A.C.) e Isaías (720 A.C.), foram-lhe mais ou menos contemporâneos, sobretudo Joel e Amós. Oséias começou a profetizar nos últimos anos do reinado de Jeroboão II, que era contemporâneo de Uzias, e terminou suas profecias no começo do reinado de Ezequias. O livro de Oséias representa o que ficou preservado dentre suas profecias escritas.

Alguns especialistas supõem que o livro de Oséias combina duas coletâneas de escritos originalmente separadas, a saber: as *Parábolas* (caps. 1—3) e as *Profecias* (caps. 4—14). O livro contém cerca de quinze poemas proféticos, que Oséias teria entregue diante dos mercados de cidades próximas, para as quais viajou, como Jezreel e Samaria. Isso poderia indicar que ele era agricultor, mas, nesse caso, ele recebeu uma educação incomumente aprimorada para quem estava envolvido nas lides do campo. Seus oráculos têm sido datados por volta de 743 e 735 A.C., refletindo degraus descendentes da desintegração nacional. Um próspero estado de Israel, que caracterizara a época por volta de 750 A.C., gradualmente, foi cedendo lugar a levantes internos e à ameaça da invasão assíria. Oséias, pois, procurou salvar a nação, fazendo-a voltar-se para Deus, o único que era capaz de manter longe os vários lobos ameaçadores e de preservar a integridade da nação. Como profeta político, que foi, ele operava tendo em mira a unidade nacional, opondo-se às alianças com o estrangeiro e exigindo uma administração pública justa. Ele reafirmava as contribuições e discernimentos de Amós, concebendo Yahweh não somente como um Deus justo e severo, mas também como um Deus amoroso. Uma de suas contribuições foi salvar a religião de Israel de ser absorvida pelo baalismo (vide), com todos os seus exagerados envolvimentos sexuais.

A chamada e a missão de Oséias estavam intimamente ligadas à sua vida pessoal. Alguns eruditos pensam que ele se casou com uma prostituta, e que acabou sendo infectado por ela, com algum problema sexual; mas isso é ler o texto bíblico antigo através dos óculos da moderna análise psicológica. Outros supõem que alguma tragédia doméstica resultou na infidelidade de sua esposa, e que os problemas pelos quais ele passou, terminaram por dar-lhe entendimento sobre o relacionamento entre Israel e Yahweh, onde a nação aparece como a esposa infiel de Deus, devido à sua idolatria e corrupção espiritual. Na qualidade de último dos profetas de Israel, ele se utilizou (e talvez tenha popularizado) das parábolas, a fim de entregar a sua mensagem. Pelo menos é verdade que o conceito de Deus, nesse livro, aproxima-se mais do que nos expõe o Novo Testamento, do que qualquer outro livro do Antigo Testamento.

As tradições judaicas davam a Oséias o primeiro lugar, cronologicamente falando, entre os profetas canônicos. Entretanto, quase todos os eruditos modernos preferem pensar que Jonas e Amós antecederam a ele, ou lhe foram mais ou menos contemporâneos, conforme já vimos acima.

O estilo de Oséias é abrupto e breve (o que causa alguma obscuridade), além de ser impressionante e solene. Em seu livro há muitas referências geográficas locais, pois ele menciona Efraim, Mizpa, Tabor, Gilgal, Bete, Jezreel, Gibeá, Ramá, Gileade, etc. Os seus temas são: o pecado da nação de Israel, a necessidade de arrependimento, a condenação iminente, a derrubada da casa reinante de Jeú, a ameaça assíria, a necessidade de Israel abandonar a idolatria, e, finalmente, o amor de Deus, este ilustrado por sua própria tragédia doméstica. Mui tolamente, Israel demonstrava confiança na Assíria, o gigante do norte, como se fosse um protetor de Israel. Mas Oséias deixou claramente previsto que a Assíria, longe de ser o salvador de Israel, acabaria por ser o seu destruidor. Ver Osé. 5:13; 7:11; 8:9; 12:1 e 14:3.

Oséias condenava o emprego da política como remédio para os problemas espirituais da nação. As alianças com potências estrangeiras só serviam para aumentar ainda mais os problemas de Israel. Contudo, uma arrependida e piedosa nação de Israel seria protegida por Deus. Infelizmente, as esperanças de Oséias não se concretizaram!

III. Data

o trecho de Oséias 1:1 nos dá um indício cronológico seguro, segundo já dissemos acima. Vários contemporâneos são ali mencionados. O começo do ministério público de Oséias pode ser datado por volta de 748 A.C.; e a morte de Ezequias, que ocorreu por volta de 690 A.C., mostra-nos que o ministério de Oséias cobriu um longo período, cinqüenta e oito anos, visto que o seu ministério atingiu a época de Ezequias. Ele começou a escrever por volta de 748 A.C., ou poucos anos mais tarde. E, realmente, pode ter escrito em duas partes (as parábolas, capítulos 1—3; e as profecias, ou oráculos, capítulos 4—14, um pouco mais tarde).

As pessoas mencionadas em Osé. 1:1; dentro da cronologia fornecida por Oséias, foram: Jeroboão II (reinou entre 782 e 753 A.C.), Uzias (reinou entre 767 e 739 A.C.). Jotão (reinou entre 740 e 731 A.C.), Acaz (reinou entre 732 e 715 A.C.) e Ezequias (reinou entre 716 e 686 A.C.). O trecho de Oséias 1:4 parece dar a entender que houve uma data anterior à morte de Jeroboão II, que marcou o início do ministério desse profeta. Oséias 8:9 é passagem que talvez alude ao tributo pago a Tiglate-Pileser por Menaém (cerca de 739 A.C.). E, nesse caso, o ministério de Oséias já estava bem estabelecido em 743 A.C., e pelo menos uma parte de seu livro já tinha sido escrita.

IV. Proveniência e Destino

O próprio livro, como é óbvio, fala sobre uma origem, no reino do norte, embora nos seja impossível a precisão, quanto a isso. No entanto, nem todo o livro precisa ter sido, necessariamente, escrito no mesmo lugar. O destino primário era o reino do norte, Israel, embora seu livro tivesse uma mensagem universal, que também se aplicava a Judá. Podemos supor que a profecia de Oséias tornou-se conhecida em Judá. O fato de que a introdução do livro menciona reis tanto do reino do norte quanto do reino do sul indica que a nação inteira — Judá e Israel — era visada pelo profeta, a quem ele dirigira suas advertências.

V. Pano de Fundo Histórico

1. *A prosperidade material* foi um fator que, juntamente com outros, levou ao declínio moral de Israel. Essa prosperidade era tão grande que poderia ser comparada à do início da monarquia. A Síria fora debilitada e, finalmente, derrotada. Uma estela encontrada em 1907 em Afis, a quarenta quilômetros a sudoeste de Alepo, comemorava a queda da Síria; e, quando isso sucedeu, então, não muito depois, Jeroboão II (ver II Reis 14:28) foi capaz de estender sua autoridade até Damasco. As fronteiras sul e leste de Israel e de Judá quase chegaram às mesmas extensões dos dias de Davi e Salomão. A Assíria já havia começado a ameaçar a Síria e a Palestina, embora a possibilidade de invasão ainda parecesse remota.

2. *Um menor militarismo* aumentou as riquezas materiais da nação. O comércio intensificou-se, e Israel, passando a controlar as rotas de caravanas que antes haviam sido dominadas por Damasco, foi capaz de multiplicar, consideravelmente, a sua prosperidade material. O luxo tornou-se comum, e os habitantes de Israel viviam regaladamente. Operários fenícios especializados receberam a tarefa de aumentar a ostentação de Israel. Os habitantes de Israel chegaram a dispor de leitos com entalhes de marfim, itens que os arqueólogos têm descoberto, pertencentes a esse período. Ver Amós 6:4, que menciona o detalhe. Havia abundância de azeite e de vinho, e muitos viviam até em luxo excessivo, segundo se vê em Amós 3:15 e I Reis 22:39.

3. *Avanços Religiosos Pagãos*. Descobertas arqueológicas, feitas no norte da Síria, em Ras Shamra (Ugarite), mostram o quanto as formas de adoração idólatra dos cananeus se tinham espalhado em Israel e em toda a circunvizinhança. Os israelitas estavam-se deixando seduzir pela idolatria. Divindades pagãs e bezerros de ouro foram levantados por Jeroboão I, e Betel e Dã tornaram-se grandes centros de idolatria, em Israel (I Reis 12:28). Sabemos que os ritos de fertilidade, com seus excessos e vícios sexuais, faziam parte desse culto. Além disso, a violência, o alcoolismo e toda forma de indulgência completava o quadro desolador. Houve prostituições cultuais variegadas, e sabemos que a prostituição e o homossexualismo chegaram a ser praticados até mesmo no interior do templo (II Reis 23:7).

4. *A Confusão Resultante*. A prosperidade material começou a declinar; a confusão tornou-se a ordem do dia. O filho de Jeroboão, Zacarias, foi assassinado por Salum, e este, por sua vez, foi morto por Menaém. Quatro reis de Israel foram mortos em quinze anos. A vacilação política, em relação à Assíria, instaurou-se. Menaém tentou aplacar o poder proveniente do norte. Israel passou a agir como uma pomba sem juízo, hesitando entre a Assíria e o Egito, disposta a apelar para qualquer lado, menos a voltar-se para Deus, conforme se vê em Osé. 5:13; 7:11 e 12:1. Toda essa vacilação em nada contribuiu para curar a nação de Israel, que nem ao menos percebeu que estava gravemente enferma! Tudo chegou ao fim quando Israel caiu diante das tropas assírias, quando a cidade de Samaria foi tomada pelo inimigo, em 721 A.C., e grandes segmentos da população da nação do norte foram deportados.

VI. Problemas de Unidade e Integridade

O trecho de Oséias 1:1-11 foi escrito na terceira pessoa, contando o casamento do profeta; mas o trecho de Oséias 3:1-5 encerra um relato na *primeira* pessoa, praticamente da mesma natureza. Essas duas seções do livro, vinculadas uma à outra por um sermão dirigido a Israel (no segundo capítulo do livro), poderiam ter sido escrita por dois autores diferentes, como também poderiam descrever duas mulheres diferentes, e não uma só. Se supusermos que Gômer, esposa de Oséias, está em foco do começo ao fim do livro, então poderemos concluir que ela já era uma prostituta quando Oséias contraiu matrimônio com ela. Isso teria sido muito incomum para um profeta, que, sem dúvida, estava proibido de fazer tal coisa. Contudo, essas circunstâncias extraordinárias poderiam ter sido necessárias a ele, a fim de que a mensagem de seu livro ganhasse em vigor e eloqüência. A fim de aliviar o problema, alguns supõem que Oséias tomou Gômer como uma concubina, e não como sua legítima esposa; mas isso é uma especulação que também não resolve o problema. Outros estudiosos afirmam que Gômer era virgem, quando o profeta se casou com ela. Mas, se nos apegarmos a esse ponto de vista, então é quase necessário vermos duas mulheres diferentes no relato, entre os capítulos primeiro e terceiro, e não somente uma mulher.

Ainda um terceiro grupo de eruditos pensa que temos dois relatos sobre a mesma mulher e sobre o mesmo casamento; mas, tendo esses relatos procedido de duas fontes separadas (uma delas uma biografia, e a outra uma autobiografia), então esses relatos simplesmente não se contradizem um ao outro. Alguns supõem que Gômer era uma prostituta cultural, que se reformou temporariamente, por haver-se casado com Oséias, mas que acabou revertendo à sua condição anterior. Várias outras idéias são apresentadas, embora não possamos chegar a qualquer conclusão indiscutível. Seja como for, é quase certo que somente uma mulher está em foco no livro, embora não saibamos como reconciliar entre si os dois relatos a respeito. Essa circunstância, porém, não impede que a mensagem do livro seja comunicada.

A Interpretação Alegórica. Alguns estudiosos pensam que o que se lê no livro de Oséias é pura alegoria, sem importar se houve o envolvimento de uma ou de duas mulheres. Desse ponto de vista, todos os problemas sobre o que o profeta poderia ter feito ou não, se casou-se ou não com uma prostituta, tornam-se destituídos de importância. Porém, quase todos os comentadores a respeito rejeitam essa interpretação alegórica.

VII. Mensagem e Conceitos Principais

«Israel aparece como a esposa adúltera de Yahweh, que foi repudiada mas que, finalmente, será purificada e restaurada. Essa é a mensagem distintiva de Oséias, que pode ser sumariada em duas palavras, *Lo-Ami* (não meu povo) e *Ami* (meu povo). Israel não era apenas pecaminosa e apóstata, embora isso também seja dito; mas o pecado da nação assumia o caráter mais grave devido à exaltada relação em que ela fora posta com Yahweh». (SCO)

«Oséias é a profecia sobre o imutável amor de Deus por Israel. Apesar das contaminações da nação com o paganismo cananeu e com os cultos de fertilidade, o profeta fez todo esforço para advertir o povo a arrepender-se, em face do perpétuo amor de Deus por eles. O tema do profeta é quádruplo: a idolatria de Israel; a sua iniqüidade; o seu cativeiro e a sua restauração. Por todo o livro, entretanto, ele acena com o tema do amor de Deus por Israel. Israel é retratada profeticamente como a esposa adúltera de Yahweh, que em breve seria posta fora, mas que, finalmente, seria purificada e restaurada. Esses eventos são engastados dentro do mandamento divino de que o profeta se casasse com uma meretriz. Os filhos dessa união receberam nomes que simbolizam as principais predições de Oséias: *Jezreel*, a dinastia de Jeú haveria de ser completamente destruída; Lo-Ruama, «a quem não se demonstrou misericórdia», o que indica uma profecia sobre o cativeiro assírio; *Lo-Ami*, «não meu povo», a rejeição temporária de Israel (comparar com Rom. 11:1-24); e *Ami*, «meu povo», que aponta para a restauração final da nação (comparar com Rom. 11:25,26), no fim dos tempos (Osé. 1:2 — 2:23)». (UN)

Alguns Pontos de Vista Doutrinários:

1. *A Graça Divina*. Deus é quem toma a iniciativa, na salvação do homem (Osé. 11:1). A condição de Israel era de profunda depravação, que só poderia ser curada mediante a graça de Deus. Por todo o livro, a nação de Israel é convidada a arrepender-se, o que dá a entender que isso está dentro do alcance da vontade humana. Ver Osé. 5:4; 11:7. A restauração final que é prometida (Osé. 1:2 — 2:23) é o resultado final da graça de Deus, o que é uma verdade no tocante à criação inteira, e não apenas a nação de Israel (Efé. 1:9,10). Ver o artigo geral sobre a *Restauração*.

2. *O Pecado*. É mister cuidar do pecado, mediante o arrependimento. O pecado tem o poder de confundir, perverter e desviar (Osé. 4:11), não sendo nenhuma brincadeira. Apesar do profeta ter comprado Gômer de volta, reduzida como ela estava à prostituição e ao opróbrio, o pecado empurrou-a de volta à sua anterior forma de vida pecaminosa. O pecado é poderoso, mesmo em meio ao favor recebido. Assim também, — o juízo precisa ser imposto contra o pecado, o que, no caso de Israel, viria sob a forma do cativeiro aos assírios. Todavia, esse juízo divino seria restaurador, e não meramente punitivo. Isso faz parte da natureza do *julgamento divino* (vide).

3. *O Caminho Difícil para o Arrependimento* (ver Osé. 6:1-4). Alguns intérpretes aceitam essa passagem como se ela retratasse um autêntico arrependimento. Mas outros vêem superficialidade, de tal modo que o arrependimento logo reverte ao estado pecaminoso anterior. Há algo de profundamente ilustrativo nisso, que visa a todos os homens. Por que razão o arrependimento é tão espasmódico, tão fugidio, tão facilmente reversível? Oséias ensina-nos que não é fácil o caminho que conduz ao arrependimento, depois que a pessoa se deixa envolver pela idolatria, pela imoralidade e pelas formas corruptas de adoração religiosa. O evangelho promete arrependimento, mediante o poder do Espírito, mas esse poder só se torna disponível para aqueles que realmente o cultivam. Ver o artigo geral sobre o *Arrependimento*.

4. *Um Verdadeiro Conhecimento de Deus*. Jesus orou no sentido de que os homens viessem a conhecer o verdadeiro Deus, e seu Filho (João 17). Mediante esse conhecimento, que não é apenas intelectual, o homem é espiritualizado, porquanto envolve comunhão no Espírito Santo. O verdadeiro conhecimento de Deus envolve a comunhão com Deus, e não meramente informações a respeito de Deus. A falta de conhecimento real de Deus, por parte de Israel, levou essa nação a todas as modalidades de pecado, como o perjúrio, a mentira, o homicídio , o furto, o deboche, o engodo e o derramento de sangue inocente, conforme se vê em Osé. 4:2. Gômer ofendeu profundamente a Oséias, com a sua conduta traiçoeira. E nós insultamos a Deus com a nossa conduta errada. Isso demonstra a superficialidade da nossa experiência com o Ser divino, embora ela seja autêntica. O verdadeiro conhecimento de Deus requer o toque místico. O Espírito Santo precisa fazer-se presente, a fim de nos transformar, ou então, terminaremos com uma teologia meramente intelectual.

5. *Esperança e Restauração*. A mensagem geral de Oséias é bastante desanimadora, excetuando a sua mensagem de esperada restauração. quando Deus haverá de reverter as misérias de seu povo de Israel. A esperança, porém, é transferida para o futuro. O presente imediato era negro, moralmente falando; mas, no horizonte, já avultava o cativeiro assírio. Somente quando a mente da fé dá uma espiada quanto àquilo que Deus, finalmente, fará, vê-se esperança no livro de Oséias. No entanto, apesar de distante, a esperança é real. Ver Osé. 2:14-23; 11:10,11; cap. 14 e, especialmente, 6:1-3.

VIII. Esboço Do Conteúdo

I. A Esposa Prostituída de Yahweh é Repudiada (1:1 — 3:5)
  A. Um casamento metafórico (1:1 — 2:23)
    1. Ilustrações da rejeição com os nomes Lo-Ami (1:1-9)
    2. Consolo em meio à miséria (1:10,11)
    3. O julgamento de Israel (2:1-13)
    4. A restauração de Israel (2:14-23)
  B. Outro casamento metafórico (3:1-5)
    1. Sua decretação (3:1-3)
    2. Seu significado (3:4,5)

II. Israel, Objeto do Amor de Deus (4:1 — 14:9)
  A. A culpa de Israel (4:1-19)
  B. A ira divina (5:1-15)
  C. Arrependimento (6:1-3)
  D. A reação divina (6:4 — 13:8)
  E. Restauração final (13:9 — 14:9)

IX. Canonicidade

O lugar ocupado pelo livro de Oséias, à testa dos doze profetas menores, é antiqüíssimo. Nenhuma decisão canônica jamais pôs isso em dúvida. Desde os dias de Ben Siraque (ver Eclesiástico 49:10,11), essa posição já estava bem estabelecida. Vários manuscritos da Septuaginta têm os profetas menores em diversas seqüências; mas o livro de Oséias sempre figura em primeiro lugar, talvez por causa de seu volume, ou então, por causa de sua elevada mensagem e teologia, que nos fornece um quadro de Deus diferente do de muitos outros livros do Antigo Testamento. Em contraste com outros livros, a autoria genuína do autor que tem estado tradicionalmente vinculado a esse livro, nunca foi posta em dúvida. E nem os estudiosos jamais duvidaram das relações históricas do livro, conforme se vê em Osé. 1:1. Cronologicamente falando, Oséias não deve ser posto antes de Amós (como aparece em *Baba Bathra* 14:b); mas a sua importância faz com que mereça estar no começo dos profetas menores.

X. Oséias Ilustra O Princípio Da Restauração

Israel havia adotado toda forma de paganismo, tendo caído em pecado grave, em apostasia, tornando-se uma nação pagã entre nações pagãs. Jezreel (Osé. 1:4) nasceu da esposa adúltera de Oséias a fim de simbolizar a iminente destruição da casa de Jeú e o cativeiro assírio. Em seguida, nasceu-lhes uma filha, que recebeu o nome de Lo-Ruama (Osé. 1:6), um nome que significa «não compadecida». Deus haveria de retirar sua misericórdia protetora de Israel, por um longo tempo. Misérias incontáveis sufocariam a vida nacional de Israel. Seu povo seria disperso; eles perderiam seus territórios; a adoração sagrada sofreria interrupções. Haveria muitos longos séculos de agonia. Em outras palavras, um *severo juízo* sobreviria àqueles que antes tinham sido povo de Deus. Nasceu então um filho, de Oséias e Gômer, que se chamou *Lo-Ami* (Osé. 1:9), que significa «não meu povo». Até hoje Israel continua sendo «não meu povo», enquanto está sendo dada a oportunidade de salvação aos gentios. Portanto, está envolvido um processo de séculos de julgamento devastador.

A esposa adúltera, verdadeiramente, foi repelida. No entanto, foi explicado ao profeta que ele deveria chamá-los de *Ami*, que significa «meu povo», e de *Ruama*, isto é, «compadecida» (Osé. 2:1). Notemos que essas palavras são a reversão verbal dos nomes conferidos aos filhos de Oséias. Essas reversões verbais, pois, falam de uma restauração que deverá abençoar a Israel, graças aos infalíveis e poderosos propósitos de Deus, embora esses propósitos possam precisar de muito tempo para se cumprir. Em nossos dias, a restauração final continua sendo assunto apenas predito nas profecias bíblicas. Paulo tomou esse tema, em Rom. 11:25,26, fazendo do mesmo uma importante doutrina evangélica. O apóstolo, pois, renovou a esperança e o ensino de Oséias. Temos provido um artigo separado sobre o assunto, chamado *Queda e Restauração de Israel*. Essa restauração está esperando o tempo do fim e a intervenção que será realizada pelo próprio Cristo. Ver Osé. 13:9 — 14:9.

Várias lições ótimas são dadas por Oséias, quanto à natureza da restauração de Israel:

1. O pecado exerce efeitos devastadores sobre um indivíduo ou sobre uma nação, conforme for o caso.

2. O pecado precisa ser severamente punido, em consonância com o rigor da justiça.

3. Nesse juízo, um povo inteiro foi declarado «não compadecido» e «não povo de Deus». O que mostra a severidade desse julgamento divino.

4. Os grandes juízos divinos podem perdurar por longo tempo, realmente. Israel, desde antes do cristianismo, não teve modificada a sua condição diante de Deus, após tantos séculos. Creio que o julgamento dos perdidos atingirá os ciclos da eternidade futura. Apesar da morte biológica do indivíduo não pôr fim à oportunidade (I Ped. 4:6), ainda assim deixa cada um de nós sob o juízo apropriado. Cada alma permanecerá sob juízo durante o tempo que for mister para que pague por seus erros e seja restaurada, *através* do juízo. Em outras palavras, o julgamento será *um* dos meios envolvidos nessa restauração. Não antecipo que todas as almas sofrerão o mesmo grau e nem a mesma duração de julgamento. Isso variará de acordo com a reação de cada indivíduo, e à obra que nele estiver sendo efetuada, pela graça de Deus.

5. *O juízo divino é punitivo*, conforme é ilustrado pelo livro de Oséias. Por outro lado, também é *restaurativo*, conforme mostra esse mesmo livro. Em outras palavras, o juízo realiza algo, a saber, restaura. O julgamento da cruz foi um severíssimo golpe contra o pecado; mas também se revestiu de poderes remidores. Assim, todos os julgamentos divinos são golpes contra o pecado, produzindo miséria e sofrimento. Porém, também vão muito além disso, livrando o homem das tempestades e trazendo até ele o **raiar de um Novo Dia, onde a graça restauradora de Deus resplandece em todos os lugares de sua criação.**

6. Os assírios vieram e puseram fim à nação do norte, Israel. Séculos e séculos de sofrimentos têm-se seguido desde então. Mas a promessa de restauração final permanece firme. O propósito de Deus continua operando. Não foi cancelado pelo julgamento. O mesmo sucede no caso de *todos os homens*. Os homens estão dispersos e são cativados pelo diabo. O julgamento haverá de sobrevir a todos os homens, e isso fará com que a vasta maioria deles tenha de ir para as dimensões espirituais do julgamento. Porém, a misericórdia de Deus garante que esse estado, em si mesmo, tem um efeito restaurador, conforme encontramos em I Ped. 4:6 e Efé. 1:9,10. Esse propósito opera até nos ciclos da eternidade futura, abrangendo um tempo muito longo, da mesma maneira que o povo de Israel tem estado sob o juízo divino, há muitos séculos. Porém, Deus escreverá um capítulo final de misericórdia e graça; e todos os homens haverão de exultar no Logos, como o grande Benfeitor e como a razão e o alvo de toda a existência humana, mesmo que nem todos venham a obter a redenção que há em Cristo. Isso, meus amigos, é um

evangelho otimista, é boas novas para os homens, garantido pelo amor de Deus, em Jesus Cristo.

XI. BIBLIOGRAFIA: AM BA E HARR I IB IOT OES SN WBC WES YO Z

OSIANDER, ANDREAS

Ele foi um reformador alemão, cujas datas foram 1498-1552. Foi um brilhante mas errático teólogo luterano, antepassado de uma longa linha de eminentes eruditos e teólogos. Nasceu em Gunzenhausen, em Brandenburgo, filho de um ferreiro. Foi educado em Leipzig, em Altenburg e na Universidade de Ingolstadt. Foi ordenado padre em 1520 e ajudou a reformar a cidade imperial livre de Nüremberg, segundo moldes estritamente luteranos.

Atuou como pastor e professor, em Koenigsberg. Introduziu então o que veio a ser conhecido como o ponto de vista de Osiander sobre a expiação. Isso provocou intensa controvérsia no seio da Igreja luterana. Ele rejeitava a teoria forense da justificação como um artifício, seguindo a analogia da lei romana, e preferia falar sobre Deus como um médico que cura almas, e não como um juiz que declara um homem livre da culpa de seu crime. Assim, Deus tornaria um homem justo, em vez de meramente declará-lo tal. Também enfatizava a natureza divina de Cristo, que vem habitar em nós e transformar-nos. Isso provocou uma controvérsia que só encontrou solução quando da *Fórmula de Concórdia* (vide). Osiander faleceu a 17 de outubro de 1552, quando a controvérsia ainda prosseguia.

Osiander é mais lembrado por causa de sua afirmação que Cristo outorga ao crente «a retidão essencial de sua natureza divina», o que foi repudiado por muitos luteranos. Porém, podemos ir ainda mais longe: Cristo proporciona ao crente não somente essa justiça, mas a sua própria natureza, com todos os seus atributos, o que significa a participação na natureza divina (II Ped. 1:4) e «toda a plenitude de Deus» (Efé. 3:19; Col. 2:10). Forçoso é reconhecer, porém, que essa natureza divina só será visível quando tivermos ressuscitado dentre os mortos, segundo se aprende em I João 3:2. Mas, potencialmente, já temos em nós essa realidade espiritual, que se manifesta em um e em outro em graus os mais variados. Nisso consiste a essência mesma da salvação, olhada pelo prisma da *filiação* (vide). Ver também o artigo intitulado *Transformação Segundo a Imagem de Cristo*.

OSÍRIS

Tal como sucede com as noções sobre as divindades pagãs, esse deus teve um desenvolvimento em sua história. Ao que parece, ele começou como um deus do rio Nilo de Busiris, no delta desse rio. Em Abidos havia um importante santuário dedicado a essa divindade. De acordo com a mitologia egípcia, Osíris foi assassinado por *Sete* (vide). Mas o filho de Osíris, Horus, juntou os pedaços do corpo despedaçado de seu pai e tornou a reuni-los em um só corpo, conferindo-lhe então a vida. Temos aí uma estranha distorção doutrinária, onde um filho dá vida a seu pai. O fato é que essa história tornou-se símbolo dos poderes doadores de vida, que podem ser aplicados a todos os seres humanos, segundo aquele mito.

Em seguida, Osíris é apresentado como dirigente do mundo inferior. Mais tarde, exaltado a uma posição superior, ele passou a ser concebido como o deus do céu, e começou a aparecer como uma divindade entronizada. Dizia-se de Faraó do Egito que ele era filho de Osíris, pelo que a teologia entrou na política. De acordo com o culto a Osíris, a salvação humana é obtida através da prática de ritos e de princípios morais. Esses ritos eram efetuados por um sacerdócio. Segundo esses sacerdotes ensinavam, Osíris teria atingido a imortalidade através desses ritos, tornando-se um pioneiro no caminho que deve ser seguido por todos os homens. Durante o reino médio e o império egípcios, surgiram novos conceitos acerca de Osíris, e a bênção pessoal dos salvos foi enfatizada. Um juízo formal veio a tornar-se parte da esperada cena celestial. Osíris passou a ser o rei que julga às almas. Sentado em seu trono, aparecia munido de cetro e látego, usando esses objetos de acordo com os requisitos de cada caso. Os mitos variavam quanto aos detalhes. De acordo com os anais de Heliópolis, Osíris aparece como membro da última geração de descendentes de Atom. Ali, foi Ísis, e não Horus, quem reuniu os pedaços do corpo do assassinado Osíris.

Já nos tempos do império romano, Osíris e Ísis foram unidos em uma religião misteriosa. O tema principal era o mesmo que no antigo Egito. Uma divindade morrera, mas fora trazida de volta à vida. E nisso jaz a esperança da imortalidade, mediante a participação no mesmo programa. Ver *Religiões Misteriosas* (*dos Mistérios*).

Uma Tríade. Nesse relato mitológico temos uma das muitas tríades religiosas que atingiram seu ponto culminante na doutrina cristã da Trindade. Nessa trindade egípcia vemos Osíris, sua esposa, Ísis, e o filho deles, Horus. Ver o artigo intitulado *Tríades Divinas*.

OSNAPAR

Esse nome acha-se na Bíblia somente em Esd. 4:10 (em nossa versão portuguesa , Asnapar), em uma carta escrita em aramaico, enviada por Reum, comandante, e por Sinsai, o escriba, e seus associados, ao rei da Pérsia, Artaxerxes. Essa carta exortava-o a determinar a cessação da reedificação das muralhas de Jerusalém, e a restauração daquele lugar, após o cativeiro babilônico, pelos judeus que dali haviam retornado. Normalmente, os intérpretes identificam Osnapar com *Assurbanipal* (vide), que sucedeu no trono a seu pai, Esar-Hadom, como monarca da Assíria (669 A.C.). Ele capturou Tebas, no Egito, em 663 A.C., e combateu contra vários povos da região. O artigo intitulado *Assurbanipal* narra a história inteira.

OS ONZE

Os onze discípulos remanescentes de Jesus (após o suicídio de Judas Iscariotes) são mencionados após a morte expiatória do Senhor, em Atos 1:26; 2:14; Mat. 28:16; Mar. 16:14; Luc. 24:9,33.

O original grego traz sempre o artigo definido, «os onze», a fim de distingui-los dos demais discípulos de Jesus. Entretanto, com a eleição de Matias ao ofício apostólico (Atos 1:26; 6:2 e Apo. 21:14), o número desses discípulos especiais tornou a ser de *doze*, ainda que alguns estudiosos insistam que os apóstolos enganaram-se quando da eleição de Matias, porquanto Deus sabia que o número seria completado por Paulo, bem mais tarde. Paulo usou o termo técnico «doze» quando se referiu às testemunhas da ressurreição (I Cor. 15:5), ainda que, estritamente falando, os onze discípulos restantes é que tenham prestado, inicialmente, esse testemunho. Mateus, Marcos, Lucas e o livro de Atos afirmam que os onze foram as testemunhas da ressurreição. Ver o artigo geral sobre os *Apóstolos*.

Ostraca Antiga, — Cortesia, Agora Excavations, American School of Classical Studies, Athens

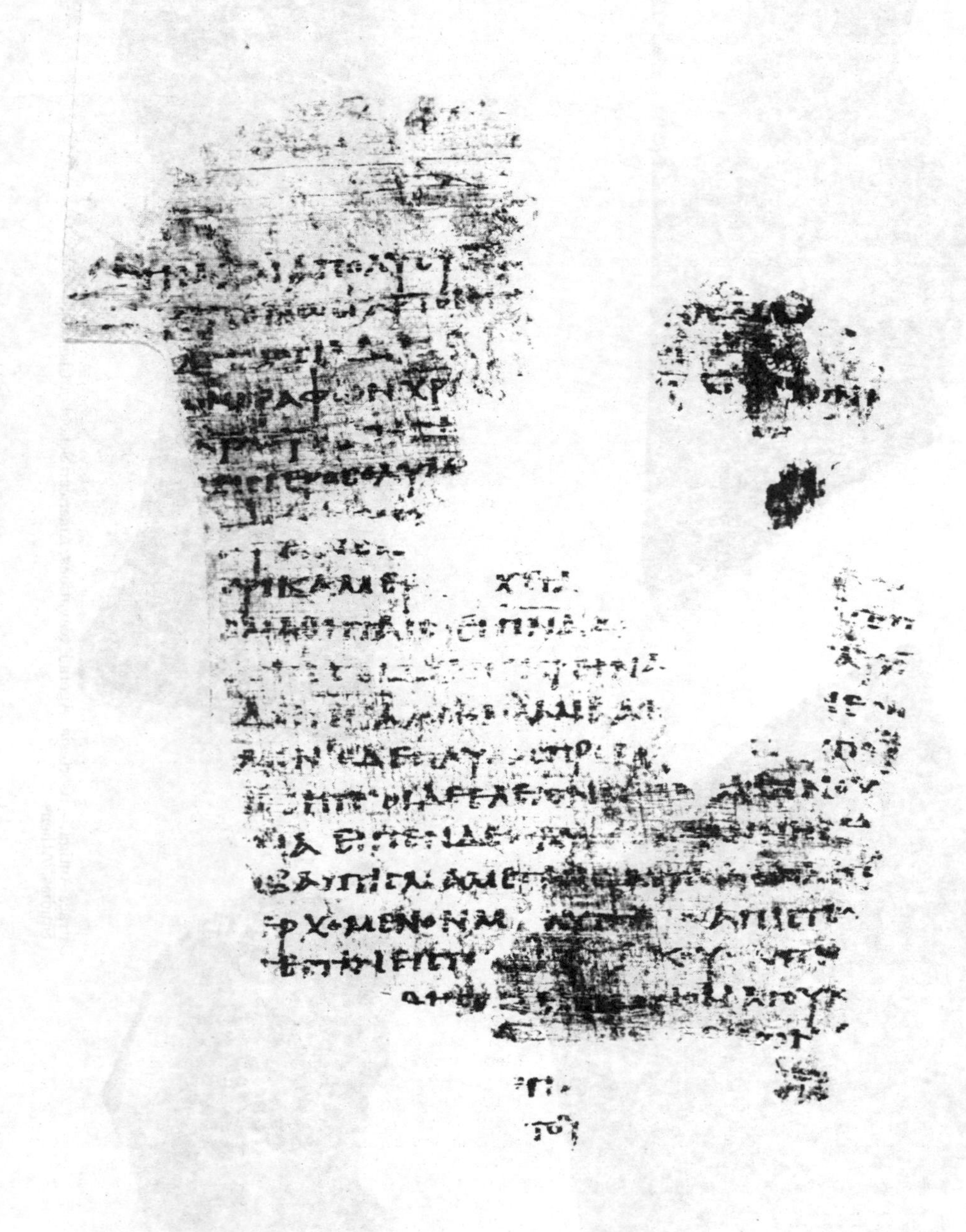

P(38) c. 300, Atos 18:27-19:6, — Cortesia, University of Michigan

OSSO(S)

No heb. a palavra mais comum é **etsem** que ocorre por 97 vezes, desde Gên. 2:23 até Hab. 3:16. No grego, a palavra é *osteón* (Mat. 23:27; Luc. 24:39; João 19:36 (citando Êxo. 12:46; cf. Sal. 34:21); Heb. 11:22). Quase todas as referências bíblicas são literais, referindo-se àquela parte durável do corpo humano. Mas, ocasionalmente, encontramos um uso metafórico, em que *ossos* indica os sentimentos profundos, os afetos e as afiliações (ver Gên. 29:14; Juí. 9:3; Jó 2:5; Sal. 42:10; Efé. 5:30).

O sepultamento decente dos cadáveres sempre fez parte importante das culturas humanas, quando então se dizia que os «ossos» descansavam, e a natureza seguia seu livre curso. Ver Gên. 1:25; Heb. 11:22; Eze. 39:15. Religiosamente falando, o contato com ossos humanos era considerado contaminador. Ver Núm. 19:16. Queimar os ossos de um morto era algo que muito os profanava (ver II Reis 23:20). Havia também a crença de que os ossos (real ou simbolicamente) podiam preservar a vitalidade da pessoa, que ela tivera em seu corpo físico. Vê-se reflexos disso em II Reis 13:21. Ver a metáfora do «ossos secos», em Eze. 38:1,2. Quebrar e espalhar ossos era emblema de derrota absoluta, infligida ao inimigo (Sal. 43:5; Isa. 38:13). Queimar os ossos era considerado um ato pecaminoso (Amós 2:1). Uma notável profecia teve cumprimento quando os ossos do Senhor Jesus não foram quebrados (João 19:36); e alguns intérpretes têm pensado que isso simboliza a Igreja. Ver Sal. 34:20. O trecho de Sal. 22:14,17 mostra-nos que os sofrimentos de Cristo envolveram uma agonia que descia até os seus próprios ossos.

OSSUÁRIOS

Essa palavra portuguesa vem do latim, **ossis**, «osso», e, mais particularmente, de **ossuarium**, «para ossos». Um ossuário é uma caixa para guardar ossos de pessoas mortas, depois da carne ter-se desprendido e sido consumida, ficando os ossos secos. Quando restam somente os ossos, o espaço capaz de contê-los é bem menor, e os ossos dos membros de famílias inteiras podem ser guardados em lugares compactos, como em prateleiras (no latim, *loculi*), escavadas em rochas ou encostadas em paredes. A arqueologia tem descoberto câmaras para os ossos de famílias inteiras. Os ossuários eram feitos de pedra ou de argila queimada no forno. Com freqüência, essas caixas eram decoradas com entalhes e pinturas, predominantemente figuras geométricas.

Embora a Bíblia não use essa palavra, tal prática era comum nos tempos bíblicos. É possível que uma antiga representação de uma casa, em argila queimada no forno, pertencente aos tempos calcolíticos (cerca de 4000-3000 A.C.), na realidade tenha sido um ossuário. Porém, quase todos os ossuários descobertos pelos arqueólogos datam dos tempos romanos. Têm sido encontrados ossuários de origem judaica e de origem cristã. Alguns desses ossuários são de dimensões bem pequenas, algo como de 30 a 50 cm de largura, e de 25 a 40 cm de comprimento. E mesmo os ossuários maiores dificilmente chegam aos 90 cm de comprimento. As inscrições encontradas nos ossuários confirmam muitos nomes bíblicos, como Salomé, Judá, Simeão, Marta, Eleazar, Nataniel, Jesus (Josué), etc.

ÓSTIA

No latim, «boca». Esse era o nome de uma cidade localizada na boca (daí o nome) do rio Tigre. Era um famoso porto marítimo de Roma. Um porto vinculava essa cidade à Via Ostiana. A cidade de Roma foi construída às margens do rio Tigre, cerca de vinte e seis quilômetros da costa marítima. Isso se deveu a razões de comércio e de segurança militar. Quando a cidade cresceu, tornou-se necessário o acesso mais fácil à costa. E foi assim que a cidade de Ostia foi fundada, em cerca de 350 A.C., a fim de servir de porto para a cidade de Roma. Durante a segunda guerra Púnica (218-210 A.C.), Óstia serviu como base naval. Mas, em tempos de paz, o lugar era um centro de comércio, por onde circulavam riquezas. Óstia era a porta de entrada do tráfico de cereais da Itália. Roma precisava importar quase todo o cereal que consumia, que lhe chegava da ilha de Sicília ou da África. Com a passagem do tempo, Óstia foi adquirindo importância cada vez maior. Tornou-se assim um centro religioso, comercial e militar. Calígula, imperador romano, construiu um aqueduto para suprir água à cidade. No século II D.C., Óstia atingiu o zênite de seu poder, contando então com seis balneários, um teatro, um anfiteatro e edifícios civis e religiosos em profusão. Mais de seis mil inscrições têm sido encontradas ali, abordando todos os aspectos da vida romana, confirmando muitos itens históricos. O deus patrono de Óstia era Vulcano. Ali, porém, havia toda espécie de culto pagão, incluindo a adoração a Ísis e à Magna Mater. Ver sobre *Religiões Misteriosas (dos Mistérios)*, especialmente sobre o culto a *Mitra*.

Não há registros sobre a presença do cristianismo nesse lugar, senão já em cerca de 280 D.C. Mas parece indubitável que, nos tempos apostólicos, houve ali uma igreja cristã, devido à sua localização, tão perto de Roma.

A decadência da cidade começou no século III D.C. Os godos saquearam-na, como também o fizeram os hunos e os sarracenos. Aumentaram as enfermidades no lugar, e, finalmente, certas condições tornaram a cidade essencialmente desabitada. As escavações arqueológicas modernas começaram ali em 1909. E grande parte da antiga cidade foi aberta às pesquisas científicas e à contemplação curiosa dos turistas. Essa região serve de testemunha silenciosa acerca dos grandes armazéns, ricos edifícios, casas de comércio, santuários e também das riquezas que circundavam a cidade de Roma, mas que os séculos conseguiram obliterar da face do planeta.

OSTRACA (OSTRACOS)

Ostraca é a transliteração da forma plural do termo grego *óstrakon*, «concha», «fragmento de vaso de barro». Nesta enciclopédia, a forma grega foi usada em quase todas as ocorrências; mas, ocasionalmente, aparece *ostracos* (a forma portuguesa da palavra, no plural). Na antiga Grécia, pedaços de cerâmica eram usados no processo da votação de oficiais públicos e nas assembléias. Da circunstância que dessa votação às vezes havia banimentos, é que temos a moderna palavra «ostracismo». A arqueologia tem descoberto muitos milhares de ostraca, que se revestem de alguma importância, por causa das inscrições em muitas delas. Há nesses fragmentos algum testemunho em favor de textos do Novo Testamento, devido à circunstância que alguns dos antigos cristãos escreveram versículos da Bíblia em pedaços de barro, transformando-os assim, para nós, em documentos confirmatórios. Existem cerca de vinte e cinco dessas ostraca que contêm porções dos seguintes versículos do Novo Testamento: Mat. 27:31,32; Mar. 5:40,41; 9:17,18,22; 16:21; Luc. 12:13-16; 22:40-71; João 1:1-9; 1:14-17; 18:19-25; 19:15-17.

Fragmentos de cerâmica serviam de material

barato de escrita. Eram empregados em documentos, cartas, breves memorandos, recibos, listas breves de artigos e anotações breves das mais variadas naturezas. Alguns oráculos e predições, ou expressões de sentimentos religiosos também têm sido encontrados nesse tipo de material de escrita. Visto que tal material é virtualmente imperecível, algumas das mais antigas inscrições encontradas pela arqueologia aparecem em ostraca.

No estudo do pano de fundo bíblico, as ostraca mais importantes são aquelas da coletânea samaritana e das cartas de Laquis. Mais de setenta ostraca foram encontradas, guardadas em um palácio de Samaria. Eram recibos acerca de azeite e vinho, pagos como taxas, ao rei. Evidentemente datam do século VIII A.C., durante o governo de Jeroboão II. Além disso, em Laquis (Tell ed-Duweir) foram descobertas cartas escritas sobre esse material, por um comandante da cidade, pouco depois dos babilônios terem-se apossado do lugar. Algumas informações sobre os anos finais do reinado de Judá têm sido encontradas por esse intermédio.

OTIMISMO

Ver também sobre o **Pessimismo**.

Esboço:

1. Definição
2. Algumas Idéias Filosóficas
3. Algumas Idéias Religiosas

1. Definição

Essa palavra portuguesa vem do latim **optimum**, «o melhor». Trata-se da forma superlativa de **bonum**, «bom». Na filosofia e na teologia, o *otimismo* é o ponto de vista que insiste que o mundo, mormente a vida humana, é inteiramente boa, ou, pelo menos, é tão boa quanto possível (apesar de alguns problemas), é boa o suficiente para que a vida seja digna de ser vivida; ou, então, que, a despeito da vida diária ser agora dolorosa e difícil, finalmente ela tornar-se-á boa (segundo diz o otimismo escatológico); ou ainda que, de modo geral, a vida é boa, embora de mistura com elementos do mal e do caos; ou ainda, finalmente, que a vida está melhorando e oferece esperança (*meliorismo;* vide). O otimismo representa uma esperança geral acerca do *equilíbrio* entre o bem e o mal, entre o prazer e a dor. O otimismo usualmente requer o conceito que as coisas estão naturalmente bem-ordenadas (ou divinamente bem-ordenadas), conferindo-nos a esperança que tudo está melhorando, e garantindo um respeitável bom estado. No terreno da teologia, essa doutrina está presa aos fatores da vontade, do amor e do poder de Deus.

2. Algumas Idéias Filosóficas

A maioria dos sistemas filosóficos representa uma posição pelo menos parcialmente otimista. O ceticismo, porém, é uma exceção, pois é pessimista. Conforme diz Górgias, se nada existe, então não temos alicerce algum para nos mostrarmos otimistas. Platão (em *Timaeus* 53B) exprimiu a idéia de que as coisas são tão boas quanto é possível, embora estejam longe de ser perfeitas. Contudo, de acordo com sua visão da vida humana na terra, que ele pensava ser como um sepulcro, ele se mostrou pessimista. Mas, em sua doutrina do retorno da alma para a unidade com o Real, ele falava de forma otimista. Mas, ao meditar que muitas almas jamais completarão a vereda, ele falava de forma pessimista. Leibnitz ofereceu-nos uma declaração clássica de otimismo quando proferiu sua frase: «Nosso mundo é o melhor mundo possível». E isso porque ele tinha fé na bondade geral e no poder do Deus que criou este mundo, da maneira que o mundo é. Emanuel Kant, apesar de ter apoiado Leibnitz em sua idéia, no começo de sua carreira, em seus anos finais de vida falava em sentido mais pessimista, sobre como o mal é radical neste mundo.

O *pessimismo* (vide) foi expresso com maestria, no século XIX, nos livros de Schopenhauer. Ele pensava que a própria existência é um mal, e que seria ótimo se Deus deixasse que todas as coisas caíssem no olvido. Nietzsche também pronunciou-se de forma pessimista, em sua filosofia. Heidegger, Sartre e outros filósofos existencialistas enfatizaram os aspectos pessimista da morte, da redução ao nada e da ansiedade, que seriam aspectos fundamentais da experiência humana. Não obstante, alguns filósofos pessimistas vêem no poder de Deus e na missão de Cristo um triunfo final possível do bem (finalmente, predominaria o otimismo).

3. Algumas Idéias Religiosas

A maneira dos orientais, que frisam a natureza ilusória do mundo físico, não percebem nele qualquer presença do mal. Muito pelo contrário, elas até pretendem ver em todas as nossas tribulações e tristezas os acenos de uma grande comédia divina. Os homens afundariam no desespero por pensarem de forma errada. Entretanto, é bastante pessimista a ênfase dessas religiões sobre um ciclo interminável de *reencarnações* (vide). Segundo essa noção, os homens ficam a carregar, vezes sem conta, as suas cargas, animados apenas pela remota esperança de, daí a alguns milhares de reencarnações, poderem ser reabsorvidas as suas almas pelo Poder Maior.

••• ••• •••

O Cristianismo. A Bíblia ensina-nos a tremenda potência do pecado humano, e como as transgressões humanas têm trazido o sofrimento e o caos a este mundo. O quadro pintado pelo cristianismo, quanto à presente condição do mundo, não é otimista. Mas é otimista a sua apresentação do evangelho, com a tríplice missão de Cristo (na terra, no hades e nos céus), pois agora o Espírito de Deus está aplicando a sua influência e o seu poder entre os homens, e Deus continua assentado em seu trono, não tendo deixado o mal tomar os freios nos dentes. Assim, pois, não existe condição adversa que não possa ser revertida. Apesar do *meliorismo* (vide) ser repelido nas Escrituras Sagradas, no tocante àquilo que o homem pode fazer, esse mesmo meliorismo é entusiasticamente saudado, quando se trata da atuação do Espírito Santo.

Um Cristianismo Pessimista. Para mim, é deveras lamentável que o calvinismo (com sua lata influência) tenha introduzido uma visão pessimista no cristianismo. Esse sistema afirma claramente que somente os eleitos de Deus têm qualquer motivo para se sentirem felizes. Os não-eleitos nada teriam de bom para esperar. De fato, estão destinados a queimar eternamente nas chamas eternas. E, para piorar ainda mais esse horror, o calvinismo informa-nos que o amor de Deus só tem qualquer aplicação substancial aos eleitos, e que até o poder predestinador está por detrás daquele plano de condenação da maioria. Assim sendo, esse plano pessimista (no que tange aos não-eleitos) haverá de ter cumprimento, inevitável e inexoravelmente. O que poderia ser mais pessimista do que isso? De acordo com esse ponto de vista, em última análise o evangelho conseguirá fazer bem pouco, à luz do fato de que Deus amou ao mundo inteiro dos homens (João 3:16), e que Cristo morreu pelos pecados de *todos* os homens (I João 2:2). O calvinismo ignora inteiramente o princípio necessário da *polaridade* (vide) doutrinária, bem como aquelas passagens bíblicas que mostram a visão contrária do outro pólo de pensamento. O calvinismo tem alergia dos paradoxos, e preferiu a parte menos esperançosa da doutrina cristã como sua base.

Um Cristianismo Otimista. O *universalismo* (vide) imagina que todos os seres humanos serão igualmente salvos, afinal. Meu ponto de vista é que Deus remirá os eleitos e restaurará aos perdidos, de acordo com o mistério de sua vontade. Ver Efésios 1:9,10. Isso requererá a cooperação da tríplice missão de Cristo: na terra, no hades e nos céus. Essa missão foi, está sendo e continuará a ser efetuada para sempre. Ver sobre *Descida de Cristo ao Hades* e sobre *Restauração*, quanto à minha otimista interpretação da missão de Cristo. Essas doutrinas tornam o cristianismo uma fé otimista, e os labores de Cristo bem-sucedidos, sem limitações. Todavia, esses vários aspectos da missão de Cristo não realizarão a mesma coisa para todos. Deus fará o bem, aplicável a diferentes classes de almas humanas, de diferentes modos. Mas, finalmente, a grandiosa obra do Artista-Mestre poderá ser vista, sem qualquer defeito. Por assim dizer, ele está produzindo um grande e intrincado quadro, e podemos estar certos de que ele não dará nenhuma pincelada fora de lugar. As cores, as vivas e as escuras, serão vistas como igualmente necessárias para a pintura final. O trecho de Efé. 1:9,10 mostra-nos que essa obra deverá estender-se à eternidade futura, atravessando eras antes de completar-se. Assim sendo, a missão de Cristo, na terra, constitui um pequeno fragmento da extensão de seus esforços redentores-restauradores. Enquanto a pintura está em andamento, homens rebeldes sofrerão por muitas e muitas vezes, por causa de seus pecados, visto que o julgamento divino é perfeitamente real. Porém, o próprio julgamento é um dedo da amorosa mão do Senhor Deus, e constitui algumas das pinceladas do Artista-Mestre, necessárias para a beleza da pintura final. De fato, sem essas pinceladas de um Pai disciplinador, não emergiria a beleza final do quadro.

Não obstante, não deveríamos fazer estagnarem-se os nossos pensamentos no ponto do julgamento, mas olhar para além, para aquilo que o mesmo produzirá. O trecho de I Ped. 4:6 ensina-nos claramente a natureza restauradora do próprio julgamento. Essa é uma doutrina otimista em meio a uma cena otimista geral. Para aceitarmos esse tipo de fé otimista é mister que nos apeguemos a certos versículos do Novo Testamento, onde ela se evidencia; e também é mister que desistamos de outros textos de prova tradicionais que exprimem um ponto de vista pessimista do que Deus, finalmente, fará. Para exemplificar, quando aceitamos o Novo Testamento, tivemos de desistir do Antigo Testamento como nosso guia, quanto a muitos pontos. Isso posto, não será grande coisa desistirmos de conceitos neotestamentários mais primitivos, a fim de vermos claramente e aceitarmos as suas doutrinas mais avançadas. Quanto a mim, sinto-me seguro e feliz no poder de Deus, otimista ao longo do caminho. O amor de Deus está por detrás do seu poder, e não atrás de poderes destrutivos. No entanto, até os poderes destrutivos de Deus têm por finalidade curar, e não destruir, em última análise. Conheci pessoalmente um dos principais líderes do movimento Batista fundamentalista. De certa feita, ao falar sobre a horrenda doutrina do inferno eterno, ele afirmou, em particular: «No fundo do coração, creio que Deus cuidará disso, finalmente». Mas eu assevero isso em termos mais definidos: que Deus cuidará desse aspecto já é um ensino do Novo Testamento. conforme procuro demonstrar nos artigos acima referidos. Se isso não é verdade, é difícil ver como o *evangelho* possa ser chamado de boas-novas para a grande maioria dos homens. De fato, em vez de evangelho (boa mensagem) teríamos um *ponerós-angelho* (má mensagem). Para mim, é doloroso ouvir o *ponerós-angelho* ser pregado nas igrejas, onde o poder e o amor de Deus deveriam estar sendo mais plenamente anunciados.

Não nos deveríamos esquecer que as chamas do inferno foram acesas pela primeira vez no livro de *I Enoque* (vide), um dos livros pseudepígrafos. Essa doutrina não emergiu do Antigo Testamento. Os livros do Novo Testamento tomaram por empréstimo várias idéias e expressões dos livros pseudepígrafos, o que demonstro claramente em meu artigo sobre I Enoque. Mas o Novo Testamento também foi além dessa doutrina, em certas de suas porções. Deveríamos considerar essas porções, em vez de nos apegarmos rigidamente a idéias preliminares, inferiores. O julgamento divino é uma temível realidade, mas não constitui o capítulo final da revelação. Outrossim, essa temível realidade faz parte da mensagem de esperança que diz que o próprio julgamento divino redundará em bem, no sentido de melhoria final dos condenados, em algum tempo dos ciclos da eternidade. Destarte, conforme diz certo hino evangélico, o amor de Deus desce até o mais profundo inferno. O amor de Deus é mais vasto do que a língua ou a pena são capazes de descrever. Faz brilhar a luz da esperança através dos corredores do tempo, iluminando a história inteira da humanidade. Isso é o que deveríamos esperar do Deus cujo nome é Amor.

OTIMISMO MORAL

O otimismo moral é uma expressão cujo sentido é paralelo ao *meliorismo* religioso. A forma religiosa do meliorismo ultrapassa à idéia geral que as coisas podem ser melhoradas. Fica pressuposto que as coisas podem ser aprimoradas mediante o Fator Divino. Em outras palavras, Deus pode intervir para melhorar as coisas, transcendendo aos esforços humanos. Os esforços humanos mais heróicos são insuficientes para melhorar o mundo em que vivemos. Isso posto, os homens são forçados a depender da bondade e da graça divinas. Ver sobre o *Otimismo*.

OTNI

Uma forma abreviada de Otniel, que significa «Deus é poderoso». Esse era o nome de um dos filhos de Semaías. Ele foi um porteiro levita coraíta, um servo do templo (I Crô. 26:7). Viveu por volta de 1015 A.C.

OTNIEL

No hebraico «Deus (El) é poderoso», ou, então, «leão de Deus». Esse foi o nome de duas personagens que figuram nas páginas do Antigo Testamento:

1. *O Primeiro Juiz de Israel*. Esse homem é mencionado por ocasião da conquista de Quiriate-Sefer (posteriormente denominado Debir). Ele era filho de Quenaz, irmão mais jovem de Calebe (Juí. 3:9). Parece que Quenaz era o cabeça da tribo de Judá; e parece que Otniel, como filho de Jefoné, era descendente de Quenaz, ou talvez fosse um seu filho direto. Algumas vezes, Calebe é chamado de «quenezeu» (ver Núm. 32:12; Jos. 14:6,14), o que talvez signifique que ele era filho de Quenaz e irmão

mais velho de Otniel. Seja como for, Quiriate-Sefer (Debir) fora alocada a Calebe, e este ofereceu sua filha como recompensa a quem a capturasse. Otniel ganhou o prêmio (ver Jos. 15:16,17; Juí. 1:12,13). Ao que parece, a cidade fora capturada e, então, perdida de novo; ou, então, embora verbalmente «dada» a Calebe, nunca havia sido ocupada pelos judaítas.

A época de Otniel foi de apostasia em Israel. Os israelitas tinham começado a servir aos baalins, adorando a Astarote nos bosques. O juízo divino que sofreram, por esse motivo, foi que foram entregues ao poder de Cusã-Risataim, rei da Mesopotâmia. E os israelitas ficaram sujeitos a uma dura servidão, durante oito anos. Otniel, pois, foi levantado por Deus para ser o libertador. Recebeu uma unção especial, da parte do Senhor, para poder desincumbir-se da tarefa. Ele venceu na batalha contra o rei estrangeiro, e a terra de Israel teve descanso durante quarenta anos. Otniel realizava os serviços tanto de juiz quanto de libertador, conforme indicam os trechos de I Sam. 7:15 e 8:20. Ele viveu por volta de 1360 A.C.

2. Outro homem, provavelmente do mesmo nome, é mencionado em I Crô. 27:15. Ele foi um dos antepassados de Heldai, e chefe de uma família de netofatitas. Talvez ele pertencesse à família do Otniel descrito no primeiro ponto, acima, e foi um oficial que serviu a Davi. Na referência dada acima é dito que ele era «de Otniel».

OTONIAS

O cânon palestino não menciona esse nome; mas seu nome aparece no cânon alexandrino, em I Esdras 9:28. Ele foi um daqueles que haviam tomado esposa estrangeira, na Babilônia, mas que, após o retorno do remanescente de Judá, do cativeiro na Babilônia, foi obrigado a divorciar-se dela.

OTTO, RUDOLF

Suas datas foram 1869-1937). Ele foi um filósofo alemão, seguidor de Emanuel Kant. Foi membro da escola neofriesiana, também chamada escola de Gottingen, ou escola neokantiana. Especializou-se na filosofia da religião. Foi professor de teologia sistemática, em Marburgo.

Idéias:

1. Ele aplicava a filosofia e as religiões comparadas aos estudos teológicos; e também empregava a história para obter uma destilação de conceitos, o que veio a tornar-se importante em sua versão da filosofia da religião.

2. Ele é melhor lembrado por sua idéia sobre o *santo*. Esse estudo levou-o a postular o que ele chamava de *numinoso*, o nome que ele dava à abordagem de Deus como o *Mysterium Tremendum* (vide) e também como o *Mysterium Fascinosum* (vide). Deus está acima da pesquisa humana, com base na percepção dos sentidos, e também está acima da razão humana. O *numinoso*, pois, é aquele senso de profundo respeito que se apossa do adorador, quando este chega na presença do *Mysterium Tremendum*. Deus é um mistério inexcrutável, mas, em estados místicos, ou no estado de contemplação, conseguimos obter algo de sua grandeza. Deus também é o mistério que encanta, e podemos sentir algo de sua santidade e vastidão. Esses três conceitos, o *numinoso*, o *mysterium tremendum* e o *mysterium fascinosum*, compõem os elementos do conceito de santidade.

3. Otto aplicava sua filosofia e inquirição religiosa ao estudo do Novo Testamento; e o misticismo germânico tem procurado produzir um movimento capaz de unificar as fés do mundo, promovendo a compreensão entre os homens, as trocas de idéias, a colaboração e a unidade religiosa do mundo.

OUK ON

Temos aí a expressão grega que significa «não um». Também era usada para indicar o «não-ser». Ver o artigo intitulado *Nada*.

OURIÇO

No hebraico, **quippod**. Aparece somente em Isa. 14:23; 34:11 e Sof. 2:14. Tudo quanto envolve a fauna, a flora, etc., do Antigo Testamento, constitui problema de tradução, porque os israelitas não usavam termos científicos para designá-los. Por essa razão, as traduções dão vários animais, onde nossa versão portuguesa diz «ouriço». De acordo com as descrições do habitat, nessas passagens, a espécie em foco vivia em lugares desérticos. A tradução portuguesa está associada a uma raiz árabe, similar à palavra hebraica; mas o contexto, pelo menos em Sofonias, sugere alguma forma de lagarto. Alguns estudiosos têm sugerido alguma variedade noturna do íbis, além de outros pássaros. Como estamos vendo, não há como determinar precisamente o animal em pauta. (ND UN)

OURIVES

Há duas palavras hebraicas e uma palavra grega envolvidas neste verbete:

1. *Tsaraph*, «refinar», «purificar». Embora verbo, essa palavra é traduzida como adjetivo, «ourives», pelas traduções em geral, por cinco vezes: Nee. 3:8,32; Isa. 40:19; 41:7 e 46:6.

2. *Tsorephi*, «refinador», «purificador». Esse adjetivo ocorre somente por uma vez, em Nee. 3:31, dentro da frase, «Depois dele reparou Malquias, filho dum ourives...»

3. *Arqurokópos*, «artífice em prata». Esse vocábulo grego é usado somente em Atos 19:24, indicando Demétrio, que provocou tremenda agitação popular em protesto contra Paulo e outros pregadores cristãos que estavam prejudicando indiretamente o negócio deles, que consistia em fabricar nichos de prata da deusa Diana. Ele é chamado «ourives» em nossa versão portuguesa, embora não trabalhasse com ouro, e, sim, com prata.

A palavra hebraica indica alguém que *funde* algo, ou que refina algum metal. Ver Mal. 3:2,3. Um ourives trabalhava moldando a martelo, ou então moldando o metal após fundi-lo, obtendo o formato e a grossura desejados. As religiões idólatras muito empregavam as artes dos ourives, para formação de seus ídolos. Alguns desses ídolos eram apenas recobertos de ouro; mas também havia ídolos feitos de ouro puro. Ver Jer. 10:9; 51:17. Ver o artigo geral sobre a *Idolatria*. Os ourives mencionados em Nee. 3:8,21,32, conforme pensam alguns estudiosos, provavelmente eram joalheiros. Ver os artigos gerais sobre o *Ouro* e sobre *Artes e Ofícios*.

O trecho de Salmos 12:6 refere-se à «prata refinada em cadinho de barro, depurada sete vezes», quando procura mostrar o grande valor das Escrituras Sagradas. Sem importar se devemos entender literalmente ou não as palavras «depurada sete vezes», o que importa é que entendamos que a prata precisa ser refinada seguidamente, a fim de tornar-se pura.

Os ourives antigos, ou melhor, os «forjadores de prata», recobriam ídolos de madeira com uma fina camada de prata (Juí. 17:4; Jer. 10:9), que batiam a martelo. Conforme se sabe através da história, era na Espanha que se produzia quase toda a prata do mundo europeu antigo, incluindo o Oriente Próximo. De acordo com Salomão (ver Pro. 25:4), os ourives usavam a prata, depois que a escória da mesma era escumada, isto é, retirada. Porém, a julgar pela linguagem por ele usada, não se sabe dizer, por aquele trecho se eles recobriam de prata os ídolos, ou se batiam a martelo sobre esses ídolos. Isaías 40:19 fala das cadeias de prata que os ourives fabricavam a fim de adornar seus ídolos pagãos.

O caso bíblico mais notável que envolveu alguém dessa ocupação foi o de «um ourives, chamado Demétrio». Esse indivíduo fazia nichos de prata representando, provavelmente, templos em miniatura da deusa pagã Diana, a «santa» protetora dos efésios. Essa arte idólatra, no dizer ainda de Lucas, «dava muito lucro aos artífices». Sem tencionar fazê-lo, Paulo e sua equipe de pregadores mexeram com o bolso deles, pois os convertidos ao cristianismo abandonavam a idolatria e deixavam de comprar os tais nichos de prata. Não seria preciso mais nada para Demétrio e seus colegas de profissão se revoltarem contra os evangelizadores. Incidentalmente, isso mostra-nos como a arte religiosa (incluindo-se nessa categoria as chamadas «casas de artigos religiosos», que vendem de tudo) está diretamente ligada ao lucro financeiro. Se não houvesse compradores, os artífices dessas coisas teriam de voltar-se para outras atividades. Mas a credulidade popular, sempre muito mal informada, alimenta esse comércio. A narrativa do tumulto provocado por Demétrio e seus companheiros, contra os pregadores do Senhor Jesus, encontra-se em Atos 19:23-40. Pelos interiores e sertões do Brasil têm aparecido muitos êmulos de Demétrio. Esses atiçam o povo simples contra os pregadores do evangelho, quando os lucros dos exploradores da idolatria, em qualquer de suas manifestações, se vêem ameaçados! Ver também sobre *Prata* e *Artífices*.

OURO

Ver o artigo geral sobre **Mina, Mineração.** Alguns têm observado que o ouro é amarelo devido ao medo que sofre, por causa de tantos homens ambiciosos que o buscam. Todos nós sabemos o que significa buscar o ouro. No entanto, o bem mais humilde aço é o metal mais valioso de nossa moderna civilização. O ouro mostra-nos como os homens procuram criar falsos valores; pois, apesar do ouro ter seus usos, dificilmente encontra-se no alto da lista dos metais verdadeiramente preciosos.

Esboço:

I. Palavras da Bíblia para Ouro
II. O Ouro como Metal, sua História e seus Usos
III. Usos Metafóricos

I. Palavras da Bíblia para Ouro

Há seis palavras hebraicas envolvidas, e uma palavra grega, a saber:

1. *Zahab*, «amarelo», «brilhante». Essa palavra hebraica é usada por mais de trezentas e sessenta vezes, desde Gên. 2:11 até Mal. 3:3. Também é palavra usada para indicar o céu brilhante, o «áureo esplendor» do norte, em Jó 37:22. E também pode estar em foco o «tempo bom», que, poeticamente, poderia ser chamado de «tempo dourado». Ver Jó 37:22, embora a nossa versão portuguesa não tenha um fraseado que dê a entender essa segunda idéia.

2. *Betsar* ou *betser*, «defesa», «riqueza». Outros estudiosos pensam nos sentidos de «escavado» e «retirado», provavelmente em alusão ao minério de ouro. Com o sentido de «ouro», essa palavra só ocorre em Jó 22:24 (*betser*) e em Jó 36:19 (*betsar*). Há traduções que dizem ali «tesouro». No entanto, nossa versão portuguesa, apesar de traduzir a palavra por «ouro», na primeira dessas referências, traduz a segunda de uma maneira que não menciona nem o ouro e nem qualquer outro metal, dizendo: «Estimaria ele as tuas lamúrias e todos os teus grandes esforços, para que te vejas livre da tua angústia?» O homem justo, mediante o seu trabalho diligente, pode prosperar materialmente, adquirindo ouro e prata; mas, conforme Jó 22:25, «...o Todo Poderoso será o teu ouro, e a tua prata escolhida».

3. *Paz*, «purificar», «separar». Essa palavra hebraica refere-se ao ouro refinado. É usada por nove vezes: Jó 28:17; Sal. 19:10; 21:3; 119:127; Pro. 8:19; Can. 5:11,15; Isa. 13:12; Lam. 4:2.

4. *Segor*, «fechado», pois refere-se a coisas escondidas, como um «tesouro». Essa palavra ocorre somente em Jó 28:15.

5. *Kethem*, «armazém dourado», no hebraico, embora seja palavra geral para também indicar o ouro, ocorre por sete vezes: Jó 31:24; Pro. 25:12; Lam. 4:1; Dan. 10:5; Jó 28:19; Isa. 13:12; Sal. 45:9. Nessas duas últimas referências, a palavra é utilizada para indicar o ouro de Ofir.

6. *Charuts*, «melhor bem» ou «ouro amarelo». Esse vocábulo hebraico ocorre por seis vezes: Pro. 3:14; Zac. 9:3; Sal. 68:13; Pro. 8:10,19 e 16:16.

Também há uma palavra hebraica, *dehab*, que significa «dourado», e que figura no Antigo Testamento por nove vezes: Esd. 6:5; Dan. 3:5,7,10,12,14,18; 5:2,3.

7. *Chrusós*, «ouro». Palavra grega que ocorre por treze vezes, no Novo Testamento: Mat. 2:11; 10:9; 23:16,17; Atos 17:29; I Cor. 3:12; I Tim. 2:9; Tia. 5:3; Apo. 9:7,20; 18:12,16. Também há um adjetivo com base nesse substantivo, *chrúseos*, «dourado», que aparece por quinze vezes: Heb. 9:4; Apo. 1:12,13,20; 2:1; 5:8; 8:3; 9:13; 14:14; 15:6,7; 17:4 e 21:15. Nesse termo grego, tal como no caso de *zahab* e *charuts*, palavras hebraicas, a alusão é à cor amarela desse metal, embora o termo grego seja usado para indicar toda variedade de ouro, de minério de ouro, de moedas de ouro, de pesos de ouro, de jóias ou de ornamentos feitos desse metal.

II. O Ouro como Metal, sua História e seus Usos

O ouro é um metal amarelo, brilhante e mole. É tão procurado por causa de sua beleza, porque não se corrói e nem se mancha, e também porque é fácil de trabalhar com ele. Pode ser obtido do seu minério sem técnicas complexas de separação. É o metal que mais se presta para se trabalhar com ele, podendo ser batido até atingir uns duzentos mil avos de um milímetro de espessura. Vinte e oito gramas desse metal podem ser batidos até espalhar-se por 27 m(2). Visto que o ouro é tão mole, pode fazer liga com outros metais, melhorando assim suas qualidades diante dos desgastes. A pureza do ouro é expressa mediante o sistema de quilates, ou em termos de sua finura. O ouro puro é o ouro de vinte e quatro quilates; o ouro de dezoito quilates tem cerca de setenta e cinco por cento de ouro, enquanto que o resto é prata ou cobre. Quase todas as jóias de ouro são feitas de ouro de dezoito quilates. A finura refere-se a quantas partes de ouro há, em relação a outro metal, dentro de uma escala de mil. Portanto, o ouro 750 equivale ao ouro de dezoito quilates.

História. O ouro foi um dos primeiros metais usados pelo homem, por ser de fácil refinamento e fácil de trabalhar. Até mesmo na idade da Pedra, os homens já usavam o ouro. Sua própria escassez encarregou-se de aumentar-lhe o valor. Na idade do Bronze, o ouro passou a ser usado ainda em maior abundância. Mas, desde a idade da Pedra os homens usavam pepitas de ouro como ornamentos. Então os homens começaram a martelar o ouro, até dar-lhe o formato desejado. Na idade do Bronze, começou a ser moldado. Sabemos que já havia ativa exploração de minas de ouro, desde tão cedo quanto 4000 A.C. Isso ocorria na Arábia, na Índia, na Pérsia, na Caucásia, na Ásia Menor, na Península dos Bálcãs, no Egito e em outras regiões da África e, finalmente, na Palestina. Fontes informativas egípcias falam sobre o ouro pesado sob a forma de anéis (ver Gên. 43:21; I Crô. 21:25; 28:14; Esd. 8:25,26). O ouro também era usado à guisa de moeda (Gên. 13:2; 24:22). O ouro representava riquezas materiais (Êxo. 12:35; 32:3,4; Núm. 31:50-54). A Bíblia fala sobre lugares específicos onde o ouro era extraído, como a região de Havilá (Gên. 2:11), Sabá (I Reis 10:22) e Ofir (I Reis 9:28).

Usos do Ouro. O ouro era usado como decoração, sob a forma de jóias, ou como uma unidade monetária, sob a forma de peso e, mais tarde, sob a forma de moedas. O ouro é excelente como um item de decoração, porque se pode trabalhar mui facilmente com esse metal, além de ser resistente à corrosão e às manchas. Nos tempos modernos, além dos usos tradicionais, esse metal é muito usado pela indústria eletrônica, por causa de sua excelente condutividade elétrica e por sua resistência à corrosão. Ligas de ouro e níquel ou de ouro e prata são empregadas em contatos elétricos. — Se for necessário endurece mais o ouro, então faz-se uma liga de ouro e platina. Com freqüência, o ouro é usado para encobrir os pólos dos tubos eletrônicos. Ligas de ouro com níquel e de ouro com ferro são usadas no fabrico de artigos magnéticos e nas memórias dos computadores. Quando usado em liga com o paládio ou com o cobre, serve para trabalhos dentais. Espelhos forrados atrás com ouro são muito usados em equipamentos espectroscópicos, por causa de sua qualidade superior de reflexo, na região infravermelha do espectro. Compostos de ouro são usados no tratamento da artrite reumatóide e em outras condições patológicas. Contudo, o ouro é tóxico, pelo que deve ser controlada cuidadosamente a sua administração como medicamento. O isótopo radioativo 198 (AU) é usado na terapia de radiações internas, para o tratamento de certas variedades de câncer. Esse mesmo produto é usado para detectar derramamentos em filtros suficientemente finos para captar bactérias.

III. Usos Metafóricos

a. O ouro representa aquilo que é puro, divino, precioso e incorruptível. O emprego desse metal, no tabernáculo armado no deserto, de acordo com a tipologia bíblica, tem esses significados. Ver Dan. 10:5; Apo. 3:18; 8:3 e 14:14.

b. Ele simboliza o próprio Deus, como um Ser puro, precioso, enriquecedor e eterno, a verdadeira riqueza de seu povo (Jó. 22:25).

c. A *Palavra de Deus* também é simbolizada pelo ouro, devido às suas qualidades de grande valor e de permanência (Sal. 19:10; Isa. 60:17; Zac. 4:12; I Cor. 3:12; Apo. 21:15).

d. Os santos, bem como suas virtudes espirituais, como a fé, a esperança, o amor, etc., são comparados com o ouro (Jó 23:10; Sal. 45:13; I Ped. 1:7).

e. As *taças da ira de Deus* aparecem como taças de ouro por serem divinas, puras, sem qualquer mistura, e. portanto, poderosas em seus efeitos (Apo. 15:7).

f. As riquezas materiais, em quaisquer de suas formas, juntamente com aquilo que é pomposo e cheio de ostentação, também são comparadas ao ouro (Gên. 13:2; Juí. 8:26; Apo. 17:4). (AM DANA FOR)

OURO, CANDEEIRO DE

Ver sobre **Candeeiro de Ouro**.

OURO BATIDO

Tratava-se do ouro combinado com algum outro metal, formando uma liga. Certos objetos de ornamentação e certos objetos para uso militar eram ligas conforme se vê em I Reis 10:16,17 e II Crô. 9:15,16. O ouro extraído pelos métodos antigos não era muito puro, e já vinha misturado com certa variedade de outros minerais, como a prata, o cobre, o ferro, o bismuto, o mercúrio, etc. Portanto, vários tipos de ouro eram conhecidos e nomeados, inteiramente à parte de qualquer liga propositalmente feita.

OUSADIA

No Novo Testamento, o vocábulo grego **parresia**, «ousadia», é usado por trinta e duas vezes, com as idéias de franqueza, ato corajoso, etc. Para exemplificar: Atos 4:13,29,31; II Cor. 7:4; Efé. 3:12; Fil. 1:20; I Tim. 3:13; Heb. 10:19; I João 4:17. Na maioria das ocorrências, a palavra fala de ousadia literal em grande variedade de situações. Porém, também indica a ousadia espiritual dos crentes, mediante a qual eles ousam aproximar-se de Deus, por causa da provisão da missão de Cristo. (Ver Heb. 10:10; Efé. 3:12 e I João 4:17, quanto a essa ousadia espiritual).

Heb. 3:12: *no qual temos ousadia e acesso em confiança, pela nossa fé nele.*

Sim, por meio de Cristo Jesus temos ousadia e acesso, e isso de mistura com confiança, através da fé que temos depositado nele. No dizer de Westcott (*in loc.*): «O mesmo Senhor que é o esteio de nossa fé e de nossa esperança, é igualmente a coroa de todo o desenvolvimento do mundo». «Esse pensamento se reveste da máxima importância para a compreensão do que seja o cristianismo; relembra-nos que a nossa fé não é uma questão individual, e nem um mero adorno da vida, mas está integralmente relacionada ao designio do próprio universo». (Beare, *in loc.*).

Ousadia. Ninguém pode aproximar-se da presença de Deus descuidadamente, e nem nosso retorno à presença do Senhor é algo de somenos. Antes, precisamos de «ousadia» para nos achegarmos a Deus, tanto agora como na glória futura. Ora, tal ousadia jamais poderá ser extraída de nós mesmos. Antes, o caminho até à presença do grande Rei precisa ser adredemente preparado; e aqueles que dele se aproximam também precisam ser preparados para tanto. Ora, Cristo foi quem tornou exeqüível a nossa aproximação ousada de Deus, e isso mediante a graça da redenção. Achegamo-nos equipados com a própria santidade de Deus (ver Mat. 5:48 e Rom. 3:21), pois, sem ela, nenhum homem, e nem qualquer outra criatura, poderia aproximar-se do Senhor (ver Heb. 12:14). Além disso, achegamo-nos dotados da própria natureza do «Filho de Deus», na qualidade de «filhos que estão sendo conduzidos à glória»; e assim, nos aproximaremos de Deus sem temor, como filhos. (Ver Efé. 2:18,19, passagem que enfatiza nossa aproximação a Deus sob essas condições). Por semelhante modo, aproximamo-nos de Deus porque fomos feitos em templo do Espírito Santo, o que significa que temos perfeito acesso ao Senhor. (Ver Efé. 2:21,22, que frisa esse ponto). Em Cristo Jesus é que somos aceitos, pois estamos sendo feitos semelhantes a ele, para que sejamos o que ele é, e por essa causa, podemos nos aproximar de Deus com ousadia.

Outrossim, *o amor*, que nos é conferido por Deus através do evangelho e em comunhão com Deus, capacita-nos a ter «ousadia no dia do juízo» (ver I João 4:17). Ora, o amor de Deus mais do que contrabalança o pecado humano, pois não apenas remove o pecado, mas também proporciona ao crente as qualidades morais positivas da natureza divina; e assim, a transformação do crente é tão completa que ele haverá de chegar à presença de Deus, embora sua morte física, por si só, não o equipe para tanto. Pois ninguém jamais chegará diante de Deus se não for perfeito, e a perfeição, no sentido positivo deve ser aqui compreendida, não sendo meramente a condição de estar alguém livre do pecado, porquanto isso também é tarefa para ser efetuada somente na eternidade. Não obstante, em Cristo Jesus, a promessa desse sucesso é certa. E, no caminho até lá, avançaremos com ousadia e confiança.

Ousadia, no original grego, é *parresia*. Essa palavra era freqüentemente vinculada à idéia de «falar», resultando na idéia de «franqueza», de «clareza de linguagem», embora também indique «coragem», «confiança», «destemor». Em comparação com isso, podemos examinar o trecho de Heb. 10:19, onde se lê que temos «ousadia» para entrar no Santo dos Santos, através do sangue de Jesus.

Contudo, em teu Filho, divinamente grande,
Reivindicamos os teus cuidados providenciais,
Ousadamente chegamos até o teu trono;
Nosso Advogado fez-nos chegar até ali!

Resulta em acesso (vide). É «pela fé» que temos «acesso» àquela grande graça na qual nos firmamos. E é «pelo Espírito» que temos acesso a Deus Pai. Porém, sendo nós «templo» do próprio Espírito Santo, o nosso acesso é completo, porquanto essa idéia indica comunhão perfeita, que transcende à idéia de sermos simplesmente capazes de nos aproximarmos de Deus, pelo caminho apropriado de acesso.

OUSÍA

Termo grego que quer dizer «ser», «substância», «essência». Aponta para algo que realmente existe, fazendo contraste com o fluxo fugidio dos fenômenos.

1. Nos escritos de *Aristóteles* essa palavra foi usada para indicar, primariamente, o indivíduo, a «coisa existente». A *ousía prôte* (primeira substância) é o sujeito das proposições ou descrições. A *ousía deútera* (segunda substância) alude a espécies e gêneros. A primeira refere-se à classe geral do ser, e a segunda às suas diversas manifestações.

2. *A Controvérsia Ariana*. No século IV D.C., esse termo grego tornou-se importante, dentro das discussões sobre a *Trindade* (vide). O partido ortodoxo afirmava que o Pai e o Filho são da mesma substância (no grego, *homooûsios*). Mas o partido ariano insistia que eles são de substância similar (*homoioûsios*). Entretanto, alguns arianos extremavam-se ainda mais, preferindo usar o vocábulo grego *heterooûsios*, «de substância diferente».

3. *No Neoplatonismo*. Esses filósofos falavam sobre o Deus transcendental como o *huperoûsios*, «além do ser» (conforme o conhecemos). Deus transcende às possibilidades de nossas definições. Esse tema tem sido retomado pela moderna teologia, onde se indaga se tem algum sentido falar sobre Deus em termos de «ser», segundo essa palavra é entendida pela linguagem humana. Deus não *existiria* no mesmo sentido em que existem outras coisas, pelo que essa palavra não faz, necessariamente, qualquer sentido, nesse contexto. Trata-se apenas de outra maneira de dizer que o intelecto humano e as descrições verbais dificilmente podem falar acerca de Deus com qualquer precisão.

OUVIDO

No hebraico, ozen, que figura por mais de cento e setenta vezes, desde Gên. 20:8 até Zac. 7:11. No grego *oûs*, que aparece por trinta e sete vezes no Novo Testamento: Mat. 10:27; 11:15; 13:9; 13:15 (citando Isa. 6:10); 13:16,43; Mar. 4:9,23; 7:16,33; 8:18; Luc. 1:44; 4:21; 8:8; 9:44; 12:3; 14:35; 22:50; Atos 7:51,57; 11:22; 28:27; Rom. 1:8 etc. O termo grego *otíon*, «lobo externo do ouvido», aparece por três vezes: Mat. 26:51; Luc. 22:51 e João 18:26.

Referências Bíblicas Literais. 1. A ponta da orelha direita dos sacerdotes era tocada com sangue, por ocasião da consagração deles ao ministério (Lev. 8:23,24; Êxo. 29:20) e eles ficavam assim identificados com os sacrifícios cruentos que tinham de oferecer. 2. Outro tanto era feito no caso de um leproso curado, como sinal de sua purificação (Lev. 14:14). 3. Se a um escravo fosse oferecida a liberdade, mas ele preferisse continuar como escravo de seu senhor, então sua orelha direita era perfurada com uma sovela, como símbolo de sua contínua e permanente subserviência (Êxo. 21:6). Esse é um belo símbolo de total dedicação. Não são muitos os escravos de Cristo que perfuram espiritualmente a orelha. 4. Na antigüidade, homens e mulheres adornavam suas orelhas com brincos (que vide). 5. Ter decepada uma das orelhas era uma prática muito temida. Um inimigo recebia esse tipo de tratamento como sinal de ódio e humilhação (Eze. 23:25). 6. Um dos mais significativos milagres de Jesus foi a cura da orelha do soldado, a qual fora cortada fora por Pedro, quando ele saltou em defesa de Jesus, no horto do Getsêmani (Mat. 26:51; Mar. 14:47).

Usos Simbólicos. 1. Descobrir o ouvido significa revelar alguma coisa (I Sam. 20:2). 2. É dito que os ídolos tinham ouvidos pesados, pois não podiam atender os pedidos feitos por seus adoradores, em contraste com o verdadeiro Deus (Sal. 135:17 e Isa. 59:1,2). 3. Acerca de Deus é dito que ele tem os ouvidos abertos, o que indica que está sempre pronto a ouvir o seu povo (Sal. 34:25). 4. O povo de Deus é chamado de povo que ouve com mau grado, para indicar a sua insensibilidade para com a mensagem divina (Mat. 13:15). 5. A ação de ouvir indica a presença daquele que ouve (I Crô. 28:8 e Luc. 4:21). 6. Fixar os ouvidos no que se ouve representa uma mensagem que é compreendida e com base na qual o ouvinte passa a agir (Luc. 9:44). 7. Ouvidos incircuncisos representam o indivíduo rebelde que não dá atenção à mensagem de Deus (Jer. 6:10). 8. Inclinar o ouvido significa dar estrita atenção a quem fala (Sal. 88:2). 9. Aquele que tem ouvidos que ouvem é aquele que obedece (Pro. 20:12). 10. Deus abre os ouvidos espirituais dos homens, a fim de que escutem e obedeçam à sua voz (Jó 29:11; Isa. 50:4). 11. O fato de que os ouvidos de Davi foram abertos indica que ele foi preparado por Deus para mostrar-se obediente (Sal. 40:6). (S UN Z)

OVELHA

Seis palavras hebraicas e uma palavra grega estão envolvidas na compreensão deste verbete, a saber:

1. *Kebes*, «cordeiro». Palavra hebraica que figura por cento e quatro vezes. Por exemplo, Êxo. 29:38-41, Lev. 4:32; 9:3; 12:6; Núm. 6:12,14; 7:15,17,88; 15:5; 28:3,4,7,9,11,13,14,19,21,27,29; II Crô. 29:21; Esd. 8:35; Pro. 27:25; Isa. 1:11; Jer. 11:19; Eze. 46:4-7,11,13,15; Osé. 4:16.

2. *Keseb*, «cordeiro». Palavra hebraica que aparece por doze vezes. Para exemplificar: Gên. 30:32,33,35; Lev. 1:10; 7:23; Núm. 18:17; Deu. 14:4.

3. *Tson*, «ovelha». Palavra hebraica usada por cento e dez vezes, com esse sentido. Por exemplo: Gên. 4:2; 12:16; 20:14; Êxo. 9:3; 20:24; Lev. 22:21; Núm. 22:40; 27:17; 32:36; Deu. 7:13; 14:26; Jos. 7:24; I Sam. 8:17; 14:32; 27:9; II Sam. 7:8; I Reis 1:9,19,25; II Reis 5:26; I Crô. 5:21; II Crô. 5:6; 7:5; Nee. 3:1,32; Jó 1:3; Sal. 4:11,22; 49:14; 74:1; Isa. 7:21; 13:14; Jer. 12:3; Eze. 34:6,11,12; Joel 1:18; Miq. 2:12; Zac. 13:7.

4. *Tsoneh*, «ovelha». Palavra hebraica usada por duas vezes: Núm. 32:24 e Sal. 8:7.

5. *Rachel*, «ovelha». Palavra hebraica usada por quatro vezes: Can. 6:6; Isa. 53:7; Gên. 31:38, 32:14.

6. *Seh*, «ovelhinha». Palavra hebraica que ocorre por quarenta e quatro vezes, com diversas traduções correlatas. Por exemplo: Êxo. 22:1,4,9,10; Lev. 27:26; Deu. 17:1; 18:3; Jos. 6:21; I Sam. 14:34; Sal. 119:176; Jer. 50:17.

7. *Próbaton*, «ovelha», «carneiro». Vocábulo grego empregado por trinta e nove vezes no Novo Testamento: Mat. 7:15; 9:36; 10:6; 10:16; 12:11,12; 15:24; 18:12; 25:32,33; 26:31 (citando Zac. 13:7); Mar. 6:34; 14:27; Luc. 15:4,6; João 2:14,15; 10:1-4; 10:7,8,11-13,15,16,26,27; 21:16,17; Atos 8:32 (citando Isa. 53:7); Rom. 8:36 (citando Sal. 44:23); Heb. 13:20; I Ped. 2:25 e Apo. 18:13.

1. *Origem e História Primitiva*. Essa questão é complexa, de tal modo que muitas opiniões têm sido expressas pelos eruditos sobre as possíveis espécies ancestrais, seu período de existência e seu lugar de origem. A obra de Zeuner é a mais completa (F. E. Zeuner, *A History of Domesticated Animals*, cap. 7). É difícil que esse estudo venha a ser ultrapassado, a menos que algum material ou método de estudo radicalmente novo venha a ser encontrado. Há duas espécies originárias principais. A espécie Urial (*Ovis orientalis*) é a mais importante delas. Trata-se de uma espécie da Ásia central e oriental, que vive principalmente em regiões montanhosas, desde a porção oeste do Tibete até à Transcáspia. A ovelha adulta chega a quase 90 cm de altura no alto do dorso, com chifres extremamente vincados, nos lados da cabeça. Ela torna-se avermelhada durante o verão, com porções inferiores esbranquiçadas; e torna-se marrom cinza durante o inverno. A outra espécie é a *Ovis mousimon*, das montanhas da Córsega e da Sardenha, além de regiões da Ásia Menor. Ela é um tanto menor que a *Ovis orientalis*, de cor marrom avermelhado escuro. Durante o inverno, os carneiros adultos ficam com manchas esbranquiçadas ou cremes, dos lados. Seus chifres são extremamente longos, e recurvos. É no Irã que se acham os primeiros sinais de domesticação da ovelha, perto da região de Urial. Por ocasião da era da cerâmica neolítica (cerca de 5000 A.C.), já estavam sendo criadas ovelhas, provavelmente cuidadas por cães, e também já estavam sendo misturadas espécies, sob algum controle. Então, essa espécie domesticada propagou-se tão rapidamente, que acabou se misturando com outras espécies que estavam sendo domesticadas independentemente, até que poucas espécies podiam ser consideradas puramente originárias de alguma espécie.

2. *Características da Ovelha Domesticada*. A maior parte das espécies atualmente difere largamente de seus antepassados selvagens, e essas diferenças começaram a aparecer quase desde o princípio. Quatro são as diferenças principais: a. *a lã*. Essa se faz presente nas espécies selvagens, embora torne-se mais patente durante o inverno, quando pode cobrir os pêlos mais duros. As propriedades da lã, como o acetinado e a capacidade de produzir fios, foram reconhecidas na antiguidade desde bem cedo, tendo sido criadas espécies que produziam boa lã em grande quantidade. Porém, ovelhas dotadas de pêlos duros até hoje podem ser encontradas, especialmente nos trópicos. b. *A cauda*. Algumas espécies domesticadas têm caudas com duas ou três vezes mais vértebras que as formas selvagens. Em outras espécies domesticadas, a cauda tornou-se um órgão onde é armazenada grande quantidade de gordura, o que tem sido encontrado entre múmias tão antigas quanto as da XII dinastia egípcia (cerca de 2000 A.C.). c. *A cor*. O homem ocidental está tão acostumado a ver ovelhas brancas que qualquer outra coloração lhe parece estranha. As primeiras ovelhas, mui provavelmente, eram marrons; mas, no Egito havia ovelhas brancas, marrons e negras, antes de 2000 A.C. e talvez até muito antes disso. Tornou-se tradição pensar que as ovelhas referidas na Bíblia sempre fossem brancas; isso é correto quase em todos os casos, mas não é inteiramente o sentido do texto que diz: «...se tornarão como a lã» (Isa. 1:18). Na verdade, as palavras «lã de Zaar» (com base no texto hebraico que fala em *tsachar*, «brancura»; Eze. 27:18), encontram-se em um contexto que dá idéia de riquezas. Mas é óbvio, com base no trecho de Gênesis 30:32 *ss*, que tanto as ovelhas quanto os bodes eram de várias colorações, presumivelmente incluindo a cor «branca», embora a palavra ali traduzida como «malhados» indique manchas claras em animais escuros. Por igual modo, devido aos trechos de Núm. 28:3,9 e 29:17,26, onde se lê que as ovelhas oferecidas em sacrifício tinham de ser «sem defeito», que isso indicaria que esses animais teriam de ser imaculadamente brancos. Porém, essa palavra aponta para imperfeições em geral, e não, necessariamente, à coloração dos animais. d. *Habitat*. Começando como um animal que vivia naturalmente em regiões montanhosas, as ovelhas se desenvolveram em espécias dispersas por toda a espécie de terreno, desde terras altas até pantanais, ou mesmo até às fímbrias dos desertos. A ovelha é mais seletiva do que o bode, em sua alimentação, requerendo uma melhor quantidade de forragem, geralmente uma melhor qualidade de relva, conforme podemos observar em I Crônicas 4:39,40: «Chegaram até à entrada de Gedor, ao oriente do vale, à procura de pasto para os seus rebanhos. Acharam pasto farto e bom...» As erráticas chuvas de inverno que caem na Palestina faziam a relva crescer em tufos, e os pastores, sabendo onde encontrar pastagem, levavam as suas ovelhas até aqueles lugares. Davi, com base nesse tipo de experiência, escreveu: «Ele me faz repousar em pastos verdejantes...» (Sal. 23:2).

3. *Usos*. Geralmente os estudiosos concordam que, a princípio, a ovelha foi domesticada somente por causa de sua carne. A carne das ovelhas, diferente do caso dos bodes, é boa tanto nos animais pequenos

como nos já bem desenvolvidos. Tal como o gado vacum e o gado caprino, as ovelhas são ruminantes dotadas de patas bipartidas, pelo que provêm uma carne limpa e saudável, que fazia parte importante da dieta dos hebreus, conforme até hoje se vê em muitos países árabes. A arte de tecer, provavelmente, começou usando fibras vegetais; mas também é possível que os homens tenham começado a usar a lã produzida por diversos animais. Com a criação seletiva, melhorou a quantidade de lã disponível, como também sua qualidade, até que se pôde efetuar um intenso comério dela. Parte do tributo anual pago a Mesa, rei de Moabe, consistia na lã de cem mil carneiros (II Reis 3:4). Em algumas comunidades, as ovelhas eram altamente valorizadas por causa de seu leite, embora haja somente uma clara referência bíblica a isso, isto é, Deuteronômio 32:14. Uma espécie moderna, derivada de raças desde há milênios nativas da Palestina, atualmente, é largamente usada para produzir leite para o fabrico de queijos. O uso das peles de ovelhas já se havia generalizado muito antes de sua domesticação; após essa domesticação, esse uso multiplicou-se muito. «...peles de carneiros tintas de vermelho...», em Êxo. 25:5, é a única menção específica a esse uso, no Antigo Testamento. «O sacerdote, que oferecer o holocausto de alguém, terá o couro do holocausto que oferece» (Lev. 7:8). Esses holocaustos envolviam carneiros ou bodes. Além disso, os refugiados perseguidos, «...andaram peregrinos, vestidos de peles de ovelhas e de cabras...» (Heb. 11:37). Em adição a isso, muitas pessoas reconheciam o valor das ovelhas a fim de estrumar os campos de pastagem. No Egito, as ovelhas eram usadas para pisar o grão dos cereais desde tão cedo quanto cerca de 2500 A.C. A variedade de nomes que os hebreus aplicavam a esse animal indica quão importante as ovelhas eram para os israelitas. Eles eram pastores capazes, e, provavelmente, dispunham de diversas espécies. O trecho de Gênesis 30:32 *ss* é interessante em sua descrição de uma falsa teoria, que até hoje é aceita—que as coisas ingeridas ou vistas pela mãe, antes do nascimento do filhote, podem afetar a cor ou o formato deste. Assim, Jacó pôs as ovelhas pejadas defronte de varas descascadas, a fim de aumentar a proporção de animais nascidos com as cores que ele desejava. Os versículos 41 e 42 daquele mesmo capítulo explicam que ele escolhia os animais mais vigorosos para serem submetidos a esse processo; a inferência é que ele compreendia conscientemente qual a genética do rebanho, fazendo os animais se cruzarem de acordo com um plano preestabelecido, ao mesmo tempo em que, equivocadamente, atribuía o seu sucesso à sua habilidade de lidar com varas de várias cores. Entretanto, foi por providência divina que todo esse processo obteve tão grande êxito (cf. Gê. 31:11,12).

4. *Sentido Figurado*. A ovelha tornou-se um fator proeminente nas ofertas e sacrifícios de Israel, e grandes números eram sacrificados a cada ano. Certos tipos de ofertas consistiam em holocaustos, animais inteiramente consumidos ao fogo (ver sobre *Sacrifício*); mas, de acordo com outros tipos de sacrifícios, quase toda a carne do animal sacrificado era usada pelo ofertante ou pelo sacerdote oficiante. Alguns nomes hebraicos são raramente usados, exceto nessa conexão. Acima de tudo, a ovelha revestia-se de profunda significação metafórica. Ela é o símbolo central em trechos bíblicos como Salmos 23 e Isaías 53:6. Neste último trecho, lemos: «Todos nós andávamos desgarrados como ovelhas...» No Novo Testamento encontramos uma passagem como a de João 1:29: «Eis o Cordeiro de Deus, que tira o pecado do mundo!» E, em João 10:14, lemos: «Eu sou o bom pastor; conheço as minhas ovelhas, e elas me conhecem a mim...» Dentre as setenta e quatro menções às ovelhas, nas páginas do Novo Testamento, apenas uma deve ser entendida em sentido literal, a saber, as ovelhas que estavam sendo vendidas no átrio do templo de Jerusalém (João 2:14), juntamente com os bois e as pombas.

Tal como em muitos países, onde cães e cavalos são domesticados e onde os homens lhes aplicam nomes, assim também, em alguns países do Oriente, os pastores dão nomes às suas próprias ovelhas. Aristóteles informa-nos de que já havia esse costume em seus dias e que essa era uma prática muito comum entre os pastores gregos. (*História de Animais*, VI.19). Teócrito forneceu-nos os nomes pelos quais o pastor Lacom chamava a três das ovelhas de seu rebanho:

Ó, Chifre Torto, ó, Pé Ligeiro, deixai a árvore,
E pastai para oeste, onde vedes a Careca.
(Idílio, V. 102,3).

Também não era incomum que os cães dos pastores conhecessem as ovelhas *individualmente*, sendo capazes de separar qual quisesse, do meio de muitas ovelhas.

Ora, tudo isso expressa o interesse, a bondade, o cuidado por cada crente, individualmente, mostrando que Jesus Cristo cuida de cada um de nós, tendo para cada qual uma missão especial, tendo reservado um destino especial para cada um. Dessa forma vemos aqui ensinado um «teísmo» elevado, em contraste com a posição esposada pelo «deísmo». O teísmo ensina que Deus criou e continua interessado na sua criação, entrando **em contato permanente** com os homens de diversas maneiras. Por outro lado, o deísmo assevera que Deus criou, mas logo em seguida abandonou a sua criação, não tendo interesse por ela, nem para recompensar, nem para punir. Ver o artigo sobre a *Providência de Deus*.

E as conduz para fora. Os pastores orientais seguiam adiante do rebanho, não o enxotando por detrás. Isso serve de excelente ilustração da orientação que nos é dada por Cristo. Assim ele faz primeiramente quando de nossa conversão: guiando-nos para fora deste mundo. Em seguida ele assim age quanto ao pasto: conduz-nos a uma vida espiritual mais abundante (ver João 10:10). Em seguida ele nos leva até à completa vida eterna, o destino apropriado dos remidos (ver João 10:25).

Acerca disso comenta John Gill (*in loc.*): «Vindos dentre os bodes do mundo, entre os quais jaziam, e dentre os apriscos do pecado e dos pastos secos do monte Sinai e de sua própria justiça, nos quais se alimentavam; e de si mesmos e de toda a dependência a qualquer coisa que lhes seja própria; e ele, Cristo, os conduz a si mesmo, e à plenitude de sua graça, e ao seu sangue e justiça, e à presença de seu Pai e comunhão com ele, e no caminho da retidão e da verdade, levando-os aos pastos verdejantes de sua palavra e de seus mandamentos e até às águas tranqüilas de seu amor e de sua graça soberanos.

OVELHAS, METÁFORA DE, João 10:3 ss.

Os crentes são aqui chamados de *ovelhas* pelos seguintes motivos:

1. Porque a ovelha provê um símbolo claro da *dependência* do crente a Deus, tal como as ovelhas dependem do pastor em tudo.

2. Porque por natureza os homens, mesmo quando

remidos, são *impotentes* no que diz respeito às questões da vida além; e em realidade o são até mesmo nesta existência terrena. Por conseguinte, de certo modo, os crentes têm uma natureza semelhante às ovelhas.

3. As ovelhas são usadas como emblemas da *mansidão*, da simplicidade, da paciência, da utilidade, da inocência, em contraste com outros animais, como os bodes, por exemplo, os quais são considerados imundos, destruidores e repelentes. Por essas razões, tanto no Antigo como no Novo Testamento, a ovelha é usada como símbolo do verdadeiro discípulo do reino de Deus e seu Cristo.

4. Porque as figuras do pastor e suas ovelhas, do aprisco e do risco de assaltos pelos ladrões, provém bom material para ser usado como alegoria das realidades espirituais que circundam os crentes.

E chama pelos nomes as suas próprias ovelhas. As palavras «próprias ovelhas» são explicáveis aqui porque mais de um rebanho podia compartilhar do mesmo aprisco, sendo necessária a separação entre os rebanhos; ou, em alguns casos, as ovelhas podiam pastar juntamente com bodes ou outros animais. Assim sendo, quando o pastor chamava as suas ovelhas pelo nome, estava chamando aquelas que se poderiam considerar suas *próprias ovelhas*. Mas também é possível que encontremos aqui uma declaração da íntima identificação entre o pastor com o grupo distinto das ovelhas aludido acima — cada pastor tem as suas próprias ovelhas, essas são as ovelhas que ele chama, e são elas que distinguem a sua voz da de todos os outros pastores, porque o conhecem bem.

OVO

No hebraico há duas palavras, e no grego, uma a saber:

1. *Challamuth*, «clara do ovo» ou «iogurte». Essa palavra hebraica figura somente em Jó 6:6.

2. *Betsim*, «ovos». Palavra hebraica usada por seis vezes: Deu. 22:6; Jó 39:14; Isa. 10:14; 59:5.

3. *Oón*, «ovo». Palavra grega que é usada somente em Luc. 11:12.

A primeira das duas palavras hebraicas vem de uma raiz que significa «branco». Há vários usos curiosos dessa palavra, nas páginas da Bíblia. O trecho de Deu. 22:6 proíbe que se retire do ninho uma ave que esteja com seus ovos ou já com os seus filhotes. No entanto, os próprios ovos podiam ser retirados. Antes de tudo, parece haver nisso certa medida de misericórdia, porquanto convém que os homens tenham compaixão até mesmo das aves. Em segundo lugar, aparentemente isso tinha o propósito de garantir a preservação das espécies. Àquele que assim respeitasse as aves, era prometida longa vida e prosperidade. Portanto, esse preceito ocupa um justo lugar ao lado daquele acerca do tratamento que deve ser dado aos pais. Ver Efé. 6:3, onde se encontra praticamente o mesmo fraseado. Os trechos do Antigo Testamento citados são Êxo. 20:12 e Deu. 5:16.

Na passagem de Jó 39:14 há uma referência à avestruz, que deixa os seus ovos à superfície do solo, para serem aquecidos pelos raios do sol. O rei da Assíria vangloriou-se de que poderia recolher as riquezas da terra como alguém que junta os ovos abandonados em um ninho, dando a entender que poderia fazer isso com pouco esforço, tão grande era o seu poder. O trecho de Isa. 59:5 alude aos ovos dos répteis.

No Novo Testamento, em Luc. 11:12; lemos que nenhum pai daria um escorpião a seu filho que lhe pedisse um ovo. Da mesma maneira, Deus, que é o nosso Pai celeste, dará coisas boas a seus filhos, sem enganá-los, cuidando das suas necessidades. Os ovos, pois, representam o suprimento básico para a vida. Os ovos eram muito procurados como alimento. O trecho de Deu. 22:6 mostra-nos que era costume recolher ovos de aves selváticas para o alimento. Outras aves eram domesticadas a fim dos homens comerem os seus ovos, o que talvez esteja em pauta em Isaías 10:14. Nos tempos neotestamentários, essa prática tornou-se comum e os ovos faziam parte da alimentação diária de muitas pessoas (Luc. 11:12).

A gema do ovo é o germe da vida e os mitos antigos referem-se aos ovos como a fonte de toda a vida biológica. A gema é circundada pela clara, que é pura albumina. A casca calcária protege o conteúdo. O pintinho, quando está pronto para sair do ovo, pica e quebra a casca pelo lado de dentro. O trecho de Jó 6:6 tem uma referência difícil que pode incluir ovos. Nossa versão portuguesa diz ali: «...ou haverá sabor na clara do ovo?» No entanto, no hebraico, pode haver referência à beldroega, uma planta que produz um suco espesso e pegajoso, ou então pode aludir à clara do ovo (esta última é a interpretação dada pela nossa versão portuguesa). Seja como for, a alusão é a algo *insípido*, ou a *palavras sem sentido*.

Nos sonhos e nas visões, um ovo alude à vida em potencial que pode ser fertilizada, e isso produzido por algum ato ou condição. Por causa de sua natureza como uma entidade *fechada em si mesma*, um ovo pode aludir a alguma questão misteriosa, que precisa ser esclarecida, ou como algo potencialmente vivo, que precisa vir à luz da consciência, a fim de que possa fruir. O ovo também pode representar o próprio «eu», sendo um dos arquétipos postulados por Jung (que vide). O ovo também veio a simbolizar a páscoa e a ressurreição, mas isso de acordo com um pano de fundo muito mais pagão e germânico. Todavia, isso está de acordo com o simbolismo geral do ovo. Cristo é a luz que pode penetrar na matéria e produzir vida, a vida que se deriva de um túmulo fechado e misterioso, em face da sua ressurreição.

OX

Esse era o nome de um antepassado de Judite, mencionado no livro apócrifo de Judite (8:1). Ele foi pai de Merari.

OXFORD, GRUPO DE

Frank Buchman, um ministro luterano, ficou insatisfeito diante das expressões religiosas normais de sua denominação, e, então, resolveu encontrar uma solução para a deficiência. Essa percepção foi ajudada por uma significativa experiência religiosa, o toque místico. Ele criticava as religiões convencionais por sua exagerada ênfase sobre credos e concordâncias doutrinárias, e começou a enfatizar a necessidade de uma experiência religiosa com o Espírito de Deus. Ele salientava a questão do comprometimento pessoal com a espiritualidade, em vez de com algum credo.

Visto que ele concentrou seus esforços em torno da Universidade de Oxford, tendo interessado ali a muitas pessoas, seu movimento passou a ser conhecido como o *Grupo de Oxford*. Foi dali que o movimento espalhou-se, até tornar-se um movimento internacional. Os membros do movimento dedicam-se ao mister de transformar vidas. Alternativamente, o movimento tem sido chamado de *buchamanismo*, devido ao nome de seu fundador. Uma de suas ênfases

é que o ego humano deve sacrificar-se ao Eu-Cristo Honestidade absoluta, pureza, amor e altruísmo são os grandes ideais desse movimento. Entretanto, ao movimento falta uma teologia formal posto que esse fator é considerado uma virtude, por parte dos adeptos.

OXFORD, MOVIMENTO DE

Em Oxford, Inglaterra, em 1833, foi iniciado esse movimento, dentro dos limites da comunidade anglicana. O líder original do movimento foi John Henry Newman, o qual é descrito em um artigo separado. John Keble, o poeta e compositor de hinos sacros, além de Edward B. Pusey, foram outros líderes importantes. A ênfase do movimento recaía sobre a doutrina da Igreja augusta, combatendo tendências latitudinárias e erastianas. Ver os artigos sobre esses assuntos. A Igreja foi por eles apresentada como uma entidade que possui privilégios, sacramentos, um ministério ordenado por Cristo—enfim, uma instituição dotada de autoridade e que exige respeito. Houve uma revisão de usos litúrgicos e cerimoniais seguindo as linhas católicas romanas e da comunidade anglicana. Finalmente, o próprio Newman rompeu com o anglicanismo e tornou-se um ministro católico romano liderante. Ver o artigo chamado *Anglo-Catolicismo*.

OXYRHYNCHUS, DITADOS (LOGIA) DE JESUS DE

Ver o artigo separado sobre *logia*, nome dado a declarações de Jesus que incluem referências a suas alegadas declarações extracanônicas. Ver também o verbete sobre *Jesus*, seção terceira, primeiro ponto, que dá as fontes informativas a respeito dos ensinamentos de Jesus.

No local de uma antiga cidade egípcia helenística, Oxyrhynchus, foram descobertos alguns papiros contendo algumas declarações extracanônicas de Jesus. Essa cidade antiga ficava no local da moderna Behnesa, a cento e noventa e cinco quilômetros ao sul do Cairo e a dezesseis quilômetros a oeste do rio Nilo. Uma grande massa de manuscritos, pois, foi achada ali, principalmente formada por fragmentos de papiros, rolos e fólios (folhas dobradas em duas). E os eruditos ingleses B.P. Grenfell e A.S. Hunt publicaram o material em dezoito volumes. Outros escritores foram autores de vários monogramas, que se seguiram. Entre esse material, algumas poucas declarações extracanônicas de Jesus estavam inclusas, em quatro fragmentos (aparentemente não relacionados entre si). O primeiro desses fragmentos foi chamado de papiro I, sendo uma porção do evangelho gnóstico de Tomé. Além desse papiro, relacionamos outros.

1. *Papiro I*

Esse papiro foi encontrado em 1897. As declarações ali constantes são as seguintes:

a. Diz Jesus: Se não fugirdes do mundo, mediante o jejum, de modo algum descobrireis o reino de Deus. Se não guardardes o sábado a semana inteira, não vereis ao Pai.

b. Diz Jesus: Pus-me no centro do mundo e fui visto por eles na carne, e encontrei todos os homens embriagados, mas não encontrei sedento a nenhum deles.

c. Diz Jesus: Minha alma entristece-se por causa dos filhos dos homens, porque os seus corações estão cegos e eles não vêem sua desgraça e sua pobreza.

d. Diz Jesus: Onde estiverem dois juntos, eles não estarão separados de Deus, e onde estiver um só, digo que ali estou com ele. Levantai a pedra, e ali me encontrareis, rachai a trave, e ali estou.

e. Diz Jesus: Um médico não trata àqueles que o conhecem.

f. Diz Jesus: Ouvis com um ouvido, mas o outro está fechado.

g. Diz Jesus: Nada há oculto (enterrado) que não venha a ser conhecido (desenterrado).

Visto que essas declarações estavam escritas em uma folha de um antigo códice que trazia no reverso a figura «11», é possível que fizesse parte de uma coletânea de declarações, talvez um livro inteiro. Algumas das declarações acima ou dependem diretamente do Novo Testamento (conforme poderão reconhecer aqueles que conhecem o Novo Testamento), ou então de fontes informativas que também foram usadas pelos escritores do Novo Testamento. Algumas declarações são diferentes, e outras são parecidas com as do Novo Testamento, dotadas de natureza tal que parece que eram muito usadas, como se fossem porções dos evangelhos canônicos.

2. *Papiro 654* (encontrado em 1903)

Esse fragmento (parte de um rolo) tem um breve parágrafo introdutório e então cinco declarações atribuídas a Jesus. Somente a metade esquerda permanece, e, no lado reverso há uma lista de pesquisas sobre propriedades. Originalmente, pensou-se que esse material era um fragmento do evangelho apócrifo de Tomé (pois afirma que Jesus apareceu vivo a Tomé e aos dez, após a sua ressurreição). Porém, há um material similar no evangelho aos Hebreus, o que indica que a obra original derivava-se de fontes informativas diferentes, como citações truncadas. Ali há reflexos dos trechos de Mat. 7:7; 10:26 e Luc. 17:20 *ss*; mas uma declaração realmente diferente (embora ainda pareça um reflexo do Novo Testamento) é aquela que diz: «Que aquele que busca não cesse sua busca até achar; e quando ele achar, governará; e depois que tiver governado, descansará».

3. *Papiro 655* (encontrado em 1903)

Esse fragmento também fazia parte de um rolo, embora sem ligação com o papiro 654. Duas colunas são evidentes, embora uma seja de leitura impossível. A outra é uma espécie de cópia livre de Mat. 6:25-28, concernente aos lírios do campo e à providência divina. Clemente de Alexandria citou o que parece ter sido um pedacinho do evangelho aos Egípcios, e uma declaração do final do papiro 655 parece estar relacionada ao mesmo: «Dizem-Lhe os seus discípulos: Quando Tu te revelarás a nós, e quando Te veremos? Ele replica: Quando tirardes vossa túnica externa e não mais vos sentirdes envergonhados».

4. *Papiro 840* (encontrado em 1905)

Trata-se de uma única folha, escrita no verso e no reverso, folha essa que, originalmente, fazia parte de algum códice. Há cerca de quarenta e cinco linhas escritas. Ali Jesus aparece em um diálogo com um fariseu de nome Levi, apresentado como o sumo sacerdote. Segue-se uma série de declarações mágicas, sem sentido para os leitores modernos. Talvez o que temos ali seja uma espécie de exegese mística, semelhante àquela encontrada em parte do material dos manuscritos do mar Morto.

5. *Data e Natureza das Declarações*

Esse material é datado pelos especialistas como pertencente ao século III D.C. Por aquele tempo, várias seitas que se originaram da Igreja cristã já estavam bem desenvolvidas. Esse material, sem dúvida, fazia parte de livros sagrados. É possível que esse material tenha preservado algumas declarações genuínas, posto que extracanônicas, de Jesus; mas quase todas elas foram copiadas do Novo Testamento (com paráfrases), além de afirmações inventadas, com propósitos propagandísticos.

6. *Nag Hamade, Manuscritos de*

Ver o artigo com esse título. Esses manuscritos representam outra descoberta importante (ocorrida em 1948), perto do local do moderno povoado de Chenoboskion. Novamente, estamos manuseando material gnóstico, similar quanto ao estilo e ao conteúdo, e talvez até historicamente relacionados entre si. Ver o artigo sobre o *Gnosticismo*, décimo terceiro ponto, *O Gnosticismo e a Literatura*, que apresenta um sumário dos escritos e dos livros sagrados do gnosticismo.

7. Outro Material Descoberto em Oxyrhynchus

Essa grande massa de material contém bem pouco atinente a Jesus e ao Novo Testamento. Estão inclusos muitos preciosos tesouros da literatura cristã antiga e dos clássicos gregos e romanos. Estão ali representados a história de Lívio (livros 37—39, 49—55); uma versão em papiro da Septuaginta do livro de Gênesis (um século mais antigo que os manuscritos existentes em pergaminho); várias odes e obras poéticas, talvez saídas da pena de Corinna, o rival e professor de Píndaro; epigramas de Leônidas, Antípater e Amintas; um diálogo filosófico grego, no qual Pisístrato, um tirano de Atenas, aparece como participante; um livro que narra milagres de cura de Inhotepe, o Asclépio dos egípcios; porções de Homero, Heródoto, Tucídides, Sófocles e outros autores clássicos; cartas particulares, documentos legais, escritos comerciais que refletem a vida no Egito sob o domínio dos gregos e dos romanos.

Oxyrhynchus era uma colônia grega no Egito, dotada de cultura florescente, conforme essas descobertas ajudam-nos a perceber. Já existia durante o período da dinastia dos Ptolomeus. Com o advento da era cristã, foram estabelecidos conventos ali, e nada menos de vinte mil monges e freiras ali viviam. Foram eles os principais responsáveis pela preservação dos manuscritos de Oxyrhynchus.

Bibliografia. AM GREN WHI Z

OZÉM

No hebraico, «força». Esse era o nome do sexto filho de Jessé, imediatamente mais velho que Davi, que foi o sétimo (I Crô. 2:15) Viveu por volta de 1060 A.C.

OZIAS

Em algumas versões portuguesas, essa é a forma do nome Uzias, rei de Judá, e que aparece na genealogia de Mat. 1:8,9. Nossa versão portuguesa diz Uzias.

OZIEL

Um dos antepassados de Judite (ver Jud. 8:1).

OZNI

No hebraico, «cuidadoso», «atencioso». Nome do quarto filho de Gade e fundador de um clã gadita que se tornou conhecido pelo nome de oznitas (ver Núm. 26:16). Ele deve ter vivido por volta de 1700 A.C.

Sua opinião é importante
para nós. Por gentileza, envie
seus comentários pelo e-mail
editorial@hagnos.com.br

Visite nosso site:
www.hagnos.com.br

Esta obra foi impressa na
Imprensa da Fé.
São Paulo, Brasil.
Outono de 2021.